AI

Wi
Tł
th:
the letter you
in the English-Spanish or
Spanish-English section of this
Dictionary.

You place your thumb on the
letter you want at the edge of
this page, then flip through the
Dictionary till you come to the
appropriate pages in the English-Spanish or Spanish-English section.

Left-handed people should use
the ABC Thumb Index at the
end of the book.

Abecedario Vertical

Gracias al Abecedario Vertical
del borde de esta página y de la
última se puede encontrar rápidamente la letra que se busca en
las dos partes del Diccionario
Básico.

Coloque el pulgar en la letra del
abecedario delantero (diestros) o
posterior (zurdos) que le interesa
y pase rápidamente las hojas del
diccionario hasta llegar a las
páginas buscadas de la parte
correspondiente.

A

F
G
H
I
J
K
L
LL
M
N
Ñ
O
P
Q
R
S
T
U
V
W
Z

DICCIONARIO BÁSICO
LANGENSCHEIDT

ESPAÑOL-INGLÉS
INGLÉS-ESPAÑOL

Editado por
LA REDACCIÓN LANGENSCHEIDT

LANGENSCHEIDT
BERLÍN · MUNICH · VIENA · ZURICH · NUEVA YORK

Ni la ausencia ni la presencia de una indicación expresa de patentes o marcas registradas significa que una denominación comercial figurando en este diccionario carezca de protección legal

Prólogo

Este diccionario español-inglés/inglés-español completamente nuevo considera los cambios más recientes que han experimentado ambas lenguas. Ha sido concebido para una amplia utilización, y es muy adecuado tanto para principiantes como para estudiantes avanzados.

Se ha dado acogida a miles de términos nuevos tanto de la lengua inglesa como de la española. Entre ellos, destacamos algunos de los que aparecen en la parte inglés-español: *cut-rate* (de precio reducido), *revamp* (renovar), *space shuttle* (astronave dirigible). De igual manera, la parte español-inglés nos ofrece las versiones de voces tales como: *grupúsculo, liofilizar, subsidiarias, telediario* y *videotocadiscos*.

El diccionario ofrece información precisa acerca de la pronunciación inglesa. Presenta, además, en anexos, una tabla de numerales de español e inglés, así como listas de nombres propios ingleses y españoles, dc las abreviaturas más usadas en inglés y español, la conjugación de los verbos españoles y una nota sobre el verbo inglés con una lista de los verbos irregulares ingleses.

En plena consonancia con las necesidades reales del mundo de los negocios y del turismo, el diccionario resulta adecuado de manera especial para uso escolar. Su tipografía y su tamaño de bolsillo son aspectos que merecen destacarse en el momento de su manejo y uso.

La obra contiene alrededor de unas 40.000 entradas y ha sido concebida para una múltiple variedad de usos. Está basada en el ya famoso y conocido diccionario de lengua inglesa y española realizado por C. C. Smith, G. A. Davies y H. B. Hall y desarrollado en su versión actual por Walter Glanze Word Books en colaboración con lingüistas hispanohablantes y anglohablantes.

A todos ellos, nuestro más sincero agradecimiento.

Materias
Contents

Advertencias para facilitar la consulta del diccionario

Directions for the Use of the Dictionary

1. El orden alfabético queda rigurosamente establecido. Ocupan su lugar alfabético, por tanto:

1ª parte: las formas irregulares de los verbos y del comparativo; las diferentes formas de los pronombres y del artículo, etc.; y las palabras compuestas.

2ª parte: las formas irregulares de los verbos y sustantivos, del comparativo y del superlativo; las diferentes formas de los pronombres; y las palabras compuestas.

Las abreviaturas y los nombres propios van reunidos en listas especiales que se imprimen como apéndices.

2. Vocabulario. En muchos casos se excluyen las palabras derivadas menos corrientes, que se forman con -*idad*, -*ción*, -*ador*, -*ante*, -*oso*, *in*-, *des*- (en la 1ª parte) o bien con -*ing*, -*er*, -*ness*, -*ist*, *un*-, *in*- (en la 2ª parte), a fin de no extender más de lo razonable los límites del diccionario. El lector que tenga algún conocimiento de cómo se forman las palabras derivadas en los dos idiomas podrá buscar la palabra radical y formar sobre ella las derivadas que quiera.

Los sustantivos abstractos están tratados a menudo en forma somera cuando la palabra radical que les corresponde se ha tratado en forma extensa. Por tanto, el artículo *elegancia f* elegance etc. o *fineness fineza f* etc. quiere decir: véase el adjetivo *elegante* respectivamente *fine* para formar luego los sustantivos abstractos correspondientes.

3. Separación de las diversas acepciones. Las diversas acepciones de cada palabra española e inglesa se indican:

a) mediante signos y categorías abreviadas (véase la lista en las págs. 7–9);

b) mediante aclaraciones impresas en bastardilla, las cuales pueden ser un sinónimo (p.ej. *engrosar* [*aumentar*] increase; *face* [*grimace*] mueca *f*), o complemento (p.ej. *cotización f* dues *de asociación*; *face* faz *f of the earth*), u objeto de verbo transitivo (p.ej. *echar carta* post; *face danger* arrostrar) o sujeto de verbo intransitivo o reflexivo (p.ej. *empalmar* [*trenes*] connect; *fall* [*wind*] amainar), u otra indicación no precisamente sinónima pero que todavía le podrá ayudar al lector en la elección de la palabra justa.

Estas aclaraciones suelen omitirse en el caso de muchos sustantivos abstractos, etc., pero es fácil suplirlas refiriéndose al artículo del adjetivo o palabra radical correspondiente.

En la 1ª parte (Español-Inglés) de este diccionario, todas estas indicaciones van en español, y en la 2ª parte (Inglés-Español), van en inglés. Esto está de acuerdo con la más autorizada teoría actual. Las indicaciones son las más sencillas posibles para que el lector que no domine muy bien el otro idioma pueda comprenderlas sin demasiada dificultad al traducir una palabra de la lengua extranjera a la suya propia. Las abreviaturas, en inglés en su mayoría pero bilingües muchas, son desde luego idénticas en ambas partes.

Hay que insistir en que estas indicaciones y aclaraciones se le ofrecen al lector como guías sumamente sencillas y elementales, nada más; no pretenden de ningún modo formular de-

finiciones completas ni ofrecer reglas exclusivas para el uso. Y son muchos los casos donde, dentro de los límites del diccionario, no ha sido posible dar indicación alguna.

4. Las diferentes partes de la oración están indicadas dentro de cada artículo mediante números; las indicaciones gramaticales *adj.*, *adv.* etc. están suprimidas cuando la categoría es obvia.

5. Se indica el género de cada sustantivo español. En el caso de los sustantivos de persona que en español tienen distintas formas para los dos géneros, se ponen las dos formas; asimismo, al traducir una palabra inglesa, a veces hay que dar dos palabras españolas, una para cada género: cuando la *o* o la *e* final de la palabra española se cambia en *a* para formar el femenino, ponemos *pasajero m, a f* passenger; *passenger* pasajero (a f) m; cuando hay que añadir una *a* para la forma femenina, ponemos *profesor m, -a f* teacher; *teacher* profesor (-a f) m. En ciertas desinencias de esta segunda clase, el acento que lleva el género masculino se suprime en el femenino, supresión que no está indicada en el diccionario. Estas desinencias son: -*án*, -*ín*, -*ón*, -*és*, de manera que *idler* haragán (-a f) m quiere decir: haragán m, haragana f.

6. Puntos de silabeo. Los puntos centrales dentro de la palabra inglesa indican cómo se puede dividir la palabra escrita, p.ej. **ab·do·men**. Si el punto coincide con el acento, aquél queda suprimido. La palabra puede por tanto dividirse allí donde está el acento solo, p.ej. **de·nom·i'na·tion**.

7. La pronunciación figurada. En la 1ª parte, la pronunciación se da únicamente en aquellos casos excepcionales donde la pronunciación de una palabra española (generalmente un extranjerismo) no concuerda con su escritura. En la 2ª parte, la pronunciación de cada palabra impresa

en caracteres gruesos se da según el alfabeto de la Asociación Fonética Internacional (véase la explicación en las págs. 11–13). Esta pronunciación se omite en el caso de las palabras derivadas mediante uno de los sufijos corrientes (-*er*, -*ness*, etc.; v. pág. 13), y en el caso de las palabras compuestas cuyos elementos constan independientemente en otra parte del diccionario. En ambos casos, no obstante, se indica siempre dónde cae el acento.

8. La traducción. En muy contados casos, la traducción exacta o resulta imposible o carece de sentido práctico. Ante este innegable hecho lingüístico, ponemos en dichos casos o una explicación en bastardilla, o, como advertencia al lector, la abreviatura *approx.* (= aproximadamente).

9. El paréntesis que encierra parte de una palabra. Cuando ciertas letras están entre paréntesis, indicamos

a) dos formas que se pueden usar sin distinción, p.ej. *sond(e)ar*;

b) dos formas que pueden ponerse juntas porque se traducen las dos por la misma palabra, p.ej. *abarquillar(se)*, puesto que la palabra inglesa 'curl up' traduce los dos sentidos transitivo y reflexivo.

c) dos formas que son más o menos sinónimas: p.ej. *village* pueblo(ecit)o m quiere decir pueblo m y pueblecito m.

10. Como apéndices, el diccionario tiene: una lista de abreviaturas inglesas, una lista de nombres propios ingleses, una tabla de numerales, una tabla de la conjugación de los verbos españoles regulares e irregulares (tabla a la cual se refieren los números y letras colocados tras cada verbo que encabeza artículo, p.ej. *abalanzar* [1f], *vender* [2a], y una nota sobre la conjugación del verbo inglés con una lista de los verbos irregulares.

Explicación de los signos y abreviaturas

Key to the Symbols and Abbreviations

1. Signos

~ ⌇ ~ ⌇ es la tilde o raya que indica repetición. Con el fin de ganar espacio, las palabras compuestas se imprimen a menudo en forma abreviada mediante la tilde. La tilde gruesa (~) representa la voz-guía que encabeza el párrafo. La tilde delgada (~) representa: a) la voz-guía precedente, que puede ella misma estar formada mediante una tilda gruesa; b) en la pronunciación figurada, toda la pronunciación de la voz-guía precedente, o bien parte de ella que permanece intacta. Si la voz-guía se imprime sin pronunciación figurada, la tilde se refiere a la última pronunciación figurada, o bien indica solamente un cambio de acento.

El signo ⌇ ⌇ significa la repetición de la voz-guía con inicial cambiada (mayúscula en minúscula o viceversa).

Ejemplos:

far ... **~-fetched**
fore... **~warn:** be ~ed
fair¹ [fɛə] ... **fair**² [~]
favor [ˈfeivə] ... **favorable** [ˈ~vər-əbl]
exchange ... Stock ⌇
radio...: **~aficionado, ~captar**
rato ... un buen ~, ~s *pl.* perdidos
sede ... Santa ⌇

□ después de un adjetivo o participio significa que de él se puede formar regularmente el adverbio añadiendo -*ly*, o añadiendo -*ally* a los adjetivos que terminan en -*ic*, o cambiando -*le* en -*ly* e -*y* en -*ily*; ejemplos:

rich □ = *richly*
frantic □ = *frantically*
acceptable □ = *acceptably*
happy □ = *happily*.

F familiar, coloquial, *familiar, colloquial*

† arcaico, *archaic*

✎ raro, poco usado, *rare, little used*

⏛ científico, culto, *scientific, learned*

⚕ botánica, *botany*

⊕ tecnología, artes mecánicas, *technology, handicrafts*

⚒ minería, *mining*

⚔ milicia, *military*

⚓ náutica, *nautical*

✝ comercio, *commerce*

🚂 ferrocarriles, *railway*

✈ aviación, *aviation*

✆ correos, *postal affairs*

♪ música, *music*

▲ arquitectura, *architecture*

⚡ electrotecnia, *electrical engineering*

⚖ jurisprudencia, *jurisprudence*

Å matemáticas, *mathematics*

✐ agricultura, *farming*

⚗ química, *chemistry*

⚜ medicina, *medicine*

2. Abreviaturas

a.	and, also, *y, también.*
abbr.	abbreviation, *abreviatura.*
acc.	accusative, *acusativo.*
adj.	adjective, *adjetivo.*
adv.	adverb, *adverbio.*
Am.	Americanism, *americanismo.*
anat.	anatomy, *anatomía.*
approx.	approximately, *aproximadamente.*
Arg.	Argentine, *Argentina.*
ast.	astronomy, *astronomía.*
attr.	attributive, *atributivo.*
biol.	biology, *biología.*
Bol.	Bolivia, *Bolivia.*
b.s.	bad sense, *mal sentido, peyorativo.*
C. Am.	Central America, *América Central.*
cj., conj.	conjunction, *conjunción.*
co.	comic(al), *cómico.*
Col.	Colombia, *Colombia.*
comp.	comparative, *comparativo.*
contp.	contemptuous, *despectivo.*
C.R.	Costa Rica, *Costa Rica.*
dat.	dative, *dativo.*
eccl.	ecclesiastical, *eclesiástico.*
Ecuad.	Ecuador, *Ecuador.*
e.g.	for example, *por ejemplo.*
El Salv.	El Salvador, *El Salvador.*
esp.	especially, *especialmente.*
etc.	et cetera, *etcétera.*
euph.	euphemism, *eufemismo.*
f	feminine, *femenino.*
fenc.	fencing, *esgrima.*
fig.	figurative, *figurativo, figurado.*
f/pl.	feminine plural, *femenino plural.*
freq.	frequently, *frecuentemente.*
gen.	generally, *generalmente.*
geog.	geography, *geografía.*
geol.	geology, *geología.*
ger.	gerund, *gerundio.*
gr.	grammar, *gramática.*
Guat.	Guatemala, *Guatemala.*
hist.	history, *historia.*
Hond.	Honduras, *Honduras.*
hunt.	hunting, *montería.*

ichth.	ichthyology, *ictiología.*
indic.	indicative, *indicativo.*
inf.	infinitive, *infinitivo.*
int.	interjection, *interjección.*
Ir.	Irish, *irlandés.*
iro.	ironical, *irónico.*
irr.	irregular, *irregular.*
lit.	literary, *literario.*
m	masculine, *masculino.*
mar.	maritime, *marítimo.*
metall.	metallurgy, *metalurgia.*
meteor.	meteorology, *meteorología.*
Mex.	Mexico, *México.*
m/f	masculine and feminine, *masculino y femenino.*
min.	mineralogy, *mineralogía.*
mot.	motoring, *automovilismo.*
mount.	mountaineering, *alpinismo.*
m/pl.	masculine plural, *masculino plural.*
mst	mostly, *por la mayor parte.*
opt.	optics, *óptica.*
orn.	ornithology, *ornitología.*
o.s.,o.s.	oneself, *uno mismo, sí mismo.*
p., p.	person, *persona.*
paint.	painting, *pintura.*
Pan.	Panama, *Panamá.*
Para.	Paraguay, *Paraguay.*
parl.	parliamentary, *parlamentario.*
pharm.	pharmacy, *farmacia.*
phls.	philosophy, *filosofía.*
phonet.	phonetics, *fonética.*
phot.	photography, *fotografía.*
phys.	physics, *física.*
physiol.	physiology, *fisiología.*
pl.	plural, *plural.*
poet.	poetry, poetic, *poesía, poético.*
pol.	politics, *política.*
p.p.	past participle, *participio de pasado.*
P.R.	Porto Rico, *Puerto Rico.*
pred.	predicative, *predicativo.*
pret.	preterit(e), *pretérito.*
pron.	pronoun, *pronombre.*
prov.	provincialism, *provincialismo.*
prp.	preposition, *preposición.*
rhet.	rhetoric, *retórica.*

S.Am.	Spanish Americanism, *hispanoamericanismo*.
Scot.	Scottish, *escocés*.
S.D.	Santo Domingo, *Santo Domingo*.
sew.	sewing, *costura*.
sg.	singular, *singular*.
sl.	slang, *argot, germanía*.
s.o., s.o.	someone, *alguien*.
s.t., s.t.	something, *algo*.
su.	substantive, *sustantivo*.
subj.	subjunctive, *subjuntivo*.
sup.	superlative, *superlativo*.
surv.	surveying, *topografía, agrimensura*.
tel.	telegraphy, *telegrafía*.
teleph.	telephony, *telefonía*.
th.	thing, *cosa*.
thea.	theater, *teatro*.
typ.	typography, *tipografía*.

univ.	university, *universidad*.
Urug.	Uruguay, *Uruguay*.
v., v.	vide (see), *véase*.
v/aux.	auxiliary verb, *verbo auxiliar*.
Ven.	Venezuela, *Venezuela*.
vet.	veterinary, *veterinaria*.
v/i.	intransitive verb, *verbo intransitivo*.
v/r.	reflexive verb, *verbo reflexivo*.
v/t.	transitive verb, *verbo transitivo*.
W.I.	West Indies, *Antillas*.
zo.	zoology, *zoología*.

La pronunciación del inglés

A. Vocales y Diptongos

[ɑ:] sonido largo parecido al de *a* en *raro*: *far* [fɑ:], *father* ['fɑ:ðə].

[ʌ] *a* abierta, breve y oscura, que se pronuncia en la parte anterior de la boca sin redondear los labios: *butter* ['bʌtə], *come* [kʌm], *color* ['kʌlə], *blood* [blʌd], *flourish* ['flʌriʃ].

[æ] sonido breve, bastante abierto y distinto, algo parecido al de *a* en *parra*: *fat* [fæt], *ran* [ræn].

[ɛə] diptongo que se encuentra únicamente delante de la *r* muda (v. [r]). El primer y principal elemento se parece a la *e* de *perro*, pero es más abierto y breve; el segundo es una forma débil de la 'vocal neutra' [ə] (v. abajo): *bare* [bɛə], *pair* [pɛə], *there* [ðɛə].

[ai] sonido parecido al de *ai* en *estáis*, *baile*: *I* [ai], *lie* [lai], *dry* [drai].

[au] sonido parecido al de *au* en *causa*, *sauce*: *house* [haus], *now* [nau].

[ei] *e* medio abierta, pero más cerrada que la *e* de *hablé*; suena como si la siguiese una [i] débil, sobre todo en sílaba acentuada: *date* [deit], *play* [plei], *obey* [ə'bei].

[e] sonido breve, medio abierto, parecido al de *e* en *perro*: *bed* [bed], *less* [les].

[ə] 'vocal neutra', siempre átona; parecida a la *e* del artículo francés *le* y a la *a* final del catalán *casa*: *about* [ə'baut], *butter* ['bʌtə], *connect* [kə'nekt].

[i:] sonido largo, parecido al de *i* en *misa*, *vino*: *scene* [si:n], *sea* [si:], *feet* [fi:t], *ceiling* ['si:liŋ].

[i] sonido breve, abierto, parecido al de *i* en *silbo*, *tirria*, pero más abierto: *big* [big], *city* ['siti].

[iə] diptongo cuyo primer y principal elemento es una *i* medio abierta, medio larga, seguida de una forma débil de la 'vocal neutra' [ə]: *here* [hiə], *hear* [hiə], *inferior* [in'fiəriə].

[ou] *o* larga, más bien cerrada, sin redondear los labios ni levantar la lengua; suena como si la siguiese una [u] débil: *note* [nout], *boat* [bout], *below* [bi'lou].

[ɔ:] vocal larga, bastante cerrada, entre *a* y *o*; le es algo parecida la *o* de *por*: *fall* [fɔ:l], *nought* [nɔ:t], *or* [ɔ:], *before* [bi'fɔ:].

[ɔ] sonido breve y abierto, parecido al de la *o* en *porra*, *corro*, pero más cerrado: *god* [gɔd], *not* [nɔt], *wash* [wɔʃ], *hobby* ['hɔbi].

[ɔi] diptongo cuyo primer elemento es una *o* abierta, seguido de una *i* abierta pero débil; parecido al sonido de *oy* en *doy*: *voice* [vɔis], *boy* [bɔi], *annoy* [ə'nɔi].

[ə:] forma larga de la 'vocal neutra' [ə], en sílaba acentuada; algo parecida al sonido de *eu* en la palabra francesa *leur*: *word* [wə:d], *girl* [gə:l], *learn* [lə:n], *murmur* ['mə:mə].

[u:] sonido largo, parecido al de *u* en *cuna*, *duda*: *fool* [fu:l], *shoe* [ʃu:], *you* [ju:], *rule* [ru:l], *canoe* [kə'nu:].

[uə] diptongo cuyo primer elemento es una *u* medio larga, medio abierta, seguido de una forma débil de la 'vocal neutra' [ə]: *pure* [pjuə], *allure* [ə'ljuə].

[u] *u* pura pero muy rápida, más cerrada que la *u* de *burra*: *put* [put], *look* [luk], *careful* ['kɛəful].

B. Consonantes

[b] como la *b* de *cambiar*: *bay* [bei], *brave* [breiv].

[d] como la *d* de *andar*: *did* [did], *ladder* ['lædə].

[f] como la *f* de *filo*: *face* [feis], *baffle* ['bæfl].

[g] como la *g* de *golpe*: *go* [gou], *haggle* ['hægl].

[h] se pronuncia con aspiración fuerte, sin la aspereza gutural de la *j* en *Gijón*: *who* [hu:], *behead* [bi'hed].

[j] como la *y* de *cuyo*: *you* [ju:], *million* ['miljən].

[k] como la *c* de *casa*: *cat* [kæt], *kill* [kil].

[l] como la *l* de *loco*: *love* [lʌv], *goal* [goul].

[m] como la *m* de *madre*: *mouth* [mauθ], *come* [kʌm].

[n] como la *n* de *nada*: *not* [nɔt], *banner* ['bænə].

[p] como la *p* de *padre*: *pot* [pɔt], *top* [tɔp].

[r] en inglés británico, la *r* escrita se pronuncia únicamente cuando está delante de vocal; en los demás casos es muda. Cuando se pronuncia, es un sonido muy débil, más bien semivocal, que no tiene nada de la vibración fuerte que caracteriza la *r* española; se articula elevando la punta de la lengua hacia el paladar duro: *rose* [rouz], *pride* [praid], *there is* [ðɛər'iz]. (v. también 'Las diferencias entre la pronunciación del inglés americano y la del inglés británico', pág. 15.)

[s] como la *s* de *casa*: *sit* [sit], *scent* [sent].

[t] como la *t* de *pata*: *take* [teik], *patter* ['pætə].

[v] inexistente en español; a diferencia de *b*, *v* en español, se pronuncia juntando el labio inferior con los dientes superiores: *vein* [vein], *velvet* ['velvit].

[w] como la *u* de *huevo*: *water* ['wɔ:tə], *will* [wil].

[z] como la *s* de *mismo*: *zeal* [zi:l], *hers* [hə:z].

[ʒ] inexistente en español; como la *j* de la palabra francesa *jour*: *measure* ['meʒə], *rouge* [ru:ʒ]. Aparece a menudo en el grupo [dʒ], que se pronuncia como el grupo *dj* de la palabra francesa *adjacent*: *edge* [edʒ], *gem* [dʒem].

[ʃ] inexistente en español; como *ch* en la palabra francesa *chose*: *shake* [ʃeik], *washing* ['wɔʃiŋ]. Aparece a menudo en el grupo [tʃ], que se pronuncia como la *ch* en *mucho*: *match* [mætʃ], *natural* ['nætʃrəl].

[θ] como la *z* de *zapato*: *thin* [θin], *path* [pɑ:θ].

[ð] forma sonorizada del anterior, algo como la *d* de *todo*: *there* [ðɛə], *breathe* [bri:ð].

[ŋ] como la *n* de *banco*: *singer* ['siŋə], *tinker* ['tiŋkə].

[x] sonido que en rigor no pertenece al inglés, pero que se encuentra en palabras escocesas, alemanas, etc. que se usan en inglés: como la *j* de *jamás*: *loch* [lɔx].

Nota: Importa que el lector se dé cuenta de la casi imposibilidad de explicar de modo satisfactorio los sonidos de una lengua en términos de otra. Lo que aquí se dice es a modo de aproximación y ayuda general, sin que pretenda tener ningún rigor científico. Importa además reconocer que los sonidos que se explican aquí pueden variar mucho en cuanto se emplean juntamente con otros sonidos o en frases enteras.

La tilde [˜], que aparece en la pronunciación figurada de ciertas palabras de origen francés, indica la nasalización de la vocal.

Los dos puntos [:] indican que la vocal anterior se pronuncia larga.

C. Acentuación

La acentuación de la palabra inglesa se indica colocando el acento ['] al principio de la sílaba acentuada, p.ej. *onion* ['ʌnjən]. Muchas palabras largas o compuestas tienen dos sílabas acentuadas (una quizá más ligeramente que la otra), lo cual se indica poniendo dos acentos: *reestablish* ['riːisˈtæbliʃ], *upstairs* ['ʌpˈstɛəz]. Uno de los acentos que lleva la palabra compuesta puede sin embargo suprimirse cuando la palabra tiene que someterse al ritmo de una frase entera, o cuando se emplea en función distinta (p.ej. como adjetivo o adverbio): *the upstairs rooms* [ði ˈʌpstɛəz ˈruːmz], *on going upstairs* [ɔn ˈɡouiŋ ʌpˈstɛəz].

Véanse también las *Advertencias*, núm. 7, y la *Explicación de los Signos*.

D. Sufijos sin pronunciación figurada

Para ahorrar espacio, las palabras derivadas mediante uno de los sufijos corrientes suelen escribirse en el diccionario sin pronunciación figurada propia. Su pronunciación puede comprobarse consultando el lector la pronunciación figurada de la voz-guía que encabeza el párrafo, añadiendo después la pronunciación del sufijo según esta lista:

-ability [-əbiliti]	-ent [-(ə)nt]	-ize [-aiz]
-able [-əbl]	-er [-ə]	-izing [-aiziŋ]
-age [-idʒ]	-ery [-əri]	-less [-lis]
-al [-(ə)l]	-ess [-is]	-ly [-li]
-ally [-(ə)li]	-fication [-fikeiʃ(ə)n]	-ment(s) [-mənt(s)]
-an [-(ə)n]	-ial [-(ə)l]	-ness [-nis]
-ance [-(ə)ns]	-ian [-(jə)n]	-oid [-ɔid]
-ancy [-ənsi]	-ible [-əbl]	-oidic [-ɔidik]
-ant [-ənt]	-ic(s) [-ik(s)]	-or [-ə]
-ar [-ə]	-ical [-ik(ə)l]	-ous [-əs]
-ary [-(ə)ri]	-ily [-ili]	-ry [-ri]
-ation [-eiʃ(ə)n]	-iness [-inis]	-ship [-ʃip]
-cious [-ʃəs]	-ing [-iŋ]	-(s)sion [-ʃ(ə)n]
-cy [-si]	-ish [-iʃ]	-sive [-siv]
-dom [-dəm]	-ism [-iz(ə)m]	-ties [-tiz]
-ed [-d; -t; -id]*	-ist [-ist]	-tion [-ʃ(ə)n]
-edness [-dnis; -tnis;	-istic [-istik]	-tious [-ʃəs]
-idnis]	-ite [-ait]	-trous [-trəs]
-ee [-iː]	-ity [-iti]	-try [-tri]
-en [-n]	-ive [-iv]	-y [-i]
-ence [-(ə)ns]	-ization [-aizeiʃ(ə)n]	

* [-d] tras vocales y consonantes sonoras; [-t] tras consonantes sordas; [-id] tras *d* y *t* finales.

El alfabeto inglés

a [ei], b [biː], c [siː], d [diː], e [iː], f [ef], g [dʒiː], h [eitʃ], i [ai], j [dʒei], k [kei], l [el], m [em], n [en], o [ou], p [piː], q [kjuː], r [ɑː], s [es], t [tiː], u [juː], v [viː], w [ˈdʌbljuː], x [eks], y [wai], z [zed].

Diferencias entre la ortografía del inglés americano y la del inglés británico

Existen ciertas diferencias entre el inglés escrito en Gran Bretaña (British English, BE) y el inglés escrito en Estados Unidos (American English, AE). Son las principales:

1. **El guión** con que se escriben en BE muchas palabras compuestas se suprime a menudo en AE, p.ej. newsprint, soapbox, coed.

2. La **u** que se escribe en BE en las palabras que terminan en **-our** (p.ej. colo*u*r) se suprime en AE: color, humor, honorable.

3. Muchas palabras que en BE terminan en **-re** (p.ej. cent*re*) se escriben en AE **-er**, p.ej. cent*er*, met*er*, theat*er* (pero no massacre).

4. En muchos casos, las palabras que en BE tienen **ll** en posición media se escriben en AE con una **l**, p.ej. counci*l*or, quarre*l*ed, trave*l*ed. Sin embargo, hay palabras que en BE se escriben con una **l** que en AE se escriben con **ll**, p.ej. enro*ll*(s), ski*ll*ful, insta*ll*ment.

5. En ciertos casos, las palabras que en BE terminan en **-ence** se escriben en AE con **-ense**, p.ej. defe*nse*, offe*nse*.

6. Ciertas vocales finales, que no tienen valor en la pronunciación, se escriben en BE (p.ej. catalog*ue*) pero no en AE: catalog, dialog, prolog, program, envelop.

7. Se ha extendido más en AE que en BE la costumbre de escribir **e** en lugar de **ae** y **oe**, p.ej. an(a)emia, an(a)esthesia, subp(o)ena.

8. Algunas consonantes que en BE suelen escribirse dobles (p.ej. wa*gg*on) se escriben en AE sencillas, p.ej. wa*g*on, kidna*p*ed, worshi*p*ed.

9. En AE se suprime a veces la **u** del grupo **ou** que tiene BE, p.ej. mo(u)ld, smo(u)lder, y se escribe en AE plow en lugar del BE plo*u*gh.

10. En AE suele suprimirse la **e** muda en las palabras como abridg(*e*)ment, acknowledg(*e*)ment.

11. Hay otras palabras que se escriben de distinto modo en BE y AE, p.ej. BE cosy = AE *cozy*, BE moustache = AE *mustache*, BE sceptical = AE *skeptical*, BE grey = AE *gray*.

Diferencias entre la pronunciación del inglés americano y la del inglés británico

Entre la pronunciación del inglés en Gran Bretaña (British English, BE) y la del inglés en Estados Unidos (American English, AE) existen múltiples diferencias que es imposible tratar aquí en forma adecuada. Señalamos únicamente las diferencias más notables.

1. **Intonación.** El AE se habla en un tono más monótono que el BE.

2. **Ritmo.** Las palabras que tienen dos sílabas o más después del acento principal ['] llevan en AE un acento secundario que no tienen en BE, p.ej. *dictionary* [AE ˈdikʃəˈnɛri = BE ˈdikʃənri], *secretary* [AE ˈsekrəˈtɛri = BE ˈsekrətri].

3. Muchas de las vocales breves acentuadas del BE se alargan en AE (*American drawl*), p.ej. *capital* [AE ˈkæːpətəl = BE ˈkæpitl].

4. Las consonantes sordas **p, t** del BE en posición intervocálica suelen sonorizarse bastante [b, d], p.ej. *property* [AE ˈprɑbərti = BE ˈprɔpəti], *united* [AE juˈnaidid = BE juˈnaitid].

5. La **r** escrita en posición final después de una vocal o entre vocal y consonante es normalmente muda en BE, pero se pronuncia claramente en AE, p.ej. *car* [AE kɑːr = BE kɑː], *care* [AE kɛr = BE kɛə], *border* [AE ˈbɔːrdər = BE ˈbɔːdə].

6. Una de las peculiaridades más notables del AE es la **nasalización** de las vocales antes y después de las consonantes nasales [m, n, ŋ].

7. La **o** [BE ɔ] suele pronunciarse en AE casi como una **a** oscura [AE ɑ], p.ej. *dollar* [AE ˈdɑlər = BE ˈdɔlə], *college* [AE ˈkɑlidʒ = BE ˈkɔlidʒ], *lot* [AE lɑt = BE lɔt], *problem* [AE ˈprɑbləm = BE ˈprɔbləm].

8. La **a** [BE ɑː] se pronuncia en AE como [æ] o bien [æː] en palabras del tipo *pass* [AE pæ(ː)s = BE pɑːs], *answer* [AE ˈæ(ː)nsər = BE ˈɑːnsə], *dance* [AE dæ(ː)ns = BE dɑːns], *laugh* [AE læ(ː)f = BE lɑːf].

9. La **u** [BE juː] en sílaba acentuada se pronuncia en AE como [uː], p.ej. *Tuesday* [AE ˈtuːzdi = BE ˈtjuːzdi], *student* [AE ˈstuːdənt = BE ˈstjuːdənt], pero no en *music* (AE, BE = ˈmjuːzik], *fuel* [AE, BE = ˈfjuəl].

10. La sílaba final **-ile** (BE generalmente [-ail]) se pronuncia a menudo en AE como [-əl] o bien [-il], p.ej. *missile* [AE ˈmis(ə)l, ˈmisil = BE ˈmisail], *textile* [AE ˈtekstil = BE ˈtekstail].

A

a a) *lugar: a la mesa* at the table; *al lado de* at the side of; *a la derecha* on the right; *distancia: a 2 km.* (de) 2 km. away (from); *dirección: ir a casa* go home; b) *tiempo: ¿a qué hora?* (at) what time?; *a las 3* at 3 o'clock; c) *manera etc.: a la española* in the Spanish fashion; *a escape* at full speed; *a pie* on foot; d) *modo, velocidad: poco a poco* little by little; *paso a paso* step by step; e) *medio, instrumento: bordado a mano* hand-embroidered; *girar a mano* turn by hand; *a puñetazos* with (his) fists; *a nado* (by) swimming; f) *precio: a 20 pesetas el kilo* at (or for) 20 pesetas a kilo; g) *propósito: ¿a qué?* why?, for what purpose?; h) *sabor, olor: saber a vinagre* taste of vinegar; i) *dativo:* (le) *doy el libro a Juan* I give the book to John; j) *objeto personal (no se traduce):* vio a su padre he saw his father; k) *construcción con verbo: voy a comer* I am going to eat; l) *se lo compré a él* I bought it from him; m) *al entrar* on entering.

abacería *f* grocer's (shop), grocery store; **abacero** *m* grocer.

ábaco *m* abacus.

abadejo *m ichth.* cod(fish); (*insecto*) Spanish fly.

abadesa *f* abbess; **abadía** *f* abbey.

abajadero *m* slope, incline.

abajeño *S.Am.* **1.** lowland; **2.** *m, a f* lowlander.

abajo (*situación*) down, below, underneath; (*movimiento*) down, downwards; downstairs *en casa;* ¡~ X! down with X!; ~ *de prp.* below.

abalanzar [1f] weigh, balance; (*lanzar*) hurl; **~se** rush (*a* into); pounce.

abalear [1a] *S.Am.* shoot.

abalone *zo.* abalone.

abanar [1a] fan.

abanderado *m* standard-bearer, ensign; **abanderar** [1a] ♣ register; **abanderizar** [1f] organize into bands; **~se** band together.

abandonado abandoned; *lugar etc.* deserted; *aspecto etc.* forlorn; *edificio*

derelict; abandonar [1a] *v/t.* abandon, forsake; (*salir de*) leave; (*huir*) flee, leave; *v/i. deportes:* withdraw; **~se** (*desánimo*) give in, lose heart; **abandono** *m* abandonment; dereliction *de edificio, deber;* (*desaliño*) slovenliness.

abanicar(se) [1g] fan (o.s.); **abanico** *m* fan; fan-shaped object; **abaniqueo** *m* fanning; gesticulation *con manos.*

abaratamiento *m* cheapening; **abaratar** [1a] *v/t.* cheapen, make cheaper; **~se** get cheaper.

abarcar [1g] embrace, include, take in, extend to; contain; *S.Am.* corner, monopolize.

abarraganamiento *m* illicit cohabitation.

abarrancadero *m fig.* pitfall, difficult situation; **abarrancar** [1g] (*lluvia*) open fissures in; **~se** fall into a pit; *fig.* get into difficulties.

abarrotar [1a] ♣ stow, pack tightly; *fig.* overstock; **~se** *S.Am.* ♥ become a glut on the market; **abarrote** *m* ♣ stowing, packing; **~s** *pl. S.Am.* groceries; **abarrotero** *m S.Am.* grocer.

abastar [1a] supply; **abastecedor** *m,* **-a** *f* supplier; **abastecer** [2d] supply, provide, provision (*de* with); **abastecimiento** *m* supply, provision; (*acto*) supplying; **abasto** *m* supply; provisioning.

abatible collapsible; folding.

abatido (*ruin*) abject, despicable; *ánimo* downcast, dejected; **abatimiento** *m* ♠ etc. knocking down, dismantling; *fig.* dejection, low spirits; **abatir** [3a] *casa etc.* knock down, dismantle; *tienda* take down; *fig.* humble, humiliate; **~se** (*ave*) swoop, pounce; *fig.* be disheartened.

abdicación *f* abdication; **abdicar** [1g] abdicate.

abdomen *m* abdomen; **abdominal** abdominal.

abecé *m* ABC; rudiments; **abecedario** *m* alphabet; spelling-book.

abeja *f* bee; **abejar** *m* apiary; **abeja-**

rrón *m*, **abejorro** *m* bumble-bee; **abejuno** *adj*. bee(like).

aberración *f* aberration (*a. ast., opt.*); **aberrante** aberrant; **aberrar** [1k] be mistaken.

abertura *f* (*agujero*) aperture, opening, gap; (*grieta*) slit, crack; *fig.* openness, frankness.

abeto *m* fir; ~ **blanco** silver fir.

abierto 1. *p.p. of* abrir; 2. *adj.* open, opened; *p.* frank, forthcoming; *S.Am.* conceited.

abigarrado variegated, many-colored; *animal* piebald; **abigarrar** [1a] variegate; paint *etc.* in a variety of colors.

abigotado mustachioed.

abismal abysmal; **abismar** [1a] *fig.* cast down, humble; (*dañar*) spoil, ruin; ~**se** *S.Am.* be surprised; ~ **en** plunge into, sink into; **abismo** *m* abyss.

abjuración *f* abjuration; **abjurar** [1a] abjure, forswear.

ablandabrevas *m/f* good-for-nothing.

ablandar [1a] *v/t.* soften; soothe, mollify; *v/i.* (*viento*) moderate; (*frío*) become less severe; ~**se** soften, get soft.

ablativo *m* ablative (case).

abnegación *f* self-denial, abnegation; **abnegado** self-denying; **abnegarse** [1h *a.* 1k] deny o.s.

abobado stupid(-looking); **abobar** [1a] make stupid.

abocado *vino* smooth; **abocamiento** *m* biting; approach; meeting; **abocar** [1g] *v/t.* seize with the mouth; *vino* pour, decant; ~**se** approach; ~ **con** meet, have an interview with.

abochornado flushed, overheated; *fig.* ashamed (*de* at); **abochornar** [1a] burn up, overheat.

abofellar [1a] swell; puff out.

abofetear [1a] slap in the face.

abogacía *f* legal profession; **abogado** *m* lawyer; ~ **de secano** quack lawyer; ~ **criminalista** criminal lawyer; **abogar** [1h] advocate, plead.

abolengo *m* ancestry, lineage.

abolición *f* abolition; **abolir** [3a; *defective*] abolish; revoke.

abolorio *m* ancestry.

abolladura *f* dent; (*arte*) embossing; **abollar** [1a] dent; bruise; (*arte*) emboss; ~**se** get dented *etc.*; **abollonar** [1a] *metal* emboss.

abombado convex; *S.Am.* (*aturdido*)

stunned; **abombar** [1a] make convex; F stun, confuse; ~**se** *S.Am.* (*pudrirse*) decompose.

abominable abominable; **abominación** *f* abomination (*a. fig.*), execration; **abominar** [1a] abhor.

abonable payable; **abonado** 1. trustworthy; 2. *m*, **a** *f* subscriber season-ticket holder; **abonador** *m*, **-a** *f* † guarantor.

abonanzar [1f] clear up (*a. fig.*); ♋ abate, calm down.

abonar [1a] 1. *v/t. p.* vouch for, guarantee; † credit, pay; ✓ fertilize; 2. *v/i.* clear (up); 3. ~**se** subscribe; **aboneré** *m* promissory note; **abono** *m* † *etc.* voucher, guarantee; subscription; season-ticket; manure, dressing, fertilizer; ~ **químico** (chemical) fertilizer.

abordable *p., lugar* approachable; *lugar* easy of access; **abordaje** *m* ♋ boarding; **abordar** [1a] ♋ board; (*atracar*) dock.

aborigen *adj. a. su. m* aboriginal.

aborrascarse [1g] get stormy.

aborrecer [2d] hate, detest; (*aburrir*) bore; **aborrecible** hateful, abhorrent; **aborrecido** (*aburrido*) boring; **aborrecimiento** *m* hatred, hate.

abortar [1a] abort; ✗ have a miscarriage; *fig.* miscarry, fail; **abortivo** abortive; **aborto** *m* abortion; ✗ miscarriage; ~ **de la naturaleza** monster.

abotonador *m* button-hook; **abotonar** [1a] *v/t.* button (up); *v/i.* bud.

abozalar [1a] muzzle.

abra *f* (*ensenada*) bay, cove.

abracadabra *f* hocus-pocus; **abracadabrante** amazing; breathtaking.

abrasado burnt up; *fig.* ashamed; **abrasador** burning, scorching; **abrasar** [1a] burn (up); ✿ *etc.* parch; (*frío*) nip; ~**se** burn; be parched.

abrasión *f* graze, abrasion; **abrasivo** *m* abrasive.

abrazadera *f* bracket, brace, clasp; paper clip.

abrazar [1f] embrace (*a. fig.*); clasp, take in one's arms, hug; ~**se** *a, con, de* embrace; clasp; **abrazo** *m* embrace, hug.

abrelatas *m* can opener.

abrevadero *m* drinking-trough; (*lugar*) watering-place; **abrevar** [1a] *animal* water, give a drink to; *tierra* irrigate; ~**se** (*animal*) quench its *etc.* thirst.

abreviación f abbreviation; reduction; **abreviadamente** in an abridged form; **abreviar** [1b] v/t. palabra etc. abbreviate; reduce; período shorten, lessen; v/i. be quick; be short; **abreviatura** f abbreviation.

abrigada f, **abrigadero** m shelter, wind-break; **abrigado** sheltered; **abrigador** adj. (vestido, etc.) warm; protective; heavy.

abrigar [1h] shelter, protect (de viento etc. from, against); (vestido etc.) keep warm, cover; (ayudar) aid, support; ~se take shelter (de aguacero etc. from); ⚓ seek shelter (de temporal from); esp. ⚓ haven; **abrigo** m shelter; esp. ⚓ haven; (sobretodo) (over)coat; (ayuda) aid.

abril m April; fig. springtime (de la vida of life); ~es pl. years (of one's youth); **abrileño** April attr.

abrillantar [1a] ⊕ cut into facets; (pulir) polish, brighten; fig. enhance.

abrir [3a; p.p. abierto] 1. v/t. open (a. fig.); ~ (con llave) unlock; 🖋 cut open; grifo etc. turn on; apetito whet; 2. v/i. ⚘ etc. open, unfold; 3. ~se (puerta etc.) open; (flor etc.) open out.

abrochadura f buttoning; hooking; **abrochar** [1a] button; hook, fasten (up).

abrogación f abrogation; **abrogar** [1h] abrogate, repeal.

abrojo m thistle, thorn; **abrojos** ⚓ hidden rocks.

abroquelarse [1a] fig.: ~ con, ~ de shiled o.s. with.

abrumador overwhelming; (molesto) wearisome; **abrumar** [1a] crush, oppress; ~se get foggy.

abrupto steep, abrupt.

abrutado brutish.

absceso m abscess.

absentismo m absenteeism; absentee landlordism; **absentista** m/f absentee; absentee landlord.

absintio m absinth.

absolución f absolution; ⚖ acquittal; **absoluta** f authoritative assertion, dictum; ✗ discharge; **absolutamente** absolutely; positively; ~ nada nothing at all; **absolutismo** m absolutism; **absoluto** absolute (a. ♎ pol.); fig. utter, absolute.

absolvederas f/pl. F tendency to absolve freely.

absolver [2h; p.p. absuelto] absolve; ⚖ acquit, clear (de of); release.

absorbente 1. absorbent; fig. absorbing; **2.** m: ~ higiénico sanitary towel; **absorber** [2a] absorb (a. fig.), suck up; ✝ capital use up; ~se become absorbed (en in); **absorción** f absorption (a. fig.); **absorto** fig. absorbed, engrossed (en in); lost in thought.

abstemio abstemious, temperate.

abstención f abstention; nonparticipation; **abstencionismo** m nonparticipation; **abstencionista** m/f non-participant; **abstenerse** [2l] abstain, refrain (de inf. from ger.); **abstinencia** f abstinence; (ayuno) fast; **abstinente** abstemious.

abstracción f abstraction; omission; (distracción) engrossment; **abstracto** abstract; en ~ in the abstract; **abstraer** [2p] v/t. abstract; v/i. ~ de do without, leave aside; ~se be abstracted, be absorbed; **abstraído** absentminded; withdrawn.

absurdidad f absurdity; **absurdo 1.** absurd; preposterous, farcical; **2.** m absurdity; farce.

abuela f grandmother; fig. old woman; **abuelita** f F grandma, granny; **abuelito** m F grandpa, grandad; **abuelo** m grandfather; fig. (antepasado) ancestor; (viejo) old man; ~s pl. grandparents.

abulia f lack of will power; **abúlico** lacking in will power, weak-willed.

abultado bulky, massive, unwieldy; **abultar** [1a] v/t. make large, enlarge; v/i. be bulky.

abundamiento m abundance, plenty; **abundancia** f abundance, plenty; en ~ in plenty, in abundance; **abundante** abundant, plentiful; **abundar** [1a]: ~ de, ~ en abound in, be rich in.

aburguesado adj. middle-class.

aburrido wearisome, tiresome, boring; **aburrimiento** m boredom, weariness, tedium; **aburrir** [3a] bore, weary; annoy, tire; ~se be bored, get bored (con, de, por with).

abusar [1a] go too far, take an unfair advantage; ~ de autoridad, hospitalidad abuse; amigos impose upon; **abusión** f abuse; superstition; **abusionero** superstitious; **abusivo** improper, corrupt; **abuso** m abuse; misuse.

abyecto condición abject; (ruin) craven, vile.

acá here, around here, over here; ~ y a(cu)llá here and there; de ~ para allá

to and fro; *de ayer* ~ since yesterday.
acabado 1. perfect, complete; *fig.* consummate; **2.** *m* finish; **acabador** *m* ⊕ finisher; **acabamiento** *m* completion, end; (*muerte*) death.
acabar [1a] **1.** *v/t.* finish, complete; put the finishing touches to; (*matar*) kill off; **2.** *v/i.* finish, come to an end; (*morir*) die; ~ *con* make an end of; ~ *de inf.* have just *p.p.*: *acabo de hacerlo* I have just done it; ~ *mal* come to a bad (*or* sticky) end; **3.** ~*se* stop, come to an end (*a. fig.*); (*morir*) die; (*estar terminado*) be all over; *se me acabó el dinero* I ran out of money; F *el acabóse* the pay-off, the end.
acacia *f* acacia; ~ *falsa* locust tree.
academia *f* academy; **académico 1.** academic (*a. fig.*); **2.** *m* academician, member of an academy.
acaecedero possible; **acaecer** [2d] happen, occur; **acaecimiento** *m* happening, occurrence.
acajú *biol.* cashew tree.
acalorado heated, hot; (*fatigado*) tired (out); **acaloramiento** *m* ardour, heat; passion, anger; **acalorar** [1a] (*ejercicio*) warm, make hot; (*fatigar*) tire; ~*se* (*tomar calor*) get too hot, become overheated; (*irritarse*) get angry (*por* about).
acallar [1a] silence (*a. fig.*), hush.
acampar [1a] ✗ (en)camp.
acanaladura *f* groove; △ fluting; **acanalar** [1a] groove; △ flute; *papel etc.* corrugate.
acantilado 1. *costa* (*en escalones*) rocky; (*escarpado*) steep; **2.** *m* cliff.
acantonar [1a] quarter (en on).
acaparador *m* monopolist; profiteer; **acaparamiento** *m* monopolizing (de of), cornering the market (de in); **acaparar** [1a] monopolize; corner, corner the market in.
acaramelado *fig.* over-sweet, over-polite.
acar(e)ar [1a] *ps.* bring face to face; *peligro etc.* face (up to).
acariciar [1b] caress; *animal* pat, fondle; *esperanza* cherish, harbor.
acarrear [1a] transport, cart, haul; **acarreo** *m* haulage, cartage.
acartonarse [1a] get like cardboard; *fig.* (*p.*) become wizened.
acaso 1. *adv.* perhaps, maybe; *por si* ~ (just) in case; **2.** *m* chance, accident; *al* ~ at random.
acastañado chestnut-colored.
acatamiento *m* respect, esteem;

acatar [1a] respect, esteem; treat with deference; revere.
acatarrarse [1a] catch a cold.
acato *m* respect, esteem.
acaudalado wealthy, well-off; **acaudalar** [1a] accumulate.
acaudillar [1a] lead, command.
acceder [2a] accede, agree (*a* to).
accesible accessible; ~ *a* open to, accessible to; **accesión** *f* (*acto*) assent (*a* to); (*entrada*) access, entry; ⚕ attack, **accésit** *m* second prize, consolation prize; **acceso** *m* (*acto de entrar*) admittance; (*camino*) access; **accesoria** *f* annex, outbuilding; **accesorio 1.** accessory; dependent; **2.** *m* accessory, attachment.
accidentado ⚕ (*turbado*) upset; *vida* stormy, troubled; *superficie* uneven; **accidental** accidental; unintentional; **accidentarse** [1a] faint (after an accident); **accidente** *m* accident; mishap; ⚕ faint(ing fit).
acción *f* action; ✝ share; ✕ action, engagement; *thea.* action, plot; ~*es pl.* ✝ stock(s), shares; ~ *de gracias* thanksgiving; ~ *liberada* stock dividend; ~ *preferente* preference share; **accionar** [1a] *v/t.* ⊕ work; *v/i.* gesticulate; **accionista** *m/f* shareholder, stockholder.
acecinar [1a] salt, cure; ~*se* get very thin.
acechadura *f* ambush; **acechador** *m*, **-a** *f* spy; **acechar** [1a] spy on, lie (*or* be) in wait for; *hunt. etc.* stalk; **acecho** *m* ambush; spying; *al* ~, en ~ in wait.
acedar [1a] make sour; *fig.* sour, embitter; ~*se* turn sour.
acedía *f* sourness (*a. fig.*); (*desabrimiento*) unpleasantness; ⚕ heartburn; **acedo** sour (*a. fig.*), acid.
aceitar [1a] oil, lubricate; **aceite** *m* oil; (*a.* ~ *de oliva*) olive oil; ~ *combustible* fuel oil; ~ *de hígado de bacalao* cod-liver oil; ~ *de linaza*, ~ *secante* linseed oil; **aceitera** *f* oilcan; **aceitero 1.** oil *attr.*; **2.** *m* oil merchant; **aceitoso** oily, greasy; **aceituna** *f* olive; **aceitunil** olive *attr.*; olive-colored; **aceituno 1.** S.Am. olive (-colored); **2.** *m* olive (tree).
aceleración *f* acceleration, speeding-up; **acelerada** *f* acceleration, speed-up; **aceleradamente** speedily, swiftly; **acelerador** *m* accelerator; **acelerar** [1a] accelerate; quicken; ~*se* hasten, hurry.

acémila f beast of burden; mule; **acemilero** m muleteer.

acendrado pure, refined (a. fig.); **acendrar** [1a] purify.

acento m accent; stress; ~ *agudo* acute accent; **acentuar** [1e] accent, accentuate; stress.

aceña f water-mill; **aceñero** m miller.

acepción f meaning, sense.

acepilladora f planer; **acepilladura** f (wood) shaving; **acepillar** [1a] brush; ⊕ plane.

aceptable acceptable; palatable; **aceptación** f acceptance (a. ✝); approval, discrimination; **aceptar** [1a] accept; *trabajo* accept, take on; ~ a *inf.* agree to *inf.*

acequia f irrigation ditch.

acera f pavement, sidewalk.

acerado ⊕ steel *attr.*; (*cortante*) biting, cutting (a. fig.); **acerar** [1a] ⊕ turn into steel; put a steel tip *etc.* on.

acerbidad f acerbity; harshness; **acerbo** sour; harsh; scathing.

acerca: ~ de about, concerning, on.

acercamiento m bringing (or drawing) near; **acercar** [1g] bring near(er); ~se approach (a *acc.*), come near (a to).

acería f steelworks.

acerico m small cushion; *sew.* pincushion.

acero m steel (a. fig.); F tener buenos ~s (*ser valiente*) have a lot of pluck; **acerocromo** m chrome steel.

acérrimo out-and-out, fierce.

acerrojar [1a] bolt, lock.

acertado right, correct; (*prudente*) wise, sound; (*hábil*) skilful; *dicho* well-aimed; apt; **acertante** m/f winner; **acertar** [1k] v/t. *blanco etc.* hit; *solución* guess right, get right; v/i. (*dar en el blanco*) hit the mark; (*tener razón*) be right.

acertijo m riddle, puzzle.

acervo m heap; store; hoard; estate.

acetato m acetate; **acético** acetic.

acetileno m acetylene.

acetona f acetone; **acetoso** acetous.

acetre m small bucket; *eccl.* holy water container.

aciago ill-fated, black, of ill omen.

acíbar m aloes; *fig.* bitterness, affliction; **acibarar** [1a] make bitter (with aloes); *fig.* embitter.

acicalado *arma* bright and clean; neat; **acicalar** [1a] polish, clean;

fig. dress up; ~se *fig.* get dressed up.

acicate m spur; *fig.* spur, incentive.

acidez f acidity; **acidificar** [1g] acidify; **ácido 1.** *fruta etc.* sharp, sour, acid; **2.** m acid; **acidular** [1a] acidulate; **acídulo** acidulous.

acierto m (*tiro*) good shot, hit (a. fig.); *fig.* (*acción*) good choice, wise move; (*habilidad*) skill; (*éxito*) success.

aclamación f acclamation; por ~ by acclamation; **aclamar** [1a] acclaim.

aclaración f explanation; clearing; brightening (up); **aclarar** [1a] v/t. *asunto* clarify, explain; v/i. (*tiempo*) brighten (up), clear (up); **aclaratorio** explanatory; illuminating.

aclimatación f acclimatization; **aclimatar** [1a] acclimatize; ~se get acclimatized.

acne f ✱ acne.

acobardar [1a] cow, intimidate; ~se flinch, shrink (back).

acocear [1a] kick; *fig.* ill-treat.

acodar [1a] *vid etc.* layer; ~se lean (*sobre* on).

acogedor *ambiente*, p. welcoming, hospitable; **acoger** [2c] *visita etc.* welcome, receive; give refuge to; ~se take refuge (a in); avail o.s. of; **acogible** welcome; acceptable; **acogido** f welcome; acceptance; asylum.

acojinar [1a] ⊕ cushion.

acolchar [1a] *sew.* quilt; pad.

acólito m acolyte (a. fig.); server.

acomedido *S.Am.* obliging.

acometer [2a] attack, set upon, assail; *fig. tarea etc.* undertake; **acometida** f attack, assault; **acometimiento** m attack; **acometividad** f aggressiveness.

acomodable adaptable; **acomodación** f accommodation; **acomodadizo** accommodating, obliging; acquiescent; **acomodado** (*conveniente*) suitable; *precio* moderate; p. wealthy; **acomodador 1.** obliging; **2.** m *thea.* usher; **acomodadora** f *thea.* usherette.

acomodar [1a] **1.** v/t. (*componer*) arrange; find room for, accommodate; *acción* suit; adjust, put right; **2.** v/i. suit, fit; be suitable; **3.** ~se (*conformarse*) comply; adapt o.s.; **acomodo** m arrangement; lodgings; job; *S.Am.* neatness.

acompañado *sitio* busy, frequented; **acompañamiento** m accompaniment (a. ♪); (p.) escort; *thea.* extras; sin ~ unaccompanied; **acompa-**

ñanta f escort; ♪ accompanist; **acompañante** m companion; escort; ♪ accompanist; **acompañar** [1a] accompany (a. ♪), go with; *mujer freq.* chaperon; enclose *en carta;* ~**se con** ♪ accompany o.s. on.

acompasado rhythmic, regular, measured; **acompasar** [1a] ♪ mark the rhythm of; ⚒ measure with a compass.

acondicionado ⊕ conditioned; (*estado*) well set-up, in good condition; **acondicionador** m: ~ *de aire* air-conditioner; **acondicionamiento** m: ~ *de aire* air-conditioning; **acondicionar** [1a] arrange, prepare; ⊕ condition.

aconsejable advisable, politic; **aconsejar** [1a] advise, counsel; ~**se** seek (*or* take) advice.

acontecer [2d] happen, occur; **acontecimiento** m happening.

acopiar [1b] gather together, collect; **acopio** m (*acto*) gathering, collecting; abundance.

acoplado m *S.Am.* trailer; **acoplador** m radio: coupler; **acoplamiento** m ⊕ coupling; joint; ⚡ hook-up; **acoplar** [1a] ⊕ (*unir*) join, couple, fit together; *S.Am.* 🚋 couple (up); ~**se** zo. mate, pair.

acorazado 1. armor-plated, ironclad; 2. m battleship; **acorazamiento** m armor; armor plating; **acorazar** [1f] armor-plate; ~**se** fig. steel o.s. (*contra* against).

acorchado spongy, cork-like.

acordada f 🏛 decree; **acordadamente** by common consent; unanimously; **acordado** agreed; **acordar** [1m] 1. v/t. decide, resolve; ♪ tune; *colores* blend; 2. v/i. agree; correspond; 3. ~**se** agree, come to an agreement (*con* with); ~ (*de*) remember; **acorde** 1. agreed; in accord; 2. m harmony, chord.

acordeón m accordion.

acordonado corded, ribbed; **acordonar** [1a] tie up; *lugar* cordon off.

acores m 🩹 milk crust.

acornar [1m], **acornear** [1a] butt; (*penetrando*) gore.

acorralado cornered, at bay; **acorralamiento** m corralling; fig. intimidation; **acorralar** [1a] *animales* pen, corral.

acorrer [2a] run (up), hasten (*a* to).

acortar [1a] shorten, cut down; ~**se** fig. be slow, be timid.

acosar [1a] pursue, hound (a. fig.); **acoso** m pursuit; fig. harrying.

acostar [1m] lay (down); *niño etc.* put to bed; ~**se** lie down; go to bed.

acostumbrado usual, accustomed; **acostumbrar** [1a] v/t. accustom, get s.o. used (*a* to); v/i.: ~ (*a*) inf. be in the habit of ger.; ~**se** accustom o.s.

acotación f (*mojón*) boundary mark; surv. elevation mark; (*apunte*) marginal note; **acotamiento** m boundary mark; annotation; stage direction; *S.Am.* shoulder (of road); **acotar** [1a] *terreno* survey, mark out; *página* annotate.

acotillo m sledge(-hammer).

acre acrid, pungent; tart, sharp.

acrecencia f increase, growth; **acrecentar** [1k] increase; p. promote; **acrecer** [2d] increase.

acreditación f accrediting; clearance *por policía;* **acreditado** accredited; reputable; **acreditar** [1a] *embajador etc.* accredit (*cerca de* to); † credit; ~**se** get a reputation (*de* for).

acreedor 1. deserving (*a* of); 2. m, ~**a** f creditor; **acreencia** f *S.Am.* credit balance.

acribar [1a] sift, riddle; **acribillado** (*balas*) riddled; **acribillar** [1a] pepper, riddle (*a balas etc.* with); fig. pester.

acriminación f incrimination; **acriminador** incriminating; **acriminar** [1a] incriminate.

acrimonia f acridness; fig. acrimony; **acrimonioso** acrimonious.

acriollarse [1a] *S.Am.* go native.

acrisolar [1a] ⊕ purify, refine.

acrobacia f acrobatics (a. 🛩); **acróbata** m/f acrobat; **acrobático** acrobatic.

acta f minutes; transactions; certificate *de elección;* ~**s** pl. minutes, record *de reunión.*

actitud f attitude (a. fig.), posture; outlook; **activar** [1a] activate, energize; speed up; **actividad** f activity; movement *de muchedumbre etc.;* **en** ~ in operation, in action; **activista** m/f activist; **activo** 1. active (a. gr.); fig. active, energetic; 2. m † assets.

acto m act, action; ceremony; ~**s** pl. de los Apóstoles Acts (of the Apostles); ~ **de fe** act of faith.

actor m actor; fig. protagonist; **actora**: *parte* ~ prosecution; plaintiff; **actriz** f actress.

actuación f action; performance (a.

thea.); ~ *en directo* live performance; *S.Am.* role; **actual** present(-day); **actualidad** *f* present (time); (*cuestión*) question of the moment; *en la* ~ at the present time; ~*es pl.* current events; (*película*) news-reel; **actualmente** at present.

actuar [1e] *v/t.* set in motion, operate; work; *v/i.* act (de as); perform; ⊕ operate.

actuario *m* actuary.

acuarela *f* water color.

acuario *m* aquarium.

acuartelado *heráldica*: quartered; **acuartelar** [1a] quarter, billet.

acuático aquatic, water *attr.*

acucia *f* diligence; (*prisa*) haste; **acuciante** pressing; **acuciar** [1b] urge on, hasten, prod (on); **acucioso** diligent, keen.

acuclillarse [1a] squat (down).

acuchillado knifelike; *fig.* experienced, wary; **acuchillar** [1a] stab (to death), knife; ~*se* fight with knives.

acudir [3a] come up; present o.s.; (*replicar*) respond, answer.

acueducto *m* aqueduct.

acuerdo *m* agreement, understanding; harmony; (*recuerdo*) remembrance; *de* ~ in agreement; ¡*de* ~! I agree!, agreed!; *estar de* ~ *con* agree with; *ponerse de* ~ come to an agreement, agree.

acullá over there, yonder.

acumulación *f* accumulation (*a. acto*); pile; hoard; **acumulador** *m* storage battery; **acumular(se)** [1a] accumulate, gather, pile up; **acumulativo** accumulative.

acunar [1a] rock in a cradle.

acuñación *f* minting; **acuñar** [1a] *moneda* coin, mint; *medalla* strike.

acuoso watery; *fruta* juicy.

acupuntura *f* 🛠 acupuncture.

acurrucarse [1g] squat; curl up.

acusación *f* accusation; esp. 🕸 charge, indictment; **acusado 1.** marked, pronounced; **2.** *m*, **a** *f* accused, defendant; **acusador 1.** accusing, reproachful; **2.** *m*, **-a** *f* accuser; **acusar** [1a] accuse (de of); 🕸 indict; *recibo* acknowledge; ~*se* confess (de su. to; de adj. to being); **acusativo** *m* accusative (case); **acusatorio** accusatory; **acuse** *m* acknowledgement (de recibo of receipt); **acusete** *m/f S.Am.* informer; **acusón F 1.** tell-tale; **2.** *m*, **-a** *f* gooip.

acústica *f* acoustics; **acústico 1.** acoustic; **2.** *m* hearing aid.

acutángulo *adj.* acute-angled.

achacar [1g]: ~ *a* attribute to, impute to; **achacoso** sickly, ailing.

achaparrado *árbol* dwarf, shrub-sized; *p.* stocky, thick-set, stumpy.

achaque *m* 🐎 infirmity; ailment; (*asunto*) matter, subject; defect, fault.

achatar [1a] flatten.

achicado child-like.

achicador *m* scoop, baler; **achicar** [1g] make smaller; intimidate, browbeat; ⚓ bale (out); ~*se fig.* eat humble pie.

achicoria *f* chicory.

achicharradero *m* hot-house, inferno; **achicharrar** [1a] *cocina:* fry crisp; (*demasiado*) overcook, burn; ~*se* get burnt.

achín *m C.Am.* peddler; door-to-door salesman.

achiquitarse [1a] *S.Am.* lose heart; cower.

achispado lit-up, jolly; **achisparse** [1a] get tipsy.

achocar [1g] dash (or hurl) against a wall; stone *con piedra*.

achocharse [1a] F get doddery, begin to dodder.

achubascarse [1g] (*cielo*) become threatening.

achuchar [1a] F squeeze; urge on; **achuchón** *m* F squeeze; push.

achurar [1a] *S.Am.* kill; gut, disembowel.

adagio *m* adage; ♪ adagio.

adamado effeminate.

adamascado damask; **adamascar** [1g] damask.

adán *m* F slovenly fellow.

adaptabilidad *f* adaptability; **adaptable** adaptable; *p. freq.* versatile; **adaptación** *f* adaptation; **adaptador** *m* adapter; **adaptar** [1a] adapt; fit; ~*se* adapt o.s. (*a* to).

adarga *f* (oval) shield.

adecentar [1a] make decent, tidy up.

adecuado adequate; fit, suitable (*a*, *para* for); **adecuar** [1d] fit, adapt.

adefesio *m* F (*disparate*) absurdity, nonsense; outlandish dress; (*p.*) queer bird.

adelantado 1. precocious, advanced; † *por* ~ in advance; **2.** *m* † governor, captain-general; **adelantamiento** *m* advancement; progress; **adelantar** [1a] *v/t.* move forward; *pago* advance; (*pasar*) overtake, outstrip;

v/i. make headway, improve; *(reloj)* be fast, gain; **~se** go forward, go ahead; **adelante** ahead; forward(s); **¡~!** *(a interlocutor)* go ahead!, go on!, *(a visita)* come in!; **más~** further on; later; **adelanto** *m* advance *(a. ♱)*, progress.

adelfa *f* rose-bay; oleander.

adelgazamiento *m* slimming; **adelgazar** [1f] *v/t.* make thin; *fig.* purify, refine; *v/i.* grow thin; reduce; **~se** grow thin.

ademán *m* gesture; motion *de mano*; *paint. etc.* attitude; **~es** *pl.* manners; *hacer* **~es** gesture, make signs.

además 1. *adv.* besides, moreover, **2.** **~ de** *prp.* besides, aside from.

adentrar(se) [1a]: **~ en** go into, get into, get inside; **adentro 1.** = *dentro*; **2. ~s** *m/pl.* innermost being.

aderezar [1f] prepare, get ready; *fig.* embellish, adorn; *comida* season; **aderezo** *m* (*acto*) preparation; dressing; *(efecto)* adornment; *cocina:* seasoning.

adeudado in debt; **adeudar** [1a] *v/t.* *dinero* owe; *impuestos* be liable for; *v/i.* become realted; **~se** run into debt; **adeudo** *m* debt.

adherencia *f* adherence; **adherente 1.: ~ a** adhering to, sticking to; **2.** *m* follower, adherent; **adherir(se)** [3i] stick *(a* to); **~ a** *fig.* espouse; **adhesión** *f* adhesion; **adhesivo** *adj. a. su. m* adhesive.

adiamentado diamondlike.

adición *f* addition; *(cuenta)* bill, check; **adicional** extra; **adicionar** [1a] *(sumar)* add (up).

adicto 1.: ~ a devoted to; given to; **2.** *m* supporter; fan.

adiestramiento *m* training; breaking (in).

adiestrar [1a] *(enseñar)* train; *(guiar)* guide; **~se** train o.s. *(a inf.* to *inf.)*.

adinerado moneyed, well-off F.

adiós 1. *int.* good-bye!; **2.** *m* good-bye; farewell.

aditivo *adj. a. su. m* additive.

adivinable guessable; **adivinación** *f* prophecy, divination; **adivinanza** *f* riddle; **adivinar** [1a] *porvenir etc.* prophesy, foretell; **adivino** *m*, **a** *f* fortune-teller.

adjetivo 1. *m* adjective; **2.** adjectival; **~ gentilicio** adjective of nationality.

adjudicación *f* award; **adjudicar** [1g] adjudge; award; **~se** *algo* appropriate.

adjuntar [1a] append; enclose *en carta*; **adjunto 1.** joined on; enclosed *en carta*; **2.** *m* addition, adjunct; *(p.)* assistant.

adminículo *m* accessory; **~s** *pl.* emergency kit.

administración *f* administration; management; **administrador** *m*, **-a** *f* administrator; *(jefe)* manager; *(síndico)* steward; **administrar** [1a] administer; manage; **administrativo** administrative; managerial.

admirable admirable; **admiración** *f* admiration; wonder; **admirador** *m*, **-a** *f* admirer; **admirar** [1a] *(respetar)* admire; look up to; astonish; **~se** be surprised, wonder (*de* at); **admirativo** admiring.

admisible admissible; legitimate; **admisión** *f* admission *(a* to); *(recepción)* acceptance; **admitir** [3a] admit *(a. fig.; a* to, en into); accept, permit, allow.

admonición *f* warning; **admonitorio** warning *attr.*

adobar [1a] dress, prepare; *carne* pickle; *piel* tan, dress; **adobe** *m* adobe; **adobera** *f S.Am.* brick-shaped cheese; mold for brick-shaped cheese; **adobo** *m* preparation, pickle.

adocenado commonplace, ordinary.

adoctrinar [1a] indoctrinate.

adolecer [2d] fall ill *(de* with); **~ de** suffer from *(a. fig.)*.

adolescencia *f* adolescence; **adolescente** *adj. a. su. m/f* adolescent.

adonde 1. where; **2.** *¿adónde?* where (to)?

adopción *f* adoption; **adoptar** [1a] adopt *(a. fig.)*; *fig.* embrace; approve; **adoptivo** adoptive.

adorable adorable; **adoración** *f* worship; **adorar** [1a] adore.

adormecer [2d] send to sleep; *fig.* calm, lull; **~se** fall asleep, *(miembro)* go to sleep; **adormecido** drowsy; numb; *fig.* inactive; **adormecimiento** *m* drowsiness; numbness.

adormidera *f* opium poppy.

adornar [1a] adorn, embellish *(de* with); *sew.* trim *(de* with); **adornista** *m/f* decorator; **adorno** *m* adornment; decoration.

adquirir [3i] acquire; obtain; ♱ purchase; **adquirido** acquired; **adquisición** *f* acquisition; ♱ purchase; **adquisividad** *f* acquisitiveness; **adquisitivo** acquisitive.

adrenaline f adrenalin.

adresógrafo m addressograph.

aduana f customs; custom-house; (derechos de) ~ customs duty; exento de ~ duty-free; sujeto a ~ dutiable; **aduanero 1.** customs attr.; **2.** m customs officer.

aducir [3o] adduce, bring forward; prueba furnish.

adulación f flattery; **adulador** m, -a f flatterer; **adular** [1a] flatter, make up to; **adulón** F **1.** fawning; **2.** m, -a f toady.

adúltera f adulteress; **adulteración** f adulteration; **adulterar** [1a] v/t. adulterate; v/i. commit adultery; **adulterino** adulterous; **adulterio** m adultery, misconduct; **adúltero** adulterous; **adultez** f C.Am. adulthood.

adulto adj. a. su. m, a f adult.

advenedizo 1. foreign, (from) outside; **2.** m, a f foreigner; contp. upstart; **advenimiento** m advent; accession al trono.

adverbial adverbial; **adverbio** m adverb.

adversario m, a f adversary, opponent; **adversidad** f adversity; **adverso** suerte adverse, untoward.

advertencia f warning; caveat; reminder; foreword en libro; **advertido** capable; wide-awake; **advertir** [3i] v/t. notice; draw attention to; advise.

Adviento m Advent.

adyacente adjacent (a. Ⓐ).

aeración f aeration; **aéreo** aerial, air attr.; **aerodinámico** aerodynamic; **aerofoto** f aerial photograph; **aeromoza** f S.Am. air hostess, stewardess; **aeronáutica** f aeronautics; **aeronáutico** aeronautic(al); **aeronave** f airship; **aeropuerto** m airport; **aerosol** m Ⓐ aerosol; **aerostática** f aerostatics; **aerostático** aerostatic(al); **aeróstato** m aerostat, balloon; **aerotaxi** m air taxi.

afabilidad f affability, geniality; **afable** affable, good-natured.

afamado famed, noted (por for).

afán m industry; zeal, desire, urge (de for); **afanarse** [1a] exert o.s., strive; C.Am. work for pay; **afanoso** trabajo laborious, heavy.

afeamiento m defacing; disfigurement; **afear** [1a] make ugly.

afección f affection (a. ♂); change, effect; ~es pl. del alma emotions;

afectación f affectation, pose; pretence; **afectado** affected, unnatural; **afectar** [1a] (dejarse sentir en) affect, have an effect on; S.Am. hurt, injure; **afectísimo** mst affectionate; suyo ~ yours truly; **afectivo** affective; **afecto 1.** affectionate, fond; **2.** m affection, fondness (a for); **afectuoso** affectionate.

afeitada f, **afeitado** m shave, shaving; **afeitar** [1a] barba shave; cara make up; ~se (have a) shave; **afeite** m make-up, cosmetic.

afeminación f effeminacy; **afeminado 1.** effeminate; **2.** m effeminate person, sissy sl.

aferrado stubborn; **aferrar** [1k] v/t. grapple, seize; ⚓ grapple; ~se grapple (with, together).

afianzamiento m guarantee, security; ⚖ bail; **afianzar** [1f] muro support, prop up; (sujetar) fasten; p. etc. vouch for.

afición f fondness, liking (a for), taste (a música etc. for); hobby; **aficionado 1.** (no profesional) amateur; ~ a música etc. fond of, with a taste for; **2.** m, a f (no profesional) amateur; enthusiast; fan; **aficionar** [1a] make s.o. keen (a algo on); ~se a, ~ de get fond of, take (a fancy) to.

afiebrarse [1a] S.Am. get a fever.

afilada f S.Am. grinding, sharpening; **afiladera** f grindstone; **afilado** filo sharp, keen; **afilador** m (p.) knife-grinder; ⊕ strop; **afiladura** f sharpening, whetting; **afilalápices** m pencilsharpener; **afilar** [1a] sharpen; ~se get sharp etc.

afiliación f affiliation; **afiliado** affiliated (a to); ~ subsidiary; **afiliarse** [1a]: ~ a affiliate (o.s.) to.

afilón m strop.

afín 1. bordering; related, similar; **2.** m/f relation by marriage.

afinado in tune; **afinador** m ♪ tuning-key; (p.) tuner; **afinar** [1a] v/t. perfect; polish; ♪ tune; v/i. sing (or play) in tune.

afinidad f affinity; kinship.

afirmación f affirmation, assertion; **afirmar** [1a] (reforzar) strengthen; (declarar) affirm, assert; ~se steady o.s.; **afirmativa** f affirmative; **afirmativo** affirmative; positive.

aflicción f sorrow, affliction; **aflictivo** distressing; **afligido 1.** distressed, heartbroken; **2.** los ~s m/pl. the bereaved; **afligir** [3c] afflict;

Mex. beat; whip; trouble; ~se grieve.

aflojamiento *m* slackening, loosening (*a.* 🌶); *fig.* relief; **aflojar** [1a] *v/t.* slacken; loosen; release; *fig.* relax; *v/i. fig.* (*ablandarse*) relent; get slack; ~se slacken (off); work loose *etc.*

aflorar [1a] crop out, crop up, outcrop.

afluencia *f* (*flujo*) inflow, influx; (*gente etc.*) crowd, jam; *hora(s)* de ~ rush hour; **afluente 1.** flowing; eloquent; **2.** *m* tributary, feeder; **afluir** [3g] flow.

aforar [1a] ⊕ gauge; *fig.* appraise.

aforismo *m* aphorism; **aforístico** aphoristic.

aforrar [1a] line, face; ~se put on plenty of underclothes.

afortunado fortunate, lucky.

afrancesado *adj. a. su. m,* a *f* Francophile; Frenchified; **afrancesarse** [1a] go French; become Gallicized.

afrenta *f* affront; indignity; **afrentar** [1a] affront; dishonor; ~se be ashamed (*de of*); **afrentoso** insulting.

africano *adj. a. su. m,* a *f* African.

afrodisíaco *adj. a. su. m* aphrodisiac.

afrontamiento *m* confrontation; **afrontar** [1a] confront, bring face to face; *enemigo etc.* face (up to).

afuera 1. *adv.* outside; ¡~! out of the way!; **2.** ~s *f/pl.* outskirts; suburbs.

agachadiza *f* snipe; **agachar** [1a] F *cabeza* bow; *sombrero* slouch; ~se crouch; (*esconderse*) duck.

agalla *f* ♀ gall(-nut); *ichth.* gill; F *tener* (*muchas*) ~s have guts.

agarrada *f* F scrap, brawl; **agarradera** *f* *S.Am.* hold, grip, handle; *tener* ~s have connections; **agarradero** *m* handle, grip; ⊕ lug; **agarrado** F stingy, tight; tight(-fisted); **agarrar** [1a] *v/t.* grip, grasp, grab *con fuerza*; *v/i.* take hold (de of); ~se grasp one another, grapple; **agarro** *m* grasp, hold; **agarrón** *m* *S.Am.* brawl; fight.

agarrotar [1a] *fardo* tie tight; *reo* garrotte; ~se 🌶 stiffen; ⊕ seize up.

agasajar [1a] treat kindly, make much of; (*con banquete etc.*) regale; **agasajo** *m* consideration, kindness; (*regalo*) royal welcome.

ágata *f* agate.

agavillar [1a] bind (in sheaves); ~se F gang up, band together.

agazapar [1a] F catch, grab; ~se F (*esconderse*) hide.

agencia *f* agency (*a. fig.*); bureau; *S.Am.* pawnshop; ~ de turismo, ~ de viajes tourist office, travel agency; **agenciar** [1b] bring about, engineer; procure, obtain; ~se manage, get along.

agenda *f* notebook.

agente *m* agent; ~ (de policía) policeman; ~ marítimo shipping agent; *S.Am.* ~ viajero commercial traveller, salesman.

agible workable, feasible.

agigantado gigantic.

ágil agile, nimble, quick; **agilidad** *f* agility *etc.*; **agilitar** [1a] enable, make it easy for; ~se limber up.

agitación *f* waving; shaking *etc.*; 🌶 roughness; *fig.* ~ (de ánimo) agitation; **agitado** 🌶 rough, *fig.* agitated, upset; **agitador** *m* agitator.

agitar [1a] *bandera etc.* wave; *brazo* shake, wave; *ala* flap; *fig.* stir up; ~se shake, wave to and fro; *fig.* get excited.

aglomeración *f* mass, agglomeration; **aglomerado** *m* agglomerate; coal briquet; **aglomerar(se)** [1a] form a mass; (*gente*) crowd together.

aglutinación *f* agglutination; **aglutinar(se)** [1a] agglutinate.

agobiador, agobiante oppressive; overwhelming; **agobiar** [1b] weigh down; burden (*a.fig.*); exhaust, wear out; ~se con, ~ de be weighed down with; **agobio** *m* burden; oppression.

agolpamiento *m* rush, crush, throng *de gente etc.*; **agolparse** [1a] crowd together, throng.

agonía *f* agony; throes (*a. fig*); **agonizante 1.** dying; **2.** *m/f* dying person; **agonizar** [1f] *v/t.* F harass, pester; *v/i.* be in the throes of death.

agorar [1n] predict, prophesy; **agorero 1.** *p.* who prophesies; **2.** *m,* a *f* fortune-teller.

agostar [1a] *plantas* parch, burn up; *tierra* plough (in summer); ~se wither; **agosto** *m* August; *fig.* harvest.

agotable exhaustible; **agotado** exhausted; *libro* out of print; **agotamiento** *m* exhaustion (*a.* 🌶); depletion, draining; **agotar** [1a] exhaust (*a.* 🌶); *cisterna* drain, empty; ~se be(come) exhausted.

agraciado graceful; nice; blessed (de with); **agraciar** [1b] improve the looks of, make more attractive.

agradable pleasant, nice; **agradar** [1a] please, be pleasing to.

agradecer [2d] *p.* thank; *favor* be grateful (*or* thankful) for; **agradecido** grateful (*a* to; *por* for); appreciative; **agradecimiento** *m* gratitude.

agrado *m* affability; taste, liking.

agrandar [1a] make bigger, enlarge.

agrario agrarian; land *attr.*

agravación *f*, **agravamiento** *m* aggravation, worsening; ⚕ change for the worse; **agravante 1.** aggravating; **2.** *f* additional burden; unfortunate circumstance; **agravar** [1a] weigh down, make heavier; **~se** worsen.

agraviar [1b] wrong, offend; **~se** take offence; **agravio** *m* offence, wrong; *a.* ⚖ grievance; **agravioso** offensive.

agraz *m* sour grape; (*zumo*) sour grape juice; *fig.* bitterness; **agrazar** [1f] *v/t.* embitter; *v/i.* taste sour.

agredir [3a; *defective*] assault.

agregado *m* (*conjunto*) aggregate; (*p.*) attaché; **agregar** [1h] (*añadir*) add (*a* to); (*juntar*) gather, collect; **~se** joined.

agremiar [1b] form into a union.

agresión *f* aggression; **agresivo** aggressive; *fig.* assertive; **agresor** *m*, **-a** *f* aggressor, assailant.

agreste rural; *fig.* rustic.

agriar [1b *or* 1c] (make) sour; *fig.* exasperate; **~se** turn (sour).

agrícola agricultural, farming *attr.*; **agricultor 1.** farming *attr.*; **2.** *m*, **-a** *f* farmer; **agricultura** *f* agriculture.

agridulce bittersweet.

agriera *f Col.,P.R.* heartburn.

agrietar [1a] crack (open); **~se** get cracked; (*manos*) chap.

agrimensor *m* (land-)surveyor; **agrimensura** *f* (land-)surveying.

agringarse [1h] *S.Am.* act like a foreigner; prented to be a gringo.

agrio 1. sour, acid, tart (*a. fig.*); *fig.* disagreeable; **2.** *m* (sour) juice; **~s** *pl.* citrus fruits.

agronomía *f* agronomy, agriculture; **agrónomo 1.** agricultural; **2.** *m* farming expert; **agropecuario** farming (and stockbreeding) *attr.*

agrupación *f*, **agrupamiento** *m* association, group; (*acto*) grouping (together); **agrupar** [1a] group (together); **~se** (*ps.*) crowd (around); (*cosas*) cluster.

agrura *f* sourness (*a. fig.*).

agua *f* **1.** water; (*lluvia*) rain; ⚓ (*estela*) wake; **~ bendita** holy water; **~ dulce** fresh water; **~ (de) manantial** spring water; **~ potable** drinking-water; **~ abajo** downstream; **~ arriba** upstream; **se me hace la boca ~** my mouth waters; **¡hombre al ~!** man overboard!; **2.** **~s** *pl.* waters; ⚓ tide; ♂ urine; **~s territoriales** territorial waters; **~s mayores** excrement; **~s menores** urine; **hacer ~s** make water, relieve o.s.

aguacate *m bot.* avocado; pear-shaped emerald.

aguacero *m* (heavy) shower; **aguado** watery, watered (down); *sopa* thin; *fig. fiesta etc.* spoiled, interrupted; **aguador** *m* water carrier; **aguafiestas** *m/f* wet blanket, killjoy; **aguafuerte** *f* etching; **aguaje** *m* (*marea*) (spring) tide; current; (*provisión*) water supply; *C.Am.* cloudburst; reprimand; **aguamanil** *m* ewer, water-jug; **aguamar** *m* jellyfish; **aguamarina** *f* aquamarine; **aguanieve** *f* sleet.

aguantada *f S.Am.* patience; forebearance.

aguantar [1a] *v/t. techo* hold up; *aliento* hold; *dolor etc.* endure, withstand; put up with; *v/i.* last, hold out; **~se** hold o.s. back.

aguar [1i] water (down); *fig.* mar.

aguardar [1a] *v/t.* wait for, await; *v/i.* wait; *b.s.* lie in wait.

aguardentería *f* liquor store.

aguardiente *m* brandy.

aguarrás *m* (oil of) turpentine.

aguatocha *f* pump.

aguazal *m* puddle.

agudeza *f* acuteness, sharpness (*a. fig.*); (*chiste*) witticism; **agudo** sharp, pointed; ♂, ♪, *gr.* acute; *sentido* keen, acute; *ingenio* ready, lively.

agüero *m* (*arte*) augury; (*pronóstico*) forecast; (*señal*) omen.

aguerrido hardened; inured; **aguerrir** [3a; *defective*] inure, harden.

aguijada *f* goad; **aguijar** [1a] *v/t.* goad (*a. fig.*); *fig.* urge on; **aguijón** *m* goad; *zo.* sting; **aguijonazo** *m* prick; *zo.*, ♀ sting.

águila *f* eagle; *fig.* superior mind.

aguileño aquiline; sharpfeatured.

aguilera *f* eyrie; **aguilón** *m* jib *de grúa*; **aguilucho** *m* eaglet.

aguinaldo *m* Christmas (*or* New Year) gift; (*propina*) gratuity.

aguja f sew. needle; (roma) bodkin; hand de reloj; ~ de zurcir darning-needle; ~ de gancho crochet hook; ~ hipodérmica hypodermic needle; ~ de (hacer) media knitting-needle; **agujazo** m jab, prick; **agujereado** full of holes; vasija leaky; **agujerear** [1a] make holes in; pierce; **agujero** m hole; (alfiletero) needle-case; **agujetas** f/pl. ⚙ stitch; **agujón** m hatpin.

agusanado maggoty.

agustin(ian)o adj. a. su. m, a f Augustinian.

aguzar [1f] sharpen (a. fig.).

ahechar [1a] sift; trigo winnow.

aherrojar [1a] fetter, put in irons.

aherrumbrarse [1a] get rusty.

ahí there, just there; de ~ que with the result that; por ~ over there, that way.

ahijado m, **a** f godchild; fig. protegé(e); **ahijar** [1a] p. adopt.

ahilar [1a] v/t. line up; v/i. go in single file; ~se ⚙ faint with hunger; (vino etc.) go sour, go bad.

ahincadamente earnestly, hard; **ahincado** emphatic, energetic; **ahincar** [1g] press, urge; ~se make haste; **ahinco** m earnestness, energy.

ahitar [1a] surfeit, cloy; ~se stuff o.s. (de with); **ahito 1.** surfeited, satiated; **2.** m indigestion.

ahogadero m halter, headstall de caballo; **ahogado** cuarto close, stifling; **ahogar** [1h] drown en agua; suffocate, smother por falta de aire (a. fig.); ~se drown o.s. (suicidarse) drown o.s.; suffocate; **ahogo** m ⚙ shortness of breath, tightness of the chest.

ahondar [1a] v/t. deepen; fig. penetrate; v/i. ~ en penetrate, go (deep) into; ~se go in more deeply; **ahonde** m deepening; digging.

ahora 1. adv. now; (hace poco) (just) now; (dentro de poco) in a little while; desde ~ from now on, henceforward; **2.** cj. now; ~ bien now then.

ahorcadura f hanging.

ahorcajarse [1a] sit astride.

ahorcar [1g] hang; ~se be hanged.

ahorquillado forked; **ahorquillar** [1a] (asegurar) prop up, stay; ~se fork, become forked.

ahorrar [1a] mst save; disgusto, peligro avoid; ~se spare o.s., save o.s.; **ahorrativo** thrifty; b.s. stingy; **ahorro** m economy; ~s pl. savings.

ahuchar [1a] hoard, put by; Col., Ven.,Mex. bait; incite.

ahuecar [1g] v/t. hollow (out), make a hollow in; ~se F put on airs.

ahulado C.Am.,Mex. impermeable.

ahumado 1. tocino etc. smoked; smoky; **2.** m smoking, curing; **ahumar** [1a] v/t. tocino etc. smoke, cure; v/i. (give out) smoke; ~se (comida) taste burnt.

ahusado tapering; **ahusarse** [1a] taper.

ahuyentar [1a] drive away, scare away; ~se run away.

airado angry, furious; vida immoral, depraved; **airar** [1a] anger, irritate, ~se get angry (de, por at).

aire m air; wind; draught; ♪ tune, air; al ~ libre adj. outdoor; adv. in the fresh (or open) air; outdoors; de buen (mal) ~ in a good (bad) temper; cambiar de ~(s) have a change of air; darse ~s put on airs.

airear [1a] air, ventilate; ~se take the air; ⚙ catch a chill.

airosidad f grace(fulness), elegance; **airoso** lugar airy; tiempo blowy; fig. graceful, elegant.

aislación f insulation; ~ de sonido sound-proofing; **aislacionismo** m isolationism; **aislado** insulated; cut off; ⚡, ⊕ insulated; **aislador** ⚡ **1.** insulating; **2.** m insulator, non-conductor; **aislamiento** m insulation; ⚡ insulation; **aislar** [1a] isolate (a. fig.), separate; ⚡ insulate; ~se isolate o.s. (de from).

ajar [1a] (c)rumple, mess up; esp. vestido crush; ~se get (c)rumpled.

ajedr(ec)ista m/f chess player; **ajedrez** m chess; (fichas) chess set, chessmen; **ajedrezado** chequered.

ajenjo m wormwood; absinth.

ajeno (de otro) somebody else's, not one's own; los bienes ~s, lo ~ other people's property.

ajete m young garlic; garlic sauce.

ajetreado vida tiring, busy; **ajetrearse** [1a] bustle about; (afanarse) slave (away); **ajetreo** m (trajín) bustle.

ají m chili; red pepper; **ajiaceite** m sauce of garlic and olive oil; **ajo** m (clove of) garlic.

ajorca f bracelet, bangle.

ajornalar [1a] hire by the day.

ajuar m household furnishings.

ajuiciado sensible; **ajuiciar** [1b] bring to one's senses.

ajustable adjustable; **ajustado** right, fitting; *ropa* closefitting, tight, clinging; **ajustador** *m* waistcoat; corselet; fitter; **ajustar** [1a] **1.** *v/t.* (*encajar etc.*) fit (a to, into); (*cerrar, ponerse etc.*) fasten; *mecanismo* adjust, regulate; **2.** *v/i.* fit; ~ *bien* be a good fit; **3.** ~se (*convenir*) fit, go; adapt o.s., get adjusted (a to); **ajustamiento** *m* † settlement; **ajuste** *m* ⊕ *etc.* fitting; adjustment; *sew.* fit.

ajusticiar [1b] execute.

al = a + el; ~ *llegar* on arriving.

ala wing (a. ⚔, △, *pol. a. fig.*); ⚒ wing, main plane; △ (*alero*) eaves; *caérsele a uno las* ~s lose heart; *cortar las* ~s a *fig.* clip *s.o.*'s wings.

alabador approving, eulogistic; **alabanza** *f* praise; eulogy; ~s *pl.* praises; **alabar** [1a] praise; ~se be pleased.

alabastro *m* alabaster (*a. fig.*); **alabastrino** alabaster *attr.*

alabear(se) [1a] warp; **alabeo** *m* warping; *tomar* ~ warp.

alacena *f* recess cupboard.

alacrán *m* scorpion.

alado winged; *fig.* swift.

alambicado distilled; overrefined; **alambicar** [1g] distil; *fig.* scrutinize; **alambique** *m* still.

alambre *m* wire (a. ♪); ~ *cargado* live wire; ~ *forrado* covered wire; ~ *de púas* barbed wire; **alambrar** [1a] wire; **alambrera** *f* wire mesh.

alameda *f* ♠ poplar grove; (*paseo*) walk; **álamo** *m* poplar.

alano *m* mastiff.

alarde *m* ⚔ review; *fig.* display, parade; *hacer* ~ *de* make a show of; **alardear** [1a] boast, brag; **alardeo** *m* boasting, bragging.

alargadera *f* ⚙ adapter; ⊕ extension; **alargamiento** *m* elongation, extension *etc.*; **alargar** [1h] lengthen; prolong; extend; (*estirar*) stretch; ~se (*días etc.*) draw out, lengthen.

alarido *m* yell, shriek, howl.

alarife *m* architect; builder; *S.Am.* sharper.

alarma *f* alarm (*a. fig.*); ~ *falsa* false alarm; **alarmante** alarming, startling; **alarmar** [1a] ⚔ call to arms, alert; ~se be (*or* become) alarmed; **alarmista** *m/f* alarmist.

alba *f* dawn; *eccl.* alb.

albacea *m* executor; *f* executrix.

albacora *f ichth.* albacore, swordfish.

albahaca *f* basil.

albanés *adj. a. su. m*, **-a** *f* Albanian.

albañal *m* sewer, drain.

albañil *m* bricklayer; mason; **albañilería** *f* (*obra*) brickwork.

albarán *m* "to let" sign.

albarda *f* pack-saddle; **albardilla** *f* cushion, pad; (*tocino*) lard.

albaricoque *m* apricot; **albaricoquero** *m* apricot (tree).

albayalde *m* white lead.

albedrío *m* (*a. libre* ~) free will; (*capricho*) whim, fancy.

alberca *f* pond, cistern; *S.Am.* swimming-pool.

albergar [1h] *v/t.* shelter; lodge, put up; *v/i.* ~se (*find*) shelter; lodge; **albergue** *m* shelter, refuge (*a. mount.*); (*alojamiento*) lodging.

albero 1. white; **2.** *m* pipeclay; (*paño*) tea towel; **albina** *f* salt lake, salt marsh; **albino** *adj. a. su. m*, **a** *f* albino.

albóndiga *f* meat ball, fish ball.

albor *m* whiteness; (*luz*) dawn (light); ~es *pl.* dawn; **alborada** *f* dawn; ⚔ reveille; **alborear** [1a] dawn.

albornoz *m* bathrobe.

alborotador 1. riotous; boisterous; **2.** *m*, **-a** *f* agitator; rioter; mischiefmaker; **alborotar** [1a] *v/t.* disturb, agitate, stir up; *S.Am.* excite curiosity in; *v/i.* make a racket; ~se (*p.*) get excited; (*turba*) riot; **alboroto** *m* (*vocerío etc.*) disturbance, racket.

alborozar [1f] cheer (up), gladden; ~se be glad; **alborozo** *m* merriment, gaiety; jollification.

albricias *f/pl.* reward; *¡~!* good news!

álbum *m* album.

albumen *m* ♠ albumen; (*clara*) white of an egg; **albúmina** *f* ♠ albumin.

albur *m ichth.* dace; *fig.* risk, chance.

alcabala *f hist.* sales tax.

alcachofa *f* artichoke.

alcahueta *f* procuress, bawd; (*mensajera*) go-between; **alcahuete** *m* procurer, pimp; **alcahuetería** *f* procuring, pandering.

alcaide *m* † *castillo*: governor, castellan; warder, jailer.

alcalde *m* mayor; **alcaldesa** *f* mayoress; **alcaldía** *f* mayoralty; (*casa*) mayor's residence.

álcali *m* alkali; **alcalino** alkaline.

alcance *m* reach *de mano* (*a. fig.*); *rango*; *fig.* scope *de programa etc.*;

capacity; *al* ~ within reach (*de* of; *a. fig.*); *fuera de su* ~ out of one's reach; **alcancía** *f* money-box; *S.Am. eccl.* collection box.

alcándara *f* clothes rack; *orn.* perch.

alcanfor *m* camphor.

alcantarilla *f* sewer; conduit; **alcantarillado** *m* sewer system, drains; **alcantarillar** [1a] lay sewers in.

alcanzar [1f] *v/t.* (*llegar*) reach; (*igualarse*) catch up with, overtake; *v/i.* reach (*a, hasta* to *or acc.*); ~ *a inf.* manage to *inf.*

alcaparra *f* ✿ caper.

alcaparrosa *f* 🜜 vitriol.

alcaravea *f* caraway.

alcatraz *m orn.* gannet; pelican.

alcázar *m* fortress, citadel.

alcazuz *m* liquorice.

alce *m zo.* elk; moose.

alcista ✝ **1.** bull(ish); **2.** *m* bull.

alcoba *f* bedroom.

alcohol *m* alcohol; *lámpara de* ~ spirit lamp; **alcohólico** *adj. a. su. m*, *a f* alcoholic; **alcoholismo** *m* alcoholism.

alcornoque *m* cork oak; *fig.* blockhead.

alcorza *f cocina*: icing, frosting; **alcorzar** [1f] *cocina*: ice.

alcuza *f* olive-oil bottle; *S.Am.* cruet; water jug.

alcuzcuz *m approx.* couscous (*paste of flour and honey*).

aldaba *f* (door-)knocker; (*barra etc.*) bolt, cross-bar; **aldabada** *f* knock (on the door).

aldea *f* village; **aldeano 1.** village *attr.*; rustic; **2.** *m*, **a** *f* villager.

aleación *f* alloy; **alear**[1] *metall.* alloy.

alear[2] [1a] *orn.* flap (its wings); (*p.*) move one's arms up and down; *fig.* 🜊 convalesce.

aleccionador instructive, enlightening; **aleccionar** [1a] teach, coach.

alegación *f* allegation; **alegador** *S.Am.* quarrelsome; litigious; **alegar** [1h] plead (*a. 🜊*).

alegoría *f* allegory; **alegórico** allegoric(al).

alegrar [1a] gladden, cheer (up); enliven; *fuego* stir up, brighten up; ~**se** be glad, be happy; ~ *a inf.* be happy (*or* glad) to *inf.*; **alegre** *p.*, *cara etc.* happy; *ánimo* joyful, glad; *carácter* cheerful; **alegría** *f* happiness; joy(fulness); **alegrón** *adj.* tipsy, high.

alejamiento *m* (*acto*) removal; (*lo remoto*) remoteness; distance; **alejar** [1a] move *s.t.* away (*de* from).

aleluya 1. *f* (*grito*) hallelujah; *paint.* Easter print; **2.** *m* Eastertime.

alemán 1. *adj. a. su. m*, **-a** *f* German; **2.** *m* (*idioma*) German.

alentador encouraging; **alentar** [1k] encourage, inspire (*a inf.* to *inf.*); ~**se** 🜊 get well.

alergia *f* allergy; **alérgico** allergic.

alero *m* 🜊 eaves; *mot.* fender; wing; **alerón** *m* aileron.

alerta 1.: ¡~! watch out!; *estar* (*ojo*) ~ be on the alert; **2.** *m* alert.

aleta *f* small wing; *ichth.* fin; flipper *de foca*; *mot.* wing; ⊕, 🗡 blade; ~**s** *sport* flippers; frogfeet.

aletargar [1h] benumb, drug; ~**se** become lethargic.

aletazo *m orn.* flap of the wing; *ichth.* movement of the fin; **aletear** [1a] flap its wings, flutter; **aleteo** *m* fluttering, flapping.

alevosía *f* treachery; **alevoso 1.** treacherous; **2.** *m* traitor.

alfabético alphabetic(al); **alfabetizar** [1f] teach to read and write; **alfabeto** *m* alphabet.

alfalfa *f* lucerne, alfalfa.

alfanje *m* cutlass; *ichth.* swordfish.

alfeñicarse [1g] F get awfully thin; (*remilgarse*) be finicky; **alfeñique** *m* almond paste; F (*p.*) delicate sort, mollycoddle.

alférez *m* ✕ second lieutenant; ~ *de fragata approx.* midshipman.

alfil *m ajedrez*: bishop.

alfiler *m* pin; (*broche*) brooch, clip; **alfilerar** [1a] pin (up); **alfilerazo** *m* pinprick (*a. fig.*); **alfiletero** *m* needlecase.

alfombra *f* carpet (*a. fig.*); (*esp. pequeña*) rug; ~ *de baño* bath mat; **alfombrado** *m* carpeting; **alfombrar** [1a] carpet (*a. fig.*); **alfombrilla** *f* rug; 🜊 German measles; *mot.* floormat.

alforfón *m* buckwheat.

alforjas *f/pl.* saddle-bags; (*comestibles*) provisions.

alforza *f* pleat, tuck; *fig.* scar, slash.

alga *f* seaweed, alga 🜊.

algarabía *f* Arabic; *fig.* gibberish.

algarroba *f* carob (bean); **algarrobo** *m* carob tree, locust tree.

algazara *f* (Moorish) battle-cry; *fig.* unproar, din.

álgebra f algebra; **algebraico** algebraic.

algo 1. pron. something; ~ es ~ something is better than nothing; ¡por ~ será! there must be some reason behind it!; **2.** adv. rather, somewhat; es ~ grande it's rather big.

algodón m cotton; ♀ cotton plant; ⚕ swab; **algodonero 1.** cotton attr.; **2.** m (p.) cotton-dealer; ♀ cotton plant.

alguacil m bailiff, constable.

alguien someone, somebody.

alguno 1. adj. (algún delante de su. m singular) some, any; (tras su.) (not ...) any; **2.** pron. some; one; someone, somebody.

alhaja f jewel, gem; (mueble) fine piece; **alhajar** [1a] casa furnish, appoint; **alhajera** f S.Am. jewelry box.

alharaca f fuss, ballyhoo; **alharaquiento** demonstrative; strident.

alhelí m wallflower; gillyflower.

alhucema f lavender.

aliado 1. allied; **2.** m, a f ally; **alianza** f alliance (a. fig.); **aliar** [1c] ally; ~se become allied.

alias adv. a. su. m alias.

alicaído with drooping wings; fig. downcast, down in the mouth.

alicantino adj. a. su. m, a f (native) of Alicante.

alicates m/pl. pliers.

aliciente m incentive, inducement.

alienación f alienation (a. ⚕); ⚕ mental derangement; **alienado 1.** distracted; mentally ill; **2.** m, a f mad person, lunatic; **alienista** m/f psychiatrist, alienist.

aliento m (un ~) breath; (acto) breathing; fig. bravery, strength.

aligeramiento m easing; alleviation; relief; **aligerar** [1a] carga lighten (a. fig.); fig. ease, relieve, paso quicken.

alimaña f animal; esp. vermin.

alimentación f nourishment, feeding; (comida) food; ~ forzada ⚕ force feeding; **alimentante** m/f ⚖ person obliged to provide child support; **alimentar** [1a] feed, nourish (a. fig.); ~se feed (de, con on); **alimenticio** manjar nourishing; nutritious; **alimentista** m/f pensioner; **alimento** m food (a. fig.); fig. incentive; encouragement.

alindar [1a] v/t. surv. mark out; v/i. be adjacent, adjoin.

alineación f alignment (a. ⊕); lineup, **alineado** aligned; no ~ pol. non

aligned; Third World; **alinear** [1a] align, line (up); ~se line up.

aliñar [1a] cocina: dress, season; S.Am. hueso set; **aliño** m dressing.

aliquebrado crestfallen.

alisador m ⊕ (p.) polisher; (instrumento) smoothing blade; **alisar** [1a] smooth (down); polish.

aliso m alder.

alistamiento m enlistment, recruitment; **alistar** [1a] (put on a) list; ~se enroll; ✗ enlist, join up.

aliteración f alliteration; **aliterado** alliterative.

alivianar [1a] S.Am. lighten.

aliviar [1b] lighten (a. fig.); fig. relieve, soothe; speed up; ~se get (or gain) relief; **alivio** m relief (a. ⚕), alleviation.

aljamía f Castilian written in Arabic characters.

aljibe m (rainwater) cistern; ⚓ water tender; mot. oil tanker.

aljofaina f (wash)basin.

aljófar m pearl (a. fig.).

aljofifa f floor-cloth; **aljofifar** [1a] wash, mop (up).

alma f soul; spirit; fig. (p.) (living) soul; heart and soul, life-blood, moving spirit; ¡~ mía! my precious!; con (toda) el ~ heart and soul; con toda mi ~ with all my heart; volver a uno el ~ al cuerpo calm down, recover one's peace of mind.

almacén m (depósito) warehouse, store (a. fig.); (tienda) shop; (tienda grande) department store; **almacenamiento** m storage; (computer) data storage; memory; **almacenaje** m storage (charge); ~ frigorífico cold-storage; **almacenar** [1a] put in store, store (up); **almacenero** m storekeeper, warehouseman; S.Am. grocer; **almacenista** m warehouse (or shop) owner, warehouseman.

almagrar [1a] raddle, ruddle; **almagre** m red ochre.

almanaque m almanac; calendario.

almeja f shell-fish, clam.

almena f merlon; ~s pl. battlements; **almenado** battlemented.

almenara f beacon; (araña) chandelier.

almendra ♀ almond; (hueso) kernel, stone; **almendrada** f almond shake; **almendrado 1.** almond-shaped, pear-shaped; **2.** m macaroon; **almendral** m almond grove; **almendro** m almond (tree)

almiar *m* haycock; hayrick.

almíbar *m* syrup; fruit juice; **almibarado** syrupy (*a. fig.*); *fig.* sugary, oversweet; **almibarar** [1a] preserve (*or* serve) in syrup.

almidón *m* starch; **almidonar** [1a] starch.

alminar *m* minaret.

almirantazgo *m* admiralty; **almirante** *m* admiral.

almirez *m* (metal) mortar.

almizcle *m* musk; **almizcleño** musky; **almizclero** *m* (*ciervo*) musk-deer; (*roedor*) musk-rat.

almodrote *m* cheese and garlic sauce; F mixture; hodgepodge.

almohada *f* cushion *de silla*; pillow *de cama*; (*funda*) pillow-case; **almohadilla** *f* small cushion; ⊕ pad; **almohadillado** padded, stuffed.

almohaza *f* curry-comb; **almohazar** [1f] *caballo* curry, groom.

almoneda *f* (*subasta*) auction; (*saldo*) clearance sale.

almorranas *f/pl.* piles, hemorrhoids.

almorzada *f* double handful; heavy breakfast; **almorzar** [1f *a.* 1m] *v/t.* have for lunch, lunch on; *v/i.* (have) lunch.

almuerzo *m* lunch; luncheon.

alnado *m*, **a** *f* stepchild.

alocado mad, wild.

áloe *m* ♀ aloe; *pharm.* aloes.

alojamiento *m* lodging(s); ✗ (*acto*) billeting; (*casa*) billet, quarters (*a.* ♠); **alojar** [1a] lodge, house; *alojo m S.Am.* accomodations; lodging; *~se* lodge; ✗ be billeted.

alondra *f* (*a. ~ común*) lark.

alpaca *zo.* alpaca; alpaca wool; alpaca cloth; German silver.

alpargata *f* rope sandal; rubber and canvas sandal.

alpende *m* lean-to; tool-shed.

alpestre Alpine; *fig.* mountainous; **alpinismo** *m* mountaineering; **alpinista** *m/f* mountaineer, climber; alpinist; **alpino** Alpine.

alpiste *m* ♀ canary grass; (*semilla*) bird seed.

alquería *f* farmhouse.

alquiladizo 1. for rent; for hire; **2.** *m*, **a** *f* hireling; **alquilar** [1a] (*dueño*): *casa* rent (out), let; *coche etc.* hire out; (*inquilino etc.*): *casa, garaje, televisor* rent; *~se* (*casa*) be let (*en precio a*, for); **alquiler** *m* (*acto*) hiring; renting; (*precio*) rent(al); *coche de ~* rental car.

alquimia *f* alchemy; **alquimista** *m* alchemist.

alquitara *f* still; **alquitarar** [1a] distil.

alquitrán *m* tar; *~ mineral* coal tar; **alquitranado** *m* (*firme*) tarmac; (*lienzo*) tarpaulin; **alquitranar** [1a] tar.

alrededor 1. *adv.* around; **2.** *prp. ~ de* around, about; *fig.* about, in the region of; **3.** *~es m/pl.* outskirts, environs *de ciudad*.

alsaciano *adj.* **a.** *su. m*, **a** *f* Alsatian.

alta *f* ✗ discharge (from hospital).

altanería *f* *meteor.* upper air; haughtiness; **altanero** *ave* highflying, soaring; *fig.* haughty; high-handed.

altar *m* altar; *~ mayor* high altar.

altavoz *m* *radio:* loud-speaker; ♪ amplifier.

alterabilidad *f* changeability; **alterable** alterable; **alteración** *f* alteration; (*deterioro*) change for the worse, upset, disturbance; **alterado** *fig.* agitated, upset; **alterar** [1a] alter, change; ✗ *etc.* change for the worse, upset; *~se fig.* be disturbed.

altercado *m* argument, altercation; **altercar** [1g] quarrel, argue.

alternación *f* alternation, rotation; (*entre sí*) interchange; **alternador** *m* ♪ alternator; **alternar** [1a] *v/t.* alternate (*con* with); interchange; vary; *v/i.* alternate; **alternativa** *f* (*trabajo*) shift work; (*elección*) alternative, choice; **alternativo, alterno** alternate; alternating; *combustible ~* alternate fuel; *energías ~as* alternate energy sources.

alteza *f* height; (*título*) highness.

altibajos *m/pl.* ups and downs, unevenness *de terreno*.

altillo *m* hillock; *S.Am.* attic.

altímetro *m* altimeter.

altiplanicie *f* high plateau.

altisonante high-flown, highsounding.

altitud *f* height; *geog.*, ⚜ altitude.

altivez *f* haughtiness, arrogance; **altivo** haughty, arrogant.

alto¹ 1. *adj. mst* height; *p.*, *edificio*, *árbol* tall; *voz* loud; *en* (*lo*) *~ up*, high (up); *en lo ~ de* up, on top of; **2.** *adv. lanzar* high (up); **3.** *m geog.* height, hill.

**alto² *m* ✗ *etc.* halt; *esp. fig.* stop, standstill; *~ ahí!* halt!, stop!

altoparlante *m* loud speaker.

altruísmo *m* altruism; **altruísta 1.** altruistic; **2.** *m/f* altruist.

altura f mst height; height, tallness; geog. latitude; ♣ high seas; *en las* ～s on high; *tiene 2 metros de* ～ it is 2 metres high.

alucinación f hallucination, delusion; **alucinar** [1a] hallucinate; ～se be hallucinated, be deluded.

alud m avalanche.

aludir [3a]: ～ *a* allude to, mention (in passing).

alumbrado 1. F lit-up, tight; **2.** m lighting (system); illumination; **alumbramiento** m ⚕ lighting, illumination; **alumbrar** [1a] v/t. light (up), illuminate; v/i. ⚥ give birth; ～se ⚥ light (up); F get tipsy.

alumbre m alum.

alúmina f alumina; **aluminio** m aluminium.

alumnado m student body; **alumno** m, **a** f univ. etc. student, pupil.

alunado lunatic, insane.

alunizaje m moon landing; **alunizar** [1f] land on the moon.

alusión f allusion, mention, reference; **alusivo** allusive.

aluvial alluvial; **aluvión** m alluvion (a. 🜊); (*depósito*) alluvium.

álveo m bed (of a stream).

alveolar alveolar; **alvéolo** m alveolus, cell *de panal*; anat. socket.

alza f ↑ rise, advance; ✕ rear sight; **alzada** f height *de caballo*; 🜨 appeal; **alzado 1.** elevated, raised; *S.Am.* insolent; brazen; **2.** m 🜨 front elevation; typ. gathering; **alzamiento** m (*acto*) lift(ing); raising; rise, **alzaprima** f (*palanca*) lever; (*cuño*) wedge; **alzar** [1f] raise, lift (up), hoist; *mantel etc.* put away; ～se rise (up); pol. revolt, rise; **alzo** m *C.Am.* theft.

allá (over) there; (*tiempo*) way back, long ago; *más* ～ *de* beyond, past.

allanamiento m levelling, flattening; 🜨 submission (*a* to); **allanar** [1a] v/t. (*hacer llano*) level (out), flatten; even; (*alisar*) smooth; v/i. level out, ～se level out, level off.

allegadizo gathered at random; **allegado 1.** near, close; *p.* related (*de* to); **2.** m, **a** f (*pariente*) relation, relative; *S.Am.* foster; **allegar** [1h] gather (together), collect; ～se go up (*a* to).

allende beyond; ～ de besides.

allí there; ～ *dentro* in there; *de* ～ *a poco* shortly after(wards).

ama f mistress *de casa*; (*dueña*)

owner; (*de pensión etc.*) landlady; ～ *de casa* housekeeper, housewife.

amabilidad f kindness; amiability; **amable** kind; amiable, nice; **amacharse** [1a] *S.Am.* cohabit; get intimate.

amado m, **a** f love(r), sweetheart; **amador 1.** loving; **2.** m, **-a** f lover.

amadrigar [1h] welcome (with open arms); ～se go into its hole.

amaestrado *animal* trained, performing; **amaestramiento** m training *etc.*; **amaestrar** [1a] train; *caballo* break in.

amagar [1h] v/t. threaten, show signs of, portend; v/i. threaten; **amago** m threat; (*indicio*) sign.

amainar [1a] v/t. *vela* take in, shorten; v/i. abate (a. fig.); moderate; ～se abate; slacken.

amalgama f amalgam; fig. concoction; **amalgamación** f amalgamation; **amalgamar** [1a] amalgamate (a. fig.); fig. mix (up).

amamantar [1a] suckle.

amancebamiento m cohabitation; common-law marriage.

amanecer 1. [2d] dawn; appear (at dawn); **2.** m dawn; **amanecida** f dawn.

amanerado mannered, affected; **amanerarse** [1a] become affected.

amansado tame; **amansador** m, **-a** f tamer; *S.Am.* horse breaker; **amansar** [1a] *animal* tame; *caballo* break in; *p.* subdue; ～se moderate, abate.

amante 1. loving, fond; **2.** m/f lover; f mistress; ～s pl. lovers.

amañar [1a] do skilfully, do cleverly; fake; ～se be handy, be expert; **amaño** m skill, expertness; ～s pl. ⊕ tools.

amapola f poppy.

amar [1a] love.

amaraja m ✈ landing (on the sea); ditching.

amaranto m amaranth.

amarar [1a] land on the sea.

amargar [1h] make bitter; fig. embitter, spoil; ～se get bitter; **amargo 1.** bitter (a. fig.); fig. embittered; **2.** m bitterness; ～s pl. bitters; **amargor** m, **amargura** f bitterness (a. fig.).

amarillear [1a] shoe yellow; be yellowish; **amarillecer** [2d] (turn) yellow; **amarillo** adj. a. su. m yellow.

amarra f mooring line, painter; ~s pl. moorings; **amarradero** m (poste) bollard; **amarrar** [1a] v/t. barco moor.

amartelado in love; love-sick; **amartelamiento** m infatuation; **amartelar** [1a] p. woo, court; ~se fall in love.

amartillar [1a] hammer; pistola cock.

amasada f S.Am. batch of dough; batch of mortar; **amasadura** f (acto) kneading; (masa) batch; **amasamiento** m kneading; ℱ massage; **amasar** [1a] masa knead; harina, yeso mix; patatas mash; **amasijo** m kneading.

amatista f amethyst.

amatorio love attr.; amatory.

amazona f amazon.

ambages m/pl. beating about the bush, circumlocutions; sin ~ in plain language.

ámbar m amber; ~ gris ambergris.

ambición f ambition; **ambicionar** [1a] strive after, seek; **ambicioso 1.** ambitious; b.s. pretentious; **2.** m, a f ambitious person.

ambidextro ambidextrous.

ambiente 1. ambient; **2.** m atmosphere (a. fig.); surroundings; medio~ environment.

ambigú m buffet supper; refreshment counter.

ambigüedad f ambiguity; **ambiguo** ambiguous; equivocal.

ámbito m ambit; △ confines.

ambos, ambas adj. a. pron. both.

ambrosia f ambrosia (a. fig.).

ambulancia f ambulance; ✕ field hospital; **ambulante** (que anda) walking; (que viaja) roving; **ambulatorio 1.** ambulatory; **2.** m ambulance.

amedrentar [1a] scare; intimidate.

amén 1. m amen; **2.** prp.: ~ de except (for); (además de) besides.

amenaza f threat, menace; **amenazador, amenazador** threatening, menacing; intimidating; **amenazar** [1f] v/t. threaten, menace; v/i. threaten, loom, impend.

amenguar [1i] lessen, diminish.

amenidad f pleasantness etc.; **ameno** pleasant, agreeable, nice; trato, estilo etc. pleasant.

americana f coat, jacket; **americanismo** m Americanism; **americanizar** [1f] Americanize; **americano**

adj. a. su. m, **a** f (norte-) American; (sud-, central-) Latin-American.

ametralladora f machine gun; ~ antiaérea antiaircraft gun.

amiba f, **amibo** m amoeba.

amiga f friend; (novia) girl friend, b.s. mistress; **amigable** friendly; fig. harmonious; **amigarse** [1h] get friendly; b.s. live in sin.

amígdala f tonsil; **amigdalitis** f tonsilitis.

amigo 1. friendly; ser muy ~s be very good friends; **2.** m friend; (novio) boyfriend; sweetheart; ser ~ de fig. be fond of.

amilanar [1a] intimidate, cow; ~se be cowed, be scared.

aminorar [1a] lessen; gastos etc. cut down; paso slacken.

amistad f friendship; ~es pl. (ps.) friends, acquaintances; estrechar ~ con get friendly with; **amistar** [1a] bring together, make friends; ~se become friends; **amistoso** friendly; (de vecino) neighbourly.

amnesia f loss of memory, amnesia.

amnistía f amnesty.

amo m master de casa etc.; head of the family; (dueño) proprietor.

amodorramiento m sleepiness, drowsiness; **amodorrarse** [1a] get sleepy, get drowsy; **amodorrido** drowsy; numb; sleepy.

amohinar [1a] vex, annoy; ~se get vexed, get annoyed; (esp. niño) sulk.

amoldar [1a] mould (a. fig.); ~se fig. adapt o.s., adjust o.s.

amonestación f warning; esp. ✝ caution; eccl. (marriage) banns; **amonestar** [1a] (advertir) warn; (recordar) remind; (reprobar) reprove, admonish.

amoníaco 1. ammoniac(al); **2.** m ammonia.

amontonamiento m accumulation, piling up; **amontonar** [1a] heap (up), pile (up), accumulate; ~se pile (up), accumulate, collect.

amor m love (a for; de of); (p.) love; ~es pl. love-affair, romance; ~ cortés courtly love; i~ mío! (my) darling!; por el ~ de Dios for God's sake.

amoral amoral, unmoral; **amoralidad** f amorality.

amoratado purple; blue (de frío with cold).

amordazar [1f] perro muzzle.

amorío m (a. ~s pl.) love-affair,

romance; ~ secreto intrigue; **amo-roso** *p.* loving, affectionate.
amortajar [1a] shroud, lay out.
amortecer [2d] *ruido* muffle, deaden; **~se** *f* faint, swoon.
amortiguación *f* deadening, muffling; absorbing; cushioning;
amortiguador 1. deadening *etc.*; 2. *m* damper; ⊕ shock-absorber;
amortiguar [1i] *mst = amortecer.*
amortización *f* 🗲 amortization; † redemption; **amortizar** [1f] 🗲 amortize; *préstamo* pay off.
amparador 1. helping, protecting; 2. *m*, **-a** *f* protector; **amparar** [1a] *(ayudar)* help; protect, shelter *(de* from); **~se** seek help; seek protection *etc.*; **amparo** *m* help; protection; refuge, shelter.
amperímetro *m* ammeter; **amperio** *m* ampere.
ampliación *f* enlargement *(a. phot.)*; *(ensanche)* extension; **ampliadora** *f* *phot.* enlarger; **ampliar** [1c] amplify; enlarge *(a. phot.)*; *(ensanchar)* extend; **amplificación** *f* amplification *(a. rhet., phys.)*; 🗲 gain; **amplificador** *m* radio: amplifier; **amplificar** [1g] enlarge; amplify *(a. rhet., phys.)*; **amplio** *espacio etc.* ample; *vestido* full, roomy; **amplitud** *f* ampleness; fullness *etc.*
ampolla *f* 🗲 blister; *(burbuja)* bubble; 🗲 *(vasija)* ampoule; **ampollarse** [1a] blister; **ampolleta** *f (vasija)* vial; *(reloj)* hour-glass.
ampulosidad *f* bombast, pomposity; **ampuloso** bombastic, pompous.
amputación *f* amputation; **amputar** [1a] amputate, cut off.
amueblado furnished; **amueblar** [1a] furnish; appoint.
amujerado effeminate.
amuleto *m* amulet, charm.
amurallar [1a] wall (in).
anacarado mother-of-pearl *attr.*
anacrónico anachronistic; **anacronismo** *m* anachronism; *(objeto)* out-of-date object.
ánade *m* duck; **anadear** [1a] waddle; **anadón** *m* duckling.
anales *m/pl.* annals.
analfabetismo *m* illiteracy; **analfabeto** *adj. a. su. m*, **a** *f* illiterate.
analgesia *f* analgesia; **analgésico** analgesic *adj. a. su. m.*
análisis *mst m* analysis; **analista** *m* 🔼 analyst; **analítico** analytic(al);

analizador *m* analyst; **analizar** [1f] analyse.
analogía *f* analogy; **análogo** analogous, similar.
ananá(s) *m* pineapple.
anaquel *m* shelf; **anaquelería** *f* shelves, shelving.
anaranjado *adj. a. su. m* orange.
anarquía *f* anarchy; **anárquico** anarchic(al); **anarquismo** *m* anarchism; **anarquista 1.** anarchic(al); *pol.* anarchist(ic); 2. *m/f* anarchist.
anatema *mst m* anathema; **anatematizar** [1f] *eccl.* anathematize; *(maldecir)* curse; *fig.* reprimand.
anatomía *f* anatomy; ~ *macroscópica* gross anatomy; **anatómico 1.** anatomical; 2. *m* = **anatomista** *m/f* anatomist.
anca *f* haunch; rump, croup *de caballo*; F buttock; **~s** *pl.* rump.
anciana *f* old woman, old lady; **ancianidad** *f* old age; **anciano 1.** old, aged; 2. *m* old man; *eccl.* elder.
ancla *f* anchor; echar *(levar)* ~s drop (weigh) anchor; **ancladero** *m* anchorage; **anclar** [1a] anchor.
ancheta *f* † *(géneros)* small amount; *(ganancia)* gain, profit; *Arg.* foolishness; ridiculous act.
ancho 1. wide, broad; *esp. fig.* ample, full; *ropa* loose(-fitting); *fig.* liberal, broad(-minded); 2. *m* width, breadth; 🔼 gauge.
anchoa *f* anchovy.
anchura *f* width, breadth, wideness; **anchuroso** broad; spacious.
andaderas *f/pl.*, **andador** *m* child's walker; **andado** worn, well-trodden; *(común)* ordinary; **andador 1.** fast-walking; *(carácter)* fond of walking; 2. *m*, **-a** *f* walker; *(callejero)* gadabout; 3. **~es** *pl.* leading-strings; **andadura** *f* *(acto)* walking; *(paso)* gait.
andalucismo *m* Andalusianism; **andaluz** *adj. a. su. m*, **-a** *f* Andalusian; **andaluzada** *f* F tall story.
andamiada *f*, **andamiaje** *m* scaffold(ing), staging; **andamio** *m* scaffold(ing); *(tablado)* stage, stand.
andante 1. walking; *caballero* errant; 2. *m* 🎵 andante; **andanza** *f* incident; fortune, fate.
andar 1. [1q] *v/t. camino* walk; *distancia* go, cover; *v/i. (a pie)* walk, go; *(moverse)* move; ⊕ go, run, work; ¿*cómo anda eso?* how are things going?; ¿*cómo andas de dinero?* how

are you off for money?; ¡anda, anda! don't be silly!; ¡andando! that's all!; ~ a caballo etc. ride, go on; 2. m gait, pace.

andariego = andador; **andarín** m walker; **andas** f/pl. (silla) litter, sedan chair; (féretro) bier; **andén** m 🚆 platform; S.Am. (acera) sidewalk.

andinismo m S.Am. mountain climbing in the Andes; **andino** Andean.

andrajo m rag, tatter; (p.) scallywag; ~s pl. rags, tatters; **andrajoso** ragged, in tatters.

andurriales m/pl. out of the way place, wilds.

aneblar [1k] cover with mist (or cloud); **~se** cloud over, get misty.

anécdota f anecdote, story; **anecdótico** anecdotal.

anegación f flooding etc.; **anegadizo** terreno subject to flooding; **anegar** [1h] (ahogar) drown (en in; a. fig.); (inundar) flood; **~se** (p.) drown (a. fig.); (campos) be flooded; (barco) sink, founder.

anejo 1. attached; dependent; ~ a attached to, joined on to; **2.** m 🏛 annex, out-building.

anemómetro m anemometer.

anémona f, **anemone** f anemone.

anestesia f anaesthesia; **anestesiar** [1b] anaesthetize.

anestésico adj. a. su. m anaesthetic.

anexar [1a] annex; adjunto attach, append; **anexión** f annexation; **anexionar** [1a] annex; **anexo 1.** documento, edificio attached; **2.** m annex.

anfibio 1. amphibious; amphibian (a. 🐸); **2.** m amphibian.

anfiteatro m amphitheatre; thea. balcony, dress-circle.

anfitrión m lit. a. co. host; **anfitriona** f hostess.

ánfora f amphora; S.Am. ballotbox.

anfractuosidad f (desigualdad) roughness; (vuelta) bend, turning.

angarillas f/pl. hand-barrow; (cestas) panniers.

ángel m angel; ~ custodio, ~ de la guarda guardian angel; **angelical**, **angélico** angelic(al).

angina f angina, quinsy.

anglicano adj. a. su. m, a f Anglican; **anglicismo** m Anglicism; **anglófilo** adj. a. su. m, a f Anglophile; **angloparlante** English-speaking; **anglosajón** adj. a. su. m, -a f Anglo-Saxon.

angostar(se) [1a] narrow; **angosto** narrow; **angostura** f narrowness.

anguila f eel; ~ de mar conger eel.

angular angular; piedra corner attr.; **ángulo** m angle (a. 🄰); (esquina) corner, turning; phot. de ~ ancho wide-angle; en ~ at an angle; **anguloso** angular.

angurria f S.Am. raging hunger; greed.

angustia f anguish, distress; 🩺 ~ vital anxiety state; **angustiado** distressed, anguished; (avaro etc.) mean; **angustiar** [1b] grieve, distress; **~se** be distressed.

anhelante 🩺 (a. respiración ~) panting; fig. (ansioso) eager; **anhelar** [1a] v/t. be eager for; yearn for; v/i. 🩺 gasp, pant; ~ inf. yearn to inf.; **anhelo** m eagerness; yearning; **anheloso** 🩺 gasping, panting; fig. eager.

anidar [1a] v/t. shelter, take in; v/i. fig. live, make one's home.

anilina f aniline.

anillo m ring (a. ast.); cigar band; ~ de boda wedding ring.

ánima f soul; soul in purgatory; eccl. las ~s sunset bell, Angelus.

animación f liveliness, life; vivacity de carácter; animation; **animado** lively, gay.

animal 1. animal; p. stupid; **2.** m animal; fig. (estúpido) blockhead; F beast, brute; **animalada** f F stupidity.

animar [1a] biol. give life to, animate; fig. (alegrar) cheer up; discusión enliven, liven up; (alentar) encourage (a inf. to inf.); **~se** (p.) brighten up, cheer up; **ánimo** m soul; spirit (a. fig.); (valor) courage, nerve; energy; attention, thought; ¡~! cheer up!

animosidad f (valor) courage, nerve; **animoso** spirited, brave; ready (para for).

aniñado cara etc. childlike, of a child; b.s. childish, puerile.

aniquilación f, **aniquilamiento** m annihilation, obliteration; **aniquilar** [1a] annihilate, destroy; **~se** be wiped out; fig. 🩺 waste away.

anís m ♀ anise; (grana) aniseed; (bebida) approx. anisette; **anisete** m anisette.

aniversario m anniversary..

ano m anus.

anoche last night; **anochecer 1.** [2d] get dark; arrive at nightfall; **2.** m

nightfall, dusk; **anochecida** f nightfall, dusk.

ánodo m anode.

anomalía f anomaly; **anómalo** anomalous.

anonadar [1a] annihilate, destroy; *fig.* overwhelm; **~se** be humilated.

anónimo 1. anonymous; nameless; † *sociedad* limited; **2.** m (*en general*) anonymity; (*p.*) s.o. unknown.

anorexia f ❦ anorexia.

anormal abnormal; **anormalidad** f abnormality.

anotación f (*acto*) annotation; note; *S.Am.* score; **anotar** [1a] annotate.

ánsar m goose; **ansarino** m gosling.

ansia f ❦ anxiety, tension; (*angustia*) anguish; **ansiar** [1b] *v/t.* long for, yearn for, covet; **ansiedad** f anxiety (*a.* ❦); solicitude; suspense; **ansioso** anxious (*a.* ❦), worried.

antagónico antagonistic, opposed; **antagonismo** m antagonism; **antagonista** m/f antagonist.

antaño last year; *fig.* long ago.

antártico Antarctic.

ante¹ m elk; buffalo; (*piel*) buckskin.

ante² before, in the presence of.

anteanoche the night before last; **anteayer** the day before yesterday.

antebrazo m forearm.

antecámara f antechamber, anteroom, lobby.

antecedente 1. previous, preceding; **2.** m antecedent (*a.* Ⓐ, *gr.*, *phls.*); **~s** *pl.* record, past history; **antecesor** [2a] precede, go before; **antecesor 1.** preceding; **2.** m, **-a** f predecessor; (*abuelo*) ancestor.

antedicho aforesaid, aforementioned.

antena f *zo.* antenna, feeler; *radio:* aerial, antenna; **~ interior incorporada** built-in antenna.

antenombre m title.

anteojera f spectacle case; **~s** *pl.* blinkers; **anteojero** m spectacle maker; optician; **anteojo** m telescope, eye-glass; **~s** *pl.* spectacles, glasses.

antepagar [1h] prepay.

antepasado 1. before last; **2.** m forebear, forefather.

antepecho m balcony, ledge *de ventana*; parapet, guard-rail.

antepenúltimo last but two, antepenultimate.

anteponer [2r] place *s.t.* in front; *fig.* prefer; **~se** come in front.

anterior (*orden*) preceding, previous;

anterior (*a. gr.*); former; **anterioridad** f precedence; priority.

antes 1. *adv.* before; formerly; (*en otro tiempo*) once, previously; *cuanto* **~, lo ~** *posible* as soon as possible; **2.** *prp.*: **~ de** before; **~ de** *inf.* before *ger.*; **3.** *cj.*: **~ (de) que** before.

antesala f antechamber.

anti... anti...; **~ácido** *adj. a. su.* antacid; **~adherente** nonstick; **~aéreo** anti-aircraft; *cañón* **~** anti-aircraft gun; **~biótico** m antibiotic; **~ciclón** m anticyclone.

anticipación f anticipation, forestalling; † advance; **con ~** in advance; **anticipado** future, prospective; † advance; **anticipar** [1a] *fecha etc.* bring forward; † advance; **~se** take place (*or* happen) early; **anticipio** m foretaste; (*préstamo*) advance; (*pago*) advance payment.

anti...: ~clerical anticlerical; **~conceptivo** m contraceptive; **~congelante** m (*a. solución* **~**) anti-freeze, de-freezer; **~corrosivo** anti-corrosive; **~constitucional** unconstitutional; **~cristo** m Antichrist.

anticuado old-fashioned, out-of-date; antiquated; obsolete; **anticuarse** [1d] become antiquated; **anticuario** m Ⓤ antiquarian; † antique-dealer.

anti...: ~derrapante non-skid; **~deslizante** non-slipping; *mot.* non-skid; **~deslumbrante** antidazzle; **~detonante** *mot.* antiknock.

antídoto m antidote.

anti...: ~económico uneconomic(al); wasteful; **~estético** unsightly, offensive; **~fascista** *adj. a. su. m/f* anti-fascist; **~faz** m mask; veil; **~friccional** anti-friction *attr.*

antigualla f antique; (*cuento*) old story; **antiguamente** (*en lo antiguo*) in ancient times, of old; (*antes*) formerly, once; **antiguar** [1i] attain seniority; **~se = anticuarse; antigüedad** f antiquity; † seniority; **~es** *pl.* antiquities; **antiguo** old; ancient; (*anterior*) former, late, one-time.

antihigiénico insanitary.

antílope m antelope.

antimonio m antimony.

antioxidante anti-rust.

antipara f screen.

antiparras f/*pl.* F glasses, specs.

antipatía f dislike (*hacia* for), aversion (*hacia* to, from); antipathy; **an-**

tipático disagreeable, unpleasant, not nice.

antipatriótico unpatriotic.

antípoda 1. antipodal; *fig.* contrary, quite the opposite; **2.** *m* antipode; ~s *f/pl. geog.* antipodes.

antirreflejos *adj.* nonreflecting.

antirresbaladizo *mot.* nonskid.

antisemita *m/f* anti-semite; **antisemítico** anti-semitic; **antisemitismo** *m* anti-semitism.

antiséptico *adj. a. su. m* antiseptic.

antisubmarino antisubmarine.

antítesis *f* antithesis; **antitético** antithetic(al).

antitóxico antitoxic; **antitoxina** *f biol.* antitoxin.

antojadizo capricious; given to sudden fancies; **antojarse** [1a] take a fancy to.

antología *f* anthology.

antónimo *m* antonym.

antorcha *f* torch; *fig.* lamp.

antracita *f* anthracite.

ántrax *m* anthrax.

antro *m* cavern.

antropofagia *f* cannibalism; **antropófago 1.** man-eating, anthropophagous 🐗; **2.** *m*, **a** *f* cannibal; **antropoide** anthropoid; **antropología** *f* anthropology; **antropólogo** *m* anthropologist.

anual annual; **anuario** *m* yearbook.

anublar [1a] *cielo* cloud; (*oscurecer*) darken, dim (*a. fig.*); ~se cloud over; darken; *fig.* fade away.

anudar [1a] knot, tie; join, unite (*a. fig.*); ~se get into knots *etc.*

anulación *f* annulment *etc.*; **anular**[1] [1a] annul, cancel, nullify; *ley* revoke; ~se be deprived of authority, be removed.

anular[2] **1.** ring(-shaped); **2.** *m* ring finger.

anunciación *f* announcement; (*día de*) *la* ♀ The Annunciation (*25 March*); **anunciante** *m/f* ✝ advertiser; **anunciar** [1b] announce; proclaim; ✝ advertise; **anuncio** *m* announcement; proposal; ✝ (*esp. impreso*) advertisement; (*cartel*) placard, poster.

anverso *m* obverse.

anzuelo *m* (fish)hook; *fig.* lure, bait.

añadido *m* false hair, switch; **añadidura** *f* addition; ✝ extra measure; *por* ~ besides, in addition; **añadir** [3a] add (*a* to); (*aumentar*) increase.

añagaza *f* decoy, lure (*a. fig.*).

añal 1. *suceso* yearly; ✐ *etc.* year-old; **2.** *m* year-old lamb *etc.*

añejar [1a] age, make old; ~se age; (*vino etc.*) improve with age; **añejo** old; *vino* mellow, mature.

añicos *m/pl.* bits, pieces, shreds.

añil *m* indigo (*a.* 🌿); bluing.

año *m* year; ~s *pl.* (*cumpleaños*) birthday; ~ *bisiesto* leap-year; ~ *de Cristo* Anno Domini (A.D.); ~ *luz* light-year.

añoranza *f* longing, nostalgia (*de* for); **añorar** [1a] long for, pine for; grieve for, mourn.

añoso aged, full of years.

aojar [1a] put the evil eye on; **aojo** *m* evil eye, hoodoo.

aovado egg-shaped, oval; **aovar** [1a] lay eggs.

apacentadero *m* pasture (land); **apacentar** [1k] pasture, graze; ~se ✐ graze; *fig.* feed (*con, de* on).

apacibilidad *f* gentleness *etc.*; **apacible** gentle, mild, meek.

apaciguamiento *m* appeasement *etc.*; **apaciguar** [1i] pacify, appease; (*aquietar*) calm down; ~se calm down, quieten down.

apadrinar [1a] *empresa etc.* sponsor; *eccl. niño* act as godfather to; *novio* be best man for.

apagado *volcán* extinct; *color* dull, lustreless; muffled; *p.* listless, spiritless; **apagafuego** *m*, **apagaincendios** *m* fire extinguisher; **apagar** [1h] *fuego* put out, extinguish; ✐ *luz* turn off; ~se go out; be extinguished; **apagón** *m* blackout; ✐ power cut.

apalabrear [1a] *S.Am.* make an appointment.

apalancar [1g] lever (up).

apaleamiento *m* beating *etc.*; **apalear** [1a] beat, thrash; *alfombra* beat; ✐ winnow.

apandillar [1a] form into a gang.

apañado *fig.* handy, skilful; **apañar** [1a] (*coger*) pick up; (*asir*) take hold of; *b.s.* steal, swipe; ~se *para inf.* contrive to *inf.*

apañuscar [1g] F rumple, crumple; *S.Am.* jam together; (*robar*) swipe.

aparador *m* sideboard, buffet; (*vitrina*) show-case; **aparar** [1a] arrange; adorn.

aparato *m* 🐦 *etc.* apparatus; (*dispositivo*) device, piece of equipment; ⊕ machine; *radio etc.*: set; **aparatoso** ostentatious, showy; pretentious.

aparcamiento *m* parking; ~ **subterráneo** underground garage; **aparcar** [1g] park (a vehicle).

aparcería *f* partnership; **aparcero** *m* partner; *S.Am.* sharecropper.

aparear [1a] make even, level up.

aparecer [2d] appear; turn up; **aparecido** *m* appearance; ghost, spectre.

aparejado fit, ready (*para* for); **aparejador** *m* foreman, overseer; **aparejar** [1a] prepare, get ready; *meteor.* threaten; *caballo* harness; ♣ fit out; **~se** prepare o.s., get ready (*para* for); **aparejo** *m* preparation; (*caballo*) harness; **~s** *pl.* ⊕ tools, gear.

aparentar [1a] feign, affect; *edad* seem to be, look; ~ *inf.* make as if to *inf.*; **aparente** apparent, seeming; **aparición** *f* appearance; (*espectro*) apparition; de *próxima* ~ *libro* forthcoming; **apariencia** *f* appearance, look(s).

apartadero *m mot.* turnout; stopping place; rest area; 🚃 siding; **apartado 1.** isolated, remote, secluded; *camino* devious; **2.** *m* (*a.* ~ *de correos*) postoffice box; (*cuarto*) spare room; *typ.* paragraph; **apartamento** *m esp. S.Am.* flat; **apartamiento** *m* (*acto*) withdrawal *etc.*; **apartar** [1a] separate, take away (*de* from); isolate; *&* sort (out); **~se** (*dos ps.*) separate (*a. casados*); (*alejarse*) move away; withdraw, retire (*de* from); **aparte 1.** apart, aside (*de* from); **2.** *m thea.* aside.

apasionado passionate; (*fogoso*) fiery, intense; **apasionamiento** *m* passion, enthusiasm (*de, por* for); **apasionante** thrilling, exciting; **apasionar** [1a] stir deeply, **~se** get excited; (*enamorarse*) fall in love with.

apatía *f* apathy; ♣ listlessness; **apático** apathetic; ♣ listless.

apear [1a] help *s.o.* down (*de* from); (*bajar*) take *s.t.* down; **~se** dismount, get down (*de caballo* from); 🚃 *etc.* get off, get out.

apechugar [1h]: ~ *con* F put up with, swallow.

apedazar [1f] cut (*or* tear) into pieces; (*remendar*) mend, patch.

apedrear [1a] *v/t.* stone, pelt with stones; *v/i.* hail; **~se** be damaged by hail.

apegadamente devotedly; **apegado** ~ *a* attached to, fond of; **ape-**

garse [1h] *a* become attached to, grow fond of; **apego** *m*: ~ *a* attachment to, fondness for.

apelación *f* appeal; *sin* ~ without appeal, final; **apelante** *m/f* appellant; **apelar** [1a] ⚖ appeal (*de* against); **apelativo** *m C.Am.* family name, last name.

apelmazar [1f] compress; **~se** cake; get lumpy.

apelotonar [1a] make into a ball; **~se** (*gente*) crowd together.

apellidar [1a] name; (*calificar*) call; **~se** be called, have as a surname; **apellido** *m* surname; name.

apenar [1a] trouble; **~se** grieve.

apenas scarcely, hardly (*a.* ~ *si*).

apendectomía *f* appendectomy; **apéndice** *m* appendix (*a.* 🐍); **apendicitis** *f* appendicitis.

apercibimiento *m* preparation; provision; notice; ⚖ summons; **apercibir** [3a] prepare; provide; *ánimo* prepare (*para* for); ⚖ summon; **~se** get (*o.s.*) ready, prepare (*o.s.*).

aperitivo *m* appetizer; aperitif.

apero *m* tools, equipment, gear.

apersonarse [1a] ⚖ appear; appear in person.

apertura *f mst* opening.

apesadumbrar [1a], **apesarar** [1a] grieve, distress; **~se** be grieved *etc.* (*con, de* at).

apestar [1a] *v/t.* 🐍 infect (with plague); *fig.* corrupt; *v/i.* stink; **apestoso** (*que huele*) stinking.

apetecer [2d] crave (for), long for, hunger for; **apetecible** desirable; tempting; **apetencia** *f* hunger; **apetito** *m* appetite (*a. eccl.*); *esp. fig.* relish; *abrir el* ~ whet one's appetite; **apetitoso** appetizing; inviting.

apiadar [1a] move to pity; *víctima* = **~se** *de* take pity on.

apicarado *niño* spoilt, naughty.

ápice *m* apex; *fig.* whit, iota.

apilar(se) [1a] pile up, heap up.

apiñado jammed, packed, congested; **apiñadura** *f*, **apiñamiento** *m* congestion; squeeze, squash, jam; **apiñar** [1a] squeeze (together); **~se** (*gente*) crowd together.

apio *m* celery.

apiolar [1a] F (*prender*) nab; (*matar*) do away with, bump off.

apisonadora *f* road-roller, steamroller; **apisonar** [1a] roll; tamp.

aplacar [1g] appease, placate.

aplanacalles *S.Am.* m/f idler; lazy person.

aplanamiento m smoothing *etc.*; **aplanar** [1a] smooth, level, roll flat; *calles* loaf, bum around; ~se △ collapse.

aplastante overwhelming, crushing; **aplastar** [1a] squash, flatten (out).

aplaudida f *S.Am.* applause; **aplaudir** [3a] applaud, cheer; **aplauso** m applause.

aplazada f *S.Am.* postponement; **aplazamiento** m postponement *etc.*; **aplazar** [1f] postpone, defer.

aplicable applicable; **aplicación** f application (a. ✍); (asiduidad) industry; **aplicar** [1g] *mst* apply (a to); *manos, color etc.* lay (sobre on); *hombres etc.* assign (a, para to); ~se *algo* claim for o.s.; ~ a apply to, be applicable to.

aplomar [1a] make perpendicular; ~se collapse, fall to the ground; **aplomo** m *fig.* seriousness, aplomb.

apocado spiritless; spineless; common, mean.

apocalíptico apocalyptic.

apocar [1g] make smaller, reduce; humiliate; ~se humble o.s.

apócrifo apocryphal.

apodar [1a] nickname, dub; label.

apoderado m agent, representative; **apoderamiento** m authorization; power of attorney; **apoderar** [1a] authorize, empower; ~se de (asir) seize, take hold of.

apodo m nickname; label.

apogeo m *ast.* apogee; *fig.* peak.

apolilladura f moth-hole; **apolillado** moth-eaten; **apolillarse** [1a] get moth-eaten.

apolítico apolitical; nonpolitical.

apologética f apologetics; **apología** f defence; encomium, eulogy.

apoltronado idling, lazy; **apoltronarse** [1a] get lazy; loaf around.

apoplejía f stroke, apoplexy; **apopléctico** apoplectic.

aporreado *vida* poor, wretched; *Cuba, Mex.* chopped beef stew; **aporrear** [1a] beat, club; beat up; ~se slave away.

aportación f contribution; ~es *pl.* de la mujer dowry; **aportar** [1a] *v/t.* bring; contribute; **aporte** m *S.Am.* contribution.

aposentar(se) [1a] lodge, put up; **aposento** m room; lodging.

aposición f apposition.

apostadero m station, stand; ⚓ naval station; **apostar**[1] [1a] ⚔ post, station.

apostar[2] [1m] *v/t. dinero* lay, wager; *v/i.* bet (a, por on; a que that); *v/i.* ~se compete (con with).

apostasía f apostasy; **apóstata** m/f apostate.

apostilla f note, comment; **apostillar** [1a] annotate; ~se break out in pimples.

apóstol m apostle; **apostólico** apostolic.

apóstrofe m or f apostrophe; taunt, insult; rebuke, expostulation; **apóstrofo** m *gr.* apostrophe.

apostura f gracefulness; neatness.

apoteosis f apotheosis (a. *fig.*).

apoyar [1a] *v/t. codo etc.* lean, rest (en, sobre on); △ *etc.* support, hold up; ~se en *base* rest on; **apoyo** m support (a. *fig.*); *fig.* backing, help.

apreciable appreciable, considerable; **apreciación** f appreciation, appraisal; † valuation; **apreciador** m appraiser; **apreciar** [1b] value, assess (en at; a. *fig.*); *esp. fig.* estimate; **aprecio** m appreciation, appraisal; esteem.

aprehender [2a] apprehend; seize; *fig.* perceive; **aprehensión** f seizure; *fig.* perception.

apremiador, **apremiante** urgent; pressing, compelling; **apremiar** [1b] (obligar) compel, force; (instar) urge on, press; **apremio** m compulsion *etc.*; ⚖ writ, judgement; summons.

aprender [2a] learn (a *inf.* to *inf.*).

aprendiz m, **-a** f apprentice (de to); (principiante) learner; **aprendizaje** m apprenticeship.

aprensión f apprehension, fear, worry; **aprensivo** apprehensive.

apresamiento m capture *etc.*; **apresar** [1a] *p.* capture; ⚖ seize; (asir) seize, grasp.

aprestado ready; **aprestar** [1a] prepare, make (or get) ready; ~se prepare, get ready (para *inf.* to *inf.*); **apresto** m (acto) preparation; (equipo) outfit; priming.

apresurado hasty, hurried; **apresuramiento** m haste(ning); **apresurar** [1a] hurry (up, along); accelerate; ~se hasten, make haste (a, en, por *inf.* to *inf.*).

apretadamente hard, tight(ly); **apretadera** f strap, rope; ~s *pl.* F

pressure; **apretado** *vestido etc.* tight; *lugar* (*pequeño*) cramped; dense, thick; **apretar** [1k] **1.** *v/t.* *tuerca etc.* tighten; *lío etc.* squeeze; *contenido* pack in, pack tight; **2.** *v/i.* (*vestido*) be tight; (*zapato*) pinch; (*empeorar*) get worse; insist; **3.** ~**se** (*estrecharse*) (get) narrow; (*ps.*) squeeze up, huddle together.

apretón *m* squeeze, pressure; (*abrazo*) hug; *estar en un* ~ be in a quandary; **aprieto** *m* crush, jam, squeeze; *fig.* (*apuro*) fix, quandary; (*aflicción*) distress.

aprisa quickly, hurriedly.

aprisco *m* sheep-fold.

aprisionar (*encarcelar*) imprison; shackle, fetter (*a. fig.*).

aprobación *f* approval *etc.*; **aprobado 1.** approved; worthy, excellent; **2.** *m univ. etc.* pass (mark).

aprobar [1m] *v/t.* approve (*de as*); endorse; consent to; *v/i. univ.* pass.

aprontamiento *m* quick service; **aprontar** [1a] get ready quickly; *dinero* hand over without delay.

apropiado appropriate (*a, para* to), suitable (*a, para* for); **apropiar** [1b] adapt, fit (*a* to); apply (*a caso, p.* to); ~**se** *algo* appropriate.

aprovechable available; useful; **aprovechado** (*frugal*) thrifty; (*ingenioso*) resourceful; (*aplicado*) industrious; **aprovechamiento** *m* use *etc.*; (*ventaja*) profit, advantage; (*adelanto*) improvement, progress; **aprovechar** [1a] *v/t.* (*explotar*) make (good) use of, use; *oferta etc.* take advantage of; *v/i.* be of use; progress, improve (*en in*); ~**se** *de* = *v/t.*

aproximación *f* approach; (*efecto*) closeness; ♪ *etc.* approximation; **aproximado** approximate; near, rough; **aproximar** [1a] bring near(er), draw up (*a* to); ~**se** approach; **aproximativo** approximate, near.

aptitud *f* suitability (*para* for); aptitude, ability; **apto** suitable, fit (*para su.* for).

apuesta *f* bet, wager.

apuesto neat, spruce.

apuntación *f* note; ♪ notation; **apuntado** pointed, sharp; **apuntador** *m thea.* prompter.

apuntalar [1a] prop (up), shore (up), underpin; ⊕ strut.

apuntamiento *m* (*apunte*) note; ⚔ aiming; ⚖ judicial report; **apuntar**

[1a] **1.** *v/t.* *fusil* aim (*a* at), train (*a* on); *blanco* aim (*a*); (*señalar*) point out; **2.** *v/i.* (*bozo etc.*) begin to show; (*día*) dawn; **3.** ~**se** turn sour; **apunte** *m* note; jotting; *sacar* ~s take notes.

apuñalar [1a] stab, knife.

apuñar [1a] seize (in one's fist); **apuñ(et)ear** [1a] punch, pummel.

apurado (*pobre*) needy, hard up; (*difícil*) hard; **apurar** [1a] *líquido, vaso* drain; *surtido* exhaust, finish, use up; (*llevar a cabo*) carry out, finish; ⊕ refine; hurry, press; ~**se** fret, worry, upset; **apuro** *m* (*a.* ~**s** *pl.*) hardship, need, distress.

aquejar [1a] worry, distress.

aquel, aquella *adj.* that.

aquél, aquélla *pron.* that (one); (*el anterior*) the former; **aquél** *m* (*sex*) appeal, it F.

aquello *pron.* that.

aquí here; ~ *dentro* in here; ~ *mismo* right here; *de* ~ *adelante* from now on; *por* ~ (*cerca*) hereabouts, round here.

aquietar [1a] calm; pacify.

aquilatar [1a] *metall.* assay.

aquilón *m* north wind.

ara *f* altar; (*piedra*) altar stone.

árabe 1. Arab(ic); ♙ Moresque; **2.** *m/f* Arab; **3.** *m* (*idioma*) Arabic; **arabesco 1.** Arab(ic); **2.** *m* ♙ arabesque; **arábigo 1.** Arab(ic); **2.** *m* Arabic; **arabismo** *m* (*estudio; voz; rasgo*) Arabism; **arabista** *m/f* Arabist.

arable arable.

arado *m* plough; (*reja*) (plough)-share; **arador** *m* ploughman.

aragonés *adj. a. su. m, -a f* Aragonese; **aragonesismo** *m* Aragonese expression.

arancel *m* tariff, duty; **arancelar** [1a] *C.Am.* pay; **arancelario** customs *attr.*

arandela *f* ⊕ washer; candle-stand.

araña *f zo.* spider; (*a.* ~ *de luces*) chandelier; **arañar** [1a] scratch; F scrape together; **arañazo** *m* scratch.

arar [1a] plough; till.

arbitraje *m* arbitration; ♱ arbitrage; **arbitrar** [1a] *deportes:* (*tenis*) umpire; (*fútbol, boxeo*) referee; ♖ *etc.* arbitrate; ~**se** get along, manage; **arbitrariedad** *f* arbitrariness; **arbitrario** arbitrary; **arbitrio** *m* (*albedrío*) free-will; (*medio*) means, expedient; **arbitro** *m* arbiter, moderator; *deportes:* umpire, referee.

árbol *m* ♘ tree; ⊕ axle, shaft; ⚓ mast;

arbolado 1. *paisaje* wooded; **2.** *m* woodland; **arboladura** *f* ✧ masts and spars; **arbolar** [1a] *bandera* hoist; ✧ mast; **~se** rear up, get up on its hind legs.

arbusto *m* shrub.

arca *f* (*caja*) chest, coffer; ✧ hutch; (*depósito*) tank, reservoir; **~s** *pl.* safe.

arcadio *adj. a. su. m,* **a** *f* Arcadian.

arcaduz *m* pipe, conduit; bucket.

arcaico archaic; **arcaísmo** *m* archaism; **arcaizante** archaic; *p.*, *estilo* given to archaisms.

arcano secret, enigmatic.

arcángel *m* archangel.

arce *m* maple (tree).

arcediano *m* archdeacon.

arcilla *f* clay.

arcipreste *m* archpriest.

arco *m* ✧, *anat.* arch; A, ✧ arc; ✧ (long)bow; ♪ bow; hoop *de barril etc.*; **~** *iris* rainbow.

arcón *m* bin, bunker.

archidiácono *m* archdeacon.

archiduque *m* archduke; **archiduquesa** *f* archduchess.

archimillonario *m* multimillionaire.

archipiélago *m* archipelago.

archivador *m* (*p.*) filing-clerk; (*mueble*) filing-cabinet; **archivar** [1a] file (away); store away; deposit in the archives; **archivo** *m* archives; registry; ♀ *Nacional* Record Office; **~s** *pl.* ✧ *etc.* files.

ardentía *f* ✧ heartburn; ✧ phosphorescence.

arder [2a] burn (*a. fig.*); (*resplandecer*) glow, blaze; **~se** burn up, burn away; ✧ be parched.

ardid *m* ruse, device, scheme.

ardido spoiled; bold; *S.Am.* angry, irritated.

ardiente burning (*a. fig.*); (*radiante*) glowing, blazing; *partidario* passionate, ardent.

ardilla *f* squirrel.

ardor *m* heat, warmth; *fig.* (*celo*) ardour, eagerness; heat *de disputa etc.*; burning, fiery.

arduo arduous, hard, tough.

área *f* area (*a.* A); **~** *de descanso* rest area; **~** *de servicio* service area.

arena *f* sand; grit; (*circo*) arena; **~s** *pl.* ✧ stones, gravel; **~** *movediza* quicksand; **arenal** *m* sandy ground, sands; (*cantero*) sandpit.

arenga *f* harangue (*a.* F); F scolding; **arengar** [1h] harangue; F scold.

arenillas *f/pl.* ✧ gravel.

arenisca *f* sandstone; grit; **arenisco** sandy; gravelly, gritty.

arenque *m* herring.

arepa *f* *S.Am.* cornbread; corn griddlecake.

arete *m* earring.

argadijo *m* ⊕ reel, bobbin.

argado *m* prank, trick.

argamasa *f* ✧ mortar; plaster.

árgana *f* ⊕ crane.

argelino *adj. a. su. m,* **a** *f* Algerian.

argentar [1a] silver (*a.* ⊕, *fig.*); **argénteo** silver(y) (*a. fig.*); silver-plated; **argentería** *f* silver (*or* gold) embroidery; **argentino[1]** silvery.

argentino[2] *adj. a. su. m,* **a** *f* Argentinian.

argolla *f* (large) ring; knocker.

argot *m* slang; cant; argot.

argucia *f* sophistry, hair-splitting.

argüir [3g] *v/t.* argue; indicate; *v/i.* argue (*contra* against, with); **argumentación** *f* argumentation; **argumentar** [1a] argue; **argumento** *m* argument; reasoning; *thea. etc.* plot.

aria *f* aria.

aridez *f* aridity, dryness (*a. fig.*); **árido 1.** arid, dry (*a. fig.*); **2. ~s** *m/pl.* dry goods (*esp.* ✧).

ariete *m* battering ram.

ario *adj. a. su. m,* **a** *f* Aryan, Indo-European.

arisco fractious, cross; surly.

arista *f* ✧ beard; edge.

aristocracia *f* aristocracy (*a. fig.*); **aristócrata** *m/f* aristocrat; **aristocrático** aristocratic.

aritmética *f* arithmetic; **aritmético 1.** arithmetical; **2.** *m* arithmetician.

aritmo arrhythmic.

arlequín *m* *fig.* buffoon; **arlequinada** *f* (piece of) buffoonery; **arlequinesco** *fig.* ridiculous.

arma *f* arm, weapon; **~s** *pl.* arms (*a. heráldica*); **~** *arrojadiza* missile; **~** *atómica* atomic weapon; **~** *de fuego* firearm, gun.

armada *f* fleet; navy.

armadijo *m* trap, snare.

armadillo *m* armadillo.

armado ⊕ reinforced; *P.R.,Mex.* stubborn; **armadura** *f* ✧ (suit of) armour; ⊕ *etc.* frame(work); ✧ armature; **armamentismo** *m* military preparedness; **armamentista 1.** arms *attr.*; militarist(ic); *carrera* **~** arms race; **2.** *m* arms dealer; **armamento** *m* ✧ (*acto*) arming; (*conjunto*) armament(s).

armar [1a] *p. etc.* arm (*de, con* with; *a. fig.*); *arma* load; ⊕ *etc.* mount, assemble, put together; *caballero* dub, knight; **~se** arm o.s. (*de* with; *a. fig.*); *fig.* get ready.

armario *m* cupboard; (*ropa*) wardrobe; **~** (*para libros*) bookcase.

armatoste *m contp.* hulk; *esp.* ⊕ contraption.

armazón *f* frame(work); body; ✕ chassis; ⚠ *etc.* shell, skeleton.

armella *f* eye-bolt, screw-eye.

armenio *adj. a. su. m*, **a** *f* Armenian.

armería *f* ✕ armory; (*tienda*) gun shop; **armero** *m* gunsmith.

armiño *m zo.* stoat; ermine.

armisticio *m* armistice.

armonía *f* harmony (*a. fig.*); **en ~** in harmony (*con* with); **armónica** *f* harmonica; **~** (*de boca*) mouth organ; **armónico 1.** ♪ harmonic; *sonido* harmonious; **2.** *m* harmonic; **armonioso** harmonious (*a. fig.*); **armonizar** [1f] harmonize.

arnés *m* ✕ armor; **~es** *pl.* harness.

aro *m* hoop, ring; **~** *de émbolo* piston ring.

aroma *m* aroma, fragrance; bouquet *de vino*; **aromático** aromatic; flavour (with herbs).

arpa *f* harp.

arpar [1a] scratch, claw (at).

arpeo *m* grapnel, grappling-iron.

arpía *f* harpy; *fig.* (*regañona*) termagant, shrew.

arpillera *f* sacking, sackcloth.

arpista *m/f* harpist.

arpón *m* gaff, harpoon; **arpon(e)ar** [1a] harpoon.

arqueología *f* archaeology; **arqueólogo** *m* archaeologist.

arquería *f* arcade; **arquero** *m* archer, bowman; ✝ cashier; *S. Am.* *sport* goalkeeper.

arquetipo *m* archetype.

arquitecto *m* architect; **~** *de jardines* landscape gardener; **arquitectónico** architectural; **arquitectura** *f* architecture.

arrabal *m* suburb; **~es** *pl.* outskirts; **arrabalero 1.** suburban; F common, ill-bred; **2.** *m*, **a** *f* suburbanite; F common sort.

arraigado (firmly) rooted; *fig.* ingrained; **arraigar** [1h] *v/t.* establish, strengthen (*en fe etc.* in); *v/i.* ♀ root, take root (*a. fig.*); *v/i.*, **~se** (*p.*) become a propertyowner, settle *en lugar*; *fig.* establish a hold

arrancaclavos *m* nail claw; nail puller; **arrancada** *f* sudden start; quick acceleration; **arrancadero** *m* starting-point; **arrancador** *m mot.* starter; **arrancamiento** *m* pulling out *etc.*; **arrançar** [1g] **1.** *v/t.* ♀ *etc.* pull up, root out; (*arrebatar*) snatch away (*a, de* from); **2.** *v/i. mot. etc.* start; pull away; (*salir*) start out.

arranque *m* (*sudden*) start, jerk; ⚠ *anat.* starting-point; *fig.* impulse; (*ira*) outburst.

arras *f/pl.* deposit, pledge.

arrasar [1a] raze, demolish; (*allanar*) level, flatten.

arrastradizo dangling, trailing; *fig.* maltreated; **arrastrado 1.** F poor, wretched; (*bribón*) rascally; **2.** *m* rascal; **arrastrar** [1a] drag (along), pull, haul; **~se** (*reptar*) crawl, creep; (*p.*) drag o.s. along; **~** *de espaldas* back stroke.

arrayán *m* myrtle.

¡arre! gee up!, get up!

arrear [1a] *v/t.* urge on; (*enjaezar*) harness; *v/i.* F hurry along.

arrebañar [1a] scrape together; (*comer*) eat up, clear up.

arrebatadizo excitable; hot-tempered, irascible; **arrebatado** *movimiento* sudden, violent; rash, reckless; **arrebatamiento** *m* snatching *etc.*; *fig.* fury; ecstasy; **arrebatar** [1a] snatch (away) (*a* from); wrench, wrest (*a* from); (*llevarse*) carry away (*or* off); **~se** get carried away (*en* by); *cocina:* burn; **arrebatiña** *f* = *rebatiña*; **arrebato** *m* fury; ecstasy, rapture.

arrebol *m* red, glow *de cielo*; (*afeite*) rouge; **arrebolar** [1a] redden; **~se** redden, flush; (*maquillarse*) rouge.

arreciar [1b] grow worse, get more severe; **~se** ✸ get stronger, pick up.

arrecife *m* causeway; ⚓ reef; **~** *de coral* coral reef.

arredrar [1a] drive back; *fig.* scare, daunt; **~se** draw back, move away (*de* from); *fig.* get scared.

arregazado *falda etc.* tucked up; **arregazar** [1f] tuck up.

arreglado regulated, (well-)ordered; *fig.* moderate; *vida* of moderation, orderly; **arreglar** [1a] arrange, regulate; adjust (*a* to); (*componer*) put in order, put straight; ⊕ fix, repair; *aspecto, pelo, cuarto etc.* tidy up; *disputa* settle, make up; **~se**

come to terms (*a*, *con* with; *a.* ✝); F ~*las* get by; manage (*para inf.* to *inf.*).

arreglo *m* arrangement *etc.*; settlement; (*regla*) rule, order; (*acuerdo*) agreement.

arremangar [1h] turn up, roll up; *falda etc.* tuck up; ~*se* roll up one's sleeves *etc.*; *fig.* take a firm stand.

arremeter [2a] *v/t. caballo* spur on; *v/i.* rush forth, attack; **arremetida** *f*, **arremetimiento** *m* attack; lunge *con arma*.

arremolinarse [1a] (*gente*) crowd around; swirl; whirl.

arrendable rentable; *casa* to let; **arrendador** *m*, **-a** *f* (*dueño*) lessor; (*inquilino*) tenant.

arrendamiento *m* (*acto*) letting *etc.*; (*precio*) rent(al); **arrendar** [1k] (*dueño*): *casa* let, lease; *máquina etc.* hire out.

arrendatario *m*, **a** *f* tenant, lessee.

arreo *m* adornment; ~*s pl.* harness.

arrepentido 1. regretful (*de* for); (*a. eccl.*) repentant; 2. *m*, **a** *f* penitent; **arrepentimiento** *m* repentance; **arrepentirse** [3i] repent (*de* of).

arrestado bold, daring; **arrestar** [1a] arrest, take into custody; ~*se* a rush boldly into; **arresto** *m* arrest.

arriba *situación*: above; on top; upstairs *en casa*; (*movimiento*) up, upwards; *de~ abajo* from top to bottom; from beginning to end; *por la calle* ~ up the street; *¡~ España!* Spain for ever!

arribada *f* ⚓ arrival; **arribar** [1a] ⚓ put into port; arrive; (*noticia*) come to hand; **arribista** *m/f* parvenu, upstart.

arriendo *m* = *arrendamiento*.

arriero *m* muleteer.

arriesgado risky, dangerous, hazardous; *p.* bold, daring; **arriesgar** [1h] *vida etc.* risk, endanger; ~*se* take a risk, expose o.s. to danger; **arriesgo** *m S. Am.* risk; hazard.

arrimar [1a] (*acercar*) move up, bring close (*a* to); *escala etc.* lean (*a* against); ~*se* come close(r) *etc.*; (*unirse*) join together; ~ *a* come close to (*a. fig.*); **arrimo** *m* support.

arrinconado *fig.* forgotten, neglected; **arrinconar** [1a] *fig.* lay aside, put away; (*deshacerse de*) get rid of; *p.* push aside; ~*se* withdraw from the world.

arriscar [1g] risk; ~*se* take a risk; (*engreírse*) grow conceited.

arritmia *f* ☤ arrythmia; **arrítmico** arrhythmic.

arroba *f measure of weight* = *11.502 kg.*; *variable liquid measure.*

arrodillado kneeling, on one's knees; **arrodillarse** [1a] kneel (down), go down on one's knees.

arrogancia *f* arrogance; pride; **arrogante** arrogant; brave.

arrojadizo easily thrown; for throwing; **arrojado** *fig.* daring, dashing; **arrojallamas** *m* flamethrower; **arrojar** [1a] throw; (*con fuerza*) fling, hurl; *deportes: pelota* bowl, pitch; ~*se* throw o.s. (*a* into, *por* out of); *fig.* plunge (*a*, *en* into).

arrollador *fig.* sweeping, overwhelming; devastating; **arrollar** [1a] (*enrollar*) roll (up); *esp.* ⊕, ✗ coil, wind.

arromar [1a] blunt, dull.

arropar [1a] wrap (up); tuck up *en cama*; ~*se* wrap up; tuck o.s. up.

arrope *m* syrup.

arrostrar [1a] *v/t.* face (up to), brave; *v/i.*: ~ *a* show a liking for; ~*se* throw o.s. into battle.

arroyada *f* gully; (*crecida etc.*) flood; **arroyo** *m* stream, brook.

arroz *m* rice; ~ *con leche* rice pudding.

arruga *f* wrinkle, line; crease, fold; **arrugado** wrinkled, lined; creased, crinkly; **arrugar** [1h] *cara* wrinkle, line; *ropa* crease, pucker; ~*se* get wrinkled.

arruinamiento *m* ruin(ation); **arruinar** [1a] ruin (*a.* ✝, *fig.*), destroy; ~*se* be ruined.

arrullar [1a] *niño* lull to sleep; ~*se* bill and coo (*a.* F); **arrullo** *m* cooing; ♪ lullaby.

arsenal *m* ⚓ (naval) dockyard, shipyard; ✗ arsenal.

arsénico 1. arsenical; 2. *m* arsenic.

arte *m a. f* art; (*maña*) trick, cunning; (*habilidad*) knack; *bellas* ~*s* fine arts; ~*s liberales* liberal arts; *malas* ~*s* trickery, guile; **artefacto** *m* ⊕ appliance, contrivance.

artejo *m* knuckle, joint.

artería *f* cunning, artfulness.

arteria *f* artery (*a. fig.*); ⚡ feeder; **arterial** arterial; **arteriosclerosis** *f* arteriosclerosis.

artesanía *f* handicraft, skill; craftsmanship; **artesano** *m* artisan.

artesiano: *pozo* ~ Artesian well.

ártico arctic.

articulación *f anat.*, ⊕ joint; *gr. etc.*

articulation; **articulado** *anat.*, ⊕ articulated, joined; **articular** [1a] articulate; ⊕ join (together, up); ɟɟ *etc.* article; **artículo** *m* article (*a. gr.*, ɟɟ̆ ✝); *anat.* articulation, joint; entry *en libro de consulta*; ~s *pl.* de *consumo* consumer goods; ~s *de gran consumo* mass-consumption articles.

artífice *m/f* artist, craftsman; maker; *fig.* architect; **artificial** artificial; *b.s.* imitation *attr.*; **artificio** *m* (*arte*) art, skill; (*hechura*) workmanship, craftsmanship; ⊕ contrivance; **artificioso** artistic, fine, skilful; *fig.* cunning, artful.

artillado *m* artillery.

artillería *f* artillery; cannon (*pl.*); **artillero** *m* ✗ artilleryman.

artimaña *f* trap; *fig.* cunning.

artista *m/f* artist; *thea. etc.* artiste; **artístico** artistic.

artrítico arthritic; **artritis** *f* arthritis.

arzobispado *m* archbishopric; **arzobispal** archiepiscopal; **arzobispo** *m* archbishop.

arzón *m* saddle-tree.

as *m* ace; one *en dado*; *fig.* ace.

asa *f* handle; *fig.* handle, pretext.

asado **1.** roast(ed); *bien* ~ well done; **2.** *m* roast (meat); **asador** *m* spit, broach; **asaduras** *f/pl.* entrails, offal.

asalariado **1.** paid; wage-earning; **2.** *m*, **a** *f* wage-earner.

asaltar [1a] *fortaleza etc.* storm, rush; *p.* fall on, attack; assail; **asalto** *m* attack, assault.

asamblea *f* assembly.

asar [1a] roast; *fig.* pester, plague.

asbesto *m* asbestos.

ascendencia *f* ancestry, line; **ascendente** ascending; upward; **ascender** [2g] *v/t.* promote, raise (*a* to); *v/i.* (*subir*) go up, ascend; **ascendiente** **1.** = *ascendente*; **2.** *m/f* ancestor.

ascensión *f* ascent; *eccl.* ascension; *fig.* = *ascenso*; *eccl. Día de la* ♀ Ascension Day; **ascenso** *m* promotion, rise; grade; **ascensor** *m* elevator; ⊕ elevator.

asceta *m/f* ascetic; **ascético** ascetic; **ascetismo** *m* asceticism.

asco *m* loathing, disgust, revulsion.

ascua *f* live coal, ember; *¡~s!* ouch!

aseado clean, neat, tidy, trim; **asear** [1a] adorn, embellish.

asechanza *f* trap, snare (*a. fig.*).

asechar [1a] waylay, ambush.

asediador *m* besieger; **asediar** [1b] besiege; *fig.* pester; (*amor*) chase; **asedio** *m* siege; ✗ run (de on).

asegurable insurable; **asegurado** *m*, **a** *f* insured, insurant; **asegurador** *m* fastener; (*p.*) insurer, underwriter; **asegurar** [1a] (*fijar*) secure, fasten; *cimientos etc.* make firm; *fig.* guarantee, assure; **~se** make o.s. secure (*de peligro* from); ~ *de hechos* make sure of.

asemejar [1a] *v/t.* make alike; *fig.* liken (*a* to); **~se** be alike; ~ *a* be like.

asendereado *camino* beaten, well trodden; *vida* wretched.

asentada *f* sitting; *de una* ~ at one sitting; **asentaderas** *f/pl.* F behind, bottom; **asentado** *fig.* established, settled; **asentador** *m* △ stonemason; (*suavizador*) strop; **asentar** [1k] **1.** *v/t. p.* seat, sit *s.o.* down; *cosa* place; fix; *tienda* pitch; *cimientos* make firm; **2.** *v/i.* be suitable, suit; **3.** **~se** seat o.s.; *fig.* establish o.s.; (△, *líquido*) settle.

asentir [3i] assent; ~ *a* consent to; *petición* grant; *arreglo* accept.

asentista *m* contractor; supplier; army contractor.

aseo *m* tidiness; cleanliness; *cuarto de* ~, ~s *pl. euph.* cloakroom, toilet.

aséptico aseptic; free from infection.

asequible obtainable, available; *fin* attainable.

aserradero *m* sawmill; **aserrador** *m* sawyer; **aserradura** *f* saw-cut; ~*s pl.* sawdust; **aserrar** [1k] saw; **aserruchar** [1a] *S.Am.* saw.

aserto *m* assertion.

asesinar [1a] murder; *pol. etc.* assassinate; **asesinato** *m* murder; *pol.* assassination; **asesino** **1.** murderous; **2.** *m* murderer, killer; *pol. etc.* assassin; *fig.* thug, cutthroat.

asesor *m*, **-a** *f* adviser; consultant; **asesorar** [1a] advise; act as a consultant to; **~se** seek (*or* take) advice (*con*, *de* from); consult.

asestar [1a] (*apuntar*) aim (*a* at); *arma* shoot, fire; *fig.* try to hurt.

asexual asexual.

asfaltado *m* asphalting; asphalt (pavement *etc.*); **asfaltar** [1a] asphalt; **asfalto** *m* asphalt.

asfixia *f* asphyxia ⟨⟨⟩; suffocation, asphyxiation; **asfixiador, asfixiante** asphyxiating, suffocating; **asfixiar** [1b] asphyxiate; suffocate; ✗ gas.

así **1.** *adv.* a) so, in this way, thus;

thereby; ~ *pues* and so, so then; *o* ~ so; ~ *es que* and so (is it that); ~ *sea!* so be it!; b) *comp. etc.*: ~ *como* (in the same way) as; **2.** *adj.*: *un hombre* ~ such a man, a man like that; ~ *es la vida* such is life; **3.** *cj.*: ~ *como,* ~ *que* as soon as.

asiático 1. Asiatic; **2.** *m, a f* Asian.

asidera *f S.Am.* ringed saddle strap; **asidero** *m* hold(er), handle.

asiduo 1. assiduous; frequent, regular; **2.** *m, a f* habitué, regular.

asiento *m* seat, place; site *de pueblo etc.*; △ settling; *(fondo)* bottom; ~*s pl.* buttocks; *tome Vd.* ~ take a seat; ~ *lanzable ✗* ejection seat.

asignación *f* assignment *etc.*; ✝ allowance, salary; **asignar** [1a] assign, apportation; **asignatorio** *m S.Am.* heir; inheritor; **asignatura** *f univ.* course, subject.

asilo *m eccl. a. pol.* asylum; *fig.* shelter, refuge; home *de viejos*; poorhouse, workhouse *de pobres*.

asimetría *f* asymmetry; **asimétrico** asymmetric(al).

asimilación *f* assimilation; **asimilar** [1a] assimilate; = *asemejar(se)*.

asimismo likewise, in like manner.

asir [3a; *present like salir*] *v/t.* seize, grasp (*con* with, *de* by); *v/i.* ♀ take root; ~*se a,* ~ *de* take hold of, seize (*a. fig.*).

asirio Assyrian.

asistencia *f* attendance (*a.* ♣), presence (*a* at); (*ayuda*) help; *S.Am.* boarding house; *Mex.* visitors' room; ~ *social* welfare (work); **asistente** *m* assistant; ✗ orderly, ~*s pl.* people present, those present; **asistir** [3a] help, aid; *rey etc.* attend.

asma *f* asthma; **asmático** *adj. a. su. m, a f* asthmatic.

asnal asinine (*a. fig.*); F beastly; **asnería** *f* silly thing; **asno** *m* donkey, ass (*a. fig.*); F fathead.

asociación *f* association; society; ✝ partnership; **asociado 1.** associate(d); **2.** *m, a f* associate, partner; **asociar** [1b] associate (*a, con* with); *esfuerzos etc.* pool, put together; ~*se* associate; team up.

asoleada *f,* **asoleadura** *f S.Am.* sunstroke.

asolear [1a] put (*or* keep) in the sun; ~*se* sun o.s.; bask.

asomada *f* brief appearance; surprise view; **asomar** [1a] *v/t.* show,

put out, stick out; *v/i.* begin to show, appear; ~*se* show, stick out.

asombradizo easily alarmed; **asombrar** [1a] shade, cast a shadow on; *color* darken; *fig.* frighten; amaze, astonish; ~*se* be amazed (*de* at); be shocked; **asombro** *m* fear, fright; surprise; **asombroso** amazing, astonishing.

asomo *m* appearance; sign, indication.

asonancia *f* assonance; *fig. no tener* ~ *con* bear no relation to; **asonantar** [1a] assonate (*con* with); **asonante 1.** assonant; **2.** *f* assonance.

aspa *f* cross (X); △ cross-piece; sail *de molino*; **aspar** [1a] ⊕ wind, reel; F vex.

aspecto *m* aspect; look(s), appearance *de p. etc.*

aspereza *f* roughness *etc.*

áspero rough *al tacto*; *filo* jagged; *terreno* rough; *genio* sour, surly.

aspiración *f* breath; inhalation; *phonet.* aspiration; **aspirado** aspirate; **aspirador 1.** ⊕ suction *attr.*; **2.** *m*: ~ *de polvo* = **aspiradora** *f* vacuum cleaner; **aspirante 1.** ⊕ suction *attr.*; **2.** *m/f* applicant, candidate (*a* for); **aspirar** [1a] *v/t.* breathe in, inhale; *phonet.* aspirate; ⊕ suck in; *v/i.* aspire.

aspirina *f* aspirin.

asqueroso loathsome, disgusting, nasty; sickening; F lousy, awful.

asta *f* shaft *de lanza etc.*; (*lanza*) spear, lance; flag-staff *de bandera*.

aster *m* aster.

asterisco *m* asterisk.

astigmático astigmatic; **astigmatismo** *m* astigmatism.

astil *m* handle; shaft *de saeta*; beam *de balanza*.

astilla *f* splinter, chip; **astillar(se)** [1a] splinter, chip; **astillero** *m* shipyard.

astral of the stars, astral.

astringente 1. astringent, binding; **2.** *m* astringent; **astringir** [3c] *anat.* contract; ✗ bind.

astro *m* star (*a. cine*), heavenly body; F beauty; **astrología** *f* astrology; **astrológico** astrological; **astrólogo 1.** astrological; **2.** *m* astrologer; **astronauta** *m* astronaut; **astronave** *f* spaceship; ~ *tripulada* manned spaceship; **astronavegación** *f* space travel; astronavegation; **astronomía** *f* astronomy; **astronómico** astronomical (*a. fig.*); **astrónomo** *m* astronomer.

astroso dirty, untidy, shabby.

astucia f astuteness *etc.*; trick.

asturianismo m Asturian word or expression; **asturiano** adj. a. su. m, **a** f Asturian.

astuto astute, shrewd, smart.

asueto m (a. *día de* ~) day off, holiday; (*tarde*) afternoon off.

asumir [3a] assume, take on.

asunción f assumption.

asunto m matter, thing; (*negocio*) business, affair; (*tema*) subject; ~s pl. exteriores foreign affairs.

asustadizo easily frightened; jumpy, easily scared.

asustar [1a] frighten, scare; startle; ~se be frightened *etc.*

atabal m kettledrum; **atabalero** m kettledrummer.

atacar [1g] (*embestir*) attack (a. ♘, ♟, *fig.*); corner, press hard *en discusión*; (*atar*) fasten.

ataderas f/pl. F garters; **atadero** m (*cuerda*) rope, cord; (*parte*) place for tying; **atado 1.** *fig.* timid, shy, inhibited; **2.** m bundle; (*manojo*) bunch; **atadura** f (*acto*) fastening *etc.*; (*cuerda*) string, cord; ⚓ lashing.

atajar [1a] v/t. stop, intercept; head off; *deportes*: tackle; v/i. take a short cut; ~se be abashed.

atalaya 1. f watch tower; *fig.* height, vantage point; **2.** m lookout, sentinel.

atañer [2f; *defective*] ~ a concern; *en lo que atañe* a with regard to.

ataque m attack (a, *contra* on; ♞ *de* of; a. *fig.*); ♘ a. raid; ~ *al corazón*, ~ *cardíaco* heart-attack; ♟ ~ *fulminante* stroke, seizure; ~ *por sorpresa* surprise attack.

atar [1a] tie (up), fasten; ✦ tether; *fig.* paralyse, root to the spot; ~se *fig.* get stuck (*en dificultades* in).

atardecer 1. [2d] get dark, get late; **2.** m late afternoon, evening.

atarugar [1h] (*asegurar*) fasten, *agujero* plug, stop; ~se F swallow the wrong way, choke.

atascadero m mire, bog; *fig.* stumbling-block; difficulties; **atascar** [1g] *agujero* plug, stop; *tubo* obstruct (a. *fig.*), clog (up); ~se ⊕ *etc.* clog, get stopped up.

ataviar [1c] (*adornar*) deck, array; (*vestir*) dress up; **atavío** m (a. ~s pl.) dress, finery.

atavismo m atavism.

atávico atavistic; **atavismo** m atavism.

ateísmo m atheism

atelaje m team; (*arreos*) harness.

atemorizar [1f] scare, frighten; ~se get scared (*de, por* at).

atemperar [1a] moderate, temper; adjust, accommodate (a to).

atención f attention; (*cortesía*) a. civility; ~es pl. attentions; duties, responsibilities; *prestar* ~ listen (a to); pay attention (a to); **atender** [2g] v/t. attend to, pay attention to; v/i.: take note of; see about, see to.

atenerse [2l]: ~ *a verdad* stand by, hold to; *regla* abide by, go by.

atentado 1. prudent, cautious; **2.** m illegal act, offence; **atentar** [1a] v/t. *acto* do illegally; v/i. make an attempt on.

atento attentive (a to), observant (a of); mindful (a *pormenor* of); (*cortés*) polite, thoughtful, kind.

atenuación f attenuation; ⚖ extenuation; **atenuante:** ⚖ *circunstancias* ~s extenuating circumstances; **atenuar** [1e] attenuate; *delito* extenuate.

ateo 1. atheistic(al); **2.** m, a f atheist.

aterciopelado velvety, velvet *attr.*; velvetized.

aterido numb; **aterirse** [3a; *defective*] get stiff with cold.

aterraje m ✈ landing.

aterrar[1] [1k] v/t. demolish; cover with earth; v/i. ✈ land.

aterrar[2] [1a] terrify, fill with terror; ~se be terrified (*de* at).

aterrizaje m ✈ landing; ~ *forzoso* forced landing; ~ *a vientre* pancake landing; ~ *forzado*, ~ *forzoso* forced landing; ~ *violento* crash landing; **aterrizar** [1f] ✈ land.

atesorar [1a] hoard (up); *virtudes* possess.

atestación f attestation; **atestado** m ⚖ affidavit, statement.

atestado p.p. cram-full (*de* of), packed (*de* with); **atestar**[1] [1k] pack, stuff, cram (*de* with).

atestar[2] [1a] attest, testify to.

atestiguar [1i] testify to, attest.

atezado tanned, swarthy; **atezar** [1f] blacken; ~se get tanned.

ático 1. Attic; **2.** m △ attic.

aterirse m cave-in; *S.Am.* (land)fill.

atiesar [1a] stiffen; (*apretar*) tighten (up); ~se get stiff, stiffen.

atigrado 1. striped; *gato* tabby; **2.** m tabby (cat).

atildado neat, spruce, stylish; **atildar** [1a] *typ.* put a tilde over; (*asear*)

clean (up), put right; **~se** spruce *o.s.*
up.

atinado (*discreto*) wise; *juicio* keen;
dicho pertinent; **atinar** [1a] *v/t.* find,
hit on; *v/i.* guess (right).

atirantar [1a] make taut; brace; **~se**
Mex. die, pass away.

atisbar [1a] spy on, watch; peep at
por agujero etc.; **atisbo** *m* watching,
spying; *fig.* slight sign.

atizador *m* poker; ⊕ feed(er); **atizar**
[1f] (*remover*) poke, stir; stoke;
¡atiza! gosh!

atlas *m* atlas.

atleta *m/f* athlete; **atlético** ath-
letic(al); **atletismo** *m* athletics.

atmósfera *f* atmosphere; *fig.* sphere
(of influence); **atmosférico** atmospheric.

atocinado F fat, well-upholstered;
atocinar [1a] *puerco* cut up; *carne*
cure; **~se** F (*irritarse*) get het up.

atolón *m* atoll.

atolondrado thoughtless, reckless;
atolondrar [1a] stun, bewilder.

atolladero *m* mire, muddy spot;
atollarse [1a] stick in the mud.

atómico atomic; *energía ~a* atomic
power; atomic energy; **atomizador**
m atomizer; (*scent-*)spray; **átomo** *m*
atom (*a. fig.*); *fig.* tiny particle.

atónito thunderstruck; aghast.

átono atonic, unstressed.

atontado dim(-witted), muddle-
headed; **atontar** [1a] bewilder.

atorar [1a] obstruct, stop up.

atormentar [1a] torture (*a. fig.*); *fig.*
torment; plague.

atornillar [1a] (*poner*) screw on;
(*apretar*) screw up.

atortillar [1a] *S.Am.* squash; flatten.

atosigar [1h] poison; *fig.* harass,
plague; put the pressure on.

atrabancado *Mex.* rash; thoughtless; **atrabancar** [1g] rush; **~se** be in
a fix; **atrabanco** *m* hurry.

atrabiliario *fig.* difficult, moody.

atracada *f S.Am.* quarrel; row;
atracador *m* gangster, hold-up
man; **atracar** [1g] *v/t.* ♣ bring
alongside, tie up; *p.* waylay; *v/i.*
come alongside, tie up.

atracción *f* attraction; appeal *de p.*;
(*diversión*) amusement; **~es** *pl. thea.*
entertainment; (*cabaret*) floor show;
~ sexual sex appeal.

atraco *m* hold-up.

atractivo 1. attractive; *fuerza de*
attraction; **2.** *m = atracción*; **atraer**

[2p] attract; draw; *imaginación etc.*
appeal to.

atragantarse [1a] choke (*con* on),
swallow the wrong way.

atramparse [1a] fall into a trap;
(*tubo*) clog; (*pestillo*) stick, catch.

atrancar [1g] *v/t.* *puerta* bar; *tubo*
clog, stop up; *v/i.* F take big steps.

atrapar [1a] F nab, catch **atrapamoscas** *f* Venus's-fly-trap.

atrás *ir* back(wards); *estar* behind;
(*tiempo*) previously; **atrasado** slow
(*a. reloj*), late, behind (time); overdue; *país* backward; **atrasar** [1a] *v/t.*
slow up, slow down, retard; *reloj* put
back; *v/i.* (*reloj*) lose; **~se** be behind;
be slow, be late; ♣ be in arrears;
atraso *m* slowness *de reloj*; (*demora*)
timelag, delay.

atravesada *f S.Am.* crossing; **atra-
vesado** (*ojo*) squinting, cross-eyed;
atravesar [1k] (*cruzar*) go over, go
across, cross (over); pierce (*con, de
bala* with); **~se** (*espina*) get stuck.

atreverse [2a] dare (*a inf.* to *inf.*); **~** *a
empresa* (dare to) undertake; **atrevi-
do** daring, bold; **atrevimiento** *m*
daring, boldness; (spirit of) adventure.

atribución *f* attribution; functions,
atribuir [3g]; **~** *a* attribute to, put
s.t. down to; **~se** assume.

atribular(se) [1a] grieve.

atributivo attributive (*a. gr.*); **atributo** *m* attribute.

atril *m eccl.* lectern; ♪ music stand.

atrinchear [1a] entrench, fortify; **~se**
entrench, dig in.

atrio *m* inner courtyard, atrium.

atrocidad *f* atrocity, outrage; F
(*dicho*) stupid remark.

atrofia *f* atrophy; **atrofiar(se)** [1b]
atrophy.

atronado reckless, thoughtless;
atronador deafening; thunderous;
atronar [1m] deafen; *res* stun; *fig.*
bewilder.

atropellado hasty *en obrar*; brusque;
atropellar [1a] **1.** *v/t.* (*pisar*) trample
underfoot; (*derribar*) knock down; **2.**
v/i.: **~** *por* push one's way through;
fig. disregard; **3.** **~se** act *etc.* hastily;
atropello *m mot.* accident; *fig.*
outrage, excess.

atroz atrocious, outrageous.

atufar [1a] *fig.* anger, vex; **~se**
(*comida*) go smelly; (*vino*) turn sour;
fig. get vexed.

atún *m* tunny; F nitwit.

aturdido thoughtless, reckless; **aturdimiento** m fig. bewilderment etc.; **aturdir** [3a] stun, daze con golpe; (vino etc.) stupefy; ~se be stunned; get bewildered etc.

atusar [1a] trim con tijeras; smooth con mano.

audacia f boldness, audacity; **audaz** bold, audacious.

audiencia f audience; hearing (a. 𝔱𝔱); 𝔱𝔱 (tribunal) high court; **audífono** m hearing aid; earphone; handset; **audio-visual** audiovisual; **auditor** m (a. ~ de guerra) judge-advocate; **auditorio** m (ps.) audience; (sala) auditorium.

auge m peak, summit, heyday; (aumento) increase; ✝ boom.

augurar [1a] (cosa) augur; (p.) predict; **augurio** m augury, omen; prediction; ~s pl. fig. best wishes.

augusto august; stately.

aula f classroom; univ. lecture room; ~ magna assembly hall.

aullar [1a] howl; **aullido** m, **aúllo** m howl.

aumentar [1a] v/t. increase, add to, augment; enlarge v/i., ~se (be on the) increase; rise, go up; **aumento** m increase, rise; enlargement; Mex., Guat. postscript; addition.

aun even; ~ (siendo esto) así even so. **aún** still, yet.

aunar [1a] join, unite; ~se combine. **aunque** although, even though. **¡aúpa!** up (you get)!; ¡~ Madrid! up Madrid!

aura f (gentle) breeze; fig. popularity, popular favour.

áureo poet. golden.

auricular 1. auricular, of the ear; 2. m anat. little finger; teleph. receiver, earpiece; ~es pl. earphones, headset.

aurora f dawn (a. fig.).

auscultar [1a] ✻ sound; auscultate. **ausencia** f absence; **ausentarse** [1a] go away, absent o.s.; stay away; **ausente** absent; missing (de from); away from home.

auspiciar [1b] S.Am. support, foster; **auspicio** m fig. protection.

austeridad f austerity etc.; **austero** austere; p. stern, severe.

austral southern.

australiano adj. a. su. m, **a** f Australian.

austríaco adj. a. su. m, **a** f Austrian. **austro** m south wind.

autenticar [1a] authenticate; **auten-** **ticidad** f authenticity; **auténtico** authentic, genuine, real.

auto[1] m 𝔱𝔱 edict, judicial decree; thea. approx. mystery play; ~s pl. 𝔱𝔱 documents, proceedings; ~ de fe auto-da-fé; ~ del nacimiento nativity play; ~ sacramental eucharistic play.

auto[2] m mot. car.

auto[3]...: self-..., auto...; **abasteci-** **miento** m self-sufficiency; **adhe-** **sivo** self-adhesive; **biografía** f autobiography; **bote** m motorboat; **bús** m (omni)bus; **camión** m motor truck; **car** m (motor-)coach; **casa** f trailer; mobile home.

autocracia f autocracy; **autócrata** m/f autocrat; **autocrático** autocratic.

autóctono autochthonous.

autodefensa f self-defense; **auto-** **destrucción** f self-destruction.

autodeterminación f self-determination; **autodominio** m self-control; **auto-escuela** f driving school.

autógena f welding.

auto...: **gestión** f self-administration; self-governance; **gráfico** autographic; **autógrafo** adj. a. su. m autograph; **limpiador, limpian-** **te** self-cleaning.

autómata m automaton (a. fig.), robot; **automático** automatic.

auto...: **motor** m Diesel train; **motriz** self-propelled; **móvil** 1. self-propelled; 2. m car, motorcar, automobile; **movilismo** m motoring; ⊕ car industry; **movilista** m/f motorist.

autonomía f autonomy, home rule; **autónomo** autonomous.

autopiano m S.Am. player-piano. **autopista** f motorway, motor road, turnpike.

autopropulsado self-propelled. **autopsia** f postmortem, autopsy. **autor** m, **-a** f author, writer; creator, originator de idea; **autoridad** f authority; fig. show, pomp; ~es pl. authorities; **autoritario** authoritarian; dogmatic; **autorización** f authorization, licence (para inf. to inf.); **autorizado** authorized; official; **autorizar** [1f] authorize.

autorretrato m self-portrait.

autoservicio m self-service.

autostop m hitch-hiking.

auxiliar 1. auxiliary (a. gr.); 2. m/f assistant; 3. [1b] help, assist; **auxilio**

m help, assistance; relief; *primeros* ~*s*
pl. first aid.
avalancha *f* avalanche.
avalar [1a] ✝ endorse (*a. fig.*).
avalorar [1a] = *valorar;* **avaluar** [1e]
= *valorar.*
avance *m* advance (*a.* ✕); ✝ (*anticipo*)
advance (payment), credit; **avan-**
zada *f* ✕ outpost; **avanzado**
advanced (*de edad* in years); **avan-**
zar [1f] *v/t.* advance (*a.* ✝), move on,
move forward; *v/i.,* **~se** advance (*a.*
✕); move on, push on; (*noche etc.*)
advance, draw on.
avaricia *f* miserliness, avarice;
greed(iness); **avaricioso, avariento**
miserly, avaricious; **avaro 1.**
miserly, mean; **2.** *m,* **a** *f* miser.
avasallar [1a] subdue, enslave.
ave *f* bird; ~ *de corral* chicken, fowl; ~*s*
pl. a. poultry.
avecin(d)arse [1a] take up one's
residence, settle.
avellana *f* hazelnut; **avellanado**
color hazel, nut-brown; **avellanera**
f, **avellano** *m* hazel.
avemaría *f* Ave Maria; *al* ~ at dusk; F
en un ~ in a twinkling.
avena *f* oat(s); *de* ~ oaten.
avenamiento *m* drainage; **avenar**
[1a] drain.
avenencia *f* agreement, bargain.
avenida *f* avenue; flood.
avenir [3s] reconcile; **~se** come to an
agreement, be reconciled (*con* with);
~ *a inf.* agree to *inf.*
aventador *m* ✔ winnowing fork; fan,
blower *para fuego;* **aventadora** *f*
winnowing machine.
aventajado outstanding, superior; ~
de estatura very tall; **aventajar** [1a]
(*exceder*) surpass, outstrip; **~se** *a* surpass; get the advantage of.
aventar [1k] ✔ winnow; fan, blow
(on); **~se** fill, swell (up); F beat it;
aventón *m S.Am.* mot. push; lift,
(free) ride.
aventura *f* (*lance*) adventure; *b.s.*
escapade; (*casualidad*) chance, coincidence; **aventurado** risky,
hazardous; **aventurar** [1a] venture;
vida risk, hazard; *capital* stake; **~se**
venture, take a chance; **aventurero**
1. adventurous; **2.** *m* adventurer; ✕
soldier of fortune.
avergonzado ashamed (*de, por* at);
expresión shamefaced; **avergonzar**
[1f *a.* 1n] (put to) shame; abash;
embarrass; **~se** be ashamed.

avería¹ *f* orn. aviary.
avería² *f* damage; *mot. etc.* breakdown; fault; **averiado** damaged;
mot. quedar ~ have a breakdown;
averiar [1c] damage; **~se** get
damaged.
averiguar [1i] find out, ascertain;
investigate, inquire into; *C.Am.,*
Mex. get into a fight; **~se** *con* F tie *s.o.*
down.
aversión *f* aversion (*hacia, por algo* to;
a alguien for); disgust, distaste.
avestruz *m* ostrich.
avezado accustomed; **avezar** [1f]
accustom; **~se** get accustomed (*a*
to).
aviación *f* aviation; (*cuerpo*) airforce;
aviador *m* aviator, airman, flyer.
aviar [1c] *v/t.* get ready, prepare;
equip, provide (*de* with); *S.Am.*
lend; *v/i.* F hurry up.
avidez *f* greed(iness), avidity; **ávido**
greedy, avid (for).
avieso distorted (*a. fig.*); *p.* perverse,
wicked.
avilés *adj. a. su. m,* **-a** *f* (native) of
Avila.
avillanado rustic, boorish.
avinagrado sour, jaundiced; **avina-**
grar(se) [1a] (turn) sour.
avío *m* preparation, provision; *S.Am.*
loan; ~*s pl.* kit, tackle, gear.
avión *m* (aero)plane, airplane; *orn.*
martin; ~ *de caza* pursuit plane; ~ *de*
combate fighter; ~ *a chorro,* ~ *a reac-*
ción jet plane; ~ *de travesía* air liner; ~
supersónico supersonic aircraft; ~
transporte transport.
avisado prudent, wise; *mal* ~ rash;
avisador *m,* **-a** *f* informant; *b.s.*
informer; **avisar** [1a] inform, notify,
let *s.o.* know; (*amonestar*) warn; **avi-**
so *m* (*consejo*) advice; (*noticia*) piece
of information, tip.
avispa *f* wasp; **avispado** F wide
awake, sharp; *S.Am.* startled;
scared; **avispar** [1a] *caballo* spur on;
F stir up, wake up; **~se** fret, be
worried; **avispón** *m* hornet.
avistar [1a] descry, sight; **~se** have an
interview (*con* with).
avitaminosis *f* vitamin deficiency.
avituallar [1a] victual, provision.
avivar [1a] *fuego* stoke (up); *color, luz*
make brighter; *fig.* enliven, revive;
~se revive *etc.*
avizor 1.: *estar ojo* ~ be on the alert;
2. *m* watcher; **avizorar** [1a] watch,
spy on.

axioma _m_ axiom; **axiomático** axiomatic.

ay 1. _int._ ¡~! _dolor físico_: ouch!; _pena_: oh!, oh dear!; _rhet._ alas!; _admiración_: oh!; ¡~ de mí! poor me!; **2.** _m_ sigh; groan, cry _de dolor_.

aya _f_ governess.

ayer yesterday.

ayo _m_ tutor.

ayuda 1. _f_ help, aid, assistance; ⚕ enema; **2.** _m_ page; ~ de cámara valet; **ayudador** _m_, **-a** _f_, **ayudante** _m/f_ helper, assistant; _esp._ ⊕ mate; **ayudantía** _f_ assistantship; **ayudar** [1a] help, aid, assist (_a inf._ to _inf._, in _ger._); help out.

ayunar [1a] fast (_a_ on); _fig._ go without; **ayunas**: en ~ without breakfast; **ayuno 1.** fasting; _fig._ without; F in the dark (_de_ about); **2.** _m_ fast(ing).

ayuntamiento _m_ town (_or_ city) council; (_edificio_) town (_or_ city) hall; ~ sexual sexual intercourse.

azabache _m_ min. jet.

azada _f_ hoe; **azadón** _m_ (large) hoe, mattock; **azadonar** [1a] hoe.

azafata _f_ air hostess, stewardess.

azafrán _m_ ♀ crocus; _cocina_: saffron.

azahar _m_ orange blossom.

azalea _f_ azalea.

azar _m_ (el ~) chance, fate; al ~ at

random; **azararse** [1a] go wrong; rattled; **azaroso** risky, hazardous, chancy.

azogado _fig._ restless, fidgety; **azogue** _m_ mercury, quicksilver.

azonzado _S.Am._ stupid; dumb.

azor _m_ goshawk.

azoramiento _m_ confusion; excitement; **azorar** [1a] disturb, upset; excite; ~se be disturbed _etc._

azotacalles _m_ loafer, lounger; gadabout; **azotar** [1a] whip, flog; _niño_ thrash, spank; (_mar, lluvia etc._) lash; **azote** _m_ whip, lash; (_golpe_) spank; _fig._ scourge.

azotea _f_ flat roof, terrace (roof).

azteca _adj. a. su. m/f_ Aztec.

azúcar _m a. f_ sugar; ~ cande rock candy; **azucarado** sugary, sweet (_a. fig._); **azucarar** [1a] sugar; (_bañar_) coat with sugar; **azucarero 1.** sugar _attr._; **2.** _m_ sugar bowl.

azucena _f_ (Madonna) lily.

azuela _f_ adze.

azufre _m_ sulphur, brimstone.

azul 1. blue; **2.** _m_ blue; blueness; ~ celeste sky-blue; ~ de cobalto cobalt blue; **azulado** blue; bluish; **azular** [1a] dye (_or_ colour) blue.

azulejar [1a] tile; **azulejo** _m_ glazed tile.

azuzar [1f] _perro_ set on; _fig._ irritate; (_estimular_) egg on.

B

baba _f_ splittle, slobber; _biol._ mucus; slime _de caracol_; **babaza** _f_ slime, mucus; _zo._ slug; **babear** [1a] slobber, drivel.

babel _m or f_ babel, bedlam.

babero _m_ bib.

babieca F **1.** simple-minded, stupid; **2.** _m/f_ blockhead, dolt.

babilonio _adj. a. su. m_, **a** _f_ Babylonian.

bable _m_ Asturian dialect.

babor _m_ port (side), larboard.

babosa _f_ zo. slug; **babosada** _f_ C.Am.,Mex. stupidity; foolish act; **babosear** [1a] slobber over, drool over (_a._ F _fig._); infatuation; **baboso** slobbering _etc._

babucha _f_ slipper, mule.

bacalao _m_, **bacallao** _m_ cod(fish).

bacía _f_ (barber's) bowl; basin.

bacilo _m_ bacillus, germ.

bacín _m_ large chamber pot; beggar's bowl.

bacteria _f_ bacterium, germ; **bacteriología** _f_ bacteriology; **bacteriológico** bacteriological; **bacteriólogo** _m_ bacteriologist.

báculo _m_ staff; prop, support.

bache _m_ rut, (pot)hole.

bachiller 1. garrulous; **2.** _m_, **-a** _f_ pupil who has passed his school-leaving exam; † _univ._ bachelor; **bachillerato** _m_ bachelor's degree; graduation examination.

badajo _m_ (bell) clapper.

badana _f_ (dressed) sheepskin.

badén _m_ gully, gutter.

badil _m_, **badila** _f_ fire shovel.

badulaque _m_ F nitwit, simpleton; _S.Am._ boor, ill-bred fellow.

bagaje _m_ ✗ baggage; (_acémila_) beast of burden; _fig._ equipment.

bagatela f trinket, knick-knack; *fig.* trifle; ~s *pl.* trivialities.

bagre *adj.* *S.Am.* showy; gaudy; coarse.

¡bah! *desprecio:* bah!, pooh!

bahía f bay.

bailar [1a] *v/t.* dance; *peonza etc.* spin; *v/i.* dance (*a. fig.*); (*peonza*) spin (round); **bailarín** m, **-a** f (professional) dancer; ballet dancer; f *thea.* ballerina; dancing girl; **baile** m (*acto*) dance; dancing; (*reunión*) ball, dance; *thea.* ballet.

baja f † drop, fall; ✗ casualty; (*puesto*) vacancy; † *etc.* dar ~, ir de (or en) ~ lose value.

bajada f slope; (*acto*) going down, descent; **bajamar** f low tide; **bajar** [1a] **1.** *v/t. objecto* take down, get down; lower, let down; **2.** *v/i.* go down, come down (*a* to); (†, *agua*) fall; 🐟 *etc.* get off, get out; ~ de get off, get out of; **3.** ~**se** bend down; *fig.* lower o.s.

bajeza f meanness *etc*; lowliness *etc*.

bajío m shoal, sandbank; shallows; *S.Am.* lowland.

bajo 1. *mst* low; *terreno* low(-lying); (*inferior*) lower, under(most); *agua* shallow; (*a. ~ de cuerpo*) short; *por lo* ~ secretly; **2.** m deep place, depth; ♪ = *bajío*; ♪ bass; 🏛 ground-floor (flat); **3.** *adv.* down; *hablar* in a low voice; **4.** *prp.* under(neath).

bajón m decline (*a.* 🎺) drop; slump *en moral;* ♪ bassoon.

bajorrelieve m bas-relief.

bala f ✗ bullet; † bale; ~ de cañón cannonball; *ni a* ~ *S.Am.* under no circumstances; F *como una* ~ like a shot; **balaceo** m *S.Am.* shooting, shootout.

balada f *lit.*, ♪ ballad.

baladí trivial; *material* trashy.

baladrón m boastful; **2.** m, **-a** f braggart; **baladronear** [1a] boast, brag; (*acto*) show brave.

balance m to-and-fro motion; rocking, swinging; ♪ roll(ing); ~ de pagos balance of payments; **balancear** [1a] *v/t.* balance; *v/i.*, **-se** rock, swing; ♪ roll; **balanceo** m = *balance;* **balancín** m balance beam; ⊕ beam; see-saw *de niños.*

balandra f sloop; **balandro** m yacht; small sloop.

balanza f scales, weighing machine; balance (*a.* †, ♎); *ast.* ♎ Scales.

balar [1a] bleat; ~ *por* F pine for.

balaustrada f balustrade; banisters; **balaustre** m baluster; banister.

balazo m shot; ✗ bullet wound.

balbucear [1a], **balbucir** [3f; *defective*] stutter; babble; (*niño*) lisp; **balbuceo** m stammer *etc.*

balcón m balcony; (*barandilla*) railing; *fig.* vantage-point.

baldar [1a] cripple; *naipes:* trump.

balde[1] m *esp.* ♪ (canvas) pail, bucket; (*zinc*) bath.

balde[2]: *de* ~ free, for nothing; *en* ~ in vain, for nothing.

baldear [1a] wash (down), swill; (*achicar*) bale out.

baldío uncultivated; waste.

baldón m affront, insult; **baldonar** [1a] insult; stain, disgrace.

baldosa f (floor)tile; **baldosado** m tiled floor; **baldosar** [1a] tile.

balear[1] [1a] *S.Am.* shoot (at).

balear[2] *adj.* *a. su.* m/f, **baleárico** (native) of the Balearic Isles.

baleo m *S.Am.* shooting.

balido m bleat(ing).

balística f ballistics.

baliza f (lighted) buoy, marker.

balneario 1. thermal, medicinal; **2.** m health resort, spa.

balompié m football.

balón m (foot)ball; † bale; **baloncesto** m basketball.

balota f ballot; **balotar** [1a] ballot.

balsa[1] f ♀ balsa.

balsa[2] f *geog.* pond.

balsa[3] f ♪ raft.

bálsamo m balsam, balm (*a. fig.*).

balsear [1a] *río* cross by ferry; *ps. etc.* ferry across.

baluarte m bulwark (*a. fig.*).

balumba f (great) bulk; big pile; F confusion; row.

ballena f whale; (*lámina*) whalebone; **ballenera** f whaler; **ballenero** whaling *attr.*

ballesta f cross bow; 🐟, *mot.* spring; **ballestero** m crossbowman.

ballet [bæˈle] m ballet.

bambolear(se) swing, sway; (*mueble*) wobble; roll, reel *al andar;* **bamboleo** m sway(ing) *etc.*

bambú m bamboo.

banal banal; *p.* superficial, commonplace.

banana f banana (tree); *prov. a. S.Am.* banana; **banano** m banana (tree).

banasta f large basket, hamper.

banca f (*asiento*) bench; (*frutería*)

fruit-stall; ✝ banking; *juegos*: bank;
bancario ✝ bank *attr.*, banking *attr.*
financial; **bancarrota** *f* (*esp.* fraudulent) bankruptcy; *fig.* failure; *hacer*
~ go bankrupt; **banco** *m* (*asiento*)
bench (*a.* ⊕), form *esp. en escuela*; ✝
bank; ♣ bank; ~ de ahorros savings-
bank.

banda *f* (*faja*) sash, band; (*cinta*)
ribbon; zone, strip; ♪, *radio*: band;
(*ps.*) band, gang; *orn.* flock; **bandada** *f* flock (*a. fig.*), flight.

bandearse [1a] move to and fro; *fig.*
get along, shift for o.s.

bandeja *f* tray; salver; *S.Am.* (meat-
etc.)dish.

bandera *f* flag, banner; ✕ colours; ~
de parlamento flag of truce, white
flag; **banderilla** *f* banderilla; **banderín** *m* little flag; pennant; ✕
recruiting post; ⊞ signal.

bandidaje *m* banditry; **bandido** *m*
bandit; outlaw; desperado; F rascal.

bando *m* edict, proclamation; faction, party; ~s *pl.* marriage banns.

bandolerismo *m* brigandage, banditry; **bandolero** *m* brigand, bandit.

bandurria *f* bandurria.

banquero *m* banker (*a. juegos*).

banqueta *f* stool.

banquete *m* banquet; (*esp. en casa
particular*) dinner-party; **banquetear** [1a] banquet, feast.

banquillo *m* bench; footstool.

bañador 1. *m*, **-a** *f* bather; **2.** *m* ⊕ tub,
trough; (*traje*) bathing-costume;
bañar [1a] bathe; bath *en bañera*;
dip (*a.* ⊕); ~se bath *en bañera*; bathe
en mar etc; *ir a* ~ go for a bathe;
bañera *f* bath(-tub); **baño** *m* bath
(*a.* ⊕, ⚶); (*bañera*) bath(-tub); (*en
general*) bathing; **bañista** *m/f*
bather; *S.Am.* toilet; bathroom.

baque *m* thud, bump, bang; bruise.

baquelita *f* bakelite.

baqueta *f* ramrod; ~s *pl.* ♪ drum-
sticks; *a la* ~ severely, harshly.

bar *m* bar, *approx.* public house;
snackbar.

barahunda *f* uproar, racket, din.

baraja *f* pack (of cards); *fig.* confusion, mix-up; **barajar** [1a] *v/t.*
shuffle; *fig.* mix up, shuffle around;
v/i. quarrel; ~se get mixed up.

baranda *f* rail(ing); *billar*: cushion;
barandal *m*, **barandilla** *f* rail(ing),
hand-rail; banisters *de escalera*.

barata *f Col.,Mex.* junk shop; rum-
mage sale; **baratear** [1a] sell

cheaply; sell at a loss; **baratero**
cheap; **baratía** *f S.Am.* cheapness;
baratija *f* trinket, trifle; ✝ *freq.*
novelty; ~s *pl.* cheap goods; **baratillo** *m* (*géneros*) second-hand goods;
(*tienda*) second-hand shop; **barato
1.** cheap; *de* ~ for nothing; **2.** *m*
bargain sale; **baratura** *f* cheapness.

baraúnda *f* = **barahunda**.

barba 1. *f* chin; (*pelo*) beard (*a.* ♀);
whiskers; *orn.* wattle; *hacer la* ~
shave (o.s.); *hacer la* ~ *a* shave; **2.** *m*
thea. old man's part; (*malo*) villain.

barbacoa *f S.Am.* barbecue.

barbado 1. bearded; **2.** *m* ♀ seedling;
barbar [1a] grow a beard.

barbárico barbaric; **barbaridad** *f*
barbarity (*a. fig.*); *fig.* atrocity,
outrage; ~es *pl. fig.* nonsense;
terrible things; *¡qué* ~*!* how awful!;
barbarie *f* barbarism, barbarous-
ness; (*crueldad*) barbarity; **barba-
rismo** *m gr.* barbarism; *fig.* = *barbaridad*; **bárbaro 1.** *hist.* barbarian,
barbarous; *fig.* barbarous, cruel;
(*arrojado*) daring.

barbechar [1a] leave fallow; (*arar*)
plough for sowing; **barbechera** *f*,
barbecho *m* fallow (land).

barbería *f* barber's (shop); (*oficio*)
hairdressing; **barbero 1.** *m* barber,
hairdresser; **2.** *Mex. adj.* flattering;
fawning.

barbilla *f* (tip of the) chin.

barbón *m* man with a beard; *zo.*
billy-goat; F greybeard.

barbudo bearded; with a long beard.

barbulla *f* uproar, clamour, hullabaloo; **barbullar** [1a] babble away.

barca *f* (small) boat; ~ de pesca, ~
pesquera fishing-boat.

barcelonés *adj. a. su. m*, **-a** *f* (*native*)
of Barcelona.

barco *m* boat; (*grande*) ship, vessel; ~
cisterna *m* tanker; ~ de guerra warship; ~ de vela sailing-ship.

baremo *m* (*escala*) scale; table of
rates.

bario *m* barium.

baritono *m* baritone.

barjuleta *f* knapsack; ⊕ tool bag.

barlovento *m* windward.

barman *m* bartender.

barniz *m* varnish; *cerámica*: glaze; ✕
dope; (*afeite*) make-up; **barnizado**
m varnishing; **barnizar** [1f] varnish,
polish; glaze.

barométrico barometric(al); **barómetro** *m* barometer.

B

barón *m* baron; **baronesa** *f* baroness; **baronía** *f* barony.

barquero *m* boatman, waterman.

barquillo *m cocina:* approx. horn, cone, rolled wafer; (*helado*) cornet.

barquinazo *m* F tumble, hard fall; *mot.* jolt; (*vuelco*) spill, overturning.

barra *f* bar; ⊕ rod; ⚓ *a.* dock; stick, bar *de jabón* etc.

barraca *f* hut, cabin; thatched house; *S.Am.* storage shed.

barragana *f* concubine.

barranca *f*, **barranco** *m* gully, ravine; *fig.* obstacle.

barrar [1a] daub, smear.

barrear [1a] barricade.

barredura *f* sweep(ing); ~s *pl.* sweepings; (*desperdicios*) refuse; **barreminas** *m* minesweeper.

barrena *f* auger; bit, drill *de berbiquí* etc.; **barrenar** [1a] drill (through); ⚓ scuttle.

barrendero *m*, **a** *f* sweeper.

barrer [2a] sweep (out, clean etc.); (*a. fig.*) sweep away.

barrera *f* barrier (*a. fig.*), rail; ✕ etc. barricade; ~ *de fuego* barrage; 🚧 level-crossing gate; *fig.* obstacle; ~ *del sonido,* ~ *sónica* sound barrier.

barrial *m S.Am.* mudhole; muddy ground.

barrica *f* large barrel.

barrido *m* = *barredura.*

barriga *f* belly (*a. de vasija*); ⚠ bulge; **barrigón, barrigudo** pot-bellied.

barril *m* barrel; *de* ~ *cerveza* etc. draught *attr.*; **barrilero** *m* cooper; **barrilete** *m* keg; ⊕ dog, clamp.

barrio *m* quarter, district; suburb; ~s *pl. bajos* poor quarter; *b.s.* slums, slum area.

barrizal *m* muddy place, mire; **barro** *m* mud; *cerámica:* clay; (*búcaro*) earthenware pot; *anat.* pimple (on the face); ~s *pl.* earthenware; crockery.

barroco 1. baroque; *lit.* mannered; *b.s.* extravagant, in bad taste; **2.** *m* the Baroque (style etc.); **barroquismo** *m* baroque style; extravagance.

barroso muddy; *cara* pimply.

barrote *m* (heavy) bar.

barruntar [1a] guess, conjecture; **barrunte** *m* sign, indication; **barrunto** *m* guess, conjecture.

bartolina *f C.Am.* cell; dungeon; jail.

bártulos *m/pl.* things, belongings, bits and pieces; goods; ⊕ tools.

barullo *m* uproar, din.

basa *f* ⚠ base (of a column); *fig.* basis, foundation.

basáltico basaltic; **basalto** *m* basalt.

basar [1a] base; *fig.* base, found; ~se en be based on; rely on.

basca *f* ✱ (*mst* ~s *pl.*) queasiness, nausea; F tantrum; *dar* ~s *a* make *s.o.* sick; **bascoso** ✱ queasy; squeamish; *S.Am.* filthy.

báscula *f* scale, weighing machine.

base *f mst* base; ⊕ mount(ing); bed; *fig.* basis, foundation; ~ *aérea* air base; ~ *avanzada* forward base; ~ *naval* naval base; **básico** 🜋 basic.

basílica *f esp. hist.* basilica; *eccl.* large church, privileged church.

basilisco *m* basilisk.

basquear [1a] feel sick; *hacer* ~ *a* make *s.o.* sick, turn *s.o.'s* stomach.

basquetbol *m* basketball.

bastante 1. *adj.* enough (*para* for; *para inf.* to *inf.*); **2.** *adv.* (*que basta*) enough; (*más o menos*): ~ *bueno* quite good; **bastar** [1a] be enough, be sufficient (*para inf.* to *inf.*); suffice, be (quite) enough; *¡basta!* that's enough!; stop!

bastardear [1a] *v/t.* debase; adulterate; *v/i.* 🜋 *a. fig.* degenerate; **bastardilla:** (*letra*) ~ italic(s); *en* ~ in italics; **bastardo** *adj. a. su. m,* **a** *f* bastard; 🜋 etc. hybrid.

bastedad *f* coarseness; roughness; *C.Am.* abundance, excess.

bastidor *m* frame (*a. sew.,* ⊕); frame, case *de ventana* etc.; (*con lienzo*) stretcher; *thea.* wing.

bastilla *f* hem; **bastillar** [1a] hem.

bastimentar [1a] supply, provision; **bastimento** *m* supply, provision.

basto 1. coarse, rough; (*grosero*) rude, ill-mannered; **2.** *m* packsaddle; *naipes:* ~s *pl.* clubs.

bastón *m* (walking)stick; ✕ etc. baton; *heráldica:* pallet, pale; *fig.* control, command; **bastonazo** *m* blow with a stick; caning; **bastonear** [1a] beat (with a stick), cane.

basura *f* rubbish, refuse; (*esp. papeles*) litter; **basural** *m S.Am.* dump; trash pile; garbage heap; **basurero** *m* (*p.*) dustman; scavenger; (*sitio*) rubbish dump; ✿ dung-heap.

bata *f* dressing-gown; housecoat; 🜋 etc. laboratory coat.

bataclán *m S.Am.* burlesque show.

batahola *f* F hullabaloo, rumpus.

batalla f battle; esp. fig. fight, contest; fig. (inner) struggle; **batallar** [1a] battle, fight (con with, against; por over); **batallón 1.** cuestión etc. vexed; **2.** m battalion.

batán m fulling mill; (máquina) fulling hammer; **batanar** [1a] full, beat.

batata f sweet potato, yam; S.Am. bashfulness.

batea f (bandeja) tray; (artesilla) deep trough; ⚓ flat-bottomed boat.

batel m small boat, skiff; **batelero** m boatman.

batería f mst battery; ≠ bank de luces; thea. footlights; ~ de cocina kitchen utensils.

baterista m/f ♪ drummer.

bati-boleo m Cuba,Mex. noise; confusion.

batido 1. seda shot, chatoyant; camino well-trodden, beaten; **2.** m cocina: batter; ~ (de leche) milkshake; **batidor** m ⊕, hunt. beater; ✕ scout; (peine) comb; = batidora; **batidora** f whisk; ≠ (electric) mixer; **batintín** m gong.

batir [3a] **1.** v/t. metall., hunt., ✕, adversario, alas, huevos, marca beat; campo, terreno comb, reconnoitre; casa knock down; (sol) beat down on; **2.** v/i. ✳ beat (violently); **3.** ~se (have a) fight.

batiscafo m bathyscaphe.

batista f cambric, batiste.

batuque m S.Am. F to-do, rumpus.

baturrillo m hotchpotch.

baturro 1. uncouth; **2.** m, **a** f Aragonese peasant.

batuta f ♪ baton.

baúl m (⚓ cabin) trunk; F corporation; ~ ropero wardrobe trunk.

bauprés m bowsprit.

bausán m dummy, straw man.

bautismo m baptism; **bautizar** [1f] baptize (a. fig.); fig. name, give a name to; **bautizo** m baptism; christening.

bauxita f bauxite.

baya m berry.

bayeta f baize; (trapo) floor cloth.

bayo 1. biscuit(colored); caballo bay; **2.** m approx. bay (horse).

bayoneta f bayonet; **bayonetazo** m bayonet thrust, bayonet wound.

bayu(n)ca f C.Am. bar; tavern.

baza f naipes: trick; F meter ~ butt in.

bazar m bazaar.

bazo 1. yellowish-brown; **2.** m anat. spleen.

bazofia f leftovers; (pig)swill, hogwash (a. fig.); fig. filth.

beata f lay sister; F devout woman; **beatificar** [1g] beatify; **beatitud** f beatitude, blessedness; Su ♀ His Holiness; **beato 1.** happy, blessed; pious; **2.** m approx. lay brother; F devout man.

bebé m baby.

bebedero 1. drinkable; **2.** m drinking-through; spout de vasija; **bebedizo 1.** drinkable; **2.** m ☇ potion; (love) potion; **bebedor 1.** hard-drinking, bibulous; **2.** m, -a f (hard) drinker, toper; **beber 1.** m drink(ing); **2.** [2a] v/t. drink (up); esp. fig. drink in, imbibe; v/i. drink (a. b.s.).

bebezón m S.Am. drinking spree; **bebida** f drink (a. alcohol); beverage; ~ alcohólica liquor, alcoholic drink; dado a la ~ hard-drinking, given to drink; **bebido** tipsy, merry.

beca f scholarship, grant (for study); **becario** m, **a** f scholarship holder.

becerrillo m calf skin; **becerro** m yearling calf; ⊕ calf skin.

becuadro m ♪ natural (sign).

beduino adj. a. su. m, **a** f Bedouin.

befa f jeer; **befar** [1a] scoff at, jeer at.

befo 1. thick-lipped; **2.** m lip.

begonia f begonia.

béisbol m baseball; **beisbolero** m, **beisbolista** m baseball player.

bejuco m liana.

beldad f beauty (a. p.).

belén m eccl. crib, nativity scene; fig. confusion, bedlam.

belga adj. a. su. m/f, **bélgico** Belgian.

belicoso warlike; militant; **beligerancia** f belligerancy; militancy, warlike spirit; **beligerante** adj. a. su. m/f belligerant.

bellaco 1. wicked; astute, sly, cunning; **2.** m, **a** f scoundrel.

bellaquear [1a] cheat, be crooked; S.Am. (caballo) rear; **bellaquería** f (acto) dirty trick; (dicho) mean (or nasty) thing to say.

belleza f beauty, loveliness; (p.) beauty; **bello** beautiful, lovely.

bellota f ♀ acorn.

bemol m ♪ flat.

bencedrina f benzedrine.

bencina f mot. benz(ol)ine.

bendecir [approx. 3p] bless; consecrate; (alabar) praise, extol; ~ la mesa say grace; **bendición** f blessing, benediction; ~es pl. nupciales wedding ceremony; echar la ~ give one's

bendito

blessing (a. fig.) **bendito** saintly, blessed; *agua* holy; (*feliz*) happy; **benedictino** adj. a. su. m Benedictine.

beneficencia f (*virtud*) doing good; charity; (*obra*) benefaction; (*fundación*) charity; **beneficiar** [1b] v/t. benefit, be of benefit to; ✔ cultivate; *S.Am.* (*ganado*) slaughter; v/i. be of benefit; **~se de** take advantage of; *S.Am.* shoot dead; **beneficiario** m, a f beneficiary; **beneficio** m benefit, good; (*donativo*) benefaction; *eccl.* living, benefice; ✝, ⚔, ✔ yield, profit; **benéfico** good (*a, para* for); *obra etc.* charitable.

benemérito worthy, meritorious.

benevolencia f benevolence, kind(li)ness; **benévolo** benevolent.

benigno kind(ly); gracious, gentle; *clima* kindly, mild; ✿ mild.

beodo drunk(en).

bequista m/f *C.Am.,Cuba* scholarship holder; grant winner.

berbiquí m (carpenter's) brace.

bereber adj. a. su. m/f Berber.

berenjena f aubergine, egg-plant; **berenjenal** m aubergine bed.

bergante m scoundrel, rascal.

bergantín m brig.

bermejo red(dish), russet; **bermellón** m vermilion.

berrear [1a] low, bellow; F fly off the handle; **berrido** m lowing, bellow (-ing); ♪ screech (a. fig.); **berrinche** m F rage, tantrum.

berro m water-cress.

berza f cabbage.

besar [1a] kiss; fig. graze, touch; ~ *la mano*, ~ *los pies* fig. pay one's respects (a to); **~se** kiss (each other); **beso** m kiss.

besuquearse [1a] F pet, neck.

bético lit. Andalusian.

betún m ♠ bitumen; (*zapatos*) shoe polish, blacking.

bezudo thick-lipped.

Biblia f Bible; fig. *saber la* ~ know everything; **bíblico** biblical.

bibliografía f bibliography; **bibliográfico** bibliographic(al).

biblioteca f library; (*estante*) bookcase; ~ *de consulta* reference library; **bibliotecario** m, a f librarian.

bicarbonato m bicarbonate of soda; cooking soda.

bicicleta f (bi)cycle; *andar en* ~, *ir en* ~ ride a bicycle, (bi)cycle.

bicolor two-color; *mot.* two-tone.

bicherío m *S.Am.* vermin; **bicho** m small animal, insect *etc.*, bug *S.Am.*; *toros*: fighting bull; *Mex.* cat.

biela f connecting rod.

bielda f approx. pitchfork; **bieldar** [1a] winnow.

bien 1. m good; (*beneficio*) advantage, profit; (*bienestar*) welfare, well-being; *mi* ~ (p.) my dear(est); **2. ~es** pl. wealth, riches; property, possessions; ~ *dotales* dowry; ~ *raíces* real estate, realty; **3.** adv. well; (*correctamente*) right; (*de buena gana*) gladly, readily; *más* ~ rather; *o* ~ or else; **4.** (*como int.*) ¡~! all right!, okay!; jolly good!; ¡*muy* ~! (a orador etc.) hear hear!; yes indeed; **~aventurado** happy, fortunate; *eccl.* blessed; **~hablado** nicely-spoken; **~intencionado** well-meaning.

bienvenida f welcome; greeting; (*llegada*) safe arrival; **bienvenido** welcome; ¡~! welcome!

bifocal bifocal.

biftec m (beef)steak.

bifurcación f fork, junction in *camino*; branch; **bifurcarse** [1g] (*caminos etc.*) fork, branch; bifurcate; diverge.

bigamia f bigamy; second marriage *de viudo*; **bígamo 1.** bigamous; **2.** m, a f bigamist.

bigote m (a. ~s pl.) moustache; whiskers *de gato etc.*; **bigotudo** with a big moustache.

bigudí m hair curler.

bikini m bikini swimsuit.

bilateral bilateral (a. ✝), two-sided.

bilbaíno adj. a. su. m, a f (native) of Bilbao.

bilingüe bilingual.

bilioso bilious (a. fig.); fig. peevish, difficult; **bilis** f bile (a. fig.).

billar m billiards (*mesa*) billiard-table.

billete m ticket; ✝ (bank-)note, bill; (*carta*) note, letter; ~ *amoroso* love letter, billet-doux; ~ *de banco* bank note, bill; ~ *de ida y vuelta* return ticket.

billón m billion; **billonésimo** billionth.

bimba f F top hat; *Mex.* drinking spree; drunkenness.

bimotor twin-engined.

binocular binocular; **binóculo** m binoculars; *thea.* opera-glasses.

biofísica f biophysics.

biografía f biography, life; **biográfico** biographic(al).

biología f biology; **biológico** biologic(al); **biólogo** m biologist.

biombo m (folding) screen.

biopsia f & biopsy.

bioquímica f biochemistry.

bípedo *adj. a. su. m,* **a** f biped.

biplano m biplane.

birlar [1a] knock down (*or* kill) with one shot; *cosa* pinch.

birlocha f kite.

birmano *adj a. su. m,* **a** f Burmese.

birreactor *adj. a. su. m,* **a** f twin-jet.

birreta f biretta, cardinal's hat; **birrete** m *univ. approx.* cap, mortarboard F.

bis 1. *adv.* twice; *thea.* ¡~! encore!; **2.** m encore.

bisabuela f great-grandmother; **bisabuelo** m great-grandfather.

bisagra f hinge; F waggle *de caderas.*

bisar [1a] *thea. etc.* repeat.

bisecar [1g] bisect; **bisección** f bisection.

bisel m bevel(-edge); **biselar** [1a] bevel.

bisemanal twice-weekly.

bisiesto: *v. año* ~.

bisílabo two-syllabled.

bismuto m bismuth.

bisnieto m great-grandson.

bisojo cross-eyed, squinting.

bisonte m bison.

bisoño 1. green, inexperienced; raw; **2.** m, **a** f greenhorn.

bisté m, **bistec** m (beef)steak.

bisturí m scalpel.

bisutería f imitation jewellery, paste.

bitoque m faucet; spigot; bung; *C.Am.* sewer.

bizantino 1. Byzantine; *fig.* decadent; **2.** m, **a** f Byzantine.

bizarría f gallantry; generosity; (*esplendor*) show; **bizarro** gallant; generous; (*gallardo*) dashing.

bizco cross-eyed, squinting.

bizcocho m sponge (cake); biscuit; (*loza*) biscuit (ware); ♣ hardtack.

bizma f poultice; **bizmar** [1a] poultice.

bizquear [1a] squint.

blanco 1. white; *piel* white, light; *tez* fair; *página, verso* blank; **2.** m white(ness); (*p.*) white (man); ✕

target (*a. fig.*); ~ *del ojo* white of the eye; *dar en el* ~ hit the mark (*a. fig.*); **blancura** f whiteness.

blandear [1a] *v/t. fig.* convince, persuade; *v/i.,* ~se soften, yield, give in.

blandir [3a; *defective*] *v/t.* brandish, wave aloft; *v/i.,* ~se wave to and fro.

blando *mst* soft; *pasta etc.* smooth; *carne b.s.* flabby; *fig.* mild, gentle; **blanducho** F on the soft side, softish; **blandura** f softness *etc.*; (*halago*) flattery, flattering words.

blanqueadura f whitening; bleaching; whitewashing; **blanquear** [1a] *v/t. tela etc.* bleach, whiten; ⊕ blanch; *v/i.* (*volverse*) turn white, whiten; **blanqueo** m bleaching *etc.*

blasfemar [1a] blaspheme (*contra* against); *fig.* curse (and swear); ~ *de* curse, revile; **blasfemia** f *eccl.* blasphemy; insult.

blasón m (*en general*) heraldry; (*escudo*) coat of arms, escutcheon; **blasonar** [1a] *v/t.* (em)blazon; *v/i.* boast (*de* being), brag.

blindaje m ✕, ♣ armor(plating); **blindar** [1a] ✕ armor; ⊕ shield.

bloc m (writing)pad; calendar pad.

blof m *S.Am.* bluff; **blofear** [1a] bluff.

blondo blond; light.

bloque m △, ⊕ block; *fig.* group; *pol.* bloc; *en* ~ en bloc; **bloquear** [1a] ✕, ♣ blockade; *mot.* brake; **bloqueo** m blockade; ✦ freeze, squeeze.

blufar [1a] bluff; **bluff** m [bluf] bluff; *hacer un* ~ *a* bluff.

blusa f blouse; jumper; overalls.

boa f boa.

boato m show(iness), ostentation.

bobada f silly thing; **bobalicón** F **1.** utterly stupid, quite silly; **2.** m, **-a** f nitwit, mutt; **bobear** [1a] (*hablar*) talk (a lot of) twaddle; **bober(í)a** f = bobada.

bóbilis: F *de* ~ ~ (*gratis*) for nothing.

bobina f bobbin, spool (*a. phot.*), reel.

bobo 1. (*corto*) stupid, simple; (*tonto*) silly; **2.** m, **a** f fool, dolt, mutt; *thea.* clown, funny man.

boca f mouth; muzzle *de fusil; fig.* mouth, entrance; ~ *abajo* (*arriba*) face downward (upward); F ¡*cállate la* ~! shut up!, hold your tongue!

bocacalle f street entrance; intersection; **bocadillo** m snack; meat (*or* cheese *etc.*) roll, sandwich; **bocado** m mouthful; (*un poco de comida*) morsel, bite; (*mordedura*) bite; **bo-**

B

canada f mouthful de vino etc.; puff de humo, viento; **bocaza** f loud-mouth; gossip.

boceto m sketch, outline.

bocina f ♪ trumpet; horn (a. mot., gramófono); (portavoz) megaphone.

bocinar [1a] mot. hoot, blow the horn, honk.

bochar [1a] Mex.,Ven. turn down; reject; insult.

bochorno m sultry weather; stifling atmosphere; (viento) hot summer breeze; **bochornoso** tiempo sultry, thundery; ambiente etc. stifling; fig. embarrassing.

boda f wedding (a. ~s pl.), marriage; wedding reception.

bodega f wine cellar; (despensa) pantry (depósito) store room, ♱ warehouse; ♱ hold de barco; S.Am. grocery store; **bodegón** m cheap restaurant; b.s. low dive.

bodoque m pellet; lump; F nitwit.

bofe m 1. lung; ~s pl. lights de animal; 2. adj. C.Am. unpleasant; disgusting.

bofetada f slap in the face (a. fig.); **bofetón** m (hard) slap.

boga¹ f vogue (por for), popularity.

boga² ♱ 1. f rowing; 2. m/f rower; **bogar** [1h] row; (navegar) sail; **bo-gavante** m ♱ stroke; zo. lobster.

bogotano adj. a. su. m, a f (native) of Bogotá.

bohemio adj. a. su. m, a f fig., **bohemo** adj. a. su. m, a f geog. Bohemian.

boicotear [1a] boycott; **boicoteo** m boycott(ing).

boina f beret.

bola f ball; ♱ signal (with disks); naipes: slam; (betún) shoe-polish; ~s pl. ⊕ ballbearings; S.Am. hunt. bolas; **bolada** f throw; S.Am. ♱ luck break.

bolardo m bollard.

bolchev(iqu)ismo m Bolshevism; **bolchev(iqu)ista** adj. a. su. m/f Bolshevist; Bolshevik.

boleada f S.Am. hunt; **boleadoras** f/pl. S.Am. bolas; **bolear** [1a] v/t. F throw; S.Am. hunt; Mex. polish shoes; v/i. play for fun; F tell fibs; ~se (caballo) rear; fig. stumble; S.Am. make a mistake.

bolero m bolero; Mex. shoeshine (boy).

boleta f pass, ticket; ♱ authorization, permit; S.Am. ballot (paper); **bole-**

tería f S.Am. 🚋 bookingoffice; thea. box-office; **boletín** m (informe etc.) bulletin; **boleto** m S.Am. ticket.

boliche m (bola) jack; (juego) bowls; (pista) bowling green; ⊕ small furnace; S.Am. skittles.

bolígrafo m ball-point pen.

bolillo m bobbin (for making lace); S.Am. bread roll; ~s pl. toffee-bars.

bolina f ♱ bowline; F racket, row.

boliviano adj. a. su. m, a f Bolivian.

bolo m 1. ninepin; naipes: slam; pharm. large pill; (juego de) ~s pl. ninepins; 2. adj. C.Am.,Mex. drunk.

bolsa f purse para dinero; (saquillo) bag, pouch; handbag de mujer; ✕, geol. pocket; bag en vestido, tela; S.Am. sack; anat. cavity, sac; ✝ stock exchange; ~ de agua caliente hotwater bottle; S.Am. ~ negra black market; ~ de trabajo labor exchange, employment bureau; **bolsero** m S.Am. sponger; Mex. pickpocket.

bolsillo m pocket (a. fig.); (saquillo) purse, money-bag; de ~ pocket attr., pocket-size; **bolsista** m (stock-)broker; S.Am. pickpocket; **bolso** m bag, purse.

bollería f pastry shop, bakery; **bo-llero** m baker, muffin man; **bollo** m cocina: muffin, bun, roll; dent en metal; sew. puff; ✿ bump, lump; F to-do, mix-up.

bomba f pump; glass, globe de lám-para; ✿ bomb; ✕ shell; S.Am. (bur-buja) bubble; ~ de aire air-pump; ~ aspirante suction pump; ~ atómica atomic bomb; ~ de engrase grease gun; ~ estomacal stomach pump; ~ H, ~ de hidrógeno hydrogen bomb; ~ impulsora force-pump; ~ de incendios fire engine; ~ de mano grenade; ~ de relojería timebomb; ~ de retardo timebomb; ~ neutrónica neutron bomb; a prueba de ~s bombproof.

bombardear [1a] ✕, phys. bombard (a. fig.; de with); ✕ shell; ✿ bomb; raid; **bombardeo** m ✕ bombardment (a. phys.), shelling; **bombar-dero** 1. bombing; 2. m bomber.

bombear [1a] ✕ shell; S.Am. agua pump (out); S.Am. fire, dismiss; S.Am. spy on; ~se ▲ camber; (made-ra etc.) bulge; **bombeo** m camber.

bombero m fireman; pumper; (cuer-po de) ~s pl. fire brigade.

bombilla f ∮ bulb; chimney de lám-para; ~ fusible flashbulb.

bombo 1. F dumbfounded; **2.** *m* ♩ bass drum; ♣ lighter; F *dar ~ a* praise to the skies; *thea.* write up, ballyhoo *S.Am.*

bombón *m* sweet, candy *S.Am.* chocolate; F (*p.*) good sort; (*mujer*) peach; (*cosa*) beauty.

bombonera *f* candy box.

bonachón good-natured, kindly; *b.s.* naïve, unsuspecting.

bonaerense *adj. a. su. m/f* (native) of Buenos Aires.

bonanza *f* ♣ fair weather; *min.* bonanza; ♦ prosperity, bonanza.

bondad *f* goodness; kind(li)ness *etc.*; *tener la ~ de inf.* be so kind (*or* good) as to *inf.*; **bondadoso** kind(ly), kindhearted.

bonete *m* eccl. hat, biretta; *univ.* approx. cap, mortar board F; **bonetería** *f* hat shop; notions store.

bongo *m* S.Am. barge; canoa.

bonificación *f* improvement (a. ♪); ♦ allowance; **bonificar** [1g] improve.

bonito¹ pretty, nice (a. fig.).

bonito² *m* tunny, bonito.

bono *m* voucher; ♦ bond.

boom *m* (florecimiento) boom.

boquear [1a] *v/t.* pronounce, say; *v/i.* be at one's last gasp; *fig.* be in its last stages; **boquete** *m* gap, opening, hole; **boquiabierto** open-mouthed; *fig.* aghast; **boquilla** *f* ♪ mouthpiece; ⊕ nozzle; burner *de gas*; stem *de pipa.*

bórax *m* borax.

borbolle(a)r [1a] bubble, boil up; *fig.* splutter; **borbollón** *m* bubbling, boiling; *a ~es* impetuously.

borbotar [1a] (*fuente*) bubble up, gush forth; (*agua*) bubble, boil *al hervir*; **borbotón** *m* = borbollón.

borceguí *m* high shoe, laced boot.

borda *f* ♣ gunwale; ♣ (*vela*) mainsail; (*choza*) hut; **bordada** *f* ♣ tack; *dar ~s* ♣ tack.

bordado *m* embroidery, needlework; **bordadura** *f* embroidery; **bordar** [1a] embroider (a. fig.).

borde *m* edge; side *de camino etc.*; brink *de abismo*; lip *de taza*; brim, rim *de vaso*; **bordear** [1a] *v/t.* skirt, go along the edge of; *v/i.* ♣ tack.

bordo *m* ♣ side; (*bordada*) tack; *a ~* on board; *al ~* alongside.

bordón *m* pilgrim's staff; *fig.* guide, helping hand; **bordoncillo** *m* pet phrase.

Borgoña *m* (*a. vino de ~*) burgundy.

borla *f* tassel; pompon *en sombrero*; tuft *de hebras*; bob *de pelo*; powderpuff *para empolvarse.*

bornear [1a] *v/t.* twist, bend; ⊕ put in place, align; *v/i.* ♣ swing at anchor; *~se* warp, bulge.

boro *m* boron.

borra *f* (*lana*) thick wool, flock; stuffing *de almohada*; (*pelusa*) fluff; ♦ down; sediment, lees.

borrachera *f* (*estado*) drunkenness; (*a. juerga de ~*) spree, binge; **borrachería** *f Mex.* bar; tavern; **borracho** 1. drunk; (*de costumbre*) drunken; 2. *m, a f* drunk(ard), sot.

borrador *m* rough copy, first draft; (*libro*) book for rough work; (*goma*) rubber, eraser; **borradura** *f* erasure; **borrar** [1a] erase, rub out *con borrador*; cross out *con rayas.*

borrasca *f* storm (a. fig.); *meteor.* a. depression, cyclone; **borrascoso** stormy (a. fig.); *viento* squally, gusty.

borrego *m*, **a** *f* (yearling) lamb; *fig.* simpleton.

borrico *m* donkey, ass (a. fig.); ⊕ saw-horse.

borrón *m* blot, smudge; (*borrador*) rough draft, sketch (a. paint.); **borroso** *líquido* muddy, dirty.

borujo *m* lump; pack; **borujón** *m* ♣ lump, bump; (*lío*) bundle.

boscaje *m* small wood, grove; *paint.* woodland scene; **boscoso** wooded; **bosque** *m* wood(s), woodland; (*grande*) forest.

bosquejar [1a] sketch, outline (a. fig.); ⊕ design; *proyecto* draft; **bosquejo** *m* sketch, outline (a. fig.).

bostezar [1f] yawn; **bostezo** *m* yawn.

bota *f* boot; (*odre*) leather winebottle; *~s pl. de campaña* topboots.

botafuego *m* hothead.

botánica *f* botany; **botánico** 1. botanic(al); **2.** *m, a f* botanist.

botar [1a] hurl, fling; *pelota* pitch; *barco* launch; *timón* put over; *S.Am.* throw away; fire; dismiss; *~se S.Am.* throw o.s. (*a* into); **botarate** *m* F wild fellow, madcap; *S.Am.* spendthrift.

bote¹ *m* (*golpe*) thrust, blow; buck *de caballo*; bounce *de pelota etc.*; *Mex.* prison; jail.

bote² *m* (*vasija*) can; tin; pot, jar; *naipes:* jackpot; *mot.* F jalopy.

bote³ *m* ♣ boat; *~ de paso* ferryboat; *~ de salvamento* lifeboat.

B

botella f bottle; ~ de Leiden Leyden jar.

botica f chemist's (shop), drug store; **boticario** m chemist, druggist.

botija f earthenware jug; S.Am. belly; F estar hecho una ~ be as far as a sow; **botijo** m earthenware jar.

botín[1] m ✕ booty, plunder, spoils.

botín[2] m (polaina) spat; = **botina** f bootee; high shoe.

botiquín m medicine chest; (a. ~ de emergencia) first-aid kit.

boto 1. dull, blunt; fig. dull, slow (-witted); **2.** m leather wine-bottle.

botón m sew., ♀ button; ~ (de camisa) stud; ~ (de puerta) doorknob; radio: knob; **botones** m buttons, bellboy, bellhop.

bóveda f ⌂ vault; dome; cavern; ~ celeste arch of heaven.

bovino bovine.

boxeador m boxer; **boxear** [1a] box; **boxeo** m boxing.

boya f ⚓ buoy; float de red.

boyada f drove of oxen.

boyero m oxherd, drover; (perro) cattle dog.

bozal 1. (novato) raw, green; potro wild, untamed; F silly, stupid; S.Am. speaking broken Spanish; **2.** m muzzle; S.Am. halter.

bozo m (vello) down (on upper lip); (boca) mouth, lips; halter, headstall de caballo.

bracear [1a] swing one's arms; (nadar) swim, esp. crawl; **bracero** m (unskilled) laborer, **bracete**: de ~ arm in arm.

braga f ⊕ rope, sling; F diaper Am. de niño; ~s pl. breeches de hombre; **bragadura** f anat. crotch; sew. gusset; **bragazas** m henpecked husband; **braguero** m ⚕ trus; **bragueta** f fly, flies.

bramante m twine, fine string.

bramar [1a] roar, bellow (a. fig.); **bramido** m roar, bellow etc.

brasa f (live) coal; estar en ~s fig. be on tenterhooks; **brasero** m brazier; **brasil** m brazilwood; Mex. hearth.

brasileño adj. a. su. m, a f Brazilian.

bravata f threat; (piece of) bravado; **bravatear** [1a] S.Am. brag; boast; **bravear** [1a] boast, talk big; bluster.

braveza f ferocity; meteor. etc. fury; (valor) bravery, courage; **bravío 1.** fierce, ferocious; **2.** m fierceness; **bravo 1.** (valiente) brave; b.s. boastful, blustering; fine, excellent; ¡~!

bravo!; **2.** m thug; **bravucón** m F boaster, braggart; **bravura** f ferocity; (valor) bravery.

braza f approx. fathom (= 1,67 m.); (cabo) brace; **brazada** f (remo, natación) stroke; (brazado) armful; **brazado** m armful; **brazal** m armband; ✝ irrigation channel; **brazalete** m bracelet, wirstlet; **brazo** m arm (a. ⊕, fig.); zo. foreleg; ♀ limb, branch; (soporte) bracket; ~ de mar sound, arm of the sea; con los ~s abiertos with open arm (a. fig.); asidos del ~ arm in arm.

brea f tar, pitch; **brear** [1a] F abuse, ill-treat; (zumbar) make fun of.

brebaje m pharm. potion, mixture.

brécol(es) m broccoli.

brecha f ✕ breach; ⌂ gap, opening; abrir ~ en muro breach.

brega f (lucha) struggle; (riña) quarrel, row; **bregar** [1h] struggle, fight (con with, against; a. fig.).

breña f, **breñal** m scrub, rough ground; **breñoso** rough, scrubby.

brete m fetters, shackles; fig. tight spot, jam.

bretones m/pl. Brussels sprouts.

breve 1. short; brief (esp. de duración); **2.** m ♪ breve; eccl. (papal) brief; **brevedad** f shortness; brevity; **breviario** m breviary.

bribón 1. idle, loafing; (bellaco) rascally; **2.** m, -a f loafer; rascal, scamp; **bribonada** f dirty trick; **bribonear** [1a] loaf around.

brida f bridle; ⊕ fishplate; ⊕ (anillo) collar; a toda ~ at top speed.

brigada 1. f ✕ brigade; squad, gang de obreros etc.; **2.** m approx. staff sergeant; **brigadier** m brigadier.

brillante 1. brilliant (a. fig., p.), shining, bright; joya, escena glittering; **2.** m brilliant; **brillantez** f brilliance etc.; **brillantina** f brilliantine; metal polish; **brillar** [1a] shine (a. fig., p.); glitter, gleam, glisten; **brillo** m shine etc.; lustre, sheen esp. de superficie; sacar ~ a polish, shine.

brincar [1g] skip, jump, leap about; F go off the deep end, blow one's top (por at); **brinco** m jump, leap, skip.

brindar [1a] v/t. offer (a to; a alguien con algo s.t. to s.o.); toro etc. dedicate; invite (a inf. to inf.); v/i. invite; ~se a inf. offer to inf.; **brindis** m toast.

brío m (freq. ~s pl.) spirit, dash, nerve;

brioso spirited, dashing; resolute; jaunty.

briqueta f briquette.

brisa f breeze.

británico British; **britano 1.** esp. hist. British; **2.** m, **a** f Briton.

brizna f strand, thread, fiament; fragment, piece.

broca f sew. reel, bobbin; ⊕ drill, bit; tack de zapato.

brocado 1. brocaded; **2.** m brocade.

brocal m curb de pozo; cigarette holder.

brocha f (large paint)brush; ~ de afeitar shaving-brush; **brochada** f, **brochazo** m brush-stroke.

broche m clasp de (a. de libro), fastener; (joya etc.) brooch; ~ **de oro** punch line.

broma f (chanza) joke; prank; no estoy para ~s I'm in no mood for jokes; gastar una ~ play a joke (a on); **bromear** [1a] joke (a. ~se); rag; (burlarse) pull s.o.'s leg; **bromista 1.** fond of joking etc.; **2.** m/f (salado) joker, wag.

bromo m bromine.

bronca f F (riña) row, scrap, wrangle; armar una ~ start a row; echar una ~ a rap s.o. over the knuckles.

bronce m bronze; **bronceado 1.** bronze(-colored); piel tanned, sun-burnt; **2.** m ⊕ bronze finish; tan de piel; **bronceador** m suntan lotion; **broncear(se)** [1a] ⊕ bronze; piel tan.

bronco superficie rough, unpolished; metal brittle; voz gruff, harsh; **bronquedad** f roughness etc.

bronquial bronchial.

bronquitis f bronchitis.

broquel m shield (a. fig.); **broquelarse** [1a] shield o.s.

brota f shoot, bud; **brotar** [1a] ♀ sprout, put out; bud; (agua etc.) spring up, gush forth; **brote** m ♀ shoot, bud; ♐ outbreak de enfermedad.

broza f ♐ chaff de trigo etc.; (hojas etc.) dead leaves, dead wood.

bruces: de ~ face downwards; caer de ~ fall flat on one's face.

bruja f witch; orn. owl; **brujería** f sorcery, witchcraft, magic; **brujo** m sorcerer, magician, wizard.

brújula f ♣ compass; fig. guide; ~ giroscópica gyro compass; F perder la ~ lose one's touch.

bruma f (esp. sea-)mist, fog; **brumoso** misty, foggy.

bruñido m (acto) polish(ing); (efecto) shine, gloss; **bruñir** [3h] polish, burnish; C.Am. annoy; ~**se** F put on make-up.

brusco ataque sudden; movimiento brusque; curva sharp; fig. brusque.

bruselas f/pl. tweezers.

brusquedad f suddenness etc.

brutal 1. brutal; (brusco) sudden, unexpected; **2.** m brute; **brutalidad** f brutality, bestiality; (acto) crime; **bruto 1.** brute, brutish; bestial; (malcriado) uncouth, coarse; en ~ (in the) rough; raw; piedra unpolished; **2.** m brute; F dolt.

bu m F bogey (man).

búa f pimple; **buba** f, **bubo** m tumor.

bucal oral, of the mouth.

bucanero m buccaneer.

bucear [1a] dive; work as a diver; fig. delve; **buceador** m diver; **buceo** m diving.

bucle m curl, ringlet; fig. curve.

bucólica f pastoral poem, bucolic; F meal; **bucólico** pastoral, bucolic.

buche m orn. crop; zo. a. F maw; F belly; (bocado) mouthful.

budín m pudding.

buenaventura f (good) luck; fortune; decir la ~ a tell s.o.'s fortune.

bueno 1. mst good; p. good, kind, nice; calentura high; constitución sound, strong; doctrina sound; sociedad polite; tiempo good, fine, fair; iro. fine, pretty; F estar de ~as be in a good mood; ¡ésa sí que es ~a! that's a good one!; **2.** (como int. etc.): ¡~! all right!, well then!; F ¡~as! hullo!; **3.** cj.: ~ que although, even though.

buey m bullock, steer; ox para labrar etc.

búfalo m buffalo.

bufanda f scarf, muffler.

bufar [1a] snort (a. fig.; de with); (gato) spit.

bufete m desk; ♎ lawyer's office; S.Am. snack.

bufido m snort (a. fig.; de of).

bufón 1. funny, comical, clownish; **2.** m, **-a** f buffoon, clown; hist. jester; **bufonada** f (acto) buffoonery, clowning; (sátira) comic piece; **bufonearse** [1a] clown, play the fool; (burlarse) joke; **bufonesco** = bufón 1.

bugui-bugui m boogie-woogie.

buhard(ill)a f dormer window; (desván) garret; S.Am. skylight.

buho m (a. ~ real) (eagle) owl; fig. unsociable person, hermit.

buhonero

B

buhonero *m* hawker; peddler.

buitre *m* vulture.

buje *m* axle box; bushing.

bujería *f* trinket, gewgaw.

bujía *f* candle; (*candelero*) candlestick; ⚡ candle power; *mot.* (sparking-)plug.

bula *f* (papal) bull.

bulbo *m* ♀, ⚘ bulb; **bulboso** ♀ bulbous; bulbshaped.

bulevar *m* boulevard, avenue.

búlgaro *adj. a. su. m,* **a** *f* Bulgarian.

bulimia *f* bulimia.

bulto *m* (*volumen*) bulk(iness), volume, mass(iveness); (*que se distingue mal*) shape, form; ⚘ swelling, lump; (*fardo*) package, bundle, bale; *S.Am.* brief case; F *escurrir el ~* dodge, get out of it.

bulla *f* (*ruido*) noise, uproar; (*movimiento*) bustle; **bullaje** *m* crush, crowd; **bull(ar)anga** *f* disturbance, riot, unrest; **bullebulle** *m/f* busybody, mischief-maker; (*inquieto*) fusspot; **bullicio** *m* (*ruido*) uproar; rowdiness; din, hum *de calle etc.*; **bullicioso** *multitud, asamblea* noisy; *calle* bustling, busy, noisy; **bullir** [3h] *v/t.* move; *v/i.* (*hervir*) boil (*a. fig.*); (*con burbujas*) bubble (up); (*moverse*) move about; *fig.* teem, swarm (*de, en* with); **~se** stir, budge.

buñuelo *m* approx. doughnut, fritter; cruller; F botched job, mess.

buque *m* ship, boat, vessel; (*casco*) hull; **~-escuela** training ship; **~ de guerra** warship; man-of-war †; **~ mercante** merchantman; **~ stangue** tanker; **~ (de) vapor** steamer, steamship; **~ de vela, ~ velero** sailing-ship.

burbuja *f* bubble; *hacer ~s* = **burbujear** [1a] bubble, form bubbles.

burdel *m* brothel.

burdo coarse.

burgalés *adj. a. su. m,* **-a** *f* (native) of Burgos.

burgués 1. middle-class, bourgeois (*a. contp.*); **2.** *m,* **-a** *f* bourgeois, member of the middle class; **bur-**

guesía *f* middle class, bourgeoisie.

burla *f* (*palabra*) gibe, taunt; (*chanza*) joke; (*chasco*) trick, hoax, practical joke; (*engaño*) trick, deception; **burlador 1.** *m,* **-a** *f* wag, practical joker, leg-puller F; **2.** *m* seducer.

burlar [1a] *v/t.* (*zumbar*) take in, hoax; (*engañar*) deceive; *enemigo etc.* outwit, outmaneuvre; seduce; *v/i.* **~se** joke, banter; scoff; **burlesco** funny, comic; (*satírico*) mock, burlesque.

burlón 1. joking, bantering; *tono* mocking; **2.** *m,* **-a** *f* wag, joker, leg-puller F.

buró *m* bureau, (roll-top) desk; *Mex.* night table.

burocracia *f* public service, civil service; *fig.* red tape; **burócrata** *m/f* civil servant, administrative official; **burocrático** bureaucratic; official.

burro *m* donkey, ass, ⊕ sawhorse; *fig.* ass, dolt; **~ de carga** *fig.* glutton for work.

busca *f* search, hunt (de for); **buscada** *f* = busca; **buscapié** *m* hint; **buscapleitos** *m S.Am.* troublemaker; F shyster; ambulance chaser.

buscar [1g] **1.** *v/t.* look for, search for; seek (for, after); hunt for, have a look for; *enemigo* seek out; *cita* look up; **2.** *v/i.* look, search; **3.** **~se**: se busca (*aviso*) wanted; **buscavidas** *m/f* snoop, busybody; *b.s.* social climber, go-getter; **buscón** *m b.s.* petty thief, smalltime crook; **buscona** *f* whore.

busilis *m* F (real) difficulty, snag; *ahí está el ~* there's the snag.

búsqueda *f* = busca.

busto *m* bust.

butaca *f* armchair, easy chair; *thea.* orchestra seat.

butano *m*: *gas ~* butane (or cylinder) gas.

buzo *m* diver.

buzón *m* ♀ letterbox; canal, conduit; *echar al ~* post; mail.

C

cabal 1. *adj.* exact, right; finished, complete, consummate; **2.** *adv.* exactly; perfectly (right); **3.** *int.* quite right!

cabalgada *f* troop of riders; ✗ cavalry raid; **cabalgadura** *f* mount, horse; **cabalgar** [1h] *v/t.* yegua cover; *v/i.* ride (on horseback).

cabalístico cab(b)alistic(al); *fig.* occult, mysterious.

caballa *f* mackerel.

caballada *f S.Am.* dirty trick; **caballejo** *m* pony; *b.s.* nag; **caballeresco** *hist.* of chivalry, chivalric; *sentimientos* fine, noble; **caballería** *f* mount, steed, horse, mule *etc.*; ✗ cavalry; *(orden)* order of knighthood; *hist.* knighthood, chivalry; ~ *andante* knight-errantry; **caballeriza** *f* stable (*a. fig.*, *deportes*); **caballerizo** *m* groom, stable-man.

caballero 1. riding, mounted (en on); **2.** *m* gentleman; mister, sir *en trato directo*; *hist.* knight, noble, nobleman; ~ *andante* knight-errant; **caballerosidad** *f* gentlemanliness; chivalry; nobility; **caballeroso** gentlemanly; chivalrous.

caballete *m* 🖌️, 🏛️ ridge; *(madero)* trestle; *paint.* easel; bridge *de nariz.*

caballito *m* little horse, pony; ~ *(de niños)* hobby-horse; ~ *de mar* seahorse; ~*s pl.* merry-go-round.

caballo *m* horse; *ajedrez*: knight; *naipes*: queen; ⊕ sawhorse; ⊕ ~ *(de fuerza)* horsepower; ~ *de carrera(s)* racehorse; *a* ~ *on horseback*; *a* ~ *de* astride, on; ✗ *de a* ~ mounted; *ir (or montar) a* ~ ride (on horseback).

cabaña *f* cabin, hut; *(rebaño)* flock; *billar*: balk; ~ *de madera* log cabin; **cabañuelas** *f/pl. Mex.* winter rain.

cabaret [kaba're] *m* cabaret; night club.

cabecear [1a] *v/t.* sew. bind; *deportes*: head; *v/i.* nod; *(negación)* shake one's head; 🚢 pitch; *mot.* lurch; **cabeceo** *m* nod; shake of the head; 🚢 pitching; *mot.* lurch(ing); **cabecera** *f* head *de cama, mesa, puente etc.*; headboard *de cama*; end *de cuarto etc.*

cabecilla 1. *m/f* F hothead, wrongheaded sort; **2.** *m* ringleader.

cabellera *f* head of hair; *(peluca)* wig; scalp *de piel roja*; *ast.* tail; **cabello** *m* hair (*a.* ~*s pl.*); ~ *merino* thick curly hair; F *asirse de un* ~ use any excuse; *traído por los* ~*s* irrelevant, quite off the point; *símil* far-fetched; **cabelludo** hairy; shaggy; 🌿 fibrous.

caber [2m] **1.** fit, go (*en caja* into); ~ *en espacio* be contained in; *cabe(n)* ✗ there is room for ✗; *¿cabemos todos?* is there room for us all?; **2.** *fig.* be possible; ~ *a* befall, happen to; *(suerte)* fall to (one's lot); *no cabe más* that's the limit; *cabe preguntar si* one may ask if.

cabestrillo *m* 💉 sling; **cabestro** *m* halter; *(buey)* leading ox; F pimp.

cabeza *f* mst head; top, summit *de monte*; top, head *de lista etc.*; *geog.* capital; *fig.* origin, beginning; *(p.)* head, chief; *a la* ~ de at the head of; F *alzar la* ~ 🌱 get on one's feet again; 🌱 be up and about; *meterse de* ~ *en* plunge into; *metérsele a uno en la* ~ get *s.t.* into one's head; *perder la* ~ lose one's head; F *romperse la* ~ rack one's brains.

cabezada *f (golpe)* butt *con cabeza*, blow on the head *en cabeza*; *(movimiento)* nod; 🚢 pitch(ing); *dar* ~*s* nod; **cabezal** *m* pillow; *mot.* headrest; *(imprenta)* heading; **cabezazo** *m* butt; *deportes*: header; **cabezón 1.** = *cabezudo*; **2.** *m* hole for the head; collar-band; **cabezudo** big-headed; *fig.* pigheaded.

cabida *f* space, room; capacity (*a.* 🚢); extent *de terreno.*

cabildear [1a] lobby; **cabildo** *m eccl.* chapter; *pol.* town council; *(junta)* chapter *etc.* meeting.

cabina *f* 🚄, 🚢 *etc.* cabin; *(camión)* cab; ✈️ *a.* cockpit; ~ *de teléfono*, ~ *telefónica* telephone box (*or* kiosk).

cabizbajo *fig.* crestfallen, dejected.

cable *m* cable (*a.* 🚢, 🌱, *medida*), rope, hawser; **cablegrafiar** [1c] cable; **cablegrama** *m* cable(gram).

cabo *m* end (*a. fig*); *geog.* cape; *(mango)* handle; 🚢 cable, rope; ⊕ thread; end, bit *que queda*; stub, stump *de vela, lápiz etc.*; *(p.)* chief, head; ✗ corporal; ~ *suelto* loose end; *al (fin y al)* ~ in the end; *dar* ~ *a* finish off; *dar* ~ *de* put an end to; *llevar a* ~ carry *s.t.* out.

cabotaje *m* 🚢 coasting trade.

cabra f (she-)goat, nanny-goat F; *estar como una ~* to be crazy.

cabrahigo m wild fig.

cabrero m goatherd.

cabrestante m capstan.

cabrío 1.: *macho ~* he-goat, billygoat; **2.** m flock of goats.

cabriola f caper; gambol; prance; *dar ~s* = **cabriolar** [1a] cut capers; *(caballo)* prance; frisk about.

cabritilla f kid(skin); **cabrito** m zo. kid; *carne de ~* kid; **cabrón** m fig. cuckold, complaisant husband; *(como injuria, a. co.)* bastard; *S.Am.* pimp; **cabronada** f F *(mala pasada)* dirty trick; *(trabajo)* tough job.

caca f F excrement; filth.

cacahuete m peanut, monkey nut; *(planta)* groundnut.

cacalote m *S.Am.* raven; *S.Am.* popcorn; *Cuba, Mex.* blunder; foolishness.

cacao m cocoa; *S.Am.* chocolate.

cacarear [1a] *v/t.* boast about, make much of; *v/i. (gallina)* cackle; *(gallo)* crow; **cacareo** m cackling; crowing *(a. fig.)*.

cacatúa f cockatoo.

cacería f *(partida)* shoot, hunt; *(pasatiempo)* shooting, hunting.

cacerola f (sauce)pan; casserole.

cacique m *S.Am.* chief; *pol.* (local) boss; **caciquismo** m *pol.* (local) bossism.

caco m pickpocket; F coward.

cacto m cactus.

cacha f handle; *S.Am.* horn; F *hasta las ~s* up to the hilt.

cacharro m earthenware pot, crock; *fig.* piece of junk; *C.Am.,P.R.* jail; *~s pl.* earthenware, (coarse) pottery.

cachaza f calm; *b.s.* slowness; *(bebida)* rum; **cachazudo 1.** calm, phlegmatic; slow; **2.** m slow sort.

cachear [1a] frisk (for weapons).

cachete m punch in the face; *&* swollen cheek; = **cachetero** m dagger; **cachetina** f fist fight.

cachiporra f billy *de policía*; blackjack *de criminal.*

cachivache m *(p.)* useless fellow; *~s pl.* pots and pans; *contp.* junk.

cacho 1. bent, crooked; **2.** m crumb *de pan*; *(pedazo)* bit, slice.

cachondo zo. in heat; *sl. mujer* hot, sexy.

cachorr(ill)o m pocket pistol; **cachorro** m, **a** f *(perro)* pup(py); *(león etc.)* cub.

cachupín m, **-a** f Spanish settler in America.

cada each; *(con número etc.)* every; *~2 semanas* every 2 weeks; *~ cual, ~ uno* each one, everyone.

cadalso m scaffold; ⊕ platform.

cadáver m (dead) body, corpse; carcass *de animal*; **cadavérico** *fig.* cadaverous; ghastly, deathly pale.

cadena f chain; *~ antirresbaladiza* skid chain; *~ de televisión* channel; network.

cadencia f cadence, rhythm; ♪ *(trozo)* cadenza; **cadencioso** rhythmic(al).

cadera f hip.

cadete m cadet.

caducar [1g] *(viejo)* dodder, be in one's dotage; get out of date *por antiguo*; ⚖ † expire; **caducidad** f feebleness; lapse, expiration; **caduco** decrepit, feeble; ♀ deciduous; *bienes* perishable.

caedizo falling; weak; frail.

caer [2o] *mst* fall (down *etc.*); *a. ~se)*; *(viento, sol etc.)* go down; *(cortina)* hang; F *ya caigo* I get it; *(animal)* pounce on; *dejar ~* drop; *tono* lower; *dejarse ~* let o.s. go (*or* fall).

café m coffee; *(casa)* café; *(color de) ~* coffee-coloured; *~ con leche* white coffee; *~ solo* black coffee; **cafeína** f caffeine; **cafetal** m coffee plantation; **cafetalero** m *S.Am.* coffee planter; coffee dealer; **cafetear** [1a] drink coffee; **cafetera** f coffee pot; *~ (eléctrica, filtradora)* percolator; **cafetería** f cafeteria; milk-bar; **cafetero** m, **a** f café proprietor; **cafeto** m coffee plant.

cagar [1h] *v/t.* shit; *fig.* make a mess of; *v/i.* (have a) shit; **cagatinta(s)** m pen-pusher; **cagón** F *adj. a. su.* m, **-a** f cowardly.

caída f fall (*a. fig.*); *(tropezando)* tumble; *(declive) geol.* drop; fold *de cortina*; set, hang *de vestido*; *fig.* decline; collapse, downfall; **caído 1.** fallen; *cabeza etc.* drooping; *cuello* turn-down; *fig.* crestfallen, dejected; **2.** *~s* m/pl.: *los ~* the fallen; † income due.

caimán m alligator, caiman.

caja f box *(a.* ⊕, *♫)*; case *(a. typ., de reloj, violín etc.)*; chest; *mot.* body; *radio:* cabinet; *(ataúd)* coffin, casket; ✗ drum; ⊕ housing, casing; ♀ † cash box; *~ (de caudales)* safe, strong box; † cash desk; cash-

ier's office; ~ *de velocidades* gear-box.
cajero *m*, **a** *f* ✝ cashier, (bank) teller;
cajeta *f* small box; **cajetilla** *f* packet,
pack; **cajón** *m* big box, case; drawer
de armario etc.; *S.A.* coffin.
cal *f* lime; ~ *apagado* slaked lime; ~
viva quicklime.
cala *f* *geog.* creek, cove, inlet; ♪
fishing-ground; hold *de barco.*
calabaza *f* pumpkin, gourd; F dolt; F
dar ~*s a estudiante* fail; *novio* jilt;
recibir ~*s* get jilted; F *salir* ~ be a flop;
calabazada *f* butt (with the head);
blow on the head.
calabobos *m* drizzle.
calabozo *m* (*cuarto*) cell; (*cárcel*)
prison; ✕ F glasshouse; F calaboose.
calada *f* soaking *etc.*; F *dar una* ~ *a*
haul *s.o.* over the coals; **calado** *m* ⊕
fretwork.
calafatear [1a] caulk.
calamar *m* squid.
calambre *m* (*a.* ~*s pl.*) cramp.
calamidad *f* calamity; F (*p.*) dead
loss; F *es una* ~ it's a great pity.
calamitoso calamitous.
cálamo *m* *poet.* pen; ♪ reed.
calandria *f* calandra lark.
calaña *f* model, pattern; *fig.* nature,
stamp, kind.
calar [1a] **1.** *v/t.* (*líquido*) soak; pierce
con barrena; ⊕ *metal* cut openwork
in; *madera* cut fretwork in; **2.** *v/i.*
(*líquido*) sink in; (*zapato*) leak; let in
water; ♪ draw; ~*se* get soaked (*hasta
los huesos* to the skin), get drenched.
calavera 1. *f* skull; **2.** *m* gay dog; *b.s.*
rake; *fig.* necio; **calaverada** *f* madcap escapade, foolhardy thing; **ca-**
laverear [1a] carouse; *b.s.* lead a
wild life.
calcar [1g] trace; *fig.* ~ *en* base on,
model on.
calceta *f* (knee-length) stocking,
(*grillete*) fetter, shackle; *hacer* ~ knit;
calcetería *f* hosiery; hosier's (shop);
calcetín *m* sock.
calcificar(se) [1g] calcify; **calcina** *f*
concrete; **calcinar** [1a] calcine; burn,
reduce to ashes; **calcio** *m* calcium.
calco *m* tracing; **calcomanía** *f*
transfer.
calculable calculable; **calculador 1.**
calculating; scheming; (*máquina*)
calculadora *f* computer, calculating
machine; **2.** *m* (*máquina*) calculator;
~ *de mano* hand-held calculator; ~ *de
bolsillo* pocket calculator; **calcular**
[1a] calculate; add up, work out;

cálculo *m* calculation; reckoning;
estimate; ✱ (gall)stone; ~ *diferencial*
differential calculus.
caldear [1a] heat (up), warm (up);
estar caldeado be very hot; ~*se* get
overheated, get very hot.
caldera *f* boiler (*a.* ⊕); kettle; *S.Am.*
coffee pot; **calderilla** *f* *eccl.* holy-
water vessel; ✝ copper(s), small
change; **calderón** *m* large boiler,
cauldron; *typ.* paragraph sign; ♪
hold; **caldillo** *m* light broth; sauce
for fricasse; *Mex.* meat bits in broth.
caldo *m* broth; consommé, clear
soup; (*aderezo*) dressing, sauce; ~*s
pl.* liquid derived from fruit *etc.*
calefacción *f* heating; *de* ~ heating
attr.; ~ *central* central heating.
cal(e)idoscopio *m* kaleidoscope.
calendario *m* calendar; F *hacer* ~*s*
muse.
caléndula *f* marigold.
calentador *m* heater; ~ (*de inmersión*)
immersion heater; **calentar** [1k] *v/t.*
horno etc. heat (up); *comida, cuarto,
piernas, silla etc.* warm (up); *v/i.* be
hot, be warm; ~*se* heat (up), (get)
warm, get hot; warm o.s. *a la lumbre*,
fig. (*disputa*) get heated; **calentura** *f*
✱ temperature, fever; *Col.* anger;
calenturiento feverish.
calera *f* limestone quarry; (*horno*) =
calero *m* lime kiln.
caleta *f* cove, inlet.
caletre *m* F gumption.
calibrador *m* gauge; callipers; **cali-**
brar [1a] gauge; calibrate; **calibre** *m*
✕ calibre (*a. fig.*), bore; 🔩 gauge.
calicó *m* calico.
calidad *f* quality; ✝ *a.* grade; (social)
standing; character; ~*es pl.* (moral)
qualities; gifts; *en* ~ *de* in the capacity
of.
cálido hot; *color* warm.
calidoscopio *m* kaleidoscope.
calientacamas *m* ⚡ electric blanket;
calientapiés *m* foot warmer; **ca-**
lientaplatos *m* hotplate; **caliente**
hot; warm; *disputa* heated; *batalla*
raging; (*fogoso*) fiery; *zo.* on heat.
califa *m* caliph; **califato** *m* caliphate.
calificación *f* qualification; assessment; label; mark *en examen*; **cali-**
ficado qualified; well-known,
eminent; **calificar** [1g] qualify (*de*
as; *a. gr.*); *p.* (*acreditar*) distinguish;
examen mark; *escritos* correct; ~ *de*
call, label; characterize as, describe
as; ~*se* *S.Am.* register as a voter.

caligrafía f penmanship, calligraphy; **caligráfico** calligraphic.

calina f haze, mist.

calistenia f calisthenics.

cáliz m eccl. chalice, communion cup; poet. cup, goblet; ♀ calyx.

calma f calm; calmness; ♣ calm weather; (lentitud) slowness, laziness; **calmante** soothing, sedative (a. su. m); **calmar** [1a] v/t. calm (down), quieten (down); dolor relieve; v/i. abate, fall; ~se calm down etc.; **calmoso** calm; F slow, lazy.

caló m gipsy slang; slang.

calofrío m chill.

calor m heat (a. ⊕, phys., fig. de batalla, disputa etc.); (esp. agradable) warmth (a. fig. de acogida etc.); hace (mucho) ~ it is (very) hot; tener ~ be hot, feel hot; **caloría** f calorie; **calórico** caloric; **calorífero 1.** heat-producing; **2.** m heating system; furnace, stove; **calorífico** calorific; **calorífugo** heat-resistant, non-conducting; (incombustible) fireproof.

calotear [1a] S.Am. cheat; gyp.

calumnia f slander; (esp. escrito) libel (de on); **calumniar** [1b] slander; malign; libel; **calumnioso** slanderous; libellous.

caluroso warm, hot; fig. warm, enthusiastic.

calva f bald patch; ♀ clearing.

Calvario m Calvary; (estaciones del)~ Stations of the Cross; ♀ fig. cross.

calvicie f baldness; ~ precoz premature baldness.

calvinismo m Calvinism.

calvo 1. bald; hairless; terreno barren, bare; **2.** m bald man.

calza f wedge, scotch, chock; F stocking; ~s pl. hose, breeches.

calzada f highway, roadway, causeway; (carriage-)drive a casa; **calzado 1.** p.p. ~ de shod with, wearing; **2.** m footwear; **calzador** m shoehorn; **calzar** [1f] **1.** v/t. p. etc. put shoes on, provide with footwear; zapatos etc. put on; **2.** v/i.: calza bien he wears good shoes; **3.** ~se zapatos etc. put on; wear; fig. get.

calzo m wedge; ♣ chock, skid; **calzón** m (a. ~es pl.) breeches; shorts; S.Am. trousers; ~es pl. blancos (under)pants, drawers; **calzoncillos** m/pl. (under)pants.

callado silent; quiet; reserved,

secretive; **callandico** F, **callandito** F softly, stealthily; **callar** [1a] **1.** v/t. secreto keep; trozo etc. pass over (in silence), not mention; cosa vergonzosa keep quiet about, hush up; **2.** v/i., ~se keep quiet, be (or remain) silent; (cesar) stop talking; ¡calla!, ¡cállate! shut up!, hold your tongue!

calle f street; road; deportes: lane; ~ de dirección única one-way street; ~ mayor high street, main street; ~ poner en la ~ kick out, chuck out; **calleja** f = **callejuela**; **callejear** [1a] stroll around; b.s. hang about, loaf; **callejero** street attr.; (p.) fond of walking about town; **callejón** m alley(way), lane, passage; ~ sin salida cul-de-sac; fig. blind alley; impasse; **callejuela** f narrow street, side street; alley(way).

callo m corn esp. en pie; callus; ~s pl. cocina: tripe; **calloso** callous; manos horny, hard.

cama f bed; ♪ bedding, litter; zo. lair; floor de carro; ~ de matrimonio double-bed; ~-litera double-decker bed; **camada** f zo. litter, brood; (capa) layer.

camafeo m cameo.

camaleón m chameleon.

cámara f room; chamber; parl. a. house; ♣ (camarote) cabin; ♣ (sala) saloon; ✕ a. breech; phot. (a. ~ fotográfica) camera; mot. (a. ~ de aire) inner tube, tire; ♣ ~s pl. diarrhea; ♀ de Comercio Chamber of Commerce; ♀ de los Comunes (Lores) House of Commons (Lords).

camarada m comrade, companion; mate; **camaradería** f comradeship; team-spirit en deportes etc.

camarera f waitress en restaurante; (chamber)maid en hotel; ♣ stewardess; parlor-maid en casa; **camarero** m waiter; ♣ steward.

camarilla f clique, coterie; caucus de partido.

camarón m shrimp; C.Am. tip.

camarote m ♣ cabin, stateroom.

camastro m rickety old bed.

cambalache m swap, exchange; **cambalach(e)ar** [1a] swap, exchange.

cambiante 1. fickle, temperamental; **2.** m money changer; ~s pl. changing colors, iridescence.

cambiar [1b] **1.** v/t. change, exchange (con, por for); change, turn

**C
CH**

(en into); ✝ *a.* trade (*por* for); 2. *v/i.*, ~**se** change (*a.* ~ de); ~ de sitio shift, move; **cambio** *m* change; (*trueque*) exchange; ✝ (*tipo*) rate of exchange; (*vuelta*) change; turn de marea; change, shift, switch de política etc.; ✝ *libre* ~ free trade; (*palanca de*) ~ de marchas gear-shift; en ~ instead, in return; (*por otra parte*) on the other hand; **cambista** *m* money-changer; *S.Am.* switchman.

camelia *f* camellia.

camelo *m* F flirtation; (*chasco*) hoax; (*mentira*) cock-and-bull story; (*halago*) (piece of) blarney.

camello *m* camel (*a.* ♣).

camerógrafo *m* cameraman.

camilla *f* ✚ stretcher; sofa, couch; **camillero** *m* stretcher-bearer.

caminante *m/f* traveller; walker; **caminar** [1a] *v/t. distancia* cover, travel; *v/i.* travel, journey; (*andar*) walk; (*río, fig.*) move, go; **caminata** *f* F hike, ramble; jaunt, outing.

camino *m* road; way (de to; *a. fig.*); *esp. fig.* course, path; ~ de on the way to; ~ *real* high-road (*a. fig.*); ~ de Santiago Milky Way; *a medio* ~ halfway; de ~ *attr.* travelling; (*adv.*) in passing; *2 horas de* ~ 2 hours' journey.

camión *m mot.* truck; (*carro*) heavy wagon; *S.Am.* bus; ~-*grúa* tow truck; ~ *de la basura* garbage truck; **camionero** truck driver; teamster; **camioneta** *f* van.

camisa *f* shirt; ~ (*de mujer*) chemise; ⊕ jacket (*a. de libro*), sleeve; ♣ skin; ~ *de fuerza* strait jacket; en (*mangas de*) ~ in one's shirt-sleeves; **camiseta** *f* vest, undershirt; *deportes:* singlet; **camisón** *m* (*de noche*) nightdress, nightgown.

camomila *f* camomile.

camorra *f* F row, set-to, quarrel; **camorrista** *f* 1. fond of scraps; 2. *m* quarrelsome sort; hooligan.

campamento *m* camp; encampment; ~ *de trabajo* labor camp.

campana *f* bell; *eccl. fig.* parish (church); ~ *de bucear* diving-bell; ~ *de cristal* bell-glass; glass cover; **campanada** *f* stroke (of the bell); (sound of) ringing; F commotion; **campanario** *m* belfry, church tower.

campanilla *f* handbell; ⚡ electric bell; (*burbuja*) bubble; **campanillazo** *m* loud ring; **campanillear**

[1a] tinkle, ring; **campanilleo** *m* tinkling, ringing.

campanudo bell-shaped; *falda* wide; *lenguaje* high-flown, bombastic; *orador* pompous.

campaña *f geog.* (flat) countryside, plain; ✕, *pol., fig.* campaign; ♣ cruise, expedition, trip.

campar [1a] ✕ *etc.* camp; (*descollar*) stand out, excel; **campear** [1a] (*animales*) go to graze; (*trigo*) show green.

campechano hearty, good-hearted, open; generous.

campeón *m* champion; **campeonato** *m* championship.

campero (out) in the open; openair *attr.*; ✍ sleeping in the open.

campesino 1. country *attr.*; *zo.* field *attr.*; 2. *m, a f* peasant (*a. contp.*); countryman (-woman); farmer; **campestre** country *attr.*; ⚘ wild; **campiña** *f* farm-land; countryside.

camping *m* camping.

campo *m* ✍ field (*a. fig., phys., heráldica*); (*despoblado*) country (-side); *deportes:* field, ground, pitch; (*golf-*)course; ~ *de aviación* airfield; ~ *de batalla* battlefield; ~ *de concentración* concentration camp; ~ *de deportes* playing field, recreation ground; ~ *de pruebas* testing grounds; ~ *magnético* magnetic field; *reconocer el* ~ reconnoitre; **camposanto** *m* cemetery, churchyard.

camuesa *f* pippin; **camueso** *m* pippin tree; F dolt.

camuflaje *m* camouflage; **camuflar** [1a] camouflage.

can *m zo.* dog; ✕ trigger; ⚠ corbel.

cana *f* (*a.* ~*s pl.*) white hair, grey hair; F echar una ~ al aire let one's hair down; F peinar ~s be getting on.

canadiense *adj. a. su. m/f* Canadian.

canal *mst m geog.* ♣ channel (*a. radio*), strait(s); navigation channel *de puerto;* (*artificial*) canal, waterway; ✍ (*a.* ~ *de riego*) irrigation channel; ⚠ gutter, spout; drain pipe; **canalización** *f* canalization; ⊕ piping; ⚡ wiring; mains de gas etc.; **canalizar** [1f] *río* canalize; *aguas* harness; *aguas de riego* channel; ⊕ pipe.

canalla 1. *f* rabble, riff-raff, mob; 2. *m* swine, rotter.

canana *f* cartridge belt.

canapé *m* sofa, settee.

canario 1. *adj. a. su. m, a f* (native) of

the Canary Isles; **2.** *m orn.* canary; **3.** *int.* Great Scott!

canasta *f* (round) basket; *naipes*: canasta; **canastilla** *f* small basket; **canastillo** *m* wicker tray; **canasto** *m* hamper; basket.

cancel *m* wind-proof door; (*mueble*) folding screen; **cancela** *f* lattice gate.

cancelación *f* cancellation; **cancelar** [1a] cancel; *deuda* write off, wipe out; *fig.* dispel, do away with.

cáncer *m* cancer; *ast.* ♀ Cancer; **cancerarse** [1a] (*úlcera*) become cancerous; **cancerología** *f* study of cancer; cancer research; **canceroso** cancerous.

canciller *m* chancellor; **cancillería** *f* chancellery.

canción *f* song; *poet.* lyric, song; ~ *de cuna* lullaby, cradle song; **cancionero** *m* ♪ song-book; *poet.* anthology, collection of verse.

cancro *m* ♀ canker; ♣ cancer.

cancha *f* field, ground; *pelota*: court; *S.Am. caballos*: racecourse, racetrack; *gallos*: cockpit; ~ *de tenis* tennis-court.

candado *m* padlock; clasp *de libro*.

candanga *f Cuba,C.Am.* the Devil.

candela *f* candle; *phys.* candlepower; (*candelero*) candlestick; **candelero** *m* candlestick; (*velón*) oil lamp; F *en* ~ high up.

candente *hierro* white-hot, red-hot; glowing, burning; *cuestión* burning.

candidato *m* candidate (*a* for); **candidatura** *f* candidature.

candidez *f* candor *etc.*; (*dicho*) silly remark; **cándido** *poet.* snow-white.

candil *m* oil lamp; **candilejas** *f/pl. thea.* footlights.

candonga *f* F (*lisonja*) blarney; (*engaño*) trick; (*chasco*) hoax, practical joke; teasing.

candor *m poet.* pure whiteness; *fig.* innocence, guilelessness; **candoroso** innocent, guileless.

canela *f* cinnamon; F lovely thing; *¡~!* good gracious!; **canelo 1.** cinnamon(-colored); **2.** *m* cinnamon (tree).

cangilón *m* pitcher; bucket, scoop *de noria etc.*

cangrejo *m*: ~ (*de río*) crayfish; ~ (*de mar*) crab; ⚓ gaff.

canguro *m* kangaroo.

caníbal 1. cannibalistic, maneating; *fig.* savage; **2.** *m* cannibal; **canibalismo** *m* cannibalism.

canica *f* marble; (*juego*) marbles.

canícula *f* dog days; **canicular 1.:** *calores* ~*s* midsummer heat; **2.** ~*es* *m/pl.* dog days.

canilla *f anat.* shin(bone), armbone; ⊕ bobbin, spool; spout, cock *de tonel*; rib *de tela*; *S.Am.* tap; *Mex.* force; power; *a* ~ by force.

canino 1. canine, dog *attr.*; *hambre* ravenous; **2.** *m* canine (tooth).

canje *m* exchange, interchange; **canjear** [1a] exchange, interchange.

cano white-haired; (*con algunas canas*) gray(-haired); *fig.* aged.

canoa *f* canoe; boat, launch; ~ *automóvil* motor-launch.

canon *m eccl.,* ♪, *paint.* canon; ✝ tax; ♪ rent; *typ.* gran ~ canon; ~*es* *pl.* ⚖ canon law; **canonical** canonical; *vida* easy; **canónico** canonical; **canónigo** *m* canon; **canonización** *f* canonization; **canonizar** [1f] canonize; *fig.* applaud, show approval of.

canoro *ave* (sweet-)singing; *voz etc.* melodious.

canoso gray(-haired); *barba* grizzled.

cansado tired, weary (*de* of); ♣ exhausted; *vista* tired, strained; (*que cansa*) tedious, trying, tiresome; **cansancio** *m* tiredness, weariness; *esp.* ♣ fatigue; (*tedio*) boredom; **cansar** [1a] **1.** *v/t.* tire, weary *esp. lit.*; ♣ exhaust; *fig.* bother, bore (*con* with); **2.** *v/i.* tire; (*p.*) be trying, be tiresome; **3.** ~*se* tire, get tired (*con, de* of); tire o.s. out (*en inf. ger.*).

cansino weary; lazy; tired.

cantábrico Cantabrian.

cantador *m*, **-a** *f* folk-singer, singer of popular songs.

cantante 1. singing; *v. voz*; **2.** *m/f* (professional) singer; vocalist; **cantar** [1a] **1.** *v/t.* sing (*fig.* the praises of); chant; **2.** *v/i.* sing; *zo.* chirp; ⊕ squeak, grind; F squeal, blab; **3.** *m* song, poem; ~ *de gesta* epic; ♀ *de los* ♀*es* Song of Songs, Canticles.

cántara *f* large pitcher; *liquid measure* = 16.13 *liters*.

cantárida *f*: (*polvo de*) ~ Spanish fly, *pharm.* cantharides.

cántaro *m* pitcher; (*cabida*) pitcherful; F *a* ~*s* in plenty; *llover* cats and dogs.

cantautor *m* songwriter.

cante *m* singing; popular song; ~ *flamenco,* ~ *jondo* Andalusian gipsy singing.

cantera *f* (stone) quarry, pit; *fig.*

talent, genius; **cantería** f (*arte, obra*) masonry, stonework.

cántico m *eccl.* canticle; *fig.* song.

cantidad f quantity; amount, number; sum *de dinero*; (*una*) **gran** ～ **de** a great quantity of, lots of.

cantilena f ballad, song.

cantimplora f water-bottle, canteen; decanter *para vino*; ⊕ syphon.

cantina f 🚂 refreshment room, buffet; ✕ *etc.* canteen; snack-bar; bar(room).

canto[1] m (*acto, arte*) singing; (*pieza*) song; *eccl.* chant(ing); *poet.* lyric, song; canto *de épica*; ～ *del cisne* swan-song.

canto[2] m (*borde*) edge; rim; (*extremo*) end, point; (*esquina*) corner; back *de cuchillo*; crust *de pan*.

cantón m corner; *pol., heráldica:* canton; ✕ cantonment; **cantonera** f corner-band *de libro*; corner table; corner cupboard; **cantonero** m loafer, good-for-nothing.

cantor 1. (sweet-)singing; 2. m, **-a** f singer; *orn.* singing bird, songster.

canturía f singing, vocal music; singing exercise; *b.s.* monotonous singing.

caña f 🌾 reed; (*tallo*) stem, cana; *anat.* shin(-bone); arm-bone; leg *de media, bota*; ✕ gallery; (*vaso*) (long) glass; *S.Am.* rum.

cañada f *geog.* gully; (*grande*) glen.

cañamazo m canvas; burlap.

cañamiel f sugar cane.

cáñamo m hemp; (*tela*) hempen cloth; *S.Am.* string; **cañamón** m hemp-seed; ～es *pl.* bird-seed.

cañaveral m reed field; 🌾 sugar cane plantation.

cañería f pipe, piece of piping; pipeline; (*desagüe*) drain; ♪ organ pipes; **cañero** m plumber, fitter; **cañete** m small pipe.

caño m tube, pipe (a. ♪); (*albañal*) drain, sewer; jet, spout *de fuente*; **cañón** m ⊕ tube, pipe (a. ♪); ✕ gun, cannon; barrel *de fusil, pluma*; stem *de pipa*; shaft, stack *de chimenea*; *mount.* chimney; *S.Am.* canyon; **cañonazo** m gunshot; **cañonear** [1a] shell; **cañoneo** m shelling, gunfire; **cañonero** m ⚓ gunboat.

cañutero m pincushion; **cañutillo** m glass tube; *sew.* gold (or silver) twist; **cañuto** m ⊕ tube, (container).

caoba f mahogany.

caolín m kaolin.

caos m chaos; **caótico** chaotic.

capa f (*vestido*) cloak; *eccl.* (*a.* ～ *pluvial*) cope; *toros:* cape; wrapper *de cigarro etc.*; layer *de atmósfera, piel etc.*; *geol.* stratum, bed; so ～ **de** under the guise of.

capacidad f capacity (*a. phys.*, ✝); size *de sala etc.*; *fig.* (cap)ability, capacity; intelligence; efficiency; ～ *para* aptitude for; ～ *competitiva* competitiveness; **capacitar** [1a]: ～ *para inf.* enable s.o. to *inf.*

capacha f frail, basket; **capacho** m wicker basket; 🔺 hod.

capar [1a] castrate; *fig.* cut down, curtail.

caparrosa f vitriol.

capataz m foreman; *esp.* 🖊 overseer, bailiff.

capaz a) *p.* (cap)able, efficient, competent (*a.* 🐂); *de inf.* to *inf.*); ～ **de** capable of; ～ *para* qualified for; b) *cabida:* large, capacious.

capear [1a] *v/t.* wave the cape at; *v/i.* ⚓ ride out the storm; lie to.

capellán m chaplain; (*en general*) priest; ～ *castrense* army chaplain; **capellanía** f chaplaincy.

caperuza f (pointed) hood; ⊕ cowl, cowling; cowl *de chimenea*.

capicúa f palindrome.

capilla f *eccl.* chapel; ♪ choir; (*capucho*) hood, cowl; *typ.* proof-sheet; ～ *ardiente* funeral chapel, oratory *en casa*; bonnet *de niño*.

capirotazo m flip, flick.

capirote m hood; hennin *de mujer*; hood *de halcón*; flip, flick *con dedos*.

capitación f poll-tax, capitation.

capital 1. *mst* capital; *característica* main, principal; *enemigo, pecado mortal:* mortal; *importancia* supreme, paramount; 2. f *pol.* capital *de país*; chief town, centre *de región*; 3. m ✝ capital; ～ *de explotación* working capital; ～ *social* share capital; **capitalismo** m capitalism; **capitalista** 1. capitalist(ic); 2. m/f capitalist; **capitalizar** [1f] capitalize; *interés* compound.

capitán m captain (*a.* ～ *de navío*); ～ *de fragata* commander; ～ *general* approx. field marshal; **capitana** f flagship; **capitanear** [1a] captain, lead (*a. fig.*), command.

capitel m 🔺 capital.

capitolio m capitol; *fig.* imposing edifice; F *subir al* ～ get to the top.

capitoste m F boss; big shot.

capitular [1a] v/t. agree to; ⚖ charge (de with); v/i. come to terms (con with); ✗ capitulate; **capítulo** m chapter (a. eccl.); item de presupuesto; heading.

capó m mot. hood.

capoc m kapok.

capón m (p.) eunuch; (pollo) capon; **caponera** f ♪ chicken-coop; fig. open house; sl. clink.

capotar [1a] ✈, mot. turn over; **capote** m cloak (with sleeves); toros: bullfighter's cloak (a. ~ de brega); F frown; **capotear** [1a] fig. get out of, duck, shirk; (engañar) bamboozle.

Capricornio m Capricorn.

capricho m whim, (passing) fancy, caprice (a. ♪); (deseo) keen desire, sudden urge (por for); b.s. craze, fad, pet notion; **caprichoso**, **caprichudo** capricious; niño etc. wayward; (inconstante) temperamental, moody; idea, obra fanciful, whimsical.

cápsula f cap de botella; ♀, anat., pharm. capsule; ♀ boll de algodón etc.; case de cartucho; **capsular** capsular.

captar [1a] confianza etc. win, get; voluntad gain control over; **captura** f capture, seizure; **capturar** [1a] capture, seize, take.

capucha f hood; eccl. hood; cowl; **capuchina** f eccl. Capuchin sister; ♀ nasturtium; **capuchino** m Capuchin; **capucho** m cowl, hood.

capullo m zo. cocoon; ♀ bud; cup de bellota.

caqui m khaki.

cara f face (a. fig.); side de disco, sólido; △ façade, front; (superficie) surface, face; heads de moneda; fig. look, appearance; ~ o cruz heads or tails; a ~ descubierta openly; de ~ opposite, facing; in the face; dar ~ a face up to; tener buena ~ 🦶 look well; look nice; tener mala ~ 🦶 look ill; look bad.

carabela f ⚓ caravel.

carabina f ✗ carbine; F chaperon; hacer etc. de ~ go as chaperon.

caracol m zo. snail; (concha) snail shell, sea-shell; (pelo) curl; ¡~es! great Scott!; de ~ escalera spiral; en ~ spiral, corkscrew attr.; **caracolear** [1a] (caballo) caracole.

carácter m character (a. biol.); typ. (una letra) character; (cursivo etc.) hand(writing); (condición) position;

caracteres pl. (de imprenta) type (-face); **característica** f characteristic; **característico** characteristic (de of); **caracterizar** [1f] characterize; distinguish, set apart; **~se** thea. make up, dress for the part.

caradura f 1. scoundrel; 2. adj. brazen; shameless.

carajo m F prick; ¡~! hell!

¡caramba! sorpresa: good gracious!; enfado: damn it!

carámbano m icicle.

caramelo m sweet, toffee, caramel.

caramillo m ♪ recorder, pipe; poet. reed; (montón) untidy heap; (chisme) (piece of) gossip.

carantamaula f F (cara) ugly mug; **carantoña** f F (cara) ugly mug; (mujer) mutton dressed up as lamb; ~s pl. petting, fondling.

caraqueño adj. a. su. m, a f (native) of Caracas.

carátula f mask; S.Am. title page.

caravana f caravan; fig. group; en ~ in a gang.

¡caray! F gosh!; confound it!

carbohidrato m carbohydrate.

carbólico carbolic.

carbón m min. coal (a. ~ de piedra); ⚡ carbon; ~ bituminoso soft coal; ~ de leña, ~ vegetal charcoal (a. paint.); **carbonero** 1. coal attr.; charcoal attr.; 2. m coal merchant; charcoal-burner; **carbónico** carbonic; **carbonilla** f small coal; cinder; mot. carbon; **carbonizar** [1f] 🜍 carbonize; char; leña make charcoal of; **~se** 🜍 carbonize; be charred; be reduced to ashes; **carbono** m carbon; **carbonoso** carbonaceous.

carbunclo m min., **carbunco** m ♀ carbuncle.

carburador m carburetor; **carburante** m fuel.

carcaj m quiver; S.Am. rifle case.

carcajada f (loud) laugh, guffaw, peal of laughter; reírse a ~s roar with laughter.

cárcel f prison, jail; ⊕ clamp; **carcelero** 1. prison attr.; 2. m warder, jailer.

carcinógeno 1. m carcinogen; 2. carcinogenic; cancer-causing; **carcinoma** m ♀ carcinoma.

carcoma f woodworm; fig. anxiety; **carcomer** [2a] bore into, eat away; fig. undermine; **~se** get worm-eaten, fig. be eaten away; **carcomido** worm-eaten, wormy.

carda f (*acto*) carding; (*instrumento*) card, comb; **cardar** [1a] card, comb.

cardenal m cardinal; ✳ bruise.

cardenillo m verdigris; **cárdeno** purple, violet; lurid.

cardíaco 1. cardiac, heart *attr.*; **2.** m, **a** f heart case.

cardinal cardinal.

cardo m thistle.

carear [1a] v/t. ps. bring face to face; v/i.: ~ a face towards; ~se come face to face, meet.

carecer [2d]: ~ de lack, be in need of, want (for).

carena f ⚓ careening; F ragging.

carencia f lack (de of), need (de for); deficiency (a. ✳).

careo m confrontation; collation; comparison.

carero F expensive, dear; high-priced.

carestía f scarcity, shortage; famine; ✝ high price(s).

careta f mask; ✕ etc. respirator; ~ antigás gas mask, respirator.

carey m tortoise shell; zo. turtle.

carga f (*acto*) loading; charge de cañón, caballería, horno, ⚡; (*peso*) load (a. ⊕, ⚡); ⚓ cargo; fig. load, burden, onus; obligation(s), responsibilities.

cargado loaded; esp. fig. laden (de with); ⚡ charged, live; ~ de años very old; **cargador** m loader; ⚓ stevedore; ✕ ramrod; filler de pluma; ~ (de acumulador) (battery) charger; **cargamento** m cargo, freight; (*acto*) loading.

cargar [1h] **1.** v/t. load (de with; a, en on); (*demasiado*) overload; weigh down on; cañón load; ⚡, enemigo charge; horno stoke; sl. estudiante plough; impuestos increase (a on); velas take in; S.Am. wear; fig. burden, load down (con, de with); **2.** v/i. load (up), take on a load; ⚓ take on (a) cargo; meteor. turn, veer (a, hacia to); (*acento*) fall (sobre on); (ps.) crowd together; **3.** ~se peso etc. take on o.s.; meteor. become overcast; **cargareme** m (deposit) voucher.

cargazón f load; ⚓ cargo; ✳ heaviness; meteor. mass of heavy cloud; ~ de espaldas stoop; **cargo** m load, weight; fig. obligation, duty; responsibility; (*cuidado*) charge, care; (*empleo*) post; ✝ debit; ♂♂ etc. charge; alto ~ high office; high official; VIP.

carguero 1. attr. freight; of burden; **2.** freighter; cargo ship; S.Am. beast of burden.

Caribe 1. Caribbean; **2.** m/f Carib; savage.

cariado rotten, carious 🔲; **cariarse** [1b] decay, become decayed.

caricatura f caricature; fig. caricature (of a man); **caricaturista** m/f caricaturist; **caricaturizar** [1f] caricature.

caricia f caress; pat, stroke a perro etc.; fig. endearment.

caridad f charity, charitableness; hacer la ~ a give alms to.

caries f (dental) decay, caries.

carioca 1. of Rio de Janeiro; **2.** f (dance) carioca.

cariño m affection, love; fondness, liking (a for); ~s pl. endearments, show of affection; tener ~ a be fond of; Mex., C.Am. gift; **cariñoso** affectionate, fond.

caritativo charitable (con, para towards).

cariz m look (of the sky); F look.

carlinga f ✈ cockpit.

carlismo m Carlism; **carlista** adj. a. su. m/f Carlist.

carmesí adj. a. su. m crimson; **carmín** m carmine; ♣ dog-rose.

carnada f bait (a. fig.); **carnal** carnal, of the flesh; pariente full, blood-; **carnaval** m carnival; (*época*) Shrovetide.

carne f anat., ♣, eccl. flesh; meat de comer; ~ adobada salt meat; ~ congelada frozen (or chilled) meat; ~ de carnero mutton; ~ de cerdo pork; ~ de cordero lamb; ~ de gallina fig. gooseflesh; ~ picada mince(d meat); ~ de ternera veal; ~ de vaca beef; ~ de venado venison; de ~ y hueso of flesh and blood; echar ~s Mex. swear; curse.

carnear [1a] S.Am. slaughter; F take in.

carnero m zo. sheep; (*macho*) ram; (*carne*) mutton.

carnestolendas f/pl. Shrovetide.

carnet [kar'ne] m notebook; travel voucher de turista; ~ (de identidad) identity card; mot. ~ (de conducir) driving licence.

carnicería f butcher's (shop); fig. carnage, slaughter; hacer una ~ de massacre; **carnicero** m **1.** zo. carnivorous; **2.** m (p.) butcher (a. fig.); zo. carnivore.

carnívoro 1. carnivorous; **2.** *m* carnivore.

carnoso *anat.*, ♥ fleshy; meaty; *p.* = **carnudo** beefy, fat.

caro ✝ dear, expensive; *p.* dear, beloved.

carpa *f* carp; ~ *dorada* goldfish.

carpeta *f* folder, file, portfolio; (*cartera*) briefcase; table-cover *de mesa*; *S.Am.* bookkeeping department; **carpetazo:** *dar ~ a* shelve, put on one side.

carpintería *f* (*arte*) carpentry, joinery; carpenter's shop; **carpintero** *m* carpenter.

carraca *f* ♣ contp. tub, hulk; ♪ rattle; **carraco** F **1.** feeble, decrepit; **2.** *m* old crock.

carraspear [1a] be hoarse, have a frog in one's throat; **carraspera** *f* hoarseness.

carrera *f* run (*a.* ♪, ♣, *béisbol etc.*); (*certamen*) race; (*pista*) track; (*calle*) avenue; (*raya*) parting; run, ladder *en medias* (*a.* *ast.* course; (*hilera*) row, line; ♣ beam; ⊕ stroke *de émbolo*, lift *de válvula*; *fig.* course of human life; (*profesión*) career; *univ.* (degree)-course, studies; ~*s pl.* racing, races; ~ *armamentista* (*a.* ~ *de armamentos*) arms race; *a* ~ *(abierta)* at full speed; *correr a* ~ *tendida* career, go full out; *dar* ~ *a* give s.o. his education; *dar libre* ~ *a* give free rein to.

carreta *f* cart; ~ *de mano* = **carretilla**; **carretada** *f* cart-load; *a* ~*s* in loads, galore; **carretaje** *m* cartage, haulage; **carrete** *m* reel (*a. de caña*), spool (*a. phot.*), bobbin; ≸ coil; ~ *de inducción* induction coil; **carretel** *m* reel, spool.

carretera *f* (main) road, highway; *por* ~ by road; **carretería** *f* wheelwright's; (*conjunto*) carts; **carretero** *m* carter; (*constructor*) wheelwright, cartwright; *jurar como un* ~ swear like a trooper; **carretilla** *f* truck, trolley; hand-cart; barrow; **carretón** *m* small cart.

carricoche *m* caravan, covered wagon.

carril *m* (*surco*) rut, track; ✔ furrow; (*camino*) lane; ▦ rail.

carrillo *m* cheek, jowl; ⊕ pulley; F *comer a dos* ~*s* eat a lot.

carrizal *m* reedbed; **carrizo** *m* reed.

carro *m* cart, wagon; *S.Am.* car; † (*a.* ~ *de guerra*) chariot; ⚔ car; carriage *de máquina de escribir*; (*carga*) cart-

load; ~ *alegórico* float; ~ *blindado* armored car; ~ *de combate* tank; ~*-patrulla* *S.Am.* patrol car; police car.

carrocería *f* mot. coachwork, body; **carrocero** *attr.* body, coach; *taller* ~ *mot.* body shop.

carroña *f* carrion.

carroza *f* (state) coach, carriage; **carruaje** *m* carriage; vehicle.

carrusel *m* merry-go-round; carrousel.

carta *f* letter; document; *naipes:* (playing) card; *hist.* charter; ♣ (*a.* ~ *de marear*) chart; ~ *adjunta* covering letter; ~ *de amor* loveletter; ~ *blanca* carte blanche, free hand; ~ *certificada* registered letter; ~ *de crédito* letter of credit; ~ *de figura* courtcard; ~ *geográfica* map; ~ *meteorológica* weather map; ~ *de naturaleza* naturalization papers; *S.Am.* ~ *postal* postcard; ~ *de venta* bill of sale; *a* ~ *cabal* thoroughly, in every way.

cartabón *m* set-square *de dibujante*; ▲ bevel; *surv.* quadrant.

cartapacio *m* (*cartera*) brief case; *escuela:* satchel.

cartearse [1a] correspond (*con* with).

cartel *m* poster, placard, bill; *escuela:* wall chart; ✝ cartel; F *thea.* teaser ~ be all the rage; **cartelera** *f* hoarding, billboard; *thea.* *fig.* list of plays.

cárter *m* housing, case; ~ *del cigüeñal* crankcase.

cartera *f* wallet, pocketbook; portfolio (*a. pol.*), letter file; (*bolsa*) briefcase; *sew.* (pocket) flap; *pol. sin* ~ without portfolio; **carterista** *m* pickpocket; **cartero** *m* postman.

cartílago *m* cartilage ▥, gristle.

cartilla *f* primer; ~ (*de ahorros*) deposit book; ~ (*de identidad*) identity card; ~ (*de racionamiento*) ration book.

cartografía *f* map-making, cartography; **cartógrafo** *f* mapmaker, cartographer.

cartón *m* cardboard, pasteboard; *paint.* cartoon; board *de libro*; (*caja*) cardboard box, carton.

cartuchera *f* cartridge belt; **cartucho** *m* cartridge; roll *de monedas*; paper cone; ~ *sin bala*, ~ *en blanco* blank cartridge.

cartulina *f* fine cardboard.

casa *f* house; (*hogar*) home; (*piso*) flat, apartment; (*ps.*) household; (*a.* ~ *de comercio*) firm, business house;

(*descendencia*) house, line; square *de tablero*; ~ *de banca* banking-house; ~ *de campo* country house; ~ *de citas*, ~ *pública*, ~ *de putas* brothel; ~ *de empeños* pawnshop; ~ *de fieras* zoo, menagerie; ~ *de guarda* lodge; ~ *de huéspedes* boarding-house; ~ *de juego* casino; ~ *de locos*, ~ *de orates* asylum; ~ *de (la) moneda* mint; ~ *solariega* ancestral home, family seat; ~ *de vecindad* tenements, apartment house.

casabe *m* cassava bread; cassava flour; manioc.

casaca *f* dress coat; *cambiar de* ~, *volver* ~ be a turncoat.

casada *f* married woman; **casadero** marriageable; **casado 1.** married; *mal* ~ unhappily married; *estar* ~ *con* be married to; **2.** *m* married man.

casal *m* country house; pair of lovers.

casamata *f* casemate.

casamentero *m*, **a** *f* matchmaker; **casamiento** *m* marriage; wedding (ceremony); *prometer en* ~ betroth.

casar [1a] *v/t.* (*sacerdote*) marry, join in marriage; *hija* marry (off), give in marriage (*con* to); *fig.* match; *v/i.*, **~se** marry (*con acc.*), get married (*con* to); *fig.* match.

cascabel *m* (little) bell; *ser* ~ *gordo* pretentious; *poner el* ~ *al gato* bell the cat; **cascabelear** [1a] *v/t.* beguile, take *s.o.* in; *v/i.* jingle; *fig.* behave frivolously.

cascada *f* waterfall, cascade.

cascado *p.* broken down, infirm; *cosa* broken (down).

cascajo *m* (piece of) grit, (piece of) gravel; *esp.* ⚠ rubble; F junk, rubbish; (*trasto*) old crock.

cascanueces *m* (*un a pair of*) nut-crackers.

cascar [1g] *v/t.* crack, split; *nueces* crack; *salud* break; F bash, slosh; *v/i.* chatter (away); **~se** crack, split; (*salud*) crack up; (*voz*) crack.

cáscara *f* shell *de huevo, nuez, edificio*; rind, peel *de fruta*; husk *de grano*; *S.Am.* bark; **cascarón** *m* (broken) egg shell; **cascarrabias** *m* F quick-tempered fellow.

casco *m* anat. skull; ⚔ *etc.* helmet; crown *de sombrero*; skin *de cebolla*; ⚓ hull; ⚓ (*viejo*) hulk; hoof *de caballo*; piece *de vasija*; *ligero* (*or alegre*) *de* ~*s* feather-brained, dim; F *romper los* ~*s a* break *s.o.'s* head; F *romperse los* ~*s* rack one's brains.

caseína *f* casein.

casería *f* country house; *S.Am.* ✝ clientèle; **caserío** *m* hamlet, settlement; (*casa*) country house; **casero 1.** domestic, household *attr.*; *pan etc.* home-made; *tela* homespun; *p.* home-loving; **2.** *m*, **a** *f* (*dueño*) landlord; (*custodio*) caretaker; **caserón** *m* big tumbledown house, barracks (of a place); **caseta** *f* stall, booth *de mercado*; *deportes:* pavillion; bathing hut *de playa*.

casi nearly, almost; ~ *nada* next to nothing; ~ *nunca* hardly ever.

casilla *f* ⚠ hut, cabin; 🚋 cab; *thea.* box office; pigeon hole *de casillero*; compartment *de caja*; F *sacar de sus* ~*s* shake *s.o.* up; (*irritar*) make *s.o.* go of the deep end.

casino *m* club; casino *para jugar.*

casita *f* little house; cottage *de campo.*

caso *m* case (*a.* ✱, gr.); (*suceso*) event, occurrence; (*ejemplo*) case, instance; *en* ~ *de* in the event of; (*en*) ~ *que*, *en el* ~ *de que* in case *or* in the event of *ger.*; *en tal* ~ in such a case; *en todo* ~ in any case; ~ *fortuito* mischance; act of God; *hacer* ~ *a* mind, notice; *¡no haga Vd.* ~*!* never mind!, take no notice!; *hacer* ~ *omiso de* not mention, pass over; *pongamos por* ~ *que* let us suppose that!; *¡vamos al* ~*!* let's get to the point!

casorio *m* F hasty (*or* unwise) marriage.

caspa *f* dandruff, scurf.

¡cáspita! my goodness!; come off it!

casquete *m* ⚔ helmet; skull-cap.

casquillo *m* tip, cap; ferrule *de bastón*; *S.Am.* horseshoe.

cassette *m* cassette; ~ *deck* grabador en cinta; separable; magnetófono separable.

casta *f* caste; *biol.* breed, race; *fig.* quality; *venir de* ~ be natural to one.

castaña *f* chestnut; ~ (*de Indias*) horse-chestnut, conker F; (*moño*) bun; **castañeta** *f* snap; ♪ ~*s pl.* castanets; **castañetear** [1a] *v/t.* *dedos* snap; *v/i.* ♪ play the castanets; (*dedos*) snap, click; (*dientes*) chatter, rattle; (*huesos*) crack; **castaño 1.** chestnut(-colored); **2.** *m* chestnut (tree); ~ (*de Indias*) horse-chestnut (tree); **castañuelas** *f/pl.* castanets.

castellanizar [1f] *v/t.* give a Spanish form to; **castellano** *adj. a. su. m*, **a** *f* Castilian.

C CH

casticismo *m* love of purity and correctness (*in language etc.*); **casticista** *m/f* purist; **castidad** *f* chastity, chasteness.
castigar [1h] punish (*de, por* for); *deportes*: penalize; *esp. fig.* castigate, chastise; **castigo** *m* punishment, penalty (*a. deportes*).
castillete *m min.* ⊕ derrick; tower.
castillejo *m* ⚠ scaffolding; go-cart *de niño*; **castillo** *m* castle.
castizo *biol.* pure-bred, pedigree; *fig.* pure, correct; authentic, genuine;
casto chaste, pure.
castor *m* beaver; **castóreo** *m pharm.* castor.
castración *f* castration; **castrar** [1a] castrate; *animal a.* geld.
casual fortuitous, chance *attr.*; (*no esencial*) incidental; *gr.* case *attr.*; **casualidad** *f* chance, accident; *por* ~ by chance; *¡qué ~ encontrarle a Vd.!* fancy meeting you!
casuc(h)a *f* hovel, slum, shack.
casulla *f* chasuble.
cataclismo *m* cataclysm.
catacumba *f* catacomb.
catador *m* taster, sampler; (*aficionado*) connoisseur; **catadura** *f* tasting, sampling; F mug; puss.
catafoto *m* (rear) reflector.
catalán **1.** *adj. a. su. m*, **-a** *f* Catalan, Catalonian; **2.** *m* (*idioma*) Catalan; **catalanismo** *m movement for Catalan autonomy*.
catalejo *m* (spy)glass, telescope.
catalizador *m* catalyst.
catalogar [1h] catalogue; **catálogo** *m* catalogue.
catapulta *f* catapult.
catar [1a] (*probar*) taste, sample, try; *fig.* examine, have a look at; (*mirar*) look at.
catarata *f* waterfall; ⚕ cataract.
catarro *m* cold; (*permanente*) catarrh; *~ crónico del pecho* chest trouble.
catarsis *f* catharsis.
catástrofe *f* catastrophe; **catastrófico** catastrophic.
catecismo *m* catechism.
catecúmeno *m*, **a** *f* catechumen; *fig.* convert.
cátedra *f univ.* chair, professorship; (*asignatura*) subject; *explicar una ~* hold a chair (de of); **catedral** *f* cathedral; **catedrático** *m univ.* professor, lecturer.
categoría *f* category; class, group; standing, rank *en sociedad etc.*; *de ~* important, of importance; **categórico** categorical, positive; *mentira* downright; *orden* express.
catequizar [1f] catechize, instruct in Christian doctrine.
catódico cathode *attr.*; *tubo de rayos ~s* cathode-ray tube; CRT; **cátodo** *m* cathode.
catolicismo *m* (Roman) Catholicism; **católico** *adj. a. su. m*, **a** *f* (Roman) Catholic; *adj. fig.* sure, beyond doubt; F *no estar muy ~* be none too good.
catorce fourteen; (*fecha*) fourteenth.
catre *m* cot *de niño*; *~ (de tijera)* camp-bed, folding-bed.
Caucásico Caucasian; white.
cauce *m* river-bed; 🌱 irrigation channel.
caución *f* caution, wariness; ⚖ bail; (*palabra*) pledge, security; *admitir a ~* admit to bail.
cauchero rubber *attr.*; **caucho** *m* rubber; (*impermeable*) raincoat; *~ esponjoso* foam rubber.
caudal *m* volume, flow *de río*; fortune, property, wealth *de p.*; **caudaloso** *río* large, carrying much water; *fig.* wealthy, rich.
caudillaje *m* leadership; **caudillo** *m* leader, chief; *pol. el* ♀ chief of state.
causa *f* cause (*a. pol.*); reason; grounds *de queja*; ⚖ suit, case; ⚖ prosecution *de oficio*; *a* (*or por*) *~ de* on account of, because of, owing to; **causar** [1a] cause; *gastos, trabajo* entail; *enojo, protesta* provoke.
cáustico *adj. a. su. m* caustic (*a. fig.*).
cautela *f* caution, cautiousness, wariness; (*astucia*) cunning; **cauteloso** cautious, careful, wary; (*astuto*) cunning.
cauterizar [1f] cauterize; *fig.* eradicate; *p.* reproach.
cautivar [1a] take *s.o.* prisoner; *fig. espíritu* enthral; *auditorio* charm, captivate, win over; **cautiverio** *m*, **cautividad** *f* captivity; *esp. fig.* bondage; **cautivo** *adj. a. su. m*, **a** *f* captive.
cauto cautious, wary, careful.
cava *f* cultivation; **cavar** [1a] *v/t.* dig; *pozo* sink; *v/i.* dig; ⚕ go deep; *fig.* delve (en into).
caverna *f* cave, cavern; **cavernoso** cavernous; cave *attr.*; *montaña etc.* honeycombed with caves.
caviar *m* caviar(e).
cavidad *f* cavity, hollow.

cavilación f deep thought; **cavilar** [1a] ponder (deeply), brood over; be obsessed with.

cayado m ✚ crook; *eccl.* crosier.

cayo m cay; key; ♀s *de la Florida* Florida keys.

caza 1. f (*en general*) hunting; shooting *con escopeta*; (*una* ~) hunt; chase, pursuit; (*animales*) game; ~ *mayor* big game; *a* ~ *de* in search of; *andar a* ~ *de* go out for; *dar* ~ give chase; **2.** m ✖ fighter; ~*bombardero* fighterbomber; ~ *nocturno* night-fighter; **cazador** m hunter, huntsman; **cazadora** f huntress; hunting jacket; **cazanoticias** m newshawk; **cazaperros** m dogcatcher; **cazar** [1f] *animales* hunt; *total de muertos* bag; (*perseguir*) chase, go after, hunt down.

cazo m ladle; ~ (*de cola*) glue pot; **cazuela** f pan, casserole (*a. plato*).

ce: ¡~! hey!; F ~ *por* be down to the last detail.

cebada f barley; ~ *perlada* pearl barley; **cebadal** m barley-field; **cebadera** f nose-bag; ⊕ hopper; **cebadura** f fattening; ⊕ stoking; ✖ priming; **cebar** [1a] **1.** v/t. ✚ feed, fatten (*con* on); *arma, lámpara, máquina* prime; **2.** v/i. grip, go in, catch; **3.** ~*se en víctima* vent one's fury on, batten on.

cebellina f zo. sable.

cebo m ✚ feed; ✖ charge, priming; ⊕ oven load; *pesca*: bait (*a. fig.*).

cebolla f onion; bulb *de tulipán etc.*; ~ *escalonia* shallot.

cebra f zebra.

cecear [1a] lisp; *pronounce* [s] *as* [θ]; **ceceo** m lisp(ing); *pronunciation of* [s] *as* [θ]; **ceceoso** lisping, with a lisp.

cecina f dried meat.

cedazo m sieve.

ceder [2a] v/t. hand over, give up, yield; *cosa querida* part with; ⚏ grant; v/i. give in, yield (*a* to); (*disminuir*) decline, go down.

cedro m cedar.

cédula f document, (slip of) paper, certificate; ✚ warrant; ~ *en blanco* blank check; ~ *personal*, ~ *de vecindad* identity card.

cefálico cephalic.

céfiro m zephyr (*a. tela*).

cegar [1h *a.* 1k] v/t. (make) blind; (*tapar*) block up, stop up; v/i. go blind; *fig.* = ~*se* become blinded (de

by); **ceguedad** f, **ceguera** f blindness (*a. fig.*).

ceja f *anat.* eyebrow; ✚ *etc.* projection; ⊕ rim, flange; *geog.* brow, crown; *fruncir las* ~s knit one's brow, frown; *quemarse las* ~s burn the midnight oil.

cejar [1a] (move) back; *fig.* give way, back down; climb down *en discusión*; relax, weaken *en esfuerzo*.

cejijunto *fig.* scowling, frowning.

celada f ambush, trap (*a. fig.*); **celador** m guard, watchman; ⊕ maintenance man; ⚡ linesman.

celaje m ✚ skylight; *fig.* sign.

celar¹ [1a] v/t. keep a watchful eye on, keep a check on. v/i.: ~ *por* watch over, guard.

celar² [1a] (*encubrir*) conceal, hide.

celda f cell; **celdilla** f zo. cell; cavity, hollow; ✚ niche.

celebrar [1a] v/t. *aniversario, suceso feliz* celebrate; *misa* say; *matrimonio* perform, celebrate; *reunión* hold; *fiesta* keep; (*alabar*) praise; v/i. *eccl.* say mass; ~*se* (*tener lugar*) take place, be held; **célebre** famous, noted, celebrated (*por* for); F funny, witty; **celebridad** f celebrity; (*festejo*) celebration(s).

celeridad f speed, swiftness.

celeste celestial; *ast.* heavenly; *color* sky-blue; **celestial** heavenly (*a. fig.*), celestial; F silly.

celestina f bawd, procuress.

célibe 1. single, unmarried; **2.** m/f unmarried person; celibate.

celo m zeal, fervor; conscientiousness; *b.s.* envy, distrust; *zo.* heat; *época de* ~ mating season; ~s *pl.* jealousy.

celofán m cellophane.

celosía f lattice, blind, shutter; *fig.* jealousy; **celoso** (*con celo*) zealous (de for), keen (de about, on).

celta 1. Celtic; **2.** m/f Celt; **3.** m (*idioma*) Celtic; **celtibérico, celtíbero** adj. a. su. m, **a** f Celtiberian; **céltico** Celtic; **celtohispán(ic)o** Celto-Hispanic.

célula f cell; **celuloide** m celluloid; **celulosa** f cellulose.

cementar [1a] ⊕ case-harden.

cementerio m cemetery, graveyard.

cemento m cement (*a. anat.*); (*hormigón*) concrete.

cena f supper, evening meal; (*oficial, de homenaje etc.*) dinner.

cenagal m quagmire, morass; F sticky business; **cenagoso** muddy, boggy.

cenar [1a] *v/t.* have for supper, sup on, sup off; *v/i.* have one's supper *etc.*, dine.

cencerrada *f* noisy serenade given to widower who remarries; **cencerrear** [1a] (*cencerro*) jangle; ♪ play terribly; ⊕ *etc.* rattle, clatter; **cencerro** *m* cowbell.

cendal *m* gauze.

cenicero *m* ashtray *para cigarro*; ash-pan *de hogar*; trashcan; **ceniciento** ashen, ashcolored.

cenit *m* zenith.

ceniza *f* ash(es), ~s *pl. fig.* ashes, mortal remains; **cenizoso** ashy; *fig.* ashen.

censo *m* census *de población*; (*impuesto*) tax; ground rent *de propiedad*; (*hipoteca*) mortgage; **censor** *m* censor; *fig.* critic; **censura** *f pol. etc.* censorship; (*crítica*) censure, stricture; criticism, judgement *de obra*; **censura** [1a] *pol. etc.* censor; (*criticar*) censure, condemn.

centauro *m* centaur.

centavo *adj. a. su. m* hundredth; *S.Am.* cent.

centella *f* (*chispa*) spark (*a. fig.*); (*rayo*) flash of lightning; **centelleante** sparkling (*a. fig.*); flashing; **centell(e)ar** [1a] sparkle (*a. fig.*); flash; **centelleo** *m* sparkling, flashing *etc.*

centena *f* hundred; **centenar** *m* hundred; **centenario 1.** *adj. a. su. m* centenary; **2.** *m, a f* centenarian.

centeno *m* rye.

centésimo *adj. a. su. m* hundredth; **centígrado** centigrade; **centímetro** *m* centimetre; **céntimo 1.** hundredth; **2.** *m* cent (*hundredth part of a peseta*).

centinela *m/f* sentry, guard, sentinel; estar de ~ be on guard.

central 1. central, middle; *esp. fig.* pivotal; **2.** *f* ✝ head office; ~ de correos main post-office; ~ eléctrica power-station; ~ telefónica telephone exchange; **centralista** *m/f* telephone operator; **centralita** *f teleph.* switchboard; **centralizar** [1f] centralize; **centrar** center; hit the center; ~se en concentrate on; **céntrico** central, middle; *lugar* central, convenient; **centrifugadora** *f* centrifuge; centrifugal machine; spindrier; **centrífugo** centrifugal; **centrípeto** centripetal; **centro** *m* center (*a. ⚑*), middle; *fig.* center, hub de

actividad *etc.*; (*objeto*) goal, purpose; ~ de gravedad center of gravity; **centroamericano** Central American.

ceñido *vestido* tight, close-fitting; *fig.* sparing, frugal; **ceñir** [3h *a.* 3l] *espada* gird on; *cinturón etc.* put on; (*llevar*) wear; *frente etc.* bind, encircle (*con, de* with); ~se ✝ tighten one's belt; limit o.s., be brief *en palabras*.

ceño *m* frown, scowl; *meteor.* threatening look; (*v/i.*) frown, scowl; (*v/t.*) frown at, give *s.o.* black looks; **ceñudo** frowning.

cepa *f* stump *de árbol*; stock *de vid*; (*vid*) vine; ⚓ pier; *Mex.* pit; hole; *fig.* stock; de buena ~ *p.* of good stock.

cepillar [1a] brush; ⊕ plane; *S.Am.* flatter; *univ. sl.* plough; **cepillo** *m* brush; ⊕ plane; *eccl.* poor-box.

cepo *m* ♀ branch; *hunt.* snare; trap; ✗ *etc.* mantrap; stocks *de reo.*

cequión *m Ven.* arroyo.

cera *f* (bees)wax; *Col.,Ecuad.,Mex.* candle; ~ (*de lustrar*) (wax) polish; ~s *pl.* honeycomb.

cerámica *f* (*arte*) ceramics; (*objetos*) pottery (*a.* ~s *pl.*); **cerámico** ceramic.

cerca¹ *f* fence; (*tapia*) wall; ~ (*viva*) hedge.

cerca² 1. *adv.* near(by), close; de ~ near; ✗ *etc.* at close range; **2.** *prp.* ~ de near, close to; in the neighborhood of; ~ de *inf.* near *ger.*, on the point of *ger.*

cercado *m* enclosure; garden, orchard; = *cerca¹.*

cercanía *f* nearness; ~s *pl.* outskirts *de ciudad*; neighborhood; de ~s 🚆 suburban; **cercano** near, close; *pueblo etc.* nearby, next; **cercar** [1g] fence in, enclose; wall *con tapia*, hedge *con seto*; (*rodear*) surround, ring (*de* with); ✗ besiege.

cercenar [1a] cut the edge off; clip, trim; *extremo* slice off.

cerciorar [1a] inform, assure; ~se de find out about, make sure of, ascertain.

cerco *m* ✔ *etc.* enclosure; *S.Am.* hedge; hoop *de tonel*; rim *de rueda*; △ frame; ✗ siege; *meteor.* halo.

cerda *f* bristle; horsehair; *hunt.* noose, snare; *zo.* sow; **cerdo** *m* pig (*a. fig.*); (*carne de*) ~ pork; **cerdoso** *animal* shaggy, hairy; *barbilla etc.* bristly, stubbly.

cereal 1. cereal, grain *attr.*; **2.** *m* cereal; ~es *pl.* grain, cereals.

cerebral cerebral, brain *attr.*; **cerebro** *m* brain (*a. fig.*).

ceremonia *f* ceremony; *eccl. a.* service; *sin* ~ *adv.* informally, with no fuss; *attr.* informal; *hacer* ~s stand on ceremony; **ceremonial** *adj. a. su. m* ceremonial; **ceremonioso** ceremonious; *recepción* formal; *b.s.* stiff, overpolite.

cereza *f* cherry; (*rojo*) ~ cherry (-red); **cerezo** *m* cherry (tree).

cerilla *f* match; (*vela*) wax taper; *anat.* ear wax; **cerillo** *m* S.Am. match.

cerner [2g] *v/t.* sift (*a. fig.*); *fig.* scan; *v/i.* ♣ bud, blossom; *meteor.* drizzle; **~se** (*p.*) waddle; *orn.* hover, soar; *fig.* threaten.

cero *m* (*nada*) nothing; ⅄ (*cifra*) nought; *phys. etc.* zero; *deportes*: nil; *tenis*: love; *empezar de* ~ start from the beginning.

ceroso (*de cera*) waxen; (*parecido a cera*) waxy; **cerote** *m* wax.

cerquita quite near, close by.

cerrado *asunto* obscure; *p.* (*callado*) quiet, secretive; F ~ (*de mollera*) dense; all-too-typical *de carácter.*

cerradura *f* (*acto*) closing, shutting; locking *con llave*; (*aparato*) lock; ~ *de combinación* combination lock.

cerrar [1k] **1.** *v/t.* close, shut; lock (up) *con llave*, bolt *con cerrojo*; *grifo etc.* turn off; **2.** *v/i.* close, shut; (*noche*) set in; ~ *con* close with, close in on; *dejar sin* ~ leave open; **3.** **~se** close *etc.*; ♣ close up, heal; ⋋ close ranks; *meteor.* cloud over; **cerrazón** *f* threatening sky.

cerrero *animal* wild; *p.* uncouth, rough; **cerro** *m* hill, height; *zo.* neck.

cerrojo *m* bolt; *táctica de* ~ stone walling; *echar el* ~ bolt the door.

certamen *m* competition, contest.

certero sure, certain; *tirador* good, crack; *golpe* well-aimed; (*sabedor*) well-informed; **certeza** *f* certainty; **certidumbre** *f* certainty.

certificación *f* certification; ⅄ registration; ⅄ affidavit; **certificado 1.** ⅄ registered; **2.** *m* certificate; **certificar** [1g] certify; vouch for *s.o.*; ⅄ register.

cervato *m* fawn.

cervecería *f* brewery; (*taberna*) public house, bar; **cerveza** *f* beer.

cervical neck *attr.*, cervical 〔;〕 **cer-**

viz *f* (nape of the) neck; *bajar* (*or doblar*) *la* ~ submit, bow down.

cesación *f* cessation; suspension, stoppage; **cesante 1.** out of a job; on half-pay; **2.** *m* civil servant *who has been retired*; **cesantía** *f* state of being a cesante; (*paga*) retirement pension; **cesar** [1a] *v/t.* stop; *v/i.* stop, cease; (*empleado*) leave, quit; ~ *de inf.* stop *ger.*, leave off *ger.*; **cese** *m* stoppage; stop-payment; ~ *de fuego* cease-fire.

cesión *f* ⅄ grant(ing), cession (*a. pol.*); **cesionario** *m*, **a** *f* grantee, assign.

césped *m* grass, turf; lawn *esp. de casa*; green *para bolos.*

cesta *f* basket; *pelota*: wicker racquet; **cesto** *m* (large) basket; hamper *esp. para comida*; ~ (*de la colada*) clothes basket; ~ (*para papeles*) wastepaper basket.

cetrería *f* falconry; **cetrero** *m* falconer.

cetrino greenish-yellow; *rostro* sallow; *fig.* jaundiced.

cetro *m* sceptre; *fig.* power, dominion.

cianuro *m* cyanide; ~ *de potasio* cyanide of potassium.

ciar [1c] ♣ go astern; (*bote*) back water; *fig.* go backwards.

ciática *f* sciatica.

cibernética *f* cybernetics.

cicatería *f* stinginess; **cicatero 1.** stingy, mean; **2.** *m*, **a** *f* mean sort, skinflint.

cicatriz *f* scar (*a. fig.*); **cicatrizar(se)** [1f] heal (up); heal over, form a scar.

ciclamino *m* cyclamen.

cíclico cyclic(a); **ciclismo** *m* cycling; (*carreras*) cycle racing; **ciclista** *m/f* cyclist; **ciclo** *m* cycle; *escuela*: term; course, series *de clases*; **ciclón** *m* cyclone; **ciclotrón** *m* cyclotron.

cidra *f* citron; **cidro** *m* citron (tree).

ciego 1. blind (*a. fig.*; *de with*); *caño etc.* blocked, stopped up; *a* ~as blindly (*a. fig.*); **2.** *m* blind man.

cielo *m* sky; *ast.* sky, heavens; *eccl.* heaven; climate; ~ (*raso*) ceiling; roof *de boca*; canopy *de cama*; ¡~s! heavens above!; *a* ~ *abierto* in the open air (*a. a* ~ *raso*).

ciempiés *m* centipede.

cien *v. ciento*; ~ *por* ~ *fig.* a hundred per cent, wholehearted.

ciénaga *f* marsh, bog.

ciencia *f* science; (*saber en general*) knowledge, learning; ~*-ficción* sci-

ence fiction ~s pl. naturales natural sciences; ~s pl. ocultas occult sciences; occultism; saber a ~ cierta know for certain, know for a fact.

cieno m mud, silt, ooze.

científico 1. scientific; **2.** m scientist.

ciento adj. a. su. m (a) hundred, one hundred; por ~ per cent.

cierne: en ~(s) ♀ in blossom, in flower; fig. cosa in its infancy.

cierre m (acto) closing etc.; shutdown de fábrica; (huelga) lockout; (mecanismo) snap(lock); fastener de vestido; clasp de libro; ~ de cremallera zipper; **cierro** m = cierre; S.Am. envelope.

cierto (seguro) sure, certain, promesa definite; (verdadero) true; (determinado) a certain; ~s pl. some, certain; por ~ indeed, certainly.

cierva f hind; **ciervo** m deer; (macho) stag; ~ común red deer.

cierzo m north wind.

cifra f ♪ number, numeral; quantity, amount; ♰ sum; (escritura) code, cipher; monogram; abbreviation; en ~ in code; fig. mysteriously; **cifrar** [1a] write in code; fig. summarize.

cigarra f cicada.

cigarrera f cigar-case; **cigarrería** f S.Am. tobacconist's (shop); **cigarrillo** m cigarette; **cigarro** m cigar (a. ~ puro); cigarette.

cigüeña f orn. stork; ⊕ crank, handle; **cigüeñal** m crankshaft.

cilampa f C.Am. drizzle.

cilíndrico cylindric(al); **cilindro** m cylinder (a. ⊕); typ. etc. roller; ~ de caminos (road)roller.

cima f top de árbol; top, summit de monte; fig. summit, height; dar ~ a complete, carry s.t. out successfully.

cimarrón S.Am. zo., ♀ wild.

címbalo m cymbal.

cimbor(r)io m (base of a) dome.

cimbr(e)ar [1a] vara shake, swish; bend; F thrash; ~se sway, swing; (doblarse) bend; **cimbreño** pliant; p. willowy.

cimentar [1k] ⚠ lay the foundations of; fig. found.

cimera f crest; **cimero** top, uppermost.

cimiento m foundation, groundwork; fig. basis, source; ⚠ ~s pl. foundations.

cinc m zinc; ♰ counter.

cincel m chisel; **cincelar** [1a] carve, chisel; engrave.

cinco five (a. su.); (fecha) fifth; las ~ five o'clock.

cincuenta fifty.

cincha f girth; **cinchar** [1a] silla secure; ⊕ band, hoop; **cincho** m (faja) belt, sash; ⊕ band, hoop.

cine m cinema, movies Am.; ~ mudo silentfilm; **cinema** m cinema; **cinemateca** f film library; **cinematografía** f (film) film-making; **cinematográfico** cine..., film attr.; **cinematógrafo** m cinema(tograph); (máquina) (film) projector.

cinética f kinetics; **cinético** kinetic.

cínico 1. cynical; fig. brazen, shameless; **2.** m, a f cynic; fig. humbug; **cinismo** m cynicism; fig. shamelessness, effrontery; humbug.

cinta f sew. etc. ribbon; band, strip; tape de papel, magnetofón, a. deportes; cine: film; (rollo) reel; **cinto** m ✗ belt; girdle; armas de ~ side-arms; **cintura** f anat. waist; waistline; (faja) girdle; **cinturón** m belt; girdle; ~ de seguridad safetybelt; ~ retráctil retractable safety belt.

cíper m Mex. zipper.

cipo m memorial stone; milestone de camino; roadsign.

ciprés m cypress (tree).

circo m circus.

circuito m circuit (a. ♂); deportes: lap; circumference; corto ~ shortcircuit; **circulación** f circulation (a. ♰, ⚙); mot. (movement of) traffic; **circulante** circulating; **circular 1.** adj. a. su. f circular; **2.** [1a] v/t. circulate; v/i. circulate (a. ♰, ⚙, fig.); mot. move (freely); (p.) walk round, move about (a. ~ por); **círculo** m circle (a. fig.); club; (aro) ring, band; (extensión) compass, extent; ♀ Polar Ártico Arctic Circle.

circun... circum...; **~cisión** f circumcision; **~dante** surrounding; **~dar** [1a] surround; **~ferencia** f circumference; **~flejo** m circumflex; **~locución** f, **~loquio** m roundabout expression, circumlocution; **~navegar** [1h] sail round, circumnavigate; **~scribir** [3a; p.p. circunscrito] circumscribe (a. fig.); fig. limit; **~se** fig. be limited, be confined (a to); **~spección** f cautiousness, circumspection; prudence; **~specto** circumspect, prudent, deliberate; palabras guarded; **~stancia** f circumstance; situation; en las ~s in (or under) the circumstances; **~stancial**

circumstantial; *arreglo* makeshift, emergency *attr.*; **~stante 1.** surrounding; present; **2.** *m/f* onlooker, bystander; **~vecino** adjacent, surrounding; **~volar** ⚓ circumnavigate; fly around.

cirio *m eccl.* (wax) candle.

ciruela *f* plum; **~ pasa** prune; **ciruelo** *m* plum (tree); F dolt.

cirugía *f* surgery; **~ estética, ~ plástica** plastic surgery; **cirujano** *m* surgeon.

ciscar [1g] F dirty, soil; **~se** soil o.s.; embarrass.

cisco *m* slack; *Cuba,Mex.* shame; embarrass.

cisma *m eccl.* schism; *pol. etc.* split; *fig.* disagreement; **cismático** *eccl.* schismatic(al); *fig.* dissident.

cisne *m* swan.

cisterna *f* (water)tank, cistern; toilet tank.

cistitis *f* cystitis.

cita *f* engagement, appointment, meeting; (*lugar*) rendezvous; (*con novia etc.*) date; *lit.* quotation; reference; **citación** *f lit.* quotation; ⚖ summons, citation; **citar** [1a] make an appointment (*or* date) with; ⚖ summon; *lit.* quote, cite.

cítrico citric.

ciudad *f* city; town; **ciudadanía** *f* citizenship; **ciudadano 1.** civic, city *attr.*; **2.** *m*, **a** *f* city-dweller; *pol.* citizen; **~s** *pl. freq.* townsfolk, townspeople; **ciudadela** *f* citadel; *S.Am.* tenement; **cívico 1.** civic; *fig.* public-spirited, patriotic; domestic; **2.** *m S.Am.* policeman; **civil 1.** civil (*a. fig.*); ⚔ *guerra* civil; *población* civilian; **2.** *m* policeman; **civilización** *f* civilization; **civilizar** [1f] civilize; **civismo** *m* good citizenship; civic-mindedness.

cizalla *f* (*una* a pair of) (metal) shears; wire cutters.

cizaña *f* ♀ darnel; *Biblia*: tares; *fig.* vice, harmful influence; *sembrar* ~ sow discord.

clamar [1a] *v/t.* cry out for; *v/i.* cry out (*contra* against, *por* for); **clamor** *m* (*grito*) cry; (*protesta*) outcry, clamor; (*ruido*) noise, clamor; **clamorear** [1a] cry out for, clamor for; **clamoreo** *m* clamor; (*protesta*) outcry; **clamoroso** noisy; loud, shrieking.

clandestino secret, clandestine.

claque *m* claque; hired clappers.

clara *f* white of an egg; bald spot *en cabeza; meteor* bright interval.

claraboya *f* skylight; transom.

clarear [1a] *v/t.* brighten; *color* make lighter; *v/i.* dawn; *meteor.* clear up; **~se** (*tela*) be transparent.

clarete *m* claret.

claridad *f* brightness *etc.*; clearness, clarity (*a. fig.*); **~es** *pl.* plain speaking, blunt remarks; **claridoso** *C.Am., Mex.* frank; open; **clarificar** [1g] illuminate, light up; clarify (*a. fig.*).

clarinete *m* clarinet.

clarión *m* chalk; **~cillo** crayon.

clarividencia *f* far-sightedness; discernment; clairvoyance; **clarividente 1.** far-sighted; discerning; **2.** *m/f* clairvoyant(e).

claro 1. *adj. día, ojos etc.* bright; *agua, lenguaje, prueba, voz* clear; *cristal* clear, transparent; *cuarto, cerveza, color* light; **¡~!** naturally!, of course!; **¡(pues) ~!** I quite agree with you!; **¡~ que sí!** of course it is!; **2.** *adv.* clearly; *hablar ~ fig.* speak plainly; **3.** *m* opening, gap; space; ⚠ light, window; *paint.* highlight, light tone.

clase *f mst* class; (*género*) *a.* sort, kind; *univ. a.* lecture; (*sala*) classroom; *univ.* lecture-room; F *fumarse la ~* cut a class.

clásico 1. classical; *esp. fig.* classic; traditional; typical; **2.** *m* classic.

clasificación *f* classification; rating (*a.* ♠); **clasificador** *m* filing cabinet; **clasificar** [1g] classify; grade, rate; sort (out).

claudicar [1g] limp; F back down; give in; *fig.* act crookedly.

claustro *m* cloister (*a. fig.*); *univ. approx.* senate.

cláusula *f* clause; *gr.* sentence.

clausura *f* (*acto*) closing (ceremony), closure; *eccl.* monastic life; *eccl.* **de ~ convento** enclosed; **clausurar** [1a] close; suspend, adjourn.

clavar [1a] *clavo* knock in, drive in; *tablas* nail (together); (*asegurar*) fasten, pin, fix; *puñal* stick, thrust (*en* into).

clave 1. *f* ♪ clef; ⚠ keystone; *fig.* key (*de to*); **~ de sol** treble clef; **2.** *adj.* key *attr.*

clavel *m* carnation; **clavellina** *f* pink.

clavetear [1a] *puerta etc.* stud; *cordón etc.* put a tip on.

clavícula *f* collar bone, clavicle.

clavija *f* pin, peg (*a.* ♪), dowel; ⚡ plug; **~ hendida** cotter pin.

clavo *m* nail; spike; stud; ♀ clove; 🌶 (*callo*) corn; (*dolor*) sharp pain; *fig.*

anguish; ~ de rosca screw; F dar en el ~ hit the nail on the head.

claxon m mot. horn; tocar el ~ sound one's horn, hoot.

clemencia f clemency, mercy; **clemente** merciful, forgiving; lenient.

cleptomanía f kleptomania; **cleptómano** m, **a** f kleptomaniac.

clerecía f priesthood; (ps.) clergy; **clerical** clerical; **clérigo** m (esp. católico) priest; (esp. anglicano) clergyman; **clero** m clergy.

cliché m typ. stencil; lit. cliché; = clisé.

cliente m/f ✝ customer, client (a. ⚖); ✚ patient; **clientela** f customers, clients, clientèle; ✚ practice.

clima m climate; **climático** climatic; **climatización** f air conditioning.

clímax m rhet. climax.

clínica f clinic, hospital; (esp. privado) nursing home; ~ de reposo convalescent home; **clínico** clinical.

clip m paper clip; (joya) clip.

clisar [1a] stereotype; **clisé** m typ. cliché, plate; phot. plate.

cloaca f sewer (a.fig.).

cloquear [1a] cluck; har poon.

cloro m chlorine; **cloroformo** m chloroform; **cloruro** m chloride.

clóset m S.Am. (wall) closet.

club m club.

clueca broody (f hen).

coacción f coercion, duress; **coactivo** coercive.

coadjutor m coadjutor; **coadyuvar** [1a] assist, contribute to.

coagular(se) [1a] coagulate.

coalición f coalition.

coartada f alibi; **coartar** [1a] limit, restrict.

coba f F (embuste) neat trick; (halago) soft soap; F flattery.

cobalto m cobalt.

cobarde 1. cowardly; faint-hearted; **2.** m/f coward; **cobardía** f cowardice; faintheardness.

cobaya f, **cobayo** m guinea pig.

cobertizo m shed; driveway; lean-to; (refugio) shelter; **cobertor** m bedspread; **cobertura** f cover(ing); bedspread de cama.

cobija f coping tile; S.Am. blanket; S.Am. ~s pl. bedclothes; **cobijar** [1a] cover (up), close; **~se** take shelter; **cobijo** m fig. cover, shelter.

cobista F flattering; fawning.

cobrador m ✝ collector; conductor de autobús; (perro) retriever; **co-**

branza f = cobro; **cobrar** [1a] **1.** v/t. (recuperar) recover; precio charge; suma collect; cheque cash; sueldo draw; get; hunt. retrieve; S.Am. press (for payment); ✝ por ~ outstanding; receivable; **2.** v/i. (en empleo) get one's pay; **3.** **~se** ✚ recover; (volver en sí) come to.

cobre m copper; ♪ brass (a. ~s pl.); batirse el ~ go all out (por inf. to inf.); (disputa) get really worked up; **cobrizo** coppery.

cobro m recovery; collection etc.

coca f F nut; (golpe) rap on the head; kink en cuerda; Mex. de ~ free; gratis.

cocaína f cocaine.

cocear [1a] kick (a. F).

cocer [2b a. 2h] v/t. cook; (hervir) boil; pan bake; ⊕ bake; barros fire; v/i. cook; boil; **~se** ✚ be in continual pain; **cocido** m stew (of meat, bacon a. vegetables).

cociente m quotient; ~ intelectual intelligence quotient (I.Q.).

cocina f kitchen; (arte, ~ francesa etc.) cooking, cookery, cuisine; (aparato) stove, cooker; ~ económica range, cooker; **cocinar** [1a] v/t. cook; v/i. do the cooking; **cocinero** m, **a** f cook.

coco[1] m ♀ coconut; = cocotero.

coco[2] m bogey man; (mueca) face; hacer ~s a make faces at; (amor) make eyes at.

cocodrilo m crocodile.

cocotero m coconut palm.

cóctel m (fiesta) cocktail party; (bebida) cocktail; **coctelera** f cocktail shaker.

cochambre m F filthy thing; filth.

coche m (motor-)car, automobile; ✝ coach, carriage (a. 🚂); ~cama sleeper, sleeping-car; ~comedor dining-car; ~ (de tipo) medio medium-size car; ~ de reparto delivery car (a. van, wagon); **cochecito** m (de niño) pram, perambulator; **cochera** f garage; carport; **cochero** m **1.:** puerta ~a carriage entrance; **2.** m coachman.

cochinada f F, **cochinería** f F filth(iness); (acto) dirty trick; (palabra) beastly thing; **cochinilla** f zo. wood-louse; (colorante) cochineal; de ~ Cuba,Mex. unimportant; **cochinillo** m suckling pig; **cochino 1.** filthy, dirty (a. fig.); (sin valor) rotten, measly; **2.** m pig (a. fig.).

codazo m jab, poke (with one's elbow); (ligero) nudge; **codear** [1a]

elbow; jostle; ~**se** con hobnob with, rub shoulders with.

códice m manuscript, codex.

codicia f greed(iness), lust (de for); **codiciar** [1b] covet; **codicioso** greedy, covetous; F hard-working.

codificar [1g] codify; **código** m 🔏, tel. code; ~ de leyes a. statute-book; ~ penal penal code.

codillo m zo. knee; ⊕ elbow (joint); ⚥ stump; (estribo) stirrup; **codo** m elbow; zo. knee; ⊕ elbow (joint); dar de(l) ~ a nudge; fig. despise; Mex., Guat. miser; tightwad.

codorniz f quail.

coeficiente adj. a. su. m coefficient.

coetáneo adj. a. su. m, **a** f contemporary.

coexistencia f coexistence; **coexistente** coexistent; **coexistir** [3a] coexist (con with).

cofrade m member (of a brotherhood etc.); **cofradía** f brotherhood, fraternity; (gremio) guild.

cofre m chest; **cofrecito** m casket.

cogedor m picker; gatherer; dustpan; (pala) shovel.

coger [2c] flores etc. pick, gather, collect; (recoger) take (up), gather (up); (asir) take (hold of), take hold of, seize; ~ (al vuelo) snatch; catarro, frío catch; (sorprender) catch; (encontrar) find; (entender) catch, gather, take in; (contener) take; extensión cover; **cogida** 🐂 picking, harvesting; toros: goring.

cogollo m heart de lechuga, col; head de col.

cogotazo m blow on the back of the neck, rabbit punch; **cogote** m back of the neck, nape.

cohabitación f cohabitation; **cohabitar** [1a] live together, cohabit (a. b.s.).

cohechar [1a] bribe; **cohecho** m bribe.

coheredero m, **a** f coheir(ess f).

coherencia f coherence; phys. cohesion; **coherente** coherent; **cohesión** f cohesion; **cohete** m rocket; missile; ~ de señales distress signal, flare; ~ intermedio intermediate-range missile.

cohibición f restraint; inhibition; **cohibido** restrained, restricted; (carácter) inhibited; **cohibir** [3a] restrain, check; inhibit.

cohombro m cucumber.

coima f rakeoff; bribe

coincidencia f coincidence; **coincidir** [3a] coincide (con with).

coito m (sexual) intercourse, coitus ⚤.

cojear [1a] limp, be lame (de in); sabemos de qué pie cojea we know his weaknesses; **cojera** f lameness; (visible) limp.

cojín m cushion; **cojinete** m small cushion, pad; ⊕ ~ a (a bolas) (ball-) bearing; ⊕ journal box.

cojo 1. lame, limping; crippled; mueble wobbly; fig. lame, shaky; 2. m, **a** f lame person; cripple.

cok m coke.

col f cabbage; ~ (rizada) kale; ~ de Bruselas Brussels sprouts.

cola[1] f zo., 𝕏, ast. tail (a. de frac); (extremo) (tail) end; bottom de clase; train de vestido largo; (ps. etc.) queue, line; ⊕ ~ de milano dovetail; a la ~ at the back, behind.

cola[2] f glue; ~ (de retal) size; ~ de pescado fish glue.

colaboración f collaboration; lit. contribution (a, en to); **colaborar** [1a] collaborate; ~ a lit. contribute to, write for.

colación f collation (a. eccl.); (merienda) snack; (boda) reception, wedding breakfast; S.Am. sweet; **colacionar** [1a] collate.

colada f wash(ing); (lejía) bleach; geog. defile; **coladera** m, **colador** m (tea- etc.) strainer; colander para legumbres.

colapso m collapse, breakdown.

colar [1m] v/t. líquido strain; ropa bleach; pass, squeeze (por through); F palm s.t. off, foist s.t. off (a on); v/i. (líquido) filter, percolate; ~se slip through; (p.) slip in, sneak in.

colcha f bedspread, counterpane; **colchón** m mattress.

cole m F = colegio.

colear [1a] wag its etc. tail.

colección f collection; **coleccionar** [1a] collect; **coleccionista** m/f collector; **colecta** f collection (for charity); eccl. collect; **colectar** [1a] collect; **colectividad** f (conjunto) sum total, whole; group; pol. collective ownership; **colectivismo** m collectivism; **colectivo** collective (a. gr.); acción freq. joint, group attr.

colega m colleague.

colegial 1. school attr., college attr.; eccl. collegiate; 2. m schoolboy; Mex. greenhorn; beginner; **colegiala** f

schoolgirl; **colegio** m high school; primary school; *univ.*, *eccl.*, ⚜ etc. college.

colegir [3c a. 3l] gather, collect; conclude, gather (de from).

cólera 1. f anger; *physiol.* bile; **2.** ⚜ m cholera; **colérico** angry, irate; irascible.

colesterol m cholesterol.

coleta f pigtail; F postscript; *S.Am.* burlap.

coleto m leather jacket; F body; the self; *decir para su* ~ say to o.s.

colgadero m hook, hanger, peg; **colgadizo 1.** hanging; **2.** m lean-to, penthouse; **colgadura(s)** f(pl.) hangings, drapery; **colgante 1.** hanging, drooping, floppy; *puente* suspension *attr.*; **2.** m (*joya*) drop, pendant.

colgar [1h a. 1m] **1.** v/t. hang (a. ⚖; de from, en on); *ropa etc.* hang up; *pared* decorate with hangings, drape; *univ.* F plough; **2.** v/i. hang (de on, from); droop, dangle; *teleph.* hang up, ring off.

colibrí m hummingbird.

cólico m colic.

coliflor f cauliflower.

coligado allied, in league; **coligarse** [1h] join together.

colilla f stub; stump; cigarette (or cigar) butt.

colina f hill.

colindante adjoining, neighboring.

coliseo m coliseum; arena.

colisión f collision (a. fig.); *fig.* clash.

colitis f ⚜ colitis.

colmado 1. full (de of), overflowing (de with); **2.** m grocer's (shop); (cheap) restaurant; **colmar** [1a] fill (up), fill to overflowing; ~ *de fig.* shower with, overwhelm with.

colmena f (bee)hive; *fig.* hive; **colmenero** m beekeeper.

colmillo m *anat.* eyetooth, canine; *zo.* fang; tusk *de elefante.*

colmo m *fig.* height *de locura etc.*; limit; *¡es el* ~*!* it's the limit!, it's the last straw!

colocación f (*acto*) placing etc.; position; (*puesto*) job, situation; ✝ investment; **colocar** [1g] put, place (in position); arrange; ✝ invest; *tropas etc.* position, station.

colombiano adj. a. su. m, **a** f Colombian.

colon m *anat.*, *gr.* colon.

colonia f colony; (*barrio*) suburb;

sew. silk ribbon; **colonial** colonial; *productos* imported; **colonización** f colonization; settlement; **colonizador** m colonist; settler; pioneer; **colonizar** [1f] colonize; settle; **colono** m *pol.* colonist, settler; ⚘ (tenant) farmer.

coloquial colloquial; **coloquio** m conversation, talk; *lit.* dialogue.

color m color; (*matiz*) hue; (*colorante*) dye; *fig.* color(ing); ~*es pl.* ✗ colors; *de* ~ *p. etc.* colored; *so* ~ *de* under pretext of; **coloración** f coloration, coloring; **colorado** colored; (*rojo*) red; *chiste* blue, rude; *argumento* plausible; *ponerse* ~ blush; **colorante** m coloring (matter); **colorar** [1a] color, dye (*de azul* blue); stain (a. ⊕); **colorear** [1a] v/t. *motivo* show in a favorable light; *acción etc.* gloss over; v/i. redden, show red; **colorete** m rouge; **colorido** m color(ing).

colosal colossal; **coloso** m colossus (a. fig.).

columbrar [1a] glimpse, spy, sight.

columna f mst column; ⚖ a. pillar (a. fig.); *quinta* ~ fifth column; ~ *vertebral* spinal column; ~ *de dirección* mot. steering column; **columnista** m columnist.

columpiar [1b] swing; ~*se* swing (to and fro); seesaw; **columpio** m swing; (*tabla*) seesaw.

collado m hill; (*desfiladero*) pass.

collar m (*adorno*) necklace; collar *de perro* (a. ⊕); (*insignia*) chain.

coma[1] f *gr.* comma; *sin faltar una* ~ down to the last detail.

coma[2] m ⚜ coma.

comadre f ⚜ midwife; F best friend, crony; (*chismosa*) gossip; **comadreja** f weasel; **comadreo** m F, **comadrería** f F gossip(ing); **comadrona** f midwife.

comandancia f command; (*grado*) rank of major; **comandante** m commandant, commander; (*grado*) major; **comandar** [1a] command; lead; **comandita** f silent partnership; **comando** m command; ✗ (*grupo*) commando.

comarca f region, part (of the country); **comarcano** neighboring, bordering.

comba f bend; *esp.* bulge, warp, sag; (*juego*) skipping; **combar** [1a] bend, curve; ~*se* bend, curve; (*madera*) bulge, warp, sag.

combate m fight, engagement,

combat; *fig.* battle, struggle; **combatiente** *m* combatant; **combatir** [3a] *v/t.* ✕ attack; *costa* beat upon; *mente* assail, harass; *tendencia etc.* fight against; *v/i.* ~**se** fight, struggle (*con, contra* against).

combinación *f* combination; (*arreglo*) arrangement, set-up; ~**es** *pl. fig.* plans, measures; **combinar** [1a] combine; *colores etc.* blend, mix; ~**se** combine.

combustible 1. combustible; **2.** *m* fuel, combustible; **combustión** *f* combustion.

comedero 1. eatable; **2.** *m* ✔ trough, manger; (*comedor*) dining room.

comedia *f* play, drama (*a. fig.*); (*festiva*) comedy; (*fingimiento*) farce, pretence; **comediante** *m*, **a** *f* (*esp.* comic) actor (actress *f*).

comedido courteous, polite; moderate.

comediógrafo *m* playwrite(r); dramatic author.

comedirse [3l] be restrained (*en* in), restrain o.s.; be moderate.

comedor 1. = comilón 1; **2.** *m* dining room.

comején *m* termite, white ant.

comendador *m* commander (*of an order of knighthood*).

comensal *m/f* dependant; (*compañero*) companion at table.

comentador *m* commentator; **comentar** [1a] comment on; expound; **comentario** *m* comments, remarks; *esp. lit.* commentary; ~**s** *pl.* gossip; **comentarista** *m* commentator; **comento** *m* comment; *lit.* commentary.

comenzar [1f *a.* 1k] begin, start (*con* with; *por su.* with *su.*; *por inf.* by *ger.*).

comer [2a] **1.** *v/t.* eat, *fig.* etc.; ⊕ *etc.* eat away, corrode; (*consumir*) use up, eat up; **2.** *v/i.* eat; have a meal, *esp.* (have) lunch; *dar de* ~ *a* feed; *ser de buen* ~ eat anything; **3.** ~**se** *comida* eat up (*a. fig.*); *consonante* drop; *sílaba* slur over; *texto* skip.

comercial commercial, business *attr.*; **comerciante** *m/f* trader, dealer, merchant; ~ *al por mayor* wholesaler; ~ *al por menor* retailer; **comerciar** [1b] (*ps.*) have dealings; ~ *con mercancías,* ~ *en* deal in, handle; **comercio** *m* (*en general*) trade, business, commerce; (*negocio particular*) trade, traffic; ~ *exterior* foreign trade; ~ *sexual* sexual intercourse.

comestible 1. eatable; ✔ *etc.* edible; **2.** *m* food(stuff), ~**s** *pl.* food(stuffs); (*comprados*) groceries.

cometa[1] *m ast.* comet.

cometa[2] *f* kite.

cometer [2a] *crimen etc.* commit; *error* make; *negocio* entrust (*a* to).

comezón *f* itch (*a. fig.*; *de inf.* to *inf.*; *por* for), itching; tingle.

cómico **1.** comic(al), funny; comedy *attr.*; *autor* dramatic; **2.** *m* (*esp.* comic) actor; comedian.

comida *f* (*alimento*) food; (*acto*) eating; (*a hora determinada*) meal; *esp.* lunch, dinner; (*manutención*) keep, board; **comidilla** *f* ✔ hobby, first love; ~ *de la ciudad* talk of the town.

comienzo *m* beginning, start; (*a.* ✤) onset; birth, inception.

comilón F **1.** fond of eating; *b.s.* greedy; **2.** *m*, ~**a** *f* big eater.

comillas *f/pl.* quotation marks.

comino *m* cumin; cuminseed; *no vale un* ~ it's not worth tuppence.

comisaría *f* police station; **comisario** *m* commissary (*a.* ✕); ~ *de policía* police superintendent; **comisión** *f* commission (*a.* ✚); *parl. etc.* committee; ✚ (*junta*) board; (*encargo*) assignment, commission; **comisionado** *m* commissioner; *parl. etc.* committee member; ✚ member of the board; **comisionar** [1a] commission.

comistrajo *m* F awful meal; *fig.* hodgepodge.

comité *m* committee.

comitiva *f* retinue, suite.

como a) *comp. su.*: like, the same as; *verb*: as; *algo así* ~ something like; ~ *si* as if; b) *en calidad de*: as; c) *cj. causa*: as, since; *condición*: if; ~ *quiera* as you like; (*porque*) because; *así* ~, *tan luego* ~ as soon as.

cómo a) *interrogative*: how?; (*por qué*) why?; how is it that ...?; *¿* ~ *está Vd.?* how are you?; *¿* ~ *es?* what's he like?, what does he look like?; *¿* ~ *no?* why not?; *¿a* ~ *es el pan?* how much is the bread?; b) *int. ¿* ~*?* (*pidiendo repetición*) eh?, what did you say?; (*sorpresa*) what?

cómoda *f* chest of drawers; comode; **comodidad** *f* comfort, convenience; (*self-*)interest, advantage; ~**es** *pl. de la vida* good things of life; **comodín 1.** *Col.,Mex.,P.R. adj.* cozy; **2.** *m naipes*: wild card; joker; *fig.* stand-by, useful gadget; **cómo-**

do comfortable; *cuarto etc. freq.* snug, cosy; convenient, handy. **compacto** compact; *typ. etc.* close. **compadecer** [2d] (*a. ~se de*) pity, be sorry for; sympathize with; *~se con* agree with; harmonize with. **compadre** *m* godfather; F friend, pal; **compadrear** [1a] F be pals. **compañerismo** *m* comradeship; *deportes etc.*: team spirit; **compañero** *m*, **a** *f* companion; partner; mate; ~ **de armas** comrade in arms; ~ **de clase** schoolmate; ~ **de cuarto** roommate; **compañía** *f* company; society; ~ **inversionista** investment trust.

comparable comparable; **comparación** *f* comparison; **comparado** comparative; **comparar** [1a] compare (*con* with, to); liken (*con* to); **comparativo** *adj. a. su. m* comparative.

comparecencia *f* ⚖ appearance (in court); **comparecer** [2d] ⚖ appear (in court).

compartimiento *m* division, sharing; (*departamento*) *a.* ⚓ compartment; **compartir** [3a] divide up, share (out); *~ con* share with.

compás *m* ♬ compasses; ⚓ compass; ♪ (*tiempo*) time, measure; (*ritmo*) beat, rhythm; (*división*) bar; **compasado** measured, moderate.

compasión *f* pity, compassion; *¡por ~!* for pity's sake!; **compasivo** compassionate; sympathetic.

compatibilidad *f* compatibility; **compatible** compatible, consistent (*con* with).

compatriota *m/f* compatriot, fellow-countryman (-woman).

compeler [2a] compel (*a inf.* to *inf.*).

compendiar [1b] abridge, summarize; **compendio** *m* abridgement, summary; compendium.

compenetrarse [1a] *⚓ etc.* interpenetrate; *fig.* share each other's feelings.

compensación *f* compensation; ⚖ redress; *esp. fig.* recompense; **compensar** [1a] *pérdida* compensate for, make up (for); *error* redeem; *p.* compensate.

competencia *f* competition (*a.* ⚖); rivalry; ⚖ competence; *hacer ~ con* compete against (or with); *ser de la ~ de* be within *s.o.*'s province; **competente** *trabajo*, ⚖ competent; (*apropiado*) suitable, adequate; **competidor 1.** competing; **2.** *m*, **-a** *f*

competitor (*a.* ⚖); rival (*a* for); **competir** [3l] compete (*a.* ⚓, *deportes*; *con* with, against; *para* for); *poder ~* ⚖ be competitive.

compilación *f* compilation; **compilar** [1a] compile.

compinche *m* F pal, chum.

complacencia *f* pleasure, satisfaction; willingness *en obrar*; **complacer** [2x] please; *cliente* oblige; *~se en* take pleasure in *su.*, *ger.*; be pleased to *inf.*; **complacido** complacent; satisfied; **complaciente** genial, cheerful; obliging.

complejidad *f* complexity; **complejo** *adj. a. su. m* complex.

complementar [1a] complement; complete, make up; **complementario** complementary; **complemento** *m* complement (*a. gr.*, ♪).

completar [1a] complete; make up; *fig.* perfect; **completo** complete; 🚌 *etc.* full; *por ~* completely, utterly.

complexión *f physiol.* constitution; complexion.

complicado complex, complicated; *método freq.* elaborate; **complicar** [1g] complicate; *~se* get complicated; (*embrollarse*) get tangled, get involved; **cómplice** *m/f* accomplice.

complot [kom'plo] *m* plot, intrigue; complot.

componenda *f* compromise; *b.s.* shady deal; **componente 1.** component; **2.** *m* 🔩, ⊕ component; ingredient *de bebida etc.*; **componer** [2r] compose (*a. typ.*, ♪), constitute, make up; *typ. a.* set up (in type); *lit.* write; *lo roto*, ⊕ repair, mend, overhaul; *~se* (*mujer*) dress up; make up.

comportamentismo *m* behaviorism; **comportamiento** *m* behavior; ⊕ performance; **comportar** [1a] put up with, bear; *S.Am.* entail; cause; *~se* behave, conduct *o.s.*; **comporte** *m* = comportamiento.

composición *f mst* composition; make-up; (*ajuste*) settlement; **compositor** *m* composer; **compostura** *f* composition, make-up; (*reparo*) mending, repair(ing); (*mesura*) sedateness; (*ajuste*) arrangement, settlement.

compostelano *adj.* of (or from) Santiago de Compostela.

compota *f* compote, preserve; sauce *de manzanas etc.*

compra *f* purchase; *~s pl.* shopping; *ir de ~s* shop, go shopping; **com-**

prador *m*, **-a** *f* shopper, customer *en tienda*; purchaser; **comprar** [1a] buy, purchase (*a* from); *fig.* buy off, bribe.

comprender [2a] *v/t.* (*abarcar*) comprise, include; (*entender*) understand; *v/i.* understand, see; *¿comprendes?* see?; *¡ya comprendo!* I see; **comprensible** understandable, comprehensible (*para* to); **comprensión** *f* understanding; grasp; inclusion; **comprensivo** understanding; intelligent; (*que incluye*) comprehensive.

compresa *f* compress; *~ higiénica* sanitary towel; **compresión** *f* compression; *índice de ~* compression ratio; *de alta ~ attr.* high-compression; **compresor** *m* compressor; **comprimido 1.** *aire* compressed; **2.** *m pharm.* tablet; pill; **comprimir** [3a] compress (*a.* ⊕); squeeze, press down; *fig.* restrain, repress.

comprobación *f* checking *etc.*; (*prueba*) proof; **comprobante 1.** of proof; **2.** *m* proof; ✝ voucher, guarantee; **comprobar** [1m] check, verify; prove; ⊕ overhaul.

comprometer [2a] (*poner en peligro*) jeopardize, endanger; *reputación* compromise; put *s.o.* in a compromising situation; *~ a* nail *s.o.* down to, hold *s.o.* to; *~se* get involved (*en* in); ✝ commit o.s.; **comprometido** embarrassing; ✝ *etc.* estar *~* be (already) engaged; **compromiso** *m* obligation, pledge; (*cita*) engagement; compromising situation; (*aprieto*) tight corner, predicament.

compuerta *f* sluice, flood-gate; hatch *en puerta*.

compuesto 1. *p.p. of componer*; estar *~ de* be composed of, be made up of; **2.** *adj.* ♋, ♃, *gr.* compound; ♀, △ *etc.* composite; *fig.* composed, calm; **3.** *m* compound (*a.* ♋).

compulsión *f* compulsion; **compulsivo** compulsory; compulsive.

compungirse [3c] feel remorse (*por* at), feel sorry (*por* for).

computacional computational; *attr.* computing; **computador** *m*, **-a** *f* computer; *~ de casa* home computer; *~ personal* personal computer; **computadora** *f* computer; hardware.

computar [1a] calculate, reckon; **cómputo** *m* calculation, computation; estimate.

comulgante *m/f* communicant; **co-**

mulgar [1h] *v/t.* administer communion to; *v/i.* take communion.

común 1. common (*a* to; *a. b.s.*); *opinión a.* widespread, generally held; de *~ con* in common with; en *~* in common; *por lo ~* generally; *Mercado* ♋ Common Market; **2.** *m*: el *~ de las gentes* most people, the common run (of people).

comunicación *f* communication; (*ponencia*) paper; (*parte*) message; **comunicado** *m* communiqué; **comunicar** [1g] *mst* communicate (*a.* △; con with); *noticia* give, convey, deliver (*a* to); (*legar*) bestow (*a* on); *periodismo*: report (*de* from); *~se* (*ps.*) communicate; be in touch; △ (inter) communicate; **comunicativo** communicative; *fig.* sociable; rise *etc.* infectious; **comunidad** *f* community; **comunión** *f* communion; **comunismo** *m* communism; **comunista 1.** communist(ic); **2.** *m/f* communist.

con with; (*a pesar de*) in spite of, despite; (*para ~*) to, towards.

conato *m* attempt, endeavor (*de inf.* to *inf.*); (*empeño*) effort.

concatenar [1a] link together, concatenate.

concavidad *f* concavity; (*sitio*) hollow; **cóncavo 1.** concave; hollow; **2.** *m* hollow, cavity.

concebible conceivable, thinkable; **concebir** [3l] conceive.

conceder [2a] (*otorgar*) grant; concede; admit (*que* that).

concejal *m* (town) councillor; **concejo** *m* council; town council; town hall.

concentración *f* concentration (*a.* ♋); **concentrar** [1a] concentrate (*a.* ♋; ✕ *en lugar* in; *en escena* on); *~se* concentrate (*a.* ✕), be concentrated.

concepción *f* conception; (*facultad*) understanding; **concepto** *m* concept (*a. phls.*), notion; opinion; *lit.* conceit.

concerniente: *~ a* concerning, relating to.

concertar [1k] *v/t.* (*arreglar*) arrange; *convenio etc.* conclude; *precio* fix (*en* at); *p.* reconcile (*con* with); *v/i.* agree (*a. gr.*); harmonize; *~se* agree.

concesión *f* grant, award; ✝, *fig.* concession; **concesionario** *m* concessionary; licensee.

conciencia *f* (*conocimiento*) knowledge, awareness; *phls.* consciousness; (*moral*) conscience; moral

sense; **concienzudo** conscientious, thorough.

concierto m order, concert; ♪ harmony; (*pieza*) concerto.

conciliación f conciliation; (*semejanza*) affinity, similarity; favor; **conciliar** [1b] reconcile; *respeto etc.* win; **~se** *algo* win, gain.

concilio m eccl. council.

concisión f conciseness, terseness; **conciso** concise, terse.

conciudadano m, **a** f fellowcitizen.

concluir [3g] v/t. end; conclude (*de* from; *a uno de s.o.* to be); convince; v/i. end (*gr. etc. con, en, por* in); **~** *de inf.* finish ger.; **conclusión** f conclusion; **en ~** lastly, in conclusion.

concordancia f concordance (*a. eccl.*); *gr.*, ♪ concord; **concordar** [1m] v/t. reconcile; *gr.* make *s.t.* agree; v/i. agree (*a. gr.*); **~** *con* agree with, tally with, fit in with; **concordia** f concord, harmony; conformity, agreement.

concretar [1a] *fig.* make *s.t.* concrete; reduce to its essentials, boil down; **~se** *a inf.* confine o.s. to ger.; **concretera** f *S.Am.* concrete mixer; **concreto 1.** concrete; *aceite* thick; **en ~** to sum up; exactly, specifically; *nada en ~* nothing in particular; **2.** m concretion; *S.Am.* concrete.

concubina f concubine.

concupiscencia f lust, concupiscence; **concupiscente** lewd, lustful.

concurrencia f (*asistencia*) attendance, turn-out; (*multitud*) crowd; **concurrido** *lugar* crowded; *función* well attended; **concurrir** [3a] (*reunirse*) gather, meet (*a at, en* in); *fig.* come together, conspire (*para inf.* to inf.); coincide (*con* with); ✝ *etc.* compete; (*convenir*) agree; **concursante** m/f contestant, participant; **concurso** m (*reunión*) gathering; concurrence *de circunstancias*; (*ayuda*) help; competition (*a. a puesto*), contest; *deportes*: match, meeting; *tenis*: tournament.

concusión f 𝄐 extortion; **concusionario** m extortioner.

concha f *zo.* shell; (*marisco*) shellfish; *thea.* prompter's box; **~** *de perla* mother-of-pearl.

conchabarse [1a] F gang up (*contra* on); *S.Am.* hire out.

condado m *hist.* earldom; (*tierras, provincia*) county; **conde** m earl, count.

condecoración f 𝄐 *etc.* decoration; insignia; **condecorar** [1a] decorate (*con* with).

condena f sentence; term; **~** *a perpetuidad* life sentence; **condenación** f condemnation; = *condena*; *eccl.* damnation; F *¡~!* damn!; **condenado 1.** F damned, ruddy; **2.** m, **a** f 𝄐 criminal, convicted person; *eccl.* one of the damned; **condenar** [1a] condemn (*a* to); *esp.* 𝄐 convict, find guilty (*por ladrón* of stealing); sentence (*a multa* to, *a presidio* to hard labour); *eccl.* damn; **~se** 𝄐 confess (one's guilt).

condensación f condensation; **condensador** m ⊕, ⚡ condenser; **condensar** [1a] condense.

condesa f countess.

condescendencia f willingness (to help); acquiescence (*a* in); **condescender** [2g] acquiesce, say yes; **~** *a consent* to, say yes to.

condición f condition; **~** (*social*) status, position; character, nature; **~es** *pl.* ✝ *etc.* conditions, terms; circumstances; *a ~(de) que* on condition that; **condicionado, condicional** conditional (*a. gr.*).

condimentar [1a] season; flavour; (*con especias*) spice; **condimento** m seasoning; flavour(ing); dressing.

condiscípulo m, **a** f fellowstudent.

condolencia f condolence; **condolerse** [2h]: **~** *de* be sorry for; **~** *por* sympathize with.

condominio m 𝄐 joint ownership; dual control; condominium.

condonar [1a] *acto* condone; *deuda* forgive, forget.

cóndor m *orn.* condor; *Chile,Ecuad.* gold coin.

conducción f leading *etc.*; transport(ation); *phys.* conduction; **conducir** [3o] **1.** v/t. lead, guide (*a* to); conduct; *negocio* conduct, manage; *mot.* drive; **2.** v/i. *mot. etc.* drive; **~** *a* lead to; **3.** **~se** behave, conduct o.s.; **conducta** f ✝ *etc.* management, direction; conduct, behavior *de p.*; **conducto** m conduit (*a.* ⚡); tube; *esp. anat.* duct, canal; *fig.* agency; **conductor 1.** leading, guiding; *phys.* conductive; **2.** m *phys.* conductor; ⚡ lead; **3.** m, **-a** f leader, guide; *mot. etc.* driver.

conectar [1a] ⚡, ⊕ connect (up); (*poner*) switch on; *boxeo*: *golpe* land.

conejal m, **conejar** m, **conejera** f

warren, burrow; F den, dive; **conejillo** m: ～ **de Indias** guinea pig; **conejo** m rabbit.

conexión f connexion (a. ⚡); relationship; **conexionar** v/t. connect; put in touch; v/i. connect; make contacts.

confección f (acto) making; (arte) workmanship; pharm. confection, concoction; **confeccionado** ropa readymade, ready-to-wear; **confeccionar** [1a] make (up); **confeccionista** m/f ready-made clothier.

confederación f confederacy; confederation, league; **confederarse** [1a] form a confederation.

conferencia f (discurso) lecture; pol. etc. meeting, conference; teleph. call; **conferenciante** m/f lecturer; **conferenciar** [1b] be in conference, confer; **conferencista** m/f S.Am. lecturer; **conferir** [3i] v/t. dignidad confer, bestow (a on); premio award (a to); negocio discuss; v/i. confer.

confesar [1k] v/t. confess (a. eccl.), own up to, admit; v/i., **～se** confess (con to), make one's confession; **confesión** f confession; **confes(i)onario** m confessional; (garita a.) confession box; **confesor** m confessor.

confiado (presumido) vain, conceited; (crédulo) unsuspecting, gullible; ～ **en sí** (mismo) self-confident, self-reliant; **confianza** f confidence (en in); trust (en in), reliance (en on); **confiar** [1c] v/t.: ～ a, ～ en entrust s.t. to; v/i. (have) trust; ～ **en** trust, trust in (or to); rely on, count on; **confidencia** f confidence; de mayor ～ top secret; **confidencial** confidential; **confidente** m, **a** f confidant(e f); informer; detective; spy.

configuración f shape, configuration; **configurar** [1a] form, shape.

confín m limit, boundary; horizon; ～es pl. confines (a. fig.); **confinar** [1a] v/t. confine (a, en in); v/i.: ～ **con** border on; **～se** shut o.s. up.

confirmación f confirmation (a. eccl.); **confirmar** [1a] confirm (a. eccl.; de, por as); endorse, bear out.

confiscación f confiscation; **confiscar** [1g] confiscate.

confitar [1a] preserve; frutas candy; fig. sweeten; **confite** m sweet; **confitería** f confectionery; (tienda) confectioner's, sweetshop; **confitura** f preserve; (mermelada) jam.

conflagración f conflagration; fig. flare-up.

conflictivo conflicting; anguished; troubled; **conflicto** m conflict (a. fig.); (apuro) difficulty, fix.

confluencia f confluence (a. ⚡); **confluir** [3g] meet, join; fig. come together.

conformar [1a] v/t.: ～ a, ～ con adjust s.t. to, bring s.t. into line with; v/i. agree (con with); **～se** conform; ～ **con** original conform to; regla comply with, abide by; **conforme 1.** adj. similar; in agreement, in line (con with); (ps.) agreed; **2.** prp.: ～ **a** in conformity with, in accordance with; **3.** int. ¡～! agreed!, right!, O.K.!; **conformidad** f similarity, conformity; agreement; **de** ～ **con** in accordance with; en ～ accordingly.

confort m comfort; **confortable** comfortable; comforting; **confortante** comforting; **confortar** [1a] invigorate, strengthen; afligido comfort.

confraternidad f confraternity.

confrontación f confrontation; showdown; **confrontar** [1a] v/t. ps. bring face to face, confront (con with); textos compare; v/i. border (con on); **～se** con face, confront.

Confucianismo m Confucianism.

confundir [3a] (mezclar) mix, mingle (con with); b.s. mix up, jumble up; (equivocar) confuse (con with), mistake (con for), mix up; **confusión** f confusion; **confuso** mst confused; cosas a. mixed up, in disorder.

confutar [1a] confute.

conga f popular dance of Cuba; **congal** m Mex. brothel; whorehouse.

congelación f congealing; freezing; **congelado** carne chilled, frozen; 🌡 frost-bitten; **congelador** m freezer; **congeladora** f deep-freeze; **congelar(se)** [1a] (esp. sangre) congeal; freeze; 🌡 get frost-bitten.

congenial kindred; **congeniar** [1b] get on (con with).

congénito congenital.

congestión f congestion; **congestionar** [1a] produce congestion in.

conglomeración f conglomeration; **conglomerar(se)** [1a] conglomerate.

congoja f anguish, distress.

congraciador ingratiating; **congraciarse** [1b] con get into s.o.'s good graces.

congregación f gathering, assembly; *eccl.* congregation; **congregar(se)** [1h] gather, congregate; **congresista** m/f delegate, member (of a congress); **congreso** m congress.

congruencia f suitability; congruence (a. 🅐); congruity.

cónico conical; 🅐 *sección* conic section.

conjetura f conjecture, surmise; **conjeturar** [1a] guess (at) (*de, por* from); ~ *que* surmise that, infer that.

conjugación f conjugation (*a.* biol.); **conjugar** [1h] conjugate.

conjunción f conjunction; **conjunto 1.** united, joint; related *por afinidad*; **2.** m whole; grouping; (*vestido,* ♪) ensemble; *thea.* chorus; *en* ~ altogether, as a whole.

conjura(ción) f conspiracy, plot; **conjurado** m, **a** f conspirator, plotter; **conjurar** [1a] *v/t.* (*suplicar*) entreat, beseech; *v/i.,* ~**se** plot, conspire (together); **conjuro** m conjuration, incantation; (*súplica*) entreaty.

conmemorar [1a] commemorate; **conmemorativo** commemorative; memorial *attr.*

conmigo with me; with myself.

conminar [1a] threaten; **conminatorio** threatening.

conmiseración f pity, sympathy; (*acto*) commiseration.

conmoción f *geol.* shock (*a. fig.*); *fig.* commotion, disturbance; **conmovedor** (*enternecedor*) moving, touching; poignant; (*que perturba*) disturbing; **conmover** [2h] shake, disturb; *fig.* move, touch.

conmutador m ⚡ switch; commutator; *S.Am.* telephone exchange; **conmutar** [1a] exchange (*con, por* for).

connatural innate, inherent.

connotación f connotation; (*parentesco*) distant relationship; **connotar** [1a] connote.

cono m cone (*a.* 🅐); ~ *de proa* nose cone (of rocket).

conocedor m, **-a** f connoisseur, (good) judge (*de* of); expert (*de in*); **conocer** [2d] *v/t.* know; be familiar with; distinguish, tell (*en, por* by); *peligro etc.* recognize; (*llegar a* ~) *p.* meet; *v/i.* know; ~ *de, en* know a lot about; ~**se** know o.s.; (*dos ps.*) (*estado*) know each other; (*acto*) meet, get to know each other; **conocido 1.** *p.*

etc. well-known; familiar; noted (*por* for); **2.** m, **a** f acquaintance; **conocimiento** m knowledge; understanding; ⚕ consciousness; (*p.*) acquaintance; ⚓ bill of lading; ~**s** *pl.* knowledge (*de* of); information (*de* about); *poner en* ~ *a* inform, let *s.o.* know.

conque 1. (and) so, (so) then; **2.** m ℱ condition (*para* of).

conquense *adj. a. su.* m/f (native) of Cuenca.

conquista f conquest; **conquistador** m, **-a** f conqueror; *hist.* conquistador; **conquistar** [1a] conquer (*a* from); *fig.* win over.

consabido well-known; well established; above-mentioned.

consagración f consecration; **consagrado** consecrated (*a* to); *expresión* time-honored; **consagrar** [1a] consecrate (*a* to); deify; ~**se** *a* devote o.s. to.

consanguíneo related by blood, consanguineous.

consciente conscious (*de* of).

conscrito m *S.Am.* recruit; conscript.

consecución f acquisition; **consecuencia** f consequence, outcome; consistency *de conducta;* **consecuente** *phls.* consequent; *conducta etc.* consistent; **consecutivo** consecutive (*a. gr.*); **conseguir** [3d *a.* 3l] obtain, get, secure; ~ *inf.* succeed in *ger.*

conseja f (fairy-)tale; **consejero** m, **a** f adviser; *pol.* councillor; **consejo** m (*dictamen*) advice, counsel; (*un* ~) piece of advice; hint; *pol. etc.* council; 🜨 tribunal, court; ⛪ *etc.* board.

consenso m (unanimous) assent, consensus; **consentido** *niño* spoilt; *marido* complaisant; **consentimiento** m consent; **consentir** [3i] *v/t.* consent to; permit, allow (*a.* 🜨; *que alguien subj.* s.o. to *inf.*); (*tolerar, admitir, posibilidad*) admit; *niño* pamper, spoil; *v/i.* consent, say yes, agree (*en* to).

conserje m porter; caretaker, janitor; **conserjería** f porter's office.

conserva f (*en general*) preserved foods; (*fruta etc.*) preserve(s); (*mermelada*) jam; (*carne etc.*) pickle; ~**s** *pl.* alimenticias canned goods; **conservación** f preservation *etc.*; 🜨 *freq.* upkeep; **conservador 1.** preserv-

contado

ative; *pol.* conservative; **2.** *m,* **-a** *f*
pol. conservative; **3.** *m* 🕮 curator;
conservar [1a] *p., salud, frutas,* ⬔
preserve; *esp.* 🕮 conserve; can, tin
en lata; costumbres, hacienda etc.
keep up; **~se** last (out); ~ (*bien*)
keep (well); 🗲 take good care of
o.s.; **conservatismo** *m* conserva-
tism; **conservativo** preservative,
conservative; **conservatorio** *m* ♪
conservatory; *S.Am.* greenhouse.
considerable considerable, substantial, sizeable; **consideración** *f*
consideration; respect, regard; *en* ~ *a*
considering, in consideration of; *ser*
de ~ be important, be of consequence; **considerado** (*amable*) con-
siderate, thoughtful; respected;
deliberate; **considerar** [1a] consider
(*que* that; *como* as, to be, *or acc.*),
regard (*como* as); show consideration
for, respect.
consigna *f* order; slogan; ✕, *pol.*
watchword; 🚂 cloakroom, checkroom; **consignación** *f* consignment; deposit; **consignar** [1a] (*en-*
viar) consign; dispatch, remit (*a*
to); deposit; *renta* etc. assign (*para*
to).
consigo with him, with her, with you
etc.
consiguiente consequent (*a* upon);
por ~ consequently, so, therefore.
consistencia *f* consistency, consist-
ence etc.; **consistente** consistent;
solid, substantial; **consistir** [3a]: ~
en consist of (*or* in); lie in.
consocio *m* fellow-member; ✝ partner, associate.
consolación *f* consolation; **consolar**
[1m] console, comfort.
consolidación *f* consolidation; **con-**
solidar [1a] consolidate (*a.* ✝, *fig.*);
fig. a. strengthen, cement.
consonancia *f* consonance (*a. gr.*),
harmony; **consonante 1.** *adj. a. su.f*
consonant; **2.** *m* rhyming word,
rhyme; **consonar** [1m] ♪ be in
harmony (*a. fig.*); *lit.* rhyme.
consorcio *m* ✝ consortium; association; **consorte** *m/f* consort.
conspicuo eminent, prominent.
conspiración *f* conspiracy; **con-**
spirador *m,* **-a** *f* conspirator; **cons-**
pirar [1a] conspire, plot (*contra*
against); ~ *a inf.* conspire to *inf.*
constancia *f* constancy; steadiness
etc.; proof, evidence; **constante 1.**
constant, steady; *amigo* etc. faithful,

staunch; (*duradero*) lasting; **2.** *f* ⟨⟩
constant; **constar** [1a]: ~ *de* be clear
from, be evident from; consist of; ~
en be on record in; ~ *por* be shown
by; *hacer* ~ record; certify; reveal
(*que* that).
constelación *f* constellation; climate; **constelado** starry.
consternación *f* consternation, dismay; **consternar** [1a] dismay.
constipado *m* 🗲 (head)cold; **consti-**
parse [1a] catch a cold.
constitución *f* constitution; **consti-**
tuir [3g] constitute; *colegio* etc. set
up, establish; *principios* etc. enter (*en*
into); **~se** *en,* ~ *por* set (o.s.) up as;
constitutivo *adj. a. su. m* constituent; **constituyente** *pol.* constituent.
constreñir [3h *a.* 3l] force (*a inf.* to
inf.); 🗲 constipate; **constricción** *f*
constriction.
construcción *f* building, construction (*a. gr.*); **constructor 1.** building, construction *attr.*; **2.** *m* builder;
construir [3g] construct (*a.* ⟨⟩),
build; *edificio freq.* put up.
consuelo *m* consolation, solace; joy,
comfort.
consuetudinario habitual; 🕮 common.
cónsul *m* consul; **consulado** *m*
consulship; consulate.
consulta *f* consultation; (*parecer*)
opinion; *de* ~ *libro* etc. reference
attr.; **consultación** *f* consultation;
consultar [1a] consult; *referencia*
look up; *asunto* discuss, take up (*a,*
con with); (*aconsejar*) advise; consultant; **consultorio** *m* information
bureau; 🗲 surgery, consulting room.
consumación *f* consummation; end;
consumado consummate, perfect;
accomplished (*en* in); **consumar**
[1a] carry out, accomplish.
consumición *f* consumption etc.;
food or drink taken in a café etc.;
consumidor *m* ✝ consumer; (*clien-*
te) customer; **consumir** [3a] *met*
consume; F get on *s.o.*'s nerves; **~se**
burn out, be consumed *en fuego*; 🗲
waste away (*a. fig.*); **consumo** *m,*
consunción *f* consumption.
contabilidad *f* accounting, book-
keeping; (*profesión*) accountancy;
contabilista *m/f* accountant; book-
keeper.
contacto *m* contact.
contado 1. *adj.* ~*s pl.* few; rare; **2.**
adv.: *al* ~ cash down, (for) cash; *po*

**C
CH**

de ~ naturally; **contador** *m* counter
de café; ✝ accountant, book-keeper;
⊕ meter; ~ de *Geiger* Geiger counter;
~ *público titulado* certified public accountant; **contaduría** *f* accountancy; book-keeping.
contagiar [1b] infect (*con* with; *a.
fig.*); **~se** become infected; ~ de ✝
catch; **contagio** *m* contagion (*a.
fig.*); (*enfermedad*) infection; **contagioso** contagious; *p.* infectious.
contaminación *f* contamination;
(*baldón*) stain; ~ *ambiental* environ-
mental pollution; **contaminar** [1a]
contaminate (*a. fig.*); *agua* pollute;
vestido soil; *texto* corrupt.
contar [1m] *v/t.* ✝ *etc.* count (*por
dedos* on); (*considerar*) count (*entre*
among, *por* as); *historia* tell; ~ *inf.*
count on *ger.*, expect to *inf.*; *sin* ~ not
counting, not to mention; *v/i.* count;
~ *con* rely on, count on.
contemplación *f* contemplation; **~es**
pl. indulgence; **contemplar** [1a]
gaze at, look at; *fig., eccl.* contemplate; **contemplativo** contempla-
tive.
contemporáneo *adj. a. su. m*, **a** *f*
contemporary.
contender [2g] contend; compete, be
rivals (*en* in); ~ *con* fight with, *fig.*
dispute with (*sobre* over); **contendiente** *m* contestant.
contenedor *m* container; **contener**
[2l] contain (*a.* ⚔️); hold; *multitud*
keep in check; *rebeldes* keep down;
emoción keep back; **~se** *fig.* hold o.s.
in check, contain o.s.; **contenido** 1.
fig. restrained; 2. *m* contents.
contentamiento *m* contentment;
contentar [1a] satisfy, content; ✝
endorse; **~se** *con*, ~ *de* be contented
with, be satisfied with; **contento** 1.
contented; (*alegre*) pleased; glad,
happy; *estar* ~ *de* be glad about; 2. *m*
joy, contentment.
conteo *m* calculation; reckoning;
count.
contestación *f* answer, reply; ⚖️ ~ *a la
demanda* plea; **contestar** [1a] answer
(*a. v/i.* ~ *a*); ⚖️ corroborate; **contesto**
m reply; answer.
contexto *m* lit. context; (*enredo*)
interweaving, web; **contextura** *f*
contexture; make-up *de p.*
contienda *f* struggle, contest.
contigo with you; (✝, *a. Dios*) with
...
ontiguo adjacent (*a* to), adjoining.

continente 1. continent; 2. *m geog.*
continent; (*vasija*) container; *fig.* air,
mien; (*porte*) bearing.
contingencia *f* contingency; **contingente** 1. contingent; 2. *m* contingent (*a.* ⚔️); ✝ *etc.* quota.
continuación *f* continuation; *a* ~
later (on); below *en texto*; **continuar**
[1e] *v/t.* continue, go on with; *v/i.*
continue, go on (*con* with; *ger. ger.*);
~(se) *con geog.*, △ adjoin, connect
with; **continuidad** *f* continuity;
continuance; **continuo** 1. continuous; continual; ⊕ *cinta etc.* endless;
2. *m* continuum.
contonearse [1a] swagger, strut.
contorno *m* form, shape; *paint. etc.*
outline; **~s** *pl.* environs.
contorsión *f* contortion.
contra 1. *prp.* against (*a. en* ~ *de*); △
opposite, facing; 2. *adv.* (*en*) ~
against; *opinar etc.* *en* ~ disagree; 3. *m
v. pro.*
contra...: **~almirante** *m* rear admiral; **~ataque** *m* counterattack; **~bajo**
m double bass; **~balanza** *f* counterbalance; contrast; **~bandista** *m/f*
smuggler; **~bando** *m* (*acto*) smug-
gling; (*géneros*) contraband.
contracción *f* contraction.
contra(con)ceptivo *m* contraceptive.
contracorriente *f* cross-current.
contracultura *f* counterculture.
contra...: **~decir** [3p] contradict;
~dicción *f* contradiction; *fig.* incom-
patibility; **~dictorio** contradictory.
contraer [2p] *mst* contract; *discurso*
condense; *contrato etc.* enter into.
contra...: **~espionaje** *m* counter-
espionage; (*A*) *fuerte* *m* △ buttress;
geog. spur; **~hacer** [2s] copy,
imitate; *moneda* counterfeit; *documento* forge, fake; *p.* impersonate;
~hecho counterfeit, fake(d); *anat.*
hunchbacked; **~hechura** *f* conter-
feit; counterfeiting *etc.*
contra...: **~maestre** *m* ⊕ foreman;
⚓ warrant-officer; **~mandar** [1a]
countermand; **~marcha** *f* ⚔️ countermarch; *mot. etc.* reverse; **~mar-
char** [1a] countermarch; **~orden** *f*
counter-order; **~pelo**: *a* ~ the wrong
way; *fig.* against the grain; **~pesar**
[1a] (counter)balance (*con* with); *fig.*
offset, compensate for; **~peso** *m*
counterbalance, counterweight; ✝
makeweight; **~prestación** *f* return
favor; quid pro quo; **~producente**
self-defeating.

copa

contrariar [1c] go against, be opposed to; (*estorbar*) impede, thwart;
(*molestar*) annoy; **contrariedad** *f*
opposition; obstacle; (*disgusto*)
bother, annoyance; **contrario 1.**
contrary (*a* to); (*nocivo*) harmful (*a*
to); (*enemigo*) hostile (*a* to); *lado*
opposite; *suerte* adverse; *al ~, por lo
~* on the contrary; **2.** *m,* **a** *f* (*p.*)
enemy, adversary; *₫₺ etc.* opponent;
3. *m* contrary, reverse (*de* of).
contra...: **₫reforma** *f* Counter-
reformation; **.rrestar** [1a] coun-
teract; offset; *pelota* return; **~
seña** *f* countersign (*a. ✕*); *thea.*
ticket.
contrastar [1a] *v/t.* resist; **✝** *metal*
assay, hallmark; *medidas* check;
radio: monitor; *v/i.* contrast (*con*
with); **contraste** *m* contrast; **✝**
assay; (*marca del*) ~ hallmark; *en ~
con* in contrast to.
contrata *f* contract; *por ~* by contract;
contratar [1a] negotiate for, contract for; *p.* hire, engage; *jugador etc.*
sign up.
contratiempo *m* setback, reverse.
contratista *m/f* contractor; **contrato**
m contract.
contra...: **.validación** *f* validation
(of a document); confirmation; **.va-
lidar** validate; confirm; **.veneno** *m*
antidote (*de* to); **.venir** [3s]: ~ *a*
contravene, infringe; **.ventana** *f*
shutter.
contribución *f* contribution; (*carga*)
tax; ~es *pl.* taxes, taxation; **contribuir** [3g] contribute (*a, para* to,
towards; *a inf.* to *ger.*); **contribuyente** *m* contributor; *esp.* taxpayer.
contrición *f* contrition.
contrito contrite.
control *m* control; inspection,
check(ing); **✝** (*cuenta*) audit; **con-
trolador** *m* controller; ~ *aéreo* air
traffic controller; **controlar** [1a]
control; check; **✝** audit.
controversia *f* controversy; **con-
trovertir** [3i] argue (*v/t.* over).
contumacia *f* obstinacy *etc.*; *₫₺*
contempt (of court); **contumaz**
obstinate; wayward, perverse.
contusión *f* bruising, contusion.
convalecencia *f* convalescence; **convalecer** [2d] get better, convalesce
(*de* after); **convaleciente** *adj. a. su
m/f* convalescent.
convección *f* convection.
convencer [2b] convince (*de* of, *de*

que that); **convencimiento** *m* (act
of) convincing; conviction.
convención *f* convention; **convencional** conventional.
conveniencia *f* suitability *etc.*; (*conformidad*) agreement; conformity;
conveniente (*apropiado*) suitable;
fit(ting); proper, right; **convenio** *m*
agreement; **convenir** [3s] agree (*con*
with; *en* about, on; *en inf.* to *inf.*; *en
que* that); ~ *a* suit, be suited to;
conviene a saber namely; **.se** come to
an agreement, agree.
convento *m* monastery; ~ (*de monjas*)
convent, nunnery; **conventual** conventual.
convergencia *f* convergence; *fig.*
concurrence; **converger** [2a], **convergir** [3c] converge (*en* on); *fig.*
concur.
conversación *f* conversation, talk;
conversar [1a] converse.
conversión *f* conversion; **converso**
m, **a** *f* convert; **convertible** convertible; **convertir** [3i] convert;
ojos, armas, pensamientos turn; **.se**
eccl. be(come) converted.
convexidad *f* convexity; **convexo**
convex.
convicción *f* conviction; **convicto**
convicted, found guilty.
convidado *m,* **a** *f* guest; **convidar**
[1a]: ~ *a* invite *s.o.* to; *bebida esp.* treat
to, stand; **.se** volunteer.
convincente convincing.
convite *m* invitation; party, banquet.
convivencia *f* living together, life
together; **convivir** [3a] live together; share the same life.
convocar [1g] summon; call.
convoy *m* ⚓ convoy; ⊕ train; F
procession; **convoyar** [1a] escort.
convulsión *f* convulsion (*a. fig.*);
convulsionar [1a] convulse.
conyugal married, conjugal; **cón-
yug(u)e** *m/f* spouse, partner; ~s *pl.*
married couple, husband and wife.
coñac *m* brandy.
¡coño! (*enojo*) damn it all!; (*sorpresa*)
well I'm damned!; (*injuria a p.*)
idiot!
cooperar [1a] cooperate (*a* in); ~ *en*
take part (together) in; **cooperativa**
f cooperative; (*mutual*) association;
cooperativo cooperative.
cooptar [1a] coopt.
coordinación *f* coordination; **coordinar** [1a] coordinate.
copa *f mst* glass; *poet.* goblet; *depor*

tes: cup (*a. fig. de dolor*); crown *de sombrero*; ♀ top; *naipes*: ∼*s pl.* hearts.

copete *m anat.* tuft (of hair); forelock *de caballo*; *orn.*, *geog.* crest; *de alto* ∼ aristocratic; important; *tener mucho* ∼ be stuck-up.

copia *f* copy; abundance; ∼ *al carbón* carbon copy; **copiadora** *f* duplicator; copying machine; **copiar** [1b] copy (*a. fig.*); *dictado* take down; **copioso** copious, plentiful; **copista** *m/f* copyist.

copita *f* (small) glass.

copla *f* verse; ♪ popular song, folk-song; ∼*s pl.* verse(s), poetry.

copo *m* ⊕ tuft; ∼ *de nieve* snowflake.

coqueta 1. flirtatious; coquettish; 2. *f* flirt, coquette; **coquetear** [1a] flirt (*con* with); **coqueteo** *m*, **coquetería** *f* flirtation; flirtatiousness, coquetry.

coraje *m* (*ira*) anger; (*ánimo*) (fighting) spirit.

coral[1] ♪ 1. choral; 2. *m* chorale.

coral[2] *m zo.* coral.

Corán *m* Koran; **coránico** Koranic.

coraza *f hist.* cuirass; ⚓ armorplate; *zo.* shell.

corazón *m* heart (*a. fig.*); *naipes*: ∼*es pl.* hearts; *duro de* ∼ hardhearted; *de* ∼ *adv.* willingly; *de buen* ∼ kind-hearted; *de todo* ∼ from the heart; **corazonada** *f* rash impulse; presentiment, hunch.

corbata *f* (neck)tie; ∼ *de lazo* = **corbatín** *m* bowtie.

corcova *f* hunchback, hump; **corcovado** 1. hunchbacked; 2. *m*, **a** *f* hunchback; **corcovar** [1a] bend (over); **corcovear** [1a] buck, plunge.

corchete *m* snap-fastener, clasp; *sew.* hook and eye; *typ.* bracket; ⚖ † constable.

corcho *m* cork; cork mat *para mesa*; *perca*: float; **corchoso** corky.

cordel *m* cord, line; *a* ∼ in a straight line.

corderillo *m*, **corderina** *f* lambskin; **cordero** *m*, **a** *f* lamb (*a. fig.*); (*piel de*) ∼ lambskin.

cordial 1. cordial; heartfelt; *pharm.* tonic; 2. *m* cordial; **cordialidad** *f* warmth, cordiality; frankness.

cordillera *f* (mountain) range.

cordobán *m* cordovan (leather); **cordobés** *adj. a. su. m*, **-a** *f* Cordovan.

cordón *m* cord (*a. anat.*); (shoe-) lace *de zapato*; ∠ flex; ⚓ strand *de cuerda*; cordon *de policía etc.* (*a.* ✗, ⚓);

cordoncillo *m sew.* rib; milling, milled edge *de moneda*.

cordura *f* good sense, wisdom.

cornada *f* goring; **cornadura** *f*, **cornamenta** *f* horns; antlers.

córnea *f* cornea.

cornear [1a] gore, butt.

corneja *f* crow.

corneta 1. *f* bugle; ∼ (*de llaves*) cornet; ∼ (*de monte*) hunting horn; 2. *m* ✗ bugler; ♪ cornet player.

cornucopia *f* cornucopia; **cornudo** 1. horned; 2. *m* cuckold.

coro *m* ♪ (*pieza*), *thea.*, *fig.* chorus; *ps.*, *eccl.*, ⚛ choir; *a* ∼ in a chorus.

corona *f* crown; *ast.* corona; *meteor.* halo; *eccl.* tonsure; ∼ (*de flores*) chaplet; wreath; **coronación** *f* coronation; **coronar** [1a] crown (*con, de* with; *por rey acc.*); **coronario** coronary.

coronel *m* colonel.

coronilla *f* crown, top of the head; F *estar hasta la* ∼ be fed up.

corotos *m/pl.* belongings; utensils; implements.

corpa(n)chón *m* F, **corpazo** *m* F carcass.

corpiño *m* bodice.

corporación *f* corporation; association; **corporal** corporal, bodily; *higiene etc.* personal; **corporativo** corporate; **corpóreo** corporeal, bodily; **corpulento** stout; *esp. p.* burly; **Corpus** *m* Corpus Christi; **corpúsculo** *m* corpuscle.

corral *m* (farm)yard; ∼ *de madera* timber-yard; F ∼ *de vacas* slum; **corralillo** *m* playpen.

correa *f* (leather) strap; thong; *esp.* ⊕ belt; (*calidad*) leatheriness; ∼ *sin fin* endless belt.

corrección *f* correction; (*castigo*) punishment; (*formalidad*) correctness; **correcto** correct (*a. fig.*), right; *fig.* polite; *facciones etc.* regular.

corredizo sliding; *nudo* running, slip *attr.*; *grúa* travelling; **corredor** *m*, **-a** *f* runner; ♠ agent, broker; ∼ *de bolsa* (stock-)broker; ∼ *de casas* house agent.

corregidor *m hist.* chief magistrate; **corregir** [3c *a.* 3l] correct; put right; (*castigar*) punish, reprimand.

correlación *f* correlation; **correlacionar** [1a] correlate.

correligionario *m*, **a** *f* coreligionist.

correlón *S.Am. adj.* fast; swift; *Col.*, *Mex.* cowardly.

correo *m* ✍ post, mail (*a.* ~*s pl.*); (*p.*) courier; ✍ postman; (*tren*) ~ mail train; (*casa de*) ~*s pl.* post office; ~ aéreo airmail; ~ diplomático courier; ~ urgente special delivery.

correoso leathery, tough.

correr [2a] **1.** *v/t.* *terreno* traverse, travel over; ✗ overrun; *caballo* race; *toros* fight; (*acosar*) chase, pursue; *cortina* draw (back); *vela* (un)furl; **2.** *v/i.* run (*a. líquido, plazo, fig.*); (*líquido a.*) flow; (*surtidor*) play; (*viento*) (*tiempo*) pass, elapse; (*moneda*) pass; *a todo* ✗ at full speed; **3.** ~**se** (*deslizarse*) slide (*por along*); (*derretirse*) melt; (*vela*) gutter; *fig.* get embarrassed; (*excederse*) go too far; **correría** *f* ✗ raid, foray, excursion.

correspondencia *f* correspondence (*a.* ✍); communication(s); return *de afecto*; gratitude; **corresponder** [2a] correspond (*con* to, tally (*con* with); ⚕ communicate; ~**se** correspond (*a.* ✍; *con* with); (*en afecto etc.*) agree; have regard for one another; **correspondiente 1.** *a.* ᚨ corresponding; respective; **2.** *m* correspondent; **corresponsal** *m* (newspaper) correspondent.

corretaje *m* brokerage; **corretear** [1a] gad about; (*jugando*) run around; **correve(i)dile** *m* ꟻ gossip.

corrida *f* run, dash; ~ *de toros* bull-fight; *de* ~ fast; **corrido** *fig.* sheepish, abashed; *S.Am.* continuous; uninterrupted; *de* ~ fluently.

corriente 1. *agua etc.* running; *estilo* flowing, fluid; *mes etc.* present; *cuenta* current; *moneda* accepted, normal; common, ordinary, everyday; *procedimiento* normal, standard; **2.** *m* current month; *el 10 del* ~ the 10th inst.; *estar al* ~ *de* be informed about; **3.** *f* current (*a. fig.*, ⚡; *alterna* alternating, *continua* direct), stream.

corrillo *m* knot of people, huddle; *fig.* clique, coterie.

corrimiento *m* ⚔ discharge; ~ (*de tierras*) landslide; *fig.* embarrassment, sheepishness.

corro *m* ring, circle (of people).

corroboración *f* corroboration *etc.*; **corroborar** [1a] strengthen; *fig.* corroborate.

corroer [2za] corrode (*a. fig.*); *geol.* erode.

corromper [2a] corrupt (*a. fig.*);

madera rot; *comida, placeres* spoil; *juez* bribe; *mujer* seduce.

corrosión *f* corrosion; *geol.* erosion; **corrosivo** *adj. a. su. m* corrosive.

corrupción *f* corruption; corruptness; ✝, ⚖ *a.* graft; rotting *etc.*; **corrupto** corrupt.

corso *adj. a. su. m, a f* Corsican.

corta...: ~**bolsas** *m* pickpocket; ~**césped** *m* lawn mower; ~**circuitos** *m* circuit-breaker.

cortada *f S.Am.* gash; cut; **cortador 1.** cutting; **2.** *m*, ~**a** *f* cutter (*a.* ⊕); **cortadura** *f* cut; (*acto*) cutting (*a. de periódico*); *geog.* pass; **cortalápices** *m* pencil sharpener.

cortaplumas *m* penknife.

cortar [1a] **1.** *v/t.* cut (*a.* ᚨ, *naipes*); (*recortar, suprimir*) cut out; (*amputar*) cut off; *carne* carve; *árbol etc.* cut down; *enemigo, provisión, región* cut off; **2.** *v/i.* cut (*a. naipes*); (*frío etc.*) be biting; **3.** ~**se** (*manos*) get chapped; (*leche*) turn (sour); (*p.*) get embarrassed, get tongue-tied.

cortauñas *m* nail clipper.

corte[1] *m* cut; (*acto*) cutting; (*filo*) edge; (*tela*) piece, length; *S.Am.* harvest; ⚕, ᚨ (cross) section; ⚡ failure, cut.

corte[2] *f* court (*a. S.Am.* ⚖); (*patio*) court(yard); (*corral*) yard; (*ciudad*) capital (city); *la* ⚥ *freq.* Madrid; ~*s pl.* Spanish parliament.

cortedad *f* shortness *etc.*; *fig.* bashfulness; backwardness *etc.*

cortejar [1a] attend; *mujer, poderoso* court; **cortejo** *m* courting; (*séquito*) entourage.

cortés polite, courteous; courtly; **cortesana** *f* courtesan; **cortesano 1.** of the court; = *cortés*; **2.** *m* courtier; **cortesía** *f* politeness; courtesy; title.

corteza *f* bark *de árbol*; peel, skin, rind *de fruta*; crust *de pan*.

cortijo *m* farm(house).

cortina *f* curtain; ~ *de hierro fig.* iron curtain.

corto short; brief; slight; (*escaso*) scant(y), deficient; (*defectuoso*) defective; *fig.* (*tímido*) bashful, shy; ~**circuito** *m* short circuit.

corunés *adj. a. su. m,* ~**a** *f* (native) of Corunna.

corvadura *f* curve (*a.* ⚕), bend; curvature; **corvo** curved, arched.

cosa *f* thing; (*algo*) something; (*no ..* ~) nothing; ~ *de* about, a matter of; ⚡

~ de 2 horas it takes about 2 hours; ¡~s pl. de España!: contp. what can you expect in Spain?; otra ~ something else; poca ~ nothing much; como si tal ~ as if nothing had happened; es poca ~, no es gran ~ it isn't up to much.

coscorrón m bump on the head.

cosecha f crop, harvest (a. fig.); (acto) harvesting; (época) harvest time; de ~ propia ⚘ home-grown; **cosechar** [1a] harvest, gather (in); esp. fig. reap.

coseno m cosine.

coser [2a] sew (up, on); stitch (up); a. 🐝); fig. join closely (con to); ~se con become attached to; **cosido** m sewing.

cosmético adj. a. su. m cosmetic.

cósmico cosmic; **cosmonauta** m/f cosmonaut; **cosmonave** f spaceship; **cosmopolita** adj. a. su. m/f cosmopolitan.

cosquillar [1a] tickle; **cosquillas** f/pl. tickling (sensation); tener ~ be ticklish; tener malas ~ be touchy; **cosquillear** [1a] tickle; **cosquilleo** m tickling (sensation); **cosquilloso** ticklish; fig. touchy.

costa[1] f ✝ cost, price; ~s pl. ⚖ costs; a toda ~ at any price.

costa[2] f ⚓ coast; coastline, (sea-)shore; **costado** m anat., ⚓ side; ✕ flank; **costal** m sack, bag; F ~ de huesos bag of bones.

costar [1m] cost (a. fig.); fig. cost dear(ly); cuesta caro it costs a lot.

costarricense adj. a. su. m/f, **costarriqueño** adj. a. su. m, a f Costa Rican.

coste m cost, price; ~-beneficio adj. cost-benefit; **costear**[1] [1a] pay for, defray the cost of.

costear[2] [1a] ⚓ (sail along the) coast.

costero coastal; coasting.

costilla f rib; ~s pl. F back.

costo m cost; ~ de la vida cost of living; **costoso** costly, expensive.

costra f crust; 🐝 scab; **costroso** crusty, incrusted; 🐝 scabby.

costumbre f custom, habit; ~s pl. customs, ways; (moralidad) morals; de ~ usual(ly); como de ~ as usual.

costura f sewing, needlework, dressmaking; (unión) seam; alta ~ fashion-designing; **costur(e)ar** [1a] C.Am., Mex. sew; **costurera** f dressmaker, mistress.

~r [1a] compare, collate; **cotejo** ~arison, collation.

daily, everyday.

cotización f quotation, price en bolsa; quota; dues de asociación; **cotizar** [1f] quote (en at); cuota fix.

coto m ⚘ enclosed pasture; preserve de caza; (mojón) boundary post; poner ~ a put a stop to.

cotorra f parrot; (urraca) magpie; **cotorrear** [1a] chatter (away); **cotorreo** m chatter, gabble.

coyuntura f anat. joint; fig. juncture, occasion; opportunity.

coz f kick (a. ✕); (culata) butt; F insult; dar coces, dar de coces a kick.

crac m ✝ crash; ¡~! snap!, crack!

cráneo m skull, cranium 🔲.

crápula f drunkenness; fig. dissipation; **crapuloso** drunken; fig. dissipated.

crasitud f fatness; **craso** p. fat; líquido thick, greasy; fig. gross, crass.

cráter m crater.

creación f creation; **crear** [1a] create, make; idea etc. originate; found, establish.

crecer [2d] mst grow (a. fig.; en in); increase; (luna) wax; (precio, río) rise; ~se assume greater authority (over importance); **creces** f/pl. increase; **crecida** f spate, flood; **creciente 1.** growing, increasing; ast. cuarto ~ crescent (moon); **2.** m crescent; **3.** f ⚓ ~ (del mar) high tide; ast. crescent moon; **crecimiento** m growth, increase; ✝ rise in value; ~ cero zero growth.

credenciales f/pl. credentials; **crédito** m mst credit; authority, standing; (creencia) belief; a ~ on credit.

credo m creed; F en menos que se canta un ~ in a jiffy; **credulidad** f credulity, gullibility; **crédulo** credulous, gullible; **creencia** f belief; **creer** [2e] believe (en in; que that); think (que that); ¡ya lo creo! you bet (your life)!, rather!; ~se believe o.s. (to be); **creíble** believable, credible; **creído** credulous; S.Am. gullible.

crema f (nata) cream (a. fig.); (natillas) custard, cream; (cosmético) cold cream; ~ dental (or dentífrica) tooth-paste.

cremación f cremation.

cremallera f ⊕ rack; (cierre de) ~ zipper.

crencha f parting; part.

crepitar [1a] (leña etc.) crackle; (tocino) sizzle; crepitate (a. 🐝).

crepuscular twilight; luz ~ = **crepúsculo** m twilight, dusk.

crespo curly; *estilo* involved; *p.* cross; **crespón** *m* crape.

cresta *f* crest.

creta *f* chalk; **cretáceo** cretaceous.

cretino *m* cretin (*a. fig.*).

cretona *f* cretonne.

creyente *m/f* believer.

creyón *m* crayon.

cría *f* keeping, breeding *etc.*; (*pequeño*) young child *or* animal; (*conjunto*) litter, young, brood; **criada** *f* maid, servant; **criadero** *m* ♀ nursery; *zo.* breedingground; ✂ vein; **criado 1.:** *bien* ~ well-bred, well brought up; *mal* ~ ill-bred; **2.** *m* servant; **criador** *m* breeder; **crianza** *f* raising, rearing; **criar** [1c] *ganado etc.* keep, breed, raise; (*educar*) bring up; (*cebar*) fatten; **~se** ♀ *etc.* grow; **criatura** *f* creature (*a. fig.*); (*nene*) infant, baby.

criba *f* sieve, screen; **cribar** [1a] sift, sieve, screen.

crimen *m* crime; **criminal** *adj. a. su. m/f* criminal; **criminología** *f* criminology.

crin *f* mane (*a.* ~es *pl.*); horsehair.

criollo *adj. a. su. m,* **a** *f* Creole.

cripta *f* crypt.

crisis *f* crisis; ~ *nerviosa* nervous breakdown; ~ *energética* energy crisis.

crisol *m* crucible; *fig.* melting pot.

crispar [1a] make *s.t.* twitch; **~se** twitch.

cristal *m* glass, crystal (*a. phys., poet.*); (*hoja*) pane (of glass); (*espejo*) mirror; *de* ~ glass *attr.*; ~ *tallado* cut glass; **cristalería** *f* (*arte*) glasswork; (*fábrica*) glass works; (*objetos*) glassware; **cristalino** *phys.* crystalline; *agua* limpid; **cristalizar(se)** [1f] crystallize.

cristiandad *f* Christendom; **cristianismo** *m* Christianity; **cristianizar** [1f] Christianize; **cristiano 1.** *adj. a. su. m,* **a** *f* Christian; **2.** *m* good soul; ℉ (*p.*) (living) soul; (*idioma*) Spanish; **cristo** *m* crucifix.

criterio *m* criterion; yardstick; (*juicio*) judgement.

crítica *f* criticism; (*reseña*) review; **criticador 1.** critical; **2.** *m,* **-a** *f* critic; **criticar** [1g] criticize; **crítico 1.** critical; **2.** *m* critic; **criticón 1.** faultfinding, (over)critical; **2.** *m,* **-a** *f* faultfinder, critic.

croar [1a] croak.

croata *adj. a. su. m/f* Croat(ian).

croché *m* crochet (work).

cromo *m* chromium; *paint.* transfer; ℉ color reproduction.

crónica *f* chronicle; account; (*periódico*) newspaper; (*artículo*) report; **crónico** chronic; *vicio* ingrained; **cronista** *m/f* chronicler; (*periodista*) reporter, feature-writer; **cronología** *f* chronology; **cronológico** chronological; **cronómetro** *m* chronometer; *deportes etc.*: stop-watch.

croqueta *f* croquette, rissole *approx.*

croquis *m* sketch.

cruce *m* crossing; Ⱥ *etc.* intersection; ~ *de caminos* cross-roads; **crucero** *m* ⚓ (*barco*) cruiser; ⚓ (*viaje*) cruise; crossing (*a.* ⚓); **cruceta** *f* crosspiece; **crucificar** [1g] crucify; *fig.* mortify; **crucifijo** *m* crucifix; **crucigrama** *m* crossword.

crudeza *f* rawness *etc.*; *con* ~ *hablar* harshly, roughly; **crudo** *comida, seda, tiempo etc.* raw; (*áspero*) rough; *agua, verdad* hard; *legumbres etc.* green, uncooked.

cruel cruel; **crueldad** *f* cruelty.

crujido *m* rustle *etc.*; **crujir** [3a] (*hojas, papel, seda*) rustle; (*madera*) creak; (*hueso*) crack; (*dientes*) gnash, grind.

crustáceo *m* crustacean.

cruz *f* cross (*a. fig.*); tails *de moneda*, crown *de ancla*; Ⱥ *Roja* Red Cross; *¡~ y raya!* that's quite enough!; *hacerse cruces* cross o.s.; *fig.* show one's surprise; **cruza** *f* *S.Am.* intersection; crossbreeding; **cruzada** *f* crusade; **cruzado 1.** crossed; *chaqueta* double-breasted; *zo.* hybrid; **2.** *m hist.* crusader; **cruzar** [1f] *mst* cross; *palabras* have, exchange; **~se** pass each other.

cuaco *m* *S.Am.* horse.

cuaderna *f* ⚓ timber; ⚓ frame; **cuaderno** *m* notebook; (*folleto*) folder; log-book.

cuadra *f* 🐎 stable; 🎖 ward; (*sala*) hall; ✕ hut; *S.Am.* ⬛ block; **cuadrado 1.** square (*a.* Ⱥ); *tela* checkered; **2.** *m* square; (*regla*) ruler; ⊕ die; *sew.* gusset; *typ.* quadrat; **cuadragésimo** fortieth; **cuadrante** *m* Ⱥ, ⚓ quadrant; *radio etc.*: dial; **cuadrar** [1a] *v/t.* square (*a.* Ⱥ); (*agradar*) please; (*convenir*) suit; *v/i.*: ~ square with, tally with; **~se** ✕ come to attention; **cuadricular** ✕ squared; **cuadrilátero** *adj. a. su.* lateral; *boxeo*: ring.

cuadrilla f party, gang; esp. ⚔ squad; group; toros: matador's team; **cuadrillero** m chief, leader.

cuadro m square (a. ⚕); (tabla) table, chart; ⚡ etc. panel; paint. picture (a. televisión), painting; (marco, bastidor) frame; pane de vidrio; thea. scene; lit. (vivid) picture; ~ de mando mot. dashboard; 2 metros en ~ 2 metres square; **cuadrúpedo** adj. a. su. m quadruped; **cuádruple** quadruple.

cuajada f curd; (requesón) cream cheese; **cuajar** [1a] v/t. leche curdle; sangre etc. coagulate, congeal; Mex. tell a lie; v/i. ✝ (proyecto) take shape; (tener éxito) succeed; ~se curdle etc.; set; fig. sleep soundly; F ~ de fill with; **cuajarón** m clot.

cual 1. adj. (such) as, of the kind (that); **2.** pron. el etc. ~ which; (p.) who; lo ~ (a fact) which; **3.** prp. ~ as, like; ~ verb (just) as; ~ ... tal su.: like ... like; verb: just as ... so; **4.** cj.: ~ si as if.

cuál which (one)?; ~(es) ... ~(es) some ... some.

cualidad f quality, characteristic; phls. etc. property.

cualquier(a), pl. cualesquier(a) 1. adj. any (... you like); ~ que whichever, whatever; **2.** pron. anyone; ~ que (cosa) whichever; (p.) whoever; un ~ a nobody.

cuando cj. when; (aunque) (even) if, although; (puesto que) since; quiera whenever; de ~ en ~ from time to time.

cuándo when?; ~ ... ~ sometimes ... sometimes; ¿de ~ acá? how come?

cuantía f quantity; importance; **cuantioso** large, substantial; numerous; **cuantitativo** quantitative.

cuanto 1. adj. all that, as much as, whatever; ~s pl. all that; unos ~s a few, some; **2.** pron. all that (which), as much as; ~s pl. all those that, as many as; **3.** adv. a. cj.: en ~ inasmuch as; tiempo: as soon as, directly; (en) ~ a as for, with regard to.

cuánto how much?; ~s pl. how many?; ~ (tiempo) how long?; ¿a ~s estamos? what is the date?

cuarenta forty; **cuarentena** f (about) forty; ⚕ quarantine.

cuaresma f Lent; **cuaresmal** Lenten.

...arta f ⚕ quarter, fourth; ♣ point; ...an de mano; **cuartear** [1a]

quarter; (descuartizar) cut up; brújula box; ~se crack, split.

cuartel m ⚔ barracks; heráldica: quarter; ⚡ bed; ~es pl. ⚔ quarters; ~ general headquarters; **cuartelazo** m S.Am. (military) takeover; putsch; **cuarteto** m ♪ quartet; poet. quatrain; **cuartilla** f (hoja) sheet; anat. pastern.

cuarto 1. fourth; **2.** m ⚕; ast. quarter; ⚑ room; joint de carne; las 2 y ~ a quarter past 2; las 2 menos ~ a quarter to 2; F no tener un ~ not have a cent.

cuarzo m quartz.

cuatro four (a. su.); (fecha) fourth; las ~ four o'clock; Mex. deceit; swindle; **cuatrocientos** four hundred.

cuba f cask, barrel; (abierta) vat; F boozer.

cubano adj. a. su. m, a f Cuban.

cubertería f silverware, cutlery.

cubeta f keg; (cubo) pail; phot. tray.

cúbico cubic(al); raíz cube attr.; **cubículo** m cubicle.

cubierta f cover(ing); ⊕ casing; ♣ deck; (sobre) envelope; cover, jacket de libro; **cubierto 1.** p.p. of cubrir; **2.** m ⚑ roof; place en mesa; (juego) knife fork and spoon; precio de ~ cover charge; ponerse a ~ take cover, shelter (de from).

cubismo m cubism; **cubista** m cubist.

cubo m bucket, pail; tub; ⊕ drum; hub de rueda; ⚕ cube.

cubrecama m coverlet.

cubrir [3a; p.p. cubierto] mst cover (up, over); con, de with); ⚑ roof; deuda repay; fuego bank up; ~se (con sombrero) put on one's hat.

cucaracha f cockroach.

cuclillas: sentarse en ~ squat, sit on one's heels.

cuclillo m cuckoo; F cuckold.

cuco 1. (bonito) pretty, cute; situación fine; (taimado) crafty; **2.** m orn. cuckoo; F gambler; hacer ~ a poke fun at.

cucurucho m (paper) cone, cornet; (sombrero) horn, hennin.

cuchara f spoon; scoop (a. ♣); ⊕ ladle; **cucharada** f spoonful; meter su ~ butt in conversación; meddle en asunto; **cucharilla** f, **cucharita** f small spoon, teaspoon; **cucharón** m ladle.

cuchichear [1a] whisper; **cuchicheo** m whispering.

cuchilla f (large) knife; chopper de

carnicero; **cuchillada** f (*golpe*) slash; (*herida*) gash; ~s pl. *sew.* slash, slit; *fig.* fight; **cuchillería** f cutlery; ✝ cutler's (shop); **cuchillero** m cutler; **cuchillo** m knife; ⚠ upright.

cuchitril m den, hole; ⚠ hovel.

cuelga f ⚘ bunch; **~capas** m coat hanger; (*mueble*) hall stand.

cuello m neck; collar *de camisa*.

cuenca f wooden bowl; *anat.* (eye-) socket; *geog.* basin, catchment area *de río*; **cuenco** m saucer, shallow basin; *fig.* hollow.

cuenta f ⚕ calculation, count(ing), reckoning; ✝ account, bill; ~ (*de banco*) bank-account; (*registro*) check, tally; (*exposición, narración*) account; bead *de rosario*; ~ *atrás* countdown; *por su propia* ~ on one's own account, for o.s.; *abonar en* ~ *a* credit to (*s.o.'s account*); *ajustar* ~s settle up (con with); *dar* ~ *de* (*narrar*) give an account of; (*explicar*) account for; F finish off; *dar buena* ~ *de sí* give a good account of o.s.; *darse* ~ (*de*) realize; *sin darse* ~ without noticing; *pedir* ~s a bring to account; *perder la* ~ lose count; *tener en* ~ bear in mind, take into account; *¡vamos a* ~s! let's get down to business!

cuentakilómetros m *approx.* milo-meter; speedometer.

cuentista m/f story-teller (*a. b.s.*); *lit.* short story writer.

cuento m story, tale (*a. b.s.*); *lit.* (short) story; F trouble; ~ *de hadas* fairy tale; ~ *de viejas* old wives' tale; *sin* ~ countless; *dejarse de* ~s come to the point.

cuerda f rope; (*delgado*) string (*a.* ♪), cord (*a. anat.*); ⚕, *anat.*, *poet.* chord; *anat.* tendon; spring *de reloj*; ~ *floja* tight-rope; ~ *de plomada* plumbline; ~ *salvavidas* lifeline; *estar en su* ~ be in one's element; *dar* ~ *a reloj* wind (up).

cuerdo sensible; sane.

cuerno m mst horn; antler *de ciervo*; ~ *de la abundancia* horn of plenty; *poner en los* ~s place in danger; *poner los* ~s *a* a cuckold.

cuero m leather; *zo.* skin, hide; pelt *de conejo, zorro*; (*odre*) wineskin; *en* ~s stark naked.

cuerpo m mst body (*a.* ⚕, *ast.*); (*talle*) build, figure; (*grueso*) bulk; ⚘ substance; *sew.* bodice; (*libro*) volume; ⚠ wing, part; ✗, *baile, diplomática*: corps; (*personal*) force, brigade; corporation; ~ *de bomberos* fire-brigade;

~ *de sanidad* medical corps; ~ *a* ~ hand to hand; *a* ~, *en* ~ without a coat.

cuervo m raven.

cuesta f slope; hill *en carretera*; ~ *abajo* downhill; ~ *arriba* uphill; *a* ~s on one's back; *echar etc.* a ~s take on one's shoulders.

cuestión f matter, question, issue; *b.s.* quarrel, dispute; ⚖ problem; ~ *candente, ~ palpitante* burning question; **cuestionar** [1a] question, argue about; place in doubt; **cuestionario** m questionnaire; question paper *en examen*.

cueva f cave; cellar *de casa*.

cuidado m (*esmero*) care; (*aprensión*) worry, concern; (*negocio*) concern, affair; *¡~!* look out!, mind!; (*en paquete*) with care; *¡~ con ...!* careful with ...!; beware of ...!; *¡~ con inf.!* be careful to *inf.*; *al ~ de* care of; *¡no hay* ~!, *¡pierda Vd.* ~! don't worry!; *poner* ~ *en inf.* take great care in *ger.*; *tener* ~ take care; be careful (con of); **cuidadora** f *Mex.* nursemaid; **cuidadoso** careful; mindful (de of); solicitous (de for); concerned, anxious (de, *por resultado etc.* about).

cuidar [1a] *v/t.* take care of, look after (*a.* 🐾); see to; *v/i.*: ~ *de* look after; (*obligación* attend to; ~ *de que* see (to it) that; **~se** ⚘ look after o.s.

cuita f worry, affliction; **cuitado** worried; timid.

culata f *zo.* haunch; butt *de fusil*; breech *de cañón*; head *de cilindro*; **culatazo** m kick, recoil.

culebra f snake; ~ *de cascabel* rattle-snake; **culebrear** [1a] wriggle (along).

culinario culinary.

culminación f culmination; **culminante** highest, top(most); *fig.* outstanding; **culminar** [1a] culminate, reach its highest point.

culo m seat; behind; anus; bottom.

culpa f fault, blame; *esp.* ⚖ guilt; *echar la* ~ *a* blame (de for); *tener la* ~ be to blame (de for); **culpabilidad** f guilt; **culpable 1.** *p.* to blame, at fault; *esp.* ⚖ guilty; *acto* to be condemned, ⚖ culpable; **2.** m/f culprit; *esp.* ⚖ offender, guilty party; **culpado 1.** guilty; **2.** *m*, **a** f culprit; *m*, accused; **culpar** [1a] blame; condemn; ~ *de* accuse *s.o.* of being.

cultivadora f ⚙ cultivator; **cultivador** *m*, **-a** f farmer, cultivator;

grower; **cultivar** [1a] cultivate (*a. fig.*); *tierras a.* work, till; **cultivo** *m* cultivation; (*plantas*) crop; *biol.* culture; **culto** 1. cultured, refined; *gr.* learned; 2. *m* worship; cult (*a of*); *rendir ~ a* worship; *fig.* pay homage to; **cultura** *f* culture; education.

cumbre *f* summit, top; *fig.* summit; *conferencia en la ~* summit meeting.

cumpa *m S.Am.* pal; buddy; comrade.

cumpleaños *m* birthday; **cumplido** 1. full, complete; *p.* courteous; 2. *m* courtesy; *~s pl.* compliments; *de ~ attr.* formal; *por ~* as a compliment.

cumplimentar [1a] congratulate; (*visitar*) pay one's respects to; ⚖ carry out; **cumplimiento** *m* (*acto*) fulfilment *etc.*; (*cumplido*) compliment; courtesy; *de ~ attr.* courtesy *attr.*

cumplir [3a] *v/t. amenaza, deber, promesa* carry out, fulfil; *deseo* realize; *acto* perform; *años* reach; *condena* serve; *hoy cumplo 6 años* I'm 6 (years old) today; *v/i.* (*plazo etc.*) expire; ✗ finish one's service; *~se* be fulfilled *etc.*; (*plazo*) expire.

cumulativo cumulative; **cúmulo** *m* heap; *fig.* lot; *meteor.* cumulus.

cuna *f* cradle (*a. ♏, fig.*); (*asilo*) home; *fig.* family; birth.

cundir [3a] spread (*a. fig.*); (*arroz*) swell; *fig.* multiply.

cuneiforme cuneiform.

cuña *f* wedge; chock *de rueda.*

cuñada *f* sister-in-law; **cuñado** *m* brother-in-law.

cuño *m* (die-)stamp; *fig.* stamp.

cuota *f* quota; share; tuition; fare; *~ de socio* membership fee.

cupo *m* quota; share.

cupón *m* coupon; *~ de racimiento* ration(ing) coupon.

cúpula *f* dome, cupola.

cura¹ *m: ~* (*párroco*) parish priest; (*en general*) priest.

cura² *f* (*acto*) healing; cure; (*método*) cure, treatment; *~ de reposo* rest-cure; *~ de urgencia* emergency treatment; first-aid; **curandero** *m* quack; **cu-**

rar [1a] *v/t. enfermedad, p., carne* cure (de of); *llaga* heal (*a. fig.*); (*tratar*) treat; *piel* tan; *v/i.: ~ de* look after; *palabras etc.* take notice of; *~se* recover (de from), get better.

curiosear [1a] *v/t.* (*mirar*) glance at, look over; (*husmear*) nose out; *v/i.* poke about, nose around; *b.s.* snoop; **curiosidad** *f* curiosity; *b.s.* inquisitiveness; (*objeto*) curio; **curioso** 1. curious; *b.s.* inquisitive; (*aseado*) neat, clean; (*esmerado*) careful; 2. *m*, *a f* bystander, onlooker; *b.s.* busybody; *S.Am.* quack doctor.

curro *prov.* smart; *b.s.* showy; **currutaco** F 1. swell, showy; 2. *m* dude; sport.

cursado experienced, skilled; **cursar** [1a] *lugar* frequent; *asignatura* take; *solicitud* facilitate, dispatch.

cursear [1a] *S.Am.* have diarrhea.

cursi (*de mal gusto*) in bad taste, vulgar; pretentious; affected; (*llamativo*) loud, flashy; (*desaseado*) shabby-genteel, dowdy; **cursilería** *f* vulgarity; pretentiousness *etc.*

cursivo cursive.

curso *m* course; *univ.* (*ps., año*) year; *moneda de ~ legal* legal tender.

curtido 1. *piel* leathery; *tez* tanned, weather-beaten; *estar ~ en* be skilled in; 2. *m* tanning; *~s pl.* tanned hides; **curtidor** *m* tanner; **curtiduría** *f* tannery; **curtir** [3a] tan (*a. fig.*); (*acostumbrar*) inure, harden.

curva *f* curve; *mot. etc. a.* bend; *~ de nivel* contour line; **curvatura** *f* curvature; **curvo** curved.

cúspide *f geog.* peak; ⚕ apex.

custodia *f* care, safe keeping; (*p.*) guard; *eccl.* monstrance; **custodiar** [1b] keep; (*vigilar*) guard, watch over; **custodio** *m* guard(ian), keeper; caretaker.

cususa *f C.Am.* rum.

cutáneo cutaneous.

cúter *m* cutter.

cutícula *f* cuticle.

cutis *m* skin, complexion.

cuyo whose; *en ~ caso* in which case.

¡cuz, cuz! here boy! (*dog*).

Ch

chabanería f (piece of) vulgarity, bad taste; (objeto) shoddy piece of work; **chabacano** vulgar, in bad taste; shoddy; crude.

chacal m jackal.

chacota f fun and games, high jinks; echar a ~, hacer ~ de make fun of; **chacotear** [1a] have fun.

chacra f S.Am. small farm.

chacuaco m C.Am. **1.** cigar butt; **2.** feo; repugnante.

cháchara f F small-talk, chatter; ~s pl. junk.

chafallar [1a] F botch, make a mess of.

chafar [1a] (aplastar) flatten; (arrugar) crumple; F bring s.o. up short.

chafarrinón m stain, spot; echar un ~ a throw dirt at (a. fig.).

chaflán m bevel, chamfer; **chaflanar** [1a] bevel, chamfer.

chal m shawl.

chalado F dotty, round the bend; estar ~ por be crazy about.

chalán m (esp. horse-)dealer.

chalanear [1a] v/t. p. beat down, haggle with; v/i. bargain shrewdly.

chaleco m waistcoat, vest; ~ salvavidas life-jacket; al ~ Mex. by force; for nothing; **chalecón** m Mex. crook.

chalet [tʃa'le] m (rural) villa, cottage; (suizo) chalet; house en ciudad.

chalote m shallot.

chalupa 1. f (open) boat, launch; S.Am. corncake; **2.** m sl. madman; **3.** adj. sl. crazy.

chamaco m, **a** f C.Am.,Mex.,Col. boy; girl.

chamarasca f brushwood (fire).

chamarra f sheepskin jacket.

chambón F awkward, clumsy; (con suerte) lucky; **chambonada** f clumsiness; (chiripa) fluke.

champaña m champagne.

champiñón m mushroom.

champú m shampoo.

champurrar [1a] bebidas mix.

chamuscar [1g] scorch, singe; **chamusquina** f F row; dispute.

chance m S.Am. chance.

chancear(se) [1a] crack jokes; fool around (con with), play about.

chancillería f chancery.

chancla f old shoe; = **chancleta 1.** f slipper; **2.** m/f F good-for-nothing;

chanclo m clog; galosh, overshoe de goma.

chancro m 💥 chancre.

chancho S.Am. **1.** dirty; **2.** m pig.

chanflón misshapen; (basto) coarse, crude.

changarro m S.Am. small shop.

chantaje m blackmail; **chantajista** m blackmailer, racketeer.

chanza f (dicho) joke; (hecho) piece of tomfoolery; ~s pl. banter; tomfoolery; de ~ in fun.

chapa f plate, sheet de metal; metal top de botella; check de guardarropa etc.; board; (enchapado) veneer; flush en mejillas; fig. good sense; **chapado:** ~ a la antigua old-fashioned.

chapalear [1a] splash (about); (ola) lap.

chapar [1a] plate, cover con metal; veneer con madera.

chaparrada f, **chaparrón** m downpour, cloudburst.

chapín m clog.

chapitel m capital; spire de torre.

chapotear [1a] v/t. sponge (down), wet; v/i. splash para salpicar; paddle con pies; dabble con manos.

chapucear [1a] botch, bungle; **chapucería** f botched job, shoddy piece of work; **chapucero 1.** objeto badly made; trabajo clumsy, amateurish; **2.** m bungling amateur.

chapurr(e)ar [1a] bebidas mix; idioma speak badly.

chapuz m ducking; dive; (obra mala) botched job; (insignificante) odd job; **chapuzar** [1f] v/t. dock, dip; v/i., ~se duck, dive.

chaqué m morning coat; **chaqueta** f jacket.

chaquete m backgammon.

chaquetón m shootingjacket.

charca f pond, pool; **charco** m puddle; pool de tinta etc.

charla f talk (a. radio etc.), chat; b.s. chatter; (chismes) gossip; **charladuría** f small talk, gossip; **charlar** [1a] chat, talk; b.s. chatter; **charlatán 1.** talkative; **2.** m, **-a** f chatterbox, gossip; (embaidor) trickster; 💥 quack.

charnela f hinge.

charol m varnish; (cuero) patent leather; **charolar** [1a] varnish.

charrada f (piece of) bad breeding, coarse thing.

charro 1. p. coarse, ill-bred; *cosa* flashy, tawdry; *vestido* loud; **2. m, a** f fig. coarse person.

chascar [1a] v/t. lengua click; (ronzar) crunch; v/i. crack; **chascarrillo** m funny story; **chasco** m trick, joke; (decepción) disappointment; *llevarse un ~* be disappointed.

chasis m chassis.

chasquear¹ [1a] p. play a trick on; (zumba) pull s.o.'s leg.

chasquear² [1a] v/t. látigo crack; lengua click; dedos snap; v/i. (madera) crack; **chasquido** m crack; click; snap.

chatarra f scrap-iron, junk.

chato 1. p. snub-nosed; pug-nosed; *cosa* low, flat; S.Am. common; *S.Am. ¡~a mía!* darling!; **2. m** small (wine)glass.

¡chau! S.Am. hi there!; (despedida) so long!

chauvinismo m chauvinism; **chauvinista 1.** chauvinistic; **2.** m/f chauvinist.

chaval m F lad, boy, kid.

chaveta f cotter(pin).

¡che! S.Am. hey!

checar [1g] Mex. check.

checo 1. adj. a. su. m, a f Czech; **2. m** (idioma) Czech; **checoslovaco** adj. a. su. m, a f Czecho-Slovak.

chelín m shilling.

cheque m cheque; *~ de viajeros* traveler's check; **chequear** [1a] C.Am.,W.I. examine; check; control; **chequeo** m S.Am. control; checkup.

chequera f S.Am. checkbook.

chica f girl; (chacha) maid.

chicle m chewing-gum.

chico 1. small, little; **2. m** boy; F (hombre, camarada) lad, fellow; *~ de la calle* street urchin.

chicoria f chicory.

chicota f F fine girl; **chicote** m F fine lad; cigar (stub); **chicotear** [1a] S.Am. beat up.

chicha f S.Am. maize liquor, corn juice; F *ni ~ ni limonada* not one thing or the other.

chicharro m caranx, horse-mackerel; **chicharrón** m fried crackling; *estar hecho un ~ cocina:* be burnt to a cinder.

chichear [1a] hiss.

chichón m 𝄞 bump, swelling.

chifla f hiss(ing), whistle; **chiflado** F daft, barmy; **chifladura** f hissing, whistling; F daftness; (acto) daft thing; crazy idea; **chiflar** [1a] thea. hiss; *~se* go wacky.

chileno, chileño adj. a. su. m, a f Chilean.

chillar [1a] (gato etc.) howl; (ratón) squeak; (ave) squawk, screech; (p.) (let out a) cry, yell; **chillido** m howl etc.; **chillón** niño noisy; sonido, voz shrill, strident.

chimenea f (exterior) chimney; ⚓ funnel; 🗡 shaft; (hogar) hearth.

chimpancé m chimpanzee.

china¹ f china.

china² f geol. pebble.

china³ S.Am. (novia) girlfriend; (querida) mistress; (criada) maid.

chinche f bug; F tiresome person.

chinchilla f S.Am. chinchilla.

chinela f slipper; (chanclo) clog.

chinesco Chinese; **chino¹ 1.** adj. a. su. m, a f Chinese; **2. m** (idioma) Chinese; F double Dutch.

chino² m, a f S.Am. half-breed; mulatto; Indian.

chiquero m pigsty; pen de toro.

chiquillada f childish prank; contp. childish thing (to do); **chiquillería** f F (una ~) crowd of youngsters; la ~ the kids; **chiquillo** m, a f kid, youngster; **chiquito 1.** small, tiny; **2. m, a f** kid, youngster.

chiribita f spark; *~s pl.* F spots before the eyes.

chiripa f billar: lucky break; F fluke, stroke of luck.

chirivía f parsnip.

chirlo m gash; (cicatriz) long scar.

chirona f sl. jug; jail; klink.

chirriar [1b] (grillo) chirp; (ave) chirp, squawk; (rueda) creak, squeak; (frenos) screech; **chirrido** m chirp(ing) etc.

chirrión m S.Am. whip.

¡chis! sh!

chisme m (murmuración) (piece of) gossip, tale; (trasto) thing; ⊕ gadget; *~s pl.* gossip, tittle-tattle; (trastos) things, odds and ends; **chismear** [1a] gossip, tell tales; **chismería** f gossip, scandal; **chismoso 1.** gossipy; **2. m, a f** gossip, scandalmonger.

chispa 1. spark (a. ⚡); fig. sparkle; (gota) drop; *caen ~s* it's drizzling; F *no dar ~* be utterly dull; **2.** adj. sl.: *estar ~* be tight; **chispeante** fig.

sparkling; **chispear** [1a] spark; (*relucir*) sparkle (*a. fig.*); *meteor.* spot with rain; **chisporrotear** [1a] (*leña*) crackle; (*aceite etc.*) splutter; (*tocino*) sizzle.

chiste *m* joke, funny story; (*suceso*) funny thing; ∼ **goma** shaggy dog story; *caer en el* ∼ get it; *no veo el* ∼ I don't see the joke.

chistera *f* F top hat.

chistoso 1. funny, witty; **2.** *m*, *a* *f* wit.

chita: *a la* ∼ *callando* quietly.

¡chito!, ¡chitón! sh!

chivatazo *m* sl. tip-off; **chivatear** [1a] F split (*contra* on), squeal; **chivato** *m* zo. kid; F stoolpigeon, informer; *S.Am.* rascal; **chivo** *m* billy goat; *Col.,Ecuad.,Ven.* (fit of) rage.

chocante shocking; (*sorprendente*) startling, striking; *Mex.* intolerable.

chocar [1g] *v/t.* shock; startle; ♂ give a shock to; *vasos* clink; *v/i.* ✗ clash; *mot. etc.* collide; (*vasos*) clink; (*platos*) clatter.

chocarrería *f* coarse joke; **chocarrero** coarse, dirty.

chocolate *m* chocolate; drinking-chocolate; **chocolatera** *f* chocolate pot; F *mot.* crock; ♣ hulk.

chochear [1a] dodder; (*enamorado*) be soft; **chochera** *f*, **chochez** *f* dotage; (*acto*) silly thing.

chocho doddering; *enamorado* silly, soft.

chófer *m* driver; (*empleado*) chauffeur.

cholo *adj. a. su. m,* **a** *f* *S.Am.* half-breed; half-civilized.

chopo *m* ♀ black poplar; ✗ F gun.

choque *m* shock (*a. ♂, ♣*); impact, jar, jolt; blast *de explosión*; *mot.*, ♠ crash, smash, collision; (*ruido*) crash, clatter; clink *de vasos*; ∼ *eléc-*trico shock therapy; ∼ *en cadena mot.* pile-up; mass collision.

chorizo *m* sausage, salami.

chorrear [1a] *v/t.* ✗ sl. dress down; *v/i.* spirt, gush (forth), spout (out); (*gotear*) drip; **chorro** *m* jet (*a. ⊕, ✗*), spirt, spout; *fig.* stream; *C.Am.* faucet; ✗ *a* ∼ jet *attr.*; *a* ∼*s fig.* in plenty.

choza *f* hut, shack.

christmas ['krismas] *m* F Christmas card.

chubasco *m* squall, heavy shower; **chubascoso** squally, stormy.

chuchería *f* knick-knack; (*golosina*) titbit, sweet.

chufa *f* earth-almond, chufa.

chula *f* flashy sort; *S.Am.* girlfriend; **chulada** *f* vulgar thing; mean trick; (*gracioso*) funny thing.

chuleta *f* chop, cutlet; *univ. sl.* crib.

chulo 1. pert, saucy; *C.Am.,Mex.* pretty; *b.s.* common, flashy; **2.** *m* lower-class *madrileño*; *b.s.* sport; (*alcahuete*) pimp.

chumbera *f* prickly pear.

chupada *f* suck; drag *de cigarro*; **chupado** F skinny; *falda* tight; ∼ *de cara* lantern-jawed; **chupador** *m* teething ring; **chupar** [1a] suck; ♀ absorb, take in; *pipa* puff at; F *a. S.Am.* smoke; *S.Am.* (*beber*) drink; ∼*se* waste away; **chupón** *m* ♀ sucker; drag *de cigarro*; (*p.*) swindler.

churro *m* fritter.

chus: *no decir* ∼ *ni mus* not say a word.

chuscada *f* funny thing; **chusco** funny, droll.

chusma *f* rabble, riff-raff.

chutar [1a] *deportes:* shoot.

chuzo *m* pike; *llover a* ∼*s* rain cats and dogs.

D

dable possible, feasible.

¡daca! hand it over!

dactilografía *f* typing; **dactilógrafo** *m*, **a** *f* typist.

dadaísmo *m* Dadaism.

dádiva *f* gift, present; **dadivoso** generous, open-handed.

dado[1] *m* die; ∼*s pl.* dice.

dado[2] *p.p. of dar;* ∼ *a* given to; ∼ *que* given that; granted that; **dador** *m,* **-a** *f* giver, donor.

daga *f* dagger.

dalia *f* dahlia.

dama *f* lady; (*noble*) lady, gentlewoman; (*querida*) mistress; *juego de damas:* king; (*juego de*) ∼*s pl.* draughts; *primera* ∼ *thea.* leading lady.

damajuana *f* demijohn.

damasco *m* damask; **damasquinado** ⊕ damask.

damero *m* checkerboard.

danés 1. *adj.* Danish; **2.** *m*, **-a** *f* Dane; **3.** *m* (*idioma*) Danish.

danza *f* dance; (*arte*) dancing; F (*negocio*) shady business; F (*jaleo*) row, rumpus; ~ **de figuras** square dance; **danzante** *m*, **a** *f* dancer; F (*activo*) hustler, person who is always on the go; **danzar** [1f] dance (*a. fig.*); **danzarín**, **-a** *f*, **danzón** *m* danzón (Cuban dance).

dañar [1a] hurt, harm, damage; (*echar a perder*) spoil; **~se** get damaged; spoil; **,** hurt o.s.; **dañino** harmful, destructive; **daño** *m* damage; hurt, harm, injury; **†** loss; *S.Am.* witchcraft; **,** ~s *pl.* y *perjuicios* damages; **dañoso** harmful, bad, injurious.

dar [1r] **1.** *v/t.* *mst* give; (*pasar*) pass, hand; *permiso etc.* grant, concede; *fig.* lend, give; *batalla* fight; *hora* strike; *paseo, paso* take; *tema para discusión* propose; *ir dando cuerda* pay out; ¡*dale!* *boxeo etc.*: hit him!; *deportes:* get on with it!; **2.:** *lo mismo da* it makes no odds; *lo mismo me da* it's all the same to me; ¿*qué más da?* what does it matter?; never mind!; **3.** *v/i. con prp.* (*para muchas frases, v. el correspondiente su. o verbo*): ~ *a* (*ventana*) look on to, overlook; (*casa*) face (towards); ~ *con p.* meet, run into; *idea, solución etc.* hit (up)on, strike; *dio con la cabeza contra un árbol* he hit his head against a tree; **4.** **~se** (*entregarse*) give s.o. up; (*producirse, existir*) occur, be found; *no se le da nada* he doesn't give a damn; ~ *a* devote o.s. to.

dardo *m* dart, shaft.

dares y tomares *m/pl.* F arguments, bickerings; *andar en* ~ *con* argue with.

dársena *f* ⚓ dock.

Darvinismo *m* Darwinism.

data *f* date; **†** item; **datar** [1a] date (*de from*).

dátil *m* ⚘ date; **datilera** *f* date (-palm).

dato *m* fact, piece of information, datum; ~s *pl.* data, facts, information.

de a) *posesión, pertenencia*: of; *tras sup.:* *el mejor del mundo* the best in the world; b) *materia:* *una moneda de plata* a silver coin, a coin of silver; *tras verbo:* *amueblado de nogal* furnished in walnut; *acerca de*: of, about, concerning; c) *partitivo:* *uno de ellos* one of them; ⅄ *de cada 7,6 6*

out of (every) 7; d) *comp.:* *más de 20* more than 20; e) *origen, procedencia:* from; *de A a B* from A to B; f) *que va a:* *el camino de Madrid* the road to Madrid, the Madrid road; g) *tiempo:* *a las 6 de la mañana* at 6 in the morning; *de día* by day; *edad:* *un niño de 8 años* an 8-year old boy, a boy of 8; *cuando:* *de niño* as a child; h) *causal:* *de miedo* for fear; *de puro cansado* out of sheer tiredness; i) *en cuanto a:* *mejor de salud* better in health; j) *aposición:* *la ciudad de Roma* the city of Rome; *el pobre de Juan* poor (old) John; k) *agente de pasivo:* *amado de todos* beloved of all *lit.*, loved by all; l) *condicional:* *de serle a Vd. posible* if you can; *de no ser así* if it were not so.

debajo (*a. por* ~) underneath, below; ~ *de* under(neath), below.

debate *m* debate, discussion; **debatir** [3a] *v/t.* debate, discuss.

debe *m* debit (side).

deber 1. [2a] *v/t.* owe; *v/i.:* ~ *inf.* must *inf.*, have to *inf.*; *debería inf.*, *debiera inf.* ought to *inf.*, should *inf.*; *no debe (de) ser muy difícil* it can't be very difficult; **~se** *a* be owing to, be due to, be on account of; **2.** *m* duty, obligation; **†** debt; ~*es pl. escuela:* homework; **debido** due, right, just; *como es* ~ as is only right, as is proper; ~ *a* owing to, due to, through.

débil *mst* weak; feeble; *salud a.* poor; *esfuerzo a.* half-hearted; *luz* dim; *grito etc. a.* faint; **debilidad** *f* weakness *etc.*; *esp.* **,** debility; **debilitar** [1a] weaken, debilitate (*esp.* **,**); *resistencia etc.* impair, lower; **~se** get weak(er).

debutante *m/f* debutant(e); beginner; **debutar** [1a] make one's début.

década *f* decade.

decadencia *f* decadence, decline; **decaer** [2o] decay, decline; flag; ~ *de ánimo* lose heart.

decaimiento *m* decay; weakness.

decano *m univ. etc.* dean; (*más antiguo*) doyen.

decantar praise, laud.

decena *f* (about) ten.

decencia *f* decency *etc.*

decenio *m* decade.

decente decent; seemly, proper; (*limpio*) clean; modest.

decepción *f* disappointment; (*engaño*) deception; **decepcionar** [1a] disappoint.

decidido determined, decided; **decidir** [3a] decide (*inf.* to *inf.*); *cuestión* settle, decide; **~se** decide, make up one's mind (*a inf.* to *inf.*).

décima *f* tenth; *eccl.* tithe; *poet. a* 10-line stanza; **decimal 1.** *adj. a. su. m* decimal; **2.** *f:* ~ *periódica pura* recurring decimal; **décimo 1.** tenth; **2.** *m* tenth; (tenth part of a) lottery ticket.

decir 1. [3p] say; tell; *verdad* speak, tell; *misa* say; (*texto*) say, read; (*llamar*) call; ~ *para* (*or entre*) *sí* say to o.s.; ~ *que sí* say yes; *es* ~ that is (to say); *por mejor* ~ or rather; *por* ~ *lo así* so to speak; *querer* ~ mean (*con* by); *¡digo, digo!* just listen to this!; now wait a minute!; *como quien dice, como si dijéramos* so to speak, in a manner of speaking; *el qué dirán* what people (will) say; *¡diga(me)!* *teleph.* hullo!; *diga lo que diga* whatever he says; *mejor dicho* rather; **~se:** *se dice* it is said, they say; (*cuento*) the story goes; *se me ha dicho que* I have been told that; **2.** *m* saying.

decisión *f* decision; (*ánimo*) determination; *forzar una* ~ force the issue; **decisivo** decisive; *consideración* overriding; *voto* casting.

declamación *f* declamation; recitation; **declamar** [1a] *v/t.* declaim; recite; *v/i.* hold forth, speak out (*contra* against); *b.s.* rant.

declaración *f* declaration; pronouncement, statement; ⚖ evidence; *naipes:* bid; ~ *de derechos* bill of rights; ~ *de renta* tax-return; **declarar** [1a] declare; pronounce, state; profess; ⚖ (*testigo*) testify, give evidence; **~se** declare o.s.

declinación *f* decline, falling-off; *ast.,* ⚓ declination; *gr.* declension; **declinar** [1a] *v/t.* decline; refuse; ⚖ reject; *gr.* decline; inflect; *v/i.* decline, fall off; degenerate.

declive *m* slope, incline, declivity.

decoración *f* decoration; ~ *de interiores* interior decoration; *thea.* (*a.* ~*es pl.*) = **decorado** *m thea.* scenery, set; **decorar**[1] [1a] decorate, adorn; **decorativo** decorative, ornamental.

decoro *m* decorum, propriety; proprieties; **decoroso** decorous, proper, seemly.

decrecer [2d] decrease.

decrépito decrepit; **decrepitud** *f* decrepitude.

decretar [1a] decree, ordain; *premio* award, adjudge; **decreto** *m* decree; *parl.* act.

dedada *f* thimbleful; pinch *de rapé etc.*; spot; **dedal** *m* thimble.

dedicación *f* dedication (*a* to); diligence; *fig.* devotion (*a* to); **dedicar** [1g] dedicate; *eccl. a.* consecrate; *libro* dedicate, *ejemplar* inscribe; **~se** a devote o.s. to; *trabajo a.* be engaged in; **dedicatoria** *f* inscription, dedication; **dedicatorio** dedicatory.

dedo *m* finger; ~ (*del pie*) toe; ⊢ spot, bit; ~ *anular* ring finger; ~ *auricular*, ~ *meñique* little finger; ~ *del corazón*, ~ *cordial* middle finger; ~ *índice* forefinger, index finger; ~ *pulgar* thumb; (*del pie*) big toe; *a dos* ~*s de* within an inch (*or* ace) of; *no mamarse el* ~ be pretty smart.

deducción *f* deduction; **deducir** [3o] deduce (*de, por* from); infer.

defección *f* defection, desertion; **defectivo** defective (*a. gr.*); **defecto** *m* defect, flaw; ⊕, ⚡ fault; (*esp.* moral) shortcoming, failure; **defectuoso** defective, faulty, unsound.

defender [2g] defend (*a.* ⚖; *contra* against, *de* from); protect (*contra, de frío etc.* against, from); *causa* champion, uphold; **~se** defend o.s.; **defensa 1.** *f* defence (*a.* ⚖, *deportes*); shelter, protection; **2.** *m deportes:* back; **defensiva** *f* defensive; *estar a la* ~ be on the defensive; **defensivo** defensive; **defensor** *m*, **-a** *f* defender; protector; ⚖ counsel.

deferir [3i] *v/t.* ⚖ refer, delegate (*a* to); *v/i.:* ~ *a* defer to.

deficiencia *f* deficiency; defect; **deficiente** deficient, wanting (*en* in); defective; **déficit** *m* ⊣ deficit.

definición *f* definition; **definido** definite (*a. gr.*); **definir** [3a] define; **definitiva:** *en* ~ definit(iv)ely, **definitivo** definitive.

deflación *f* deflation; **deflacionar** [1a] deflate.

deformación *f* deformation; distortion (*a. radio*); **deformar** [1a] deform; distort; ⊕ strain; **deforme** deformed, misshapen; **deformidad** *f* deformity, malformation; abnormality.

defraudar [1a] cheat, defraud; deceive; *esperanzas* cheat.

degeneración *f* degeneration; (*moral*) degeneracy; **degenerado** *adj. a. su. m*, **a** *f* degenerate (type);

degenerar [1a] degenerate (*en* into).
deglución *f* swallowing; **deglutir** [3a] swallow.
degollación *f* throat-cutting; (*a.* ⚖) beheading; **degolladero** *m anat.* neck, throat; (*matadero*) slaughterhouse; **degollar** [1n] cut the throat of; behead, decapitate; *fig.* massacre.
degradación *f* degradation; ⚔ demotion; **degradar** [1a] degrade, debase; ⚔ demote.
dehesa *f* pasture, meadow; range.
deidad *f* deity; divinity; *F* beauty; **deificar** [1g] deify; apotheosize (*a. fig.*); **deísmo** *m* deism.
dejación *f* ⚖ abandonment; *S.Am., Col.* slovenliness; **dejadez** *f* neglect, slovenliness *etc.*; **dejado** slovenly; (*flojo*) lazy, slack.
dejar [1a] **1.** *v/t. mst* leave; *empresa, trabajo freq.* give up; *pasajero* drop, set down; ✝ *pérdida* show, leave; (*prestar*) lend; (*omitir*) forget, leave out; (*desemparar*) abandon, forsake; (*permitir*) let (*inf. inf.*); **2.** *v/i.*: ~ *de inf.* (*cesar*) stop (*ger.*), leave off *ger.*; (*omitir*) fail to *inf.*, neglect to *inf.*; **3.** **~se** let o.s. go, get slovenly; ¡*déjese de eso!* stop that!, cut it out! *F.*
dejo *m* aftertaste, tang; *fig.* touch reminder; (*habla*) (trace of) accent.
delantal *m* apron.
delante in front (*a. por* ~); ahead; ~ *de* in front of; ahead of; **delantera** *f* front (part); *thea.* front row; (*ventaja*) lead, advantage; **delantero** *fila, parte* front; *pata* fore; foremost.
delatar [1a] denounce; inform against; (*traicionar*) betray (*a. fig.*); **delator** *m*, **-a** *f* accuser; informer.
delegación *f* delegation; *parl.* ~ (*de poderes*) devolution; **delegado** *m*, **a** *f* delegate; ✝ agent; **delegar** [1h] delegate (*a* to).
deleitable enjoyable, delectable; **deleitar** [1a] delight; **~se** *con*, ~ *de* (take) delight in; **deleite** *m* pleasure, delight, joy; **deleitoso** delightful, pleasing.
deletrear [1a] spell out; *fig.* decipher, interpret.
deleznable fragile, brittle; (*resbaladizo*) slippery; *fig.* frail.
delfín *m* dolphin.
delgadez *f* thinness *etc.*; **delgado** thin; *p. a.* slim, slender; **delgaducho** skinny; slight.

deliberación *f* deliberation; **deliberar** [1a] *v/t.* debate; ~ *inf.* decide to *inf.*; *v/i.* deliberate (*sobre* on).
delicadeza *f* delicacy *etc.*; **delicado** delicate; dainty; *color* soft, delicate; *punto* tender, sensitive; sore; *situación* delicate.
delicia *f* delight(fulness); **delicioso** delicious; delightful.
delictivo punishable; criminal.
delimitar [1a] delimit, define.
delincuencia *f* delinquency, criminality; **delincuente** **1.** delinquent, criminal; **2.** *m/f* delinquent, criminal, offender.
delineación *f* delineation; **delinear** [1a] delineate, outline.
delirante delirious; light-headed; **delirar** [1a] be delirious, rave; *fig.* talk nonsense; **delirio** *m* delirium; ravings, wanderings; *fig.* frenzy.
delito *m* crime, offence; *fig.* misdeed.
delta *m* (*geog.*) *a. f* delta.
deludir [3a] delude.
demacrado emaciated; **demacrarse** [1a] waste away.
demogogia *f* demagogy; **demagogo** *m* demagogue.
demanda *f* demand (*a.* ✝), request (*de* for); inquiry; petition; *thea.* call; ⚖ action, lawsuit; **demandado** *m*, **a** *f* defendant; respondent *en divorcio*; **demandante** *m/f* plaintiff, claimant; claim; ⚖ sue; **demandar** [1a] demand; claim; ⚖ sue.
demarcar [1g] mark out, demarcate.
demás 1. *adj.* other, rest of the; **2.** *pron.*: *lo* ~ the rest; *los* ~ the others, the rest (of them); *por lo* ~ for the rest, otherwise; **3.** *adv.* = *además*; *por* ~ in vain; moreover; **demasía** *f* (*superávit*) surplus; *fig.* excess, outrage; wicked thing; **demasiado 1.** *adj.* too much; overmuch; ~*s pl.* too many; **2.** *adv.* too; too much, excessively.
demencia *f* insanity; **dementado** *S.Am.* = *demente*; **demente 1.** mad, insane; **2.** *m/f* lunatic.
democracia *f* democracy; **demócrata** *m/f* democrat; **democrático** democratic.
demoler [2h] demolish (*a. fig.*), pull down; **demolición** *f* demolition.
demoníaco demoniac(al); demonic; **demonio** *m* demon; devil (*a. fig.*); ¡(*qué*) ~! confound it!; oh hell!; ¿*qué* ~*s*? what the hell?; **demontre** *m* F = *demonio*.
demora *f* delay; ⚓ bearing; **demo-**

rar [1a] *v/t.* delay, hold up (*or* back); *v/i.* linger on, delay.

demostración *f* demonstration; show *de cariño etc.*; **demostrar** [1m] show, demonstrate; prove; **demostrativo** *adj. a. su. m* demonstrative.

demudar [1a] change, alter; ~se change color, change countenance.

dengoso affected, finicky; **dengue** *m* affectation, finickiness; prudery; *hacer* ~s be finicky.

denigrar [1a] denigrate, revile; insult.

denominación *f* naming, designation; denomination; **denominador** *m* denominator; **denominar** [1a] name, designate; denominate.

denotar [1a] denote; reveal, indicate, show.

densidad *f* density (*a. phys.*); thickness *etc.*; **denso** *mst* dense; *humo, líquido* a. thick; solid.

dentado *rueda* cogged, toothed; *filo* jagged; **dentadura** *f* denture, set of teeth; *postiza* false teeth, denture(s); **dentar** [1k] *v/t.* furnish with teeth *etc.*; ⊕ *etc.* indent; *filo* make jagged; *sello* perforate; *v/i.* teethe; **dentellada** *f* bite, nip; (*señal*) tooth-mark; **dentellar** [1a] chatter; **dentera** *f* the shivers F; F envy, jealousy; **dentición** *f* teething; dentition; *estar con la* ~ be teething; **dentífrico** 1. tooth *attr.*; 2. *m* dentifrice; **dentista** *m* dentist; **dentistería** *f* dentistry.

dentro 1. inside; *sentir etc.* inwardly; (*en casa*) indoors; (*a. hacia* ~, *para* ~) in, inwards; 2. *prp.:* ~ *de estar* in, inside, within.

dentudo toothy; large-toothed.

denudar [1a] denude; lay bare.

denuncia *f* denunciation (*a.* ⚖); ⚖ accusation; **denunciador** *m*, **-a** *f*, **denunciante** *m/f* accuser; *informer;* **denunciar** [1b] (*publicar*) proclaim; (*pronosticar*) announce; ⚖ denounce, accuse.

deparar [1a] provide, present (with), offer.

departamento *m* department; compartment *de caja etc.* (a. 🚂).

departir [3a] talk, chat.

dependencia *f* dependence (de on); reliance (de on); dependency (*a. pol.*); ✝ branch-office; △ outbuilding; **depender** [2a] depend; follow (from); **dependienta** *f* salesgirl, shop-assistant, clerk; **dependiente** 1. dependent (de on); 2. *m*

employee; ✝ salesman, shop-assistant, clerk.

depilatorio *adj. a. su. m* depilatory.

deplorar [1a] deplore, regret.

deponente *adj.* (*gr.*) *a. su. m* (⚖) deponent.

deponer [2r] *v/t.* (*bajar*) lay down; (*apartar*) lay aside; (*quitar*) remove, take away, take down; *v/i.* ⚖ give evidence.

deportación *f* deportation; **deportar** [1a] deport.

deporte *m* sport; game; **deportista** 1. sports *attr.*; sporting; 2. *m* sportsman; 3. *f* sportswoman; **deportividad** *f* sportsmanship; **deportivo** *actitud etc.* sporting, sportsmanlike.

deposición *f* deposition (*a.* ⚖); removal; ⚖ evidence.

depositar [1a] deposit; store, put away, lodge; entrust (*en* to); ~se (*líquido*) settle; **depositaría** *f* depository; trust; **depositario** 1. deposit *attr.*; 2. *m*, **a** *f* depositary, trustee; repository *de secreto etc.*; **depósito** *m* (*almacén*) store (-house), warehouse, depot; ✕ depot, dump; reservoir, tank *de líquido*; ~ *de agua* water-tank, cistern; ~ *de gasolina* gasoline tank.

depravación *f* depravity, depravation; **depravado** depraved; **depravar** [1a] deprave.

depreciación *f* depreciation; **depreciar(se)** [1b] depreciate.

depresión *f mst* depression (*a.* ✈, ✝, *meteor.*); drop, fall *de mercurio;* dip *de horizonte, camino;* (*hueco*) depression, hollow; trust; **depresivo, deprimente** depressing; **deprimir** [3a] depress (*a.* ✈, *fig.*); *nivel* lower, reduce; *fig.* humiliate; disparage.

depuración *f* purification; *pol.* purge; **depurador** cleansing; purifying; purging; *estación* ~*a* sewage-disposal plant; **depurar** [1a] purify, cleanse, purge (*a. pol.*).

derecha *f* right hand; (*lado*) right side; *pol.* right; *a* ~*s* rightly; **derechazo** *m boxeo:* right; **derechista** 1. right-wing; 2. *m/f* right-winger.

derecho 1. *adj. lado, mano* right; (*recto*) straight; (*vertical*) upright, erect; *C.Am.* luckily; 2. *adv.* straight, direct; (*verticalmente*) straight, upright; 3. *m* right (*a* to, *de inf.* to inf.); ⚖ (*ciencia*) law; (*en abstracto*) justice; right side *de papel;* ~*s pl.* ✝ due(s); (*profesionales*) fee(s); (*impuestos*) tax(es); *con* ~ rightly, justly;

con ~ a with a right to; *conforme a* ~ according to law; F ¡*no hay* ~! it's not fair!; *reservados todos los* ~s copyright; *tener* ~ a have a right to, be entitled to.

derechura f straightness; directness; *fig.* rightness.

derivación f derivation (*a. gr.*); origin, source; ⚡ shunt; **derivado 1.** derivative (*a. gr.*); **2.** m derivative (*a. gr.*); ⚙ byproduct; **derivar** [1a] *v/t.* derive (*de* from); *v/i.*, ~**se** derive, be derived.

dermatitis f dermatitis; **dermatología** f dermatology; **dermatólogo** m dermatologist.

derogar [1h] repeal, abolish.

derramamiento m spilling *etc.*; **derramar** [1a] pour out; spill; (*esparcir*) scatter, spread; *sangre* shed; *lágrimas* weep; ~**se** spill, overflow, run over; (*sangre*) flow, be shed; **derrame** m spilling *etc.*; (*salida*) overflow, outflow; (*pérdida*) leakage.

derredor: *al* ~ (*de*), *en* ~ (*de*) around, about.

derrengado bent, crooked; (*cojo*) lame; **derrengar** [1h] bend, twist.

derretir [3l] melt; *nieve a.* thaw; *fortuna* squander; ~**se** melt; run; thaw; ~ *por* be crazy about.

derribar [1a] *casa* knock down, pull down; *puerta* batter down; *gobierno etc.* overthrow; ~**se** fall down, collapse; (*p.*) throw o.s. to the ground; **derribo** m knocking down *etc.*; ~s *pl.* debris.

derrocadero m cliff; *fig.* pitfall; **derrocar** [1g] hurl down *desde lo alto*; *casa* knock down; *gobierno etc.* overthrow; oust, topple.

derrochar [1a] waste, squander; lavish; **derroche** m waste, squandering; extravagance.

derrota f defeat, rout; débâcle; **derrotar** [1a] defeat, rout.

derrotero m ⚓ course.

derrotismo m defeatism; **derrotista** m/f defeatist.

derrumbadero m cliff; *fig.* pitfall, hazard; **derrumbamiento** m headlong fall; collapse (*a. fig.*), caving in; **derrumbar** [1a] hurl down, throw down; ~**se** fall headlong (*por* down); (*edificio a. fig.*) collapse; **derrumbe** m *C.Am.* collapse; cave-in.

desabotonar [1a] *v/t.* unbotton; *v/i.* ⚘ blossom; ~**se** come undone.

desabrido *sabor* tasteless, insipid (*a.*

fig.); (*áspero*) harsh, rough; *debate* bitter; *p.* surly.

desabrigado *fig.* unprotected, defenceless; **desabrigo** m bareness, exposure; *fig.* unprotectedness.

desabrimiento m insipidness *etc.*; (*sentimiento*) depression, uneasiness; **desabrir** [3a] *fig.* embitter.

desabrochar [1a] undo, unfasten; *fig.* penetrate; ~**se** F unbosom o.s.

desacatar [1a] be disrespectful to; **desacato** m disrespect; *esp.* ⚖ (act of) contempt.

desacertado mistaken, wrong; (*imprudente*) unwise; **desacertar** [1k] be wrong; **desacierto** m mistake, miscalculation, miss.

desacomedido *S.Am.* rude; impolite.

desacomodado unemployed; badly off; **desacomodar** [1a] put out, inconvenience; *criado* discharge.

desacoplar [1a] ⚡ disconnect; ⊕ uncouple.

desacostumbrado unusual, odd; **desacostumbrar** [1a]: ~ *a uno* break s.o. of the habit of.

desacreditar [1a] discredit, bring into disrepute; run down.

desacuerdo m disagreement; error; (*olvido*) forgetfulness.

desafecto m disaffection; ill-will, dislike.

desafiar [1c] defy; challenge; dare; ~ *a inf.* challenge s.o. to *inf.*

desafinado out of tune, off key; **desafinar** [1a] be out of tune.

desafío m challenge (*a. fig.*); rivalry; defiance; ✕ duel.

desaforado lawless, disorderly; (*grande*) huge; *grito etc.* mighty.

desafortunado unfortunate, unlucky.

desafuero m excess, outrage.

desagradable disagreeable, unpleasant; *p.* displease; dissatisfy; **desagradecido** ungrateful; **desagradecimiento** m ingratitude; **desagrado** m displeasure; dissatisfaction.

desagraviar [1b] *daño* make amends for; *p.* make amends to, indemnify; **desagravio** m amends, compensation.

desaguadero m drain (*a. fig.*; *de* on); **desaguar** [1i] *v/t.* drain, empty; *fig.* squander; *v/i.*: ~ *en* drain into; **desagüe** m drainage, draining; (*caño etc.*) outlet, drain.

desaguisado 1. illegal; **2.** *m* offence, outrage.

desahogado (*descarado*) impudent, brazen; (*despejado*) free; *vida* comfortable; **desahogar** [1h] *dolor etc.* ease; *p.* console; *pasión* vent; ~**se** make things more comfortable; get out of trouble (*or debt etc.*); (*confearse*) unbosom o.s.; **desahogo** *m* (*alivio*) relief; (*descaro*) impudence; (*libertad*) excessive freedom; comfort, comfortable circumstances.

desairado unattractive, shabby; **desairar** [1a] slight, snub; **desaire** *m* slight, snub.

desalentar [1k] make breathless; *fig.* discourage; ~**se** get discouraged; **desaliento** *m* discouragement; depression; (*debilidad*) weakness.

desaliñado slovenly; (*temporalmente*) untidy, dishevelled; careless; **desaliño** *m* slovenliness *etc.*

desalmado cruel, brutal.

desalojar [1a] *v/t.* oust, eject, dislodge (*a.* ✕); *v/i.* move out.

desalquilado vacant.

desamarrar [1a] untie; ♣ cast off.

desamor *m* coldness, indifference; dislike; **desamorado** cold-hearted.

desamparar [1a] desert, abandon, forsake; **desamparo** *m* (*acto*) desertion *etc.*; (*estado*) helplessness.

desamueblado unfurnished.

desangrar [1a] bleed; *lago* drain; *fig.* bleed white; ~**se** lose a lot of blood; bleed to death.

desanimado downhearted, lowspirited; lifeless; **desanimar** [1a] discourage, depress; **desánimo** *m* discouragement, despondency.

desapacible *mst* unpleasant; *ruido* sharp, jangling; *tono* harsh.

desaparecer [2d] *v/t.* hide, remove, take away; *v/i.* disappear, vanish; **desaparición** *f* disappearance.

desapasionado dispassionate.

desapego *m* coolness, indifference.

desapercibido (*desprevenido*) unprepared; (*inadvertido*) unnoticed.

desaplicación *f* slackness, laziness.

desapoderado (*precipitado*) headlong; wild; *gula etc.* excessive.

desaprensión *f* freedom from worry, nonchalance.

desapretar [1k] loosen.

desaprobación *f* disapproval; **desaprobar** [1m] disapprove of, frown on; *petición* reject.

desaprovechado unproductive, be-

low expectations; **desaprovechar** [1a] *v/t.* waste, fail to make the best use of; *v/i.* lose ground.

desarmamiento *m* disarmament; **desarmar** [1a] *v/t.* ✕ disarm; ⊕ dismantle, take to pieces, take apart, *v/i.* disarm; **desarme** *m* disarmament; arms reduction.

desarraigar [1h] root out, uproot, dig up; *fig.* eradicate; **desarraigo** *m* *fig.* eradication.

desarreglado out of border; (*desaliñado*) slovenly, untidy; (*conducta etc.*) disorderly; **desarreglar** [1a] disarrange, disturb; upset, mess up; **desarreglo** *m* disorder; confusion.

desarrimo *m* lack of support; helplessness.

desarrollar [1a] unroll, unwind, unfold; *ecuación* expand; *tesis* expound; *fig.* develop; evolve; **desarrollo** *m* development; evolution; growth; *ayuda al* ~ developmental aid.

desarrugar [1h] smooth (out).

desarticulado disjointed; **desarticular** [1a] separate, take apart.

desaseado (*sucio*) dirty, slovenly; (*desaliñado*) untidy, unkempt, shabby; **desaseo** *m* dirtiness *etc.*

desasir [3a; *present like salir*] loosen, let go; ~**se** *de* let go of; *fig.* (*ceder*) give up; (*deshacerse de*) get rid of.

desasosegar [1h *a.* 1k] disturb, make uneasy; **desasosiego** *m* disquiet, uneasiness, anxiety.

desastrado dirty, shabby; (*infeliz*) unlucky; **desastre** *m* disaster; **desastroso** disastrous.

desatado *fig.* wild, violent; **desatar** [1a] untie, undo, unfasten; *fig.* solve; ~**se** come undone *etc.*; *fig.* (*hablar*) get worked up; (*obrar*) go too far; (*tempestad*) burst, break.

desatención *f* inattention; (*grosería*) discourtesy; **desatender** [2g] ignore, disregard, pay no attention to; *deber* neglect; **desatentado** thoughtless, inconsiderate; **desatento** inattentive; careless; (*grosero*) unmannerly.

desatinado foolish; nonsensical, silly; wild; **desatinar** [1a] *v/t.* perplex, bewilder; *v/i.* act foolishly; (*hablar*) talk nonsense; **desatino** *m* foolishness, folly.

desatornillar [1a] unscrew.

desautorizado unauthorized; unwarranted; discredited.

desavenencia f disagreement; friction, unpleasantness; **desavenido** in disagreement, incompatible; **desavenir** [3s] cause a rift between, split; **~se** disagree (*con* with).

desaventajado unfavorable.

desavisado unadvised; ill-advised; careless.

desayunar(se) [1a] (have) breakfast (*con* on); *estar desayunado* have had breakfast; **desayuno** m breakfast.

desazón f (*soso*) tastelessness; fig. ✄ trouble, discomfort; fig. annoyance; frustration; **desazonar** [1a] *comida* make tasteless; fig. upset, annoy.

desbandarse [1a] ✕ etc. (*irse*) disband; (*huir*) flee in disorder; disperse in confusion.

desbarajustar [1a] throw into confusion; **desbarajuste** m confusion.

desbaratar [1a] v/t. ruin, spoil, mess up F; *proyecto*, *tentativa* thwart, foil; v/i. talk nonsense; **~se** F blow up, go off the deep end.

desbarrancadero m *S.Am.* precipice.

desbastar [1a] ⊕ plane (down), smooth (out, down); **desbaste** m ⊕ planing etc.

desbocado *caballo* runaway; *p.* foul-mouthed; **desbocar** [1g]: **~** *en* (*río*) run into, flow into; (*calle*) open into; **~se** (*caballo*) bolt; (*p.*) let loose a stream of insults etc.

desbordante overflowing; uncontrolled; **desbordar(se)** [1a] overflow, run over; fig. lose one's self-control.

desbravador m horse-breaker; **desbravar** [1a] v/t. break in, tame; v/i., **~se** get less wild; diminish.

descabalgar [1h] dismount.

descabellado *p.* dishevelled; *proyecto* etc. rash; mindless; crazy; **descabellar** [1a] *p.* etc. dishevel, rumple.

descabezado headless; fig. wild, crazy; **descabezar** [1f] behead; *árbol* lop, poll; *planta* top; **~se** rack one's brains.

descalabrar [1a] hit etc. in the head; (*en general*) hit, hurt; **descalabro** m blow, setback, misfortune; (*daño*) damage; ✕ defeat.

descalcificar [1g] decalcify.

descalificación f disqualification; **descalificar** [1g] disqualify.

descalzar [1f] *zapato* etc. take off; *p.* take off s.o.'s shoes etc.; **~se** take off

one's shoes etc.; (*caballo*) lose a shoe; **descalzo** barefoot(ed), shoeless etc.; eccl. discalced.

descaminado fig. misguided, ill-advised; **descaminar** [1a] mislead, put on the wrong road.

descamisado 1. ragged, wretched; **2.** m poor devil, wretch.

descansado rested, refreshed; *vida* free from care; (*que tranquiliza*) restful; **descansapié(s)** m mot. footrest; **descansar** [1a] v/t. (*ayudar*) help, give a hand to; (*apoyar*) rest, lean (*sobre* on); v/i. (*no trabajar*) rest, take a rest, have a break (*de* from); (*dormir*) rest, sleep; **descansillo** m △ landing; **descanso** m (*reposo*) rest; (*pausa*) rest, break; (*alivio*) relief; *deportes*: half-time, interval; *thea.* interval; △ landing; ⊕ support, rest.

descarado shameless, brazen; cheeky, saucy; blatant; **descararse** [1a] behave in an impudent way.

descarga f unloading; firing, discharge; **~** (*cerrada*) volley; ✐ discharge; **descargadero** m wharf; **descargar** [1h] **1.** v/t. *barco, carro* etc. unload; *arma* fire, shoot, discharge; ✄ discharge; *golpe* let fly (*en* at), strike (*en* on); **2.** v/i. ✐ discharge; (*tempestad*) burst, break; **~** *en* (*río*) flow into; **3.** **~se** resign; ✐✐ clear o.s. (*de* of), **~** *de* get rid of, disburden o.s. of; **descargo** m unloading *de barco* etc.; ✝ receipt, voucher; ✝ discharge *de deuda*; ✐✐ (*alegato*) evidence; ✐✐ acquittal; **descargue** m unloading.

descarnado lean; cadaverous; **descarnar** [1a] *hueso* remove the flesh from; fig. wear down.

descaro m shamelessness; impudence, cheek; blatancy.

descarriar [1c] misdirect, put on the wrong road; **~se** stray.

descarrilar [1a] (*a.* **~se** *S.Am.*) be derailed, go off the rails; fig. wander from the point.

descartar [1a] discard, reject; **~se** *naipes*: discard; **~** *de* shirk.

descascar [1g] peel; shell; **~se** smash to pieces; **descascarar** [1a] peel; shell; **~se** peel (off).

descendencia f descent (*de* from), origin; (*hijos*) offspring; **descendente** descending, downward; *tren* down; **descender** [2g] v/t. get down, take down; *escalera* go down; v/i. descend, come down, go down; (*fluir, pasar*) run, flow; **descen-**

diente *m/f* descendant; **descendimiento** *m* descent (*a. eccl.*); **descenso** *m* descent; (*disminución*) fall, decline; (*desnivel*) slope, drop.

descentrado off center; out of plumb; **descentralizar** [1f] decentralize.

descerrajar [1a] break open; F *tiro* let off.

descifrable decipherable; **desciframiento** *m* decoding; **descifrar** [1a] decipher, read; *mensaje en cifra* decode; *fig.* puzzle out.

desclasificación *f* disqualification; **desclasificar** [1g] disqualify.

descocado F cheeky; brazen, forward.

descoger [2c] spread out, unfold.

descolgar [1h *a.* 1m] take down, get down, unhook; **~se** let o.s. down (*de* from; *con* by); come down; *fig.* turn up unexpectedly.

descolorar(se) [1a] discolor; **descolorido** faded, discolored; *fig.* colorless.

descollante outstanding; **descollar** [1m] stand out.

descomedido excessive; intemperate; (*grosero*) rude, disrespectful.

descompasado out of all proportion; **descompasarse** [1a] be rude.

descomponer [2r] *orden* disturb, upset, disarrange; *facciones* distort; *fig.* shake up, put out; (*desmontar*) take apart; *calma* ruffle, disturb; (*pudrir*) rot, decompose; **~se** separate into its elements; (*pudrirse*) rot, decompose; (*irritarse*) lose one's temper; **descomposición** *f* disturbance *etc.*; distortion; *opt.* dispersal; (*putrefacción*) decomposition (*a.* ⚛); **descompostura** *f* disorder, disorganization; (*desaseo*) untidiness; **descompuesto** out of order; *rostro* twisted; *fig.* (*descarado*) brazen; (*descortés*) rude.

descomunal huge, enormous.

desconcertado disconcerted, taken aback; puzzled, bewildered; **desconcertante** disconcerting, upsetting, embarrassing; **desconcertar** [1k] ⊕ put out of order, damage; *anat.* dislocate; *orden* disturb; *p.* disconcert, put out; embarrass; (*problema*) baffle; **desconcierto** *m* disorder, confusion; ⊕ damage; *fig.* (*desavenencia*) disagreement; embarrassment; bewilderment.

desconcharse [1a] peel off, flake off.

desconectar [1a] ⚡, ⊕ disconnect.

desconfiado distrustful, suspicious; **desconfiar** [1c]: **~ de** distrust, mistrust, suspect.

desconformar(se) [1a] disagree, dissent; **desconforme** in disagreement, dissident.

descongelación *f* thaw; **descongelador** *m* defroster; **descongelar** [1a] melt; defrost; ⬆ unfreeze.

descongestión *f* decongestion; freeing up; clearing; **descongestionar** [1a] decongest; free up.

desconocer [2d] not know; be ignorant of, be unfamiliar with; (*no reconocer*) not recognize; (*fingiendo*) pretend not to know; (*rechazar*) disown, repudiate; **desconocido** 1. unknown (*de, para* to); strange, unfamiliar; 2. *m, a f* stranger; **desconocimiento** *m* ignorance; repudiation; ingratitude.

desconsiderado inconsiderate.

desconsolado disconsolate; **desconsolador** distressing; **desconsolar** [1m] grieve, distress; **desconsuelo** *m* grief, distress.

descontaminación *f* decontamination; **~ de** *radiactividad* radioactive decontamination; **descontaminar** [1a] decontaminate.

descontar [1m] take away; ⬆ discount (*a. fig.*), rebate; (*a. dar por descontado*) take for granted.

descontentadizo hard to please; restless, unsettled; **descontentar** [1a] displease; **descontento** 1. dissatisfied (*de* with); discontented; 2. *m* dissatisfaction, displeasure.

descontinuar [1e] discontinue.

descontrolado *S.Am.* uncontrolled; unregulated; deregulated.

descorazonar [1a] *fig.* discourage.

descorchador *m* corkscrew; **descorchar** [1a] 🌳 *árbol* strip, bark; *botella* uncork, open.

descortés discourteous, rude; **descortesía** *f* discourtesy, rudeness.

descortezar [1f] *árbol* skin, bark; *pan* cut the crust off.

descoser [2a] unstitch; **~se** burst at the seams, come apart; F fart; **descosido** 1. big-mouthed; (*desastrado*) shabby, slovenly; 2. *m* tear.

descoyuntar [1a] put out of joint, dislocate; *fig.* bother, annoy.

descrédito *m* discredit; disrepute; **descreído** 1. unbelieving; godless; 2. *m, a f* unbeliever; **descreimiento** *m* unbelief.

describir [3a; *p.p. descrito*] describe (*a.* 𝕏); **descripción** *f* description; **descriptivo** descriptive.

descuajar [1a] dissolve; ♀ uproot.

descuartizar [1f] carve up.

descubierto *situación* open, exposed; 𝕏 *freq. a.* under fire; *p.* bareheaded; *cabeza* bare; **descubridor** *m* discoverer; 𝕏 scout; **descubrimiento** *m* discovery; detection; **descubrir** [3a; *p.p. descubierto*] discover; detect, spot; bring to light, unearth, uncover; **~se** take off one's hat; (*saludo*) raise one's hat.

descuento *m* discount, rebate.

descuerar [1a] *S.Am.* skin; flay; F slander; libel.

descuidado careless; slack, negligent; forgetful; (*desaseado*) slovenly, unkempt; **descuidar** [1a] *v/t.* neglect, disregard; *v/i.* **~se** not worry, not bother (*de about*); ¡*descuide Vd.!* don't worry!; **descuido** *m* carelessness, slackness *etc.*; (*un ~*) oversight, mistake.

deschavetar [1a] *S.Am.*, get rattled; go crazy; flip one's lid.

desde *tiempo* since; *tiempo, lugar* from; *~ que* since.

desdén *m* disdain; **desdeñar** [1a] scorn, disdain; despise; **~se de inf.** not deign to *inf.*; **desdeñoso** scornful, disdainful, contemptuous.

desdicha *f* unhappiness; wretchedness; (*una ~*) misfortune; **desdichado 1.** unhappy, unlucky; wretched; **2.** *m* poor devil, wretch.

desdoblar [1a] unfold, spread out.

desdorar [1a] tarnish (*a. fig.*); **desdoro** *m* blot, stigma.

deseable desirable; **desear** [1a] want, desire, wish for.

desecación *f* desiccation; **desecar** [1g] dry up (*a. fig.*), desiccate.

desechar [1a] *desechos etc.* throw out; *lo inútil* jettison, scrap; *consejo, miedo etc.* cast aside; *proyecto, oferta* reject; **desecho** *m* residue, waste; chaff; *S.Am.* shortcut; *~ de hierro* scrap iron; **~s** *pl.* rubbish, debris, waste.

desembalar [1a] unpack.

desembarazar [1f] *camino, sala* clear (*de of*); *fig.* **~** de rid *s.o.* of; **~se de** get rid of; **desembarazo** *m* freedom; lack of restraint.

desembarcadero *m* quay, landing-stage; **desembarcar** [1g] *v/t ps.* land, put ashore; *mercancías* unload; *v/i.* land, disembark; **desem-**

barco *m* landing (*a. de escarela*) etc.

desembargar [1h] free.

desembarque *m* unloading, landing.

desembocadura *f* mouth; outlet, outfall; opening *de calle*; **desembocar** [1g]; **~ en** (*río*) flow into; (*calle*) open into, meet; *fig.* end in.

desembolsar [1a] pay out; **desembolso** *m* outlay, expenditure.

desembragar [1h] disengage, disconnect; **desembrague** *m* disengagement; *mot.* declutching.

desembuchar [1a] disgorge; F spill the beans.

desemejante dissimilar; unlike (*a. ~ de*); **desemejanza** *f* dissimilarity.

desempacar [1g] unpack.

desempacho *m* ease, confidence.

desempaquetar [1a] unpack, unwrap.

desempeñar [1a] *prenda* redeem; *deudor* free from debt; *p.* get out of a jam; *papel* play; **desempeño** *m* discharge *etc. de deber*; *thea.* performance, acting.

desempleado out of work, unemployed; **desempleo** *m* unemployment; *~ en masa* mass employment.

desempolvar [1a] dust.

desenamorar [1a] alienate; **~se** get fed up (with).

desencadenar [1a] unchain; *esp. fig.* unleash; **~se** *fig.* break loose.

desencajado *cara* concorted; *ojos* wild; **desencajar** [1a] dislocate; ⊕ disconnect.

desencantar [1a] disenchant, disillusion; **desencanto** *m* disenchantment, disillusion(ment).

desenchufar [1a] disconnect, unplug.

desenfadar(se) [1a] calm down; **desenfado** *m* freedom, lack of inhibition.

desenfocado out of focus.

desenfrenado wild; (*vicioso*) unbridled, licentious; **desenfrenarse** [1a] lose all control; run riot; **desenfreno** *m* lack of control; (*vicio*) licentiousness.

desenganchar [1a] unhook, unfasten; ⊕ disengage.

desengañar [1a] undeceive; disabuse (*de of*); **~se** see the light; become disillusioned; **desengaño** *m* disillusion(ment).

desenlace *m* outcome; *lit.* ending, dénouement; **desenlazar** [1f] undo, unlace; **~se** *lit.* end, turn out.

desenmarañar [1a] unravel, disentangle.

desenmascarar [1a] unmask, expose, show up.

desenredar [1a] free, disentangle (*a. fig.*); *fig.* resolve, straighten out; **desenredo** *m* disentanglement; *fig.* dénouement.

desenrollar(se) [1a] unroll, unwind.

desentenderse [2g]: ~ de wash one's hands of; affect ignorance of.

desenterrar [1k] unearth, dig up.

desentonar [1a] be out of tune (*con* with; *a. fig.*); ~se *fig.* speak disrespectfully.

desentrañar [1a] disembowel; *fig.* puzzle out, get to the bottom of.

desenvainar [1a] *espada* unsheathe; ♀ shell; F bring out, show.

desenvoltura *f* ease, assurance; *b.s.* boldness; **desenvolver** [2h; *p.p.* desenvuelto] *paquete* unwrap; *rollo* unwind; (*desarrollar*) develop; **desenvolvimiento** *m* development; **desenvuelto** *fig.* free and easy, self-assured; *b.s.* bold.

deseo *m* wish, desire (*de* for; *de inf.* to *inf.*); **deseoso** desirous.

desequilibrado unbalanced (*a. fig.*); (*desigual*) one-sided, lopsided; **desequilibrar** [1a] unbalance; throw off balance; **desequilibrio** *m* unbalance (*a. ♂*).

deserción *f* desertion; **desertar** [1a] desert (*a. ~ de*); **desertor** *m* deserter.

desesperación *f* despair, desperation; **desesperado** desperate; in despair; *condición* hopeless; **desesperanzar** [1f] deprive of hope; **desesperar** [1a] drive to despair; *v/i.*, ~se despair (*de* of), lose hope.

desestimar [1a] have a low opinion of; belittle, disparage.

desfachatado F brazen; cheeky; **desfachatez** *f* F brazenness; cheek.

desfalcar [1g] embezzle; **desfalco** *m* embezzlement.

desfallecer [2d] *v/t.* weaken; *v/i.* get weak; faint away; **desfallecimiento** *m* weakness; faintness.

desfavorable unfavorable.

desfiguración *f* disfiguration *etc.*; **desfigurar** [1a] *rostro* disfigure; *cuadro etc.* deface; *voz* alter, disguise.

desfiladero *m* defile, pass; **desfilar** [1a] parade; (*a.* ~ *ante*) file past; **desfile** *m* procession; ✕ parade.

desflorar [1a] deflower.

desfogar [1h] vent (*a. fig.*); ~se *fig.* let o.s. go, blow off steam.

desgajar [1a] tear off, break off; ~se come off, break off.

desgana *f* lack of appetite; *fig.* disinclination, reluctance.

desgarbado clumsy, ungainly; (*desaliñado*) slovenly.

desgarrador *fig.* heartbreaking, heartrending; **desgarrar** [1a] tear, rip up; *fig.* rend, shatter; **desgarro** *m* tear; *fig.* effrontery.

desgastado worn (out); used up; eroded; *llanta* treadless; *tela* threadbare.

desgastar [1a] wear away; *geol.* erode, weather; *cuerda etc.* chafe, fray; ~se wear away *etc.*; ♂ get weak, wear o.s. out; **desgaste** *m* wear; erosion *etc.*

desgobernado uncontrollable, undisciplined; **desgobernar** [1k] misgovern, misrule; *asunto* mismanage, handle badly.

desgoznar [1a] unhinge, take off the hinges; ~se *fig.* go off the rails.

desgracia *f* (*mala suerte*) misfortune; (*suceso*) mishap, misfortune; (*pérdida de favor*) disgrace; **desgraciado** 1. unlucky, unfortunate; wretched; (*sin gracia*) graceless; 2. *m*, **a** *f* wretch, unfortunate.

desgranar [1a] *trigo* thresh; *racimo* pick the grapes from; *guisantes* shell; ~se ♀ fall, seed.

desgreñado dishevelled; **desgreñar** [1a] tousle, ruffle.

desguarnecer [2d] ⊕ strip down; *plaza* abandon, dismantle.

deshabitado uninhabited; **deshabitar** [1a] move out of.

deshabituarse [1e] lose the habit.

deshacer [2s] *lo hecho* undo, unmake; spoil, destroy; (*dividir*) cut up; (*romper*) pull to pieces; ⊕ take apart; *maleta* unpack; *paquete* open; (*desgastar*) wear down; (*liquidar*) melt, dissolve; *agravio* right; ~se fall to pieces, come apart *al caer etc.*; (*liquidarse*) melt; (*afligirse*) grieve; get impatient *esperando*; ♂ get weak; ~ de get rid of; *carga* throw off; ♀ dump, unload; ~ *por inf.* struggle to *inf.*

desharrapado ragged, shabby.

deshecho 1. *p.p. de deshacer*; undone; *salud* broken; F *estoy* ~ I'm worn out; 2. *adj. lluvia* violent; *suerte* tremendous.

deshelar [1k] thaw, melt (*a.* ~se); ❄ de-ice.

desherbar [1k] weed.

desheredar [1a] disinherit.

desherrarse [1k] lose a shoe.

deshidratación *f* dehydration.

deshielo *m* thaw.

deshilachar [1a] pull threads out of; ~se fray; **deshilar** [1a] unravel.

deshilvanar [1a] untack.

deshinchar [1a] *neumático* let down; *cólera* give vent to; ~se 🖑 go down.

deshojar [1a] strip the leaves (*or* petals) off; ~se lose its leaves *etc.*

deshonestidad *f* indecency *etc.*; **deshonesto** indecent, lewd, improper; **deshonor** *m* dishonor; insult (de to); **deshonra** *f* dishonor, disgrace, shame; shameful act; **deshonrar** [1a] dishonor, disgrace, insult; *mujer* seduce; **deshonroso** dishonorable, ignominious.

deshora: *a* ~ at the wrong time; (*sin avisar*) unexpectedly.

deshuesador *m* pitter; boner; ~a *f frutas* pitter; pit-removing device; **deshuesar** [1a] *carne* bone; 🍒 stone.

desidia *f* laziness, idleness; **desidioso** lazy, idle.

desierto 1. *casa etc.* deserted; *isla* desert; *paisaje* bleak, desolate; *certamen*: void; 2. *m* desert; wilderness.

designación *f* designation, appointment; **designar** [1a] designate, appoint; name; **designio** *m* design, plan.

desigual unequal; *superficie* uneven, rough, bumpy; *filo* ragged; *progreso etc.* erratic; *fig.* arduous, tough; **desigualdad** *f* inequality; unevenness *etc.*

desilusión *f* disappointment; disillusion(ment); **desilusionar** [1a] disappoint, let down; disillusion; ~se get disillusioned.

desinencia *f gr.* ending.

desinfectante *m* disinfectant; **desinfectar** [1a] disinfect.

desinflación *f* disinflation; deflation; **desinflacionar** [1a] ⚓ deflate; **desinflar** [1a] deflate.

desinsectación *f* (insect) extermination; **desinsectar** [1a] exterminate insects (from).

desinterés *m* disinterestedness; **desinteresado** disinterested; unselfish.

desintoxicación *f* sobering (up); detoxification; **desintoxicarse** [1g] sober up; be detoxified.

desistir [3a] desist; ~ de desist from; *derecho etc.* waive.

desleal disloyal; **deslealtad** *f* disloyalty.

desleír [3m] dissolve; dilute.

deslenguado foul-mouthed.

desliar [1c] untie, undo; ~se come undone.

desligar [1h] untie, undo; *fig.* detach, separate; (*desenredar*) unravel; free (*de juramento* from).

deslindar [1a] mark out; *fig.* define.

desliz *m mot.* skid; *esp. fig.* slip, lapse; **deslizadizo** slippery; **deslizamiento** *m* slide, sliding; skid; glide; ~ de tierra landslide; **deslizar** [1f] *v/t.* slide (*por* along), slip (*en* into, *por* through); *v/i.*, ~se (*resbalar*) slip (*en* up on); slide (*por* along); *mot.* skid; (*culebra etc.*) glide, slither; (*introducirse*) squeeze in; (*huir*) slip away; (*secreto*) slip out.

deslomar [1a] break the back of.

deslucido unadorned; dull, lifeless; undistinguished; **deslucir** [3f] tarnish, dull; *fig.* spoil, fail to give life to; ~se *fig.* be unsuccessfull.

deslumbrador dazzling (*a. fig.*), glaring; **deslumbramiento** *m* glare, dazzle; *fig.* confusion, bewilderment; **deslumbrar** [1a] dazzle (*a. fig.*), blind; *fig.* confuse.

deslustrado dull, lustreless (*a. fig.*); *vidrio* frosted, ground; **deslustrar** [1a] tarnish (*a. fig.*), dull; **deslustre** *m* dullness; *fig.* stain, stigma.

desmadejar [1a] take it out of, enervate.

desmán *m* excess; piece of bad behaviour.

desmandado uncontrollable; obstreperous; **desmandarse** [1a] behave badly, be insolent.

desmantelar [1a] dismantle; *casa* abandon, forsake; ~se get dilapidated.

desmañado awkward, clumsy; unpractical.

desmaquillar [1a] remove make-up (from).

desmayado 💀 unconscious; 💀 *fig.* weak, faint; languid; *color* pale; **desmayar** [1a] *v/t.* dismay, distress; *v/i.* lose heart, get depressed; ~se faint; **desmayo** *m* 💀 faint(ing fit); 💀 (*en general*) unconsciousness; *fig.* depression.

desmedido excessive, disproportionate; boundless; **desmedirse** [3l] forget o.s., go too far.

desmedrar [1a] v/t. impair; v/i. decline, fall off.

desmejorar [1a] spoil, impair; ⁓se decline, deteriorate; ⚕ lose one's health; lose one's charms.

desmelenar dishevelled.

desmembrar [1k] dismember.

desmemoriado forgetful, absent-minded.

desmentida f denial; *dar una* ⁓ *a* give the lie; **desmentir** [3i] give the lie to; *acusación* deny, refute; *carácter* belie; *rumor* scotch.

desmenuzar [1f] *pan* crumble; *carne* chop (up), mince; *queso etc.* shred; *fig.* take a close look at.

desmerecer [2d] v/t. be unworthy of; v/i. deteriorate, lose value; **desmerecimiento** m unworthiness.

desmesura f excess; intemperance; immoderation; **desmesurado** disproportionate, inordinate; *ambición etc.* boundless.

desmigajar [1a], **desmigar** [1h] crumble.

desmilitarizado demilitarized; *zona* ⁓*a* demilitarized zone; **desmilitarizar** [1f] demilitarize.

desmochar [1a] top; *árbol* lop, pollard; *texto etc.* cut.

desmontable detachable; **desmontar** [1a] v/t. ⊕ dismantle, take to pieces, strip (down); ⚔ knock down; *escopeta* uncock; *(ayudar a bajar)* help *s.o.* down; v/i., ⁓se dismount, alight.

desmoralizar [1f] *ejército* demoralize; *costumbres etc.* corrupt.

desmoronadizo crumbling, crumbly; **desmoronarse** [1a] *geol.* crumble; *(casa)* fall into disrepair, get dilapidated; *fig.* decline, decay.

desmovilizar [1f] demobilize.

desnatar [1a] *leche* skim; *fig.* take the cream off.

desnaturalizado unnatural; **desnaturalizar** [1f] alter fundamentally; pervert, corrupt; ⁓se *(p.)* give up one's nationality.

desnivelar [1a] make uneven.

desnucar [1g] break the neck of.

desnudar [1a] strip (*a.* ⚲, *fig.*; *de* of); undress; *brazo etc.* bare; *espada* draw; ⁓se undress, get undressed, strip; **desnudez** f nakedness, nudity; bareness (*a. fig.*); **desnudismo** m nudism; **desnudo** **1.** naked, nude; bare; *fig.* (*sin adorno*) bare; **2.** m nude.

desnutrición f malnutrition, undernourishment; **desnutrido** undernourished.

desobedecer [2d] disobey; **desobediencia** f disobedience; **desobediente** disobedient.

desocupación f leisure; *b.s.* idleness; (*paro*) unemployment; **desocupado** *cuarto* vacant, unoccupied; *tiempo* spare, leisure *attr.*; *p.* at leisure; *b.s.* idle; (*parado*) unemployed; **desocupar** [1a] *casa etc.* vacate; *cajón* empty.

desodorante m deodorant; **desodorizar** [1f] deodorize.

desoír [3q] ignore, disregard.

desolación f desolation; *fig.* grief; **desolar** [1m] lay waste; ⁓se grieve.

desolladero m slaughter-house; **desollado** F brazen, barefaced; **desollar** [1m] skin, flay.

desorbitado: *con los ojos* ⁓s wide-eyed, pop-eyed.

desorden m *mst* disorder; turmoil, confusion; (*objetos*) litter, mess; **desordenado** disordered; *conducta etc.* disorderly; *objetos, cuarto* untidy; *niño etc.* wild, unruly; **desordenar** [1a] throw into confusion, mess up, disarrange.

desorganizar [1f] disorganize, disrupt.

desorientación f disorientation; confusion; confusedness; **desorientar** [1a] make *o.s.* lose his way; *fig.* confuse; ⁓se lose one's bearings.

desovar [1a] spawn; (*insecto*) lay eggs; **desove** m spawning; egg-laying.

despabilado wide awake (*a. fig.*); **despabilar** [1a] *vela* snuff; *lámpara* trim; *fig. p.* wake up, liven up; ⁓se wake up (*a. fig.*); *S.Am.* clear out; *¡despabílate!* get a move on!

despacio 1. slowly; gently; gradually; *¡*⁓*!* gently!, easy there!; *S.Am.* (*voz*) soft, low; **2.** m *S.Am.* delaying tactic; **despacioso** slow, phlegmatic.

despachar [1a] v/t. (*concluir*) dispatch, settle; *negocio* do, transact; (*enviar*) dispatch, send, post; (*dar prisa a*) expedite; v/i. get it settled, come to a decision; (*darse prisa*) hurry; **despacho** m office para *negocios*; study *en casa*; (*tienda*) shop; (*mensaje*) dispatch; ⁓ (*de aduana*) clearance.

despachurrar [1a] F squash, crush, squelch; *comida* mash; *p.* flatten, knock sideways.

despampanante F stunning, tremendous; **despampanar** [1a] *v/t.* ♀ prune; F knock *s.o.* sideways, bowl *s.o.* over; *v/i.* F talk freely.

desparej(ad)o uneven; odd.

desparpajo *m* ease of manner, self-confidence, charm *en el trato*; *b.s.* glibness, savoir faire *en obrar*; *b.s.* (*descaro*) nerve, cheek.

desparramar [1a] scatter, spread (*por over*); *fortuna* squander; **~se** F have a whale of a time.

despatarrarse [1a] F do a split; sprawl on the floor.

despavorido terrified.

despearse [1a] get footsore.

despectivo contemptuous, scornful; derogatory; *gr.* pejorative.

despechar [1a] spite; (*irritar*) stir up, enrage; **despecho** *m* spite; despair; *a ~ de* in spite of.

despedazar [1f] tear apart, tear to pieces; *fig. honra* ruin; *corazón* break.

despedida *f* farewell, send-off; leave-taking; dismissal; **despedir** [3l] *amigo* see off *en estación*, see out *en puerta*; *importuno* send away; *obrero* dismiss, discharge, sack; *olor* emit, give off; (*soltar*) get rid of; **~se** say good-bye, take one's leave; *~ de* say good-bye to, take leave of.

despegar [1h] *v/t.* unstick, detach; *sobre* open; *v/i.* ✈ take off; **~se** come unstuck; **despego** *m* = *desapego*; **despegue** *m* ✈ take-off; *~ vertical* vertical take-off.

despeinado dishevelled, unkempt.

despejado clear, open; *cielo* cloudless; *fig. p.* bright, smart; **despejar** [1a] clear (*a. deportes*); *fig.* clear up, clarify; ℵ find; **~se** *meteor.* clear up; *fig.* amuse o.s., relax; **despejo** *m* self-confidence, ease of manner.

despellejar [1a] skin (*a. sl.*).

despensa *f* pantry, larder; ⚓ etc. storeroom; (*comida*) stock of food, daily marketing; **despensero** *m* butler, steward.

despeñadamente hastily; boldly.

despeñadero *m* cliff; *fig.* risk, danger; **despeñar** [1a] hurl (*por over, down*); **~se** hurl o.s. down; fall headlong; *fig. ~ en* plunge into.

despepitarse [1a] bawl, shriek; *~ por* be crazy about.

desperdiciar [1b] waste, fritter away; *oportunidad* throw away; **desperdicio** *m* waste, wasting; **~s** *pl.* rubbish, refuse; waste products.

desperdigar [1h] scatter, separate.

desperezarse [1f] stretch (o.s.).

despertador *m* alarm-clock; **despertar** [1k] *v/t.* wake (up); *fig. recuerdos* revive, recall; (*excitar*) arouse, stir up; *v/i.*, **~se** wake up, awaken.

despiadado merciless, remorseless.

despicar [1g] satisfy.

despido *m* discharge; firing; termination.

despierto awake; *fig.* alert, watchful; (*listo*) wide awake.

despilfarrado(r) extravagant, wasteful; (*andrajoso*) shabby; **despilfarrar** [1a] waste, squander; **despilfarro** *m* extravagance, waste, wastefulness; (*deseaso*) shabbiness.

despintar [1a] take the paint off; *fig.* spoil, alter, distort; **~se** fade, lose its color.

despiojar [1a] delouse.

despique *m* revenge.

despistado F 1. (all) at sea, off the beam; absentminded; 2. *m* absent-minded sort; **despistar** [1a] *hunt. a. fig.* throw *s.o.* off the scent; *fig.* mislead; **despiste** *m* *mot.* swerve; F absence of mind; confusion.

desplacer 1. [2x] displease; 2. *m* displeasure.

desplantador *m* trowel; **desplantar** [1a] pull up, uproot.

desplazado *m*, **a** *f* outsider; (*refugiado*) displaced person; **desplazar** [1f] displace, take the place of; **~se** move, shift; (*p.*) go, travel.

desplegar [1h *a.* 1k] open (out), unfold; *alas etc.* spread; *velas* unfurl; ✕ deploy; **despliegue** *m* *fig.* display; ✕ deployment.

desplomarse [1a] ▲ lean, bulge; (*caer*) collapse, tumble (down); ✈ make a pancake landing; *fig.* (*p.*) crumple up; **desplome** *m* collapse, downfall.

desplumar [1a] pluck; *fig.* fleece.

despoblación *f* depopulation; **despoblado** *m* deserted spot, uninhabited place; **despoblar** [1m] depopulate; *fig.* lay waste.

despojar [1a]: *~ de* strip of; *esp. fig.* divest of, denude of; ⚡ dispossess of; **~se** *de ropa* strip off, take off; *hojas etc.* shed; *fig.* give up; **despojo**

m (*acto*) spoliation, despoilment; (*lo robado*) plunder, spoils; ~s *pl.* leavings, scraps.

despolvorear [1a] dust.

desportilladura *f* chip; **desportillar(se)** [1a] chip.

desposado recently married; **desposar** [1a] marry; ~se get engaged; (*casarse*) get married.

desposeer [2e] dispossess (*de* of), oust (*de* from); ~se de give up; **desposeído:** los ~s *m/pl. fig.* the have-nots.

desposorios *m/pl.* engagement.

despostar [1a] *S.Am.* (*res*) cut up; carve; butcher.

déspota *m* despot; **despótico** despotic; **despotismo** *m* despotism; ~ *ilustrado* enlightened despotism.

despreciable *p.* despicable; (*de baja calidad*) trashy, worthless; (*muy pequeño*) negligible; **despreciar** [1b] scorn, despise, look down on; (*desairar*) slight, spurn; ~se de *inf.* think it beneath one to *inf.*; **desprecio** *m* scorn, contempt.

desprender [2a] unfasten, detach; separate; ~se ⊕ *etc.* work loose, fall off, fly off; ~ de give up; *fig.* follow from; **desprendimiento** *m fig.* disinterestedness; generosity.

despreocupación *f* unconcern *etc.*; **despreocupado** unconcerned, nonchalant, carefree.

desprestigiar [1b] disparage, run down; cheapen; ~se lose prestige; **desprestigio** *m* loss of prestige.

desprevención *f* unreadiness; lack of foresight; **desprevenido** unprepared.

desproporción *f* disproportion; **desproporcionado** disproportionate.

despropósito *m* (piece of) nonsense, silly thing.

desprovisto *de* devoid of.

después 1. *adv.* afterwards, later; (*en orden*) next; (*desde entonces*) since (then); (*luego*) next, then; **2.** *prp.:* ~ *de* after; since; ~ *de inf.* after *inf.*; **3.** *cj.:* ~ (*de*) *que* after *er.*

despuntado blunt; **despuntar** [1a] *v/t.* blunt; *v/i.* ♀ sprout, begin to show; (*alba*) dawn, appear.

desquiciar [1b] *puerta* unhinge (*a. fig.*); *fig.* upset, turn upside down; (*turbar*) disturb.

desquitarse [1a] get satisfaction; ✝ get one's money back; (*vengarse*)

get even (*con* with); **desquite** *m* revenge, retaliation.

desrazonable unreasonable.

desrielar [1a] *S.Am.* derail.

destacado outstanding; **destacamento** *m* ✕ detachment; **destacar** [1g] emphasize; ✕ detach, detail; ~se stand out (*a. paint. etc.*).

destajar [1a] arrange for, contract for; *baraja* cut; **destajo** *m* (*en general*) piecework, contract work; (*tarea*) job, stint; *a* ~ by the job; *fig.* eagerly, keenly.

destapar [1a] *botella* open, uncork; *caja* open, take the lid off; *fig.* reveal; **destaponar** [1a] uncork.

destartalado *casa* tumbledown; (*mal dispuesto*) rambling; *máquina etc.* rickety.

destazar [1f] cut up.

destejer [2a] undo, unravel.

destellar [1a] flash; sparkle; glint, gleam; **destello** *m* flash *etc.*

destemplado ♪ out of tune; *voz* harsh, unpleasant; **destemplanza** *f meteor.* inclemency, bleakness; ♪ indisposition; **destemplar** [1a] upset, disturb; ♪ untune; ~se ♪ get out of tune.

desteñir [3l] fade, take the color out of.

desternillarse [1a]: *v. risa.*

desterrado *m,* **a** *f* exile; **desterrar** [1k] exile; banish (*a. fig.*).

destetar [1a] wean; **destete** *m* weaning.

destierro *m* exile.

destilación *f* distillation; **destilar** [1a] *v/t.* distil; *sangre etc.* ooze, exude; *v/i.* fall (drop by drop); filter through; **destilería** *f* distillery.

destinación *f* destination; goal; **destinar** [1a] destine (*a, para* for, to); intend, mean (*a, para* for); *fondos etc.* earmark (*a* for); *empleado* appoint, assign (*a* to); **destinatario** *m,* **a** *f* addressee; **destino** *m* (*suerte*) destiny, fate; (*blanco,* 🎯 *etc.*) destination; (*puesto*) post, job, post.

destitución *f* dismissal; **destituir** [3g] dismiss, remove (*de* from).

destorcer [2b *a.* 2h] untwist; *vara etc.* straighten; ~se ⚓ get off course.

destornillador *m* screwdriver; **destornillar** [1a] unscrew.

destrabar [1a] loosen; *preso* unfetter.

destral *m* hatchet.

destreza *f* skill, handiness, dexterity.

destripar [1a] gut; disembowel; *fig.* mangle, crush; *cuento* spoil.

destronar [1a] dethrone; *fig.* overthrow.

destroncar [1g] ♀ chop off; *p.* maim; *fig.* ruin; *animal* wear out.

destrozar [1f] smash (*a.* ✂), shatter; mangle; tear to pieces; *esp. fig.* ravage, ruin; **destrozo** *m* destruction; massacre *de ps.*

destrucción *f* destruction; **destructivo** destructive; **destructor 1.** destructive; **2.** *m* destroyer (*a.* ⚓); **destruir** [3g] destroy; ruin, wreck; *argumento* demolish.

desunión *f* disconnection, separation; *fig.* disunity; **desunir** [3a] separate, sever; ⊕ disconnect, disengage; *fig.* cause a rift between.

desusado obsolete, out of date; **desusar** [1a] stop using; **~se** go out of use; **desuso** *m* disuse.

desvaído gaunt; *color* dull.

desvainar [1a] shell, pod.

desvalido *niño etc.* helpless; *p.* destitute; *pol.* underprivileged.

desvalijar [1a] rob, plunder.

desvalorización *f* devaluation; **desvalorizar** [1f] devalue; devaluate.

desván *m* loft, attic.

desvanecer [2d] make *s.o.* disappear; *duda etc.* dispel; **~se** disappear, vanish; (*atenuarse*) melt away, dissolve; evaporate; **desvanecimiento** *m* disappearance *etc.*; ✦ dizzy spell; *fig.* vanity; *radio:* fading.

desvariar [1c] rave, talk nonsense; ✦ be delirious; **desvarío** *m* delirium; *fig.* whim, strange notion.

desvelado sleepless, wakeful; vigilant; **desvelar** [1a] keep *s.o.* awake; **~se** stay awake, have a sleepless night; **desvelo** *m* watchfulness, vigilance; **~s** *pl.* care, concern.

desventaja *f* disadvantage; (*estorbo*) handicap, liability; **desventajoso** disadvantageous.

desventura *f* misfortune; **desventurado 1.** unfortunate; miserable, wretched; **2.** *m,* **a** *f* wretch.

desvergonzado 1. shameless; impudent; unblushing; **2.** *m,* **a** *f* scoundrel; shameless person; **desvergonzarse** [1f *a.* 1n] behave in a shameless way; be impudent (*con* to); **desvergüenza** *f* shamelessness; impudence; ¡qué ~! what a nerve!

desvestir [3l] undress.

desviación *f* deflection, deviation (*a.*

de brújula); *mot.* diversion; (*carretera*) bypass; *fig.* departure (*de from*); **desviado** astray; off the track; lost; **desviar** [1c] turn aside, deflect, divert (*a. fig., mot.*; *de from*); ⚓ switch; *golpe* parry, ward off; **~se** deviate (*de curso etc. from*); turn aside, turn away; *mot. etc.* swerve; **desvío** *m* deflection, deviation; *mot. etc.* swerve; (*camino*) detour; ⚓ siding.

desvivirse [3a]: **~ por** *su.* crave, be crazy about; **~ por** *inf.* go out of one's way to *inf.*, be eager to *inf.*

detallado detailed; *conocimiento* intimate; **detallar** [1a] itemize, specify; *suceso etc.* tell in detail; **detalle** *m* detail; item; F token, (nice) gesture; **detallista** *m/f* retailer.

detective *m* detective.

detención *f* stoppage, hold-up; (*retraso*) delay; ⚖ detention; **detener** [2l] (*parar*) stop, hold up, check; (*guardar*) keep, hold (back), retain; ⚖ detain; **~se** stop (*a inf.* to *inf.*); delay, linger; pause *antes de obrar;* **detenidamente** thoroughly; at (great) length; **detenido** *cuento* detailed; lengthy; *examen* thorough; **detenimiento** *m* thoroughness; care.

detergente *adj. a. su. m* detergent.

deteriorar [1a] spoil; impair; **~se** deteriorate, spoil; **deterioro** *m* deterioration; damage.

determinación *f* determination; decision; **determinado** (*resuelto*) determined, purposeful; (*cierto*) certain, set; **determinar** [1a] *mst* determine; *fecha, precio a.* fix; *contribución, daños a.* assess; *curso a.* shape; *pleito* decide; **~se** *a inf.* decide to *inf.*, determine to *inf.*

detestable detestable, odious; **detestar** [1a] detest, hate, loathe.

detonación *f* detonation; **detonar** [1a] detonate, explode.

detractor 1. slanderous; **2.** *m,* **-a** *f* slanderer, detractor.

detrás behind; *por ~* behind; *atacar etc.* from behind, from the rear; **~ de** behind.

detrimento *m* damage, detriment.

deuda *f* debt; (*en general*) indebtedness; (*pecado*) sin; **~s** *pl.* (*pasivas*) liabilities; **~ pública** national debt; **deudo** *m* relative; **deudor 1.** *saldo* debit *attr.*; **2.** *m,* **-a** *f* debtor.

devanadera *f* *sew.* reel, winding frame; **devanar** [1a] wind; *v. seso.*

devanear [1a] rave, talk nonsense; **devaneo** *m* ravings, nonsense; ⚕ delirium; (*amorío*) affair.

devastar [1a] devastate, lay waste.

devenir 1. [3s] become; 2. *m* evolution, process of development.

devoción *f* devotion (*a* to); devoutness, piety; *fig.* liking (*a* for); **devocionario** *m* prayerbook.

devolución *f* return; ✝ repayment, refund; **devolver** [2h; *p.p.* devuelto] return, give back, send back; ✝ repay, refund.

devorador devouring; **devorar** [1a] devour (*a. fig.*).

devoto 1. *eccl.* devout; devoted; *obra etc.* devotional; 2. *m*, **a** *f eccl.* devout person; worshipper; ~ *del volante* car enthusiast.

día *m* day; daytime; daylight; ¡*buenos* ~*s*! good morning!, good day!; *ocho* ~*s freq.* week; ~ *feriado*, ~ *festivo*, ~ *de fiesta* holiday; *eccl.* feast day; ~ *laborable* working day, week-day; *al* ~ up to date; (*proporción*) a day; *a los pocos* ~*s* within a few days; *al otro* ~ on the following day; *de* ~ by day, in the daytime; *del* ~ fashionable, up to date; *ponerse al* ~ get up to date, catch up; *vivir al* ~ live from hand to mouth.

diabetes *f* diabetes; **diabético** *adj. su. m*, **a** *f* diabetic.

diablo *m* devil (*a. fig.*); ¡(*qué*) ~(*s*)! the devil!, oh hell!; ¡*vete al* ~! go to hell!; **diablura** *f* devilry; (*de niño*) mischief; **diabólico** diabolic(al), devilish, fiendish.

diaconía *f* deaconry; **diaconisa** *f* deaconess; **diácono** *m* deacon.

diadema *f* diadem; tiara *de mujer*.

diáfano diaphanous, transparent; filmy; *agua* limpid.

diafragma *m* diaphragm.

diagnosis *f* diagnosis; **diagnosticar** [1g] diagnose.

diagrama *m* diagram.

dialéctica *f* dialectics; **dialéctico** dialectic(al); **dialecto** *m* dialect; **dialectología** *f* dialectology.

dialogar [1h] *v/t.* write in dialogue form; *v/i.* talk, converse; **diálogo** *m* dialogue.

diamante *m* diamond; **diamantino** diamond-like, adamantine; **diamantista** *m* diamond-cutter.

diámetro *m* diameter.

diana *f* ⚔ reveille.

¡diantre! F oh hell!

diapasón *m* diapason; ~ (*normal*) tuning fork.

diapositiva *f* (lantern-)slide; *phot.* transparency.

diario 1. daily; day-to-day; everyday; 2. *m* (*periódico*) newspaper, daily; (*relación personal*) diary; ✝ daybook; (*gastos*) daily expenses; **diarismo** *m S.Am.* journalism.

diarrea *f* diarrhea.

diatriba *f* diatribe, tirade.

dibujante *m* ⊕ draughtsman (*a. paint.*); designer; cartoonist *de periódico*; **dibujar** [1a] draw, sketch; ⊕ design; *fig.* draw, depict; ~*se contra* be outlined against; **dibujo** *m* (*en general*) drawing, sketching; (*un* ~) drawing sketch; ⊕ design; cartoon; ~*s* comics; comic strips; funnies.

dicción *f* diction; (*palabra*) word; **diccionario** *m* dictionary.

díceres *m/pl.* sayings; rumor(s).

diciembre *m* December.

dictado *m* dictation; title of honour; ~*s pl.* dictates; *escribir al* ~ take dictation, take down; **dictador** *m* dictator; **dictadura** *f* dictatorship; **dictáfono** *m* dictaphone; **dictamen** *m* opinion, dictum; judgement; **dictaminar** [1a] *v/t. juicio* pass; *v/i.* pass judgement (*en* on); **dictar** [1a] dictate; inspire; *sentencia* pass, pronounce.

dicha *f* happiness; (*suerte*) (good) luck; *por* ~ by chance.

dicharachero *m* F witty person; *b.s.* coarse sort; **dicharacho** *m* dirty thing, coarse remark.

dicho 1. *p.p. of decir*; ~ *y hecho* no sooner said than done; 2. *m* (*proverbio*) saying; tag; (*chiste*) bright remark; F insult.

dichoso (*feliz*) happy; (*con suerte*) lucky; (*que trae dicha*) blessed (*a.* F).

didáctico didactic.

dieciséis sixteen (*etc.*: *v.* Apéndice).

diente *m* tooth (*a.* ⊕, *fig.*); cog *de rueda*; ~ *de ajo* clove of garlic; ♀ ~ *de león* dandelion; ~*s pl. postizos* false teeth; *hablar entre* ~*s* mumble.

Diesel: *motor* ~ Diesel engine; **dieseléctrico** *adj.* diesel-electric; **dieselización** *f* Dieselization; equipping with Diesel engines.

diestra *f* right hand; **diestro** 1. (*derecho*) right; (*hábil*) skilful (*en* in, at); handy, deft *con manos*; 2. *m toros*: matador.

dieta *f* diet (*a. pol.*); ~*s pl.* subsist-

dietético

ence allowance; **dietético 1.** dietary; **2.** *m* dietician.

diez ten (*a. su.*); (*fecha*) tenth; *las* ∼ ten o'clock; **diezmar** [1a] decimate (*a. fig.*); **diezmo** *m* tithe.

difamación *f* slander, defamation; libel (*de* on); **difamador 1.** slanderous, libellous; defamatory; **2.** *m*, **-a** *f* defamer; scandal monger; **difamar** [1a] slander, defame; libel; **difamatorio** = difamador 1.

diferencia *f* difference; *a* ∼ *de* unlike; in contrast to; *con corta* ∼ more or less; **diferencial 1.** differential; *impuesto* discriminatory; **2.** *f* ⊕, *mot.* differential; **diferenciar** [1b] *v/t.* differentiate between; *v/i.* differ (*de* from), be in disagreement (*en* over); ∼**se** (*discordar*) differ (*de* from); differentiate (*a.* ⚘ *etc.*); **diferente** different (*de* from); unlike (*de acc.*); ∼*s pl.* (*varios*) several; **diferir** [3i] *v/t.* defer, put off; hold over; *v/i.* differ, be different (*de* from).

difícil difficult, hard (*de inf.* to *inf.*); **difícilmente** with difficulty; **dificultad** *f* difficulty; trouble; objection; **dificultar** [1a] make *s.t.* difficult; hinder, obstruct; interfere with; **dificultoso** awkward, troublesome; F ugly.

difteria *f* diphtheria.

difundir [3a] spread, diffuse, disseminate; *alegría etc.* radiate.

difunto dead, defunct; *día de* ⚯*s* All Souls' Day.

difusión *f* spread, diffusion, dissemination; (*prolijidad*) diffuseness; (*radio*) broadcasting; **difuso** widespread; *luz* diffused; (*prolijo*) discursive.

digerible digestible; **digerir** [3i] digest (*a. fig.*); (*tragar*) swallow; (*aguantar*) stomach; **digestión** *f* digestion; **digestivo** digestive; **digesto** *m* ⚖ digest.

digital 1. digital; **2.** *f* ⚘ foxglove; **dígito** *m* digit.

dignarse [1a]; ∼ *inf.* condescend to *inf.*; deign to *inf.*; **dignatario** *m* dignitary; **dignidad** *f* (*gravedad*) dignity; (*cargo*) rank; (*respeto*) self-respect; **dignificar** [1g] dignify; **digno** (*honrado*) worthy; (*grave*) dignified; (*apropiado*) fitting; ∼ *de* worthy of, deserving.

digresión *f* digression.

dije *m* trinket; medallion, locket; amulet; F (*p.*) treasure, gem.

dilación *f* delay; procrastination.

dilapidación *f* waste; squandering; **dilapidar** [1a] squander.

dilatado vast, extensive; numerous; (*prolijo*) long-winded; **dilatar** [1a] stretch, dilate, distend, expand (*a. phys.*); *fama etc.* spread; (*retrasar*) delay, put off; protract; ∼**se** stretch *etc.*; *fig.* be long-winded.

dilema *m* dilemma.

diletante *m/f* dilettante.

diligencia *f* diligence; † stagecoach; (*prisa*) speed; F errand, piece of business; **diligente** diligent, assiduous; (*pronto*) quick.

dilucidación *f* explanation; enlightenment; **dilucidar** [1a] elucidate.

dilución *f* dilution; **diluir** [3g] dilute, water down (*a. fig.*).

diluviar [1b] pour (with rain); **diluvio** *m* deluge, flood (*a. fig.*).

dimensión *f* dimension; ∼*es pl.* dimensions, size.

dimes y diretes: F *andar en* ∼ *con* argue with.

diminutivo *adj. a. su. m* diminutive; **diminuto** tiny, minute; dwarf.

dimisión *f* resignation; **dimitir** [3a] resign (*de* from).

dinámica *f* dynamics; *fig.* dynamic; **dinámico** dynamic (*a. fig.*).

dinamita *f* dynamite.

dínamo *f* dynamo.

dinastía *f* dynasty; **dinástico** dynastic.

dinerada *f*, **dineral** *m* mint of money; **dinero** *m* money; currency, coinage *de un país*; *hombre de* ∼ man of means; ∼ *contante* cash.

dintel *m* lintel; threshold.

diocesano *adj. a. su. m* diocesan; **diócesi(s)** *f* diocese.

Dios *m* God; ⚯ god; ∼ *mediante* God willing; ¡∼ *mío!* good gracious!; I ask you!; *a* ∼ *gracias* thank heaven; *como* ∼ *manda* as is proper; ¡*plegue a* ∼*!* please God!; ∼ *sabe* God knows; ¡*válgame* ∼*!* bless my soul!; *vaya con* ∼ goodbye.

diploma *m* diploma; **diplomacia** *f* diplomacy; **diplomática** *f* diplomatics; (*carrera*) diplomatic corps; **diplomático 1.** diplomatic; tactful; **2.** *m* diplomat(ist).

dipsomanía *f* dipsomania.

diptongo *m* diphthong.

diputación *f* deputation, delegation; **diputado** *m*, **a** *f* delegate; ∼ (*a Cortes*) deputy, member of Par-

liament; **diputar** [1a] delegate, depute.

dique m (muro) dike, seawall; (malecón) jetty, mole; dam en río; ~ seco dry dock; entrar en ~, hacer ~ dock.

dirección f (línea de movimiento) direction; way; (tendencia) trend, course; (gobierno) direction; ✝ etc. management; leading, leadership de partido etc.; (despacho) manager's office; (señas) address; ~ prohibida entry, no thoroughfare; **directivo** junta etc. managing, governing; clase managerial; administrative; **directo 1.** direct (a. fig.), straight; through, nonstop; **2.** m tenis etc.: forehand; **director 1.** leading, guiding; = directivo; **2.** m director (a. ✝, eccl.); ✝ manager, editor de periódico; ♪ ~ (de orquesta) conductor; **directorio** m (norma) directive; (junta) directorate, ✝ board of directors; (libro) directory.

dirigente m leader; **dirigible 1.** buque etc. navigable; **2.** m dirigible; **dirigir** [3c] direct (a, hacia at, to, towards); carta, palabra, protesta address (a to); libro dedicate (a to); mirada turn, direct; ♨, mot. etc. steer; fig. curso shape; esfuerzos concentrate (a on), direct (a towards); ~se a go to, make one's way to; ♨ etc. steer for, make for; p. address (o.s. to).

discar [1g] S.Am. teleph. dial.

discernimiento m discernment, discrimination; **discernir** [3i] discern; distinguish (de from); premio award.

disciplina f mst discipline; doctrine; **disciplinar** [1a] discipline; (enseñar) school, train; **disciplinario** disciplinary; **discípulo** m, **a** f disciple; pupil.

disco m disk; ~ vertebral spinal disk; deportes: discus; 🚦 signal; teleph. ~ (de marcar) dial; ~ microsurco long-playing record.

díscolo uncontrollable; niño mischievous.

discordante discordant; **discordar** [1m] (ps.) disagree (de with), differ (de from); ♪ be out of tune; **discorde** discordant; instrumento out of tune; **discordia** f discord.

discoteca f record library; discotheque.

discreción f discretion, tact; discrimination; wisdom, shrewdness; **discrecional** discretionary; optional.

discrepancia f discrepancy, disagreement; **discrepante** divergent; dissenting; **discrepar** [1a] differ (de from).

discretear [1a] try to be clever, be frightfully witty; **discreto** discreet; tactful; (sagaz) wise, shrewd.

discriminación f: ~ racial racial discrimination; **discriminar** [1a] S.Am. discriminate against.

disculpa f excuse, plea; apology; **disculpable** pardonable, excusable; **disculpar** [1a] excuse, pardon; exonerate (de from); ~se apologize.

discurrir [3a] v/t. invent, think up; v/i. (andar) roam, wander; (agua) flow; (tiempo) pass; (hablar) discourse (sobre about, on); **discursista** m/f windbag; big talker; **discurso** m speech, address; (en general, tratado) discourse.

discusión f discussion; argument; **discutir** [3a] v/t. discuss, debate, talk over; argue about; contradict; v/i. argue (sobre about, over).

diseminar [1a] scatter; esp. fig. disseminate, spread.

disensión f dissension.

disentería f dysentery.

disentimiento m dissent; **disentir** [3i] dissent (de from).

diseñador m designer; **diseñar** [1a] draw, sketch; **diseño** m drawing, sketch; ⊕ etc. design.

disertación f dissertation, disquisition; **disertar** [1a] expound on.

disfavor m disfavor.

disforme badly-proportioned; monstrous; (feo) ugly.

disfraz m disguise; mask de cara; fancy dress para baile; **disfrazar** [1f] disguise (de as; a. fig.); fig. conceal, cloak; ~se de disguise o.s. as.

disfrutar [1a] v/t. enjoy; v/i. enjoy o.s.; **disfrute** m enjoyment.

disfunción f 🔧 dysfunction.

disgustar [1a] displease, annoy; ~se be annoyed, get angry (con, de about); (aburrirse) get bored (de with); **disgusto** m (desazón) displeasure, annoyance; (pesadumbre) grief, chagrin; (molestia) trouble, bother, difficulty; (disputa) quarrel.

disidencia f dissidence; eccl. dissent; **disidente 1.** dissident, dissentient; **2.** m/f dissident, dissenter, nonconformist.

disílabo 1. disyllabic; **2.** m disyllable.

disimulado furtive, covert, under-

hand; **disimular** [1a] *v/t.* (*ocultar, fingir no sentir*) hide; cloak, disguise; (*perdonar*) excuse; *v/i.* dissemble, pretend; **disimulo** *m* dissimulation; indulgence.

disipación *f* dissipation (*a. fig.*); **disipado** dissipated, raffish; (*manirroto*) extravagant; **disipar** [1a] dissipate; *fortuna* fritter away (*en on*); **~se** vanish; 🜂 evaporate.

dislocación *f* dislocation; *geol.* slip; **dislocar** [1g] dislocate.

disminución *f* diminution, decrease; **~ física** handicap; disability; **disminuir** [3g] *v/t. a. v/i.* diminish, decrease, lessen.

disociación *f* dissociation; **disociar** [1b] dissociate, separate.

disolución *f* dissolution; 🜂 solution; (*moral*) dissoluteness; **disoluto** dissolute, dissipated; **disolver(se)** [2h; *p.p. disuelto*] dissolve (*a. fig.*), melt.

disonancia *f* discord, dissonance; **disonar** [1m] 🎵 be discordant, sound wrong; *fig.* lack harmony.

dispar uncqual, disparate; **disparador** *m* ✕ trigger; escapement *de reloj*; *phot.*; ⊕ release; **disparar** [1a] ✕ shoot, fire; let off; *piedra etc.* throw; **~se** ✕ go off; (*caballo*) bolt, run away.

disparatado absurd, nonsensical, crazy; **disparatar** [1a] talk nonsense; **disparate** *m* silly thing, foolish remark; absurdity.

disparidad *f* disparity.

disparo *m* ✕ shot, report; ⊕ trip.

dispendio *m* waste; extravagance.

dispensa *f eccl. etc.* dispensation; exemption *de examen*; **dispensación** *f* dispensation; **dispensar** [1a] (*distribuir*) dispense; (*eximir*) exempt, excuse (*de inf.* from *ger.*); *falta* excuse, pardon; ¡**dispense Vd.!** excuse me!; **dispensario** *m* dispensary.

dispepsia *f* dyspepsia.

dispersar [1a] disperse, scatter; **dispersión** *f* dispersion (*a. phys.*), dispersal; **disperso** scattered, straggling; (*escaso*) sparse.

displicencia *f* bad temper, peevishness; **displicente** disagreeable, peevish, bad-tempered.

disponer [2r] *v/t.* (*arreglar*) arrange, dispose, lay out; line up *en fila*; (*preparar*) get ready (*para* for); *v/i.*: **~ de** (*usar*) make use of, avail o.s. of; (*tener listo*) have *s.t.* available.

disponible available; on hand, spare;

disposición *f* (*arreglo*) arrangement, disposition; layout (*a.* △); (*temperamento*) disposition; aptitude (*para* for), turn (*of mind*); *última* ~ last will and testament; *a la* ~ **de** at the disposal of; *a la* ~ **de Vd.**, *a su* ~ at your service.

dispuesto 1. *p.p. of disponer*; *bien* ~ well-disposed (*hacia* towards); △ well designed; *poco* ~ *a inf.* reluctant to *inf.*, loath to *inf.*; **2.** *adj.* handsome; graceful; (*hábil*) clever.

disputa *f* dispute, argument; **disputar** [1a] *v/t.* dispute, challenge; debate; *v/i.* debate (*de, sobre on*; *con* with); argue (*de, sobre* about); **~se** *algo* fight for.

distancia *f* distance (*a. fig.*); *a* ~ at a distance; *a gran* ~, *a larga* ~ *attr.* long-distance; **distanciar** [1b] *objetos* space out; *rival* outdistance; **~se** (*dos ps.*) be estranged; ~ **de rival** get ahead of; **distante** *f* distant; **distar** [1a]: *dista 10 km. de aquí* it is 10 km. (away) from here; *dista mucho* it is a long way away.

distender [2g] distend; **distensión** *f* distension.

distinción *f* distinction (*a. honor*), difference; (*lo distinto*) distinctness; *fig.* elegance; *a* ~ de unlike; **distinguido** distinguished; *modales etc.* gentlemanly, ladylike; elegant; **distinguir** [3d] (*divisar*) distinguish, make out; (*separar*) distinguish (*de* from, *entre* between), tell (*de* from); **~se** distinguish o.s.; stand out, be distinguished; **distintivo 1.** distinctive; *señal* distinguishing; **2.** *m* badge; *fig.* distinguishing mark, characteristic; **distinto** different, distinct (*de* from); clear, distinct.

distorsión *f radio:* distortion.

distracción *f* distraction; amusement; absence of mind; **distraer** [2p] distract, divert, lead *s.o.* away (*de* from); (*entretener*) amuse; **~se** amuse o.s.; **distraído** absentminded; vague, dreamy; *b.s.* inattentive, lackadaisical.

distribución *f* distribution; (*arreglo*) arrangement; **distribuidor** *m* distributor (*a. mot.*); 🕇 dealer, stockist; ~ **automático** vending machine; **distribuir** [3g] distribute; hand out; give out, send out; 🕇 deliver.

distrito *m* district, administrative area; ⚖ circuit; constituency.

disturbio *m* disturbance.

disuadir [3a] dissuade (*de inf.* from *ger.*), deter, discourage; **disuasión** *f* disuasion *etc.*

diurético diuretic *adj. a. su. m.*

diurno day *attr.*, diurnal ⏳.

divagación *f* digression; ∼es *pl.* wanderings, ramblings; **divagar** [1h] ramble *en discurso*; wander *en mente*; (*salir del tema*) digress.

diván *m* divan.

divergencia *f* divergence; **divergir** [3c] diverge.

diversidad *f* diversity, variety; **diversificar** [1g] diversify.

diversión *f* amusement, entertainment; pastime; ⚔ diversion; **diverso** diverse; different (*de* from); ∼s *pl.* several, various, sundry.

divertido *libro etc.* entertaining, enjoyable; *fiesta* merry, gay; *chiste, p.* funny, amusing; *S.Am.* tight; **divertir** [3i] amuse, entertain; ∼se have a good time, amuse o.s. (*en hacer* doing).

dividendo *m* dividend; **dividir** [3a] divide; share (out), split (up).

divinidad *f* divinity; godhead; (*dios pagano*) god(dess *f*); *fig.* beauty; **divino** divine (*a. fig.*).

divisa *f* emblem, badge; *heráldica:* motto, device; ∼s *pl.* ✝ foreign exchange.

divisar [1a] make out; (e)spy.

división *f* division (*a.* ⚔); *pol. etc.* split; *deportes* class; category; **divisor** *m*: *máximo común* ∼ highest common factor; **divisoria** *f geog.* divide.

divisorio dividing.

divorciar [1b] divorce (*a. fig.*); ∼se get divorced, get a divorce (*de* from); **divorcio** *m* divorce.

divulgación *f* disclosure *etc.*; **divulgar** [1h] *secreto* divulge, disclose, let out; (*publicar*) spread, popularize; ∼se (*secreto*) leak out.

doblado double; (*cuerpo*) thickset; *terreno* rough; (*taimado*) sly; **dobladura** *f* fold, crease; **doblar** [1a] *v/t.* double; (*plegar*) fold (up), crease; *página etc.* turn down; *dobladillo etc.* turn up; *esquina* turn, round; *cine:* dub; *v/i.* (*torcer*) turn; ♪ toll; *thea.* stand in; ∼se double (*plegarse*) fold (up); bend, buckle; (*ceder*) yield.

doble 1. double (*a.* ♥, *sentido*); *fondo* false; *mando* dual; *paño extra* thick; *p.* two-faced, deceitful; **2.** *m* (*pliegue*) fold, crease; ♪ knell; ♪ tolling; *tenis*

etc.: juego de ∼s doubles; *al* ∼ doubly; **3.** *m/f cine etc.*: double, stand-in.

doblegar [1h] (*plegar*) fold; (*torcer*) bend, *p.* persuade, sway; (*rendir*) force *s.o.* to give in; ∼se (*p.*) give in.

doblez 1. *m* fold, crease; **2.** *f* double-dealing, duplicity.

doce twelve (*a. su.*); (*fecha*) twelfth; *las* ∼ twelve o'clock; **docena** *f* dozen; ∼ *de fraile* baker's dozen.

docente educational; *centro, personal* teaching *attr.*; **dócil** docile; obedient; gentle.

docto 1. learned; **2.** *m* scholar; **doctor** *m* doctor; **doctorado** *m* doctorate; **doctorarse** [1a] take one's doctorate.

doctrina *f* doctrine; teaching; (*saber*) learning; **doctrinar** [1a] teach.

documentación *f* documentation; papers *de identidad*; **documental** *adj. a. su. m* documentary; documentary film; **documento** *m* document; record; certificate.

dogal *m* halter; noose *de verdugo*.

dogma *m* dogma; **dogmático** dogmatic(al); **dogmatismo** *m* dogmatism.

dólar *m* dollar.

dolencia *f* ailment, complaint; **doler** [2i] ⚚ hurt, pain; ache; *fig.* grieve, distress; ∼se *de* be sorry for, grieve for; (*compadecer*) pity, sympathize with; (*a voces*) moan, groan; **doliente 1.** ⚚ suffering, ill; sad, sorrowful; **2.** *m/f* sufferer; mourner *en entierro*.

dolor *m* ⚚ pain, ache; pang; (*pesar*) grief, sorrow; regret; **dolorido** ⚚ sore, tender, aching; *p.* grief-stricken; *tono* plaintive, pained; **doloroso** painful, grievous.

doloso deceitful; fraudulent.

domador *m*, **-a** *f* trainer, tamer; ∼ *de caballos* horse breaker; **domar** [1a] tame, train; *fig.* master, control; **domeñar** [1a] = *domar*.

domesticado tame; (*de casa*) pet; **domesticar** [1g] tame, domesticate; **doméstico 1.** *animal* tame, pet; *vida* home *attr.*, family *attr.*, domestic; **2.** *m,* **a** *f* domestic.

domiciliar [1b] domicile; house; ∼se take up (one's) residence; **domicilio** *m* home; ⏳, ⚖ domicile, dwelling, abode; *servicio a* ∼ delivery service.

dominación *f* domination; dominance; rule; power; **dominador** controlling; domineering; **domi-**

nante dominant (*a.* ♪); *carácter* domineering, masterful; **dominar** [1a] dominate, subdue; *p. etc.* overpower; *pasión* control, master; *lengua* know well, have a command of; **~se** control o.s.

domingo *m* Sunday; ♀ **de Resurrección** Easter Sunday; **dominicano** Dominican.

dominio *m* dominion, power, sway (*sobre* over); *esp. fig.* grip, hold (*de* on); command *de lengua*; (*superioridad*) ascendancy.

dominó *m* (*ficha, vestido*) domino.

don[1] *courtesy title, used before Christian names.*

don[2] *m* gift (*a. fig.*); **~ de acierto** happy knack; **~ de lenguas** gift for languages; **~ de mando** leadership; **donación** *f* donation; 🢓🢓 gift; **donador** *m*, **-a** *f* donor.

donaire *m* charm, wit *de habla*; grace, elegance; (*chiste*) witticism.

donante *m/f* donor; **donar** [1a] grant, donate; **donativo** *m* contribution, donation.

doncella *f* virgin; *esp. lit.* maid(en); (*criada*) (lady's) maid.

donde where; in which; **en ~** wherein; *por* **~** whereby; **¿dónde?** where? (*a. a ~*); **¿por dónde?** (*lugar*) which way?; (*dirección*) which way?; **dondequiera** 1. *adv.* anywhere; *por* **~** all over the place; 2. *cj.* wherever.

donoso witty, funny; *iro.* fine.

doña *courtesy title, used before Christian names; mst not translated.*

dorado 1. golden; gilded; ⊕ *etc.* gilt; 2. *m* gilding; **dorar** [1a] gild (*a. fig.*); *cocina*: brown.

dormilón 1. sleepy; 2. *m*, **-a** *f* sleepyhead; lieabed; **dormir** [3k] *v/t.* send to sleep; *resaca etc.* sleep off; *siesta* have; *v/i.* sleep; **~se** go to sleep (*a. miembro*), fall asleep; **dormitar** [1a] doze, snooze; **dormitorio** *m* bedroom; dormitory *de colegio etc.*

dorsal *attr.* back, dorsal 🎴; **dorso** *m* back (*a. fig.*).

dos two (*a. su.*); (*fecha*) second; *las* **~** two o'clock; *los* **~** (*ambos*) both of them; **doscientos** two hundred.

dosel *m* canopy; **doselera** *f* valance.

dosis *f* dose; (*inyección*) shot; **~ excesiva** overdose.

dotación *f* endowment; (*ps.*) staff; 🢓 complement, crew; **dotado de** ⊕ *etc.* equipped with, fitted with; (*p.*) endowed with; **dotar** [1a] *mujer* give

a dowry to; *puesto* fix a salary for; **~ de** 🢓🢓 man with; (*taller etc.*) staff with; ⊕ equip with, fit with; **dote** *mst f* dowry, marriage portion; *fig.* gift.

dozavo *adj. a. su. m* twelfth.

draga *f* dredge; (*barco*) dredger; **dragado** *m* (*a. obras de ~*) dredging; **dragaminas** *m* minesweeper; **dragar** [1h] dredge; *minas* sweep.

dragón *m* dragon; ✗ dragoon; **dragonear** [1a] *S.Am.* boast; flirt.

drama *m* drama (*a. fig.*); **dramática** *f* dramatic art, drama; **dramático** 1. dramatic; 2. *m* dramatist; **dramatizar** [1f] dramatize; **dramaturgo** *m* playwright.

drástico drastic.

drenaje *m* drainage (*a.* 🞐); **drenar** [1a] drain.

droga *f* drug (*a. b.s.*), medicine; substance; *fig.* (*trampa*) trick; (*molestia*) nuisance; **drogadicto** *m* drug addict (*a. adj.*); **droguería** *f* drugstore.

dromedario *m* dromedary.

dual *gr.* dual; **dualismo** *m* dualism.

ducado *m* duchy, dukedom; ✝ ducat; **ducal** ducal.

dúctil soft, ductile; *fig.* easy to handle; **ductilidad** *f* softness.

ducha *f* shower(-bath); 🞐 douche; **duchar** [1a] 🞐 douche; **~se** have a shower(-bath).

duda *f* doubt; misgiving; suspense; *no cabe* **~** (*de*) *que* there can be no doubt that; **dudar** [1a] *v/t.* doubt; *v/i.* doubt (*que, si* whether); **~ de** doubt; mistrust; **~ en** *inf.* hesitate to *inf.*; **dudoso** doubtful, dubious, uncertain.

duelista *m* duellist; **duelo**[1] *m* ✗ duel; *batirse en* **~** (fight a) duel.

duelo[2] *m* grief, sorrow; bereavement; mourning *por muerto*.

duende *m* imp, goblin; (*fantasma*) ghost.

dueña *f* owner; proprietress; mistress *de casa etc.*; (*dama*) lady; ✝ duenna; **dueño** *m* owner; proprietor; master; **~ de sí mismo** self-possessed; *ser* **~ del baile** be the master of the situation.

duermevela *f* ⌐ nap, snooze.

dulce 1. *mst* sweet; *carácter, clima* mild, gentle; *agua* fresh; *metal* soft; 2. *m* sweet, candy; **dulcera** *f* candy jar; **dulcería** *f* candy shop; **dulcificar** [1g] sweeten; *fig.* soften, make

more gentle; **dulzoso** sweetish; **dulzura** f sweetness; gentleness etc.

duna f dune.

dúo m duet.

duodecimal duodecimal; **duodécimo** twelfth.

duplicación f duplication; **duplicado** adj. a. su. m duplicate; por ~ in duplicate; **duplicar** [1g] duplicate; repeat; & double; **duplicidad** f deceitfulness, duplicity.

duque m duke; **duquesa** f duchess.

durabilidad f durability; **durable** durable, lasting; **duración** f dura-

tion; length of time; de larga ~ disco long-playing; **duradero** tela hardwearing, serviceable; durable; **durante** during; ~ todo el año all the year round; **durar** [1a] cierto tiempo last, go on for; (recuerdo etc.) survive, endure.

durazno m peach (tree).

dureza f hardness etc.

durmiente 1. sleeping; **2.** m/f sleeper; **3.** m 🚂 (cross)tie; sleeper.

duro 1. hard; pan stale; (resistente) tough; fig. p. etc. hard (con on), cruel (con to), callous; **2.** m Spanish coin = 5 pesetas.

E

e and.

¡ea! come on; here!, hey!

ebanista m cabinetmaker; **ebanistería** f cabinetmaking.

ébano m ebony.

ebrio intoxicated, drunk.

ebullición f boiling.

ecléctico adj. a. su. m eclectic.

eclesiástico 1. ecclesiastic(al); **2.** m clergyman, priest; ecclesiastic.

eclipsar [1a] eclipse (a. fig.); fig. outshine, overshadow; **eclipse** m eclipse (a. fig.).

eco m echo; hacer ~ fig. correspond.

ecología f ecology; **ecologista** m/f ecologist.

economato m cooperative store; company store para empleados.

economía f economy; (un ahorro) economy, saving; (virtud) thrift, thriftiness; ~ política economics; **económico** economic(al); (que ahorra) economical, thrifty; (barato) economical, inexpensive; **economista** m/f economist; **economizar** [1f] economize (en on); save; b.s. skimp, pinch.

ecuación f equation; **ecuador** m equator; **ecuánime** carácter equable, level-headed; estado calm, composed.

ecuatoriano adj. a. su. m, a f Ecuador(i)an.

ecuestre equestrian.

eczema f eczema.

echada f throw, pitch, shy, cast; S.Am. boast; **echadizo** spying; secretly spread; waste; **echado:** estar ~

lie, be lying (down); C.Am.,Mex., P.R. have an easy job (or life).

echar [1a] **1.** (arrojar) throw; cast, pitch, fling, toss; desperdicios etc. throw away; p. eject, turn out de un sitio; expel de una sociedad; dismiss del trabajo; carta post; cimientos lay; humo etc. emit, give off; impuesto levy, impose; líquido pour (out); suertes cast, draw; ~ a inf. begin to inf.; ~ abajo demolish; fig. overthrow; ~ de menos miss; **2.** ~se (arrojarse) throw o.s.; (tenderse) lie (down), stretch out; ~ a inf. begin to inf.; ~las de pose as, fancy o.s. as.

echona f S.Am. sickle.

edad f age; de ~ elderly; de corta ~ young; de mediana ~, de madura ~ middle-aged; ♀ Media Media Ages; mayor de ~ of age, adult, grown-up; menor de ~ under age, juvenile; ~ de hierro Iron Age; ~ de oro golden age.

edecán m aide-de-camp.

edén m paradise, (garden of) Eden.

edición f mst edition; issue, publication.

edicto m edict, proclamation.

edificación f 🏠 construction, building; fig. edification, uplift; **edificar** [1g] build; fig. edify, improve, uplift; **edificio** m building; fig. edifice, structure.

editar [1a] publish; edit; **editor 1.** publishing attr.; **2.** m publisher; editor; **editorial 1.** publishing attr.; política etc. editorial; **2.** m editorial; **3.** f publishing house.

edredón m eiderdown.

educación f education; training; (crianza) upbringing; (modales) manners, breeding; **educacionista** m/f education(al)ist; **educado** well-mannered; cultivated; mal ~ ill-mannered, unmannerly; **educando** m, a f pupil; **educar** [1g] educate; train; (criar) bring up.

edulcorante 1. sweetening; **2.** m sweetener; sweetening.

efectivamente sure enough; (realmente) in fact, really; (contestación) precisely; **efectivo 1.** effective; (real) actual, real; hacer ~ check cash, clear; **2.** m cash; specie; **efecto** m effect; impression, impact; ~s pl. (propiedad) effects; (capital etc.) assets; (enseres) things; esp. ✝ goods, articles, merchandise; al ~ for the purpose; en ~ (como contestación) (yes) indeed; (en realidad) in fact; in effect; hacer ~ make an impression.

efectuar [1e] effect, effectuate; (parada etc.) make; (causar) bring about; proyecto, reparación carry out; ~se take place.

efervescencia f effervescence.

eficacia f efficacy; efficiency; **eficaz** effective, efficacious, effectual; efficient; **eficiencia** f efficiency; **eficiente** efficient.

efímero ephemeral, short-lived.

efluvio m effluvium.

efusión f effusion (a. fig.), outpouring; ~ de sangre bloodshed; **efusivo** effusive.

egipcio adj. a. su. m, a f Egyptian.

égloga f eclogue.

egocéntrico self-centered; **egoísmo** m egoism; selfishness; **egoísta 1.** egoistic(al); selfish; **2.** m/f egoist; **egolatría** f self-worship; self-glorification.

egregio eminent, distinguished.

¡eh! hey!, heigh!; hi!; hoy!

eje m ⊕ axle de ruedas; (árbol, husillo) shaft, spindle; ⚓, phys., geog., pol. axis; fig. (centro) hinge, hub; (esencia) crux, core; central idea; ~ tándem dual axle, dual rear.

ejecución f execution (a. ♫♪); fulfilment; enforcement de ley; ♪ performance, rendition; **ejecutar** [1a] execute (a. ♫♪); perform (a. ♪); órdenes fulfil; **ejecutivo 1.** executive; (apremiante) pressing, insistent; (sin demora) prompt; **2.** m executive; **ejecutor** m: ~ testamentario executor.

¡ejem! hem!

ejemplar 1. exemplary; **2.** m example; copy de libro; zo. etc. specimen; (modelo) model, example; **ejemplificar** [1g] exemplify; be illustrative of; **ejemplo** m example, instance; (lección) object lesson; por ~ for example, for instance.

ejercer [2b] exercise; influencia exert, bring to bear; poder exercise, wield; profesión practise (de as); **ejercicio** m exercise (a. ⚔); practice; tenure de oficio; ✝ fiscal year; **ejercitar** [1a] exercise; profesión practise; ⚔ etc. train, drill; ~se exercise; practise; train; **ejército** m army.

ejido m common.

el 1. artículo: the; **2.** pron.: ~ de that of; ~ de Juan John's.

él (p.) he; (cosa) it; (tras prp.) him; it.

elaboración f elaboration etc.; **elaborar** [1a] elaborate; producto make, manufacture, prepare; metal, madera etc. work; proyecto work on.

elasticidad f elasticity; give, spring(iness); fig. resilience; **elástico 1.** elastic; superficie etc. springy; fig. resilient; **2.** m elastic.

elección f choice, selection; election; **electo** elect; **elector** m, -a f elector; **electorado** m electorate; **electoral** electoral; voting attr.

electricidad f electricity; **electricista** m electrician; **eléctrico** electric(al); **electrificar** [1g], **electrizar** [1f] electrify (a. fig.); **electrodo** m electrode; **electrólisis** f electrolysis; **electrón** m electron; **electrónica** f electronics; **electrotecnia** f electrical engineering.

elefante m, a f elephant; **elefantino** elephantine.

elegancia f elegance etc.; **elegante** elegant; movimiento etc. graceful; (distintivo) stylish; (majo) smart; (de moda, sociedad) fashionable.

elegía f elegy; **elegíaco** elegiac.

elegir [3c a. 3l] choose, select; pol. etc. elect.

elemento m mst element (a. ♯); ⚡ cell de pila; fig. ingredient; factor de situación; ~s pl. fig. means, resources; material, ingredients.

elepé 1. long-playing, LP; **2.** m long-playing record.

elevación f elevation; height, altitude; fig. exaltation; rise de precios etc.; **elevador** m hoist; S.Am. elevator; ~ de granos (grain) elevator; **elevar** [1a] raise (a. ⚓, precios), lift

(up), elevate; exalt *a dignidad*; ⚡ boost; **~se** rise; *(edificio etc.)* soar, tower; *fig.* get conceited.

eliminación *f* elimination, removal; **eliminar** [1a] eliminate, remove; *necesidad etc.* obviate.

elipse *f* ellipse; **elipsis** *f* ellipsis.

elitista *adj. a. su. m/f.*

elixir *m* elixir.

elocuencia *f* eloquence; **elocuente** eloquent.

elogiar [1b] praise, eulogize; **elogio** *m* praise, eulogy; tribute.

elucidar [1a] elucidate.

eludible avoidable; **eludir** [3a] elude, evade, escape; avoid.

ella *(p.)* she; *(cosa)* it; *(tras prp.)* her; it; **ellas** *pl.* they; *(tras prp.)* them.

ello it; **~ es que** the fact is that; **~ dirá** the event will show.

ellos *pl.* they; *(tras prp.)* them.

emanación *f* emanation *(a. phys.)*; *(olor)* effluvium; **emanar** [1a]: **~ de** emanate from, come from.

emancipación *f* emancipation; **emancipar** [1a] emancipate.

embaidor *m* trickster, cheat; **embaír** [3a; *defective*] impose upon.

embajada *f* embassy; **embajador** *m* ambassador.

embalador *m*, **-a** *f* packer; **embalaje** *m* packing; **embalar** [1a] pack, bale, parcel up.

embaldosado *m* tiled floor; **embaldosar** [1a] tile.

embalsamar [1a] embalm.

embalsar [1a] dam (up); **embalse** *m* dam; reservoir.

embarazada pregnant; **embarazar** [1f] obstruct, hamper, hinder; *(empreñar)* make pregnant; **embarazo** *m (estorbo)* obstacle, hindrance; *(preñado)* pregnancy; **embarazoso** awkward, embarrassing.

embarcación *f* craft, boat, vessel; *(embarco)* embarkation; **embarcadero** *m* pier, landing stage, jetty; **embarcar** [1g] *ps.* embark, put on board; **~se** embark, go on board; **embarco** *m* embarkation.

embargar [1h] *propiedad* seize, impound; *(estorbar)* impede; *sentidos* blunt, paralyse; **embargo** *m* 🚢 seizure, distraint.

embarque *m* shipment, loading (of cargo).

embarrancarse [1g] run into a ditch, get stuck.

embarrar [1a] splash with mud; smear; *C.Am.,Mex.* involve in a dirty deal.

embate *m* ⚔ sudden attack; brunt *de ataque*; breaking *de olas*.

embaucador *m*, **-a** *f* trickster, swindler; **embaucar** [1g] trick, fool, impose upon.

embaular [1a] pack (into a trunk).

embazar [1f] *v/t. (teñir)* dye brown; *(pasmar)* astound; *v/i.* be dumbfounded; **~se** have had enough.

embebecer [2d] *v/t.* entertain; **~se** be lost in wonder.

embeber [2a] *v/t.* absorb, soak up; *esp. fig.* imbibe; *v/i.* shrink; **~se** *(absorto)* be absorbed; *(extático)* be enraptured.

embelecar [1g] deceive, cheat; **embelequería** *f W.I.,Col.,Mex.* fraud; swindle.

embelesar [1a] enrapture, enthrall, fascinate; **embeleso** *m* rapture, bliss, delight.

embellecer [2d] embellish, beautify; **embellecimiento** *m* embellishment.

embestida *f* assault, onslaught; charge *de toro etc.*; **embestir** [3l] assault, assail; rush upon.

embetunar [1a] *zapatos* blacken.

emblandecer [2d] soften; *fig.* mollify.

emblanquecer [2d] whiten, bleach.

emblema *m* emblem, device.

embobarse [1a] gape, be amazed (con, de, en at).

embocadura *f* mouth *de río*; tip *de cigarrillo*; ♪ mouthpiece; bit *de freno*; *thea.* proscenium arch; **embocar** [1g] put into the mouth; F *comida* cram, scoff.

embolado *m thea.* minor role; F trick; **embolar** [1a] fit with (wood) balls; polish; **~se** *C.Am.,Mex.* get drunk.

embolia *f* clot; embolism.

émbolo *m* piston; plunger.

embolsar [1a] pocket; *pago* collect.

emborrachar [1a] intoxicate, get drunk; **~se** get drunk (con, de on).

emborronar [1a] *papel* scribble over, cover with scribble.

emboscada *f* ambush; **emboscarse** [1g] lie in ambush, hide.

embotado dull, blunt *(a. fig.)*; **embotar** [1a] blunt, dull *(a. fig.)*; *fig.* weaken, enervate.

embotellamiento *m* traffic jam *de coches*; bottleneck *en calle estrecha*

(*a. fig.*); **embotellar** [1a] bottle; *fig.* bottle up.

embozar [1f] muffle (up); *fig.* cloak, disguise; **~se** muffle o.s. up; **embozo** *m* covering of the face, muffler, mask; (*cama*) turned-down bedclothes; *fig.* cunning.

embragar [1h] *engranaje* engage; *piezas* connect, couple; **embrague** *m* clutch; **~** *de disco* disk clutch.

embravecer [2d] *v/t.* enrage; *v/i.* ♀ flourish; **~se** (*mar*) get rough.

embriagar [1h] make drunk, intoxicate; *fig.* enrapture; **~se** get drunk; **embriaguez** *f* drunkenness, intoxication; *fig.* rapture.

embrión *m* embryo; en **~** in embryo.

embrocar [1g] *hilos* wind (on a bobbin); *zapatos* tack; (*vaciar*) empty; (*volver boca abajo*) invert.

embrollar [1a] muddle, entangle, dislocate; *esp. ps.* embroil; **~se** get into a muddle; **~** en get involved in; **embrollo** *m* (*enredo*) tangle, muddle; (*lío*) entanglement.

embromar [1a] tease, make fun of, rag; (*engañar*) hoodwink, kid F; **~se** *S.Am.* loiter; (*aburrirse*) get bored.

embrujar [1a] *p.* bewitch; *casa* haunt.

embrutecer [2d] brutalize, coarsen; **embrutecimiento** *m* coarsening, becoming brutal.

embuchar [1a] stuff (with mincemeat); F *comida* bolt.

embudar [1a] fit with a funnel; *fig.* trick; **embudo** *m* funnel; *fig.* trick.

embuste *m* (*mentira*) lie, story F; (*engaño*) trick, fraud; imposture, (piece of) chicanery; **~s** *pl.* trinkets; **embustero 1.** deceitful; **2.** *m*, *a f* liar, storyteller F; cheat.

embutido *m cocina*: sausage; ⊕ inlay, marquetry; **embutir** [3a] stuff, cram; ⊕ inlay.

emergente resultant; **emerger** [2c] emerge; (*submarino*) surface.

emeritense *adj. a. su. m/f* (native) of Mérida.

emético *adj. a. su. m* emetic.

emigrante *adj. a. su. m/f* emigrant; **emigrar** [1a] (e)migrate.

eminencia *f* (*colina etc.*, *título*, *fig.*) eminence; (*lo muy alto*) loftiness; *fig.* prominence; **eminente** (*muy alto*) lofty; *fig.* eminent; prominent, distinguished.

emisario *m* emissary; **emisión** *f* emission; issue; *radio*: (*acto*) broad-

casting; (*una* **~**) broadcast; **emisor** *m* transmitter; **emisora** *f* radio station; **emitir** [3a] emit, give off (*or* forth, out); *moneda*, *sellos* issue; *radio*: broadcast.

emoción *f* emotion; (*entusiasmo etc.*) excitement; (*estremecimiento*, *escalofrío*) thrill; **emocionante** exciting, thrilling; moving; **emocional** emotional; **emocionar** [1a] (*entusiasmar*) excite, thrill; (*conmover*) move; **~se** get excited.

emotivo emotive; emotional.

empacar [1g] pack (up); **~se** be obstinate; (*cortarse*) get rattled.

empachar [1a] upset, cause indigestion to; **~se** get embarrassed; **empacho** *m* ♂ indigestion; *fig.* embarrassment, bashfulness; **empachoso** indigestible; *fig.* embarrassing.

empadronar [1a] take the census of, register.

empalagar [1h] (*empachar*) pall (a on; *a. fig.*), cloy (*a. fig.*); (*fastidiar*) bore, weary; **empalagoso** sickly, rich, gooey F; *fig.* wearisome.

empalar [1a] impale; **empalizada** *f* stockade.

empaliar decorate with bunting.

empalmar [1a] *v/t. cuerda* splice; *fig.* couple, join; *v/i.* (*líneas*) join, meet; (*trenes*) connect (*con* with); **empalme** *m* splice; ⊕ joint, connection; ✠ junction *de líneas.*

empanada *f* (meat) pie, patty; *fig.* fraud; shady business.

empantanar [1a] flood, swamp; *fig.* bog down.

empañado *ventana* misty, steamy; **empañar** [1a] *niño* swaddle, wrap up; *ventana etc.* mist; *imagen* blur; **~se** (*imagen etc.*) dim, blur.

empapar [1a] soak, saturate, steep (*a. fig.*); (*lluvia etc.*) drench.

empapelador *m* paperhanger; **empapelar** [1a] *pared* paper; *objeto* wrap in paper.

empaque *m* packing; *fig.* appearance, presence; solemnness; *S.Am.* brazenness; **empaquetar** [1a] pack (up), parcel up, package.

emparedado *m* sandwich; **emparedar** [1a] immure, confine.

emparejar [1a] *v/t.* (*aparear*) match; (*allanar*) level; *v/i.* catch up (*con* with); **~se** match.

emparentado related by marriage (*con* to); **emparentar** [1k] become related by marriage.

emparrado *m* (trained) vine.

empastar [1a] paste; *libro* bind (in stiff covers); *diente* fill, stop; **empaste** *m* filling.

empatar [1a] *deportes*: draw, tie; *pol. etc.* tie; **empate** *m* draw, tie; **empatía** *f* empathy.

empecinamiento *m* stubbornness; determination.

empedernido (*cruel*) heartless; (*sin compasión*) obdurate; *pol. etc.* diehard; **empedernir** [3a; *defective*] harden; ~**se** harden one's heart.

empedrado 1. *superficie* pitted; *cara* pockmarked; (*manchado*) dappled, flecked; **2.** *m* paving; **empedrar** [1k] pave.

empeine *m* groin; instep *de pie*.

empelotarse [1a] F get muddled; (*reñir*) get involved in a row; *S.Am.* undress; strip.

empellón *m* push, shove; *a* ~es roughly; *dar* ~es jostle.

empeñar [1a] pawn, pledge; *fig.* engage, compel; ~**se** insist (*en* on), persist (*en* in); (*obligarse*) bind o.s.; ~ *en inf.* insist on *ger.*, be set on *ger.*; **empeño** *m* pledge; obligation; determination, insistence; **empeñoso** diligent, eager.

empeoramiento *m* deterioration, worsening; **empeorar** [1a] make worse, worsen.

empequeñecer [2d] dwarf; (*despreciar*) belittle; (*quitar importancia a*) minimize.

emperador *m* emperor; **emperatríz** *f* empress.

empero but, yet, however.

empezar [1f *a.* 1k] begin, start (*a inf.* to *inf.*; *por inf.* by *ger.*).

empinado *cuesta* steep; (*alto*) high; **empinar** [1a] *v/t. vaso etc.* raise; (*enderezar*) straighten; *v. codo*; *v/i.* F drink; ~**se** (*p.*) stand on tiptoe; (*caballo*) rear; (*edificio*) tower.

empírico empiric(al); **empirismo** *m* empiricism.

emplastar [1a] plaster, poultice; *cara* make up; **emplasto** *m* plaster, poultice.

emplazamiento *m* ⚔ summons; ✗ emplacement; **emplazar** [1f] summon(s).

empleado *m*, **a** *f* employee; clerk *en oficina etc.*; **emplear** [1a] use; employ; *tiempo* occupy, spend; **empleo** *m* use; (*trabajo en general*) employment; (*puesto*) employment;

job; *modo de* ~ usage; instructions for use.

emplumar [1a] *v/t.* (tar and) feather; *v/i.* = **emplumecer** [2d] fledge, grow feathers.

empobrecer [2d] *v/t.* impoverish; *v/i.*, ~**se** become poor.

empolvado powdery; *superficie etc.* dusty; **empolvar** [1a] *cara* powder; *superficie* cover with dust; ~**se** (*p.*) powder o.s., powder one's face; (*superficie*) gather dust, get dusty.

empollar [1a] *p.* incubate; hatch; *v/i.* (*gallina*) sit, brood (*a. fig.*).

emponzoñar [1a] poison (*a. fig.*); *fig.* corrupt.

emporcar [1g *a.* 1m] dirty, foul.

emporio *m* emporium; mart.

emprendedor enterprising, goahead, pushful; **emprender** [2a] undertake, take on, tackle; (*empezar*) begin on, embark (up)on.

empreñar [1a] *p.* make pregnant, get with child; *animal etc.* impregnate; ~**se** become pregnant.

empresa *f* enterprise, undertaking (*a.* ✝); venture; ✝ company, concern; *thea.* management; **empresario** *m thea.* manager; showman; impresario; promoter.

empréstito *m* (public) loan.

empujar [1a] push, shove; (*introducir*) push, thrust (*en* into); (*propulsar*) drive, propel; *botón* press; *fig. p.* sack, give the push to F; **empujatierra** *f* bulldozer; **empuje** *m* push, shove; (*presión*) pressure; *fig.* push, drive; ⊕ thrust; **empujón** *m* push, shove; dig, poke *con dedo etc.*

empulgueras *f/pl.* thumb-screw.

empuñadura *f* hilt *de espada*; grip *de herramienta*; opening *de cuento*; **empuñar** [1a] grasp, grip, clutch.

emular [1a] emulate, rival; **émulo 1.** emulous; **2.** *m* rival, competitor.

en (*dentro*) in; (*hacia dentro*) into; (*sobre*) on, upon; (*en un lugar, ciudad etc.*) in, at; (*por un precio*) for, at; (*porcentaje*) by; ~ *viéndole* (*pasado*) the moment I saw him; (*presente, futuro*) the moment I see him; ~ *que* in that; ¿~ *qué lo notas?* how can you tell?

enaguas *f/pl.* petticoat, slip.

enajenación *f* alienation; estrangement; (*distracción*) absentmindedness; **enajenar** [1a] *propiedad* alienate; *derechos* dispose of; *p.* drive

mad; **~se** (*estar absorto*) be lost in wonder.

enaltecer [2d] exalt, extol.

enamorado: *estar* ~ *de* be in love with; **enamorar** [1a] inspire love in, win the love of; **~se** fall in love (*de* with).

enano 1. dwarf; stunted; **2.** *m* dwarf; midget; *contp.* runt.

enarbolar [1a] raise, hang out, hoist; brandish; **~se** (*caballo*) rear.

enarcar [1g] *barril* hoop; *cejas* arch, raise.

enardecer [2d] *fig.* fire, inflame; **~se** get excited; blaze (*de* with).

encabezamiento *m* census; tax list heading, headline; caption *de dibujo etc.*; preamble *de documento*; ~ *de factura* billhead; **encabezar** [1f] head, lead; *papel* put a heading to; *dibujo etc.* caption.

encadenación *f*, **encadenamiento** *m* chaining; *fig.* connexion, concatenation; **encadenar** [1a] (en)chain; (*trabar*) shackle; *fig.* connect, link.

encajadura *f* (*acto*) insertion, fitting; (*hueco*) socket; (*ranura*) groove; **encajar** [1a] **1.** *v/t.* (*introducir*) insert, fit (*into* en); (*unir*) join, fit together; ⊕ encase, house *en caja*; **2.** *v/i.* fit (properly); *fig.* be appropriate; **~** *con* fit, match; (*cuadrar*) square with, be in line with; **3. ~se** F (*introducirse*) squeeze in; *fig.* intrude (en upon), gate-crash (*en acc.*); **encaje** *m* (*acto*) insertion, fitting; (*hueco*) socket; (*ranura*) groove; (*caja*) housing; *sew.* lace.

encajonar [1a] pack *en caja etc.*; box (up); ⊕ *etc.* box in, (en)case; squeeze in.

encalabrinar [1a] make *s.o.* dizzy; **~se** F get an obsession.

encalar [1a] *pared* whitewash; lime.

encalmado ⚓ becalmed; ✝ slack; **encalmarse** [1a] be becalmed.

encalladero *m* shoal, sandbank; **encalladura** *f* stranding; **encallar** [1a] run aground, run ashore; *fig.* fail; get stuck, get tied up.

encallecido hardened.

encamarse [1a] take to one's bed; (*animal*) crouch, hide; (*trigo*) bend over.

encaminar [1a] guide, set on the right road (*a* to); *energías* direct (*a* towards); **~se** *a* set out for, take the road to, make for.

encandilar [1a] dazzle, bewilder; *lumbre* poke; *emoción* kindle.

encanecer(se) [2d] (*pelo*) grow old; (*mohoso*) go mouldy.

encanijado puny; **encanijarse** [1a] grow weak, begin to look ill.

encantado delighted, charmed, pleased; **encantador 1.** enchanting, charming, delightful, lovely; **2.** *m*, **-a** *f* magician; *fig.* charmer; **encantamiento** *m* enchantment; **encantar** [1a] bewitch; *fig.* enchant, charm, delight; **encante** *f* auction; public sale; **encanto** *m* charm, spell, enchantment, delight.

encañada *f* ravine; **encañado** *m* conduit; **encañar** [1a] *v/t.* *agua* pipe; *terreno* drain; *planta* stake; *v/i.* form stalks.

encapotado *cielo* overcast; *Cuba* triste; alicaído; **encapotarse** [1a] (put on a) cloak; (*p.*) frown; (*cielo*) cloud over.

encapricharse [1a] persist in one's foolishness.

encapuchado hooded.

encaramar [1a] raise, lift up; (*alabar*) extol; F elevate; **~se** perch; ~ *a* climb, get to the top of.

encarar [1a] *v/t.* *arma* point, aim; *problema* face; *v/i.*, **~se** *con* face, confront.

encarcelación *f*, **encarcelamiento** *m* imprisonment; **encarcelar** [1a] imprison, jail.

encarecer [2d] *v/t.* ✝ put up the price of; *p.* recommend; (*alabar*) extol; exaggerate; *dificultad* stress; *v/i.*, **~se** get dearer; **encarecidamente** insistently.

encargado 1.: ~ *de* in charge of; **2.** *m* agent, representative; person in charge; **encargamiento** *m* duty; obligation; **encargar** [1h] (*encomendar*) entrust; charge (*un deber* with a duty), commission; recommend; **~se** *de* (*tomar sobre sí*) take charge of, take over; (*cuidar de*) look after, see about; ~ *de inf.* undertake to *inf.*, see about *ger.*; **encargo** *m* (*deber etc.*) charge, commission, assignment, job; (*pedido*) order; (*puesto*) office, post.

encariñarse [1a]: ~ *con* grow fond of; **encariñamiento** *m* endearment.

encarnación *f* incarnation; embodiment; **encarnado** (*color*) red, (*Caucasian-*) fleshcolored; *tez* florid; (*que ha encarnado*) incarnate; **encarnar**

[1a] *v/t.* embody, personify; *anzuelo* bait; *v/i.* become incarnate; (*herida*) heal (up); (*arma*) enter the flesh;

encarnizar [1f] *fig.* (*irritar*) enrage; make cruel; ~**se** (*irritarse*) get angry; (*luchar*) fight fiercely.

encarrilar [1a] set on the right road, direct; *fig.* put on the right track, set right.

encasar [1a] *hueso* set.

encasillar [1a] pigeonhole; file, classify.

encastillar [1a] fortify; ~**se** ✗ take to the hills; *fig.* refuse to yield.

encauchado 1. rubberized; rubber-lined; **2.** *m S.Am.* rubber-lined poncho; **encauchar** [1a] rubberize.

encausar [1a] prosecute, put on trial.

encauzar [1f] channel; *fig.* channel, guide.

encenagarse [1h] get muddy; *fig.* wallow in vice.

encendedor *m* lighter; cigarette lighter; (*p.*) lamplighter; **encender** [2g] light, set fire to, ignite; kindle (*a. fig.*); *cerilla* strike; *luz, ⚡* switch on; *fig.* inflame; ~**se** catch (fire), ignite; (*arder más*) flare up; *fig.* (*p.*) get excited; **encendido 1.** *adj. luz* on, *alambre* live; (*color*) glowing (de with); **2.** *m mot.* ignition, firing; ~ *transistorizado* solid-state ignition.

encerado 1. waxy, wax-colored; **2.** *m* oilcloth; **encerar** [1a] wax; *suelo* polish.

encerradero *m* fold, pen; **encerrar** [1k] enclose, shut in, shut up; lock in, lock up (*con llave*); *fig.* contain, include; **encerrona** *f* dilemma; tight spot; trap.

encestar [1a] put in a basket; F sink a basketball.

encía *f* gum.

enciclopedia *f* encyclopedia; **enciclopédico** encyclopedic.

encierro *m* confinement, shutting up; (*lugar*) enclosure; (*prisión*) prison; *toros:* corralling.

encima (*en el aire*) above, over, overhead; (*en la cumbre*) at the top; on top; (*sobre*) on; ~ *de* on, upon; on top of; *por* ~ over; *fig.* superficially.

encina *f* holm oak, ilex.

encinta pregnant; *zo.* with young; *mujer* ~ expectant mother.

encintado *m* curb(stone).

enclaustrar [1a] cloister; *fig.* hide away.

enclavar [1a] nail; (*traspasar*) pierce;

F cheat; ~**se** interlock; **enclave** *m geog.* enclave.

enclenque weak(ly), sickly.

encobar [1a] brood, sit.

encoger [2c] *v/i.* shrink; *p.* intimidate, fill with fear; *v/i.,* ~**se** shrink, contract; (*p.*) (*acobardarse*) cringe; ~ *de hombros* shrug (one's shoulders); **encogido** shrunken, contracted; *p.* bashful; **encogimiento** *m* shrinkage, contraction; *fig.* bashfulness.

encolar [1a] glue; *paste antes de pintar*; (*pegar*) stick (down, together).

encolerizar [1f] provoke, anger, incense; ~**se** get angry, see red.

encomendar [1k] commend, entrust; ~**se** *a* send greetings to.

encomiar [1b] extol, praise.

encomienda *f* (*encargo*) charge, commission; recommendation.

encomio *m* praise, tribute.

enconar [1a] 🌿 inflame; *p.* irritate, provoke; ~**se** fester; *fig.* fester, rankle; **encono** *m* rancour, spite.

encontrado opposed, contrary, conflicting; **encontrar** [1m] find; meet; *esp. fig.* encounter; ~**se** be, be situated (en in); (*ps.*) meet; (*coches etc.*) collide; (*opiniones*) clash; **encontrón** *m*, **encontronazo** *m* crash, collision.

encorchar [1a] cork; *abejas* hive.

encordar [1m] *raqueta, violín* string; (*atar*) lash with ropes; **encordelar** [1a] tie with string.

encornadura *f* horns.

encorralar [1a] corral, pen.

encorvada *f* stoop; slouch; **encorvadura** *f* bend(ing); curving, curvature; **encorvar** [1a] bend, curve; hook; inflect; ~**se** bend (over, down), stoop; (*romperse*) buckle.

encrespado curly; **encrespador** *m* curling-tongs; **encrespar** [1a] *pelo* curl; *plumas* ruffle; ~**se** (*mar*) get rough; (*p.*) get angry.

encrucijada *f* cross roads, intersection; ambush.

encuadernación *f* binding; (*taller*) bindery; **encuadernar** [1a] bind.

encuadrar [1a] frame; (*encajar*) fit in, insert.

encubierta *f* fraud; **encubierto** hidden, under-cover; **encubridor 1.** concealing; **2.** *m,* -a *f* ⚖ accessory (after the fact), abettor; **encubrir** [3a; *p.p.* encubierto] hide, conceal, cloak; ⚖ *crimen* conceal, abet.

encuentro *m* meeting (*a. deportes*),

encounter (a. ✗, *deportes*); collision *de coches etc.*; clash *de opiniones*.

encuesta f poll; (*investigación*) inquiry, probe F; ~ demoscópica opinion poll.

encumbrado high, lofty, towering; **encumbrar** [1a] raise (up); *p.* (*elevar*) exalt; (*ensalzar*) extol; ~se (*edificio*) tower; soar (a. *fig.*); (*p.*) be proud.

encurtido m pickle; **encurtir** [3a] pickle.

enchapado m plating, veneer; **enchapar** [1a] plate *con metal*; veneer.

encharcar [1g] swamp, cover with puddles; ~se fill with water.

enchilada f *S.Am.* enchilada; corncake with chili.

enchicharse *S.Am.* get drunk; *C.Am.* get angry.

enchufar [1a] connect, fit together; (*como telescopio*) telescope; ∮ plug in; **enchufe** m ⊕ joint, connexion; (*manguito*) sleeve; (*hueco*) socket; ∮ plug, point, socket; F (*p. etc.*) connexion, useful contact; (*sinecura*) cushy job; F tener ~ have pull; have connections.

endeble ∮ feeble, frail; *fig.* flimsy.

endecasílabo 1. hendecasyllabic; **2.** m hendecasyllable.

endémico endemic; *fig.* rife.

endemoniado possessed of the devil; *fig.* devilish, fiendish; furious, wild.

endenante(s) *S.Am.* recently.

endentadura f serration; **endentar** [1k] ⊕ mesh, engage; **endentecer** [2d] teethe.

enderezar [1f] (*poner derecho*) straighten (out), unbend; (*poner vertical*) set up, right (a. ♣); *fig.* direct; dedicate; (*arreglar*) put in order; ~se straighten (up), draw o.s. up.

endeudarse [1a] run into debt; **endeudamiento** m indebtedness.

endiablado devilish, fiendish; *co.* impish, mischievous.

endiosamiento m pride; haughtiness.

endiosar [1a] deify; ~se give o.s. airs; (*absorto*) be absorbed.

endocrino endocrine.

endomingado in one's Sunday best, dressed up; **endomingarse** [1h] dress up (in one's Sunday best).

endosante m/f endorser; **endosar**

[1a] endorse; **endosatario** m endorsee; **endoso** m endorsement.

endulzar [1f] sweeten (a. *fig.*); soften, mitigate.

endurecer [2d] harden, toughen (a. *fig.*); stiffen; *fig.* inure (a to); ~se harden, set; *fig.* become cruel; **endurecido** hard; *fig.* hardy, inured a fatigas etc.; (*cruel*) callous, hardboiled F.

enebro m juniper.

enema f enema.

enemigo 1. enemy, hostile; *fig.* inimical; **2.** m, a f enemy; **enemistad** f enmity; **enemistar** [1a] set at odds, make enemies of; ~se fall out (con with), become enemies.

energético *attr.* energy; *attr.* power; **energía** f energy; ⊕, ∮ *etc.* power, energy; *fig.* drive, go F; ~ solar solar energy; **enérgico** energetic; *tono etc.* emphatic; ∮ energetic, vital, active.

energúmeno m, a f person possessed; *fig.* madman.

enero m January.

enervación f enervation; **enervar** [1a] enervate.

enésimo n[th], umpteenth F.

enfadar [1a] annoy, anger, vex; ~se get angry, be cross (de at, con with); **enfado** m annoyance, irritation; **enfadoso** annoying; irksome.

enfangar [1h] cover with mud.

énfasis m emphasis; stress; **enfático** emphatic; positive.

enfermar [1a] v/t. make ill; v/i. fall ill, be taken ill; **enfermedad** f illness, sickness, disease; *fig.* malady; **enfermería** f sick bay *de colegio etc.*; (*hospital*) infirmary; **enfermera** f nurse; **enfermero** m male nurse; ✗ orderly; **enfermizo** sickly, infirm; unhealthy; *mente* morbid; **enfermo 1.** ill, sick; ~ de amor lovesick; **2.** m, a f patient, invalid.

enfiestarse [1a] *S.Am.* have a good time; celebrate.

enfilar [1a] ✗ enfilade; (*alinear*) line up; (*ensartar*) thread.

enflaquecer [2d] v/t. make thin; weaken; v/i., ~se get thin, lose weight; *fig.* weaken.

enfocar [1g] *phot. etc.* focus; *fig. problema* approach, consider, look at; size up; envisage; **enfoque** m *phot. etc.* focus(ing); *fig.* grasp.

enfrascar [1g] bottle; ~se get entangled, get involved; bury o.s. (en libro in).

enfrenar [1a] *caballo* bridle; ⊕ brake; *fig.* restrain.

enfrentamiento *m* confrontation (*policía*; *masas*); **enfrentar** [1a] *v/t.* put face to face, confront; *v/i.* face; ~**se con** face (up to).

enfrente (*en el lado opuesto*) opposite; (*delante*) in front; (*en pugna*) against, in opposition; ~ **de** opposite (to).

enfriadero *m* cold storage; **enfriamiento** *m* cooling; ⚕ cold; **enfriar** [1c] cool (*a. fig.*), chill, ~**se** cool (down *or* off).

enfundar [1a] sheathe, (put in its) case; (*llenar*) stuff.

enfurecer [2d] enrage, madden; ~**se** (*p.*) get furious; (*mar*) get rough.

enfurruñarse [1a] F get angry; (*ponerse mohíno*) sulk.

engalanar [1a] adorn, (be)deck; ~**se** dress up.

enganchar [1a] hook, hitch; (*colgar*) hang up; *caballo* harness; ⊕ couple; *fig.* inveigle, rope in; ~**se** get hooked up, catch; ✕ enlist; **enganche** *m* (*acto*) hooking (up); 🚃, ⊕ coupling; ✕ recruiting, enlisting.

engañadizo gullible; **engañador 1.** deceptive; **2.** *m,* ~**a** *f* cheat, impostor, deceiver; **engañar** [1a] deceive, fool F; (*timar*) cheat, trick; mislead *con consejos falsos*; beguile *con encantos*; delude *con promesas vanas*; ~**se** (*equivocarse*) be mistaken; delude o.s. *con esperanzas etc.*; **engañifa** *f* F trick, swindle; **engaño** *m* deceit; (*timo etc.*) fraud, trick; (*apariencia falsa*) sham; (*decepción*) delusion; ~**s** *pl.* wiles; **engañoso** *p. etc.* deceitful; *apariencia etc.* deceptive; *consejo etc.* misleading.

engarzar [1f] *cuentas* thread; *joya* mount, set; (*rizar*) curl; *fig.* link.

engastar [1a] set, mount; **engaste** *m* setting, mount(ing).

engat(us)ar [1a] F coax, cajole, inveigle (*para que* into *ger.*).

engendrar [1a] beget, breed (*a. fig.*); generate (*a. ⚡*); *fig.* engender; **engendro** *m* biol. foetus.

englobar [1a] lump together.

engolfar [1a] ⚓ lose sight of land; ~**se en** *fig.* plunge into; launch into.

engolosinar [1a] tempt, entice; ~**se con** grow accustomed to.

engomar [1a] gum, stick.

engordar [1a] *v/t.* fatten; *v/i.* get fat, fill out; F get rich.

engorrar [1a] *S.Am.* vex, bother;

engorroso bothersome, vexatious, trying.

engranaje *m* gear(s), gearing, mesh; (*dientes*) gear-teeth; **engranar** [1a] *v/t.* gear; put into gear; ~ **con** gear into, engage (with); *v/i.* interlock; ⊕ engage (con in, with).

engrandecer [2d] enlarge, magnify (*a. fig.*); (*alabar*) extol; exalt; **engrandecimiento** *m* enlargement; *fig.* exaltation *etc.*

engrane *m* mesh(ing).

engrapar [1a] clamp.

engrasar [1a] grease, oil, lubricate; **engrase** *m* greasing, lubrication.

engreído conceited, proud, stuckup F; **engreimiento** *m* conceit, vanity; **engreír** [3l] make conceited; *S.Am.* spoil.

engrosar [1m] *v/t.* (*aumentar*) increase, swell; (*ensanchar*) enlarge; (*espesar*) thicken; *v/i.* get fat.

engrudar [1a] paste; **engrudo** *m* paste.

engullir [3a *a.* 3h] gulp (down), bolt, gobble.

enhebrar [1a] thread.

enhestar [1k] (*poner derecho*) erect; (*elevar*) hoist up; **enhiesto** (*derecho*) erect; (*p.*) bolt upright.

enhilar [1a] *aguja* thread; (*ordenar*) arrange, order.

enhorabuena *f* congratulations; ¡~! (*aprobación*) well and good; (*felicitación*) congratulations!, best wishes!; *dar la* ~ *a* congratulate; **¡enhoramala!** good riddance!

enigma *m* enigma; puzzle; **enigmático** enigmatic(al); puzzling.

enjabonar [1a] soap; lather; F (*dar jabón*) soap up; F (*injuriar*) abuse.

enjalbegar [1h] whitewash; *cara* paint.

enjambrar [1a] *v/t.* hive; *v/i.* swarm; **enjambre** *m* swarm (*a. fig.*).

enjaular [1a] cage; coop up, pen in; F jail.

enjuagar [1h] *platos, boca etc.* rinse; *cubo etc.* swill (out); **enjuague** *m* rinse, rinsing; *fig.* scheme.

enjugaparabrisas *m* windshield wiper; **enjugamanos** *m* S.Am. towel; **enjugar** [1h] wipe; dry; *deuda* wipe out.

enjuiciamiento *m* judgement; 𝕴𝕴 (*civil*) lawsuit, (*criminal*) trial; **enjuiciar** [1b] examine, judge; 𝕴𝕴 (*procesar*) prosecute, try.

enjundia f fig. substance; (vigor) drive.

enjuto lean, spare; (seco) wizened.

enlace m link, connexion (a. 🚗), tie-up; ✕ etc. liaison; ♫ linkage.

enladrillado m brick paving; **enladrillar** [1a] pave with bricks.

enlatar [1a] can, tin; S.Am. put a tin roof on.

enlazar [1f] v/t. connect, link, tie (together), knit (together); S.Am. lasso; v/i. 🚗 connect; **~se** (unirse) link (up), be linked.

enlodar [1a] muddy, cover with mud.

enloquecer [2d] v/t. madden, drive mad; v/i. go mad; **enloquecimiento** m madness.

enlosar [1a] pave.

enlozado 1. S.Am. enameled; **2.** m S.Am. enamelware.

enlucir [3f] plaster; metal polish.

enlutado in mourning; **enlutar** [1a] dress in mourning; fig. darken.

enmarañar [1a] (en)tangle; fig. complicate, involve; confuse.

enmascarar [1a] mask; fig. mask, disguise; **~se** fig. masquerade.

enmendar [1k] emend, correct; ley etc. amend; reform moralmente etc.; **~se** reform, mend one's ways; **enmienda** f emendation; amendment.

enmohecer [2d] rust; ♀ make mouldy; **~se** rust; ♀ get mouldy.

enmudecer [2d] v/t. silence; v/i., **~se** (callar) be silent; remain silent (debiendo hablar); (perder el habla) become dumb.

ennegrecer [2d] blacken, dye etc. black.

ennoblecer [2d] ennoble; fig. embellish, adorn, dignify.

enojadizo short-tempered, testy, peevish; **enojar** [1a] anger; annoy, vex; **~se** get angry, lose one's temper, get annoyed; **enojo** m anger; annoyance, vexation; **enojoso** irritating, annoying.

enorgullecer [2d] fill with pride; **~se** swell pride.

enorme enormous, huge; fig. heinous; **enormidad** f fig. enormity; wickedness; (acto) monstrous thing.

enotecnia f wine making; oenology.

enraizar [1f] take root.

enramada f arbour, bower.

enrarecer [2d] v/t. rarefy, thin; v/i., **~se** (gas etc.) become rarefied, grow thin; (escasear) get scarce.

enredadera f (en general) creeper, climber; (especie) bindweed.

enredar [1a] (coger con red) net; (enmarañar) (en)tangle; (entretejer) intertwine; (mezclar) mix up, make a mess of; fig. (meter en empeño) implicate; **~se** get (en)tangled; fig. get involved; **enredo** m tangle (a. fig.); fig. (confusión) entanglement, mess; mix-up F, thea. etc. plot; **enredoso** tangled, tricky.

enrejado m lattice(-work) de ventana; trellis de jardín; (cerca) railing(s); sew. openwork; **enrejar** [1a] ventana fix a grating to; (cercar) fence, put railings round.

enriquecer [2d] enrich, make rich; **~se** get rich, prosper; **enriquecimiento** m enrichment.

enrojecer [2d] v/t. redden; metal make red-hot; v/i., **~se** blush, redden.

enrolarse [1a] S.Am. enlist, enrol.

enrollar [1a] roll (up), wind (up), coil.

enronquecer [2d] v/t. make hoarse; v/i. grow hoarse, get hoarse.

enroscadura f twist; kink; coil; **enroscar(se)** [1g] twist, twine; curl (up); alambre etc. coil, wind.

ensacar [1g] sack, bag.

ensalada f salad; fig. (confusión) mix-up F; (mezcla) medley.

ensalmar [1a] hueso set; cure by quack renedies; **ensalmo** m 🪄 quack treatment; (fórmula) charm, incantation.

ensalzamiento m exaltation; **ensalzar** [1f] exalt; (alabar) extol.

ensambladura f joint; (arte) joinery; **ensamblar** [1a] join; assemble.

ensanchar [1a] enlarge, widen, extend; (estirar) stretch; sew. let out; **~se** stretch, expand; **ensanche** m enlargement, widening; extension, expansion; stretch(ing).

ensangrentado blood-stained, gory; **ensangrentar** [1k] stain with blood; **~se** fig. get angry.

ensañar [1a] enrage; **~se** en vent one's anger on.

ensartar [1a] cuentas etc. string; aguja thread; fig. reel off, trot out.

ensayar [1a] test, try (out); metal assay; thea., ♪ rehearse; **~se** practice; **ensaye** m (metales) assay; **ensayista** m/f essayist; **ensayo** m test, trial; assay de metal; (entrenamiento) practice; lit. essay; thea., ♪

rehearsal; ~ *de choque mot.* crash test.

enseguida at once, immediately.

ensenada f inlet, cove, creek.

enseñanza f teaching, instruction, education; schooling; tuition; *primera* ~, ~ *primaria* elementary education; ~ *superior* higher education; **enseñar** [1a] (*instruir*) teach; train; (*mostrar*) show; (*indicar*) point out; ~*se a* accustom o.s. to.

enseres *m/pl.* goods and chattels; (*accesorios*) gear, equipment.

ensiladora f silo.

ensillar [1a] saddle (up).

ensimismamiento m reverie; **ensimismarse** [1a] be absorbed; *S.Am.* be conceited.

ensoberbecerse [2d] become proud; (*mar*) get rough.

ensombrear [1a] overshadow; **ensombrecer** [2d] darken.

ensordecer [2d] *v/t. p.* deafen; *ruido* muffle; *v/i.* go deaf.

ensortijar [1a] curl; *nariz* ring.

ensuciar [1b] soil, dirty, (be)foul; *fig.* defile, pollute; ~*se* soil o.s. *en vestido*, wet one's bed *en cama.*

ensueño m dream, reverie.

entabladura f boarding, planking; **entablar** [1a] ⊕ board (up); ⚕ splint; ⚖ institute; *tablero* set up; *conversación etc.* enter into, strike up. **entablillar** [1a] ⚕ splint.

entalladura f, **entallamiento** m sculpture; carving; engraving; (*corte*) slot, groove; **entallar** [1a] *v/t.* (*esculpir*) carve; (*grabar*) engrave; (*hacer cortes en*) notch, slot; *v/i.* (*vestido*) fit.

entapizar [1f] upholster; *pared* hang with tapestry; *silla etc.* cover with fabric.

entarimado m (floor-)boarding; (*mosaico*) inlaid floor; **entarimar** [1a] board, plank.

ente m entity, being; F guy.

enteco weak(ly), sickly.

entendederas f/pl. sl. brains; F: *tener malas* ~, *ser corto de* ~ be slow on the uptake.

entender [2g] *mst* understand; (*tener intención, querer decir*) intend, mean; (*creer*) believe; *a mi* ~ in my opinion; ~ *de* know about, be good at, be experienced as (*carpintería a carpenter*); *no* ~ *de a.* be no judge of; ~ *en* (*versado*) be familiar with, know all about; (*que trata*) deal with; ~*se* have one's reasons; (*dos ps.*) understand

one another, get along well together; *se entiende que* it is understood that; *eso se entiende* that is understood; ~ *con* know how to manage *en el trato.*

entendido (*sabio*) wise, knowing; (*enterado*) (well)informed; **entendimiento** m understanding; (*inteligencia*) mind; (*juicio*) judgement.

entenebrecer [2d] darken; *asunto* fog; ~*se* get dark.

enterado knowledgeable, (well-)informed; *S.Am.* conceited; **enterar** [1a] inform; ~*se de* learn, find out, hear of, get to know (about).

entereza f entirety; *fig.* integrity, strength of mind; fortitude; firmness; (*severidad*) strictness.

enternecedor moving, pitiable; **enternecer** [2d] soften; *fig.* touch, move (to pity *etc.*); ~*se* be touched, be moved.

entero 1. entire, whole; complete; *fig.* (*recto*) upright; firm; robust; ⚖ integral, whole; *por* ~ wholly, completely; **2.** m ⚖ integer.

enterrador m gravedigger; **enterramiento** m burial, interment; **enterrar** [1k] bury (*a. fig.*), inter.

entibiar [1b] cool (*a. fig.*), take the chill off.

entidad f entity; ✝ firm, concern; *pol. etc.* body, organization.

entierramuertos m gravedigger; **entierro** m burial, interment; (*funeral, procesión*) funeral; F treasure trove.

entintar [1a] ink (in); **entinte** m inking.

entoldado m awning; (*tienda grande*) marquee; **entoldar** [1a] put an awning over; (*adornar*) decorate (with hangings); ~*se* (*cielo*) cloud over; (*p.*) give o.s. airs.

entonación f intonation; *fig.* conceit; **entonar** [1a] *v/t. canción etc.* intone; (*afinar*) sing in tune; *phot.*, paint. tone; ⚕ tone up; *alabanzas* sound; *v/i.* be in tune; ~*se* give o.s. airs.

entonces then, at that time; (*siendo así*) and so; well then.

entornar [1a] half-close; *puerta* leave ajar; (*volcar*) upset; **entorno** m environment.

entorpecer [2d] dull, (be)numb, stupefy; *fig.* obstruct, slow up; **entorpecimiento** m numbness, torpor; *fig.* obstruction, delay.

entrada f (*en general*) entrance, way in; (*parte de edificio etc.*) porch,

doorway, gateway, entrance-hall; (*acto*) entry (*en* into); admission (*en academia etc.* to); (*derecho*) right of entry; beginning *de año etc.*; (*ingresos*) income, receipts; ~ *de favor*, ~ *de regalo* complimentary ticket, pass; *dar* ~ *a* admit; give an opening to; *prohibida la* ~ keep out, no admittance.

entrambos *lit.* both.

entrampar [1a] trap, (en)snare; F (*enredar*) mess up; ✝ burden with debts; ~**se** F get into a mess.

entrañable (*querido*) dearly loved; (*afectuoso*) affectionate; **entrañar** [1a] (*introducir*) bury deep; (*contener*) contain; ~**se** become very intimate; **entrañas** *f/pl.* entrails, bowels; inside(s) F; *fig.* innermost parts; heart; disposition.

entrar [1a] **1.** *v/t.* (*hacer entrar*) bring in, show in; ✗ attack; (*estudio etc.*) attract; **2.** *v/i.* go in, come in, enter; (*año etc.*) begin; ~ *a inf.* begin to *inf.*; ~ *bien* (*convenir*) be fitting; (*venir al caso*) be to the point; ~ *en* enter, go into; *esp. fig.* enter into; (*encajar*) fit into.

entre between *dos*, among(st) *varios*; (*en medio de*) in the midst of; *decir* ~ *sí* say to o.s.

entre... inter...; ~**abierto** halfopen; ~**acto** *m* interval; ~**cejo** *m* space between the eyebrows; *fig.* frown; ~**cierre** *m* interlock; ~**coger** [2c] catch, intercept; *fig.* press; (*hacer callar*) silence; ~**cortado** intermittent; ~**cortar** [1a] partially cut; interrupt.

entrecruzar [1f] interlace; ~**se** *biol.* interbreed.

entre...: ~**dicho** *m* prohibition, ban; *t͟s* injunction.

entrega *f* (*acto*) delivery; surrender; instalment, part *de novela etc.*; ✆ post, delivery; ~ *contra paga* (*or reembolso*) cash on delivery; **entregar** [1h] (*dar, poner en manos*) deliver; hand (over), hand in; (*ceder*) surrender; give up, part with; ~**se** surrender, give in; ~ *a* devote o.s. to, indulge in.

entre...: ~**lazar(se)** [1f] entwine, interlace; ~**medias** (in) between; in the meantime; ~**més** *m thea.* interlude; ~**es** *pl.* hors d'oeuvres; ~**meter** [2a] insert; *v.* **entrometerse**; ~**mezclar** [1a] intermingle; intersperse.

entrenador *m deportes*: trainer (*a.*

✗), coach; **entrenamiento** *m* training; **entrenar** [1a] train, coach; ~**se** train.

entre...: ~**oír** [3q] half-hear; ~**pierna(s)** *f* (*pl.*) crotch, crutch; ~**renglón** *m* space between the lines; interline; ~**sacar** [1g] *pelo, árboles etc.* thin out; (*escoger*) pick out; (*examinar*) sift; ~**semana** *f S.Am.* weekdays; work days; ~**suelo** *m* mezzanine, entresol; ~**tanto 1.** *adv.* meanwhile, meantime; **2.** *m* meantime; ~**tejer** [2a] entwine, interweave; (*trabar*) mat; *palabras etc.* put in, insert.

entretener [2l] (*divertir*) entertain; (*ocupar*) keep (occupied); keep in suspense; engage *en conversación*; (*demorar*) hold up, delay; **entretenido** entertaining, amusing; **entretenimiento** *m* entertainment; amusement; recreation; (*manutención*) upkeep.

entre...: ~**tiempo** *m* transition; meantime; spring; fall; ~**ver** [2v] glimpse; *fig.* guess, suspect; ~**verar** [1a] intermingle; mix up; ~**vero** *m* jumble, mix-up.

entrevista *f* interview, conference; **entrevistar** [1a] interview; ~**se con** interview, have an interview with.

entristecer [2d] sadden, grieve; ~**se** grow sad, grieve.

entrometerse [2a] meddle; intrude; **entrometido 1.** meddlesome; **2.** *m*, **a** *f* busybody.

entroncar [1g] be related, be connected (*con* to, with); join.

entronque *m* relationship, connexion; *S.Am.* 🚂 junction.

entumecer [2d] (be)numb; ~**se** (*miembro*) get numb, go to sleep; (*río*) swell; (*mar*) surge; **entumecido** stiff, numbed, cramped.

enturbiar [1b] *agua* muddy, disturb; *fig.* obscure, fog, confuse.

entusiasmar [1a] excite, fire, fill with enthusiasm; ~**se** get excited (*por* about, over); **entusiasmo** *m* enthusiasm (*por* for); keenness, zeal, zest; **entusiasta 1.** enthusiastic; keen (*de* on); zealous (*de* for); **2.** *m/f* enthusiast; fan F; **entusiástico** enthusiastic.

enumeración *f* enumeration; **enumerar** [1a] enumerate.

enunciar [1b] enunciate; declare; **enunciativo** enunciative; *gr.* declarative.

envainar [1a] sheathe; *sl.* ¡enváinala! shut your trap!

envalentonar [1a] embolden; ~se take courage; put on a bold front.

envanecer [2d] make vain; ~se grow vain; swell with pride; **envanecimiento** *m* pride; vanity; conceit.

envaramiento *m* stiffness; **envararse** [1a] get stiff; get numb.

envasar [1a] *v/t.* pack(age); bottle; can, tin; *v/i. fig.* tipple; **envase** *m* (*acto*) packing *etc.*; (*recipiente en general*) container; (*papel*) wrapping; bottle; ~ de hojalata tin can.

envejecer [2d] *v/t.* age, make old; *v/i.*, ~se age, grow old, get old.

envenenamiento *m* poisoning; **envenenar** [1a] poison (*a. fig.*); *relaciones etc.* embitter.

enverdecer [2d] turn green.

envergadura *f* ♣ breadth; (*extensión*) expanse, spread, span; *fig.* scope, compass, reach.

envés *m* back, wrong side of tela.

enviado *m* envoy; **enviar** [1c] send (*por* for).

enviciar [1b] corrupt; *fig.* vitiate; ~se con (*or* en) become addicted to.

envidia *f* envy, jealousy; *tener* ~ *a* envy; **envidiar** [1b] envy, begrudge; (*desear*) covet; **envidioso** envious, jealous; (*deseoso*) covetous.

envilecer [2d] debase, degrade; ~se degrade o.s.; grovel; **envilecimiento** *m* degradation.

envío *m* (*acto*) sending, dispatch; ✝ consignment *de mercancías*, remittance *de dinero*; ♣ shipment.

envite *m* stake, side bet; *fig.* (*ofrecimiento*) offer; (*empujón*) push.

enviudar [1a] become a widow(er), be widowed.

envoltorio *m* bundle; **envoltura** *f* cover(ings), casing, wrapping; ♀, ⚒ *etc.* envelope; **envolver** [2h; *p.p.* envuelto] wrap (up), tie up, do up; (*con ropa*) wrap, swathe; (*contener, ceñir*) envelop, enfold; muffle *contra frío, ruido etc.*; ⚔ encircle; ~se *fig.* become involved; **envolvimiento** *m* envelopment; ⚔ encirclement; *fig.* involvement.

enyesado *m* plastering; **enyesar** [1a] plaster.

enzarzar [1f] *fig.* involve, entangle.

enzima *f* enzyme; **enzimología** *f* enzymology.

épica *f* epic; **épico** epic.

epidemia *f* epidemic; **epidémico** epidemic.

epígrafe *m* inscription; (*lema*) motto, device; (*título*) title.

epigrama *m* epigram.

epilepsia *f* epilepsy.

epílogo *m* epilogue.

episcopado *m* (*oficio*) bishopric; (*período*) episcopate.

episodio *m* episode; incident; **episódico** episodic(al).

epístola *f* epistle; **epistolario** *m* collected letters.

epitafio *m* epitaph.

epítome *m* compendium, epitome.

época *f* period, time, epoch; *hacer* ~ be epochmaking.

epopeya *f* epic (*a. fig.*).

equidad *f* equity (*a.* ⚖); fairness.

equidistante equidistant.

equilátero equilateral.

equilibrado balanced; *p.* sensible; even-tempered; **equilibrar** [1a] (*poner en equilibrio*) balance, poise; **equilibrio** *m* balance, equilibrium; *esp. fig.* poise; **equilibrista** *m/f* tightrope walker, acrobat.

equinoccio *m* equinox.

equipaje *m* luggage, piece of luggage; (*equipo*) equipment, kit; **equipar** [1a] equip, furnish, fit out, fit up (*con* with).

equiparar [1a] consider equal, equalize, put on a level (with).

equipo *m* equipment, outfit, kit; system; (*grupo, deportes etc.*) team; ~ de alta fidelidad stereo system; hi-fi set.

equitación *f* (*acto*) riding; (*arte*) horsemanship.

equitativo equitable, reasonable; *trato* fair, square.

equivalencia *f* equivalence; **equivalente** *adj. a. su. m* equivalent (*a* to); **equivaler** [2q]: ~ *a* be equivalent to; rank as, rank with.

equivocación *f* mistake, error; (*descuido*) oversight; (*malentendido*) misunderstanding; **equivocado** wrong, mistaken; *cariño etc.* misplaced; **equivocar** [1g] mistake; ~se be wrong, make a mistake; be mistaken (*con* for); **equívoco 1.** equivocal, ambiguous; **2.** *m* equivocation, ambiguity; (*juego de palabras*) pun, wordplay.

era[1] *etc. v.* ser.

era[2] *f* era; age; ~ *atómica* atomic age.

era[3] *f* ⚜ threshing floor; bed, plot.

erario m treasury, exchequer.

ergotismo m argumentativeness; ergotism.

erguido erect; *cuerpo etc.* straight; **erguir** [3n] (*levantar*) raise; (*poner derecho*) straighten; ~**se** straighten up; *fig.* swell with pride.

erial uncultivated.

erigir [3c] erect, build, raise; *fig.* establish; ~**se** en set up as.

erizado bristly; bristling (de with); **erizarse** [1f] bristle; (*pelo*) stand on end; **erizo** m zo. hedgehog; ~ **de mar** seaurchin.

ermitaño m hermit.

erogación f distribution (of wealth); *S.Am.* payment; gift.

erosión f erosion; **erosionar(se)** [1a] erode; **erosivo** erosive.

erótico erotic; *poesía etc.* love attr.

errabundo wandering.

erradizo wandering; **errado** (*equivocado*) mistaken; (*inexacto*) wide of the mark; (*imprudente*) unwise; **errante** (*no fijo*) wandering, roving, itinerant; (*perdido*) stray; *fig.* errant; **errar** [11] v/t. *tiro, vocación* miss; (*no cumplir*) fail (in one's duty to); v/i. wander, rove, roam (about); = ~**se** err, go astray; **errata** f misprint, erratum.

erróneo wrong, mistaken, erroneous; **error** m error, mistake, fault, fallacy *en teoría etc.*

eructar [1a] belch; **eructación** f, **eructo** m belch, eructation 🔟.

erudición f erudition, learning, scholarship; **erudito 1.** erudite, learned; **2.** m, **a** f scholar.

erupción f eruption (a. 🌋); outbreak; ~ (*cutánea*) rash.

esbeltez f slenderness *etc.*; **esbelto** slim, slender, svelte.

esbozar [1f] sketch, outline; **esbozo** m sketch, outline.

escabechar [1a] pickle, souse; **escabeche** m pickle, souse; (*pescado*) soused fish; *esp.* pickled tunnyfish.

escabel m (foot)stool.

escabrosidad f roughness, ruggedness *etc.*; **escabroso** *terreno* rough, rugged; (*desigual*) uneven; *fig.* (*áspero*) harsh; *cuento* risky, scabrous.

escabullirse [3a] make o.s. scarce, slip away; ~ *por* slip through.

escafandra f diving suit; ~ *espacial* space helmet.

escala f (*escalera*) ladder; (*graduación etc.*) scale (a. 🎵, 🎵); range *de velocidades etc.*; 🔱 port of call; (*parada*) intermediate stop; *hacer* ~ en put in at, call at; **escalada** f scaling, climbing; **escalafón** m establishment, list of officials, scale.

escalar [1a] scale, climb; *casa* burgle, break into.

escaldadura f scald; **escaldar** [1a] scald; *metal* make red-hot.

escalera f stairs, staircase *en casa*; (*flight of*) steps *esp. al descubierto*; (*escala*) ladder; ~ *de incendios* fire-escape; ~ *mecánica*, ~ *móvil*, ~ *rodante* escalator, moving staircase.

escalfador m chafing dish; **escalfar** [1a] *huevo* poach.

escalinata f (flight of) steps.

escalo m burglary; break-in; digging (to enter or escape).

escalofrío m chill (a. 🌋); (*estremecimiento*) shivering, shiver(s).

escalón m step, stair *de escalera*; rung *de escala*; *fig.* (*grado*) stage, grade; **escalonamiento** m gradation; graduation; ✕ echelon; **escalonar** [1a] spread out at intervals; step; *horas*, ⊕ stagger.

escalpelo m scalpel.

escama f zo. scale; *fig.* (*resentimiento*) grudge; (*recelo*) suspicion; **escamar** [1a] scale; F make wary, make suspicious; ~**se** F get wary, get suspicious; **escamón** apprehensive, suspicious.

escamoso *pez* scaly; *sustancia* flaky.

escamot(e)ar [1a] whisk away, make *s.t.* vanish; *carta* palm; F steal, swipe; **escamoteo** m sleight of hand, conjuring.

escampar [1a] v/t. clear out; v/i. clear up, stop raining; *fig.* give up.

escanciar [1b] *vino* pour; serve.

escandalizar [1f] scandalize, shock; ~**se** be shocked; be offended; **escándalo** m scandal; row, uproar; bad example; *armar un* ~ make a scene; **escandaloso** scandalous, shocking; *ofensa etc.* flagrant.

escandinavo adj. a. su. m, **a** f Scandinavian.

escaño m bench, settle.

escapada f (*huida*) escape; (*travesura*) escapade; **escapar** [1a] escape (a *acc.*, de from); run away; ~ *de manos* ~**se** escape; run away; get out; (*gas etc.*) leak (out); ~ *con* make off with.

escaparate m showcase, display

cabinet, shop window *de tienda*; *Cuba,Col.,Ven.* clothes closet.
escapatoria *f (huida)* escape, getaway; *fig.* loophole, excuse.
escape *m* escape, flight, get-away; ⊕ exhaust *(a. tubo de ~, gases de ~)*; leak(age) *de gas, líquido*; ⊕ escapement; *a ~* at full speed; **escapismo** *m* escapism.
escapular scapular; **escapulario** *m* scapular(y).
escarabajo *m* beetle; ⊕ flaw; F runt, dwarf; ~s *pl.* F scrawl.
escaramuza *f* skirmish, brush; **escaramuzar** [1f] skirmish.
escarbadientes *m* toothpick; **escarbar** [1a] scratch; *lumbre* poke; *dientes* pick; *fig.* delve into.
escarcha *f* (hoar)frost; **escarchar** [1a] *v/t. pastel* ice; *v/i.* freeze.
escarcho *m* roach.
escarda *f* weeding-hoe; *(labor)* weeding, hoeing; **escardar** [1a] weed (out) *(a. fig.)*.
escariador *m* reamer; **escariar** [1b] ream.
escarlata *f* scarlet; scarlet cloth; **escarlatina** *f* scarlet fever.
escarmenar [1a] *lana* comb; *fig.* punish; F do out of *s.t.* bit by bit.
escarmentar [1k] *v/t.* punish severely, teach a lesson (to); *v/i.* learn one's lesson; **escarmiento** *m* punishment; warning, lesson.
escarnecer [2d] scoff at, ridicule; **escarnio** *m* jibe, jeer; derision.
escarpa *f* scarp, escarpment, slope; **escarpado** steep, sheer; craggy.
escarpia *f* spike, tenterhook.
escarpín *m (zapato)* pump; ~es *pl.* ankle socks *de muchacha*.
escasamente barely; hardly; **escasear** [1a] *v/t.* be sparing with, skimp; *v/i.* be scarce, get scarce; **escasez** *f* scarcity, shortage; **escaso** scarce; scant(y); *(miserable)* meagre, skimpy; *cosecha, público* thin, sparse; *p. (tacaño)* stingy; *(económico)* sparing.
escatimar [1a] skimp, give grudgingly, stint, be sparing of; *esfuerzo* spare; **escatimoso** scrimpy, mean.
escena *f mst* scene; *(parte del teatro)* stage; ~ *muda* by-play; **escenario** *m (parte del teatro)* stage; scene, setting *de acción*.
escepticismo *m* scepticism; **escéptico** 1. sceptical; 2. *m,* **a** *f* sceptic, doubter.

escindir [3a] split; **escisión** *f* scission; *fig.* split, division.
esclarecer [2d] *v/t. (aclarar)* explain, elucidate; *fig.* ennoble; *v/i.* dawn; **esclarecido** illustrious.
esclavitud *f* slavery, bondage; **esclavizar** [1f] enslave; **esclavo** *adj. a. su. m,* **a** *f* slave.
esclerosis *f* sclerosis.
esclusa *f* lock, sluice; floodgate.
escoba *f* broom; **escobar** [1a] sweep; **escobazo** *m* quick sweep; **escobilla** *f* whisk; brush *(a. ⚡)*; ~ *de limpiaparabrisas* (windshield) wiper blade; **escobillón** *m* ⚔, ⊕ swab; **escobón** *m* long-handled broom; scrub brush.
escocer [2b *a.* 2h] *v/t.* annoy; *v/i.* smart, sting; **~se** chafe.
escocés 1. Scots, Scotch, Scottish; 2. *m* Scot(sman); *(idioma)* Scots.
escoger [2c] choose, select, pick out; elect *en elección*; **escogido** select, choice; *obras* selected.
escolar 1. scholastic; school *attr.*; 2. *m* pupil, schoolboy; **escolástico** 1. scholastic; 2. *m* schoolman.
escolta *f* escort; **escoltar** [1a] escort, guard, protect; ⚓ convoy.
escollo *m* reef, rock; *fig.* pitfall.
escombrar [1a] clear out, clean out; **escombro** *m ichth.* mackerel; ~s *pl.* debris, wreckage, rubble.
escondedero *m* hiding-place; **esconder** [2a] hide, conceal (de from); **~se** hide; lurk; **escondid(ill)as:** *a ~* by stealth, on the sly; **escondite** *m* hiding-place, cache; *(juego)* hide-and-seek; **escondrijo** *m* hiding-place, hide-out; *fig.* nook.
escopeta *f* shotgun; ~ *de dos cañones* double-barreled shotgun; ~ *de viento* air-gun; **escopetazo** *m (tiro)* gunshot; *(herida)* gunshot wound; *fig.* bad news, blow; *S.Am.* sarcasm; insult; **escopetear** [1a] shoot at (with a shotgun).
escoplear [1a] chisel; **escoplo** *m* chisel.
escorbuto *m* scurvy.
escoria *f metall.* slag, dross; scum; **escorial** *m* slag-heap, dump.
escorpión *m* scorpion.
escotado décolleté, low(-necked); **escotadura** *f* low neck; *thea.* large trapdoor; **escotar** [1a] *v/t.* cut to fit; *v/i.* pay one's share; **escote** *m sew.*(low) neck, décolletage; share *de dinero*.

escotilla *f* hatch(way); **escotillón** *m* trapdoor.

escozor *m* smart, sting; *fig.* grief.

escriba *m* scribe; **escribanía** *f* (*escritorio*) writing-desk; writingcase; **escribano** *m* ⚖ clerk; † notary; ~ *municipal* town clerk; **escribiente** *m* amanuensis; (*empleado*) clerk; **escribir** [3a; *p.p. escrito*] write; (*ortografiar*) spell; **escrito 1.** *p.p.* of escribir; **2.** *adj.* written; **3.** *m* writing, document; manuscript; ⚖ brief; ~*s pl.* writings, works; **escritor** *m*, **-a** *f* writer; **escritorio** *m* writing desk, bureau; (*caja*) writing case; (*oficina*) office; **escritura** *f* (*acto, arte*) writing; (*símbolos*) writing, script; (*propia de p.*) (hand)writing; ⚖ deed, document; *Sagrada* 𝕾 Scripture.

escrófula *f* scrofula; **escrofuloso** scrofulous.

escroto *m* scrotum.

escrúpulo *m* (*inquietud*) scruple (*a. pharm.*); (*duda*) hesitation; = **escrupulosidad** *f* scrupulousness; **escrupuloso** scrupulous; precise.

escrutador 1. searching; **2.** *m parl.* teller; returning officer; **escrutar** [1a] scrutinize; *votos* count; **escrutinio** *m* scrutiny, count *de votos*; (*votación*) ballot.

escuadra *f* ⚼ square; bracket; angle iron; ✕ squad; ⚓ fleet, squadron; **escuadrar** [1a] square; **escuadrilla** *f* ✈ squadron, flight; ⚓ flotilla; **escuadrón** *m* ✕ squadron.

escuálido pale, weak; (*enjuto*) skinny, scraggy.

escucha 1. *f* (*acto*) listening; *eccl.* chaperon; *estar a la* ~ listen in; **2.** *m* ✕ scout; *radio:* monitor; **escuchar** [1a] *v/t.* listen to; heed, pay attention to; *v/i.* listen.

escudar [1a] shield (*a. fig.*); ~*se* shelter, shield o.s.

escudero *m hist.* squire; page.

escudo *m* shield (*a. fig.*); ~ *de armas* coat of arms; ~ *térmico* heatshield (*of space capsule*).

escudriñar [1a] scrutinize, scan, examine; inquire into, investigate.

escuela *f* school; *phls.* school (*of thought*); ~ *de artes y oficios* trade school; ~ *preparatoria* prep school; ~ *primaria* elementary school, primary school, grade school; ~ *de párvulos* infant school, kindergarten; **escuelante** *m/f Col.,Ven.,Mex.* schoolboy (schoolgirl).

escueto plain, unadorned; bare, bald.

esculpir [3a] sculpture, carve; *inscripción* cut; **escultor** *m* sculptor; **escultura** *f* sculpture, carving.

escupidera *f* spittoon; *S.Am.* chamber-pot; **escupidura** *f* spit, spittle; phlegm; **escupir** [3a] spit (*a at, en on*); (*echar fuera*) spit out; *fig. llamas etc.* belch, hurl forth.

escurridero *m* draining board; **escurridizo** slippery; ⊕ aerodynamic; **escurridor** *m* wringer *para ropa*; plate rack *para platos*; **escurrir** [3a] *v/t. ropa* wring (out); *platos, líquido* drain; *v/i.* (*líquido etc.*) drip, trickle; ~*se* drain; slip, slide *en hielo etc.*; F (*p. etc.*) sneak off.

ese, esa *adj.* that; **esos, esas** *pl.* those.

ése, ésa *pron.* that (one); (*el anterior*) the former; **ésos, ésas** *pl.* those; (*los anteriores*) the former.

esencia *f* essence; core *de problema etc.*; **esencial** *adj. a. su. m* essential.

esfera *f* sphere; globe; face *de reloj*, dial *de instrumento*; *fig.* sphere, plane; **esférico** spherical; **esferoide** *m* spheroid.

esfinge *f* sphinx (*a. fig.*).

esforzado valiant; vigorous, energetic; **esforzar** [1f *a.* 1m] *v/t.* strengthen, invigorate; (*animar*) encourage; ~*se* strain, exert o.s.; ~ *en inf.,* ~ *por inf.* strive to *inf.*; **esfuerzo** *m* effort, endeavor, exertion; stress; stretch, effort *de imaginación*; (*ánimo*) courage.

esfumar [1a] *paint.* shade, tone down; ~*se* fade away; (*p.*) make o.s. scarce.

esgrima *f* (*deporte*) fencing; (*arte*) swordsmanship; **esgrimir** [3a] *v/t.* wield (*a. fig.*); *v/i.* fence.

esguince *m* swerve, avoiding action.

eslabón *m* link *de cadena*; steel *para sacar fuego, afilar*; **eslabonar** [1a] (inter)link; *fig.* link, knit together.

eslálom *m* slalom.

eslavo 1. *adj. a. su. m,* **a** *f* Slav; **2.** *m* (*idioma*) Slavonic.

eslogan *m* slogan.

eslovaco 1. Slovakian; **2.** *m,* **a** *f* Slovak.

esloveno 1. Slovenian; **2.** *m,* **a** *f* Slovene.

esmaltar [1a] enamel; *uñas* varnish, paint; *fig.* embellish; **esmalte** *m* enamel (*a. anat.*); (*obra*) smalt; ~ (*para uñas*) nail polish; *fig.* lustre.

esmerado painstaking, careful, neat.

esmeralda f emerald.

esmerarse [1a] take pains, take great care (en over); (lucirse) shine.

esmeril m emery; **esmerilar** [1a] polish with emery.

esmero m care(fulness), neatness; refinement, niceness.

esnob 1. p. snobbish; (de buen tono etc.) posh; **2.** m/f snob; **esnobismo** m snobbery.

eso pron. that; ~ es that's right, that's it; por ~ therefore, and so.

esófago m esophagus, gullet.

espabilado bright; intelligent; **espabilar** [1a] snuff; ~se know the ropes; be informed.

espaciador m space bar (of typewriter); **espaciar** [1b] space (out) (a. typ.); (noticia) spread; ~se (dilatarse) expatiate, spread o.s.; (esparcirse) relax, take one's ease; **espacio** m space (a. typ.); (lugar) space, room; ♪ interval; (tardanza) delay, slowness; ~ exterior outer space; **espacioso** spacious, roomy; capacious; slow.

espada 1. f sword; naipes: ~s pl. spades; **2.** m swordsman; b.s. bully, swashbuckler; toros: matador.

espadín m dress-sword, ceremonial sword; **espadón** m broadsword.

espagueti m spaghetti.

espalda f back, shoulder(s) (mst ~s pl.); a ~s (vueltas) treacherously; a ~s de uno behind one's back; ~ con ~ back to back; de ~s a with one's back to.

espaldar m back de silla; ✔ espalier, trellis; **espaldarazo** m slap on the back; accolade; **espaldilla** f shoulderblade.

espantadizo shy, timid; **espantajo** m scarecrow (a. fig.); fig. sight, fright; (coco) bogy; **espantapájaros** m scarecrow.

espantar [1a] scare, frighten (away, off); (horrorizar) appal; ~se get scared, get frightened; **espanto** m fright, terror; **espantosidad** f S.Am. fright; frightfulness; S.Am. ghost; **espantoso** frightful, dreadful; appalling.

español 1. Spanish; **2.** m, **-a** f Spaniard; **3.** m (idioma) Spanish; **españolada** f Spanish mannerism (or remark); **españolería** f Spanishness; hispanophilia; **españolizar** [1f] make Spanish, hispanicize.

esparcido scattered; fig. jolly, cheerful; **esparcimiento** m scattering,

spreading; fig. (descanso) recreation; **esparcir** [3b] scatter, spread, sow; ~se fig. relax.

espárrago m asparagus.

esparto m esparto grass.

espasmo m spasm; jerk; **espasmódico** spasmodic(al); jerky, fitful.

espátula f spatula; palette knife.

especia f spice; **especiado** spicy, spiced.

especial (e)special; en ~ especially; **especialidad** f specialty; line f; **especialista** m/f specialist; **especializarse** [1f] specialize (en in, on Am.).

especie f biol. species; (clase) sort, kind; (asunto) matter; (noticia) news, rumour; pretext.

especificar [1g] specify; itemize; **específico 1.** specific; **2.** m (natural) specific; (fabricado) patent medicine; **espécimen** m specimen.

espectáculo m spectacle; show, entertainment; sight; **espectador** m, **-a** f spectator; onlooker, looker-on.

especulación f speculation; **especulador** m, **-a** f speculator; **especular** [1a] v/t. contemplate, reflect on; v/i. speculate; **especulativo** speculative.

espejear [1a] shine, glint; **espejismo** m mirage (a. opt.), wishful thinking; **espejo** m mirror (a. fig.), (looking-) glass; fig. model.

espeluznante hair-raising; lurid.

espera f wait; waiting; ⚖ stay, respite; **esperanza** f hope; prospect; dar ~s de hold out a prospect of; **esperanzar** [1f] give hope to, buoy up (with hope); **esperar** [1a] **1.** v/t. (tener esperanza de) hope for; expect (de of); (estar en espera de) await, wait for; **2.** v/i. (tener esperanza) hope; (estar en espera) wait; (permanecer) stay, ~ que indic. hope that; ~ que subj. expect that; ~ (a) que subj. wait until.

esperma f sperm.

esperpento m F (p.) fright; monstrosity; freak; nonsense.

espesar [1a] thicken; tela weave tighter; ~se thicken, get thicker; coagulate, solidify; **espeso** thick, dense; **espesor** m thickness, density; **espesura** f thickness; dirtiness; ⚘ thicket.

espetar [1a] carne skewer, spit; p. run through; F ~ algo a uno spring s.t. on s.o.; ~se F get on one's high horse; **espetón** m skewer, spit.

espía *m/f* spy; tattletale; *sl.* cop.
espiar [1c] spy (*v/t.* on).
espiga *f* ⚘ ear *de trigo*, spike *de flores*; ⊕ spigot; (*clavo*) tenon, peg, pin; **espigado** ⚘ ripe, ready to seed; *p.* tall, grown-up; **espigar** [1h] *v/t.* glean (*a. fig.*); ⊕ tenon; *v/i.* (*trigo*) form ears, come into ear; run to seed; (*p.*) ~**se** shoot up; **espigón** *m zo.* sting; (*púa*) spike; ⚘ ear.
espina *f* ⚘ thorn, spine, prickle; *ichth.* fish-bone; *fig.* suspicion, doubt; *dar mala* ~ *a* worry.
espinaca(s) *f(pl.)* spinach.
espinar [1a] *fig.* hurt *s.o.'s* feelings, sting; **espinazo** *m* spine, backbone.
espinilla *f anat.* shin(bone); ⚕ blackhead.
espino *m* hawthorn; **espinoso** ⚘ thorny, prickly; *pez* spiny; *fig.* thorny, knotty.
espionaje *m* spying, espionage.
espiral 1. spiral, helical; corkscrew *attr.*; **2.** *m* hairspring; **3.** *f* spiral; wreath *de humo etc.*; ⊕ whorl.
espirar [1a] *v/t.* exhale, breathe out; *v/i.* breathe; *poet.* blow gently.
espiritismo *m* spiritualism; **espiritista** *m/f* spiritualist; **espíritu** *m* spirit; mind; soul; ghost; ♀ *Santo* Holy Ghost; **espiritual** spiritual; unwordly; ghostly.
espita *f* spigot, tap, cock; F drunkard, soak; **espitar** [1a] tap, broach.
esplendidez *f* spendour; magnificence *etc.*; **espléndido** splendid; magnificent, grand; (*liberal*) generous, lavish; **esplendor** *m* splendour; brilliance; glory.
espolear [1a] spur; *fig.* spur on; **espoleta** *f* ⚔ fuse; *anat.* wish-bone; **espolón** *m zo., geog.* spur; ⚓ ram; ⚓ sea-wall, dike.
espolvorear [1a] dust (off).
esponja *f* sponge; F sponger; **esponjar** [1a] make spongy; *lana etc.* make fluffy; ~**se** *fig.* swell with conceit; F ⚕ glow with health; look prosperous; **esponjoso** spongy; porous.
esponsales *m/pl.* betrothal.
espontanearse [1a] (*falta*) own up; (*cosa íntima*) unbosom o.s.; **espontaneidad** *f* spontaneity; **espontáneo** spontaneous; impromptu.
esporádico sporadic.
esportillo *m* basket, pannier.
esposa *f* wife; ~*s pl.* handcuffs, manacles; **esposar** [1a] handcuff;
esposo *m* husband; ~*s pl.* husband and wife.
esprínter *m* sprinter.
espuela *f* spur (*a. fig.*); **espuelar** [1a] *S.Am.* spur, goad (on).
espuerta *f* basket, pannier.
espulgar [1h] delouse, rid of fleas; *fig.* scrutinize.
espuma *f* ⚓ *etc.* foam, spray, surf; froth *en cerveza etc.*; (*desechos*) scum; ~ (*de jabón*) lather; ~ *de caucho*, ~ *de látex* foam rubber; **espumajoso** foamy, frothy; **espumar** [1a] *v/t.* skim; *v/i.* foam, froth; **espumarajo** *m* froth (at the mouth); **espumoso** foamy, frothy; *vino* sparkling.
esputar [1a] spit; **esputo** *m* spit, spittle; ⚕ sputum.
esquela *f* note; ~ (*de defunción*) announcement of death.
esqueleto *m* skeleton (*a. fig.*).
esquema *m* diagram, plan, scheme; (*dibujo*) sketch.
esquí *m* ski; (*deporte*) skiing; ~ *acuático* water-skiing; **esquiador** *m*, **-a** *f* skier; **esquiar** [1c] ski.
esquife *m* skiff.
esquila[1] *f* handbell; cowbell.
esquila[2] *f* shearing; **esquilador** *m* shearer; **esquilar** [1a] shear, clip.
esquilmar [1a] *cosecha* harvest; *suelo* exhaust, impoverish (*a. fig.*).
esquimal *adj. a. su. m/f* Eskimo.
esquina *f* corner; **esquinado** having corners; *fig.* unsociable, prickly; **esquinazo** F: *dar* ~ *a* dodge, give *a p.* the slip.
esquite *m C.Am.,Mex.* popcorn.
esquivar [1a] avoid, shun, elude, side-step; *inf.* avoid *ger.*, be chary of *ger.*; **esquivez** *f* aloofness *etc.*; **esquivo** aloof, shy; evasive *en contestar etc.*; (*desdeñoso*) scornful.
esquizofrenia *f* schizophrenia; **esquizofrénico** schizophrenic.
estabilidad *f* stability; **estabilizar** [1f] stabilize; steady; *precios* peg; **estable** stable; steady; firm; ✝ regular.
establecer [2d] establish; set up, found; *gente etc.* settle; ~**se** establish o.s., settle *en casa, ciudad etc.*; **establecimiento** *m mst* establishment (*a. acto*); institution.
establo *m* cowshed; stable.
estaca *f* stake, paling; (tent)peg *de tienda*; (*porra*) cudgel; ⚘ cutting; **estacada** *f* (*cerca*) fencing, fence; ⚔ palisade, stockade; **estacar** [1g] *te-*

rreno stake out (*or* off); *animal* tie to a stake; **~se** remain rooted to the spot.

estación f 🌅 *etc.* station (*a. fig.*), *a.* depot *Am.*; season *del año*; **~** de empalme, **~** de enlace junction; **~** meteorológica weather station; **~** muerta off season; **~** de servicio service station; **~** veraniega summer resort; **estacionamiento** m *mot.* parking; **estacionar** [1a] station; *mot.* park; **~se** remain stationary; (*colocarse*) station o.s.; *mot.* park; **estacionario** stationary.

estada f stay.

estadio m *deportes:* stadium; (*fase*) stage, phase.

estadista m *pol.* statesman; 🜨 statistician; **estadística** f statistics; (*official*) returns; **estadístico 1.** statistical; **2.** m statistician.

estado m state (*a. pol.*); condition; status; class, rank; list *de empleados etc.*; **~** asistencial, **~** benefactor welfare state; en buen **~** in good condition, in good order; **~** civil marital status; hombre de **~** statesman; **~** llano third estate, commoners; **~** mayor staff.

estadounidense United States *attr.*

estafa f swindle, trick; ✝ racket F; **estafador** m swindler, trickster; racketeer F; **estafar** [1a] swindle, cheat.

estafeta f post; (*oficina*) (sub) post office; (*p.*) courier.

estalactita f stalactite; **estalagmita** f stalagmite.

estallar [1a] burst, explode, go off; (*como volcán*) erupt; (*látigo*) crack; **estallido** m explosion, report; *fig.* outbreak.

estampa f *typ.* print, engraving; (*imprenta*) printing press; *fig.* stamp, aspect; **estampado 1.** *vestido* print(ed); **2.** m (cotton) print; **estampar** [1a] *typ.* print, engrave, stamp; *esp. fig.* imprint.

estampida f *S.Am.* stampede; = **estampido** m report; boom, crash.

estampilla f (rubber) stamp; *S.Am.* (postage) stamp.

estancado stagnant (*a. fig.*); *fig.* static; **estancamiento** m stagnancy, stagnation (*a. fig.*); *fig.* deadlock; **estancar** [1g] *aguas* stem, check; *negocio* suspend; *negociación* bring to a standstill; *b.s.* corner; **~se** stagnate.

estancia f (*permanencia*) stay; (*morada*) dwelling, abode; *S.Am.* farm,

ranch; **estanciero** m *S.Am.* farmer, rancher.

estanco 1. watertight; **2.** m state monopoly; (*tienda*) tobacconist's (shop).

estándar(d)izar [1f] standardize.

estándar m norm; standard.

estandarte m standard, banner.

estanque m pond, pool, small lake; reservoir *para riego etc.*

estante m (*mueble*) rack, stand; bookcase; (*una tabla*) shelf; **estantería** f shelves, shelving.

estaño m tin.

estaquilla f peg, pin.

estar [1p] be; (**~** en casa *etc.*) be in; stand; (*asistir*) be present (en at); estoy leyendo I am reading; estamos a 3 de mayo today is the third of May; ¿a cuántos estamos? what date is it?; está bien all right; **~** de más be superfluous; (*p.*) be in the way; **~** mal 🜨 be ill; **~** para *inf.* be about to *inf.*; **~** para su. be in the mood for; **~** por *inf.* (*dispuesto a*) be inclined to *inf.*; (*que queda por*) be still to be *p.p.*, remain to be *p.p.*; **~se** stay (at home *etc.*); ¡estáte quieto! keep still!

estatal state *attr.*

estática f statics; **estático** static.

estatua f statue; **estatuaria** f statuary; **estatuario** statuesque.

estatura f stature, height; **estatutario** statutory; **estatuto** m statute; by-law *de municipio etc.*; (standing) order *de comité etc.*

este¹ 1. *parte* east(ern); *dirección* easterly; *viento* east(erly); **2.** m east.

este², esta this; **estos, estas** *pl.* these. **éste, ésta** this (one); (*último*) the latter; **éstos, éstas** *pl.* these; (*últimos*) the latter.

estela f ⚓ wake, wash; trail *de cohete etc.*; △ stela; **estelar** stellar.

estenografía f shorthand, stenography; **estenógrafo** m, **a** f stenographer, shorthand writer; **estenotipia** f stenotypy; machine stenography.

estera f mat, matting.

estercolar [1a] manure, dung; **estercolero** m dungheap, dunghill.

estéreo...: ~fónico stereophonic; **~scopio** m stereoscope; **~tipar** [1a] stereotype (*a. fig.*); **~tipo** m stereotype.

estéril sterile, barren; **esterilidad** f sterility; **esterilización** f 🜨 sterilization; **esterilizar** [1f] sterilize.

estero m matting; *geog.* estuary, inlet.

estética f aesthetics; **estético** aesthetic.

estetoscopia m stethoscope.

estevado bow legged, bandy-legged.

estibador m stevedore, longshoreman; **estibar** [1a] pack tight; ⚓ stow, house.

estiércol m dung, manure.

estigma m stigma; mark; brand; **estigmatizar** [1f] stigmatize.

estilar [1a] v/t. draw up in due form; v/i., ~se be in fashion, be worn.

estilete m stiletto.

estilizado stylized; **estilo** m style (a. ♀); (pluma) stylus; (modo, manera) manner.

estilográfica f fountain pen.

estima f esteem; ⚓ dead reckoning; **estimación** f (acto) estimation; (aprecio, tasa) estimate, estimation; (estima) regard, esteem; **estimar** [1a] (juzgar, medir) estimate, reckon, gauge; (respetar etc.) esteem, value, respect.

estimulante 1. stimulating; **2.** m stimulant; **estimular** [1a] stimulate; encourage; excite; **estímulo** m stimulation; encouragement.

estipendio m stipend.

estipulación f stipulation; proviso, condition; **estipular** [1a] stipulate.

estirado fig. stiff, starchy; (mojigato) prim; (tacaño) tightfisted.

estirajar [1a] F = **estirar** [1a] stretch, pull out; (demasiado) strain; cuello crane; ropa run the iron over; **estirón** m pull, tug; stretch; dar un ~ fig. shoot up.

estirpe f stock, race, lineage.

estival summery, summer attr.

esto pron. this; con ~ herewith; en ~ at this point.

estocada f (sword)thrust, stab.

estofa f fig. quality, class; **estofado** m stew, hot-pot; **estofar** [1a] cocina: stew; sew. quilt.

estoicismo m stoicism; **estoico 1.** stoic(al); **2.** m Stoic.

estólido stupid.

estómago m stomach; F tener buen ~ (no ofenderse) be thick-skinned; b.s. be none too scrupulous.

estoque m rapier; ♀ gladiolus; **estoquear** [1a] stab.

estorbar [1a] v/t. hinder, impede, obstruct; v/i. be in the way; **estorbo** m hindrance, obstruction.

estornudar [1a] sneeze; **estornudo** m sneeze.

estrada f road, highway.

estrado m dais, stage; ♪ bandstand; † drawing-room; ~s pl. law-courts.

estrafalario F eccentric, screwball; vestido slovenly, sloppy.

estragar [1h] corrupt, ruin; pervert; spoil; **estrago** m ruin, destruction; ~s pl. havoc, ravages.

estrangulador m ⊕ throttle; choke; **estrangular** [1a] strangle; ✗ strangulate; ⊕ throttle; ⊕ choke.

estraperlista m black marketeer; **estraperlo** m black market.

estrapontín m jump seat; folding seat.

estratagema f stratagem; **estrategia** f strategy; generalship; **estratégico** strategic.

estrato m layer, stratum.

estratosfera f stratosphere.

estrechar [1a] narrow; vestido reduce, take in; (apretar) tighten (up); squeeze; mano grasp, shake; hug; ~se narrow; tighten (up); **estrechez** f narrowness; tightness; fig. closeness, intimacy de amistad; **estrecho 1.** narrow; tight; cuarto cramped; fig. amistad, relación close, intimate; strict, rigid; **2.** m strait(s), narrows.

estregar [1h a. 1k] rub, scrape; (con agua etc.) scrub, scour.

estrella f star (a.fig.,thea.); zo. blaze; ✗ pip, star en uniforme; **estrellado** cielo starry; vestido spangled; huevo fried; **estrellar** [1a] shatter, smash, dash; huevo fry; ~se shatter, dash (contra against); (coche etc.) smash (contra into); esp. ✈ crash (contra into).

estremecer [2d] shake (a. fig.); ~se (edificio etc.) shake; (p.) tremble, shudder; shiver (de frío with); tingle; **estremecimiento** m shaking; trembling; shudder etc.

estrenar [1a] use (or wear etc.) for the first time; thea. perform for the first time; ~se make one's début (comedia) open; **estreno** m first appearance etc.; début esp. de p.; thea. first night; cine: première.

estreñimiento m constipation; **estreñir** [3h a. 3l] constipate, bind.

estrépito m noise, racket, row, din; **estrepitoso** noisy, loud, deafening.

estreptomicina f streptomycin.

estría f groove; ⚑ flute, fluting; **estriar** [1c] groove, striate; ⚑ flute.

estribación f geog. spur; ~es pl.

foothills; **estribar** [1a]: ~ en be
supported by; *fig.* rest (up)on.

estribillo *m poet.* refrain; ♪ chorus.

estribo *m* stirrup; ⊕ bracket, brace;
geog. spur; ⚠ buttress, abutment; ⚠
pier; *mot.* running board, step.

estribor *m* starboard.

estricto strict.

estridente strident, raucous.

estrofa *f* verse, stanza.

estropajo *m* scourer *para fregar*;
dishcloth, swab; F dirt, rubbish.

estropear [1a] *p.* hurt, maim; *mecanismo etc.* damage, tamper with; **~se**
get damaged; spoil, go bad.

estructura *f* structure; frame; **es-
tructural** structural; **estructurar**
[1a] construct, organize.

estruendo *m* crash, din, clatter,
thunder; *fig.* uproar; **estruendoso**
noisy; *esp. p.* obstreperous.

estrujadura *f* squeeze, press(ing);
estrujar [1a] squeeze, press, crush;
F drain; **estrujón** *m* squeeze,
press(ing); F crush, jam.

estuario *m* estuary.

estuco *m* stucco, plaster.

estuche *m* (*caja*) box, case; (*vaina*)
sheath; ~ de afeites vanity case.

estudiante *m/f* student; **estudiantil**
student *attr.*; **estudiar** [1b] study;
estudio *m mst* study; *paint., cine,
radio*: studio; (*proyecto preliminar*)
plan, design (de for); **estudioso** stu-
dious; bookish.

estufa *f* stove; heater; ✓ hothouse.

estulto stupid.

estupefaciente *adj. a. su. m* narcotic;
estupefacto stupefied, thunderstruck, speechless.

estupendo stupendous; F marvellous, terrific, great; ¡~! wonderful!

estupidez *f* stupidity, foolishness;
estúpido stupid, foolish.

estupor *m* stupor; amazement.

esturión *m* sturgeon.

etapa *f* stage, phase; *deportes*: lap,
leg; ✕ ration.

etarra *m/f* supporter of ETA; Basque
terrorist.

etcétera et caetera; and so on.

éter *m* ether; **etéreo** ethereal.

eternidad *f* eternity; **eternizar** [1f]
etern(al)ize; perpetuate; *b.s.* prolong
endlessly; **eterno** eternal.

ética *f* ethics; **ético** ethical.

etimología *f* etymology; ~ *popular*
folk etymology; **etimológico** ety-
mological.

etíope *adj. a. su. m/f* Ethiopian.

etiqueta *f* (*ceremonial*) etiquette;
punctilio, formality; (*rótulo*) label,
ticket; de ~ *traje* formal.

etnografía *f* ethnography; **etnolo-
gía** *f* ethnology.

eucalipto *m* eucalyptus, gum tree.

Eucaristía *f* Eucharist.

eufemismo *m* euphemism.

eufonía *f* euphony.

euforia *f* euphoria, exuberance; **eu-
fórico** euphoric, exuberant.

¡eureka! eureka!

europeizar [1f] Europeanize; **europeo** *adj. a. su. m*, **a** *f* European.

éuscaro *adj. a. su. m* Basque; **eus-
kera** *m* Basque language.

evacuación *f* evacuation; **evacuar**
[1d] evacuate; void; *vientre* have a
movement of; *fig. encargo* fulfil; *negocio* transact.

evadido *m* fugitive; **evadir** [3a]
evade; **~se** escape, break out.

evaluación *f* evaluation; **evaluar**
[1e] evaluate.

Evangelio *m* Gospel; **evangelizador** *m* evangelist; **Evangelista** *m*
Evangelist; **evangelizar** [1f] evan-
gelize.

evaporación *f* evaporation; **cvapo-
rar(se)** [1a], **evaporizar(se)** [1f]
evaporate (*a. fig.*); vaporize.

evasión *f* escape; *fig.* evasion; **evasiva** *f* loophole, excuse; **evasivo** evasive, noncommittal.

evento *m* (unforeseen) event, even-
tuality, contingency; **eventual** *trabajo etc.* temporary, casual.

evidencia *f* (*lo evidente*) obviousness;
(*prueba etc.*) evidence; **evidenciar**
[1b] show, prove, make evident; **evidente** obvious, evident.

evitable avoidable, preventable; **evitar** [1a] *peligro etc.* avoid, escape;
molestia save; (*precaver*) prevent.

evocar [1g] *recuerdo etc.* evoke, call
up, conjure up; *espíritus etc.* invoke.

evolución *f* evolution (*a. biol.*); ✕
maneuvre; change *de política etc.*;
evolucionar [1a] evolve (*a. biol.*); ✕
maneuvre; (*política etc.*) change;
evolucionista *adj. a. su. m/f* evo-
lutionist; evolutionary.

ex... ex-; former, late; ~ *ministro* ex-
minister.

exacción *f* exaction, extortion.

exacerbar [1a] exacerbate, aggra-
vate.

exactitud *f* exactness *etc.*; **exacto**

exact, accurate, precise; right, correct; ¡~! quite right!, just so!

exagerado exaggerated; *relato etc. a.* highly-coloured, overdone; *precio etc.* excessive, steep F; *(raro)* peculiar, odd; **exagerar** [1a] exaggerate; overdo, overstate.

exaltación f exaltation; overexcitement; **exaltado** m, a f exalted; *carácter* hot-headed, excitable; 2. m pol. extremist, hothead; **exaltar** [1a] exalt; *(celebrar)* extol; elevate *a dignidad;* *(inflamar)* excite; ~se get excited, get worked up.

examen m examination *(a. univ. etc.)*; inspection; interrogation; **examinando** m, a f examinee; **examinar** [1a] examine, inspect, scan, go over, go through; *(poner a prueba)* test; ~se take an examination (de in).

exasperar [1a] exasperate, irritate; ~se lose patience.

excavadora f excavator *(machine)*; **excavar** [1a] excavate; *(ahuecar)* hollow (out).

excedente 1. excessive; *(sobrante)* excess, surplus; 2. m excess, surplus; **exceder** [2a] exceed, surpass; outdo; transcend *en importancia.*

excelencia f excellence; **excelente** excellent.

excelso lofty, sublime.

excentricidad f eccentricity; **excéntrico** 1. eccentric; erratic; 2. m eccentric.

excepción f exception; *a ~ de* with the exception of; **excepto** except (for), excepting; **exceptuar** [1e] except, exclude; *tt etc.* exempt.

excesivo excessive; over...; *(indebido)* unreasonable, undue; **exceso** m excess *(a. fig.)*; extra.

excitabilidad f excitability; **excitación** f excitation; excitement; *~ loca* hysteria; **excitador** m ⚡ discharger; **excitante** 1. exciting; ⚕ stimulating; 2. m stimulant; **excitar** [1a] excite *(a. ⚡)*; raise; *emoción* rouse, stir up; ⚡ energize.

exclamación f exclamation; **exclamar** [1a] exclaim; cry, shout; **exclamatorio** exclamatory.

excluir [3g] exclude; shut out; *posibilidad etc.* preclude, rule out; **exclusive** exclusively; *grupo etc.* clannish; **exclusivo** exclusive; sole.

excomulgar [1h] eccl. excommuni-

cate; ban; **excomunión** f eccl. excommunication; ban.

excoriar [1b] skin, flay.

excreción f excretion; **excremento** m excrement; **excretar** [1a] excrete.

exculpación f exoneration, exculpation; *tt* acquittal; **exculpar** [1a] exonerate, exculpate; *tt* acquit.

excursión f excursion; *(mst breve)* outing, trip; *~ (a pie)* hike F; ✕ raid; **excursionismo** m hiking, rambling; sightseeing; **excursionista** m/f hiker F; sightseer.

excusa f excuse; apology.

excusado 1. unnecessary, superfluous; exempt *(de impuesto* from); reserved; *~ es decir* needles to say; 2. m toilet; lavatory; **excusar** [1a] *(disculpar)* excuse; *(evitar)* avoid, prevent; ~se apologize.

execrable execrable.

exención f exemption; immunity; **exentar** [1a] exempt (de from); **exento** exempt.

exhalar [1a] exhale; *vapor etc.* emit, give out; *suspiro* breathe, heave.

exhaustivo exhaustive; **exhausto** exhausted.

exhibición f exhibition, show; *~ venta* sales exhibit; **exhibir** [3a] exhibit, show.

exhortación f exhortation; **exhortar** [1a] exhort.

exhumación f exhumation.

exigencia f demand, requirement; exigency; **exigente** exigent, exacting; particular; **exigir** [3c] *rentas etc.* exact *a* from; *(pedir)* demand.

exilado m, a f exile; **exilar** [1a], **exiliar** [1b] exile; **exilio** m exile.

eximir [3a] exempt, free, excuse (de from).

existencia f existence; being; ✝ *en ~* in stock; *~s pl.* ✝ stock; **existente** in existence, in being, existent; **existir** [3a] exist; be.

éxito m result, outcome; *(buen)* ~ success; *fig., thea.,* ♪ hit; *tener (buen)* ~ be successful; **exitoso** successful.

éxodo m exodus.

exonerar [1a]; *~ de deber etc.* relieve of, free from.

exorbitancia f exorbitance; **exorbitante** exorbitant.

exorcista m/f exorcist; **exorcizar** [1f] exorcize.

exótico exotic.

expansión f expansion; *fig. (desahogo)* expansiveness; *(solaz)* relaxa-

tion; **expansionar** [1a] expand; **expansivo** expansive (*a. fig.*); *fig.* affable, good-natured.

expatriado *m*, a *f* expatriate; exile; **expatriarse** [1b] go into exile.

expectación *f* expectation; **expectativa** *f* expectation; hope; prospect.

expectorar [1a] expectorate.

expedición *f* expedition (*a. fig.*); *fig.* speed; **expedicionario** expeditionary; **expediente** *m* (*medio*) expedient; proceedings; (*papeles*) dossier.

expedir [3l] send, forward; *negocio* dispatch; *órdenes etc.* issue; **expeditar** [1a] *S.Am.* expedite; handle with speed.

expeler [2a] expel, eject.

expender [2a] (*gastar*) expend; (*vender*) sell retail; be an agent for; *moneda falsa* pass.

expensas *f/pl.* expense(s); costs.

experiencia *f* experience; experiment; **experimentado** experienced; **experimentar** [1a] *v/t.* experience, undergo, go through; *v/i.* experiment (*con* with, *en* on); **experimento** *m* experiment.

experto 1. expert, skilled, experienced; **2.** *m* expert.

expiración *f* expiration; **expirar** [1a] expire.

explanar [1a] level; grade; *fig.* explain, elucidate; unfold.

explayar [1a] extend, enlarge; *~se* spread, open out; *fig.* (*esparcirse*) relax; *~ con* confide in.

explicable explicable, explainable; **explicación** *f* explanation; **explicar** [1g] (*declarar, aclarar, justificar*) explain; *doctrina etc.* expound; *curso* lecture on; *conferencia* give; *~se* explain o.s.; *no me lo explico* I can't understand it.

explícito explicit.

exploración *f* exploration; **explorador** *m* explorer; pioneer; (*niño*) *~* Boy Scout; **exploradora** *f* Girl Guide; **explorar** [1a] explore; pioneer; etc. scout.

explosión *f* explosion (*a. fig.*); **explosivo** *adj. a. su. m* explosive.

explotación *f* exploitation; working etc.; *~ abusiva geol.* overexploitation (of resources); **explotar** [1a] exploit (*a. b.s.*); work; develop.

exponente 1. *m/f* exponent; **2.** *m* index, exponent; **exponer** [2r] expose (*a. phot.*); *vida etc.* risk; *cuadro etc.* show, exhibit; *argumento, hechos* expound; *~se a* expose o.s. to, lay o.s. open to.

exportación *f* (*acto*) export(ation); (*mercancías*) export(s); **exportar** [1a] export.

exposición *f* (*acto*) exposing, exposure (*a. phot.*), exposition; *paint. etc.* exhibition, show; *✝* show, fair; *~ universal* world's fair; **exposímetro** *m* exposure meter; **expresar** [1a] express; voice; *~se* express o.s.; **expresión** *f* expression; *~es pl. fig.* greetings; **expresivo** expressive; affectionate; **expreso 1.** express, specific, clear; **2.** *m* express (train); (*p.*) special messenger.

exprimidera *f*, **exprimidor** *m* squeezer; **exprimir** [3a] squeeze out.

expropiar [1b] expropriate.

expuesto 1. *p.p. of* exponer; **2.** *adj. lugar* exposed; (*peligroso*) dangerous; *artículo* on show, on view.

expulsar [1a] expel, eject, turn out; **expulsión** *f* expulsion, ejection.

expurgar [1h] expurgate.

exquisito exquisite; delicious; (*culto*) genteel, refined; *b.s.* affected.

extasiarse [1c] go into ecstasies, rhapsodize (*ante* over); **éxtasis** *m* ecstasy; rapture; **extático** ecstatic, rapturous.

extemporáneo unreasonable; untimely; inopportune.

extender [2g] extend, stretch, expand; (*desenvolver, desplegar*) spread (out), open (out), lay out; *~se* extend etc.; (*ocupar espacio*) extend, lie; (*ocupar tiempo*) extend, last (*de* from, *a* to, till); *fig.* range *entre dos puntos etc.*

extensión *f* (*acto, propagación*) extension; (*dimensión*) extent, size; duration *de tiempo*; range *entre dos puntos etc.*; *♪* range, compass; **extensivo** extensive; **extenso** extensive; broad, spacious.

extenuación *f* emaciation; **extenuado** emaciated; **extenuar** [1e] emaciate; weaken.

exterior 1. exterior, external, outer; *manifestación etc.* outward; **2.** *m* exterior, outside; (*aspecto*) outward appearance; *deportes:* wing; *del ~ noticias, correo etc.* foreign, from abroad.

exterminar [1a] exterminate; **exterminio** *m* extermination.

externo external; outward.

extinguidor *m S.Am.* (*de incendios*) fire extinguisher; **extinguir** [3d] extinguish; exterminate; **extinto** extinct; **extintor** *m* (fire) extinguisher.

extirpación *f* extirpation, eradication; **extirpar** [1a] extirpate, eradicate, stamp out.

extra 1. extra; *horas* ~ overtime; **2.** *m* extra *en cuenta*; **3.** *m/f cine:* extra.

extracción *f* extraction (*a.* ✂).

extractar [1a] *libro* abridge; **extracto** *m* ⚗ extract; *lit.* abstract; **extractor** *m* extractor; remover; ~ *de aire* ventilator; ~ *de humos* smoke vent.

extradición *f* extradition.

extraer [2p] extract; take out.

extra...: ~**fino** superfine; ~**judicial** extrajudicial; ~**muros** *adv.* outside the city.

extranjerismo *m* foreign word (*or* expression *etc.*); **extranjero 1.** foreign; **2.** *m*, **a** *f* (*p.*) foreigner; **3.** *m* (*un país*) foreign country; *en el* ~ abroad.

extrañamiento *m* estrangement; **extrañar** [1a] find strange, wonder at; *S.Am.* miss; ~**se** be amazed, be surprised (*de* at); **extrañeza** *f* strangeness, oddity; surprise; amazement; **extraño** (*raro*) strange, odd; (*extranjero*) foreign.

extraordinario extraordinary; unusual; *edición*, *número* special.

extrasensorial extrasensory.
extraterrestre extraterrestrial.
extravagancia *f* extravagance; eccentricity; (*capricho*) vagary; **extravagante** extravagant; eccentric.
extraviado stray, lost; **extraviar** [1c] *p.* lead astray; mislead; ~**se** go astray (*a. fig.*), get lost, stray, wander; **extravío** *m* (*pérdida*) misplacement, loss; wandering; deviation.
extremado extreme; intense; **extremar** [1a] carry to extremes; ~**se** do one's utmost.
extremaunción *f* extreme unction.
extremeño *adj. a. su. m*, **a** *f* (native) of Extremadura.
extremidad *f* extremity; tip; edge; ~**es** *pl.* extremities *del cuerpo*; **extremismo** *m* extreme; **extremo 1.** extreme; (*sumo*) utmost; (*más remoto*) outermost; (*último*) last; **2.** *m* end; extreme; (*sumo grado*) highest degree; *fig.* great care; **extremoso** effusive, gushing.
extroversión *f* extroversion; **extrovertido** *m*, **a** *f* extrovert.
exuberancia *f* exuberance; ⚘ luxuriance; **exuberante** exuberant; ⚘ luxuriant.
exudar [1a] exude, ooze.
exultación *f* exultation; **exultar** [1a] exult.

F

fábrica *f* factory, works, plant, mill; △ fabric; △ masonry; (*edificio*) building, structure; ✝ (*marca*) make; **fabricación** *f* manufacture, making; make; ~ *en serie* mass production; **fabricante** *m* manufacturer, maker; **fabricar** [1g] ⊕ manufacture, make; △ build; *fig.* fabricate, invent; **fabril** manufacturing.

fábula *f* fable; rumor; (*cuento*) tale; **fabuloso** fabulous; mythical.

facción *f pol. etc.* faction; feature *de cara*; **faccioso** factious; rebellious.

faceta *f* facet (*a. fig.*).

fácil easy, simple; (*pronto*) ready; *explicación b.s.* glib; *es* ~ *que* it is likely that; **facilidad** *f* ease, facility; ~**es** *pl.* facilities; **facilitar** [1a] (*hacer fácil*) facilitate, help; (*proveer*) provide, supply.

facsímil(e) *adj. a. su. m* facsimile.
factible feasible; workable.
factor *m* factor (*a.* ✝, ♈); ✝ agent; 🚋 clerk; **factoría** *f* factory; ✝ agency, trading post.
factura *f* invoice, bill; **facturar** [1a] ✝ invoice; 🚋 register, check.
facultad *f* (*potencia*) faculty (*a. univ.*); (*derecho etc.*) power (*de* of *su.*, to *inf.*); **facultativo 1.** optional; 🩺 medical; **2.** *m* doctor, practitioner.
facha *f* F look; (*p.*) sight, object.
fachada *f* △ façade (*a. fig.*), frontage; *typ.* frontispiece.
fachenda *f* F boasting; **fachendear** [1a] F show off; **fachendoso** F snooty, conceited.
faena *f* task, job; (*deber*) duty; ✂ fatigue; *S.Am.* overtime; extra job; *S.Am.* gang of workers; ~**s** *pl.* chores.

faisán m pheasant.
faja f strip, band de tela etc.; (vestido) sash (a. ⚔); belt; **fajar** [1a] wrap, swathe; **fajo** m sheaf de papeles; roll, wad de billetes.
falange f phalanx; ♀ Spanish Fascist party.
falaz p. deceitful; fallacious; apariencia etc. misleading.
falda f skirt; (regazo) lap; geog. slope, hillside.
faldellín m short skirt; underskirt; **faldón** m skirt, tail de traje; flap; ⚘ gable.
falibilidad f fallibility; **falible** fallible.
fálico phallic; **falo** m phallus.
falsario m, a f forger; (mentiroso) liar; **falseador** m, -a f forger; **falsear** [1a] v/t. falsify, forge, fake; juggle with; cerradura pick; v/i. buckle, give way; ♪ be out of tune; **falsedad** f falsity, falseness etc. **falsificación** f falsification; forgery; fabrication; **falsificar** [1g] falsify; forge, fake, counterfeit; elección rig, fiddle; razones misrepresent; **falso** mst false; counterfeit, fake; moneda bad; (simulado) bogus, sham.
falta f lack, want, need; absence; (escasez) shortage; (equivocación) fault, mistake; ⚖ default; deportes: foul; tenis: fault; por ~ de for want of, for lack of; sin ~ without fail; hacer ~ be necessary.
faltar [1a] (estar ausente) be missing, be lacking; be absent; (necesitarse) be needed; (acabarse, fallar, dejar de ayudar a) fail; default en pago etc.; ¡no faltaba más! it's the limit!, it's the last straw!; ~ a cita break, not turn up for; clase be absent from, cut, miss.
falto short, deficient; (apocado) poor, wretched; ~ de short of.
faltriquera f fob, (watch)pocket.
falla f fault (a. geol.), failure.
fallar [1a] v/t. ⚖ pronounce sentence on; v/i. (tiro) miss; (escopeta etc.) misfire, fail to go off; (proyecto) fail, miscarry; ⚖ find, pass judgement.
fallecer [2d] pass away, die; **fallecido** late; **fallecimiento** m decease, demise.
fallido unsuccessful; ✝ (a. su. m) bankrupt; ⊕ (a. su. m) dud.
fallo m decision, ruling; ⚖ sentence, verdict; findings; ⊕ trouble; deportes: mistake, mix-up; ~ humano human error.

fama f fame; reputation; rumour; glory; mala ~ esp. de p. notoriety.
famélico starving, famished.
familia f family; household; **familiar 1.** (conocido; sin ceremonia) familiar; (doméstico) homely; palabra colloquial; estilo etc. informal; **2.** m (conocido) close acquaintance; (pariente) relation, relative; **familiaridad** f familiarity etc.; **familiarizar** [1f] familiarize, acquaint; ~se become familiar.
famoso famous; F great.
fanático 1. fanatical; bigoted; **2.** m fanatic; bigot; S.Am. fan; devotee; **fanatismo** m fanaticism; bigotry.
fandango m fandango.
fanega f grain measure = 55.5 litres; ground area = 1.59 acres.
fanfarrón 1. blustering, boastful; **2.** m blusterer, braggart; bully; **fanfarronada** f bluster, bluff, swagger; **fanfarronear** [1a] bluster, rant; swagger.
fango m mud, mire, slush; **fangoso** muddy, slushy.
fantasía f fantasy; imagination; fancy; ♪ fantasía; **fantasma 1.** m ghost, phantom; **2.** ~ bogey; **fantasmagoría** f phantasmagoria; **fantástico** fantastic; weird; unreal(istic); fanciful, whimsical.
farándula f † troupe of strolling players; F claptrap, pack of lies.
fardel m knapsack; F ragbag; = **fardo** m bundle; bale, pack.
farfulla 1. f splutter, jabber; **2.** m/f gabbler, jabberer.
farináceo starchy, farinaceous.
faringe f pharynx.
fariseo m pharisee, hypocrite.
farmacéutico 1. pharmaceutical; **2.** m pharmacist, druggist; **farmacia** f (ciencia, tienda) pharmacy; **farmacología** f pharmacology.
farero m lighthouse keeper; **faro** m beacon; ⚓ (torre) lighthouse; ⚓ lantern, light; mot. headlamp, headlight; **farol** m lantern, lamp; street lamp; 🚲 headlight; **farola** f street lamp; **farolero** m lamp-post; (p.) lamplighter.
farraguista m scatterbrain; **farrear** [1a] celebrate; goof off.
farsa f farce; fig. humbug, masquerade; **farsante** m F humbug, fraud, fake.
fascinación f fascination; **fascinador** fascinating; **fascinar** [1a] fascinate; captivate; bewitch.

4*

fascismo m Fascism; **fascista** adj. a. su. m/f fascist.

fase f (a. ⚡) phase; stage.

fastidiar [1b] annoy, bother, vex; bore; irk; **fastidio** m annoyance, bother, nuisance; boredom; ¡qué ~! what a nuisance!; **fastidioso** annoying, vexing; tiresome; irksome.

fatal fatal; fateful; irrevocable; F ghastly; **fatalidad** f fate; (desgracia) mischance, ill-luck; fatality; **fatalismo** m fatalism; **fatalista** 1. fatalistic; 2. m/f fatalist.

fatiga f fatigue (a. ⊕); weariness; (trabajo) toil; (apuro) hardship; **fatigante** tiring; **fatigar** [1h] tire, weary; (molestar) annoy; **fatigoso** trabajo etc. tiring, exhausting; F trying, tiresome.

fatuidad f inanity, fatuity; conceit; **fatuo** inane, fatuous.

fauna f fauna.

fauno m faun.

favor m favor; (servicio) favor, good turn, kindness; protection; a ~ de política in favor of; medio with the help of; p. on behalf of; por ~ please; hacer el ~ de su. oblige with su.; **favorable** favorable; auspicious; (benévolo) kind; **favorecer** [2d] favor; help; treat favorably; (fortuna etc.) smile on; (traje, retrato) flatter; **favoritismo** m favoritism; **favorito** adj. a. su. m, a f favorite.

faz f lit., fig. face; aspect.

fe f faith (en in); belief; fidelity; certificate; ~ de bautismo birth certificate; ~ de erratas errata.

fealdad f ugliness.

febrero m February.

febril fevered, feverish (a. fig.); fig. hectic.

fécula f starch; **feculento** starchy.

fecundación f fertilization; ~ artificial artificial insemination; **fecundar** [1a] fertilize; **fecundo** fertile; prolific; esp. fig. fruitful.

fecha f date; hasta la ~ (up) to date; **fechar** [1a] date.

fechoría f misdeed.

federación f federation; **federal** federal; **federativo** federative.

fehaciente reliable; authentic.

felicidad f happiness; good luck; success; ~es pl. congratulations; best wishes; **felicitación** f congratulation; **felicitar** [1a] congratulate.

feligrés m, -a f parishioner.

felino feline, catlike.

feliz mst happy; (de buena suerte) lucky; (de buen éxito) successful.

felonía f treachery; meanness.

felpar [1a] cover with plush; fig. carpet; **felpudo** 1. plush(y); 2. m doormat.

femenil feminine, womanly; **femenino** 1. feminine; ♀ female; 2. m gr. feminine.

feminidad f femininity; **feminismo** m feminism; **feminista** m/f feminist.

fenecer [2d] v/t. finish, close; v/i. (morir) die; perish; **fenecimiento** m death; end, close.

fenicio adj. a. su. m Phoenician.

fénix m phoenix; fig. marvel.

fenomenal phenomenal; F tremendous; terrific; **fenómeno** m phenomenon; (cosa anormal) freak.

feo ugly; unsightly; hideous; olor etc. nasty; juego, tiempo foul, dirty; **feote, feota** F shockingly ugly.

féretro m coffin, bier.

feria f (mercado etc.) fair, market; carnival; (descanso) holiday; C.Am., Mex. tip; gratuity; **feriado**: día ~ holiday; **feriante** m/f stall-holder; **feriar** [1b] v/t. buy, sell (in a market); v/i. take time off.

fermentar [1a] ferment; **fermento** m ferment; leaven(ing).

ferocidad f fierceness etc.; **feroz** fierce, ferocious, savage, wild.

férreo iron; ~ rail...; **ferrería** f ironworks, foundry; **ferretería** f (material) hardware; (tienda) hardware shop; **ferrocarril** m railway, railroad; ~ elevado overhead railway; **ferroviario** 1. railway attr.; 2. m railwayman.

ferry m ferry(boat).

fértil fertile, fruitful; rich (en in); **fertilidad** f fertility, fruitfulness; **fertilizar** [1f] fertilize; enrich.

férvido fervid, ardent; **ferviente** fervent; **fervor** m fervor, ardor; **fervoroso** fervent, ardent.

festejar [1a] entertain, fete, feast; (galantear) woo, court; S.Am. beat; **festejo** m entertainment, feast; courting; **festín** m feast, banquet; **festividad** f festivity, merrymaking; (día) holiday; **festivo** (alegre) festive, gay; (chistoso) humorous; (agudo) witty.

fetiche m fetish; mumbo jumbo F.

fétido rank, stinking, fetid.

feto m foetus.

feudal feudal; **feudalismo** *m* feudalism; **feudo** *m* fief; manor.

fiable trustworthy.

fiado: *al* ∼ on credit, on trust; **fiador** *m* (*p.*) *esp.* ⚒ surety, guarantor; *esp.* ⚒ sponsor; ⊕ catch, trigger; (*cierre etc.*) fastener; ✗ safety catch.

fiambre 1. cold; *noticia* stale; **2.** *m* (*carne etc.*) cold meat, cold food.

fianza *f* surety (*a. p.*), security; deposit; **fiar** [1c] *v/t.* entrust (*a* to); *p.* guarantee, stand security for, go bail for; *v/i.* trust (*en* in).

fiasco *m* fiasco.

fibra *f* fibre; grain *de madera*; *fig.* vigor, sinews; **fibroso** fibrous.

ficción *f* fiction; fabrication; *ciencia* ∼ science fiction; **ficticio** fictitious, imaginary.

ficha *f juegos*: counter, piece, marker; *póker*: chip; ∼ (*del dominó*) domino; (*como moneda*) check, tally; (*papeleta etc.*) (index) card; **fichero** *m* card index; (*mueble*) filing-cabinet.

fidedigno trustworthy, reliable.

fidelidad *f* fidelity, loyalty; *de alta* ∼ high-fidelity, hi-fi.

fideos *m/pl.* vermicelli.

fiebre *f* fever (*a. fig.*); ∼ *amarilla* yellow fever; ∼ *del heno* hay fever.

fiel 1. faithful, loyal; (*exacto*) accurate, true; **2.** *m* pointer, needle *de balanza*.

fieltro *m* felt; (*sombrero*) felt hat.

fiera *f* wild beast; (*p.*) fiend; (*mujer*) shrew; *casa* (*or colección*) *de* ∼*s* zoo, menagerie; **fiereza** *f* fierceness; cruelty; **fiero** fierce; cruel; (*horroroso*) frightful.

fierro *m S.Am.* branding iron; ∼*s pl.* *Ecuad.,Mex.* tools.

fiesta *f* (*día*) holiday; feast, day *de santo etc.*; *eccl.* feast, day *de santo etc.*; (*alegría, diversión*) festivity, celebration; party; *día de* ∼ holiday; ∼ *de guardar*, ∼ *de precepto* holy day; F *estar de* ∼ be in a good mood; F *no estar para* ∼*s* be in no mood for jokes.

figura *f mst* figure; (*forma exterior, trazado*) shape; image; (*cara*) face; **figurado** figurative; **figurante** *m*, *a f thea.* super (numerary), walker-on; **figurar** [1a] *v/t.* figure, shape; represent; *v/i.* figure (*como as, entre* among); ∼*se* suppose, imagine, figure; *¡figúrate!, ¡figúrese!* just imagine!

figurín *m* fashion plate, model.

fijar [1a] fix (*a. phot.*); secure, fasten; *sello etc.* stick (on), affix; *prohibido* ∼ *carteles* stick no bills; ∼*se* settle, lodge; *¡fíjese!* just imagine!; ∼ *en* (*notar*) notice; **fijeza** *f* firmness; fixity; *mirar con* ∼ stare at; **fijo** fixed; firm, steady, secure; permanent.

fila *f* row (*a. thea.*), line, file; rank (*a.* ✗); F dislike; *en* ∼ in a row; ✗ *romper* ∼*s* fall out, dismiss.

filadelfiano Philadelphian.

filamento *m* filament.

filantropía *f* philanthropy; **filántropo** *m* philanthropist.

filarmónica *f Mex.* accordeon.

filatelia *f* philately, stamp-collecting; **filatelista** *m/f* philatelist.

filete *m* △, *cocina:* fillet; ⊕ worm; thread *de tornillo*; *sew.* narrow hem.

filial 1. filial; ✝ subsidiary; **2.** *f* ✝ subsidiary.

filibustero *m* pirate, freebooter.

filigrana *f* filigree; *typ.* watermark.

filipino 1. Philippine; **2.** *m*, **a** *f* Philippine, Filipino.

filisteo *m* Philistine; *fig.* big man.

film *m* film; **filmación** *f* filming; **filmadora** *f* movie camera; **filmar** [1a] film, shot.

filo *m* edge, cutting edge, blade; dividing line.

filocomunista 1. fellow-traveling, pro-Communist; **2.** *m/f* fellow-traveler, pro-Communist.

filología *f* philology; **filológico** philological; **filólogo** *m* philologist.

filón *m* seam, vein, lode; F goldmine.

filosofía *f* philosophy; **filosófico** philosophic(al); **filósofo** *m* philosopher.

filtrar [1a] *v/t.* filter; strain; *v/i.*, ∼*se* filter through, percolate, seep; **filtro** *m* filter; ✝ philtre.

fin *m* (*término*) end, ending; (*objeto*) purpose, aim; *a* ∼ *de inf.* in order to *inf.*; *a* ∼ *de que* so that; *al* ∼ finally, at the end; *en* ∼ (*como exclamación*) well (then), well now; *en* ∼ *por* ∼ (*finalmente*) finally, at last; (*en suma*) in short.

finado 1. late; **2.** *m*, **a** *f* deceased.

final 1. final, last, ultimate; eventual; **2.** *m* end; ♩ finale; **3.** *f deportes:* final; **finalidad** *f* objet, purpose; **finalizar** [1f] *v/t.* finish; *v/i.* end.

financiamento *m S.Am.* financing; **financiar** [1b] finance; **financiero 1.** financial; **2.** *m* financier; **finanzas** *f/pl.* finance.

finca f property; (country) estate; country house; *S.Am.* ranch.

fineza f fineness; *naipes:* finesse; *fig.* kindness, courtesy.

fingido false, mock; sham, fake; make-believe; **fingimiento** m simulation; pretence; **fingir** [3c] pretend; sham, fake; invent; make believe.

finiquitar [1a] *cuenta* close, balance up; **finiquito** m settlement.

finlandés 1. Finnish; 2. m, **-a** f Finn; 3. m *(idioma)* Finnish.

finito finite.

fino fine; *material etc.* delicate, thin; *producto* select, quality *attr.*; *gusto* discriminating; *inteligencia etc.* acute, shrewd; *ironía etc.* subtle.

finura f fineness *etc.*

firma f signature; *(acto)* signing; ✝ firm.

firmante *adj. a. su.* m/f signatory; *el abajo*~ the undersigned; **firmar** [1a] sign.

firme 1. firm; steady, secure; *superficie etc.* hard, firm; *p.* steadfast; ✖ *¡*~*s!* attention!; ✝ *en* ~ firm; 2. m surface; **firmeza** f firmness *etc.*

fiscal 1. fiscal; 2. m prosecutor, counsel for the prosecution, district attorney.

fisga f *fig.* banter; *hacer* ~ *a* make fun of, tease; **fisgar** [1h] *v/t. pez* harpoon; *fig.* pry into; *v/i.* pry; *(burlarse)* mock, scoff; **fisgón** nosy, prying; **fisgonear** [1a] F = *fisgar.*

física f physics; ~ *nuclear* nuclear physics; **físico** 1. physical; 2. m physicist; *anat.* physique.

fisil fissile; fissionable.

fisiografía f physiography.

fisiología f physiology.

fisión f fission; ~ *nuclear* nuclear fission; **fisionable** fissionable.

fisonomía f physiognomy, features.

fláccido flaccid, flabby.

flaco 1. thin, lean, skinny; *fig.* weak; 2. m weakness, weak point, foible; **flacura** f thinness *etc.*

flagrante flagrant; *en* ~ red-handed.

flamante brilliant; F fig. brand-new.

flameante flamboyant *(a.* ⚠*)*; **flamear** [1a] flame; *(bandera)* flutter.

flamenco¹ m orn. flamingo.

flamenco² 1. Flemish; Andalusian gipsy *attr.*; F flashy, gaudy; 2. m, **a** f Fleming; 3. m *(idioma)* Flemish.

flan m cream caramel, caramel custard.

flanco m flank; **flanquear** [1a] flank; ✖ outflank.

flaquear [1a] weaken, flag; slacken; give (way); **flaqueza** f leanness *etc.*; weakness, frailty.

flash m newsflash; *phot.* flash(light); ~**back** m *(retrospección)* flashback.

flato m flatulence, wind; *S.Am.* gloominess; **flatulento** flatulent.

flauta f flute; **flautín** m piccolo.

flecha f arrow; *alas en* ~ swept back wings; **flechar** [1a] wound *etc.* with an arrow, wing; **flechazo** m arrow wound; F love at first sight.

flema f phlegm *(a. fig.)*.

fletamento m charter(ing); **fletar** [1a] charter; freight; **flete** m freight.

flexibilidad f flexibility *etc.*; **flexible** 1. flexible; supple, pliable; *sombrero* soft; *p.* compliant; 2. m soft hat; ⚡ flex; **flexión** f flexion; *gr.* inflection.

flirtear [1a] flirt; **flirteo** m *(en general)* flirting; *(un* ~*)* flirtation.

flojear [1a] weaken; slacken; **flojedad** f looseness, slackness *etc.*; **flojo** *(no tirante)* loose, slack; *p.* lax, lazy, slack.

flor f flower *(a. fig.)*, blossom; bloom *en fruta;* grain *de cuero;* ~ *de la vida* prime of life; ~ *y nata* fig. cream; élite, the pick; **florear** [1a] *v/t.* adorn with flowers; *(un.* ♪ play a flourish; **florecer** [2d] ⚘ flower, bloom; *fig.* flourish, thrive; **floreciente** ⚘ in flower, blooming; *fig.* flourishing, thriving; **florecimiento** m flowering; **floreo** m *fenc.,* ♪ flourish; *fig.* witty talk; **florero** m vase.

florido *campo etc.* flowery; *estilo etc.* flowery, florid; **florista** m/f florist; **floristería** f florist's.

flota f *(en general)* shipping; *(escuadra)* fleet; **flotador** m float; **flotante** floating; *fig.* hanging loose; **flotar** [1a] float; ride; hang loose; stream *al viento;* **flote:** *a* ~ afloat.

fluctuación f fluctuation; *fig.* uncertainty; **fluctuar** [1e] fluctuate; *(p.)* waver, hesitate.

flúido 1. fluid; *fig.* fluent, smooth; 2. m fluid; ~ *eléctrico* electric current; **fluir** [3g] flow, run.

flujo m flow; flux; stream; ♆ rising tide; ~ *de sangre* hemorrhage.

fluorescencia f fluorescence; **fluorescente** fluorescent.

fluorización f flouridation; **fluorizar** [1f] *(agua potable)* flouridate.

fobia f phobia.

foca f seal.

foco m focus (a. fig.); source de calor, luz; ✦ floodlight; fig. center.

fofo soft, spongy; insubstantial.

fogón m stove, kitchen range; 🔥 firebox; **fogonazo** m flash; **fogonero** m stoker, fireman.

fogosidad f dash, verve; **fogoso** (high-)spirited; ardent; caballo fiery.

foliar [1b] foliate, number the pages of; **folio** m folio.

folklore m folklore; **folklórico** folk attr., folklore attr.; **folklorista** adj. a. su. m/f folklorist(ic).

follaje m 🌿 foliage, leaves.

folletín m newspaper serial; **folleto** m pamphlet; folder, brochure, leaflet.

follón 1. (perezoso) lazy, slack; (arrogante) puffed-up, blustering; 2. m 🌿 sucker; (p.) good-for-nothing.

fomentar [1a] encourage, promote, foment (a. 🩺), further, foster; **fomento** m encouragement etc.; fomentation.

fonda f inn; restaurant; 🔥 buffet.

fondeadero m anchorage; berth.

fondero m S.Am. innkeeper.

fondillos m/pl. seat (of trousers).

fondista m/f innkeeper.

fondo m bottom (a. ♻); (parte más lejana) back, far end; (profundidad) depth; ♻, paint., sew. ground; paint., fig. background; ♦ ~s pl. funds; finance; a ~ thoroughly; al ~ de escena etc. at the back of; echar a ~, irse a ~ sink.

fonema m phoneme; **fonética** f phonetics; **fonético** phonetic.

fonoabsorbente sound-absorbent; sound deadening.

fonógrafo m S.Am. record player; phonograph; **fonología** f phonology.

forajido m outlaw, desperado.

forastero 1. alien, strange; 2. m, a f stranger, outsider, visitor.

forcej(e)ar [1a] struggle, wrestle; flounder (about); **forcejudo** strong, powerful.

fórceps m forceps.

forja f forge; foundry; (acto) forging; **forjado** wrought; **forjar** [1a] forge, shape; fig. concoct.

forma f form, shape; (modo) way, means; formula; typ. format; ~s pl. social forms, conventions; de esta ~ in this manner; de ~ que so that; **formación** f formation; education; training para profesión; **formal** (re-

lativo a la forma) formal; asunto serious; official; permiso etc. formal, express; **formalidad** f formality; form; seriousness etc.; **formalismo** m conventionalism; (administrativo etc.) bureaucracy; red tape; **formalista** m/f formalist; **formalizar** [1f] formalize; formulate; put in order; ~se take offence; grow serious; **formar** [1a] form, shape; (reunir, componer) form, make up; ~se form, shape; develop; **formato** m format.

formidable formidable, redoutable.

formón m chisel.

fórmula f formula, prescription; **formular** [1a] formulate; queja lodge; pregunta frame, pose; **formulario** 1. formulary; 2. m formulary; form.

fornicar [1g] fornicate.

fornido strapping, hefty.

foro m hist. forum; 🏛 bar; thea. backstage.

forrado m lining; padding.

forraje m fodder, forage; F hotchpotch; **forrajear** [1a] forage.

forrar [1a] mst line; ropa line, pad; libro etc. cover; ⊕ face; **forro** m lining, padding; cover; ⊕ facing, sheathing.

fortalecer [2d] strengthen; ✗ etc. fortify; moral stiffen; encourage en una opinión etc.; **fortaleza** f ✗ fortress, stronghold; (fuerza) strength; fortitude, resolution; **fortificación** f fortification; **fortificar** [1g] fortify; fig. strengthen.

fortuito fortuitous; accidental.

fortuna f mst fortune; luck; por ~ luckily.

forzar [1f a. 1m] force, compel (a inf. to inf.); puerta break open; cerradura pick; propiedad enter by force; mujer ravish, rape; **forzoso** necessary; inescapable; aterrizaje forced; **forzudo** strong, tough.

fosa f grave; anat. fosse.

fosfato m phosphate; **fosforescente** phosphorescent; **fosfórico** phosphoric; **fósforo** m match; 🌿 phosphorus.

fósil adj. a. su. m fossil (a. fig.).

foso m pit; ditch, trench; ✗ fosse, moat; thea. pit.

fotinga f (a. -o m) S.Am. F jalopy.

foto f F photo; ~ aérea aerial photograph; ~**copia** f photocopy, print; ~**copiadora** f photocopier; ~**eléctrico** photoelectric; ~**génico** photo-

genic (a. F); ~**grabado** m photogravure; ~**grafía** f (arte) photography; (foto) photograph; ~**grafiar** [1c] photograph; **fotógrafo** m photographer; **fotómetro** m exposure meter, photometer; **fotopila** f solar battery; **fotosíntesis** f photosynthesis; **fotostatar** [1a] photostat; **fotóstato** m photostat.

fracasar [1a] fail; fall through; **fracaso** m failure.

fracción f ⅍ etc. fraction; division; (partido) faction, splinter group; **fraccionar** [1a] break up, divide; **fraccionario** fractional.

fractura f fracture, break; **fracturar** [1a] fracture, break.

fragancia f fragrance, perfume; **fragante** fragrant, sweet-smelling; crimen flagrant.

frágil fragile; brittle; fig. frail.

fragmento m fragment; scrap, piece, bit.

fragor m crash, clash; din.

fragoso rough, uneven; terreno difficult; selva dense.

fragua f forge; **fraguar** [1i] v/t. ⊕ forge; fig. mentira concoct.

fraile m friar; monk; F priest.

frambuesa f raspberry; **frambueso** m raspberry(-cane).

francés 1. French; despedirse a la ~a take French leave; **2.** m (p.) Frenchman; (idioma) French.

franciscano adj. a. su. m Franciscan.

francmasón m (free)mason; **francmasonería** f (free)masonry.

franco 1. frank, open, forthright; (pleno) full; (liberal) generous; ✝ free; **2.** hist. Frankish; ~-canadiense French-Canadian adj. a. su. m/f; ~-español Franco-Spanish; **3.** m franc; hist. Frank.

francote blunt, bluff.

francotirador m sniper.

franela f flannel; Mex.,Ven.,Col., W.I. undershirt.

franja f fringe, trimming; band (a. fig.).

franquear [1a] contribuyente exempt; esclavo free, liberate; derecho grant, allow; ⛃ frank, stamp; ~se open one's heart (a, con to); **franqueo** m franking; postage; **franqueza** f frankness etc.; **franquicia** f exemption; **franquista** pro-Franco; supporting Francisco Franco adj. a. su. m/f.

frasco m flask, bottle.

frase f sentence; (locución) phrase; ~ hecha stock phrase, cliché; **fraseología** f phraseology.

fraternal brotherly, fraternal; **fraternidad** f brotherhood, fraternity; **fraternizar** [1f] fraternize; **fraterno** brotherly, fraternal.

fraude m fraud; false pretences; dishonesty; ~ fiscal tax evasion; **fraudulento** fraudulent; dishonest.

frecuencia f frequency (a. ∲); con ~ frequently; **frecuentar** [1a] frequent; haunt; **frecuente** frequent; common; costumbre etc. prevalent.

fregadero m (kitchen) sink; **fregado** m scrub(bing); washing-up de platos; **fregador** m (pila) sink; (trapo) dish-cloth; (estropajo) scrubber, scourer; **fregar** [1h a. 1k] scrub, scour; suelo scrub, mop; platos wash; S.Am. annoy; **fregona** f kitchenmaid.

freír [3m; p.p. frito] fry.

frenar [1a] brake; fig. check, restrain.

frenesí m frenzy; **frenético** frantic, frenzied; wild.

freno m ⊕ brake; bit de caballo; fig. check, curb; ~ de disco disk brake; ~ de mano hand-brake.

frente 1. f forehead, brow; (cara) face; **2.** m todos sentidos: front; al ~ in front; ✝ carried forward; de ~ mover forward; **3.** prp.: ~ a opposite (to); in front of; fig. as opposed to.

fresa f ⚘ (mst wild) strawberry; bit, drill de dentista; ⊕ milling cutter.

fresca f fresh air, cool air; F piece of one's mind; **fresco 1.** mst fresh; (algo frío) cool; agua cold; huevo new-laid; F fresh, saucy, cheeky; **2.** m fresh air, cool air; ⚠ etc. fresco; al ~ in the open air, out of doors; **frescor** m freshness; coolness; **frescote** F blooming; buxom; **frescura** f freshness; coolness; F cheek, sauce, nerve.

fresno m ash (tree).

freudiano adj. a. su. m Freudian; **freudismo** m Freudianism.

frialdad f coldness; coolness, indifference.

fricasé m fricassee.

fricción f rubbing, rub; ⊕ friction (a. fig.); ⚕ massage; **friccionar** [1a] rub; ⚕ massage.

friega f rubbing; ⚕ massage; F bother, fuss; S.Am. thrashing; **friegaplatos** m dishwasher.

frigidez f frigidity; **frígido** frigid.

frigorífico 1. refrigerating; **2.** m

refrigerator; *S.Am.* cold-storage plant; ⚓ refrigerator ship.

frío 1. cold; *bala* spent; **2.** *m* cold; coldness; **friolento** chilly, shivery; **friolera** *f* trifle, mere nothing.

frisar [1a] *v/t. tela* frizz, rub; *v/i.* get along; ~ en border on.

fritada *f* fry; **frito 1.** fried; **2.** *m* fry; ~s *pl. variados* mixed grill.

frivolidad *f* frivolity *etc.*; **frívolo** frivolous; trivial; *p.* shallow.

fronda *f* frond; **frondoso** leafy; luxuriant.

frontera *f* frontier, border; **fronterizo** frontier *attr.*, border *attr.*

frontis *m* façade; **frontispicio** *m* frontispiece.

frontón *m* 🔺 pediment; *deportes:* pelota court.

frotación *f*, **frotadura** *f* rub, rubbing; ⊕ friction; **frotar** [1a] rub; *cerilla* strike; **frote** *m* rub, rubbing.

fructífero productive; *fig.* fruitful; **fructificar** [1g] produce, yield a crop; *fig.* yield (a profit).

frugal frugal; thrifty; **frugalidad** *f* frugality; thrift(iness).

fruncido *m*, **fruncimiento** *m* pleat, gather(ing), pucker; **fruncir** [3b] pucker, wrinkle, ruffle; *sew.* pleat, gather; *entrecejo* knit.

fruslería *f* trifle.

frustrar [1a] frustrate, thwart, balk; ~se fail, miscarry.

fruta *f* fruit; fig. result; ~ de sartén fritter; **frutero 1.:** *plato* ~ fruit dish; **2.** *m* fruit seller; **fruto** *m* fruit; *fig.* fruits, profit, results.

fucsia *f* fuchsia.

fuego *m* fire; light *para cigarrillo*; ⚓ beacon; 🔥 rash; ✕ ¡~! fire!; ~s *pl. artificiales* fireworks; *hacer* ~ fire (*sobre al*, on).

fuelle *m* bellows (*a. phot.*); *mot.* folding hood; F gossip.

fuente *f* fountain, spring; (*plato*) large dish, bowl; *fig.* source.

fuera 1. *adv.* outside; out; away; (*equipo*) *jugar* away (from home); ¡~ (*de aquí*)! off with you!; *por* ~ on the outside; **2.** *prp.: ~ de* out of, outside (of); *fig.* in addition to, besides, beyond; ~ *de eso* apart from that; ~ *de servicio* out of service; inoperative; ~ *de sí* beside o.s.

fuero *m* jurisdiction; (*código*) code (of laws); charter *de ciudad*; privilege *de grupo*.

fuerte 1. strong, sturdy; vigorous;

golpe hard; *calor etc.* intense; *comida, gasto, lluvia* heavy; *ruido* loud; **2.** *adv.* strongly; *golpear* hard; *tocar* loud, loudly; **3.** *m* ✕ fort, strong-point; ♪, *fig.* forte.

fuerza *f* strength; force; power (*a.* ⚡); intensity; heaviness; effect *de argumento etc.*; ~s *pl.* ✕ forces; strength *de p.*; *a* ~ *de* by dint of; *a viva* ~ forced; *por* ~ perforce; *por* ~ *mayor* under coercion; by main force.

fuete *m S.Am.* whip; horsewhip.

fuga *f* flight, escape; leak *de gas etc.*; ♪ fugue; *poner en* ~ put to flight; ~ *de capitales* capital flight; **fugarse** [1h] flee, escape; ~ *con* run away with; **fugaz** (*pasajero*) fleeting, short-lived; (*difícil de coger*) elusive; **fugitivo** *adj. a. su. m*, **a** *f* fugitive.

fulano *m*, **a** *f* (Mr *etc.*) So-and-so.

fulgor *m* brilliance, glow; **fulgurante** shining, bright; **fulgurar** [1a] shine, gleam; flash; **fulguroso** shining; flashing.

fulminante *polvo etc.* fulminating; 🔥 fulminant; F *éxito etc.* tremendous; **fulminar** [1a] *v/t.* fulminate; *amenazas etc.* thunder; ~ *con la mirada* look daggers at; *v/i.* fulminate, explode.

fullero *m* (card)sharper; F cheat, crook; dodger.

fumada *f* whiff (*or* puff) of smoke; **fumadero** *m* smoking-room; ~ *de opio* opium den; **fumador** *m*, **-a** *f* smoker; **fumar** [1a] smoke; *prohibido* ~ no smoking; ~se F *sueldo* squander; *clase* cut.

fumigación *f* fumigation; **fumigar** [1h] fumigate.

función *f* function; duty; *thea.* show, entertainment; performance; **funcionamiento** *m* functioning; ⊕ *etc.* working, running; performance; ⊕ *en* ~ in order, in operation; **funcionar** [1a] function; work, run, go (*a.* ⊕); perform (*a.* ⊕); behave; **funcionario** *m* official, functionary, civil servant.

funda *f* case, sheath; (*bolsa*) carryall.

fundación *f* foundation; **fundador** *m*, **-a** *f* founder; **fundamentar** [1a] lay the foundations of; base (*en* on); **fundamento** *m* foundation; basis; (*trabajo preliminar*) groundwork; (*razón, motivo*) ground(s); **fundar** [1a] found, set up, establish, insti-

tute; endow *con dinero*; *argumento etc.* base (*en on*).

fundición *f* (*acto*) fusion; ⊕ (*acto*) melting, smelting; (*fábrica*) foundry, forge; **fundir** [3a] fuse; ⊕ (*derretir*) melt (down), smelt; (*formar*) found, cast; **~se** fuse (*a. ⚡*), blend; (*metal*) melt; ⚡ blow, burn out.

fúnebre funereal; (*relativo a funeral*) funeral *attr.*; *fig.* mournful; **funeral 1.** funeral *attr.*; **2.** *m*, **~es** *pl.* funeral; **funeraria** *f* undertaker's; *director de* ~ funeral director.

funesto ill-fated, unfortunate.

funicular *adj. a. su. m* funicular.

furgón *m* wagon, van; luggage van; **furgoneta** *f* van; station wagon.

furia *f* fury; rage; *a toda* ~ like fury; **furibundo, furioso** furious; violent; frantic; **furor** *m* rage; passion; frenzy; *hacer* ~ be all the rage.

furtivo furtive; stealthy; sly, shifty.

fuselaje *m* fuselage.

fusible 1. fusible; **2.** *m* fuse; *caja de* ~s fuse box.

fusil *m* rifle; gun; **fusilamiento** *m* shooting, execution; **fusilar** [1a] shoot, execute.

fusión *f* fusion (*a. fig.*); melting *de metal*; ✝ merger; **fusionar(se)** [1a] fuse; ✝ merge.

fusta *f* long whip.

fuste *m'* wood; shaft *de arma etc.*; (*silla*) saddletree.

fustigar [1h] whip, lash (*a. fig.*).

fútbol *m* football.

fútil trifling; **futilidad** *f* trifling nature, unimportance.

futura *f* ⚖ reversion; F fiancée; **futurismo** *m* futurism; **futuro 1.** future; **2.** *m* future (*a. gr.*); F fiancé; **~s** *pl.* ✝ futures.

G

gabacho *m*, **a** *f* F Frenchy, froggy.

gabán *m* overcoat, topcoat.

gabardina *f* gabardine; raincoat.

gabarro *m* flaw; *vet.* pip; *fig.* error; (*estorbo*) snag.

gabinete *m* study, library; (*despacho*) office; consulting room; (*cuarto particular*) private room.

gaceta *f* gazette, journal; *S.Am.* newspaper; **gacetilla** *f* gossip column; news in brief; F gossip; **gacetillero** *m* gossip columnist; *contp.* penny-a-liner.

gacilla *f* *C.Am.* safety pin.

gacha *f* thin paste; **~s** *pl.* pap; *approx.* porridge.

gacho drooping, floppy; *borde etc.* turned down; *sombrero* slouch.

gaditano *adj. a. su. m*, **a** *f* (native) of Cadiz.

gafa *f* grapple; **~s** *pl.* spectacles, glasses; **gafar** [1a] hook, claw; F bring bad luck to.

gaita *f* (*a.* ~ *gallega*) bagpipe; (*dulzaina*) flageolet; **gaitero 1.** gaudy, flashy; (*alegre*) merry; **2.** *m* piper.

gaje *m* (*mst* **~s** *pl.*) pay, emoluments.

gajo *m* (*torn-off*) branch; small cluster *de uvas*; segment *de fruta*.

gala *f* full dress; elegance, gracefulness; *fig.* cream, flower, chief ornament; **~s** *pl.* finery, trappings;

de ~ (full-)dress, gala *attr.*; *hacer* ~ *de* parade, show off.

galán *m* handsome fellow; ladies' man; (*amante*) gallant, beau; **galante** gallant, attentive (to women); *mujer* flirtatious; *b.s.* licentious; **galantear** [1a] court, woo; flirt with; **galanteo** *m* courting; flirtation; **galantería** *f* courtesy, compliment; gallantry.

galápago *m* *zo.* freshwater tortoise.

galardón *m* *lit.* reward, prize; **galardonar** [1a] reward.

galaxia *f* galaxy.

galbana *f* laziness; shiftlessness.

galeote *m* galley slave.

galera *f* ⚓, *typ.* galley; (*carro*) (covered) wagon; ⚔ hospital ward; **galerada** *f* galley(-proof).

galería *f* *mst* gallery; (*pasillo*) passage; ~ *de tiro* shooting gallery.

galés 1. Welsh; **2.** *m* (*p.*) Welshman; (*idioma*) Welsh.

galgo *m*, **a** *f* greyhound.

galicismo *m* Gallicism.

galimatías *m* gibberish; double-talk.

galo 1. Gallic; **2.** *m*, **a** *f* Gaul.

galocha *f* clog, patten.

galón *m* braid; ⚔ stripe, chevron; **galonear** [1a] (trim with) braid.

galopar [1a] gallop; **galope** *m* gallop; *a* ~, *de* ~ at a gallop.

galopín *m* ragamuffin, urchin; (*bribón*) rogue; ♣ cabin boy.

galpón *m S.Am.* (large) shed.

galvanizar [1f] galvanize (*a. fig.*); electroplate; **galvanoplástico** galvanoplastic.

gallardear [1a] be graceful; bear o.s. well; **gallardete** *m* pennant, streamer; **gallardía** *f* gracefulness *etc.*; **gallardo** graceful, elegant; (*bizarro*) dashing, gallant.

gallego *adj. a. su. m,* **a** *f* Galician.

gallera *f* cockpit.

galleta *f* biscuit; wafer; F slap.

gallina 1. *f* hen, fowl; ~ *ciega* blindman's-buff; ~ *de Guinea* guineafowl; **2.** *m/f* F coward; **gallinero** *m* henhouse, coop; *thea.* gallery; (*voces*) babel; (*p.*) chickenfarmer; **gallo** *m* rooster; ♪ false note, break in the voice; *Col.,C.R.,Mex.* strong man; F boss; ~ *de pelea* fighting cock.

gama[1] *f zo.* doe.

gama[2] *f* (*letra*) gamma; ♪ scale; range, gamut *de colores etc.*

gamba *f* prawn; *sl.* 100 pesetas.

gamberrear [1a] F act like a hooligan; loaf; **gamberrismo** *m* F hooliganism; **gamberro** *m* F lout, hooligan.

gambito *m* gambit.

gamo *m* buck (of fallow deer).

gamuza *f zo.* chamois; (*cuero*) chamois leather.

gana *f* desire; appetite; inclination; *de buena* ~ willingly, readily; *de mala* ~ unwillingly, reluctantly; *me da la (real)* ~ *de inf.* I feel like *ger.*, I want to *inf.*; *tener* ~s *de inf.* feel like *ger.*, care to *inf.*

ganadería *f* livestock; (*strain of*) cattle; (*cría*) cattle raising, stock breeding; **ganadero** *m* stockbreeder, rancher *Am.*; cattle-dealer; **ganado** *m* livestock; (*vacas*) cattle; (*rebaño*) herd, flock.

ganador 1. winning; **2.** *m,* **-a** *f* winner; **ganancia** *f* gain; ✝ profit; (*aumento*) increase; ~s *pl.* winnings, earnings; **ganancioso** (*provechoso*) gainful, profitable.

ganapán *m* (*recadero*) messenger, porter; (*jornalero*) casual laborer.

ganar [1a] *v/t.* gain; ✝ earn; (*vencer*) win; (*obtener*) get; ✝ conquer, take; (*llegar a*) reach; *v/i.* thrive, improve.

ganchillo *m* crochet hook; crochet (work); **gancho** *m* hook; F (*p.*) tout;

(*atractivo*) sex appeal, charm; *S.Am.* hairpin.

gandul F 1. idle, good-for-nothing, lazy; **2.** *m,* **-a** *f* loafer, good-for-nothing; **gandulería** *f* F loafing, laziness.

ganga *f* bargain; gift F.

gangoso nasal, with a twang.

gangrena *f* gangrene; **gangrenarse** [1a] become gangrenous.

gángster *m* gunman, gangster; ~ismo *m* gangsterism.

ganguear [1a] speak with a (nasal) twang; **gangueo** *m* (nasal) twang.

ganso 1. *m* gander; **2.** *m,* **a** *f* goose; *fig.* dolt, dope F; (*rústico*) bumpkin.

ganzúa *f* picklock.

gañán *m* farmhand.

gañido *m* yelp, howl; **gañir** [3h] (*perro*) yelp, howl; (*ave*) croak.

garabatear [1a] hook; (*escribir*) scribble; F beat about the bush; **garabato** *m* hook, meat hook; (*letra*) scrawl; F sex appeal.

garaje *m* garage.

garante *m/f* guarantor; surety; **garantía** *f* guarantee; ⚖ warranty; (*prenda*) security; **garantizar** [1f] guarantee, warrant, vouch for.

garañón *m* stud jackass.

garapiña *f* sugar icing; coagulated liquid; **garapiñar** [1a] ice (with sugar); (*helar*) freeze; *fruta* candy.

garbanzo *m* chick-pea; ~ *negro fig.* black sheep.

garbeo *m* walk; promenade.

garbera *f* ✚ shock.

garbo *m* jauntiness; graceful bearing; elegance; glamour, attractiveness; **garboso** jaunty; sprightly, graceful; elegant; *mujer* glamorous, attractive.

garduña *f zo.* marten; **garduño** *m,* **a** *f* sneak thief.

garfa *f* claw; **garfada** *f* clawing.

garfio *m* hook; gaff; ⊕ grapple, grappling-iron, claw.

garganta *f* throat; gullet; *geog.* gorge, ravine; instep *de pie*; neck *de botella*; **gargantilla** *f* necklace.

gárgara *f* gargling; *hacer* ~s gargle; **gargarismo** *m* gargle; **gargarizar** [1f] gargle.

gárgola *f* gargoyle.

garguero *m* gullet; (*traquea*) windpipe.

garita *f* cabin, hut; ✕ sentry box; (*portería*) porter's lodge.

garito *m* gambling den.

garlito *m* fish-trap; *fig.* snare, trap.

garra f claw; talon; *fig.* hand; ~s *pl.* grip; strength; *fig.* jaws.

garrafa f carafe, decanter.

garrapata f *zo.* tick; **garrapatear** [1a] scribble, scrawl; **garrapato** m (*mst* ~s *pl.*) scribble, scrawl.

garrido neat, graceful; (*hermoso*) handsome, pretty.

garrocha f goad; *toros*: spear; *deportes*: vaulting pole.

garrote m cudgel, club; ✄ tourniquet; garrote *para estrangular*.

garrulería f chatter; **gárrulo** garrulous, chattering; *ave* chirping.

garúa f *S.Am.*, ⚓ drizzle; **garuar** [1e] drizzle.

garza f (*a.* ~ *real*) heron; ~ *imperial* purple heron.

gas m gas; fumes; (*a.* ~ *del alumbrado*) coal gas; ~ *asfixiante* poison gas; ~es *pl. de escape* exhaust (fumes); ~ *lacrimógeno* tear gas.

gasa f gauze; (*paño*) crape.

gaseosa f aerated water, mineral water; *esp.* soda (pop); soda water; ~ *de limón* lemonade; **gaseoso** gaseous; aerated, gassy; *bebida* fizzy; **gas oil** [ga'sojl] m diesel oil; **gasolina** f petrol, gasoline; **gasolinera** f motorboat; gas station.

gastado spent; (*usado*) worn out; *vestido* shabby, threadbare; *fig.* outworn, hackneyed; **gastador** 1. extravagant, wasteful; 2. m, **-a** f spender, spendthrift; **gastar** [1a] *dinero* spend, expend, lay out (en on); (*perder*) waste; (*desgastar*) wear away, wear down, wear out; (*agotar*) use up; **~se** wear out; waste; (*agotarse*) run out; **gasto** m (*acto*) spending; (*lo gastado*) expenditure, expense; ✚ cost; (*desgaste*) wear; consumption; costs; ✚ ~s *pl. generales* overhead; ✚ ~s *pl. menores* petty cash.

gástrico gastric; **gastritis** f gastritis; **gastroenterología** f gastroenterology; **gastronomía** f gastronomy.

gata f (she-)cat; F Madrid woman; *Mex.* (domestic) maid; *a* ~s on all fours; **gatear** [1a] *v/t.* claw, scratch; F pinch, swipe; *v/i.* (*subir*) clamber; (*ir a gatas*) creep, crawl.

gatillo m dental forceps; ✗ trigger, hammer; *zo.* nape; F young thief.

gato m (tom)cat; ⊕, *mot.* jack; ⊕ grab; ✚ money bag; F sneak thief; F native of Madrid; ~ *montés* wildcat; ~ *de tornillo* screw jack; *dar* ~

por liebre cheat, put one over on *s.o.*

gatuperio m (*mezcla*) hodgepodge; (*trampa*) snare, fraud.

gaucho *S.Am.* 1. m cowboy, herdsman, gaucho; 2. gaucho *attr.*; *fig.* (*taimado*) sly; (*grosero*) coarse.

gaveta f drawer; ✝ till.

gavia f ✐ ditch; ⚓ topsail.

gavilán m *orn.* sparrow-hawk.

gavilla f ✐ sheaf; (*ps.*) gang, band.

gaviota f (sea)gull.

gayola f cage; F jail.

gaza f loop; ⚓ bend, bight.

gazapera f rabbit warren; F den of thieves; (*riña*) brawl; **gazapo** m young rabbit; (*p.*) sly fellow.

gazmoñería f hypocrisy, cant; (*recato excesivo*) prudery; **gazmoñ(er)o** 1. hypocritical, canting; strait-laced; 2. m, **a** f hypocrite; prude (*mst* f); prig.

gaznate m (*garganta*) gullet; (*traquea*) windpipe, throttle.

gazpacho m cold soup of oil, vinegar, garlic, onion, bread etc.

gelatina f gelatin(e), jelly; **gelatinoso** gelatinous.

gema f gem; ✿ bud.

gemelo 1. twin; 2. m, **a** f twin; ~s *pl.* cufflinks; *opt.* binoculars; ~s *pl. de teatro* opera glasses.

gemido m groan; moan; wail; **gemir** [3l] groan; moan; wail; (*viento, animales*) howl, whine.

Géminis m *ast.*, *zodíaco* Gemini.

gen m gene.

gendarme m gendarme.

genealogía f genealogy; pedigree; **genealógico** genealogical.

generación f generation; (*hijos*) progeny; (*descendencia*) succession; **generador** 1. generating; 2. m generator (*a.* ⚡, ⊕).

general 1. general; universal; (*corriente*) prevailing; 2. m general; ~ *de brigada* brigadier; ~ *de división* major general; 3. ~es f/pl. personal particulars; **generalidad** f generality; majority; **generalizar** [1f] generalize; make widely known; **~se** become general.

generar [1a] generate (*a.* ⚡).

genérico generic; **género** m 🕮 genus; (*clase*) kind, nature; *lit.* genre; *gr.* gender; (*paño*) cloth, material; ~ *chico thea.* comic one-act pieces.

generosidad f generosity; nobility; valour; **generoso** generous, liberal; noble; magnanimous.

génesis 1. *f* genesis; **2.** *m* ♀ Genesis; **genética** *f* genetics; **genético** genetic.

genial inspired, of genius; (*placentero*) pleasant, cheerful; **genialidad** *f* genius; temperament; eccentricity; **genio** *m* temper; disposition; character, nature; (*inteligencia superior*) genius; **corto de** ~ slow-witted.

genital genital; (*órganos*) ~**es** *pl.* genitals; **genitivo 1.** reproductive, generative; **2.** *m* genitive (case).

genocidio *m* genocide.

genovés *adj. a. su. m*, **-a** *f* Genoese.

gente *f* people; folk; followers; troops, nation; (*parientes*) relatives; folks F; F ~ **bien** upperclass people; ~ **de bien** honest folk, decent people; ~ **menuda** (*sin importancia*) small fry; **gentecilla** *f* unimportant people; *contp.* riffraff; **gentil 1.** graceful, elegant; (*amable*) charming; F *iro.* remarkable, pretty; *eccl.* pagan, heathen; **2.** *m/f* gentile, heathen; **gentileza** *f* grace, charm, elegance; politeness, courtesy; **gentilicio** national; tribal; family *attr.*; **gentílico** heathen(ish), pagan; **gentío** *m* crowd, throng; mob; **gentualla** *f*, **gentuza** *f* rabble, mob; riffraff.

genuino genuine, real; pure; true.

geofísica *f* geophysics; **geografía** *f* geography; **geología** *f* geology; **geometría** *f* geometry; ~ **del espacio** solid geometry; **geopolítica** *f* geopolitics.

geranio *m* geranium.

gerencia *f* (*en general*) management; (*cargo*) managership; (*oficina*) manager's office; **gerente** *m* manager.

geriatría *f* geriatrics; **geriátrico** geriatric(al).

germanía *f* thieves' slang, cant.

germánico Germanic; **germano** German(ic).

germen *m* biol., ✿ germ; *fig.* germ, seed, source; **germicida 1.** germicidal; **2.** *m* germicide; **germinación** *f* germination; **germinar** [1a] germinate; sprout.

gerundense *adj. a. su. m/f* (native) of Gerona.

gerundio *m* gerund, present participle.

gestación *f* gestation.

gesticulación *f* grimace; gesticulation; **gesticular** [1a] grimace; gesticulate.

gestión *f* negotiation; (*dirección*) management, conduct (of affairs); effort, measure, step; **gestionar** [1a] negotiate; manage; promote.

gesto *m* (expression of one's) face; (*mueca*) grimace; gesture *con manos*; **estar de buen** (*mal*) ~ be in a good (bad) humor.

giba *f* hump, hunch(back); F nuisance; **giboso** hunchbacked, humped.

gigante 1. giant, gigantic; **2.** *m* giant; **gigantesco** gigantic, giant, mammoth.

gilí *adj.* F foolish; stupid.

gimnasia *f* gymnastics; physical training; **gimnasio** *m* gymnasium; **gimnasta** *m/f* gymnast.

gimotear [1a] F whine; wail; (*lloriquear*) snivel, grizzle; **gimoteo** *m* F whining etc.

ginebra *f* gin; *fig.* confusion.

ginecología *f* gynaecology; **ginecólogo** *m* gynaecologist.

gira *f* trip, outing; picnic *con comida*.

girar [1a] *v/t.* ⊕ *etc.* turn, twist, rotate; ✝ *letra* draw, issue; *v/i.* rotate, turn (round), go round, revolve; swivel, swing; ✝ do business; ✝ ~ **a cargo de**, ~ **contra** draw on.

girasol *m* sunflower.

giratorio gyratory; *puerta etc.* revolving; *puente etc.* swivel(ling), swing *attr.*; **giro** *m* turn (a. *fig.*); revolution, rotation, gyration; *fig.* trend, course; *gr.* turn of phrase, ✝ draft; ✝ ~ **en descubierto** overdraft; ~ **postal** *approx.* money order, postal order; **girocompás** *m* gyrocompass; **giroscopio** *m* gyroscope.

gitanear [1a] wheedle, cajole; **gitanería** *f* (*gitanos*) band of gipsies; (*dicho*) gipsy saying; (*mimos*) wheedling, cajolery; **gitano 1.** gipsy *attr.*; (*taimado*) sly; (*zalamero*) smoothtongued; (*insinuante*) engaging; **2.** *m*, **a** *f* gipsy.

glacial glacial; *viento etc.* icy, freezing; *fig.* cold, stony, indifferent; **glaciar** *m* glacier.

gladio *m*, **gladíolo** *m* gladiolus.

glándula *f* gland; **glandular** glandular.

glasear [1a] *papel etc.* glaze.

glicerina *f* glycerine.

global global; total, overall; *cantidad* lump *attr.*; *investigación etc.* comprehensive, full; **globo** *m* globe, sphere; ~ (*aerostático*) balloon; ~ **del ojo** eyeball; **en** ~ all in all, as a whole;

globular globular, spherical; **glóbulo** m globule; corpúsculo *de sangre*.

gloria f glory; *estar en la* ~, *estar en sus* ~s be in one's element; **gloriarse** [1c] glory, rejoice (*en* in); boast (*de* of); **glorieta** f summerhouse, bower *de jardín*; **glorificar** [1g] glorify; ~se glory (*de, en* in); **glorioso** glorious; *santo* blessed, in glory; *la Gloriosa eccl.* the Virgin.

glosa f gloss; **glosar** [1a] gloss; *fig.* criticize; **glosario** m glossary.

glotón 1. gluttonous; **2.** m, **-a** f glutton; **glotonear** [1a] gormandize; **glotonería** f gluttony.

glucosa f glucose, grape sugar.

gluglú m (*agua*) gurgle; (*pavo*) gobble; *hacer* ~ gurgle; gobble.

glutinoso glutinous.

gnomo m gnome.

gobernable governable; ♣ navigable; **gobernación** f governing, government; *Ministerio de la* ♀ *approx.* Ministry of the Interior; **gobernador 1.** governing; **2.** m governor; **gobernalle** m rudder, helm; **gobernante 1.** ruling; **2.** m/f ruler; **gobernar** [1k] *v/t.* govern, rule; (*manejar*) manage, handle; guide, direct; ♣ steer, sail; *v/i.* govern; ♣ handle, steer; **gobierno** m government; (*puesto*) governorship; control.

goce m enjoyment; possession.

godo 1. Gothic; **2.** m, **a** f Goth; *S.Am. contp.* Spaniard.

gol m goal (*score*).

goleta f schooner.

golf m golf.

golfear [1a] loaf; live a street urchin's life; **golfería** f (*ps.*) street urchins; (*vida*) loafing, life in the gutter; **golfo**[1] m F loafer, tramp.

golfo[2] m *geog.* gulf, bay; open sea.

golilla f ruff.

golondrina f swallow; ~ *de mar* tern.

golosina f tidbit (*a. fig.*), delicacy, sweet; (*cosa inútil*) bauble; (*antojo*) fancy; **goloso** sweet-toothed; (*glotón*) greedy.

golpe m blow, knock (*a. fig.*); (*palmada*) smack; (*latido*) beat; (*choque*) shock, clash, surprise; *deportes:* stroke, hit, shot *con palo, raqueta etc.*; punch, blow *en boxeo*; kick, shot *en fútbol etc.*; ~ *de estado* coup d'état; ~ *de fortuna* stroke of luck; ~ *franco* free-kick; ~ *de gente* crowd; ~ *de gracia* coup de grâce; *de* ~ suddenly; *de un* ~ at one stroke, outright; F *dar* ~

be a sensation, be a big hit; *dar* ~s *en* thump, pound (*at*); **golpear** [1a] *v/t.* strike, knock, hit; thump, bang *con ruido*; (*repetidamente*) beat; punch *con puño*; (*zurrar*) thrash; *v/i.* throb; ⊕ knock; **golpecito** m tap, rap; **golpeteo** m knocking; rattling; hammering; drumming.

gollería f (*golosina*) tidbit; extra, special treat.

gollete m throat; (*cuello*) neck.

goma f gum; (*caucho*) rubber; (*liga*) rubber (*or* elastic) band; *S.Am.* F hangover; ~ *arábiga* gum arabic; **gomita** f elastic band; **gomoso 1.** gummy, sticky; **2.** m F dandy, dude.

góndola f gondola.

gong(o) m gong.

gordi(n)flón F podgy, fat, chubby.

gordo 1. fat; *p. a.* stout, plump; (*craso*) greasy, oily; (*grande*) big; *premio* first, big; (*basto*) coarse; **2.** m fat, suet; F first prize; **gordura** f corpulence, stoutness; (*grasa*) grease, fat.

gorgojo m weevil, grub; *fig.* dwarf.

gorgorito m F trill, quaver.

gorgotear [1a] gurgle; **gorgoteo** m gurgle.

gorguera f ruff; ✕ gorget.

gorila m gorilla; F tough, thug.

gorjear [1a] warble, chirp, twitter; ~se (*niño*) gurgle, crow; **gorjeo** m warble *etc.*

gorra 1. f (*peaked*) cap; bonnet; ~ *de visera* peaked cap; **2.** m (*a.* **gorrero** m) freeloader; sponger; F *ir etc. de* ~ scrounge, sponge; **gorrear** [1a] sponge; freeload.

gorrión m sparrow.

gorrista m/f F sponger.

gorro m cap; bonnet; ~ *de baño* bathing cap; ~ *de dormir* nightcap.

gorrón[1] m pebble; ⊕ pivot, journal.

gorrón[2] m F cadger, sponger; **gorronear** [1a] F scrounge, cadge, sponge.

gota f drop; bead, blob; ✽ gout; ~ *a* ~ drop by drop; *caer a* ~ drip; *parecerse como dos* ~s *de agua* be as like as two peas in a pod; **goteado** speckled; **gotear** [1a] drip; dribble, trickle (*a. fig.*); (*vela*) gutter; ~(se) leak; **goteo** m drip(ping) *etc.*; **gotera** f leak; drip(ping); (*cenefa*) valence; ✽ ailment; *lleno de* ~s *p.* full of aches and pains.

gótico Gothic; *fig.* noble.

gozar [1f] *v/t.* enjoy; possess, have;

v/i. enjoy o.s.; ~ *de* = *v/t.*; ~se rejoice; ~ *en inf.* take pleasure in *ger.*

gozne *m* hinge.

gozo *m* joy, gladness; pleasure, delight, enjoyment; **gozoso** glad, joyful (*con,* de about, at).

grabación *f* recording; ~ *de cinta* tape recording; **grabado** *m* engraving, print; (*esp. en libro*) illustration, picture; ~ *al agua fuerte* etching; ~ *al agua tinta* aquatint; ~ *en cobre* copperplate; ~ *en madera* woodcut; **grabador** *m* engraver; **grabadora** *f* recorder; ~ *de cinta* tape recorder; **grabador-reproductor** *m* cassette player; **grabar** [1a] engrave; record *en disco etc.*; *en, sobre cinta* tape-record.

gracejo *m* wit, humour; repartee.

gracia 1. *f* grace (*a. eccl.*); favor, pardon; gracefulness, attractiveness; (*agudeza*) wit; (*chiste*) joke; (*esencia de chiste*) point; F name; *¿cuál es su ~?* what's your name?; *¡qué ~!* what a nerve!, the very idea!; *de ~* free, for nothing; *en ~ a* on account of, for the sake of; *sin ~* graceless; *caer en ~ a* find favor with, make a hit with F; *dar en la ~ de decir* harp on; *hacer ~ a* strike *s.o.* as funny; *tener ~* be funny; **2.** ~*s pl.* thanks; *¡~!* thank you!; **grácil** slender; small; delicate; **gracioso 1.** (*elegante*) graceful; (*afable*) gracious; attractive; (*agudo*) witty; (*divertido*) funny, amusing; (*gratuito*) free; **2.** *m thea.* fool, funny man.

grada *f* step *de escalera; thea. etc.* tier, row (of seats); grandstand, bleachers; ♣ slipway, slips; ✔ harrow; ~ *de discos* disk harrow; **gradación** *f* gradation; *rhet.* climax; *gr.* comparison; **gradar** [1a] harrow; **gradería** *f* flight of steps; *thea. etc.* rows of seats, tiers.

grado *m* (*peldaño*) step; *univ.*, 𝔸, *phys. a. fig.* degree; (*nivel*) level; (*rango*) grade, rank; *escuela:* class; de (*buen*) ~ willingly; *de* ~ *en* ~ by degrees; *de mal* ~, (*a*) *mal mi etc.* ~ unwillingly.

graduable adjustable; **graduación** *f* gradation; graduation; grading; 𝕏 rank; alcoholic strength; **graduado** *m,* **a** *f* graduate; **gradual** gradual; **graduar** [1e] (*clasificar*) grade; *termómetro etc.* graduate; (*medir*) gauge, measure; ⊕ calibrate; *vista* test; *univ.* confer a degree (𝕏 rank)

on; ~se graduate, take one's degree (*en* in).

gráfica *f* graph; **gráfico 1.** graphic (*a. fig.*); pictorial, illustrated; **2.** *m* 𝔸 graph; chart; diagram.

grafito *m* graphite, blacklead.

gragea *f* colored candy; sugar-coated pill.

grajear [1a] caw; (*niño*) gurgle; **grajilla** *f* jackdaw; **grajo** *m* rook.

gramática *f* grammar; **gramatical** grammatical; **gramático 1.** grammatical; **2.** *m* grammarian.

gramo *m* gram(me).

gramófono *m,* **gramola** *f* Gramophone, phonograph.

gran *v.* **grande**.

grana[1] *f* ♥ seeding; (*época*) seeding time; (*semilla*) small seed.

grana[2] *f zo.* cochineal; kermes; (*color*) scarlet; (*paño*) scarlet cloth.

granada *f* ♥ pomegranate; ✗ grenade *de mano,* shell *de cañón*; ~ *de metralla* shrapnel; ~ *de mano* hand grenade; ~ *extintora* fire extinguisher.

granado[1] *m* ♥ pomegranate tree.

granado[2] notable, distinguished; select; (*alto*) mature; (*alto*) tall.

granate *m* garnet.

grande 1. big, large; (*a. fig.*) great; (*grandioso*) grand; *número, velocidad* high; (*alto*) tall; *en* ~ as a whole; on a large scale, in a big way; **2.** *m* ~ (*de España*) grandee; *los* ~s the great; **grandeza** *f* bigness; greatness; (*grandiosidad*) grandeur; (*tamaño*) size; (*nobleza*) nobility; **grandioso** magnificent, grand; (*esp. b.s.*) grandiose.

graneado granulated; **granear** [1a] *semilla* sow; *cuero* grain; (*puntear*) stipple; **granel:** *a* ~ (*sin orden*) at random; (*en montón*) in a heap; ✝ in bulk, loose; **granero** *m* granary (*a. fig.*); **granilla** *f* grain (in cloth).

granito *m* granite; 𝔰 pimple.

granizada *f* hailstorm; hail (*a. fig.*); = **granizado** *m* iced drink; **granizar** [1f] hail; *fig.* shower; **granizo** *m* hail.

granja *f* farm; farmhouse; (*quinta*) country house; (*vaquería*) dairy; ~ *avícola* poultry farm.

granjear [1a] gain, earn; win; ~se *algo* win (for s.o.).

granjería *f* farming; farm earnings; profit; **granjero** *m* farmer.

grano *m* grain (*a. pharm.*); (*semilla*) seed; (*baya*) berry; bean *de café*;

(*partícula*) speck; ⚡ pimple, spot; ✐
~s *pl.* grain, cereals; ir al ~ come to
the point.

granuja *m* ragamuffin; rogue.

granulación *f* granulation; **granular** granular; **granular(se)** [1a]
granulate; **gránulo** *m* granule.

grapa *f* clip; paper fastener; staple *de
dos puntas*; △ cramp.

grasa *f* fat; (*unto*) grease; (*sebo*) suet;
(*aceite*) oil; (*mugre*) filth; ✗ ~s *pl.*
slag; ~ *de ballena* blubber; **grasiento** greasy, oily, filthy; **graso 1.**
fatty; greasy; **2.** *m* fattiness; greasiness.

grata *f* ✝ favor; **gratificación** *f*
(*premio*) reward; (*propina*) tip, gratuity; **gratis** free (of charge), for
nothing, gratis; **gratitud** *f* gratitude; **grato** pleasing, pleasant; welcome, gratifying; (*agradecido*) grateful; **gratuito** free; *observación etc.*
gratuitous, uncalled-for; *acusación*
unfounded.

grava *f* gravel; crushed stone; metal
de camino.

gravamen *m* obligation; burden.

grave (*de peso*) heavy; *fig.* grave,
serious; important; momentous;
enfermedad grave; *herida, pérdida*
grievous, severe; *p.* sedate, dignified; ♪ low, deep; *gr. palabra* paroxitone; *acento* grave.

gravedad *f* gravity.

gravitación *f* gravitation; **gravoso**
onerous; oppressive, burdensome;
✝ costly; (*molesto*) tiresome; ser ~ a
weigh on.

greda *f geol.* clay; (*de batán*) fuller's
earth; **gredoso** clayey.

gregario gregarious; herd *attr.*; (*servil*) slavish.

greña *f* (*mst pl.*) shock (*or* mat, mop)
of hair; *fig.* entanglement, tangle;
andar a la ~ squabble; **greñudo**
disheveled.

gres *m geol.* potter's clay; (*loza*)
earthenware, stoneware.

gresca *f* (*jaleo*) uproar, hubbub;
(*riña*) row, brawl.

grey *f eccl.* flock, congregation.

griego 1. Greek; **2.** *m, a f* Greek; F
cheat; **3.** *m* (*idioma*) Greek; *fig.* gibberish, double Dutch.

grieta *f* fissure, crack; crevice; chink;
chap *en piel*; **grietarse** [1a] =
agrietarse.

grifo *m* tap, cock, faucet; (*servido*) al ~
on tap, (on) draft; *Mex. estar* ~ be

high on pot; *Mex.* marijuana; *Mex.*
pot smoker.

grillete *m* fetter, shackle.

grillo *m zo.* cricket; ✿ shoot, sprout;
~s *pl.* fetters, irons.

grima *f* annoyance; horror; *me da* ~ it
gets on my nerves.

gringo *m*, **a** *f contp.* foreigner.

gripe *f* influenza, flu.

gris 1. gray; *día* dull, gloomy; **2.** *m*
gray.

grisú *m* ✗ firedamp.

grita *f* uproar, outcry; *dar* ~ a hoot,
boo; **gritar** [1a] shout, yell, cry out;
(*desaprobar*) hoot; (*bramar*) bellow;
gritería *f*, **griterío** *m* shouting,
uproar; **grito** *m* shout, yell; cry;
hoot; bellow; scream.

grosella *f* (red) currant; ~ *espinosa*
gooseberry; **grosellero** *m* currant
(bush).

grosería *f* coarseness *etc.*; (*dicho*)
rude thing; **grosero** (*basto*) coarse,
rough; discourteous, rude; **grosor** *m*
thickness.

grotesco grotesque, bizarre, absurd.

grúa *f* ⊕ crane; derrick; ~ *de auxilio*
wrecking crane; ~ *puente* overhead
crane.

gruesa *f* gross.

grueso 1. thick; (*corpulento*) fat; *p.*
stout, thick-set; (*abultado*) large,
bulky; (*basto*) coarse; (*poco agudo*)
dull; *artillería, mar* heavy; **2.** *m* (*grosor*) thickness; (*bulto*) bulk; (*parte
principal*) major portion; ✗ main
body; *en* ~ in bulk.

grulla *f orn.* (*a.* ~ *común*) crane.

grumo *m* clot *de sangre*; dollop;
cluster *de uvas*; ~ *de leche* curd.

gruñido *m* grunt; growl; snarl; **gruñir** [3h] (*esp. cerdo*) grunt; (*perro,
oso*) growl, snarl; *fig.* grumble;
(*puerta etc.*) creak; **gruñón** F
grumpy.

grupa *f* crupper, horse's hindquarters; **grupera** *f* pillion.

grupo *m* group.

grupúsculo *m* splinter group.

gruta *f* cavern, grotto.

guacho *S.Am.* motherless, orphaned; *zapato etc.* odd.

guadal *m S.Am.* bog; dune.

guadaña *f* scythe; **guadañadora** *f*
mowing machine; **guadañar** [1a]
scythe, mow.

guagua *f* trifle; *S.Am.* bus; (*rorro*)
baby; *de* ~ free, for nothing.

gualdo yellow, golden.

guante m glove; ~s pl. fig. tip, commission; F echar el ~ a lay hands on, seize; **guantelete** m gauntlet.

guapo 1. mujer pretty; hombre handsome; good-looking; (aseado) smart; (ostentoso) flashy; (valiente) dashing, bold; **2.** m F lover, gallant; (matón) bully; (fanfarrón) braggart.

guarda 1. m guard; keeper, custodian; ~ de coto gamekeeper; **2.** f guard(ing); (safe) keeping, custody; observance de ley; flyleaf, endpaper de libro.

guarda...: ~barro(s) m mudguard; ~bosque m ranger, forester; gamekeeper; ~brisa m mot. windscreen.

guarda...: ~espaldas m henchman, bodyguard; ~frenos m brake(s)man; ~fuego m fireguard; fender; ~lmacén m/f storekeeper; ~lodos m mudguard; ~mano m guard (of sword); ~meta m goalkeeper; ~muebles m furniture repository; ~pelo m locket; ~polvo m dust cover, dust sheet; (vestido) dust coat; overall(s).

guardar [1a] (retener) keep; (proteger) guard (de against, from); preserve, save (de from); (poner aparte) put away, lay by; (vigilar) watch; ganado tend; fiesta, mandamiento observe; ¡guarda! look out!; ~se avoid; look out for; ~ de inf. keep from ger., avoid ger.

guardarropa 1. m checkroom; (mueble) wardrobe; **2.** m/f checkroom attendant; **guardarropía** f thea. wardrobe; (accesorios) properties, props F.

guardia 1. f (⚔ servicio, regimiento, esgrima) guard; police; custody; ⚓ watch; relevar la ~ change guard; **2.** m ⚔ guard(sman).

guardián m, ~a f keeper, custodian; warden; (vigilante) watchman.

guardilla f attic, garret.

guarecer [2d] shelter, protect, take in; preserve; ~se take shelter.

guarida f zo. lair, den; (refugio) shelter, cover; hideout.

guarismo m figure, numeral.

guarnecer [2d] (adornar) garnish, embellish (de with); equip, provide; **guarnición** f equipment, provision; fitting; ⚔ garrison; ⊕ packing; sew. trimming, binding; lining de frenos; setting de joya; guard de espada; fittings, fixtures.

guarra f sow; **guarro** m pig.

guatemalteco adj. a. su. m, **a** f Guatemalan.

guau 1. bow-wow!; **2.** m bark.

guayaba f guava (jelly).

gubernativo governmental.

gubia f gouge.

guedeja f long hair, lock; mane.

guerra f war; warfare; conflict, struggle, fight; ~ atómica atomic warfare; ~ bacteriológica, ~ bacteriana germ warfare; ~ fría cold war; ~ de guerrillas guerrilla warfare; ~ mundial world war; ~ de nervios war of nerves; ~ nuclear nuclear war; ~ relámpago blitzkrieg; ~ a tiros shooting war; hot war; de ~ military, war attr.; **guerrear** [1a] wage war, fight; **guerrero 1.** fighting; war attr.; warlike, martial; **2.** m warrior, soldier, fighting man; **guerrilla** f guerrilla band, band of partisans; **guerrillero** m guerrilla, partisan, irregular.

guía 1. m/f (p.) guide; leader; adviser; **2.** m ⚔ marker; **3.** f (⊕, fig., libro) guide; (acto) guidance; guidebook, handbook; guidepost; handlebar de bicicleta; (caballo) leader; ~s pl. reins; cine: ~ sonora sound track; ~ telefónica, ~ de teléfonos telephone directory; ~ del viajero guidebook; **guiar** [1c] guide; mot. drive; ✈ pilot; ~se por go by, be guided by.

guija f pebble; cobblestone; **guijarro** m pebble; boulder.

guillame m rabbet plane.

guillotina f guillotine (a. ⊕); **guillotinar** [1a] guillotine.

guinda f morello cherry.

guindaleza f hawser.

guindola f lifebuoy.

guiñada f wink; blink; ⚓ yaw.

guiñapo m rag, tatter; ragamuffin.

guiñar [1a] wink; blink; ⚓ yaw; **guiño** m wink.

guión m (p. etc.) leader; typ. hyphen, dash; (escrito) explanatory text, handout F; cine: script, scenario; eccl. processional cross (or banner); royal standard; **guionista** m/f script writer.

guisa: a ~ de as, like, in the manner of; de tal ~ in such a way.

guisado m stew; **guisante** m pea; ~ de olor sweet pea; **guisar** [1a] (cocinar) cook; (hervir) stew; fig. prepare, arrange; **guiso** m cooked dish; seasoning; **guisote** m F hash.

guita f twine; sl. dough.

guitarra f guitar; **guitarrista** m/f guitarist.

gula f gluttony.

gusano m worm; maggot, grub; caterpillar de mariposa etc.; fig. meek creature; ~ de luz glowworm; ~ de seda silkworm; **gusanoso** worm-eaten.

gustación f tasting, trying; **gustar** [1a] v/t. taste, try, sample; v/i. please, be pleasing; **gustillo** m suggestion, touch, tang.

gusto m taste; (sabor) flavor; (placer) pleasure; (afición) liking (por for); (capricho) fancy, whim; ¡tanto ~! how do you do?; con mucho ~ with pleasure; tanto ~ glad to meet you; tengo mucho ~ en conocerle I'm very glad to meet you; tomar ~ a take a liking to; **gustoso** (sabroso) tasty, savory; (agradable) pleasant.

H

ha v. haber.

¡ha! int.

haba f (broad) bean; lima bean.

haber 1. [2k] v/t. catch, lay hands on; † have; v/aux. have; ~ de inf. have to inf.; must inf.; be (due) to inf.; ¿qué he de hacer? what am I to do?, what must I do?; ha de ser tonto he must be a fool; ha de cantar esta noche he is to sing tonight; verbo impersonal: hay: (sg.) there is, (pl.) there are; hay sol it is sunny; ¿cuánto hay de aquí a Madrid? how far it is to Madrid?; ¡no hay de qué! you're welcome, don't mention it; ¿qué hay? what's the matter?; ¿hay plátanos? (en tienda) do you have any bananas?; años ha years ago; habrá ocho días about a week ago; ~ que inf. be necessary to inf.; hay que comer para vivir one must eat to live; ~se: tener que habérselas con have to deal with, be up against; 2. m property, goods (mst ~es pl.); income; † assets, credit (side).

habichuela f kidney bean; ~ verde string bean.

hábil clever, skilful, proficient, expert, good (en at); capable; b.s. cunning; fit (para for); ✝ competent; **habilidad** f cleverness, skill etc.; **habilidoso** clever.

habitación f (cuarto) room; (morada) dwelling, habitation; residence; **habitante** m inhabitant; occupant de casa; **habitar** [1a] v/t. inhabit, live in, dwell in; casa occupy; v/i. live, dwell.

hábito m todos sentidos: habit; F ahorcar (or colgar) los ~s leave the priesthood.

habitual habitual, customary; mst b.s. inveterate; criminal hardened; regular; **habituar** [1e] habituate, accustom (a to); ~se a become accustomed to, get used to.

habla f (facultad) speech; (idioma) language; (regional) dialect, speech; talk, speech de clase, profesión etc.; al ~ speaking; teleph. speaking, on the line; ✪ within hail; de ~ española Spanish-speaking; negar (or quitar) el ~ a not be on speaking terms with; **hablador** 1. talkative; 2. m, -a f talker, chatterbox; (y chismoso) gossip; **habladuría** f rumor; bragging.

hablar [1a] speak, talk (con to); ~ claro talk straight from the shoulder; ~ por (sólo) ~ talk for the sake of talking; ~se: se habla español Spanish (is) spoken here; se habla de inf. there is talk of ger.

hablilla f rumor; idle gossip.

hacedero practicable, feasible; **hacedor** m, -a f maker; ♀ Maker.

hacendado 1. landed, propertyowning; 2. m, a f landowner, man etc. of property; S.Am. rancher; **hacendero** industrious, thrifty; **hacendista** m economist, financial expert; **hacendoso** diligent, hard-working; bustling, busy.

hacer [2s] 1. v/t. a) make; create; ⊕ manufacture; △ build, construct; compose, fashion, form; b) do; perform; practice; put into practice, execute; cause; compel, oblige; effect; (proveer) provide (con, de with); accustom (a to); suppose a. p. to be; c) ⅄ amount to, make; apuesta lay; † balance strike; cama make; comedia perform, do; comida prepare, cook, get; corbata tie; dinero earn, make; discurso make, deliver; guerra wage; humo give off, produce; maleta pack; objeción raise; papel play, act, take; pregunta put, pose;

prodigios work; *sombra* cast; *visita* pay; d) ~ *adj.* turn *adj.*, render *adj.*, send (*esp.* **p.** f) *adj.*; e) ~ *inf.* have (or make) *a p. inf.*; have (or get) *s.t. p.p.*; *hágale entrar* show him in, have him come in; *me hago cortar el pelo* I have (or get) my hair cut; ~ *que subj.* see to it that; f) ~ *bien* do good; ~ *bien* (*mal*) *en inf.* be right (wrong) to *inf.*; ~ *bueno acusación* make good; F *la ha hecho buena* he's made a hash of it; *te hacíamos en Madrid* we thought (or supposed) you were in Madrid; *nos hizo con dinero* he provided us with money; *¿qué (le) hemos de ~?* what's to be done (about it)?; *tener que ~* have s.t. to do; **2.** *v/i.* be important, matter, signify; (*convenir*) be suitable, be fitting; ~ *a todo* (*p.*) be good for anything; ~ *que hacemos* pretend to be busy; *¿hace?* will it do?, is it a go? F; *no le hace* never mind, it doesn't matter; ~ *como que*, ~ *como si* act as if; ~ *de* act as; ~ *para inf.*, ~ *por inf.* make to *inf.*; try to *inf.*; *dar que* ~ give trouble; make work; **3.** *verbo impersonal:* a) *meteor.* be; *v. calor;* b) *hace 2 horas que llegó* he arrived 2 hours ago, it is 2 hours since he arrived; *está aquí desde hace 2 horas* he has been here for 2 hours; **4.** *~se* (*transformarse*) become, grow, get (or come) to be, turn (into); (*crecer*) grow; (*fingirse*) pretend to be; *cortesías* exchange; ~ *soldado* become a soldier, turn soldier; ~ *viejo* grow old, get old; ~ *a* become accustomed to; ~ *atrás* fall back: ~ *con*, ~ *de* appropriate, get hold of.

hacia toward(s); (*cerca de*) about, near; ~ *abajo* down(wards); ~ *adelante* forward(s); ~ *arriba* up(wards); ~ *atrás* back(wards); ~ *las 3* at about 3 o'clock.

hacienda f (landed) property; (*finca*) (country) estate; fortune; *S.Am.* ranch; (*ganado*) livestock; ~*s pl.* household chores; ~ *pública* federal income.

hacina f *esp.* ✔ stack, rick; (*montón*) pile, heap; **hacinar** [1a] stack; pile (up), heap (up); accumulate.

hacha 1. f axe, chopper; torch; **hachear** [1a] *v/t.* hew; *v/i.* wield an axe; **hachero** *m* woodcutter.

hada f fairy; ~ *madrina* fairy godmother; *de* ~*s* fairy *attr.*; **hadado:** *bien* ~ lucky; *mal* ~ ill-fated; **hado** *m* fate, destiny.

haga, hago *v. hacer.*

halagar [1h] show affection to; (*adular*) flatter; (*agradar*) gratify; **halago** *m* caress; cajolery; blandishment(s); flattery; gratification, delight; **halagüeño** flattering; pleasing, attractive, alluring.

halar [1a] ⚓ *v/t.* haul (at, on), pull.

halcón *m* falcon; *pol.* hawk.

halda f skirt; *poner* ~*s en cinta* F roll up one's sleeves.

hálito *m* vapor; *from the mouth* breath; *poet.* gentle breeze.

halterio *m* dumbbell; **halterofilista** m/f weightlifter.

hallar [1a] *mst* find; discover; locate; come across *sin buscar;* (*averiguar*) find out; ~*se* find o.s.; be; **hallazgo** *m* (*acto*) finding; discovery; (*cosa hallada*) find; (*recompensa*) reward.

hamaca f hammock.

hambre f hunger (a. *fig.*; de for); famine; starvation; *fig.* longing (de for); *tener* ~ be hungry; *esp. fig.* hunger (de after, for); **hambrear** [1a] *v/t.* starve; *v/i.* starve, go hungry; **hambriento** hungry, famished, starving.

hamburguesa f hamburger.

hamo *m* fishhook.

hampa f underworld; **hampón** *m* tough, rowdy, thug.

hámster *m* hamster.

han *v. haber.*

handicap *m* handicap.

hangar *m* hangar.

haragán 1. idle, good-for-nothing; **2.** *m*, **-a** idler, loafer, good-for-nothing; **haraganear** [1a] idle; lounge, loaf (about), hang about; **haraganería** f idleness *etc.*

harapiento, haraposo in rags, ragged, tattered; **harapo** *m* rag, tatter; *hecho un* ~ in rags.

harén *m* harem.

harina f flour, meal; (*polvo*) powder; ~ *de avena* oatmeal; ~ *de huesos* bone meal; ~ *lacteada* malted milk; ~ *de maíz* corn meal; *es* ~ *de otro costal* that's (quite) another story, that's a horse of a different color; **harinero 1.** flour *attr.*; **2.** *m (p.)* flour merchant; flour bin; **harinoso** floury, mealy.

harnero *m* sieve.

hartar [1a] satiate; stuff, surfeit, glut (con with); ~*se* gorge (con on); **hartazgo** *m* abundance; glut; bellyful; *darse un* ~ *de* eat one's fill of; **harto 1.**

adj. full (de of), glutted (de with); *fig.* tired (de of), fed up (de with); **2.** *adv.* quite, very; enough.
has *v.* haber.
hasta 1. *prp. espacio:* as far as, up to, down to; *tiempo:* till, until; as late as, up to; pending; *cantidad:* as much as, as many as; *v. vista;* **2.** *adv.* even; quite; **3.** *cj.* even, also; ~ *que* until.
hastiar [1c] *(cansar)* weary; *(repugnar)* disgust; *(disgustar)* annoy; *(aburrir)* bore; **hastío** *m* weariness, disgust; annoyance; boredom.
hato *m* ♂ herd; flock *de ovejas;* group *de ps.; b.s.* gang; *S.Am.* cattle ranch; *fig.* lot; *(víveres)* provisions; *(ropa)* clothes; personal effects.
hay *v.* haber.
haya *f* beech (tree); **hayuco** *m* beechnut, beechmast.
haz¹ *m* ♂ sheaf *de mieses etc.,* truss *de paja;* bundle *de leña etc.;* bunch; *haces pl. hist.* fasces; ~ *de luz* beam of light.
haz² *f mst fig. or lit.* face; *(superficie)* surface; right *de tela;* ~ *de la tierra* face of the earth; *de dos haces fig.* two-faced.
haz³ *v.* hacer.
hazaña *f* feat, exploit.
he¹ *v.* haber.
he²: *mst lit.* ~ *aquí* here is, here are; lo (and behold)!; *¡heme (or héteme) aquí* here I am; *¡helos allí!* there they are.
hebilla *f* buckle, clasp.
hebra *f* (length of) thread; strand; fibre; grain *de madera;* ⚒ vein; *fig.* thread (of the conversation); ~*s pl. poet.* hair; *pegar la* ~ strike up a conversation.
hebraico Hebraic; **hebreo 1.** *adj. a. su. m,* **a** *f* Hebrew; **2.** *(idioma)* Hebrew.
hebroso fibrous; *carne* stringy.
hectárea *f* hectare.
hechicera *f* sorceress, witch; enchantress; **hechicero 1.** magic; bewitching, enchanting *(a. fig.); fig.* charming; **2.** *m* wizard, sorcerer; witch doctor *de salvajes;* **hechizar** [1f] bewitch *(a. fig.),* cast a spell on; *b.s.* bedevil; *fig.* charm, enchant, delight; **hechizo 1.** artificial, false; *(amovible)* detachable; ⊕ manufactured; **2.** *m* magic; charm, spell *(a. fig.); fig.* glamour; ~*s pl.* (woman's) charms.
hecho 1. *p.p. of* hacer; *¡~!* done!, it's a deal; **2.** *adj.* complete, mature; *(aca-*

bado) finished; *sew.* ready-made, ready-to-wear; *frase* stock; ~ *y derecho* complete, proper, full-fledged; **3.** *m* deed, act, action; fact; *(elemento)* factor; *(asunto)* matter; *(suceso)* event; *a* ~ continuously; all together; indiscriminately; *de* ~ in fact, as a matter of fact.
hechura *f* make, making; creation; creature *(a. fig.);* form, shape; build *de p.;* cut *de traje; (artesanía)* workmanship.
heder [2g] stink, reek *(a* of).
hedor *m* stench, stink, reek.
helada *f* frost; freeze(-up); ~ *blanca* hoarfrost; **heladera** *f* refrigerator; **heladería** *f* ice-cream parlor; **helado 1.** frozen *(a. fig.);* freezing, icy; *(preso)* ice-bound; *fig.* chilly, disdainful; **2.** *m* ice(-cream); iced drink; **helar** [1k] freeze; water ice; chill; ~**se** freeze; be frozen; *(avión, riel etc.)* ice (up).
hélice *f* spiral; ⚓, ✈, *anat.* helix; ⚓ screw, propeller; ✈ propeller, airscrew.
helicóptero *m* helicopter.
helio *m* helium.
hembra *f zo.,* ♀, ⊕ female; *zo.* she-...; *orn.* hen; *sew.* eye; ⊕ nut; F woman; **hembrilla** *f* ⊕ nut.
hemiciclo *m* semicircle; semicircular theater; *parl.* floor; **hemisferio** *m* hemisphere.
hemofilia *f* hemophilia; **hemorragia** *f* hemorrhage; **hemorroides** *f/pl.* hemorrhoids.
henal *m* hayloft; **henar** *m* meadow, hayfield.
henchir [3h] fill (up), stuff, cram; ~**se** *(p.)* stuff o.s.
hendedura *f* cleft, split; *(incisión)* slit; *(grieta)* crack; *mst geol.* rift, fissure; **hender** [2g] cleave *(a. fig.);* split; crack; slit *con cuchillo.*
henil *m* hayloft; **heno** *m* hay.
heráldica *f* heraldry; **heráldico** heraldic; **heraldo** *m* herald *(a. fig.).*
herbaj(e)ar *v/t.* put to pasture, graze; *v/i.* graze, browse; **herbario 1.** herbal; **2.** *m* herbarium; *(p.)* herbalist.
heredad *f* (country) estate, farm; domain; landed property; **heredar** [1a] inherit *(de* from), *p.* name as one's heir; **heredera** *f* heiress; **heredero** *m* heir *(de* to), inheritor *(de* of); **hereditario** hereditary.
hereje *m/f* heretic; **herejía** *f* heresy.

herencia f inheritance; legacy; heritage; biol. heredity.

herético heretic(al).

herida f wound, injury; (ofensa) insult, outrage; fig. affliction; **herido 1.** injured; ✗ wounded; **2.** m injured (✗ wounded) man; los ~s pl. the wounded; **herir** [3i] hurt, injure; esp. ✗ wound (a. fig.); (golpear) strike, hit; (sol) beat down on; ♪ pluck, strike; ♩ touch.

hermana f sister (a. eccl.); (cosa) twin; ~ de leche foster sister; ~ política sister-in-law; media ~ half sister; **hermanar** [1a] match; (unir) join; harmonize; **hermanastro** m stepbrother; **hermandad** f brotherhood (a. fig.), sisterhood; fig. close relationship; **hermano 1.** m brother (a. fig., eccl.); (cosa) twin; ~s pl. brother(s) and sister(s); ~ carnal blood brother; ~ de leche foster brother; ~ político brother-in-law; medio ~ half brother; **2.** adj. similar, matching; sister attr. (fig.).

hermético hermetic, air-tight.

hermosear [1a] beautify, make beautiful; adorn; **hermoso** beautiful; esp. hombre handsome; lovely; fine, splendid; **hermosura** f beauty; loveliness; (p.) belle.

hernia f rupture, hernia.

héroe m hero; **heroicidad** f (act of) heroism; **heroico** heroic.

heroína[1] f heroine.

heroína[2] f pharm. heroin.

heroinómano m heroin addict.

heroísmo m heroism.

herpes m/pl. or f/pl. ✗ shingles, herpes.

herradura f horseshoe; curva en ~ mot. hairpin bend; **herraje** m ironwork, metal fittings; **herramental** m tool bag, tool kit; **herramienta** f tool, implement; appliance; set of tools; ~ mecánica power tool; **herrar** [1k] caballo shoe; ganado brand; ⊕ bind (or trim) with iron; **herrería** f blacksmith's (shop), forge; (fábrica) ironworks.

herrero m (black)smith; ~ de grueso ironworker; ~ de obra steelworker.

herrete m metal tip.

herrumbre f rust; a prueba de ~ rust proof; **herrumbroso** rusty.

hervir [3i] boil, seethe (a. fig.); (mar) surge; ~ de, ~ en swarm with, teem with.

hez f: mst pl. heces sediment, less; dregs (a. fig.); excrement.

hiato m gr., ✗ hiatus.

hibernación f hibernation.

híbrido hybrid.

hice v. hacer.

hidalga f noblewoman; **hidalgo 1.** noble, illustrious; gentlemanly; **2.** m nobleman.

hidra f hydra.

hidráulica f hydraulics; **hidráulico** hydraulic, water attr.

hidro(avión) m seaplane; flying boat; **hidrocarburo** m hydrocarbon; **hidrodinámica** f hydrodynamics; **hidroeléctrico** hydroelectric; **hidrófilo** absorbent, F bibulous; **hidrofobia** f hydrophobia; rabies; **hidrófugo** water-repellent; **hidrógeno** m hydrogen; **hidropesía** f dropsy; **hidroplano** m seaplane; **hidrostática** f hydrostatics; **hidrostático** hydrostatic.

hiedra f ivy.

hiel f bile; fig. bitterness.

hielo m ice; frost; freezing; fig. coldness, indifference; ~ flotante drift ice; ~ seco dry ice.

hiena f hyena.

hierba f grass; esp. ✗ herb; small plant; ~s pl. pasture; mala ~ weed; ~buena f mint.

hierro m iron; head de lanza etc.; (de marcar) brand; ~s pl. irons; ~ acanalado, ~ ondulado corrugated iron; ~ colado, ~ fundido cast iron; ~ forjado wrought iron; ~ en lingotes pig iron; ~ viejo scrap iron.

hígado m liver; ~s pl. F guts, pluck.

higiene f hygiene; **higiénico** hygienic; sanitary; healthy.

higo m ♀ (green) fig; vert. thrush; ~ chumbo, ~ de tuna prickly pear.

higuera f fig-tree.

hija f daughter, child (a. fig.); **hijastro** m stepson; **hijito** m F sonny; **hijo** m son, child (a. fig.); ~s pl. children, son(s) and daughter(s); ~ de leche foster child; ~ político son-in-law; Juan Lanas ~ Juan Lanas Junior; **hijuela** f little girl; ⊕ accessory; ♩ portion, inheritance; **hijuelo** m little boy; ♀ shoot; ~s pl. zo. young.

hila f row, line; ~s pl. ✗ lint.

hilada f row, line; △ course.

hilado m (acto) spinning; (hilo) yarn, thread; **hilar** [1a] spin; ~ delgado draw it fine.

hilarante hilarious; gas laughing; **hilaridad** f hilarity, mirth.

hilaza f yarn, (coarse) thread.

hilera f row, rank (a. ✕); line, string; sew. fine thread; 🔪 drill.

hilo m thread (a. fig.); yarn; (tejido) linen; (alambre) (thin) wire; trickle de líquido; string de perlas etc.; fig. train del pensamiento; course de la vida; a ~ uninterruptedly; ~ bramante twine; ~ dental dental floss; manejar los ~s to pull strings; perder el ~ de lose the thread of.

hilván m sew. tacking, basting; **hilvanar** [1a] sew. tack, baste.

himnario m hymnal; **himno** m hymn; ~ nacional national anthem.

hincapié m hacer ~ make a stand; hacer ~ en dwell on, insist on.

hincar [1g] thrust (in); clavo etc. drive (in), sink; pie set (firmly).

hincha F 1. f grudge; ill-will; (p., cosa) pet aversion; 2. m/f deportes: supporter, fan, rooter; **hinchado** lenguaje etc. pompous, stilted; p. vain, puffed-up; **hinchar** [1a] swell; distend; inflate; blow up con aire; fig. exaggerate; ~se swell (up).

hinojo¹ m ♀ fennel.

hinojo² m knee; de ~s on bended knee.

hipérbola f ⚹ hyperbola; **hipérbole** f rhet. hyperbole; **hiperbólico** hyperbolic(al); exaggerated.

hipnosis f hypnosis; **hipnótico** hypnotic; **hipnotismo** m hypnotism; **hipnotizar** m/f hypnotist; **hipnotizar** [1f] hypnotize.

hipo m hiccup(s), hiccough(s); (deseo) longing; (odio) grudge.

hipocampo m sea-horse.

hipocondría f hypochondria; **hipocondríaco** 1. hypochondriacal; 2. m, a f hypochondriac.

hipocresía f hypocrisy; **hipócrita** 1. hypocritical; 2. m/f hypocrite.

hipodérmico hypodermic.

hipódromo m race track.

hipopótamo m hippopotamus.

hipoteca f mortgage; **hipotecar** [1g] mortgage.

hipótesis f hypothesis, supposition; **hipotético** hypothetical.

hirsuto hairy, hirsute, bristly; fig. p. brusque, rough.

hirviendo boiling; **hirviente** boiling, seething.

hispánico Hispanic; **hispanidad** f Spanishness; **hispanismo** m gr. Hispanicism; ⌨ Hispanism; **hispanista** m/f Hispanist; **hispano**

Spanish, Hispanic; **hispanoamericano** adj. a. su. m, a f Spanish American, Latin American.

histérico hysteric(al); paroxismo ~ hysterics; **histerismo** m hysteria.

histología f histology.

historia f history; (narración, cuento) story; (esp. inventada) tale; ~s pl. (chismes) gossip; ~s pl. de alcoba bedtime stories; **historiador** m, -a f historian; **histórico** historical; (notable) historic; **historieta** f (short) story, tale, anecdote; ~ gráfica comic strip.

histrión m actor, player; buffoon; b.s. play-actor; **histriónico** histrionic; **histrionismo** m histrionics; (arte) acting; (ps.) actors.

hocicar [1g] (puerco) root; (con cariño) nuzzle; (p.) fall on one's face; fig. run into trouble; **hocico** m snout, muzzle de animal; F snout.

hockey ['oki] m hockey; ~ sobre patines, ~ sobre hielo ice hockey.

hogaño mst † this year; these days.

hogar m hearth, fireplace; ⊕ furnace; 🔥 fire box; fig. home, house; family life; **hogareño** home attr., family attr.; p. homeloving.

hoguera f bonfire; (llamas) blaze.

hoja f ♀ leaf (a. de libro, puerta); ♀ petal; sheet de metal, papel; blade de espada etc.; pane de vidrio; (documento) form; ~ de afeitar razorblade; ~ de estaño tinfoil; ~ de guarda flyleaf; ~ de lata tin(plate); ~ plegadiza (table)flap.

hojalata f tin(plate); **hojalatero** m tinsmith.

hojaldre m puff pastry.

hojarasca f fallen; useless words; trash, trifles.

hojear [1a] turn the pages of, skim (or glance) through; **hojoso** leafy; **hojuela** f little leaf; (escama) flake; metall. foil; cocina: pancake.

¡hola! saludo: hey!, hello!

holandés 1. Dutch; 2. m Dutchman; 3. m (idioma) Dutch; **holandesa** f Dutch woman.

holgado (ocioso) leisured, idle, unoccupied; vestido etc. loose, roomy, baggy; comfortable, cosy; (casi rico) well-to-do; **holganza** f (ocio) ease, leisure; (descanso) rest; (placer) enjoyment; **holgar** [1h a. 1m] (descansar) rest; (estar ocioso) be idle; (cosa) be unused; be unnecessary; (alegrarse) be pleased; ~se be glad.

hormigueo

holgazán 1. idle, lazy; **2.** *m*, **a** *f* idler, loafer; **holgazanear** [1a] loaf; **holgazanería** *f* laziness *etc.*

holgura *f* enjoyment, merry-making; ease, comfort; looseness, roominess *de vestido*; ⊕ play.

holocausto *m* holocaust, burnt offering; *fig.* sacrifice.

hollar [1m] tread (on); trample underfoot (*a. fig.*); *fig.* humiliate.

hollejo *m* ⚘ skin, peel.

hollín *m* soot; **holliniento** sooty.

hombrada *f* manly act; **hombradía** *f* manliness; courage.

hombre 1. *m* man; (*género humano*) man, mankind; F husband; *¡~ al agua!*, *¡~ a la mar!* man overboard!; *~ de armas* man-at-arms; *~ de bien* honest man, man of honor; *~ de buenas prendas* man of parts; *~ de la calle* man in the street; *~ de ciencia* man of science; *~ de dinero* man of means; *~ de estado* statesman; *~ hecho* grown man; *~ de letras* man of letters; *~ medio* average man; *~ de mundo* man of the world; *~ de negocios* businessman; *~ de pro(vecho)* honest man; *~ de worth; *~ de suposición* man of straw; **2.** *int.* man alive!, good heavens!

hombre-anuncio *m* sandwich man.

hombrera *f* shoulder-strap; ✂ epaulette.

hombre-rana *m* frogman.

hombría *f* manliness; *~ de bien* honesty, uprightness.

hombro *m* shoulder; *a ~* shoulder to shoulder; ✂ *sobre el ~* ¡*armas!* slope arms!; *arrimar el ~* put one's shoulder to the wheel, lend a hand; *salir en ~* to be carried off on the shoulders of the crowd.

hombruno mannish, masculine.

homenaje *m* homage (*a. fig.*); allegiance; *fig.* tribute, testimonial; (*don*) gift; *en ~ a* in honor of.

homicida 1. murderous, homicidal; **2.** *m* murderer; **3.** *f* murderess; **homicidio** *m* murder, homicide.

homogéneo homogeneous; **homólogo** colleague; **homónimo** *m* homonym; (*p.*) namesake; **homosexual** *adj. a. su. m/f* homosexual.

honda *f* sling, catapult.

hondear [1a] ⚓ sound; (*descargar*) unload.

hondo 1. deep; low; *fig.* profound; *sentimiento* deep, heartfelt; **2.** *m* depth(s); bottom.

honestidad *f* decency, decorum *etc.*; **honesto** decent, decorous; modest; chaste; fair, just; honest.

hongo *m* (*en general*) fungus; (*comestible*) mushroom; (*venenoso*) toadstool; (*sombrero*) derby.

honor *m* honor; virtue *esp. de mujer*; (*reputación*) good name; *~es pl.* honors, honorary status; *de ~ dama etc.* in waiting.

honorable honorable, worthy; **honorario 1.** honorary; honorific; **2.** *m* honorarium; *mst ~s pl.* fees.

honra *f* self-esteem; dignity; (*reputación*) good name; honor; chastity; *~s pl.* (*fúnebres*) last honors, obsequies; **honradez** *f* honesty, integrity; **honrado** honest, upright; **honrar** [1a] honor (*a.* ✝); respect, esteem, revere; do honor to; *~se* to be honored (*con* by, with; *de inf.* to *inf.*); **honroso** honourable; respectable, reputable.

hora *f* hour; time (of day); *altas ~s pl.* small hours; *~ de aglomeración* rush hour; *~ de cierre* closing time; *~ de comer* mealtime; *~ de irse* time to go; *~ de verano* daylight-saving time; *~ legal, ~ oficial* standard time; *~ punta* peak hour; rush hour; *~s de consulta* office hour; *~s de ocio* leisure hours; *~s pl. extraordinarias* overtime; *~-hombre* man-hour; *~s pl. de oficina* business hours; *~ de recreo* playtime; *última ~* (*periódico*) stop·press; *a última ~* at the last moment; *a buena ~* opportunely; *a la ~* punctually.

horario 1. hourly; hour *attr.*; time *attr.*; **2.** *m* hour-hand *de reloj*; 🚂 *etc.* time-table, schedule.

horca *f* gallows, gibbet; ⚒ (pitch-)fork; (*cebollas*) string; **horcadura** *f* fork (of a tree); **horcajadas:** *a ~* astride; **horcajadura** *f anat.* crotch.

horda *f* horde; (*pandilla*) gang.

horero *m* hour hand.

horizontal horizontal; flat, level; **horizonte** *m* horizon.

horma *f* ⊕ form, mould; (*a. ~ del calzado*) last, boot-tree; (*muro*) dry stone wall.

hormiga *f* ant.

hormigón *m* concrete; *~ armado* reinforced concrete; **hormigonera** *f* ⊕ concrete mixer.

hormiguear [1a] 🐜 itch; (*abundar*) swarm, teem; **hormigueo** *m* 🐜 itch(ing), tingling, creeps F; *fig.* un-

easiness; swarming; **hormiguero** *m* anthill (*a. fig.*).

hormón *m*, **hormona** *f* hormone.

hornada *f* batch (of bread), baking; *fig.* crop, batch; **hornero** *m*, **a** *f* baker; **hornillo** *m* ⊕ small furnace; stove *de cocina*; bowl *de pipa*; ⚒ mine; ~ *eléctrico* hot-plate; **horno** *m* ⊕ furnace; *cerámica*: kiln; *cocina*: oven; *alto* ~ blast furnace; ~ *de cal* lime kiln; ~ *crematorio* crematorium; ~ *de fundición* smelting furnace.

horóscopo *m* horoscope; *sacar un* ~ cast a horoscope.

horqueta *f todos sentidos*: fork; **horquilla** *f* ⚡ pitchfork; hairpin *para pelo*; fork *de bicicleta*; ⊕ yoke.

horrendo horrible, dreadful.

hórreo *m prov.* (*esp.* raised) granary.

horrible horrible, ghastly, dreadful (*a.* F); F unspeakable, nasty; **horripilante** hair-raising, horrifying; **horror** *m* (*sentimiento*) horror, dread; abhorrence; *tener* ~ *a* have a horror of; **horrorizar** [1f] horrify; terrify; ~*se* be horrified; **horroroso** horrifying; horrible, frightful, grim.

hortaliza *f* vegetable; **hortelano** *m*, **a** *f* (market) gardener.

horticultura *f* horticulture.

hosco dark, gloomy; *p.* surly, sullen.

hospedaje *m* (cost of) lodging; **hospedar** [1a] put up, lodge; ~*se* put up, lodge, stop, stay (*at*); **hospedera** *f* hostess; innkeeper's wife; **hospedero** *m* host; innkeeper; **hospicio** *m* poor-house; hospice; (*niños*) orphanage; **hospital** *m* hospital, infirmary; *esp. eccl.* hospice; ~ *de primera sangre* ⚒ field hospital; **hospitalidad** *f* hospitality.

hostelería *f* restaurant and hotel business.

hostigar [1h] lash, whip; *fig.* harass, plague.

hostil hostile; **hostilidad** *f* hostility; hostile act; **hostilizar** [1f] ⚒ harass, attack; (*enemistar*) antagonize.

hotel *m* hotel; (*casa*) mansion; **hotelero 1.** hotel *attr.*; **2.** *m*, **a** *f* hotel-keeper.

hoy today; ~ (*en*) *día* nowadays; ~ *por* ~ at the present; *de* ~ *en adelante* from now on.

hoya *f* pit, hole; (*tumba*) grave; *geog.* vale; *S.Am.* river basin; ~ *f* seedbed; **hoyo** *m* hole (*a. golf*), cavity; (*tumba*) grave; ✱ pock mark; **hoyuelo** *m* dimple.

hoz *f* ⚒ sickle; *geog.* defile, ravine.

hozar [1f] (*puerco*) root.

hube *v. haber.*

hucha *f* bin; (*arca*) chest; moneybox *para dinero*; *fig.* savings; *buena* ~ *fig.* nest-egg.

hueco 1. hollow; (*vacío*) empty; blank; (*mullido*) soft; *tierra etc.* spongy; **2.** *m* hole, hollow, cavity; (*intervalo*) gap, opening.

huelga *f* (*laboral*) strike; (*descanso*) rest; (*ocio*) leisure, *b.s.* idleness; ⊕ play; ~ *de brazos caídos* sit-down strike; ~ *de hambre* hunger strike; ~ *patronal* lock-out; ~ *por solidaridad* sympathetic strike; *en* ~ on strike; *declararse* (*or ponerse*) *en* ~ (go on) strike, walk out; **huelgo** *m* breath, space; ⊕ play; **huelguista** *m/f* striker.

huella *f* (*impresión de pie*) footprint; (*señal*) trace, imprint, ~ *dactilar*, ~ *digital* fingerprint.

huérfano 1. orphan(ed); *fig.* unprotected, uncared-for; ~ *de madre* motherless; **2.** *m*, **a** *f* orphan.

huero *huevo* rotten; empty.

huerta *f* (large) market garden; ~ (*de árboles frutales*) orchard; **huerto** *m* (kitchen) garden, market garden; orchard *de árboles frutales*.

huesa *f* grave.

hueso *m anat.* bone; ♀ stone; core; *fig.* hard work; ~ *de la alegría* funny bone; ~ *de la suerte* wishbone; F *la sin* ~ the tongue; **huesoso** bony, bone *attr.*

huésped *m* (*invitado*) guest; boarder, lodger *que paga*; (*que invita*) host; (*amo de la casa*) landlord; **huéspeda** *f* guest *etc.*; hostess; landlady.

huesudo bony; *p.* raw-boned.

hueva *f ichth.* (hard) roe; ~*s pl.* spawn; **huevera** *f* egg-cup; **huevo** *m* egg; ~ *al plato*, ~ *estrellado* fried egg; ~ *en cáscara*, ~ *pasado por agua* boiled egg; ~ *duro* hard-boiled egg; ~ *escalfado* poached egg; ~*s pl. revueltos* scrambled eggs.

huida *f* flight, escape; shy(ing) *de caballo*; huidizo shy; elusive; (*pasajero*) fleeting; **huir** [3g] *v/t.* run away from, escape (from), flee.

hule *m* oilcloth, oilskin; (*caucho*) rubber; F *toros*: goring.

hulla *f* (soft) coal; **hullera** *f* colliery; **hullero** coal *attr.*

humanidad *f* humanity (*a. fig.*), mankind; F corpulence; ~*es pl.* humanities; **humanismo** *m* hu-

manism; **humanista** m/f humanist.
humanitario humanitarian; **humano 1.** human; (*compasivo*) humane; *ciencias ~as* humane learning; **2.** m human (being).

humareda f cloud of smoke; **humazo** m dense (cloud of) smoke; F *dar ~ a* smoke out; **humeante** smoking, smoky, fuming; **humear** [1a] v/t. S.Am. fumigate; v/i. smoke; fume; steam; reek.

humedad f humidity, damp(ness), moisture, wet(ness); *a prueba de ~* damp-proof; **humedecer** [2d] damp, moisten, wet; *~se* get damp etc.; **húmedo** damp, humid, moist.

humidificador m air humidifier.

humildad f (*virtud*) humility; (*condición*) humbleness, lowliness; (*acto*) submission; **humilde** humble; (*carácter* humble, meek; *condición* low(ly), low-born; *voz* small; **humillar** [1a] humiliate, humble; *cabeza* bow, bend; *~se* humble o.s.; b.s. grovel.

humo m smoke; fumes; *~s* pl. (*casas*) homes; *fig.* airs, conceit.

humor m humor (*a. anat.*); temper, mood; (*genio*) disposition; **humorada** f joke, witticism; **humorismo** m humor, humorousness; **humorista** m/f humorist; **humorístico** humorous, funny.

humoso smoky.

hundido sunken; *ojos* hollow; **hundimiento** m sinking etc.; **hundir** [3a] sink; submerge, engulf; plunge (*en* into).

huracán m hurricane.

huraño shy, diffident; unsociable; *animal* wild, shy.

hurgar [1h] poke; stir (up).

hurtadillas: *a ~* stealthily, on the sly.

hurtar [1a] steal; *lit.* plagiarize; *~se* keep out of the way, make off; **hurto** m (*acto*) theft, robbery; (*cosa*) thing stolen; *a ~* on the sly, by stealth.

husmear [1a] v/t. scent; F smell out, pry into; v/i. (*carne*) smell high.

huso m spindle (*a. ⊕*); bobbin; *~ horario* time zone.

¡huy! ow!, ouch!; (*sorpresa*) whew!

huyo etc. v. **huir**.

I

iba etc. v. **ir**.

ibérico Iberian; **ibero, íbero** adj. a. su. m, **a** f Iberian.

iceberg m iceberg.

icono m icon; **iconoclasta 1.** iconoclastic; **2.** m/f iconoclast.

ictericia f jaundice.

icurriña f Basque national flag.

ida f going; departure; *fig.* rash act; hastiness; (*rastro*) trail; (*viaje de*) *~* outward journey; *~ y vuelta* round trip.

idea f idea; notion; opinion; **ideal 1.** ideal; notional, imaginary; **2.** m ideal; **idealismo** m idealism; **idealista 1.** idealistic; **2.** m/f idealist; **idealizar** [1f] idealize; **idear** [1a] think up; plan, design; invent.

ídem ditto, idem.

idéntico identical, (very) same; **identidad** f identity; sameness; **identificación** f identification; *~ errónea* mistaken identify; **identificar** [1g] identify.

ideología f ideology.

idílico idyllic; **idilio** m idyll.

idioma m language; speech, idiom *de grupo*; **idiomático** idiomatic.

idiosincrasia f idiosyncrasy.

idiota 1. idiotic, stupid; *p.* simple; **2.** m/f idiot; **idiotez** f idiocy; **idiotismo** m gr. idiom(atic expression).

idolatrar [1a] *ídolo* worship, adore; *fig.* idolize; **idolatría** f idolatry; **ídolo** m idol (*a. fig.*).

idóneo suitable; apt, fitting.

iglesia f church.

iglú m igloo.

ígneo igneous; **ignición** f ignition.

ignominia f ignominy, shame(fulness), disgrace; **ignominioso** ignominious, shameful, disgraceful.

ignorancia f ignorance; **ignorante 1.** ignorant, uninformed; **2.** m/f ignoramus; **ignorar** [1a] not know, be ignorant (*or* unaware) of.

igual 1. equal (*a* to); (the) same; indifferent; (*parecido*) alike, similar; uniform, constant; (*liso*) smooth, level, even; *clima* equable; *temperamento* even; *~ que* like, the same as; *en ~ de* instead of; **2.** m/f equal;

match (de for); al ~, por ~ equally; sin ~ matchless; **igualdad** f equality; sameness; evenness, smoothness; **igualmente** equally; likewise; F the same to you.

ijada f flank; loin; ♂ pain in the side, stitch; **ijar** m flank.

ilegal illegal, unlawful.

ilegible illegible, unreadable.

ilegítimo illegitimate; *acto* unlawful; *cosa* false, spurious.

ileso unharmed, unhurt.

iletrado uncultured, illiterate.

ilícito illicit.

ilimitado unlimited, limitless.

ilógico illogical.

ilote m ear of corn.

iluminación f illumination; lighting; *fig.* enlightenment; **iluminado 1.** illuminated; **2.** m visionary; **iluminar** [1a] illuminate.

ilusión f illusion; delusion; (*esperanza*) (unfounded) hope, (day-)dream; (*entusiasmo*) excitement, eagerness; ¡qué ~! how thrilling!; **ilusionado** hopeful; excited; eager; **ilusionarse** [1a] indulge in wishful thinking; **ilusionismo** m wishful thinking; **iluso 1.** (easily) deluded, deceived; **2.** m, **a** f visionary, dreamer; **ilusorio** illusory.

ilustración f illustration; picture; *fig.* enlightenment, learning; **ilustrar** [1a] illustrate; *fig.* enlighten, instruct.

imagen f *mst* image; **imaginación** f imagination; (*fantasía*) fancy; **imaginar** [1a] imagine, visualize; **~se** suppose (que that); imagine, picture (to o.s.), fancy; ¡imagínate! just imagine; **imaginario** imaginary, fanciful; **imaginativa** f imagination; understanding; **imaginativo** imaginative; **imaginería** f statuary.

imán m magnet; **iman(t)ar** [1a] magnetize.

imbatible unbeatable; **imbatido** unbeaten.

imbécil 1. *p.* imbecile, feeble-minded; *cosa* silly; **2.** m/f imbecile, idiot.

imberbe beardless.

imborrable ineffaceable.

imbuir [3g] imbue, infuse (de, en with).

imitar [1a] imitate; mimic, *b.s.* ape; *cosa* b.s. counterfeit.

impaciencia f impatience; **impacientar** [1a] exasperate, make *s.o.* lose patience; **~se** get impatient, fret

(por at); **impaciente** impatient (con, de, por at); fretful.

impacto m impact; ✕ hit.

impar odd (a. ♈).

imparcial impartial.

impasible impassive, unmoved.

impávido dauntless, unflinching.

impecable impeccable, faultless.

impedido disabled, crippled; ~ para unfit for; **impedir** [3l] stop, prevent (*inf.* or que *subj.* [from] ger.).

impeler [2a] propel, drive; *fig.* impel, drive (a *inf.* to *inf.*).

impenetrable impenetrable (a. *fig.*); impervious.

impensado unexpected, unforeseen; (*fortuito*) random.

imperar [1a] rule, reign; **imperativo 1.** commanding; **2.** m imperative (mood).

imperceptible imperceptible.

imperdible m safety-pin.

imperecedero undying, imperishable; eternal.

imperfección f imperfection, flaw; **imperfecto** imperfect (a. gr.).

imperial 1. imperial; **2.** f top, upper deck; **imperialismo** m imperialism; **imperialista 1.** imperialistic; **2.** m/f imperialist.

impericia f unskillfulness.

imperio m empire; (*autoridad*) rule, sway; *fig.* pride; **imperioso** imperious; imperative.

imperito inexpert, unskilled.

impermeabilizar [1f] waterproof; **impermeable 1.** waterproof; **2.** m raincoat.

impersonal impersonal.

impertérrito unafraid, unshaken.

impertinencia f irrelevance; impertinence *etc.*; **impertinente 1.** irrelevant; uncalled-for; (*nimio*) fussy; **2. ~s** m/pl. lorgnette.

imperturbable imperturbable; **imperturbado** unperturbed.

ímpetu m impetus, impulse; momentum; (*movimiento*) (on)rush; (*prisa*) haste; violence; **impetuoso** *p.* impetuous; headstrong; *acto* hasty; violent; *torrente* rushing.

implacable implacable, relentless.

implantar [1a] implant, introduce.

implicar [1g] involve; *p.* mst b.s. implicate; *inferencia* imply; **implícito** implicit, implied.

implorar [1a] implore, beg.

imponente 1. imposing, impressive; **2.** m/f ✝ depositor; **imponer** [2r]

mst impose (*a* on; *a. typ., eccl.*); *obediencia etc.* exact (*a* from), enforce (*a* upon); *tarea* set; *carga etc.* lay, thrust (*a* upon); instruct (*en* in); (*imprevisar*) impress; † invest, deposit; **~se** get one's way, assert o.s.; prevail (*a* over); (*costumbre*) grow up; **imponible** taxable.

impopular unpopular; **impopularidad** *f* unpopularity.

importación *f* import(s); (*acto*) importation; *de* ~ imported; **importador** *m*, **-a** *f* importer; **importancia** *f* importance; **importante** important; significant; weighty; (*grande*) considerable; sizeable; *lo* (*más*) ~ the main thing; **importar**[1] *v/t.* amount to, be worth; (*llevar consigo*) involve, imply; *v/i.* matter (*a* to), be of consequence; *¡no importa!* it doesn't matter!, never mind!; *¿qué importa?* what of it?; **importar**[2] [1a] † import (*a, en* into); **importe** *m* amount, value, cost.

importuno importunate; inopportune; troublesome, annoying.

imposibilidad *f* impossibility; inability; **imposibilitado** unable (*para inf.* to *inf.*); ✚ disabled; (*pobre*) without means; **imposibilitar** [1a] make *s.t.* impossible; *p.* render unfit (*para* for), incapacitate; **imposible** 1. impossible; 2. *m* the impossible.

imposición *f* imposition; tax; *typ.* make-up; † deposit.

impostor *m*, **-a** *f* impostor; fraud; **impostura** *f* imposture, fraud.

impotable undrinkable.

impotencia *f* impotence (*a.* ✚) *etc.*; **impotente** impotent (*a.* ✚), powerless, helpless.

impracticable impracticable, unworkable; *camino* impassable.

impredictible unpredictable.

impregnar [1a] impregnate.

impremeditado unpremeditated.

imprenta *f* (*arte*) printing; (*oficina*) press, printing-house; (*letra*) print; (*lo impreso*) printed matter.

imprescindible essential.

impresión *f typ.* printing; (*letra, phot.*) print; (*tirada*) edition, impression; (*marca*) imprint; *fig.* impression; ~ *dactilar*, ~ *digital* fingerprint; **impresionable** impressionable, sensitive, susceptible; **impresionante** impressive, striking; moving; **impresionar** [1a] impress, strike; move; *disco etc.* record; **im-**

presionista 1. impressionist(ic); 2. *m/f* impressionist; **impreso** 1. printed; 2. *m* printed paper (*or* book); **~s** *pl.* printed matter; **impresor** *m* printer.

imprevisible unforeseeable; **imprevisión** *f* lack of foresight; thoughtlessness; **imprevisor** thoughtless; happy-go-lucky F; **imprevisto** 1. unforeseen, unexpected; 2. **~s** *pl.* incidentals, unforeseen expenses.

imprimar [1a] *paint.* prime.

imprimir [3a; *p.p. impreso*] *typ.* print; (*estampar*) stamp; *fig.* stamp, imprint (*en* on).

improbable improbable, unlikely.

ímprobo dishonest; *tarea* arduous.

improperio *m* insult, taunt.

impropiedad *f* infelicity (of language); **impropio** improper (*a.* Ⱥ); (*no apto*) inappropriate, unsuitable (*de, para* to, for).

imprevido improvident.

improvisado improvised; *b.s.* makeshift; ♪ *etc.* extempore, impromptu; **improvisar** [1a] improvise; extemporize (*a.* ♪); **improviso** unexpected, unforeseen.

imprudencia *f* imprudence *etc.*; **imprudente** unwise, imprudent, rash, reckless; *palabras* indiscreet.

impudente impudent, shameless.

impuesto 1. *p.p. of imponer*; 2. *m* tax, duty, levy (*sobre* on); **~s** *pl.* taxation; *sujeto a* ~ taxable; ~ *sobre el valor añadido* value-added tax; ~ *sobre la renta* income tax.

impugnar [1a] oppose, contest.

impulsar [1a] = *impeler*; **impulsión** *f* impulsion; ⊕ drive, propulsion; *fig.* impulse; ~ *por reacción* jet propulsion; **impulsivo** *fig.* impulsive; **impulso** *m* impulse (*a. fig.*), drive, thrust; impetus.

impune unpunished.

impuntual unpunctual.

impureza *f* impurity; **impurificar** [1g] adulterate; *fig.* defile; **impuro** impure.

inacabable endless, interminable; **inacabado** unfinished.

inaccesible inaccessible.

inacción *f* inaction; drift.

inacentuado unaccented.

inaceptable unacceptable.

inactividad *f* inactivity *etc.*; **inactivo** inactive.

inadecuado inadequate.

inadvertencia f inadvertence; (error) oversight, slip; **inadvertido** p. unobservant, inattentive; error inadvertent; cosa unnoticed.

inajenable, inalienable inalienable; not transferable.

inalámbrico wireless.

inalterable unchanging; color fast; **inalterado** unchanged.

inamovible irremovable, fixed.

inanición f inanition, starvation.

inanimado inanimate.

inapercibido unperceived.

inapetencia f lack of appetite.

inaplicable inapplicable.

inapreciable inestimable.

inapto unsuited (para for, to).

inarrugable crease-resisting.

inarticulado inarticulate.

inasequible unattainable, out of reach; unobtainable.

inastillable nonsplinter.

inatacable unassailable.

inaudible inaudible; **inaudito** unheard-of, unprecedented.

inauguración f inauguration etc.; **inaugural** inaugural, opening; viaje maiden; **inaugurar** [1a] inaugurate; exposición etc. open.

incalculable incalculable.

incalificable unspeakable.

incandescencia f incandescence; **incandescente** incandescent.

incansable tireless, unflagging.

incapacidad f incapacity; incompetence; inability (para inf. to inf.), unfitness (para for); **incapacitado** incapacitated; unfitted (para for); **incapacitar** [1a] incapacitate, render unfit; **incapaz** incapable (de of); unfit.

incauto unwary, incautious.

incendiar [1b] set on fire, set alight; ~se catch fire; **incendiario 1.** incendiary; **2.** m, a f incendiary; **incendio** m fire.

incensar [1k] eccl. (in)cense; fig. flatter; **incensario** m censer.

incentivo m incentive.

incertidumbre f uncertainty.

incesante incessant.

incesto m incest; **incestuoso** incestuous.

incidencia f incidence (a. fig.); incident; **incidental** incidental; **incidente 1.** incidental; **2.** m incident.

incienso m incense (a. fig.).

incierto uncertain; (falso) untrue; inconstant.

incineración f incineration; ~ de cadáveres cremation.

incipiente incipient.

incisión f incision; **incisivo 1.** cutting; fig. incisive; **2.** m incisor.

inciso m gr. clause; comma.

incitante provoking; **incitar** [1a] incite, spur on (a to).

incivil uncivil, rude; **incivilidad** f incivility; **incivilizado** uncivilized.

inclemente harsh, severe.

inclinación f inclination (a. fig.); (declive) slope, incline; (oblicuidad) slant, tilt; stoop de cuerpo; nod de cabeza; (reverencia) bow; fig. leaning; **inclinado** sloping, leaning, slanting; plano inclined; **inclinar** [1a] v/t. incline (a. fig.; a inf. to inf.); slope, slant, tilt; ~se lean; slope; bend; fig. be inclined, tend (a to).

incluir [3g] include; contain, incorporate; (insertar) enclose; **inclusive 1.** adv. (a. **inclusivamente**) inclusive(ly); **2.** prp. including; **inclusivo** inclusive; **incluso 1.** adj. enclosed; **2.** prp. including; (hasta) even.

incobrable irrecoverable.

incógnita f unknown quantity; **incógnito 1.** unknown; **2.** m incognito; de ~ adv. incognito.

incoherente incoherent.

incoloro colorless (a. fig.).

incólume safe, unharmed.

incombustible incombustible, fireproof.

incomible uneatable, inedible.

incomodar [1a] inconvenience, trouble, put out; ~se get annoyed; **incomodidad** f inconvenience; discomfort; annoyance; **incómodo** inconvenient; uncomfortable.

incomparable incomparable.

incompatible incompatible.

incompetencia f incompetence; **incompetente** incompetent.

incompleto incomplete, unfinished.

incomprensible incomprehensible.

incomunicación f isolation; ✝ solitary confinement; **incomunicado** incommunicado.

inconcebible inconceivable.

inconciliable irreconcilable.

inconcluso incomplete, unfinished; **inconcluyente** inconclusive.

incondicional unconditional; fe implicit; apoyo whole-hearted; aserto unqualified.

inconexo unconnected; fig. incongruous; (incoherente) disjointed.

inconfeso unconfessed.

inconfundible unmistakable.

incongruencia *f* incongruity; **incongruente, incongruo** incongruous.

inconmovible unshakable.

inconquistable unconquerable.

inconsciencia *f* unconsciousness; unawareness; thoughtlessness.

inconsciente unconscious, unaware (*de* of); oblivious (*de* of, to); unwitting; (*irreflexivo*) thoughtless; *lo* ~ the unconscious.

inconsecuencia *f* inconsequence, inconsistency; **inconsecuente** inconsequent(ial), inconsistent.

inconsiderado thoughtless, inconsiderate; (*precipitado*) hasty.

inconsistencia *f* inconsistency *etc.*; **inconsistente** inconsistent.

inconsolable inconsolable.

inconstancia *f* inconstancy *etc.*; **inconstante** inconstant, changeable; (*poco firme*) unsteady.

inconstitucional unconstitutional.

incontable countless.

incontestable unanswerable; undeniable; **incontestado** unchallenged, unquestioned.

inconveniencia *f* unsuitability; inconvenience; (*dicho*) tactless remark; silly thing; **inconveniente 1.** unsuitable; inconvenient; impolite; **2.** *m* obstacle, difficulty; (*desventaja*) drawback; objection.

incorporación *f* incorporation; association; **incorporado** ⊕ built-in; **incorporar** [1a] incorporate (*a, con, en* in[to], with), embody (*a, con, en* in); mix (*con* with); make *p.* sit up; ~*se* sit up; ~ *a buque etc.* join.

incorrección *f* incorrectness *etc.*; **incorrecto** wrong, incorrect; *conducta* discourteous, improper.

incredibilidad *f* incredibility; **incredulidad** *f* incredulity, unbelief; **incrédulo 1.** incredulous, sceptical; **2.** *m,* **a** *f* unbeliever, sceptic; **increíble** incredible, unbelievable.

incremento *m* increase, addition.

incrustar [1a] incrust; inlay.

incubación *f* incubation (*a.* 🐥); **incubadora** *f* incubator; **incubar** [1a] incubate; hatch (*a. fig.*).

inculcar [1g] instil, inculcate.

inculpable blameless; **inculpación** *f* accusation; **inculpar** [1a] accuse (*de* of); blame (*de* for).

inculto uncultivated (*a. fig.*); *fig.*

uncultured, uncouth; **incultura** *f* *fig.* lack of culture.

incumbencia *f* obligation; *no es de mi* ~ it has nothing to do with me; **incumbir** [3a]: ~ *a* be incumbent upon (*inf.* to *inf.*).

incurable incurable; *fig.* irremediable.

incurrir [3a] incur; **incursión** *f* incursion, raid.

indagación *f* investigation, inquiry; **indagar** [1h] investigate, inquire into; (*descubrir*) ascertain.

indebido undue; *b.s.* improper.

indecencia *f* indecency *etc.*; **indecente** indecent, improper; obscene; F wretched, miserable.

indecible unspeakable.

indecisión *f* indecision, hesitation; **indeciso** undecided; hesitant; vague; *resultado* indecisive.

indefectible unfailing, infallible.

indefendible indefensible; **indefenso** defenceless.

indefinible indefinable; **indefinido** indefinite; vague.

indeleble indelible.

indemne undamaged; *p.* unhurt; **indemnización** *f* (*acto*) indemnification; (*pago*) indemnity; ~*es pl.* reparations; **indemnizar** [1f] indemnify, compensate (for).

independencia *f* independence; self-sufficiency; **independiente 1.** independent (*de* of); *cosa a.* self-contained; *p. a.* self-sufficient; **2.** *m/f* independent.

indescriptible indescribable.

indesmallable runproof.

indestructible indestructible.

indeterminado indeterminate; inconclusive; *p.* irresolute.

indicación *f* indication, sign; ~*es pl.* instructions, directions; **indicado** right, suitable (*para* for); obvious; **indicador** *m* indicator (*a.* ⊕, 🚂); gauge *de gasolina etc.*; (*aguja*) pointer; ~ *de velocidades* speedometer; **indicar** [1g] indicate; suggest; (*señalar*) point out, point to; **índice** *m* *mst* index; (*aguja*) pointer, needle; hand *de reloj*; catalogue *de biblioteca*; **indicio** *m* indication, sign.

indiferencia *f* indifference *etc.*; **indiferente** indifferent (*a* to); apathetic, unconcerned (*a* about).

indígena 1. indigenous (*de* to), native; **2.** *m/f* native.

indignación *f* indignation; **indigna-**

indignado 174

do indignant (*con, contra p.* with; *de, por* at, about); **indignante** outrageous, infuriating; **indignar** [1a] anger, make *s.o.* indignant; **~se** get indignant; **indignidad** *f* unworthiness; (*una* ~) unworthy act; (*afrenta*) indignity; **indigno** unworthy (*de* of); (*vil*) low.

indio *adj. a. su.* **m, a** *f* Indian.
indirecta *f* hint; insinuation; **indirecto** indirect; roundabout; oblique.
indisciplinado undisciplined; lax.
indiscreto indiscreet, tactless.
indiscutible indisputable, unquestionable.
indispensable indispensable.
indisponer [2r] *proyecto* spoil, upset; ⚕ upset, make unfit; ~ **con** set *s.o.* against; **~se** fall ill; ~ **con** *p.* fall out with; **indisponible** unavailable; **indispuesto** indisposed.
indisputable indisputable.
indistinción *f* indistinctness; **indistinguible** indistinguishable; **indistintamente** indiscriminately; **indistinto** indistinct; vague; *luz etc.* faint.
individual individual; peculiar; *habitación* single; **individualidad** *f* individuality; **individualista 1.** individualistic; **2.** *m/f* individualist; **individuo** *adj. a. su.* **m, a** *f* individual (*a.* F); **indiviso** undivided.
indócil unmanageable, disobedient.
indocto unlearned, ignorant.
indocumentado without identification.
indoeuropeo *adj. a. su.* **m** Indo-European.
índole *f* nature; character, disposition *de p.*; class, kind *de cosa*.
indolencia *f* indolence *etc.*; **indolente** indolent, lazy; apathetic; = **indoloro** painless.
indomado untamed.
inducción *f* inducement, persuasion; *phls., ⚡* induction; **inducir** [3o] induce (*a.* ⚡), persuade (*a inf.* to *inf.*); **inductivo** inductive.
indudable undoubted; **indudablemente** undoubtedly, doubtless.
indulgencia *f* indulgence (*a. eccl.*); **indulgente** indulgent.
indultar [1a] ⚖ pardon; exempt; **indulto** *m* ⚖ pardon, exemption.
indumentaria *f*, **indumento** *m* clothing, dress.
industria *f* industry; (*destreza*) ingenuity, skill; *de* ~ on purpose;

industrial 1. industrial; **2.** *m* industrialist, manufacturer; **industriarse** [1b] manage, find a way, get things fixed; **industrioso** industrious; (*hábil*) resourceful.
inédito unpublished.
ineducado uneducated.
inefable ineffable, indescribable.
ineficacia *f* inefficacy *etc.*; **ineficaz** ineffectual; inefficient; **ineficiente** inefficient.
inelástico inelastic.
inelegible ineligible.
ineludible inescapable.
inencogible unshrinkable.
inepcia *f* stupidity; = **ineptitud** *f* ineptitude, incompetence; **inepto** inept, incompetent; stupid.
inequívoco unequivocal.
inerme unarmed, unprotected.
inerte inert (*a. phys.*); inactive.
inesperado unexpected, unforeseen.
inestabilidad *f* instability; **inestable** unstable, unsteady.
inestimable inestimable.
inevitable inevitable, unavoidable.
inexacto inaccurate, inexact.
inexcusable inexcusable; essential.
inexhausto *parte etc.* unused; unspent; (*inagotable*) inexhaustible.
inexperiencia *f* inexperience *etc.*; **inexperto** inexperienced, raw.
inexplicable inexplicable; **inexplicado** unexplained.
inexpresable inexpressible; **inexpresivo** inexpressive; dull.
inextinguible inextinguishable, unquenchable.
infalibilidad *f* infallibility; **infalible** infallible.
infamar [1a] discredit; slander; **infamatorio** defamatory; **infame 1.** infamous; vile; **2.** *m/f* villain; **infamia** *f* infamy.
infancia *f* infancy (*a. fig.*), childhood; (*ps.*) children; **infanta** *f* hist. princess; **infante** *m* hist. prince; infantryman; **infantería** *f* infantry; ~ *de marina* marines; **infantil** (*de niños*) infant, children's; (*inocente*) childlike; *b.s.* infantile, childish.
infatigable tireless.
infausto unlucky, unfortunate.
infección *f* infection (*a. fig.*); **infeccioso** infectious; **infectar** [1a] = *inficionar*; **infecto** foul.
infeliz 1. unhappy, wretched; unfortunate; **2.** *m* poor devil; good-natured simpleton.

inferior 1. lower (*a* than); *calidad, rango* inferior (*a* to); ∼ *a número* under, below, less than; **2.** *m* subordinate, inferior; **inferioridad** *f* inferiority.

inferir [3i] infer, deduce (*de, por* from); *herida* inflict.

infernáculo *m* hopscotch.

infernal infernal (*a.* F), hellish.

infestación *f* infestation; **infestar** [1a] overrun, infest; ⚕ infect.

inficionar [1a] infect, contaminate (*a. fig.*); *fig.* corrupt.

infiel 1. unfaithful, disloyal (*a, con, para* to); *relato* inaccurate; **2.** *m/f* unbeliever, unfidel.

infiernillo *m* chafing dish; **infierno** *m* hell; *fig.* inferno, hell.

infiltrar [1a] infiltrate; *fig.* inculcate; ∼**se** filter (*en* in, through).

ínfimo lowest.

infinidad *f* infinity; **infinitesimal** infinitesimal (*a.* Å); **infinitivo** *m* infinitive (mood); **infinito 1.** infinite; **2.** *m* infinity; **3.** *adv.* infinitely.

inflación *f* inflation (*a.* ✝); swelling; **inflacionista** inflationary.

inflamable inflammable; **inflamación** *f* ignition, combustion; *fig.*, ⚕ inflammation; **inflamar** [1a] set on fire; ∼**se** catch fire, flame up; *fig.* become inflamed.

inflar [1a] inflate; ∼**se** swell.

inflexible inflexible, unyielding; **inflexión** *f* inflexion.

infligir [3c] inflict (*a* on).

influencia *f* influence (*sobre* on); **influenciar** [1b] influence; **influir** [3g] have influence (*con* with); ∼ *en*, ∼ *sobre* influence, affect; **influjo** *m* influence (*sobre* on); **influyente** influential.

información *f* (*una* a piece of) information; **informador** *m*, **-a** *f* informant; **informal** incorrect, unreliable; **informalidad** *f* irregularity; unreliability; **informar** [1a] *v/t.* inform (*de* of, *sobre* about); (*dar forma a*) shape; *v/i.* report (*acerca de* on); ⚖ plead; ⚖ inform (*contra* against); ∼**se** inquire (*de* into), find out (*de* about); **informática** *f* data processing; computer science; **informativo** informative; news *attr.*; *junta etc.* consultative.

informe[1] shapeless.

informe[2] *m* report, statement; (piece of) information; ⚖ plea; ∼*s pl.* in-

formation; data; ∼*s confidenciales* inside information.

infortunado unfortunate, unlucky; **infortunio** *m* misfortune; mishap.

infracción *f* infringement; breach.

infra(e)scrito 1. undersigned; **2.** *m*, **a** *f* undersigned.

infrarrojo infrared.

infrecuente infrequent.

infringir [3c] infringe, contravene.

infructuoso fruitless.

ínfulas *f/pl. fig.* conceit; *darse* ∼ put on airs.

infundado unfounded, groundless.

infundir [3a] infuse (*a, en* into); *fig.* instil (*a, en* into).

ingeniar [1b] devise, contrive; ∼**se** manage, contrive (*a, para inf.* to *inf.*); **ingeniería** *f* engineering; **ingeniero** *m* engineer; **ingenio** *m* ingenuity, inventiveness; talent; wit; (*p.*) clever person; ⊕ apparatus; ∼ *nuclear* nuclear device; *S.Am.* ∼ (*de azúcar*) sugar refinery; **ingeniosidad** *f* ingenuity *etc.*; (*una* ∼) clever idea; **ingenioso** ingenious.

ingenuidad *f* ingenuousness *etc.*; **ingenuo** ingenuous, naïve; candid.

ingle *f* groin.

inglés 1. English, British; **2.** *m* (*p.*) Englishman, Briton; (*idioma*) English; F creditor; *los* ∼*es* the English, the British; **inglesa** *f* Englishwoman; *montar a la* ∼ ride sidesaddle; **inglesismo** *m* Anglicism.

ingobernable uncontrollable.

ingratitud *f* ingratitude; **ingrato** ungrateful; *tarea* thankless.

ingravidez *f* weightlessness; **ingrávido** weightless; light.

ingrediente *m* ingredient.

ingresar [1a] *v/t.* dinero deposit, pay in; *v/i.* enter; ✝ come in; ∼ *en sociedad* join, become a member of; **ingreso** *m* entry (*en* into); admission (*en* *sociedad* to); ∼*s pl.* receipts, profits, revenue, income.

inhábil clumsy, unskilful; incompetent; (*inadecuado*) unfit; **inhabilidad** *f* clumsiness *etc.*; **inhabilitar** [1a] disqualify (*para* from), render *s.o.* unfit (*para* for).

inhabitable uninhabitable; **inhabitado** uninhabited.

inherente inherent (*a* in).

inhibición *f* inhibition; **inhibir** [3a] inhibit; ∼**se** keep out (*de* of).

inhospitalario, inhóspito inhospitable.

inhumanidad f inhumanity; **inhumano** inhuman; *S.Am.* filthy.

inhumar [1a] bury, inter.

iniciación f initiation; beginning; **iniciado** *adj. a. su. m,* **a** f initiate; **inicial** *adj. a. su.* f initial; **iniciar** [1b] initiate (*en* into); (*comenzar*) begin; originate, pioneer, set on foot; **iniciativa** f initiative; resource, enterprise; lead(ership); ~ *privada* private enterprise.

inicuo wicked, iniquitous.

ininteligente unintelligent.

iniquidad f iniquity; injustice.

injerencia f interference, meddling; **injerir** [3i] insert, introduce; ~se interfere, meddle (*en* in); **injertar** [1a] ♂, ✔ graft (*en* on, in); **injerto** *m* graft; (*acto*) grafting; ♂ transplant.

injuria f insult; outrage, injustice; (*daño*) injury; **injuriar** [1b] insult; wrong; (*dañar*) harm; **injurioso** insulting; harmful.

injusticia f injustice *etc.*; **injusto** unjust; wrong(ful).

inmaculado immaculate.

inmaduro unripe; *fig.* immature.

inmediaciones f/pl. neighbourhood, environs; **inmediatamente** immediately, at once; **inmediato** immediate; (*contiguo*) adjoining, next; ~ *a* next to, close to.

inmensidad f immensity *etc.*; **inmenso** immense, huge, vast.

inmersión f immersion.

inmigración f immigration; **inmigrado** *m,* **a** f, **inmigrante** *adj. a. su. m/f* immigrant; **inmigrar** [1a] immigrate.

inmoble immovable; *fig.* unmoved.

inmoderado immoderate.

inmodesto immodest.

inmoral immoral; **inmoralidad** f immorality.

inmortal *adj. a. su. m/f* immortal; **inmortalidad** f immortality.

inmotivado groundless, unmotivated.

inmovible, inmóvil immovable, immobile; (*temporalmente*) motionless, still; *fig.* steadfast; **inmueble** *m* property; ~s *pl.* (*a. bienes* ~s) real estate.

inmundicia f filth, dirt; (*basura*) rubbish; **inmundo** filthy, dirty.

inmune exempt (*de* from); ♂ immune (*contra* to); **inmunidad** f exemption; immunity; **inmunizar** [1f] immunize.

inmutable immutable, changeless; **inmutarse** [1a] change countenance, lose one's self-possession.

innato innate, inborn.

innecesario unnecessary.

innegable undeniable.

innoble ignoble, base.

innocuo innocuous, harmless.

innovación f innovation; novelty; **innovador** *m,* **-a** f innovator.

innumerable innumerable.

inobediente disobedient.

inobservado unobserved; **inobservancia** f neglect.

inocencia f innocence; **inocentada** f naïve remark *etc.*; (*broma*) practical joke; **inocente** innocent (*de* of); (*tonto*) simple.

inoculación f inoculation; **inocular** [1a] inoculate.

inodoro 1. odorless; **2.** *m* lavatory.

inofensivo inoffensive, harmless.

inolvidable unforgettable.

inopinadamente unexpectedly; **inopinado** unexpected.

inoportuno inopportune, untimely; inconvenient; inexpedient.

inquietar [1a] disturb; (*acosar*) stir up; ~se worry, fret (*de, por* about); **inquieto** restless; worried; **inquietud** f restlessness.

inquilino *m,* **a** f tenant, renter.

inquina f dislike, ill-will.

inquirir [3i] inquire into, investigate; **inquisición** f inquiry; ♀ Inquisition.

insaciable insatiable.

insalubre unhealthy, insalubrious.

insanable incurable; **insania** f insanity; **insano** insane, mad.

insatisfactorio unsatisfactory; **insatisfecho** unsatisfied.

inscribir [3a; *p.p. inscrito*] inscribe (*a. fig.*, ✝, ♈); register, record; ~se enrol, register; **inscripción** f inscription; lettering; (*acto*) enrollment *etc.*

insecticida *adj. a. su. m* insecticide; **insecto** *m* insect.

inseguridad f insecurity; **inseguro** unsafe, insecure; (*dudoso*) uncertain.

inseminación f insemination.

insensato senseless, foolish; **insensibilidad** f insensitivity; **insensible** insensitive (*a* to), unfeeling.

inseparable inseparable.

inserción f insertion; **insertar** [1a] insert.

inservible useless, unusable.

insidioso insidious.

insigne illustrous, distinguished; **insignia** *f* badge, decoration; (*bandera*) flag; ~s *pl.* insignia.

insignificancia *f* insignificance; (*cosa*) trifle; **insignificante** insignificant; petty, trivial.

insinuación *f* insinuation; **insinuante** insinuating, ingratiating; **insinuar** [1e] insinuate, hint at; *observación* slip in; ~se en creep into; ~ con ingratiate o.s. with.

insipidez *f* insipidity *etc.*; **insípido** insipid, tasteless.

insistencia *f* insistence; **insistente** insistent; **insistir** [3a] insist (*en, sobre on*; *en inf.* on *ger.*; *en que* that); ~ en *a.* stress, emphasize.

insociable unsociable.

insolación *f* exposure (to the sun); ⚕ sunstroke; **insolar** [1a] expose to the sun; ~se ⚕ get sunstroke.

insolencia *f* insolence; **insolentarse** [1a] be(come) insolent; **insolente** insolent.

insólito unusual, unwonted.

insolvencia *f* insolvency; **insolvente** insolvent, bankrupt.

insomne sleepless; **insomnio** *m* sleeplessness, insomnia.

insondable unfathomable.

insonorización *f* soundproofing; **insonorizado** soundproof; **insonorizar** [1f] *v/t.* soundproof; **insonoro** noiseless, soundless.

insoportable unbearable.

insospechado unsuspected.

inspección *f* inspection; ~ técnica de *vehículos (I.T.V.)* automobile inspection, car inspection; **inspeccionar** [1a] inspect; **inspector** *m* inspector.

inspiración *f* inspiration; **inspirar** [1a] breathe in; *fig.* inspire; ~se en be inspired by, find inspiration in.

instalación *f* (*acto, cosas*) installation; (*cosas*) fittings, equipment; ⊕ plant; **instalar** [1a] install, set up; ~se settle, establish o.s.

instancia *f* request; (*escrito*) application; (*hoja*) application form; *a* ~ *de* at the request of.

instantánea *f phot.* snap(shot); **instantáneo** instantaneous.

instante *m* instant, moment; *al* ~ instantly; **instantemente** insistently; **instar** [1a] urge, press (*a inf., a que, para que* to *inf.*).

instigación *f* instigation; **instigar**

[1h] instigate; *p.* induce (*a inf.* to *inf.*), abet.

instintivo instinctive; **instinto** *m* instinct; impulse, urge.

institución *f* institution, establishment; **instituir** [3g] institute, establish, set up; **instituto** *m* institute; *eccl.* rule; ~ (*de segunda enseñanza*) *approx.* high school; **institutriz** *f* governess.

instrucción *f* instruction; (*enseñanza*) education; **instructivo** instructive; **instructor** *m* instructor, teacher; **instructora** *f* instructress; **instruido** (well-)educated; **instruir** [3g] instruct (*de, en, sobre* in; *about*); ~se learn (*de, en, sobre* about).

instrumental 1. instrumental; **2.** *m* instruments; **instrumentar** [1a] score; **instrumentista** *m/f* instrumentalist; **instrumento** *m* instrument (*a. fig.*); (*herramienta, p.*) tool; ~ de cuerda ♪ stringed instrument; ~ de viento ♪ wind instrument.

insubordinar [1a] rouse to rebellion; ~se rebel, be(come) insubordinate.

insuficiente insufficient, inadequate; *p.* incompetent.

insufrible unbearable.

insular insular.

insulina *f* insulin.

insulso tasteless, insipid.

insultante insulting; **insultar** [1a] insult; **insulto** *m* insult.

insumergible unsinkable.

insuperable insuperable; **insuperado** unsurpassed.

insurgente *adj. a. su. m/f* insurgent.

intacto untouched; (*entero*) intact, whole; (*sin daño*) undamaged.

intachable irreproachable.

integración *f* integration; **integral** *adj. a. su. f* Å integral; **integrante** integral; **integrar** [1a] integrate; **integridad** *f* wholeness; *fig.* integrity; **íntegro** whole, complete; integral; *fig.* upright.

intelectual *f* intellect, understanding; **intelecto** *m* intellect; brain(s); **intelectual** *adj. a. su. m/f* intellectual.

inteligencia *f* intelligence; **inteligente** intelligent; **inteligible** intelligible.

intemperancia *f* intemperance; **intemperie** *f* inclemency (of the weather); *a la* ~ in the open; **intempestivo** untimely, ill-timed.

intención *f* intention; **intencional** intentional.

intendente *m* manager.
intensar(se) [1a] intensify; **intensidad** *f* intensity *etc.*; ⊕, ⚡ *etc.* strength; **intensificar** [1g] intensify; **intensivo** intensive; **intenso** *mst* intense.
intentar [1a] attempt, try (*inf.* to *inf.*); **intento** *m* intention; (*cosa intentada*) attempt; de ~ on purpose.
inter... inter...; **~acción** *f* interaction, interplay; **~calar** [1a] intercalate, insert; **~cambiable** interchangeable; **~cambiar** [1b] interchange; **~cambio** *m* interchange; **~ceder** [2a] intercede, plead (con with, por for); **~ceptar** [1a] intercept, cut off; (*detener*) hold up; **~cesión** *f* intercession; **~conectar** [1a] interconnect; **~confesional** interdenominational; **~continental** intercontinental; **~decir** [3p] forbid; **~dependiente** interdependent; **~dicción** *f* prohibition.
interés *m* interest; **interesado** 1. interested (en in); 2. *m*, **a** *f* person concerned, interested party; (*el que firma*) applicant; **interesante** interesting; **interesar** [1a] *v/t.* (*atraer*) interest (en in), be of interest to; *v/i.* be of interest, be important; **~se** be interested, take an interest (en, por in).
inter...: **~estelar** interstellar; **~ferencia** *f* interference; *radio:* jamming; **~ferir** [3i] interfere with; *radio:* jam.
ínterin 1. *m* interim; en el ~ in the interim, in the meantime; 2. *adv.* meanwhile; 3. *cj.* while; until; **interino** 1. provisional, temporary; *p.* acting; 2. *m*, **a** *f* stand-in.
interior 1. interior, inner, inside; 2. *m* interior, inside; **~es** *pl.* insides.
inter...: **~jección** *f* interjection; **~lineal** interlinear; **~locutor** *m*, **-a** *f* speaker; *mi* ~ the person I was talking to; **~ludio** *m* interlude; **~mediario** *m*, **a** *f* intermediary; **~medio** 1. intermediate; 2. *m* intermission; **~mezzo** *m* intermezzo.
interminable unending, endless, interminable.
inter...: **~mitente** intermittent (*a.* 🚗); **~nacional** international; **~nacionalismo** *m* internationalism; **~nacionalizar** [1f] internationalize.
internamiento *m* internment; **internar** [1a] *v/t. pol.* intern; *v/i.*, **~se** en *país* penetrate into; *estudio* go

deeply into; **interno** 1. internal; inside; 2. *m*, **a** *f* boarder.
inter...: **~pelar** [1a] implore; *parl.* ask *s.o.* for explanations; (*dirigirse a*) address, speak to; **~planetario** interplanetary; **~polación** *f* interpolation; **~polar** [1a] interpolate; **~poner** [2r] interpose, insert; **~se** intervene; **~pretación** *f* interpretation *etc.*; **~pretar** [1a] *mst* interpret; (*traducir a.*) translate; **intérprete** *m/f* interpreter; translator.
inter...: **~rogación** *f* interrogation; (*pregunta*) question; *v. punto;* **~rogar** [1h] question, interrogate; **~rogativo** *gr. adj. a. su. m* interrogative; **~rogatorio** *m* questioning; (*hoja*) questionnaire; **~rumpir** [3a] interrupt; **~rupción** *f* interruption; **~ruptor** *m* ⚡ switch; **~secarse** [1g] intersect; **~sección** *f* intersection; **~sticio** *m* interstice; **~urbano** *teleph.* long-distance *attr.*; **~valo** *m tiempo:* interval; **~vención** *f* intervention; **~venir** [3s] intervene (en in); **~ventor** *m* inspector, auditor; **~viú** *f* interview; **~viuvar** [1a] interview.
intestinal intestinal; **intestino** 1. internal; 2. *m* intestine, gut; ~ ciego caecum; ~ delgado small intestine; ~ grueso large intestine.
intimación *f* notification *etc.*; **intimar** [1a] notify, announce; come intimate.
intimidación *f* intimidation.
intimidad *f* intimacy.
intimidar [1a] intimidate.
íntimo intimate.
intitular [1a] entitle, call.
intocable *adj. a. su. m/f* untouchable.
intolerable intolerable, unbearable; **intolerancia** *f* intolerance *etc.*; **intolerante** intolerant.
intoxicar [1g] poison.
intraducible untranslatable.
intranquilizar [1f] worry; **intranquilo** restless; uneasy, worried.
intransigente intransigent; uncompromising; *esp. pol.* die-hard.
intransitivo intransitive.
intratable intractable; *p.* unsociable, difficult; *cosa* awkward.
intravenoso intravenous.
intrépido intrepid, undaunted.
intriga *f* intrigue, polt (*a. lit.*), scheme; **intrigante** *m/f* intriguer, schemer; **intrigar** [1h] *v/t.* intrigue.
intrincado impenetrable; intricate; **intrincar** [1g] complicate.

irónico

introducción f introduction; insertion; **introducir** [3o] introduce; *objeto* put in, insert; get in, slip in.
intro...: ~**misión** f insertion; *b.s.* interference; ~**spección** f introspection; ~**spectivo** introspective.
intrusión f intrusion; ⚖ trespass; **intruso 1.** intrusive; **2.** *m, a f* intruder, interloper; gate-crasher.
intuición f intuition; **intuir** [3g] know by intuition; **intuitivo** intuitive.
inundación f flood; **inundar** [1a] flood, inundate, swamp.
inusitado unusual.
inútil useless; **inutilidad** f uselessness; **inutilizar** [1f] make *s.t.* useless; disable.
invadir [3a] invade (*a. fig.*), overrun; *fig.* encroach upon.
invalidar [1a] invalidate, nullify; **inválido** f nullity *etc.*; **inválido 1.** ⚖ invalid, null (and void); *p.* disabled; **2.** *m, ✠ a f* invalid; **3.** *m* ✕ pensioner, disabled soldier *etc.*
invariable invariable.
invasión f invasion (*a. ✠, fig.*); encroachment (de on); **invasor 1.** invading; **2.** *m, -a f* invader.
invencible invincible.
invención f invention; discovery.
invendible unsalable.
inventar [1a] invent; (*fingir*) make up; **inventariar** [1b] inventory, make an inventory of; **inventario** *m* inventory; **inventivo** inventive; ingenious, resourceful; **invento** *m* invention; **inventor** *m, -a f* inventor.
invernáculo *m,* **invernadero** *m* greenhouse; **invernal** wintry, winter *attr.*; **invernar** [1k] winter; *zo.* hibernate; **invernizo** wintry, winter *attr.*
inverosímil unlikely, improbable.
inversión f inversion; reversal; ✝ investment; **inversionista** *m/f* investor; **inverso** inverse; reverse; **inversor** *m* investor.
invertir [3i] invert, turn upside down; reverse (*a.* ⊕); ✝ invest; *tiempo* spend, put in.
investigación f investigation, inquiry; 🎓 research (de into); **investigador** *m, -a f* investigator; 🎓 research worker; **investigar** [1h] investigate, look into; 🎓 do research into.
inveterado *p.* inveterate.
invicto unconquered.

invidente blind.
invierno *m* winter; *S.Am.* rainy season.
inviolable inviolable; **inviolado** inviolate.
invisible invisible.
invitación f invitation; **invitado** *m, a f* guest; **invitar** [1a] invite (*a inf.* to *inf.*); call on (*a inf.* to *inf.*); attract, entice.
invocar [1g] invoke, call on.
involuntario involuntary.
invulnerable invulnerable.
inyección f injection; **inyectado** bloodshot; **inyectar** [1a] inject; **inyector** *m* injector; nozzle.
ion *m* ion; **ionizar** [1f] ionize.
ir [3t] **1.** go; move; (*viajar*) travel; (*a pie*) walk; (*en coche*) drive; (*a caballo etc.*) ride; ✠ be, get along, do; be at stake *en apuesta* (*a. fig.*); *de 5 a 3 van 2* 3 from 5 leaves 2; *con éste van 50* that makes 50; *van 5 duros a que no lo dices* I bet you 5 duros you don't say it; **2.** *modismos:* ¡*voy!* (I'm) coming!; *a eso voy* I'm coming to that; ¡*vamos!* let's go!, come on!; *fig.* well, after all; ¡*vaya! sorpresa:* well!, there!, I say!; *aviso:* now now!; ¡*vaya ...!* what a ...!; ¡*qué va!* F nonsense!, not a bit of it!; ¿*quién va?* who goes there?; **3.** *dativo:* ¿*qué te va en ello?* what does it matter to you!; *vestido:* te va muy bien it suits you; **4.** *con prp.:* ~ *a inf.* (*futuro próximo*) be going to *inf.*, be about to *inf.*; *voy a hacerlo en seguida* I am going to do it at once; *fui a verle* I went to see (F and saw) him; ~ *de guía* act (*or* go) as guide; ~ *por* go for; *va por médico* he's going to be a doctor; ¡*vaya por X!* here's to X!; ~ *tras fig.* chase after; **5.** *v/aux. mst* be; ~ *ger.* be *ger.*; *van corriendo* they are running; (*ya*) *voy comprendiendo* I'm beginning to understand; ~ *p.p.* be *p.p.*; *iba cansado* he was tired; *va vendido todo el género* all the goods are (already) sold; **6.** ~**se** go (away), leave, depart; (*morir*) die; (*líquido*) leak, ooze out; (*desbordar*) run over; (*gastarse*) wear out; (*envejecer*) grow old; (*resbalar*) slip, lose one's balance; (*pared etc.*) give way; ¡*vete!* be off with you!, go away!; ¡*vámonos!* let's go!
ira f anger, rage; **iracundo** irascible; irate.
iris *m* rainbow; *opt.* iris; **irisado** iridescent.
ironía f irony; **irónico** ironic(al).

irracional 1. irrational (*a.* A̧); un-reasoning; **2.** *m* brute.
irradiar [1b] (ir)radiate.
irrazonable unreasonable.
irreal unreal; **irrealidad** *f* unreality; **irrealizable** unrealizable.
irreconciliable irreconcilable.
irreconocible unrecognizable.
irrecuperable irrecoverable.
irrecusable unimpeachable.
irreemplazable irreplaceable.
irreflexivo thoughtless, unthinking.
irrefutable irrefutable.
irregular, irregular (*a. b.s.*); **irregularidad** *f* irregularity.
irreligioso irreligious, ungodly.
irremediable irremediable.
irreparable irreparable.
irreprochable irreproachable.
irresistible irresistible.
irresoluble unsolvable; **irresoluto** irresolute, hesitant.
irrespetuoso disrespectful.
irresponsable irresponsible.
irreverente irreverent.
irrevocable irrevocable.
irrigar [1h] irrigate (*a.* 🩺).
irrisión *f* derision, ridicule; **irrisorio** derisory, ridiculous.

irritable irritable; **irritación** *f* irritation; **irritador, irritante 1.** irritating; **2.** *m* irritant; **irritar** [1a] irritate (*a.* 🩺), anger, exasperate; *deseos* stir up; **~se** get angry (de at).
irrompible unbreakable.
irrumpir [3a]: **~ en** burst into, rush into; **irrupción** *f* invasion.
isla *f* island; 🔺 block; **~ de peatones** island for pedestrians, safety zone (for pedestrians).
Islam *m* Islam; **islámico** Islamic.
isleño 1. island *attr.*; **2. m, a** *f* islander; **isleta** *f* islet; **islote** *m* small (rocky) island.
iso... iso...; **isótopo** *m* isotope.
israelí *adj. a. su. m/f* Israeli; **israelita** *adj. a. su. m/f* Israelite.
istmo *m* isthmus; neck.
ítem 1. *m* item; **2.** *adv.* item; also.
itinerario *m* itinerary, route.
izar [1f] ⚓ hoist; *bandera* run up.
izquierda *f* left hand; (*lado*) left side; *pol.* left; *a la* **~** *estar* on the left; *torcer etc.* (to the) left; **izquierdista 1.** left-wing; **2.** *m/f* left-winger, leftist; **izquierdo** left(-hand); (*zurdo*) left-handed.

J

¡ja! ha!
jabalí *m* wild boar; **jabalina** *f* ⚔, *deportes:* javelin.
jabón *m* soap; (*un* **~**) piece of soap; **~ de olor, ~ de tocador** toilet-soap; **~ en polvo** soap-powder, washing powder; *dar* **~ a** soap; F soft-soap; F *dar un* **~ a** tell s.o. off; **jabonado** *m* soaping; (*ropa*) wash; **jabonaduras** *f/pl.* lather, (soap)suds; **jabonar** [1a] soap; *ropa* wash; *barba* lather; F tell s.o. off; **jaboncillo** *m* toilet-soap; **~ de sastre** French chalk; **jabonoso** soapy.
jaca *f* pony.
jacinto *m* ♃, *min.* hyacinth.
jacobino *adj. a. su. m,* **a** *f* Jacobin.
jactancia *f* boasting; (*cualidad*) boastfulness; **jactancioso** boastful; **jactarse** [1a] boast (*de* about, of).
jade *m min.* jade.
jadeante panting, gasping; **jadear** [1a] pant, puff (and blow), gasp (for breath); **jadeo** *m* pant(ing) *etc.*

jaez *m* (piece of) harness; *fig.* kind, sort; *jaeces pl.* trappings.
jaguar *m* jaguar.
jalar [1a] F pull, haul; ⚓ heave; **~se** *S.Am.* F get drunk; (*irse*) clear out.
jalbegar [1h] whitewash; F paint; **jalbegue** *m* whitewash(ing); F paint.
jalde, jaldo bright yellow.
jalea *f* jelly.
jalear [1a] *perros* urge on; *bailadores* encourage (by shouting and clapping); **jaleo** *m* F (*jarana*) spree, binge; (*ruido*) row, racket; (*lío*) row, fuss; *armar un* **~** kick up a row; *estar de* **~** make merry.
jalón *m surv.* stake, pole; jerk, jolt, yank; *fig.* stage; **jalonar** [1a] stake out, mark out.
jamás never; (not) ever.
jamón *m* ham.
japonés 1. *adj. a. su. m,* **-a** *f* Japanese; **2.** *m* (*idioma*) Japanese.
jaque *m ajedrez:* check; F bully; **~ mate** check-mate; *dar* **~ a** check; *dar*

~ **mate** (a) (check)mate; **estar muy ~** to be full of pep; **tener en ~** fig. hold a threat over; **jaquear** [1a] check; fig. harass.

jaqueca f headache; **dar ~ a** bore.

jarabe m syrup; sweet drink; ~ de pico mere words, lip-service.

jarana f F spree, binge; (pendencia) rumpus; **andar de ~ =** **jaranear** [1a] F roister, carouse; lark about; **jaranero** roistering, merry.

jarcia f ⚓ rigging (freq. ~s pl.); (fishing-)tackle; fig. heap.

jardín m (flower) garden; ~ central baseball center field; ~ de la infancia kindergarten, nursery school; ~ derecho baseball right field; ~ izquierdo baseball left field; ~ zoológico zoo; **jardinero** m, a f gardener; baseball fielder, outfielder.

jarra f pitcher, jar; **de ~s, en ~s** (with) arms akimbo.

jarrete m back of the knee; hock de animal.

jarro m jug, pitcher; F echar un ~ de agua a pour cold water on; **jarrón** m vase; ⚱ urn.

jaspe m jasper; **jaspear** [1a] marble, speckle.

jaula f cage (a. ⚒); crate de embalaje; mot. lock-up garage; cell.

jauría f pack (of hounds).

jazmín m jazmine.

jazz [dʒaz] m jazz.

jeep [dʒip] m jeep.

jefa f (woman) head; manageress; **jefatura** f leadership; (oficina) headquarters; ~ de policía police headquarters; **jefe** m chief, head, boss F; leader; (gerente) manager; ⚔ field officer; ~ de cocina chef; ~ de coro choirmaster; ~ de estación stationmaster; ~ del estado chief of state; ~ de estado mayor chief of staff; ~ de redacción editor in chief; ~ de ruta guide; ~ de taller foreman; ~ de tren conductor; ~ de tribu chieftain; **en ~** in chief.

jengibre m ginger.

jeque m sheik(h).

jerarca m important person; F big shot; **jerarquía** f hierarchy.

jerez m sherry.

jerga f jargon; slang de ladrones etc.

jergón m palliasse; F ill-fitting garment; (p.) lumpish fellow.

jeringa f syringe; ~ de engrase grease gun; **jeringar** [1h] syringe; inject; squirt; F plague; **~se** F get bored, get

annoyed; **jeringazo** m injection; squirt; syringing.

jeroglífico 1. hieroglyphic; **2.** m hieroglyph(ic); fig. puzzle.

jersé m, **jersey** m jersey, sweater, pullover; jumper de mujer; cardigan.

jesuita adj. a. su. m Jesuit.

jeta f zo. snout; F face, mug.

jíbaro adj. a. su. m, a f S.Am. peasant, rustic.

jícara f small cup; S.Am. gourd.

jilguero m goldfinch, linnet.

jinete m horseman, rider; ⚔ cavalryman; **jinetear** [1a] v/t. S.Am. break in; v/i. ride around.

jira f strip de tela; excursion, outing; (merienda) picnic; (viaje) tour.

jirafa f giraffe.

jockey ['xoki] m jockey.

joder vulgar v/i. copulate; **jodienda** f dirty joke.

jofaina f wash basin.

jornada f (day's) journey; (horas) working day; ⚔ expedition; thea. †act; ~ ordinaria full time; **jornal** m (day's) wage; (trabajo) day's work; **a ~ by** the day; ~ mínimo minimum wage; **jornalero** m (day)laborer.

joroba f hump, hunched back; fig. nuisance; **jorobado 1.** hunchbacked; **2.** m, a f hunchback; **jorobar** [1a] F annoy, pester, give s.o. the hump.

jota[1] f letter J; fig. jot, iota; F no entiendo ni ~ I don't understand a word of it; no saber ~ have no idea.

jota[2] f Spanish dance.

joven 1. young; youthful en aspecto etc.; **2.** m young man, youth; los ~es youth; young people; **3.** f young woman, girl; **jovencito** m, a f, **jovenzuelo** m, a f youngster.

jovial jolly, jovial, cheerful; **jovialidad** f joviality etc.

joya f jewel; fig. (p.) gem; ~s pl. trousseau de novia; **joyería** f jewelry; (tienda) jeweler's (shop); **joyero** m jeweler; (caja) jewelcase.

jubilación f retirement; (renta) pension; **jubilado** retired; **jubilar** [1a] v/t. p. pension off, retire; cosa discard, get rid of; v/i. rejoice; **~se** retire; F play hooky; **jubileo** m jubilee; **júbilo** m jubilation, joy, rejoicing; **jubiloso** jubilant.

jubón m jerkin, close-fitting jacket.

judaísmo m Judaism; **judería** f ghetto; **judía** f Jewess; ⚘ kidney bean; ~ blanca haricot (bean).

judicial judicial.

judío 1. Jewish; *fig.* usurious; **2.** *m* Jew (*a. fig.*).

juego¹ *etc. v.* jugar.

juego² *m* (*acto*) play(ing); (*diversión*) game (*a. fig.*), sport; gambling *con apuestas*; *naipes:* hand; (*conjunto de cosas*) set; *suite de muebles:* kit, outfit *de herramientas:* pack *de naipes:* movement, play; play *de agua, luz etc.*; ~s *pl.* atléticos (athletic) sports; ~ de azar game of chance; ~ de bolas ball bearing; ~ de bolos ninepins; ~ de café coffee set; ~ de campanas chimes; ~ de damas checkers; ~ de la pulga tiddlywinks; ~ del corro ring-around-a-rosy; ~ del salto leapfrog; ~ limpio (sucio) fair (foul) play; ~s *pl.* malabares juggling; ~ de manos sleight of hand; ~ de niños cosa muy fácil child's play; ~ de mesa dinner-service; ~ de naipes card game; ♋ *pl.* Olímpicos Olympic Games; ~ de palabras pun, play on words; ~ de piernas footwork; ~ de prendas forfeits; ~ de salón parlor game; ~ de suerte game of chance; ~ de tejo shuffleboard; ~ de vocablos, ~ de voces play on words, pun; a ~ (con) matching; en ~ ⊕ in gear; *fig.* at stake; at hand; *fuera de* ~ (*p.*) offside; (*pelota*) out; *conocer el* ~ *a* know what *s.o.* is up to; *hacer* ~ (con) match, go (with).

juerga *f* F (*ir de* go on a) binge, spree; **juergista** *m* F reveller.

jueves *m* Thursday.

juez *m* judge (*a. fig.*); ~ árbitro arbitrator, referee; ~ de línea linesman; ~ (*municipal*) magistrate; ~ de paz approx. Justice of the Peace.

jugada *f* play; (*una* ~) move; (*golpe*) stroke, shot; (*echada*) throw; (*mala*) bad turn, dirty trick; **jugador** *m*, **-a** *f* player; *b.s.* gambler; ~ de manos conjurer; **jugar** [1h *a.* 1o] *v/t. mst* play; (*arriesgar*) gamble, stake; *arma* handle; *v/i.* play (*a* at, *con* with); *b.s.* gamble; ~ *con fig.* trifle with; (*hacer juego*) go with, match; ~ *limpio* play the game; *de* ~ toy.

juglar *m* † minstrel; juggler.

jugo *m* juice; gravy *de carne*; ♀ sap (*a. fig.*); *fig.* essence; substance; **jugoso** juicy; *fig.* pithy, substantial.

juguete *m* toy, plaything; **juguetear** [1a] play, romp; **juguetería** *f* toy-shop; **juguetón** playful.

juicio *m* judgement; (*seso*) sense; opinion; (*sana razón*) sanity, reason;

♋ verdict (*a. fig.*); ♋ (*proceso*) trial; *perder el* ~ go out of one's mind; **juicioso** judicious; wise, sensible.

julio *m* July.

jumento *m*, **a** *f* donkey (*a. fig.*).

junco¹ *m* ♀ rush, reed.

junco² *m* ⚓ junk.

jungla *f* jungle.

junio *m* June.

junquera *f* rush, bulrush; **junquillo** *m* jonquil; (*junco*) reed.

junta *f* (*reunión*) meeting, assembly; session; (*ps.*) board (*a.* ♱), council, committee; (*juntura*) junction; ⊕ joint; ⊕ washer, gasket; ~ de comercio board of trade; ~ de sanidad board of health; ~ *directiva* board of management; ~ *militar* junta; ~ universal universal joint; *celebrar* ~ sit; **juntamente** together (*con* with); at the same time; **juntar** [1a] join, put together; (*acopiar*) collect, gather (together); *esp. ps.* get together; *dinero* raise; ~*se* join; (*ps.*) meet, gather (together); associate (*con* with); **junto 1.** *adj.* joined, together; ~s *pl.* together; **2.** *adv.* together; ~ *a* next to, near; ~ *con* together with; (*de*) *por* ~ all together.

juntura *f* junction, join(ing); joint (*a. anat.*); ⊕ seam; ⊕ coupling.

jura *f* oath; **jurado** *m* jury; (*p.*) juryman, juror; **juramentar** [1a] swear *s.o.* in; ~*se* take an oath; **juramento** *m* oath; *b.s.* oath, swear-word; *bajo* ~ on oath; *prestar* ~ take an (or the) oath (*sobre* on); *tomar* ~ *a* swear *s.o.* in; **jurar** [1a] swear (*inf.* to *inf.*; *a. b.s.*); **jurisdicción** *f* jurisdiction; district; **jurisprudencia** *f* jurisprudence, law; **jurista** *m/f* jurist, lawyer.

justa *f* joust, tournament; *fig.* contest.

justamente justly, fairly; (*exactamente*) just, precisely.

justar [1a] joust, tilt.

justicia *f* justice; fairness; right, rightness; (*ps.*) police; *en* ~ by rights; *hacer* ~ *a* do justice to; **justiciable** actionable; **justiciero** (*strictly*) just; **justificable** justifiable; **justificación** *f* justification; **justificar** [1g] justify (*a. typ.*); (*probar*) substantiate; *sospechoso* clear (*de* of), vindicate; **justo 1.** *adj.* just, right, fair; (*virtuoso*) righteous; (*legítimo*) rightful; *cantidad etc.* exact; (*ajustado*) tight; **2.** *adv.*

just; right; (*ajustadamente*) tightly. **juvenil** young; youthful; *obra* early; **juventud** *f* youth; young people.

juzgado *m* court, tribunal; **juzgar** [1h] judge (*a. fig.*); ‡‡ pass sentence upon; *fig.* consider, deem.

K

karate *m sports* karate.
kermes(s)e [ker'mes] *f* charitable fair, bazaar.
kerosén *m*, **kerosene** *m* kerosene, coal oil.
kilo *m* kilo; **~ciclo** *m* kilocycle; **~gra-**

mo *m* kilogramme; **~metraje** *m approx.* mileage; **kilómetro** *m* kilometer; **kilovatio** *m* kilowatt; **~s-hora** *m/pl.* kilowatt-hours.
kiosco *m* v. quiosco.
knock-out [kaw] *m* knock-out.

L

la 1. *artículo:* the; **2.** *pron.* (*p.*) her; (*cosa*) it; (*Vd.*) you; **3.** *pron. relativo:* ~ de that of; ~ de *Juan* John's; ~ de *Pérez* Mrs Pérez; *v. que.*
laberinto *m* labyrinth, maze (*a. fig.*).
labia *f* F glibness, fluency; *tener mucha* ~ have the gift of the gab; **labial** *adj. a. su. f* labial; **labio** *m* lip (*a. fig.*, 🌶); (*reborde*) edge, rim; *fig.* tongue; ~ *leporino* harelip; *leer en los* ~s lip-read; **labiolectura** *f* lip reading; **labioso** *Am.* fluent, smooth.
labor *f* labor, work; (*una* ~) piece of work; job; *esp.* ✓ farm work, ploughing; *sew.* (*una* a piece of) embroidery, sewing, ~ (*de aguja*) needlework, ~es *esp.* 🛠 workings; **laborable** workable; *v. día;* **laboral** labor *attr.*; **laboratorio** *m* laboratory; ~ *de idiomas* language laboratory; **laborear** [1a] work (*a.* ⚒); ✓ till; **laborioso** *p.* hard-working, painstaking; *trabajo* hard, laborious; **laborterapia** work therapy; **labradío** arable; **labrado 1.** worked; ⊕ wrought; *tela* patterned, embroidered; **2.** *m* cultivated field; **labrador** *m* (*dueño*) farmer; (*empleado*) farm laborer; ploughman *que ara;* (*campesino*) peasant; **labradora** *f* peasant (woman); **labrantío** arable; **labranza** *f* farming; (*hacienda*) farm; **labrar** [1a] work, fashion; ✓ farm, till; *madera etc.* carve; (*toscamente*) hew; *fig.* bring about; **labriego** *m*, **a** *f* farm hand; peasant.
laca *f* shellac (*a. goma* ~); (*barniz*) lacquer; (*color*) lake; hair spray; ~

negra japan; ~ (*para uñas*) nail polish.
lacayo *m* footman, lackey.
lacio 🌿 withered; (*flojo*) limp.
lacónico laconic, terse.
lacra *f* 🌶 mark; *fig.* defect, scar; **lacrar¹** [1a] 🌶 strike; *fig.* damage.
lacrar² [1a] seal (with wax).
lacrimoso tearful, lachrymose.
lactar [1a] *v/t.* nurse; *v/i.* feed on milk; **lácteo** milky; **láctico** lactic.
ladear [1a] *v/t.* tilt, tip; *colina etc.* skirt; 🏦 bank; *v/i.* lean, tilt; (*desviarse*) turn off; **~se** lean, incline (*a. fig.;* *a* to, towards); **ladera** *f* slope, hillside.
ladino shrewd, smart, wily.
lado *m* side (*a. fig.*); 🗡 flank; ~ *débil* weak spot; ~ *a* side by side; *al* ~ near, at hand; *al* ~ *de* by the side of, beside; (*casa*) next door to; *al otro* ~ *de* over, on the other side of; *de* ~ *adv.* sideways, edgeways; *de al* ~ *casa* next (door); *de un* ~ *a otro* to and fro; *por el* ~ *de* in the (general) direction of.
ladrar [1a] bark; **ladrido** *m* barking; *fig.* scandal(-mongering).
ladrillado *m* brick floor; **ladrillo** *m* brick; (*azulejo*) tile; *de chocolate* cake; ~ *refractario* fire brick.
ladrón 1. thieving; **2.** *m*, **-a** *f* thief.
lagarta *f* lizard; F bitch.
lago *m* lake.
lágrima *f* tear; *fig.* drop; ~s *pl.* *de cocodrilo* tears; **lagrimoso** tearful.
laguna *f* lagoon; gap, lacuna ⨅.
laicado *m* laity; **laical** lay; **laico 1.** lay; **2.** *m* layman.

lamentable

lamentable lamentable; pitiful; **lamentación** f lamentation; **lamentar** [1a] be sorry, regret (*que* that); *pérdida* lament; *muerto* mourn; **~se** wail, moan (*de, por* over); **lamento** *m* lament; moan, wail.

lamer [2a] lick; (*agua etc.*) lap.

lámina f sheet *de vidrio, metal etc.*; metall., phot., typ. plate; **□** lamina; **~s** *pl. de cobre etc.* sheet copper.

lámpara f lamp, light; (*bombilla*) bulb; *radio:* tube; **~** *de arco* arc lamp; **~** *de soldar* blowtorch; **~** *colgante* hanging lamp; **lamparilla** f nightlight.

lampiño hairless; *p.* clean-shaven.

lana 1. f wool; fleece; (*tela*) woolen cloth; 2. *m C.Am.* man in the street; swindler; **lanar** wool *attr.*

lance *m* (*acto*) throw, cast *de red*; (*jugada*) stroke, move; (*cantidad pescada*) catch; (*suceso*) occurrence, incident, event; (*trance*) critical moment; (*riña*) row; *de* **~** second-hand; (*barato*) cheap.

lancha f launch; (*bote*) (small) boat; lighter *para carga*; **~** *automóvil,* **~** *motora* motor launch; **~** *de desembarco* landing craft; **~** *rápida* speedboat, motor launch.

langosta f lobster; (*insecto*) locust; **langostín** *m,* **langostino** *m* prawn.

languidecer [2d] languish, pine (away); **languidez** f languor, lassitude; **lánguido** languid.

lanza f spear, lance; pole *de coche*; nozzle *de manga*; **lanzabombas** *m* bomb release; trench mortar; **lanzacohetes** *m* rocket launcher; **lanzadera** f shuttle; **lanzaespumas** *m* foam extinguisher; **lanzallamas** *m* flamethrower; **lanzamiento** *m* throw(ing) *etc.*; launch(ing) *de barco*; **⚯** drop (by parachute), jump; **lanzaminas** *m* minelayer; **lanzar** [1f] throw, fling, cast, pitch; hurl *con violencia*; drop *en paracaídas*; **⚓** vomit; *barco,* **⚓** launch; *hojas etc.* put forth; **⚓** dispossess; *grito* give; *desafío* throw down; **~se** throw o.s. (*a, en* into); rush (*sobre* at, on), dash; **⚯** jump; *fig.* launch out (*a* into); **~** *sobre* fly at, fall upon.

laña f clamp, rivet.

lapicero *m* mechanical pencil; pencil holder; **~** *fuente* fountain pen.

lápida f memorial tablet, stone; **~** *mortuoria* headstone.

lápiz *m* pencil, lead pencil; min.

black lead; **~** *labial* lipstick; **~** *estíptico* styptic pencil; *a* **~** in pencil.

lapso *m* lapse.

laquear [1a] lacquer; *uñas* polish.

lard(e)ar [1a] lard; **lardo** *m* lard.

largamente *contar* at length, fully; **largar** [1h] let loose, let go; *cable* let out; *velas, bandera* unfurl; F give; **largo** 1. long; *fig.* generous; abundant; F *p.* sharp; **⚓** loose, slack; **¡~** (*de aquí*)! clear off!; *tendido cuan* **~** *es etc.* full-length; *a la* **~a** in the long run; *a lo* **~** *de* along, alongside; (*tiempo*) throughout; *de* **~** in a long dress; *tirar de* **~** spend lavishly; 2. *m* length; *tener 4 metros de* **~** be 4 metres long; **largometraje** *m* feature film; **largor** *m* length; **larguero** *m* **△** jamb; *deportes:* crossbar; bolster *de cama*; **largueza** f fig. generosity; **largucho, larguirucho** lanky; **largura** f length.

laringe f larynx; **laringitis** f laryngitis.

larva f larva **□**, grub.

las *v.* los.

lasca f *Am.* advantage, benefit.

lascivia f lasciviousness; **lascivo** lascivious, lewd.

láser *m* laser.

lasitud f lassitude, weariness; **laso** weary; (*flojo*) limp, languid.

lástima f pity; (*cosa*) pitiful object; (*quejido*) complaint; **¡qué** **~!** what a pity (*or* shame)! **lastimar** [1a] hurt, injure; offend; (*compadecer*) pity, sympathize with; **~se** feel sorry for; **lastimero** injurious.

lastre *m* ballast; *fig.* steadiness, good sense.

lata f tin plate; (*envase*) tin can; (*tabla*) lath; F nuisance, bind; *en* **~** canned.

latero *m Am.* plumber; tinsmith.

latido *m* yelp, bark; beat(ing) *etc.*

latigazo *m* (*golpe*) lash (*a. fig.*); (*chasquido*) crack (of a whip); *fig.* harsh reproof; **látigo** *m* whip.

latín *m* Latin; **latinajo** *m* F dog-Latin; **latino** *adj. a. su. m,* **a** f Latin; **latinoamericano** *adj. a. su. m,* **a** f Latin-American.

latir [3a] (*perro*) yelp, bark; (*corazón etc.*) beat, throb.

latitud f latitude (*a. fig.*); (*anchura*) breadth; (*extensión*) area, extent; **lato** broad, wide.

latón *m* brass.

latrocinio *m* robbery, theft.

laúd *m* ♪ lute.

laudable laudable, praiseworthy.

laurear [1a] crown with laurel; **laurel** *m* laurel; *fig.* laurels.

lava *f* lava.

lavable washable; **lavabo** *m* washbasin; *(mesa)* washstand; *(cuarto)* lavatory; **lavadero** *m* laundry, washing place; **lavado** *m* wash(ing), laundry; ~ *cerebral*, ~ *de cerebro* brainwashing; ~ *químico* dry cleaning; ~ *de cabeza* shampoo; ~ *a seco* dry cleaning; **lavadora** *f* washing machine; ~ *de platos* dishwasher; **lavadura** *f* washing; *(agua)* dirty water; **lavamanos** *m* washbasin.

lavanda *f* lavender.

lavandera *f* laundress, washerwoman; **lavandería** *f* laundry; **lavaparabrisas** *m* ⊕ windshield washer; **lavaplatos** *m/f* p. dishwasher; ⊕ dishwasher; **lavar** [1a] wash; **~se** wash; ~ *las manos* wash one's hands (*a. fig.*); **lavativa** *f* enema; *F* annoyance, bother; **lavavajillas** *f* ⊕ dishwasher; **lavazas** *f/pl.* dishwater, slops.

laxante *adj. a. su. m* laxative; **laxar** ease; *vientre* loosen; **laxitud** *f* laxity; **laxo** lax, loose.

laya *f* spade; *fig.* kind, sort.

lazada *f* bow, knot; **lazar** [1f] lasso, rope; **lazo** *m* bow, knot, loop; lasso, lariat *para caballos etc.*; snare, trap.

le *acc.* him; *(Vd.)* you; *dat.* (to) him, (to) her, (to) it; *(a Vd.)* (to) you.

leal loyal, faithful; true; **lealtad** *f* loyalty.

lebrel *m* greyhound.

lección *f* lesson (*a. eccl., fig.*); reading *de MS etc.*; **lectivo** school *attr.*; **lector** *m*, **-a** *f* reader; foreign-language teacher; meter reader; ~ *mental* mind reader; lecturer; **lectura** *f* reading.

lecha *f* milt, (soft) roe; **lechada** *f* paste; *(cal)* whitewash; pulp *para papel;* **lechal** 1. sucking; 2. *m* milky juice; **leche** *f* milk; ~ *desnatada* skimmed milk; ~ *de magnesia* milk of magnesia; ~ *de manteca* buttermilk; ~ *en polvo* powdered milk; **lechecillas** *f/pl.* sweetbreads; **lechera** *f* dairymaid; *(vasija)* milk can; **lechería** *f* dairy, creamery; **lechero** 1. milk *attr.*, dairy *attr.*; 2. *m* dairyman; milkman.

lecho *m* mst bed; *(fondo)* bottom; ~ *de plumas* feather bed.

lechón *n*, **-a** *f* suckling pig; **lechoso** milky.

lechuga *f* lettuce; *sew.* frill.

lechuza *f* owl; ~ *común* barn-owl.

leer [2e] read; interpret; † lecture (*en, sobre* on).

legación *f* legation; **legado** *m* legate; ⚖ legacy, bequest.

legal legal, lawful; *p.* trustworthy, truthful; **legalidad** *f* legality *etc.*; **legalizar** [1f] legalize.

legar [1h] ⚖ bequeath (*a. fig.*), leave; **legatario** *m*, **a** *f* legatee.

legendario legendary.

legible legible, readable.

legión *f* legion (*a. fig.*).

legislación *f* legislation; **legislador** *m*, **-a** *f* legislator; **legislar** [1a] legislate; **legislativo** legislative.

legitimar [1a] legitimize; legalize; **~se** prove one's identity; **legítimo** legitimate, rightful.

lego 1. lay; *fig.* ignorant, uninformed; 2. *m* layman; *los* ~s the laity.

legua *f* league; *a la* ~ far away.

legumbre *f* vegetable.

leíble legible; **leída** *f* reading; **leído** *p.* well-read.

lejanía *f* distance, remoteness; **lejano** distant, remote; far(-off).

lejía *f* lye; *F* dressing-down.

lejos 1. far (off, away); ~ *de* far from (*a. fig.*; *de inf.* from *ger.*); *de* ~, *desde* ~ from afar, from a distance; 2. *m* distant view; *(vislumbre)* glimpse; *paint.* background.

lelo silly, stupid.

lema *m* (*mote*) motto, device; theme; *pol. etc.* slogan.

lencería *f* draper's (shop); *(géneros)* linen, drapery; lingerie *para mujer.*

lengua *f* tongue (*a. fig.*); *(idioma)* language; ♪ clapper; *mala* ~ gossip, evil tongue; ~ *de tierra* point, neck of land; ~ *materna* mother tongue; *de* ~ *en* ~ from mouth to mouth; **lenguado** *m ichth.* sole; **lenguaje** *m* (*en general*) language, (faculty of) speech; *(modo de hablar)* idiom; diction; **lenguaraz** *b.s.* foulmouthed; **lenguaz** garrulous; **lengüeta** *f* tab; ♪, ⊕ tongue (*a. de zapato*); pointer *de balanza; anat.* epiglottis; barb *de saeta etc.;* **lengüetada** *f* lick.

lente *mst m* lens; ~s *pl.* glasses; ~ *de aumento* magnifying glass; ~ *de contacto* contact lens.

lenteja *f* lentil.

lentejuela *f* spangle, sequin.

L
LL

lentillas *f/pl.* contact lenses.
lentitud *f* slowness; **lento** slow.
leña *f* firewood, sticks; F beating; **leñador** *m* woodcutter; **leño** *m* log; (*madera*) timber, wood; *fig.* blockhead; **leñoso** woody.
Leo *m* ast. Leo; **león** *m* lion (*a. ast. a. fig.*); *S.Am.* puma; ~ *marino* sealion; **leona** *f* lioness; **leonado** tawny; **leonera** *f* lion's cage *or* den; F gambling den.
leopardo *m* leopard.
leotardos *m/pl.* leotards.
lerdo dull, slow; clumsy *al moverse*.
les *acc.* them; (*Vds.*) you; *dat.* (to) them; (*a Vds.*) (to) you.
lesión *f* wound, injury (*a. fig.*); **lesionar** [1a] injure, hurt.
letal soporific; ⚕ deadly, lethal.
letanía *f* litany; *fig.* long list.
letargo *m* lethargy (*a. fig.*).
letra *f* mst letter; (*modo de escribir*) (hand)writing; ♪ words, lyric; † *a.* bill, draft; ~*s pl.* letters, learning; ~*s pl. univ.* Arts; *bellas* ~*s pl.* literature; *primeras* ~*s pl.* elementary education, *approx.* three Rs; † ~ *abierta* letter of credit; † ~ *de cambio* bill (of exchange), draft; ~ *cursiva* script; ~ *gótica* black letter; ~*s pl. humanas* humanities; ~ *de imprenta typ.* type; ~ *de mano* handwriting; ~*s pl. de molde* print, printed letters; ~ *muerta* dead letter; ~*s pl. sagradas* scripture; ~ *negrilla typ.* boldface; ~ *redonda*, ~ *redondilla typ.* roman.
letrado 1. learned; **2.** *m* lawyer.
letrero *m* sign, notice; (*cartel*) placard; (*marbete*) label; (*palabras*) words; ~ *luminoso* illuminated sign.
leucemia *f* leukemia.
leva *f* ⚓ weighing anchor; ✕ levy; ⊕ cam; *mar de* ~ swell.
levadura *f* yeast, leaven.
levantamiento *m* raising *etc.*; (*sublevación*) (up)rising, revolt; ~ *del cadáver* inquest; ~ *del censo* census taking; ~ *de pesos* weight lifting; ~ *de planos* surveying; **levantar** [1a] raise, lift (up); ✝ erect, build; (*recoger*) pick up; (*poner derecho*) straighten; *cerco, prohibición, tropa, voz* raise; *casa* (re)move; *caza* flush; *mesa* clear; *plano* draw (up); *sesión* adjourn; *testimonio* bear; *tienda* strike; *fig.* (*excitar*) rouse, stir up; (*animar*) hearten, uplift; ~*se* rise; get up *de cama*; (*ponerse de pie*) stand up; (*ponerse derecho*) straighten up;

(*sublevarse*) rise, rebel; (*sobresalir*) stand out; ~ *con* make off with.
levante *m* east; east wind.
levantisco restless, turbulent.
levar [1a]: ~ *anclas* weigh anchor; ~*se* set sail.
leve light; *fig.* slight, trivial.
levita[1] *f* frock-coat.
levita[2] *m* Levite.
léxico 1. lexical; **2.** *m* lexicon, dictionary; vocabulary; **lexicografía** *f* lexicography; **lexicógrafo** *m* lexicographer.
ley *f* law; *parl.* act, measure; (*regla*) rule; *fig.* loyalty, devotion; (*calidad*) (legal standard of) fineness; ~ *de Lynch* lynch law; ~ *marcial* martial law; ~ *del menor esfuerzo* line of least resistance; ~ *de la selva* law of the jungle; *a* ~ *de* on the word of; *de buena* ~ sterling, reliable; *de mala* ~ base, disreputable; *dar la* ~ set the tone; *tener* ~ *a* be devoted to.
leyenda *f* legend (*a. typ.*); inscription.
lezna *f* awl.
liar [1c] tie (up), wrap up; *cigarrillo* roll; F ~*las* beat it; (*morir*) kick the bucket; ~*se fig.* get involved (*con* with).
libar [1a] suck, sip; (*probar*) taste.
libelo *m* lampoon, libel (*contra* on).
libélula *f* dragonfly.
liberación *f* liberation, release; **liberado** ✝ paid up; **liberal 1.** liberal; generous; **2.** *m/f* liberal; **liberalidad** *f* liberality.
libertad *f* liberty, freedom; ~ *de cátedra* academic freedom; ~ *de comercio* free trade; ~ *de cultos* freedom of worship; ~ *de empresa* free enterprise; ~ *de enseñanza* academic freedom; ~ *de imprenta* freedom of the press; ~ *de los mares* freedom of the seas; ~ *de palabra* freedom of speech; ~ *de reunión* freedom of assembly; ~ *vigilada* probation; *plena* ~ free hand; **libertador** *m*, **-a** *f* liberator; **libertar** [1a] set free, release, liberate (*de* from); (*eximir*) exempt; **libertinaje** *m* licentiousness; **libertino 1.** licentious; **2.** *m* libertine.
libra *f* pound; ~ *esterlina* pound sterling; *ast.* ♎ Libra.
libraco *m* worthless book.
librador *m*, **-a** *f* ✝ drawer; **libramiento** *m* delivery, rescue; = **libranza** *f* ✝ draft, bill of exchange; *S.Am.* ~ *postal* money order; **librar**

[1a] save, free, deliver (de from); **제제** exempt (de from); *confianza* place; *sentencia* pass; *batalla* join; (*expedir*) issue; **✝** draw; **~se:** ~ *de* get out of, escape; (*deshacerse de*) get rid of; **libre** *mst* free (de from); (*atrevido*) free, outspoken; *b.s.* loose; *aire* open.
librea *f* livery.
librería *f* (*tienda*) bookshop; ~ bookselling, book-trade; (*biblioteca*) library; (*armario*) book case; ~ *de viejo* second-hand bookshop; **librero** *m* bookseller; bookshelf; **libresco** bookish; **libreta** *f* notebook; ~ *de cuenta* accountbook; **libreto** *m* libretto; **libro** *m* book; ~ *de actas* minute-book; ~ *de apuntes* notebook; ~ *de caja* cashbook; ~ *de cocina* cook book; ~ *de cheques* checkbook; ~ *de chistes* joke book; ~ *de lance* second-hand book; ~ *de mayor venta* best seller; ~ *de oro* guest book; ~ *de recuerdos* scrapbook; ~ *de teléfonos* telephone book; ~ *mayor* ledger; ~ *de texto* textbook; ~ *en rústica* paperbound book; ~ *talonario* checkbook; *hacer* ~ *nuevo* turn over a new leaf.
licencia *f mst* licence; permission; **✗** *etc.* leave; *univ.* degree; **✗** ~ *absoluta* discharge; ~ *de caza* hunting license; *de* ~ on leave; **licenciado**, **m**, *a f* licentiate; *approx.* bachelor; *S.Am.* lawyer; **licenciar** [1b] license, give a permit to; **✗** discharge; **~se** *univ.* graduate; **licenciatura** *f* degree; (*acto*) graduation; (*estudios*) degree course; **licencioso** licentious.
liceo *m* lyceum.
licitar [1a] bid for; *S.Am.* sell by auction; **lícito** lawful, legal; just; permissible.
licor *m* liquor, spirits; (*dulce*) liqueur; (*en general*) liquid; **~es** *pl.* espiritosos hard liquor.
lid *f* fight, contest.
líder *m* leader; leading; **liderar** *v/i.* lead; **liderato** *m* leadership; *deportes:* lead.
lidiar [1b] *v/t.* fight; *v/i.* fight (*con*, *contra* against).
liebre *f* hare; *fig.* coward.
lienzo *m* (*un* a piece of) linen; (*pañuelo*) handkerchief; *paint.* canvas.
liga *f* suspender, garter; (*faja*) band; *pol.*, *deportes:* league; *metall.* alloy; (*mezcla*) mixture; **♀** mistletoe; *orn.* bird-lime; **ligatura** *f* tie, bond; **♪**, **♯** ligature; **ligamento** *m* ligament; **ligar** [1h] tie, bind (*a. fig.*); *metall.*

alloy; (*unir*) join; **♯** ligature; **~se** band together.
ligereza *f* lightness *etc.*; (*dicho etc.*) indiscretion; **ligero** light; rapid, swift, agile; *té* weak; (*superficial*) slight; *carácter etc.* fickle; (*poco serio*) flippant; *v. casco*; *a la* ~*a* perfunctorily, quickly; without fuss.
lija *f ichth.* dogfish; (*a. papel de* ~) sandpaper; **lijar** [1a] sandpaper.
lila 1. *f* **♀** lilac; **2.** *m* **F** boob, ninny.
lima¹ *f* **♀** lime; *jugo de* ~ lime juice.
lima² *f* **⊕** file; *fig.* polish, finish; ~ *para las uñas* nail file; **limar** [1a] file; *fig.* polish; (*suavizar*) smooth.
limero *m* **♀** lime (tree).
limitación *f* limitation; **limitar** [1a] *v/t.* limit (*a inf.* to *ger.*); restrict; *v/i.* ~ *con* border on, be bounded by; **límite** *m* limit; *geog.* boundary, border.
limo *m* slime, mud.
limón *m* lemon; **limonada** *f* lemonade; **limonado** lemon(-colored); **limonero** *m* **♀** lemon (tree).
limosna *f* alms, charity; **limosnero 1.** charitable; **2.** *m* beggar.
limpia 1. *f* cleaning; **2.** *m* **F** bootblack; **~barros** *m* scraper; **~botas** *m* bootblack; **~chimeneas** *m* chimney sweep; **~dientes** *m* toothpick; **limpiadura** *f* cleaning; ~*s pl.* scourings, dirt; **limpiaparabrisas** *m* windshield wiper; **limpiar** [1b] clean; cleanse (*a. fig.*); wipe *con trapo*; **♀** prune; *zapatos* polish, shine; **F** clean out *en el juego*; *sl.* swipe; ~ *en seco* dry-clean; **límpido** limpid; **limpieza** *f* (*acto*) cleaning *etc.*; (*calidad*) cleanness, (*a. hábito*) cleanliness; (*moral*) purity; (*destreza*) skill; fair play *en juego*; integrity, honesty; ~ *de la casa* house cleaning; ~ *de sangre* purity of blood; ~ *en seco* dry cleaning; *hacer la* ~ clean; **limpio** neat, clean; (*ordenado*) neat, tidy; *juego* fair (*a. adv.*).
limusina *f* limousine.
linaje *m* lineage, parentage, family; *fig.* class, sort; ~*s pl.* (*local*) nobility.
linaza *f* linseed.
lince *m* lynx; *fig.* sharp-eyed (*or* shrewd) person.
linchar [1a] lynch.
lindante adjoining, bordering; **lindar** [1a] adjoin, border (*con* on); **linde** *m a. f* boundary; **lindero 1.** adjoining; **2.** *m* edge, border.
lindeza *f* prettiness *etc.*; (*dicho*) wit-

ticism; ~s *pl. iro.* insults; **lindo** pretty, fine (*a. iro.*); excellent, superb; F *de lo* ~ a lot, a good deal; wonderfully.

línea *f* line; figure *de p.*; (*contorno*) lines; (*linaje*) line; (*vía*) route; (*clase*) kind; ~s *pl.* lines; ✈ airline; ~ *de flotación* waterline; ~ *de mira* line of sight; ~ *de montaje* assembly line; ~ *de puntos* dotted line; ~ *de tiro* line of fire; ~ *férrea* railway; ~ *internacional de cambio de fecha* international date line; ✕ *de* ~ regular; *en* ~ in a row, in (a) line; *en su* ~ of its kind; *en toda la* ~ all along the line; *leer entre* ~s read between the lines; **lineal** linear; *dibujo* line *attr.*

linfa *f* lymph; **linfático** lymphatic.

lingote *m* ingot; *typ.* slug.

lingüística *f* linguistics; **lingüístico** linguistic.

lino *m* ♣ flax; (*tejido*) linen.

linóleo *m* linoleum.

linterna *f* lantern (*a.* ⚠), lamp; ⚡ spotlight; ~ *eléctrica* flashlight.

lío *m* bundle, parcel, package; ✎ truss; F mess, mix-up; F (*jaleo*) row, rumpus; F (*amorío*) affair; F *armar un* ~ make a fuss; F *meterse en un* ~ get into a jam; **liofilización** *f* freeze-drying; **liofilizar** [1f] *v/t.* freeze-dry.

liquidación *f* (*a. fig.*); settlement *de cuenta*; (*venta*) (clearance) sale; **liquidador** *m*, **-a** *f* liquidator; **liquidar** [1a] liquefy; ✝, *pol., fig.* liquidate; ✝ *negocio* wind up; ✝ *cuenta* settle; **líquido 1.** liquid (*a. gr.*); ✝ net; **2.** *m* liquid; fluid; ✝ net profit; ~ *imponible* net taxable income.

lira *f* lyre (*a. fig.*); **lírica** *f* lyrical poetry; **lírico** lyric(al); imaginary, utopian.

lirio *m* iris; lily; ~ *de agua* calla lily; ~ *de los valles* lily of the valley.

lirismo *m* lyricism; sentimentality; pipe dream.

lirón *m* dormouse; *dormir como un* ~ sleep like a log.

lisiado injured; (*tullido*) lame, crippled; **2.** *m*, **a** *f* cripple; **3.** *m*: ~ *de guerra* disabled veteran; **lisiar** [1b] cripple, maim.

liso smooth, even; *pelo* straight; *fig.* plain; *400 metros* ~s 400 meters flat.

lisonja *f* flattery; **lisonjear** [1a] flatter; (*agradar*) please, delight; **lisonjero 1.** flattering; pleasing; **2.** *m*, **a** *f* flatterer.

lista *f* list; catalogue; ✕ roll(call); (*tiro*) strip; slip *de papel*; stripe *de color*; ~ *de correos* general delivery; ~ (*de platos*) menu; ~ *de precios* price list; *pasar* ~ call the roll; **listado** striped.

listo ready (*para* for); (*avisado*) clever, smart, sharp.

listón *m* ribbon; ⚠ lath.

lisura *f* smoothness *etc.*; *fig.* naïvety.

literal literal; **literario** literary; **literata** *f* literary lady; *contp.* bluestocking; **literato** *m* man of letters; **literatura** *f* literature.

litigación *f* litigation; **litigante** *adj. a. su. m/f* litigant; **litigar** [1h] go to law; *fig.* dispute, argue; **litigio** *m* lawsuit, litigation; *fig.* dispute.

litoral *adj. a. su. m* seaboard, litoral.

litro *m* liter.

liturgia *f* liturgy.

liviandad *f* fickleness *etc.*; **liviano 1.** *fig.* fickle; frivolous; (*lascivo*) wanton; **2.** ~s *m/pl.* lights, lungs.

lívido livid, (black and) blue.

living ['liβin] *m* living-room.

lo 1. the, that which is *etc.*; ~ *bueno* the good, goodness; ~ ... *que* how; *no sabe* ~ *grande que es* he doesn't know how big it is; ~ *mío* what is mine; *no* ~ *hay* there isn't any; *a veces no se traduce*: ~ *sé* I know; *v. que*; **2.** *pron.* (*p.*) him; (*cosa*) it.

loable praiseworthy, commendable; **loar** [1a] praise.

lobanillo *m* growth, tumor.

lobo *m* wolf; ~ *de mar* sea dog, old salt; ~ *marino* seal; ~ *solitario fig.* lone wolf; *gritar ¡el* ~*!* cry wolf; F *pillar un* ~ get drunk.

lóbrego murky, gloomy; **lobreguez** *f* murk, gloom(iness).

lóbulo *m* lobe.

local 1. local; **2.** *m* premises, rooms; (*sitio*) site, scene; place; **localidad** *f* locality; *thea. etc.* seat; **localizar** [1f] locate; (*limitar*) localize.

loción *f* lotion; (*acto*) wash; ~ *facial* shaving lotion.

loco 1. mad; (*disparatado*) wild; ⊕ loose; ~ *por* mad about (*or* on); *volver* ~ drive *s.o.* mad; *volverse* ~ go mad; **2.** *m*, **a** *f* madman *etc.*, lunatic.

locomoción *f* locomotion; **locomotora** *f* locomotive, engine; ~ *de maniobras* shifting engine.

locuacidad *f* loquacity *etc.*; **locuaz**

loquacious, talkative, voluble; **locución** f expression; diction.

locuelo m, **a** f madcap; **locura** f madness, lunacy; ~s pl. folly.

locutor m, **-a** f radio: announcer, commentator; **locutoria** m eccl. parlor; teléfono phone booth.

lodazal m muddy place, quagmire; **lodo** m mud, mire; **lodoso** muddy.

logaritmo m logarithm.

lógica f logic; **lógico 1.** logical; es ~ (que) it stands to reason (that); **2.** m logician.

lograr [1a] get, obtain, attain, achieve; ~ inf. succeed in ger., manage to inf.; ~ que una p. haga get s.o. to do; **logrero** m moneylender, usurer; S.Am. sponger; **logro** m achievement etc.; † profit; b.s. usury; a ~ at usurious rates.

loma f hillock, low ridge.

lombriz f (earth)worm; ~ de tierra earthworm; ~ solitaria tape worm.

lomo m anat. back; (carne) loin; 𝄐 balk, ridge; shoulder de colina; spine de libro; ~s pl. ribs.

lona f canvas, sail cloth.

lonche m S.Am. lunch.

lonchería f S.Am. snack bar.

longaniza f pork sausage.

longevidad f longevity; **longevo** aged.

longitud f length; geog. longitude; ~ de onda wavelength; **longitudinal** longitudinal; **longitudinalmente** lengthwise.

lonja¹ f slice; rasher de tocino etc.

lonja² f † exchange, market; (tienda) grocer's (shop).

lontananza f paint. background; en ~ in the distance (or background).

loro m parrot.

los, las 1. artículo: the; **2.** pron. them; **3.** pron. relativo: ~ de those of; ~ de Juan John's; ~ de casa those at home; v. que.

losa f stone slab, flagstone; ~ (sepulcral) tombstone; (trampa) trap.

lote m portion, share; † lot; **lotería** f lottery.

loto m lotus.

loza f crockery; ~ fina china(ware).

lozanear [1a] 🌑 flourish; (p.) be full of life; **lozanía** f luxuriance; vigor, liveliness; (orgullo) pride; **lozano** 🌑 lush, luxuriant; p., animal vigorous; (orgulloso) proud.

lubri(fi)cación f lubrication; **lu-**

bri(fi)cante adj. a. su. m lubricant; **lubri(fi)car** [1g] lubricate.

lucera f skylight.

lucerna f chandelier.

lucero m bright star, esp. Venus; ~ del alba morning star.

lúcido lucid, clear.

lucido splendid, brilliant; elegant; gallant, generous; successful.

luciente bright, shining.

luciérnaga f glowworm.

lucimiento m brilliance; show; dash; (éxito) success.

lucio¹ m ichth. pike.

lucio² bright, shining.

lucir [3f] v/t. show off, display, sport; v/i. shine (a. fig.); (joyas etc.) glitter, sparkle; cut a dash con vestido etc.; ~se dress up; fig. shine.

lucrativo lucrative, profitable; **lucro** m profit.

luctuoso mornful, sad.

lucha f fight, struggle (por for); conflict; fig. dispute; deportes: ~ (libre) wrestling; ~ de clases class struggle; ~ de la cuerda tug of war; **luchador** m, **-a** f fighter; wrestler; **luchar** [1a] fight, struggle (por for; por inf. to inf.); deportes: wrestle.

luego immediately; (después) then, next; (dentro de poco) presently, later (on); ~ que as soon as; ¿y ~? what next?; desde ~ of course, naturally; hasta ~ see you later.

lugar m place, spot; position; (espacio) room; (pueblo) village; fig. reason (para for), cause; opportunity; retrete toilet, water closet; ~ de cita tryst; ~ común platitude, commonplace; ~ religioso place of burial; ~es pl. estrechos close quarters; en ~ de instead of; en primer ~ in the first place, firstly; for one thing; en su ~ in his place; fuera de ~ out of place; dar ~ a give rise to; dejar ~ a permit of; hacer ~ para make way (or room) for; tener ~ take place; **lugareño 1.** village attr.; **2.** m, **a** f village.

luge f trineo luge.

lúgubre mournful, dismal.

lujo m luxury; fig. profusion; de ~ de luxe, luxury attr.; **lujoso** luxurious; showy; **lujuria** f lust, lechery; **lujuriar** [1b] lust; **lujurioso** lustful, lewd.

lumbago m lumbago.

lumbre f fire; (luz, para cigarrillo, 🔺) light; brilliance; 🔺 skylight; ~s pl. tinderbox; **lumbrera** f luminary (a.

fig.); ⌂ skylight; ⊕ vent; **luminoso** luminous, bright; *idea* bright.

luna *f* moon; (*cristal*) plate glass; (*espejo*) mirror; (*lente*) lens; ~ *llena* full moon; *media* ~ half moon; ~ *de miel* honeymoon; ~ *nueva* new moon; **lunar 1.** lunar; **2.** *m* spot, mole; (*defecto*) flaw, blemish; ~ *postizo* beauty spot; **lunático** lunatic.

lunes *m* Monday.

luneta *f* lens; *thea.* stall; ~ *trasera mot.* rear window.

lunfardo *m S.Am.* thieves' slang.

lupa *f* magnifying glass.

lupanar *m* brothel.

lúpulo *m* ♀ hop; hops.

lustrabotas *m* shoeshine boy.

lustrar [1a] shine, polish; **lustre** *m* polish, shine, gloss; *esp. fig.* lustre; ~ *para metales* metal polish;

dar ~ *a* polish; **lustroso** glossy, bright.

luto *m* mourning; sorrow, grief.

luz *f* light (*a.* ⌂, *fig.*); *luces pl. fig.* enlightenment; intelligence; *luces pl. de carretera* bright lights; ~ *de costado,* ~ *de situación* side light; *luces pl. de cruce* dimmers; *luces pl. de estacionamiento* parking lights; *luces pl. de tráfico* traffic lights; *a la* ~ *de* in the light of; *a todas luces* anyway; everywhere; *entre dos luces* at twilight; F mellow; *dar a* ~ give birth (*v/t.* to); *fig.* publish; ~ *de balizaje* ♣ marker light; ~ *de magnesio phot.* flash bulb; ~ *de matrícula* license plate light; ~ *de parada* stop light; ~ *trasera* tail light; *mot. poner a media* ~ dim; *sacar a* ~ bring to light; *salir a* ~ come to light; (*libro*) appear.

Ll

llaga *f* ulcer, sore (*a. fig.*); (*herida*) wound; affliction; **llagar** [1h] wound, injure.

llama¹ *f* flame; *fig.* passion.

llama² *f zo.* llama.

llamada *f* call (*a.* ✕, *teleph.*); ring (*or* knock) at the door; (*ademán*) signal, gesture; *typ.* reference (mark); **llamado** so-called; **llamamiento** *m* call; **llamar** [1a] *v/t.* call (*a. fig. a. teleph.*); (*convocar*) call, summon; (*invocar*) call upon (*a inf.* to ~); (*atraer*) draw, attract; *v/i.* call; knock, ring *a puerta*; ~*se* be called; ¿*cómo te llamas?* what is your name?

llamarada *f* flare-up, blaze; flush *de cara*; *fig.* outburst, flash.

llamativo gaudy, flashy, showy.

llamear [1a] blaze, flare.

llana *f* ⌂ trowel; = **llanada** *f* plain, level ground; **llanero** *m*, **a** *f* plain-dweller; **llaneza** *f* plainness, simplicity; modesty; (*familiaridad*) informality; **llano 1.** level, smooth, even; (*sin adorno*) plain, simple; (*claro*) clear, plain; (*sin dificultad*) straightforward; *gr.* paroxytone; *a la* ~*a* simply; *de* ~ openly, clearly; **2.** *m* plain, level ground.

llanta *f* rim (of wheel); (*neumático*) tyre; ~ *de oruga* track.

llanto *m* weeping, crying.

llanura *f* flatness *etc.*; plain.

llave *f* key (*a. fig.*); (gas- *etc.*) tap; ⚡ switch; ⊕ spanner; ⊕ stop; ✕, *lucha:* lock; ~ *de caja,* ~ *cubo* socket wrench; ~ *de caño,* ~ *para tubos* pipe wrench; ~ *de cierre* stopcock; *mot.* ~ *de contacto* ignition key; ~ *de estufa* damper; ~ *de mandíbulas dentadas* alligator wrench; ~ *de paso* stopcock; passkey; ~ *inglesa* (monkey) wrench; ~ *maestra* skeleton key, master key; *bajo* ~, *debajo de* ~ under lock and key; *echar la* ~ (*a*) lock up; **llavero** *m* key ring; (*p.*) turnkey; **llavín** *m* latch key.

llegada *f* arrival, coming; **llegar** [1h] *v/t.* bring up, draw up; *v/i.* arrive (*a* at), come; (*alcanzar*) reach; (*suceder*) happen; (*bastar*) be enough; ~ *a* reach; (*importar*) amount to; (*igualar*) be equal to; ~ *a inf.* reach the point of *ger.*; (*lograr*) manage to *inf.*; ~ *a saber* find out; ~ *a ser* become; *hacer* ~ *el dinero* make both ends meet; ~*se* approach, come near.

llenar [1a] fill, stuff (de with); *espacio, tiempo* occupy, take up; *hoja* fill in (*or* up, out *Am.*); (*cumplir*) fulfil; (*satisfacer*) satisfy; (*colmar*) overwhelm (de with); ~ *de insultos* heap insults upon; ~*se* fill up; F stuff o.s.; *fig.* get cross; ~ *de polvo* get covered in dust; **lleno 1.** full (de of), filled (de with); *de* ~ fully, entirely; **2.** *m* fill,

plenty; *fig.* perfection; *thea.* full house.

llevadero bearable; **llevar** [1a] carry (*a.* ⚡); *p.*, *cosa* take (*a* to); *p.* lead (*a* to); *casa*, *cuentas* keep; *armas*, *frutos*, *nombre* bear; *ropa* wear; *tiempo* spend; *precio* charge; *dirección* follow, keep to; *vida* lead; *premio* carry off; (*cercenar*) take off; (*aguantar*) bear, stand; (*dirigir*) manage; ~ *p.p.* have (already) *p.p.*; **llevo escritas 3 cartas** I have written 3 letters; ~ *mucho tiempo ger.* have been *ger.* a long time; *¿cuánto tiempo llevas aquí?* how long have you been here?; *te llevo 3 años* I am 3 years older than you; ~ *adelante* push ahead with; ~ *consigo*, ~ *encima* carry, have with one; F ~*la hecha* have got it all worked out; ~ *las de perder* be in a bad way; ~ *lo mejor (peor)* get the best (worst) of

it; ~ *puesto* wear, have on; *no* ~*las todas consigo* have the wind up; ~*se algo* take away, carry off; ~ *bien con* get on with.

llorar [1a] *v/t.* weep for, cry over; lament; *muerte* mourn; *v/i.* cry, weep; **lloriquear** [1a] snivel, whimper; **lloriqueo** *m* whimper, whimpering; **llorón 1.** snivelling, whining; **2.** *m*, **-a** *f* cry-baby; **lloroso** tearful; sad.

llovedizo *techo* leaky; **llover** [2h] rain (*a. fig.*); *como llovido* unexpectedly; *llueva o no* rain or shine; *como quien oye* ~ quite unmoved; **llovizna** *f* drizzle; **lloviznar** [1a] drizzle; **lluvia** *f* rain; (*cantidad*) rainfall; (*agua*) rainwater; *fig.* shower; mass; hail *de balas*; ~ *radiactiva* fallout, radioactive fallout; **lluvioso** rainy.

M

macabro macabre.

macadán *m* macadam; **macadamizar** [1f] macadamize.

macana *f S.Am.* club; F (*disparate*) silly thing; F (*cuento*) fib, tale.

maceta *f* ⚘ flower-pot.

macilento wan, haggard.

macis *f* mace (*spice*).

macizo 1. massive; (*bien construido*) stout; *neumático*; *oro etc.* solid (*a. fig.*); **2.** *m geog.* mass(if); ✿ bed.

macro... macro...

mácula *f* stain, blemish; ~ *solar* sunspot.

machaca *m/f* (*p.*) pest, bore; **machacar** [1g] *v/t.* pound, crush, mash; F *precio* slash; *v/i.* go on, keep on; nag; **machacón 1.** tiresome; **2.** *m*, **-a** *f* pest, bore.

machado *m* hatchet.

machete *m* machete.

machihembrar [1a] ⊕ dovetail.

machismo *m* machismo; **macho 1.** *biol.*, ⊕ male; *fig.* strong, tough; **2.** *m* male; mule; *v. cabrío*; ⚲ pin; ⊕ pin, peg; (*martillo*) sledge(-hammer); *sew.* hook; F dolt; **machón** *m* buttress; **machote** *m sl.* he-man, tough guy.

machucar [1g] bruise.

machucho elderly; wise beyond one's years, prudent; sedate.

madeja *f* skein, hank *de lana*; mass.

madera *f* wood; (*trozo*) piece of wood; ~ (*de construcción*) timber; ~ *contrachapeada* plywood; ~ *de deriva* driftwood; *de* ~ wood(en); **maderaje** *m*, **maderamen** *m* woodwork, timbering; **madero** *m* beam; F blockhead.

madrastra *f* stepmother; **madre** *f* mother (*a. attr., eccl., fig.*); *anat.* womb; bed *de río*; (*residuo*) sediment, dregs; *fig.* cradle *de civilización etc.*; *juegos: la* ~ home; ~ *adoptiva* foster mother; ~ *de leche* wet nurse; ~ *patria* mother country, old country; ~ *política* mother-in-law; *sin* ~ motherless; *salirse de* ~ overflow; ~*selva* *f* honeysuckle.

madriguera *f* den (*a. fig.*).

madrileño *adj. a. su. m*, **a** *f* (native) of Madrid.

madrina *f* godmother; *fig.* patroness; ~ *de boda* bridesmaid.

madroño *m* strawberry tree.

madrugada *f* early morning; (*alba*) daybreak; *de* ~ early; *las 3 de la* ~ three o'clock in the morning; **madrugador 1.** that gets up early; **2.** *m*, **-a** *f* early riser, early bird; **madrugar** [1h] get up early; *fig.* get ahead.

madurar [1a] *v/t.* ripen; *fig.* mature; *p.* toughen (up), season; *proyecto etc.*

think out; *v/i.* ripen; *fig.* mature; **madurez** *f* ripeness; *fig.* maturity; **maduro** ripe; *fig.* mature; *de edad ya* ~*a* middle-aged.

maestra *f* teacher (*a. fig.*); ~ (*de escuela*) schoolteacher; **maestre** *m* hist. (grand) master; **maestría** *f* maestry; masterliness; **maestro 1.** masterly; main, principal; *llave, obra etc.* master *attr.*; **2.** *m* master (*a. fig.*); ~ (*de escuela*) schoolteacher; ♪ maestro; ~ *de capilla* choirmaster; ~ *de ceremonias* master of ceremonies; ~ *de equitación* riding master; ~ *de obras* (*dueño*) (master) builder; foreman.

mafia *f* (*a. fig.*) Mafia.

magia *f* magic; **mágico 1.** magic, magical; **2.** *m* magician.

magín *m* F fancy, imagination.

magisterio *m* (*arte*) teaching; teaching profession; (*ps.*) teachers; **magistrado** *m* magistrate; **magistral** magisterial; *fig.* masterly; authoritative.

magnético magnetic; **magnetismo** *m* magnetism; **magnetizar** [1f] magnetize; **magneto** *f* magneto; **magnetofón** *m* tape recorder; **magnetofónico** tape *attr.*, recording *attr.*; **magnetoscopio** *m* video recorder.

magnificencia *f* magnificence, splendour; **magnificar** [1g] *opt.* magnify; **magnífico** splendid, wonderful, superb, magnificent; *¡~!* splendid!; **magnitud** *f* magnitude (*a. ast.*); **magno** *lit.* great.

mago *m* magician; *los Reyes Magos* the Three Wise Men.

magra *f* slice; **magro** lean.

magulladura *f* bruise; **magullar** [1a] ✘ bruise; batter, bash, mangle.

maitines *m/pl.* matins.

maíz *m* corn; *comer* ~ *Cuba, P.R.* to accept bribes; **maizal** *m* cornfield.

majada *f* sheep fold; (*estiércol*) dung; **majadería** *f* silliness; **majadero 1.** silly; **2.** *m* idiot.

majar [1a] pound, grind, mash.

majestad *f* majesty; stateliness.

mal 1. *adj.* = *malo*; **2.** *adv.* badly; (*difícilmente*) hardly; (*equivocadamente*) wrong(ly); *de* ~ *en peor* from bad to worse; **3.** *m* evil, wrong; (*calamidad*) evil; (*daño*) harm, hurt, damage; (*desgracia*) misfortune; ✘ disease; illness; ~ *caduco* epilepsy; ~ *de la tierra* homesickness; ~ *de mar*

seasickness; ~ *de ojo* evil eye; ~ *de rayos* radiation sickness; ~ *de vuelo* airsickness; *hacer* ~ (*a*) harm, hurt; *parar en* ~ come to a bad end.

malabarista *m/f* juggler.

malandante unfortunate.

malaria *f* malaria.

malaventura *f* misfortune; **malaventurado** unfortunate.

malbaratar [1a] ✝ sell off cheap; *fig.* squander.

malcontento 1. discontented; **2.** *m*, **a** *f* malcontent.

malcriado ill-bred, coarse.

maldad *f* evil, wickedness.

maldecir [*approx.* 3p] *v/t.* curse; (*difamar*) = *v/i.:* ~ *de* run down, disparage; **maldiciente 1.** slanderous; **2.** *m* slanderer; **maldición** *f* curse; *¡~!* damn!; **maldito** damned (*a. eccl.*); (*malo*) wicked; *no saber* ~*a la cosa de* not to have the ghost of an idea of; *¡~ sea!* damn it!

maleante 1. wicked; **2.** *m/f* crook, hoodlum.

malecón *m* levee, dike, mole, jetty.

maledicencia *f* slander, scandal.

maleficio *m* curse, spell; **maléfico** evil, harmful.

malestar *m* ✘ discomfort; *fig.* uneasiness, malaise; *pol.* unrest.

maleta 1. *f* (suit)case; *mot.* trunk; *hacer la(s)* ~(s) pack; **2.** *m* F bungler; *thea.* ham; **maletín** *m* valise, satchel.

malevolencia *f* malevolence, spite, ill-will; **malévolo** malevolent.

maleza *f* weeds, underbrush.

malgastar [1a] squander; *tiempo* waste.

malhablado foul-mouthed.

malhadado ill-starred, ill-fated.

malhecho *m* misdeed; **malhechor** *m*, **-a** *f* evil-doer, malefactor.

malhumorado cross, bad-tempered, peevish.

malicia *f* (*maldad*) wickedness; (*astucia*) slyness; mischief *de niño etc.*; (*mala intención*) malice, maliciousness; **malicioso** wicked; sly; mischievous; malicious.

malignidad *f* malignancy *etc.*; **maligno** malignant (*a.* ✘), malicious; *influjo etc.* evil, pernicious.

malo 1. *mst* bad; *niño* naughty, mischievous; (*equivocado*) wrong; ✘ ill; ~ *de inf.* hard to *inf.*; *estar de* ~*as* be out of luck; *venir de* ~*as* have evil intentions; **2.** *m thea.* villain.

malogrado abortive, ill-fated; **malograr** [1a] waste; **se** fail; **malogro** *m* failure; (*muerte*) untimely end; waste *de tiempo etc.*

malparir [3a] have a miscarriage; **malparto** *m* miscarriage.

malquerencia *f* dislike; **malquistar** [1a] alienate; **se** become alienated; **malquisto** disliked.

malsano unhealthy; *mente* morbid; 🝴 sickly.

malsufrido impatient.

malta *f* malt.

maltratamiento *m* maltreatment; **maltratar** [1a] ill-treat, maltreat; **maltrato** *m* maltreatment *etc.*; **maltrecho** battered.

malva *f* ♀ mallow; ~ **loca**, ~ **rósea** hollyhock; (*de*) *color de* ~ mauve.

malvado wicked, villainous.

malvarrosa *f* hollyhock; **malvavisco** *m* ♀ marsh mallow.

malversación *f* embezzlement; graft; **malversador** *m* embezzler; **malversar** [1a] embezzle.

malla *f* mesh; network.

mamá *f*, **mamaíta** *f* F mummy, mum, mamma.

mamar [1a] suck; *fig.* learn as a child; (*a.* ~**se**) F *destino* wangle, land; *recursos* milk; *fondos* pocket; *susto* have; *dar de* ~ *a* feed; **se** F get tight; ~ *a uno* get the best of s.o.

mamífero 1. mammalian; **2.** *m* mammal.

mamón *m* ♀ sucker; *zo.* suckling; *Mex.* baby bottle.

mampara *f* screen.

mampostería *f* △ masonry.

maná *m* manna.

manada *f* ♂ flock, herd; pack *de lobos*; F crowd; **manadero** *m* shepherd.

manantial 1. flowing, running; **2.** *m* spring; *fig.* source; ~ *v/t.* flow with; *v/i.* flow; *fig.* abound.

manceba *f* mistress, concubine; mistress; **mancebía** *f* brothel; wild oats; **mancebo** *m* youth.

mancilla *f* stain, spot; dishonor.

manco one-handed, one-armed; (*en general*) crippled, lame.

mancomún: *de* ~ (con)jointly; **mancomunar** [1a] *recursos* pool; *intereses* combine; **se** merge, combine; ~ *en* associate in; **mancomunidad** *f* pool; association; *pol.* commonwealth.

mancha *f zo. etc.* spot, mark; spot,

---

fleck *en diseño*; (*suciedad*) spot, stain; smear; blot, smudge *de tinta*; *fig.* stain *en reputación*; (*defecto*) blemish; (*terreno*) patch; ~ *solar* sunspot; **manchado** spotty, smudgy *etc.*; *esp. animal* dappled, spotted; *esp. ave* pied; **manchar** [1a] spot, mark; (*ensuciar*) soil, stain; *fig.* stain, tarnish.

manda *f* bequest; **mandadero** *m*, **a** *f* messenger; (*m*) errand boy; **mandado** *m* order; commission, errand; *ir a los* ~**s** run errands; **mandamiento** *m* order; *eccl.* commandment; 🕂 writ, warrant; **mandar** [1a] **1.** *v/t.* order (*inf.* to *inf.*); (*gobernar*) rule (over); (*acaudillar*) lead, command; (*enviar*) send; ~ *a distancia* remote-control; **2.** *v/i.* be in command (*or* control); *b.s.* boss (people about); **3.** **se** △ communicate (*con* with); 🝴 get around (by o.s.); **mandarín** *m* mandarin; *contp.* jack-in-office; **mandarina** *f* tangerine; **mandatario** *adj. a. su. m* mandatory; **mandato** *m* order; *pol. etc.* mandate; *term de presidente*; 🕂 writ.

mandíbula *f* jaw, jawbone.

mando *m* command, rule, control; leadership; ⊕~**s** pol. controls; ⊕ *de* ~ control *attr.*; *alto* ~ high command; ~ *a distancia* remote control; ~ *a punta de dedo* finger-tip control; ~ *por botón* push-button control.

mandón bossy, domineering.

manear [1a] hobble.

manecilla *f* ⊕ pointer, hand.

manejable manageable; *herramienta etc.* handy; **manejar** [1a] manage, handle (*a. fig.*); *máquina a.* work, run, operate; *S.Am. coche* drive; **se** 🝴 get around; **manejo** *m* management, handling *etc.*; *b.s.* intrigue; stratagem.

manera *f* way, manner; ~**s** *pl.* manners *de p.*; *a la* ~ *de* in (*or* after) the manner of; *de esta* ~ (in) this way, like this; *de otra* ~ otherwise; *de* ~ *que* so that; *de todas* ~**s** at any rate.

manga *f* sleeve; ~ (*de riego*) hose, hose-pipe; ✈ wind-sock; ⚓ beam; ~ (*de agua*) cloudburst, ⚓ waterspout; *bridge:* game; ~ *de viento* whirlwind; F *de* ~ in league; *de* ~ *ancha* indulgent; *b.s.* not overscrupulous; *sl. pegar las* ~**s** kick the bucket.

manganeso *m* manganese.

mango[1] *m* ♀ mango.

mango² *m* handle; **mangonear** [1a]: F ~ en meddle in; dabble in.

manguera *f* hose; waterspout; corral; *tubo de ventilación* funnel.

manguito *m* muff; ⊕ sleeve; ~ *incandescente* gas mantle.

manía *f* mania; *fig.* mania, rage, craze (de for); (*capricho*) whim; (*rareza*) fad, peculiarity; ~ *persecutoria* persecution mania; **maníaco 1.** maniac(al); **2.** *m*, **a** *f* maniac.

maniatar [1a] tie *s.o.'s* hands.

maniático 1. maniacal; *fig.* crazy; (*testarudo*) stubborn; (*raro*) eccentric; **2.** *m*, **a** *f* maniac; *fig.* eccentric; **manicomio** *m* mental hospital.

manicura *f* manicure; **manicuro** *m*, **a** *f* (*p.*) manicurist.

manifestación *f* manifestation; show; declaration; *pol.* demonstration; **manifestante** *m/f* demonstrator; **manifestar** [1k] show; (*por palabra*) declare, express, state; ~*se* show, be manifest; *pol.* demonstrate; ~ en be evident in; **manifiesto 1.** clear, evident; *verdad* manifest; *error etc.* glaring; obvious; *poner de* ~ make clear; **2.** *m* ⚓ manifest; *pol.* manifesto.

manilla *f* bracelet; (*grillete*) handcuff, manacle; hand *de reloj*; ~*s de hierro* handcuffs; **manillar** *m* handlebar.

maniobra *f* maneuver (*a. fig.*); *fig.* move; *b.s.* stratagem; ~*s pl.* ✗ maneuvers; ⛟ shunting; **maniobrar** [1a] maneuver.

manipulación *f* manipulation; **manipulador** *m*, **-a** *f* manipulator; **manipular** [1a] manipulate; *fig.* handle, manage.

maniquí 1. *m* dummy, manikin; *fig.* puppet; **2.** *f* mannequin.

manivela *f* crank.

manjar *m* dish; tidbit, delicacy.

mano *f* hand; *zo.* foot; coat *de pintura*; *naipes:* ser ~ lead; *yo soy* ~ it's my lead; *a de almirez* pestle; ~*s pl.* muertas mortmain; ~ *de obra* labor; man power; ~ *de papel* quire; *¡~s quietas!* hands off!; *a* ~ by hand; *escribir* in longhand; *a* (*la*) ~ at hand; on hand, handy; *a* ~*s de* dirigir care of; *¡arriba las* ~*s!* hands up!; *bajo* ~ in secret, behind the scenes; *de la* ~ *llevar* by the hand; *de primera* ~ at first hand; *de segunda* ~ second-hand; *de* ~*s a boca* suddenly, unexpectedly; *de* ~*s* at the hands of; *recibir* from;

entre ~*s* in hand, on hand; *¡fuera las* ~*s!* hands off!; *echar una* ~ lend a hand; *naipes etc.:* play a game (de of); *estrechar la* ~ *a* shake *s.o.'s* hand; *hecho a* ~ hand-made; *untar la* ~ *a* grease *s.o.'s* palm; *venir a las* ~*s* come to blows; *vivir de la* ~ *a la boca* live from hand to mouth.

manojo *m* handful, bunch.

manómetro *m* gauge.

manoseado *fig.* hackneyed; **manosear** [1a] handle, finger; (*ajar*) rumple; *b.s.* paw, fiddle with.

manotada *f*, **manotazo** *m* slap, smack; **manotear** [1a] *v/t.* slap, smack; *v/i.* gesticulate, use one's hands; **manoteo** *m* gesticulation.

mansalva: *a* ~ without risk.

mansedumbre *f* mildness *etc.*; **manso** mild, gentle; *animal* tame.

manta *f* blanket; ~ (*de viaje*) rug; F hiding; ~ *de coche* lap robe; F *tirar de la* ~ let the cat out of the bag; **mantear** [1a] toss in a blanket.

manteca *f* fat; *esp.* ~ (*de cerdo*) lard; ~ (*de vaca*) butter; **mantecado** *m approx.* ice cream.

mantel *m* tablecloth; **mantelería** *f* table-linen; **mantelillo** *m* tablerunner.

mantener [2l] keep *en equilibrio etc.*; △ *etc.* hold up, support; (*alimentar*) sustain; ⊕ maintain, service; *opinión* maintain; *costumbre, relaciones etc.* keep up; ~*se* sustain o.s., subsist (de on); *fig.* stand firm; ~ (*en vigor*) stand; **mantenimiento** *m* sustenance; maintenance *etc.*

mantequera *f* churn; butter-dish *de mesa*; **mantequería** *f* dairy, creamery; **mantequilla** *f* butter.

mantilla *f* mantilla; ~*s pl.* swaddling clothes.

manto *m* cloak (*a. fig.*); *eccl.* robe, gown; ~ (*de chimenea*) mantel; **mantón** *m* shawl.

manuable handy; **manual 1.** manual, hand *attr.*; (*manuable*) handy; **2.** *m* manual, handbook; **manubrio 1.** *m* handle, crank; winch.

manufactura *f* manufacture; (*edificio*) factory; **manufacturar** [1a] manufacture; **manufacturero 1.** manufacturing; **2.** *m* manufacturer.

manuscrito 1. hand-written, manuscript; **2.** *m* manuscript.

manutención *f* maintenance (*a.* ⊕).

manzana *f* apple; △ block; ~ *sil-*

vestre crab, crab apple; **manzano** *m* apple (tree).

maña *f* (*en general*) skill, ingenuity; *b.s.* guile, craft; (*una* ~) trick, knack; *b.s.* evil habit.

mañana 1. *f* morning; *de* ~, *por la* ~ in the morning; *muy de* ~ early in the morning; **2.** *m*: *el* ~ the morrow, the future; **3.** *adv.* tomorrow; ~ *por la* ~ tomorrow morning; *¡hasta* ~! see you tomorrow!; *pasado* ~ the day after tomorrow.

mañoso skilful, clever; *b.s.* wily.

mapa *m* map.

mapache *m* rac(c)oon.

maque *m* lacquer; **maquear** [1a] lacquer.

maqueta *f* model.

maquillador *m* *thea.* make-up man; **maquillaje** *m* make-up; **maquillar(se)** [1a] make up.

máquina *f* machine (*a. fig.*); ⊕ engine, locomotive; ~ (*fotográfica*) camera; F bicycle; *mot.* F car; ⚔ palace, building; *fig.* scheme (of things), machinery; (*proyecto*) scheme; ~ *de afeitar* (safety) razor; ⚡ electric razor; ~ *de coser* sewing machine; ~ *de escribir* typewriter; ~ *herramienta* machine tool; ~ *de sumar* adding machine; ~ *sacaperras* slot machine; ~ *de vapor* steam engine; *a toda* ~ at full speed; *acabar* (or *coser etc.*) *a* ~ machine; *escribir a* ~ type; *hecho a* ~ machine-made; *typ.* typed; **maquinación** *f* machination, plot; **maquinador** *m*, **-a** *f* schemer; **maquinal** mechanical (*a. fig.*); **maquinar** [1a] plot; **maquinaria** *f* machinery; plant; **maquinista** *m* ⊕ operator, machinist; ⚔ *etc.* engineer; ⊕ engine driver, engineer.

mar *m a. f* sea; ~ *de fondo* (ground-)swell; F *la* ~ *adv.* a lot; F *la* ~ *de* lots of, no end of; *al* ~ *caer etc.* overboard; *a* ~*es* copiously; *en alta* ~ on the high seas; *por* ~ by sea; *hacerse a la* ~ put to sea; ~ *alta* rough sea; ~ *ancha* high seas; ~ *bonanza* calm sea; ~ *de nubes* cloud bank; ~ *llena* high tide.

maraña *f* ⚘ thicket; (*enredo*) tangle; *fig.* puzzle, trick.

maravilla *f* marvel, wonder; ⚘ marigold; *a* ~, *a las mil* ~*s* wonderfully, extremely well; **maravillar** [1a] surprise, amaze; ~*se* wonder, marvel (*de* at); **maravilloso** marvellous, wonderful.

marbete *m* label; tag, docket.

marca *f* mark(ing); stamp; (*fabricación*) make, brand; ⚓ landmark; ♪ beat; *naipes*: bid; *deportes*: record; *hist.* march(es); ~ *de agua* watermark; ~ *de fábrica*, ~ *registrada* (registered) trademark; ~ *de reconocimiento* ⚓ landmark, seamark; ~ *de taquilla* box-office record; *de* ~ outstanding; *de* ~ *mayor* most outstanding; **marcado** marked, pronounced; *acento* strong, broad; **marcador** *m* marker (*a. billar*); *deportes*: (*p.*) scorer; (*tanteador*) scoreboard; **marcapasos** ⚔ pacemaker; **marcar** [1g] **1.** *v/t.* (*poner señal a*) mark; stamp, brand; *terreno etc.* mark out; (*señalar*) point out; (*reloj etc.*) show; (*termómetro etc.*) read, say; (*aplicar*) designate; ♪ *compás* keep, beat; *paso* mark; *deportes*: score; *teleph.* dial; **2.** *v/i. deportes*: score; *teleph.* dial.

marcial martial; *porte* military.

marco *m* *paint.*, ⚔ *etc.* frame; *fig.* setting; ✝ mark; standard *de pesos etc.*; ~ *de chimenea* chimney piece; *poner* ~ *a paint.* frame.

marcha *f* ⚔, ♪ *a. fig.* march; ⊕ running, functioning; ⊕ (~ *atrás etc.*) gear; *fig.* progress; (*tendencia*) trend, course; (*velocidad*) speed; ⊕ *primera* ~ low gear; ~ *atrás* reverse (gear); *dar* ~ *atrás a*, *poner en* ~ *atrás coche etc.* reverse; ~ *forzada* forced march; ~ *nupcial* wedding march; *a toda* ~ (at) full blast; *en* ~ in motion, going; ⚔ *etc.* under way; *¡en* ~! ⚔ forward march!; *let's go!; fig.* here goes!; (*a otro*) get going!; *sobre la* ~ immediately; (*entrar*) ⚔ bring up the rear; *poner en* ~ start; *fig.* set going; *ponerse en* ~ start.

M

marchar [1a] (*caminar*) go; ⚔ march; ⊕ go, run, work; *fig.* go, come along; ~*se* go (away), leave.

marchitar(se) [1a] wilt, wither; **marchito** withered; faded (*a. fig.*).

marea *f* tide; (*viento*) sea breeze; ~ *alta* high tide, high water; ~ *baja* low tide; ~ *creciente*, ~ *entrante* flood tide; ~ *menguante* ebb tide; ~ *muerta* neap tide; ~ *viva* spring tide; **mareado** ⚔ sick; ⚔ seasick; *fig.* dizzy; **marear** [1a] sail, navigate; *fig.* make *s.o.* cross; ~*se* to get seasick; **marejada** *f* swell, surge; *fig.* undercurrent; **mareo** *m* seasickness; **mareta** *f* surge (*a. fig.*).

marfil *m* ivory.

margarina f margarine.
margarita f ♀ daisy; zo. pearl; ~ (impresora) ⊕ ordenador daisy wheel.
margen 1. mst m border, edge; typ., † etc. margin; ~ de error margin of error; ~ de seguridad margin of safety; al ~ in the margin; dar ~ para give occasion for; F dejar al ~ leave out in the cold; **2.** f bank de río etc.; **marginal** marginal.
marica 1. f orn. magpie; **2.** m F milksop; sissy; **maricón** m F sissy, pansy.
maridaje m fig. marriage; **marido** m husband.
mariguana f marijuana.
marimacho m F mannish woman.
marina f (arte) seamanship; (buques) shipping; ~ (de guerra) navy; paint. sea-piece; ~ mercante merchant navy; **marinero 1.** seaworthy; **2.** m seaman, sailor; ~ de primera able seaman; **marino 1.** sea attr.; marine ▯; **2.** m seaman, sailor.
marioneta f marionette; régimen ~ puppet régime.
mariposa f butterfly; ~ (nocturna) moth; (luz) nightlight; **mariposear** [1a] flutter about; fig. act capriciously; (amor) flirt.
mariscal m blacksmith; ~ de campo fieldmarshal.
marisco m shellfish; ~s pl. seafood.
marítimo maritime; marine, sea attr.; ciudad etc. seaside attr.
marjal m moor; marsh, fen.
mármol m marble; **marmóreo** marble (a. fig.).
marmota f marmot; worsted cap; sleepyhead; ~ de Alemania hamster; ~ de América ground hog.
maroma f rope.
marqués m marquis; **marquesa** f marchioness.
marquesina f marquee; canopy.
marrana f sow; F slut; **marrano 1.** dirty; **2.** m pig; F dirty pig.
marrón maroon.
marrullero smooth, glib, plausible.
marsopa f porpoise.
martes m Tuesday; ~ de carnaval Shrove Tuesday, Mardi Gras.
martillar [1a] hammer; **martillear** [1a] ⊕ knock; **martillo** m hammer; gavel de presidente; (subastas) auction room; ~ picador pneumatic drill.
martín m pescador kingfisher.

martinete m ⚒ pile-driver; ⊕ drop hammer; ♪ hammer.
mártir m/f martyr; **martirio** m martyrdom; **martirizar** [1f] torture.
marxismo m Marxism.
marzo m March.
más 1. comp. more; sup. most; (y) plus, and; (más tiempo) longer; (más rápidamente) faster; ~ quiero inf. I would rather inf.; ~ bien rather; ~ de, ~ de lo que, ~ que more than; (poco) ~ o menos more or less; ~ in addition (de to), besides (de acc.); a lo ~ at (the) most; cuando ~ at (the) most, at the outside; de ~ (adicional) extra; (superfluo) too much, too many; v. estar; nada ~ nothing else; that's all; ni ~ ni menos just; no ~ no more; haber llegado etc. just; no ... ~ no longer, not any more; no ~ que only; just; ¿qué ~? what else?; what next?; **2.** m ♈ plus (sign).
mas lit. but.
masa[1] f (pasta) dough.
masa[2] f mass (a. phys., fig.); fig. bulk, volume; las ~s pl. the masses; ~ coral choir; en ~ masse.
masacrar [1a] massacre.
masaje m massage; dar ~ a massage; **masajista 1.** m masseur; **2.** f masseuse.
mascar [1g] chew; F mumble.
máscara f mask (a. fig.); ~ antigás gas mask; ~s pl. = **mascarada** f masque(rade); **mascarilla** f mask (vaciado) death mask; **mascarón** m: ~ de proa figure head.
mascota f mascot.
masculinidad f masculinity, manliness; **masculino 1.** biol. male; gr. masculine; fig. masculine, manly; **2.** m gr. masculine.
mascullar [1a] F mumble, mutter.
masón m (free)mason; **masonería** f (free)masonry; **masónico** masonic.
masoquismo m masochism.
masticar [1g] masticate, chew.
mástil m pole, post; ⚓ mast.
mastín m mastiff; ~ danés Great Dane.
mastoides adj. a. su. f mastoid.
mata f ♀ shrub; (pie de planta) clump, root; (hoja) blade, sprig; mop de pelo; ~s pl. ♀ scrub.
matadero m slaughterhouse; F drudgery; **matador 1.** killing; **2.** m, ~a f killer; toros: matador; **matafuego** m fire extinguisher; **matanza** f slaughter; esp. ☝ pigkilling; fig.

　　　　　　　　　　　　　　mecanógrafo

massacre; **matar** [1a] kill (*a. fig.*); *fuego* put out; *hambre* stay; *polvo* lay; *color* tone down; ~**se** kill o.s.; get killed *en accidente*; *fig.* wear o.s. out; **matarife** *m* butcher; **matasanos** *m* quack doctor.

matasellar [1a] cancel, postmark; **matasello(s)** *m* postmark.

mate¹ dull, matt.

mate² *m* (check)mate; *dar* ~ *a* (check)mate.

mate³ *m S.Am.* ♀ maté.

matemáticas *f/pl.* mathematics; **matemático 1.** mathematical; **2.** *m* mathematician.

materia *f* matter (*a. phys.,* ✳); (*componentes*) material, stuff; (*asunto*) subject (matter); *escuela*: subject; ~ *prima* raw material; *en* ~ *de* as regards; **material 1.** material; **2.** *m* material; ⊕ equipment, plant; *typ.* copy; **materialismo** *m* materialism; **materialista 1.** materialistic; **2.** *m/f* materialist; **materializar(se)** [1f] materialize.

maternal motherly; maternal; **maternidad** *f* motherhood, maternity; (*a. casa de* ~) maternity hospital; **materno** maternal; *lengua etc.* mother *attr.*; *abuelo* ~ grandfather on the mother's side.

matinal morning *attr.*

matiz *m* shade (*a. fig.*); hue, tint; **matizar** [1f] (*casar*) blend, match; (*colorar*) tinge, tint (*de* with); *matizado de fig.* adorned with.

matorral *m* thicket; brushwood.

matraca *f* rattle; F terrible bore, nuisance; **matraquear** [1a] rattle; *fig.* jeer at.

matrero 1. cunning; *S.Am.* suspicious; **2.** *m S.Am.* bandit.

matrícula *f* list, register (*a.* ♱), roll; *univ. etc.* (*acto*) registration; (*permiso*) license; *mot.* registration number; **matriculación** *f* registration *etc.*; **matricular(se)** [1a] register, enroll.

matrimonial matrimonial; *vida* married; **matrimonio** *m* (*en general*) marriage, matrimony; (*acto*) marriage; (*ps.*) (married) couple; *contraer* ~ (*con*) marry.

matriz *f anat.* womb; stub *de talonario*; ⊕ mould, die; ⊕ (*tuerca*) nut; *typ.,* ♣ matrix.

matrona *f* matron.

matutino morning *attr.*

maula 1. *f* junk, trash; dirty trick; **2.**

m/f cheat; (*pesado*) bore; **maulero** *m*, **a** *f* cheat.

maullar [1a] mew, miaow; **maullido** *m* mew, miaow.

mausoleo *m* mausoleum.

máxima *f* maxim; **máxime** especially; **máximo 1.** maximum; top; *grado etc.* highest; *esfuerzo etc.* greatest (possible); **2.** *m* = **máximum** *m* maximum.

maya *f* ♀ daisy; (*p.*) May Queen.

mayo *m* May; (*árbol*) maypole.

mayonesa *f* mayonnaise.

mayor 1. *adj. calle, alle, misa* high; *parte etc.* main, major (*a.* ♪); *p.* grown-up, of age; (*de edad avanzada*) elderly; **2.** *adj. comp.* bigger, larger, greater (*que* than); *edad*: older (*que* than), elder; senior (*que* to); *v. edad*; **3.** *adj. sup.* biggest; eldest *etc.*; **4.:** *al por* ~ wholesale; **5.** *m* chief, head; ✕ major; ~**es** *pl.* ancestors; *fig.* elders.

mayoral *m* ⊕ foreman, overseer; ✓ head shepherd; † coachman.

mayorazgo *m* primogeniture; (*p.*) eldest son.

mayordomo *m* steward, butler.

mayoría *f* majority; larger part; *la* ~ *de* most; *en su* ~ in the main; **mayorista** *m* wholesaler; **mayormente** chiefly, mainly.

mayúscula *f* capital letter; **mayúsculo** *letra* capital.

maza *f* mace; *deportes*: bat; ~ *de gimnasia* Indian club.

mazacote *m* △ concrete; 🜍 soda; F dry doughy food; F (*p.*) bore.

mazmorra *f* dungeon.

mazo *m* mallet; (*manojo*) bunch.

mazorca *f* ♀ spike, clump; ear, cob *de maíz*; *sew.* spindle.

me (*acc.*) me; (*dat.*) (to) me; (*reflexivo*) (to) myself.

meandro *m* meander.

mear [1a] F *v/t.* piss on; *v/i.* piss.

mecánica *f* mechanics; (*aparato*) mechanism, works; **mecánico 1.** mechanical; machine *attr.*; *oficio* manual; **2.** *m* mechanic; engineer; machinist; ~*dentista m* dental technician; **mecanismo** *m* mechanism; works; action, movement *de pieza*; *esp. fig.* machinery, structure; **mecanizar** [1f] mechanize; **mecanografía** *f* typing; ~ *al tacto* touchtyping; **mecanografiado** *adj. a. su.* *m* typescript; **mecanografiar** [1c] type; **mecanógrafo** *m*, **a** *f* typist.

mecedora f rocking-chair.

mecenas m patron; **mecenazgo** m patronage.

mecer(se) [2b] cuna etc. rock; rama etc. sway; (columpiar) swing.

mecha f wick; ✗ etc. fuse; = mechón; ~ tardía time-fuse; **mechar** [1a] lard; **mechera** f F shoplifter; **mechero** m burner de lámpara; (cada fuego) jet; (cigarette) lighter; shoplifter; ~ encendedor pilot light; ~ de gas gas burner, gas jet; **mechón** m lock (of hair).

medalla f medal; = **medallón** m medallion; locket con pelo etc.; typ. inset.

médano m, **medaño** m sand dune; sandbank.

media f stocking; 🜨 mean; hacer ~ knit; **mediación** f mediation; (medio) instrumentality; **mediado** half-full; a ~s de in the middle of; **mediador** m, **-a** f mediator; **medial** medial; **medianero 1.** pared etc. dividing; 2. m mediator; (mensajero) go-between; **medianía** f (punto medio) half-way (point); (promedio) average; (calidad) mediocrity; 🜨 modest means (or circumstances); **mediano** punto middle; 🜨 etc. median; calidad middling, medium, average; b.s. mediocre, indifferent; **medianoche** f midnight; **mediante** prp. by means of, through; **mediar** [1b] be in the middle; fig. mediate.

médica f woman doctor; **medicamento** m medicine, drug; **medicastro** m quack; **medicina** f medicine; **medicinal** medicinal; **medicinar** [1a] treat, prescribe.

medición f measuring, measurement; surv. survey(ing).

médico 1. medical; 2. m doctor; ~ de cabecera family doctor; ~ dentista dental surgeon; ~ residente house physician.

medida f 🜨 measure(ment); (acto) measuring; (regla, vasija) measure; fitting, size de zapato etc.; fig. measure, step; fig. moderation; a ~ de in proportion to, according to.

medieval medieval.

medio 1. adj. punto mid(way), middle; 🜨 mean; (corriente) average; (mitad) half (a); ~ pan half a loaf; a ~a tarde in the middle of the afternoon; las 2 y ~a half-past 2; ir a ~as go halves (con with); 2. adv. half; ~ dormido half asleep; 3. m (punto)

middle; (mitad) half; (ambiente) milieu, environment; medium de comunicación etc.; (método) means, way; (medida) measure; deportes: halfback; ~ centro centre half; ~s pl. 🜨 means; ~ ambiente environment; ~s de comunicación mass media; justo ~ happy medium, golden mean; de en ~ middle; de por ~, en ~ in between; en ~ de in the middle (or midst) of; por ~ de by means of, through.

mediocre middling, average; b.s. mediocre; **mediocridad** f mediocrity; 🜨 modest circumstances.

mediodía m midday, noon; geog. south.

medir [3l] measure; poet. scan; ~se act with moderation.

meditabundo pensive, thoughtful; **meditación** f meditation etc.; **meditar** [1a] v/t. meditate, plan; v/i. ponder, meditate; muse.

mediterráneo Mediterranean.

medra f increase; improvement; 🜨 prosperity; **medrar** [1a] (crecer) grow; (mejorar) improve.

medroso timid; dreadful.

médula f, **medula** f anat. marrow; 🜨 pith; ~ espinal spinal cord.

medusa f jellyfish.

megáfono m megaphone.

megatón m megaton.

mejicano adj. a. su. m, **a** f Mexican.

mejilla f cheek.

mejor 1. adj. comp. better; sup. best; postor highest; lo ~ the best thing (or part etc.); 2. adv. comp. better; sup. best; ~ que rather than; **mejora** f improvement; **mejoramiento** m improvement.

mejorar [1a] v/t. improve; postura raise; v/i., ~se improve (a. meteor.); 🜨 recover; 🜨 etc. prosper; **mejoría** f improvement, recovery.

melado m syrup.

melancolía f gloom(iness), melancholy; 🜨 melancholia; **melancólico** gloomy, sad, melancholy.

melaza f (a. ~s pl.) molasses.

melena f long hair; pony-tail; zo. mane; **melenudo** longhaired.

melifluo fig. mellifluous, sweet.

melindre m fig. affectation; b.s. affectation; squeamishness; (moral) prudery; **melindrear** [1a] F be affected, be finicky; **melindroso** affected; squeamish.

melocotón m peach; **melocotonero** m peach (tree).

melodía f melody, tune; **melodioso** melodious.

melodrama m melodrama; **melodramático** melodramatic.

melón m melon; F nut; (*p.*) idiot.

meloso honeyed, sweet; *fig.* gentle.

mella f notch, nick, dent; (*hueco*) gap; *hacer* ~ (*reprensión etc.*) sink in, strike home; (*dañar*) do damage (*en* to); (*dañar*) damage; **mellar** [1a] notch, nick, dent; *fig.* damage.

mellizo adj. a. su. m, a f twin.

membrana f membrane.

membrete m note, memo; (*inscripción*) letterhead, heading.

membrillo m ♀ quince.

membrudo burly, brawny.

memorable memorable; **memorándum** m memorandum; (*librito*) notebook; **memoria** f memory; (*relación*) report, statement; (*nota*) memorandum; (*solicitud*) petition; (*ponencia*) paper; ~*s pl.* memoirs; ~ *anual* annual report; *de* ~ *aprender* by heart; **memorial** m petition; ♟ brief.

mención f mention; **mencionar** [1a] mention; *sin* ~ let alone.

mendicidad f begging; (*condición*) beggarliness; **mendigar** [1h] beg; **mendigo** m, a f beggar.

mendrugo m crust (of bread).

menear [1a] move; *cabeza etc.* shake, toss; *cola* wag; *caderas* swing, waggle; *cálamo* wield; *negocio* handle; F *peor es meneallo* leave well alone; ~*se* F get a move on; **meneo** m shaking *etc.*; F hiding.

menester 1.: *ser* ~ be necessary; 2. ~*es* m/pl. duties, jobs; F gear, tackle; **menesteroso** needy.

mengua f decrease, dwindling; decline; poverty; *en* ~ *de* to the discredit of; **menguado** (*cobarde*) cowardly; (*tonto*) silly; (*tacaño*) mean; **menguante** 1. dwindling *etc.*; 2. f ♄ ebb tide; waning *de luna*; *fig.* decline; **menguar** [1i] decrease, dwindle; (*marea etc.*) go down; (*luna*) wane.

meningitis f meningitis.

menor 1. *adj.* órdenes, ♪ *etc.* minor; 2. *adj. comp.* smaller, lesser; *edad* younger (*que* than), junior (*que* to); *v. edad*; 3. *adj. sup.* smallest; least; youngest *etc.*; 4.: *al por* ~ retail; 5. m/f minor, young person.

menos 1. *prp.* except; ▲ less, minus; *5* ~ *3 son 2 3* from 5 leaves 2; *las 2* ~

cuarto a quarter to 2; 2. *adv. comp.* less; *sup.* least; ~ *de*, ~ *de lo que* ~ *que* less than; *lo de* ~ the least of it; *5 de* ~ *5* short; *una libra de* ~ a pound less; *al* ~, (*a*) *lo* ~, *por lo* ~ at least; 3. *cj.*: *a* ~ *que* unless; 4. *adj. signo* minus; 5. m minus.

menos...: ~*cabar* [1a] lessen, reduce; (*dañar*) damage, impair; (*deslucir*) discredit; ~**cabo** m lessening; damage, loss; *en* ~ *de* to the detriment of; ~**preciar** [1b] (*desdeñar*) scorn, despise; (*insultar*) slight; (*subestimar*) underrate.

mensaje m message; **mensajero** m, a f messenger.

menstruación f, **menstruo** m menstruation.

mensual monthly; *100 ptas* ~*es* 100 ptas a month; **mensualidad** f monthly payment (*or* salary *etc.*); **mensualmente** monthly.

mensurable measurable; **mensuración** f mensuration.

menta f ♀ mint.

mental mental; *trabajo etc.* intellectual; **mentalidad** f mentality; **mentar** [1k] mention, name; **mente** f mind.

mentecato 1. silly, stupid; 2. m, a f idiot.

mentir [3i] lie, tell a lie (*or* lies); **mentira** f lie; (*en general*) lying, deceitfulness; **mentirijillas**: *de* ~ for fun; **mentirilla** f fib, white lie; **mentiroso** 1. lying, false; 2. m, a f liar; **mentís** m denial; *dar un* ~ *a* deny, give the lie to.

mentol m menthol.

mentón m chin.

menú m menu.

menudear [1a] *v/t.* repeat frequently; tell in detail; *v/i.* happen frequently; go into detail *contando*; **menudeo:** ✝ *al* ~ retail; **menudillos** m/pl. giblets; **menudo** 1. small, tiny; slight, trifling; exact; *a* ~ often; *por* ~ in detail; 2. m small change; entrails.

meñique m little finger.

meollo m *anat.* marrow; *fig.* (*esencia*) gist; (*seso*) brains.

mercachifle m hawker, huckster; **mercadear** [1a] trade; **mercader** m merchant; **mercadería** f commodity; ~*s pl.* merchandise; **mercado** m market; ~ *negro* black market; **mercancía** 1. f commodity; ~*s pl.* goods, merchandise; 2. ~*s*

m 🚂 freight train; **mercante** ⚓ 1. merchant *attr.*; 2. *m* merchant ship; **mercantil** mercantile, commercial; **mercar** [1g] buy.

merced *f*: *mst* † favor; benefit; *vuestra* ~ your honor, your worship; *estar a la* ~ *de* be at the mercy of.

mercenario 1. mercenary; 2. *m* ✗ mercenary; *fig.* hack, hireling.

mercería *f* haberdashery; dry-goods store; *Chile* hardware store.

mercurio *m* mercury.

merecedor deserving (*de* of); **merecer** [2d] *v/t.* deserve; be worth(y of); *alabanza etc.* earn (*a.* ~**se**); (*necesitar*) need; *v/i.* be worthy; **merecimiento** *m* deserts; merit, worthiness.

merendar [1k] *v/t.* lunch on; *v/i.* have lunch; picnic *en el campo.*

merengue *m* meringue.

meridiana *f* couch; chaise-longue; **meridiano** *adj. a. su. m* meridian; *a la* ~*a* at noon; **meridional 1.** southern; 2. *m/f* southerner.

merienda *f* lunch, snack; F hunchback.

mérito *m* merit; worth, value; *hacer* ~ *de* mention; *hacer* ~*s* strive to be deserving; **meritorio** meritorious, worthy.

merluza *f* hake; *sl. estar* (*con la*) ~ F be stoned; be drunk.

merma *f* decrease; wastage; loss; **mermar** [1a] *v/t.* reduce, deplete; *ración etc.* cut down on; *v/i.* decrease, dwindle; (*líquido*) go down.

mermelada *f* jam.

mero 1. *adj.* mere; pure, simple; *S.Am.* selfsame, very; 2. *adv. S.Am.* soon, in a moment.

mes *m* month.

mesa *f* table; desk *de trabajo*; counter *de oficina*; ⏃ landing; *geog.* tableland, plateau; (*junta*) presiding committee, board; ~ *de extensión* extension table; ~ *de juego* gambling table; ~ *de noche* bedside table; ~ *de operaciones* operating table; ~ *de trucos* pool table; ~ *redonda* table d'hôte; *hist. a. pol.* round table; ~ *perezosa* drop table; *alzar* (*or levantar*) *la* ~ clear away; *poner la* ~ lay the table.

meseta *f* tableland, plateau; ⏃ landing; **mesilla** *f* occasional table; ~ *de chimenea* mantelpiece.

mestizar [1f] cross-breed; **mestizo** *adj. a. su. m*, **a** *f* half-caste, half-breed; *zo.* cross-bred, mongrel.

mesura *f* gravity *etc.*; **mesurado** grave; moderate, restrained; sensible; **mesurarse** [1a] restrain o.s.

meta 1. *f* goal (*a. fig.*); winningpost *en carrera*; 2. *m* goalkeeper.

metabolismo *m* metabolism.

metáfora *f* metaphor; **metafórico** metaphoric(al).

metal *m* metal; ♪ brass; timbre *de voz*; *fig.* quality; *el vil* ~ filthy lucre; **metálico 1.** metallic; metal *attr.*; 2. *m* specie, coin; *en* ~ in cash; **metalurgia** *f* metallurgy.

metamorfosear [1a] metamorphose; **metamorfosis** *f* metamorphosis.

meteórico meteoric; **meteorito** *m*, **meteoro** *m* meteor; **meteorología** *f* meteorology; **meteorológico** meteorological; **meteorologista** *m/f* meteorologist.

meter [2a] put, insert, introduce (*en* in, into); (*apretando*) squeeze in; smuggle (in) *de contrabando*; *fig.* make, cause; ~*se fig.* meddle, interfere (*mucho* a lot); (*hacerse*) *monja* become; *soldado* turn; ~ *a su.* become; ~ *con* meddle with; *p.* pick a quarrel with; ~ *en* go into, get into; *fig.* interfere in *dificultades* get into; *negocio* get involved in.

meticuloso meticulous, scrupulous.

metido 1.: *estar muy* ~ *en* be deeply involved in; 2. *m* shove, punch.

metódico methodic(al); **método** *m* method; **metodología** *f* methodology.

metraje *m*: (*cinta de*) *largo* ~ full-length film.

metralla *f* shrapnel.

métrica *f* metrics; **métrico** metric, metrical; **metro**[1] *m* 🅰, *poet.* meter; (*de cinta*) tape measure; (*plegable*) rule; (*recto*) ruler.

metro[2] *m* 🚇 subway.

metrónomo *m* metronome.

metrópoli *f* metropolis; **metropolitano** *adj. a. su. m eccl.* metropolitan.

mexicano *adj. a. su. m*, **a** *f S.Am.* Mexican.

mezcla *f* mixture; *esp. fig.* blend; medley; ⏃ mortar; *sin* ~ *bebida* neat; **mezclador** *m* mixer; **mezclar** [1a] mix (up); blend; (*unir*) merge; *cartas* shuffle; ~*se* mix, mingle (*con* with); *b.s.* get mixed (*en* up in); (*entrometerse*) meddle (*en* in); **mezcolanza** *f* jumble.

mirador

mezquindad f meanness etc.; **mezquino** (pobre) poor, wretched; (avaro) mean; (pequeño) wretchedly small; (insignificante) petty, paltry.

mezquita f mosque.

mi, mis pl. my.

mí me.

miasma m miasma.

miau m mew, miaow.

mica f min. mica.

mico m, **a** f monkey.

micro... micro...

microbio m microbe.

microcosmo m microcosm.

microfilm m microfilm.

micrófono m microphone.

microprocesador m microprocesor.

microscópico microscopic; **microscopio** m microscope.

miedo m fear (a of); tener ∼ be afraid (a of); **miedoso** scared, fearful.

miel f honey.

miembro m anat. limb; anat., gr., p. etc. member.

mientes: parar ∼ en reflect on.

mientras while, as long as; ∼ (que) whereas; ∼ más ... más the more ... the more; ∼ tanto meanwhile.

miércoles m Wednesday; ∼ de ceniza Ash Wednesday.

mierda f F shit.

mies f corn, wheat, grain.

miga f bit; crumb de pan; fig. substance; F hacer buenas ∼s get on well, hit it off (con with); **migaja** f bit; crumb de pan (a. fig.).

migración f migration.

migraña f migraine.

migratorio migratory.

mil a thousand; dos ∼ two thousand; ∼es pl. thousands.

milagro m miracle; fig. a. wonder; **milagroso** miraculous.

milenario 1. millennial; **2.** m = **milenio** m millennium.

milésimo adj. a. su. m thousandth.

milicia f (ps.) militia; soldiery; (profesión) soldiering.

miligramo m milligram(me); **mililitro** m milliliter; **milímetro** m millimeter.

militante militant; **militar 1.** military; (guerrero) warlike; arte of war; **2.** m soldier; serviceman; **3.** [1a] serve (in the army), soldier; fig. militate (contra against); **militarismo** m militarism; **militarizar** [1f] militarize.

milla f mile; ∼ marina nautical mile.

millar m thousand; a ∼es in thousands, by the thousand; **millarada** f (about a) thousand; **millón** m million; **millonario** m, **a** f millionaire; **millonésimo** adj. a. su. m millionth.

mimar [1a] (acariciar) pet, fondle; fig. pamper, spoil.

mimbre mst m wicker; **mimbrear(se)** [1a] sway; **mimbrera** f osier willow.

mimeógrafo m mimeograph.

mimetismo m mimicry; **mímica** f gesticulation; sign language; (remedo) mimicry; (una ∼) mime; **mímico** mimic; imitative; **mimo 1.** m thea. etc. mime; hacer ∼ de mime; **2.** m pampering, indulgence.

mina f mine (a. ✕, ⚓, fig.); lead, refill de lápiz; fig. storehouse; ∼ de carbón coal mine; **minar** [1a] mine (a. ✕, ⚓); (cavar lentamente) undermine, wear away.

mineral 1. mineral; **2.** m ⛏ mineral; ✕ ore; ∼ de hierro iron ore; **mineralogía** f mineralogy; **mineralogista** m/f mineralogist; **minería** f mining; **minero 1.** mining; **2.** m miner.

miniatura f miniature; en ∼ in miniature.

mínimo 1. smallest; least; minimum; minimal; tiny; **2.** m minimum; **mínimum** m minimum.

minino m, **a** f F puss(y).

miniordenador m microcomputer.

ministerial ministerial; **ministerio** m ministry; **ministro** m minister; ∼ de asuntos exteriores foreign minister; primer ∼ prime minister.

minorar [1a] reduce, lessen; **minoría** f, **minoridad** f minority; **minorista** m retailer.

minucia f minuteness; ∼s pl. details, minutiae; **minucioso** thorough, meticulous; minute.

minúscula f small letter; **minúsculo** small (a. typ.), tiny.

minuta f (borrador) first draft; (apunte) minute, memorandum; list; (comida) menu; **minutar** [1a] draft; minute; **minutero** m minutehand; **minuto** m minute.

mío, mía 1. pron. mine; **2.** adj. (tras su.) of mine.

miope short-sighted; **miopía** f short-sightedness, miopia Ⓜ.

mira f ✕ (a. ∼s pl.) sights; fig. object, aim; **mirada** f look; glance; gaze; expression de cara; **mirador** m ⋀

bay window, balcony; (*lugar*) vantage point; **miramiento** *m* considerateness; caution; ~s *pl.* fuss.

mirar [1a] 1. *v/t.* look at; watch; *fig.* look on, consider (*como as*); (*reflexionar sobre*) think carefully about; (*tener cuidado con*) watch, be careful about; 2. *v/i.* look; ¡*mira!* look!; (*protesta*) look here!; (*aviso*) look out!; 3. ~se look at o.s.; (*recíproco*) look at each other.

mirasol *m* sunflower.
miríada *f* myriad.
mirlo *m* blackbird.
mirón 1. inquisitive; 2. *m*, **-a** *f* onlooker, kibitzer; busybody.
mirto *m* myrtle.
misa *f* mass; ~ *del gallo* Midnight Mass; ~ *mayor* High Mass; ~ *rezada* Low Mass; **misal** *m* missal.
miscelánea *f* miscellany; **misceláneo** miscellaneous.
miserable 1. (*desdichado*) wretched; (*tacaño*) mean; (*sueldo etc.*) miserable, pitifully small; 2. *m/f* wretch; (*vil*) cad; **miseria** *f* misery, wretchedness; poverty; **misericordia** *f* pity; (*perdón*) forgiveness; mercy; **misericordioso** compassionate; merciful; **mísero** wretched.
misil *m* (guided) missile.
misión *f* mission; **misionero** *adj. a. su. m*, **a** *f* missionary.
mismo *m*, **a** *f* 1. same; own; very; *ella* ~*a* herself; 2. *adv.* *ahora* ~ right away.
misterio *m* mystery; secrecy; *thea.* mystery play; **misterioso** mysterious; mystifying, puzzling; **mística** *f*, **misticismo** *m* mysticism; **místico** 1. mystic(al); 2. *m*, **a** *f* mystic.
mistificación *f* hoax.
mitad *f* half; (*medio*) middle; *mi cara* ~ my better half.
mítico mythical.
mitigación *f* mitigation *etc.*; **mitigar** [1h] *efecto* mitigate; *dolor* relieve; *cólera* appease, mollify.
mitin *m esp. pol.* meeting.
mito *m* myth; **mitología** *f* mythology; **mitológico** mythological.
mitón *m* mitten.
mitra *f* mitre.
mixto 1. mixed; 2. *m* match; **mixtura** *f* mixture; **mixturar** [1a] mix.
mobiliario *m* suite; **moblaje** *m* (suite of) furniture.
mocedad *f* youth.
moción *f* motion (*a. parl.*).

moco *m* mucus; snot; **mocoso** 1. snotty; F ill-bred; 2. *m* F brat.
mochila *f* knapsack; ✗ pack.
mocho 1. blunt; 2. *m* butt.
moda *f* fashion; style; *a la* ~, *de* ~ in fashion, fashionable.
modelado *m* modelling; **modelar** [1a] model (*sobre on*); (*dar forma a*) fashion, shape; **modelo** 1. *adj.* model; 2. *m* model (*a. fig.*); pattern; 3. *f* model, mannequin.
moderación *f* moderation; **moderado** moderate (*a. pol.*); **moderar** [1a] moderate; (*refrenar*) restrain; ~se (*p.*) control o.s.
modernizar [1f] modernize; **moderno** modern; present-day.
modestia *f* modesty; **modesto** modest.
módico reasonable, moderate.
modificación *f* modification; **modificar** [1g] modify.
modismo *m* idiom.
modista *f* dressmaker; milliner.
modo *m* way, manner, mode (*a. A*); method; form *de gobierno etc.*; *gr.* mood; *fig.* moderation; ~s *pl.* manners; ~ *de empleo* (*en envase*) instructions for use; *a mi* ~ *de ver* to my way of thinking; *de* ~ *que* so that; *de todos* ~*s* at any rate.
modorra *f* drowsiness; *vet.* gid.
modoso quiet, nicely behaved.
modulación *f* modulation; ~ *de frecuencia* frequency modulation; **modular** [1a] modulate.
mofa *f* mockery, derision; (*una* ~) taunt, gibe; **mofar** [1a] jeer, sneer; ~se de make fun of.
mogol *adj. a. su. m*, **-a** *f* Mongol, Mongolian.
mohín *m* face, grimace; **mohina** *f* (*disgusto*) annoyance; **mohino** (*triste*) gloomy, depressed.
moho *m* rust; ♀ mold, mildew; **mohoso** rusty; ♀ moldy, musty.
mojada *f* wetting, soaking; stab; **mojado** wet; soaked; damp, moist; **mojar** [1a] *v/t.* wet; moisten; drench, soak; *pluma* dip (*en into*); (*apuñalar*) stab; ~se get drenched.
mojigatería *f* hypocrisy; prudery; **mojigato** 1. hypocritical; (*beato*) sanctimonious; prudish; 2. *m*, **a** *f* hypocrite; prude.
mojón *m* landmark, boundary stone; (*de camino*) milestone.
molde *m* mold; cast *de yeso etc.*; *sew. etc.* pattern; *esp. fig.* model;

venir de ~ be just right; **moldear** [1a] mold; (*vaciar etc.*) cast; **moldura** *f* △ moulding.

mole *f* mass; bulk; △ pile.

molécula *f* molecule; **molecular** molecular.

moledor *fig.* 1. boring; 2. *m* bore; **moler** [2h] grind, mill; pound; *fig.* (*fastidiar*) annoy; (*cansar*) weary; ~ *a palos* beat *s.o.* up.

molestar [1a] annoy, bother; *¿le molesta a Vd. que fume?* will it bother you if I smoke?; **molestia** *f* annoyance; bother, nuisance; ✽ *etc.* discomfort; **molesto** annoying, uncomfortable.

molicie *f* softness (*a. fig.*); *fig.* luxurious living; effeminacy.

molienda *f* grinding, milling; F weariness; (*una* ~) nuisance; **molinero** *m* miller; **molinete** *m* (toy) windmill, pinwheel; **molinillo** *m* mill, grinder *para café etc.*; mincer *para carne*; **molino** *m* mill; grinder; ~ *de viento* windmill.

mollar soft, mushy; *carne* lean; **molleja** *f* gizzard; **mollera** *f* *anat.* crown of the head.

momentáneo momentary; **momento** *m* moment; *al* ~ at once.

mona *f* *zo.* monkey; F (*p.*) ape; (*borracho*) drunk; F *dormir la* ~ sleep it off.

monada *f* (*bobada*) silly thing; (*estupidez*) silliness; (*objeto*) lovely thing, beauty; (*p.*) pretty girl.

monarca *m* monarch; **monarquía** *f* monarchy.

monasterio *m* monastery; **monástico** monastic.

mondadientes *m* toothpick; **mondaduras** *f/pl.* peel(ings), skin; **mondar** [1a] (*limpiar*) cleanse; *fruta* peel; *árbol* prune, lop; *dientes* pick; F *p.* cut *s.o.'s* hair; *fig.* fleece.

moneda *f* currency, coinage; (*una* ~) coin; ~ *dura* hard currency; ~ *suelta* change.

monería *f* (*mueca*) funny face; (*mímica*) mimicry.

monetario monetary, financial.

monigote *m* rag doll; botched painting; F sap, boob.

monitorear *un programa* monitor.

monja *f* nun; **monje** *m* monk; **monjil** nun's, monk's, monkish.

mono¹ *m* *zo.* monkey; (*p.*) clown; *drogas* withdrawal symptom; *estar de* ~*s* be at daggers drawn.

mono² *m* overalls, coveralls.

mono³ F pretty, nice.

monóculo *m* monocle.

mono...: ~**gamia** *f* monogamy; ~**grama** *m* monogram; **monólogo** *m* monologue.

mono...: ~**plano** *m* monoplane; ~**polio** *m* monopoly; ~**polista** *m/f* monopolist; ~**polizar** [1f] monopolize; ~**silábico** = ~**sílabo** 1. monosyllabic; 2. *m* monosyllable; ~**teísmo** *m* monotheism; ~**tonía** *f* monotony; sameness, dreariness; **monótono** monotonous.

monserga *f* gibberish; drivel.

monstruo *m* monster (*a. fig.*); *biol.* freak; **monstruosidad** *f* monstrosity; freak; **monstruoso** monstrous, monster *attr.*; *biol.* freakish.

monta *f* ⚥ total; *de poca* ~ of small account.

montacargas *m* (service) lift, hoist.

montado mounted; **montadura** *f* mounting; (*engaste*) setting; **montaje** *m* ⊕ assembly; △ erection; **montante** *m* ⊕ upright, stanchion; △ transom; ✗ broadsword; ✝ total, amount.

montaña *f* mountain; ~ *rusa* switchback, scenic railway; **montañero** *m*, **a** *f* mountaineer; **montañés** 1. mountain *attr.*; 2. *m*, **-a** *f* highlander; *native of Santander region*; **montañismo** *m* mountaineering; **montañoso** mountainous; mountain *attr.*

montaplatos *m* dumbwaiter.

montar [1a] 1. *v/t. caballo etc.* (*subir*) mount, (*ir*) ride; ⊕ assemble; ⚥ amount to (*a. fig.*); 2. *v/i.* mount (*a*, *en acc.*), get up (*a*, *en on*); ⚥ ~ *a amount to*; ~ *a caballo* ride.

monte *m* mountain, hill; (*bosque*) woodland; (*despoblado*) wilds, wild country; ~ *alto* forest; ~ *bajo* scrub; ~ *de piedad* pawnshop; ~ *pío* pension fund for widows and orphans; mutual-benefit society; ~ *tallar* tree farm; **montecillo** *m* hump, hummock; **montepío** *m* charitable organization; mutual-fund society.

montera *f* cloth cap.

montería *f* hunting; **montero** *m* huntsman, hunter.

montés *gato etc.* wild.

montículo *m* hillock, mound.

montón *m* heap, pile; drift *de nieve*; F stack; *a* ~*es* in plenty, galore.

montuoso hilly.

M

montura f (*caballo*) mount; (*silla*) saddle; sin ~ bareback.

monumental monumental; **monumento** m monument (*a. fig.*); (*mausoleo*) memorial.

monzón m or f monsoon.

moña: *sl.* estar con la ~ be sozzled.

moño m bun, chignon; *orn.* crest.

moquero m handkerchief.

moqueta f moquette.

moquete m punch (on the nose).

moquillo m *vet.* distemper; *orn.* pip.

mora[1] f mulberry; blackberry.

mora[2]: *ponerse en* ~ default.

morada f dwelling, home.

morado purple, dark violet.

morador m, **-a** f inhabitant.

moral[1] m ♀ mulberry (tree).

moral[2] 1. moral; 2. f (*ciencia*) ethics; (*moralidad*) morals; morale *de ejército etc.*; **moraleja** f moral; **moralidad** f morality, morals; **moralista** m/f, **moralizador** m, **-a** f moralist.

morar [1a] live, dwell, reside.

moratoria f moratorium.

mórbido ⚕ morbid; **morboso** diseased, morbid.

mordaz *fig.* biting, scathing, pungent; **mordaza** f gag; ⊕ clamp, jaw; **mordedura** f bite; **morder** [2h] bite; ⊕ wear down; ⊕ eat away; *fig.* gossip about, run down; **mordiscar** [1g] nibble; **mordisco** m nibble.

moreno (dark) brown; *p.* dark.

morfina f morphia, morphine; **morfinómano** m drug-addict.

moribundo dying.

morir [3k; *p.p.* muerto] *v/t.:* fue muerto he was killed; *v/i.* die (*a. fig.*); (*fuego etc.*) die down; 📻 *etc.* (*línea*) end; (*calle*) come out (en in); ~ ahogado drown; ~ de frío freeze to death; ~ de hambre starve to death; ~ de risa die laughing; ~ de viejo die of old age; ~ helado freeze to death; ~ quemado burn to death; ~ vestido F die a violent death; ~se die; (*miembro*) go to sleep.

morisco Moorish; **moro 1.** Moorish; **2.** m, **a** f Moor.

morral m haversack, knapsack.

morriña f F blues.

morsa f walrus.

mortaja f shroud; *mortal adj. a. su.* m/f mortal; *herida etc.* fatal; **mortalidad** f mortality; death rate; **mortandad** f mortality; death rate.

mortecino dying, failing; *luz* dim.

mortero m mortar (*a.* ⚔).

mortífero deadly, lethal; **mortifi-** **car** [1g] mortify; humiliate; (*despechar*) spite; (*doler*) hurt, kill.

mosaico[1] *eccl.* Mosaic.

mosaico[2] m mosaic.

mosca f fly; F ✝ dough; F (*p.*) nuisance, bore; ~s *pl.* sparks; ~ doméstica housefly.

mosqueado spotted; brindled; **mosqueador** m fly-whisk; **mosquearse** [1a] *fig.* take offense.

mosquete m musket; **mosquetero** m musketeer; *thea.* ✝ groundling.

mosquitero m mosquito net; **mosquito** m mosquito; gnat.

mostacho m moustache.

mostaza f mustard.

mostrador m counter; ⊕ dial; **mostrar** [1m] show.

mostrenco ownerless, unclaimed; *título etc.* in abeyance; F *p.* homeless, *animal* stray; *obra* crude.

mota f thread; speck; *fig.* fault.

mote m nickname; (*lema*) motto.

motear [1a] speckle; dapple.

motejar [1a] nickname.

motín m revolt, riot.

motivación f motivation; **motivar** [1a] cause, give rise to, motivate; justify; **motivo 1.** motive; **2.** m motive, reason (de for).

moto f F motorbike; ~carro m three-wheeler; ~cicleta f motorcycle; ~ciclista m/f motor cyclist; ~ escolta outrider.

motor 1. ⊕ motive; *anat.* motor; **2.** m motor, engine; ~ de arranque starter; ~ de combustión interna, ~ de explosión internal combustion engine; ~ a chorro jet engine; ~ de fuera de borda outboard motor; ~ de reacción jet engine; **motora** f, **motorbote** m motorboat; **motorismo** m motor cycling; *mot.* motoring; **motorista** m/f motor cyclist; *mot.* motorist.

movedizo loose, unsteady; *arenas* shifting; *fig. p. etc.* fickle; *situación etc.* troubled, unsettled; **mover** [2h] move; shift; ⊕ drive; *cabeza* shake negando, nod *asintiendo*; *cola* wag; *fig.* (*promover*) stir up; move (*a compasión* to); ~se move, stir; **movible** movable; mobile; *fig.* changeable; **móvil 1.** = *movible*; **2.** m motive (de for); **movilidad** f mobility; **movilización** f mobilization; **movilizar** [1f] mobilize; **movimiento** m movement; *phys. etc.* motion.

moza f girl; *contp.* wench; (*criada*) servant; **mozalbete** m lad.

mozárabe 1. Mozarabic; **2.** *m/f* Mozarab; **3.** *m* (*idioma*) Mozarabic.

mozo 1. young; (*soltero*) single; **2.** *m* lad; (*criado*) servant; waiter *en café*; 👤 porter; *buen* ~ handsome fellow; ~ *de caballos* groom; ~ *de cámara* cabin boy; ~ *de estación* station porter; ~ *de hotel* bellboy; ~ *de restaurante* waiter; **mozuela** *f* girl; **mozuelo** *m* lad.

mucílago *m* mucilage; **mucosa** *f* mucous membrane.

muchacha *f* girl; (*criada*) maid; **muchacho** *m* boy, lad.

muchedumbre *f* crowd; mass, throng, host; *contp.* mob, herd.

mucho 1. *adj.* a lot of; much, great; ~*s pl.* many, lots of; many a; **2.** *adv.* a lot, a great deal, much; *estimar etc.* highly, greatly; *trabajar* hard.

muda *f* change of clothing; *zo.* molt; (*época*) molting season; **mudable** changeable; shifting; **mudanza** *f* change; ~*s pl.fig.* fickleness; (*humor*) moodiness; **mudar** [1a] *v/i.* change; *piel* slough (off), shed; *v/i.* ~*se* change; move; (*voz*) break; *zo.* molt.

mudez *f* dumbness; **mudo** dumb (*a. fig.*, de with); mute (*a. gr.*); speechless; *gr.*, *película* silent.

mueblaje *m* = *moblaje*; **mueble 1.** movable; **2.** *m* piece of furniture; ~*s pl.* furniture; fittings *de tienda*.

mueca *f* face, grimace.

muela *f* millstone *de molino*; grindstone *para afilar*; *anat.* molar, *freq.* tooth; ~ *del juicio* wisdom tooth.

muelle[1] *m* ⚓ wharf, quay; 👤 unloading bay.

muelle[2] **1.** soft; *vida* luxurious; **2.** *m* ⊕ spring.

muérdago *m* mistletoe.

muerte *f* death; (*asesinato*) murder; **muerto 1.** dead; lifeless; *color* dull; **2.** *m*, **a** *f* dead man *etc.*; (*cadáver*) corpse; *los* ~*s pl.* the dead; **3.** *m* *naipes*: dummy.

muesca *f* notch, groove, slot.

muestra *f* † *etc.* sample; sign, signboard *de tienda etc.*; (*indicio*) sign, token; model; face *de reloj*; *dar* ~*s de* show signs of; **muestrario** *m* collection of samples.

mugido *m* moo; bellow; **mugir** [3c] (*vaca*) moo; (*toro*) bellow.

mugre *f* dirt; grease, grime; **mugriento** dirty; greasy, grimy.

muguete *m* lily of the valley.

mujer *f* woman; (*esposa*) wife; **mujeril** womanly.

mújol *m* (grey) mullet.

mula *f* mule.

muladar *m* dunghill; trash heap.

mulato *adj. a. su. m*, **a** *f* mulatto.

muleta *f* crutch; *fig.* prop; **muletilla** *f fig.* tag, pet phrase.

mulo *m* mule.

multa *f* fine; penalty; **multar** [1a] fine; penalize.

multi...: ~color multicolored; **~copista** *f* duplicator; **~millonario** *m*, **a** *f* multimillionaire; **multinacional** multinational; ~*es f/pl.* multinational corporations; **múltiple** manifold, multifarious; ⅄ multiple; *cuestión* many-sided; ~ *de admisión* intake manifold; ~ *de escape* exhaust manifold; ~ *de uso* multipurpose.

multiplicación *f* multiplication; **multiplicar(se)** [1g] ⅄ multiply; increase; ⊕ gear up; **multiplicidad** *f* multiplicity; **múltiplo** *adj. a. su. m* multiple; **multitud** *f* multitude; crowd *de gente etc.*

mullir [3h] pound, knead; soften.

mundanal, mundano worldly; **mundanería** *f* worldliness; **mundial** world-wide; *guerra*, *record etc.* world *attr.*; **mundo** *m* world (*a. fig.*, *eccl.*); (*ps.*) people; (*esfera*) globe; *todo el* ~ everybody.

munición *f* (*a.* ~*es pl.*) ✕ ammunition, munitions.

municipal 1. municipal; **2.** *m* policeman; **municipio** *m* municipality.

muñeca *f anat.* wrist; doll; dummy *de modista*; **muñeco** *m* dummy *de sastre*; (*muñeca*) doll; *fig.* puppet; F (*niño*) little angel; (*afeminado*) gay; ~ *de nieve* snowman; **muñequera** *f* wrist watch.

muñón *m anat.* stump.

mural mural; *mapa etc.* wall *attr.*; **muralla** *f* (city) wall, rampart.

murciélago *m zo.* bat.

murmullo *m* murmur; ripple *etc.*; **murmuración** *f* gossip, slander; **murmurar** [1a] murmur; mutter *entre dientes*; whisper *al oído*; (*multitud etc.*) hum.

muro *m* wall; ~ *del sonido* sound barrier.

murria *f* F blues; **murrio** sullen.

musa *f* Muse.

muscular muscular; **músculo** *m* muscle; **musculoso** muscular.

muselina *f* muslin.

M

museo m museum; gallery.

musgo m moss; **musgoso** mossy.

música f music; ~ de fondo background music; **musical** = **música 1.** musical; **2.** m, **a** f musician.

musitar [1a] mumble, whisper.

muslo m thigh.

mustio p. depressed; hypocritical, sanctimonious; ♀ withered.

musulmán adj. a. su. m, **-a** f Moslem.

mutilación f mutilation; **mutilado** m, **a** f cripple, disabled person; **mutilar** [1a] mutilate (a. fig.); (lisiar) cripple, maim.

mutismo m dumbness; silence.

mutualidad f mutuality; mutual-benefit association; **mutuo** mutual (a. ♰), reciprocal; joint.

muy very; greatly, highly; most.

N, Ñ

nabo m turnip; ~ sueco swede.

nácar m mother-of-pearl; **nacarado, nacarino** mother-of-pearl attr.; pearly.

nacer [2d] be born (a. fig.); ♀ come up, sprout; (río) rise; fig. spring, arise (de from); **nacido:** ~ a, ~ para born to (be); bien ~ of noble birth; mal ~ low-born; **naciente** nascent; recent; sol rising; **nacimiento** m birth (a. fig.); (principio) origin, start, beginning; source de río; (manantial) spring; (belén) nativity (scene); de ~ ciego etc. from birth.

nación f nation; de ~ by birth; **nacional** adj. a. su. m/f national; **nacionalidad** f nationality; **nacionalismo** m nationalism; **nacionalista** adj. a. su. m/f nationalist; **nacionalizar** [1f] nationalize; naturalize.

nada 1. f nothingness; la ~ the void; **2.** pron. nothing; ¡~,~! not a bit of it!; ¡~ de eso! nothing of the kind!, far from it!; ~ más nothing else; (solamente) only; ¡de ~! not at all!, don't mention it!; **3.** adv.: ~ fácil far from easy.

nadador m, **-a** f swimmer; **nadar** [1a] swim; (corcho etc.) float.

nadería f trifle.

nadie nobody, no-one; no ... ~ not ... anybody; un (don) ~ a nobody.

nafta f naphtha; **naftaleno** m, **naftalina** f naphthalene.

naipe m (playing) card; ~s pl. cards.

nalgas f/pl. buttocks.

nana f F granny; ♪ lullaby.

naranja f orange; **naranjada** f orangeade, orange squash; **naranjado** orange; **naranjal** m orange grove; **naranjo** m orange (tree).

narciso m narcissus; daffodil.

narcosis f narcosis; **narcótico 1.**

narcotic; **2.** m narcotic; dope; **narcotismo** m narcotism; **narcotizar** [1f] drug, dope; **narcotraficante** m drug dealer.

nariz 1. f nose (a. fig.); (cada orificio) nostril; bouquet de vino; ~ de pico de loro hooknose; **2.** narices pl. zo. nostrils; F nose; ¡~! rubbish!; hinchárosele a uno las ~ get annoyed; sonarse las ~ blow one's nose; tabicarse las ~ hold one's nose; tener agarrado por las ~ lead by the nose.

narración f narration; narrative; **narrador** m, **-a** f narrator; **narrar** [1a] tell, narrate; **narrativa** f narrative; **narrativo** narrative.

nasal adj. a. su. f nasal; **nasalidad** f nasality; **nasalizar** [1f] nasalize.

nata f cream (a. fig.); skin en natillas etc.

natación f swimming; ~ de costado side-stroke.

natal natal; native; **natalicio** adj. a. su. m birthday; **natalidad** f birth rate; control de ~ birth control.

natillas f/pl. custard.

natividad f nativity; **nativo** native; natural, innate; **nato** born.

natural 1. mst natural (a. ♀); native; **2.** m/f native (de of), inhabitant; **3.** m nature, disposition; buen ~ good nature; al ~ descripción true to life; (sin arte) rough; bebida etc. just as it comes; vivir according to nature; del ~ from nature, from life; **naturaleza** f nature; ~ muerta still life; v. carta; **naturalidad** f naturalness; **naturalismo** m naturalism; **naturalista 1.** naturalistic; **2.** m/f naturalist; **naturalización** f naturalization; **naturalizar** [1f] naturalize; **naturismo** m nudism.

naufragar [1h] be (ship)wrecked,

niña

sink; *fig.* fail; **naufragio** *m* (ship)-wreck; *fig.* ruin; **náufrago 1.** shipwrecked; **2.** *m* shipwrecked sailor.

náusea(s) *f(pl.)* nausea, sick feeling; *fig.* disgust; *dar* ~*s a* sicken; **nauseabundo** nauseating, sickening.

náutica *f* navigation, seamanship; **náutico** nautical.

navaja *f* jackknife; (*cortaplumas*) penknife; ~ (*de afeitar*) razor; **navajada** *f*, **navajazo** *m* slash.

naval naval.

nave *f* ship; △ nave; ~ *espacial* space ship; △~ *central*, ~ *principal* nave; △ ~ *lateral* aisle; **navegable** navigable; **navegación** *f* navigation; (*viaje*) voyage; (*buques*) shipping; **navegador** *m*, **navegante** *m* navigator; **navegar** [1h] (*ir*) sail; (*dirigir*) navigate.

Navidad *f* Christmas(-time); *por* ~*es* at Christmas(time); **¡Felices Navidades!** Merry Christmas!

naviero 1. shipping *attr.*; **2.** *m* shipowner; **navío** *m* ship.

neblina *f* mist; **nebulosa** *f* nebula; **nebulosidad** *f* mistiness *etc.*; **nebuloso** *ast.* nebular, nebulous; *cielo* cloudy; *atmósfera* misty; (*tétrico*) gloomy; *idea etc.* nebulous.

necedad *f* silliness; nonsense.

necesario necessary; **neceser** *m* hold-all; dressing-case *de tocador*; ~ *de belleza* vanity case; ~ *de costura* workbox; **necesidad** *f* necessity; need (de for, of); (*hambre*) hunger; **necesitado** needy, necessitous; *los* ~*s* the needy; **necesitar** [1a] *v/t.* want, need; *acción etc.* necessitate; ~ *inf.* must *inf.*, need to *inf.*; *v/i.*: ~ *de* need; ~**se:** *necesítase* (*anuncios*) wanted.

necio silly, stupid.

nefando unspeakable.

nefasto unlucky, inauspicious.

negación *f* negation; denial; *gr.* negative; **negar** [1h *a.* 1k] *verdad etc.* deny; *permiso etc.* refuse (*a acc.*), withhold (*a* from); *disclaim*; (*vedar*) deny; ~ *que* deny that; ~**se** *a inf.* refuse to *inf.*; **negativa** *f* negative (*a. phot.*); denial, refusal; **negativo 1.** negative; △ minus; **2.** *m phot.* negative.

negligencia *f* negligence *etc.*; **negligente** negligent; neglectful.

negociable negotiable; **negociación** *f* negotiation; clearance *de cheque*; **negociador** *m*, -**a** *f* negotiator; **negociante** *m* businessman; merchant,

dealer; **negociar** [1b] *v/t.* negotiate; *v/i.* negotiate; ~ *en* deal in, trade in; **negocio** *m* (*asunto*) affair, (piece of) business; trade, business; ~*s pl.* business.

negrita *f typ.* boldface; *en* ~*s* in bold type; **negro 1.** black (*a. fig.*); dark; (*sombrío*) gloomy; **2.** *m* black; ~ *de humo* lampblack; **negrura** *f* blackness; **negruzco** blackish.

nenúfar *m* water lily.

neologismo *m* neologism.

nepotismo *m* nepotism.

nervadura *f* △ rib; **nervio** *m* nerve (*a. fig.*); ♀ rib; *fig.* sinews; vigor; stamina, toughness; **nerviosidad** *f*, **nerviosismo** *m* nervousness; (*temporal*) nerves F; **nervioso** *centro, célula* nerve *attr.*; *crisis, sistema* nervous; *p.* (*con miedo*) nervous; (*fuerte*) vigorous; *estilo* energetic; **nervudo** wiry, sinewy.

neto pure, clean; neat, clear; ✝ net.

neumático 1. pneumatic; **2.** *m* tyre.

neuralgia *f* neuralgia; **neurólogo** *m* neurologist; **neurosis** *f* neurosis; **neurótico** *adj. a. su. m*, **a** *f* neurotic.

neutral *adj. a. su. m/f* neutral; **neutralidad** *f* neutrality; **neutralizar** [1f] neutralize; **neutro** neutral; *género* neuter; *verbo* intransitive.

neutrón *m* neutron.

nevada *f* snowstorm; (*cantidad*) snowfall; **nevado** snow-covered; *fig.* snowy; **nevar** [1k] *v/t.* whiten; *v/i.* snow; **nevasca** *f* snowstorm; **nevera** *f* refrigerator, ice box (*a. fig.*).

ni nor, neither; ~ ... ~ neither ... nor; ~ *que* even though; ~ ... *siquiera* not even.

nicotina *f* nicotine.

nicho *m* niche, recess.

nidada *f* (*huevos*) sitting, clutch; (*pollos*) brood; **nido** *m* nest (*a. fig.*).

niebla *f* fog; mist; *hay* ~ it is foggy.

nieta *f* granddaughter; **nieto** *m* grandson; ~*s pl.* grandchildren.

nieve *f* snow; *Mex.* ice cream.

nilón *m* nylon.

nimiedad *f* insignificant detail; **nimio** *detalle etc.* tiny, insignificant.

ninfa *f* nymph.

ningún, ninguno 1. *adj.* no; **2.** *pron.* none; (*p.*) nobody, no one; ~ *de ellos* none of them.

niña *f* (little) girl; *anat.* pupil; *desde* ~ from childhood; ~ *expósita* foundling; ~*s pl. de los ojos de fig.* apple of

s.o.'s eye; **niñada** f childish thing; **niñear** [1a] act childishly; **niñera** f nursemaid, nanny F; **niñería** f childish thing; fig. silly thing; **niñez** f childhood; **niño 1.** young; b.s. childish; **2.** m (little) boy; (en general) child; baby; literal; ~s pl. children; ~ bonito, ~ gótico playboy; ~ explorador boy scout; ~ expósito foundling; desde ~ from childhood; ~-probeta test-tube baby.

níquel m nickel; chromium-plating.

nitidez f spotlessness etc.; **nítido** bright, clean, spotless; phot. sharp.

nitrato m nitrate; **nítrico** nitric; **nitro** m nitre; **nitrogenado** nitrogenous; **nitrógeno** m nitrogen.

nivel m level; ~ de aire, ~ de burbuja spirit level; ~ de vida standard of living; ~ sonoro noise level; a ~ level (a. ⚒); true; **nivelado** level; ⊕ a. flush; **niveladora** f ⊕ bulldozer; **nivelar** [1a] level; ⚒ etc. grade; fig. level up, even up.

no mst not; (usado solo) no; ¿~? = ¿~ es verdad? compuestos: ~ agresión nonagression; ~ sea que lest; ~ ... sino only; not ... but.

noble adj. a. su. m noble; **nobleza** f nobility, aristocracy.

noción f notion, idea; ~es pl. elements; smattering.

nocivo harmful, injurious.

nocturno night attr.; zo. etc. nocturnal; **noche** f night; nighttime; (más bien tarde) evening; (oscuridad) darkness; ¡buenas ~s! good evening!; (al despedirse o acostarse) good night!; esta ~ tonight; de (la) ~ función etc. late night attr.; ~ toledana sleepless night; de ~, por la ~ at night, by night; de la ~ a la mañana overnight; hacerse de ~ get dark; **nochero** sleepwalker; **nochebuena** f Christmas Eve; **noche vieja** New Year's Eve; watch night.

nodriza f wet nurse.

nogal m, **noguera** f walnut (tree).

nómada 1. nomadic; **2.** m/f nomad.

nombradía f fame, renown; **nombrado** fig. renowned; **nombramiento** m naming; designation; nomination; appointment; ⚔ commission; **nombrar** [1a] name; designate; (proponer) nominate; (elegir etc.) appoint; ⚔ commission; mention; **nombre** m name (a. fig.); gr. noun; ~ comercial firm name; ~ de lugar place name; ~ (de pila) Chris-

tian name; first name; ~ de soltera maiden name; mal ~ nickname; por mal ~ nicknamed; ~ propio proper name (or noun); de ~ by name; en ~ de in the name of, on behalf of; sin ~ nameless.

nomeolvides f forget-me-not.

nómina f list; ✝ payroll; **nominación** f nomination; **nominal** nominal; titular; valor face attr.

non odd; andar de ~es have nothing to do; estar de ~ be odd (man out).

nonada f trifle, mere nothing.

nordeste = noreste.

noreste 1. parte northeast(ern); dirección northeasterly; viento northeast (-erly); **2.** m northeast.

noria f waterwheel, chain pump.

norma f standard, rule, norm; method; **normal** normal (a. ⚕); natural; regular; ancho etc. standard; **normalizar** [1f] normalize, standardize.

noroeste 1. parte northwest(ern); dirección northwesterly; viento northwest(erly); **2.** m northwest.

norte 1. parte north(ern); dirección northerly; viento north(erly); **2.** m north; fig. guide; lodestar; north wind; **norteamericano** adj. a. su. m, a f American (of U.S.A.); **norteño 1.** northern; **2.** m, a f northerner.

nos (acc.) us; (dat.) (to) us; (reflexivo) (to) ourselves; (recíproco) (to) each other; **nosotros, nosotras** pl. we; (tras prp.) us.

nostalgia f nostalgia, homesickness; **nostálgico** nostalgic, homesick.

nota f note (a. ♪); escuela: report; mark, class en examen; **notable 1.** notable, noteworthy; remarkable; **2.** m worthy, notable; **notación** f notation; **notar** [1a] note, notice; (apuntar) note down; escrito annotate; fig. criticize.

notario m notary (public).

noticia f piece of news; (news) item en periódico; (noción) knowledge, idea (de of); ~s pl. news; **noticiar** [1b] notify; **noticiario** m radio: news (bulletin); cine: newsreel; **noticioso** fuente well-informed; **notificación** f notification; **notificar** [1g] notify; **notorio** well-known; b.s. notorious; obvious.

novato 1. raw, green; **2.** m beginner.

novedad f (calidad) newness, novelty, strangeness; (cambio) change, new development; (cosa

nueva) novelty; (*noticia*) news; ⁓es pl. novelties; (*modas*) latest fashions; sin ⁓ as usual; **novel** 1. new, inexperienced; 2. *m* beginner; **novela** *f* novel; ⁓ *por entregas* serial; ⁓ *policíaca* detective story, whodunit *sl.*; **novelero** p. highly imaginative, romantic; **novelesco** *género* fictional; *suceso* romantic, fantastic; **novelista** *m/f* novelist.

novia *f* girl-friend, sweetheart; (*prometida*) fiancée; (*casada*) bride; **noviazgo** *m* engagement.

noviciado *m eccl.* novitiate; apprenticeship; **novicio** *m*, **a** *f* novice (*a. eccl.*); beginner; apprentice.

noviembre *m* November.

novilunio *m* new moon.

novilla *f* heifer; **novillero** *m toros*: novice bullfighter; F truant; **novillo** *m* young bull; steer, bullock; fiancé; F *hacer* ⁓s play truant.

novio *m* boyfriend; (*prometido*) fiancé; (*casado*) bridegroom; *los* ⁓s (*casados*) the bridal couple.

nubarrón *m* storm cloud; **nube** *f* cloud (*a. fig.*); *poner en* (or *por*) *las* ⁓s praise to the skies.

núbil nubile, marriageable.

nublado 1. cloudy; 2. *m* storm cloud; *fig.* threat; (*copia*) swarm; **nubloso** cloudy; *fig.* gloomy.

nuca *f* nape.

nuclear nuclear; **núcleo** *m* nucleus; ⚡ core (*a. fig.*); ♀ kernel.

nudillo *m* knuckle; **nudo** *m* knot (*a.* ⚓, ♀, *fig.*); node; center *de comunicaciones*; (*enredo*) tangle; lump *en garganta*; *fig.* bond, tie; *thea.* plot; **nudoso** *madera etc.* knotty; *tronco* gnarled.

nuera *f* daughter-in-law.

nuestro 1. *adj.* our; (*tras su.*) of

ours; 2. *pron.* ours.

nueva *f* piece of news; ⁓s pl. news; **nuevamente** again; recently.

nueve nine (*a. su.*); (*fecha*) ninth.

nuevo new; (*original*) novel; (*adicional*) further; *más* ⁓ (*p.*) junior; *de* ⁓ (all over) again.

nuez *f* nut; walnut; ⁓ *de Adán* Adam's apple; ⁓ *moscada* nutmeg.

nulidad *f* ⚖ nullity; incompetence *de empleado*; (*p.*) nonentity; **nulo** ⚖ (null and) void; invalid.

numeral numeral; **numerar** [1a] number; **numérico** numerical; **número** *m* number (*a. de revista etc.*); *thea.* turn, number; item, number *en programa*; *cargar al* ⁓ llamado, *cobrar al* ⁓ llamado call collect, reverse the charges; *mirar por el* ⁓ *uno* to look out for number one; ⁓ *atrasado* backnumber; ⁓ *de serie* series number; *teleph.* ⁓ *equivocado* wrong number; ⁓ *extraordinario* special edition; *de* ⁓ *miembro* full; *sin* ⁓ numberless; **numeroso** numerous.

nunca never; ever; ⁓ (*ja*)*más* never again; *casi* ⁓ hardly ever.

nuncio *m eccl.* nuncio; Papal envoy.

nupcial wedding *attr.*; **nupcias** *f/pl.* wedding.

nutria *f* otter.

nutrición *f* nutrition, nourishment; **nutrido** *fig.* large, considerable; **nutrimento** *m* nutriment, nourishment; **nutrir** [3a] feed, nourish; **nutritivo** nutritious.

nylón *m* nylon.

ñame *m* yam; dunce.

ñapa *f Am. de* ⁓ to boot.

ñaque *m* junk; pile of junk.

ñiquiñaque *m* F trash, rubbish.

ñoño 1. whining; spineless; feebleminded; 2. *m*, **a** *f* drip.

O

o or; ⁓ ... ⁓ either ... or.

oasis *m* oasis.

obedecer [2d] obey; ⁓ *a* (*ceder*) yield to; **obediencia** *f* obedience; **obediente** obedient.

obelisco *m* obelisk.

obertura *f* overture.

obesidad *f* obesity; **obeso** obese.

obispo *m* bishop.

objeción *f* objection; **objetante** *m/f*

objector; **objetar** [1a] object; **objetividad** *f* objectivity; **objetivo** *adj. a. su. m* objective; *object m* **objeto** *m* object (*a. gr.*); (*fin a.*) end, purpose.

oblea *f* wafer.

oblicuo oblique; *mirada* sidelong.

obligación *f* obligation; duty (*a, con, para* to); *obligaciones* pl. ✝ bonds, securities; **obligar** [1h] force, compel; ⁓**se** bind o.s. (*a* to);

obligatorio obligatory, binding (*a* on).

oboe *m* oboe.

obra *f* work; piece of work; handiwork; ~*s pl. lit. etc.* works; ⚒ repairs, alterations; ~ de about, a matter of; ~*s pl. de caridad* good works; ~ *de consulta* reference book; ~ *de hierro* ironwork; ~ *maestra* masterpiece; ~ *pl. públicas* public works; **obraje** *m* manufacture, processing; **obrar** [1a] *v/t.* build, make; *madera etc.* work; *v/i.* act, behave, proceed; **obrero 1.** *clase etc.* working; labor *attr.*; *movimiento* working-class; **2.** *m*, **a** *f* worker (*a. pol.*).

obscenidad *f* obscenity; **obsceno** obscene.

obsequio *m* attention, courtesy; (*regalo*) present, gift; **obsequioso** attentive, obliging, helpful; *b.s.* obsequious.

observación *f* observation; (*dicho a.*) remark, comment; *observance de ley*; **observador 1.** observant; **2.** *m*, **-a** *f* observer; **observancia** *f* observance; **observar** [1a] (*ver*) observe; watch; notice, spot ⨍; **observatorio** *m* observatory.

obsesión *f* obsession; **obsesionante** haunting; **obsesionar** [1a] obsess.

obstáculo *m* obstacle; hindrance.

obstante: *no* ~ **1.** *adv.* however, nevertheless; **2.** *prp.* in spite of; **obstar** [1a]: ~ *a* hinder, prevent.

obstinación *f* obstinacy *etc.*; **obstinado** obstinate, stubborn; **obstinarse** [1a]: ~ *en inf.* persist in *ger.*).

obstrucción *f* obstruction (*a. parl.*); **obstructivo** obstructive; **obstruir** [3g] obstruct, block; hinder.

obtener [2l] get, obtain, secure.

obturador *m phot.* shutter; ⊕, *mot.* choke; **obturar** [1a] plug, stop up, seal off; *diente* fill.

obtuso blunt; ⅄, *fig.* obtuse.

obús *m* howitzer; (*granada*) shell.

obviar [1c] *v/t.* remove; *v/i.* stand in the way; **obvio** obvious.

oca *f* goose.

ocasión *f* occasion, time; opportunity, chance (*de inf.* to *inf.*); *de* ~ second-hand; **ocasional** accidental; **ocasionar** [1a] cause, produce.

ocaso *m ast.* sunset; setting *de astro*; *geog.* west; *fig.* decline.

occidental western; **occidente** *m* west.

oceánico oceanic; **océano** *m* ocean.

ocio *m* leisure; *ratos de* ~ spare time; **ociosidad** *f* idleness; **ocioso** *p. etc.* idle, lazy; *obra* useless.

octubre *m* October.

ocular 1. ocular; *v. testigo*; **2.** *m* eyepiece; **oculista** *m/f* oculist.

ocultar [1a] hide (*a, de* from); screen, mask; **oculto** hidden.

ocupación *f* occupation (*a.* ✕); **ocupante** *m/f* occupant; **ocupar** [1a] *mst* occupy (*a.* ✕); *puesto a.* fill, hold; *espacio, tiempo a.* take up; (*llenar*) fill (up); *atmósfera* pervade.

ocurrencia *f* occurrence; (*chiste*) witty remark; (*bright*) idea; **ocurrente** witty; **ocurrir** [3a] happen, occur.

ocho eight (*a. su.*); (*fecha*) eighth.

oda *f* ode.

odiar [1b] hate; **odio** *m* hatred; ill-will; ~*-amor* love-hate; ~ *de sangre* feud; *tener* ~ *a* hate; **odioso** odious, hateful; nasty.

odontología *f* dentistry.

odorífero sweet-smelling.

odre *m* wineskin; ⨍ soak.

oeste 1. *parte* west(ern); *dirección* westerly; *viento* west(erly); **2.** *m* west.

ofender [2a] offend; wrong; *reputación etc.* injure; *vista etc.* hurt; (*injuriar*) insult; ~*se* take offense (*de, por* at); **ofensa** *f* offense; insult; **ofensiva** *f* offensive; **ofensivo** offensive (*a.* ✕); disgusting; **ofensor** *m*, **-a** *f* offender.

oferta *f* offer (*a.* ✝); proposal, proposition; ✝ tender, bid.

office [ˈofis] *m* pantry.

oficial 1. official; **2.** *m* official, officer (*a.* ✕); (*obrero*) skilled worker; **oficiar** [1b] officiate (*de as*); **oficina** *f* office; ✕ orderly room; *pharm.* laboratory; **oficinesco** office *attr.*; clerical; white-collar; **oficinista** *m/f* office worker, clerk; **oficio** *m* (*profesión*) occupation; ⊕ craft, trade; **oficioso** diligent; helpful; *b.s.* officious.

ofrecer [2d] *mst* offer; present; ~*se* offer o.s.; volunteer; **ofrecimiento** *m* offer(ing); **ofrenda** *f eccl.* offering.

ofuscar [1g] mystify, confuse.

oída *f* hearing; **oído** *m* hearing; *anat.*, ♪ ear; ♪ *de* ~ by ear; **oír** [3q] hear; (*atender*) listen (to); *misa* attend; ¡*oiga*! *teleph.* hullo!

ojal *m* buttonhole; eyelet.

¡ojalá! 1. *int.* if only it would! *etc.*; no

such luck!; **2.** *cj.* ~ *(que)* ... if only ...!;
... I hope that.

ojeada *f* glance; **ojear** [1a] eye, stare
at; *hunt.* beat; **ojeras** *f/pl.* rings
under the eyes; **ojeriza** *f* spite, ill-
will; **ojeroso** seedy; **ojete** *m sew.*
eyelet.

ojiva *f* ogive; **ojival** ogival.

ojo *m* eye *(a. fig.)*; span *de puente*; ~ *(de
la cerradura)* keyhole; *¡~!* look out!;
(mucho) ~ con be very careful about,
beware of; *¡~, mancha!* wet paint!,
fresh paint!; *al* ~ *pintura* oil; *a los* ~s *de* in the eyes of;
a ~s *vistas* publicly; *hacer del* ~ wink;
ojuelos *m/pl.* (bright) eyes.

ola *f* wave; ~ *de calor* heat wave; ~ *de
marea* tidal wave.

¡olé! bravo!

oleada *f* ⚓ big wave; *(movimiento)*
surge, swell; *fig.* wave *de huelgas etc.*

oleaje *m* surge, swell, surf.

óleo *m paint.*, *eccl.* oil; *(cuadro)* oil-
painting; *al* ~ *pintura* oil attr., *pintar
in oils*; **oleoducto** *m* pipeline.

oler [2i] smell *(a* of, like); **olfatear**
[1a] sniff, smell, scent (out; *a. fig.*);
fig. nose out; **olfativo** olfactory; **olfato** *m* (sense of) smell; scent.

oligarquía *f* oligarchy.

oliva *f* olive; **olivar** *m* olive-grove;
olivo *m* olive (tree).

olmo *m* elm (tree).

olor *m* smell; odor; scent; *mal* ~ stink;
oloroso fragrant.

olvidadizo forgetful, absentminded;
olvidado forgetful; ~ *de* forgetful of,
oblivious of *(or* to); **olvidar** [1a]
forget; leave behind; omit; *(propasarse)* forget o.s.; **olvido** *m (estado)*
forgetfulness; oblivion; omission,
slip.

olla *f* pot, pan; pool *de río*; *mount.*
chimney; ~ *podrida* stew; ~ *de presión*
pressure cooker.

ombligo *m* navel; middle, center.

omisión *f* omission; failure *(de inf.* to
inf.); *(dejadez)* neglect; **omitir** [3a]
leave out, miss out, omit.

omóplato *m* shoulder-blade.

once eleven *(a. su.)*; *(fecha)* eleventh;
las ~ eleven o'clock.

onda *f* wave *(a. phys., radio)*; ~ *corta*
short wave; *de* ~ *corta* shortwave
attr.; ~ *larga* long wave; ~ *luminosa*
light wave; *radio:* ~ *portadora* carrier;
~ *sonora* sound wave; **ondeante** *bandera* waving; **ondear** [1a] *v/t. pelo*
wave; *sew.* pink; *v/i. (agua)* ripple;
(movimiento) undulate; *(bandera etc.)*

flutter, wave; ~se wave; swing; **ondulación** *f* undulation; wave *(a.
pelo)*; ripple; ~ *permanente* permanent wave; **ondulado** wavy; *camino*
uneven; *hierro, papel* corrugated.

ONU: *Organización de las Naciones
Unidas f* UN *(United Nations)*.

onza *f* ounce *(a. zo.)*.

opacidad *f* opacity; **opaco** opaque.

ópalo *m* opal.

opción *f* option *(a* on); *en* ~ as an
option; **opcional** optional; ~ *cero*
zero option.

ópera *f* opera.

operación *f* operation; **operador** *m*,
-a *f cine etc.*: operator; ⚕ surgeon;
operar [1a] *v/t.* ⚕ operate on *(de*
for); *v/i.* operate; ~se *f* have an
operation *(de* for); **operario** *m*, **a** *f*
operative; workman.

opereta *f* operetta, light opera.

opiata *f*, **opiato** *m* opiate.

opinar [1a] think; ~ *que* be of the
opinion that, judge that; **opinión** *f*
opinion; ~ *pública* public opinion.

opio *m* opium.

oponer [2r] *dique etc.* set up *(a*
against); *objeción etc.* raise *(a* to).

oportunidad *f* opportunity *(de inf.* of
ger., to *inf.)*, chance; *(lo oportuno)*
opportuneness, expediency; **oportunismo** *m* opportunism; **oportu-
nista** *m/f* opportunist; **oportuno**
timely, opportune.

oposición *f* opposition *(a.* ~es *pl.)*
examination, competition *(a* for);
opositor *m*, **-a** *f* competitor.

opresión *f* oppression; oppressive-
ness; **opresivo** oppressive; **opresor**
m, **-a** *f* oppressor; **oprimir** [3a]
oppress; squeeze, press *con presión*;
(vestido) be too tight for.

oprobio *m* shame, opprobrium;
oprobioso shameful, opprobrious.

optar [1a] choose, decide *(entre*
between; *por inf.* to *inf.)*.

óptica *f* optics; **óptico 1.** optic(al); **2.**
m optician.

optimismo *m* optimism; **optimista**
1. optimistic, hopeful; **2.** *m/f* opti-
mist.

óptimo very good; optimum.

opuesto A, *lado* opposite; *opinión etc.*
contrary, opposing.

opugnar [1a] attack.

opulencia *f* opulence, affluence;
opulento opulent; luxurious.

oquedad *f* hollow; *fig.* hollowness.

ora: ~ ... ~ now ... now (then).

oración

oración *f* oration, speech; *eccl.* prayer; *gr.* sentence; **oráculo** *m* oracle; **orador** *m*, **-a** *f* orator; speaker; **oral** oral; **orar** [1a] speak, make a speech.

oratorio 1. oratorical; **2.** *m* ♪ oratorio; *eccl.* oratory.

orbe *m* orb; (*mundo*) world; **órbita** *f* orbit (*a. fig.*); **entrar en ~** go into orbit; **orbital** orbital.

orden¹ *m* order; *~ del día* agenda; *~ público* law and order; **en ~**, **por** (*su*) *~* in order; **llamar al ~** call to order; **poner en ~** put into order.

orden² *f mst* order; *⚖ a.* writ, warrant; *~ de allanamiento* search warrant; *~ de colocación* word order; *✕ ~ del día* order of the day; *~ de pago* money order; *✝ a la ~* to order; *hasta nueva ~* till further orders; *por ~ de* on the orders of, by order of.

ordenación *f* order; arrangement; *eccl.* ordination; **ordenada** *f* ordinate; **ordenado** orderly, tidy; methodical; **ordenador** *m* ⊕ computer; *~ de viaje* on-board computer; **ordenanza 1.** *f* ordinance; decree; **2.** *m ✕* orderly; **ordenar** [1a] (*arreglar*) arrange, order, marshal; (*poner en orden*) put into order; (*mandar*) order (*inf.* to *inf.*); *eccl.* ordain; **~se** take (holy) orders.

ordeñar [1a] milk; **ordeño** *m* milking.

ordinal *adj. a. su. m* ordinal.

ordinariez *f* commonness, coarseness; **ordinario** ordinary; usual; mediocre; (*vulgar*) common, coarse; *de ~* usually.

orear [1a] air; **~se** take a breather.

orégano *m* marjoram.

oreja *f* ear; (*lengüeta*) tab; handle.

orfanato *m* orphanage; **orfandad** *f* orphanage; orphanhood.

orfebre *m* goldsmith, silversmith.

orfelinato *m Am.* orphanage.

orfeón *m* glee club, choral society.

orgánico organic; **organismo** *m* *biol. etc.* organism; *pol.* organization; **organista** *m/f* organist; **organización** *f* organization; **organizador** *m*, **-a** *f* organizer; **organizar** [1f] organize; **órgano** *m* organ; (*medio*) means, medium.

orgía *f* orgy.

orgullo *m* pride; arrogance; **orgulloso** proud.

orientación *f* orientation; **oriental 1.** oriental; eastern; **2.** *m/f* oriental;

orientar [1a] orientate; position; (*dirigir*) guide; train *para profesión*; **~se** *fig.* take one's bearings; **oriente** *m* east; ♀ Orient; *el ~ Cercano* ♀, *el Próximo* ♀ the Near East; *el Extremo* ♀, *el Lejano* ♀ the Far East; *el* ♀ *Medio* the Middle East.

orificio *m* orifice; vent.

origen *m* origin; source; **original 1.** original; novel; (*singular*) odd, eccentric; **2.** *m* original (*a. p.*); (*p.*) character; *typ.* copy; **originalidad** *f* originality; eccentricity; **originar(se)** [1a] originate; start, cause; **originario:** *~ de* native to.

orilla *f* edge (*a. sew.*); bank *de río*; side *de lago*; shore *de mar*; rim *de taza*; *sew.* border, hem; *~ del mar* seashore; *~s f/pl. Arg., Mex.* outskirts (of the city); *a ~s de* on the banks of; **orillar** [1a] *sew.* edge, trim (*de* with); *lago etc.* skirt; *asunto* touch briefly on.

orín *m* rust; *tomarse de ~* get rusty.

orina *f* urine; **orinar** [1a] urinate; **orines** *m/pl.* urine.

oriundo: *~ de* native to; *ser ~ de* come from, be a native of.

orla *f* border, edging, fringe; **orlar** [1a] border, edge (*de* with).

ornamental ornamental; **ornamentar** [1a] adorn; **ornamento** *m* ornament; adornment; **ornar** [1a] adorn, decorate.

oro *m* gold; *naipes:* *~s pl.* diamonds; *~ en barras* bullion; *~ batido* gold leaf; *~ laminado* rolled gold.

oropel *m* tinsel (*a. fig.*).

orquesta *f* orchestra; **orquestar** [1a] orchestrate.

orquídea *f* orchid, orchis.

ortiga *f* (stinging) nettle.

orto...: *~doncia* orthodontics; *aparato de ~* orthodontic appliance, braces; *~doxia* *f* orthodoxy; *~doxo* orthodox; sound; *~grafía* *f* spelling, orthography ⨅; *~gráfico* orthographic(al).

oruga *f zo.* caterpillar; ⚘ rocket.

orujo *m* skins and stones of grapes etc. *after pressing.*

orza *f* ⚓ luff(ing); luff; **orzar** [1f] luff.

orzuelo *m* ⚕ sty (on the eye).

os (*acc.*) you; (*dat.*) (to) you; (*reflexivo*) (to) yourselves; (*recíproco*) (to) each other.

osadía *f* daring; **osado** daring, bold.

osamenta *f* bones; skeleton.

osar [1a] dare (*inf.* to *inf.*).

osario *m* ossuary, charnel-house.

oscilación f oscillation, swing etc; **oscilar** [1a] oscillate, swing, sway; (luz) blink; fig. waver.

oscurecer [2d] v/t. darken; fig. confuse, fog; v/i. grow dark; **oscuridad** f darkness; **oscuro** dark; gloomy.

oso m bear; ~ **blanco** polar bear; ~ **gris** grizzly bear.

ostentación f ostentation; pomp, display; **ostentar** [1a] show; b.s. show off, flaunt, display; **ostentoso** ostentatious.

ostra f oyster; fig. (p.) fixture.

ostracismo m ostracism.

ostral m oyster bed.

O.T.A.N.: la ~ Nato.

O.T.A.S.E.: la ~ Seato.

otero m hill, knoll.

otoñal autumnal, autumn attr.; **otoño** m autumn, fall.

otorgar [1h] grant, give (a to).

otramente otherwise; in a different way; **otro 1.** adj. other; another; thea. ¡~a! encore!; ~ **que** other than; **2.** pron. another one; el ~ the other (one); los ~s the others, the rest.

ovación f ovation; **ovacionar** [1a] applaud, cheer.

oval(ado) oval; **óvalo** m oval.

ovario m biol. ovary.

oveja f sheep; **ovejuno** sheep attr.

ovillar [1a] wind; ~**se** curl up into a ball; **ovillo** m ball of wool etc.; fig. tangle; hacerse un ~ curl up.

ovni m: objeto volante no identificado UFO (unidentified flying object).

óvulo m ovum.

oxidado rusty; 🜊 oxidized; **oxidar** [1a] 🜊 oxidize; rust; **oxígeno** m oxygen.

ozono m ozone.

P

pabellón m (edificio) pavilion; (colgadura) canopy, (bandera) flag.

pábilo m, **pabilo** m wick.

paciencia f patience; forbearance; **paciente** adj. a. su. m/f patient; **pacienzudo** patient; longsuffering.

pacificación f peace, calm; **pacificador** m, **-a** f peacemaker; **pacificar** [1g] pacify; ~**se** calm down; **pacífico** pacific, peaceable; **pacifismo** m pacifism; **pacifista** adj. a. su. m/f pacifist.

pactar [1a] agree to; **pacto** m pact, covenant, agreement.

padecer [2d] suffer (de from); endure; error etc. be a victim of; **padecimiento** m suffering.

padrastro m stepfather; fig. obstacle; anat. hangnail; **padrazo** m F indulgent father; **padre** m father (a. eccl.); zo. sire; (tras nombre) senior, the elder; ~s pl. parents, father and mother; ancestors; ~ **espiritual** confessor; ♀ Nuestro Lord's Prayer; **padrino** m eccl. godfather; best man en boda.

paga f payment; (sueldo) pay, wages; fee; **pagadero** payable, due; **pagador** m, **-a** f payer.

paganismo m paganism; **pagano** adj. a. su. m, **a** f pagan, heathen.

pagar [1h] pay; repay; pay off; com-pra pay for; favor, visita return; a ~ ✆ postage due; a ~, por ~ cuenta unpaid; ~**se** de be pleased with, take a liking to; **pagaré** m promissory note, IOU.

página f page; **paginación** f pagination; **paginar** [1a] paginate.

pago m payment; repayment; fig. return, reward; ~ **anticipado** advance payment; ~ **al contado** cash (payment); ~ **a cuenta** payment on account; ~ **a plazos** deferred payment; ~ **contra recepción** cash on delivery; en ~ **de** in payment for.

paila f large pan.

país m country; land, region; del ~ **vino** etc. local; **paisaje** m landscape; countryside; **paisanaje** m civil population; **paisano** m, **a** f fellow countryman; ✗ civilian; S.Am. peasant.

paja f straw; fig. trash; lit. padding; de ~ straw attr.; F **hombre de** ~ stooge; **pajar** m straw-loft; rick.

pájara f zo. (hen)bird; (cometa) paper kite; F sharp one; ~ **pinta** forfeits; **pajarear** [1a] fig. loaf, loiter; S.Am. (caballo) shy; **pajarera** f aviary; **pajarero 1.** F p. merry, bright; vestido gaudy; **2.** m bird fancier; (cazador) bird catcher; **pajarilla** f paper kite; **pajarita** f paper kite, paper bird;

pajarito *m* fledgling; **pájaro** *m* bird; F chap; F (*astuto*) clever fellow; F ~ *de cuenta* bigwig; ~ *carpintero* woodpecker; ~ *mosca* hummingbird.
paje *m* page; ⚓ cabin-boy.
pajera *f* straw-loft; **pajita** *f* (drinking-)straw; **pajizo** straw *attr.*; straw-colored; **pajuela** *f* spill.
pala *f* shovel, spade; scoop; blade *de remo, hélice etc.*; *deportes*: bat, racquet; upper(s) *de zapato*.
palabra *f* word; (*facultad*) (power of) speech; ~*s pl. mayores* (strong) words; *a media* ~ at the least hint; *de* ~ by word of mouth; ~ *por* ~ word for word, verbatim; **palabrero 1.** windy, wordy; **2.** *m*, **a** *f* windbag.
palaciano, palaciego 1. palace *attr.*, court *attr.*; **2.** *m* courtier; **palacio** *m* palace; ~ *de justicia* courthouse; ~ *municipal* city hall.
paladar *m* palate (*a. fig.*), roof of the mouth; *fig.* taste; **paladear** [1a] taste (with pleasure), relish.
palanca *f* lever; crowbar; ~ *de freno* brake lever; ~ *de mando* control column.
palangana *f* washbasin; **palanganero** *m* washstand.
palco *m* box; ~ *de proscenio* stagebox; ~ *escénico* stage.
palenque *m* (*defensa*) palisade; (*público*) arena, ring.
paleta *f* small shovel, scoop; (*badil*) fire-shovel; ⚠ trowel; *paint.* palette; blade, vane; **paletilla** *f* shoulder-blade.
palidecer [2d] (turn) pale; **palidez** *f* paleness; **pálido** pale, sickly.
palillo *m* toothpick; ♪ drumstick; ~*s pl.* castanets; chopsticks; F trifles.
palio *m* cloak; canopy.
paliza *f* beating, thrashing.
palizada *f* stockade.
palma *f* ⚘, *anat. a. fig.* palm; triumph; **palmada** *f* slap, pat *en el hombro etc.*; clapping, applause.
palmear [1a] clap.
palmera *f* palm(-tree).
palmeta *f* cane; (*acto*) caning.
palmípedo webfooted.
palmo *m* span; *avanzar* ~ *a* ~ go forward inch by inch.
palo *m* stick; pole; (*material*) wood; handle *de escoba etc.*; (golf- *etc.*) club; ⚓ mast; ⚓ spar; (*golpe*) blow with a stick; *naipes*: suit.
paloma *f* dove, pigeon; *fig. a. pol.* dove; ~*s pl.* ⚓ whitecaps; ~ *mensajera* carrier pigeon; ~ *torcaz* wood-pigeon; **palomar** *m* dovecot(e); **palomino** *m* young pigeon; **palomitas** *f/pl.* popcorn.
palpable palpable; **palpar** [1a] touch, feel; (*a tientas*) grope along, feel one's way; *sl.* frisk.
palpitación *f* palpitation *etc.*; **palpitante** palpitating, throbbing; *cuestión* burning; **palpitar** [1a] palpitate, throb; flutter *de emoción*.
palúdico marshy; ⚕ marsh *attr.*, malarial; **paludismo** *m* malaria.
pan *m* (*en general*) bread; loaf; ⚘ wheat; ⊕ gold leaf, silver leaf.
pana[1] *f* velveteen, corduroy.
pana[2] *f mot.* breakdown.
panacea *f* panacea, cure-all.
panadería *f* bakery; **panadero** *m*, **a** *f* baker.
panal *m* honeycomb.
páncreas *m* pancreas.
pandear(se) [1a] bulge, warp, sag.
pandemonio *m* pandemonium.
pandeo *m* bulge, bulging.
pandilla *f* set; *b.s.* gang, clique; ✝ ring; **pandillero** *m S.Am.* gangster.
panel *m* panel; plywood.
panfleto *m* lampoon; pamphlet.
pánico *adj. a. su. m* panic.
pantalón *m*, ~*es pl.* trousers, pants *Am.*; (*de mujer, exterior*) slacks; ~*es pl. cortos* shorts.
pantalla *f* screen (*a. cine*); (lamp-)shade; *llevar a la* ~ film; *pequeña* ~ TV screen; ~ *acústica* loudspeaker.
pantano *m* marsh, bog, swamp; (*artificial*) reservoir; *fig.* obstacle; **pantanoso** marshy, swampy.
pantera *f* panther.
pantorrilla *f* calf (of the leg); **pantorrilludo** fat in the leg.
pantufla *f*, **pantuflo** *m* slipper.
panza *f* paunch, belly; **panzón** F, **panzudo** F paunchy, pot-bellied.
pañal *m* diaper *de niño*; tail *de camisa*; ~*es pl.* swaddling clothes; *fig.* early stages, infancy.
pañete *m* light cloth; ~*s pl.* shorts, trunks.
paño *m* cloth; stuff; (*medida*) breadth of cloth; duster, rag *para limpiar*; mist, cloudiness *en espejo etc.*; *sew.* panel; ~ *de cocina* dishcloth; ~ *higiénico* sanitary napkin; ~ *de manos* towel; ~ *de mesa* tablecloth; ~*s pl. menores* F underclothes, undies; *al* ~ *thea.* off-stage.

P

pañolón *m* shawl; **pañuelo** *m* handkerchief; (head)scarf.

papa[1] *m* pope.

papa[2] *f esp. S.Am.* potato; ~s *pl.* pap, mushy food.

papá *m* F dad(dy), papa.

papagayo *m* parrot; (*p.*) chatterbox.

papal[1] papal.

papal[2] *m S.Am.* potato field.

paparrucha *f* F hoax; worthless book *etc.*

papel *m* paper; piece of paper; *thea.* part, role (*a. fig.*); ~es *pl.* (identification) papers; ~ de calcar tracing-paper; ~ carbón carbon paper; ~ de cebolla onionskin; ~ cuadriculado squared paper; ~ de embalar, ~ de envolver brown paper, wrapping paper; ~ de empapelar wallpaper; ~ de estaño tinfoil; ~ de estraza strong wrapping paper; ~ de excusado toilet paper; ~ de filtro filter paper; ~ de fumar cigarette paper; ~ higiénico toilet paper, toilet roll; ~ de lija sandpaper; ~ moneda paper money; ~ ondulado corrugated paper; ~ de paja de arroz rice paper; ~ pintado wallpaper; ~ de plata silver paper; ~ secante blotting paper, blotter; ~ de seda tissue paper; ~ sellado stamped paper; ~ transparente tracing paper; ~ viejo, ~es *pl. usados* waste paper.

papeleo *m* red tape; **papelería** *f* stationery; (*tienda*) stationer's (shop); (*lío*) sheaf of papers; **papelerío** *m* paperwork; **papelero** *m* stationer; paper manufacturer; **papeleta** *f* slip, card; *pol.* voting paper; *escuela:* report; (*empeño*) pawn ticket; **papelillo** *m* cigarette; **papelón** *m* waste paper; (*cartón*) pasteboard; F impostor; **papelote** *m*, **papelucho** *m* worthless bit of paper.

papera *f* mumps; goitre.

paquebote *m* packet (boat).

paquete *m* parcel (*a.* 📦), packet, pack(age); ⚓ packet (boat); F toff; ~s *pl. postales* parcel post.

par 1. 🅰 even; equal; **2.** *m* pair, couple; (*noble*) peer; ~ de torsión torque; ~es o nones odds or evens; ~es in pairs; *al* ~ equally; together; *de* ~ *en* ~ wide open; *sin* ~ unparalleled; peerless; **3.** *f* par; *a la* ~ equally; at the same time; ✝ at par; *a la* ~ *que* at the same time as; *golf:* 5 *bajo* ~ 5 under par.

para a) *destino, uso, fin;* for; intended

for; *salir* ~ *Madrid* leave for Madrid; b) *tiempo:* ~ *mañana* for tomorrow; by tomorrow; c) *relación:* (*a.* ~ *con*) to, towards; *era amable* ~ (*con*) *todos* he was kind to everyone; d) *contraste:* ~ *niño, lo hace muy bien* he does it very well for a child; e) ~ *inf.* (*fin*): (in order) to *inf.*; *ahorrar* ~ *comprar algo* save (in order) to buy s.t.; f) ~ *inf.* (*resultado*): *lo encontró* ~ *volver a perderlo* he found it only to lose it again; g) ~ *inf.* (*con bastante, demasiado*): *tengo bastante* ~ *vivir* I have enough to live on; h) ~ *que* in order that, so that; i) ¿~ *qué?* why?, for what purpose?

parabién *m* congratulations; *dar el* ~ a congratulate.

para...: ~**brisas** *m* windscreen, windshield *Am.*; ~**caídas** *m* parachute; *lanzar en* ~ parachute; ~**caídista** *m* parachutist; ✗ paratrooper; ~**choques** *m mot.* bumper.

parada *f* stop; (*acto*) stopping; (*lugar*) stop, stopping place; (*taxi*) stand; shut-down, standstill.

paradero *m* whereabouts; stopping-place; *S.Am.* 🚏 halt.

parado slow, inactive; motionless; *salida* standing; *p.* unemployed; *S.Am.* standing up; *S.Am.* proud.

paradoja *f* paradox; **paradójico** paradoxial.

parador *m* † inn; (*moderno*) tourist hotel; (*p.*) heavy gambler.

parafina *f* paraffin wax.

paraguas *m* umbrella.

paragüero *m* umbrella-stand.

paraíso *m* paradise, heaven; *thea.* gallery.

paraje *m* place, spot; situation.

paralela *f* parallel line; ~s *pl.* parallel bars; **paralelo** *adj. a. su. m* parallel (*a. geog.*); ⚡ en ~ in parallel.

parálisis *f* paralysis; **paralítico** *adj. a. su. m,* **a** *f* paralytic; **paralizar** [1f] paralyse (*a. fig.*); ~se become paralysed.

parámetro *m* parameter, established boundaries.

páramo *m* bleak plateau.

parangón *m* comparison; **parangonar** [1a] compare.

paranoia *f* paranoia.

parapeto *m* parapet, breastwork.

parar [1a] **1.** *v/t.* stop; *progreso* check; *atención* fix (en on); *dinero* stake; **2.** *v/i.* stop; stay, put up (*en hotel* at); (*terminar*) end up; ~ en

result in; **3.** ~se stop; *mot. etc.* stop, pull up; come to a standstill; *S.Am.* stand up; ~ en pay attention to.

pararrayos *m* lightening rod.

parasitario, parasítico parasitic, parasitical; **parásito 1.** parasitic (de on); **2.** parasite (*a. fig.*); *radio:* ~s *pl.* atmospherics, static.

parasol *m* parasol.

parcela *f* plot, small-holding; **parcelar** [1a] parcel out.

parcial partial, part ...; *p. etc.* partial, prejudiced, partisan; **parcialidad** *f* partiality, prejudice.

parcómetro *m* parking meter.

pardal *m* sparrow; F sly fellow.

¡pardiez! by Jove!

pardo 1. brown; dun; dark-skinned; *cielo* cloudy, overcast; **2.** *m S.Am.* mulatto; **pardusco** greyish.

parear [1a] match; pair (*a. biol.*); ~se pair off.

parecer [2d] **1.** seem, look; (*presentarse*) appear, turn up; (*dejarse ver*) show; ~ *inf.* seem to *inf.*; ~ *bien* look well, look all right *por el aspecto*; **2.** ~se look alike; ~ *a* resemble, look like; *padre etc.* take after; **3.** *m* opinion, view; looks *de cara*; *a mi* ~ in my opinion, *al* ~ apparently, evidently.

parecido 1. similar; ~ *a* like; *bien* ~ good-looking; personable; *mal* ~ plain; **2.** *m* resemblance, similarity.

pared *f* wall; ~ *medianera* party wall; ~ *por medio* next door; **paredaño** adjoining, next-door.

pareja *f* pair, couple; (*dancing-*) partner; *correr* ~s be on a par, keep pace, go together (*con* with); **parejero** *m S.Am.* race horse; **parejo** equal; *juntura etc.* even, smooth, flush; *por* ~ on a par; *ir* ~s go neck and neck.

parentela *f* relations; **parentesco** *m* relationship, kinship.

paréntesis *m* parenthesis; (*signo*) bracket; *entre* ~ *fig. adj.* parenthetic(al); *adv.* by the way.

paria *m/f* pariah.

paridad *f* parity; comparison.

pariente *m*, **a** *f* relation, relative.

parir [3a] *v/t.* give birth to, bear; *v/i.* give birth, be delivered.

parla *f* chatter, gossip; **parlador** talkative; *ojos etc.* expressive.

parlamentar [1a] talk, converse; (*enemigos*) parley; **parlamentario 1.** parliamentary; **2.** *m* parliamen-

tarian; member of parliament; **parlamento** *m parl.* parliament; parley *entre enemigos.*

parlanchín *m*, **-a** *f* F chatterbox; **parlante 1.** talking; **2.** *m* loudspeaker; **parlar** [1a] chatter, talk (too much); **parlatorio** *m* chat, talk; **parlero** *p.* garrulous; (*chismoso*) gossiping; *pájaro* talking, song *attr.*; *ojo* expressive; **parleta** *f* F small talk, idle talk; **parlotear** [1a] prattle, run on; **parloteo** *m* prattle.

paro¹ *m orn.* tit.

paro² *m* stoppage, standstill; ~ (*forzoso*) unemployment.

parodia *f* parody, travesty (*a. fig.*), take-off F; **parodiar** [1b] parody, travesty, take off F.

parón *m* stop, delay.

parpadear [1a] blink, wink; (*luz*) twinkle; **parpadeo** *m* blink(ing); flicker *etc.*; **párpado** *m* eyelid.

parque *m* park (*a.* ✕, *mot.*); *S.Am.* ✕ ammunition; ~ *de bomberos* firestation; ~ *zoológico* zoo.

parquear park.

parquet [par'ke] *m* parquet.

parquímetro *m* parking meter.

parra *f* vine (*trained, climbing*).

párrafo *m* paragraph.

parral *m* vine arbor.

parranda F: *andar* (*or ir*) *de* ~ go on a spree.

parricida *m/f* parricide (*p.*); **parricidio** *m* parricide (*act*).

parrilla *f* grating, gridiron, grill; *cocina:* grill; (*restaurante*) grill-room.

párroco *m* parish priest; **parroquia** *f* parish; parish church; ✝ clientèle, custom(ers); **parroquiano** *m*, **a** *f* ✝ patron, client, customer.

parsimonia *f* parsimony; moderation; (*lentitud*) slowness; **parsimonioso** parsimonious; sparing *de palabras etc.*

parte¹ *m teleph. etc.* message; ✕ dispatch, communiqué; (*informe*) report; ~ *meteorológico* weather forecast; *dar* ~ *a* inform.

parte² *f* part (*a. ♪, thea.*); share *en repartimiento;* ⚥ party; side; ~s *pl. fig.* parts, talents; ~s *pl.* (*pudendas etc.*) private parts; ~ *actora* prosecution; plaintiff.

partear [1a] *mujer* deliver.

partera *f* midwife.

partición *f* partition, division.

participación *f* participation; share *en repartimiento; deportes:* entry; *fig.*

notification; **participante** *m/f* participant; *deportes*: entrant, entry; **participar** [1a] *v/t.* inform, notify (of); *v/i.* participate; *deportes*: enter (en for); **partícipe** *m/f* participant; **participio** *m* participle.

partícula *f* particle.

particular 1. particular; (e)special; private; ~ *a* peculiar to; **2.** *m* (*p.*) private individual; (*asunto*) particular, point.

partida *f* (*salida*) departure; certificate *de bautismo etc.*; entry *en registro*; ✝ entry, item *en lista*.

partidario 1. partisan; **2.** *m*, **a** *f* partisan; supporter (de of).

partido 1. divided, split; **2.** *m pol.* party; *deportes etc.*: game, match; (*ps.*) side; *geog.* district, administrative area; *fig.* advantage, profit.

partir [3a] *v/t.* (*rajar etc.*) split, break; *nueces etc.* crack; (*repartir*) divide up, share (out); ✝ divide; *v/i.* set off, set out, depart, start (de from); *a* ~ *de* beginning from; since; *a* ~ *de hoy* from today.

partitura *f* score.

parto *m* (child)birth, delivery; labor; *fig.* product; ~ *del ingenio* brain child; *estar de* ~ be in labor.

párvulo 1. very small, tiny; *fig.* simple, innocent; **2.** *m*, **a** *f* child; **parvulario** *m* nursery school; kindergarten.

pasa *f* raisin; ~ *de Corinto* currant.

pasable passable.

pasada *f* (*acto*) passage, passing; enough to live on; *sew.* tacking stitch; **pasadera** *f* stepping-stone; ✚ gangway; **pasadero** passable, tolerable; **pasadizo** *m* passage, corridor; gangway; **pasado 1.** past; *semana etc.* last; (*anticuado*) out-of-date; *comida* stale, bad; *comida guisada* overdone; **2.** *m* past (*a. gr.*); ~*s pl.* ancestors.

pasaje *m* (*acto, lugar,* ♪, *lit.*) passage; ✚ (*travesía*) crossing, voyage; ✚ (*precio*) fare; **pasajero 1.** *calle etc.* busy; *fig.* transient, passing, fleeting; **2.** *m*, **a** *f* passenger; hotel guest.

pasamano *m* rail.

pasamontañas *m* winter cap, cap with ear flaps.

pasaporte *m* passport.

pasar [1a] **1.** *v/t.* pass; *río etc.* cross, go over; (*aventajar*) surpass, excel; *apuros* suffer, endure; *armadura etc.* pierce; *contrabando* smuggle in; **2.**

v/i. pass; go; (*tiempo*) pass, elapse, wear on; (*suceso*) happen; **3.** ~*se* (*comida*) go bad; ~ *al enemigo* go over to the enemy.

pasarela *f* foot-bridge; ✚ *etc.* gangway, gangplank.

pasatiempo *m* pastime, pursuit, hobby.

Pascua *f*, **pascua** *f*: ~ *de los hebreos* Passover; ~ *florida*, ~ *de Resurrección* Easter; ~ *de Navidad* Christmas; ~*s pl.* Christmas holiday, Christmas time; *¡Felices* ~*s!* Merry Christmas!

pase *m* pass.

pasear [1a] *v/t. niño etc.* walk, take for a walk; *v/i.*, ~*se* stroll, walk, go for a walk; ~ *a caballo* ride; ~ *en coche* go for a drive; **paseo** *m* stroll, walk, outing; (*calle*) parade, avenue; ~ (*marítimo*) promenade, esplanade.

pasillo *m* passage, corridor; ✚ *etc.* gangway; *thea.* short piece, sketch.

pasión *f* passion; *b.s.* bias, prejudice; **pasional** *p. etc.* passionate; *crimen* passionel.

pasividad *f* passiveness, passivity; **pasivo 1.** passive; **2.** *m* ✝ liabilities; debit side.

pasmar [1a] amaze, astound, astonish; stun, dumbfound; ~*se* be amazed (de at) *etc.*; **pasmo** *m* amazement, astonishment; awe; *fig.* wonder, marvel; ✚ lockjaw; **pasmoso** amazing *etc.*, breathtaking; awesome; wonderful, marvellous.

paso¹ *fruta* dried.

paso² 1. *m* step, pace; (*sonido*) footfall, footstep; (*huella*) footprint; (*modo de andar*) walk, gait; (*velocidad*) pace, rate; step, stair *de escalera*; *geog.* pass; △ *etc.* passage; ⊕, ⚡ pitch; *sew.* stitch; *thea.* sketch; *fig.* (*acto*) passing; (*cambio*) passage, transition; progress, advance; incident; ~ *a nivel* grade crossing; ~ *de ganado* cattle crossing; ~ *de ganso* goose step; **2.** *adv.* *¡*~*!* not so fast!, easy there!

pasta *f* paste; dough *para pan* (*a. sl.*); pastry *para hojaldre*; pulp *de madera*; ~ *dentífrica* toothpaste; ~ *seca* cookie; ~*s pl.* pastry, pastries; (*fideos*) noodles, spaghetti; ~ *de dientes* toothpaste; *de buena* ~ kindly.

pastar [1a] graze.

pastel *m* (*dulce*) cake; pie *de carne etc.*; *paint.* pastel; *fig.* plot, undercover agreement; ~*es pl.* pastry, confectionery; **pastelear** [1a] F stall, spin it out to gain time; **pastelería** *f* pastry;

(*conjunto*) pastries; (*tienda*) confectioner's, cake shop; **pastelero** *m*, **a** *f* pastry cook; confectioner.

pasteurizar [1f] pasteurize.

pastilla *f* tablet, pastille; cake *de jabón etc.*; bar *de chocolate*.

pasto *m* grazing; (*campo*) pasture; (*comida*) feed, grazing; *fig.* nourishment; fuel *para fuego etc.*; **a** ~ abundantly; **a** todo ~ freely, in great quantity; **de** ~ ordinary, everyday; **pastor** *m* shepherd; herdsman; *eccl.* clergyman, pastor; **pastora** *f* shepherdess; **pastoral** *adj. a. su. f* pastoral; **pastorear** [1a] pasture; *eccl.* guide, lead; **pastorela** *f* pastoral, pastorelle; **pastoril** pastoral.

pastoso pasty; *voz* rich, mellow.

pastura *f* pasture, feed, fodder.

pata *f zo.* foot, paw, leg; leg *de mesa etc.*; *orn.* (female) duck; ~ **de** cabra crowbar; ~ **de** gallo crow's feet; ~ **de** palo peg leg, wooden leg; **a cuatro** ~s on all fours.

patada *f* stamp; (*puntapié*) kick; (*paso*) (foot)step; **patalear** [1a] stamp; kick out, kick about; **pataleo** *m* stamping; kicking.

patán *m* F rustic, yokel; *b.s.* lout.

patata *f* potato.

pateadura *f*, **pateamiento** *m* stamping; kicking; *thea.* noisy protest; **patear** [1a] F *v/t.* kick, boot; trample on; *v/i.* stamp (one's foot).

patentar [1a] patent; **patente 1.** patent (*a.* ✝), obvious, (self-)evident; **2.** *f* patent (*a.* ~ **de** invención); warrant; ~ **de** sanidad bill of health; **patentizar** [1f] make evident, reveal.

paternal fatherly, paternal; **paternidad** *f* fatherhood; paternity *de niño etc.*; ~ literaria authorship; **paterno** paternal; *abuelo* ~ grandfather on the father's side.

patético pathetic, moving, poignant; **patetismo** *m* poignancy.

patibulario horrifying, harrowing.

patíbulo *m* gallows, gibbet.

patillas *f/pl.* whiskers, sideburns.

patín *m* skate; runner *de trineo*; ✇ skid; ✇ ~ **de** cola tail skid; ~ **de** ruedas roller skate; **patinada** *f Am. mot.* skidding; **patinadero** *m* skating rink; **patinador** *m*, **-a** *f* skater; **patinaje** *m* skating; **patinar** [1a] skate; (*resbalar*) skid, slip; **patinazo** *m* skid.

patio *m* court, (court)yard, patio; *thea.* pit; ~ **de** recreo playground.

pato *m* duck; ~ (*macho*) drake.

patochada *f* F blunder.

patria *f* mother country, native land; ~ chica home town.

patriarca *m* patriarch; **patriarcal** patriarchal.

patrimonial hereditary; **patrimonio** *m* inheritance; *fig.* heritage.

patrio native, home *attr.*; *potestad etc.* paternal; **patriota** *m/f* patriot; **patriotería** *f* jingoism, chauvinism; **patriotero** *adj. a. su. m*, **a** *f* jingo, chauvinist; **patriótico** patriotic; **patriotismo** *m* patriotism.

patrocinador *m*, **-a** *f* sponsor, patron; **patrocinar** [1a] sponsor; back; patronize; **patrocinio** *m* sponsorship; backing; patronage; **patrón** *m* landlord *de pensión*; (*jefe*) master, boss; ⚓ skipper; *eccl.* patron (saint); = *patrono*; *sew.* pattern; ⚓ stock; standard *para medidas etc.*; ~ **oro** gold standard; ~ **picado** stencil; **patrona** *f* landlady *de pensión*; employer; owner; *eccl.* patron (saint); (*patrocinadora*) patron, patroness; **patronato** *m* board of trustees *de obra benéfica etc.*; board *de turismo etc.*; **patrono** *m* employer, owner; *eccl.* patron (saint); (*patrocinador*) patron; sponsor.

patrulla *f* patrol; **patrullar** [1a] patrol (*por acc.*); police.

pausa *f* pause; break, respite; ♪ rest; **con** ~ slowly; **pausado** slow, deliberate; **pausar** [1a] *v/t.* slow down; interrupt; *v/i.* go slow; pause.

pauta *f* ruler *para rayar*; norm; example; outline; **pautar** [1a] *papel* rule; *fig.* give directions for.

pava *f* turkey hen; F plain woman.

pavesa *f* spark, cinder.

pavimentar [1a] pave; **pavimento** *m* pavement, paving; flooring.

pavo *m* turkey; *sl.* 5 pesetas; ~ **real** peacock; F comer ~ be a wallflower.

pavón *m* peacock; *metall.* bluing, bronzing; **pavonar** [1a] *metall.* blue, bronze; **pavonearse** [1a] swagger, strut, swank F.

pavor *m* terror, dread; **pavoroso** terrifying, frightful.

payasada *f* clowning, clownish stunt; ~s *pl.* tomfoolery; *thea. etc.* slapstick; **payaso** *m* clown.

paz *f* peace; peacefulness; rest; **en** ~ at peace; at rest.

pazguato simple, stupid.

peaje m toll; *barrera de ~* toll gate; *puente de ~* toll bridge.

peatón m pedestrian, walker; & country postman.

peca f freckle.

pecado m sin; **pecador 1.** sinning, sinful; **2.** m, **-a** f sinner; **pecaminoso** sinful; **pecar** [1g] sin.

pecera f fishbowl.

pecios m/pl. flotsam, wreckage.

pecoso freckled.

pecuario cattle *attr.*

peculiar peculiar; characteristic; **peculiaridad** f peculiarity.

pechera f shirtfront; bosom *de vestido*; *(armadura)* chest protector.

pechero m commoner, plebeian.

pecho[1] m anat. chest; breast *(a. fig.)*; *(esp. de mujer)* breast, bosom, bust; *~s pl.* breasts, bust; *fig.* courage, spirit; *geog.* slope, gradient; *a ~ descubierto* unprotected; openly, frankly *(a. a ~ abierto)*; *dar el ~* feed, nurse; *tomar a ~(s)* take to heart.

pecho[2] m tax, tribute.

pechuga f breast *de pollo etc.*; f breast, bosom *de mujer.*

pedagogía f pedagogy; **pedagógico** pedagogic(al); **pedagogo** m pedagogue *(a. b.s.)*; teacher.

pedal m pedal; *~ de acelerador* accelerator (pedal); *~ de embrague* clutch (pedal); *~ de freno* brake (pedal); **pedalear** [1a] pedal.

pedante 1. pedantic; **2.** m pedant; **pedantería** f pedantry; **pedantesco** pedantic.

pedazo m piece, bit; scrap; *~ del alma etc.* darling; *hacer ~s* break to (*or* in) pieces, pull to pieces; shatter, smash.

pedernal m flint; flintiness.

pedestal m pedestal, stand, base.

pedestre *viaje* on foot; pedestrian.

pedido m request; *~ de repetición* repeat order; *a ~* on request.

pedigüeño insistent, importunate; *niño* demanding.

pedimento f petition; ᵗᵗₐ claim, bill.

pedir [3l] **1.** v/t. ask for; request, require; demand, need; beg; *paz* sue for; *comida etc.*, ✝ order; **2.** v/i. ask; *~ (por Dios)* beg.

pedrada f *(golpe)* hit with a stone; *(echada)* throw of a stone; *fig.* snide remark, dig; *matar a ~s* stone to death; **pedregal** m stony place; **pedregoso** stony, rocky; **pedrera** f stone-quarry; **pedrería** f precious

stones, jewels; **pedrisco** m shower of stones; heap of loose stones; *meteor.* hailstorm; **pedrusco** m rough stone, lump of stone.

pega f *(acto)* sticking *etc.*; pitch, varnish *de vasija*; F *(chasco)* trick, practical joke; F *(zurra)* beating-up; **pegadizo** sticky; ✿ infectious; **pegajoso** sticky, adhesive; ✿ infectious, catching; ♩ catchy; F *(suave)* soft, gentle; *vicio etc.* tempting; *p.* tiresome; *(sobón)* sloppy, oily, cloying.

pegar [1h] **1.** v/t. stick, glue, gum; unite, join; *botón etc.* sew on; *cartel etc.* post, stick; *p.* strike, slap, smack; *enfermedad* give; **2.** v/i. stick *etc.*; *(fuego)* catch; *(colores)* match, go together; ♀ take root; *(remedio etc.)* take; **3.** *~se* stick *etc.*; ✿ be catching; *cocina:* catch; *fig.* intrude.

pegote m sticking-plaster; F sticky mess; *(p.)* hanger-on, sponger; **pegotear** [1a] F sponge, cadge.

peina f ornamental comb, back comb; **peinada** f combing; *darse una ~* comb one's hair, have a brush up; **peinado 1.** *p.* overdressed; *estilo* overdone, overnice; **2.** m coiffure, hair do; hair style; **peinador** m hairdresser; *(vestido)* dressing gown; dressing table; **peinadora** f hairdresser; **peinadura** f combing; *~s pl.* combings; **peinar** [1a] *pelo* comb; search, comb; do; style; *pelo, pieles, caballo* dress; *~se* comb one's hair; **peine** m comb.

pelado shorn, hairless; *paisaje etc.* bare, treeless, bleak; *manzana etc.* peeled; broke, penniless.

pelaje m coat, fur; *fig.* appearance.

pelar [1a] cut the hair off, shear; *pollo* pluck; *fruta* peel, skin; F fleece; *~se (p.)* lose one's hair; *(capa)* peel off.

peldaño m step, stair; rung *de escala.*

pelea f fight, tussle; quarrel; struggle; **peleador** combative, quarrelsome; **pelear** [1a] fight; scuffle; struggle; *fig.* vie; *~se* fight; scuffle; come to blows; *(desavenirse)* fall out.

película f film; movie; *~ de terror* horror film, horror movie; *~ en colores* color film; *~ muda* silent film; *~ sonora* sound movie.

peligrar [1a] be in danger; **peligro** m danger; risk; **peligroso** dangerous, risky.

pelillo m slight annoyance; F *echar ~s a la mar* bury the hatchet.

pelinegro black-haired; **pelirrojo**

red-haired, red-headed; **pelirrubio** fair-haired.

pelo m hair; coat, fur de animal; down de ave, fruta; nap, pile de tela, alfombra; ~ (de la barba) whisker; F a(l) ~ just right; ~ arriba, contra ~ the wrong way; en ~ bare-back; F naked; F a medios ~s tight, half-seas-over; F tomar el ~ a pull one's leg.

pelón hairless, bald; F stupid; F (sin dinero) broke; **pelona** f baldness; F death; **peloso** hairy.

pelota f ball; (juego vasco) pelota; S.Am. ferryboat; ~ base baseball; en ~ naked; **pelotari** m pelota player; **pelotear** [1a] v/t. cuenta audit; v/i. tenis etc.: knock up; fútbol: kick a ball about; F bicker, argue; **pelotera** f F, **pelotero** m F row, quarrel, argument.

pelotón m ✕ squad, party; small mat, tuft de pelo; crowd de gente; ~ de ejecución firing squad.

peluca f wig.

peludo 1. hairy, shaggy; furry; barba etc. bushy; 2. m thick mat.

peluquería f hairdresser's (shop), barber's (shop); **peluquero** m hairdresser, barber.

peluquearse Am. get a haircut.

pelusa f ⚘ down; fluff de tela.

pelvis f pelvis.

pella f ball, pellet; roll, round mass; ⚘ head; raw lard de cerdo; F sum of money; F hacer ~ play truant.

pelleja f skin, hide; **pellejería** f skins, hides; (fábrica) tannery; ~s pl. S.Am. upsets, troubles; **pellejo** m skin, hide, pelt de animal; ⚘ peel; (odre) wineskin; F drunk, toper.

pellizcar [1g] pinch, nip; comida etc. take a small bit of; **pellizco** m pinch, nip; small bit.

pena f (aflicción) sorrow, distress, grief; ⚶ pain(s); (trabajo) trouble; hardship; ⚖ punishment, penalty; ✝ forfeit, penalty; ~s pl. S.Am. ghosts; ¡qué ~! what a shame! so ~ de under pain of; es una ~ it's a shame, it's a pity; merecer la ~, valer la ~ be worthwhile (ir, de ir to go, going), be worth the trouble; **penable** punishable.

penacho m orn. tuft, crest; plume de casco; plume, wreath de humo; fig. pride, arrogance; panache.

penado 1. grieved; laborious, difficult; 2. m convict.

penal 1. penal; 2. m prison; **penali-**

dad f trouble, hardship; ⚖ penalty; **penalista** m penologist, expert in criminal law; **penalty** m penalty.

penar [1a] v/t. penalize, punish; v/i. suffer; ~ por pine for, long for; ~se grieve, mourn.

penca f ⚘ fleshy leaf; hacerse de ~s have to be coaxed into doing s.t.

pendencia f quarrel, fight, brawl; armar ~ brawl; **pendenciero** quarrelsome, cantankerous.

pender [2a] hang; dangle; droop; depend; ⚖ etc. be pending; **pendiente 1.** hanging; asunto etc. pending, unsettled; 2. m earring; 3. f geog. slope, incline; pitch de techo.

péndola f pendulum de reloj; fig. pen, quill; **pendolista** m penman, calligrapher.

pendón m banner, standard.

péndulo m pendulum.

pene m penis.

penetración f penetration (a. fig.); fig. insight, acuteness; **penetrador** penetrating, keen; **penetrante** penetrating; penetrative; **penetrar** [1a] v/t. penetrate, pierce; permeate; misterio etc. fathom, grasp; v/i. penetrate (en, entre, por acc.); sink in, soak in; ~se de become imbued with.

penicilina f penicillin.

península f peninsula; **peninsular** peninsular.

penitencia f penitence; (acto) penance; **penitencial** penitential; **penitenciar** [1b] impose a penance on; **penitenciaría** f prison, penitentiary esp. Am. (a. eccl.); **penitente** adj. a. su. m/f penitent.

penoso arduous, laborious; painful.

pensado: mal ~ evil-minded; de ~ on purpose; **pensador** m thinker; **pensamiento** m (facultad, una idea) thought; (ideas de p.) thinking; ⚘ pansy; ni por ~ not on any account; **pensante** thinking; **pensar** [1k] 1. v/t. pensamiento etc. think; problema think over, give thought to; número think of; ~ inf. intend to inf., plan to inf.; ~ de think of, have an opinion of; dar que ~ give food for thought to, give pause to; ¡ni ~lo! not a bit of it!; 2. v/i. think; ~ en think of, think about, reflect on; sin ~ unexpectedly; **pensativo** thoughtful, pensive.

pensión f (renta etc.) pension; (casa) boardinghouse; fig. burden; ~ completa full board (and lodging); ~ vitalicia annuity; **pensionado 1.** m,

a *f* (*p.*) pensioner; **2.** *m* boarding-school; **pensionar** [1a] pension; **pensionista** *m/f* pensioner; (*huésped*) paying guest; (*alumno*) boarder.

penumbra *f* penumbra, half-light shadow.

peña *f* rock; cliff, crag; (*ps.*) group, circle; *b.s.* coterie, clique; **peñasco** *m* rock; crag; pinnacle of rock; **peñascoso** rocky, craggy; **peñón** *m* (mass of) rock, crag.

peón *m* (*peatón*) pedestrian; ⚔ infantryman, foot-soldier; ⚔ farmhand, peon; (*peonza*) top; *ajedrez*: pawn; ⊕ spindle, axle.

peor *adj. a. adv. comp.* worse; *sup.* worst; *cada vez* ∼, ∼ *que* ∼ worse and worse; *de mal en* ∼ from bad to worse; *v. tanto*; **peoría** *f* worsening, deterioration.

pepinillos *m/pl.* (*en vinagre*) gherkins; **pepino** *m* cucumber.

pepita *f* ⚕, *vet.* pip; *metall.* nugget.

pequeñez *f* smallness, small size; shortness of *p.*; infancy *de niño*; *contp.* smallmindedness; **pequeñeces** *pl.* trifles; **pequeño** little, small; *estatura* short; *fig.* modest, humble; *los* ∼s the children.

pera[1] *adj. sl.*: *muy* ∼ posh, classy.

pera[2] *f* pear; (*barba*) goatee; ⚡ switch; bulb *de claxon etc.*; **peral** *m* pear (tree).

percance *m* mishap, mischance; hitch *en proyecto etc.*; ✝ perquisite.

percatarse [1a]: ∼ *de* take notice of.

percepción *f* perception; appreciation, notion; ✝ collection, receipt; **perceptible** perceptible, noticeable, detectable; **percibir** [3a] *sueldo etc.* receive, get; *impuestos* collect; *impresión etc.* perceive, see, notice, detect.

percutir [3a] strike, tap.

percha *f* rack, coat stand; coat hanger; **perchero** *m* hall-stand.

perdedor *m* loser; *buen* ∼ good loser, good sport.

perder [2g] lose; *tiempo* waste; *tren etc.* miss; *univ. curso* fail; 👨‍⚖️ *etc.* forfeit; (*echar a* ∼) ruin, spoil; ∼ *por 2 a 3* lose (by) 2–3; ∼*se* (*en camino etc.*) lose o.s., get lost, stray; (*material, comida*) be spoiled; ∼ (*de vista*) pass out of sight; ∼ *por* be mad about.

perdición *f* perdition, ruin.

pérdida *f* loss; waste *de tiempo*; 👨‍⚖️ *etc.* forfeiture; wastage *de líquido*; **perdidizo**: *hacer* ∼ hide; lose on pur-

pose; *hacerse el* ∼ make o.s. scarce; **perdido 1.** *bala* stray; *momentos* idle, spare; ✝ *bebedor etc.* inveterate, hardened; ∼ *por* mad about; *dar por* ∼ give up for lost; **2.** *m* rake.

perdigón *m orn.* young partridge; ⚔ pellet.

perdiz *f* partridge.

perdón *m* forgiveness, pardon (*a.* 👨‍⚖️): ¡∼! sorry!; *con* ∼ if I may, by your leave; *hablando con* ∼ if I may say so; *pedir* ∼ *a* ask *s.o.*'s forgiveness; **perdonable** pardonable, excusable; **perdonador** forgiving; **perdonar** [1a] pardon (*a.* 👨‍⚖️), forgive, excuse (*algo a alguien* a p. a th.); *vida* spare.

perdulario 1. careless, sloppy; (*moralmente*) vicious; **2.** *m* rake.

perdurable (ever)lasting; abiding; **perdurar** [1a] last, endure.

perecedero perishable; *vida etc.* transitory; *p.* mortal; **perecer** [2d] perish; suffer; ∼ *ahogado* drown; ∼*se por* pine for, crave, be dying for; *mujer* be mad about.

peregrinación *f* long tour, travels; *eccl.* pilgrimage; **peregrinar** [1a] travel extensively (abroad); *eccl.* go on a pilgrimage; **peregrino 1.** *p.* wandering; *ave* migratory; *fig.* strange; **2.** *m, a f* pilgrim.

perejil *m* parsley; ∼*es pl.* F buttons and bows, trimmings; F titles.

perendengue *m* trinket, cheap ornament.

perenne everlasting, undying, perennial (*a.* ⚕); *de hoja* ∼ evergreen.

perentorio peremptory, authoritative; urgent.

pereza *f* idleness, laziness, sloth (*a. eccl.*); **perezoso 1.** idle, lazy, slothful; slack; *movimiento* sluggish, slow; **2.** *m zo.* sloth.

perfección *f* perfection; completion; *a la* ∼ to perfection; **perfeccionamiento** *m* perfection; improvement; **perfeccionar** [1a] perfect; improve; **perfectamente** perfectly; ¡∼! precisely!, just so!; **perfectibilidad** *f* perfectibility; **perfectible** perfectible; **perfecto** perfect.

perfidia *f* perfidy, treachery; **pérfido** perfidious, treacherous.

perfil *m* profile; *phot. etc.* side view; △, *geol.* (cross) section; outline *de edificio etc.*; ∼*es pl.* finishing touches; **perfilar** [1a] outline; *avión etc.* streamline; ∼*se* show one's profile, give a side view.

P

perforadora f pneumatic drill; **perforar** [1a] perforate; pierce, puncture *accidentalmente*; *agujero* drill, bore; *tarjeta etc.* punch.

perfumar [1a] scent, perfume; **perfume** m scent, perfume; **perfumería** f perfume shop; perfumery; **perfumista** m/f perfumer.

pergamino m parchment.

pergeñar [1a] (*disponer*) arrange, fix up; **pergeño** m rough draft.

pericia f skill, skilfulness; expertness, expertise; proficiency; **pericial** *testigo* expert.

perifollo m ♣ chervil; ~s pl. buttons and bows, frippery.

perilla f pear-shaped ornament; (*barba*) goatee; ~ (de la oreja) lobe of the ear.

perímetro m perimeter.

periódico 1. periodic(al); ♣ recurrent; 2. m (*diario, dominical*) newspaper; (*revista etc.*) periodical; **periodismo** m journalism; **periodista** m/f journalist; newspaperman; **periodístico** journalistic, newspaper *attr*.

período m period.

peripecia f *lit.* vicissitude; ~s pl. unforeseen changes.

periquito m parakeet.

periscopio m periscope.

peritaje m expert work; (*pago*) expert's fee; **perito** 1. skilled, skilful; experienced; qualified; expert, proficient (*en* at, in); 2. m expert; technician.

perjudicar [1g] damage, harm, impair; *posibilidades etc.* prejudice; **perjudicial** harmful, injurious *a salud etc.*; prejudicial, detrimental (*a, para intereses etc.* to); **perjuicio** m (*daño*) damage, harm; ✝ financial loss; (*injusticia*) wrong; prejudice; en ~ de to the detriment of.

perjurar [1a] commit perjury; ~se perjure o.s.; **perjurio** m perjury; **perjuro** 1. perjured; 2. m perjurer.

perla f pearl (*a. fig.*; de of, among); *fig.* gem.

permanecer [2d] stay, remain; **permanencia** f (*estado*) permanence; (*período*) stay; **permanente** 1. permanent; constant; **comisión, ejército** standing; 2. f F perm.

permisible allowable, permissible; **permisivo** permissive; **permiso** m permission; ✗ *etc.* leave; (*documento*) permit, licence; ~ de conducir

driving licence; ~ de convalescencia sick leave; ~ de entrada entry permit; ~ de salida exit permit; con ~ if I may; (*levantándose de mesa etc.*) excuse me; con ~ de Vd. if you don't mind, by your leave; estar de ~ be on leave; **permitir** [3a] allow, permit; permit of; enable; no se permite fumar aquí you can't smoke here, no smoking here.

permuta f barter, exchange; **permutar** [1a] *esp.* ♣ permute; ✝ barter, exchange.

pernear [1a] kick one's legs; **pernera** f trouser leg; **perneta:** en ~s barelegged.

pernicioso pernicious, evil.

perno m bolt.

pero 1. *cj.* but; yet; 2. m objection; snag; defect; ¡no hay ~ que valga! there are no buts about it!; poner ~(s) a find fault with.

perogrullada f platitude, truism.

peroración f peroration; conclusion of a speech; **perorar** [1a] perorate, make a speech; summarize; F orate; **perorata** f long-winded speech.

perpendicular 1. perpendicular; at right angles; 2. f perpendicular.

perpetración f perpetration; **perpetrador** m, **-a** f perpetrator; **perpetrar** [1a] perpetrate.

perpetuación f perpetuation; **perpetuar** [1e] perpetuate; **perpetuidad** f perpetuity; **perpetuo** perpetual; everlasting; ceaseless.

perplejidad f perplexity; dilemma; **perplejo** perplexed.

perra f bitch; F ~ chica 5-céntimo coin; F ~ gorda 10-céntimo coin; F ~s pl. small change; **perrada** f pack of dogs; F dirty trick; **perrera** f kennel; *fig.* badly-paid job; drudgery; F tantrum; **perrería** f pack of dogs; (*ps.*) gang of thieves; (*palabra*) harsh word; F dirty trick; **perrillo** m puppy; (*raza pequeña*) miniature dog; ✗ trigger; **perrito** m, **a** f puppy.

perro 1. m dog; ~ de aguas spaniel; ~ caliente *sl.* hot dog; ~ cobrador retriever; ~ danés Great Dane; ~ dogo bulldog; ~ esquimal husky; ~ faldero lap dog; ~ guardián watchdog; ~ del hortelano dog in the manger; ~ de lanas poodle; ~ lebrel whippet; ~ lobo alsatian; ~ marino dogfish; ~ de muestra pointer; setter; ~ pastor sheep dog; ~ de presa bulldog; ~ raposero

foxhound; ~ *rastrero* tracker dog; ~ *de Terranova* Newfoundland dog; ~ *viejo fig.* old hand, wily bird; *tiempo de* ~s dirty weather; **2.** wretched, cruel, wicked.

perruna *f* dog-biscuit; **perruno** *♂* canine, dog *attr.*; *devoción etc.* dog-like.

persecución *f* persecution; (*caza*) pursuit, chase; **persecutorio:** *v. manía*; **perseguidor** *m*, **-a** *f* persecutor; pursuer; **perseguir** [3d *a.* 3l] persecute; (*dar caza a*) pursue, chase; (*acosar*) harass, pick on.

perseverancia *f* perseverance; constancy; **perseverante** persevering; **perseverar** [1a] persevere; persist (*en in*).

persiana *f* (Venetian) blind; slatted shutter; window shade.

persistencia *f* persistence; **persistente** persistent; **persistir** [3a] persist (*en in; en inf. in ger.*); persevere; continue.

persona *f* person, ~s *pl. freq.* people; *buena* ~ good sort, decent fellow; *tercera* ~ third party; *en* ~ in person, in the flesh; *en la* ~ *de* in the person of; *por* ~ *per* person; **personaje** *m* personage; *thea. etc.* character; F *ser un* ~ be somebody; **personal 1.** personal; **2.** *m* personnel, staff; (*total*) establishment; *esp.* ⚔ force; ⚓ complement; **personalidad** *f* personality; **personalismo** *m* selfishness, egoism; taking things in a personal way; **personalizar** [1f] personalize; embody; *virtud* personify; ~**se** become personal; **personarse** [1a] appear in person; **personificación** *f* personification; embodiment; **personificar** [1g] personify; embody; pick out for individual mention *en discurso etc.*

perspectiva *f* (*en in*) perspective; outlook, prospect *para el futuro*; appearance; (*vista*) view, scene.

perspicacia *f* perspicacity, discernment, perception; **perspicaz** perspicacious, discerning, perceptive; **perspicuo** clear, intelligible.

persuadir [3a] persuade; *dejarse* ~ be prevailed upon (*a inf.* to *inf.*); ~**se** be persuaded, become convinced; **persuasión** *f* persuasion; **persuasiva** *f* persuasion, persuasiveness; **persuasivo** persuasive.

pertenecer [2d] belong (*a* to); *fig.* ~ *a* concern, appertain to; **pertene-**

ciente: ~ *a* appertaining to; **pertenencia** *f* ⚖ ownership; (*cosa*) property, possession; appurtenance.

pértiga *f* pole.

pertinacia *f* pertinacity, obstinacy; *♂* persistence; **pertinaz** pertinacious, obstinate; *♂* persistent.

pertinencia *f* relevance, pertinence; **pertinente** relevant, pertinent, appropriate.

pertrechar [1a] ⚔ supply with ammunition and stores *etc.*; equip; *fig.* arrange, prepare; **pertrechos** *m/pl.* ⚔ supplies and stores *etc.*; ⚔ munitions; implements.

perturbación *f* (*mental*) perturbation; *pol., meteor.*, *♂* disturbance; **perturbar** [1a] (*mentalmente*) perturb; *calma* ruffle; *orden*, *♂* disturb.

perversidad *f* perversity, depravity; (*acto*) wrongdoing; **perversión** *f* perversion; **perverso** perverse; **pervertido** *m*, **a** *f* pervert; **pervertimiento** *m* perversion, corruption; **pervertir** [3i] pervert, corrupt; *texto etc.* distort; ~**se** become perverted.

pesa *f* weight; *deportes:* shot; dumbbell *para ejercicios*.

pesadez *f* heaviness, weight; slowness *etc.*

pesadilla *f* nightmare; (*p. etc.*) pet aversion.

pesado heavy, weighty; *movimiento* slow, sluggish; ponderous; *sueño* deep; *libro etc.* boring, tedious; **pesadumbre** *f* sorrow, grief.

pésame: *dar el* ~ express one's condolences, send one's sympathy.

pesantez *f* weight; gravity.

pesar [1a] **1.** *v/t.* weigh (*a. fig.*); *v/i.* weigh; be heavy; (*tiempo*) drag; (*opinión etc.*) count for a lot; **2.** *m* regret, sorrow; **pesaroso** regretful, sorrowful, sorry.

pesca *f* fishing; (*cantidad pescada*) catch; ~ *submarina* underwater fishing; ~ *de altura* deep-sea fishing; **pescadería** *f* fish market; **pescadilla** *f* whiting; **pescado** *m* fish; **pescador** *m* fisherman; ~ *de caña* angler.

pescante *m mot.* driver's seat; ⊕ jib; ⚓ davit.

pescar [1g] *v/t.* (*coger*) catch; (*tratar de coger*) fish for; (*sacar del fondo*) dredge up (*a. fig.*); F *puesto* manage to get, land; F *p.* catch unawares, catch (*in a lie etc.*); F *no saber qué se pesca* not have a clue; *v/i.* fish.

pescuezo *m* neck; *fig.* haughtiness.

pesebre *m* manger, crib; stall.
pesimismo *m* pessimism; **pesimista 1.** pessimistic; **2.** *m/f* pessimist.
pésimo vile, abominable, wretched.
peso *m* weight; (*que se sostiene*) burden, load; *esp. phys.* gravity; (*balanza*) balance, scales; *S.Am.* peso; *fig.* weight(iness); ~ *atómico* atomic weight; ~ *bruto* gross weight; ~ *específico* specific gravity; ~ *fuerte* heavyweight; ~ *gallo* bantamweight; ~ *ligero* lightweight; ~ *medio* middleweight; ~ *mosca* flyweight; ~ *de muelle* spring balance; ~ *muerto* dead weight; ~ *neto* net(t) weight; ~ *pesado* heavyweight; ~ *pluma* featherweight; *de* ~ *fig.* weighty.
pesquera *f* = **pesquería** *f* fishery, fishing grounds; **pesquero** fishing *attr.*
pesquisa *f* inquiry, investigation; search; **pesquisar** [1a] inquire into, investigate.
pestaña *f* eyelash; ⊕ flange; rim *de llanta*; F *no pegar* ~ not get a wink of sleep; **pestañear** [1a] blink, wink; *sin* ~ without batting an eye; **pestañeo** *m* blink(ing), wink(ing).
peste *f* ⊛ plague, epidemic; (*olor*) stink, stench; *fig.* evil, menace; ~ *bubónica* bubonic plague; **pestífero** pestiferous; *olor* foul, noxious; **pestilencia** *f* pestilence, plague; **pestilencial** pestilential.
pestillo *m* bolt, latch, catch.
petaca *f* cigarette-case; tobacco pouch.
pétalo *m* petal.
petardear [1a] *v/t. fig.* cheat, swindle; *v/i. mot.* backfire; **petardista** *m/f* cheat, swindler; *blackleg en huelga*; **petardo** *m* ✗ petard; (*fuegos artificiales*) firecracker.
petate *m* roll of bedding; F luggage; F (*p.*) trickster; (*despreciable*) poor fish; F *liar el* ~ pack up and go.
petición *f* request; petition *a autoridad etc.*; ⚖ suit, plea; *a* ~ by request; **peticionario** *m*, **a** *f* petitioner.
petirrojo *m* robin.
petróleo *m min.* oil, petroleum; ~ *crudo* crude oil; **petrolero 1.** oil, petroleum; **2.** *m* (*p.*) oil man; ⚓ (*a. buque* ~) tanker; **petroquímico** petro-chemical.
petulancia *f* pertness, insolence; **petulante** pert, insolent.
peyorativo pejorative; depreciatory.

pez[1] *m* fish; ~ *espada* swordfish; ~ *sierra* sawfish.
pez[2] *f* pitch, tar.
pezón *m* teat, nipple; ♀ stalk.
pezuña *f* hoof.
piada *f* cheeping; F catch-phrase.
pianista *m/f* pianist; **piano** *m* piano; ~ *de cola* grand piano; ~ *de media cola* baby grand; ~ *vertical* upright piano.
piar [1c] cheep; F ~ *por* cry for.
pica *f* pike; *poner una* ~ *en Flandes* bring off something difficult.
picada *f* sting; bite; peck; **picadillo** *m* minced meat; **picado 1.** *material* perforated; *tabaco* cut; *mar* choppy; **2.** *m* ⚓ dive; **picador** *m* horse trainer; *toros:* picador; **picadura** *f* sting, bite; peck(ing); cut tobacco.
picante 1. *sabor* hot, peppery; *fig.* piquant, racy, spicy; **2.** *m fig.* piquancy, spiciness; pungency.
picaporte *m* door handle; latch; (*llave*) latch-key.
picar [1g] **1.** *v/t.* prick, pierce, puncture; *billete* punch, clip; *papel* perforate; *superficie* pit, pock; *caballo* prick, spur on; *toro* stick; (*insecto*) sting, bite; (*culebra, pez*) bite; (*ave*) peck; *comida* nibble, pick at; *lengua* burn; **2.** *v/i.* ⚓ smart; itch; (*sol*) burn, scorch; ⚓ dive; **3.** ~**se** (*ropa*) get moth-eaten; (*vino*) turn sour; (*fruta*) go off; *sl. drogas* get a fix, shoot up.
picaresco roguish; *lit.* picaresque; **pícaro 1.** *b.s.* crooked; sly, crafty; *mst co.* rascally; **2.** *m lit.* picaro; *b.s.* rascal, rogue.
picazo *m* jab, poke; **picazón** *f* ⚓ smarting, itch(ing); sting.
pico *m orn.* beak, bill; (*ave*) woodpecker; spout *de vasija etc.*; *geog.* peak, summit; (*punta*) sharp point, corner; (*herramienta*) pick(axe); F talkativeness; *20 y* ~ 20-odd; *a las 4 y* ~ just after 4; F *callar el* ~ keep one's trap shut; *irse del* ~ talk too much; *ser un* ~ *de oro, tener mucho* (*or buen*) ~ have the gift of the gab.
picotada *f*, **picotazo** *m* peck; **picotear** [1a] *v/t.* peck; *v/i* F chatter; **picotero** F **1.** chattering; **2.** *m*, **a** *f* chatterer.
pictórico pictorial; *dotes etc.* artistic.
picha *f* penis.
pichel *m* tankard.
pichón *m* young pigeon; *S.Am.* young bird; F kid; ~ *de barro* clay pigeon; **pichona** *f* F darling.

pintarse

pie m foot (a. 🐾, poet.); foot, base de columna etc.; stand, support; trunk de árbol; stem de vaso, planta; sediment de líquido; foot de cama, página; thea. cue; catchword; fig. foothold al trepar; (estado) footing; ~ de atleta athlete's foot; ~ de imprenta imprint; ~ marino sealegs; ~ plano flatfoot; a ~ on foot; a cuatro ~s on all fours; a ~ enjuto dry-shod; fig. without risk; a ~ juntillas, a ~ juntillas fig. creer firmly, absolutely; al ~ close, handy; 🕀 al ~ de fábrica cost-price, ex works; al ~ de la letra entender, citar literally; copiar word for word, exactly; de ~ standing; up; de a ~ soldado foot attr.; de ~s a cabeza from head to foot.

piedad f piety, devoutness; (lástima) pity; filial piety; ¡por ~! for pity's sake!; tener ~ de take pity on.

piedra f stone; rock; meteor. hail, hailstone; flint de mechero; ~ de afilar hone; ~ de amolar grindstone; ~ angular cornerstone (a. fig.); ~ arenisca sandstone; ~ caliza limestone; ~ de escándalo source of scandal; bone of contention; ~ fundamental foundation stone; ~ de molino millstone; ~ pómez pumice (stone); ~ preciosa precious stone; primera ~ foundationstone; ~ de toque touchstone; a tiro de ~ within a stone's throw; no dejar ~ sobre ~ raze to the ground.

piel f skin; (de animal) skin, hide, pelt; (con pelo) fur; 🌱 peel, rind, skin; ~ de ante buckskin, buff; ~ de cerdo pigskin; ~ de foca sealskin; ~ de Rusia Russia leather; ~ roja m/f redskin; ~ de ternera calf, calf-leather.

piélago m lit. ocean, deep.

pienso[1] m 🌾 feed, fodder.

pienso[2]: ¡ni por ~! the very idea!

pierna f leg; downstroke con pluma; en ~s bare-legged; dormir a ~ suelta (or tendida) sleep soundly.

pieza f mst piece; (cuarto) room; hunt. game, catch, example; esp. 🕀 part; buena ~, linda ~ crafty fellow; ~ de convicción convincing argument; ~ fundida cast(ing); ~ de recambio, ~ de repuesto spare part; ~ de respeto guest room; de una ~ in one piece.

pigmento m pigment.

pigmeo adj. a. su. m pigmy.

pijama m pyjamas.

pila f (montón) pile, heap, stack; (abrevadero) trough; eccl. font; 🔺

pier of bridge etc.; 🔋 battery; ~ atómica atomic pile.

pilar m 🔺 pillar, pier; (mojón) milestone; basin, bowl de fuente.

píldora f pill.

pilón m (abrevadero) drinking trough; basin de fuente; (mortero) mortar; (azúcar) loaf sugar; Mex., Ven. tip, gratuity.

pilot(e)ar [1a] steer; coche drive; avión pilot; **pilote** m 🔺 pile; **piloto 1.** m pilot; ~ de puerto harbor pilot; ~ de prueba test pilot; **2.** luz rear, tail attr.

pillada f dirty trick; **pillaje** m plunder, pillage; **pillar** [1a] plunder, pillage; (perro) worry; 🕀 catch.

pillo 1. 🕀 blackguardly; rotten; niño mischievous; (astuto) sly, crafty; **2.** m rascal, rogue; rotter, cad; (niño) = **pilluelo** m 🕀 scamp, rascal; (golfo) urchin.

pimentero m pepperbox; 🌱 pepper plant; **pimentón** m cayenne pepper, red pepper; paprika; **pimienta** f black pepper; **pimiento** m 🌱 pepper plant.

pimpollo m sucker, shoot de planta; (árbol) sapling; rosebud; 🕀 bonny child.

pináculo m pinnacle.

pinar m pinewood, pine-grove.

pincel m paint-brush; fig. painter; **pincelada** f (brush) stroke.

pinchar [1a] pierce, prick, puncture (a. mot.); fig. 🕀 prod; ~se sl. drogas get a fix, shoot up; **pinchazo** m prick, puncture.

pingajo m 🕀 tag; rag, shred.

pingo m 🕀 rag, shred; S. Am. horse; ~s pl. clothes.

pingüe fat, greasy; fig. ganancia rich, fat. negocio lucrative.

pingüino m penguin.

pino m pine (tree); ~ albar Scotch pine; ~ negro Swiss mountain pine; ~ rodeno cluster pine; ~ de tea pitchpine; **pinocha** f pine needle; **pinsapo** m Spanish fir.

pinta f spot, mark; (punto) dot, spot; 🕀 look(s); appearance.

pintado spotted, mottled; fig. identical; F como el más ~ with the best; F me sienta que ni ~, viene que ni ~ it suits me a treat.

pintar [1a] v/t. paint (a. fig.); esp. fig. depict, picture; v/i. paint; 🌱 begin to ripen; ~se put on make-up; ¡ojo, se pinta! wet paint!

pintiparado identical (*a* to); just the thing, just right (*para* for); **pintiparar** [1a] F compare.

pintor *m*, **-a** *f* painter; ~ *de brocha gorda* house painter; **pintoresco** picturesque; **pintura** *f* painting; (*color*) paint; *fig.* description; ~ *a la aguada* watercolor; ~ *al óleo* oil painting.

pinza *f* (clothes) peg; *zo.* claw; **pinzas** *f/pl.* (*unas* a pair of) ⊕ pincers; (*pequeñas*) tweezers; forceps.

pinzón *m* (*a.* ~ *vulgar*) chaffinch; ~ *real* bullfinch.

piña *f* ♀ pinecone; (*comestible*) pineapple; (*ps.*) clique, cluster; **piñón** *m* ♀ pine kernel; *orn.*, ⊕ pinion; **piñonear** [1a] click; **piñoneo** *m* click.

pío[1] *caballo* piebald.

pío[2] pious, devout; (*benigno*) merciful, kind.

pío[3] *m orn.* cheep; F hitch.

piojo *m* louse; F~ *resucitado* jumped-up fellow; parvenu; **piojoso** verminous, lousy; *fig.* mean.

pipa *f* pipe; ♪ reed; cask *de vino*; *sl.* handgun.

pipiar [1c] chirp.

pique *m* pique, resentment; *naipes:* spades; *a* ~ *de* in danger of; on the point of; *echar a* ~ sink; *fig.* wreck.

piqueta *f* pick(axe).

piquete *m* prick, jab; small hole *en ropa*; ✕ picket.

piragua *f* canoe; shell; **piragüista** *m* canoeist; oarsman.

piramidal pyramidal; **pirámide** *f* pyramid.

pirata *m* pirate; *fig.* hard-hearted villain; ~ *aéreo* hijacker; **piratear** [1a] buccaneer; *fig.* rob; **piratería** *f* piracy; ~ *aérea* hijacking.

piro... pyro...

piropo *m* flirtatious remark, amorous compliment; *min.* garnet, carbuncle.

pirueta *f* pirouette; **piruetear** [1a] pirouette.

pis *m* F piss; *hacer* ~ piss, pee.

pisa *f* tread(ing) *etc.*; **pisada** *f* (*ruido*) footstep, footfall, tread; (*huella*) footprint; **pisapapeles** *m* paperweight; **pisar** [1a] **1.** *v/t.* (*por descuido*) step on; (*apretando*) tread down; (*destruyendo*) trample (on, underfoot), flatten; (*estar una cosa sobre otra*) lie on, cover; ♪ *cuerda* pluck, *tecla* strike; **2.** *v/i.* tread, step.

piscina *f* swimming pool; fishpond.

Piscis *m ast.* Pisces.

piscolabis *m* F snack, bite.

piso *m* (*acto*) tread(ing); sole *de zapato*; (*suelo*) flooring; (*habitaciones*) apartment; (*segundo etc.*) floor, story; ~ *alto* top floor; ~ *bajo* ground floor; *casa de dos* ~s two-story house; **pisotear** [1a] tread down; trample (on, underfoot); stamp on; **pisotón** *m* stamp on the foot.

pista *f* track, trail (*a. fig.*); *atletismo etc.*: race track; ~ *de aterrizaje* runway; ~ *de baile* dance floor; ~ *de ceniza* dirt-track; ~ *de patinaje* skating rink; ~ *de tenis* tennis court; *estar sobre la* ~ be on the scent.

pistola *f* pistol; ~ *ametralladora* tommy gun, submachine gun; ~ *engrasadora* grease gun; **pistolera** *f* holster; **pistolero** *m* gunman, gangster.

pistón *m* ⊕ piston; ♪ key, piston.

pitar [1a] blow a whistle; *mot.* sound the horn; *S.Am.* smoke; **pitido** *m* whistle; whistling.

pitillera *f* cigarette case; **pitillo** *m* cigarette; *echar un* ~ have a smoke.

pito *m* ♪ whistle; *mot.* horn; cigarette; *S.Am.* pipe.

pizarra *f* *min.* slate; *escuela:* blackboard; **pizarrín** *m* slate pencil; **pizarrón** *m* *S.Am.* blackboard; *deportes:* scoreboard.

pizca *f* *cocina:* pinch; crumb *de pan etc.*; *fig.* trace, speck.

placa *f* plate (*a. phot.*); plaque *de inscripción etc.*; (*condecoración*) badge; ~ *giratoria* turntable; ~ *de matrícula* license plate.

placentero pleasant, agreeable; **placer**[1] **1.** *v/t.* [2x] please; **2.** *m* pleasure; enjoyment; delight; *a* ~ at one's pleasure.

placer[2] *m* *min.* placer; ♣ sandbank.

placero *m*, **a** *f* stall holder, market trader; *fig.* loafer, gossip.

placidez *f* placidity; **plácido** placid.

plaga *f* 🐛 *etc.* plague; ✗ (*zo.*) pest, (♀) blight; *fig.* scourge, calamity; blight; hardship; abundance, glut; **plagar** [1h] infest, plague (*de* with); sow (*de minas* with); *plagado de* full of, infested with; ~*se* to become infested with.

plagiar [1b] plagiarize; *S.Am.* kidnap; **plagiario** *m*, **a** *f* plagiarist; **plagio** *m* plagiarism.

plan *m* (*disposición*, *intento*) plan, scheme; △, *surv.* plan; (*nivel*) level;

pleno

(altitud) height; F set up, arrangement; F *(actitud)* attitude; ~ de estudios curriculum; ~ quinquenal five-year plan.

plana *f typ.* page; *escuela:* copywriting; ✕, ♣ ~ mayor staff; *a* ~ *y renglón* line for line; *enmendar la* ~ *a* correct mistakes of.

plancha *f* plate, sheet *de metal;* slab *de madera etc.;* iron *para planchar; (acto)* ironing; ♣ gangway; F bloomer; ⊕~ *de garnitura* bolster; *hacer la* ~ float; **planchado** *m* ironing; **planchar** [1a] iron; *traje* press; **planchear** [1a] plate.

planeador *m* glider; **planear** [1a] *v/t.* plan; *v/i.* glide; soar; **planeo** *m* glide, gliding.

planeta *m* planet; **planetario 1.** planetary; **2.** *m* planetarium.

planificación *f* planning; **planificar** [1g] plan, organize.

plano 1. flat, level; smooth; plane *(esp.* Å); *de* ~ clearly, plainly; *confesar* openly; *caer de* ~ fall flat; *rechazar de* ~ turn down (flat); **2.** *m* Å plane; plan *de edificio etc.;* map, street-plan *de ciudad;* flat *de espada.*

planta *f* ♀, ⊕ plant; plantation; *anat.* sole, foot; ⚕ *(piso)* floor, story; Å (ground) plan; *(proyecto)* plan, scheme; establishment *de personal;* ~ *baja* ground floor, first floor; **plantación** *f* plantation; *(acto)* planting; **plantador** *m (p.)* planter.

plantar [1a] *planta, golpe* plant; *poste etc.* fix, set up; *fig.* set up; F *(a. dejar plantado) novio* jilt, walk out on; *(dejar en apuro)* leave high and dry; *(en cita)* stand *s.o.* up; F ~ *en la calle* pitch into the street; *obrero* sack; ~*se* plant o.s.; *(caballo)* refuse, balk; F *(llegar)* get (en to).

plantear [1a] establish, set up, get under way; *problema* pose.

plantel *m* ♀ nursery; *(gente)* body, group, establishment.

plantío *m* plot, bed; *(acto)* planting.

plasma *m* plasma.

plasmar [1a] mould, shape; create.

plasticidad *f* plasticity; *fig.* expressiveness, descriptiveness; **plástico 1.** plastic; *fig.* expressive, descriptive; **2.** *m* plastic.

plata *f* silver; *S.Am.* money; F *en* ~ briefly; frankly.

plataforma *f* platform *(a. fig.);* stage; ⛟ turntable.

plátano *m* plane (tree); *(fruta)* banana.

platea *f thea.* pit.

plateado 1. silver *attr.;* silvery; ⊕ silver-plated; **2.** *m* silver plating; **platear** [1a] silver; silver-plate; **platero** *m* silversmith; jeweler.

plática *f* talk, chat; *eccl.* sermon; **platicar** [1g] talk, chat, converse.

platija *f* plaice.

platillo *m* saucer; ♪ ~s *pl.* cymbals; ~ *de balanza* scale; ~ *volante* flying saucer.

platino *m* platinum; *mot.* ~s *pl.* contact points.

plato *m* plate, dish; *(primero etc.)* course; *(español, favorito etc.)* dish; *(porción)* plateful; ~ *de tocadiscos,* giratorio turntable; ~ *fuerte* main course.

plausible acceptable, admissible; *(loable)* praiseworthy, commendable.

playa *f* (sea)shore; beach; seaside (resort) *para veranear etc.;* **playeras** *f/pl.* sandals; tennis shoes; **playero** beach *attr.*

plaza *f* square *en ciudad; (mercado)* market place; ✕ *(a.* ~ *fuerte)* fortified town, stronghold; ✝ town, city, place; ✝ money market; *(sitio)* room, space; place, seat *en vehículo; (puesto)* post, job; *(vacante)* vacancy; ~ *de armas* parade ground; ~ *mayor* main square; ~ *de toros* bullring.

plazo *m* time, period; term, time-limit; *esp.* ✝ date; *(pago)* installment; *a* ~s on credit, on easy terms.

pleamar *f* high tide.

plebe *f* common people, the masses; **plebeyo 1.** plebeian; **2.** *m,* **a** *f* plebeian, commoner.

plebiscito *m* plebiscite.

plegable pliable, pliant; *silla etc.* folding, collapsible; **plegadera** *f* paper knife; **plegadizo** = *plegable;* **plegado** *m,* **plegadura** *f* fold; pleat; *(acto)* folding; pleating; **plegar** [1h *a.* 1k] fold, bend, crease; *sew.* pleat; ~*se* fold (up), bend, crease; *fig.* bow, submit.

plegaria *f* prayer.

pleito *m* lawsuit, case; *fig.* dispute, controversy; ~s *pl.* litigation.

plenipotenciario *adj. a. su. m* plenipotentiary.

plenitud *f* plenitude, fullness; abundance; **pleno 1.** *mst fig.* full, complete; *sesión* plenary, full; *en* ~

día in broad daylight; *en ~ verano* at the height of summer; *en ~a vista* in full view; **2.** *m* plenum.

pliego *m* (*hoja*) sheet; folder; (*carta*) sealed letter; *~ cerrado* sealed orders; *~ de condiciones* details, specifications *para oferta etc.*; **pliegue** *m* fold (*a. geol.*); *sew. etc.* pleat, crease, tuck.

plomada *f* △ plumb, plummet; ♣ sinker *de red*; (♣) (sounding)lead *para sondar*; **plomar** [1a] seal with lead; **plomería** *f* △ lead roofing; ⊕ plumbing; **plomero** *m* plumber; **plomizo** leaden (*a. fig.*); lead-colored; **plomo** *m* ↑ lead; (*peso*) lead (weight); sinker *de red*; △ plumb-line; ✗ bullet; ∮ fuse; *a ~* plumb, true, vertical(ly).

plugo, pluguiere *etc. v. placer*[1].

pluma *f orn.* feather; (*de escribir*) pen (*a. fig.*); (*adorno*) plume; *fig.* penmanship; *~ esferográfica* ball-point pen; *~ estilográfica*, *~ fuente* fountain pen; **plumada** *f* stroke of a pen; **plumado** feathered; *pollo* fledged; **plumafuente** *f S.Am.* fountain pen; **plumaje** *m* plumage, feathers; plume, crest *de casco*; **plumazo** *m* feather mattress, feather pillow.

plúmbeo leaden; heavy as lead.

plumero *m* (feather) duster; plume; **plumón** *m* down; (*colchón*) feather-bed; **plumoso** downy.

plural *adj. a. su. m* plural; **pluralidad** *f* plurality; majority *de votos*.

pluriempleo *m trabajo* moonlighting.

plus *m* extra pay, bonus.

plusmarca *f* record.

pluvial rain *attr.*; **pluviómetro** *m* rain-gauge; **pluvioso** rainy.

población *f* population; (*ciudad etc.*) city, town, village; **poblado** *m* town, village; inhabited place; built-up area; **poblador** *m*, **-a** *f* settler, founder.

poblar [1m] *tierra* settle, colonize, people; stock (*de peces* with); plant (*de árboles* with); *poblado de* peopled with, populated with (*or* by); *fig.* full of; *~se* ♣ come into leaf.

pobo *m* white poplar.

pobre 1. poor (*de* in); *¡~ de mí!* poor (old) me!!; **2.** *m/f* poor person; pauper; beggar *que mendiga*; *los ~s pl.* the poor; *un ~* a poor man; *fig.* poor wretch; **pobrete 1.** poor, wretched; **2.** *m, a f* poor thing; well-meaning but ineffective person; **pobretería** *f*

poverty; (*ps.*) poor people; **pobretón 1.** very poor; **2.** *m* poor man; **pobreza** *f* poverty; want, penury.

pocilga *f* piggery, (pig)sty (*a. fig.*).

pócima *f*, **poción** *f pharm.* dose, draught; *vet.* drench; *fig.* brew.

poco 1. *adj.* little, slight; scanty; *~ dinero* little money; *su inteligencia es ~a* his intelligence is slight; *la ganancia es ~a* the profit is small; *~s pl.* few; *~s libros* few books, not many books; **2.** *m: un ~* a little; *un ~ de dinero* a little money, some money; *un ~* (*como adv.*): *le conozco un ~* I know him slightly, I know him a little; *un ~ mejor* a little better; **3.** *adv.* little, not much; only slightly; *sabe ~* he knows little; *cuesta ~* it doesn't cost much; *a veces se traduce por el prefijo* un-: *~ amable* unkind, *~ amistoso* unfriendly; *a ~* shortly (after).

poda *f* pruning (season); **podadera** *f* pruning shears; **podar** [1a] prune; lop.

podenco *m* hound, hunting-dog.

poder 1. [2t] be able, can; *puede venir* he is able to come, he can come; *no puede venir* he is unable to come, he can't come; (*absoluto*) *los que pueden* those who can, those that are able (to); **2.** *m* power; authority; ⚖ power of attorney, proxy; ⊕ power, capacity, strength; ⊕ value; *~ adquisitivo* purchasing power; *~ legislativo* legislative power; (*plenos*) *~es pl.* full power, authority; *a ~ de* by dint of; *en ~ de* in the possession of, in the hands of; *por ~(es)* by proxy.

poderío *m* power; authority, jurisdiction; (*bienes*) wealth, substance.

poderoso powerful; *remedio etc.* potent, efficacious; (*rico*) rich.

podre *f* pus; **podredumbre** *f* rot, rottenness, decay, corruption; ⚕ pus; *fig.* gnawing doubt, uneasiness; **podrido** rotten, bad, putrid.

poema *m* (*esp.* long) poem; **poesía** *f* poetry; (*una ~*) (*esp.* short *or* lyrical) poem; **poeta** *m* poet; **poetastro** *m* poetaster; **poética** *f* poetics; **poético** poetic(al); **poetisa** *f* poetess.

polaina *f* gaiter, legging.

polar polar; **polaridad** *f* polarity; **polarizar** [1f] polarize.

polea *f* pulley; tackle-block.

polémica *f* polemics; controversy.

polen *m* pollen.

policía 1. *m* policeman; *~ femenino*

policewoman; **2.** f police (force); fig. administration, order, (good) government; (cortesía) politeness; ~ militar military police; ~ secreta secret police.

poligamia f polygamy; **polígamo 1.** polygamous; **2.** m, a f polygamist.

poligloto m, **a** f polyglot.

polilla f (clothes) moth; bookworm.

polio(mielitis) f polio(myelitis).

polisílabo 1. polysyllabic; **2.** m polysyllable.

política f politics; (e.g. ~ de Carlos V, ~ exterior) policy; (cortesía) politeness, good manners; **político 1.** political; polite, courteous; padre etc. ~ father- etc. in-law; familia ~ relatives by marriage, in-laws F; **politicón** ceremonious, obsequious; **politiquero** m b.s. politician.

póliza f certificate, voucher; (giro) draft, order; (timbre) tax stamp; ~ dotal endowment policy; ~ de seguro(s) insurance policy.

polizón m ♣, ♋ stowaway; vagrant, tramp; viajar de ~ stow away.

polizonte m F copper, cop esp. Am.

polo m geog., ⚡ pole; (juego) polo; ~ acuático water polo.

poltrón idle, lazy; **poltrona** f reclining chair, easy chair.

polvareda f dust cloud; F levantar una ~ cause a rumpus; **polvera** f vanity case; **polvo** m dust; powder; pinch de rapé etc.; ~s pl. face powder; ~(s) de arroz rice powder; ~s pl. de blanqueo bleaching powder; ~(s) de hornear, ~(s) de levadura baking powder.

pólvora f gunpowder; fig. life, liveliness; (mal genio) bad temper; **polvorear** [1a] powder, dust, sprinkle; **polvoriento** dusty; powdery; **polvorín** m powder-magazine; **polvoroso** dusty.

polla f orn. pullet; naipes: pool, stake; F chick, girl; **pollada** f hatch, brood; **pollastro** m F sly fellow.

pollera f hen coop; **pollero** m chicken-farmer; (que vende) poulterer.

pollino m, **a** f donkey; F ass.

pollita f pullet; **pollito** m chick; **pollo** m chicken; chick de ave no domesticada; F young man, youth; **polluelo** m chick.

pompa f pomp; show, display, pageantry; procession; ♣ pump; ~ de jabón soap bubble; director de ~s

fúnebres undertaker; **pomposidad** f pomposity; **pomposo** pompous.

pómulo m checkbone.

ponche m punch.

poncho m S.Am. poncho, blanket.

ponderación f fig. deliberation, consideration; exaggeration; high praise; **ponderar** [1a] fig. weigh up; ponder (over); exaggerate; (alabar) praise highly.

poner [2r] put; place; set; arrange; cuidado take, exercise (en in); dinero (inversión) put, invest; (juego) bet, stake; escaparate dress; huevo lay; impuesto impose; luz, radio etc. switch on, turn on, put on; mesa lay, set; miedo cause; objeción raise; obra dramática perform, put on; película show; problema set; ropa put on; telegrama send; tiempo take; tienda set up; ~ adj. make, turn; ~ que suppose that; ~se put o.s.; place o.s.; (sol) set; ~ adj. turn; get, become.

ponga, pongo etc. v. poner.

poniente m west; west wind.

pontificado m pontificate, papacy; **pontifical** pontifical, papal.

pontón m pontoon; bridge of planks; pontoon bridge; ♣ hulk.

ponzoña f poison; **ponzoñoso** poisonous; fig. noxious, harmful.

popa f stern, poop; a ~ abaft, astern; de ~ a proa fore and aft.

populachero common, vulgar, cheap; **populacho** m mob, plebs; lower orders; **popular** popular; palabra colloquial; **popularidad** f popularity; **popularismo** m colloquialism; **popularizar** [1f] popularize; ~se become popular; **populoso** populous.

poquedad f scantiness, paucity; fewness; timidity de carácter; **poquísimo** very little; ~s pl. very few; **poquito**: un ~ a little bit.

por 1. prp. a) agente tras verbo pasivo: by; instrumento: comunicar ~ señas talk by (means of) signs; ~ ferrocarril by rail; lo hizo ~ sí mismo he did it by himself; b) lugar: ~ la ciudad (pasar) through the town; (pasearse) round the town; ~ Medina by way of Medina, via Medina (a. 📧); ~ el túnel through the tunnel; ~ la calle along the street; ~ todo el país over the whole country; errar ~ los campos wander in the fields; c) tiempo: ~ la noche in the night, during the night; ~ Navidades at (or about) Christmas

time; ~ estas fechas about this time; d) motivo etc.: ~ temor out of fear, from fear; cerrado ~ muerte del dueño closed owing to (or on account of, because of) owner's death; ~ mí for me, for my sake; for myself, for my part; ~ la patria for (the sake of) the country; ~ adj. as being, as, because it is etc.; lo dejó ~ imposible he gave it up as impossible; e) en nombre: hablo ~ todos I speak for (or in the name of, on behalf of) everybody; intercedió ~ mí he interceded for me (or on my behalf); f) objetivo: mi admiración ~ ti my admiration for you; g) en busca de: vendrá ~ nosotros he will come for us; h) quedar etc.: quedan cartas ~ escribir there are still some letters to be written; i) cambio: lo compró ~ 150 pesetas he bought it for 150 pesetas; te doy éste ~ aquél I'll give you one in exchange for (or in place of) that one; j) manera: ~ docenas in dozens, by the dozen; ~ escrito in writing; ~ persona per person; 120 kms. ~ hora 120 kms. an hour; recibir ~ esposa take as one's wife; k) times; 3 ~ 5 3 times 5; 2. cj. etc.: ~ inf. (para) in order to inf.; (causa) because; ~ haber venido tarde through having come late, because he came late; ~ que subj. in order that; ~ difícil que sea however hard it is; ¿~ qué? why?; yo sé ~ qué I know why.

porcelana f porcelain; (loza corriente) china.

porcentaje m percentage; esp. ⊕ rate.

porcino porcine; ganado ~ pigs.

porción f portion, part, share; una ~ de cosas etc. a number of things etc.

pordiosear [1a] beg; **pordiosero**, **a** f beggar.

porfía f persistence, obstinacy, stubbornness; a ~ in competition; **porfiado** persistent, obstinate, stubborn; **porfiar** [1c] persist (en in), insist; argue obstinately; ~ por inf. struggle obstinately to inf.

pormenor m detail, particular; **pormenorizar** [1f] detail, set out in detail.

pornografía f pornography; **pornográfico** pornographic.

poro m pore; **porosidad** f porosity, porousness; **poroso** porous.

porque because; ~ subj. in order that.

porqué m reason (de for), why; F quantity, amount.

porquería f F (en general) dirt, filth;

nastiness; (acto) indecent act; (mala pasada) dirty trick.

porra f stick, cudgel; truncheon de policía; (herramienta) large hammer; F bore, nuisance; ¡~s! dash (it)!; (a otra p.) get away!, rubbish!; F mandar a la ~ chuck out, send packing; ¡vete a la ~! go to hell!; **porrada** f thwack, thump; F stupidity; F (montón) pile, heap; **porrazo** m thwack, thump; bump.

porreta f green leaf de cebolla etc.; F en ~ stark naked; **porretada** f pile, heap; **porrillo**: F a ~ in abundance, by the ton; **porro** F dull, stupid; sl. joint (or hashish cigarette); **porrón** slow.

porta(a)viones m aircraft carrier.

portada f △ front, façade; (puerta) porch, doorway; cover de revista; typ. frontispiece, title-page; **portado**: bien ~ well-dressed; well-behaved; **portador** m, **-a** f carrier, bearer; ✝ bearer, payee.

porta...: ~equipajes m mot. trunk; **~estandarte** m standard bearer.

portal m vestibule, hall; (puerta) porch, doorway; street door que da a calle; gate(way) de ciudad.

portalámpara m socket, lampholder.

portalón m △ gate(way); ♺ gangway.

porta...: ~monedas m pocketbook; purse; **~papeles** m briefcase; **~plumas** m penholder.

portarse [1a] behave; conduct o.s.

portátil portable.

portavoz m megaphone; (p.) spokesman; contp. mouthpiece.

portazgo m toll.

portazo m bang, slam.

porte m ✝ carriage; & postage; fig. behaviour, conduct, demeanor, bearing; disposition, character; ~ concertado mailing permit; ~ pagado postage prepaid, freight prepaid; **portear**[1] ✝ carry, convey.

portear[2] [1a] slam, bang.

portento m marvel, prodigy; **portentoso** marvellous, extraordinary.

portero m porter, janitor, doorkeeper; deportes: goalkeeper; ~ electrónico automatic door opener.

pórtico m portico, porch; arcade de plaza etc.

portilla f porthole; **portillo** m gap, opening, breach; (puerta) wicket.

portón m large door, main door.

portorriqueño v. puertorriqueño.

portugués 1. *adj. a. su. m*, **-a** *f* Portuguese; **2.** *m (idioma)* Portuguese.

porvenir *m* future; en el ~, en lo ~ in the future.

pos: en ~ de after, in pursuit of; *ir en* ~ *de* chase, pursue.

posada *f (mesón)* inn; house, dwelling; *(alojamiento)* lodging.

posaderas *f/pl.* buttocks.

posadero *m*, **a** *f* innkeeper.

posar [1a] *v/t. carga* lay down; *v/i*, ~**se** *(modelo)* sit, pose; *(polvo, líquido)* settle; lodge *en posada*.

posdata *f* postscript.

pose *f* pose; *phot.* time-exposure.

poseedor *m*, **-a** *f* owner, possessor; holder *de marca, oficio*; **poseer** [2e] have; own, possess; *tema, lengua* know perfectly, have a complete mastery of; *ventaja (cosa)* have, hold; *(p.)* enjoy; **poseído** possessed; *fig.* crazed; **posesión** *f* possession; tenure *de oficio*; **posesivo** *adj. a. su. m*, **posesso 1.** possessed; **2.** *m*, **a** *f* person possessed.

posibilidad *f* possibility; chance; **posibilitar** [1a] make possible, facilitate; **posible 1.** possible; feasible; en lo ~ as far as possible; **2.** ~s *m/pl.* means, assets.

posición *f* position; situation; *(rango)* standing.

positiva *f phot.* positive, print; **positivo 1.** positive *(a. phot.)*; ⚡ positive, plus; *idea etc.* constructive; **2.** *m gr.* positive. *phot.* print.

posponer [2r] subordinate.

posta 1. *f* relay *de caballos*; *(casa)* posthouse; *(etapa, distancia)* stage; stake *en juego*; *hunt.* slug; F *a* ~ *on purpose*; **2.** *m* courier.

postal 1. postal; **2.** *f* post card; ~ *ilustrada* picture post card.

poste *m* post, pole; stake *de cerca etc.*; *(a.* ~ *telegráfico)* telegraph pole; ~ *indicador* signpost; ~ *de llegada* winning-post; ~ *de salida* starting post.

postergar [1h] delay, postpone; *p.* pass over.

posteridad *f* posterity; **posterior** *lugar:* rear, back; *posterior; tiempo:* later, subsequent.

pos(t)guerra *f* postwar period; de *(la)* ~ postwar.

postigo *m* wicket, postern, small door; shutter *de ventana*.

postizas *f/pl.* castanets; **postizo 1.** *dentadura etc.* false, artificial; *cuello* detachable; *b.s.* phony; dummy; **2.** *m* false hair.

postración *f* prostration; ~ *nerviosa* nervous exhaustion; **postrado** prostrate *(a. fig.)*; **postrar** [1a] prostrate; *esp.* ⚡ weaken, exhaust; *(derribar)* overthrow; ~**se** *(acto)* prostrate o.s.; *(estado)* be prostrate.

postre 1. *m (a.* ~s *pl.)* dessert, sweet; **2.:** *a la* ~ at last, in the end.

postremo, **postrero** last; rear, hindermost; **postrimerías** *f/pl.* dying moments; closing stages.

postulante *m/f* petitioner; candidate; **postular** [1a] postulate; *(pedir)* seek, claim, demand.

póstumo posthumous.

postura *f* posture, pose, stance *del cuerpo*; *fig.* position, attitude; *pol. etc.* agreement; bet, stake *en el juego*; bid *en subasta*; *orn. (cantidad)* eggs; *(acto)* egg-laying.

potable drinkable; *v. agua*.

potaje *m cocina:* mixed vegetables, stew; mixed drink; mixture.

pote *m* pot, jar; *(tiesto)* flower pot; *(guiso)* stew; *a* ~ in abundance.

potencia *f* power *(a.* ⚡, *pol.)*; potency; ⊕ *(horse)power*, capacity; ~ *electoral* voting power; ~ *mundial* world power; ⊕ ~ *real* effective power; **potencial 1.** potential; **2.** *m* potential; capacity; *gr.* conditional.

potente powerful; potent.

potestad *f* power; authority, jurisdiction; *(p.)* potentate.

potra *f zo.* filly; **potro** *m zo.* colt.

poyo *m* stone bench.

pozo *m* well; ⚒ shaft; pool *de río*; *S.Am.* pool, puddle; ~ *artesiano* Artesian well; ~ *negro* cesspool; ~ *de petróleo* oil well.

práctica *f* practice; method; **practicable** practicable; workable, feasible; **practicante** *m/f* practitioner; ⚡ male nurse, medical assistant, orderly; **practicar** [1g] practise; exercise; *(poner por obra)* perform, carry out; *deporte* go in for; *agujero* cut, make; **práctico 1.** practical; handy; *proyecto* workable; *p.* practical, down-to-earth; **2.** *m* practitioner; ⚓ pilot.

prader(i)a *f* meadow(land); prairie *en el Canadá etc.*; **prado** *m* meadow, field, pasture.

pragmático pragmatic.

preámbulo *m* preamble.

precario precarious, uncertain.

precaución *f* precaution.

precaver [2a] guard against, forestall; **~se** be on one's guard (*de* against); **precavido** cautious.

precedencia *f* priority, precedence; superiority; **precedente 1.** preceding, foregoing, former; **2.** *m* precedent; *sin ~* unprecedented; **preceder** [2a] precede, go before.

precepto *m* precept; order, injunction; rule; **preceptor** *m* teacher; tutor; **preceptorado** *m* tutorship; **preceptoral** tutorial.

preciar [1b] estimate, appraise; **~se** boast; *~ de algo* pride o.s. on, boast of; *~ de (ser)* boast of being; *~ de inf.* boast of *ger.*

precintar [1a] (pre)seal, prepackage; **precinto** *m* seal.

precio *m* (*que se paga*) price; cost; (*valor*) value, worth; ✝ *a.* charge, figure, rate; *fig.* worth *de p. etc.*; *control de ~s* price control; *lista de ~s* price list; *~ de compra* purchase price; *~ al contado* cash price; *~ tope* ceiling price; *~ de venta* sale price; **precioso** precious; valuable; *fig.* lovely, beautiful; charming, pretty.

precipicio *m* precipice; cliff.

precipitación *f meteor.* precipitation, rainfall; (*prisa*) haste; rashness; **precipitado 1.** *prisa* breakneck, headlong; *acción, modo* hasty; rash; **2.** *m* ⚗ precipitate.

precipitar [1a] hurl, cast down *desde lo alto*; (*acelerar*) hasten, speed up; precipitate (*a.* ⚗); **~se** rush, dash, dart; *~ sobre* rush at.

precisamente precisely; *~ por eso* for that very reason; **precisar** [1a] *v/t.* (*necesitar*) need, require; fix, determine exactly; *detalles* state precisely; *v/i.* be necessary; **precisión** *f* precision, preciseness, accuracy; need, necessity; ⊕ *de ~* precision *attr.*; **preciso** necessary, essential; (*exacto*) precise, exact, accurate; *estilo* concise.

precitado above-mentioned.

preconcebido preconceived.

preconizar [1f] foresee.

precoz precocious, forward; *calvicie etc.* premature; ⚕ *etc.* early.

precursor *m*, **-a** *f* forerunner, precursor.

predecesor *m*, **-a** *f* predecessor.

predecir [3p] foretell, predict.

predestinación *f* predestination; **predestinar** [1a] predestine.

predicación *f* preaching; sermon; **predicado** *m* predicate; **predicador** *m* preacher; **predicar** [1g] preach (*a. fig.*).

predicción *f* prediction, forecast.

predilección *f* predilection; **predilecto** favorite.

predio *m* property, estate.

predisponer [2r] predispose; prejudice (*contra* against); **predisposición** *f* predisposition, inclination.

predominante predominant; prevailing, prevalent; **predominar** [1a] predominate, prevail (*v/t. ~* over); **predominio** *m* predominance; prevalence; superiority (*sobre* over).

pre-estreno *m* preview, view.

prefabricado prefabricated; **prefabricar** [1g] prefabricate.

prefacio *m* preface, foreword.

preferencia *f* preference; priority; *de ~ plaza* reserved; **preferente** preferential; preferable; ✝ *acción* preference *attr.*; **preferentemente** preferably; **preferible** preferable; **preferir** [3i] prefer (*A a B* A to B).

prefijar [1a] fix beforehand, prearrange; *gr.* prefix; **prefijo** *m* prefix.

pregón *m* proclamation, announcement; ✝ street cry; **pregonar** [1a] proclaim, announce; *secreto* disclose; *méritos etc.* praise publicly.

pregunta *f* question; *hacer una ~* ask a question; **preguntar** [1a] *v/t.* ask (*algo a alguien* p. a th., a th. of a p.); *v/i.* ask, inquire; *~ por p. etc.* ask for; *salud de p. etc.* ask after; **~se** wonder (*si* if, whether); **preguntón** inquisitive.

prejuicio *m* prejudice; bias; **prejuzgar** [1h] prejudge.

prelado *m* prelate.

preliminar 1. preliminary; preparatory; **2.** *m* preliminary.

preludiar [1b] prelude (*a.* ♪); introduce; **preludio** *m* prelude (*a.* ♪).

prematuro premature; untimely.

premeditación *f* premeditation; **premeditado** premeditated; **premeditar** [1a] premeditate.

premiado 1. *adj.* prize *attr.*; **2.** *m*, **a** *f* prize winner; **premiar** [1b] reward, recompense; give an award (*or* prize) to *en certamen*; **premio** *m* reward, recompense; prize *en certamen*; ✝ premium; *~ gordo* first

prestar

prize, big prize; *a* ~ at a premium.
premioso *vestido* tight; *(molesto)* troublesome, burdensome.

premisa *f* premise.

premura *f* pressure; *(prisa)* haste, urgency.

prenda *f* *(empeño)* pledge, security; *(alhaja)* jewel; ~ *(de vestir)* garment, article of clothing; *fig.* token, sign; *en* ~ in pawn; ~ *perdida* forfeit; ~*s pl.* qualities, talents, gifts; *(juego)* forfeits; ~*s interiores* underwear; **prendar** [1a] pledge, pawn; *fig.* captivate, win over; ~*se de* fall in love with.

prendedero *m*, **prendedor** *m* brooch, clasp, pin.

prender [2a; *p.p. a. preso*] *v/t.* seize, grasp; *p.* capture, catch; *rt* arrest; pin, attach *con alfiler etc.*; *v/i.* ♀ take root; *(fuego)* catch; *(vacunación etc.)* take; ~*se (mujer)* dress up.

prendero *m* second-hand dealer; pawnbroker.

prenombrado above-mentioned, foregoing.

prensa *f* press; ⊕ gland, stuffing box; *de* ~ press *attr.*; *dar a la* ~ publish; *entrar en* ~ go to press; **prensado** *m* sheen, shine; **prensar** [1a] press.

preñada pregnant; *fig. muro* bulging, sagging; ~ *de* full of; **2.** *m =* **preñez** *f* pregnancy.

preocupación *f* worry, concern, pre-occupation; prejudice; **preocupado** worried, concerned, preoccupied; **preocupar** [1a] *(inquietar)* worry, preoccupy, exercise; *(predisponer)* prejudice; ~*se* worry, care *(de, por* about).

preparación *f* preparation; *(instrucción)* training; ~ *militar etc.* military *etc.* preparedness; **preparador** *m* *deportes:* trainer; **preparar** [1a] prepare; ⊕ prepare, process; *(aprestar)* get ready; *(instruir)* train; ~*se* prepare (o.s.); get ready; **preparativo 1.** preparatory; preliminary; **2.** ~*s m/pl.* preparations; **preparatorio** preparatory.

preposición *f* preposition.

prepucio *m* foreskin, prepuce.

prerrogativa *f* prerogative, privilege.

presa *f* *(acto)* capture, seizure; *(cosa apresada)* prize *(esp.* ⚓*)*, spoils, booty; *(animal que se caza)* prey, quarry; *(animal cazado)* capture, catch; weir, dam, barrage *de río*; *(conducto)* ditch, conduit; ~*s pl.* fangs; *hacer* ~ seize.

presagiar [1b] betoken, forebode, presage; **presagio** *m* omen.

presbítero *m* priest.

prescindible dispensable, expendable; **prescindir** [3a]: ~ *de* do without dispense with; disregard.

prescribir [3a; *p.p. prescrito*] prescribe; **prescripción** *f* prescription; **prescrito** prescribed.

presencia *f* presence; ~ *de ánimo* presence of mind; **presenciar** [1b] be present at, witness, watch.

presentable presentable; **presentación** *f* presentation; introduction; **presentador** *m*, **-a** *f televisión* moderator; **presentar** [1a] *mst* present; *p. a otra* introduce; *p.* propose, nominate *(a puesto* for*)*; *(mostrar)* display, show; *thea.* perform; *demanda* put in, present; *dimisión* tender; *película* show; *proyecto etc.* put forward; *pruebas* submit, present; ~*se* present o.s.; *(acudir)* turn up; report *(en* at*)*.

presente 1. present; *¡~!* present!; *los* ~*s* those present; *la* ~ this letter; **2.** *m* present; *gr.* present *(tense)*.

presentimiento *m* premonition, presentiment; foreboding; **presentir** [3i] have a presentiment of; ~ *que* have a presentiment that.

preservación *f* preservation, protection; **preservar** [1a] preserve, protect *(contra* from, against*)*.

presidencia *f pol. etc.* presidency; chairmanship; **presidencial** presidential; **presidente** *m*, **a** *f pol. etc.* president; chairman.

presidiario *m* convict; **presidio** *m* *(cárcel)* prison; *(condena)* hard labour; ⚔ *(ps.)* garrison.

presidir [3a] preside *(acc.* at, over*)*; take the chair *(acc.* at*)*.

presilla *f* fastener, clip; press stud.

presión *f* pressure *(a.* ⊕, *meteor.)*; press, squeeze *con mano etc.*; ⊕ *de* ~ pressure *attr.*; ~ *atmosférica* atmospheric *(or* air*)* pressure; ~ *sanguínea* blood pressure.

preso 1. *p.p. of prender;* **2.** *m*, **a** *f* prisoner, convict; ~ *preventivo* pretrial prisoner.

prestación *f* lending, loan; *pedir* ~, *tomar* ~ borrow; **prestador** *m*, **-a** *f* lender; **prestamista** *m* moneylender; pawnbroker; **préstamo** *m* *(acto)* lending, borrowing; *(dinero)* loan; **prestar** [1a] *v/t.* lend, loan; *atención* pay; *ayuda* give; *juramento*

take, swear; *v/i.* give, stretch; ~**se** (*p.*) lend o.s., (*cosa*) lend itself (*a* to); **prestatario** *m* borrower.

presteza *f* quickness, speed, agility.

prestidigitación *f* prestidigitation, sleight of hand; **prestidigitador** *m* conjurer, juggler.

prestigio *m* prestige; face; (*fascinación*) spell; (*engaño*) trick; **prestigioso** famous, captivating, illusory.

presto 1. *adj.* (*vivo*) quick, prompt; agile, nimble; (*dispuesto*) ready; **2.** *adv.* quickly; at once, right away.

presumido conceited; **presumir** [3a] *v/t.* presume; guess, surmise; *v/i.* be conceited, presume; give o.s. airs; **presunción** *f* presumption; conceit; **presunto** supposed, presumed; *heredero* presumptive; **presuntuoso** conceited, vain; presumptuous; pretentious.

presuponer [2r] presuppose; **presuposición** *f* presupposition; **presupuestar** [1a] budget for; **presupuestario** budget *attr.*, budgetary; **presupuesto** *m* ✝ budget; estimate *para un proyecto etc.*

presura *f* speed; promptness; (*porfía*) persistence; **presuroso** quick, speedy; prompt; hasty (*a. b.s.*).

pretencioso pretentious.

pretender [2a] claim; *mujer* court; *puesto* seek, try for; *honores etc.* aspire to; *objeto* aim at, try to achieve; ~ *que indic.* claim that, allege that; ~ *que subj.* expect that, suggest that, intend that; ~ *inf.* (*intentar*) seek to *inf.*, attempt to *inf.*, try to *inf.*; ~ *decir* mean (*con* by); **pretendido** supposed, pretended; alleged; **pretendiente 1.** *m* suitor *de mujer*; **2.** *m, a f* claimant; applicant (*a puesto* for); pretender (*a trono* to).

pretensión *f* claim; aim, object; (*pretencioso*) pretension; pretense.

pretexto *m* pretext; pretence, plea, excuse; *so* ~ *de* under pretext of.

pretil *m* parapet *de puente*; handrail, railing.

pretina *f* girdle, belt.

prevalecer [2d] prevail (*sobre* over, against); ♀ take root.

prevalerse [2q]: ~ *de* avail o.s. of.

prevención *f* (*cualidad*) forethought, foresight; (*prejuicio*) prejudice; (*estado*) preparedness; (*acto*) prevention *etc.*; safety measure, precaution; (*aviso*) warning; (*comisaría*) police station; *a* ~, *de* ~ spare, emergency

attr.; **prevenido** prepared; ready; *fig.* cautious, forewarned; **prevenir** [3s] prepare, make ready; (*impedir*) prevent; (*prever*) foresee, anticipate; provide for; (*advertir*) (fore)warn (*contra* against); (*predisponer*) prejudice (*contra* against); ~**se** make ready, get ready; **preventivo** preventive (*a.* ✿); precautionary.

prever [2v] foresee, forecast.

previo 1. *adj.* previous, preliminary; **2.** *prp.* after, following.

previsible foreseeable; **previsión** *f* foresight; far-sightedness; **previsor** farsighted; thoughtful.

prieto blackish, dark; *p.* mean; *S.Am.* dark, brunette.

prima *f* ✝ bonus, bounty; premium *de seguros*; subsidy *de exportación etc.*

primacía *f* primacy; **primada** *f* F hoax, trick; piece of stupidity; **primado** *m* primate; **primario** primary; **primato** *m* primate.

primavera *f* spring(time); ♀ primrose; **primaveral** spring.

primera *f* (*a.* ~ *clase*) first class; F *de* ~ first-rate, first-class; F *estar de* ~ feel fine; *viajar en* ~ travel first; **primeramente** first(ly), in the first place; chiefly; **primero 1.** first; primary; foremost; *años etc.* early; (*anterior*) former; *necesidad* basic, prime; urgent; *materia* raw; *a* ~*s de* at the beginning of; **2.** *adv.* first; (*preferentemente*) rather, sooner.

primicias *f/pl.* first-fruits.

primitivo primitive; original; *obra etc.* early; *color* prime.

primo 1. ♀ prime; *materia* raw; **2.** *m*, **a** *f* cousin; ~ *carnal*, ~ *hermano* first cousin; **3.** *m* F fool.

primor *m* beauty, elegance, exquisiteness; (*habilidad*) skill.

primoroso exquisite, fine, elegant; (*hábil*) skilful, neat.

princesa *f* princess; **principado** *m* principality.

principal 1. principal; chief, main; foremost; illustrious; **2.** *m* principal (*a.* ✝, ⚖); head, chief.

príncipe *m* prince; ~ *consorte* prince consort; ~ *heredero* crown prince.

principiante 1. learner, who is beginning; **2.** *m, a f* beginner, learner, novice; **principiar** [1b] start, begin (*a inf.* to *inf.* or *ger.*; *con* with); **principio** *m* beginning, start; origin, source; *phls., ciencias etc.*:

principle; ♫ etc. element, constituent; *cocina*: entrée; ~s *pl.* essentials, rudiments *de tema*; a ~s *del mes* at the beginning of the month.

pringar [1h] *v/t. cocina*: dip in fat; *asado* baste; **pringoso** greasy; **pringue** *m* grease, fat, dripping; grease stain.

prioridad *f* priority; seniority.

prisa *f* hurry, haste; speed; urgency; a ~, de ~ quickly, hurriedly; a toda ~ as quickly as possible; tener ~ be in a hurry.

prisión *f* (*acto*) capture, arrest; (*cárcel*) prison; (*período*) imprisonment; ~es *pl.* shackles; **prisionero** *m* prisoner; hacer ~ take prisoner.

prisma *m* prism.

prístino pristine, original.

privación *f* (*acto*) deprivation; (*falta*) privation, want; **privado 1.** private; personal; **2.** *m* favorite; en ~ in private; **privanza** *f* favor; **privar** [1a] *v/t.* deprive (de of), dispossess (de of); starve (de of); (*destituir*) demote, remove (de from); (*vedar*) forbid; *v/i.* be in favor en corte; F be in vogue, be the thing; ~se de deprive o.s. of, give up, forgo; **privativo** exclusive; particular.

privilegio *m* privilege (de inf. of ger.); ﷼ sole right; *lit.* copyright; ~ de invención patent.

pro *m a. f* profit, advantage; hombre de ~ worthy man; los ~s y los contras the pros and cons; buena ~ le haga and much good may it do him; en ~ de pro, for.

proa *f* bow(s), prow; de ~ bow *attr.*, fore.

probabilidad *f* probability, likelihood; chance, prospect; **probable** probable, likely.

probanza *f* proof, evidence; inquiry.

probar [1m] **1.** *v/t.* prove; establish; (*ensayar*) try, try out, test; *vestido* try on; *comida etc.* taste, sample, try; no pruebo nunca el vino I never touch wine; **2.** *v/i.*: ~ a inf. try to inf.; no me prueba bien el vino wine doesn't agree with me; ¿probaremos? shall we try?

probatorio probative, evidential; *documentos* ~s documents in proof of.

probeta *f* ♫ test-tube; graduated cylinder; ⊕ test specimen; niño-~ *m* test-tube baby.

probidad *f* integrity, rectitude.

problema *m* problem; puzzle; **problemático** problematic, doubtful.

procedente fitting, reasonable; ﷼ proper, lawful; ~ de coming from, originating in; **proceder 1.** [2a] proceed (a elección to; a inf. to inf.; ﷼ contra against); (*portarse*) behave, act; (*convenir*) be proper; ~ de proceed from, originate in; **2.** *m* course, procedure; behaviour; **procedimiento** *m* procedure; proceeding; process; ﷼ proceedings.

prócer *m* important person, chief.

procesado *m*, **a** *f* accused; **procesal** procedural; ﷼ costas etc. legal; **procesar** [1a] ﷼ try, put on trial; prosecute; sue; *datos* process; ~ datos data-process.

procesión *f* procession; F la ~ va por dentro still waters run deep.

proceso *m* process (a. anat., ♫); ﷼ trial; prosecution; proceedings.

proclama *f* proclamation; ~s *pl.* banns; **proclamación** *f* proclamation; acclamation; **proclamar** [1a] proclaim; acclaim.

procurador *m* ﷼ attorney; **procurar** [1a] get; seek; cause, produce; ~ inf. try to inf., strive to inf.

prodigar [1h] *b.s.* waste, squander; *alabanzas etc.* lavish.

prodigio *m* prodigy, wonder, marvel; niño ~ child prodigy; **prodigioso** prodigious; marvellous.

pródigo 1. *b.s.* extravagant, wasteful; prodigal (de of), lavish (de with); hijo ~ prodigal son; **2.** *m*, **a** *f* spendthrift, prodigal.

producción *f* production; yield; produce; ~ en masa, ~ en serie mass production; **producir** [3o] *mst* produce; cause, generate; ~ en serie mass produce; ~se take place, come about, arise.

productividad *f* productivity; **productivo** productive; ✦ ~ de interés interest-bearing; **producto** *m* product (a. ⚗, ♫ ⊕); production; ✦ yield; ~s *pl.* products, produce (esp. 🖊); ~ alimenticio foodstuff; **productor 1.** productive; producing; **2.** *m*, **a** *f* producer.

proeza *f* exploit, heroic deed.

profanar [1a] desecrate, profane; **profano 1.** profane; indecent, **2.** *m* layman.

profecía *f* prophecy.

proferir [3i] utter; *indirecta* throw out; *injuria* hurl, let fly (contra at).

profesar [1a] *v/t.* profess; show, declare; *profesión* practice; *v/i.* eccl.

take vows; **profesión** f profession, calling; declaration de fe etc.; de ~ professional; hacer~ de pride o.s. on; **profesional** adj. a. su. m/f professional; **profesionalismo** m professionalism; **profesor** m, **-a** f teacher en general; (school)master, (school-) mistress de instituto; univ. (que tiene cátedra) professor; (subordinado) lecturer; ~ adjunto, ~ auxiliar approx. assistant lecturer; ~ agregado visiting lecturer; **profesorado** m teaching profession; (ps.) teaching staff; (puesto) professorship.

profeta m prophet; **profético** prophetic(al); **profetizar** [1f] prophesy.

prófugo m fugitive; ✕ deserter.

profundidad f depth; esp. fig. profundity; ⚓ height; **profundizar** [1f] hoyo deepen, make deeper; (a. v/i. ~ en) estudio extend, make a careful study of; misterio fathom; **profundo** deep; mst fig. profound; conocedor etc. very knowledgeable.

profusión f profusion; extravagance; **profuso** profuse.

programa m program; plan; schedule; ~ de estudios curriculum; **programación** f programing.

progresar [1a] progress, advance; **progresión** f progression (a. ⚓); **progresista** adj. a. su. m/f pol., **progresivo** progressive; **progreso** m progress, advance; ~s pl. progress; hacer ~s make progress.

prohibición f prohibition (de of), ban (de on); embargo (de on); **prohibir** [3a] prohibit, forbid (algo a alguien a p. a th.); ban; stop; ~ inf. forbid s.o. to inf.; se prohibe fumar, prohibido fumar no smoking; **prohibitivo** prohibitive.

prohijar [1a] adopt.

prójimo m neighbor, fellow man.

prole f offspring, progeny.

proletariado m proletariat(e); **proletario** adj. a. su. m, **a** f proletarian.

proliferación f proliferation; **proliferar** [1a] proliferate; **prolífico** prolific (en of).

prolijo prolix, tedious, long-winded.

prologar [1h] preface; **prólogo** m prologue; preface, introduction de libro etc.

prolongación f prolongation; extension; **prolongar** [1h] prolong; extend; ⚓ línea produce.

promediar [1b] v/t. divide into two

halves; v/i. (interponerse) mediate; **promedio** m average; middle de una distancia.

promesa f promise; **prometedor** promising; perspectiva hopeful, rosy; **prometer** [2a] v/t. promise; pledge; v/i. have (or show) promise; ~se algo expect, promise o.s.; (novios) get engaged; estar prometido be engaged; **prometida** f fiancée; **prometido** m promise; (p.) fiancé.

prominente prominent; protuberant.

promiscuo objetos all mixed up, in disorder; ambiguous; vida promiscuous.

promoción f (ascenso) promotion; (fomento) promotion, advancement, furtherance; ✕ la ~ de 1960 the 1960 class.

promontorio m promontory, headland.

promotor m, **promovedor** m promoter; pioneer; instigator; **promover** [2h] (ascender) promote; (fomentar) promote, forward, further; proyecto etc. pioneer, set on foot; rebelión stir up, instigate.

promulgación f promulgation; **promulgar** [1h] promulgate; fig. proclaim, announce publicly.

pronombre m pronoun; **pronominal** pronominal.

pronosticación f prediction, prognostication; **pronosticar** [1g] forecast, predict, foretell; **pronóstico** m forecast, prediction; ⚕ prognosis; (señal) omen, prognostic; ~ del tiempo weather forecast.

prontitud f promptness, speed; quickness, keenness de ingenio; **pronto 1.** adj. prompt, quick, speedy; contestación prompt, swift, ✝ early; curación speedy; (listo) ready (para inf. to inf.); **2.** adv. quickly, promptly; soon; at once; early; **3.** m sudden movement, jerk; F strong impulse.

pronunciación f pronunciation; **pronunciado** Am. obvious, clear; emphasized; **pronunciamiento** m ✕ revolt, insurrection; **pronunciar** [1b] pronounce; utter; discurso make, deliver; ⚖ sentencia pass, pronounce; ~se declare (o.s.) (en favor de in favor of); ✕ revolt, rebel.

propagación f biol. etc. propagation; fig. spreading, dissemination; **propaganda** f propaganda; ✝ advertis-

ing; **propagandista** *m/f* propagandist; **propagar** [1h] *biol. etc.* propagate.

propalar [1a] divulge, disclose.

propasarse [1a] go to extremes, go too far; forget o.s.

propender [2a] incline, tend (*a* to); **propensión** *f* inclination (*a* for), propensity (*a* to), tendency (*a* to, towards); **propenso:** ~ *a* inclined to; prone to, subject to; ~ *a inf.* apt to *inf.*

propiamente properly; *la arquitectura* ~ *dicha* architecture proper.

propicio propitious, auspicious; *p.* kind, helpful.

propiedad *f* (*bienes, finca*) property; (*atributo*) property (*a.* 🐍), attribute; (*dominio*) ownership; (*lo propio*) appositeness; *paint. etc.* likeness, resemblance; ~ *literaria* copyright, rights; *en* ~ properly; *es* ~ copyright; **propietaria** *f* proprietress; **propietario 1.** proprietary; **2.** *m* proprietor, owner; (*terrateniente*) landowner.

propina *f* tip, gratuity; F *de* ~ into the bargain; **propinar** [1a] *bebida* treat to; *golpe* deal; *paliza* give.

propincuo near.

propio (*conveniente*) proper, suitable, fitting (*para* for); (*que pertenece a uno*) own, one's own; characteristic (*de* of), peculiar (*de* to), special; (*mismo*) same; natural.

proponente *m* proposer; **proponer** [2r] propose; put forward; ~*se inf.* propose to *inf.*, plan to *inf.*

proporción *f* proportion; ratio; rate; *en* ~ *con* in proportion to; **proporcionado** proportionate; *bien* ~ well-proportioned, shapely; **proporcional** proportional; **proporcionar** [1a] provide, supply, give; adjust, adapt.

proposición *f* proposition; proposal.

propósito *m* purpose, aim, intention; *buenos* ~*s pl.* good resolutions; *a* ~ (*adj.*) appropriate, fitting (*para* for); *observación* apt, apposite; *a* ~ (*adv.*) by the way, incidentally; *a* ~ *de* about; *de* ~ on purpose, purposely, deliberately; *fuera de* ~ off the point, out of place.

propuesta *f* proposition, proposal.

propulsión *f* propulsion; ~ *a cohete*, ~ *cohética* rocket propulsion; ~ *a chorro*, ~ *por reacción* jet propulsion; **propulsor** *m* propellent.

prorrata *f* share, quota; *a* ~ *pro rata*, proportionately; **prorratear** [1a] apportion, share out; average.

prorrumpir [3a] burst forth, break forth; ~ *en* burst into.

prosa *f* prose; F idle chatter; **prosaico** prose *attr.*; *fig.* prosaic, ordinary.

prosapia *f* ancestry, lineage.

proscribir [3a; *p.p. proscrito*] (*prohibir*) prohibit, ban; *partido etc.* proscribe; (*desterrar*) banish; *criminal* outlaw; **proscripción** *f* ban (*de* on), prohibition (*de* of); **proscrito 1.** *p.p. of proscribir;* **2.** *adj.* banned; banished, outlawed; **3.** *m* exile; outlaw.

prosecución *f* prosecution, continuation; pursuit; **proseguir** [3d *a.* 3l] *v/t.* continue, proceed with, carry on; *demanda* push; *estudio, investigación* pursue; *v/i.* continue.

prospección *f* exploration; 🐍 prospecting (*de* for); **prospector** *m* prospector.

prosperar [1a] prosper, thrive, flourish; **prosperidad** *f* prosperity; success, good fortune; (*período*) good times; **próspero** prosperous, thriving, flourishing.

prosternarse [1a] prostrate o.s.

prostitución *f* prostitution; **prostituir** [3g] prostitute (*a. fig.*); **prostituta** *f* prostitute.

protagonista *m/f* protagonist; main character, (*m*) hero, (*f*) heroine.

protección *f* protection; **proteccionista** *adj. a. su. m/f* protectionist; *impuesto* protective; **protector 1.** protective; *tono* patronizing; **2.** *m*, **-a** *f* protector; guardian; **protectorado** *m* protectorate; **proteger** [2c] protect (*de, contra* from, against); shield, shelter.

proteína *f* protein.

protesta *f* protest; protestation *de amistad etc.*; **protestación** *f* protestation; ~ *de fe* profession of faith; **protestante** *adj. a. su. m/f* Protestant; **protestantismo** *m* Protestantism; **protestar** [1a] protest (*a.* 🕇, ⚖; *contra, de* against); **protesto** *m* 🕇, ⚖ protest.

protón *m* proton.

protoplasma *m* protoplasm.

prototipo *m* prototype.

protuberancia *f* protuberance.

provecho *m* advantage, benefit, profit (*a.* 🕇); *negocio de* ~ profitable business; *persona de* ~ useful person, decent sort; *¡buen* ~*!* hoping that

those eating will enjoy their meal;
provechoso advantageous, bene-
ficial, profitable (*a.* ✝).
proveedor *m*, **-a** *f* supplier, pur-
veyor; caterer; **proveer** [2a; *p.p.*
provisto, a. proveído] provide, supply
(*de* with); *negocio* transact.
provenir [3s]: ~ *de* come from, arise
from, stem from.
proverbio *m* proverb.
providencia *f* forethought, foresight,
providence; (*Divina*) ♌ Providence;
providente, próvido provident.
provincia *f* province; *de* ~(*s*) *freq.*
provincial, country *attr.*; **provin-
cial** *adj. a. su. m*, **-a** *f* (*eccl.*) provincial; **provincialismo** *m* provincial-
ism.
provisión *f* provision; supply, store;
~**es** *pl.* provisions *etc.*
provocación *f* provocation; (*insulto*)
affront; **provocador** provocative;
provocar [1g] *v/t.* provoke; incite,
tempt, move; (*fomentar*) promote,
forward; *cambio, reacción etc.* provoke, bring about, induce; **provocativo** provocative.
próximamente approximately;
(*pronto*) shortly; **proximidad** *f*
proximity, nearness; **próximo** near,
next; close; *el mes* ~ next month; *el
mes* ~ *pasado* last month; *en fecha* ~*a*
at an early date.
proyección *f* projection; **proyectar**
[1a] *película etc.* project, show; *sombra* cast; *casa, máquina etc.* plan,
design; *viaje etc.* plan; **proyectil** *m*
projectile, missile; *esp.* ✗ shell; ~
dirigido guided missile; **proyectista**
m/f designer, planner; **proyecto** *m*
project, scheme, plan; (*presupuesto*)
detailed estimate; ~ *de ley* bill; **proyector** *m cine:* projector; ♂, ✗
searchlight.
prudencia *f* prudence, wisdom;
sound judgement; **prudente** prudent, wise, sensible; judicious.
prueba *f* proof (*a.* ⚖, *typ.*); (*indicio*)
proof, sign, token; ⚖ proof, evi-
dence (*a. fig.*); (*ensayo*) test, trial,
try-out; *phot.* proof, print; *esp.* ⚗
experiment; taste, sample; ~ *de
alcohol* alcohol-level test (for drunk-
en driving); ~ *documental* documentary evidence; ~ *de fuego fig.* acid
test; ~ *indiciaria* circumstantial evidence; *a* ~ *de bala* bulletproof; *a* ~ *de
escaladores* burglarproof; *a* ~ *de incendio* fireproof; *a toda* ~ foolproof.

psicoanálisis *m* psychoanalysis; **psicoanalista** *m/f* psychoanalyst; **psicología** *f* psychology; **psicológico**
psychological; **psicólogo** *m* psy-
chologist; **psicosis** *f* psychosis;
psicoterapia *f* psychotherapy; ~ *de
grupo* group therapy; **psiquiatra** *m*
psychiatrist; **psiquiatría** *f* psy-
chiatry.
púa *f zo.*, ♀ prickle, spike, spine; quill
de erizo; ♀ graft *para injertar*.
pubertad *f* puberty.
publicación *f* publication; **publicar**
[1g] publish; (*dar publicidad a*)
publicize; *secreto* disclose, divulge;
publicidad *f* publicity; ✝ advertising; **publicista** *m/f* publicist; **público 1.** public; state *attr.*; *hacer* ~
publish, disclose; **2.** *m* public; *thea.
etc.* audience; *deportes etc.*: specta-
tors; crowd.
pude *etc. v. poder.*
pudendo: *partes* ~*as* private parts.
pudibundo modest, shy; chaste.
pudiendo *v. poder.*
pudiente well-to-do; powerful.
pudor *m* modesty, shyness; virtue,
chastity; (*vergüenza*) shame; **pudoroso** modest, shy; chaste.
pudrir [3a] *v/t.* ~**se** rot, decay,
putrefy; *fig.* rot, languish *en cárcel*;
die (*de aburrimiento etc.* of).
pueblo *m* (*nación*) people, nation;
(*plebe*) lower orders, common
people; (*poblado*) town, village.
puedo *etc. v. poder.*
puente *m* bridge (*a.* ♪); ♣ deck; ♣
(*de mando*) bridge; ~ *aéreo* air lift; ~
colgante suspension bridge; ~ *giratorio* swing bridge; ~ *levadizo* draw-
bridge; ~ *de pontones* pontoon bridge.
puerca *f* sow; *F* slut; **puerco 1.** *m* pig,
hog; *F* pig; ~ *espín* porcupine; **2.**
dirty, filthy.
pueril childish; **puerilidad** *f* puer-
ility, childishness.
puerro *m* leek; *sl.* joint (*or* hashish
cigarette).
puerta *f* door; doorway; gate *de
jardín, ciudad etc.*; gateway (*a. fig.*); ~
accesoria side door; ~ *excusada,
falsa* private door, side door; ~ *giratoria* swing door, revolving door; ~
principal front door; ~ *trasera* back
door; ~ *ventana* french window; ~
vidriera glass door; *a* ~ *cerrada*
behind closed doors.
puerto *m* ♣ port, harbor; (*ciudad*)
port; *esp. fig.* haven; *geog.* pass; ~ *de*

escala port of call; ~ *franco* free port; *entrar a* ~ put in.

puertorriqueño *adj. a. su. m*, **a** *f* (native) of Puerto Rico.

pues (*ya que*) since, for, because; (*continuativo*) then; well; well then; (*afirmación*) yes, certainly; ~ ... (*vacilando*) well ...; *ahora* ~ now, now then; ~ *bien* well then, very well; ~ *sí* well yes, yes certainly.

puesta *f* stake, bet *en el juego*; *orn.* egg-laying; ~ *a punto mot.* tune-up; ~ *del sol* sunset.

puesto 1. *p.p. of poner*; *ir bien* ~ be well dressed; *con el sombrero* ~ with his hat on; **2.** *m* place, position, situation; (*empleo*) post, position; ✕ post; booth; (*quiosco*) stand; ~ *de socorro* first-aid post; **3.:** ~ *que* since, as.

¡puf! ugh!

púgil *m* boxer; **pugilato** *m* boxing.

pugna *f fig.* battle, struggle; *estar en* ~ *con* in conflict with; **pugnacidad** *f* pugnacity; **pugnar** [1a] struggle, fight, strive (*por inf.* to *inf.*); **pugnaz** pugnacious.

puja *f* bid; F *sacar de la* ~ *a* get ahead of; get *s.o.* out of a jam.

pujante strong, vigorous; *p.* strapping; **pujanza** *f* strength, vigor; **pujar** [1a] *v/t. precio* raise, push up; *v/i.* bid up *en subasta*; *naipes:* bid; (*pugnar*) struggle, strain; (*no lograr hablar*) be at a loss for words.

pulcro neat, tidy, smart; exquisite, delicate.

pulga *f* flea; *de malas* ~s peppery; *tener malas* ~s be bad tempered.

pulgada *f* inch.

pulgar *m* thumb; **pulgarada** *f* pinch *de rapé etc.*; flip, flick *con el pulgar*; (*medida*) inch.

pulido (*pulcro*) neat, tidy; *trabajo etc.* polished; **pulidor** *m*, **-a** *f* polisher; **pulimentar** [1a] polish; (*alisar*) smooth; **pulimento** *m* polish; **pulir** [3a] polish; *fig.* polish up, touch up; ~*se fig.* acquire polish; dress up.

pulmón *m* lung; **pulmonía** *f* pneumonia.

pulpa *f* pulp; soft part *de carne, fruta*; ~ *de madera* wood pulp.

pulpo *m* octopus.

pulsación *f* pulsation; throb(bing), beat(ing); ♪ touch; tap *en máquina de escribir*; **pulsador** *m* pushbutton; **pulsar** [1a] *v/t.* ♪ *instrumento* play; *tecla etc.* touch, strike, play; *botón* press, push; ✽ feel the pulse of; *fig.*

sound out, explore; *v/i.* pulsate, throb, beat.

pulsera *f* wristlet, bracelet.

pulso *m anat.* pulse; (*muñeca*) wrist; *fig.* steady hand, firmness of touch; (*cuidado*) care, caution; *a* ~ by sheer strength; by sheer hard work; *a* ~ *sudando* by the sweat of one's brow; *hecho a* ~ *dibujo* freehand; *tomar el* ~ *a* feel the pulse of; *tomar a* ~ lift clean off the ground.

pulular [1a] swarm, abound.

pulverización *f* pulverization; spray(ing) *de líquido*; **pulverizador** *m* spray(er); **pulverizar** [1f] pulverize; powder; *líquido* spray.

pulla *f* taunt, cutting remark; dig; rude word, indecent remark.

punción *f* ✽ puncture.

pundonor *m* point of honor; honor; face (*fig.*); **pundonoroso** honorable; punctilious, scrupulous.

pungir [3c] prick; sting.

punible punishable; **punición** *f* punishment; **punitivo** punitive.

punta *f* point (*a. geog.*); end, tip; end, butt *de cigarro*; ⊕ nail; toe *de zapato etc.*; horn *de toro*; sourness *de vino*; (*pizca*) touch, trace, tinge; ~ *del pie* toe; ~ *de lanza* spearhead (*a. fig.*); *de* ~ on end, endways; *estar de* ~ be at odds (*con* with); *sacar* ~ *a* sharpen, point.

puntear [1a] ♪ pluck, twang; *sew.* stitch; *dibujo etc.* dot, mark with dots; stipple; fleck.

puntería *f* aim(ing); (*destreza*) marksmanship; *enmendar la* ~ correct one's aim; *hacer la* ~ de aim.

puntilla *f* ⊕ tack, brad; *sew.* narrow lace edging; *de* ~s on tiptoe.

puntillo *m* punctilio; **puntilloso** punctilious.

punto *m* point (*a. fig.*; *sitio, momento, detalle, rasgo, estado, etc.*); (*sitio*) spot, place; dot *de señalado en papel etc.*; *gr.* full stop; pip *de carta*; dot, speckle, fleck *de tela*; *sew.* stitch; (*malla*) mesh; *fig.* point of honor; *dos* ~s *gr.* colon; ~ *y coma* semicolon; *¡*~ *en boca!* mum's the word!; ~ *por* ~ point by point; ~ *de admiración* exclamation mark; ~ *de apoyo* fulcrum; ~ *capital* crucial point, crux; ~s *pl.* cardinales cardinal points; ~ *de congelación* freezing point; ~s *pl.* de *consulta* terms of reference; ~ *de contacto* point of contact; ~ *de ebullición* boiling point; ~ *de fuga* vanish-

ing point; ~ de *fusión* melting-point;
~ de *honor* point of honor; ~ de
inflamación flash point; ~ de *interrogación* question mark; ~ de *media
plain* knitting; ~ *muerto* ⊕ dead center; *mot.* neutral (*a.* ~ *neutral*); *fig.*
stalemate, deadlock; ~ *neutro mot.*
neutral; ~ de *partida* starting-point;
~*s pl.* suspensivos three dots indicating
hesitation etc. (...); ~ de *vista* point of
view; *a* ~ ready; *a* ~ *fijo* for sure; *al* ~
at once, instantly.
puntuación *f gr.* punctuation; marking *de exámenes*; mark, class *en
examen*; *deportes:* score; **puntual**
prompt; *cálculo etc.* exact; *p. etc.*
reliable, conscientious; **puntualidad** *f* punctuality *etc.*; **puntualizar**
[1f] fix in the mind; *suceso* give an
exact account of; **puntuar** [1e] *v/t.
gr.* punctuate; *examen* mark; *v/i.
deportes:* score.
puntura *f* puncture, prick.
punzada *f* puncture, prick; ⚕ stitch
de costado; ⚕ shooting pain, spasm,
twinge; *fig.* pang; **punzante** *dolor*
shooting, stabbing; *observación* biting, caustic; **punzar** [1f] *v/t.* puncture, pierce, prick; punch; *v/i.
(dolor)* stab, sting.
puñada *f* punch, clout.
puñado *m* handful (*a. fig.*).
puñal *m* dagger; **puñalada** *f* stab.

puñetazo *m* punch; *dar un* ~ *a* punch;
dar de ~*s* punch, pommel.
puño *m anat.* fist; *(contenido)* fistful,
handful; *(mango)* handle, haft, hilt;
cuff *de camisa*; *de propio* ~ in one's
own handwriting; *de* ~ *y letra de X* in
X's own handwriting; *como un* ~
tangible, absolutely real; *por sus* ~*s*
by oneself, on one's own.
pupa *f* ⚕ pimple, blister.
pupila *f anat.* pupil; *(p.)* ward; **pupilo** *m* ward; boarder.
pupitre *m* desk.
pureza *f* purity.
purga *f* purge (*a. pol.*), purgative;
purgante *m* laxative; **purgar** [1h]
purge (*a. pol.*); purify, refine; ⊕
vent, drain; ~*se* take a purge; *fig.*
purge o.s.
purificación *f* purification; **purificar** [1g] purify; cleanse; ⊕ refine.
puro 1. pure; *(sin mezcla)* pure, un-
adulterated, unalloyed; *verdad*
plain, simple, unvarnished; *cielo*
clear; **2.** *m* cigar.
púrpura *f* purple; purple cloth.
puse *etc. v.* poner.
pústula *f* pustule, sore, pimple.
puta *f* whore, prostitute.
putativo supposed, putative.
putrefacto rotten, putrid; **putrescente** rotting; **pútrido** putrid,
rotten.

Q

que 1. *pron. relativo:* (*p.*) *(sujeto)* who;
(acc.) whom; *(cosa)* which; *(p., cosa)*
that; *en muchos casos se puede
suprimir:* el *hombre* ~ *vi* the man
(whom) I saw; *el* ~ *(p.)* he who,
whoever; who, the one who; *(cosa)*
which, the one which; *la* ~ she who
etc.; *los* ~, *las* ~ those who *etc.*; *lo* ~
what, that which; *(esp. tras coma)*
which, something which, a fact
which; *lo* ~ *quiero* what I want; *todo lo*
~ *vi* all (that) I saw; *lo* ~ *es* so as for
that; *no tengo nada* ~ *hacer* I have
nothing to do; **2.** *cj.* a) that; *en muchos
casos se puede suprimir:* yo *sé* ~ *es
verdad* I know (that) it is true; *dice* ~
sí he says yes; *¡* ~ *sí, hombre!* I tell you
it is!; *v. sí*²; b) *(pues)* for, because; *a
menudo no se traduce:* ¡cuidado!, ~
viene un coche look out! there's a car

coming; c) *con subjuntivo:* *quiero* ~ *lo
hagas* I want you to do it; *¡* ~ *lo pases
bien!* have a good time!; *¡* ~ *entre!* let
him come in!, send him in!; d)
comparaciones: than; *más* ~ *yo* more
than I; *el* ~ *subj.* the fact that, that;
f) ~ ... ~ whether ... or; *yo* ~ *tú* if I were
you; F *¡a* ~ *no!* I bet it isn't!, I bet you
can't!; no, I tell you!
qué 1. *pron. interrogativo:* *¿*~*?* what?;
¿~ *hiciste entonces?* what did you do
then?; **2.** *¡*~ *perro más feo!* what an
ugly dog!; *¡*~ *bonito!* how pretty!; *¡*~
asco! how disgusting!; *¿de* ~ *tamaño
es?* how big is it?, what size is it?; *¿*~
edad tiene? how old is he?; *¡*~ *de* ...!
how many ...!; **3.** *¿a* ~*?* why?; *¿a mí*
~*?* what's that got to do with me?;
¿de ~ *le conoce?* how do you know
him?; F *¿y* ~*?* so what?; what then?;

sin ~ ni para ~ without rhyme or reason.

quebrada f gorge, ravine; gap.

quebradero m: F ~ de cabeza headache, worry; **quebradizo** fragile, delicate, brittle; **quebrado 1.** terreno rough, broken; ⚓ ruptured; ✝ bankrupt; **2.** m ⚓ fraction; **quebradura** f fissure, slit; ⚕ rupture; **quebraja** f fissure, slit; **quebrantadura** f, **quebrantamiento** m breaking, breakage etc.; ⚕ exhaustion, fatigue; **quebrantar** [1a] break (a. fig.); crack; shatter; caja break open; cárcel break out of; color tone down.

quebrar [1k] v/t. break, smash; color tone down; v/i. break; ✝ go bankrupt, fail; (disminuir) slacken, weaken; ~ con break with; ~se break, get broken; ⚕ be ruptured.

quedar [1a] **1.** (permanecer en un lugar etc.) stay, remain; (sobrar) be left (over), remain; ~ adj., p.p. be, remain, stay; keep; quedé 3 días I stayed 3 days; quedan 3 there are 3 left; me quedan 3 I have 3 left; **2.** ~se stay, remain; stay on, stay behind, linger (on); put up (en hotel at); ~ ciego go blind.

quedo 1. adj. quiet; **2.** adv. softly.

quehacer m job, task, duty; ~es pl. domésticos household jobs, chores; housekeeping.

queja f (dolor) moan, groan; whine; (resentimiento) complaint, grumble, grouse; ♃⚖ etc. protest, complaint; tener ~ de have a complaint to make about; **quejarse** [1a] (dolor) moan, groan; whine; complain (de about, of); **quejido** m moan, groan; **quejoso** complaining, querulous; **quejumbroso** whining.

quema f fire, burning; **quemador** m burner; ~ de gas gas-burner; **quemadura** f burn; scald de líquido etc.; (insolación) sunburn; blowout de fusible; **quemar** [1a] **1.** v/t. burn; (pegar fuego a) kindle, set on fire; (líquido) scald; boca burn; plantas (sol) burn, scorch; (helada) burn, frost; fusible blow, burn out; **2.** v/i. fig. be burning hot; **3.** ~se burn; scorch; feel burning hot; F (buscando) be warm.

quemarropa: a ~ pointblank.

quemazón f burn, burning; fig. intense heat; F (comezón) itch; F (palabra) cutting remark; F (resentimiento) pique, annoyance.

quepo etc. v. **caber.**

querella f dispute, controversy; ♃⚖ etc. complaint, charge.

querencia f zo. (guarida) lair, haunt; zo. homing instinct; fig. den, haunt.

querer 1. [2u] (amar) love; (tener afición a) like; (desear) want, wish; quiero hacerlo I want to do it; quiero que lo hagas I want you to do it; te quiero mucho I love you very much; como Vd. quiera just as you wish; como quiera anyhow, anyway; como quiera que whereas; since, inasmuch as; v. decir; quiere llover it is trying to rain; sin ~ inadvertently, unintentionally, by mistake; lo hizo sin ~ he didn't mean to do it; **2.** ~ m love, affection.

querida f b.s. mistress; ¡sí, ~! yes dear, yes darling; **querido 1.** dear, beloved, darling; **2.** m b.s. lover; ¡sí, ~! yes dear, yes darling.

queroseno m kerosine.

quesería f dairy en granja; cheese factory; **quesero** m dairyman; cheesemaker; **queso** m cheese; ~ crema cream cheese; ~ para extender cheese spread.

quicio m hinge; fig. fuera de ~ out of joint; sacar de ~ exasperate.

quiebra f (grieta) crack, fissure; (pérdida) loss, damage; ✝ bankruptcy de p., failure de sociedad.

quiebro m ♪ trill; toros: dodge, avoiding action.

quien (sujeto) who, (acc.) whom; (en comienzo de frase) he etc. who, whoever; ~ ... ~ some ... others; hay ~ dice there are some who say.

quién (sujeto) who, (acc.) whom; ¿a ~ lo diste? to whom did you give it?, who did you give it to?; ¿de ~ es este libro? whose is this book?

quienquiera whoever.

quieto (inmóvil) still; (silencioso) quiet; calm, peaceful; ¡estáte ~! keep still!; **quietud** f stillness etc.

quijotada f quixotic act; **quijotería** f, **quijotismo** m quixotism; **quijotesco** quixotic.

quilla f ⚓, orn., ♠ keel; colocar la ~ de lay down; dar de ~ keel over.

quimera f fantastic idea, fancy, chimera; fig. quarrel, dispute; **quimérico** fantastic, fanciful, chimerical; **quimerista** m/f quarrelsome sort, rowdy, brawler.

química f chemistry; **químico 1.** chemical; **2.** m chemist.

quincalla f hardware, ironmongery; **quincallería** f hardware shop.

quince fifteen (a. su.); (fecha) fifteenth; ~ días freq. fortnight; **quincena** f fortnight.

quinientos five hundred.

quinina f quinine.

quinta f (casa) villa, country house; ♪ fifth; ✕ draft; ✿ coughing fit.

quintaesencia f quintessence.

quintero m farmer; farm laborer.

quinto 1. fifth; **2.** m ⚔ fifth; ✕ conscript, recruit; draftee.

quiosco m stand de calle; summerhouse, pavilion de jardín; ~ (de música) bandstand; ~ (de periódicos) newsstand; ~ de necesidad public lavatory.

quiquiriquí m cock-a-doodle-doo.

quiromancia f palmistry.

quirúrgico surgical.

quise etc. v. querer.

quisquilla f trifle, triviality; (a. ~s pl.) quibbling, hair-splitting; **quisquilloso** touchy, cantankerous; fastidious, pernickety, choosy.

quiste m cyst.

quisto: bien ~ well-liked; well received; mal ~ disliked; unwelcome.

quita...: ~esmalte m nail-polish remover; ~manchas m (p.) dry cleaner; cleaner, stain remover; ~nieves m: (máquina) ~ snowplough; ~pesares m F consolation, comfort; ~piedras m cowcatcher.

quitapón: de ~ detachable.

quitar [1a] **1.** take away, remove (a from); ropa take off; pieza take out, take off, remove; golpe avert; fenc. parry; mesa clear; (robar) steal; abuso, dificultad etc. do away with, remove; ♠ subtract, take away; **2.** ~se ropa take off; (mancha) come out; (p.) withdraw (de from); ~ de algo, algo de encima get rid of s.t., dispose of s.t.; ~ de en medio get out of the way; ¡quítate de ahí! come out of that!

quitasol m sunshade, parasol.

quite m hindrance; fenc. parry; (regate) dodge, dodging.

quizá(s) perhaps, maybe; I dare say.

R

rábano m radish; ~ picante horseradish.

rabia f ✿ rabies; fig. rage, fury; **rabiar** [1b] fig. rage, rave; (dolor) be in great pain.

rabino m rabbi.

rabioso ✿ mad, rabid; fig. furious; partidario rabid; dolor raging.

racial racial, race attr.

racimo m cluster, bunch.

raciocinar [1a] reason; **raciocinio** m reason; (acto) reasoning.

ración f ration; portion, helping de plato; **racional** rational (a. ♠); reasonable; **racionamiento** m rationing; **racionar** [1a] ration.

racismo m racialism.

racha f meteor. squall, gust.

radar m radar.

radiación f radiation; radio: broadcasting; **radiactividad** f radioactivity; **radiactivo** radioactive; **radiado** radio attr., broadcast attr.; **radiador** m radiator; **radial** radial; S.Am. radio attr.; **radiante** radiant (a. fig.); **radiar** [1b] radio: broadcast; phys. radiate.

radical 1. radical; **2.** m pol. radical; ♠, gr. root; **radicalismo** m radicalism; **radicar** [1g] ♀ a. fig. take root; be, be located en lugar.

radio¹ m ♠, anat. radius; spoke de rueda; ✿ radium; ⚓, ✈ ~ de acción range; en un ~ de within a radius of.

radio² f radio; broadcasting; (aparato) radio (set); wireless telegram; ~aficionado m ham (radio operator); ~captar [1a] monitor; ~difundir broadcast; ~difusión f broadcasting; ~escucha m/f listener; ~experimentador m radio fan, ham; ~fonógrafo m S.Am. radiogram; ~goniómetro m direction finder; ~grafiar [1c] ✿ X-ray; ⚡ radio; ~gráfico X-ray attr.; ~grama m wireless message; ~gramola f radiogram; ~logía f radiology; ~rreceptor m radio set (or receiver); ~ de contrastación monitor; ~teléfono m radiophone, radio telephone; ~telescopio m radiotelescope; ~terapia f radiotherapy; **radioyente** m/f listener.

raedera f scraper; **raedura** f scrap-

ing; ✿ abrasion; ~s pl. filings, scrapings; **raer** [2z] scrape; (quitar) scrape off; (alisar) smooth; chafe; ✿ abrade; ~se chafe; (tela) fray.

ráfaga f squall, gust de viento; burst de balas; flurry de nieve.

raído tela frayed, threadbare; aspecto shabby; fig. shameless.

raigón m ♣ large root; root, stump de diente.

raíz f root; fig. foundation; origin; ~ cuadrada square root; ~ cúbica cube root; a ~ de soon after; as a result of; de ~ root and branch; cortar de ~ nip in the bud.

raja f crack, split, slit; gash; (astilla) sliver, splinter; slice de melón etc.; **rajar** [1a] v/t. split, crack, slit; melón etc. slice; v/i. F shoot a line; (hablar) chatter; ~se split etc.

ralea f breed, kind, sort.

ralo pelo sparse; tela loosely-woven; phys. rare.

rallador m grater; **rallar** [1a] grate.

rama f branch (a. fig.); en ~ algodón raw; libro unbound; andarse por las ~s beat about the bush; **ramaje** m branches; **ramal** m strand de cuerda; (ronzal) halter; fig. offshoot; 🚂 branch-line.

ramera f whore.

ramificación f ramification; **ramificarse** [1g] ramify, branch (out).

ramillete m bouquet, posy; corsage en vestido; cluster; fig. collection.

ramita f twig, sprig; spray de flores.

ramo m branch, bough; bunch, bouquet de flores; ✿ touch; fig. branch; department de tienda etc.

rampa f ramp; ~ de lanzamiento launching pad.

ramplón zapato heavy, rough; fig. vulgar, common; **ramplonería** f vulgarity, coarseness.

rana f frog; ~ toro bullfrog.

rancidez f, **ranciedad** f rancidness etc.; **rancio** rancid, rank, stale, musty; fig. abolengo ancient.

ranchear [1a] S.Am. v/t. sack; v/i. build a camp, make a settlement; **ranchería** f settlement; **ranchero** m (mess) cook; S.Am. rancher; **rancho** m ✕, ⚓ mess; camp, settlement; S.Am. hut; (finca) ranch.

rango m rank; status; class.

ranúnculo m buttercup.

ranura f groove, slot.

rapacidad f rapacity, greed.

rapar [1a] shave, crop; F pinch.

rapaz[1] rapacious, greedy; thieving.

rapaz[2] m lad, youngster; contp. kid; **rapaza** f lass, youngster.

rapé m snuff.

rápido 1. rapid, speedy, quick, swift; 2. m express (train); ~s pl. rapids.

rapiña f robbery (with violence); de ~ predatory.

raposa f fox (a. fig.).

raptar [1a] abduct, kidnap; **rapto** m abduction, kidnapping; fig. sudden impulse; **raptor** m kidnapper.

raquero m beachcomber.

raqueta f raquet; ~ de nieve snowshoe.

raquítico ✿ rickety; fig. stunted; (débil) weak, feeble; **raquitis** f, **raquitismo** m rickets.

rareza f rarity, rareness, scarcity; fig. oddity, eccentricity; **raridad** f rarity; **rarificar** [1g] rarefy; **raro** rare, scarce, uncommon; fig. strange, odd; notable.

ras m level(ness); ~ con ~ level; flush; a ~ de on a level with.

rascacielos m skyscraper; **rascadera** f scraper; **rascador** m rasp, scraper; hairpin para pelo; **rascar** [1g] scrape (a. ♪ co.); scratch; rasp.

rasete m satinet(te).

rasgado ojos large; boca wide; **rasgadura** f tear, rip; **rasgar** [1h] tear, rip, slash; un papel tear up; **rasgo** m stroke, flourish de pluma; fig. feature, characteristic; (acto) feat, deed; noble gesture; ~s pl. features de cara; ~ de ingenio flash of wit; stroke of genius; a grandes ~s in outline; **rasgón** m tear, rent; **rasguear** [1a] ♪ strum; **rasguñar** [1a] scratch; scrape; paint. outline; **rasguño** m scratch; paint. outline.

raso 1. level, flat, clear; paisaje bare; open; asiento backless; cielo cloudless; soldado etc. ordinary; v. soldado; 2. m sew. satin; al ~ in the open air; in open country.

raspador m scraper, rasp(er); **raspadura** f scrape etc.; erasure; ~s pl. filings, scrapings; **raspante** vino sharp; **raspar** [1a] v/t. scrape, rasp, file con raspador; piel etc. graze; scale; palabra erase; F pinch; 2.Am. F tick off; v/i. (vino) be sharp; **raspear** [1a] (pluma) scratch.

rastra f (señal) track, trail; (carro) sledge; ✿ harrow; ⚓ drag, trawl; **rastreador** m tracker; ⚓ (barco) trawler; **rastrear** [1a] v/t. (seguir)

6*

track, trail; (*encontrar*) track down, trace; (*llevar*) drag; ⚓ dredge, drag; *minas* sweep; *v/i.* ⚔ rake, harrow; ⚓ trawl; ✈ *etc.* skim the ground, fly low; **rastrero** *fig.* despicable; **rastrillar** [1a] rake; *lino etc.* dress; **rastrillo** *m* rake; ⚒ portcullis; ~ *delantero* cowcatcher *Am.*; **rastro** *m* ⚔ rake, harrow; track, trail *de animal, de cosa arrastrada*; *fig.* trace, sign.

rasurador *m* (electric) razor; **rasurar** [1a] *cara* shave; ⊕ scrape.

rata 1. *f* rat; **2.** *m* F sneak-thief.

rataplán *m* drum-beat, rub-a-dub.

ratear [1a] share out; (*robar*) pilfer, lift; filch; **ratería** *f* petty larceny, pilfering; **ratero 1.** light-fingered; **2.** *m* pickpocket, small-time thief; **raticida** *m* rat poison.

ratificación *f* ratification; **ratificar** [1g] ratify.

rato *m* (short) time, while, spell; *un ~* (*como adv.*) awhile; *un buen ~* a good while; *largo ~* a long while; *~s pl. libres,* ~*s perdidos* spare time, leisure.

ratón *m*, **-a** *f* mouse; ~ *de biblioteca* bookworm; **ratonar** [1a] gnaw, nibble; **ratonera** *f* mousetrap.

raudal *m* torrent; *fig.* plenty, abundance; *entrar etc. a ~es* flood in *etc.*; **raudo** swift, rushing.

raya *f* stripe, streak *en tela etc.*; scratch, mark *en piedra etc.*; dash *con pluma* (*a. tel.*); line *que subraya etc.*; *deportes:* line, mark; parting *de pelo*; crease *de pantalón*; boundary, limit; *ichth.* ray, skate.

rayar [1a] *v/t.* stripe, line, streak; *piedra etc.* scratch, score; *papel* rule, draw lines across; *fusil* rifle; (*tachar*) cross out; (*subrayar*) underline; *v/i.:* ~ *con* border on, be next to.

rayo¹ *etc. v. raer.*

rayo² *m* (*luz*) ray, beam, shaft; (*relámpago*) flash of lightning; thunderbolt *que daña*; spoke *de rueda*; ~*s pl. catódicos* cathode rays; ~*s pl. cósmicos* cosmic rays; ~*s pl. gama* gamma-rays; ~ *de sol* sunbeam; ~*s pl.* X X-rays.

rayón *m* rayon.

raza¹ *f* race (*a. biol.*); breed, stock, strain; ~ *humana* human race, mankind; *de* ~ *caballo* thoroughbred.

raza² *f* crack, slit; ray of light.

razón *f* reason; right, justice; ⚖ ratio; *S. Am.* message; ~ *de más* all the more reason; ~ *de ser* raison d'être; ✝ ~ *social* trade name; *no tener* ~ *be*

wrong; **razonable** reasonable; rational; *aviso, posibilidad etc.* fair; **razonado** reasoned; **razonamiento** *m* reasoning; argument; **razonar** [1a] *v/t.* reason; argue; *problema* reason out; *v/i.* reason.

reabrir(se) [3a; *p.p. reabierto*] reopen.

reacción *f* reaction (*ante* to); response (*a* to); ~ *en cadena* chain reaction; ⚡ *a* ~ *jet*(-propelled); **reaccionar** [1a] react (*a, ante* to; *contra* against; *sobre* on); respond (*a* to); **reaccionario** *adj. a. su. m,* **a** *f* reactionary.

reacio obstinate, stubborn.

reacondicionar [1a] recondition.

reactivo *m* reagent; **reactor** *m phys.* reactor; ⚡ jet engine; ~*generador* breeder reactor.

reajustar [1a] readjust; **reajuste** *m* readjustment.

real¹ real; genuine.

real² 1. (*del rey*) royal; *aspecto etc.* kingly; **2.** *m* fairground; ✝ *coin of 25 cents.*

realce *m* ⊕ raised work, embossing; *paint.* highlight; *fig.* lustre, splendor; *fig.* enhancement.

realeza *f* royalty.

realidad *f* reality; truth, sincerity; *en* ~ in fact, actually; **realismo** *m* realism; **realista 1.** realistic; **2.** *m/f* realist; **realizable** realizable (*a.* ✝); *objetivo etc.* attainable; **realización** *f* realization (*a.* ✝); fulfilment, achievement; **realizar** [1f] realize (*a.* ✝); *objetivo* fulfil, achieve; *promesa etc.* carry out; ~*se* (*sueño etc.*) come true, materialize; **realmente** really, actually; *comer etc.* royally.

realzar [1f] ⊕ emboss, raise; *fig.* enhance, heighten, add to.

reanimar [1a] revive (*a. fig.*); *fig.* encourage; ~*se* revive, rally.

reanudación *f* renewal; **reanudar** [1a] renew; *viaje etc.* resume.

reaparecer [2d] reappear; **reaparición** *f* reappearance; recurrence.

reasumir [3a] resume, reassume.

reata *f* lasso, rope; *de* ~ in single file.

rebaja *f* lowering, reduction (*a.* ✝); **rebajamiento** *m* = *rebaja*; ~ *de sí mismo* self-abasement; **rebajar** [1a] reduce (*a.* ✝), lower, cut down; *paint.* tone down; *fig. p.* humble.

rebanada *f* slice; **rebanar** [1a] slice.

rebaño *m* flock (*a. fig.*), herd.

rebatir [3a] *ataque* repel, ward off;

cantidad reduce; *descuento* deduct; *argumento* rebut, refute.

rebato *m* alarm; ✕ call to arms; ✕ surprise attack.

rebelarse [1a] rebel, revolt; resist; **rebelde 1.** rebellious, mutinous; **2.** *m/f* rebel; **rebeldía** *f* rebelliousness; **rebelión** *f* revolt, rebellion; **rebelón** restive.

reborde *m* ⊕ flange, rim; ledge.

rebosadero *m* overflow; **rebosante** overflowing (*a. fig.*; de with), brimful (*a. fig.*; de of); **rebosar** [1a] run over, overflow (*a. fig.*; de, en with).

rebotar [1a] *v/t. clavo etc.* clinch; *ataque* repel; F annoy, upset; *v/i.* bounce; rebound; (*bala*) ricochet; **rebote** *m* bounce; rebound; de ~ on the rebound.

rebozar [1f] muffle up; *cocina*: roll in flour (*or* batter *etc.*); **~se** muffle up; **rebozo** *m* muffler; *S.Am.* shawl; *fig.* disguise; de ~ secretly.

rebullir [3h] stir; show signs of life.

rebusca *f* search; 🌾 gleaning; *fig.* leavings, remains; **rebuscado** recherché; studied, elaborate; **rebuscar** [1g] search carefully for.

rebuznar [1a] bray; **rebuzno** *m* bray(ing).

recabar [1a] manage to get.

recadero *m* messenger; errand-boy; **recado** *m* message; errand; (*regalo*) gift; (*compras*) daily shopping; (*seguridad*) safety, precaution.

recaer [2o] fall back, relapse (into); 🌡 suffer a relapse; ~ en *heredero* pass to; ~ sobre devolve upon; **recaída** *f* 🌡 relapse (*a. fig.*).

recalar [1a] saturate.

recalcar [1g] (*apretar*) squeeze, press; cram, stuff (de with); *fig.* stress; make great play with.

recalcitrante recalcitrant; **recalcitrar** [1a] retreat, back down.

recalentar [1k] overheat.

recamado *m* embroidery; **recamar** [1a] embroider.

recapitular [1a] recapitulate, sum up.

recargado overloaded; *fig.* overelaborate; **recargar** [1h] reload; (*demasiado*) overload; recharge; (*demasiado*) overcharge; *fig.* increase; **recargo** *m* new burden; extra load; 🕇 surcharge.

recatado cautious, circumspect; *mujer* shy, demure; **recatar** [1a] hide; **~se** be cautious; refrain from

taking a stand; **recato** *m* caution; shyness, demureness.

recaudación *f* collection; recovery; (*oficina*) tax office; **recaudador** *m*: ~ de contribuciones tax collector; **recaudar** [1a] *impuestos* collect; *deudas* recover; **recaudo** *m* collection; *fig.* care, protection.

recelar [1a] suspect, fear, distrust (*a.* ~ de, ~se); ~se inf. be afraid of *ger.*; **recelo** *m* suspicion, fear; **receloso** suspicious.

recepción *f* reception (*a. radio*); receipt; admission *a academia etc.*; (*cuarto*) drawing-room; reception (desk) *en hotel*; **receptáculo** *m* receptacle (*a.* 🕇); holder; **receptador** *m* F fence, holder of stolen goods; **receptivo** receptive; **receptor** *m* receiver.

receta *f* *cocina*: recipe; 🌡 prescription; **recetar** [1a] 🌡 prescribe.

recibidero receivable; **recibidor** *m*, **-a** *f* receiver, recipient; receptionist *en hotel*; **recibimiento** *m* (*cuarto*) hall; (*grande*) reception room; (*acto*) reception; **recibir** [3a] receive; (*acoger*) welcome, receive, greet; (*salir al encuentro de*) (go and) meet; *título* take, receive; **~se** de qualify as; **recibo** *m* = recibimiento, recepción; 🕇 receipt; (*cuenta*) bill; *acusar* ~ acknowledge receipt (de of).

reciclable recyclable; **reciclado**, **reciclaje** *m* recycling.

recién *adv.* newly; just; lately; ~ **casado** newly wed; ~ **llegado 1.** newly arrived; **2.** *m, a f* newcomer *en lugar*; latecomer *en reunión etc.*; ~ **nacido** newborn; **reciente** recent; *pan etc.* new, fresh.

recinto *m* enclosure, compound; precincts; area; place.

recio 1. *adj.* (*fuerte*) strong, robust; (*grueso*) thick, bulky; (*duro*) hard; (*áspero*) harsh, rough; *voz* loud; *tiempo* severe; **2.** *adv.* hablar loudly.

recipiente *m* (*p.*) recipient (*a. phys.*, 🝧); (*vaso*) vessel, container.

recíproca *f* 🝧 reciprocal; **reciprocar** [1g] reciprocate; **reciprocidad** *f* reciprocity; *usar de* ~ reciprocate; **recíproco** reciprocal.

recitación *f* recitation; **recitado** *m* recitation; ♪ recitative; **recitar** [1a] recite; **recital** *m* recital; **recitativo** *adj. a. su. m* recitative.

reclamación *f* claim, demand; objection; protest, complaint; **recla-**

mar [1a] *v/t.* claim, lay claim to; *socorro etc.* beg; ⚡ reclaim; *v/i.* protest.

reclamo *m orn. (ave)* decoy; *(grito)* call; *typ.* catchword; *fig.* lure, inducement; *(anuncio)* advertisement; slogan; blurb *de libro*; *Am.* complaint.

reclinar(se) [1a] recline, lean back.

recluir [3g] shut away; ⚡ intern, imprison; **reclusión** *f* seclusion; ⚡ imprisonment; ∼ *perpetua* life imprisonment; **recluso 1.** ⚡ imprisoned; **2.** *m, a f* ⚡ prisoner.

recluta 1. *m* recruit; **2.** *f* = **reclutamiento** *m* recruitment; **reclutar** [1a] recruit; *ganado* round up.

recobrar [1a] recover, get back; retrieve; ∼*se* ⚡ recover; *(volver en sí)* come to; **recobro** *m* recovery *etc.*

recodo *m* turn, bend, elbow.

recogedor *m (p.)* picker, harvester; gleaner; *(herramienta)* rake; scraper; **recoger** [2c] *(levantar)* pick up; *deportes: pelota freq.* field, stop; *(juntar)* collect, gather together; *cosecha* get in, harvest; ∼*se* withdraw; *(acostarse)* go to bed, retire; **recogida** *f* withdrawal, retirement; ∼ *de basuras* garbage collection; **recogimiento** *m (acto)* gathering; 🌿 harvesting.

recolección *f* 🌿 harvest, picking; collection *de rentas*; gathering *de información etc.*; compilation.

recomendable recommendable; *(aconsejable)* advisable; **recomendación** *f* recommendation; *(escrito)* reference, testimonial; **recomendar** [1k] recommend.

recomenzar [1f *a.* 1k] begin again.

recompensa *f* recompense; reward; compensation *(de pérdida* for); *en ∼* in return *(de* for); **recompensar** [1a] recompense *(acc.* for); compensate *(acc.* for).

reconcentrar [1a] concentrate, bring together; *sentimiento* hide; ∼*se* become absorbed in thought.

reconciliación *f* reconciliation; **reconciliar** [1b] reconcile.

reconfortar [1a] comfort; cheer.

reconocer [2d] recognize; know; *culpa, verdad etc. a.* admit, acknowledge; *hechos a.* face; inspect, examine *(a.* 🔬*); terreno* survey; ✗ reconnoitre; spy out; **reconocible** recognizable; **reconocido** grateful; **reconocimiento** *m* recognition; admission, acknowledgement; inspection, examination.

reconstrucción *f* reconstruction *etc.*; **reconstruir** [3g] reconstruct; rebuild; *gobierno* reshuffle.

recontar [1m] recount; retell.

reconvertir [3i] reconvert.

recopilación *f* summary; compilation; ⚡ code; **recopilar** [1a] compile, collect; *leyes* codify.

récord ['rekor] *adj. a. su. m* record.

recordable memorable; **recordación** *f* remembrance; *de feliz ∼* of happy memory; **recordar** [1m] *v/t.* remember, recall, recollect; remind *(algo a alguien* a p. of a th.); ∼*se* awaken; **recordativo** reminiscent; reminding; **recordatorio** *m* reminder.

recorrer [2a] *país etc.* cross, travel, tour; go through; *plaza etc.* cross; *terreno (buscando)* range, scour; *distancia* travel *(a.* ⊕), cover; **recorrido** *m* run, journey; *(ruta)* path, route; ✈ flight; distance travelled; run; round.

recortar [1a] *lo sobrante* cut away, trim; *figura, periódico* cut out; *pelo* trim; *paint.* outline; ∼*se* stand out; **recorte** *m* cutting; trim; ∼*s pl.* clippings; *álbum de ∼s* scrapbook.

recostado reclining, recumbent; lying down; **recostar** [1m] ∼*se* lie back, lie down.

recoveco *m* turn, bend *de calle etc.*; ∼*s pl.* ins and outs.

recreación *f* recreation; *escuela:* break, playtime; **recrear** [1a] recreate; amuse, entertain; ∼*se* amuse o.s., have recreation.

recrecer [2d] *v/t.* increase; *v/i.* increase; *(ocurrir)* happen again; ∼*se* recover one's good spirits.

recreo *m* recreation, relaxation; amusement; *escuela:* break.

recrudecer [2d] break out again.

recta *f* straight line; *carreras:* the straight; ∼ *de llegada* home straight; **rectangular** = **rectángulo 1.** rectangular, oblong; *triángulo etc.* right-angled; **2.** *m* rectangle, oblong.

rectificar [1g] *mst* rectify *(a. fig.)*; *trazado etc.* straighten; *cálculo* set right.

rectitud *f* straightness; accuracy; *fig.* rectitude, uprightness; **recto 1.** straight; *ángulo* right; *gr.* literal, proper; *fig.* upright, honest; *juicio* sound; **2.** *m* rectum.

recuento *m* recount; inventory; *hacer el ∼ de* make a survey of.

recuerdo *m* memory, recollection; (*objeto*) souvenir, momento; ~s *pl.* (*saludo*) regards.

reculada *f* recoil; *fig.* retreat; **recular** [1a] recoil; *fig.* retreat, fall back; F back down.

recuperable recoverable, retrievable; recyclable; **recuperación** *f* recovery; **recuperar** [1a] recover, retrieve.

recurrente recurrent; **recurrir** [3a]: ~ *a algo* have recourse to, resort to, fall back on; **recurso** *m* recourse, resort.

recusar [1a] 🎗 reject; challenge.

rechazamiento *m* rejection *etc.*; **rechazar** [1f] *ataque* repel, beat off; *oferta* reject, refuse, turn down; **rechazo** *m* rebound *de pelota*; recoil *de cañón*; *fig.* repulse.

rechifla *f* (*silbo*) whistle; hiss; (*silbos*) whistling *etc.*; **rechiflar** [1a] whistle (*v/t.* at), hiss, catcall.

rechinamiento *m* creak(ing) *etc.*; **rechinar** [1a] (*madera etc.*) creak; (*ludir dos cosas*) grate, grind; (*maquinaria*) clank; (*motor*) whirr, hum; **rechino** *m* creak(ing) *etc.*

red *f* net (*a. fig.*); (*mallas*) mesh(es) (*a. fig.*); 🚆 *etc.* network, system; *agua, ⚡* mains; *fig.* trap, snare; ~ *de alambre* wire netting.

redacción *f* (*acto*) writing, redaction; editing; wording; (*oficina*) newspaper office; (*ps.*) editorial staff; **redactar** [1a] write; draft, word; *periódico* edit; **redactor** *m*, **-a** *f* (*jefe*) editor.

redargüir [3g] turn an argument against its proposer; 🎗 impugn.

redención *f* redemption (*a. ✝*); **redentor 1.** redeeming; redemptive; **2.** *m*, **-a** *f* redeemer.

redil *m* sheep fold, pen.

redimible redeemable; **redimir** [3a] redeem; *cautivo* ransom.

rédito *m* interest, yield, return; **redituar** [1e] yield, produce.

redoblado stocky, thick-set; *paso* double-quick; **redoblante** *m* drum; **redoblar** [1a] *v/t.* redouble; (*replegar*) bend back, bend over; (*clavo*) clinch; *v/i.* ♪ play a roll on the drum; **redoble** *m* ♪ drumroll; roll, rumble *de trueno*.

redoma: *f* flask, phial.

redonda: *a la* ~ round (about); *de la* ~ in the neighbourhood, of the area; **redondear** [1a] round off; round; ~se get to be well off; get clear of

debts; **redondel** *m* bullring, arena; **redondo** round (*a. fig.*); *fig.* (*sin rodeos*) square, straightforward; *en* ~ around.

red(r)opelo *m* F row; *al* ~ the wrong way; against the grain.

reducción *f* reduction, cut; (*copia*) miniature version; ♟ setting; **reducible** reducible; **reducido** reduced; limited; *número etc. few;* small; *precio* low; *espacio* limited, confined, narrow; **reducir** [3f] reduce (*a. fig.*; *a, hasta* to); diminish, lessen, cut; *fortaleza* reduce.

reedificar [1g] rebuild.

reeditar [1a] republish, reprint.

reelegir [3c *a.* 3l] re-elect.

reembolsar [1a] *p.* reimburse, repay; ~*se dinero* recover; **reembolso** *m* reimbursement; repayment, refund.

reemplazar [1f] replace (*con* with, by), change (*con* for); **reemplazo** *m* (*acto, p.*) replacement.

refacción *f* refreshment; *S.Am.* repair(s); F extra, bonus.

referencia *f* reference (*a. ✝*, *recomendación sobre p.*); account, report; **referente**: ~ *a* relating to; **referir** [3i] recount, report; *cuento* tell; ~ *que* say that; ~*se a* refer to; apply to.

refinado refined; **refinadura** *f* refining; **refinamiento** *m fig.* refinement; nicety; neatness; **refinar** [1a] refine; polish; **refinería** *f* refinery; **refino** refined; extra fine.

reflector *m* reflector; 🚗 *etc.* searchlight; *mot.* ~ *posterior* rear reflector; **reflejar** [1a] reflect; mirror; reveal; ~*se* be reflected; **reflejo 1.** *luz* reflected; *acto* reflex; *verbo* reflexive; **2.** *m* reflection; gleam, glint; *physiol.* reflex (action); **reflexión** *f* reflection, thought; **reflexionar** [1a] *v/t.* reflect on, think about; *v/i.* reflect (*en, sobre* on); muse; think, pause *antes de obrar*; **reflexivo** thoughtful, reflective; *gr.* reflexive.

refluir [3g] flow back; **reflujo** *m* ebb (tide); *fig.* retreat.

reforma *f* reform; reformation; (*mejora*) improvement; ⛪ Reformation; ~s *pl.* △ alterations, repairs; ~ *agraria* land reform; **reformación** *f* reform(ation); **reformado** reformed; **reformador** *m*, **-a** *f* reformer; **reformar** [1a] reform; (*mejorar*) improve; revise, reorganize; *abusos* put right; **reformatorio** *m* reformatory; **reformista** *m/f* reformer.

reforzador m ⚡ booster; *phot.* intensifier; **reforzar** [1f *a.* 1m] reinforce (*a.* ⚔️), strengthen; boost (*a.* ⚡); *fig.* buttress, bolster up.

refracción f refraction; **refractar** [1a] refract; **refractario** fireproof; *fig.* refractory, recalcitrant.

refrán m proverb, saying.

refrenar [1a] *caballo* rein back, rein in; *fig.* curb, restrain.

refrendar [1a] endorse, countersign; authenticate.

refrescar [1g] *v/t.* refresh; cool; *acción* renew; *memoria* refresh, jog; *v/i.* ~se (*tiempo*) cool down, get cooler; (*salir*) take the air; (*beber*) take a drink; **refresco** m soft drink; ~s *pl.* refreshments.

refriega f scuffle, affray.

refrigeración f refrigeration; cooling *de motor*; ~ *por agua* watercooling; **refrigerador** m refrigerator; **refrigerante** refrigerating, cooling; 🜄 refrigerant (*a. su. m*); **refrigerar** [1a] refrigerate; cool; refresh; **refrigerio** m refreshment; cooling drink.

refuerzo m strengthening; brace; ~s *pl.* reinforcements.

refugiado m, **a** f refugee; **refugiarse** [1b] take refuge; shelter; go into hiding; **refugio** m refuge, shelter (*a. fig.*); ~ *antiaéreo* air-raid shelter; ~ *antiatómico* fallout shelter.

refulgente brilliant, refulgent.

refundir [3a] ⊕ recast; *fig.* revise; *texto* remodel, adapt, rewrite.

refunfuñar [1a] grunt, growl; (*murmurar*) grumble; **refunfuño** m grunt, growl; grumble.

refutación f refutation; **refutar** [1a] refute.

regadera f irrigation ditch; sprinkler *para calle etc.*; **regadío 1.** irrigable; *tierra* ~a, *tierra de* ~ = **2.** m irrigated land; **regadura** f watering, irrigation.

regala f gunwale.

regalar [1a] *regalo* give; (*dar gratis*) make a present of, give away; (*acariciar*) caress, fondle; (*halagar*) make a fuss of; (*convidar*) treat (*con* to), regale (*con* on, with).

regalía f *fig.* perquisite, privilege; bonus; ~s *pl.* royal prerogatives.

regalo m gift, present; treat; pleasure; comfort, luxury; *de* ~ *entrada* complimentary.

regañadientes: *a* ~ reluctantly.

regañar [1a] *v/t.* F scold; nag (at);

v/i. (*perro*) snarl; growl; (*p.*) grouse; (*dos ps.*) quarrel; **regaño** m snarl, growl; (*gesto*) scowl; *fig.* grouse; F scolding; **regañón** p. grumbling, irritable; *mujer* ~a shrew, virago.

regar [1h *a.* 1k] *planta* water; *tierra* water, irrigate; *calle* hose; (*río*) water; spray *con insecticida etc.*; (*esparcir*) sprinkle, scatter.

regate m swerve, dodge (*a.* F); **regatear[1]** [1a] *v/t.* haggle over; bargain away; (*por menor*) sell retail; *v/i.* haggle, bargain.

regatear[2] [1a] ⚓ race.

regazo m lap (*a. fig.*).

regentar [1a] manage, direct; preside over; *cátedra* occupy; hold; *b.s.* domineer, boss F; **regente 1.** *príncipe* regent; *director etc.* managing; *fig.* ruling; **2.** m/f (*real*) regent; manager *de fábrica, finca.*

régimen m *pol.* régime; 🩺 diet; (*reglas*) rules, regulations; system, regimen; *gr.* government; ~ *alimenticio* diet; ~ *lácteo* milk diet; **regimiento** m administration *etc.*; ⚔ regiment.

regio royal, regal; *apariencia* regal, kingly; *fig.* royal.

región f region; part, area; *anat.* tract, region; **regional** regional.

regir [3c *a.* 3l] *v/t.* *país etc.* rule, govern (*a. gr.*); *sociedad etc.* manage, control; (*conducir*) guide; ~se *por* be ruled by, go by.

registrador m recorder, registrar; inspector; register; **registrar** [1a] *hecho* register, record; *partida etc.* enter; file *en archivo*; *voz etc.* record; **registro** m (*acto*) registration; (*libro, archivo*) register, record; (*archivos*) registry, record office; (*partida*) entry; recording *en disco etc.*; ♪ (*extensión, altura*) register; ♪ stop *de órgano*; ♪ pedal *de piano*; ~ *domiciliario* search of a house; ~ *parroquial* parish register.

regla f rule (*a.* ⚙, *deportes, eccl.*); regulation; (*base*) law, principle; ruler *para trazar líneas*; order, discipline; ~s *pl.* 🩺 period; ~ *de cálculo* slide rule; ~ *T* T-square; ~ *de tres* rule of three; *en* ~ in order.

reglamentar [1a] regulate, provide regulations for; **reglamento** m regulation, rule; (*código*) rules and regulations; standing order *de asamblea*; bylaw *de sociedad, municipio.*

reglar [1a] *línea* rule; *fig.* regulate; **~se** *por* conform to, be guided by.

regocijado merry; exultant; *carácter* jolly, cheerful; **regocijar** [1a] gladden, cheer (up); **~se** rejoice (*de, por* at); exult (*por* at, in); **regocijo** *m* joy, rejoicing.

regordete F chubby, dumpy.

regosto *m* craving (*de* for).

regresar [1a] go back, come back, return.

regreso *m* return.

reguera *f* irrigation ditch; ⚓ moorings; **reguero** *m* ⚓ irrigation ditch; trickle *de sangre etc.*

regulable adjustable; **regulación** *f* regulation; adjustment; control; **regulador** *m* ⊕ regulator, throttle, governor; control; *radio:* (control) knob; *radio:* *de volumen* volume control; **regular 1.** regular (*a.* ✗, *eccl.*); (*mediano*) fair, middling, medium; F *salud, progreso etc.* fair, so-so; (*conveniente*) suitable; normal, usual; *por lo* ~ as a rule; **2.** *m eccl.* regular; **3.** [1a] regulate; *esp.* ⊕ adjust; *precios etc.* control; **regularidad** *f* regularity; **regularizar** [1f] regularize; standardize.

rehabilitación *f* rehabilitation; **rehabilitar** [1a] rehabilitate; reinstate *en oficio*; *casa* restore, renovate; ⊕ overhaul.

rehacer [2s] redo, do again; *objeto* remake; (*reparar*) mend, repair; **~se** ✗ recover; ✗ rally.

rehén *m* hostage.

rehuir [3g] (*apartar*) remove; (*evitar*) avoid, decline.

rehusar [1a] refuse (*inf.* to *inf.*), decline, turn down.

reina *f* queen (*a. ajedrez, abeja*); ~ *madre* queen mother; **reinado** *m* reign; **reinante** reigning; prevailing; **reinar** [1a] reign; rule.

reincidir [3a] relapse (*en* into).

reino *m* kingdom.

reinstalar [1a] reinstall; *p.* reinstate.

reintegración *f* ♦ refund, reimbursement; restitution *etc.*; **reintegrar** [1a] ♦ refund, pay back; restore; **~se** *a* return to; **reintegro** *m* restoration, restitution.

reinvertir [3i] reinvest; plough back.

reír(se) [3m] laugh (*de* at, over); F (*vestido*) tear; ~ *de* laugh at, make fun of.

reja *f* grating, grid(iron); grille;

bar(s) *de ventana*; ~ (*del arado*) ploughshare; **rejado** *m* grille, grating; **rejilla** *f* grating, lattice; screen; wickerwork *de silla etc.*; 🧳 luggage rack; *radio:* grid, grille; small stove; **rejo** *m* spike, sharp point.

rejuvenecer [2d] *v/t.* rejuvenate; *v/i.*, **~se** be rejuvenated.

relación *f* (*conexión*) relation(ship) (*con* to, with); (*narración*) account, statement, report; tale, recital *de dificultades etc.*; (*informe oficial*) record, return; list; ♣ ratio; proportion; **~es** *pl.* relation(ship); (*amorosas*) courting, courtship; **~es** *pl. comerciales* trade relations; ♦ **~es** *pl. personales* personnel management; **~es** *pl. públicas* public relations; **relacionado** related; ~ *con* that has to do with; bound up with; **relacionar** [1a] relate (*con* to); connect (*con* with); **~se** be related.

relajación *f* relaxation *etc.*; laxity *de moralidad*; ✗ hernia; **relajado** *vida* dissolute; **relajar** [1a] relax, slacken, loosen; *moralidad* weaken; (*distraer*) relax, amuse; **~se** relax.

relámpago 1. *m* lightning, flash (*a. fig.*); *pasar como un* ~ go by like lightning; **2.** *attr.* lightning; **relampagueante** lightning; flashing; **relampaguear** [1a] lighten; flash (*a. fig.*); **relampagueo** *m* lightning; flashing.

relanzar [1f] repel, repulse.

relatar [1a] relate, report; tell.

relatividad *f* relativity; **relativo 1.** relative; ~ *a* regarding, relating to; **2.** *m gr.* relative.

relato *m* story, tale; (*informe*) report; **relator** *m* narrator, teller.

relé *m* ⚡ relay; ~ *de televisión* television relay system.

relegar [1h] relegate; (*desterrar*) exile; banish.

relevación *f* relief (*a.* ✗); replacement *etc.*; **relevante** outstanding; **relevar** [1a] *v/t.* ⊕ emboss, carve in relief; relieve (*de cargo etc.* of; *a.* ✗); absolve, exonerate (*de culpa* from); *empleado* replace; *v/i.* stand out; **relevo** *m* relief (*a.* ✗); *deportes:* **~s** *pl.* relay (race).

relicario *m* shrine; (*caja*) reliquary.

relieve *m* relief; *fig.* prominence; **~s** *pl.* leftovers; *poner de* ~ set off (*contra* against); *fig.* emphasize.

religión *f* religion; religious sense, piety; *entrar en* ~ take vows; **religio-**

sa f nun; **religioso 1.** religious (a. fig.); **2.** m monk.

relincho [1a] neigh, whinny; **relincho** m neigh(ing), whinny.

reliquia f relic; ~s pl. ⚜ aftereffects; fig. relics, remains.

reloj [rei'lou] m (grande) clock; (portátil) watch; ⊕ clock, meter; ~ de arena hourglass; ~ automático timer; ~ de bolsillo pocket watch; ~ de caja grandfather's clock; ~ de carillón chime clock; ~ de cuarzo quartz watch; ~ de cuclillo cuckoo clock; ~ despertador alarm clock; ~ de estacionamiento parking meter; ~ de pulsera wrist watch; ~ de sol sundial; como un ~ like clockwork; contra el ~ against the clock; **relojería** f (arte) watchmaking; (tienda) watchmaker's shop; **relojero** m watchmaker.

reluciente shining, brilliant; glittering, gleaming, sparkling; **relucir** [3f] shine (a. fig.); glitter, gleam.

relumbrar [1a] shine, sparkle; glare; **relumbrón** m flash; glare.

rellenar [1a] refill, replenish; (henchir) stuff, cram; pad; pollo stuff; ~se F stuff o.s.; cocina: stuffed; **2.** m filling, stuffing, padding (a. fig.), wadding; cocina: stuffing.

remachar [1a] ⊕ clavo clinch; metales rivet; fig. drive home; **remache** m rivet; (acto) riveting etc.

remada f stroke; **remador** m oarsman.

remanente m phys. remanent; ✝ etc. surplus.

remar [1a] row; fig. toil.

rematado hopeless, out-and-out; loco raving; tonto utter; **rematante** m highest bidder; **rematar** [1a] v/t. p., trabajo finish off; ⚔ etc. top, crown; subasta: knock down (a to, en for); v/i. end (⚔ en in); deportes: shoot, score; ~se be ruined; **remate** m (fin) end; (toque) finishing touch; ⚔ top, crest; (postura) highest bid; (adjudicación) sale.

remedar [1a] imitate, copy; (para burlarse) ape, mimic.

remediar [1b] perjuicio etc. remedy; daño etc. repair; save, help; prevent (que from ger.); **remedio** m remedy; help; ⚖ recourse.

remedo m imitation; b.s. poor imitation, travesty.

remendar [1k] mend, repair, patch; fig. correct; **remendón** m cobbler.

remero m oarsman.

remesa f remittance; shipment, consignment; **remesar** [1a] dinero remit, send; mercancías send, ship.

remiendo m (acto) mending etc.; (tela etc.) mend, patch; spot en piel; fig. correction; a ~s piecemeal.

remilgado (gazmoño) prudish, prim; (afectado) affected, overnice; **remilgarse** [1h] be fussy etc.; **remilgo** m prudery; affectation.

reminiscencia f reminiscence.

remisión f (envío) sending; forgiveness de pecado etc.; **remiso** slack, remiss; movimiento sluggish; **remitente 1.** ⚔ remittent; **2.** m/f sender; **remitir** [3a] v/t. send, remit; pena etc. forgive, pardon; lector refer (a to); sesión adjourn; v/i. slacken, let up; remite (en sobre) sender; ~se refer to.

remo m oar; (deporte) rowing; fig. anat. arm, leg; fig. toil.

remodelación f remodeling.

remojar [1a] soak, steep; dip; F celebrate with a drink; **remojo** m soaking etc.; **remojón** m soaking etc.

remolacha f beet(root); ~ azucarera sugar beet.

remolcador m ⚓ tug; **remolcar** [1g] (take in) tow; tug.

remoler [2h] grind up small.

remolino m (agua) swirl, eddy; whirlpool; (aire) whirl, whirlwind; (polvo) whirl, cloud; (pelo) tuft; (gente) throng, crush.

remolón 1. slack, lazy; **2.** m, **-a** f shirker, slacker.

remolque m towing; (cable) towrope; (cosa remolcada) tow, ship etc. on tow; mot. trailer para turismo; a ~ in tow; llevar a ~ tow.

remonta f ⚔ remount; cavalry horses; mending, repair; **remontar** [1a] ⚔ remount; zapatos etc. mend, repair; río go up; fig. raise; ~se rise, tower; ⚔ soar (a. fig.); fig. get excited; ~ a go (or date) back to.

rémora f fig. hindrance; loss of time.

remordimiento m remorse, regret; pang of conscience.

remoto remote (a. fig.); control m ~ remote control.

remover [2h] p., cosa remove, move; (agitar) stir, shake up; tierra turn over, dig up; sentimientos disturb, upset; **removimiento** m removal.

rempujar [1a] F push, shove, jostle; **rempujón** m F push, shove.

remuneración f remuneration; **remunerador** remunerative; rewarding; **remunerar** [1a] remunerate; reward.

renacer [2d] be reborn; ♀ appear again; ✻ recover; *fig.* revive; *hacer* ~ revive; **renacimiento** m rebirth; revival; ♀ Renaissance.

rencor m ill-feeling, spite(fulness), rancor; *guardar* ~ have a grudge, bear malice (*a* against); **rencoroso** spiteful; vicious, malicious.

rendición f surrender; ✝ yield, profits; **rendido** obsequious, submissive; *admirador* humble.

rendija f crack, crevice, chink, aperture; *fig.* rift, split.

rendimiento m ⊕ (*producto*) output; ⊕ efficiency, performance; ✝ yield; *fig.* obsequiousness; (*cansancio*) exhaustion; **rendir** [3l] **1.** v/t. (*conquistar*) *país* conquer, subdue; defeat; *fortaleza* take; (*entregar*) surrender; (*sujetar*) overcome; (*devolver*) return, give back; ✝ *producto* produce; *ganancia etc.* yield; *interés, fruto* bear; *gracias* give, render; *homenaje* pay, do; ✗ *guardia* hand over; **2.** v/i.: ~ *bien* yield well; **3.** ~se ✗ surrender; yield, give up.

renegado 1. renegade; F gruff, bad-tempered; **2.** m, **a** f renegade, turncoat; **renegar** [1h a. 1k] v/t. deny vigorously; detest; v/i. turn renegade.

renglón m line; *leer entre* ~es read between the lines.

reno m reindeer.

renombrado renowned; **renombre** m renown, fame.

renovable renewable; **renovación** f renewal; renovation; *paint.* redecoration; *etc.*; **renovar** [1m] renew; renovate; *cuarto* redecorate; *aviso etc.* repeat; *moda* reintroduce.

renquear [1a] limp.

renta f (*ingresos*) income; interest, return; (*acciones*) stock; ~ *nacional* national income; ~s pl. *públicas* revenue; ~ *vitalicia* annuity; **rentar** [1a] yield, produce; **rentero** m tenant farmer; **rentista** m/f (*accionista*) stock-holder; **rentístico** financial.

renuencia f reluctance.

renuevo m ♀ shoot, sprout; (*acto*) renewal.

renuncia f renunciation; surrender; resignation *etc.*; **renunciar** [1b] v/t. (*a. v/i.* ~ *a*) *derecho etc.* renounce (en

in favor of), surrender, relinquish; *demanda* drop, waive.

reñidero m: ~ (*de gallos*) cockpit.

reñido p. on bad terms (*con* with); *batalla* bitter; **reñir** [3h a. 3l] v/t. scold; v/i. (*disputar*) quarrel; (*pelear*) fight, come to blows.

reo m/f culprit, offender, criminal; ⚖ defendant, accused.

reojo: *mirar de* ~ look askance (at); F look scornfully at.

reóstato m rheostat.

repanchigarse, repantigarse [1h] loll (about), lounge, sprawl.

reparación f ⊕ repair(ing), mending; *fig.* reparation; ~es pl. repairs.

reparar [1a] v/t. ⊕ repair, mend; (*satisfacer*) make good, make amends for; *fortunas* retrieve; *fuerzas* restore; *error* correct; *golpe* parry; = v/i.: ~ *en* notice; pay attention to; ~se check o.s.

reparo m ⊕ *etc.* repairs; △ restoration; ✻ restorative; criticism; doubt, objection; protection.

repartimiento m distribution; **repartir** [3a] distribute, divide, share (out); parcel out; *tareas etc.* allot; *territorio* partition; ♡ deliver; *naipes:* deal; *thea. papeles* cast; **reparto** m distribution; ♡ delivery; *thea.* cast.

repasar [1a] *lugar* pass by again; *calle* go along again; *fig.* reexamine, review; *texto, lección* read (or go) over; *ropa* mend; *mecanismo etc.* check, overhaul; **repaso** m review, revision *etc.*; *sew.* mending; ⊕ check-up, overhaul; ~ *general* general overhaul; *curso de* ~ refresher course.

repatriado 1. repatriated; **2.** m, **a** f repatriate; **repatriar** [1b] repatriate; ~se return home.

repelente repulsive; repellent; **repeler** [2a] repel, repulse; reject.

repente m start, sudden movement; *de* ~ suddenly, all at once; **repentino** sudden; swift.

repercutir(se) [3a] (*cuerpo*) rebound; (*sonido*) reverberate, reecho; *fig.* ~ *en* have repercussions on.

repetición f repetition; recurrence; *thea.* encore; **repetir** [3l] v/t. repeat; do *etc.* again; *sonido* echo; *lo grabado* play back; *lección etc.* recite, rehearse; v/i. repeat; ~se (*p.*) repeat o.s.; (*pintor etc.*) copy o.s.

repicar [1g] *campana* ring, peal; *carne* chop up small; **~se** boast.

repique *m* peal(ing), chime; F tiff, squabble; **repiquete** *m* merry (*or* lively) peal; ✗ clash; **repiquetear** [1a] *campana* ring merrily; **~se** squabble, wrangle; **repiqueteo** *m* merry pealing; rapping, tapping, clatter *de máquina*.

repisa *f* ledge, shelf; bracket; ~ de *chimenea* mantelpiece; ~ de *ventana* windowsill.

replegable folding; ⚡ retractable; **replegar** [1h *a.* 1k] fold over; refold; ⚡ retract; **~se** ✗ fall back (*sobre* on).

repleto replete, cram-full; obese.

réplica *f* answer, argument; retort, rejoinder; **replicar** [1g] retort, rejoin; *b.s.* answer back.

repliegue *m* fold, crease; convolution; ✗ retirement.

repollo *m* cabbage; ~ *morado Am.* red cabbage; **repolludo** round-headed; *fig.* tubby.

reponer [2r] replace, put back; restore; *thea.* revive; (*contestar*) reply; **~se** ⚕ *etc.* recover, pick up; ~ de recover from, get over.

reportaje *m* report, article; **reportar** [1a] carry; *fig.* bring; **~se** control o.s.; **reporte** *m* news item; **repórter** *m*, **reportero** *m* reporter.

reposacabezas *m* head rest.

reposado quiet, restful, solemn; **reposar** [1a] rest, repose; sleep; (*yacer*) lie; **~se** (*líquido*) settle.

reposición *f* replacement; *thea.* revival; ⚕ *etc.* recovery.

repositorio *m* repository.

reposo *m* rest (*a.* ⚕), repose.

reprender [2a] reprimand, take to task (*algo a alguien* s.o. for s.t.); **reprensible** reprehensible; **reprensión** *f* reprimand, rebuke.

represa *f* (*acto*) recapture; (*parada*) check, stoppage; dam.

represalia *f* reprisal; *tomar* **~s** take reprisals, retaliate.

represar [1a] (*tomar*) recapture; (*parar*) halt, check; *agua* dam.

representación *f* representation; *thea.* production; performance; acting; **representante** *m/f* representative (*a.* ✝); *thea.* performer; **representar** [1a] *mst* represent; stand for; (*informar*) state, declare; (*ser la imagen de*) show, express; *edad* look; *thea.* perform, play; act; **~se** *algo* imagine, picture

(to o.s.); **representativo** representative.

represión *f* repression; suppression; **represivo** repressive.

reprimenda *f* reprimand.

reprimir [3a] repress, curb; *levantamiento* suppress.

reprobar [1m] condemn, reprove; *univ. etc.* fail; **réprobo** *adj. a. su. m*, **a** *f* reprobate; *eccl.* damned.

reprochar [1a] reproach (*algo a alguien* s.o. with *or* for a th.); censure, condemn; **reproche** *m* reproach, reproof (*a* for).

reproducción *f* reproduction; **reproducir(se)** [3o] reproduce.

reptil *m* reptile.

república *f* republic; **republicanismo** *m* republicanism; **republicano** *adj. a. su. m*, **a** *f* republican.

repudiación *f* repudiation; **repudiar** [1b] repudiate; *herencia etc.* renounce; disavow, disown.

repudrirse [3a] F eat one's heart out, pine away.

repuesto *m* store, stock, supply; (*sustituto*) replacement; ⊕ refill; ⊕ (*pieza*) spare (part), extra; ⊕ de ~ spare, extra.

repugnancia *f* aversion (*hacia, por* from, to), loathing (*hacia, por* for); **repugnante** disgusting, revolting; **repugnar** [1a] disgust, revolt; (*estar en pugna con*) conflict with; contradict; do reluctantly.

repulir [3a] repolish; refurbish; **~se** spruce o.s. up.

repulsa *f* rejection, refusal; rebuff; **repulsar** [1a] reject, refuse; ✗ repulse, check; **repulsión** *f* = *repulsa*; (*antipatía*) repulsion (*a. phys.*); **repulsivo** repulsive.

reputación *f* reputation, name; standing; **reputar** [1a] repute, esteem.

requebrar [1k] say nice things to, try to flirt with; *fig.* flatter.

requemado *piel* tanned; parched; overdone; **requemar** [1a] ⚕ *etc.* parch, scorch; *comida* overdo, burn; *lengua* burn, sting; *sangre etc.* inflame; **~se** (*piel*) get tanned; ⚕ get parched, dry up.

requerir [3i] (*necesitar*) require (*a* of), need; (*llamar*) summon; (*enviar por*) send for; notify; investigate; ~ de *amores a* court.

requesón *m* curd; cream cheese.

requiebro *m* flirtatious remark.

requisar [1a] requisition; **requisito** *m* requisite; requirement; ~ *previo* prerequisite; *llenar los* ~s fulfil the requirements.

res *f* beast, animal; (*esp. como número*) head of cattle.

resabido would-be expert, pretentious; **resabio** *m* nasty taste; *fig.* bad habit; *tener* ~s de smack of.

resaca *f* ⚓ undertow, undercurrent; F hangover.

resalado witty, lively, vivacious.

resaltar [1a] jut (out); *fig.* stand out; **resalte** *m*, **resalto** *m* projection.

resarcir [3b] indemnify (de for), repay; ~se de make up for, retrieve.

resbaladero *m* slippery place, slide; **resbaladizo** slippery; **resbalar** [1a] slide; skid; *fig.* slip up; **resbalón** *m* slip (*a. fig.*); slide; skid; **resbaloso** slippery.

rescatar [1a] *p.* ransom; *cosa empeñada etc.* redeem; (*salvar*) rescue; *terrenos* reclaim; retail; **rescate** *m* ransom; rescue; ~ *de terrenos* land reclamation.

rescoldo *m* embers; *fig.* scruple, lingering doubt.

resecar [1g] dry thoroughly; parch, scorch; **reseco** parched.

reseda *f* mignonette.

resentimiento *m* resentment; **resentirse** [3i]: ~ de, ~ por resent; be offended at; *defecto* suffer from; *consecuencias* feel the effects of.

reseña *f lit.*, ⚔ review; *paint.* sketch; **reseñador** *m* reviewer, critic; **reseñar** [1a] review.

reserva *f* reserve (*a.* ♟, ⚔); (*acto etc.*) reservation; discretion, reticence; privacy; ~ *de Indios* Indian reservation; **reservación** *f* reservation; **reservado** *p.* reserved, reticent; discreet; *lugar* private; *asiento* reserved; **reservar** [1a] reserve; set aside, keep; (*encubrir*) conceal; ~se save o.s. (*para* for); (*desconfiar*) beware.

resfriado *m* cold; chill; **resfriar** [1c] *v/t.* cool (*a. fig.*), chill; *v/i.* turn cold; ~se ✗ catch cold; *fig.* cool off.

resguardar [1a] protect, shield (de from); ~se shelter; safeguard o.s.; **resguardo** *m* protection; safeguard; shelter; guard; (*documento*) certificate; (*papeleta*) slip, check.

residencia *f* residence; *univ.* hall of residence, hostel; ~ *de ancianos* home for the aged, nursing home; **residencial** residential; **residente** *adj.*

a. su. m/f resident; **residir** [3a] reside; live; lie; *fig.* lie; ~ *en* consist in, reside in; rest with; **residual** residual, residuary; **residuo** *m* residue; ⚛ remainder; ♈, ♐ residuum; ~s *pl.* refuse, remains; ~s *radiactivos* radioactive waste.

resignación *f* resignation; **resignado** resigned; **resignar** [1a] resign; renounce; *mando etc.* hand over (*en* to); ~se resign o.s. (*a* to).

resina *f* resin; **resinoso** resinous.

resistencia *f* resistance (*a.* ✗, *phys.*, ⚡); strength; endurance, stamina, staying power; opposition; (*acto*) stand; ⚔ ~ *al avance* drag; ~ *pasiva* passive resistance; **resistente** resistant; tough; *tela etc.* hard-wearing; ♣ hardy; ~ *al rayado* scratch-resistant; **resistir** [3a] *v/t.* stand, bear; *tentación* resist; *v/i.* resist; (*durar*) last; *esp.* ✗ hold out; fight back; ~ *a* resist, withstand; make a stand against; ~se resist, struggle.

resolución *f* resolution (*a. parl.*); (*acto*) solving; decision; *fig.* resolution, boldness; *en* ~ in short, to sum up; **resoluto** = resuelto; **resolver** [2h; *p.p.* resuelto] *problema* solve, do; think out, puzzle out; *cuestión* settle; *cuerpo, materia* resolve (*en* into); ~se resolve itself, work out.

resollar [1m] puff (and blow); snort; wheeze.

resonancia *f* resonance; echo; **resonante** resonant; resounding, ringing, echoing; **resonar** [1m] resound, ring, echo (de with).

resoplar [1a] puff, blow, snort; **resoplido** *m* puff, snort.

resopón *m* nightcap.

resorte *m* ⊕ spring; elasticity, springiness; *fig.* expedient; ~ *espiral* coil spring; F *tocar* ~s pull wires.

respaldar [1a] endorse; *fig.* support, back; ~se lean back; sprawl; **respaldo** *m* back *de silla, hoja*; endorsement *en papel*; *fig.* support, backing.

respectar [1a] concern; **respectivo** respective; **respecto** *m* respect, relation; (*con*) ~ de with regard to; in relation to; *a ese* ~ on that score; *al* ~ in the matter; *bajo ese* ~ in that respect; **respetabilidad** *f* respectability; **respetable** respectable; worthy; **respetar** [1a] respect; **respeto** *m* respect, regard, consideration; ~s *pl.* respects.

respingado *nariz* snub; **respingar**

[1h] shy, start; *fig.* kick; **respingo** *m* shy, start; *fig.* gesture of disgust.

respiración *f* breathing; **respiradero** *m* ⊕ vent, air valve; *fig.* respite, breathing space; **respirar** [1a] breathe; *gas etc.* breathe in; breathe again *después de mal momento*; (*descansar*) get one's breath; *sin* ∼ without a break; **respiratorio** respiratory; breathing *attr.*; **respiro** *m* breathing; (*descanso*) breathing space; lull, respite.

resplandecer [2d] shine (*a. fig.*); glitter, glow, blaze; **resplandeciente** shining *etc.*; **resplandor** *m* brilliance, radiance; glitter, glow.

responder [2a] *v/t.* answer; *injuria etc.* answer with; *v/i.* answer, reply; *esp. fig.* respond; (*ser respondón*) answer back; ∼ *de*, ∼ *por* answer for, be responsible for; **respondón** F cheeky, saucy, pert.

responsabilidad *f* responsibility *etc.*; *de* ∼ *limitada* limited liability *attr.*; *bajo mi* ∼ on my responsibility; **responsable** responsible (*de* for); liable (*de* for).

respuesta *f* answer, reply; response.

resquebra(ja)dura *f* crack, split; **resquebrajar(se)** [1a] crack, split; **resquebrar** [1k] begin to crack.

resquicio *m* chink, crack; *fig.* chance, opening.

resta *f* Ⓐ subtraction; (*residuo*) remainder.

restablecer [2d] reestablish; restore; revive; ∼**se** recover.

restante 1. remaining; *los* ∼*s* the rest; 2. *m* rest, remainder.

restañar [1a] stanch.

restar [1a] *v/t.* Ⓐ subtract, take away; deduct; *pelota* return; *autoridad*, *valor etc.* reduce; *v/i.* remain.

restauración *f* restoration; **restaurán** [resto'ran] *m* , **restaurante** *m* restaurant; café; **restaurar** [1a] restore; repair; recover.

restitución *f* return, restitution; **restituir** [3g] restore, return.

resto *m* rest; remainder (*a.* Ⓐ); *deportes*: (*p.*) receiver; (*acto*) return; ∼*s pl.* remains; *cocina*: leftovers.

restorán *m* *S.Am.* restaurant.

restregar [1h *a.* 1k] scrub, rub.

restricción *f* restriction; limitation; restraint; ∼ *mental* mental reservation; **restrictivo** restrictive; **restringir** [3c] restrict.

resucitar [1a] *v/t.* resuscitate; *fig.*

resurrect, revive; *v/i.* resuscitate; return to life; revive.

resuelto 1. *p.p. of* resolver; 2. resolute, determined; steadfast; prompt.

resuello *m* (*respiración*) breathing; (*un* ∼) breath; (*ruidoso*, *penoso*) puff.

resulta: *de* ∼*s de* as a result of; **resultado** *m* result, outcome; issue; sequel; effect; *dar* ∼ produce results; **resultar** [1a] be, prove (to be), turn out (to be); ∼ *de* result from, stem from; be evident from.

resumen *m* summary, résumé; *en* ∼ to sum up, in short; **resumir** [3a] sum up; ∼**se** be included.

retablo *m* reredos, altar-piece.

retaguardia *f* rearguard; *a* ∼ in the rear.

retal *m* remnant, oddment.

retama *f* broom.

retar [1a] challenge; F tick off.

retardar [1a] slow down, slow up, retard; *reloj* put back; **retardo** *m* slowing-up; delay; time lag.

retazo *m* remnant; *fig.* bit, fragment; ∼*s pl.* odds and ends.

retención *f* retention (*a.* ⚕); ✝ deduction; **retener** [2l] retain, keep (back), hold (back); (*deducir*) withhold, deduct; ⚖ detain.

retintín *m* tinkle, tinkling; jingle; ring(ing); F nastily sarcastic tone; **retiñir** [3h] tinkle; jingle; ring.

retirada *f* ✕ withdrawal (*a.* ✝), retreat (*a. toque*); recall *de embajador*; (*sitio*) retreat, place of refuge; *batirse en* ∼ retreat; **retirado** *oficial* retired; *lugar* secluded, remote; **retirar** [1a] withdraw (*a.* ✕, ✝; *de* from); take away, remove (*a* from); ⊕ *pieza* take out, take off; *tapa* take off; *mano*, *cubierta* draw back; *embajador* recall; ∼**se** ✕, ✝ retreat, withdraw; *retiro m* ✕, ✝ withdrawal; (*sueldo*) pension, retirement pay; (*jubilación*) retirement.

reto *m* challenge; (*amenaza*) threat; *S.Am.* insult.

retocar [1g] retouch, touch up.

retoñar [1a] ♀ sprout; *fig.* reappear, recur; **retoño** *m* ♀ shoot.

retoque *m* retouching, touching-up; (*última mano*) finishing touch.

retorcer [2b *a.* 2h] twist; *manos* wring; *argumento* turn; *sentido* twist; ∼**se** twist, twine; writhe.

retórica *f* rhetoric; ∼*s pl.* quibbles.

retornar [1a] *v/t.* return, give back;

turn back; *v/i.* return; **retorno** *m* return; (*pago*) reward, payment.

retozar [1f] frolic, frisk, gambol, romp; **retozo** *m* frolic *etc.*; ~ de la risa giggle; **retozón** playful.

retractar [1a] retract, withdraw; **~se** recant, retract; **retráctil** retractable.

retraer [2p] bring back, bring again; *fig.* dissuade, discourage; **~se** retire, retreat; take refuge; retract; ~ de withdraw from, give up; shun; **re-traído** retiring, shy; unsociable; *b.s.* backward; **retraimiento** *m* (*acto*) withdrawal *etc.*; (*lugar*) retreat, refuge.

retransmisión *f* *radio:* repeat (broadcast); **retransmitir** [3a] repeat; relay.

retrasar [1a] *v/t.* delay, defer, put off; *evolución etc.* retard, slow down; *reloj* put back; *v/i.* (*reloj*) be slow; = **~se** (*p.*, 🚂 *etc.*) be late; **retrasado** (mentally) retarded; **retraso** *m* delay; timelag; slowness, lateness; con ~ late.

retratar [1a] portray (*a. fig.*); *fig.* describe; **retrato** *m* portrait; *fig.* description; *fig.* (*imagen fiel*) likeness.

retreta *f* ✠ (*toque de*) ~ tattoo; re-treat.

retrete *m* lavatory; toilet.

retro... retro...; **~activo** retroactive; retrospective; **~carga**: de ~ breech-loading; *arma de* ~ breech loader; **~ceder** [2a] draw back, stand back; go back, turn back *en viaje etc.*; back down, flinch (*ante peligro* from); (*agua etc.*) fall; **~ceso** *m* backward movement, falling back.

retruécano *m* play on words.

retumbante booming, resounding; **retumbar** [1a] boom, reverberate; **retumbo** *m* boom *etc.*

reuma *m* rheumatism; **reumatismo** *m* rheumatism.

reunión *f* meeting, gathering, re-union; *pol.* meeting, rally; (*fiesta*) party; **reunir** [3a] *cosas separadas* join (together), (re)unite; *cosas dispersas* gather (together), assemble, get together; *colección* make; *datos etc.* collect; *fondos* raise; *cualidades* combine; **~se** (*juntarse*) meet, get together, gather; (*unirse*) unite.

revancha *f* revenge; *deportes:* return match.

revelación *f* revelation; disclosure; **revelado** *m* *phot.* developing; **reve-lador** 1. revealing, telltale; 2. *m* *phot.* developer; **revelar** [1a] *mst* reveal; disclose, betray, give away; *phot.* develop.

revendedor *m*, **-a** *f* retailer; *b.s.* speculator; *deportes:* ticket tout; **re-vender** [2a] resell, retail; *b.s.* spec-ulate in; *entradas* tout.

reventa *f* resale.

reventar [1k] 1. *v/t.* burst; crush, smash; *fig.* ruin; F (*cansar*) bore to tears; F (*molestar*) rile; F (*hacer tra-bajar*) overwork, work to death; 2. *v/i.* burst; explode, pop; (*brotar*) burst forth; (*olas*) break; 3. **~se** burst *etc.*; **reventón** *m* burst; explosion; *mot.* blow-out; *fig.* steep hill, tough climb; (*apuro*) jam.

reverdecer [2d] grow green again; *fig.* acquire new vigor.

reverencia *f* reverence; (*saludo*) bow de hombre, curtsy de mujer; **reveren-cial** reverential; **reverenciar** [1b] revere, venerate; **reverendo** re-spected, reverend; *eccl.* reverend; **reverente** reverent.

reversible *mst* reversible; 🏛 rever-sionary; **reversión** *f* reversion; **re-verso** *m* back, other side; reverse de moneda; el ~ de la medalla *fig.* the other side of the picture.

revés *m* (*cara*) back, other side, underside; (*golpe*) slap; *tenis:* back-hand; *fig.* reverse, setback; al ~ tela *etc.* inside out, upside down; (*adv.*) on the contrary.

revestir [3l] *ropa* put on, wear; *super-ficie* clothe (de in); *esp.* ⊕ face, coat; line; sheathe; *fig. suelo etc.* carpet (de with); *cuento* adorn (de with); *p.* invest (con, de with); *importancia* have; **~se** be carried away; (*engreírse*) be haughty; ~ con, ~ de autoridad etc. be invested with.

revisada *f* *Am.* examination, revi-sion; **revisar** [1a] revise; reexamine; review (*a.* 🏛); check; *esp.* ⊕ over-haul; **revisión** *f* revision; review (*a.* 🏛); check; *esp.* ⊕ overhaul.

revista *f* review (*a.* ♣, ✗), inspection; revision; *thea.* revue; *lit.* review, magazine; 🏛 retrial; pasar ~ a = **revistar** [1a] ♣, ✗ inspect, review; **revistero** *m* reviewer.

revivificar [1g] revitalize; **revivir** [3a] revive, be revived; live again.

revocación *f* revocation, repeal; reversal; **revocar** [1g] *orden etc.* revoke, repeal; *decisión* reverse; dis-

suade (de from); *casa* plaster; **revo-catoria** *f Am.* recall; cancellation, repeal.

revolcar [1g *a.* 1m] *p. etc.* knock down, knock over, send flying; F *adversario* floor; **~se** roll, flounder about; (*esp. animal*) wallow.

revoltijo *m*, **revoltillo** *m* jumble, mess, litter; *fig.* mess.

revoltoso 1. rebellious, unruly; *niño* naughty; **2.** *m* rebel; *pol.* trouble-maker, agitator.

revolución *f mst* revolution (*a.* ⊕); turn; **revolucionar** [1a] revolutionize; **revolucionario** *adj. a. su. m*, **a** *f* revolutionary.

revólver *m* revolver.

revolver [2h; *p.p.* revuelto] (*agitar, sacudir*) shake; *líquido* stir (up); *tierra* turn up, turn over; *objeto* turn round, turn over (*or* upside down); *estómago* turn; **~se** turn (right) round, turn over *etc.*; toss and turn *en cama*; *ast.* revolve; (*tiempo*) change.

revuelo *m* disturbance; rumpus; *de ~* incidentally, in passing.

revuelta *f* (*motín*) revolt; disturbance; turn, bend *de camino*; change *de parecer etc.*; (*disputa*) quarrel, row; **revuelto 1.** *p.p. of* revolver; *agua* troubled; *v. huevo*; **2.** *adj.* in disorder; confused, complicated.

rey *m* king (*a. naipes, ajedrez*); los 2es Magos the Three Wise Men.

reyerta *f* quarrel; fight, brawl.

rezagado *m* latecomer; loiterer; ✕ straggler; **rezagar** [1h] outdistance, leave behind; (*aplazar*) postpone; **~se** fall (*or* get left) behind; lag (behind).

rezar [1f] *v/t.* say; *v/i.* pray, say one's prayers; (*texto*) read, say, run; **rezo** *m* (*acto*) praying; (*una oración*) prayer; (*oraciones*) prayers.

rezongar [1h] grumble, mutter; growl; **rezongo** *m* grumble; growl; **rezongón** grumbling.

rezumar [1a] *v/t.* ooze, exude; *v/i.* ooze (out), seep, leak out (*a. fig.*).

ría[1] *etc. v.* reír.

ría[2] *f* estuary, mouth of a river.

riachuelo *m* brook, stream.

ribera *f* shore, beach; bank *de río*; **ribereño** riverside *attr.*

ribete *m sew. etc.* edging, border; *fig.* addition; *fig.* trimmings, embellishments *de cuento*; **~s** *pl. fig.* streak, touch; *tener sus ~s de* have some appearance of being.

rico 1. rich, wealthy; (*fértil, suntuoso*) rich (*en* in); *comida* delicious; *dulces etc.* rich; *fruto* luscious; **2.** *m*, **a** *f* wealthy man *etc.*; *nuevo ~* nouveau riche.

ridiculizar [1f] ridicule, deride; guy; **ridículo** ridiculous, absurd, ludicrous; (*delicado*) touchy.

riego *m* watering; irrigation; *fig.* sprinkling; *~ por aspersión* spray.

riel *m* 🚋 rail; *metall.* ingot.

rienda *f* rein; *a ~ suelta* at top speed; *fig.* without the least restraint; *dar ~ suelta a* give free rein to; give *s.o.* his head; *deseos* indulge; *soltar las ~s* kick over the traces.

riente laughing, merry; *paisaje* smiling, bright.

riesgo *m* risk; danger; *correr ~ de inf.* run the risk of *ger.*; **riesgoso** *Am.* risky.

rifa *f* raffle; (*riña*) quarrel; **rifar** [1a] *v/t.* raffle; *v/i.* quarrel, fight.

rifle *m* rifle; **riflero** *m* rifleman.

rigidez *f* rigidity *etc.*; *cadavérica* rigor mortis; **rígido** rigid; stiff; *fig.* strict, stern (*con, para* towards), unbending; **rigor** *m* rigor, severity (*a. meteor. etc.*); harshness, strictness; *en ~* strictly speaking; **riguroso** rigorous; *crítico, pena, tiempo etc.* severe, harsh; strict; stringent.

rima *f* rhyme; **~s** *pl.* poems, poetry; **rimar** [1a] rhyme (*con* with).

rimbombante resounding, echoing; *fig.* bombastic; (*vistoso*) show.

rímel *m* mascara.

rimero *m* stack, heap.

rincón *m* (inside) corner; *fig.* corner, nook, retreat; patch *de terreno etc.*; **rinconada** *f* corner.

ringl(er)a *f* row, line; swath.

ringorrango *m* F flourish *de pluma*; *fig.* trimmings, frills.

riña *f* quarrel; (*con golpes*) fight, scuffle; *~ de gallos* cockfight.

riñón *m anat.* kidney; *fig.* heart.

río *m* river; *~ abajo* downstream; *~ arriba* upstream; *~ de oro fig.* goldmine; *a ~ revuelto* in disorder.

rió *etc. v.* reír.

ripio *m* residue, refuse; (*cascote*) debris, rubble; (*palabrería*) verbiage, padding.

riqueza *f* wealth, riches; (*fertilidad, sabor, de estilo*) richness; **~s** *pl. del subsuelo* mineral resources.

risa *f* (*una ~*) laugh; (*en general*) laughter, laughing; *cosa de ~* joke,

laughing matter; ¡qué ~! how funny!; *desternillarse de* ~ split one's sides.

risco *m* cliff, bluff, crag.

risible ludicrous, laughable.

risotada *f* guffaw, horselaugh.

ristra *f* string.

risueño smiling; *disposición* cheerful, sunny; *paisaje* smiling.

rítmico rhythmic(al); **ritmo** *m* rhythm.

rito *m* rite; ceremony; **ritual** *adj. a. su. m* ritual.

rival 1. rival, competing; 2. *m/f* rival, competitor; **rivalidad** *f* rivalry, enmity; **rivalizar** [1f] compete, vie; ~ *con* rival.

rizado *pelo* curly; *superficie* crinkly; crisp; **rizador** *m* curling-iron, hair-curler; **rizar** [1f] *pelo* curl; crisp; *superficie* crinkle; *agua* ripple, ruffle; ~**se** curl *etc.*; **rizo** 1. curly; 2. *m* curl, ringlet; ripple *de agua*; ~*s pl.* ♣ reefs; **rizoso** curly.

roano roan.

robar [1a] *poseedor* rob (*algo a alguien* s.o. of s.t.); *posesión* steal (*a* from); (*secuestrar*) abduct, kidnap.

roblar [1a] rivet, clinch.

roble *m* oak (tree); **robledal** *m*, **robledo** *m* oak wood.

robo *m* robbery; theft, thieving.

robot *m* robot; **robotización** *f* robotization, use of robots.

robustez *f* robustness; **robusto** robust; strong, sturdy; tough; hardy.

roca *f* rock.

roce *m* rub(bing); *esp.* ⊕ friction; graze *en piel*; close contact; *tener* ~ *con* be in close contact with.

rociada *f* splash; shower, sprinkling; (*aspersión*) spray; shower *de piedras*, hail *de balas*; **rociador** *m* spray, sprinkler; **rociar** [1c] *v/t.* sprinkle, spray (de with); spatter *de lodo etc.*; *fig.* scatter, shower.

rocín *m* hack, nag; F lout; **rocinante** *m* poor old horse.

rocío *m* dew; (*llovizna*) drizzle; *fig.* sprinkling.

rockero *m* F rock singer.

rocoso rocky.

rodada *f* rut, (wheel) track; *S. Am.* fall.

rodado *circulación* wheeled, on wheels; *piedra* rounded; *caballo* dappled; **rodaja** *f* (*rueda*) small wheel, castor; disc, round; slice *de pan etc.*; **rodaje** *m* ⊕ (set of) wheels; *cine:*

shooting, filming; *mot.* en ~ running-in; **rodante** rolling; **rodapié** *m* skirting board; **rodar** [1m] *v/t.* *vehículo* wheel; *cosa redonda* roll; *mot.* run in; *película* shoot; *v/i.* roll (*por* along, down *etc.*); go, run, travel *sobre ruedas*; rotate, revolve *en eje*.

rodear [1a] *v/t.* surround (de by, with); ring, encircle, shut in; *S.Am.* *ganado* round up; *v/i.* go round; (*camino*) make a detour; *fig.* beat about the bush; ~**se** turn, toss, twist; **rodeo** *m* detour *de camino*; roundabout way, long way round; *fig.* dodge; pretext; circumlocution; cattle-pen; *S.Am.* 🖙 roundup, rodeo; *sin* ~*s* outright.

rodilla *f* knee; *de* ~*s* kneeling; *caer de* ~*s* fall on one's knees; *estar* (*or hincarse, ponerse*) *de* ~*s* kneel (down); *hincar la* ~ kneel down; *fig.* bow (*ante* to).

rodillo *m* roller; *cocina:* rolling pin; ink roller *para entintar*.

roedor 1. gnawing (*a. fig.*); 2. *m* rodent; **roer** [2z] gnaw; nibble; *hueso* pick; *metal* corrode, eat into.

rogar [1h *a.* 1m] *v/t. p.* beg; plead with; *cosa* beg for, ask for, plead for; ~ *que* beg *inf.*; ask that; *v/i.* beg, plead (*por* for); (*orar*) pray; *hacerse* (de) ~ have to be coaxed.

rojez *f* redness; **rojillo** *pol.* pink; **rojizo** reddish; ruddy; **rojo** 1. red (*a. pol.*); ruddy; 2. *m* red (*a. pol.*); ~ *cereza* cherry-red; ~ *de labios* lipstick.

rollizo *p.* plump; stocky, sturdy; *niño* chubby; *mujer* plump, buxom.

rollo *m* roll; *cocina:* rolling pin.

romadizo *m* head-cold.

romana *f* steelyard.

romance 1. *lengua* romance; 2. *m* romance (language); Spanish (language); **romancero** *m* collection of ballads; **románico** *lengua* romance; **romano** *adj. a. su. m*, **a** *f* Roman (*a. typ.*); **romanticismo** *m* romanticism; **romántico** *adj. a. su. m* romantic.

romería *f eccl.* pilgrimage; gathering at a shrine; *fig.* trip, excursion; **romero**[1] *m*, **a** *f* pilgrim.

romero[2] *m* ♣ rosemary.

romo blunt; *p.* snub-nosed.

rompecabezas *m* (*problema*) puzzle, teaser; (*acertijo*) riddle; (*dibujo*) jigsaw puzzle; **rompedero** fragile,

breakable; **rompedora-cargadora** *f* ⚒ power loader; **rompehielos** *m* icebreaker; **rompehuelgas** *m* strike breaker; **rompeolas** *m* breakwater; **romper** [2a; *p.p. roto*] **1.** *v/t. plato etc.* break, smash, shatter; *cuerda etc.* break, snap; *presa, cerca etc.* break through, breach; *papel, tela* tear (up), rip (up); *ropa* tear; wear out; *tierra* break up; *aguas* cleave; *niebla, nubes* break through; *ayuno* break; *hostilidades* open up, start; *relaciones* break off; **2.** *v/i.* (*día, olas*) break; ♀ burst (open); (*guerra etc.*) break out; (*ps.*) fall out (*con* with); ~ *a inf.* suddenly start to *inf.*; F *de rompe y rasga* determined; **rompiente** *m* (*ola*) breaker; (*escollo*) reef; ~*s pl.* breakers, surf; **rompimiento** *m* (*acto*) breaking *etc.*; (*abertura*) opening, breach, crack.

ron *m* rum.

roncar [1g] snore; (*mar etc.*) roar.

ronco *p.* hoarse; throaty, husky; *sonido* harsh, raucous.

roncha *f* bruise, weal; swelling *de picadura*.

ronda *f* night patrol, (night) watch; beat *de policía*; (*ps.*) watch, patrol; (*con canto*) serenaders; round *de bebidas etc.*; ~ *negociadora* round of negotiations; **rondar** [1a] *v/t.* patrol, go the rounds of; *fig.* haunt, hang about; *v/i.* (*policía*) be on patrol, go the rounds; prowl (round), hang about.

ronquedad *f*, **ronquera** *f* hoarseness *etc.*; **ronquido** *m* snoring; (*un* ~) snore; *fig.* roar.

ronronear [1a] purr; **ronroneo** *m* purr(ing).

ronzal *m* halter.

ronzar [1f] crunch, munch.

roña *f vet.* scab *de oveja*, mange *de perro*; ♀ rust; (*mugre*) filth, grime; = **roñería** *f* meanness; **roñoso** scabby, mangy; dirty; stingy.

ropa *f* clothing, clothes, dress; ~ *blanca* linen; ~ *blanca* (*de mujer*) lingerie; ~ *de cama* bedclothes, bedding; ~ *dominguera* Sunday best; ~ *hecha* ready-made clothes; ~ *interior* underwear, underclothes; ~ *lavada*, ~ *por lavar*, ~ *sucia* laundry, washing; *a quema* ~ point-blank; *tentarse la* ~ think long and hard; **ropaje** *m* (*ropa*) clothing, (*vestido*) gown, robe; (*paños*) drapery; *fig.* garb; **ropavejero** *m* old-clothes

dealer; **ropería** *f* clothing trade; (*tienda*) clothier's; **ropero** *m* clothier; (*mueble*) wardrobe.

rosa *f* rose; red spot, birthmark *en cuerpo*; *caminito de* ~*s* primrose path; ~ *de los vientos*, ~ *náutica* compass; *color* (*de*) ~ rose, pink; **rosado** pink, rosy; **rosal** *m* rose tree, rose bush; ~ *silvestre* dogrose; ~ *trepador* rambler rose; **rosaleda** *f* rose garden, rosebed.

rosario *m* rosary, beads, chaplet; *rezar el* ~ tell one's beads.

rosbif *m* roast beef.

rosca *f* coil, spiral; ⊕ screw, thread *de tornillo*; *cocina*: ring-shaped roll *etc.*; ⚓ *en* ~ light.

róseo roseate, rosy.

roseta *f* ♀ small rose; rose *de regadera*; red patch *en mejilla*; (*adorno*) rosette; ~*s pl.* popcorn; **rosetón** *m* △ rosette; △ rose (window).

rostro *m anat.* countenance, face; ♀ beak; *hist., zo. etc.* rostrum; *hacer* ~ *a* face (up to).

rotación *f* rotation; revolution; **rotativo** rotary; revolving; **rotatorio** rotary, rotatory.

rotisería *f Am.* fast-food restaurant.

roto 1. *p.p. of romper*; **2.** broken; torn; (*andrajoso*) ragged.

rótula *f* knee-cap; ⊕ ball-and-socket joint; **rotulador** *m* felt pen.

rotular [1a] label; ticket; letter; mark, inscribe; (*titular*) head, entitle; **rotulata** *f* label, ticket, tag; **rótulo** *m* label, ticket, tag; inscription.

rotundo *negativa etc.* round, flat; *lenguaje etc.* sonorous.

rotura *f* (*acto*) breaking *etc.*; (*abertura*) opening, breach, break; **roturación** *f* ⚘ reclamation; **roturar** [1a] ⚘ break up.

rozadura *f* rub(bing); chafing; *esp.* ⚕ abrasion, graze, sore spot; **rozagante** striking; *b.s.* showy; *fig.* proud; **rozamiento** *m* friction (*a.* ⊕), rubbing; **rozar** [1f] *v/t. a. v/i. tierra* clear; *hierba* crop, graze; nibble; (*ludir*) rub (against, on), chafe, scrape; ⚕ *piel* chafe, graze; (*tocar ligeramente*) shave, graze; *superficie* skim; ~*se fig.* hobnob, rub shoulders (*con* with).

ruano roan.

rubéola *f* German measles.

rubí *m* ruby; jewel *de reloj*.

rubia *f* (*p.*) blonde; *mot.* shooting

brake; ♀ madder; *sl.* one peseta; ∼ *de bote*, ∼ *oxigenada* peroxide blonde; ∼ *platino* platinum blonde; **rubicundo** reddish; ruddy; rubicund; **rubio** fair, fair-haired; blond(e).

rubor *m* bright red; blush, flush *en cara*; *fig.* bashfulness; **ruborizarse** [1f] blush (*de at*, with), flush, redden; **ruboroso** blushing, red.

rúbrica *f* rubric (*a. eccl.*), heading; (*señal*) red mark; flourish *tras firma*; ser de ∼ be in line with custom; **rubricar** [1g] sign with a flourish; (*y sellar*) sign and seal.

rucio 1. *caballo* (silver-)gray; *p.* grey-haired; **2.** *m* grey.

ruda *f* rue.

rudeza *f* coarseness *etc.*

rudo (*tosco*) coarse, rough, crude; (*áspero*) rough; *golpe* hard; (*penoso*) hard, tough; (*grosero*) rude, ill-mannered; (*bobo*) simple.

rueca *f* distaff.

rueda *f* wheel; roller, castor *de mueble etc.*; ring, circle *de ps. etc.*; (*suplicio*) rack; (*rebanada*) round; ∼ *de andar* treadmill; ∼ *de cadena* sprocket-wheel; ∼ *dentada* gear wheel; cog (-wheel); ∼ *de escape* escapement wheel; ∼ *de fuego* pinwheel; ∼ *libre* free wheel; ∼ *de molino* millstone; ∼ *motriz* drive wheel; ∼ *de paletas* paddle wheel; ∼ *de prensa* press conference; ∼ *de presos criminales* line-up; ∼ *de recambio* spare wheel; ∼ *de trinquete* ratchet wheel; en ∼ in a ring; **ruedecilla** *f* roller, castor.

ruedo *m* (*giro*) turn, rotation; edge, circumference; (*estera*) mat; *toros*: bullring, arena.

ruego *m* request; entreaty.

rufián *m* pimp, pander; (*brutal*) lout, hooligan.

rugido *m* roar *etc.*; **rugir** [3c] (*león*) roar; (*toro etc.*) bellow; (*tempestad*) roar, howl; (*tripas*) rumble.

rugoso wrinkled, creased.

ruibarbo *m* rhubarb.

ruido *m* noise; sound; (*muy ruidoso*) din, row; noisiness; *fig.* repercussions; (*protestas*) outcry, stir; **ruidoso** noisy, loud; *suceso* sensational; *oposición* vocal, noisy.

ruin (*vil*) mean, despicable; (*pequeño*) small; (*mezquino*) petty; (*avaro*) mean; *trato* shabby, heartless; *animal* vicious.

ruina *f* mst ruin; downfall, collapse, wreck, ∼s *pl.* ruins.

ruindad *f* meanness *etc.*

ruinoso ruinous, tumbledown, ramshackle; *empresa* disastrous.

ruiseñor *m* nightingale.

ruleta *f* roulette; **ruletero** *m Mex.* taxi driver.

rulo *m* roll; roller; rolling pin.

rumbo *m esp.* ♣ course, direction, bearing; F show(iness), pomp; *Am.* noisy celebrating; ∼ *nuevo fig.* departure; con ∼ a bound for, headed for; in the direction of; *hacer* ∼ a set a course for, head for; F *de mucho* ∼ = **rumbón** F, **rumboso** F very fine, big, splendid.

rumiar [1b] *v/t.* chew; F chew over, brood on (*or* over); *v/i.* chew the cud; F ruminate; brood.

rumor *m* murmur, mutter, buzz *de voces*; (*voz*) rumor; **rumorear** [1a]: se rumorea que it is rumored that; **rumoroso** noisy, loud.

runrún *m* F purr(ing) *de gato*; (*ruido*) murmuring; (*voz*) buzz.

ruptura *f fig.* rupture; breaking *de contrato*; breaking-off *de relaciones*.

rural rural; country *attr.*

rusticidad *f* rusticity *etc.*; **rústico** rustic, country *attr.*; *b.s.* coarse, uncouth; en ∼a paper-backed.

ruta *f* route; (*señal de carretera*) main road, through road.

rutina *f* routine; round; por ∼ as a matter of course; **rutinario** routine; everyday; humdrum.

S

sábado *m* Saturday; (*judío*) Sabbath.

sábana *f* sheet; *eccl.* altar cloth.

sabañón *m* chilblain.

saber [2n] **1.** *v/t.* know; (*estar enterado de*) know about, be aware of; *en pretérito freq.* learn, get to know, find

out; ∼ *inf.* know how to *inf.*, can *inf.*; *hacer* ∼ inform; ∼ *de* know about, know of; *p. ausente* hear from; *a* ∼ namely; **2.** *v/i.*: ∼ a *a* taste like; *esp. fig.* smack of; **3.** *m* knowledge, learning.

sabidillo m, **a** f know-it-all; **sabido** well-informed, knowledgeable; de ~ for sure; **sabiduría** f wisdom; knowledge; learning; **sabiendas:** a ~ knowingly; a ~ de que knowing full well that; **sabihondo** adj. a. su. m, **a** f know-it-all, smart aleck; **sabio 1.** wise, learned; knowing; animal trained; **2.** m, **a** f learned man etc.; wise person; ☐ scholar.

sablazo F: dar un ~ raise the wind, make a touch (de for).

sable m sabre, cutlass.

sabor m taste, flavor; savor(iness); con ~ a miel honey-flavored; **saborear** [1a] flavor; (percibir el sabor de) savor, relish, taste; ~se smack one's lips; **saborete** m slight flavor.

sabotaje m sabotage; **saboteador** m saboteur; **sabotear** [1a] sabotage.

sabroso tasty, delicious; F salty.

sabueso m bloodhound (a. fig.).

saca[1] f big sack.

saca[2] f (acto) taking out; ✝ export, exporting; estar de ~ be on sale; F be of on age to marry.

saca...: ~**bocados** m ⊕ punch; ~**botas** m boot jack; ~**corchos** m corkscrew; ~**cuartos** m F, ~**dineros** m F cheap trinket; (maña) cheat; ~**manchas** m/f dry cleaner; ~**muelas** m F dentist; ~**puntas** m pencil sharpener.

sacar [1g] (extraer) take out, get out, pull out, draw out; extract (a. 🧪); withdraw; (quitar) remove; (exceptuar) exclude, remove; (obtener) get; arma draw; billete, entrada buy, book; copia make; cuentas make up; dinero draw (out) de banco; foto take; lengua, mano etc. put out, stick out.

sacarina f saccharin.

sacerdocio m priesthood; ministry; **sacerdote** m priest.

saciar [1b] satiate, surfeit (de on, with); hambre, deseos etc. appease.

saco[1] m bag, sack; ✗ kit bag; S.Am. jacket; ~ de dormir sleeping bag; ~ de viaje travelling bag.

saco[2] m ✗ sack; entrar a ~ sack, loot.

sacramental sacramental; fig. time-honored; **sacramento** m sacrament; **sacrificar** [1g] sacrifice; slaughter en matadero; perro etc. put to sleep; **sacrificio** m sacrifice; slaughter(ing); **sacrilegio** m sacrilege; **sacrílego** sacrilegious; **sacristán** m sexton; **sacristía** f vestry, sacristy; **sacro** sacred, holy; **sacrosanto** most holy; sacrosanct.

sacudida f shake; jerk; jolt, bump esp. de vehículo; shock de terremoto etc.; blast de explosión; jerk, toss de cabeza; pol. etc. upheaval; **sacudidura** f, **sacudimiento** m shaking etc.; **sacudir** [3a] (agitar) shake; brazo, pasajeros etc. jerk, jar, jolt; cabeza etc. jerk, toss; (hacer oscilar) rock; beat.

sádico sadistic; **sadismo** m sadism.

saeta f ✗ arrow, dart; hand de reloj; magnetic needle.

saga f saga.

sagacidad f shrewdness etc.; **sagaz** shrewd, clever, sagacious.

Sagitario m ast. Sagittarius.

sagrado 1. sacred, holy; **2.** m sanctuary; **sagrario** m sanctuary.

sahumar [1a] perfume, smoke.

sal[1] f salt; fig. (donaire) charm; (viveza) liveliness; (agudeza) wit, wittiness; ~ amoníaca sal ammoniac; ~es pl. (aromáticas) smelling salts; ~ de fruta fruit salts; ~ gema rock salt; ~ de la Higuera Epsom salts; ~ de la tierra salt of the earth.

sal[2] v. salir.

sala f (a. ~ de estar) drawing room, sitting room, lounge; (pública) hall; thea. house, auditorium; 🎖 ward; ⚖ court; ~ de calderas boiler room; ~ del cine movie theater; ~ de lo civil civil court; ~ de conferencias lecture room; ~ de enfermos infirmary; ~ de espectáculos concert-room, hall; ~ de espera waiting room; ~ de estar living room, sitting room; ~ de fiestas night club; ~ de justicia law court; ~ de lectura reading room; ~ de máquinas engine room; ~ de muestras showroom; ~ de operaciones operating room; ~ de recibo parlor; ~ de subastas sale room; en ~ deporte indoor.

saladar m salt marsh; **salado** salt(y); fig. (encantador) charming, cute; (vivo) lively; lenguaje etc. racy; (agudo) witty.

salar [1a] salt, cure.

salario m wage(s).

salaz salacious, prurient.

salchicha f (pork) sausage; **salchichería** f pork butcher's; **salchichón** m (salami) sausage.

saldar [1a] cuenta settle; cuentas balance; existencias sell off; libros remainder; **saldo** m (acto) settlement; (cantidad) balance; (venta) (clearance) sale; (géneros) remnant(s); ~

acreedor credit balance; ~ *deudor* debit balance.

salero *m* salt-cellar; *(almacén)* salt store; F wit; charm; *(gancho)* sex appeal; **saleroso** F = *salado*.

salida *f (puerta etc.)* way out, exit; ⊕ *etc.* outlet, vent; *geog.* outlet (*al mar* to the sea); *(acto)* going out *etc.*; emergence; ♚, ⚔ departure; rising *de sol*; *deportes:* start; leak *de gas, líquido*; ✕ sally, sortie; ⊕ output; ✝ *(inversión)* outlay; *(venta)* sale; *(mercado)* outlet, opening; *(resultado)* issue, outcome, result; △ projection; *(escapatoria)* loophole, way out; F crack, joke; ~ *de baño* bathrobe; ~ *de emergencia* emergency exit; ~ *fácil* ready market; ~ *lanzada* flying start, running start; ~ *del sol* sunrise; ~ *de teatro* evening wrap; ~ *de teatros* after-theater party; ~ *de tono* remark out of place; *dar* ~ *a cólera etc.* vent; ✝ place, find an outlet for; ✝ *tener* ~ sell well.

salido projecting, bulging; *hembra* on heat; **salidizo** *m* projection; **saliente 1.** △ *etc.* projecting; *sol* rising; **2.** *m* projection.

salir [3r] *(pasar fuera)* come out, go out; appear; emerge *(de* from); issue, arise; *(sol)* rise; *thea.* (*a.* ~ *a escena*) come on, go on; *(partir)* leave, depart (*a.* ♚, ⚔); *para* for; ♬ sail; ♀ come up (*a. puesto*); *(escapar)* get out (de of), escape (de from); *(mancha)* come off; *(sobresalir)* project, jut out, stick out *etc.*; *deportes:* start; *ajedrez:* have first move; *naipes:* lead; *(lotería)* win a prize (*a.* ~ *premiado*); *(resultar)* prove, turn out (to be); *le salió un diente* he cut a tooth; ~ *corriendo etc.* run *etc.* out; ~ *ganando deportes:* win; *fig.* be the gainer; ✝ be in pocket; ~ *perdiendo deportes:* lose; *fig.* be the loser; ✝ be out of pocket; ~ *elegido* be elected; ~ *bien (p.)* succeed, make good; pass *en examen; (suceso)* go off well.

saliva *f* spit, spittle, saliva; *(no) gastar* ~ (not) waste one's breath (*en* on); **salivar** [1a] salivate.

salmo *m* psalm; **salmodia** *f* psalmody; F singsong, drone.

salmón *m* salmon.

salmuera *f* pickle, brine.

salón *m* lounge; *(público)* hall; *paint.* salon; ~ *de baile* ballroom, dance hall; ~ *de belleza* beauty parlor; ~ *de demostraciones* showroom; ~ *de pin-*

tura art exhibition; ~ *de sesiones* assembly hall; *juego de* ~ parlor game.

salpicadero *m mot.* dashboard.

salpicadura *f* splash(ing) *etc.*; **salpicar** [1g] splash, spatter (*de* with); sprinkle (*de* with).

salpimentar [1a] season.

salsa *f* sauce; gravy *para carne asada*; dressing *para ensalada*; *fig.* appetizer; ~ *de tomate* tomato sauce; **salsera** *f* gravy boat.

saltamontes *m* grasshopper.

saltar [1a] **1.** *v/t.* leap (over), jump (over); vault; skip *en lectura*; **2.** *v/i.* leap, jump, spring (*a* on, *por* over); vault; dive, plunge (*a agua* into); hop, skip *a la comba etc.*; *(rebotar)* bounce, fly up; *(tapón)* pop out; *(botón)* come off; ⊕ *(pieza)* fly off; *(líquido)* spurt up, shoot up; *(vaso)* break, crack; burst; explode; *biol.* ~ *atrás* revert; ~ *sobre* pounce on.

salteador *m:* ~ *de caminos* highwayman, robber; **salteamiento** *m* hold up; **saltear** [1a] hold up.

salto *m* leap, jump, spring, bound; vault; hop, skip; dive, plunge; pounce *sobre presa*; *(sima)* chasm; passage skipped, part missed *en lectura*; ~ *de agua* waterfall; ⊕ chute; ~ *de altura* high jump; ~ *de ángel* swan dive; ~ *de cabeza* header; ~ *de cama* négligée, dressing gown; ~ *de carpa* jackknife (dive); ~ *a ciegas* leap in the dark; ~ *con garrocha*, ~ *con pértiga* pole vault; ~ *de esquí* ski jump; ~ *de longitud* long jump; ~ *mortal* somersault; ~ *ornamental* fancy dive; ~ *palanca* highdive; *triple* ~ hop step and jump; ~ *de trampolín* (springboard) dive; ~ *de viento* ⚓ sudden shift in the wind; *a* ~*s* by leaps and bounds; *(a empujones)* by fits and starts; *de un* ~ in one bound; *bajar etc. de un* ~ jump down *etc.*; *en un* ~ *fig.* in a jiffy; **saltón 1.** *ojos* bulging; *dientes* protruding; **2.** *m* grasshopper.

salubre healthy, salubrious; **salubridad** *f* healthiness; *S.Am.* (public) health; **salud** *f* ♀ health; *fig.* welfare, wellbeing; *eccl.* salvation; ¡*a su* ~! good health!; *beber a la* ~ *de* drink (to) the health of; *estar bien (mal) de* ~ be in good (bad) health; **saludable** *fig.* salutary; **saludar** [1a] greet; say hullo to F; hail; *esp.* ✕ salute; **saludo** *m* greeting; *esp.* ✕ salute; ~*s (en carta)*

best wishes; un ~ afectuoso kind regards; **salutación** f greeting.

salva f ✗ salute, salvo; (bienvenida) greeting; volley, salvo de aplausos.

salvación f eccl. etc. salvation; rescue, delivery (de from).

salvador m, **-a** f rescuer, deliverer.

salvaguardar [1a] safeguard; **salvaguardia** f safe conduct.

salvajada f barbarity, savage deed etc.; **salvaje 1.** mst wild; (feroz) savage; **2.** m/f savage; **salvajería** f savagery; (acto) barbarity; **salvajino** wild; savage; carne gamy.

salvamento m rescue; salvage; fig. salvation; (lugar) place of safety; de ~ life-saving; v. bote etc.; **salvar** [1a] save (a. eccl.), save, barring; a ~ safely; out of danger; a ~ de safe from; en ~ out of danger; ~ que except that; unless; **salvoconducto** m safe conduct.

salvo 1. adj. safe; saved; **2.** adv., prp. except (for), save, barring; a ~ safely; out of danger; a ~ de safe from; en ~ out of danger; ~ que except that; unless; **salvoconducto** m safe conduct.

san saint (mst escrito St.); F ¡voto a ~es! in heaven's name!

sanable curable; **sanalotodo** m fig. panacea, cure-all; **sanar** [1a] v/t. cure (de of), heal; v/i. (p.) recover; (herida) heal; **sanativo** healing; **sanatorio** m sanatorium.

sanción f sanction; penalty; **sancionar** [1a] sanction.

sandalia f sandal.

sandez f foolishness.

sandía f watermelon.

saneamiento m ⚖ surety; indemnification; drainage; sanitation de casa; **sanear** [1a] ⚖ guarantee; indemnify; terreno drain.

sangradera f ⚕ lancet; **sangradura** f ⚕ bleeding, blood-letting; outlet, draining; **sangrar** [1a] v/t. ⚕ bleed; fig. ♪ etc. drain; árbol, horno tap; typ. indent; v/i. bleed; **sangre** f blood; ~ azul blue blood; ~ fría sangfroid, coolness; a ~ fría in cold blood; a ~ y fuego by fire and sword; without mercy; mala ~ bad blood; pura ~ m/f thoroughbred; de pura ~ thoroughbred; ~ vital life-blood; echar ~ bleed; se me heló la ~ my blood ran cold; **sangría** f bleeding,

tapping etc.; (bebida) sangría; **sangriento** bloody; gory; arma etc. bloodstained; p. bloodthirsty; injuria deadly; **sangriligero** Am. nice; pleasant; **sangripesado** Am. unpleasant.

sanguijuela f leech (a. fig.); **sanguinario** bloodthirsty, bloody; **sanguíneo** vaso etc. blood attr.

sanidad f sanitation; (lo sano) health (-iness); ~ pública public health; inspector de ~ sanitary inspector; **sanitario** sanitary; instalación ~a sanitation; **sano** p. healthy, fit; comida etc. wholesome; fruta, doctrina etc. sound; ~ y salvo safe and sound.

santa f saint.

santidad f holiness, sanctity; saintliness; su ♀ His Holiness; **santificar** [1g] sanctify; hallow.

santiguar [1i] make the sign of the cross over; F slap; ~se cross o.s.

santo 1. holy; esp. p. saintly; mártir blessed (a. F); **2.** m saint; saint's day; ~ y seña password; fig. watchword; F ¿a ~ de qué? what on earth for?; desnudar a un ~ para vestir a otro rob Peter to pay Paul; **santuario** m sanctuary.

saña f anger, fury (a. fig.); cruelty; **sañoso, sañudo** furious.

sapo m toad; F echar ~s y culebras swear black and blue.

saque m tenis etc.: service, serve; base line; (p.) server; ~ inicial kickoff; ~ de esquina corner kick; ~ de portería goal kick.

saqueador m looter; **saquear** [1a] loot, sack, plunder; fig. rifle ransack; **saqueo** m looting etc.

sarampión m measles.

sarcasmo m sarcasm; **sarcástico** sarcastic.

sardina f sardine.

sardo adj. a. su. m, a f Sardinian.

sargento m sergeant.

sarmiento m vine shoot.

sarna f itch, scabies; vet. mange.

sarro m incrustation; fur de vasija, lengua; tartar de dientes; **sarroso** furry; covered with tartar.

sarta f, **sartal** m string (a. fig.); line, series.

sartén f frying-pan.

sastre m tailor; ~ de teatro costumier; hecho por ~ tailor-made; **sastrería** f tailoring.

satélite 1. satellite; ~ de comunicaciones communications satellite; **2.** m

seguida

satellite (*a. pol.*); (*p.*) minion, henchman.

satén *m* sateen; **satinado** glossy.

sátira *f* satire; **satírico** satiric(al); **satirizar** [1f] satirize.

sátiro *m* satyr (*a. fig.*).

satisfacción *f* satisfaction; ~ de sí mismo self-satisfaction, smugness; *a* ~ to one's satisfaction; **satisfacer** [2s] *mst* satisfy; *deuda* pay; *necesidad, petición* meet; (*dar placer a*) gratify, please; ~se satisfy o.s., be satisfied; (*vengarse*) take revenge; **satisfactorio** satisfactory; **satisfecho** satisfied; pleased.

saturar [1a] saturate; permeate.

sauce *m* willow; ~ llorón weeping willow.

sazón *f* ripeness, maturity; (*ocasión*) season, time; *a la* ~ then, at that time; *en* ~ ♀ ripe; **sazonado** ♀ etc. mellow; *plato* tasty; *frase* witty; **sazonar** [1a] *v/t.* season, flavor; *v/i.* ripen.

se 1. *pron. reflexivo*: a) *sg.* himself, herself, itself; (*con Vd.*) yourself; *pl.* themselves; (*con Vds.*) yourselves; b) *recíproco*: each other, one another; (*con inf.*: oneself, *e.g.* hay que protegerse one must protect oneself; d) *impersonal*: *freq.* se traduce por la voz pasiva, por one, por people: se dice que it is said that, people say that; no se sabe por qué it is not known why; se habla español Spanish (is) spoken here; **2.** *pron. personal que corresponde a* le, les: se lo di I gave it to him; se lo buscaré I'll look for it for you.

sé *v.* saber, ser.

sebo *m* grease, fat; tallow *para velas*; suet *para cocina*; **seboso** greasy, fatty; tallowy; suety.

seca *f* drought; (*época*) dry season; (*arena*) sandbank; **secador** *m*: ~ *para el pelo* hair-dryer; **secadora** *f* wringer; **secano** *m* (*a. tierras de* ~) dry land, unirrigated land; region having little rain; ♏ sandbank; *fig.* very dry thing; **secante 1.** drying; *S. Am.* annoying; *papel* ~ = **2.** *m* blotting paper; **secar** [1g] dry (up); *superficie* wipe dry; *frente* wipe, mop; blot; mop up; ~se (*río etc.*) dry up, run dry; (*p.*) dry o.s.

sección *f* section; △ (*corte*) cross-section; *fig.* section (*a.* ✕).

seco *mst* dry; *legumbres etc.* dried; *planta* dried-up; (*flaco*) lean; (*áspero*) sharp, harsh; *golpe etc.* sharp;

(*riguroso*) strict; *respuesta* curt; *estilo* plain, bare.

secretaría *f* secretariat(e); (*oficio*) secretaryship; (*oficina*) secretary's office; **secretario** *m*, **a** *f* secretary; **secretear** [1a] F talk confidentially; **secreto 1.** secret; (*no visible*) hidden; **2.** *m* secret; (*lo* ~) secrecy; (*escondrijo*) secret drawer.

secta *f* sect; denomination; **sectario 1.** sectarian; denominational; **2.** *m*, **a** *f* follower, devotee.

secuaz *m* follower; partisan.

secuestrador *m*, **-a** *f* kidnapper; **secuestrar** [1a] kidnap; *bienes* seize; **secuestro** *m* kidnapping.

secular secular; (*viejo*) age-old, ancient; **secularización** *f* secularization; **secularizar** [1f] secularize.

secundar [1a] second, help; **secundario** *mst* secondary; minor.

sed *f* thirst (de for; *a. fig.*); *apagar la* ~ quench one's thirst; *tener* ~ be thirsty; *fig.* tener ~ de thirst for.

seda *f* silk; (*cerda*) bristle; (*adv.*) smoothly; **sedal** *m* fishing line.

sedante sedative; *fig.* soothing.

sede *f* eccl. see; seat de gobierno; headquarters de sociedad etc.; ~ *social* head office; *Santa* ♀ Holy See.

sedeño silken; silky; **sedería** *f* silks, silk goods; (*comercio*) silk trade; **sedero** silk *attr.*

sedición *f* sedition; **sedicioso 1.** seditious; **2.** *m*, **a** *f* rebel.

sedimentar [1a] deposit (sediment); ~se settle; **sedimentario** sedimentary; **sedimento** *m* sediment.

seducción *f* (*acto*) seduction *etc.*; (*aliciente*) lure, charm; **seducir** [3o] seduce; entice, lure, lead astray; (*cautivar*) charm; (*sobornar*) bribe; **seductivo** seductive; *fig.* captivating; **seductor 1.** = *seductivo*; **2.** *m* seducer.

segador *m* harvester, reaper; **segadora** *f* reaper; mower, mowing machine; ~*atadora* *f* binder; ~*trilladora* *f* combine (harvester); ~ de césped lawn mower; **segar** [1h *a.* 1k] *trigo etc.* reap, cut; *heno, hierba* mow; *fig.* cut off.

seglar 1. secular, lay; **2.** *m* layman.

segmento *m* segment.

segregación *f* segregation; **segregacionista** segregationist; **segregar** [1h] segregate.

seguida: de ~ uninterruptedly, straight off; en ~ at once, right away;

seguido continued, successive; *camino etc.* straight; ~s *pl.* in a row, in succession; *3 días* ~s *3* days running; *todo* ~ *adv.* straight ahead; **seguimiento** *m* chase, pursuit; continuation; **seguir** [3d *a.* 3l] **1.** *v/t.* follow; (*cazar*) chase, pursue; (*acosar*) hound; *pasos* dog; *consejo* follow, take; *curso* pursue; continue; **2.** *v/i.* follow; come after, come next; go on, continue; (*caminar etc.*) proceed; *como sigue* as follows; **3.** ~**se** follow, ensue; follow one another; *síguese que* it follows that.

según 1. *prp.* according to; in accordance with; ~ *lo que dice* from what he says; ~ *este modelo* on this model; **2.** *adv.* depending on circumstances; ~ (*y como*), ~ (*y conforme*) it (all) depends; **3.** *cj.* as; ~ *esté el tiempo* depending on the weather.

segunda *f* 🚗 second; ~ (*intención*) second (*or* veiled) meaning; hidden purpose; **segundante** *m boxeo:* second; **segundero** *m* second-hand; **segundo 1.** second; **2.** *m* second; ♻ mate; *sin* ~ unrivalled.

seguridad *f* safety, safeness; security; (*certeza*) certainty; ⚖ security, surety; ~ *colectiva* collective security; ~ *contra incendios* fire precautions; *de* ~ *cinturón etc.* safety *attr.*; **seguro 1.** (*sin peligro*) safe, sure; secure; (*confiable*) reliable, dependable; (*cierto*) certain, sure; (*firme*) stable, steady; *¿está Vd.* ~? are you sure?; *estar* ~ *de que* be sure that; **2.** *m* safety; certainty; confidence; ✝ insurance; (*lugar*) safe place; tumbler *de cerradura*; ✕ safetycatch; ⊕ pawl, catch; ~ *de desempleo,* ~ *de desocupación* unemployment insurance; ~ *de enfermedad* health insurance; ~ *de incendios* fire insurance; ~ *social* social insurance (*or* security); ~ *de vida* life insurance; (*póliza de*) ~ *sobre la vida* life insurance (policy); *a buen* ~, *de* ~ surely, truly; *sobre* ~ without risk.

seis six (*a. su.*); (*fecha*) sixth; *las* ~ six o'clock; **seiscientos** six hundred.

seísmo *m* earthquake.

selección *f* selection (*a. biol.*); ♪ ~*es pl.* selections; **seleccionador** *m* selector; **seleccionar** [1a] pick, choose; **selectivo** selective (*a. radio*); **selecto** *calidad* select, choice; *obras etc.* selected.

selva *f* forest, wood(s); (*esp. tropical*) jungle; **selvático** 🌿 wild; *escena etc.* sylvan; *fig.* rustic.

selladura *f* seal(ing); **sellar** [1a] seal; stamp *con timbre etc.*; **sello** *m* seal; signet; 🖂 stamp; ✝ brand, seal; *fig.* (*huella*) impression, mark; hallmark *de calidad*; 💊 capsule, pill; ~ *fiscal* revenue stamp.

semáforo *m* semaphore; 🚦 signal; *mot.* traffic light.

semana *f* week; **semanal, semanario** *adj. a. su. m* weekly.

semántica *f* semantics.

semblante *m lit.* visage; *fig.* appearance, look; **semblanza** *f* biographical sketch.

sembradera *f*, **sembradora** *f* drill; **sembrado** *m* sown field; **sembrador** *m*, **-a** *f* sower; **sembradura** *f* sowing; **sembrar** [1k] sow; *fig.* sprinkle, scatter.

semejante 1. similar (*a.* 🅰); ~s *pl.* alike, similar; ~ *a* like; **2.** *m* fellow man, fellow creature; *no tiene* ~ it has no equal; **semejanza** *f* similarity, resemblance; **semejar(se)** [1a] be alike, be similar, resemble each other.

semen *m* semen; **semental 1.** *caballo* stud, breeding; **2.** *m* sire.

semestral half-yearly; **semestre** *m* period of six months.

semi... semi...; half...; **~breve** *f* semibreve; **~círculo** *m* semicircle; **~conductor** *m* 🔌 semiconductor; **~corchea** *f* semiquaver; **~final** *f* semi-final.

semilla *f* seed; **semillero** *m* seedbed; nursery; *fig.* hotbed.

seminario *m* seminary; *univ.* seminar; 🌿 seedbed; nursery.

semita 1. Semitic; **2.** *m/f* Semite; **semítico** Semitic.

sempiterna *f* evergreen; **sempiterno** everlasting.

senado *m* senate; **senador** *m* senator.

sencillez *f* simplicity *etc.*; **sencillo 1.** simple, easy; *billete,* 🌿 single; *p. etc.* unsophisticated, natural; *b.s.* simple; *vestido, estilo etc.* simple, plain; **2.** *m S.Am.* loose change.

senda *f*, **sendero** *m* (foot)path, track, lane (*a. mot.*).

senil senile; **senilidad** *f* senility.

seno[1] *m* (*pecho*) breast; (*pechos*) bosom, bust; (*útero*) womb; (*frontal*) sinus; *fig.* bosom; lap; (*hueco*) hollow; *geog.* small bay.

seno[2] *m* 🅰 sine.

sensación f sensation (a. fig.); sense, feeling; feel; thrill; **sensacional** sensational.

sensatez f good sense, sensibleness; **sensato** sensible.

sensibilidad f sensitivity (a to); **sensibilizado** phot. sensitive; sensitized; **sensible** (que siente) sensible; aparato etc. sensitive; (que se conmueve) sensitive, responsive (a to); (apreciable) perceptible, noticeable; (lamentable) regrettable; pérdida considerable; 🎵 tender, sore; phot. sensitive; **sensiblería** f sentimentality; **sensiblero** sentimental; **sensitiva** f mimosa; **sensitivo** órgano etc. sense attr.; sensitive; ser sentient; **sensual** sensual, sensuous; **sensualidad** f sensuality; **sensualismo** m sensualism; **sensualista** m/f sensualist.

sentada f sitting; de una ~ at one sitting; **sentadero** m seat; **sentado** sitting, seated; (establecido) settled; permanent; carácter sedate; sensible; dar por ~ take for granted, assume; dejar ~ leave a clear impression of; **sentar** [1k] **1.** v/t. p. seat, sit; (asentar) set up, establish; **2.** v/t. a. v/i. (vestido) fit por tamaño, suit por estilo; ~ bien fig. go down well; **3.** ~**se** sit (down); settle (o.s.).

sentencia f 🏛 sentence; (máxima) dictum, saying; **sentenciar** [1b] v/t. 🏛 sentence (a to); v/i. pronounce, give one's opinion.

sentidamente regretfully; **sentido 1.** (hondo) heartfelt, keen; (que se ofende) sensitive; (convincente) moving, feeling; **2.** m (facultad) sense; (significado) meaning; (juicio) sense, good sense; (aprecio) feeling (de música for); way, direction; ~ común common sense; doble ~ double meaning; en cierto ~ in a sense; sin ~ meaningless.

sentimental sentimental; mirada soulful; aventura, vida etc. love attr.; **sentimentalismo** m sentimentality; **sentimiento** m feeling; sentiment; (pesar) grief, regret.

sentir 1. [3i] v/t. feel; sense, perceive; (oír) hear; (tener pesar) regret, be sorry for; lo siento (mucho) I am (very or so) sorry; ~**se** feel, e.g. ~ enfermo feel ill, ~ obligado a feel obliged to; **2.** m feeling; opinion; a mi ~ in my opinion.

seña f sign, token; mark en cara etc.; ✗ password; ~**s** pl. address; ~**s** pl. personales personal description; por más ~**s** to clinch the matter.

señal f sign, mark; (indicio) sign, token, indication; mark(ing) de identidad; brand de animal; sign, signal con mano; radio, mot., 🚂 etc. signal; (mojón) landmark; bookmark en libro; 🎖 scar, mark; (huella) trace; ✝ deposit; (prenda) pledge, token; ~ de carretera road sign; ~ digital fingerprint; ~ horaria time signal; ~es pl. luminosas, ~es pl. de tráfico traffic signales; ~ para marcar dial tone; ~ de ocupado busy signal; ~ de peligro danger signal; ✝ en ~ as a deposit; en ~ de as a token of; **señaladamente** especially; **señalado** notable, distinguished; **señalar** [1a] point out, point to, indicate con dedo; (mostrar) show; (comunicar) signal; mark, stamp; animal brand; denote; fecha etc. fix, set; p. etc. appoint, name; 🎖 leave a scar (on); ~**se** fig. make one's mark.

señor m gentleman, man; (dueño) master, owner; (noble, feudal, dueño fig.) lord; delante de apellido: Mister (escrito Mr); en trato directo: sir; (a noble) my lord; ¡sí ~! yes indeed!; pues sí ~ well that's how it is; 🇪 The Lord; muy ~ mío Dear Sir; hacer el ~ lord it; ~es pl. gentlemen; ✝ Messrs; los ~es Smith the Smiths.

señora f lady; (dueña) mistress, owner; (noble) lady; (esposa) wife; delante de apellido: Mrs ['misiz]; en trato directo: madam; (a noble) my lady; la ~ de Smith Mrs Smith; Nuestra 🇪 Our Lady para católicos, the Virgin (Mary) para protestantes.

señoría f rule, sway; lordship.

señorita f young lady; delante de apellido: Miss; en trato directo freq. no se traduce; **señorito** m young gentleman; (young) master; (de mucho mundo) man about town; contp. playboy.

señuelo m decoy, fig. bait, lure.

separable separable; ⊕ detachable; **separación** f separation (a. 🏛); dismissal (de puesto from); ⊕ removal; eccl. disestablishment; ~ del matrimonio legal separation; **separado** separate; esp. ⊕ detached; por ~ separately; 🔗 under separate cover; **separador** m separator; **separar** [1a] separate (de from); sever; divide; (clasificar) sort; mueble etc.

move away (de from); ⊕ *pieza* remove, detach; (*despedir*) dismiss; **~se** separate (de from); part company (de with); (*piezas*) come apart, retire, withdraw; (*estado etc.*) secede; **separata** f offprint.

septentrional north(ern).

se(p)tiembre *m* September.

sepulcral sepulchral (*a. fig.*); *fig.* gloomy, dismal; **sepulcro** *m* tomb, grave; (*Biblia*) sepulchre; **sepultar** [1a] bury; *fig.* entomb; *fig.* hide away; **sepultura** f (*acto*) burial; (*tumba*) grave; **sepulturero** *m* gravedigger, sexton.

sequedad f dryness *etc.*; **sequía** f drought; (*temporada*) dry season.

séquito *m* retinue, entourage; party.

ser 1. [2w] be; a) *identidad*: soy yo it's me, it is I *lit.*; *teleph.* ¡soy Pérez! Pérez speaking, this is Pérez; b) *origen*: yo soy de Madrid I am from Madrid; c) *materia*: la moneda es de oro it's a gold coin; d) *hora*: es la una it is one o'clock; son las 2 it is 2 o'clock; serán las 9 it will be about 9; serían las 9 it would be (or have been) about 9; e) *posesión*: el coche es de mi padre the car belongs to my father; f) *destino*: ¿qué ha sido de él? what has become of him? ¿qué es de la vida? what's the news?; g) *pasivo*: ha sido asesinado he has been murdered; h) *frases*: ~ para poco be of next to no use; de no ~ así were it not so; a no ~ por but for; were it not for; a no ~ que unless; ¡cómo ha de ~! what else do you expect?; es de esperar que it is to be hoped that; es de creer que it may be assumed that; es que the fact is that; soy con Vd. I'll be with you in a moment; siendo así que so that; o sea that is to say, or rather; sea ... sea whether ... or whether; sea lo que sea (or fuere) be that as it may; no sea que lest; érase que se era once upon a time (there was); era de ver you ought to have seen it, it was worth seeing; presidente que fue expresident; former(ly) president; **2.** *m* being; (*vida*) life; essence; ~ *humano* human being.

serenar [1a] calm; quieten, pacify; *líquido* clarify; **~se** grow calm; *meteor.* clear up; (*p.*) calm down.

serenidad f serenity *etc.*; **sereno**[1] serene, calm; *tiempo* settled, fine; *cielo* cloudless; *temperamento* even.

sereno[2] *m* (night) watchman; (*rocío*) dew; al ~ in the open (air).

serial *m* serial; **serie** f series (a. ⚡, ⚡, biol.); sequence; set; soap opera, serial (on radio or TV); ⚡ arrollado en ~ series-wound.

seriedad f seriousness *etc.*; **serio** mst serious; grave; solemn; sober, staid; (*confiable*) reliable, trustworthy; (*justo*) fair, fair-minded; (*genuino*) true, real; en ~ seriously.

sermón *m* sermon (*a. iro.*); **sermonear** [1a] F *v/t.* lecture.

serpentear [1a] *zo.* wriggle, snake; (*camino*) wind; (*río*) wind, meander; **serpentín** *m* coil; **serpentino** snaky, sinous; winding; **serpiente** f snake; (*mitológica, fig.*) serpent; ~ de cascabel rattlesnake; ~ de mar sea serpent.

serraduras f/pl. sawdust.

serranía f hill country; **serrano 1.** highland; **2.** *m* highlander.

serrar [1k] saw; **serrín** *m* sawdust; **serruchar** [1a] *S.Am.* saw; **serrucho** *m* handsaw.

servible serviceable; **servicial** helpful, obliging; dutiful; **servicio** *m* service (a. ✕, eccl., hotel, tenis); serv-ice, set de vajilla; *hotel*: service (charge); *S.Am.* lavatory; ~s pl. sanitation de casa; ~ activo active service; ~ de café coffee-set; ~ doméstico (domestic) service; domestic help; (*ps.*) servants; ~ militar military service; ~ postventa customer service; ~ social social service, welfare work; al ~ de in the service of; ✕ etc. de ~ on duty; ✕ en condiciones de ~ operational.

servidor *m*, **-a** f servant; un ~ my humble self; ~ de Vd. at your service; su seguro ~ yours faithfully; **servidumbre** f servitude; *fig.* self-control; compulsion; ~ de paso right of way; **servil** servile.

servilleta f serviette, napkin.

servir [3l] **1.** *v/t.* mst serve; ps. a la mesa wait on; *cargo* carry out, fulfil; cañón man; máquina tend; (hacer un servicio a) do a favor to, oblige; ser servido de inf. be pleased to inf.; **2.** *v/i.* serve (a. ✕, tenis; de as, for); (ser servible) be useful, be of use; **3.** **~se** help o.s. a la mesa; ~ de make use of; put to use.

sesear [1a] *pronounce* c (before e, i) and z [θ] as [s].

seseo *m pronunciation of* c (before e, i) and z [θ] as [s].

sesgado slanting, oblique; gorra etc. awry; **sesgar** [1h] slant, slope; (*cor-*

tar) cut on the slant; *sew.* cut (on the) bias; ⊕ bevel; *(torcer)* twist to one side; **sesgo** *m* slant, slope; *esp. sew.* bias; *(torcimiento)* warp, twist; *fig.* (mental) twist, turn; *fig.* compromise; *al* ~ slanting; awry; *cortar etc.* on the bias.

sesión *f* session, sitting; ~ *continua* continuous showing; ~ *de espiritismo* séance; *levantar la* ~ adjourn.

seso *m* brain; *fig.* sense, brains; ~*s pl.* brains (*a. cocina*); *devanarse los* ~*s* rack one's brains.

sestear [1a] take a siesta (*or* nap).

sesudo sensible, wise.

seta *f* mushroom.

setiembre *m* September.

seto *m* fence; ~ *(vivo)* hedge.

seudo... pseudo...; **seudónimo 1.** pseudonymous; **2.** *m* pseudonym.

severidad *f* severity *etc.*; **severo** *mst* severe; stringent, exacting.

sexo *m* sex; *el bello* ~ the fair sex; *el* ~ *débil* the gentle sex.

sextante *m* sextant.

sexto *adj. a. su. m* sixth.

sexual sexual; *sex attr.*; **sexualidad** *f* sexuality.

sí¹ 1. *adv.* yes; indeed; *enfático etc.*: *él* ~ *fue* he did go, he certainly went; *por* ~ *o por no* in any case; *¡eso* ~ *que no!* not on any account!; *un día* ~ *y otro no* every other day; **2.** *m* yes; consent; *dar el* ~ say yes.

sí² *pron. sg.* himself, herself, itself; (*con Vd.*) yourself; *pl.* themselves, (*con Vds.*) yourselves; *recíproco:* each other; ~ *mismo* himself *etc.*; (*con inf.*) oneself; *de* ~ in itself; spontaneously; *de por* ~ separately, individually; *per se;* in itself *etc.*; *fuera de* ~ beside o.s.

si *cj.* if; whether; ~ *no* if not; otherwise; *¿*~ *...?* what if ...?, suppose ...?; *¡*~ *fuera verdad!* if only it were true!

siamés *adj. a. su. m,* **-a** *f* Siamese.

siderurgia *f* iron and steel industry; **siderúrgico** iron and steel *attr.*

sidra *f* cider.

siega *f* reaping, mowing; *(época)* harvest.

siembra *f* *(acto)* sowing; *(campo)* sown field; *(época)* sowing time; *patata de* ~ seed potato.

siempre always; all the time; ever; *como* ~ as usual; *lo de* ~ the same old thing; *(de una vez) para* ~ once and for all; *para* ~ for ever; ~ *que indic.* whenever, as often as; *subj.* provided that.

sien *f* *anat.* temple.

sierpe *f* snake, serpent.

sierra *f* ⊕ saw; *geog.* mountain range; ~ *de arco (para metales),* ~ *de armero* hacksaw; ~ *cabrilla* whip saw; ~ *de calados* fretsaw; ~ *circular* circular saw; buzz saw; ~ *continua,* ~ *sin fin* band saw; ~ *de espigar* tenon saw; ~ *de vaivén* jig saw.

siervo *m,* **a** *f* slave; serf; servant.

siesta *f* siesta, (afternoon) nap; *(calor)* hottest part of the day; *dormir (or echar) la* ~ take a nap.

siete seven (*a. su.*); *(fecha)* seventh; *las* ~ seven o'clock; F *hablar más que* ~ talk nineteen to the dozen.

sífilis *f* syphilis; **sifilítico** syphilitic.

sifón *m* siphon; ⊕ trap.

sigilo *m* secrecy, discretion; **sigiloso** discreet, secret; reserved.

sigla *f* symbol, abbreviation.

siglo *m* century; *(mucho tiempo)* age; *(época)* age, time(s); *eccl.* world; ♀ *de Oro* Golden Age.

signarse [1a] cross o.s.; **signatura** *f* *typ.,* ♪ signature; (catalogue)number *de biblioteca.*

significación *f* significance; **significado 1.** *S.Am.* well-known; important; **2.** *m* meaning *de palabra;* intention; *(importancia)* significance; **significante** significant; **significar** [1g] *v/t.* *(hacer saber)* make known, signify; *(querer decir)* mean (*para* to), signify; *v/i.* be important; **significativo** significant; *mirada etc.* meaning, expressive.

signo *m* *mst* sign; ⅍ *a.* symbol; mark *en lugar de firma;* ~ *de admiración* exclamation mark; ~ *de interrogación* question mark.

sigo *etc. v.* seguir.

siguiente next, following.

sílaba *f* syllable; **silábico** syllabic.

silba *f* hiss(ing), catcall; **silbar** [1a] *v/t. melodía* whistle; *silbato* blow; *v/i.* ♪ *etc.* whistle; *(bala etc.)* whine; **silbato** *m* whistle; **silbido** *m,* **silbo** *m* whistle; whistling; hiss.

silenciador *m* silencer; **silenciar** [1b] *hecho* keep silent about; *p.* silence; **silencio** *m* silence; quiet; hush; ♪ rest; *¡*~*!* quiet!; **silencioso 1.** silent; quiet; soundless; *esp.* ⊕ noiseless; **2.** *m* ⊕ muffler, silencer.

silueta *f* silhouette; skyline *de ciudad;* *(talle de* ~*)* figure.

silvestre *esp.* ♣ wild; uncultivated; *fig.* rustic; **silvicultura** *f* forestry.

silla f (en general) seat; (mueble) chair; ~ (de montar) saddle; ~ eléctrica electric chair; ~ de manos sedan chair; ~ plegadiza, ~ de tijera camp stool, folding chair; ~ de ruedas wheel chair.

sillón m armchair, easy chair; ~ (de montar) side saddle; ~ de orejas wing chair.

sima f abyss, pit; chasm.

simbolismo m symbolism; **simbolizar** [1f] symbolize; **símbolo** m symbol; eccl. creed.

simetría f symmetry; fig. harmony; **simétrico** symmetrical.

símil 1. similar; **2.** m simile; comparison; **similar** similar; **similitud** f similarity, resemblance.

simpatía f (afecto) liking (hacia, por for), friendliness (hacia, por towards); congeniality de ambiente; (correspondencia) sympathy; fellow-feeling; (lo atractivo) charm; (no) tener ~ a (dis)like; **simpático** p. nice, likeable; pleasant; ambiente congenial, agreeable; ☐, phys. etc. sympathetic; **simpatizante** m/f sympathizer (de with); **simpatizar** [1f] get on well together; ~ con p. get on well with; carácter etc. harmonize with, be congenial to.

simple 1. mst simple; (no doble) single; (incauto) gullible, simple; (corriente) ordinary; por ~ descuido through sheer carelessness; **2.** m simpleton; ♀ ~s pl. simples; **simpleza** f silliness; (acto etc.) silly thing; (pequeñez) mere trifle; decir ~s talk nonsense; **simplificar** [1g] simplify; **simplón** F **1.** gullible, simple; **2.** m, **-a** f simple soul.

simulación f simulation; **simulacro** m image, idol; (fantasma) vision; **simular** [1a] simulate; feign, sham; **simultáneo** simultaneous.

sin without; with no; ...less; un...; apart from, not counting; ~ gasolina out of petrol; ~ sombrero without a hat, hatless; ~ inf. without ger.; ~ hablar without speaking; ~ almidonar unstarched; ~ lavar unwashed; cuenta ~ pagar bill to be paid, unpaid bill; ~ que subj. without ... ger.

sinagoga f synagogue.

sinceridad f sincerity; **sincero** sincere; genuine, heartfelt.

síncopa f ♪ syncopation; gr. syncope; **sincopar** [1a] syncopate.

sincronizar [1f] synchronize.

sindicar [1g] syndicate; propiedad put in trust; **sindicato** m syndicate; (laboral) labor union; **síndico** m trustee; (quiebra) receiver.

sinfonía f symphony; **sinfónico** symphonic.

singular 1. mst singular (a. gr.); (destacado) outstanding; combate single; (raro) peculiar, odd; **2.** m gr. singular; **singularidad** f singularity; peculiarity etc.; **singularizar** [1f] single out; ~se stand out, distinguish o.s.; be conspicuous.

siniestrado disaster; damaged; hurt by an accident.

siniestro 1. left; fig. sinister; (funesto) disastrous; **2.** m accident, catastrophe, disaster.

sinnúmero: un ~ de a great many, a great amount of.

sino¹ m fate, destiny.

sino² ... (chino) sino...

sino³ but; except; ~ que but.

sinónimo 1. synonymous; **2.** m synonym.

sinrazón f wrong, injustice.

sinsabor m trouble, unpleasantness; (pesar) sorrow.

sintaxis f syntax.

síntesis f synthesis; **sintético** synthetic(al); **sintetizar** [1f] synthesize.

síntoma m symptom; sign; **sintomático** symptomatic.

sintonía f radio: tuning; ♪ signature tune; **sintonización** f tuning; **sintonizar** [1f] radio: tune; programa tune in to; ♫ syntonize.

sinuoso winding, sinuous; wavy.

siquiera 1. adv. at least; dame un beso ~ give me a kiss at least; ni ~ not even, not so much as; ni me besó ~ he didn't even kiss me; tan ~ even; **2.** cj. even if, even though.

sirena f (p.) mermaid; (clásica) siren; ♪ siren; ~ de la playa bathing beauty; ~ de niebla foghorn.

sirvienta f servant, maid; **sirviente** m servant; maid.

sisa f petty theft; sew. dart; **sisar** [1a] pilfer; sew. put darts in, take in.

sisear [1a] hiss; **siseo** m hiss.

sísmico seismic; **sismógrafo** m seismograph.

sistema m mst system; method; framework; **sistemático** systematic; **sistematizar** [1f] systematize.

sitiar [1b] besiege; fig. surround, hem in; **sitio** m (lugar determinado) place, spot; site, location; (espacio)

room; ✕ siege; **situación** *f* situation;
position; location, locality; (*social*)
position, standing; *S.Am. precios de*
~ bargain prices; **situado** situated,
placed; **situar** [1e] place, put, set;
esp. edificio locate; ✕ *etc.* post, station; **~se** take place.

slogan [es'logan] *m* slogan.

so¹ *prp.* under.

¡so!² whoa!

sobaco *m* armpit; armhole *de vestido.*

sobar [1a] *masa etc.* knead; squeeze; F
(*zurrar*) tan; F (*manosear*) paw,
finger, feel; *Am.* huesos set; (*novios,
a.* **~se**) pet, cuddle.

soberanía *f* sovereignty; **soberano**
adj. a. su. m, **a** *f* sovereign.

soberbia *f* pride *etc.;* **soberbio** (*orgulloso*) proud; arrogant; magnificent,
grand; (*colérico*) angry.

sobra *f* excess, surplus; **~s** *pl.* leftovers; scraps; *de* ~ (*adj.*) surplus,
extra; (*adv.*) more than enough; **so-
bradamente** too; (only) too well; **so-
bradillo** *m* penthouse; **sobrado**
1. excessive, more than enough; *p.*
wealthy; **2.** *m* attic, garret.

sobrante 1. spare, extra, surplus; *2. m*
surplus (*a.* ✝); ✝ balance in hand;
margin; **sobrar** [1a] *v/t.* exceed, surpass; *v/i.* be left over; remain; be
more than enough.

sobre¹ *m* envelope; letter cover;
(*señas*) address.

sobre² on, upon; on top of; (*encima
de*) over, above; (*acerca de*) about; *1* ~
4 1 in 4; ~ *las 5* about 5 o'clock.

sobre³... super...; over...; **~abun-
dante** superabundant; **~abundar**
[1a] superabound (*en* in, with); **~ali-
mentado** ⊕ supercharged; **~ali-
mentador** *m* ⊕ supercharger; **~ali-
mentar** [1a] ⊕ supercharge; *p.*
overfeed; **~calentar** [1k] overheat;
~cama *m* bedspread; **~carga** *f* extra
load; (*soga*) rope; ✝, ⚡ surcharge;
~cargar [1h] *carro* overload; ⚡ *etc.*
overcharge; ✝, ⚡ surcharge; **~cargo**
m ⚓ supercargo; **~cejo** *m,* **~ceño** *m*
frown.

sobrecoger [2c] startle, (take by) surprise; **~se** be startled, start (*a* at, *a*
with); (*achicarse*) be overawed.

sobre...: ~cubierta *f* outer cover;
jacket *de libro;* **~dicho** above
(-mentioned); **~dorar** [1a] gild; *fig.*
gloss over; **~dosis** *f* overdose; **~esti-
mar** overestimate.

sobre(e)ntender [2g] understand;

deduce, infer; **~se** be implied *etc.*

sobre...: ~(e)xcitado overexcited;
~(e)xcitar [1a] overexcite; **~(e)xpo-
ner** [2r] *phot.* overexpose; **~faz** *f*
surface, outside; **~giro** *m* overdraft;
~haz *f* = **~faz;** (*cubierta*) cover;
~humano superhuman; **~llevar**
[1a] (help to) carry; *fig. carga de otro*
ease; *molestias* bear, endure; *faltas de
otro* be tolerant towards; **~manera**
exceedingly; **~marcha** *f mot.* over-
drive; **~mesa** *f* (*tapete*) table cover;
(*postre*) dessert; (*tiempo*) sitting on
after a meal; *de* ~ *charla etc.* after-
dinner; *reloj etc.* table *attr.;* **~nadar**
[1a] float; **~natural** supernatural;
unearthly, weird; *ciencia* occult;
~nombre *m* nickname.

sobre...: ~paga *f* rise, bonus; **~parto**
m ⚕ confinement; *morir de* ~ die in
childbirth; **~pasar** [1a] surpass;
límite exceed; *marca* beat; ⚡ *pista*
overshoot; **~pelliz** *f* surplice; **~peso**
m overweight; **~población** *f* over-
crowding.

sobreponer [2r] put on top, put *one
thing* on *another,* superimpose; **~se**
fig. pull o.s. together; make the best
of a bad job; ~ *u dificultad* overcome;
rival etc. triumph over.

sobre...: ~precio *m* surcharge; **~pro-
ducción** *f* overproduction; **~puesto
1.** superimposed; **2.** *m* addition;
~pujar [1a] outdo; outbid.

sobrero extra, spare.

sobre...: ~saliente 1. outstanding,
brilliant; **2.** *m/f* substitute; *thea.*
understudy; **3.** *m* distinction; **~salir**
[3r] ⚠ *etc.* project, jut out; stick out
(*or* up), protrude; *fig.* stand out, excel
(*en* at).

sobresaltar [1a] fall upon, rush at;
(*asustar etc.*) startle, shock; **~se** start,
be startled (*con, de* at); **sobresalto** *m*
shock; *de* ~ suddenly.

sobre...: ~sanar [1a] ⚕ heal superficially; *defecto* hide, gloss over;
~scrito *m* superscription; address *en
carta;* **~stante** *m* overseer; foreman;
~stimar [1a] overestimate; **~sueldo**
m extra pay, bonus; **~tasa** *f* surcharge; **~todo** *m* overcoat; **~venir**
[3s] supervene, ensue; happen (unexpectedly); **~viviente 1.** surviving;
2. *m/f* survivor; **~vivir** [3a] survive;
~ *a* survive; outlive, outlast; **~volar**
[1m] fly over.

sobriedad *f* sobriety *etc.*

sobrina *f* niece; **sobrino** *m* nephew.

S

sobrio sober, moderate; temperate.

socarrón sly, crafty, artful; (*guasón*) mocking, with sly humor; malicious; **socarronería** *f* slyness.

socavón *m* ✕ mine gallery, tunnel; hole *en calle*; △ sudden collapse.

social social; ✝ company *attr.*; **socialismo** *m* socialism; **socialista** *adj. a. su. m/f* socialist; **socializar** [1f] socialize, nationalize.

sociedad *f* society; association; ✝ company, firm; ✝ *etc.* partnership *de dos ps.*; *alta* ~, *buena* ~ (high) society; ~ *anónima* stock company, corporation; *Pérez y García ♀ Anónima* Pérez y García Limited (Incorporated); ~ *de control* holding company; ♀ *de las Naciones* League of Nations; ~ *secreta* secret society; ~ *de socorro mutuo* friendly (*or* provident) society.

socio *m*, **a** *f* member *de club etc.*; fellow *de sociedad científica etc.*; ✝ partner; ✝ associate; ~ *de honor*, ~ *honorario* honorary member; ~ *de número* full member; **sociología** *f* sociology; **sociológico** sociological; **sociólogo** *m* sociologist.

socorrer [2a] help; *necesidades, ciudad* relieve; **socorrido** *p. etc.* helpful, cooperative; *cosa útil* handy; (*bien provisto*) well-stocked; (*trillado*) hackneyed; **socorrismo** *m* first aid; **socorro** *m* help, aid; relief (*a. ✕*); *¡~!* help!

soda *f* ♫ soda; (*bebida*) soda(-water).

soez dirty, obscene; crude.

sofá *m* sofa; **~-cama** *m* day bed.

sofistería *f* (piece of) sophistry; **sofisticación** ⊕ sophistication; **sofisticado** *p. etc.* sophisticated; ⊕ sophisticated, sophistical; false, fallacious.

sofocación *f* suffocation; *fig.* vexation; annoying rebuff; **sofocante** stifling, suffocating; **sofocar** [1g] choke, stifle, suffocate; *incendio* smother, put out; *fig.* make s.o. blush; (*irritar*) make s.o. angry; F bother; **~se** choke *etc.*; (*corriendo etc.*) get out of breath; *fig.* flush, get red under the collar; (*encolerizarse*) get hot under the collar; **sofoco** *m* embarrassment.

sofrenar [1a] rein back suddenly; *fig.* restrain; F bawl out.

soga *f* rope; halter; F *dar* ~ *a* make fun of.

soja *f* soya; *semilla de* ~ soya bean.

sojuzgar [1h] subjugate, subdue.

sol *m* sun; sunshine, sunlight; *de* ~ *a día* sunny; *de* ~ *a* ~ from sunrise to sunset; *hacer* ~ be sunny.

solamente only; solely.

solana *f* sunny spot; (*cuarto*) sun lounge; **solanera** *f* ☀ sunburn.

solapa *f* lapel; flap *de sobre*; *fig.* excuse; **solapado** sly, sneaky; **solapar** [1a] *fig. v/t.* overlap; (*ocultar*) cover up, keep dark; *v/i.* overlap; **~se** get hidden underneath; **solapo** *m* sew. lapel; overlap; F *a* ~ by underhand methods.

solar¹ *m* △ lot, site, piece of ground; (*casa*) ancestral home, family seat; *Am.* backyard.

solar² solar, sun *attr.*

solar³ [1m] *calzado* sole; *suelo* floor.

solariego *casa* ancestral; *familia* ancient and noble; *hist.* manorial.

solario *m* sun porch.

solaz *m* relaxation, recreation; (*consuelo*) solace; **solazar** [1f] give relaxation to, amuse; (*consolar*) solace, comfort; **~se** enjoy o.s., amuse o.s.

soldado *m* soldier; ~ *de a pie* foot soldier; ~ *de infantería* infantryman; ~ *de juguete* toy soldier; ~ *de marina* marine; ~ *de plomo* tin soldier; ~ *de primera* private first class; ~ *raso* buck private.

soldador *m* soldering-iron; (*p.*) welder; **soldadura** *f* (*metal*) solder; (*acto*) soldering, welding; (*juntura*) soldered joint, welded seam; ~ *autógena* welding; **soldar** [1a] ⊕ solder, weld; *fig.* join; *disputa* patch up; correct; **~se** (*huesos*) knit.

soleado sunny; sunned.

soledad *f* solitude; loneliness; (*lugar*) lonely place.

solemne solemn; dignified; grave, weighty; F *error* terrible; **solemnidad** *f* solemnity *etc.*; (*acto*) solemn ceremony; formalities; **solemnizar** [1f] solemnize; celebrate.

soler [2h; *defective*]: ~ *inf.* be in the habit of *ger.*; *suele venir a las 5* he generally (*or* usually) comes at 5; *solía hacerlo* I used to do it; *como se suele* as is customary.

solicitador *m*, **-a** *f*, **solicitante** *m/f* applicant; petitioner; **solicitar** [1a] request, solicit (*algo a th.*; *algo a alguien* a th. of a p.); *puesto etc.* apply for, put in for; **solícito** diligent, careful; solicitous (*por* about, for); **solicitud** *f* care, concern; (*acto, petición*) request; application (*de*

puesto for); *a* ~ on request, on demand.

solidaridad *f* solidarity; **solidario** jointly liable; jointly binding; ~ *de* integral with; **solidez** *f* solidity *etc.*; **solidificar(se)** [1g] solidify; harden; **sólido 1.** solid (*a.* ♠, *fig.*); stable, firm; (*robusto*) strong, stout; hard; *aspecto* solid, massive; (*duradero*) solid, lasting; *argumento* sound; *color* fast; **2.** *m* solid.

soliloquiar [1b] soliloquize, talk to o.s.; **soliloquio** *m* soliloquy, monologue.

solista *m/f* soloist.

solitaria *f* tapeworm; **solitario 1.** solitary; desolate, lonely, bleak; *en* ~ solo; **2.** *m, a f* (*p.*) recluse, hermit; **3.** *m* solitaire.

solo 1. (*único*) only, sole; (*sin compañía*) alone, by o.s.; single; (*solitario*) lonely; ♪ solo; *a solas* by o.s., alone; **2.** *m* ♪, *naipes:* solo.

sólo only, solely; just; *tan* ~ only.

soltar [1m] (*desatar*) untie, unfasten; (*aflojar*) loose(n), slacken; (*desenmarañar*) free; (*dejar caer*) drop, let go of; *mano etc.* release; (*poner en libertad*) release, let go, (set) free; *animal etc.* let out, let (*or* set, turn) loose; *amarras* cast off; *carcajada* let out; *dificultad* solve; F *dinero* cough up; ⊕ *embrague* disengage, *freno* release; *exclamación* let out; *golpe* let fly; *injurias* utter, let fly (a string of); *presa* let go of; **~se** (*pieza*) (*aflojarse*) work loose; (*desprenderse*) come off, come undone.

soltera *f* spinster, unmarried woman; **soltero 1.** single, unmarried; **2.** *m* bachelor, unmarried man; **solterón** *m* old (*or* confirmed) bachelor; **solterona** *f* spinster, maiden lady; *contp.* old maid.

soltura *f* (*acto*) release *etc.*; ⊕ looseness *de pieza*; agility, freedom of movement; ease, fluency; *~ de vientre* looseness of the bowels.

soluble soluble; **solución** *f mst* solution; answer (*de problema* to); **solucionar** [1a] (re)solve.

solventar [1a] † settle, pay; *dificultad* resolve; **solvente** *adj.* (†) *a. su. m* (♠) solvent; (*juicioso*) discerning, credible, believable.

sollozar [1f] sob; **sollozo** *m* sob.

sombra *f* (*que proyecta un objeto*) shadow; (*para resguardarse del sol;* *luz y* ~) shade; (*oscuridad*) darkness,

shadow(s); (*fantasma*) ghost, shade; *fig.* shadow *de duda etc.*; **sombraje** *m*, **sombrajo** *m* shelter from the sun; **sombreado** *m* shading; **sombrear** [1a] shade; *fig.* overshadow.

sombrerera *f* milliner; (*caja*) hatbox; **sombrerería** *f* millinery, hats, (*tienda*) hat shop; **sombrerero** *m* hatter; **sombrero** *m* hat; headgear; ~ *de candil,* ~ *de tres picos* three-cornered hat, cocked hat; ~ *de copa* top hat; ~ *flexible* soft hat, trilby; ~ *gacho* slouch hat; ~ *hongo* derby; ~ *de paja* straw hat; ~ *de pelo Am.* high hat.

sombrilla *f* parasol, sunshade.

sombrío shady; *fig.* sombre, dismal; *p.* gloomy, morose.

somero superficial, shallow.

someter [2a] *informe etc.* submit, present; conquer; ~ *a prueba etc.* subject to; **~se** yield, submit.

somnámbulo *m,* **a** *f* sleepwalker; **somnífero** sleep inducing; **somnolencia** *f* sleepiness.

son *m* (pleasant) sound; *fig.* news, rumor; *¿a qué ~?, ¿a ~ de qué?* why?; *a ~ de* to the sound of; *en ~ de* like, as, in the manner of; **sonado** famous; sensational.

sonaja *f* little bell; **sonajear** [1a] jingle; **sonajero** *m* rattle.

sonámbulo 1. *adj.* moonstruck; **2.** *m* sleepwalker.

sonar [1m] **1.** *v/t.* sound; *campana* ring; ♪ play; *sirena, narices* blow; **2.** *v/i.* sound; (*campana*) ring; ♪ play; (*reloj*) strike; *gr.* be pronounced; F *fig.* sound familiar, ring a bell; ~ *a* sound like; ~ *a hueco* sound hollow; **3.** **~se** (*a.* ~ *las narices*) blow one's nose; *se suena que* it is rumored that.

sonda *f* (*acto, medida*) sounding; (*instrumento*) ♠ lead; ♠ bore; ♠ probe; **sondaje** *m* ♠ sounding; ⊕ boring; *fig. de* ~ exploratory; *organismo de* ~ public opinion poll; **sond(e)ar** [1a] ♠ sound, take soundings of; ♠ probe, sound; ⊕ drill, bore into; *fig. terreno* explore; *p., intenciones* sound out; **sondeo** *m* sounding *etc.*; *fig.* (*encuesta*) poll, inquiry; *pol. etc.* feeler, overture.

sonido *m* sound (*a. gr., phys.*); noise; ~ *silencioso* ultrasound.

sonorizar(se) [1f] *gr.* voice; **sonoro** sonorous; loud, resounding.

sonreír(se) [3m] smile (*de* at); **sonriente** smiling; **sonrisa** *f* smile.

sonrojarse [1a] blush, flush (de at); **sonrojo** m blush(ing).

sonrosado rosy, pink.

sonsacar [1g] remove s.t. surreptitiously (or craftily); p. entice away; fig. p. pump, draw out.

sonsonete m (golpecitos) tapping; din, jangling, rumbling; fig. singsong, chant; (frase con rima) jingle.

soñar [1m] dream (con about, of; con inf. of ger.); **soñera** f drowsiness; **soñoliento** sleepy, drowsy.

sopa f soup; sop en leche; F hecho una ~ soaked to the skin.

sopapo m F punch; slap; tap.

sopetón m punch; de ~ unexpectedly; entrar de ~ pop in, drop in.

soplar [1a] **1.** v/t. (apartar) blow away; blow up, inflate; fig. inspire; (apuntar) prompt, help s.o. along with; (robar) pinch; F (zampar) hog, guzzle; sl. split on; **2.** v/i. blow (a. viento); puff; sl. split (contra on), blab; **soplete** m blowlamp, torch; ~ oxiacetilénico oxyacetylene burner; **soplido** m = **soplo** m blow(ing), puff de boca; puff, gust de viento; esp. ⊕ blast; fig. instant; F (aviso) tip; F (delación) tales; = **soplón** m, **-a** f F (niño) tell-tale; informer de policía.

soportal m porch; **~es** pl. arcade con tiendas; colonnade.

soportar [1a] (apoyar) carry, hold up; (aguantar) endure, bear, stand; **soporte** m support; mount(ing).

sorber [2a] sip; (chupar) suck (in); ~ (por las narices) sniff; medicamento inhale; absorb, soak up; (tragar) swallow (up); **sorbete** m sherbet; (bebida) iced fruit drink; **sorbo** m sip; gulp, swallow; sniff.

sordera f, **sordez** f deafness.

sórdido nasty, dirty; fig. mean.

sordina f ♪ mute, muffler.

sordo 1. p. deaf (a. fig.; a to); (silencioso) quiet, noiseless; sonido muffled, dull; gr. voiceless; a la ~a, a ~as noiselessly; **2.** m, **a** f deaf person; **sordomudo 1.** deaf and dumb; **2.** m, **a** f deaf-mute.

sorprendente surprising; amazing; startling; **sorprender** [2a] (maravillar) surprise; amaze; (sobresaltar) startle; (coger desprevenido) (take by) surprise, catch; conversación overhear; secreto discover; **~se** be surprised (de at); **sorpresa** f surprise; ¡qué ~!, ¡vaya ~! what a surprise!; coger de ~ take by surprise; ✗ coger

por ~ surprise; **sorpresivo** surprising.

sortear [1a] v/t. (rifar) raffle; deportes etc.: toss up for; (evitar) dodge; v/i. toss up; draw lots.

sortija f ring; curl, ringlet de pelo; ~ de sello signet ring.

sortilegio m spell, charm; (brujería) sorcery; fortunetelling.

sosa f soda.

sosegado quiet, calm, peaceful; gentle; restful; **sosegar** [1h a. 1k] v/t. calm (down); reassure; dudas allay; v/i. rest; **~se** calm down.

sosiego m quiet(ness), calm, peace, peacefulness.

soslayar [1a] put s.t. sideways, place s.t. obliquely; dificultad get round; pregunta dodge; **soslayo:** al ~, de ~ obliquely, at a slant, sideways; mirada sidelong.

soso tasteless, insipid; (sin azúcar) unsweetened; fig. dull, flat.

sospecha f suspicion; **sospechar** [1a] v/t. suspect; v/i.: ~ de suspect, have one's suspicions about; **sospechoso 1.** suspicious; (no confiable) suspect; **2.** m, **a** f suspect.

sostén m △ etc. support, prop; stay; stand; bra(ssière) de mujer; fig. support, prop; **sostener** [2l] △, ⊕ support, hold up; lo inestable prop up; peso bear; carga carry; fig. sustain (a. ♪); (entretener) maintain; (tolerar) bear; p. etc. sustain con comida; maintain con dinero; opinión uphold; proposición maintain; presión keep up, sustain; resistencia bolster up; ~ que hold that; **~se** support o.s. etc.; (perdurar) last (out); ~ (en pie) stand up; **sostenimiento** m support; maintenance etc.

sota f jack, knave.

sotana f cassock; F hiding.

sótano m basement; (almacén) cellar.

soterrar [1k] bury; fig. hide away.

soto m thicket; copse; grove.

soya f Am. soy bean.

su, sus m (un poseedor) his, hers, its, one's; (de Vd.) your; (varios poseedores) their; (de Vds.) your.

suave (blando) soft; (liso) smooth; (dulce, agradable) sweet; aire soft, mild; carácter gentle; docile; **suavidad** f softness etc.; **suavizar** [1f] soften; (alisar) smooth (out, down); fig. dureza ease, soften; temper; relax; color tone down.

sub... mst sub...; under...

subalimentado undernourished.
subalterno 1. subordinate; auxiliary; **2.** *m* subordinate.
subasta *f* auction sale, (sale by) auction; **subastador** *m* auctioneer; **subastar** [1a] auction (off).
subcomisión *f* subcommittee.
subconsciencia *f* subconscious.
subconsciente subconscious.
subdesarrollado underdeveloped.
súbdito *adj. a. su.* *m,* **a** *f* subject.
subestimar [1a] *capacidad, contrario* underestimate, underrate; *propiedad* undervalue.
subida *f* (*acto*) climb(ing) etc.; (*cuesta*) slope, hill; (*aumento*) rise, increase; promotion; **subido** *color* bright; *olor* strong; *precio* high, stiff; *calidad* superior; ~ *de color cara* florid, rosy; flushed.
subir [3a] **1.** *v/t.* (*levantar*) raise, lift up; (*llevar*) take up; get up; *escalera* climb, go up; *montaña* climb; *p.* promote; *precio, sueldo* raise, put up; ✝ *artículo* put up the price of; ♪ raise the pitch of; **2.** *v/i.* go up, come up; move up; climb; (*aumentarse*) rise, increase; (*precio, río, temperatura*) rise; (*fiebre*) get worse; (*ser ascendido*) rise, move up; ~ *a* (*precio*) come to; **3.** ~**se** rise, go up; ~ *a,* ~ *en* get into etc.
súbito sudden; *de* ~ suddenly.
sublevación *f* (up)rising; **sublevar** [1a] stir up a revolt among; ~**se** rise, revolt.
sublime sublime; high, lofty; noble, grand; *lo* ~ the sublime; **subliminal** subliminal.
submarinismo *m* scuba diving; **submarinista** *m/f* scuba diver; **submarino 1.** underwater; **2.** *m* submarine.
subnormal (mentally) retarded.
subordinado *adj. a. su.* *m,* **a** *f* subordinate; **subordinar** [1a] subordinate.
subproducto *m* by-product.
subrayar [1a] underline (*a. fig.*); *lo subrayado es mío* my italics.
subrepticio surreptitious.
subsanar [1a] *falta* overlook; *error* put right; *pérdida* make up.
subscr... *v.* suscr...
subsidiarias *f/pl.* feeder industries.
subsidiario subsidiary.
subsidio *m* subsidy, grant; aid; (*de seguro social*) benefit; ~ *familiar* family allowance; ~ *de paro* unemployment insurance; ~ *de vejez* old-age pension.
subsiguiente subsequent.
subsistir [3a] (*vivir*) subsist, live; (*existir aún*) endure, last (out); (*ley etc.*) be still in force; (*edificio*) still stand.
subst... *v.* sust...
subsuelo *m* subsoil.
subterfugio *m* subterfuge; way out.
subterráneo 1. underground, subterranean; **2.** *m* cavern; cellar.
subtítulo *m* subtitle, subhead(ing); caption.
suburbano suburban; **suburbio** *m* suburb; *b.s.* outlying slum.
subvención *f* subsidy, grant; **subvencionar** [1a] subsidize, aid.
subversión *f* subversion; (*acto*) overthrow; **subversivo** subversive; **subverter** [3i] subvert; *orden* disturb; undermine.
subyacente underlying.
subyugar [1h] subdue, subjugate; overpower; dominate.
succión *f* suction; **succionar** [1a] suck; apply suction to.
suceder [2a] (*ocurrir*) happen; (*seguir*) succeed, follow; (*heredar*) inherit; ~ *a p.* succeed; *puesto, trono* succeed to; *bienes* inherit; ~**se** follow one another; **sucesión** *f* sucession (*a* to); sequence; (*hijos*) issue, offspring; **sucesivamante** successively; *y así* ~ and so on; **sucesivo** successive; consecutive; *en lo* ~ in the future; (*desde entonces*) thereafter; **suceso** *m* event, happening; incident; (*resultado*) outcome; **sucesor** *m,* **-a** *f* successor.
suciedad *f* dirt(iness) etc.; (*palabra*) dirty word, obscene remark.
sucinto succinct, concise.
sucio dirty, filthy; grimy, grubby, soiled; *fig.* dirty, obscene.
sucumbir [3a] succumb (*a* to).
sucursal *f* branch (office); subsidiary.
sud *m* south; **sudamericano** *adj. a. su.* *m,* **a** *f* South American.
sudar [1a] sweat (*a.* F).
sudor *m* sweat (*a. fig.*); **sudoriento, sudo(ro)so** sweaty, sweating.
suegra *f* mother-in-law; **suegro** *m* father-in-law.
suela *f* sole; sole leather.
sueldo *m* salary, pay; *a* ~ on a salary; *gangster* hired, on a contract (to kill).

suelo *m* (*tierra*) ground, soil, land; (*superficie de la tierra*) ground; (*piso*) floor; (*material de piso*) flooring; bottom *de vasija*; hoof *de caballo*; ~ *natal* native land.

suelto 1. (*no atado*) loose, free; (*libre*) free, at large; (*sin trabas*) unhampered; (*separado*) detached, unattached; (*no en serie*) odd, separate; *ejemplar, número* single; *fig.* (*ligero*) light, quick; (*hábil*) expert; (*libre, atrevido*) free, daring; *estilo* easy, fluent; *verso* blank; **2.** *m* small change; news item.

sueño *m* sleep; (*fantasía*) dream (*a. fig.*); en(tre) ~s in a dream; ~ *hecho realidad* dream come true; ~s *dorados* daydreams.

suero *m* 🞄 serum; whey *de leche*.

suerte *f* (*good*) luck; fortune, chance; (*hado*) fate, destiny, lot; condition, state; (*género*) kind; *toros*: stage; (*de capa*) play with the cape; ~s *pl.* juggling; *buena* ~ (good) luck; *mala* ~ bad luck, hard luck; *de mala* ~ unlucky; *de* ~ *que* so that; (*en principio de frase*) (and) so; *por* ~ luckily; by chance.

suéter *m* jumper, sweater.

suficiencia *f* adequacy, fitness; (*aire de*) ~ self-importance; smugness, self-satisfaction; **suficiente** enough, sufficient; (*apto*) adequate, fit; *b.s.* smug, self-satisfied, superior.

sufijo *m* suffix.

sufragar [1h] *v/t.* aid, support; 🞂 defray (the costs of); *v/i. S.Am.* vote; **sufragio** *m* (*derecho de votar*) suffrage, franchise; (*voto*) vote; ballot; (*ayuda*) aid; ~ *universal* universal suffrage.

sufrido 1. patient, long-suffering; *color, tela etc.* hard-wearing; *marido* complaisant; **2.** *m* F complaisant husband; **sufrimiento** *m* patience; tolerance; (*padecimiento*) suffering, misery; **sufrir** [3a] *v/t.* (*padecer*) suffer; (*pérdida*) suffer, sustain; (*experimentar*) undergo, experience; (*soportar*) bear, put up with; *v/i.* suffer.

sugerencia *f* suggestion; **sugerir** [3i] suggest; hint; *pensamiento etc.* prompt; **sugestión** *f* suggestion; hint; **sugestionar** [1a] hypnotize; **sugestivo** attractive; thought-provoking.

suicida 1. suicidal; **2.** *m/f* suicide (*p.*); **suicidarse** [1a] commit suicide; **suicidio** *m* suicide (*act*).

sujeción *f* subjection; (*acto de fijar*) fastening *etc.*; **sujetador** *m* fastener; bra; clip *de pluma*; ~ *de libros* bookend; **sujetapapeles** *m* paperclip; **sujetar** [1a] (*fijar etc.*) fasten, hold in place; (*agarrar*) lay hold of, seize; (*dominar*) dubdue; keep down, keep under; ~se *a* subject o.s. to, submit to; **sujeto 1.:** ~ *a* subject to, liable to; **2.** *m gr.* subject; F fellow, character.

sulfurar [1a] 🞄 sulphurate; *fig.* annoy, rile; ~se blow up, see red; **sulfúreo** sulphur(eous); **sulfúrico** sulphuric; **sulfuro** *m* sulphide.

sultán *m* sultan; **sultana** *f* sultana.

suma *f* (*agregado*) sum, total; (*dinero*) sum; (*acto*) adding-up; (*resumen*) summary; **sumadora** *f* adding machine; **sumamente** extremely, highly; **sumar** [1a] add up, total; (*compendiar*) summarize; sum up; ~se *a* join, become attached to; **sumario** *adj. a. su. m* summary.

sumergir [3c] submerge; sink; dip, plunge, immerse; *fig.* plunge (*en* into); ~se submerge; sink *etc.*

sumidero *m* drain, sewer; sink.

suministrar [1a] supply.

sumir [3a] sink; plunge, immerse; *fig.* plunge (*en* into); ~se sink.

sumisión *f* submission; (*cualidad*) submissiveness; **sumiso** submissive, obedient; unresisting.

sumo great, extreme; *sacerdote* high; *pontífice* supreme.

suntuoso *mst* sumptuous; lavish, rich.

super... super...; over...

superar [1a] surpass *en cantidad*; excel *en calidad*; *dificultad* overcome, surmount; *expectativa* exceed; *límites* transcend.

superávit *m* surplus.

supercarburante *m* high-test fuel.

superficial *medida* surface *attr.*; *fig. mst* superficial (*a.* 🞄); facile; perfunctory; *p. etc.* shallow; **superficie** *f* surface; area; outside; face; ~ *inferior* underside.

superfluo superfluous.

super...: ~**hombre** *m* superman; ~**intendencia** *f* supervision; ~**intendente** *m* superintendent, supervisor; overseer.

superior 1. upper, higher; *fig.* superior, better; high, higher; first-rate; *clase social etc.* upper; *p.* chief, head ...; master ...; ~ *a cifra* more than, larger than; *calidad* better than;

nivel etc. above, higher than; **2.** *m* superior; *mis* ~*es* my superiors in *categoría*; *fig.* my betters.

superlativo *adj. a. su. m* superlative.

super...: ~**mercado** *m* supermarket; ~**numerario** *adj. a. su. m, a f* supernumerary; ~**poblado** *barrio etc.* overcrowded, congested; *región* overpopulated; ~**poner** [2r] superimpose; ~**producción** *f* overproduction; ~**sónico** supersonic.

superstición *f* superstition; **supersticioso** superstitious.

supervisar [1a] supervise.

supervivencia *f* survival; **superviviente** *m/f* survivor.

suplantar [1a] supplant.

suplemental supplemental; **suplementario** *mst* supplementary; *precio etc.* extra; **suplemento** *m* supplement; 🚋 excess fare; ~ *dominical diario* Sunday supplement.

suplente 1. substitute, deputy, reserve; *maestro* supply *attr.*; **2.** *m/f* substitute, deputy; *thea. etc.* understudy; *deportes:* reserve.

súplica *f* supplication; 🕮 petition; ~*s pl.* pleading(s); **suplicante 1.** *tono etc.* imploring; **2.** *m/f* 🕮 *etc.* petitioner, applicant; **suplicar** [1g] *p.* plead with, implore, beg.

suplicio *m* (*castigo*) punishment; (*tormento*) torture; (*dolor*) torment.

suplir [3a] *necesidad, omisión* supply; *falta* make good, make up for; suplement; *p. etc.* (*mst* ~ *a*) replace.

suponer [2r] *v/t.* suppose, assume; entail, imply *como consecuencia*; *v/i.* be important; **suposición** *f* supposition; surmise.

supremacía *f* supremacy; **supremo** supreme.

supresión *f* suppression *etc.*; **supresor** *m* radio: suppressor; **suprimir** [3a] *rebelión, crítica etc.* suppress; *costumbre, derecho* abolish; *dificultad, desechos* remove, eliminate; *restricciones* lift.

supuesto 1. *p.p. of* **suponer**; **2.** *adj.* supposed, ostensible; (*sedicente*) self-styled; *nombre* assumed; ~ *que* since, granted that; **3.** *m* assumption, hypothesis; *por* ~ of course.

supurar [1a] discharge, run, suppurate 🟥.

sur 1. *parte* south(ern); *dirección* southerly; *viento* south(erly); **2.** *m* south.

surcar [1g] *tierra etc.* furrow, plough

(*through etc.*); (*hacer rayas*) score, groove; *agua* cleave; **surco** *m* 🖊 *etc.* furrow; (*raya*) groove, line; groove *de disco*; (*arruga*) wrinkle; track *en agua*.

surgir [3c] arise, emerge, appear; (*líquido*) spout, spurt (up); spring up; loom up; (*dificultad etc.*) arise, crop up; (*p.*) appear unexpectedly.

suroeste 1. *parte* south-west(ern); *dirección* south-westerly; *viento* south-west(erly); **2.** *m* south-west.

surrealismo *m* surrealism; **surrealista** *m/f* surrealist.

surtido 1. mixed, assorted; **2.** *m* (*gama*) range, selection, assortment; (*provisión*) stock, supply; *de* ~ stock; **surtidor** *m* fountain; (*chorro*) jet; ~ *de gasolina* gas(oline) pump; **surtir** [3a] *v/t.* supply, stock; *esp. fig.* provide; *efecto* have, produce; *bien surtido* well stocked (*de* with); *v/i.* spout, spurt; ~**se** de provide o.s. with.

susceptible susceptible; sensitive, touchy; impressionable; ~ *de mejora etc.* capable of, open to.

suscitar [1a] *rebelión etc.* stir up; *tono* provoke; *cuestión, duda etc.* raise.

suscribir [3a; *p.p. suscrito*] subscribe (*a* to); *opinión* subscribe to; (*firmar*) sign; ~**se** subscribe (*a* to, for); **suscripción** *f* subscription; **suscriptor** *m*, **-a** *f* subscriber.

susodicho above(-mentioned).

suspender [2a] hang (up), suspend; *fig. mst* suspend; *candidato* fail; (*admirar*) astonish; **suspensión** *f* hanging (up), suspension (*a. mot.*); ⚙ stay; **suspenso** suspended, hanging; *candidato* failed; *fig.* amazed; bewildered.

suspicaz suspicious, distrustful.

suspirar [1a] sigh (*por* for); **suspiro** *m* sigh.

sustancia *f* substance; essence; *en* ~ in substance; **sustancial** substantial; important, vital; **sustancioso** substantial; *comida* nourishing; **sustantivo 1.** substantive; **2.** *m* noun, substantive.

sustentar [1a] sustain; maintain; support; (*alimentar*) feed, nourish; *tesis* defend; ~**se** sustain o.s.; subsist (*con* on); **sustento** *m* sustenance, food; maintenance.

sustitución *f* substitution; replacement; **sustituir** [3g] *v/t.* substitute (*A por B* B for A), replace (*A por B* A by B, A with B); *v/i.* substitute;

S

deputize; ~ a replace; deputize for; **sustituto** m, **a** f substitute; deputy; replacement.

susto m fright, scare; ¡ay qué ~! what a fright you gave me!; *darse un* ~ have a fright.

sustracción f ⚕ substraction; deduction; **sustraer** [2p] ⚕ subtract; deduct; (*robar*) steal; ~**se** a withdraw from, contract out of.

sustrato m substratum.

susurrar [1a] whisper; *fig.* (*arroyo*) murmur; (*hojas*) rustle; (*viento*) whisper; ~**se** *fig.* be whispered about; **su-**

surro m *fig.* whisper; murmur; rustle.

sutil *tela etc.* thin, fine; tenuous; (*perspicaz*) keen, observant; *distinción etc.* subtle; **sutileza** f thinness *etc.*; subtlety; finesse; **sutilizar** [1f] v/t. thin down, fine down; *fig.* polish, perfect; refine.

suyo, suya 1. *pron. a. adj.* (*tras verbo ser*) (*un poseedor*) his, hers, its, one's; (*de Vd.*) your; (*varios poseedores*) theirs; (*de Vds.*) yours; **2.** *adj.* (*tras su.*) of his *etc.*; *de* ~ naturally; intrinsically; per se.

svástica f swastika.

T

taba f anklebone; (*juego*) knucklebones; F *tomar la* ~ show who is the boss.

tabacal m tobacco field; **tabacalero 1.** tobacco *attr.*; **2.** m tobacconist; **tabaco** m tobacco; (*puro*) cigar; (*cigarrillos*) cigarettes; ~ *en polvo* snuff; ~ *rubio* Virginian tobacco; **tabacoso** *dedos* tobacco-stained.

tabalear [1a] v/t. shake, rock; v/i. drum (with one's fingers).

tábano m horsefly.

tabaquería f tobacconist's (shop); **tabaquero** m tobacconist.

taberna f pub(lic house), bar.

tabernario *fig.* rude, dirty; **tabernero** m landlord; barman.

tabicar [1g] wall up, partition off; **tabique** m partition, wall.

tabla f (*madera*) plank, board; (*piedra*) slab; *paint.* panel; *anat.* flat (or wide) part; ⚿ bed, patch; *sew.* broad pleat; ⚈ meat stall; ⚕ *etc.* table; (*lista*) table, list; chart; index *de libro*; ~*s pl. thea.* boards, stage; *fig.* theater; ~*s pl. ajedrez etc.*: draw; ~ *de dibujo* drawing board; ~ *de materias* table of contents; ~ *de multiplicar* multiplication table; ~ *de planchar* ironing board; ~ *de salvación* last resort; lifesaver; **tablado** m plank floor, platform, stand; *thea. etc.* stage; (*cadalso*) scaffold; **tablaje** m, **tablazón** f planks, planking, boards; **tablero** m boards, planks; *ajedrez etc.*: board; (*encerado*) blackboard; counter *de tienda*; ⚡ switchboard; ~ (*de instrumentos*) instrument panel, *mot.* dashboard; ~ *de ajedrez* chess-

board; ~ *de dibujo* drawing board; **tableta** f small board; (*taco*) tablet; bar *de chocolate*.

tabú m taboo.

tabular [1a] tabulate.

taburete m stool, footstool.

tacañería f meanness; **tacaño** mean, stingy, close-fisted.

tácito tacit; *observación etc.* unspoken; *ley* unwritten; **taciturno** taciturn; (*triste*) moody, sulky.

taco m plug, bung, stopper; (*empaquetadura*) wad(ding); *billar*: cue.

tacón m heel; **taconear** [1a] click one's heels *al saludar etc.*

táctica f tactics; gambit; **táctico 1.** tactical; **2.** m tactician.

táctil tactile; **tacto** m (*sentido*) (sense of) touch; touch *de mecanógrafa etc.*; (*acto*) touch(ing), feel.

tacha[1] f ⊕ large tack, stud.

tacha[2] f flaw, blemish, defect; *sin* ~ flawless; *poner* ~ a find fault with; **tachar** [1a] cross out; *fig.* fault, criticize, attack.

tachón[1] m ⊕ stud; *sew.* trimming; **tachonar** [1a] ⊕ stud.

tachón[2] m stroke, crossing-out.

tachoso defective, faulty.

tachuela f tack.

tafetán m taffeta; ~*es pl. fig.* flags; ~ *adhesivo*, ~ *inglés* court plaster.

tahúr m gambler; *b.s.* cardsharper.

taifa f F gang of thieves; *hist.* band.

taimado sly, crafty.

taja f cut; division; **tajada** f slice, cut *de carne etc.*; *S.Am.* cut, slash; F (*ronquera*) hoarseness; F (*borrachera*) drunk; F ⚐ rake-off; **tajar** [1a] *carne*

tanto

etc. slice, cut; chop; hew; **tajo** *m* (*corte*) cut; slash *con espada*; (*filo*) cutting edge; *geog.* sheer cliff; (*tajadero*) chopping-block; block *de verdugo*; (*tarea*) job.

tal 1. *adj.* such (a); (*con su. abstracto*) such; ~*es pl.* such; el ~ Pérez this Pérez, that fellow Pérez; un ~ Pérez a man called Pérez, one Pérez; **2.** *pron.* (*p.*) such a one, someone; F en la calle de ~ in such-and-such a street; el ~ this man *etc.* (we're talking about); such a person; ~ como such as; como ~ as such; ~ cual libro an odd book, one or two books; ~ o cual such-and-such; *para cual* two of a kind; sí ~ yes indeed; y ~ and such; ~ hay que there are those who; no hay ~ nothing of the sort; no hay ~ como *inf.* there's nothing like *ger.*; **3.** *adv.* so, in such a way; ~ como just as; ~ cual (*adv.*) just as it is; era ~ cual deseaba it was just what he wanted; (*como adj.*) middling, so-so; ¿qué ~? how goes it?, how's things?; ¿qué ~ el libro? what do you think of the book?; ¿qué ~ te gustó? how did you like it?; **4.** *cj.*: con ~ que provided (that).

taladradora *f* drill; ~ de fuerza power-drill; **taladrar** [1a] bore, drill, punch, pierce; **taladro** *m* drill; gimlet; auger.

talante *m* (*semblante*) look; (*ánimo*) frame of mind; will, pleasure; (*modo de hacer*) method, way.

talar [1a] *árbol* fell, cut down; △ *etc.* pull down; *fig.* devastate.

talco *m* talcum powder; *min.* talc.

talega *f* bag, sack; nappy *de niño*; **talego** *m* long sack, poke.

talento *m* talent (*a. hist.*); gift; (*inteligencia*) brains, ability; ~*s pl.* talents; accomplishments; **talentoso** talented, gifted.

talón *m* *anat.* heel; stub, counterfoil *de cheque etc.*; 🎫 receipt for luggage; **talonar** [1a] heel; **talonario** *m* (*a. libro* ~) book of tickets; **talonear** [1a] hurry along.

talla *f* (*escultura*) carving, (*grabado*) engraving; height, stature *de p.*; size *de traje etc.*; rod, scale *para medir*; 🚂 reward; *diamante* cut, polish; **tallado 1.** carved *etc.*; *diamante* cut, polished; *bien* ~ shapely, well-formed; **2.** *m* carving *etc.*; **tallar** [1a] *v/t.* carve, shape, work; (*grabar*) engrave; *diamante* cut; *p.* measure; *fig.* value.

tallarín *m* noodle.

talle *m* (*cintura*) waist; (*cuerpo*) figure *esp. de mujer*; build, physique *esp. de hombre*; *fig.* outline; look.

taller *m* ⊕ workshop, shop; (*grande*) mill, factory; workroom *de sastre*; studio *de pintor*; ~*es pl.* gráficos printing works; ~ de máquinas machine shop; ~ de montaje assembly shop; ~ de reparaciones repair shop.

tallo *m* ♀ stem, stalk; blade *de hierba*; (*renuevo*) shoot.

tamaño 1. (*grande*) so big, such a big, huge; (*pequeño*) so small *etc.*; ~ como as big as; **2.** *m* size; capacity, volume; de ~ extra(ordinario) outsize; de ~ natural full-size, life-size.

tambalear(se) [1a] (*p.*) stagger, reel; (*vehículo*) lurch, sway.

también also, as well, too; beside(s); ¡~! that as well?, not that too!; yo ~ so am I, me too.

tambor *m* ♪, ⊕ drum; *sew.*, △ tambour; *anat.* eardrum; (*p.*) drummer; a ~ batiente with flying colors; **tambora** *f* bass drum; **tamborileo** *m* drumming; patter; **tamborilero** *m* drummer.

tamiz *m* sieve; **tamizar** [1f] sift, sieve.

tampoco neither, not … either; nor; ni éste ni aquél ~ neither this one nor that one; yo ~ lo sé I don't know either; ni yo ~ nor I.

tan so; ~ bueno so good; coche ~ grande such a big car; ~ … como as … as; ~ es así que so much so that; un ~ such a.

tanda *f* shift, gang, relay *de ps.*; shift, turn, spell en el trabajo; turn de riego *etc.*; (*tarea*) job; (*capa*) layer, coat; (*partida*) game.

tangible tangible.

tanteador *m* scoreboard; (*p.*) scorer; **tantear** [1a] *v/t.* (*examinar*) weigh up; (*ensayar*) feel, test; (*comparar*) measure, weigh; *deportes*: keep the score of; *v/i. deportes*: score, keep (the) score; (*ir a tientas*) grope; **tanteo** *m* weighing-up; calculation; trial, test(ing); trial and error; *deportes*: score; al ~ by guesswork.

tanto 1. *adj.* so much; ~*s pl.* so many; ~ como as much as; ~*s* como as many as; 20 y ~*s* 20-odd; a ~*s* de mayo on such-and-such a day in May; a las ~*as* in the small hours; **2.** *adv.* so much; as much; *trabajar etc.* so hard; *permanecer etc.* so long; él come ~ como yo he eats as much as I do; ~ A

como B both A and B; ~ más the more,
all the more ... as; ~ más cuanto que all
the more (...) because; ~ mejor all the
better; ~ peor so much the worse;
en(tre) ~ meanwhile; por (lo) ~ so,
therefore; 3. cj.: con ~ que provided
(that); 4. m ✝ etc. so much, a certain
amount; (ficha) counter, chip; deportes: point, goal; ~ por ciento percentage, rate; ✝ al ~ at the same
price; algún ~, un ~ rather.

tañer [2f] ♪ play; campana ring; **tañido** m sound de instrumento; ringing; twang; tinkle.

tapa f lid; (tapón) top, cap; cover.

tapacubos m hubcap.

tapadera f lid, cover, cap.

tapar [1a] vasija put the lid on; botella
put the cap on, stopper; cara cover
up; muffle up; (cegar etc.) stop (up),
block (up); visión obstruct, hide; fig.
conceal; defecto cover up; fugitivo
hide; delincuente cover up for; ~se
wrap (o.s.) up.

taparrabo m loincloth de indio etc.;
(bathing) trunks.

tapete m rug; (table-)runner; ~ verde
card table.

tapia f (garden) wall; mud wall; **ta-
piar** [1b] wall in; fig. stop up.

tapicería f (colgada) tapestry, tapestries, hangings; upholstery.

tapiz m tapestry; carpet; **tapizar** [1f]
pared hang with tapestries; mueble
upholster; suelo carpet.

tapón m stopper, cap de botella; (corcho) cork; ⊕ plug, bung; wad; ⚕
tampon; ~ de algodón ⚕ swap; ~ de
cubo mot. hubcap; ~ de desagüe drain
plug; ~ de tráfico traffic jam; **tapo-
nar** [1a] stopper, cork; conducto
plug, stop up.

taquigrafía f shorthand, stenography; **taquígrafo** m, a f shorthand
writer, stenographer.

taquilla f 🎫 booking office; thea.
box-office; (carpeta) file; **taquillero
1.** éxito etc. box-office attr.; **2.** m, a f
clerk.

taquimeca(nógrafa) f shorthand
typist.

taquímetro m speedometer; surv.
tachymeter.

tarabilla 1. f F chatter; soltar la ~ F
talk a blue streak; **2.** m/f F (hablador)
chatterbox.

tararear [1a] hum.

tarascada f bite; F tart reply; **taras-
car** [1g] bite, snap at.

tardanza f slowness; (retraso) delay;
tardar [1a] take a long time, be long;
delay; (sin partir etc.) linger (on);
(llegar tarde) come late, be late; a más
~ at the latest.

tarde 1. adv. late; (demasiado) too
late; de ~ en ~ from time to time; ~ o
temprano sooner or later; más ~ later
(on); se hace ~ it is getting late; **2.** f (de
12 a 5 o 6) afternoon; (de 5 o 6 al
anochecer) evening; ¡buenas ~s! good
afternoon, good evening; de la ~ a la
mañana overnight; fig. in no time at
all; **tardecita** f dusk.

tardío (lento) slow; (que llega o madura tarde) late; (atrasado) belated,
overdue; **tardo** slow, sluggish; **tardón** F slow; (lerdo) dim.

tarea f job, task; duty, duties; (cuidado) worry; ~ de ocasión chore; ~
suelta odd job.

tarifa f tariff; rate, charge; price list
en café etc.; (pasaje) fare; ~ turística
tourist class.

tarima f platform; (soporte) stand;
(asiento) stool, bench; (cama) bunk.

tarja f tally; F swipe, slash; **tarjar**
[1a] keep a tally of.

tarjeta f card; ~ de crédito credit
card; ~ de felicitación, ~ de buen deseo
greeting card; ~ de identidad identity
card; ~ navideña Christmas card; ~
postal postcard; ~ de visita visiting
card.

tarro m pot, jar.

tarta f tart, cake.

tartamudear [1a] stutter, stammer;
tartamudeo m stutter(ing); **tarta-
mudez** f stutter, speech defect; **tartamudo 1.** stuttering; **2.** m, a f
stutterer.

tarugo m wooden peg; (tapón) plug,
stopper.

tasa f (fixed, official) price; rate; fig.
estimate; (acto) valuation etc.; (medida, norma) measure, standard; sin
~ boundless, unstinted; **tasable**
ratable; **tasación** f valuation; fixing
de precios; fig. appraisal; **tasada-
mente** in moderation, sparingly; **tasador** m valuer; **tasar** [1a] artículo
fix a price for, price (en at); trabajo
etc. assess, rate (en at).

tatarabuelo m great-great-grand-
father.

¡tate! 1. admiración: goodness!, well
well!; (ya caigo) oh I see; cuidado:
look out!; **2.** m sl. drug addict,
smoker of hashish.

tatuaje *m* tattoo; (*acto*) tattooing; **tatuar** [1d] tattoo.

taurino bullfighting *attr.*; *zo.* bull *attr.*

Tauro *m ast.* Taurus; **tauromaquia** *f* bullfighting; **tauromáquico** bullfighting.

taxi *m* taxi (cab).

taxidermista *m/f* taxidermist.

taxista *m* taxi driver.

taza *f* cup; basin *de fuente*.

tazón *m* large cup, bowl; *prov.* wash basin.

te (*acc.*) you; (*dat.*) (to) you; (*reflexivo*) (to) yourself; (†, *a Dios*) thee, (to) thee, (†) thyself.

té *m* tea.

tea *f* torch.

teatral of the theater, theatrical; *fig.* dramatic; *esp. b.s.* histrionic, stagey; **teatro** *m* theater (*a.* ✗); scene *de acontecimiento*; (*profesión*) the theater, the stage; (*obras*) dramatic works.

tecla *f* key; F *dar en la* ~ get the hang of a thing; **teclado** *m* keyboard; manual *de órgano*; **tecleo** *m* fingering *etc.*; touch, fingerwork.

técnica *f* technique; **tecnicidad** *f* technicality; **tecnicismo** *m* technicality, technical term; **técnico 1.** technical; **2.** *m* technician; expert, specialist; **tecnología** *f* technology; **tecnológico** technological.

techado *m* roof; *bajo* ~ indoors, under cover; **techar** [1a] roof (in, over); **techo** *m*, **techumbre** *f* roof; ceiling *de habitación* (*a.* ✗).

tedio *m* boredom; tedium.

teja *f* tile; *a toca* ~ on the nail, in hard cash; **tejadillo** *m* top, cover; **tejado** *m* (tiled) roof; *fig.* housetop; **tejar** [1a] tile.

tejedor *m*, **-a** *f* weaver; **tejedura** *f* weaving; weave, texture; **tejeduría** *f* weaving; (*fábrica*) textile mill; **tejer** [2a] weave (*a. fig.*); *S.Am.* knit; *fig.* scheme; **tejido** *m* fabric, material; tissue (*a. anat.*); web; (*textura*) weave, texture.

tela *f* cloth, fabric, material; web *de araña etc.*; (*nata*) skin, film; skin *de fruta*; *sl.* dough; *fig.* subject, matter; ~ *de araña* spider web; ~*s pl. del corazón* heartstrings; ~ *cruzada* twill; ~ *metálica* wire fencing, chicken wire; ~ *de punto* stockinet; *hay* ~ *que cortar* (*or para rato*) it's an awkward business, it's a long job;

poner en ~ *de juicio* (call in) question; test, look closely at.

telar *m* loom; *thea.* gridiron.

telaraña *f* spider's web, cobweb.

tele...: ~comando *m*, **~control** *m* remote control; **~diario** *m* daytime television news; **~fonear** [1a] telephone; **~fonema** *m* telephone message; **~fónico** telephonic; telephone *attr.*; **~fonista** *m/f* (telephone) operator, telephonist; **teléfono** *m* telephone; *llamar al* (*or por*) ~ telephone, ring (up).

tele...: ~fotografía *f* telephoto; **~grafía** *f* telegraphy; **~grafiar** [1c] telegraph; **~gráfico** telegraphic; telegraph *attr.*; **~grafista** *m/f* telegraphist; **telégrafo** *m* telegraph; ~*s m* F telegram boy; **telegrama** *m* telegram; **teleimpresor** *m* teleprinter; **~loca** *f* F television; **telémetro** *m* range finder.

tele...: ~patía *f* telepathy; **~pático** telepathic; **~scopar(se)** [1a] telescope; **~scópico** telescopic; **~scopio** *m* telescope; **~spectador** *m*, **-a** *f* (tele)viewer; **~squí** *m* ski lift; **~tipo** *m* teletype; **~visar** [1a] televise; **~visión** *f* television; ~ *por cable* cable television; *aparato de* ~ = **~visor** *m* television set.

telón *m* curtain; *pol.* ~ *de acero* iron curtain; ~ *de boca* front curtain; drop (curtain); ~ *de fondo*, ~ *de foro* backcloth, backdrop; ~ *de seguridad* safety curtain.

tema¹ *m* theme (*a.* ♪); subject (*a. paint.*), topic; motif; *gr.* stem.

tema² *m* fixed idea, mania; *tener* ~ *be* stubborn; *tener* ~ *a* have a grudge against.

temblar [1k] tremble (*ante* at, *de* at, with); shake, quiver, shiver; (*tambalearse*) totter, sway; ~ *de frío* shiver with cold; ~ *por su vida* fear for one's life; **temblequear** [1a] F be all of a quiver; **temblón 1.** trembling; *álamo* ~ = **2.** *m* aspen; **temblor** *m* tremble, trembling *etc.*; tremor, shiver(ing) *esp. de frío*; ~ *de tierra* earthquake; **tembloroso** trembling.

temer [2a] *v/t.* be afraid of, fear; dread; *v/i.* be afraid; ~ *por* fear for; ~ *inf.* fear to *inf.*; ~ *que* fear that; be afraid that; *no temas* don't be afraid.

temerario *p.*, *acto* rash, reckless; **temeridad** *f* rashness.

temeroso timid; = **temible** dreadful, frightful; *adversario etc.* re-

doutable; **temor** *m* fear, dread; (*recelo*) misgiving; sin ~ *a* fearless of.
témpano *m*: ~ (*de hielo*) ice floe; (*grande*) iceberg.
temperamento *m* temperament, nature; *fig.* compromise; **temperancia** *f* temperance; **temperante** *S.Am.* **1.** teetotal; **2.** *m/f* teetotaller; **temperar** [1a] *v/t.* temper, moderate; *pasión etc.* calm; *v/i. S.Am.* go on holiday; **temperatura** *f* temperature.
tempestad *f* storm (*a. fig.*); **tempestuoso** stormy (*a. fig.*), rough.
templado moderate, restrained; *agua* tepid; *clima* mild, temperate; ♪ in tune; **templanza** *f* temperance; mildness; **templar** [1a] temper, moderate; (*suavizar*) soften; *temperatura* cool; *solución* dilute; *metal* temper; *colores* blend; ♪ tune (up); ~**se** (*p.*) control o.s.; (*tiempo*) moderate; **temple** *m* temper(ing) de *metal*; ♪ tuning; *meteor.* (state of the) weather; temperature.
templo *m* temple; (*cristiano*) church, chapel.
temporada *f* time, period; spell (*a. meteor.*); (*social, deportiva etc.*) season; ~ *alta* midseason; *en plena* ~ at the height of the season; **temporal 1.** *eccl. etc.* temporal; (*provisional*) temporary; **2.** *m* storm; **temporáneo** temporary; **temporero** temporary; **tempranal** ♀ *etc.*, **tempranero, tempranal** early.
tenacidad *f* toughness *etc.*
tenacillas *f/pl.* tongs *para azúcar etc.*; curling-tongs *para pelo*; ✂ *etc.* tweezers, forceps.
tenaz tough, resistant; (*pegajoso*) that sicks fast; *creencia, resistencia* stubborn; *p.* tenacious.
tenazas *f/pl.* ⊕ (*unas a pair of*) pliers, pincers; tongs *para carbón.*
tendencia *f* tendency, trend; inclination; *tenor de observación etc.*
tender [2g] **1.** *v/t.* stretch; spread (out), lay out; *paint.*, △ put on; *arco* draw; *cable, vía* lay; *ferrocarril, puente* build; *mano* stretch out; *ropa* hang out; *trampa* set (*a* for); **2.** *v/i.*: ~ *a su.* tend to, tend towards, incline to; ~ *a inf.* tend to inf.; **3.** ~**se** lie down, stretch (o.s.) out; (*caballo*) run at a full gallop; *naipes*: lay down.
tendero *m*, **a** *f* shopkeeper.
tendido 1. lying (down), flat; **2.** *m*

laying *de cable etc.*; (*ropa*) washing; (*yeso*) coat of plaster.
tendón *m* tendon, sinew.
tendré *etc. v. tener.*
tenebroso dark; gloomy, dismal; *asunto* sinister, dark; *negocio* shady.
tenedor *m* fork; (*p.*) holder, bearer; ~ *de acciones* stockholder; ~ *de libros* bookkeeper; ~ *de obligaciones* boldholder; **teneduría** *f*: ~ *de libros* bookkeeping.
tener [2l] have; have got; (*tener en la mano, asir etc.*) hold; (*retener*) keep; (*contener*) hold, contain; *¿qué tienes?* what's the matter with you?; ~ *9 años* be 9 (years old); *¿cuántos años tienes?* how old are you?; ~**se** hold (fast); stand firm; catch o.s. *al caer*; (*detenerse*) stop.
tengo *etc. v. tener.*
teniente *m* lieutenant.
tenis *m* tennis; ~ *de mesa* table tennis; **tenista** *m/f* tennis player.
tenor¹ *m* ♪ tenor.
tenor² *m* state; (*sentido*) tenor, purport; *a este* ~ like this.
tensar [1a] tauten; tense; **tensión** *f* tension; stress, strain; rigidity; *alta* ~ high tension; ~ *arterial*, ~ *sanguínea* blood pressure; ~ *superficial* surface tension; **tenso** tense, taut.
tentación *f* temptation.
tentáculo *m* tentacle, feeler.
tentador 1. tempting; **2.** *m* tempter; **tentadora** *f* temptress; **tentar** [1k] (*palpar*) touch, feel; ✂ probe; *camino* feel; (*intentar*) try, attempt; (*emprender*) undertake; (*seducir*) tempt; **tentativa** *f* try, attempt; effort; **tentativo** tentative.
tenue (*delgado*) thin, slender; *hilo* fine; *esp. fig.* tenuous, slight.
teñir [3h *a.* 3l] *mst teñir* (*de negro* black); color; stain, tinge.
teología *f* theology.
teorema *m* theorem; **teoría** *f* theory; ~ *atómica* atomic theory; ~ *cuántica*, ~ *de los cuanta* quantum theory; **teórico** theoretic(al); **teorizar** [1f] theorize.
tequila *f* Mex. brandy.
terapeuta *m/f* therap(eut)ist; **terapéutica** *f* therapeutics; = **terapia** *f* therapy; ~ *laboral* occupational therapy.
tercera *f* ♪ third; **tercería** *f* mediation; *b.s.* procuring; **tercermundista** Third World; **tercermundo** *m* Third World; **tercero 1.** *adj. a. su.*

m ♃ third; **2.** *m*, **a** *f* go-between; (*árbitro*) mediator; ⚢ third person (*or* party); *b.s.* procurer, pimp; **terciado** *azúcar* brown; **terciar** [1b] *v/t.* slope, slant; ♃ divide into three; *v/i.* fill in, stand in; **tercio** *m* third.

terciopelo *m* velvet.

terco obstinate, stubborn.

tergiversar [1a] *v/t.* distort, misrepresent; *v/i.* prevaricate; be undecided, blow hot and cold.

terminal *adj. a. su. m* (♀), *f* (*puerto*) terminal; **terminante** final, definitive; (*claro*) conclusive; *negativa* flat; *prohibición* strict; **terminar** [1a] end, finish; **~se** draw to a close, stop; **término** *m* end, finish; (*mojón*) boundary, limit; ⚒ etc. terminus; (*plazo*) period, time; outlying part *de ciudad*; (*palabra, phls.*, ♃) term; (*arbitrio*) compromise solution; *primer* ~ foreground; *segundo* ~ middle distance; *último* ~ background; *en último* ~ *fig.* in the last analysis; *en medio* compromise, middle way; (*promedio*) average.

termómetro *m* thermometer; **termonuclear** thermonuclear; **termos** *m* vacuum (*or* thermos) flask; **termóstato** *m* thermostat.

ternera *f* (heifer) calf; (*carne*) veal; **ternero** *m* (bull) calf.

terno *m* set of three, trio; (*traje*) three-piece suit; F swear word.

ternura *f* tenderness.

terquedad *f* obstinacy.

terraplén *m* ⚒ etc. embankment; ✍ terrace; mound; ⚔ rampart.

terraza *f* terrace; (*tejado*) flat roof; balcony *de piso*; ✍ flowerbed.

terremoto *m* earthquake.

terrenal = **terreno 1.** earthly, worldly; **2.** *m geol. etc.* (*superficie*) terrain; (*naturaleza del suelo*) soil, land; (*extensión*) piece of ground, grounds; ✍ plot, patch, field; *deportes:* pitch, ground; *fig.* field.

terrible terrible, dreadful; **terrífico** terrifying.

terrón *m* clod; lump (*a. azúcar*).

terror *m* terror, dread; **terrorífico** terrifying; **terrorismo** *m* terrorism; **terrorista** *m* terrorist.

terroso earthy; (*sucio*) dirty.

terso (*liso*) smooth; (*y brillante*) glossy; (*brillante*) shining, bright.

tertulia *f* (*reunión*) social gathering, get-together F; (*grupo*) party, group, circle; set *de café etc.*; **tertuliano,**

a *f* member of a social gathering *etc.*

tesis *f* thesis.

teso tense, taut.

tesón *m* insistence; tenacity, firmness *en resistir*.

tesorería *f* treasury; (*oficio*) treasurership; **tesorero** *m*, **a** *f* treasurer; **tesoro** *m* treasure; hoard; (*edificio, ministerio*) treasury; (*diccionario*) thesaurus.

testa *f* head; (*frente, cara*) front; F brains; ~ *coronada* crowned head.

testamento *m* will, testament; Antiguo (Nuevo) ♀ Old (New) Testament; **testar** [1a] make a will.

testarudez *f* stubbornness; **testarudo** stubborn.

testera *f* front, face; forehead *de animal*.

testículo *m* testicle.

testificar [1g] give evidence, testify; *fig.* attest; **testigo** *m/f* witness; ~ *de cargo* witness for the prosecution; ~ *de descargo* witness for the defense; ~ *ocular,* ~ *presencial,* ~ *de vista* eye witness; **testimoniar** [1b] testify to, bear witness to; **testimonio** *m* testimony, evidence.

teta *f* breast; (*pezón*) teat.

tétano *m* tetanus.

tetera *f* teapot; teakettle.

tétrico gloomy; sullen, sad.

textil 1. textile; **2.** ~es *m/pl.* textiles.

texto *m* text; **textual** textual.

textura *f* texture (*a. fig.*).

tez *f* complexion, skin.

ti you; (†, *a Dios*) thee.

tía *f* aunt; F (*grosera*) coarse woman; (*vieja*) old bag; (*puta*) whore; ~ *abuela* great-aunt.

tibia *f* tibia.

tiburón *m* shark.

tic *m* tic.

tiempo *m* time; *meteor.* weather; *gr.* tense; ♪ (*parte*) movement; ♪ (*compás*) time, tempo; *deportes:* half; *los buenos* ~s the good old days; *en mis buenos* ~s in my prime; ~ *libre* spare time, leisure; *deportes: primer* ~ first half; *a* ~ in (good) time, early; *a un* ~, *al mismo* ~ at the same time; *a su debido* ~ in due course; *al poco* ~ very soon; *con* ~ in (good) time, early; *con el* ~ eventually, in time; *de 4* ~s *motor* 4-stroke; *el* ♀ Father Time; *en* ~ *de Maricastaña, en* ~ *del rey que rabió* long ago, in the year dot; *fuera de* ~ at the wrong time; *más* ~ *quedar etc.* longer; ¿*cuánto* ~ *más?*

how much longer?; *mucho* ~ a long time.

tienda *f* shop, store; ~ *(de campaña)* tent; *(toldo)* awning.

tienta *f* ✷ probe; *fig.* cleverness; *a* ~*s* gropingly; *andar a* ~*s* grope, feel one's way *(a. fig.)*; **tiento** *m (tacto)* touch, feel(ing); stick *de ciego; zo.* feeler; *fig. (seguridad)* steady hand; *(cuidado)* wariness.

tierno *mst* tender; *(blando)* soft.

tierra *f ast.* earth; *geog.* world, earth; *(no mar)* land; *(finca, terreno)* land; *(materia del suelo)* ground, earth, soil; *(patria)* native land, one's (own) country; region; ⚡ earth; ~ *de batán* fuller's earth; ~ *firme* mainland; dry land; ~ *de nadie* no man's land; ~ *de pan llevar* corn land; ~ *prometida,* ~ *de promisión* promised land; ~ *quemada* scorched earth; ♀ *Santa* Holy Land; ~ *adentro* inland; *por* ~ by land, overland.

tieso 1. *adj.* stiff, rigid *(a. fig.); (tirante)* taut; *fig.* brave; grave; **2.** *adv.* strongly, hard.

tiesto *m* flower pot; *(fragmento)* piece of pottery, sherd.

tifón *m* typhoon; water spout.

tifus *m* typhus; *thea. sl.* free seats.

tigre *m* tiger; **tigresa** *f* tigress.

tijera *f (p.)* gossip; *tener una* ~ have a sharp tongue; **tijeras** *f/pl.* scissors; *(grandes, de jardín)* shears, clippers; *de* ~*(s)* folding; **tijereta** *f* ⚘ vine tendril; *zo.* earwig; **tijeretada** *f,* **tijeretazo** *m* snip, cut; **tijeretear** [1a] snip, cut, snick.

tildar [1a] *letra* put a tilde over; *(tachar)* cross out; *fig.* brand, stigmatize *(de as);* **tilde** *mst f typ.* tilde (~); *fig.* jot.

timbal *m* ♩ (kettle)drum; *cocina:* meat pie.

timbrar [1a] stamp; ✉ postmark; **timbre** *m* ♩; ✉ stamp; tax stamp; *(campanilla)* bell; timbre *de voz etc.*

timidez *f* timidity *etc.;* **tímido** timid, shy, nervous; bashful, coy.

timón *m* ⚓, ✈ rudder; *esp. fig.* helm; ~ *de dirección* rudder.

tímpano *m* eardrum; kettledrum.

tina *f* vat, tub; *(baño)* bath-tub; large jar; ~ *de lavar* washtub; **tinaja** *f* vat; (large earthen) jar.

tinieblas *f/pl.* darkness *(a. fig.),* dark, shadows.

tino *m (habilidad)* skill, knack; *(tiento,*

(sure) touch; *(juicio)* good judgment; *a buen* ~ by guesswork.

tinta *f* ink; dye *para teñir; (matiz)* tint, shade, hue; ~ *china* India ink; ~ *de imprenta* printer's ink; ~ *de marcar* marking ink; ~ *simpática* invisible ink; *de buena* ~ on good authority; **tinte** *m (acto)* dyeing; *(materia)* dye(-stuff); *(color)* tint, hue, tinge; ⊕ stain; *(tintorería)* dry-cleaner's; *fig.* disguise;

tintero *m* inkstand; inkwell.

tintín *m* clink, chink, jingle, tinkle; **tintinear** [1a] clink *etc.*

tinto dyed; *vino* red; **tintorería** *f* dry cleaner's *que limpia;* dyer's *que tiñe; (arte)* dyeing; *(fábrica)* dyeworks;

tintura *f* dye; rouge *de cara;* ⊕ stain; *pharm.* tincture.

tiña *f* ✷ ringworm; F meanness; **tiñoso** scabby, mangy; F mean.

tío *m* uncle; F *(viejo)* old fellow; F *(sujeto)* fellow, chap; ~*s pl.* uncle and aunt; ~ *abuelo* great-uncle; **tiovivo** *m* merry-go-round.

típico typical; *fig.* picturesque.

tipo *m mst* type; *(clase a.)* sort, kind; *(físico)* shape, figure, build; F fellow, chap; ~*s pl. typ.* type; ~ *de cambio* rate of exchange; ~ *de ensayo,* ~ *de prueba* eye-test chart; ~ *de impuesto* tax rate; ~ *de interés* rate of interest; ~ *de letra* typeface; ~ *menudo* small print; ~ *(de)* oro gold standard; **tipografía** *f* printing; typography; **tipográfico** printing *attr.;* typographical.

tira *f* (long *or* narrow) strip; slip *de papel;* ~ *cómica* comic strip; ~ *proyectable* film strip.

tirada *f (acto)* throw; distance, stretch; *typ.* printing, edition; ~ *aparte* offprint; *de una* ~ at one stroke, at a stretch; **tirado** ⚓ dirt cheap; ⚓ rakish; *letra* cursive; **tirador** *m* handle, knob *de puerta etc.;* bell-rope; ⚡ cord; ✗ *(p.)* shot, marksman; ~ *apostado,* ~ *certero,* ~ *emboscado* sniper.

tiranía *f* tyranny; **tiránico** tyrannical; *amor* possessive; *encanto* irresistible; **tiranizar** [1f] *v/t.* tyrannize; *v/i.* be a tyrant, domineer; **tirano 1.** tyrannical; domineering; **2.** *m,* **a** *f* tyrant.

tirante 1. taut, tight; *relaciones etc.* tense, strained; ⚓ tight; **2.** *m* ⚓ tie, brace; ⊕ strut; trace *de guarnición;* shoulder strap *de vestido;* ~*s pl.* braces, suspenders *Am.;* **tirantez** *f* tautness *etc.; fig.* tension.

tirar [1a] **1.** v/t. throw; cast, toss, sling; *desperdicios* throw away; (*disipar*) waste; *alambre* draw out; (*arrastrar*) haul; *línea* draw; ✕ shoot, fire; *typ.* print, run off; *beso* blow; **2.** v/i. (*chimenea*) draw; ✕ fire (*a* at, on), shoot (*a* at); (*atraer*) appeal; (have a) pull; (*durar*) last; ∼ *a su.* tend towards; ∼ *a color* approach, have a touch of; ∼ *a inf.* aim to *inf.*; ∼ *a la derecha* turn to the right, keep right; ∼ *a viejo* be elderly; ∼ *de* (*arrastrar*) pull, haul; *cuerda etc.* pull on, tug; (*imán*) attract; *espada* draw; **3.** ∼**se** throw o.s., jump; (*abalanzarse*) rush.

tiritar [1a] shiver (*de* with); **tiritón** m shiver.

tiro m throw; ✕ shot (*a. deportes, p.*); (*alcance*) range; ✕ (*sitio*) riflerange; shooting gallery *de feria*; team *de caballos*; *trace de guarnición*; (*cuerda*) rope; *sew.* length; flight *de escalera*; (*broma*) practical joke; ∼ *con arco* archery; ∼ *al blanco* target practice; *a* ∼ within range; *a* ∼ *de fusil* within gunshot.

tiroideo thyroid; **tiroides** m (*a.* glándula ∼) thyroid (gland).

tirón m pull, tug; jerk; hitch; (*estirón*) stretch; *mover etc. a* ∼*es* tug, jerk.

tirotear [1a] blaze away at; ∼**se** exchange shots repeatedly; **tiroteo** m firing, shooting.

tirria f dislike; *tener* ∼ *a* have a grudge against.

tísico adj. a. su. m, **a** f tubercular; **tisis** f tuberculosis.

titán m titan; **titánico** titanic.

títere m marionette, puppet; (*teatro de*) ∼s pl. puppets, puppet show.

titubear [1a] (*tambalear*) reel, stagger, totter; (*vacilar*) hesitate; stammer; **titubeo** m hesitation etc.

titular 1. titular, official; **2.** m *typ.* headline; **3.** m/f holder; **4.** [1a] (*en*)title, call; **titulillo** m running title, page heading; **título** m *mst* title; headline; (*certificado*) diploma, qualification; *univ.* degree; ✝ bond; ∼ (*de nobleza*) title; ∼ *de propiedad* deed; *a* ∼ *de* by way of; *in the capacity of*; ¿*a* ∼ *de qué?* by what right?; ∼s credentials.

tiza f chalk.

tizna f black, grime; *paint.* crayon; **tiznar** [1a] blacken; smudge; (*manchar*) spot, stain; *fig.* stain, tarnish; brand; **tizne** *mst* m (*hollín*) soot; (*suciedad*) smut, grime.

toalla f towel; ∼ *de rodillo* roller towel; **toallero** m towel rack.

tobillo m ankle.

tocadiscos m record player; ∼ *automático* record changer.

tocado head-dress; (*pelo*) coiffure.

tocador[1] m, **-a** f ♪ player.

tocador[2] m (*mueble*) dressing table; (*cuarto*) boudoir, dressing room; (*estuche*) toilet case; *de* ∼ *freq.* toilet *attr.*

tocante: ∼ *a* with regard to.

tocar[1] [1g] **1.** v/t. (*palpar, estar en contacto con*) touch; (*palpar*) feel; (*manosear*) touch, handle; (*chocar*) collide with, hit; ⚓ go aground on; ♪ play; *trompeta* blow; *tambor* beat; *disco* play; *timbre* ring; *tema* touch on; **2.** v/i.: ∼ *a puerta* knock at; *pariente* be related to; (*caber en suerte*) fall to one's lot (*or* share); le *tocó el premio* he got the prize; (*importar a*) concern, affect; **3.** v/i.: ∼ *en* ⚓ touch at, call at; (*estar junto*) be next to.

tocar[2] [1g] pelo do; arrange, set; ∼**se** cover one's head.

tocayo m, **a** f namesake.

tocino m bacon; salt pork.

tocón m ⚘, *anat.* stump.

todavía still, yet; ∼ *no* not yet; ∼ *en 1900* as late as 1900.

todo 1. all; whole, entire; every; *velocidad etc.* full; ∼ *el dinero* all the money, the whole of the money; *por* ∼*a Europa* all over Europe, throughout Europe; ∼s *los días* every day; ∼ *el que* everyone who; *lo comió* ∼ he ate it all; *lo sabe* ∼ he knows everything; (*nada menos que*) ∼ *un hombre* every inch (*or* bit) a man; ∼ *cuanto* all that which; ∼s *cuantos* all those who; **2.** adv.: *ante* ∼ first of all; primarily; *a pesar de* ∼, *así y* ∼ even so, in spite of everything; all the same; *con* ∼ still; however; *del* ∼ wholly, completely; *no del* ∼ not quite; *después de* ∼ after all; *sobre* ∼ above all, especially, most of all; ∼ m all, everything; (*el* ∼) whole; ∼s pl. everybody; every one of them.

todopoderoso almighty.

toga f *hist.* toga; *univ. etc.* gown.

toldo m sunshade, awning; (*pabellón*) marquee; cloth, tarpaulin *de carro*.

tole m hubbub, uproar; outcry.

tolerable tolerable; **tolerancia** f tolerance (*a.* ⊕), toleration; **tolerante** tolerant; broad-minded; **tolerar** [1a] tolerate; endure.

toma f taking; ⚔ capture; 💊 dose;
(*entrada*) inlet, intake; (*salida*) tap,
outlet; ⚡ (*a. ~ de corriente*) (*enlace*)
lead; (*enchufe*) plug, point; ~ de
declaración taking of evidence; ~ de
hábito taking of vows; ~ de *posesión*
taking-over; (*presidente etc.*) inauguration; ~ de *tierra* ⚡ groundwire;
✈ landing.

tomar [1a] **1.** v/t. *mst* take; *ánimo*,
fuerzas get, gain; *aspecto* take on;
bebida, *comida*, *lecciones* have; *cos-*
tumbre get into, acquire; *frío* get,
catch; ~ *por* take s.o. for; ~*la con* pick
a quarrel with; **2.** v/i.: ~ *por la derecha*
turn to the right; *toma y daca* give
and take; **3.** ~*se*: ~ (*de orín*) go rusty.

tomate m tomato.

tomavistas m phot. motion-picture
camera; cameraman.

tomillo m thyme; ~ *salsero* savory.

tomo m volume; (*lo grueso*) bulk; fig.
importance; *de ~ y lomo* bulky.

ton: *sin ~ ni son* without rhyme or
reason.

tonada f tune, song; **tonadilla** f little
tune; merry tune; *thea.* interlude;
tonalidad f shade de color; *radio:*
control de ~ tone control.

tonel m barrel, cask; **tonelada** f ton;
tonelaje m tonnage; **tonelero** m
cooper; **tonelete** m cask, keg; (*falda*)
short skirt; kilt *de hombre*.

tónica f ♪ tonic; (*nota*) ~ keynote;
tónico 1. ♪, ♪, *acento* tonic; *sílaba*
accented; **2.** m ♪ tonic (*a. fig.*).

tonificar [1g] tone up, fortify; **toni-**
llo m singsong, monotonous note;
tono m *mst* tone; ♪ (*calidad etc.*)
tone; ♪ (*altura*) pitch; ♪ (*de fa etc.*)
key; ♪ (*pieza*) slide; (*matiz*) shade;
teleph. ~ *de marcar* dialling tone; ~
mayor (*menor*) major (minor) key; ♪ *a*
~ *in* key; *a ~ con* in tune with; *de buen*
~ fashionable; elegant; genteel; *de*
mal ~ vulgar; *bajar el ~* lower one's
voice.

tontería f (*lo tonto*) silliness; (*acto*)
silly thing; (*palabra; a. ~s pl.*) nonsense, rubbish; **tonto 1.** silly, foolish; **2.** m, **a** f fool, idiot; (*payaso*)
funny man, clown.

topar [1a] v/t. (*chocar*) bump
(against, into), knock (against, into);
(*encontrar, a. v/i. ~ con*) run into,
bump into; v/i. *zo.* butt (each other);
(*juego*) take a bet; (*tropezar*) stumble; (*dificultad*) lie; (*salir bien*)
succeed, manage it; **tope** m (*cabo*)

butt, end; ⚓ masthead; 🛞 buffer;
mot. bumper; ⊕ stop, check;
(*choque*) collision; bump, knock; fig.
snag; (*riña*) quarrel; *hasta el ~ to the*
brim; *estar hasta los ~s* ⚓ be loaded
to the gunwales; fig. be fed up.

topetada f, **topetazo** m butt, bump;
topetar [1a] butt, bump; fig. bump
into; **topetón** m butt, bump.

tópico 1. local; **2.** m commonplace,
cliché, catch-phrase; *S. Am.* topic.

topo m mole; F great lump.

topografía f 🗺 topography; surveying; **topográfico** topographic.

toque m (*acto*) touch (*a. paint.*); (*en-*
sayo) test, trial; bell(ing) de *campa-*
na; ring de *timbre*; beat de *tambor*;
hoot de *sirena*.

toquilla f headscarf; shawl.

torbellino m (*viento*) whirlwind;
(*agua*) whirlpool; fig. whirl.

torcedura f twist(ing); ⚕ sprain,
strain; (*vino*) weak wine; **torcer** [2b
a. 2h] **1.** v/t. twist; (*encorvar*) bend,
curve; (*alabear*) warp; *manos, cuello*
wring; *cara* screw up; *músculo* strain;
tobillo sprain, twist; *esquina* turn; fig.
sentido twist; *justicia* pervert; **2.** v/i.
turn (*a* to); (*pelota*) swerve, spin; **3.**
~*se* twist; bend; (*alabearse*) warp;
(*cambiar de lugar*) slew (round); (*ex-*
traviarse) go astray; (*vino etc.*) turn
sour; **torcida** f wick; **torcido 1.**
twisted; bent; *camino etc.* full of
turns, twisty; fig. crooked; *S. Am.*
unlucky; **2.** m curl de *pelo*; twist de
seda etc.; **torcimiento** m twisting.

tordo m dappled; **2.** m thrush.

torear [1a] v/t. *toro* fight, play; fig.
deceive; (*burlarse*) tease, draw on;
v/i. fight (bulls); (*como profesión*) be a
bullfighter; **toreo** m (art of) bullfighting; **torería** f (class of) bull-
fighters; F prank; **torero** m bullfighter; **torete** m young bull; F
bouncing child; **toril** m bull pen.

tormenta f storm; fig. misfortune;
(*confusión*) turmoil, upheaval; **tor-**
mento m torment; anguish, agony.

tornar [1a] v/t. *make; back; (*volver*)
turn, make; v/i. go back, return;
~ *a escribir* write again; ~*se* turn,
become; **tornasol** m ☀ sunflower;
🧪 litmus; sheen de *tela*; **torna-**
solado iridescent, sheeny; *seda*
shot; **tornavía** f turntable; **tor-**
navoz f sounding board; *eccl.* canopy.

tornear [1a] turn (on a lathe).

torneo m tournament, competition; *hist.* tourney, joust.

tornillo m (*rosca*) screw; (*torno*) small lathe; ✗ F desertation; (*torno*) vice, clamp; ~ *sin fin* worm (gear); *apretar los* ~s a put the screws on; *le falta un* ~, *tiene flojos los* ~s he has a screw loose; ~ *de mariposa*, ~ *de orejas* thumbscrew; ~ *de presión* setscrew; ~ *para metales* machine screw.

torno m ⊕ lathe; ⊕, ⚓ winch, drum; (*freno*) brake; bend *de río*; (*vuelta*) turn; ~ *de alfarero* potter's wheel; ~ *de asador* spit; ~ *de banco* vice, clamp; ~ *de hilar* spinning wheel; ~ *revolvedor* turret lathe; ~ *de tornero* turning lathe; *en* ~ around, round about; *en* ~ *suyo* around him; *en* ~ *a* around, about.

toro m bull; ~s *pl.* bullfight; (*arte*) bullfighting; ~ *de lidia* fighting bull; *echar* (*or soltar*) *el* ~ *a* pull no punches with; *irse a la cabeza del* ~ take the bull by the horns; *ver los* ~s *desde la barrera* sit on the fence.

toronja f grapefruit.

torpe *movimiento* ungainly, heavy; *mente* slow; (*desmañado*) clumsy, awkward; (*tosco*) crude, indecent.

torpedear [1a] torpedo (*a. fig.*); **torpedo** m torpedo (*a. ichth.*).

torpeza f slowness *etc.*

torre f ⚔ tower; ✗, ⚓, ⚑ turret; *radio:* mast; *ajedrez:* rook; ~ *de conducción eléctrica* pylon; ~ *del homenaje*, ~ *maestra* donjon, keep; ~ *de lanzamiento* launching tower; ~ *de marfil* fig. ivory tower; ⚓ ~ *de mando* conning tower; ~ *de perforación* oil derrick; ~ *de refrigeración* cooling tower; ~ *reloj* clock tower; ⚓ ~ *de vigía* crow's nest.

torrente m mountain stream, torrent; *fig.* torrent, rush, flood *de palabras etc.*

tórrido torrid.

torsión f ⊕ torsion; twist; *esp.* ⚑ warping; **torsional** torsional.

torso m torso; *paint.* head and shoulders; *escultura:* bust.

torta f *cocina:* cake, tart; *fig.* cake.

tortícolis m stiff neck.

tortilla f omelet(te).

tortita f pancake.

tórtola f turtledove; **tórtolo** m turtledove; F lovebird.

tortuga f tortoise; ~ (*marina*) turtle.

tortuoso winding, tortuous.

tortura f torture (*a. fig.*); **torturar** [1a] torture.

tos f cough(ing); ~ *ferina* whooping cough.

tosco coarse, rough, crude.

toser [2a] cough.

tosquedad f coarseness.

tostada f (piece of) toast; **tostado 1.** *pan* toasted; *color* dark brown; **2.** (*por el sol*) sunburnt, tanned; **2.** m tan; **tostador** m toaster; roaster; **tostadora** f ⚡ toaster; **tostar** [1m] *pan* toast; *café* roast; *fig.* (*calentar*) toast; *p.* tan; ~*se* (*al sol*) tan, get brown.

total 1. *adj.* total; whole; *esp.* ✝ gross; *ruina etc.* utter; **2.** *adv.* all in all; and so; **3.** m total; whole; sum; *en* ~ in all; **totalidad** f whole; totality; **totalitario** totalitarian; **totalitarismo** m totalitarianism; **totalizar** [1f] add up.

tóxico 1. toxic, poisonous; **2.** m poison; **toxicómano 1.** addicted to drugs; **2.** m, a f drug addict; **toxina** f toxin.

traba f link, bond *que une*; lock *que cierra, sujeta*; ✯ hobble; *fig.* hindrance, obstacle; **trabado** strong.

trabajado worn out; *estilo etc.* strained; **trabajador 1.** hardworking, industrious; **2.** m worker; laborer; **trabajar** [1a] *v/t. madera etc.* work; work on; *p.* work, drive; *p.* (*con maña*) get to work on; *caballo* train; *mente* trouble; *v/i.* work (*de* as; *en* at); (*torcerse*) warp; ~ *mucho* work hard; ~ *con fig.* (get to) work on; ~ *por inf.* strive to *inf.*; *hacer* ~ *dinero* make work; *agua, recursos* harness; **trabajo** m (*en general, a. phys.*) work; (*un* ~) piece of work; (*tarea, colocación*) job; (*fermentación*) working(s); (*los obreros*) labor, the workers; *fig.* trouble, difficulty; ~s *pl. fig.* hardships; ~ *en el propio campo* fieldwork; ~ *a destajo* piece work; ~s *pl. forzados* hard labor; **trabajoso** hard, laborious; deficient; ⚡ sickly.

trabalenguas m tongue twister; **trabar** [1a] join, link; (*aherrojar*) shackle, fetter (*a. fig.*); (*sujetar*) lock, fasten; (*asir*) seize; *caballo* hobble; *sierra* set; *amistad* strike up; *batalla* join; *conversación* start; ~*se* (*cuerdas*) get tangled; ⊕ lock.

tracción f traction; haulage; ~ *a las 4 ruedas* 4-wheel drive.

tractor m tractor; ~ *de oruga* caterpillar tractor.

tradición f tradition; **tradicional** traditional; *costumbre freq.* time-honored; *ley* unwritten.

traducción f translation; rendering; **traducir** [3f] translate; express; **traductor** m, **-a** f translator.

traer [2p] bring, get, fetch; (*atraer*) attract, draw; *ropa* wear; (*llevar consigo*) have, carry; (*causar*) bring (about); (*acarrear*) involve; *autoridades* adduce; **~se**: **~** *bien* (*mal*) be well (badly) dressed; (*comportarse*) behave properly (badly).

tráfago m ✝ traffic, trade; (*faena*) drudgery, routine job; **traficante** m trader; **traficar** [1g] trade, deal (en in); buy and sell; F come and go; **tráfico** m *mot. etc.* traffic; ✝ trade, business, traffic.

tragaderas f/pl. throat; swallow; **tragadero** m throat, gullet; **tragaluz** m skylight; **tragar** [1h] 1. *mst* swallow; (*y terminar*) drink up, swallow down; (*engullir*) gulp (down); (*con dificultad*) get down; 2. *fig.* (*a.* **~se**) *barco etc.* swallow up, engulf; *material* use up, take; *cosa desagradable, increíble* swallow; *p.* stick, stand; 3. *v/i. sl.* sleep around.

tragedia f tragedy; **trágico 1.** tragic(al); **2.** m tragedian.

trago m drink, swallow, gulp; *a* **~s** little by little.

traición f treachery; treason (*a.* ⚖); (*una* **~**) betrayal; *alta* **~** high treason; **traicionar** [1a] betray; **traicionero** treacherous.

traída f: **~** *de aguas* water supply; **traído** worn, threadbare; **~** *y llevado* knocked about; *fig.* wellworn.

traidor 1. *p.* treacherous; *acto* treasonable; **2.** m traitor; betrayer; *thea.* villain; **traidora** f traitress.

traje¹ *etc. v.* traer.

traje² m (*en general*) dress; costume (*a. de mujer*); suit *de hombre*; *fig.* garb, guise; **~** *de baño* bathing-costume; **~** *de calle* lounge suit; *en* **~** *de calle policía* in plain clothes; **~** *de campaña* battledress; **~** *de ceremonia,* **~** *de etiqueta* full-dress; dress suit, evening dress; **~** *de cuartel* undress; **~** *hecho* readymade suit; **~** *de luces* bullfighter's costume; **~** *de malla* tights; **~** *de montar* riding-habit; **~** *de novia* wedding dress; **~** *de paisano* civilian clothes; **trajear** [1a] clothe, dress; *co.* get up, rig out; **~se** dress up *etc.*

trajín m haulage, transport; F coming and going; (*bullicio*) bustle.

trama f weft, woof; *fig.* plot, scheme;

thea. etc. plot; **tramar** [1a] weave; *fig.* plot, contrive.

tramitación f transaction; steps, procedure; **tramitar** [1a] transact, negotiate; **trámite** m (*paso*) movement, transit; (*en negocio*) step, move; **~s** *pl.* procedure; **~s** *pl.* oficiales official channels.

tramo m flight *de escalera*; length, section *de camino etc.*; stretch; span *de puente*; (*terreno*) plot.

trampa f *hunt.* trap, snare; trapdoor *en suelo*; ⚙ fender; *fig.* snare, catch, pitfall; (*ardid*) trick, ruse; (*criminal*) fraud; fiddle F, wangle F; **~** *bad* debt; **~** *explosiva* booby trap; *armar* **~** *a* set a trap for; *caer en la* **~** fall for it; *hacer* **~s** cheat; (*con manos*) juggle; *hay* **~** there's a catch somewhere; **trampear** [1a] *v/t.* cheat, swindle; *v/i.* get money by false pretenses; **trampolín** m springboard (*a. fig.*).

tramposo 1. crooked; **2.** m crook.

tranca f beam, pole; (*cross-*)bar *de puerta*; *S.Am.* F binge; *a* **~s** *y barrancas* through fire and water; **trancada** f stride; **trancar** [1g] *v/t. puerta* bar; *v/i.* F stride along.

trance m moment, juncture; (*mal paso, apuro*) critical juncture; **~** *mortal* dying moments.

tranco m big step, stride; *a* **~s** pell-mell; *en dos* **~s** in a couple of strides.

tranquilidad f stillness *etc.*; *con toda* **~** with one's mind at ease; **tranquilizador** *noticia* reassuring; *música etc.* soothing; **tranquilizante** m ⚕ tranquilizer; **tranquilizar** [1f] still, calm; *ánimo* reassure, relieve; *¡tranquilícese!* calm yourself!; *don't worry!*; **tranquilo** still, calm, tranquil; quiet, untroubled.

trans... trans...; *v. a.* tras...; **~acción** f compromise, settlement; ✝ transaction; (*volumen de*) **~es** *pl.* turnover; **~atlántico 1.** transatlantic; **2.** m liner; **~bordador** m ferry; (*puente*) transporter bridge; **~bordar** [1a] *v/t.* ⚙ *etc.* transfer; ⚓ tranship; ferry *en río*; *v/i.* ⚙ change; **~bordo** m transfer; change; ⚓ transhipment; ⚙ *hacer* **~** change (en at); **~cribir** [3a; *p.p. transcrito*] transcribe; **~cripción** f transcription; **~currir** [3a] go by, elapse; **~curso** m: *en el* **~** *de* in the course of; **~eúnte 1.** transitory, transient; **2.** m/f passer-by; (*que vive fuera*) nonresident; **~ferencia** f transfer (*a.* ⚖); transference; **~fe-**

rible transferable; **~ferir** [3i] transfer; **~figurar** [1a] transfigure; **~formable** *mot.* convertible; **~formación** *f* transformation, change; **~formador** *m* ⚡ transformer; **~formar** [1a] transform; change.

trans...: **~fusión** *f* transfusion; **~ de sangre** blood transfusion; **~gredir** [3a] transgress; **~gresor** *m*, **-a** *f* transgressor.

transición *f* transition; **transicional** transitional.

transido: **~ de dolor** racked with pain; **~ de hambre** overcome with hunger.

transigente accommodating, compromising; **transigir** [3c] compromise (**con** with); be tolerant (**con** towards).

transistor *m* ⚡ transistor.

transitable passable; **transitar** [1a] travel, go from place to place; **transitivo** transitive; **tránsito** *m* (*acto*) transit, passage; (*parada*) stop(ping-place); traffic; transfer a **puesto**; **horas de máximo~** rush hours; **de ~, en ~** in transit; **transitorio** transitory.

trans...: **~lúcido** translucent; **~marino** overseas; **~migrar** [1a] (trans)-migrate; **~misión** *f* transmission (*a.* ⊕, ⚡); *radio* ⚡ broadcast; **~ en circuito** hook-up; 🔀 (*cuerpo de*) **~es** *pl.* signals; **~misor 1.** *estación~a* transmitting station; **2.** *m* transmitter; **~mitir** [3a] *mst* transmit (*a. radio*); *posesión* pass on, hand down; **~mutación** *f* transmutation; **~mutar** [1a] transmute; **~parencia** *f* transparency; **~parentarse** [1a] (*vidrio etc.*) be transparent; (*objeto visto*) show through; (*intención*) be clear; **~parente 1.** transparent (*a. fig.*); limpid; filmy; *aire etc.* clear; **2.** *m* curtain, blind; **~piración** *f anat.* perspiration; ⚘ transpiration; **~pirar** [1a] *anat.* perspire; ⚘ transpire.

transponer [2r] move, change the places of, transpose; *esquina* disappear round; **~se** hide behind s.t.

transportable transportable; **transportación** *f* transportation; **transportador** *m* ⚓ protractor; **transportar** [1a] transport; haul, carry; ⚓ *a.* ship; *diseño etc.* transfer; ♪ transpose; **~se** *fig.* get carried away; **transporte** *m* transport (*a. buque*) (*a.* **~s** *pl.*) transportation; *fig.* transport, ecstasy; **~ colectivo** public transportation.

transposición *f* transposition (*a.* ♪); move, change of places.

transversal, transverso transverse; oblique; *calle etc.* cross.

tranvía *m* streetcar.

trapo *m* rag; duster; ⚓ canvas, sails; F **~s** *pl.* clothes, dresses; *a todo ~* full sail; *soltar el ~* burst out laughing; (*llorar*) burst into tears.

traque *m* crack, bang.

tráquea *f* windpipe, trachea 🕮 (*a. zo.*).

traque(te)ar [1a] *v/t.* (*agitar*) shake; rattle *con ruido*; F muck about with; *v/i.* crackle, bang *como cohete*; (*máquina, vehículo etc.*) rattle; jolt, joggle.

tras 1. *prp. lugar*: behind; after; *tiempo*: after; **2.** *cj.*: **~ de** *inf.* besides *ger.*, in addition to *ger.*; **3.** *int.* **¡~, ~!** bang, bang!

tras... trans...; *v. a.* trans...; **~alcoba** *f* dressing room; **~cendencia** *f* importance; result; implications; *esp. phls.* transcendence; **de ~** important, significant; **~cendental** far-reaching; momentous, of great significance; *esp. phls.* transcendent(al); **~colar** [1m] strain; *fig.* get *s.t.* across; **~conejarse** [1a] get lost; **~corral** *m* back yard; F bottom.

trasegar [1h *a.* 1k] *v/t.* decant; pour into another bottle; *botellas* rack; *fig.* upset, turn upside down; *puestos* reshuffle; *v/i.* F booze.

trasera *f* back, rear; **trasero 1.** back, rear, hind; **2.** *m* hind quarters, rump *de animal*; bottom *de p.*

trasfondo *m* background; (*honduras*) uttermost depths; undertone.

trasgo *m* goblin; imp.

trasladar [1a] transfer, move (*a* to); *función* postpone; *documento* copy; (*traducir*) translate; **~se** move; **~ a** *puesto etc.* transfer to, move to; *otro sitio* move to, go on to, proceed to; **traslado** *m* transfer, move; copy.

tras...: **~lapar(se)** [1a] overlap; **~lapo** *m* overlap; **~laticio** *sentido* figurative; **~lucirse** [3f] (*cuerpo*) be translucent; (*hecho*) be plain to see; (*noticia*) leak out; **~luz** *m* diffused light; reflected light; *a* **~** against the light; **~nochada** *f* last night; (*vela*) sleepless night; (*vigilia*) watch; 🔀 night attack; **~nochado** *comida, cuento* stale; *p.* hollow-eyed, run down; **~nochador** *m* (*p.*) night owl; **~nochar** [1a] *v/t. problema* sleep on;

v/i. (*sin dormir*) have a sleepless night; (*pernoctar*) spend the night; (*estar fuera*) stay out all night, have a night on the tiles F; **~oír** [3q] mishear; **~ojado** haggard, hollow-eyed; **~país** *m* hinterland, interior; **~palar** [1a] shovel; **~papelar** [1a] mislay.

traspasar [1a] (*trasladar*) move; (*cruzar*) cross (over); *negocio* make over, transfer; *jugador* transfer; *esp.* ♣ convey; *cuerpo* pierce, run through, transfix; *ley* violate; (*dolor*) rack, torture; **~se** go too far; **traspaso** *m* move; transfer; *esp.* ♣ conveyance; (*dolor*) anguish, pain.

traspié *m* stumble, slip; (*zancadilla*) trip; *dar un* ~ stumble.

trasplantar [1a] transplant.

tras...: **~puesta** *f* transposition, changing over; removal; *geog.* fold, rise; (*escondite*) hiding place; (*patio*) back yard; (*huida*) escape; **~quilar** [1a] *oveja* shear.

trastazo *m* whack, thump; **traste** *m* ♪ fret.

trasto *m* (*mueble*) piece of furniture; (*utensilio*) crock; (*cosa inútil*) piece of junk; *thea.* furniture and properties; F (*p. inútil*) dead loss; (*p. molesta*) nuisance; (*p. rara*) queer type; **~s** *pl.* tools, tackle; **~s** *pl. de matar* weapons; **~s** *pl. de pescar* fishing-tackle; **~s** *pl. viejos* junk; F *coger los* **~s** pack up and go.

trastornar [1a] *volcar* turn upside down; overturn; *orden de objetos* mix up; *fig.* (*inquietar*) trouble; *sentidos* daze, make dizzy; *nervios* shatter; *orden político etc.* disturb; **trastorno** *m* (*acto*) overturning *etc.*; *fig. pol. etc.* upheaval; ♣ upset, disorder; ~ *mental* mental disorder, breakdown.

trastrocar [1g *a.* 1m] reverse, invert, change round.

trasunto *m* copy; *fig.* (*a.* ~ *fiel*) faithful copy, exact image.

trasvolar [1m] fly over.

trata *f* slave trade; ~ *de blancas* white slave trade.

tratable tractable, manageable; *p.* sociable, easy to get on with.

tratado *m* *lit.* treatise, tract; *pol.* treaty; ♣ *etc.* agreement.

tratamiento *m* treatment (*a.* ♣, ⊕); ⊕ processing; treatment.

tratante *m* dealer, trader (*en* in).

tratar [1a] **1.** *v/t. mst* treat (*a.* ⊕; ♠ *con, por* with; *de loco etc.* as); ⊕ *a.* process; (*manejar*) handle, deal with;

~ *de p.* (*con título, de tú*) address as; **2.** *v/i.:* ~ *con* have dealings with; ~ (*acerca*) *de,* ~ *sobre* deal with, treat of; **3.** **~se** *bien* live well, do o.s. well; *se trata de su.* it is about *su.*

trato *m* treatment; (*entre ps.*) intercourse, dealings; relationship; manner; title, style (*of address*); ♣ deal, bargain; ~ *colectivo* collective bargaining; ~ *comercial* business deal; ~ *doble* double-dealing; ~ *sexual* sexual intercourse; *de fácil* ~ easy to get on with; *cerrar un* ~ strike a bargain, do a deal; *hacer un buen* ~ drive a good bargain.

través *m* bend, turn; (*torcimiento*) bias; △ cross-beam; ✕ traverse; *fig.* upset; *a(l)* ~ *de* through; across; over; *de* ~ sideways; crooked; **travesaño** *m* △, ⊕ transome, crossbar (*a. deportes*); bolster *de cama*; **travesía** *f* (*calle*) crossstreet; main road *dentro de pueblo*; **travesura** *f* prank, lark, (*piece of*) mischief; clever trick.

trayecto *m* (*espacio*) distance, way; (*viaje*) journey *de p.*, run *de vehículo*; flight *de bala etc.*; **trayectoria** *f* trajectory, path.

traza *f* △ *etc.* plan, design; (*medio*) device, scheme; (*aspecto*) looks; *por las* ~s by all the signs; **trazado 1.:** *bien* ~ goodlooking; *mal* ~ unattractive; **2.** *m* (*dibujo*) outline, sketch; (*plano*) plan, layout; (*línea*) route; **trazador** **1.** *phys.,* ✕ tracer *attr.*; **2.** *m* (*p.*) planner, designer; *phys. etc.* tracer; **trazar** [1f] sketch, outline; design, plan, lay out; *límites* mark out; *línea* draw, trace; *curso etc.* plot; *medios* contrive, devise; **trazo** *m* sketch, outline; line, stroke.

trébol *m* clover, trefoil (*a.* △); *naipes:* ~es *pl.* clubs.

trece thirteen; (*fecha*) thirteenth.

trecho *m* stretch, way; (*tiempo*) while; *un buen* ~ a good way.

tregua *f* ✕ truce; *fig.* respite, lull, letup; *no dar* ~ give no respite.

treinta thirty; (*fecha*) thirtieth.

tremendo (*horrendo*) dreadful, frightful; (*digno de respeto*) imposing.

trementina *f* turpentine.

tremolar [1a] *v/t.* hoist; (*agitar*) wave; *fig.* make a show of; *v/i.* flutter, wave; **trémulo** quivering, tremulous; *luz* flickering; *voz* timid, small.

tren *m* 🚂 train; ✕ convoy; ⊕ set de

engranajes etc.; outfit, equipment *de viaje*; (*ps.*) retinue; (*boato*) pomp; ~ *ascendente* up train; ~ *de aterrizaje* landing gear; ~ *botijo*, ~ *de recreo* excursion train; ~ *correo* mail train; slow train; ~ *descendente* down train; ~ *expreso* express train; ~ *de laminación* rolling mill; ~ *de mercancías* freight train; ~ *ómnibus* accommodation train, local train; ~ *de viajeros* passenger train; *en* ~ by train.

trena *f sl.* clink.

trenza *f* plait, pigtail, pony tail; braid; twist *de hebras*; **trenzar** [1f] *pelo* plait, braid; *hebras etc.* twist, intertwine, weave.

trepar [1a] *v/t.* climb; ⊕ drill, bore; *sew.* trim; *v/i.* (*a.* ~ *a*) climb (up); clamber up; scale; ♀ climb (*por up*).

trepidar [1a] shake, vibrate.

tres three (*a. su.*); (*fecha*) third; *las* ~ three o'clock.

treta *f fenc.* feint; *fig.* trick, stratagem; wheeze F; gimmick *publicitaria etc.*; *S.Am.* bad habit.

triangular triangular, three-cornered; **triángulo** *m* triangle (*a.* ♪).

tribal tribal; **tribu** *f* tribe (*a. zo.*).

tribuna *f* rostrum *de orador*; *hist.* tribune; platform *en mitin*; gallery (*a. eccl.*); *deportes:* (grand)stand; ~ *del acusado* dock; ~ *del jurado* jury box; ~ *de la prensa* press box; **tribunal** *m* ⚖ court; (*ps.*) court, bench; *tribunal de investigación etc.*

tributar [1a] *todos sentidos:* pay; **tributario** *adj. a. su. m* tributary; **tributo** *m* tribute (*a. fig.*).

trigo *m* wheat; *sl.* dough; ~ *sarraceno* buck wheat; *de* ~ *entero* wholemeal; **triguero 1.** wheat *attr.*; **2.** *m* corn-sieve.

trilla *f* threshing; **trillado** *camino* beaten, well-trodden; *fig.* trite, hack(neyed); **trillador** *m* thresher; **trilladora** *f* threshing machine; **trilladura** *f* threshing.

trimestral *revista etc.* quarterly; *univ.* terminal, termly; **trimestre** *m* quarter, period of three months; *univ.* term; ✝ quarterly payment.

trinado *m* ♪ trill; *orn.* sing, warble; **trinar** [1a] trill; *orn.* sing, warble.

trinchar [1a] carve, slice; F do in; **trinchera** *f* ✕ *etc.* trench; entrenchment; ⚔ cutting.

trineo *m* sled(ge), sleigh; ~ *balancín* bobsleigh.

tripa *f* intestine, gut; (*panza*) belly;

~s *pl. anat.* insides, guts; *cocina:* tripe; *hacer de* ~s *corazón* pluck up courage; put on a bold front.

triple 1. triple; threefold; **2.** *m* triple; *es el* ~ *de lo que era* it is three times (*or* treble) what is was.

tripulación *f* crew; **tripulante** *m* crew member, man.

trique *m* crack, swish; *a cada* ~ at every turn.

tris *m* (*ruido*) crack, tinkle; F trice; *en un* ~ within an inch.

trisca *f* crushing noise; (*retozo*) romp; (*jaleo*) rumpus, row; **triscar** [1g] *v/t.* (*mezclar*) mix; mingle; (*enredar*) mix up; *sierra* set; *v/i.* stamp one's feet; (*retozar*) romp.

trismo *m* lockjaw.

triste *mst* sad; *aspecto* sad-looking, gloomy; *carácter* melancholy; (*afligido*) sorrowful; (*sombrío*) gloomy, dismal; *paisaje etc.* desolate, dreary; (*despreciable*) wretched, miserable

triunfador 1. triumphant; **2.** *m* victor, winner; **triunfal** triumphal; **triunfante** triumphant; (*jubiloso*) jubilant, exultant; **triunfar** [1a] triumph (*de over*); exult (*de, sobre* over); *naipes:* trump; **triunfo** *m* triumph (*a. fig.*); *fig.* success; *naipes:* trump; *sin* ~ no trumps.

trivial trivial; (*trillado*) trite; (*grosero*) vulgar; **trivialidad** *f* triviality, triteness.

triza *f* shred, bit; ~s *pl. fig.* ribbons; *hacer* ~s shred, tear up.

trocar [1g *a.* 1m] ✝ *etc.* exchange, barter; change (*con, por* for); *palabras* exchange; (*equivocar*) mix up; twist; ~*se* change.

trocha *f* by-path, narrow path.

trofeo *m* trophy; *fig.* victory.

troglodita *m* caveman, troglodyte; *fig.* brute; (*comilón*) glutton.

troj(e) *f* barn, granary.

trole *m* trolley.

tromba *f* whirlwind; column *de polvo etc.*; ~ (*marina*) waterspout.

trombón *m* trombone.

trompa *f* ♪ horn; (*trompo*) humming-top; trunk *de elefante*; proboscis *de insecto etc.*; *sl.* hooter, conk; *anat.* tube, duct; *sl. cogerse una* ~ get boozed.

trompeta 1. *f* trumpet; **2.** *m* = *trompetero*; **trompetazo** *m* trumpet blast; blast; blare; **trompetear** [1a] (play the) trumpet; **trompetero** *m* ♪ trumpet player.

tronada f thunderstorm; **tronado** F broke; **tronar** [1m] thunder; (*cañón etc.*) thunder, rumble; F fail, be ruined; ~ *contra* denounce, fulminate against; storm at.

tronco m ♀ (*de árbol*), *anat.* trunk; stem, stalk *de flor*; (*leño*) log off.

tronchar [1a] chop off, lop off.

tronera f ✕ loophole, embrasure; ♙ narrow window; *billar*: pocket.

tronido m thunderclap; ~s pl. thunder.

trono m throne.

tropa f (*gente*) troop, flock, body; ✕ (*soldados*) troop; (*no oficiales*) men, rank and file; *S.Am.* herd; ~s pl. troops; **tropel** m (*movimiento*) rush, bustle; (*prisa*) rush, hurry; (*confusión*) jumble, mess; (*muchedumbre*) throng; *de* ~, *en* ~ in utter chaos; in a mad rush.

tropezar [1f a. 1k] trip, stumble (*con*, *en on*, *over*); (*reñir*) fall out (*con with*); *fig.* ~ *con*, ~ *en dificultad* run into, run up against; (*encontrar*) stumble upon; *p.* run into; **tropezón** m stumble, trip; *a* ~es by fits and starts; *hablar etc.* falteringly.

tropical tropic(al); **trópico** m tropic; ~s pl. tropics.

tropiezo m stumble, trip; *fig.* snag, obstacle; (*falta*) slip.

trotar [1a] trot; F be on the go, hustle; **trote** m trot; ~ *cochinero*, ~ *de perro* jog trot; *al* ~ at a trot; quickly.

trozo m bit, piece; ♪, *lit. etc.* passage; *a* ~s piecemeal, in bits.

truco m F trick, wheeze, dodge; ~ *de naipes* card trick; ~ *de propaganda* gimmick.

trucha f trout; ⊕ derrick, crane.

trueno m thunder; (*un* ~) clap of thunder; bang, report.

trueque m exchange; barter; *a* ~ *de* in exchange for.

trufa f truffle; F fib, story; **trufar** [1a] *v/i.* F fib.

truhán m rogue, crook; (*gracioso*) clown, funny man; **truhanesco** crooked; funny.

tú you; (†, *a Dios*) thou; *tratar etc. de* ~ = *tutear.*

tu, tus pl. your; (†, *a Dios*) thy.

tubérculo m ♀ tuber; *anat.*, *zo.*, ♂ tubercle; **tuberculosis** f tuberculosis; **tuberculoso** tubercular.

tubería f tubing, piping, pipes; **tubo** m tube (*a. anat.*, *televisión*); pipe; ~ *acústico* speaking tube; ~ *de aspira-*

ción breathing tube; ~ *capilar* capillary; ~ *de chimenea* chimney pot; ~ *de desagüe* waste pipe; drain pipe; ~ *digestivo* alimentary canal; ~ *de ensayo* test tube; ~ *de escape* exhaust (pipe); ~ *de humo* flue; ~ *de imagen* *televisión* picture tube; ~ *de lámpara* lampglass; ~ *de paso* bypass; ~ *de rayos catódicos* cathode ray tube; ~ *sonoro* chime; ~ *de vacío* vacuum tube; **tubular** tubular.

tuerca f nut; ~ *mariposa* wing nut.

tuerto 1. (*torcido*) twisted, crooked; (*de ojo*) one-eyed; 2. *m*, *a* f one-eyed person; 3. *m* wrong.

tuétano m *anat.* marrow; ♀ pith; *hasta los* ~s through and through.

tufo m gas; (*olor*) stink.

tul m tulle, net.

tulipán m ♀ tulip.

tullido 1. crippled; paralytic; 2. *m*, *a* f cripple; **tullir** [3h] cripple, maim; paralyse; *fig.* abuse.

tumba[1] f grave, tomb.

tumba[2] f (*volereta*) somersault; **tumbar** [1a] *v/t.* knock down, knock over; F (*vino*) lay *s.o.* out; *v/i.* fall down; ♙ capsize; ~*se* lie down; stretch out, sprawl; **tumbo** m fall, tumble; (*vaivén*) shake, lurch; *fig.* critical moment; *dar un* ~ tumble; (*a. dar* ~s) lurch.

tumor m tumour, growth.

tumulto m tumult; *pol. etc.* riot; **tumultuario, tumultuoso** tumultuous; riotous.

tunante 1. crooked; 2. *m* rogue, crook; *esp. co.* scamp, villain.

tunda f shearing, F hiding; **tundir** [3a] *paño* shear; *hierba* mow, cut.

túnel m tunnel; ~ *aerodinámico*, ~ *del viento* wind tunnel; ~ *de lavado* automatic car wash.

túnica f *hist.*, *anat. etc.* tunic; (*vestido largo*) robe, gown.

tupido thick, dense (*a.* F); *paño* closewoven; **tupir** [3a] pack tight.

turba[1] f *geol.* peat, turf.

turba[2] f crowd; swarm; mob.

turbación f confusion; disturbance; (*de p.*) embarrassment; distress; trepidation; **turbador** disturbing.

turbamulta f mob, rabble.

turbante m turban.

turbar [1a] *orden etc.* disturb, upset; *agua* stir up; *fig.* darken; *p.*, *ánimo* disturb, upset, worry; (*desconcertar*) embarrass; ~*se* get embarrassed, feel awkward; get

all mixed up; (*inquietarse*) get upset.
turbio *agua* muddy, turbid; *líquido* thick, cloudy; *aguas fig.* dark, troubled; *época, vida* unsettled; *negocio* shady; *medio* dubious.
turbión *m* heavy shower, squall; *fig.* shower; swarm; hail *de balas*.
turbocompresor *m* turbocompressor; **turbohélice** *adj. a. su. m* turboprop; **turborreactor** *adj. a. su. m* turbo-jet.
turbulento turbulent; *niño* noisy, unruly; *espíritu etc.* restless; *época* troubled; *ejército etc.* mutinous, disorderly.
turismo *m* tourism; tourist trade; touring; sightseeing; (*coche de*) ~ tourer; **turista** *m/f* tourist; sight-

seer; **turístico** tourist *attr.*
turnar [1a] take turns; **turno** *m* (*vez*) turn; (*tanda*) spell, shift; turn, go *en juegos*; *por* ~ in rotation, in turn; *por* ~s by turns; *esperar su* ~ take one's turn.
turrón *m* nougat; F plum, easy job.
tusar [1a] *S.Am.* cut, shear.
tutear [1a] *address as tú*; be on familiar terms with.
tutela *f* ⚖ guardianship; *fig.* protection, tutelage; *bajo* ~ in ward.
tuteo *m addressing a p. as tú.*
tutor *m* guardian, tutor; **tutora** *f* guardian; **tutoría** *f* guardianship.
tuve *etc. v.* tener.
tuyo, tuya 1. *pron.* yours, (†, *a Dios*) thine; 2. *adj.* (*tras su.*) of yours.

U

u or (*before words beginning with o or ho*).
ubicación *f* location, position, situation; **ubicar** [1g] *v/t. S.Am.* place, put; *v/i.*, ~se be located.
ubre *f* udder; (*cada pezón*) teat.
ufanarse [1a] boast; ~ de pride o.s. on, boast of; **ufanía** *f* pride; *b.s.* vanity, conceit; **ufano** proud; exultant; (*alegre*) cheerful.
ujier *m* usher, attendant.
úlcera *f* ulcer; (*esp. externo*) sore; **ulceración** *f* ulceration; **ulcerar** [1a] ulcerate; ~se ulcerate, fester; **ulceroso** ulcerous; full of sores.
ulterior *lugar*: farther, further; *tiempo*: later, subsequent.
ultimación *f* conclusion; **últimamente** lastly, finally; (*recientemente*) lately, of late; **ultimar** [1a] end, finish; *trato etc.* conclude; **ultimátum** *m pol.* ultimatum; **último** (*en ~ lugar*) last; latter *de dos*; (*más reciente*) latest; (*más remoto*) furthest; (*extremo*) utmost; *piso* top; *calidad* finest, superior; *este* ~ the latter; *a* ~s *de mes* in the latter part of.
ultra... ultra...
ultrajador, ultrajante outrageous; insulting, offensive; **ultrajar** [1a] outrage; insult; **ultraje** *m* outrage; insult; **ultrajoso** outrageous.
ultramar: *de* ~, *en* ~ overseas; **ultramarino** 1. overseas; 2. ~s *m/pl.* groceries, delicatessen.

ultramoderno ultramodern.
ultravioleta ultraviolet.
ulular [1a] howl, shriek; (*búho*) hoot; **ululato** *m* howl, shriek; hoot.
umbilical umbilical.
umbral *m* threshold (*a.* ~es *pl. fig.*).
umbrío, umbroso shady; shadowy.
un, una 1. *artículo*: a; a, (*delante de vocal y h muda*) an; 2. *adj. numeral*: one; ¡*a la una, a las dos, a las tres!* (*subasta*) going, going, gone!; (*carreras*) ready, steady, go!
unánime unanimous; **unanimidad** *f* unanimity; *por* ~ unanimously.
unción *f eccl. a. fig.* unction.
uncir [3b] yoke.
ungir [3c] anoint (*a. eccl.*), apply ointment to; **ungüento** *m* ointment, salve.
uni... uni...; one-...
únicamente only; solely.
único only; sole, single, solitary; (*singular, extraordinario*) unique; *distribuidor etc.* sole, exclusive; *hijo* ~ only child; *este ejemplar es* ~ this specimen is unique.
unidad *f* unity; oneness; ✕, ✈, ⊕ *etc.* unit; **unido** united; (*liso*) smooth; **unificación** *f* unification; **unificar** [1g] unite, unify.
unifamiliar *casa* one-family.
uniformar [1a] make uniform; *p.* put into uniform; **uniforme** 1. *mst* uniform; *velocidad etc. a.* steady, unvarying, regular; *superficie a.* level,

even, true; **2.** *m* uniform; **uniformidad** *f* uniformity *etc.*

unilateral one-sided, unilateral.

unión *f* union (*a.* ✝); (*unidad*) unity; (*casamiento*) union, marriage; ⊕ union, joint; (*punto de*) ∼ junction.

unir [3a] *cosas* join; *mst fig.* unite; *sociedades, intereses* merge; ∼se join (together) unite; *esp.* ✝ merge.

universal universal; world-wide; **universalidad** *f* universality; generality; **universidad** *f* university; **universitario 1.** university; **2.** *m/f* university student; **3.** *m* university professor; **universo** *m* universe.

uno 1. *adj.* one; identical, one and the same; *Dios es* ∼ God is one; *la verdad es una* truth is one and indivisible; ∼*s pl.* some, a few; *unos 20 km* some 20 km, about 20 km; **2.** *pron.* one; ∼ *que vino a verme* someone who came to see me; ∼ *no sabe* one does not know; ∼ *necesita amigos* a man needs friends; ∼ *a* ∼ one by one; ∼(s) *a otro(s)* one another, each other; ∼ *que otro* an occasional, the odd; ∼ *y otro* both; *cada* ∼ each one, everyone; *en* ∼ at one; *una de dos* either one (thing) or the other; *a una* all together; *la una* one o'clock; *la* ∼.

untar [1a] smear, dab (de with); (*engrasar*) grease, oil; *pan, mantequilla* spread; *fig.* bribe, grease the palm of; *unto m* grease; fat *de animal;* **untuoso** greasy, sticky; *mst fig.* unctuous.

uña *f anat.* nail; (*garra*) claw; hoof *de caballo;* sting *de alacrán;* ♣ fluke, bill; ⊕ pallet; ∲ claw; ♀ ∼ *de caballo* coltsfoot; *a* ∼ *de caballo* at full gallop; *largo de* ∼*s* light-fingered; *comerse las* ∼*s* bite one's nails; **uña(ra)da** *f* nail-mark; **uñero** *m* ingrowing nail; ✚ whitlow.

uranio *m* uranium.

urbanidad *f* refinement, urbanity; **urbanismo** *m* town planning; **urbanización** *f* urbanization; development; **urbanizado** built-up; **urbanizar** [1f] *terreno* urbanize, develop, build on; *p.* civilize; **urbano** urban, city *attr.*; *p.* polite, refined, urbane; **urbe** *f* large city, metropolis, *La* ♀ *esp.* Madrid.

urdimbre *f* warp; **urdir** [3a] warp; *fig.* contrive, plot, scheme.

urgencia *f* urgency; pressure; haste; emergency; pressing need; *de* ∼ *medida, salida* emergency *attr.*; *botiquín etc.* first-aid *attr.*; *en caso de* ∼ in

case of necessity; *pedir con* ∼ press for; **urgente** (*que corre prisa*) urgent; (*apremiante*) pressing; *demanda etc.* imperative, insistent; *pedido* rush *attr.*; *carta* express; **urgir** [3c] be urgent, press; *urge inf.* it is absolutely necessary to *inf.*

urna *f* urn; glass case; ∼ *electoral* ballot box; ∼*s pl.* electorales *fig.* voting place; *acudir a las* ∼*s* vote, go to the polls.

urraca *f* magpie.

usado used; (*gastado*) worn; *p.* skilled, experienced.

usanza *f* custom; *a* ∼ *de* according to the custom of.

usar [1a] *v/t., a. v/i.* ∼ *de* use, make use of; *sin* ∼ unused; *sello etc.* mint; ∼ *inf.* be accustomed to *inf.*; ∼se be used, be in use; (*estilarse*) be in fashion; (*gastarse*) wear out.

uso *m* (*empleo*) use; (*usufructo*) use, enjoyment; (*deterioro*) wear (and tear); (*costumbre*) usage, custom; (*moda*) fashion, style; *al* ∼ in keeping with custom; *al* ∼ *de hacer etc.* for the use of; *vestir etc.* in the style of; *en* ∼ in use.

usted, ustedes *pl.* you.

usual usual, customary; **usuario** *m*, *a f* user; **usufructo** *m* usufruct, use ∼ (*vitalicio*) life interest (de in).

usura *f* usury; (*ganancia excesiva*) profiteering; **usurario** usurious; **usurear** [1a] profiteer; **usurero** *m* usurer, loan shark.

usurpación *f* usurpation; *fig* encroachment (de upon), inroad (de into); **usurpador** *m* usurper; **usurpar** [1a] usurp (*a. fig.*); *fig.* encroach upon, make inroads into.

utensilio *m* tool, implement; utensil.

útero *m* womb, uterus.

útil 1. useful; helpful, handy; usable, serviceable; **2.** *m* usefulness; ∼*es pl.* (set of) tools, implements, equipment; **utilidad** *f* use(fulness), utility; (*provecho*) profit, benefit, good; **utilitario** utilitarian; *ropa etc.* utility *attr.*; **utilizable** usable; fit for use, ready to use; ⊕ *desechos* reclaimable; **utilización** *f* use, utilization; ⊕ reclamation; **utilizar** [1f] use, make use of, utilize.

utopía *f* Utopia; **utópico, utopista** *m/f* Utopian.

uva *f* grape; ∼ *espina* gooseberry; ∼ *pasa* raisin; ∼ *de Corinto* currant; *estar hecho una* ∼ be stoned, be high.

úvula *f* uvula; **uvular** uvular.

V

va *etc. v.* ir.

vaca *f* cow; *(carne)* beef; *(cuero)* cowhide; ~ **lechera** milker; ~ **marina** sea cow; ~ **de San Antón** ladybird.

vacación *f* holiday(s), vacation *(mst ~es pl.)*; *(puesto)* vacancy; **vacacionista** *m/f* vacationist.

vacada *f* herd of cows.

vacante 1. vacant, unoccupied; **2.** *f* vacancy; **vacar** [1g] be vacant.

vaciar [1c] *v/t.* vasija, bolsillo *etc.* empty; *vaso etc.* drain; *contenido* empty out; *líquido* pour away, run off; *(ahuecar)* hollow out; *(afilar)* grind, sharpen; *v/i.* río flow, empty (en into); **~se** F spill the beans.

vacilante *luz* flickering; *movimiento* unsteady; *habla* halting; *fig.* hesitant, vacillating; **vacilar** [1a] *(luz)* flicker; *(mueble etc.)* be unsteady, shake; *(habla)* falter; *fig.* hesitate, waver, vacillate.

vacío 1. empty; *puesto etc.* vacant, unoccupied; *papel* blank; *charla* idle; *(inútil)* vain, useless; *(presuntuoso)* vain, proud; **2.** *m phys.* vacuum; *(el espacio, la nada)* void; *(ijada)* side, ribs; *(puesto)* vacancy.

vacuidad *f* emptiness; vacancy.

vacuna *f* vaccine; **vacunación** *f* vaccination; **vacunar** [1a] vaccinate; **vacuno** bovine.

vadear [1a] *v/t.* río ford; *aqua* wade through; *fig.* dificultad get around, overcome.

vado *m* ford; *fig.* way out, expedient; **no hallar** ~ see no way out.

vagabundo 1. vagabond; wandering, vagrant; **2.** *m*, **a** *f* wanderer, rover; *b.s.* tramp, bum *Am.*; **vagabundo**, vagrant; **vagancia** *f* vagrancy; idleness; **vagante** vagrant; **vagar 1.** [1h] wander, rove, roam; prowl; **2.** *m* leisure.

vagido *m* wail, cry.

vago 1. vague, indeterminate; *perfil etc.* ill-defined, indistinct; *ideas* vague, woolly; *control etc.* loose, lax; *(holgazán)* lazy; *(errante)* roving; **2.** *m* *(holgazán)* lazy sort; *(no confiable)* unreliable sort.

vagón *m* car, railroad car; ~ **cama** sleeping car; ~ **carbonero** coal car; ~ **de carga** freight car; ~ **cerrado** boxcar; ~ **cisterna** tank car; ~ **de cola** caboose; ~ **frigorífico** refrigerator

car; ~ **de mercancías** freight car; ~ **de plataforma** flatcar; ~ **salón** parlor car; ~ **tolva** hopper-bottom car; ~ **volquete** dump car.

vagoneta *f* ⚒ *etc.* tip car; *S.Am.* delivery van.

vaharada *f* puff; whiff, reek; **vah(e)ar** [1a] steam, send out vapor; **vahído** *m* queer turn, dizzy spell; **vaho** *m* vapor, steam, fumes.

vaina *f* sheath, scabbard; ♧ pod, husk, shell; **vainilla** *f* vanilla.

vaivén *m* oscillation, rocking; swing, sway; movement to and fro.

vajilla *f (en general)* crockery; *(una ~)* set of dishes, service; ~ **de oro** gold plate; ~ **de plata** silver plate; ~ **de porcelana** chinaware; **lavar la ~** wash the dishes.

valdré *etc. v.* valer.

vale *m* promissory note, IOU; *(cédula)* voucher, warrant; **valedero** valid, binding.

valentía *f* courage, bravery; *b.s.* boastfulness; **valentón 1.** boastful, arrogant; **2.** *m* braggart.

valer [2q] **1.** *v/t. (tener el valor de)* be worth, be valued at; cost; *(sumar)* amount to; be equal to, be equivalent to; *castigo etc.* earn; *(ayudar, servir)* avail, be of help to, protect; **¿cuánto vale?** how much is it?; **2.** *v/i.* *(ser valioso)* be valuable; *(ser valedero)* be valid; *(p. etc.)* have one's merits; count *en juegos etc.*; **3. ~se: no poder** ~ be helpless; ~ **de** make use of; *derecho* exercise; ~ **por sí mismo** help o.s.; **4.** *m* value, worth.

valeroso brave; effective, powerful.

valía *f* value, worth; influence.

validar [1a] ratify; validate; **validez** *f* validity; **válido** valid; *(sano)* strong, fit; **valido** *m pol.* favorite.

valiente brave, gallant; *(excelente)* fine, first-rate; *iro.* fine.

valija *f* case; ☙ *(saco)* mail bag; *(correo)* mail, post; ~ **diplomática** diplomatic bag.

valioso valuable; useful, worthwhile; *(rico)* wealthy.

valor *m* value *(a. ♪, ♫)*, worth; price; value, denomination *de moneda etc.*; importance; *(sentido)* meaning; *(ánimo)* courage; *(atrevimiento)* nerve, audacity; ♰ **~es** *pl.* securities, bonds, stock; **~es** *pl.* **en cartera** investments;

~es *pl. habidos* holdings; ~ *nominal* face value.

valoración *f* ♀ valuation; *fig.* assessment; ♙ titration; **valorar** [1a] value; price; *esp. fig.* assess, rate.

vals *m* waltz; **valsar** [1a] waltz.

válvula *f* valve; ~ *de admisión* intake valve; ~ *de escape* exhaust valve; ~ *de purga* vent; ~ *de seguridad* safety valve.

valla *f* fence; (*defensa*) barricade, stockade; roadside advertising sign; ~ (*de construcción*) hoarding; *fig.* obstacle; *deportes:* hurdle.

valle *m* valley; ~ *de lágrimas* vale of tears.

vamos *v. ir.*

vampiresa *f* vamp; **vampiro** *m* vampire; *fig.* vampire, bloodsucker.

vanidad *f* vanity; uselessness *etc.*; **vanidoso** vain, conceited, smug; **vano** useless, vain, idle; (*ilusorio*) vain; (*frívolo*) inane, idle, frivolous.

vapor *m* steam (*a.* ⊕), vapor; (*natural*) vapor, mist; (*con olor*) fumes; ♂ faintness, giddiness; ~ *de ruedas* paddle steamer; *al* ~ by steam; *de* ~ steam *attr.*; **vaporizador** *m* vaporizer; spray *de perfume etc.*; **vaporizar** [1f] vaporize; *perfume etc.* spray; **vaporoso** steamy, misty, vaporous; *fig.* light, airy.

vaquería *f* dairy; (*vacada*) herd of cows; **vaquer(iz)o** *m* herdsman, cowman, cowboy; **vaqueta** *f* cowhide; **vaquill(on)a** *f* heifer.

vara *f* stick, rod (*a.* ⊕), bar; wand *de mando*; shaft *de coche*; (*medida*) approx. yard (*2.8 feet*); ~ *alta* authority, power; ~ *de adivinar* divining rod; ~ *de oro* goldenrod; ~ *de pescar* fishing rod; **varada** *f* launching; (*encalladura*) stranding; **varadero** *m* shipyard; **varal** *m* long pole, long stick; **varapalo** *m* long pole.

varar [1a] *v/t.* (*botar*) launch; beach *en plaza etc.*; *v/i.*, ~se run aground, be stranded; *fig.* get bogged down.

varazo *m* blow with a stick; **varear** [1a] *p.* beat, strike; beat.

variable 1. variable (*a.* ♐), changeable, up-and-down; **2.** *f* ♐ variable; **variación** *f* variation (*a.* ♪); **variado** varied; mixed; *superficie etc.* variegated, chequered; **variante** *adj. a. su. f* variant; **variar** [1c] *v/t.* vary, change; alter, modify; *v/i.* vary; change; range (*de from; a* to).

várices *f/pl.* varicose veins.

varicela *f* chicken pox.

variedad *f* variety (*a. biol.*).

vario various, varied; *colorido* variegated, motley; *actividades* multifarious; (*inconstante*) changeable; ~s *pl.* several, some, a number of.

varón *m* (*hombre*) man; (*macho*) male; (*de edad viril*) adult male; (*respetable*) worthy man, great man; *hijo* ~ male child, boy; **varonil** manly, virile; *biol.* male, masculine.

vase = *se va; v. ir.*

vaselina *f* Vaseline; petroleum jelly.

vasija *f* vessel; container.

vaso *m* glass, tumbler; (*en general*) vessel; *hist.* vase; (*cantidad*) glassful; *anat.*, ♣ vessel, duct; *hoof de caballo;* ~ *capilar* capillary; ~ *de engrase* ⊕ grease cup; ~ *graduado* measuring glass, measuring cup; ~ *de noche* chamber pot; ~ *sanguíneo* blood vessel.

vástago *m* ⊕ rod, stem; ♣ shoot, bud; *fig.* scion, offspring.

vasto vast, immense.

vaya *v. ir.*

vecinal *camino* local; **vecindad** *f* neighborhood, vicinity; (*ps.*) neighborhood, neighbors; **vecindario** *m* neighborhood; community; (*cifra etc.*) population, inhabitants; **vecino 1.** neighboring, adjoining; *casa etc.* next; (*cercano*) near, close; *fig.* close, similar (*a* to); **2.** *m, a f* (*de al lado*) neighbor; (*habitante*) resident, inhabitant.

veda *f* (*acto*) prohibition; (*tiempo*) close season; **vedar** [1a] forbid, prohibit; (*impedir*) stop.

vedette [be'ðet] *f* star.

vegetación *f* vegetation; (*desarrollo*) growth; **vegetal 1.** plant *attr.*, vegetable; **2.** *m* plant, vegetable; **vegetar** [1a] grow; *esp. fig.* vegetate; **vegetariano** *adj. a. su. m, a f* vegetarian; **vegetativo** vegetative.

vehemencia *f* vehemence *etc.*; **vehemente** vehement, passionate.

vehículo *m* vehicle (*a. fig.*).

veinte twenty; (*fecha*) twentieth; **veintena** *f* a score, (about) twenty.

vejación *f* vexation; **vejamen** *m* vexation; (*reprensión*) sharp rebuke.

vejar [1a] vex, annoy.

vejez *f* old age; *fig.* old story.

vejiga *f* *anat.* bladder (*a. de pelota*); (*ampolla*) blister.

vela[1] *f* ♣ sail; (*toldo*) awning; ~ *de*

cruz square sail; ~ *mayor* mainsail; ~ *romana* Roman candle; F *entre dos* ~*s* half-seas-over; *darse* (*or hacerse*) *a la* ~ (set) sail, get under way.

vela[2] f wakefulness, being awake; (*trabajo*) night work; (*romería*) pilgrimage; (*velación*) vigil; candle; *pasar la noche en* ~ have a sleepless night; **velada** f evening party, soirée; party, social *para divertirse*; = *vela*, ~ *musical* musical evening; **velador** m candlestick; (*p.*) watchman, caretaker.

velar[1] [1a] veil (*a. fig.*); *phot.* fog veil; *fig.* shroud; ~*se phot.* fog.

velar[2] [1a] *v/t.* keep watch over, watch; *enfermo* sit up with; *v/i.* (*no dormir*) stay awake; stay up.

veleidad f fickleness; (*capricho*) whim; **veleidoso** fickle, inconstant.

velero 1. swift; 2. m ⚓ sailingship.

veleta f weather vane, weathercock.

velo m veil; *fig.* veil, shroud, film; pretext; *phot.* fog, veil(ing); ~ *del paladar* soft palate.

velocidad f speed, pace, rate; velocity; (*ligereza*) swiftness; ⊕, *mot.* speed; (*engranaje*) gear; *de alta* ~ high-speed; ~ *de crucero* cruising speed; ~ *económica* cruising speed; *límite de* ~; ~ *máxima permitida* speed limit; *primera* ~ low gear, bottom gear; *segunda* ~ second gear; *a toda* ~ at full speed; **velocímetro** m speedometer.

veloz fast, speedy; (*ligero*) swift.

vello m down, hair; ♀ bloom; **vellocino** m fleece; ~ *de oro* Golden Fleece; **vellón** m (*lana*) fleece; (*piel*) sheepskin; *metall.* copper alloy; **vellosidad** f hairiness *etc.*; **velloso** hairy; **velludo** shaggy.

vena f *anat.* vein; (*filón*) vein, seam; grain de (*piedra, madera*) streak.

venablo m dart, javelin.

venado m deer, stag; venison.

vencedor 1. *equipo etc.* winning; *general, país* conquering, victorious; 2. m, **-a** f winner, victor, conqueror.

vencer [2b] *v/t. enemigo* defeat, beat, conquer; *deportes:* beat; *rival* surpass, outdo; *v/i.* win; ♱ (*plazo*) expire; (*obligaciones*) mature, fall due; ~*se* control o.s.; **vencido** *equipo etc.* losing; ♱ mature; due, payable; **vencimiento** m ♱ expiration; maturity.

venda f bandage; **vendaje** m dressing, bandaging; ~ *provisional* first-aid bandage; **vendar** [1a] *herida* bandage, dress; *ojos etc.* cover.

vendedor m seller, vendor; salesman *de tienda etc.*; ~ *ambulante* pedlar, hawker; **vendedora** f seller; salesgirl, saleswoman *en tienda etc.*; **vender** [2a] sell; market; *fig.* sell, betray, give away; ~*se* sell (*bien etc.*); be sold; ~ *a,* ~ *por* sell at, sell for; **vendible** saleable, marketable.

vendré *etc. v.* **venir**.

veneno m poison, venom; **venenoso** poisonous, venomous.

venera f *zo.* scallop; (*cáscara*) scallop shell.

venerable venerable; **veneración** f veneration; **venerar** [1a] venerate.

venéreo venereal.

venero m spring; *min.* lode.

vengador 1. avenging; 2. m, **-a** f avenger; **venganza** f vengeance, revenge; retaliation; **vengar** [1h] avenge; ~*se* take revenge (*de* for, *en* on); retaliate (*en* on, against); **vengativo** vindictive.

vengo *etc. v.* **venir**.

venia f pardon, forgiveness; (*permiso*) leave, consent; (*saludo*) nod.

venida f (*llegada*) arrival, coming; (*regreso*) return; *fig.* impetuosity, rashness; **venidero** coming, forthcoming, future.

venir [3s] come (*a* to; *de* from); *el mes que viene* next month; *vengo cansado* I'm tired; *¿a qué viene …?* what's the point of …?; *¡venga!* come along!; *¡venga un beso!* let's have a kiss!; *¡venga el libro ese!* let's have a look at that book!; *venga lo que viniere* come what may; (*estar a*) *ver* ~ sit on the fence, wait and see; ~ *a su.* agree to, consent to; ~ *a inf.* come to *inf.*; (*terminar*) end by *ger.*, end up *ger.*; (*suceder*) happen to *inf.*; (*acertar*) manage to *inf.*; ~ *a ser* (*sumar*) amount to, work out at; (*resultar*) turn out to be; ~ *a menos* come down in the world; ~ *bien ♀ etc.* do well, grow well; (*objeto*) come in handy; ~ *bien a* (*vestido*) fit, suit; ~*se* ferment; ~ *abajo,* ~ *a tierra* collapse, tumble down.

venta f sale; selling; marketing; (*mesón*) inn; ~ *al contado* cash sale; ~ *de liquidación* clearance sale; ~ *a plazos* installment plan; ~ *por balance* clearance sale; ~ *pública* (public) auction; *precio de* ~ selling price; *de* ~ on sale, on the market; *en* ~ for sale; *poner a la* ~ put on sale.

ventaja f advantage; asset; start *en carrera; tenis:* vantage; odds *en juego;*

(*sobresueldo*) bonus; (*ganancia*) gain, profit; **ventajoso** advantageous; ✝ profitable.

ventana f window; ~ *de guillotina* sash window; ~ *de la nariz* nostril; ~ *salediza* bay window; **ventanaje** m windows; **ventanal** m large window; **ventanilla** f small window; ticket window; window *de coche etc.*; *anat.* nostril; **ventanillo** m small window; peephole *en puerta.*

ventear [1a] v/t. (*perro etc.*) sniff, scent; *ropa* air, put out to dry; *fig.* smell out; v/i. snoop, come sniffing around; ~**se** (*henderse*) split; (*arruinarse*) spoil.

ventilación f ventilation (a. *fig.*); *fig.* airing, discussion; **ventiloso** drafty, breezy; **ventilador** m ventilator, (electric) fan; **ventilar** [1a] ventilate; *fig.* air, discuss.

ventisca f blizzard, snowstorm.

ventosear [1a] break wind; **ventosidad** f wind, flatulence; **ventoso** windy.

ventrílocuo m, **a** f ventriloquist; **ventriloquia** f ventriloquism.

ventura f luck, fortune; (*dicha*) happiness; *a la* (*buena*) ~ at random; hit or miss; *por* ~ by chance; (*quizá*) perhaps; **venturoso** lucky, fortunate, happy.

ver [2v] **1.** *mst* see; (*mirar*) look at; (*examinar*) look into; *t⅗* hear, try; *le vi llegar* I saw him arrive; *véase* see, vide; *¡a ~!* let's see, let's have a look; *a mi modo de ~* in my opinion; ~ *y creer* seeing is believing; *dejarse~* (*p.*) show one's face, show up; (*efecto*) become apparent; *dejarse ~* en tell on; *no dejarse~* keep away; *echar de ~* notice; *estar por ~* remain to be seen; *hacer ~ que* make s.o. see that; make the point that *en discusión; no poder ~* not be able to stand; *ser de ~* be worth seeing; **2.** ~**se** be seen; (*reflexivo*) see o.s.; (*recíproco*) see each other; (*encontrarse*) (*una p.*) find o.s., be; (*dos ps.*) meet; *ya se ve* naturally; *ya se ve que* it is obvious that; **3.** m sight, vision; (*aspecto*) looks, appearance; opinion; *a mi ~* in my opinion.

vera f edge, verge; *a la* ~ de near.

veracidad f truthfulness, veracity.

veranear [1a] spend the summer (vacation), vacation; **veraneo** m summer vacation; *lugar de* ~, *punto de* ~ summer resort; **veraniego** summer *attr.*; **veranillo** m: ~ *de San*

Martín Indian summer; **verano** m summer.

veras f/pl. truth, reality; (*seriedad*) earnestness; serious matters, hard facts; *de* ~ really; (*en serio*) in earnest; *¿de ~?* really?, indeed?

veraz truthful, veracious.

verbena f fair; (*velada*) evening party; *eccl.* night festival.

verbo m gr. verb; *el* ♀ the Word; **verboso** wordy, verbose.

verdad f truth; *la* ~ *lisa y llana* the plain truth; *la pura* ~ es the fact of the matter is; *a la* ~ really, in truth; *de* ~ real, proper; *en* ~ really, truly; *es* ~ it is true (*que* that); *¿no es* ~?, *¿~?* isn't it?, don't you? *etc.*; isn't that so?; **verdaderamente** really, truly, indeed; **verdadero** *historia etc.* true, truthful; *p.* truthful; (*real, cierto*) true, real, veritable.

verde 1. green; *fruta* green, unripe; *madera* unseasoned; (*fresco*) fresh; (*lozano*) young, vigorous, lusty; *cuento etc.* dirty, smutty; *¡están ~s!* sour grapes!; **2.** m green; ♀ greenery, foliage; **verdear** [1a], **verdecer** [2d] (*estar*) look green; (*hacerse*) turn green, grow green; **verdor** m greenness; **verdoso** greenish.

verdugo m executioner, hangman.

verdura f greenness; *esp.* ♀ greenery, verdure; ~s pl. vegetables.

vereda f path, lane.

verga f ♣ yard (arm), spar; *anat.* penis; **vergajo** m whip.

vergonzante shame-faced; **vergonzoso** (*tímido*) bashful, shy; (*pudoroso*) modest; (*que causa vergüenza*) shameful, disgraceful; *anat. partes* private; **vergüenza** f shame; bashfulness, shyness; modesty; (*oprobio*) shame; *¡qué* ~! shame (on you)!, what a disgrace!; ~s genitals, privates, private parts.

verídico true, truthful; **verificable** verifiable; **verificación** f checking, check-up, verification; proving; **verificar** [1g] (*comprobar*) check (up on), verify; *hechos* substantiate; *testamento* prove; *contador etc.* inspect; (*efectuar*) carry out; ~**se** (*tener lugar*) take place; (*ser verdad*) prove true, come true.

verismo m realism, truthfulness.

verja f (*reja*) grating, grill.

vernal spring *attr.*, vernal.

verosímil likely, probable; *relato*

credible; **verosimilitud** f likeliness, probability.

verraco m boar; **verraquear** [1a] F grunt; (niño) howl with rage.

verruga f wart (a. ♀); fig. defect; (p.) bore, nuisance.

versal adj. a. su. f typ. capital; **versalitas** f/pl. typ. small capitals.

versar [1a] turn, go round; ~ sobre fig. materia deal with, discuss.

versátil miembro etc. mobile, easily turned; (inconstante) changeable, fickle; (talentoso) versatile; (arma) multipurpose; **versatilidad** f changeableness etc.

versículo m verse; **versificación** f versification; **versificar** [1g] v/t. versify; v/i. write verses.

versión f version; draft; translation.

verso m (en general) verse; (un ~) line; ~ suelto blank verse.

vértebra f vertebra; **vertebrado** adj. a. su. m vertebrate.

vertedero m rubbish dump, tip; = **vertedor** m (canal) overflow, drain; spillway de rio; **verter** [2g] v/t. líquido, sal etc. pour (out); (por accidente) spill; luz, lágrimas shed; desechos dump, tip; vasija empty, tip up; (traducir) translate (a into); v/i. flow, run.

vertical vertical (a. A); upright.

vertiginoso giddy, dizzy, vertiginous; **vértigo** m giddiness.

vesícula f vesicle; (ampolla) blister; ~ biliar gall bladder.

vestíbulo m vestibule; hall, lobby.

vestido m (en general) dress, clothing; dress, frock de mujer; (conjunto) costume, suit; ~ de ceremonia dress suit; ~ de etiqueta, ~ de serio evening clothes; ~ de noche, ~ de etiqueta evening gown; ~ de gala ♀ full dress; ~ de tarde-noche cocktail dress; **vestidor** m dressing room; **vestidura** f clothing; ~s pl. eccl. vestments.

vestigio m vestige, trace, sign; relic; ~s pl. (restos) remains.

vestir [3l] 1. v/t. p. etc. dress, clothe (de in); (cubrir) dress, cover, drape (de in, with); (adornar) dress up; embellish, trim; vestido (ponerse) put on, (llevar) wear; (sastre) make clothes for; vestido de dressed in, clad in; (como disfraz etc.) dressed as; 2. v/i. dress (bien well); ~ de dress in, wear; 3. ~se (p.) dress, get dressed.

vestuario m (vestidos) clothes,

wardrobe; thea. (trajes) wardrobe; (cuarto) dressing room.

veta f seam, vein; grain en madera etc.; fig. talents, inclinations.

vetar [1a] veto.

veterano adj. a. su. m veteran.

veterinario m vet(erinary surgeon).

veto m veto; poner ~ a veto.

vetusto very old, ancient; hoary.

vez f 1. time, occasion; (caso) instance; (turno) turn; a la ~ at a time, at the same time; a su ~ in his turn; alguna ~ sometimes; (alg)una (que otra) ~ occasionally; cada ~ every time; de una ~ in one go, at once, outright; de una ~ (para siempre) once and for all, for good; de ~ en cuando from time to time; en ~ de instead of; otra ~ again; tal ~ perhaps; 2. **veces** pl. times etc.; dos ~ twice; dos ~ tanto twice as much; a ~ at times; algunas ~ sometimes; ¿cuántas ~? how many times?, how often?; muchas ~ often; pocas ~ seldom.

vía f road, route, way; ⛏ (rieles) track, line; (ancho) gauge; (número de andén) platform; anat. passage, tract; fig. way, means; (oficial etc.) channel; ⚙ ~ aérea airmail; ~ de agua leak; ~ ancha broad gauge; ~ doble double track; de ~ estrecha narrow-gauge; ~ férrea railway; ~ fluvial waterway; ♀ Láctea Milky Way; ~ muerta siding; ~ normal standard gauge; ~ pública thoroughfare; en ~ de in process of; por ~ de vía, by way of; por ~ bucal orally.

viajante 1. traveling; **2.** m/f traveler; **3.** m ✝ commercial traveler, salesman; **viajar** [1a] travel (a. ✝); go; ~ en coche etc. ride; ~ por travel (through); tour de vacaciones; **viaje** m journey; ⚓ voyage; (breve, de excursión) trip; (jira, de vacaciones) tour; (en general) travel (mst ~s pl.); ~ en coche etc. a. ride; ~ de ensayo trial run, trial trip; ~ de ida y vuelta return journey; ~ de novios honeymoon; ~ de recreo pleasure trip; ¡buen ~! have a good trip!, bon voyage!; estar de ~ be away (on one's travels); be on tour; **viajero** m, **a** f traveler; ⛏ etc. passenger.

viático m travel allowance.

víbora f viper (a. fig.).

vibración f vibration; throb(bing); phonet. roll, trill; **vibrante** vibrating; phonet. rolled, trilled; **vibrar** [1a] v/t. vibrate; phonet. roll, trill; v/i. vibrate.

vice... vice...; **~cónsul** *m* vice-consul; **~gerente** *m* assistant manager; **~presidente** *m pol. etc.* vice-president; vice-chairman *de comité.*

viceversa vice versa.

viciado aire foul, thick, stale; *texto* corrupt; **viciar** [1b] *aire* make foul; *comida etc.* taint, spoil; *texto* corrupt, falsify; *costumbres* corrupt, pervert; *contrato,* ⚖ nullify; **vicio** *m mst* vice; defect; *gr. etc.* mistake; *de* ~, *por* ~ (*de mimo*) from being spoiled; **vicioso 1.** *mst* vicious (*a. phls.*); *gusto etc.* depraved; ⊕ defective, faulty; *niño* spoiled; ♀ rank, luxuriant; **2.** *m,* **a** *f* addict, fiend.

víctima *f* victim; (*p. o animal sacrificado*) sacrifice; prey *de ave.*

victoria *f* victory; **victorioso** victorious.

vid *f* vine.

vida *f mst* life; (*duración*) life(time); (*modo de vivir*) way of life, living; (*modo de sustentarse*) livelihood; *de* ~ airada easy-living; ~ *de perros* dog's life; *¡~ mía!* my darling!; *¡por* ~ *mía!* upon my soul!; *de por* ~ for life; *de toda la* ~ lifelong; *en la* ~, *en mi* ~ never in my life; *en* ~ in his *etc.* lifetime; *ganarse la* ~ earn a living; *hacer* ~ *b.s.* live together.

vidente *m/f* seer; clairvoyant.

videocassette *m* videocassette; **videodisco** *m* video disk; **video-juego** *m* video game; **videotocadiscos** *m* video-disk player.

vidriado 1. glazed; **2.** *m* glaze, glazing; (*loza*) glazed earthenware; **vidriar** [1b] glaze, glass; **vidriera** *f eccl.* stained-glass window; *S.Am.* show window; (*puerta*) ~ glass door; **vidriería** *f* glass-works; (*vasos*) glassware; **vidriero** *m* glazier; **vidrio** *m* glass; ~ *cilindrado* plate glass; ~ *de color* stained glass; ~ *deslustrado* frosted glass, ground glass; ~ *tallado* cut glass; **vidrioso** glassy; *mirada* glazed, glassy; (*resbaladizo*) like glass; (*quebradizo*) brittle; delicate.

vieja *f* old woman; **viejo 1.** old; (*anticuado*) old(-fashioned); **2.** *m* old man.

viento *m* wind (*a.* ♪, *fig.,* F); air; *hunt.* scent; (*cuerda*) guy (rope); *fig.* vanity; ~*s pl.* alisios trade winds; ☞ ~ ascendente up-current; ☞ ~ *de cola* tail wind; ~ *contrario* headwind; ~ *de la hélice* slipstream; ~ *en popa* tail wind; *ir* ~ *en popa fig.* get along

splendidly; F *beber etc. los* ~*s por* be crazy about; *hacer* ~ be windy.

vientre *m* belly (*a. fig.*); (*útero*) womb; (*intestino*) bowels; ♂ ~ *flojo* looseness of the bowels.

viernes *m* Friday; ♀ *Santo* Good Friday.

viga *f* ⌂ beam, rafter; girder *de metal;* (*madero*) balk, timber.

vigencia *f* operation, validity; *en* ~ = **vigente** in force, valid.

vigésimo twentieth.

vigía 1. *f* watchtower; ⚓ reef; **2.** *m* lookout, watch.

vigilante 1. vigilant, watchful; **2.** *m* watchman, caretaker; warder *de cárcel;* shopwalker *en tienda;* ~ *de noche* night-watchman; **vigilar** [1a] watch (over), keep an eye on (*a.* ~ *por*); *trabajo etc.* supervise, superintend; *máquina* tend; *frontera* guard, police.

vigor *m mst* vigor; validity; (*resistencia*) stamina, hardiness; (*ímpetu*) drive; *en* ~ in force, operative; *entrar en* ~ come into force; *poner en* ~ put into effect, enforce; **vigoroso** vigorous; strong, forceful.

viguería *f* beams, rafters; (*metal*) steel frame; **vigueta** *f* joist.

vil villainous, blackguardly; low, base; *hecho* vile, foul; *tratamiento* shabby; **vileza** *f* vileness *etc.*

vilipendiar [1b] vilify; despise, scorn; **vilipendioso** contemptible.

villa *f* (*romana, quinta, de veraneo*) villa; (*población*) small town; *la* ♀ *esp.* Madrid; **villanaje** *m* peasantry, villagers.

villanesco peasant *attr.; fig.* rustic; **villano 1.** rustic; *fig.* coarse; **2.** *m,* **a** *f hist.* villein; low-born person; peasant (*a. fig.*).

vinagre *m* vinegar; **vinagrera** *f* vinegar bottle; ~*s pl.* cruet-stand; **vinagroso** bad-tempered.

vinatero 1. wine *attr.;* **2.** *m* wine merchant, vintner.

vínculo *m* link, bond, tie; ⚖ entail.

vindicación *f* vindication; **vindicar** [1g] vindicate.

vine *etc. v.* venir.

vínico wine *attr.;* **vinícola** wine(-growing) *attr.;* **vinicultor** *m* wine grower; **vinicultura** *f* wine-growing, production of wine; **vino** *m* wine; ~ *añejo* mellow wine; ~ *blanco* white wine; ~ *espumoso* sparkling wine; ~ *generoso* strong wine, full-bodied wine; ~ *de Jerez* sherry; ~ *de*

mesa, ~ *de pasto* table wine; ~ *de Oporto* port (wine); ~ *de postre* dessert wine; ~ *seco* dry wine; ~ *tinto* red wine.

viña *f* vineyard; **viñador** *m* vine-grower; wine-grower.

violación *f mst* violation; ~ *(de la ley)* offence, infringement; rape; **violador** *m*, **-a** *f* violator *etc.*; **violar** [1a] *mst* violate; *ley a.* break, offend against; *(ultrajar)* outrage; *mujer* rape.

violencia *f* violence *(a. fig.)*; *fig.* fury; embarrassment; embarrassing situation; 🏛 assault, violence; *hacer* ~ *a* = **violentar** [1a] *casa* break into; 🏛 assault; *fig.* do violence to, outrage; ~**se** force o.s.; **violento** *mst* violent; *fig. a.* wild; *postura* awkward, unnatural.

violeta *f* violet.

violín *m* violin; *(p.)* = **violinista** *m/f* violinist; **violón** *m* double-bass; **violoncelo** *m* cello.

vira *f* dart; welt *de zapato*.

virada *f* tack(ing); **viraje** *m* ⚓ tack, turn; bend *de camino*; swerve, turn *de coche*; *pol.* swing *de votos*, volte-face *de política*; ~ *en horquilla* hairpin bend; **virar** [1a] *v/t.* put about; *v/i.*, ~**se** ⚓ go about, tack; veer (round) *(a. fig.)*; *mot.*, 🚗 turn, swerve; *pol. (votos)* swing.

viral virus.

virgen *adj. a. su. f* virgin; **virginal** virginal; **virginidad** *f* virginity; **virgo** *m* virginity; *astr.* ♍ Virgo.

viril virile; *esp. carácter* manly; **virilidad** *f* virility.

virtual virtual; *fuerza* potential; *imagen etc.* apparent.

virtud *f* virtue; efficacy; *en* ~ *de* in virtue of, by reason of; **virtuoso 1.** virtuous; **2.** *m* virtuoso.

viruela *f* smallpox, variola.

virus *m* virus.

visado *m* visa; ~ *de permanencia* residence permit.

visaje *m* face, grimace.

visar *m* pasaporte visa.

viscosidad *f* 🔲 viscosity; stickiness *etc.*; **viscoso** 🔲 viscous; sticky.

visibilidad *f* visibility; **visible** visible; *(manifiesto)* evident, in evidence; *¿está* ~ *el duque?* is the duke available?

visión *f* sight, vision *(a. eccl.)*; *(imaginación vana)* fantasy; *fig. (p.)* sight, scarecrow; **visionario** *adj. a. su. m*, **a** *f* visionary.

visita *f* visit; call; *(p.)* visitor, caller; *hacer (pagar) una* ~ pay (return) a visit; **visitador** *m*, **-a** *f* frequent visitor; *(oficial)* inspector; **visitante 1.** visiting. **2.** *m/f* visitor; **visitar** [1a] visit; call on, (go and) see; *(en viaje oficial)* inspect; **visiteo** *m* frequent visiting; **visitero 1.** forever visiting; **2.** *m*, **a** *f* constant visitor.

vislumbrar [1a] glimpse, catch a glimpse of; *fig.* get some idea of, conjecture; **vislumbre** *f* glimpse; *(reflejo)* gleam, glimmer.

viso *m* sheen, gloss *de tela*; gleam, glint *de metal*; ~*s pl. fig.* appearance; *a dos* ~*s* having a double purpose.

visón *m (a. piel de* ~*)* mink.

víspera *f* eve, day before; ~*s pl.* vespers, evensong; *la* ~ *de*, *en* ~*s de* on the eve of.

vista *f (facultad, sentido)* sight, vision, eyesight; *(que se dirige a un punto)* eyes, glance, gaze; *(cosa vista)* sight; *(panorama)* view, scene, vista; *(apariencia)* appearance, looks; *(perspectiva)* outlook, prospect; intention; 🏛 sight; 🏛 trial *de p.*, hearing *de pleito*; ~*s pl.* view, outlook; *corto de* ~ short-sighted; *doble* ~ second sight; *cine:* ~ *fija* still; ~ *de pájaro* bird's-eye view; ✝ *a la* ~ at sight, on sight; *a la* ~ *de* (with)in sight of; *a* ~ *de* in sight of; *(ante)* in the presence of; *a primera* ~ at first sight, on the face of it; *a simple* ~ with the naked eye; *con* ~*s al mar* overlooking the sea; *con* ~*s al norte* with northerly aspect; *de* ~ *(conocer etc.)* by sight; *en plena* ~ in full view; *¡hasta la* ~*!* so long!; *aguzar la* ~ look more closely; *clavar la* ~ *en* stare at; *hacer la* ~ *gorda* turn a blind eye to, wink at; *medir con la* ~ size up; *perder de* ~ lose sight of; *torcer la* ~ squint.

vistazo *m* look, glance, glimpse; *de un* ~ at a glance.

visto 1. *p.p. of ver*; ~ *bueno* passed, approved, O.K.; *bien* ~ approved of, thought right; *mal* ~ thought wrong; ~ *que* seeing that; *por lo* ~ evidently; by the look of things; ~ *todo esto* in view of all this; **2.:** ~ *bueno m* approval, authorization.

vistoso showy, attractive.

visual 1. visual; **2.** *f* line of sight.

vital vital; *espacio* living; **vitalidad** *f* vitality; **vitamina** *f* vitamin.

viticultor *m* vine grower; **viticultura** *f* vine growing, viticulture.

vítreo glassy, vitreous ⚄; **vitrificar(se)** [1g] vitrify; **vitrina** f glass case, show case; display cabinet.

vituperar [1a] condemn, inveigh against, vituperate; **vituperio** m condemnation, vituperation; insult.

viuda f widow; **viudedad** f widow's pension; **viudez** f widowhood; **viudo 1.** widowed; **2.** m widower.

¡viva! v. vivir.

vivacidad f vivacity, liveliness.

vivar m (conejos) warren; (peces) fish pond.

vivaz (de larga vida) long-lived; ♀ perennial; (lleno de vida) lively; (agudo) quick-witted.

víveres m/pl. provisions, supplies.

vivero m fish-pond; ♀ nursery.

viveza f liveliness etc. (v. vivo).

vivienda f housing, accommodation; (morada) dwelling; escasez de ∼s housing shortage.

viviente living; los ∼s the living.

vivificar [1g] revitalize, enliven, bring to life.

vivir 1. [1a] live (de by, off, on; en at, in); ¡viva! hurrah!; ¡viva X! long live X!, hurrah for X!; ¿quién vive? who goes there?; ∼ para ver live and learn; **2.** m life; living; way of life.

vivo 1. (no muerto) alive, living; live; lengua modern, living; (lleno de vida) lively, bright; dolor sharp, acute; emoción keen, deep, intense; inteligencia sharp; imaginación lively; ingenio ready; paso quick, smart; escena, recuerdo, colorido etc. vivid; color rich, bright; carne raw; los ∼s the living; al ∼ to the life; **2.** m sew. edging, border.

vocablo m word; jugar del ∼ (make a) pun; **vocabulario** m vocabulary.

vocación f calling, vocation; **vocacional** vocational.

vocal 1. vocal; **2.** m voting member; **3.** f vowel; **vocálico** vocalic, vowel attr.; **vocalizar** [1f] v/t. vocalize; voice; v/i. ♪ hum; ∼se vocalize; **vocativo** m vocative (case).

voceador 1. vociferous, loud-mouthed; **2.** m town crier; **vocear** [1a] v/t. (publicar) shout, announce loudly; acclaim loudly; (llamar) shout to; v/i. shout, bawl; **vocería** f, **vocerío** m shouting, uproar, hullabaloo f; **vocero** m spokesman; **vociferar** [1a] vociferate, scream.

voladero flying, that can fly; **voladizo** △ projecting; **volador 1.** fly-

ing; fig. swift; **2.** m rocket; ichth. flying fish; **voladura** f blowing-up, demolition.

volandero fledged, ready to fly; p. restless; **volante 1.** flying; fig. unsettled; **2.** m mot. steering wheel; ⊕ flywheel; balance de reloj; (juego) badminton; shuttlecock con que se juega; sew. ruffle, frill, flounce; (papel) note; un buen ∼ a good driver; **volantón** m fledgeling.

volar [1m] v/t. explode; edificio etc. blow up, demolish; mina explode, spring; blast en cantera; v/i. fly (a. fig.); flutter; hurtle; (irse volando) fly away, disappear; (ir rápidamente) fly, run fast, go fast; (noticia) spread quickly; (tiempo) fly.

volatería f (aves) birds, fowls; (caza) falconry; fowling con señuelo.

volátil ♫ volatile; changeable.

volatín m, **volatinero** m, a f tight-rope walker, acrobat.

volcán m volcano; **volcánico** volcanic.

volcar [1g a. 1m] v/t. overturn, tip over; upset, knock over por accidente; coche etc. overturn, turn over; ♣ capsize; contenido empty out, dump; fig. (turbar) make s.o. dizzy, tease, irritate; v/i., ∼se overturn.

volear [1a] volley; **voleo** m volley.

voltaico voltaic; **voltaje** m voltage.

volteador m, -a f acrobat; **voltear** [1a] v/t. (girar) swing, whirl; (poner al revés) turn round; (volcar) upset, overturn; transform; S.Am. turn; v/i. roll over, somersault; **voltereta** f somersault, roll; tumble; ∼ sobre las manos hand spring.

voltio m volt.

volubilidad f fig. fickleness, instability; **voluble** (que gira) revolving; ♀ winding; fig. fickle.

volumen m mst volume; (bulto) bulk (-iness); radio: ∼ sonoro volume (of sound); **voluminoso** voluminous, bulky, big.

voluntad f mst will; (energía) will-power; (cariño) affection, fondness; buena ∼ goodwill; mala ∼ illwill, malice; su santa ∼ his own sweet will; última ∼ last wish; ⚇ last will and testament; a ∼ obrar etc. at will; (cantidad) ad-lib F; **voluntario 1.** voluntary; ⚔ volunteer attr.; **2.** m volunteer.

voluptuoso 1. voluptuous; b.s. sensual; **2.** m, a f voluptuary.

volver [2h; *p.p. vuelto*] **1.** *v/t.* turn; turn round; *página etc.* turn (over); (*invertir*) turn upside down; *ojos etc.* turn, cast; *arma etc.* turn (*a* on), direct, aim (*a* at); *puerta* close, pull to; (*devolver*) send back; *favor, visita* return, repay; (*reponer*) put back, replace (*a* in); (*restablecer*) restore (*a* to); ~ *adj.* turn, make, render; *v. loco*; **2.** *v/i.* return, come back, go back, get back; (*torcer*) turn, bend; ~ *a hábito, tema etc.* revert to, return to; ~ *a hacer* do again; ~ *atrás* turn back; ~ *en sí* come to, regain consciousness; ~ *por* stand up for; ~ *sobre sí* recover one's calm; **3.** ~se turn (round); (*regresar*) = *v/i.*; (*vino*) turn (sour); (*opinión*) change one's mind; ~ *atrás fig.* turn, become, go, get; ~ *atrás fig.* look back; (*cejar*) back out.

vomitado F sickly, seedy; **vomitar** [1a] vomit, bring up, throw up; *fig. llamas etc.* belch forth, spew; *ganancias* disgorge; *injurias* hurl; **vomitivo** *m* emetic; **vómito** *m* vomit; (*acto*) being sick, vomiting.

voraz voracious, greedy, ravenous.

vórtice *m* whirlpool, vortex.

vos † ye; *S.Am.* you; **vosear** [1a] *S.Am.* address as *vos* (i.e., treat familiarly).

vosotros, vosotras *pl.* you.

votación *f* vote, voting; *esp. parl.* division; ~ *por manos levantadas* show of hands; **votante 1.** voting; **2.** *m/f* voter; **votar** [1a] *v/t. ley* pass; *candidato* vote for; *v/i.* vote (*por* for); **votivo** votive; **voto** *m pol. etc.* vote; (*p.*) voter; *voto a Dios etc.*; (*reniego*) curse, swear-word; ~s *pl. fig.* (good) wishes; ~ *de calidad* casting vote; ~ *de confianza* vote of confidence; ~ *informativo* straw vote; *echar* ~s curse, swear.

voy *etc. v. ir.*

voz *f* voice (*a. gr.*); (*vocablo*) word; (*voto*) vote, support; (*grito*) shout; noise *de trueno etc.*; rumor, report; *voces pl.* (*gritos*) shouting; ~ *común* hearsay, rumor; *a una* ~ with one voice; *a media* ~ in a low voice; *de viva* ~ *viva voce*; by word of mouth; *en* ~ in (good) voice; *en* ~ *alta* aloud, out loud; *en* ~ *baja* in an undertone; *aclarar la* ~ clear one's throat; *dar voces* shout, call out; *dar la* ~ *de*

alarma sound; *dar cuatro voces* make a great fuss.

vudú *m* voodoo; **vuduismo** *m* voodoo cult.

vuelco *m* upset, spill, overturning; *dar un* ~ overturn; (*corazón*) jump.

vuelo *m* flight; fullness *de vestido*; (*adorno*) lace, frill; △ projecting part; *de mucho* ~ *falda* full; ~ *a ciegas* blind flying; ~ *de enlace* connecting flight; ~ *de ensayo* test flight; ~ *sin motor*, ~ *a vela* gliding; ~ *en picado* dive; *al* ~ on the wing, in flight; *fig.* at once; *alzar el* ~ take flight; F dash off; *tocar a* ~ peal; *tomar* ~ grow, develop.

vuelta *f* turn, revolution; *deportes*: lap, circuit *en carrera*; round *de torneo*; (*jira*) tour; (*paseo*) stroll; (*recodo*) turn, bend, curve; (*regreso*) return; (*devolución*) return, giving back; (*dinero*) change; (*revés*) back, other side; (*repetición*) repeat; sew. cuff; F hiding; ♣ ~ *de cabo* hitch; ~ *de campana* somersault; ~ *al mundo* journey around the world; *a la* ~ (*de regreso*) on one's return; (*página*) on the next page, overleaf; *a la* ~ *de esquina* round; *años etc.* after, at the end of; *dar* ~ *a llave* turn; *coche etc.* reverse, turn round; *dar la* ~ *a* go round; *dar una* ~ take a stroll; *dar una* ~ *de campana* turn completely over; *dar media* ~ face about; ✗ about turn; *dar* ~s turn, go round, revolve; (*camino*) twist and turn; (*cabeza*) (be in a) whirl; *dar* ~s *a manivela etc.* wind, turn; *botón* turn; twirl *en dedos*.

vuelto 1. *p.p.* of *volver*; **2.** *m S.Am.* change.

vuestro 1. *adj.* your; (*tras su.*) of yours; **2.** *pron.* yours.

vulgar *lengua* vulgar; *opinión etc.* common, general; *término* ordinary, accepted; (*corriente*) ordinary, everyday; banal; trivial, trite; **vulgaridad** *f* commonness *etc.*; (*cosa vulgar*) triviality; ~es *pl. freq.* smalltalk; platitudes; **vulgarismo** *m* popular form; *b.s.* slang (word), vulgarism; **vulgarizar** [1f] popularize, vulgarize; *texto etc.* translate into the vernacular; **Vulgata** *f* Vulgate; **vulgo** *m* common people, lower orders, common herd.

W

wáter ['bater] *m* lavatory, toilet, water closet.

wélter ['belter] *m boxeo:* welterweight.

whisk(e)y ['wiski] *m* whisk(e)y.

X

xilófono [s-] *m* xylophone.
xilografía [s-] *f* xylography, wood engraving.

xilógrafo [s-] *m* xylographer, wood engraver.

Y

y and; *las 2 y media* halfpast two.
ya (*en momento pasado*) already, before now; (*ahora*) now; (*más adelante*) in due course, sometime; (*en seguida*) at once; ¡~! now I remember, of course!; ~, ~ yes, yes; ~ ..., ~ ... (*ora*) now ..., now ...; (*si*) whether ..., or ...; ~ *en 1984* as long ago as 1984, early as 1984; ~ *no* no longer, not any more.
yacaré *m* crocodile.
yacente *estatua* recumbent; **yacer** [2y] †, *lit.* lie; *aquí yace* here lies; **yacija** *f* bed; (*tumba*) grave, tomb; *ser de mala* ~ sleep badly; (*inquieto*) be restless; (*carácter*) be a bad lot; **yacimiento** *m* bed, deposit; ~ *de petróleo* oil field.
yanqui *adj. a. su. m/f* Yankee.
yate *m* yacht.
yedra *f* ivy.
yegua *f* mare; **yeguada** *f* stud.
yelmo *m* helmet.
yema *f* yolk *de huevo*; ♀ (leaf-) bud, eye; (*lo mejor*) best part; ~ *del*

dedo fingertip; ~ *mejida* eggnog.
yendo *v. ir.*
yerba *f v.* hierba.
yermar [1a] lay waste; **yermo 1.** uninhabited; **2.** *m* wilderness.
yerno *m* son-in-law.
yerro *m* error, mistake.
yerto stiff, rigid.
yesca *f* tinder (*a. fig.*); fuel *de pasión etc.*; ~*s pl.* tinder box.
yesero *m* plasterer; **yeso** *m* gypsum; △ plaster; (*vaciado*) plaster cast; ~ *mate* plaster of Paris.
yip *m S.Am.* jeep.
yo I; *el* ~ the self, the ego.
yódico iodic; **yodo** *m* iodine.
yonqui *m sl. drogas* junkie (drug addict).
yugo *m* yoke (*a. fig.*).
yungla *f* jungle.
yunque *m* anvil; *fig.* tireless worker.
yunta *f* yoke, team *de bueyes*; (*pareja*) couple, pair.
yute *m* jute.

Z

zafado *S.Am.* (*vivo*) wide awake; (*descarado*) brazen.
zafar [1a] loosen, untie; ~**se** keep out of the way, hide o.s. away; ~ *de p. etc.* shake off, dodge, ditch F.
zafio coarse, loutish.
zafiro *m* sapphire.

zafo: *salirse* ~ come out (*de* of) unharmed.
zaga *f* rear; *a la* ~, *en* ~ behind, in the rear; *no ir en* ~ *a nadie* be second to none.
zagal *m* lad, youth; ↙ shepherd boy; **zagala** *f* lass, girl; ↙ shepherdess.

zaguán m vestibule, hall(way).

zaherir [3i] attack, criticize (sarcastically); reproach, upbraid.

zaino animal chestnut; p. false.

zalamería f flattery, cajolery etc.; **zalamero 1.** flattering, cajoling; unctuous, suave, oily; **2.** m, **a** f flatterer; servile person.

zalea f sheepskin.

zalema f salaam, bowing and scraping.

zambo 1. knock-kneed; **2.** m, **a** f Indian-black half-breed.

zambullida f dive, plunge; duck, ducking; **zambullir** [3h] duck, plunge; **~se** dive, plunge; duck; fig. hide, cover o.s. up.

zampabollos m/f F (comilón) greedy pig, glutton; **zampar** [1a] F (comer) wolf, put away; **~se** whip, vanish (en into); **zampón** F greedy.

zanahoria f carrot.

zanca f shank; **~s** pl. F long shanks; **zancada** f stride; F en dos **~s** in a couple of ticks; **zancadilla** f trip con pie; (aparato) booby trap; (engaño) trick; echar la **~** a trip (up); **zancajear** [1a] rush around; **zancarrón** m F leg bone; big bone; (p.) old bag of bones; **zanco** m stilt; en **~s** fig. well up, in a good position; **zancudo** long-legged; orn. wading; ave **~a** wader.

zangolotear [1a] F v/t. fidget with; v/i. fidget; **~se** (ventana) rattle.

zanguanga f F hacer la **~** swing the lead; **zanguango** F lazy; silly.

zanja f ditch, trench; Am. irrigation ditch; **zanjar** [1a] trench, ditch; dificultad get round.

zapallo m S.Am. gourd, pumpkin.

zapapico m pick(axe); **zapar** [1a] sap, undermine.

zapata f shoe de freno etc.; **zapatazo** m bump, bang; **zapateado** m tap dance; **zapatear** [1a] v/t. kick, prod with one's foot; tap with one's foot; F give s.o. a rough time; v/i. tap-dance; **zapatería** f shoe-shop; (arte) shoemaking; **zapatero** m shoemaker; **~** remendón, **~** de viejo cobbler; **zapatilla** f slipper para casa; pump para bailar; **⊕** washer; **zapato** m shoe.

zar m tsar, czar.

zaranda f sieve; **zarandajas** f/pl. F trifles, odds and ends; **zarandear** [1a] sift, sieve; shake up; **~se** be on the go, never be still; **zarandillo** m F active person, lively sort; F

traer como un **~** keep s.o. on the go.

zarcillo m ♀ tendril; (joya) earring.

zarigüeya f opossum.

zarpa f claw, paw; F echar la **~** grab hold (a of); **zarpada** f clawing, blow with the paw; **zarpar** [1a] weigh anchor, set sail; **zarpazo** m = zarpada; fig. thud, bump.

zarrapastrón F, **zarrapastroso** ragged, slovenly, shabby.

zarza f, **zarzamora** f blackberry.

zarzuela f operetta, light opera.

zepelín m Zeppelin.

zigzag m zigzag; en **~** relámpago forked; **zigzaguear** [1a] zigzag.

zinc m zinc.

zócalo m socle, base of a pedestal; Mex. public square, center square.

zoclo m clog, wooden shoe; galosh, overshoe de goma.

zodiacal zodiacal; **zodíaco** m zodiac.

zona f zone; belt, area; **~** edificada built-up area; **~** de pruebas testing ground; **~** siniestrada disaster area; **~** tórrida torrid zone; **zonal** zonal.

zoo... zoo...; **zoología** f zoology; **zoológico** zoological; **zoólogo** m zoologist.

zopenco F **1.** stupid, silly; **2.** m nitwit, dunce, blockhead.

zoquete m (madera) block, piece; (pan) bit of bread; F (tonto) chump, duffer; (grosero) oaf, lout.

zorra f (en general) fox; (hembra) vixen; F whore; **zorrera** f foxhole; F worry, anxiety; **zorrería** f foxiness, craftiness; **zorrero** foxy, crafty; **zorro 1.** m (dog) fox; F old fox, crafty sort; F hacerse el **~** act dumb; **2.** foxy, crafty, slippery.

zorzal m thrush; F sly fellow.

zozobra f ♣ sinking, capsizing; fig. worry, anxiety; unrest; **zozobrar** [1a] ♣ sink, capsize, overturn; fig. (peligrar) be in danger.

zulú m Zulu.

zumba f fig. banter, teasing; hacer **~** a tease; **zumbador** m ≠ buzzer; **zumbar** [1a] v/t. F rag, chaff; univ. sl. plough; golpe let s.o. have; S.Am. throw, chuck; v/i. (abeja) buzz, hum, drone; (oídos) sing, ring; (máquina) whirr, drone, hum; (zumbador) buzz; **~se** rag, chaff; **zumbido** m buzz(ing) etc.; F punch, biff; **zumbón 1.** p. funny; tono etc. bantering; **2.** m, **-a** f funny man etc.; banterer, tease.

zumo m juice; (como bebida) juice,

squash; *fig.* solid profit, real benefit; ∼ *de limón* lemon squash; ∼ *de uva* grape juice; **zumoso** juicy.

zuncho *m* band, hoop, ring.

zupia *f* muddy wine; *fig.* trash.

zurcido *m* darn, mend; **zurcidura** *f* (*acto*) darning, mending; = *zurcido*; **zurcir** [3b] darn, mend, sew up; *fig.* put together; *mentira* concoct, think up.

zurdo left-handed.

zurra *f* dressing, tanning; F (*paliza*) tanning, spanking; (*trabajo*) grind, drudgery; (*riña*) set-to; **zurrador** *m* tanner.

zurrar [1a] dress, tan; F tan, wallop, spank; ∼**se** dirty o.s.

zurriaga *f* whip; **zurriagar** [1h] whip; **zurriagazo** *m* lash; *fig.* stroke of bad luck; **zurriago** *m* whip.

zurrón *m* pouch, bag.

zutano *m*, **a** *f* (Mr *etc.*) So-and-so.

A

a [ei; ə] *article*: un, una; *10 miles an hour* 10 millas por hora; *2 shillings a pound* 2 chelines la libra.

A 1 ['ei 'wʌn] F de primera calidad; F *feel* ~ estar como un reloj.

a·back [ə'bæk] F atrás, hacia atrás; ♣ en facha; F *taken* ~ desconcertado.

a·ban·don [ə'bændən] abandonar, desamparar; renunciar a, dejar; ~ *o.s.* to abandonarse a, entregarse a.

a·base [ə'beis] humillar, degradar; envilecer.

a·bash [ə'bæʃ] confundir, avergonzar.

a·bate [ə'beit] *v/t.* disminuir, reducir; ⚖ suprimir, abolir; *v/i.* menguar, disminuir; moderarse; (*price*) bajar; (*wind*) amainar.

ab·bey ['æbi] abadía f, convento m; **ab·bot** ['æbət] abad m.

ab·bre·vi·ate [ə'bri:vieit] abreviar; ⅍ simplificar; **ab·bre·vi·a·tion** abreviatura f.

ABC [ei 'bi: 'si:] abecé m, abecedario m; rudimentos m/pl.

ab·di·cate ['æbdikeit] *v/t.* abdicar, renunciar; *v/i.* abdicar (*in favor of* en favor de).

ab·do·men ['æbdəmen, ⚕ æb'dou·men] abdomen m, vientre m.

ab·duct [æb'dʌkt] raptar.

ab·er·ra·tion [æbə'reiʃn] aberración f (*a. ast. a. opt.*).

a·bet [ə'bet] incitar, instigar; ⚖ (*mst aid and* ~) encubrir, ser cómplice.

a·bey·ance [ə'beiəns] suspensión f; ⚖ *in* ~ en suspenso, en desuso.

ab·hor [əb'hɔ:] aborrecer, abominar; **ab'hor·rent** ☐ repugnante, detestable (*to a.*).

a·bide [ə'baid] [*irr.*] *v/i. lit.* morar; ~ *by* atenerse a; conformarse con, cumplir con; *v/t.* aguardar; conformarse con; *I cannot* ~ *him* no le puedo ver; **a'bid·ing** ☐ permanente, perdurable.

a·bil·i·ty [ə'biliti] habilidad f, capacidad f, talento m; aptitud f; *to the best of one's* ~ lo mejor que pueda (*or* sepa) uno; **a'bil·i·ties** *pl.* dotes f/pl. intelectuales.

ab·ject ['æbdʒekt] ☐ abyecto, vil, ruin; ~ *poverty* la mayor miseria.

ab·la·tive ['æblətiv] ablativo m.

a·blaze [ə'bleiz] ardiendo; *fig.* ardiente, ansioso.

a·ble ['eibl] ☐ hábil, capaz; *be* ~ poder; (*know how to*) saber; ~ *to pay* solvente; ~*bod·ied* ['~'bɔdid] sano, robusto; ♣ ~ *seaman* marinero m de primera.

ab·nor·mal [æb'nɔ:ml] ☐ anormal; deforme; **ab·nor'mal·i·ty** anormalidad f; deformidad f.

a·board [ə'bɔ:d] ♣ a bordo; *all* ~ ¡señores viajeros, al tren! (*etc.*).

a·bode [ə'boud] **1.** *pret. a. p.p. of* abide; **2.** morada f, domicilio m.

a·bol·ish [ə'bɔliʃ] abolir, anular, suprimir; **ab·o·li·tion** [æbo'liʃn] abolición f; **ab·o'li·tion·ist** abolicionista m/f.

A-bomb ['eibɔm] = *atomic bomb* bomba f atómica.

a·bom·i·na·ble [ə'bɔminəbl] ☐ abominable, detestable; *taste etc.* pésimo; **a·bom·i'na·tion** abominación f; asco m.

ab·o·rig·i·ne [æbə'ridʒini:] aborigen m.

a·bort [ə'bɔ:t] abortar (*a. fig.*); **a'bor·tion** aborto m; engendro m; *fig.* malogro m, fracaso m.

a·bound [ə'baund] abundar (*with*, in en).

a·bout [ə'baut] **1.** *prp.* (*nearly*) casi; *place* junto a; (*relating to*) de, acerca de; ~ *6 o'clock* a eso de las 6; ~ *6 days* unos 6 días; ~ *the end* casi al final; *speak* ~ *the matter* hablar del asunto; *ask questions* ~ *s.t.* hacer preguntas acerca de algo; *what is it* ~*?* ¿de qué se trata?; *v. how, what*; **2.** *adv.:* *be* ~ estar vistiendo; estar por aquí; *be* ~ *to do* estar para (*or* a punto de) hacer;

a·bove [ə'bʌv] **1.** *prp.* encima de, superior a; ~ *300* más de 300; ~ *all* sobre todo; *not to be* ~ *doing s.t.* ser capaz de hacer algo; *fig. get* ~ *o.s.* engreírse; *fig. it is* ~ *me* no lo entiendo; **2.** *adv.* (por) encima de, arriba; **3.** *adj.* susodicho; **a'bove-'board** sin

rebozo; legítimo; a**bove-'mentioned** sobredicho, antedicho, susodicho.

ab·ra·sion [ə'breiʒn] raedura f, rozadura f, raspadura f; abrasión f; **ab·'ra·sive** ⊕ abrasivo m.

a·breast [ə'brest] de frente, de fondo; fig. ~ of or with al corriente de; al día de.

a·bridge [ə'bridʒ] abreviar; compendiar; privar; **a'bridg·ment** abreviación f; compendio m; privación f of rights.

a·broad [ə'brɔːd] fuera; en el extranjero; go ~ ir al extranjero; there is a rumor ~ that corre el rumor de que; it has got ~ se ha divulgado.

ab·ro·gate ['æbrougeit] revocar, abrogar.

ab·rupt [ə'brʌpt] □ brusco, rudo; event precipitado; terrain escarpado; style cortado.

ab·scess ['æbsis] absceso m.

ab·scond [əb'skɔnd] huir de la justicia; F zafarse.

ab·sence ['æbsns] ausencia f; falta f; ~ of mind distracción f, despiste m (F).

ab·sent 1. ['æbsnt] □ ausente; pe faltar; fig. = '~'mind·ed □ distraído; 2. [æb'sent]: ~ o.s. ausentarse (from de); **ab·sen·tee** [æbsn'tiː] ausentista m/f; **ab·sen'tee·ism** absentismo m.

ab·sinth ['æbsinθ] ajenjo m.

ab·so·lute ['æbsəluːt] □ absoluto (a. gr.); total; denial categórico, rotundo; liar redomado; nonsense puro; ~ly absolutamente etc.; ~ly! ¡perfectamente!

ab·solve [əb'zɔlv] absolver (from de).

ab·sorb [əb'sɔːb] absorber (a. fig.); shock etc. amortiguar; ~ed in absorto en; **ab'sorb·ent** absorbente, hidrófilo.

ab·sorp·tion [əb'sɔːpʃn] absorción f (a. fig.).

ab·stain [əb'stein] abstenerse (from de); freq. abstenerse de las bebidas alcohólicas.

ab·sti·nence ['æbstinəns] abstinencia f (from de); '**ab·sti·nent** □ abstinente, abstemio.

ab·stract 1. ['æbstrækt] □ abstracto (a. gr.); recóndito; in the ~ en abstracto; 2. [~] resumen m, extracto m; 3. [æb'strækt] abstraer (mentally); euph. hurtar; ⌐ extraer; book compendiar.

ab·struse [æb'struːs] □ abstruso.

ab·surd [əb'səːd] □ absurdo, irrazonable; ridículo; necio; **ab'surd·i·ty** disparate m, absurdo m; tontería f, locura f.

a·bun·dance [ə'bʌndəns] abundancia f, copia f, caudal m; plenitud f of heart etc.; riqueza f; **a'bun·dant** □ abundante, copioso; water caudaloso; ~ in abundante en, rebosante de; **a'bun·dant·ly** copiosamente; ~ clear plenamente claro.

a·buse 1. [ə'bjuːs] abuso m; (insults) denuestos m/pl., improperios m/pl.; injurias f/pl.; 2. [~z] abusar de; denostar; maltratar; **a'bu·sive** □ abusivo; insultante; be ~ soltar injurias.

a·bys·mal [ə'bizməl] □ abismal; fig. profundo; **a·byss** [ə'bis] abismo m, sima f.

ac·a·dem·ic [ækə'demik] □ académico; universitario; ~ costume toga f, traje m de catedrático; ~ freedom libertad f de catedrático.

a·cad·e·mi·cian [əkædə'miʃn] académico m; **a·cad·e·my** [ə'kædəmi] academia f.

ac·cede [æk'siːd]: ~ to consentir en, acceder a; the throne subir a.

ac·cel·er·ate [æk'seləreit] acelerar; apresurar; **ac·cel·er'a·tion** aceleración f; **ac'cel·er·a·tor** mot. acelerador m.

ac·cent 1. ['æksnt] acento m; 2. [æk'sent] acentuar; recalcar (a. fig.).

ac·cept [ək'sept] aceptar (a. ~ of, a. ✝); pe. admitir; **ac·cept·a·ble** [ək'septəbl] □ aceptable; grato; **ac'cept·ance** aceptación f (a. ✝); acogida f; (ideas) acogida f, asenso m; **ac·cep·ta·tion** [æksep'teiʃn] acepción f (de una palabra); **ac'cept·ed** □ acepto.

ac·cess ['ækses] acceso m, entrada f (to a); ⚕ acceso m, ataque m; easy of ~ abordable, tratable; accesible; **ac·'ces·si·ble** [~əbl] □ accesible (to a); asequible; **ac'ces·sion** acceso m, entrada f; subida f to the throne.

ac·ces·so·ry [æk'sesəri] 1. □ accesorio; 2. accesorio m; ⚖ cómplice m/f; **ac'ces·so·ries** [~riz] pl. accesorios m/pl.

ac·ci·dent ['æksidənt] accidente m; ~ insurance seguro m contra accidentes; by ~ por casualidad; **ac·ci·den·tal** [æksi'dentl] 1. □ accidental, fortuito; ~ death muerte f accidental; 2. ♪ accidente m.

ac·claim [əˈkleim] **1.** aclamar, ovacionar; **2.** aclamación *f*.

ac·cli·mate [əˈklaimit] aclimatar.

ac·com·mo·date [əˈkɔmədeit] (*adapt*) acomodar, adaptar (*to* a); ajustar; *differences* reconciliar, acomodar; proveer (*with* de); (*house*) alojar; **ac'com·mo·dat·ing** □ acomodadizo; **ac·com·mo'da·tion** acomodación *f*; **ac·com·mo'da·tions** *pl*. facilidades *f/pl*., comodidades *f/pl*.; *in a train* localidad *f*; *in a hotel* alojamiento *m*.

ac·com·pa·ni·ment [əˈkʌmpəni- mənt] acompañamiento *m* (*a*. ♪); accesorio *m*; **ac·com·pa·nist** acompañante (a *f*) *m*; **ac'com·pa·ny** acompañar (*by*, *with* de).

ac·com·plice [əˈkɔmplis] cómplice *m/f*, fautor *m*.

ac·com·plish [əˈkɔmpliʃ] acabar, completar; efectuar; *prophesy etc.* cumplir; **ac'com·plished** consumado, logrado; *fact* realizado; *p.* hábil; **ac'com·plish·ment** (*end*) conclusión *f*; logro *m*, éxito *m*; *mst pl.* talentos *m/pl.*, habilidades *f/pl*.

ac·cord [əˈkɔːd] **1.** acuerdo *m*, convenio *m*; armonía *f*; *of one's own* ∼ espontáneamente, de su propio acuerdo; *with one* ∼ de común acuerdo; **2.** *v/i*. concordar (*with* con); *v/t*. conceder; **ac'cord·ance** conformidad *f*; *in* ∼ *with* conforme a, de acuerdo con; **ac'cord·ant:** ∼ *to*, ∼ *with* conforme a; **ac'cord·ing:** ∼ *to* según; conforme a; ∼ *as* según; **ac'cord·ing·ly** en conformidad; *and* ∼ así pues, y por lo tanto.

ac·cor·di·on [əˈkɔːdiən] acordeón *m*.

ac·cost [əˈkɔst] abordar.

ac·count [əˈkaunt] **1.** narración *f*, relato *m*; cuenta *f* (*a*. ✝), cálculo *m*; estimación *f*, importancia *f*; *payment on* ∼ pago *m* a cuenta; *by all* ∼*s* por lo que dicen; *of no* ∼ de poca importancia; *on his* ∼ por él; *on his own* ∼ por su propia cuenta; *on no* ∼ de ninguna manera; *on* ∼ *of* a causa de, por; *bring to* ∼ pedir cuentas a; *give* (*or render*) *an* ∼ *of* dar cuenta de; *give a good* ∼ *of o.s.* dar buena cuenta de sí; *settle an* ∼ liquidar una cuenta; *take into* ∼, *take* ∼ *of* tener en cuenta; *turn to* ∼ aprovechar, sacar provecho de; **2.** *v/i*.: ∼ *for* dar cuenta de, explicar; justificar; *I cannot* ∼ *for it* no me lo explico; *v/t*. considerar, tener por; **ac·count- a'bil·i·ty** responsabilidad *f*, **ac-**

'count·a·ble □ responsable; **ac'count·ant** contador *m*; contable *m*; **ac'count·ing** contabilidad *f*.

ac·cred·it [əˈkredit] acreditar.

ac·crue [əˈkruː] aumentarse.

ac·cu·mu·late [əˈkjuːmjuleit] acumular(se), amontonar(se); **ac·cu·mu'la·tion** acumulación *f*, aumento *m*; montón *m*; **ac·cu·mu·la·tive** [əˈkjuːmjulətiv] □ acumulativo; **ac'cu·mu·la·tor** ✍ acumulador *m*.

ac·cu·ra·cy [ˈækjurəsi] exactitud *f*, precisión *f*; **ac'cu·rate** [ˈ‿rit] □ exacto; preciso; correcto.

ac·curs·ed [əˈkɔːsid], **ac·curst** [əˈkɔːst] maldito.

ac·cu·sa·tion [ækjuːˈzeiʃn] acusación *f*; ⚖️ denuncia *f*, delación *f*; **ac·cu·sa·tive** [əˈkjuːzətiv] acusativo *m* (*a*. ∼ *case*); **ac·cuse** [əˈkjuːz] acusar (*of* de); denunciar, delatar; *the* ∼*d* ⚖️ el acusado; **ac'cus·er** acusador *m*.

ac·cus·tom [əˈkʌstəm] acostumbrar, avezar (*to* a); **ac'cus·tomed** acostumbrado; usual.

ace [eis] as *m*.

ac·e·tate [ˈæsitit] acetato *m*; **a·ce·tic** [əˈsiːtik] acético; **a·cet·y·lene** [əˈseti- liːn] acetileno *m*.

ache [eik] **1.** doler; **2.** dolor *m*; *full of* ∼*s and pains* lleno de goteras.

a·chieve [əˈtʃiːv] lograr, conseguir; acabar; **a'chieve·ment** realización *f*, logro *m*; hazaña *f*, proeza *f*.

ac·id [ˈæsid] **1.** □ ácido, agrio; *v. test*; **2.** ácido *m*; **a·cid·i·fy** [əˈsidifai] acidificar; **a'cid·i·ty** acidez *f*; acedia *f* *of stomach*.

ac·knowl·edge [əkˈnɔlidʒ] reconocer; *crime etc.* confesar; *favor etc.* agradecer; ✝ ∼ *receipt* acusar recibo; **ac'knowl·edg·ment** reconocimiento *m*; confesión *f*; agradecimiento *m*; ✝ acuse *m* de recibo.

ac·me [ˈækmi] cima *f*, apogeo *m*.

ac·ne [ˈækni] acné *m*.

a·corn [ˈeikɔːn] bellota *f*.

a·cous·tic, a·cous·ti·cal [əˈkuːstik(l)] □ acústico; **a'cous·tics** *mst pl*. acústica *f*.

ac·quaint [əˈkweint] enterar, avisar (*with, of* de); *be* ∼*ed* conocerse; *be* ∼*ed with* conocer; saber, estar al corriente de; *become* ∼*ed with* (llegar a) conocer; ponerse al tanto de; **ac'quaint·ance** conocimiento *m* (*with* de); (*p.*) conocimiento *m*, conocido *m*.

ac·qui·esce [ækwiˈes] asentir (*in* a), conformarse (*in* con).

ac·quire [ə'kwaiə] adquirir, obtener; *language* aprender; **ac'quire·ment** adquisición *f*; ~s *pl.* conocimientos *m/pl.*

ac·qui·si·tion [ækwi'ziʃn] adquisición *f*; ganancia *f*.

ac·quit [ə'kwit] absolver (*a.* ⚖ᵗᵗᵗ), exculpar (*of* de); ~ *o.s. of duty* etc. desempeñar, cumplir; ~ *o.s. well* (*ill*) hacerlo bien (mal); **ac'quit·tal** ⚖ᵗᵗᵗ absolución *f*; descargo *m of debt*; desempeño *m*; **ac'quit·tance** ⚖ᵗᵗᵗ quita *f*; descargo *m of debt*.

a·cre ['eikə] acre *m* (= 40.47 *áreas*).

ac·ri·mo·ni·ous [ækri'mounjəs] □ áspero, desabrido.

ac·ro·bat ['ækrəbæt] acróbata *m/f*; **ac·ro'bat·ic** □ acrobático; **ac·ro'bat·ics** acrobacia *f*; ✈ vuelo acrobático.

a·cross [ə'krɔs] 1. *adv.* a través, de través; de una parte a otra, de un lado a otro; del otro lado; en cruz, transversalmente; 2. *prp.* a(l) través de; del otro lado de.

act [ækt] 1. *v/i.* actuar, obrar; funcionar, marchar; comportarse, conducirse; *thea.* trabajar; ~ *as* actuar de, hacer de; ~ (*up*)*on* obrar con arreglo a; influir en; 🎗 atacar; ~ *for* representar; F ~ *up* travesear; *v/t. thea.* representar; desempeñar (un papel); 2. *act. m*, acción *f*, obra *f*; *parl.* decreto *m*, ley *f*; *thea.* acto *m*, jornada *f*; F *in the* ~ con las manos en la masa; **'act·ing** 1. *thea.* representación *f*; desempeño *m*; 2. interino, suplente.

ac·tion ['ækʃn] acción *f* (*a.* ✗, *thea.*), acto *m*, hecho *m*; ⊕ mecanismo *m*; funcionamiento *m*, marcha *f*; (*horse*) marcha *f*; gesto *m*; ⚖ᵗᵗᵗ acción *f*, demanda *f*; *put into* ~ poner en marcha; *put out of* ~ inutilizar; parar; *take* ~ tomar medidas.

ac·tive ['æktiv] □ activo (*a. gr. a.* ✝), enérgico; vigoroso; *be on the* ~ *list* estar en activo; **ac'tiv·i·ty** actividad *f*; energía *f*; vigor *m*.

ac·tor ['æktə] actor *m*, cómico *m*; **ac·tress** ['æktris] actriz *f*.

ac·tu·al ['æktjuəl] □ verdadero, real, efectivo; actual; **ac·tu·al·i·ty** [æktju'æliti] realidad *f*; actualidad *f*; **ac·tu·al·ly** ['æktjuəli] en realidad.

ac·tu·ar·y ['æktjuəri] actuario *m* de seguros.

ac·u·punc·ture ['ækjupʌŋkʃə] acupuntura *f*.

a·cute [ə'kju:t] □ *all senses:* agudo; **a'cute·ness** agudeza *f*.

ad [æd] = *advertisement* anuncio *m*; *classified* ~s *pl.* anuncios *m/pl.* por palabras.

ad·a·mant ['ædəmənt] *fig.* firme, intransigente; insensible (*to* a).

a·dapt [ə'dæpt] adaptar, acomodar, ajustar; *text* refundir; **a'dapt·a·ble** adaptable; **ad·ap'ta·tion** adaptación *f* (*to* a); refundición *f*; **a'dapt·er** *radio:* adaptador *m*.

add [æd] *v/t.* añadir, agregar (*to* a); ⅍ sumar; *v/i.* ~ *to* aumentar; realzar; ~ *up* to subir a.

ad·dict 1. [ə'dikt] ~ *o.s.* entregarse (*to* a), enviciarse (*to* en, con); 2. ['ædikt] adicto (*a f*) *m*; (*drugs*) toxicómano (*a f*) *m*; **ad'dict·ed:** ~ *to* aficionado a, adicto a; entregado a; **ad'dic·tion** (*drugs*) toxicomanía *f*.

ad·di·tion [ə'diʃn] añadidura *f*; adición *f*; ⅍ suma *f*; *in* ~ además, a más; *in* ~ *to* además de; **ad·di·tion·al** □ adicional.

ad·di·tive ['æditiv] aditivo.

ad·dress [ə'dres] 1. *p.* dirigir la palabra a; *letter, protest* etc. dirigir (*to* a); ✝ consignar; ~ *o.s. to p.* dirigirse a; *th.* aplicarse a; 2. (*house*) dirección *f*, señas *f/pl.*; sobrescrito *m*; ✝ consignación *f*; (*speech*) discurso *m*; (*skill*) destreza *f*; (*behavior*) maneras *f/pl.*, modales *m/pl.*; *give an* ~ pronunciar un discurso; **ad·dress·ee** [ædre'si:] destinatario *m*.

ad·e·noids ['ædənɔidz] *pl.* vegetaciones *f/pl.* adenoides.

ad·ept ['ædept] 1. diestro, experto (*at, in* en); 2. perito *m*; *be an* ~ *at* ser maestro en (*or* de).

ad·e·quate ['ædikwit] □ suficiente; apropiado, adecuado.

ad·here [əd'hiə]: ~ *to* adherir a, pegarse a; *fig.* adherirse a, allegarse a; **ad'her·ence:** ~ *to* adherencia *f* a, adhesión *f* a; (*rule*) observancia *f* de; **ad'her·ent** 1. adhesivo; 2. partidario (*a f*) *m*.

ad·he·sion [əd'hi:ʒn] *mst* = *adherence;* ⚛ adherencia *f*.

ad·he·sive [əd'hi:siv] □ adhesivo; ~ *plaster* esparadrapo *m*; ~ *tape* cinta *f* adhesiva.

ad·ja·cent [ə'dʒeisənt] □ adyacente, contiguo, inmediato (*to* a).

ad·jec·tive ['ædʒiktiv] adjetivo *m*.

ad·join·ing [ə'dʒɔiniŋ] colindante, lindero.

ad·journ [ə'dʒəːn] v/t. prorrogar, diferir; *session* clausurar, suspender; v/i.: ~ to trasladarse a; **ad'journ·ment** aplazamiento m; clausura f.

ad·junct ['ædʒʌŋkt] auxiliar m, adjunto m; accesorio f.

ad·just [ə'dʒʌst] ajustar; arreglar; *quarrel* conciliar; *apparatus etc.* ajustar, regular; ~ o.s. to adaptarse a; **ad'just·a·ble** □ ajustable, graduable, regulable; **ad'just·ment** ajuste m, regulación f; acuerdo m, convenio m; arreglo m.

ad·ju·tant ['ædʒətənt] ayudante m.

ad·lib [æd'lib] F **1.** a voluntad; a discreción; **2.** improvisar.

ad·min·is·ter [əd'ministə] mst administrar; *shock etc.* proporcionar; ~ an oath tomar juramento; **ad·min·is'tra·tion** administración f; gobierno m; dirección f; **ad'min·is·tra·tive** [~trətiv] administrativo; **ad'min·is·tra·tor** [~treitə] administrador m.

ad·mi·ra·ble ['ædmərəbl] □ admirable; excelente.

ad·mi·ral ['ædmərəl] almirante m.

ad·mi·ra·tion [ædmi'reiʃn] admiración f.

ad·mire [əd'maiə] admirar; **ad'mir·er** admirador (-a f) m.

ad·mis·si·ble [æd'misibl] □ admisible; **ad'mis·sion** admisión f, entrada f (to a); confesión f (of de); ~ free entrada f libre (or gratis).

ad·mit [əd'mit] v/t. admitir; aceptar; confesar, reconocer; be ~ted to academy etc. ingresar en; v/i.: ~ of admitir, dar lugar a; ~ to confesarse culpable de; **ad'mit·tance** entrada f, admisión f; ⚡ admitancia f; no ~ prohibida la entrada; **ad'mit·ted·ly** indudablemente; de acuerdo que..., es verdad que...

ad·mon·ish [əd'mɔniʃ] amonestar; reprender; aconsejar (to inf.); **ad·mo·ni·tion** [ædmə'niʃn] amonestación f; reprensión f; consejo m; advertencia f.

a·do [ə'duː] ruido m; aspaviento m.

ad·o·les·cence [ædou'lesns] adolescencia f; **ad·o·les·cent** adolescente adj. a. su. m/f.

a·dopt [ə'dɔpt] adoptar; ~ed son hijo m adoptivo; **a'dop·tion** adopción f; *country of ~* patria f adoptiva; **a'dop·tive** adoptivo.

a·dor·a·ble [ə'dɔːrəbl] □ adorable;

ad·o·ra·tion [ædɔː'reiʃn] adoración f; **a·dore** [ə'dɔː] adorar.

ad·re·nal [əd'riːnl] suprarrenal; ~ 'gland glándula f suprarrenal.

ad·ren·al·in [əd'renəlin] adrenalina f.

a·drift [ə'drift] ⚓ al garete, a la deriva (a. fig.).

a·droit [ə'drɔit] □ diestro, hábil; mañoso.

ad·u·la·tion [ædju'leiʃn] adulación f.

a·dult ['ædʌlt] adulto.

a·dul·ter·ate 1. [ə'dʌltəreit] adulterar, falsificar; **2.** [~rit] adulterado, falsificado; **a'dul·ter·y** adulterio.

ad·vance [əd'væns] **1.** v/i. avanzar, adelantar(se); ascender in rank; (price) subir; v/t. avanzar, adelantar; fig. cause etc. fomentar, promover; idea etc. proponer; **2.** ✕ etc. avance m; fig. progreso m, adelanto m; (money) anticipo m; ~s pl. requerimiento m amoroso; in ~ por adelantado, de antemano; be in ~ of adelantarse a; thank in ~ anticipar las gracias; **3.** adj. adelantado, anticipado; ~ guard avanzada f; **ad'vanced** adj. gen. a. pol. avanzado; adelantado; study superior, alto; ~ in years entrado en años; **ad'vance·ment** progreso m; adelantamiento m; fomento m; ascenso m.

ad·van·tage [əd'vɑːntidʒ] ventaja f (a. tennis); beneficio m, provecho m; take ~ of aprovechar(se de), sacar ventaja de; b.s. embaucar, valerse de, abusar de; have the ~ of s.o. llevar ventaja a alguien; show to ~ lucir; **ad·van·ta·geous** [ædvən'teidʒəs] □ ventajoso, provechoso.

ad·ven·ture [əd'ventʃə] **1.** aventura f; lance m; **2.** aventurar(se); arriesgarse; **ad'ven·tur·ous** □ aventurero, arrojado, emprendedor.

ad·verb ['ædvəːb] adverbio m; **ad·ver·bi·al** [əd'vəːbiəl] □ adverbial.

ad·ver·sar·y ['ædvəsəri] adversario (a f) m, contrario (a f) m; **ad·verse** ['~vəːs] □ adverso, contrario; hostil; desfavorable; **ad·ver·si·ty** [əd'vəːsiti] adversidad f; infortunio m.

ad·ver·tise ['ædvətaiz] v/t. anunciar; publicar; v/i. poner un anuncio; **ad·ver·tise·ment** [əd'vəːtismənt] anuncio m; **ad·ver·tis·er** ['ædvətaizə] anunciante m/f; **'ad·ver·tis·ing** publicidad f, propaganda f, anuncios m/pl.

ad·vice [əd'vais] consejo m; aviso m, informe m, noticia f.

ad·vis·a·ble [əd'vaizəbl] ☐ aconsejable, prudente, conveniente; **ad·vise** v/t. aconsejar (to inf.); avisar, informar (a. ✝); v/i.: ~ on ser asesor en; **ad·vis·er** consejero m, asesor m; **ad·vi·so·ry** [~eri] consultivo.

ad·vo·cate 1. ['ædvəkit] 🏛 abogado m; defensor m; 2. ['~keit] abogar por; propugnar, defender; proponer.

aer·ate ['ɛəreit] v/t. airear.

a·e·ri·al [~'iəriəl] 🏛 aéreo; ~ camera aparato m de fotografía aérea; ~ photograph aerofoto f.

aer·i·al·ist ['ɛəriəlist] volatinero m.

a·er·o·dy·nam·ic [ɛəroudai'næmik] aerodinámico; **'aer·o·plane** avión m, aeroplano m; **'aer·o·sol** aerosol m; **'aer·o·space** aeroespacial.

aes·thet·ic, aes·thet·i·cal [es'θetik(l)] v. esthetic, esthetical.

a·far [ə'faː] (mst ~ off) lejos, en (la) lontananza; from ~ (des)de lejos.

af·fa·ble ['æfəbl] ☐ afable.

af·fair [ə'fɛə] asunto m, negocio m; F cosa f; amorío m.

af·fect [ə'fekt] afectar; conmover, enternecer, impresionar; tener que ver con; influir en; **af·fec·ta·tion** [æfek'teiʃn] afectación f; amaneramiento m; cursilería f; melindre m, dengue m; **af·fect·ed** [ə'fektid] ☐ afectado; conmovido; amanerado; cursi; melindroso; **af·fec·tion** afección m, cariño m, amor m; esp. 🏛 afección f; **af·fec·tion·ate** [~kʃnit] ☐ cariñoso, afectuoso.

af·fi·da·vit [æfi'deivit] declaración f jurada.

af·fil·i·ate [ə'filieit] v/t. (a)filiar; v/i. afiliarse (with, to a); **af·fil·i·a·tion** afiliación f.

af·fin·i·ty [ə'finiti] afinidad f.

af·firm [ə'fəːm] afirmar, aseverar, declarar; **af·fir·ma·tion** [æfəː-'meiʃn] afirmación f, aseveración f, declaración f; **af·firm·a·tive** [ə'fəː-mətiv] 1. ☐ afirmativo; 2. answer in the ~ dar una respuesta afirmativa.

af·fix [ə'fiks] fijar; pegar, unir; añadir.

af·flict [ə'flikt] afligir, acongojar; be ~ed with sufrir de; **af·flic·tion** aflicción f, congoja f; miseria f.

af·flu·ent ['æfluənt] 1. ☐ opulento, acaudalado; 2. afluente m.

af·flux ['æflʌks] aflujo m.

af·ford [ə'fɔːd] dar, proporcionar, proveer; (pay for) costear.

af·front [ə'frʌnt] 1. afrentar, injuriar,

ultrajar; (verbally) denostar; arrostrar; 2. afrenta f, injuria f.

a·float [ə'flout] a flote; en el mar; a nado; inundado.

a·foot [ə'fut] a pie; en pie; en marcha.

a·fore [ə'fɔː] ⚓ v. before; '**~·men·tioned**, '**~·named**, '**~·said** antedicho, susodicho, precitado; '**~·thought** premeditado; malice ~ premeditación f.

a·fraid [ə'freid] temeroso, miedoso; be ~ tener miedo (of de, a), temer.

a·fresh [ə'freʃ] de nuevo, otra vez.

Af·ri·can ['æfrikən] africano adj. a. su. m (a f); **Af·ri·kaans** [~'kɑːns] africaans m; **Af·ri·kan·der** ['~kændə] africander m.

aft [ɑːft] a popa; en popa.

aft·er ['ɑːftə] 1. adv. (time) después; (place) detrás; 2. prp. (time) después de; (place) detrás de; ~ all después de todo, con todo; day ~ day día tras día; ~ hours fuera de horas; 3. cj. después (de) que; 4. adj. posterior; ⚓ de popa; '**~·din·ner 'speak·er** orador m de sobremesa; '**~·din·ner 'speech** discurso m de sobremesa; '**~·glow** celajes m/pl.; '**~·math** consecuencias f/pl.; repercusiones f/pl.; '**~·noon** tarde f; good ~! ¡buenas tardes!; '**~·shave 'lo·tion** loción f para después del afeitado; '**~·taste** dejo m, resabio m; '**~·thought** ocurrencia f tardía; 3. cj. después; '**~·wards** ['~wədz] después, más tarde.

a·gain [ə'gen] otra vez, de nuevo, nuevamente; ~ and ~, time and ~ repetidas veces; as much (many) ~ otro (os, as) tanto (os, as); now and ~ de vez en cuando, una que otra vez; never ~ nunca más; do it ~ volver a hacerlo.

a·gainst [ə'genst] contra; cerca de, al lado de; (as) ~ en contraste con; ~ his coming para su venida; over ~ enfrente de; be ~ oponerse a; he was ~ it estaba en contra.

a·gape [ə'geip] boquiabierto.

ag·ate ['ægət] ágata f.

a·ga·ve [ə'geivi] agave f, pita f.

age [eidʒ] 1. edad f; época f, siglo m; (old) ~ vejez f, senectud f; come of ~ llegar a mayor edad; over ~ demasiado viejo; under ~ menor de edad; what is your ~? ¿qué edad tiene Vd.?, ¿cuántos años tiene Vd.?; F wait for ~s esperar una eternidad; 2. envejecer(se); '~· 'brack·et, '~· 'group grupo m de personas de la misma edad;

ag·ed ['∼id] viejo; anciano; [eidʒd]: ∼ 20 de 20 años; **'age·less** que no tiene edad, inmemorial; eternamente joven; **'age lim·it** edad f mínima or máxima; edad f de jubilación.

a·gen·cy ['eidʒənsi] agencia f; acción f; medio m, mediación f.

a·gen·da [ə'dʒendə] orden m del día.

a·gent ['eidʒənt] agente m; apoderado m; representante m; jefe m de estación.

age-old ['eidʒould] secular.

age-worn ['eidʒwɔːn] caduco.

ag·gran·dize ['ægrəndaiz] engrandecer, agrandar; **ag·gran·dize·ment** [ə'grændizmənt] engrandecimiento m, agrandamiento m.

ag·gra·vate ['ægrəveit] agravar, exacerbar; F irritar, exasperar; **ag·gra·va·tion** agravación f, exacerbación f.

ag·gre·gate ['ægrigit] □ agregado, unido, global.

ag·gres·sion [ə'greʃn] agresión f; **ag·gres·sive** [ə'gresiv] □ agresivo; fig. emprendedor; ∼ war guerra f agresiva; **ag·gres·sor** agresor (-a f) m.

ag·grieved [ə'griːvd] ofendido, desairado; agraviado.

a·ghast [ə'gæst] espantado, horrorizado; pasmado (at de).

ag·ile ['ædʒəl] □ ágil.

a·gil·i·ty [ə'dʒiliti] agilidad f.

a·ging ['eidʒiŋ] envejecimiento m.

ag·i·tate ['ædʒiteit] v/t. agitar; perturbar, alborotar; **ag·i·ta·tion** agitación f; perturbación f; **'ag·i·ta·tor** agitador (-a f) m, instigador (-a f) m.

a·glow [ə'glou] encendido.

a·go [ə'gou]: (it is) a year ∼ hace un año; long ∼ hace mucho tiempo, tiempo ha.

ag·o·nize ['ægənaiz] v/t. atormentar; v/i. retorcerse de dolor.

ag·o·ny ['ægəni] angustia f, congoja f.

a·gree [ə'griː] v/i. concordar (esp. gr.), estar de acuerdo (with con, that en que); ponerse de acuerdo; ∼ on, ∼ to convenir en, quedar en, acordar; it does not ∼ with me no me sienta (bien); v/t. be ∼d estar de acuerdo (on en, that en que); ∼d convenido, aprobado; ∼d! ¡Conforme!; **a'gree·a·ble** □ agradable, ameno; p. simpático; conforme (to con), dispuesto (to a); **a'gree·a·ble·ness** agrado m; amenidad f; **a'gree·ment** acuerdo m; convenio m; concordancia f; conformidad f.

ag·ri·cul·tur·al [ægri'kʌltʃurəl] agrícola; ∼ adviser agrónomo m; **ag·ri·cul·ture** ['∼tʃə] agricultura f.

a·ground [ə'graund] varado, encallado; run ∼ varar, encallar.

a·gue ['eigjuː] fiebre f intermitente; escalofrío m.

a·head [ə'hed] delante, al frente; ⚓ por la proa; adelante; straight ∼ todo seguido.

aid [eid] **1.** ayudar, auxiliar, socorrer; **2.** ayuda f, auxilio m, socorro m.

ail [eil] v/i. estar enfermo; sufrir; v/t. afligir; inquietar; what ∼s him? ¿qué tiene?

ail·e·ron ['eilərɔn] alerón m.

ail·ment ['eilmənt] achaque m, dolencia f, enfermedad f.

aim [eim] **1.** v/i. apuntar (at a); fig. ∼ at aspirar a, ambicionar; ∼ to aspirar a, intentar; fig. ∼ high picar muy alto; v/t. gun, remark etc. apuntar (at a); blow etc. asestar (at a); **2.** puntería f; fig. mira f, meta f, blanco m, designio m; take ∼ apuntar; **'aim·less** □ sin objeto; desatinado; ∼ly a la buena ventura, a la deriva.

ain't [eint] F = is not, are not etc.; has not, have not.

air¹ [εə] **1.** aire m; by ∼ por avión; in the ∼ fig. en el aire, indefinido; in project, en proyecto; in the open ∼ al aire libre, al raso; **2.** airear, orear, ventilar (a. fig.).

air² [∼] aire m, aspecto m; ademán m;

air³ [∼] ♩ aire m, tonada f.

air...: '∼ base base f aérea; **'∼·borne** ✠ en el aire, despegado; ✗ aerotransportado; germs etc. transmitido por el aire; **'∼ brake** freno m neumático; **'∼-con'di·tioned** con aire acondicionado, refrigerado; **∼ con·di·tion·er** acondicionador m de aire; **'∼·craft** avión m; ∼ carrier porta(a)viones m; **'∼ drop 1.** lanzamiento m; **2.** v/t. lanzar; **'∼·field** campo m de aviación; **'∼ force** aviación f, fuerzas f/pl. aéreas.

air·i·ness ['εərinis] buena ventilación f; airosidad f; fig. ligereza f.

air...: '∼·lift puente m aéreo; **'∼·line** línea f aérea; línea f recta; **'∼·lin·er** avión m de pasajeros, transaéreo m; **'∼ mail** correo m aéreo; **'∼·plane** avión m; ∼ carrier portaaviones m; **'∼·pilot** piloto m; **'∼ pock·et** bache m aéreo; **'∼·port** aeropuerto m; **'∼ pres·sure** presión f atmosférica; **'∼ raid**

ataque *m* aéreo; ~ *shelter* refugio *m* antiaéreo; ~ *warning* alarma *f* aérea; '.**~sick** mareado (en el aire); '.**~speed** velocidad *f* relativa al aire; ~ *indicator* velocímetro *m* aéreo; '.**~strip** pista *f* de aterrizaje; '.**~tight** hermético; '.**~worthy** en condiciones de vuelo.

air·y ['ɛəri] ☐ airoso; *esp. room* bien ventilado, ancho; *fig.* etéreo, ligero; (*rude*) impertinente.

aisle [ail] nave *f* lateral; *thea. etc.* pasillo *m*.

a·jar [ə'dʒɑ:] entreabierto, entornado; *fig.* en desacuerdo.

a·larm [ə'lɑ:m] 1. alarma *f*; sobresalto *m*; 2. alarmar, inquietar, asustar; **a'larm clock** (reloj *m*) despertador *m*.

a·las [ə'lɑːs] ¡ay!

al·be·it [ɔːl'biːit] aunque, bien que.

al·bum ['ælbəm] álbum *m*.

al·co·hol ['ælkəhɔl] alcohol *m*; **al·co·'hol·ic** alcohólico *adj. a. su. m* (a *f*), alcoholizado *adj. a. su. m* (a *f*); '**al·co·hol·ism** alcoholismo *m*.

al·cove ['ælkouv] nicho *m*, hueco *m*; gabinete *m of library*; cenador *m in garden*.

al·der·man ['ɔːldəmən] regidor *m*, concejal *m* (de cierta antigüedad).

ale [eil] cerveza *f* (inglesa).

ale·house ['eilhaus] taberna *f*.

a·lert [ə'lɔːt] 1. ☐ vigilante; vivo, listo; 2. alerta *m*; *be on the ~* estar alerta, estar sobre aviso.

a·li·as ['eiliæs] alias *adv. a. su. m*.

al·i·bi ['ælibai] coartada *f*; F excusa *f*, pretexto *m*.

al·ien ['eiliən] 1. ajeno, extraño (*to* a); extranjero; 2. extranjero (a *f*) *m*; **al·ien·ate** ['~eit] enajenar, alienar; *be ~d from* enajenarse de.

a·light[1] [ə'lait] ardiendo, encendido, iluminado.

a·light[2] [~] bajar, apearse; ☒ aterrizar; ~ *on* posarse sobre; ~ *on one's feet* caer de pie.

a·lign [ə'lain] alinear; ~ *o.s. with* alinearse con; ponerse al lado de.

a·like [ə'laik] 1. *adj.* semejante, parecido; *look* ~ parecerse; 2. *adv.* igualmente, del mismo modo.

al·i·mo·ny ['æliməni] alimentos *m/pl.*

a·live [ə'laiv] vivo, viviente, con vida; *fig.* vivaz, activo; sensible (*to* a); *keep* ~ mantener(se) en vigor.

al·ka·li ['ælkəlai] álcali *m*; **al·ka·line** ['~lain] alcalino.

all [ɔːl] 1. *adj.* todo; ~ *day* (*long*) (durante) todo el día; ~ *kind*(s) *of books* toda clase de libros, libros de toda clase; *for* ~ *that* con todo, no obstante, así y todo; ~*purpose* para todo uso, universal; ~*weather* para todo tiempo; 2. todo *m*; todos *m/pl.*, todas *f/pl.*; *my* ~ todo lo que tengo; ~ *of them* (ellos) todos; *at* ~ de cualquier manera; *en lo más mínimo*; siquiera un poco; *not at* ~ de ninguna manera; no hay de qué; *for* ~ (*that*) *I care* igual me da; *for* ~ *I know* que yo sepa; quizá; 3. *adv.* enteramente, del todo; ~ *the better* tanto mejor; ~ *but* casi, por poco; menos.

al·lay [ə'lei] apaciguar, aquietar; *pain* aliviar, mitigar.

al·le·ga·tion [æle'geiʃn] aseveración *f*, alegación *f*, alegato *m*; **al·lege** [ə'ledʒ] declarar, sostener; (*as proof, excuse, etc.*) alegar.

al·le·giance [ə'liːdʒəns] fidelidad *f*, lealtad *f*; (*a. oath of* ~) homenaje *m*.

al·le·gor·ic, **al·le·gor·i·cal** [æle'gɔrik(l)] ☐ alegórico; **'al·le·go·ry** alegoría *f*.

al·le·lu·ia [æli'luːjə] aleluya *f*.

al·ler·gy ['ælədʒi] alergia *f*.

al·le·vi·ate [ə'liːvieit] aliviar.

al·ley ['æli] callejuela *f*, callejón *m*.

al·li·ance [ə'laiəns] alianza *f*; *form an* ~ formar una alianza.

al·li·ga·tor ['æligaitə] caimán *m*.

al·lo·cate ['æləkeit] asignar; repartir.

al·lot [ə'lɔt] asignar, adjudicar; repartir; **al'lot·ment** asignación *f*, reparto *m*; lote *m*, porción *f*.

all-out [ɔːl'aut] 1. *adj. supporter etc.* acérrimo; *effort etc.* total, máximo; 2. *adv.* con todas las fuerzas; a máxima velocidad.

al·low [ə'lau] (*permit*) permitir, dejar (*to inf.*); (*grant*) conceder, dar; (*admit*) confesar; *discount* descontar; **al·'low·a·ble** ☐ permisible, admisible; **al'low·ance** (*grant*) concesión *f*; ración *f*, pensión *f*; (*discount*) descuento *m*, rebaja *f*; ⊕ tolerancia *f*; *make* ~ *for* s. dispulanr; *th.* tener en cuenta.

al·loy [ə'lɔi] 1. aleación *f*, liga *f*; *fig.* mezcla *f*; 2. alear, ligar; *fig.* mezclar, adulterar.

al·lude [ə'luːd]: ~ *to* aludir a.

al·lure [ə'ljuə] atraer, fascinar; **al·'lure·ment** atractivo *m*, aliciente *m*; fascinación *f*; **al'lur·ing** ☐ atractivo, tentador.

al·lu·sion [ə'luːʒn] alusión *f*, referencia *f* (*to* a).

al·ly 1. [ə'lai] aliarse, unirse; *fig.* emparentarse (*to, with* con); allied *fig.* conexo, parecido; allied *to fig.* relacionado con; **2.** ['ælai] aliado *m*.

al·ma·nac ['ɔːlmənæk] almanaque *m*.

al·might·y [ɔːl'maiti] ☐ todopoderoso; F imponente, grandísimo.

al·mond ['ɑːmənd] almendra *f*; (*a.* ~ *tree*) almendro *m*.

al·most ['ɔːlmoust] casi.

alms [ɑːmz] *sg. a. pl.* limosna *f*.

a·loft [ə'lɔft] hacia arriba, en alto.

a·lone [ə'loun] **1.** *adj.* solo; **2.** *adv.* solamente, sólo.

a·long [ə'lɔŋ] **1.** *adv.* a lo largo; adelante; all ~ desde el principio; ~ with junto con; **2.** *prp.* a lo largo de; por; al lado de; **a'long'side 1.** *adv.* ⚓ al costado, costado con costado; *bring* ~ costar; **2.** *prp. fig.* junto a, al lado de.

a·loof [ə'luːf] reservado, huraño; *keep* ~ apartarse, alejarse (*from* de); *stand* ~ mantenerse apartado, mantenerse a distancia; **a'loof·ness** reserva *f*.

a·loud [ə'laud] en voz alta.

al·pha·bet ['ælfəbit] alfabeto *m*; **al·pha·bet·ic, al·pha·bet·i·cal** [~'betik(l)] ☐ alfabético.

al·read·y [ɔːl'redi] ya; previamente, antes.

al·so ['ɔːlsou] también, además; *racing:* ~ *ran* (caballo *m*) que no logró colocarse; F fracasado *m*.

al·tar ['ɔːltə] altar *m*; *ara f* (*lit.*); *high* ~ altar *m* mayor; '~·piece retablo *m*.

al·ter ['ɔːltə] cambiar(se), alterar, modificar; F *animal* castrar; '**al·ter·a·ble** mudable; **al·ter'a·tion** alteración *f*, cambio *m* (*of, to* de); ⚠ ~*s pl.* reformas *f/pl.*

al·ter·nate 1. [ɔːl'təːneit] alternar; *alternating current* corriente *f* alterna; **2.** [ɔːl'təːnit] ☐ alterno, alternativo; *on* ~ *days* cada dos días, un día sí y otro no; **3.** suplente *m*, sustituto *m*; **al·ter·na·tion** [~'neiʃn] alternación *f*; **al'ter·na·tive** [~nətiv] **1.** ☐ alternativo; **2.** alternativa *f*.

al·though [ɔːl'ðou] aunque; si bien.

al·ti·tude ['æltitjuːd] altitud *f*, altura *f*, elevación *f*.

al·to ['æltou] contralto *f*.

al·to·geth·er [ɔːltə'geðə] enteramente, del todo; en conjunto.

al·u·mi·num [ə'luːminəm] aluminio *m*.

a·lum·nus [ə'lʌmnəs] *m, pl.* **a·lum-**

ni [~'nai]; **a·lum·na** [~'nə] *f, pl.* **a·lum·nae** [~'niː] graduado (a *f*) *m*.

al·ways ['ɔːlwəz] siempre; *as* ~ como (de) siempre.

am [æm; *in phrases freq.* əm] soy; estoy (*v.* be).

a·mal·gam·ate [ə'mælgəmeit] amalgamar(se).

a·mass [ə'mæs] acumular, amontonar.

am·a·teur ['æmətəː] aficionado (a *f*) *m*; *b.s.* chapucero *m*, principiante *m/f*; **am·a'teur·ish** superficial, inexperto, chapucero.

a·maze [ə'meiz] asombrar, pasmar; **a'mazed** ☐ asombrado, pasmado (*at* de); *be* ~ *at* asombrarse de; **a'maze·ment** asombro *m*, aturdimiento *m*; pasmo *m*; **a'maz·ing** ☐ asombroso, pasmoso.

am·bas·sa·dor [æm'bæsədə] embajador *m*.

am·ber ['æmbə] **1.** ámbar *m*; **2.** ambarino, de ámbar.

am·bi·gu·i·ty [æmbi'gjuiti] ambigüedad *f*, doble sentido *m*; **am'big·u·ous** ☐ ambiguo; equívoco.

am·bi·tion [æm'biʃn] ambición *f* (*to, for* por), anhelo *m* (*to, for* de); **am'bi·tious** ☐ ambicioso.

am·bu·lance ['æmbjuləns] (coche *m*) ambulancia *f*.

am·bu·la·to·ry ['æmbjulətəri] ambulatorio, móvil.

am·bus·cade [æmbəs'keid], **am·bush** ['æmbuʃ] **1.** emboscada *f*; *lie in* ~ estar en acecho (*or* en celada); **2.** acechar; tomar (*or* coger) por sorpresa.

a·mel·io·rate [ə'miːliəreit] mejorar (-se); **a·mel·io'ra·tion** mejora *f*, mejoramiento *m*.

a·men ['ɑː'men] amén.

a·me·na·ble [ə'miːnəbl] sumiso, dócil; ⚖ responsable.

a·mend [ə'mend] enmendar (*a.* ⚖ *parl.*); rectificar, reformar; **a'mend·ment** enmienda *f*; **a'mends** [~dz] reparación *f*, recompensa *f*; *make* ~ *for* compensar, igualar; expiar.

A·mer·i·can [ə'merikən] **1.** americano; **2.** americano (a *f*) *m*; **a'mer·i·can·ism** americanismo *m*; **a'mer·i·can·ize** americanizar(se).

Am·er·in·di·an, Am·er·ind [æmə'rindjən, 'æmərind] amerindio *m*.

am·e·thyst ['æmiθist] amatista *f*.

a·mi·a·ble ['eimiəbl] ☐ afable, amable; bonachón; simpático.

am·i·ca·ble ['æmikəbl] □ amigable, amistoso.

a·mid(st) [ə'mid(st)] entre, en medio de.

a·miss [ə'mis] mal, fuera de propósito; impropio; *take ~* llevar a mal.

am·i·ty ['æmiti] amistad *f.*

am·mo·ni·a [ə'mounjə] amoníaco *m*; *liquid ~* amoníaco *m* líquido.

am·mu·ni·tion [æmju'niʃn] 1. municiones *f/pl.*; *fig.* pertrechos *m/pl.*; 2. *attr.* de municiones.

am·nes·ty ['æmnesti] 1. amnistía *f*, indulto *m*; 2. indultar.

a·moe·ba [ə'miːbə] amiba *f.*

a·mong(st) [ə'mʌŋ(st)] entre, en medio de; *from ~* de entre.

a·mor·phous [ə'mɔːfəs] *min.* amorfo.

a·mount [ə'maunt] 1.: *~ to* valer, hacer, ascender a; *fig.* equivaler a, significar; 2. cantidad *f*, suma *f.*

am·pere ['æmpɛə] amperio *m.*

am·phib·i·an [æm'fibiən] 1. anfibio *m*; 2. = **am·phib·i·ous** □ anfibio.

am·phi·the·a·ter ['æmfiθiətə] anfiteatro *m.*

am·ple ['æmpl] amplio; abundante; liberal; bastante.

am·pli·fi·ca·tion [æmplifi'keiʃn] amplificación *f* (*a. rhet. a. phys.*); **am·pli·fi·er** ['ˌfaiə] *radio:* amplificador *m*; **'am·pli·fy** amplificar, ampliar; dilatar, extender; *radio: ~ing valve* lámpara *f* amplificadora; **am·pli·tude** ['ˌtjuːd] amplitud *f.*

am·pu·tate ['æmpjuteit] amputar; **am·pu·ta·tion** amputación *f.*

a·muck [ə'mʌk]: *run ~* enloquecer, desbocarse (*a. fig.*), desmandarse.

am·u·let ['æmjulit] amuleto *m.*

a·muse [ə'mjuːz] divertir, entretener; distraer, solazar; **a·muse·ment** diversión *f*, entretenimiento *m*; pasatiempo *m*, recreo *m*; *for ~* para divertirse; **a·mus·ing** □ divertido; gracioso.

an [æn, ən] *article:* un, una.

a·nach·ro·nism [ə'nækrənizm] anacronismo *m.*

a·nae·mi·a [ə'niːmiə] *v.* anemia.

an·aes·the·si·a [æniːs'θiːziə] *v.* anesthesia.

an·al·ge·si·a [ænəl'dʒiːziə] analgesia *f.*

an·a·log·ic, an·a·log·i·cal [ænə'lɔdʒik(l)] □, **a·nal·o·gous** [ə'næləgəs] análogo; afin; **a·nal·o·gy** analogía *f*; afinidad *f*; *on the ~ of* por analogía con.

an·a·lyse ['ænəlaiz] analizar; **a·nal·y·sis** [ə'næləsis], *pl.* **a·nal·y·ses** ['ˌiːz] análisis *mst m*; **an·a·lyst** ['ænəlist] analizador *m*; *public ~* jefe *m* del laboratorio municipal; **an·a·lyt·ic, an·a·lyt·i·cal** [ænə'litik(l)] □ analítico.

an·ar·chic, an·ar·chi·cal [æ'nɑːkik(l)] □ anárquico; **an·arch·ist** anarquista *m/f*; **'an·arch·y** anarquía *f*; desorden *m.*

a·nath·e·ma [ə'næθimə] anatema *m.*

an·a·tom·i·cal [ænə'tɔmikl] □ anatómico; **a·nat·o·my** anatomía *f* (*a. fig.*).

an·ces·tor ['ænsistə] antepasado *m*, progenitor *m*; **an·ces·tral** [ˌ'sestrəl] ancestral, hereditario; **'an·ces·try** ascendencia *f*, linaje *m*, abolengo *m.*

an·chor ['æŋkə] 1. ♣ *a. fig.* ancla *f*; *at ~* al ancla, anclado; *cast (or drop) ~* echar anclas; *weigh ~* zarpar; 2. *v/t.* anclar; sujetar; *v/i.* anclar, fondear; **'an·chor·age** ancladero *m*, fondeadero *m.*

an·cho·vy ['æntʃəvi] anchoa *f.*

an·cient ['einʃənt] 1. □ antiguo; vetusto; 2. *the ~s pl.* los antiguos *m/pl.*

and [ænd, ənd] *conj.* y; (*before* i-, hi-) e; *thousands ~ thousands* miles y miles, millares; *try ~ inf.* tratar de *inf.*; *try ~ take it* cógelo si puedes; *after verbs of motion:* a (*e.g.*, *go ~ see him in a verb*).

and·i·ron ['ændaiən] morillo *m.*

an·ec·dote ['ænikdout] anécdota *f.*

a·ne·mi·a [ə'niːmiə] anemia *f*; **a·ne·mic** anémico.

an·es·the·si·a [ænis'θiːziə] anestesia *f*; **an·es·thet·ic** [ænis'θetik] □ anestésico *adj. a. su. m.*; **an·es·thet·ize** [ə'niːsθətaiz] anestesiar.

a·new [ə'njuː] de nuevo, otra vez.

an·gel ['eindʒl] ángel *m*; **an·gel·ic, an·gel·i·cal** [æn'dʒelik(l)] □ angélico.

an·ger ['æŋgə] 1. cólera *f*, ira *f*, saña *f*; 2. enojar, encolerizar, provocar.

an·gi·na [æn'dʒainə] angina *f*; *~ pectoris* angina *f* de pecho.

an·gle ['æŋgl] 1. ángulo *m*; *fig.* punto *m* de vista; 2. pescar con caña (*for acc.*); *~ for F* ir a la caza de (*acc.*); **'an·gler** pescador (-a *f*) *m* con caña.

An·glo-Sax·on ['æŋglou'sæksn] anglosajón *adj. a. su. m* (-a *f*).

an·gry ['æŋgri] □ colérico; enojado,

enfadado; ✿ inflamado; **get** ~ encolerizarse, montar en cólera (*with p.* con); *it makes me* ~ me enoja mucho.

an·guish ['æŋgwiʃ] angustia *f*.

an·gu·lar ['æŋgjulə] ▢ angular.

an·i·mal ['ænɪməl] **1.** animal *m*; bestia *f*; **2.** animal; ~ *spirits pl.* vitalidad *f*.

an·i·mate 1. ['ænɪmeit] animar, alentar; **2.** ['~mit] vivo; '**an·i·mat·ed** ▢ *fig.* vivo, vivaz, animado; ~**d car·toon** película *f* de dibujos, dibujo *m* animado; **an·i·ma·tion** [ænɪ'meiʃn] vivacidad *f*, animación *f*.

an·ise ['ænɪs] anís *m*; **an·i·seed** ['~siːd] **1.** anís *m*; **2.** *attr.* de anís.

an·kle ['æŋkl] tobillo *m*.

an·klet ['æŋklɪt] ajorca *f* para el pie.

an·nals ['ænlz] *pl.* anales *m/pl.*; *fig. a. lit.* fastos *m/pl.*

an·nex 1. [ə'neks] añadir, adjuntar (*to* a); *esp. territory* anexar, apoderarse de; **2.** ['æneks] apéndice *m*, aditamento *m*; **an·nex·a·tion** anexión *f*.

an·ni·hi·late [ə'naiəleit] aniquilar; **an·ni·hi·la·tion** aniquilamiento *m*.

an·ni·ver·sa·ry [ænɪ'vəːsəri] aniversario *m*.

an·no·tate ['ænouteit] anotar; comentar, glosar; **an·no·ta·tion** anotación *f*; comentario *m* (*on*, *to* sobre).

an·nounce [ə'nauns] anunciar, proclamar; **an·nounce·ment** anuncio *m*, aviso *m*, proclama *f*; **an·nounc·er** *radio:* locutor (-a *f*) *m*.

an·noy [ə'nɔi] molestar, fastidiar, jorobar (F); **an·noy·ance** molestia *f*, fastidio *m*; enojo *m*; **an·noyed** enfadado, irritado, enojado; **an·noy·ing** ▢ molesto, fastidioso.

an·nu·al [ə'njuəl] **1.** ▢ anual; ♀ ~ **ring** cerco *m*; **2.** anuario *m*; ♀ planta *f* anual, anual *m*.

an·nu·i·ty [ə'njuiti] renta *f* vitalicia.

an·nul [ə'nʌl] anular, cancelar.

an·nul·ment [ə'nʌlmənt] anulación *f*, cancelación *f*; abrogación *f*.

a·noint [ə'nɔint] *mst eccl.* untar, ungir; consagrar.

a·nom·a·lous [ə'nɔmələs] ▢ anómalo; **a·nom·a·ly** anomalía *f*.

a·non [ə'nɔn] **1.** † luego, dentro de poco; *poet.* ever and ~ de vez en cuando; **2.** *abbr.* = *anonymous*.

an·o·nym·i·ty [ænə'nimiti] anónimo *m*; **a·non·y·mous** [ə'nɔniməs] ▢ anónimo.

an·oth·er [ə'nʌðə] otro; *just such* ~ otro tal.

an·swer ['ɑːnsə] **1.** *v/t. p., question* contestar a, responder a, replicar a; *v/i.* responder, contestar, replicar; *(suffice)* servir, convenir; **2.** respuesta *f*, contestación *f* (*to* a); ⚕ solución *f*; ♫ réplica *f*.

ant [ænt] hormiga *f*.

an·tag·o·nism [æn'tægənizm] antagonismo *m*, rivalidad *f* (*between* entre); **an·tag·o·nist** antagonista *m/f*, adversario *m*.

an·tag·o·nize [æn'tægənaiz] enemistarse con, contrariar.

ant·arc·tic [ænt'ɑːktik] antártico; ♎ *Circle* Círculo *m* Polar Antártico.

an·te ['ænti] *poker:* **1.** tanto *m*, apuesta *f*; **2.** F (*mst* ~ *up*) *v/t. a. v/i.* poner un tanto, apostar.

an·te·ced·ent [ænti'siːdənt] **1.** ▢ precedente, antecedente (*to* a); **2.** antecedente *m* (*a. gr.*); *his* ~*s pl.* sus antecedentes *m/pl.*

an·te·lope ['æntiloup] antílope *m*.

an·ten·na [æn'tenə], *pl.* **an·ten·nas** [~əs], **an·ten·nae** [~niː] *all senses:* antena *f*.

an·te·ri·or [æn'tiəriə] anterior (*to* a).

an·them ['ænθəm] motete *m*; *national* ~ himno *m* nacional.

an·thol·o·gy [æn'θɔlədʒi] antología *f*.

an·thra·cite ['ænθrəsait] antracita *f*.

an·thro·pol·o·gist ['ænθrə'pɔlədʒist] antropólogo *m*; **an·thro·pol·o·gy** antropología *f*.

an·ti... ['ænti] *in compounds* anti...

an·ti·air·craft ['ænti'eəkrɑːft]: ~ *defense* defensa *f* antiaérea; ~ *gun* cañón *m* antiaéreo.

an·ti·bi·ot·ic ['æntibai'ɔtik] antibiótico *m*.

an·tics ['æntiks] *pl.* bufonadas *f/pl.*; payasadas *f/pl.*; travesuras *f/pl.*

an·tic·i·pate [æn'tisipeit] *(forestall)* anticipar, prevenir; *(foresee)* prever; *(expect)* esperar; *(look forward to)* prometerse; **an·tic·i·pa·tion** anticipación *f*, prevención *f*; previsión *f*; expectación *f*; esperanza *f*; *in* ~ de antemano; *in* ~ of esperando.

an·ti·dote ['æntidout] antídoto *m* (*against, for, to* contra).

an·ti·freeze ['ænti'friːz] *mot.* (solución *f*) anticongelante.

an·ti·knock ['ænti'nɔk] *mot.* antidetonante.

an·tip·a·thy [æn'tipəθi] antipatía *f*.

an·ti·quar·i·an [ænti'kwɛəriən] anticuario *adj. a. su. m*; **an·ti·quat·ed** ['~kweitid] anticuado.

an·tique [æn'ti:k] **1.** antiguo, viejo; **2.** antigüedad *f*, antigualla *f*; **an·tiq·ui·ty** [~'tikwiti] antigüedad *f*; vetustez *f*.

an·ti-sem·i·tism ['ænti'semitizm] antisemitismo *m*.

an·ti·sep·tic [ænti'septik] antiséptico *adj. a. su. m.*

an·tith·e·sis [æn'tiθisis], *pl.* **an·tith·e·ses** [~si:z] antítesis *f*; **an·ti·thet·ic, an·ti·thet·i·cal** [~'θetik(l)] □ antitético.

ant·ler ['æntlə] cuerna *f*; ~s *pl.* cornamenta *f*, cuernas *f*/*pl.*

an·to·nym ['æntənim] antónimo *m*.

a·nus ['einəs] ano *m*.

an·vil ['ænvil] yunque *m* (*a. fig.*).

anx·i·e·ty [æn'zaiəti] cuidado *m*; inquietud *f*, ansiedad *f* (*about* sobre); (*yearning*) ansia *f*, anhelo *m* (*for, to* de); & ansiedad *f*.

anx·ious ['ænkʃəs] □ inquieto, preocupado, ansioso; (*desirous*) deseoso (*for, to* de).

an·y ['eni] **1.** *pron.* alguno; cualquiera; (*negative sense*) ninguno; **2.** *adj.* algún; cualquier; (*negative sense*) ningún; are there ~ nails? ¿hay clavos?; ~ book you like cualquier libro; **3.** *adv. mst not translated:* ~ more más; '~**bod·y**, '~**one** alguien, alguno; *not* ~ nadie; '~**how** en todo caso, de todos modos; con todo; de cualquier modo; '~**thing** algo, cualquier cosa; ~ *but* (*that*) todo menos (eso); *not* ~ nada; '~**way** = anyhow; '~**where** en todas partes, en cualquier parte, dondequiera.

a·part [ə'pɑːt] aparte, separadamente; aislado, separado; **a·part·ment** habitación *f*, aposento *m*; piso *m*; ~ *house* casa *f* de pisos; ~s *pl.* alojamiento *m*, casa *f*.

ap·a·thy ['æpəθi] apatía *f*; indiferencia *f* (*to a*).

ape [eip] **1.** mono *m* (*esp.* los antropomorfos); *fig.* mono (a *f*) *m* de imitación; remedador (-a *f*) *m*; **2.** imitar, remedar.

ap·er·ture ['æpətjuə] abertura *f*.

a·pex ['eipeks], *pl. freq.* **ap·i·ces** ['eipisi:z] ápice *m*; *fig.* cumbre *f*.

aph·ro·dis·i·ac [æfrou'diziæk] afrodisíaco *adj. a. su. m.*

a·piece [ə'piːs] cada uno; por persona.

ap·o·gee ['æpoudʒi:] apogeo *m*.

ap·o·lo·get·ic [əpələ'dʒetik] □ lleno de disculpas; **a·pol·o·gize** [~dʒais]

disculparse (*for* de; *to* con); pedir perdón; **a·pol·o·gy** disculpa *f*, excusa *f*; *lit.* apología *f*, defensa *f*.

ap·o·plec·tic, ap·o·plec·ti·cal [æpə'plektik(l)] □ apopléctico.

a·pos·tle [ə'pɔsl] apóstol *m*.

a·pos·tro·phe [ə'pɔstrəfi] *gr.* apóstrofo *m*; *rhet.* apóstrofe *m* or *f*.

ap·pal [ə'pɔːl] espantar; infundir pasmo (*or* horror); **ap·pall·ing** □ espantoso; *taste etc.* pésimo.

ap·pa·ra·tus [æpə'reitəs] aparato *m*.

ap·par·el [ə'pærəl] **1.** ataviar, vestir (*esp. p.p.*); **2.** atavío *m*, vestido *m*; (*a. wearing* ~) ropa *f*.

ap·par·ent [ə'pærənt] □ aparente; claro, manifiesto; *v. heir*; ~**ly** según parece, por lo visto; aparentemente; **ap·pa·ri·tion** [æpə'riʃn] aparición *f*; fantasma *m*.

ap·peal [ə'piːl] ⚖ apelar (*to* a; *against* de); suplicar (*to a p. for a th.* a una p. por algo); ~ *to* llamar la atención de *s.o.*; atraer, interesar *acc.*; recurrir a.

ap·pear [ə'piə] parecer; aparecer (*mst suddenly*); *esp.* ⚖ comparecer; **ap·pear·ance** apariencia *f*, aspecto *m*; (*act*) aparición *f*; ⚖ comparecencia *f*; ~s *pl.* apariencias *f*/*pl.*; *keep up* (*or save*) ~s salvar las apariencias; *thea. make an* ~ salir.

ap·pease [ə'piːz] apaciguar; *p.* desenojar; *hunger etc.* satisfacer, saciar; *passion* mitigar, aquietar; **ap·pease·ment** pacificación *f*.

ap·pend [ə'pend] añadir; adjuntar; colgar; **ap·pen·di·ci·tis** [~'saitis] apendicitis *f*; **ap·pen·dix** [~diks], *pl. a.* **ap·pen·di·ces** [~disi:z] apéndice *m* (*a.* &).

ap·per·tain [æpə'tein]: ~ *to* pertenecer a; atañer a; relacionarse con.

ap·pe·tite ['æpitait] apetito *m*, apetencia *f* (*a. fig.*); *fig.* deseo *m*.

ap·pe·tiz·er ['æpitaizə] aperitivo *m*; '**ap·pe·tiz·ing** □ apetitoso.

ap·plaud [ə'plɔːd] *v/t.* aplaudir (*a. fig.*); *fig.* celebrar; *v/i.* aplaudir.

ap·plause [ə'plɔːz] aplauso *m* (*a. fig.*); *fig.* aprobación *f*, elogio *m*.

ap·ple ['æpl] manzana *f*; (*a.* ~ *tree*) manzano *m*; *Adam's* ~ nuez *f* de la garganta; ~ *of one's eye* niñas *f*/*pl.* de los ojos; '~**cart**: F *upset a p.'s* ~ dar al traste con los planes de una p.; '~**jack** aguardiente *m* de manzana; '~ **pie** pastel *m* (*or* empanada *f*) de manzanas; F *in* ~ *order* en perfecto orden; '~**sauce** compota

f de manzanas; *sl.* coba *f*, jabón *m*.

ap·pli·ance [ə'plaiəns] instrumento *m*, herramienta *f*; dispositivo *m*.

ap·pli·ca·ble ['æplikəbl] aplicable (to a); **'ap·pli·cant** suplicante *m/f*; aspirante *m/f*, pretendiente (a *f*) *m* (for a post un puesto); **ap·pli·ca·tion** aplicación *f* (to a, *a.* = industry); solicitud *f* (for por), petición *f* (for de, por); make an ~ solicitar; dirigirse (to a).

ap·ply [ə'plai] *v/t.* aplicar (to a); ~ o.s. to aplicarse a; *v/i.* ser aplicable; for solicitar, pedir *acc.*

ap·point [ə'pɔint] *date etc.* señalar, designar; *p.* nombrar; *house* amueblar; proveer; **ap·point·ment** señalamiento *m*, designación *f*; nombramiento *m* to post; (post) oficio *m*, cita *f* with *p*.

ap·por·tion [ə'pɔ:ʃn] prorratear; **ap·por·tion·ment** prorrateo *m*.

ap·prais·al [ə'preizl] tasación *f*, valoración *f*; *fig.* aprecio *m*; **ap·praise** [~eiz] tasar, valorar; *fig.* apreciar.

ap·pre·ci·a·ble [ə'pri:ʃəbl] □ apreciable, estimable; sensible, perceptible; **ap·pre·ci·ate** [~ʃieit] *v/t.* apreciar, estimar; percibir; *v/i.* aumentarse en valor; **ap·pre·ci·a·tion** aprecio *m*, estimación *f*; percepción *f*; (value) aumento *m* en valor.

ap·pre·hend [æpri'hend] aprehender, prender; *fig.* percibir, entender; temer, sospechar; **ap·pre·hen·sion** aprehensión *f*, prendimiento *m*; percepción *f*, comprensión *f*; temor *m*, recelo *m*, aprensión *f*; **ap·pre·hen·sive** □ aprensivo, miedoso (of *de*; that de que); tímido; perspicaz, comprensivo.

ap·pren·tice [ə'prentis] **1.** aprendiz (-a *f*) *m*; *fig.* novicio (a *f*) *m*; **2.** poner de aprendiz.

ap·prise [ə'praiz] informar, avisar.

ap·proach [ə'proutʃ] **1.** *v/i.* acercarse, aproximarse (*a. fig.*; freq. to a); *v/t.* acercarse a, aproximarse a (*a. fig.*); *p.* abordar; *firm etc.* dirigirse a; **2.** acercamiento *m*, aproximación *f* (to a); acceso *m* (*a. fig.*); método *m*, camino *m*; camino *m* de entrada.

ap·pro·ba·tion [æprə'beiʃn] aprobación *f*; consentimiento *m*.

ap·pro·pri·ate 1. [ə'prouprieit] apropiar(se); *funds etc.* destinar (for a); **2.** [~priit] □ apropiado (to a, a propósito; apto, pertinente; **ap·pro·pri·a·tion** apropiación *f*; consignación *f*.

ap·prov·al [ə'pru:vəl] aprobación *f*; consentimiento *m*; visto *m* bueno; on ~ a prueba; **ap·prove** aprobar, sancionar, confirmar; ~ of aprobar, dar por bueno; **ap·proved** probado, acreditado.

ap·prox·i·mate 1. [ə'prɔksimeit] aproximar(se) (to a); **2.** [~mit] □ aproximado, aproximativo; cercano, inmediato (to a); **ap·prox·i·ma·tion** [~'meiʃn] aproximación *f*; **~·ly** aproximadamente, poco más o menos.

a·pri·cot ['eiprikɔt] albaricoque *m*.

A·pril ['eiprəl] abril *m*.

a·pron ['eiprən] delantal *m*.

ap·ro·pos [æprə'pou] **1.** *adj.* oportuno; **2.** *adv.* a propósito (to, **3.** *prp.* ~ of a propósito de; acerca de.

apse [æps] ábside *m*.

apt [æpt] □ apto, *remark etc.* a propósito; propenso (to a); listo (at en); **ap·ti·tude** ['~titju:d] aptitud *f*.

aq·ua·lung ['ækwəlʌŋ] aparato *m* de aire comprimido (que suministra aire al buzo).

a·quar·i·um [ə'kwεəriəm] acuario *m*.

a·quat·ic [ə'kwætik] acuático.

aq·ue·duct ['ækwidʌkt] acueducto *m*.

Ar·ab ['ærəb] árabe *adj. a. su. m/f*; **Ar·a·bic** ['ærəbik] árabe.

ar·bi·ter ['ɑ:bitə] árbitro (a *f*) *m*; arbitrador (-a *f*) *m*; **'ar·bi·trar·y** □ arbitrario; **ar·bitrate** ['~treit] arbitrar; **ar·bi·tra·tion** arbitraje *m*; tercería *f*.

arc [ɑ:k] *all senses:* arco *m*; **ar·cade** [ɑ:'keid] arcada *f*; (with shops) pasaje *m*, soportales *m/pl.*

arch¹ [ɑ:tʃ] ▲ *a.* anat. arco *m*; bóveda *f*.

arch² [~] □ zumbón; chancero; travieso; astuto; woman coqueta.

arch³ [~] principal; consumado.

ar·chae·ol·o·gist [ɑ:ki'ɔlədʒist] arqueólogo *m*; **ar·chae·ol·o·gy** arqueología *f*.

ar·cha·ic [ɑ:'keiik] □ arcaico; **'ar·cha·ism** arcaísmo *m*.

arch·an·gel ['ɑ:keindʒl] arcángel *m*.

arch·bish·op ['ɑ:tʃ'biʃəp] arzobispo *m*.

arch·er ['ɑ:tʃə] arquero *m*.

ar·che·type ['ɑ:kitaip] arquetipo *m*.

ar·chi·pel·a·go [ɑ:ki'peligou] archipiélago *m*.

ar·chi·tect ['ɑ:kitekt] arquitecto *m*; *fig.* artífice *m/f*; **ar·chi·tec·ture** ['~tʃə] arquitectura *f*.

ar·chives ['ɑ:kaivz] *pl.* archivo *m*; **'ar·chiv·ist** archivero (a *f*) *m*.

arch·way [ˈɑːtʃwei] arcada f.

arc·tic [ˈɑːktik] **1.** ártico; frígido; ♀ *Circle* Círculo m Polar Artico; ♀ *Ocean* Océano m Boreal; **2.** zona f ártica; chanclo m.

ar·dent [ˈɑːdənt] □ *mst fig.* ardiente, caluroso; fogoso; fervoroso, entusiasmado.

ar·dor [ˈɑːdə] ardor m; *fig.* fervor m, celo m; ahinco m.

ar·du·ous [ˈɑːdjuəs] □ arduo, penoso; riguroso.

are [ɑː] somos; estamos *etc.* (*v.* be).

a·re·a [ˈɛəriə] área f, extensión f; *geog.* región f, comarca f.

a·re·na [əˈriːnə] arena f, redondel m; *esp. bullfighting:* ruedo m; *fig.* lid f.

aren't [ɑːnt] = are not.

ar·gue [ˈɑːgjuː] v/t. argüir; sostener; ~ *into* persuadir a; ~ *out of* disuadir de; v/i. disputar, argumentar.

ar·gu·ment [ˈɑːgjumənt] argumento m; discusión f; disputa f.

a·ri·a [ˈɑːriə] aria f.

ar·id [ˈærid] árido, seco (*a. fig.*).

a·right [əˈrait] correctamente; acertadamente; a derechas.

a·rise [əˈraiz] [*irr.*] *lit.* levantarse, alzarse; *fig.* surgir, aparecer; ~ *from* provenir de; **a·ris·en** *p.p. of* arise.

ar·is·toc·ra·cy [æriˈstɔkrəsi] aristocracia f (*a. fig.*); **a·ris·to·crat** [ˈæristəkræt] aristócrata m/f; **a·ris·to·crat·ic** □ aristocrático.

a·rith·me·tic [əˈriθmətik] aritmética f.

ark [ɑːk] arca f; ♀ *of the Covenant* arca f de la alianza; *Noah's* ♀ arca f de Noé.

arm¹ [ɑːm] brazo m (*a. of sea, chair*); ♀ rama f; gajo m; ~ *in* ~ de bracete; *fig. with open* ~s con los brazos abiertos; *within* ~'s *reach* al alcance del brazo; *keep* a p. *at* ~'s *length* mantener a una p. a distancia.

arm² [~] **1.** ⚔ arma f (*mst in pl.*); *heraldry:* ~s *pl.* escudo m, blasón m; *take up* ~s tomar las armas; **2.** ⚔ armar(se); ⊕ armar.

ar·ma·da [ɑːˈmɑːdə] armada f.

ar·ma·ment [ˈɑːməmənt] armamento m; **ar·ma·ture** [ˈ~tjuə] armadura f.

arm·chair [ˈɑːmtʃɛə] silla f de brazos; butaca f; sillón m.

arm·ful [ˈɑːmful] brazado m.

ar·mi·stice [ˈɑːmistis] armisticio m.

ar·mor [ˈɑːmə] **1.** ⚔ armadura f (*a. suit of* ~, *a. zo. a. fig.*); blindaje m; escafandro m; **2.** blindar; ~ed car carro m blindado; 'i~·clad, 'i~·plat-

ed blindado, acorazado; **'armor·er** armero m; **'ar·mor·y** armería f; arsenal m.

arm·pit [ˈɑːmpit] sobaco m; **'arm·rest** apoyo m para el brazo.

ar·my [ˈɑːmi] ejército m (*a. fig.*); ~ *command*, ~ *staff* estado m mayor; 'i.corps cuerpo m de ejército.

a·ro·ma [əˈroumə] aroma m, fragancia f; **ar·o·mat·ic** [ærouˈmætik] □ aromático, fragante.

a·rose [əˈrouz] *pret. of* arise.

a·round [əˈraund] **1.** *adv.* alrededor; a la redonda; por todos lados; F *be* ~ andar por alli; **2.** *prp.* alrededor de, en torno de; *number* cerca de.

a·rouse [əˈrauz] despertar (*a. fig.*); *fig.* mover, excitar.

ar·raign [əˈrein] ⚖ procesar; denunciar; reprender; **ar'raign·ment** ⚖ auto m de procesamiento; denuncia f; reprensión f.

ar·range [əˈreindʒ] v/t. arreglar, componer; ordenar; *time* fijar, citar; *dispute, agreement etc.* ajustar, componer; ♪ adaptar, refundir; v/i. hacer un arreglo (*with* con); convenir (*to* en); ~ *for* prevenir, disponer; **ar'range·ment** arreglo m, ordenación f; concierto m, convenio m; ajuste m; orden m, disposición f; ♪ adaptación f, refundición f; *come to an* ~ llegar a un acomodo, entenderse (*with* con).

ar·ray [əˈrei] ⚔ orden m de batalla; *fig.* aparato m, pompa f; *poet.* gala f, atavío m.

ar·rear [əˈriə] *mst* ~s *pl.* atrasos m/pl.; *in* ~s atrasado en pagos.

ar·rest [əˈrest] **1.** arresto m, detención f; *secuestro m of goods;* parada f; prórroga f *of judgment;* **2.** arrestar, detener; parar; prorrogar; *attention* llamar; **ar'rest·ing** impresionante.

ar·riv·al [əˈraivl] llegada f; persona f *or* cosa f que ha llegado; **ar'rive** llegar, arribar (*at* a).

ar·ro·gance [ˈærəgəns] arrogancia f, soberbia f; **'ar·ro·gant** □ arrogante, soberbio.

ar·row [ˈærou] flecha f, saeta f; 'i~·head punta f de flecha.

ar·se·nal [ˈɑːsinl] arsenal m.

ar·se·nic [ˈɑːsnik] arsénico m.

ar·son [ˈɑːsn] delito m de incendiar.

art [ɑːt] arte *mst in sg., f in pl.;* destreza f; *black* ~s *pl.* magia f negra; *fine* ~s *pl.* bellas artes f/pl.

ar·te·ri·al [ɑːˈtiəriəl] arterial; **ar·ter·y** [ˈɑːtəri] arteria f (*a. fig.*).

art·ful [ˈɑːtful] ☐ artero, mañoso.

ar·thrit·ic [ɑːˈθritik] artrítico.

ar·ti·choke [ˈɑːtitʃouk] alcachofa f.

ar·ti·cle [ˈɑːtikl] artículo m.

ar·tic·u·late 1. [ɑːˈtikjuleit] *speech* articular; *joints* enlazar; **2.** [~lit] (☐ al. **ar**[ˈtic·u·lat·ed** [~leitid]) articulado; distinto; capaz de hablar; **ar·tic·u·la·tion** articulación f.

ar·ti·fice [ˈɑːtifis] artificio m; destreza f, maña f; **ar·ti·fi·cial** [~ˈfiʃəl] ☐ artificial; postizo; afectado; ₂🄻₂ *person* persona f jurídica.

ar·til·ler·y [ɑːˈtiləri] artillería f; **ar·til·ler·y·man** artillero m.

ar·ti·san [ɑːˈtimɜːn] artesano (a f) m.

art·ist [ˈɑːtist] artista m/f; **ar·tis·tic, ar·tis·ti·cal** [~ˈtistik(l)] ☐ artístico; artificioso.

art·less [ˈɑːtlis] ☐ natural, sencillo; ingenuo; *b.s.* desmañado.

as [æz, əz] *adv. a. cj.* como; porque, ya que; a medida que; tal como; (*temporal*) cuando; (*result*) que, de manera que; ~ ... ~ tan ... como; *it is* ~ *good* ~ *lost* puede darse por perdido; *v. far*; ~ *for*, ~ *to* en cuanto a; ~ *from date* a partir de; ~ *if*, ~ *though* como si *subj.*; ~ *it to inf.* como para *inf.*; ~ *it were* por decirlo así; ~ *per* según; ~ *well* también; ~ *well* así como; tan bien como; ~ *yet* hasta ahora.

as·bes·tos [æzˈbestəs] asbesto m.

as·cend [əˈsend] *v/i.* subir (a. ♪); elevarse, encaramarse; (*time*) remontarse; *v/t. river* subir; *mountain, throne* subir a.

as·cen·sion [əˈsenʃn] ascensión f.

as·cent [əˈsent] ascenso m; subida f of *mountain etc.*; (*slope*) cuesta f, pendiente f; *tramo m of stairs.*

as·cer·tain [æsəˈtein] averiguar.

as·cet·ic [əˈsetik] **1.** ☐ ascético; **2.** asceta m/f.

as·cribe [əsˈkraib] atribuir; imputar; achacar.

a·sep·tic [eiˈseptik] aséptico.

a·sex·u·al [eiˈseksjuəl] asexual.

ash¹ [æʃ] ♀ fresno m.

ash² [~] (*freq. pl.* **ash·es** [ˈæʃiz]) ceniza f; ~*es pl.* cenizas f/pl. of dead.

a·shamed [əˈʃeimd] avergonzado; *be* (*or feel*) ~ avergonzarse, sonrojarse (*at, of* de; *for* por); *be* ~ *of o.s.* tener vergüenza de sí.

ash·can [ˈæʃkæn] cubo m de la basura.

ash·en¹ [ˈæʃn] ♀ de fresno.

ash·en² [~] ceniciento; *face* pálido,

a·shore [əˈʃɔː] a tierra; en tierra; *come* ~, *go* ~ desembarcar.

ash...: '~ **pan** guardacenizas m; '~ **tray** cenicero m.

A·sian [ˈeiʃn], **A·si·at·ic** [eiʃiˈætik] asiático *adj. a. su. m* (a f).

a·side [əˈsaid] **1.** aparte, a un lado; ~ *from* además de; **2.** *thea.* aparte m.

as·i·nine [ˈæsinain] *fig.* estúpido.

ask [ɑːsk] *v/t.* preguntar (a th. algo; a p. a th. algo a una p.); pedir, rogar (of, from a); ~ a p. for a th. pedir algo a una p.; ~ that pedir que; invitar (to a); ~ (a p.) a question hacer una pregunta (a una p.); *v/i.* ~ about, ~ after, ~ for preguntar por; ~ for pedir, reclamar.

a·skance [əˈskæns], **a·skant** [əˈskænt] al soslayo, de reojo; *look* con recelo.

a·skew [əˈskjuː] al soslayo, ladeado.

a·sleep [əˈsliːp] dormido, durmiendo; *fall* ~ dormirse.

as·par·a·gus [əsˈpærəgəs] espárrago m.

as·pect [ˈæspekt] aspecto m; apariencia f.

as·per·sion [əsˈpɜːʃən] difamación f.

as·phalt [ˈæsfælt] **1.** asfalto m; **2.** asfaltar.

as·phyx·i·a [æsˈfiksiə] asfixia f; **as·phyx·i·ate** asfixiar.

as·pi·rate 1. [ˈæspərit] aspirado; **2.** [~] aspirada f; **3.** [ˈ~reit] aspirar; **as·pi·ra·tion** ⚙ aspiración f; *fig.* anhelo m (*after*, for por); **as·pire** [əsˈpaiə] aspirar (*after*, to a), anhelar (*after*, to acc.); **as·pir·in** [ˈæspərin] aspirina f; **as·pir·ing** [əsˈpaiəriŋ] ☐ ambicioso.

ass [æs] asno m, burro m; *fig.* burro m, mentecato m; *make an* ~ *of o.s.* ponerse en ridículo; F culo m.

as·sail [əˈseil] acometer, arremeter contra; *fig.* asaltar; *fig.* inundar (*with* de); *task* acometer, emprender; **as·sail·ant, as·sail·ler** asaltador (-a f) m, agresor (-a f) m.

as·sas·sin [əˈsæsin] asesino (a f) m; **as·sas·si·nate** [~neit] asesinar (*esp. por motivos políticos*); **as·sas·si·na·tion** asesinato m.

as·sault [əˈsɔːlt] **1.** asalto m (a. *fig.*; [up]on sobre); ✕ carga f, ataque m; ₂🄻₂ violencia f; atraco m; **2.** asaltar; ✕ cargar, atacar; ₂🄻₂ violentar.

as·say [əˈsei] **1.** ensaye m; **2.** *metals* ensayar; intentar, tratar (de).

as·sem·blage [əˈsembliʤ] asamblea f, reunión f; ⊕ montaje m; **as·sem·ble** convocar; juntar(se), reunir(se);

troops formar; ⊕ montar; **as·sem·bly** reunión *f*; asamblea *f* (*a.* ✗), junta *f*; senado *m*; ⊕ montaje *m*, armadura *f*; ～ *line* cadena *f* de montaje.

as·sent [ə'sent] **1.** asenso *m*, consentimiento *m*; aprobación *f*; **2.** consentir (*to* en), asentir (*to* a).

as·sert [ə'sɔːt] afirmar, declarar; hacer valer; **asser·tion** afirmación *f*, declaración *f*.

as·sess [ə'ses] gravar (con impuestos); *damage, tax etc.* fijar, determinar; valorar, apreciar; **as'sess·ment** gravamen *m*; valoración *f*; aprecio *m*.

as·set ['æset] posesión *f*; ✝ ventaja *f*; *fig.* valor *m*; '**as·sets** *pl.* ✝ activo *m*.

as·sid·u·ous [ə'sidjuəs] ☐ asiduo, diligente, concienzudo.

as·sign [ə'sain] **1.** asignar, señalar; *goods* consignar, traspasar; achacar (*to a cause etc.*); **2.** ☆ cesionario *m*, consignatario *m*; **as'sign·ment** [ə'sainmənt] asignación *f*; consignación *f*; (*task*) comisión *f*, encargo *m*.

as·sim·i·late [ə'simileit] asimilar(se) (*a. physiol. a. gr.*), asemejar(se); **as·sim·i·la·tion** asimilación *f*.

as·sist [ə'sist] ayudar, auxiliar; ～ *at* asistir a; ～ *in* tomar parte en; ～ *in ger.* ayudar a *inf.*; **as'sist·ance** ayuda *f*, socorro *m*, auxilio *m*; **as'sist·ant 1.** auxiliar, ayudador; sub-; **2.** ayudante *m*, adjutor *m*.

as·so·ci·ate 1. [ə'souʃieit] asociar(se), juntar(se) (*with a, con*); ～ *in* mancomunarse en; **2.** [～ʃiit] asociado, coligado; con-; **3.** [～ʃiit] asociado *m*, socio *m* (*a.* ✝), consocio *m*; miembro *m* correspondiente (de una academia); compañero *m*, camarada *m/f*; **as·so·ci·a·tion** [～si'eiʃn] asociación *f*; agrupación *f*, sociedad *f*.

as·sort [ə'sɔːt] *v/t.* clasificar, comparginar; **as'sort·ment** clasificación *f*; ✝ surtido *m*.

as·suage [ə'sweidʒ] apaciguar.

as·sume [ə'sjuːm] *aspect* tomar; *authority etc.* apropiarse, agregarse; *burden* asumir; dar por sentado, suponer (*that* que); *assuming* that dado que; **as'sum·ing** ☐ presuntuoso, presumido; **as'sump·tion** [ə'sʌmpʃn] suposición *f*; presunción *f*; *eccl.* ♀ Asunción *f*.

as·sur·ance [ə'ʃuərəns] aseguramiento *m*; declaración *f*; garantía *f*; ✝ seguro *m*; confianza *f* en sí mismo; *b.s.* descoco *m*; **as'sure** asegurar;

afirmar; **as'sur·ed·ly** [～ridli] seguramente, sin duda.

as·ter·isk ['æstərisk] asterisco *m*.

asth·ma ['æsmə] asma *f*.

a·stig·ma·tism [æ'stigmətizm] astigmatismo *m*.

a·stir [ə'stɔː] en movimiento.

as·ton·ish [əs'tɔniʃ] asombrar, sorprender; pasmar; *be* ～*ed* asombrarse, maravillarse (*at* de, con); **as'ton·ish·ing** ☐ asombroso, sorprendente; **as'ton·ish·ment** asombro *m*, sorpresa *f*; pasmo *m*.

as·tound [əs'taund] pasmar; aturdir.

a·stray [ə'strei] extraviado, descarriado, despistado; *go* ～ extraviarse, descarriarse (*a. fig.*); *lead*～ llevar por mal camino.

a·stride [ə'straid] **1.** *adv.* (*ride montar*) a horcajadas; **2.** *prp.* a caballo sobre, a horcajadas sobre.

as·trol·o·ger [əs'trɔlədʒə] astrólogo *m*; **as·tro·log·i·cal** [æstrə'lɔdʒikl] ☐ astrológico, astrólogo; **as·trol·o·gy** [əs'trɔlədʒi] astrología *f*; **as·tron·o·mer** [əs'trɔnəmə] astrónomo *m*; **as·tro·nom·i·cal** [æstrə'nɔmikl] ☐ astronómico; *fig.* tremendo; **as·tron·o·my** [əs'trɔnəmi] astronomía *f*.

as·tro·naut ['æstrənɔt] astronauta *m/f*; **as·tro'phys·ics** *sg.* astrofísica *f*.

as·tute [əs'tjuːt] ☐ sagaz, perspicaz; astuto.

a·sun·der [ə'sʌndə] separadamente; en dos; *lit. tear* ～ hacer pedazos.

a·sy·lum [ə'sailəm] asilo *m*.

at [æt, *unstressed* ət] en; a; hacia; por; ～ *Mérida* en Mérida; ～ *school* en la escuela; ～ *midday* a mediodía; ～ *Christmas* en (*or* por) Navidades; ～ *a low price* a un precio bajo; ～ *Mary's* en casa de María; ～ *that time* en aquella época; ～ *the door* a la puerta; ～ *table* a la mesa; ～ *peace* en paz; ～ *one blow* de un golpe.

ate [et; eit] *pret.* of **eat.**

a·the·ism ['eiθiizm] ateísmo *m*; '**a·the·ist** ateo (*a f*) *m.*

ath·lete ['æθliːt] atleta *m/f*; ✦ ～'s *foot* pie *m* de atleta; **ath·let·ic** [æθ'letik], **ath'let·i·cal** ☐ atlético; ～ *sports* *pl.* ejercicios *m/pl.* atléticos; **ath'let·ics** *pl.*, **ath'let·i·cism** [～tisizəm] atletismo *m*.

at·las ['ætləs] atlas *m*.

at·mos·phere ['ætməsfiə] atmósfera *f*; *fig.* ambiente *m*; **at·mos·pher·ic**, **at·mos·pher·i·cal** [～'ferik(l)] ☐ atmosférico.

at·oll ['ætɔl] atolón m.

at·om ['ætəm] átomo m (a. fig.); **a·tom·ic** [ə'tɔmik] atómico; ~ *age* era f atómica; ~ *bomb* bomba f atómica; ~ *energy* energía f atómica; ~ *fission* fisión f nuclear; ~ *nucleus* núcleo m atómico; ~ *pile* pila f atómica; ~ *research* investigaciones f/pl. atómicas; **a'tom·ic·'pow·ered** impulsado por energía atómica; **'at·om·ize** reducir a átomos; *liquid* pulverizar; **'at·om·iz·er** pulverizador m.

a·tone [ə'toun] v/t. † conciliar; v/i.: ~ *for* expiar *acc.*; **a'tone·ment** expiación f.

a·tro·cious [ə'trouʃəs] □ atroz; F malísimo, infame; **a·troc·i·ty** [ə'trɔsiti] atrocidad f (a. F).

at·tach [ə'tætʃ] v/t. atar, pegar, prender (*to* a); *importance, value etc.* dar, conceder (*to* a); 🏛 *p.* arrestar; *th.* incautarse; ~ *o.s. to* agregarse a; pegarse a; ~ *value to* conceder valor a, estimar; *fig.* be ~ed *to p. etc.* tener cariño a; v/i. ~ *to* corresponder a; **at'tach·ment** atadura f; ⊕ accesorio m; (*affection*) cariño m (*to* por, a), apego m (*to* a); (*loyalty*) adhesión f, lealtad f; 🏛 arresto m; incautación f.

at·tack [ə'tæk] **1.** acometer, embestir (a. fig.); atacar (a. ♟ a. ♫); **2.** ataque m (*on* contra, a; sobre; a. fig.); ♟ ataque m, acceso m; **at'tack·er** agresor (-a f) m.

at·tain [ə'tein] v/t. alcanzar, lograr, conseguir; v/i.: ~ *to* llegar a; **at'tain·ment** logro m, obtención f; ~s pl. talentos m/pl., conocimientos m/pl.

at·tempt [ə'tempt] **1.** ensayar, intentar (*to inf.*), tentar (*to* de); **2.** tentativa f, conato m (*to* de); atentado m (*on life* a, contra).

at·tend [ə'tend] v/t. acompañar; cortejar, servir; † aguardar; *course etc.* asistir a; ♟ atender a, asistir; *well attended* (muy) concurrido; v/i. prestar atención (*to* a); asistir (*at* a); ~ *on* servir; *sick* atender a, asistir; ~ *to work etc.* atender a; **at'tend·ance** (*presence*) presencia f (*at* en), asistencia f (*at* a); (*gathering*) concurrencia f; ♟ asistencia f; obsequio m (*on* de); *be in* ~ asistir; **at'tend·ant 1.** concomitante ([*up*]*on* a); asistente (*at* a); **2.** criado (a f) m, sirviente (a f) m; mozo (a f) m; ordenanza m.

at·ten·tion [ə'tenʃn] atención f (a. fig.); ~! ¡atención!; ✕ ~! ¡firmes!; *call* ~ *to* llamar la atención sobre; *give* (*or pay*) ~ prestar atención (*to* a); **at'ten·tive** □ atento (*to* a).

at·ten·u·ate [ə'tenjueit] atenuar.

at·test [ə'test] atestiguar; dar fe (*to* de); juramentar.

at·tire [ə'taiə] *lit.* **1.** ataviar; adornar, componer; **2.** atavío m; adorno m.

at·ti·tude ['ætitjuːd] actitud f (a. fig.; *to* a); además m; ✈ posición f.

at·tor·ney [ə'təːni] abogado m; † apoderado (a f) m; 🏛 procurador m.

at·tract [ə'trækt] atraer; *attention* llamar; **at'trac·tion** [~kʃən] atracción f; aliciente m; atractivo m *of p. esp.*; *thea.* programa m; **at'trac·tive** [~tiv] □ *mst fig.* atractivo, atrayente; agradable.

at·tri·bute 1. [ə'tribjuːt] atribuir, achacar; **2.** ['ætribjuːt] atributo m.

at·tri·tion [ə'triʃn] roce m, desgaste m; *eccl.* atrición f.

au·burn ['ɔːbən] castaño rojizo.

auc·tion ['ɔːkʃn] **1.** almoneda f, subasta f; *sell by* (*at*) ~, *put up for* ~ subastar, poner en pública subasta; *sale by* ~ subasta f; **2.** subastar (*freq.* ~ *off*); **auc·tion·eer** [~'niə] subastador m.

au·da·cious [ɔː'deiʃəs] □ audaz, osado; *b.s.* descarado, fresco; **au·dac·i·ty** [ɔː'dæsiti] audacia f, osadía f; *b.s.* descaro m.

au·di·ble ['ɔːdəbl] □ audible.

au·di·ence ['ɔːdjəns] auditorio m, público m; audiencia f (*with*, of con).

au·di·o·fre·quen·cy ['ɔːdiou'friːkwənsi] *radio:* audiofrecuencia f.

au·dit ['ɔːdit] **1.** intervención f; **2.** intervenir; **au·di·tion** audición f; **'au·di·tor** interventor m; censor m de cuentas; **au·di·to·ri·um** [~'tɔːriəm] sala f, anfiteatro m; **au·di·to·ry** ['~təri] auditivo.

au·ger ['ɔːgə] barrena f.

aught [ɔːt] algo; (*with negation*) nada; *for* ~ *I care* igual me da; *for* ~ *I know* que yo sepa.

aug·ment [ɔːg'ment] aumentar(se).

au·gur ['ɔːgə] **1.** augur m; **2.** agorar, pronosticar; prometer (*well bien, ill mal*).

Au·gust ['ɔːgəst] **1.** agosto m; **2.** ♀ [ɔː'gʌst] □ augusto.

aunt [ɑːnt] tía f; **aunt·ie, aunt·y** ['~ti] F tía f.

au·ra ['ɔːrə] ambiente m; emanación f.

aus·pice ['ɔːspis] auspicio m; protec-

ción *f; under the* ~s of bajo los auspicios de; **aus·pi·cious** [ɔ·'piʃəs] □ propicio, favorable.

aus·tere [ɔ·'stiə] □ austero, severo; *style etc.* adusto; *taste* acerbo; **aus·ter·i·ty** [ʌ·'teriti] austeridad *f*, severidad *f*; adustez *f*.

au·then·tic [ɔ·'θentik] □ auténtico.

au·thor ['ɔ·θə] autor (-a *f*) *m;* **au·thor·i·tar·i·an** [ɔ·θɒri'tɛəriən] autoritario; **au·thor·i·ta·tive** [ʌ·teitiv] □ autorizado; perentorio; autoritario; **au'thor·i·ty** autoridad *f; the authorities* las autoridades; *on good* ~ de buena tinta; *under the* ~ of bajo la autoridad de; *in* ~ *over* al mando de; **au·thor·i·za·tion** [ɔ·θərai'zeiʃn] autorización *f;* '**au·thor·ize** autorizar.

au·tis·tic [ɔ·'tistik] autístico.

au·to ['ɔ·tou] automóvil *m*, coche *m*.

au·to·bi·og·ra·phy [ɔ·toubai'ɒgrəfi] autobiografía *f*.

au·to·cade ['ɔ·toukeid] caravana *f* de automóviles.

au·to·graph ['ɔ·təgrɑ·f] **1.** autógrafo *adj. a. su. m;* **2.** firmar; dedicar.

au·to·mat·ic [ɔ·tə'mætik] **1.** □ automático; **2.** pistola *f* automática; **au·tom'a·tion** automatización *f;* **au·tom·a·ton** [ɔ·'tɒmətən] *pl. mst* **au'tom·a·ta** [ʌtə] autómata *m* (*a. fig.*).

au·to·mo·bile ['ɔ·təmoubi·l] *esp.* automóvil *m*, coche *m*.

au·ton·o·mous [ɔ·'tɒnəməs] □ autónomo; **au'ton·o·my** autonomía *f*.

au·top·sy ['ɔ·təpsi] autopsia *f*.

au·tumn ['ɔ·təm] otoño *m*.

aux·il·ia·ry [ɔ·g'ziliəri] **1.** auxiliar (*a. gr.*); subalterno; **2.** **aux·il·ia·ries** [ʌiz] *pl.* tropas *f/pl.* auxiliares.

a·vail [ə·'veil] **1.** beneficiar, valer; ~ *o.s.* of valerse de, aprovechar; **2.:** *of no* ~ inútil; *of what* ~ *is it?* ¿de qué sirve? (*to* *inf.*); **a·vail·a'bil·i·ty** disponibilidad *f;* calidad *f* de asequible (*or* accesible); **a'vail·a·ble** □ disponible, asequible; *p.* accesible, tratable.

av·a·lanche ['ævəlɑ·ntʃ] alud *m; fig.* torrente *m*.

av·a·rice ['ævəris] avaricia *f*, mezquindad *f;* **av·a·ri·cious** □ avaro, avariento.

a·venge [ə·'vendʒ] vengar, vindicar.

av·e·nue ['ævinju·] avenida *f;* autopista *f; fig.* camino *m*, acceso *m*.

a·ver [ə·'vɔ·] afirmar, declarar.

av·er·age ['ævəridʒ] **1.** promedio *m*,

término *m* medio; ♣ avería *f* (*general* gruesa, *particular* particular); *on (an* *or the*) ~ por regla general; **2.** medio, de término medio; *a.b.s.* mediano, ordinario; **3.** *v/t.* calcular el término medio de; prorratear; *v/i.* (*work etc.*) resultar por término medio.

a·ver·sion [ə·'vɔ·ʃən] aversión *f* (*for, from,* to hacia), repugnancia *f*.

a·vert [ə·'vɔ·t] apartar; *blow etc.* impedir, quitar.

a·vi·a·tion [eivi'eiʃn] aviación *f;* '**a·vi·a·tor** aviador (-a *f*) *m*.

av·id ['ævid] □ ávido, ansioso.

av·o·ca·do [ɑ·vɒkɑ·'dou] aguacate *m*.

av·o·ca·tion [ævou'keiʃn] ocupación *f* accesoria; † distracción *f*.

a·void [ə·'vɔid] evitar (*doing* hacer); salvarse de; *duty etc.* eludir; ⚖ anular.

a·vouch [ə·'vautʃ] afirmar.

a·vow [ə·'vau] reconocer, confesar, admitir.

a·wait [ə·'weit] *lit. a. fig.* aguardar, esperar.

a·wake [ə·'weik] **1.** despierto; *fig.* despabilado, listo; *keep* ~ (*coffee etc.*) desvelar; *wide* ~ completamente despierto (*a. fig.*); *fig.* astuto; **2.** [*irr.*] *v/t.* (*mst* **a'wak·en**) despertar; ~ *a p.* to *a th.* ponerle a uno al corriente de algo; *v/i.* despertar(se) (*a. fig.*); ~ *to* darse cuenta de.

a·ward [ə·'wɔ·d] **1.** adjudicación *f;* ⚖ sentencia *f*, fallo *m;* ✕ *etc.* condecoración *f;* (*prize*) premio *m* (*chief gordo*); **2.** adjudicar; decretar; *prize etc.* conferir, conceder.

a·ware [ə·'wɛə] consciente (*of* de); *be* ~ *of* estar enterado de; *become* ~ *of* enterarse de; darse cuenta de.

a·way [ə·'wei] ausente; lejos; en otro lugar; (*with verbs, e.g. work* ~) con ahinco, sin cesar; *be* ~ estar fuera; ~ *with you!* ¡quita allá!; ¡lárgate!; F ~ *back* hace mucho tiempo.

awe [ɔ·] temor *m* reverencial.

aw·ful ['ɔ·ful] □ tremendo, pasmoso; impresionante; F malísimo, muy feo; ~*ly adv.* F excesivamente; terriblemente.

a·while [ə·'wail] un rato; algún tiempo.

awk·ward ['ɔ·kwəd] □ *p. etc.* desmañado, torpe, lerdo; *situation* embarazoso; violento; *problem* peliagudo, difícil, delicado; '**awk·ward·ness** desmaña *f*, torpeza *f*.

awl [ɔ·l] lezna *f*, subilla *f*.

awn·ing ['ɔːniŋ] toldo *m*; (*cart*) entalamadura *f*; (*window*) marquesina *f*; ♣ toldilla *f*.

a·woke [ə'wouk] *pret. a. p.p. of* awake 2.

axe [æks] **1.** hacha *f*; *fig.* (*costs etc.*) reducción *f*, cercenamiento *m*; *have an* ~ *to grind* actuar de una manera interesada; **2.** *fig.* reducir, cercenar.

ax·i·om ['æksiəm] axioma *m*.

ax·is ['æksis], *pl.* **ax·es** ['⁓siːz] eje *m* (*a.* ⚓ *a.* ☿); *physiol.* axis *m*.

ax·le ['æksl] eje *m*; árbol *m*.

ay(e) [ai] *parl. a.* ♣ sí.

az·i·muth ['æziməθ] acimut *m*.

az·ure ['æʒə] azul *adj. a. su. m*.

B

baa [baː] **1.** balar; **2.** balido *m*.

bab·ble ['bæbl] **1.** barbullar, barbotear; *fig.* charlar, parlar; hablar indiscretamente; (*stream*) murmurar; **2.** barboteo *m*; parloteo *m*; murmullo *m*; 'bab·bler charlatán (-a *f*) *m*; 'bab·bling *adj. talk* descosido.

babe [beib] niño (a *f*) *m*; *sl.* chica *f*.

ba·boon [bə'buːn] mandril *m*.

ba·by ['beibi] niño (a *f*) *m*; nene (a *f*) *m*, rorro (a *f*) *m*; F (*woman*) rica *f*; *b.s.* aniñado (a *f*) *m*; ~ **car·riage** cochecillo *m* para niños; ~ **grand** piano *m* de media cola; '~**hood** [⁓hud] infancia *f*; niñez *f*; '~**ish** infantil; '~**sit·ter** niñero (a *f*) *m*, cuidaniños *m/f* S.Am.; '~**talk** habla *f* infantil.

bach·e·lor ['bætʃələ] soltero *m*; *old* ~ solterón *m*; *univ.* bachiller *m* (†), licenciado (a *f*) *m*; ~ *girl* soltera *f* (que tiene sus propios recursos); '~**hood** [⁓hud] soltería *f*.

ba·cil·lus [bə'siləs], *pl.* **ba·cil·li** [⁓lai] bacilo *m*.

back [bæk] **1.** espalda *f*, dorso *m*; (*mountain*) lomo *m*; respaldo *m* of chair; dorso *m* of check, hand etc.; final *m* of book; *sport:* defensa *m*; (*at the*) ~ of tras, detrás de; *stage etc.* al fondo de; *behind one's* ~ a espaldas de uno (*a. fig.*); *on one's* ~ postrado, en cama; (*carrying s.t.*) a cuestas; *with one's* ~ *to the wall* entre la espada y la pared; *turn one's* ~ *on* volver la espalda a; **2.** *adj.* trasero, posterior, de atrás; ~ *issue* número *m* atrasado; ~ *pay* sueldo *m* retrasado; **3.** *adv.* de atrás; (*hacia*) atrás; otra vez; de vuelta; ~ *and forth* de una parte a otra; *some months* ~ hace unos meses; **4.** *v/t.* apoyar (*a.* ~ *up*); *pol.* respaldar; *car* dar marcha atrás a; *horse* montar; (*bet*) apostar a; † endosar; ~ *up* mover hacia atrás; ♣ ~ *water* ciar; *v/i.* retroceder, moverse hacia atrás; (*esp. horse*) cejar; F ~

down ceder; rajarse; F ~ *out* echarse atrás, desdecirse; '~**ache** dolor *m* de espalda; ~ **al·ley** callejón *m* de atrás; '~**bite** [*irr. bite*] cortar de vestir, murmurar; '~**bone** espinazo *m*; firmeza *f*; '~**break·ing** deslomador; ~ '**door** puerta *f* trasera; '**back·er** sostenedor (-a *f*) *m*; † suscriptor (-a *f*) *m*.

back...: '~**fire 1.** *mot.* petardeo *m*, falsa explosión *f*; **2.** *mot.* petardear; *fig.* salir el tiro por la culata; '~**gam·mon** chaquete *m*; '~**ground** fondo *m*, último término *m*; *fig.* antecedentes *m/pl.*; educación *f*; ~ *music* música *f* de fondo; '~**hand 1.** *tennis etc.:* revés *m*; **2.** = '~**hand·ed** dado con la vuelta de la mano; *fig.* falto de sinceridad, irónico; '**back·ing** apoyo *m*; *esp.* † reserva *f*.

back...: '~**lash** ⊕ contragolpe *m*; *fig.* reacción *f* violenta; '~**log** atrasos *m/pl.* (de pedidos pendientes); '~**num·ber** número *m* atrasado; *fig.* cero *m* a la izquierda; '~**pay** sueldo *m* retrasado; '~**ped·al** dar marcha atrás con los pedales, contrapedalear; '~**seat** asiento *m* de atrás; F *take a* ~ ceder su puesto, perder influencia; '~**side** trasero *m*; nalgas *f/pl.*; '~**slap·per** tipo *m* guasón, campechano *m*; '~**slap·ping** espaldarazos *m/pl.*; *mutual* ~ bombo *m* mutuo; '~**stairs 1.** escalera *f* de servicio; **2.** F por enchufe; por intriga; clandestino; '~**stitch 1.** pespunte *m*; **2.** pespuntar; '~**stage** detrás del telón; entre bastidores; '~**stop** reja *f* (or red *f*) para detener la pelota; '~**stroke** arrastre *m* de espaldas; ~ *talk* F contestación *f* insolente; ~ *to back* dándose las espaldas; F sucesivamente; '~**track** F volver pies atrás, retirarse.

back·ward ['bækwəd] **1.** *adj.* vuelto

hacia atrás; *country, pupil* atrasado; *p.* (*shy*) retraído, corto; **2.** *adv.* (*a.* '**back·wards**) (hacia) atrás; al revés; ~**s** *and* **forwards** de acá para allá; '**back·ward·ness** atraso *m*; cortedad *f*.

back...: '~**wa·ter** brazo *m* de río estancado; remanso *m*; *fig.* lugar *m* (*or* condición *f*) atrasado(a); '~**woods** *pl.* región *f* apartada; '~**yard** patio *m* trasero, corral *m* trasero.

ba·con ['beikən] tocino *m*; *sl.* **bring home the** ~ sacarse el gordo.

bac·te·ri·um [bæk'tiəriəm], *pl.* **bac·te·ri·a** [~iə] bacteria *f*.

bad [bæ:d] □ malo; infeliz, desgraciado; (*rotten etc.*) dañado, podrido; (*harmful*) nocivo, dañoso; ☞ indispuesto, enfermo; *coin* falso; *debt* incobrable; *for* ~ bastante bueno; F *too* ~ así así; ~ *blood* mala sangre *f*; ~ *breath* mal aliento *m*; F *be in* ~ *with* tener enojada una persona (*over* a causa de); *go* ~ (*food*) pasarse; *look* ~ tener mala cara; ~*ly adv.* mal; con urgencia; gravemente; ~*ly off* malparado; muy enfermo; *want* ~*ly* desear mucho; perderse por.

bade [beid] *pret. of* **bid**.

badge [bædʒ] insignia *f*, divisa *f*.

badg·er ['bædʒə] **1.** tejón *m*; **2.** molestar; fastidiar, acosar.

bad·min·ton ['bædmintən] volante *m*.

bad-tem·pered ['bæ:d'tempəd] de mal genio.

baf·fle ['bæfl] **1.** ⊕ (*a.* '~**-plate**) deflector *m*; *radio:* pantalla *f* acústica; **2.** frustrar, impedir; chasquear; desconcertar; **baf·fling** ['bæfliŋ] perplejo; desconcertante.

bag [bæːg] **1.** maleta *f*; bolsa *f* (*a.* **zo.**, ☞); (*hand-*) bolso *m*; (*big*) saco *m*; (*shoulder-*) zurrón *m*, mochila *f*; *hunt.* cacería *f* (de animales muertos de una vez); F ~**s** *pl.* pantalón *m*; F *it's in the* ~ es cosa segura; *pack* ~ *and baggage* tomar el tole; **2.** [bæg] *v/t.* ensacar; *sl.* coger, asegurarse; *hunt.* cazar; *v/i.* (*garment etc.*) hacer bolsa.

bag·gage ['bægidʒ] equipaje *m*; ✗ bagaje *m*; *contp.* mujercilla *f*; fulana *f*; ~ **car** ☒ vagón *m* de equipajes; '~ **check** talón *m* de equipajes; '~ **rack** red *f* de equipajes; '~ **room** sala *f* de equipajes.

bag·gy ['bægi] holgado.

bag...: '~**pipe** gaita *f*; '~ **snatch·er** ladrón *m* de bolsos, ratero (a *f*) *m*.

bail [beil] ⚖ **1.** caución *f*, fianza *f*; *be* (*or go, stand*) ~ *for* salir fiador por; **2.** caucionar; ~ *out* poner en libertad bajo fianza.

bail·iff ['beilif] ⚖ alguacil *m*, corchete *m*; mayordomo *m* *on estate*.

bait [beit] **1.** cebo *m*, carnada *f*; *fig.* aliciente *m*; (*deceitful*) señuelo *m*, añagaza *f*; *swallow the* ~ tragar el anzuelo; **2.** *trap. etc.* poner cebo en; *fig.* acosar, atormentar.

baize [beiz] bayeta *f*.

bake [beik] cocer al horno.

ba·ke·lite ['beikəlait] baquelita *f*.

bak·er ['beikə] panadero *m*; **bak·er·y** panadería *f*; '**bak·ing** hornada *f*; cocción *f*; '**bak·ing pow·der** polvos *m/pl.* de levadura, polvo *m* de hornear; '**bak·ing so·da** bicarbonato *m* de sosa.

bal·ance ['bæləns] **1.** (*scales*) balanza *f*; equilibrio *m* (*a. fig.*); ⚖ balance *m*; ✚ saldo *m* *of account etc.*; (*watch*) volante *m*; F resto *m*; ~ *of power* equilibrio *m* político; ~ *of trade* balance *m* de comercio; *fig. in the* ~ en la balanza; *v.* **strike**; **2.** *v/t.* equilibrar; contrapesar (*with* con); ✚ saldar, finiquitar; *v/i.* equilibrarse, balancearse; menearse; ~ **sheet** ✚ balance *m*, avanzo *m*.

bal·co·ny ['bælkəni] balcón *m*.

bald [bɔːld] □ calvo; *fig.* franco; '~ **'head·ed** calvo; '~**ness** calvicie *f*.

bale¹ [beil] ✚ **1.** fardo *m*, bala *f*; **2.** embalar.

bale² [~] ⚓ achicar; ⚓ ~ *out* lanzarse en paracaídas.

bale·ful ['beilful] □ funesto.

balk [bɔːk] **1.** ⚘ lomo *m* (entre surcos); *fig.* obstáculo *m*, estorbo *m*; (*timber*) viga *f*; (*billiards*) cabaña *f*; **2.** *v/t.* frustrar; evitar, perder.

ball¹ [bɔːl] **1.** bola *f*; globo *m*, esfera *f*; (*tennis etc.*) pelota *f*; (*football*) balón *m*; (*cannon*) bala *f*; (*wool*) ovillo *m*; *baseball:* tiro *m* falso; F *keep the* ~ *rolling* mantener en marcha (*esp.* la conversación); F *play* ~ cooperar (*with* con); **2.** convertir en bolas; *sl.* ~ *up* echarlo todo a rodar.

ball² [~] baile *m*; *dress* ~ baile *m* de etiqueta.

bal·lad ['bæləd] romance *m*; ♪ balada *f*.

bal·last ['bæləst] **1.** ⚓ lastre *m* (*a. fig.*); ☒ balasto *m*; **2.** ⚓ lastrar; ☒ balastar.

ball...: '~ '**bear·ing** cojinete *m* a bolas;

'**~ game** juego *m* de pelota; F béisbol *m*.

bal·let ['bælei] ballet *m*, baile *m*.

bal·lis·tics [bə'listiks] *mst sg.* balística *f*.

bal·loon [bə'luːn] **1.** ~ *a.* ℵ globo *m*; *mot.* ~ tyre llanta *f* balón; **2.** subir en un globo; ~ (*out*) hincharse como un globo.

bal·lot ['bælət] **1.** balota *f*, papeleta *f* (para votar); sufragio *m*; votación *f*; **2.** balotar, votar; '**~ box** urna *f* electoral.

ball-point pen ['bɔːlpɔint'pen] bolígrafo *m*, polígrafo *m*, pluma *f* esferográfica; *Arg.* birome *f*; *Bol.* punto *m* bola; *Col.* esfero *m*.

ball·room ['bɔːlrum] salón *m* de baile.

bal·ly·hoo [bæli'huː] **1.** F alharaca *f*; bombo *m*; propaganda *f* sensacional; **2.** F dar bombo a.

balm ['bɑːm] bálsamo *m* (*a. fig.*).

balm·y ['bɑːmi] □ balsámico, fragante; *sl.* chiflado.

ba·lo·ney [bə'louni] *sl.* sandez *f*, tontería *f*.

bal·sam ['bɔːlsəm] bálsamo *m*; **bal·sam·ic** [~'sæmik] □ balsámico.

bam·boo [bæm'buː] bambú *m*.

bam·boo·zle [bæm'buːzl] F embaucar, capotear.

ban [bæn] **1.** bando *m*, edicto *m*; prohibición *f* (*on* de); **2.** prohibir.

ba·nan·a [bə'nɑːnə] plátano *m*; banana *f*.

band [bænd] **1.** banda *f* (*a. radio*), faja *f*; (*edge of garment*) cenefa *f*; (*hat-*)cintillo *m*; (*group*) cuadrilla *f*, gavilla *f*; ♪ banda *f*, música *f*; **2.** orlar; rayar *with stripes*; (*group*) apandillar(se), acuadrillarse; ~ *together* asociarse.

band·age ['bændidʒ] **1.** vendaje *m*, venda *f*; *first aid* ~ vendaje *m* provisional; **2.** vendar.

ban·dan·na [bæn'dɑːnə] pañuelo *m* de hierbas.

ban·dit ['bændit] bandido *m*.

bane·ful ['beinful] □ funesto; nocivo.

bang [bæŋ] **1.** ¡pum!; **2.** F precisamente (~ *across etc.*); **3.** detonación *f*; estallido *m*; golpe *m on head etc.*; contusión *f*; (*hair*) flequillo *m*; **4.** golpear, cerrar *etc.* con estrépito.

ban·ish ['bæniʃ] desterrar (*a. fig.*).

ban·is·ter ['bænistə] balaustre *m*; **ban·is·ters** ['~z] *pl.* barandilla *f*.

ban·jo ['bændʒou] banjo *m*.

bank [bæŋk] **1.** ribera *f*, orilla *f*, margen *f*; banda *f*, montón *m of clouds*; banco *m of sand*; (*hill*) loma *f*; batería *f of lamps*; hilera *f of oars*; ✈ banco *m*; (*in games*) banca *f*; (*piggy-*) ~ hucha *f*, alcancía *f*; ~ *of deposit* banco *m* de depósito; ~ *of issue* banco *m* de emisión; **2.** *v/t.* fire cubrir (*a.* ~ *up*); *water* represar, estancar; *pile* amontonar (*a.* ~ *up*); ✈ depositar; ℵ ladear; *v/i.* dedicarse a negocios de banca; depositar dinero (*with* en); ℵ ladearse; F ~ *on* contar con; '**bank ac·count** cuenta *f* de banco; '**bank·er** banquero *m* (*a. in games*); '**bank·rupt** ['~rʌpt] **1.** quebrado *m*, fallido *m*; ~'s *estate* activo *m* de la quiebra; **2.** quebrado, insolvente; *fig.* ~ *in* (*or* ~ *of*) falto de; *go* ~ hacer bancarrota, quebrar; **3.** hacer quebrar, arruinar.

ban·ner ['bænə] bandera *f*, estandarte *m*.

ban·quet ['bæŋkwit] **1.** banquete *m*; **2.** banquetear (*v/i. a. v/t.*); *~ing hall* comedor *m* de gala.

ban·tam ['bæntəm] gallinilla *f* (de Bantam; *fig.* persona *f* de pequeña talla y amiga *f* de pelear; '**~·weight** peso *m* gallo.

ban·ter ['bæntə] **1.** zumba *f*, chanza *f*; **2.** chancear(se con); burlar(se de).

bap·tism ['bæptizm] bautismo *m* (*a. fig.*); (*act*) bautizo *m*.

bap·tize [bæp'taiz] bautizar (*a. fig.*).

bar [bɑː] **1.** barra *f*; (*heraldry*) vara *f*, varilla *f*; (*securing*) tranca *f*; (*window*) reja *f*; (*tavern*) bar *m*; (*counter*) mostrador *m*; (*river*) barra *f*; ♪ compás *m*; *fig.* impedimento *m* (*to* para); *fig.* tribunal *m of public opinion etc.*; *parallel* ~s *pl.* (barras) paralelas *f/pl.*; **2.** *door* atrancar; barrear; impedir, obstruir, prohibir; (*a.* ~ *out*) excluir.

barb [bɑːb] lengüeta *f of arrow etc.*; *zo.* púa *f*; ~*ed wire* alambre *m* de puas, alambre *m* de espino.

bar·bar·i·an [bɑː'bɛəriən] bárbaro *adj. a. su. m* (*a f*) (*a. fig.*); **bar·bar·ic** [~'bærik] □ barbárico; *of ruda magnificencia*; '**bar·ba·rous** □ bárbaro.

bar·be·cue ['bɑːbikjuː] barbacoa *f*.

bar·ber ['bɑːbə] barbero *m*, peluquero *m*; ~ *shop* peluquería *f*, barbería *f*.

bard [bɑːd] bardo *m*.

bare [bɛə] **1.** □ desnudo; *head* descubierto; *landscape* pelado, raso; *clothes etc.* raído; *style* escueto; *room*

con pocos muebles; desprovisto (of de); mero; v. lay; 2. desnudar, descubrir; '~**back** montado en pelo; adv. en pelo, sin montura; '**bare·foot·ed** descalzo; '**bare·head·ed** descubierto; '**bare·ly** apenas, solamente.

bar·gain ['bɑːgin] 1. pacto m, convenio m; (cheap th.) ganga f; negocio m ventajoso (para el comprador); ~ counter baratillo m; ~ price precio m irrisorio; F it's a ~! ¡hecho!; into the ~ de añadidura; por más señas; make (or strike) a ~ cerrar un trato; make the best of a bad ~ poner a mal tiempo buena cara; 2. negociar.

barge [bɑːdʒ] 1. gabarra f, barcaza f; (esp. ceremonial) falúa f; 2. F ~ in entrar sin pedir permiso; irrumpir; ~ into entrometerse en, inmiscuirse en.

bar·i·tone ['bæritoun] barítono m.

bar·i·um ['bɛəriəm] bario m.

bark[1] 1. corteza f; ⊕ casca f for tanning; 2. descortezar; skin raer.

bark[2] [~] 1. ladrar (a. fig.: at a); ~ up the wrong tree tomar el rábano por las hojas; 2. ladrido m; sl. tos f.

bar·ley ['bɑːli] cebada f.

barn [bɑːn] granero m, troje f; establo m, cuadra f.

bar·na·cle ['bɑːnəkl] cirrópodo.

ba·rom·e·ter [bə'rɔmitə] barómetro m; **bar·o·met·ric, bar·o·met·ri·cal** [bærə'metrik(l)] □ barométrico.

bar·on ['bærən] barón m.

ba·roque [bə'rɔk] barroco adj. a. su. m.

bar·rack ['bærək] (mst ~s pl.) cuartel m; F approx. caserón m.

bar·rage ['bærɑːʒ] (water) presa f; ✗ barrera f de fuego.

bar·rel ['bærl] 1. tonel m, cuba f; (gun, pen) cañón m; (capstan, watch) cilindro m; ⊕ tambor m; 2. embarrilar, entonelar; '**bar·rel or·gan** ♪ organillo m.

bar·ren ['bærən] □ estéril; árido; fig. infructuoso; '**bar·ren·ness** esterilidad f; aridez f.

bar·ri·cade [bæri'keid] 1. barricada f; 2. barrear, cerrar con barricadas.

bar·ri·er ['bæriə] barrera f (a. fig.); ✝ fielato m.

bar·ring ['bɑːriŋ] F excepto, salvo.

bar·tend·er ['bɑːtendə] tabernero m, barman m.

bar·ter ['bɑːtə] 1. permutación f,

trueque m (de bienes); 2. trocar, permutar (for por, con).

base[1] [beis] □ bajo, humilde; vil, ruin; infame; metals bajo de ley.

base[2] [~] 1. base f; ⚕ basa f; 2. basar, fundar ([up]on en; a. fig.); ✈ aterrizar; ~ o.s. on apoyarse en; be ~d[up]on estribar en, basarse en.

base...: '~**ball** béisbol m; '~**less** infundado; '**base·ment** sótano m.

base·ness ['beisnis] bajeza f, vileza f.

bash·ful ['bæʃful] □ tímido, encogido; vergonzoso.

bas·ic ['beisik] básico.

ba·sil·i·ca [bə'zilikə] basílica f.

ba·sin ['beisn] (small) escudilla f, cuenca f; (wash) jofaina f; (river) cuenca f; (port) dársena f; (fountain) taza f.

ba·sis ['beisis], pl. **ba·ses** ['~iːz] base f, fundamento m; on the ~ of a base de.

bask [bɑːsk] asolearse, tomar el sol.

bas·ket ['bɑːskit] cesta f; (big) cesto m; (with two handles) canasta f; '~**ball** baloncesto m.

Basque [bæsk] 1. vasco adj. a. su. m (a f); 2. (language) vascuence m.

bass·re·lief [beisri'liːf] bajorrelieve m.

bass[1] [beis] ♪ bajo m.

bass[2] [bæs] corteza f de tilo; ~ wood tilo m americano.

bas·soon [bə'suːn] bajón m.

bas·tard ['bæstəd] □ bastardo adj. a. su. m (a f).

baste[1] [beist] sew. hilvanar.

baste[2] [~] joint pringar; F dar de palos.

bas·tion ['bæstiən] baluarte m.

bat[1] [bæt] zo. murciélago m; blind as a ~ más ciego que un topo.

bat[2] [~] 1. sport: maza f; off one's own ~ sin ayuda; de suyo; F right off the ~ de repente, sin deliberación; 2. golpear (con un palo etc.); F come (or go) to ~ for ayudar.

bat[3] [~] guiñar; without ~ting an eyelid sin emoción, sin pestañear.

batch [bætʃ] cooking: hornada f; colección f, grupo m; (set) tanda f.

bath [bɑːθ] 1. (pl. baths [bɑːðz]) baño m; piscina f for swimming; fig. blood ~ carnicería f; take a ~ tomar un baño; 2. v/t. bañar; v/i. tomar un baño.

bathe [beið] 1. bañar(se); 2. baño m (en el mar etc.).

bath·ing ['beiðiŋ] 1. baño m; 2. attr. de baño; '~ **beau·ty** sirena f de playa; '~ **cap** gorro m de baño; '~ **re'sort** estación f balnearia; '~ **suit** traje m de baño, bañador m.

beast

bath...: '**~·robe** albornoz *m*; '**~·room** cuarto *m* de baño; ~ **fixtures** *pl.* aparatos *m/pl.* sanitarios; '**~ salts** *pl.* sales *f/pl.* de baño; '**~ tow·el** toalla *f* de baño; '**~·tub** bañadera *f*, bañera *f*.

ba·ton [ˈbætən] ✗ bastón *m*; ♪ batuta *f*.

bat·tal·ion [bəˈtæljən] batallón *m*.

bat·ter [ˈbætə] **1.** pasta *f*, batido *m*; *sport:* bateador *m*; **2.** apalear; magullar; ✗ cañonear; '**bat·ter·y** ✗, ✍, *baseball:* batería *f*; ✍ pila *f*, acumulador *m*; ⚡ violencia *f* (*esp. assault and* ~).

bat·tle [ˈbætl] **1.** batalla *f*; combate *m*; **2.** batallar (*against* contra; *with* con); luchar (*for* por).

bat·tle...: '**~·field** campo *m* de batalla; '**~·front** frente *m* de combate; '**~ ground** campo *m* de batalla; '**~·ship** acorazado *m*.

bau·ble [ˈbɔːbl] chuchería *f*.

bawd·y [ˈbɔːdi] ☐ obsceno, impúdico.

bawl [bɔːl] *v/i.* vocear, desgañitarse (*freq.* ~ *out*); ~ *at* s.o. reñir a una p. en voz alta; *v/t. sl.* ~ *out* reñir, regañar.

bay¹ [bei] *horse* (caballo *m*) bayo *approx.*

bay² [~] ♱ bahía *f*, abra *f*; (*large*) golfo *m*; ~ *salt* sal *f* morena.

bay³ [~] ♙ crujía *f*; ♳ nave *f*.

bay⁴ [~] ♌ laurel *m*.

bay⁵ [~] **1.** ladrar, aullar; **2.** ladrido *m*, aullido *m*; *at* ~ acosado, acorralado; *keep at* ~ mantener a raya.

bay·o·net [ˈbeiənit] **1.** bayoneta *f*; **2.** herir (*or* matar) con la bayoneta.

bay win·dow [ˈbeiˈwindou] ventana *f* salediza, mirador *m*; *sl.* barriga *f*.

ba·zaar [bəˈzaː] bazar *m*.

ba·zoo·ka [bəˈzuːkə] bazuca *f*.

be [biː; bi] *irr.*] **a)** ser; estar; encontrarse; haber; existir; *he is a doctor* es médico; (*location*) *he is in Madrid* está en Madrid; (*temporary state*) *he is ill* está (*or* se encuentra) enfermo; *there is, there are* hay; *so be it* (*or be it so*) así sea; *be that as it may* sea como fuere; **b)** *auxiliary verb with present participle:* I *am working* trabajo, estoy trabajando; *he is coming tomorrow* viene mañana; **c)** *auxiliary verb with inf.:* I *am to go to Spain* he de ir a España; **d)** *auxiliary verb with p.p.:* ser, estar, quedar; *passive (action):* he *was followed by the police* fue seguido por la policía; *passive (state):* the door

is closed la puerta está (*or* queda) cerrada; **e)** *idioms:* *mother to* ~ futura madre *f*; *my wife to* ~ mi futura (esposa); **f)** *for phrases with prp.,* v. *the prp.*

beach [biːtʃ] **1.** playa *f*; **2.** *v/t.* ♱ varar; '**~·comb·er** raquero *m*; '**~·head** ✗ cabeza *f* de playa.

bea·con [ˈbiːkn] **1.** almenara *f*, alcandora *f*; faro *m*; (*hill*) hacho *m*; *fig.* amonestación *f*, guía *f*; **2.** iluminar, guiar.

bead [biːd] **1.** cuenta *f*, abalorio *m*; gota *f*; (*gun*) mira *f* globular; ~*s pl.* sarta *f* de cuentas; rosario *m*; *tell one's* ~*s* rezar el rosario; **2.** *v/t.* adornar con abalorios.

beak [biːk] pico *m*; nariz *f* (*corva esp.*); ♱ rostro *m*; *sl.* magistrado *m*.

beam [biːm] **1.** ⚠ viga *f*; ♱ bao *m*; ♱ (*width*) manga *f*; (*plough*) timón *m*; ✍ *etc. a. fig.* rayo *m*; (*balance*) astil *m*; ⊕ balancín *m*; F *on the* ~ siguiendo el buen camino; **2.** brillar; *fig.* sonreír alegremente.

bean [biːn] ♙ haba *f*; judía *f*; *sl.* cabeza *f*; F *full of* ~*s* rebosando de vitalidad.

hear¹ [bɛə] **1.** oso *m*; *fig.* hombre *m* ceñudo; ♱ bajista *m/f*; ♱ ~ *market* mercado *m* bajista; **2.** ♱ jugar a la baja; ♱ hacer bajar el valor.

bear² [~] [*irr.*] *v/t.* llevar; (*endure*) soportar, aguantar; *arms, date, inscription, name* llevar; *interest* devengar; *child* parir; *inspection etc.* tolerar, sufrir; *fruit etc.* rendir, producir; *costs etc.* pagar, costear; ~ *away* llevarse; ganarse; ~ *down* postrar; ~ *out* confirmar, apoyar; *v/i.* dirigirse (a); ♱ ~ *down upon* correr sobre; *cases* sobre; F ~ *up* cobrar ánimo; *bring to* ~ *pressure etc.* ejercer ([up]on sobre); '**~·a·ble** ☐ llevadero.

beard [biəd] **1.** barba *f*; ♙ arista *f*; **2.** hacer cara a; retar; '**beard·ed** barbudo; ♙ aristado; '**beard·less** imberbe, lampiño.

bear·er [ˈbɛərə] portador (-a *f*) *m* (*a.* ♱).

bear·ing [ˈbɛəriŋ] aguante *m*; sustentamiento *m*; *p.'s* porte *m*, modales *m/pl.*; *heraldry:* blasón *m*; aspecto *m* (*of th.*); relación *f* (*on* con); ⊕ marcación *f*; ⊕ cojinete *m*, apoyo *m*; *take one's* ~*s* orientarse; *fig.* orientarse; *lose one's* ~*s* desorientarse.

beast [biːst] bestia *f*; *fig.* hombre *m* brutal; *fig.* persona *f* molesta; F *th.*

B

cosa f mala (*or* molesta); ~ of burden
bestia f de carga.

beat [bi:t] **1.** (*irr.*) v/t. batir, golpear,
pegar; (*defeat*) vencer; *record* batir,
superar; F sobrexigar, aventajar; F *p.*
confundir; *path* abrir; *hunt.* ojear;
drum tocar; *carpet* apalear; ♪ *time*
llevar; v. *retreat*; *sl.* ~ *it!* ¡lárgate!; F
to ~ *the band* hasta no poder; F ~
one's way hacer un viaje sin pagar; ~
down abatir; **✝** *price* rebajar; ~ *off*
rechazar; ~ *up egg* batir; *sl. p.* aporrear; v/i. (*heart*) latir; F ~
about the bush andarse por las ramas,
ir por rodeos; **2.** golpe m; (*heart-*)
latido m; (*rhythm*) marca f; ♪ compás
m; (*police*) ronda f; **3.** F deslumbrado,
perplejo; engañado; *dead* ~ *sl.* rendido; **'beat·en** p.p. of *beat* 1; *track*
trillado.

beau·ti·cian [bju:'tiʃən] embellece-
dora f, esteta m/f, esteticista m/f.

beau·ti·ful ['bju:tiful] □ hermoso,
bello; ~*ly* F maravillosamente, muy
bien.

beau·ti·fy ['bju:tifai] embellecer.

beau·ty ['bju:ti] belleza f, hermosura
f; (*woman*) beldad f; F *it's a* ~ es
bárbaro; *sleeping* ♀ la Bella Durmiente (del bosque); ~ *contest* concurso m de belleza; ~ *parlor* salón m
de belleza; ~ *queen* reina f de la belleza; ~ *spot* (*face*) lunar m postizo;
(*place*) sitio m pintoresco.

bea·ver ['bi:və] zo. castor m.

be·came [bi'keim] pret. of *become*.

be·cause [bi'kɔz] porque; ~ *of* a
causa de.

beck [bek] seña f; *at the* ~ *and call of a*
disposición de.

beck·on ['bekn] hacer seña (*to* a);
llamar con señas; *fig.* atraer.

be·come [bi'kʌm] (*irr.* (*come*)) v/i.
ser, hacerse (*of* de); *what will* ~ *of me?*
¿qué será de mí?; v/t. *mst with su.*
hacerse; *mst with adj.* ponerse; llegar
a ser; convertirse en; (*action*) convenir a; (*clothes esp.*) sentar a, favorecer; **be'com·ing** □ decoroso;
clothes que sienta bien.

bed [bed] cama f; (*a. animals*) lecho
m; (*river-*) cauce m; 🔨 macizo m,
arriate m; ⊕ base f, apoyo m; geol.
capa f, yacimiento m; ~ *and board*
comida f y casa; *go to* ~ acostarse;
make the ~ hacer la cama; *stay in* ~
guardar cama.

bed·clothes ['bedklouðz] pl. ropa f de
cama.

bed·ding ['bedin] ropa f de cama;
colchón m; (*animals*) lecho m.

bed·fel·low ['bedfelou] compañero m
de cama.

bed·lam ['bedləm] manicomio m; *fig.*
belén m.

bed·lin·en ['bedlinin] ropa f de cama;
las sábanas.

bed·pan ['bedpæn] silleta f.

be·drag·gle [bi'drægl] ensuciar;
clothes etc. manchar.

bed...: '~**rid**(·**den**) postrado en cama;
'~**rock** geol. lecho m de roca; *fig.*
fundamento m; '~**room** dormitorio
m, alcoba f; '~**side**: *at the* ~ of a la
cabecera de; *good* ~ *manner* mano f
izquierda, diplomacia f; ~ *table* mesa
f de noche; '~**sore** úlcera f de decú-
bito; '~**spread** colcha f, sobrecama
m; '~**stead** cuja f; '~**time** hora f de
acostarse; '~ **warm·er** calienta-
mas m.

bee [bi:] abeja f.

beech [bi:tʃ] haya f; '~**nut** hayuco m.

beef [bi:f] **1.** carne f de vaca; F fuerza f
muscular; **2.** F quejarse; ~**steak**
['bi:f'steik] biftec m, bistec m.

bee...: '~**hive** colmena f; '~ **keep·ing**
apicultura f; '~ **line** línea f recta.

been [bi:n, bin] p.p. of *be*.

beer [biə] cerveza f; *small* ~ cerveza
floja; *dark* ~ cerveza f parda, cerveza
f negra; *light* ~ cerveza f clara.

beet [bi:t] remolacha f.

bee·tle¹ [bi:tl] ⊕ **1.** pisón m; **2.** apisonar.

bee·tle² [~] zo. **1.** escarabajo m; **2.** *sl.* ~
off largarse, volver la cara.

bee·tle³ [~] **1.** (sobre)saliente; ceñudo; **2.** sobresalir.

be·fit [bi'fit] cuadrar a, convenir a;
be·fit·ting □ propio, conveniente.

be·fore [bi'fɔ:] **1.** adv. (*place*) (a)de-
lante; *go* ~ ir adelante; ~ *and behind*
por delante y por detrás; (*time*) antes; anteriormente; **2.** cj. antes (de)
que; **3.** prp. (*place*) delante de; *judge
etc.* ante; (*time*) antes de; *be* (*or go*) ~ *a*
p. ir delante de una p., ir primero;
be'fore·hand de antemano; *be* ~
with anticipar.

be·friend [bi'frend] ofrecer amistad
a; patrocinar.

beg [beg] v/t. suplicar, rogar (*of* a);
(*as beggar*) mendigar; v. *pardon*,
question; v/i. mendigar, pordiosear.

be·gan [bi'gæn] pret. of *begin*.

be·get [bi'get] (*irr.* (*get*)) engendrar.

beg·gar ['begə] mendigo (*a* f) m,

pordiosero (a f) m; F contp. tío m.

be·gin [bi'gin] [irr.] comenzar, empezar (to a); iniciar; ~ by comenzar por; ~ on s.t. emprender algo; ~ with comenzar con, principiar con; to ~ with para empezar; en primer lugar; ~ning from date a partir de; **be'gin·ner** principiante m/f; **be'gin·ning** comienzo m, principio m; from ~ to end del principio al fin, de cabo a rabo (F).

be·grudge [bi'grʌdʒ] dar de mala gana; (envy) envidiar.

be·guile [bi'gail] engañar, seducir; fig. entretener.

be·gun [bi'gʌn] p.p. of begin.

be·half [bi'hɑːf]: on ~ of a favor de, en nombre de; por.

be·have [bi'heiv] (com)portarse; ⊕ etc. funcionar, actuar; ~ o.s. portarse bien; **be'hav·ior** [~jə] conducta f, comportamiento m.

be·head [bi'hed] descabezar; decapitar.

be·held [bi'held] pret. a. p.p. of behold.

be·hest [bi'hest] orden f.

be·hind [bi'haind] 1. adv. (por) detrás; (hacia) atrás; be ~ (late) retrasarse; 2. prp. detrás de.

be·hold [bi'hould] [irr. (hold)] lit. 1. contemplar; advertir, columbrar; 2. ¡he aquí!; ¡mira(d)!

be·ing [biːiŋ] ser m; existencia f; in ~ existente; come into ~ producirse; nacer.

be·la·ted [bi'leitid] □ demorado, tardío.

belch [beltʃ] 1. eructar, regoldar; fig. echar, arrojar; 2. regüeldo m.

be·lea·guer [bi'liːgə] sitiar.

bel·fry ['belfri] campanario m.

be·lie [bi'lai] desmentir.

be·lief [bi'liːf] creencia f, crédito m; fe f (in en; that de que).

be·liev·a·ble [bi'liːvəbl] creíble.

be·lieve [bi'liːv] creer (in en); ~ in story etc. dar crédito a; F (not) ~ in e.g. drink (no) aprobar; don't you ~ it! ¡no lo crea(s)!; **be'liev·er** creyente m/f.

be·lit·tle [bi'litl] fig. deprimir, despreciar.

bell [bel] campana f; (hand-) campanilla f (a. ♥); (electric) timbre m; (animal's) cencerro m; cascabel m; ♪ pabellón m of trumpet etc.; fig. that rings ~ eso me suena.

bell·boy ['belboi] botones m.

belle [bel] beldad f, guapetona f.

bell...: '~flow·er campanilla f; '~hop botones m.

bel·li·cose ['belikous] belicoso.

bel·lig·er·ent [bi'lidʒərənt] □ beligerante adj. a. su. m/f.

bel·low ['belou] 1. bramar; (p.) gritar, dar voces; 2. bramido m.

bel·lows ['belouz] pl. (a pair of un) fuelle m (a. phot.).

bell...: '~rope cuerda f de campana; '~shaped acampanado.

bel·ly ['beli] 1. vientre f; barriga f (a. of vessel); 2. combarse; (sail) hacer bolso; '~but·ton F ombligo m; '~dance danza f del vientre; **'bel·ly·ful** [~ful] sl. panzada f.

be·long [bi'lɔŋ] pertenecer (to a); corresponder (to a); **be'long·ings** [~iŋz] pl. efectos m/pl.; F cosas f/pl.

be·lov·ed [bi'lʌvid] querido adj. a. su. m (a f).

be·low [bi'lou] 1. adv. abajo, debajo; here ~ en este mundo; 2. prp. debajo de; fig. inferior a.

belt [belt] 1. cinturón m (a. ⨂), cinto m; (corset) faja f; ⊕ correa f, cinta f; fig. zona f; fig. below the ~ sucio, suciamente; fig. tighten one's ~ ceñirse; 2. sl. golpear con correa.

be·moan [bi'moun] lamentar.

be·muse [bi'mjuːz] aturdir.

bench [bentʃ] banco m (a. ⊕); ⟨⟨⟩ tribunal m; ⟨⟨⟩ judicatura f; be on the ~ ser juez (or magistrado); v. treasury.

bend [bend] 1. [irr.] recodo m, curva f in road; 2. [irr.] combar(se), encorvar(se); body etc. inclinar(se); efforts etc. dirigir (to a).

beneath [bi'niːθ] = below; fig. ~ me indigno de mí.

ben·e·dic·tion [beni'dikʃn] bendición f.

ben·e·fac·tion [beni'fækʃn] beneficencia f; (gift) beneficio m; **'ben·e·fac·tor** bienhechor m.

ben·e·fi·cial [beni'fiʃl] □ beneficioso; ⟨⟨⟩ que goza el usufructo de una propiedad.

ben·e·fit ['benefit] 1. beneficio m (a. thea.); (insurance) lucro m; for the ~ of a beneficio de; 2. beneficiar, aprovechar; sacar provecho.

be·nev·o·lence [bi'nevələns] benevolencia f; **be'nev·o·lent** □ benévolo; society caritativo.

be·nign [bi'nain] □ benigno (a. ⚕).

bent [bent] 1. pret. a. p.p. of bend 2; ~ on resuelto a, empeñado en; 2. inclinación f, propensión f (for a),

B

ben·zene [ˈbenziːn] benceno *m*.

ben·zine [ˈbenziːn] bencina *f*.

be·queath [biˈkwiːð] legar (*a. fig.*).

be·quest [biˈkwest] legado *m* (*a. th.*), manda *f*.

be·reave [biˈriːv] [*irr.*] despojar; *esp. the ~d* los afligidos; **be·reave·ment** *mst* aflicción *f*, duelo *m*.

be·ret [ˈberei] boina *f*.

ber·ry [ˈberi] baya *f*.

berth [bɜːθ] **1.** ♣ fondeadero *m*, amarradero *m for ship*; ♣ F (*cabin*) camarote *m*; ♣, ♣ (*bunk*) litera *f*; F *fig.* puesto *m*; *give a wide ~ to* esquivar, evitar; **2.** anclar, atracar.

be·seech [biˈsiːtʃ] suplicar (*for acc.*); **be·seech·ing** □ suplicante.

be·set [biˈset] [*irr.* (*set*)] acosar (*a. fig.*), perseguir.

be·side [biˈsaid] **1.** *adv. v. ~s*; **2.** *prp.* cerca de, junto a; en comparación con; ~ *o.s.* fuera de sí (*with con*); **be·sides** [~dz] **1.** *adv.* además, también; **2.** *prp.* además de; excepto.

be·siege [biˈsiːdʒ] asediar (*a. fig.*), sitiar.

best [best] **1.** *adj. sup.* mejor; óptimo; ~ *girl* novia *f*; ~ *man* padrino *m* de boda; **2.** *adv. sup.* mejor; *at* ~ a lo más; *I had* ~ *go* más vale que yo vaya; **3.** *su.* lo mejor; *do one's* ~ hacer como mejor pueda uno; *for the* ~ con la mejor intención; *be for the* ~ conducir al bien; F *get the* ~ *of it* vencer; *make the* ~ *of* salir lo mejor posible de.

bes·tial [ˈbestjəl] □ bestial, brutal.

be·stow [biˈstou] conferir, otorgar ([up]*on a*).

bet [bet] **1.** apuesta *f*; (*sum*) postura *f*; **2.** apostar (*on a*).

be·tray [biˈtrei] traicionar; delatar (*a. fig.*); *fig.* revelar, dejar ver; **be·tray·al** *fig.* revelación *f*; ~ *of trust* abuso *m* de confianza; **be·tray·er** traicionero (a *f*) *m*, traidor (-a *f*) *m*.

be·troth [biˈtrouð] prometer en matrimonio; *be* (*or become*) *~ed* desposarse; **be·troth·al** desposorio *m*.

bet·ter[1] [ˈbetə] **1.** *adj. comp.* mejor; *he is* ~ está mejor; *get* ~ mejorarse; *v. half*; **2.** *adv. comp.* mejor; ~ *off* más acomodado; *so much the* ~ tanto mejor; *I had* ~ *go* más vale que yo vaya; *think* ~ *of* it mudar de parecer; **3.** *su.* superior *m*; *my* ~*s pl.* mis superiores; *get the* ~ *of* llevar la ventaja a; **4.** *v/t.* mejorar; ~ *o.s.* mejorar su posición; *v/i.* progresar, mejorar(se).

bet·ter[2] [~] apostador (-a *f*) *m*.

bet·ter·ment mejoramiento *m*.

bet·ting [ˈbetiŋ] apostar *m*; juego *m*.

be·tween [biˈtwiːn] (*poet. or prov. a.* **be·twixt** [biˈtwikst]) **1.** *adv.* (*freq. in* ~) en medio, entremedias; *betwixt and* ~ entre lo uno y lo otro, ni fu ni fa (F); **2.** *prp.* entre; ~ *ourselves* entre nosotros.

bev·el [ˈbevl] **1.** biselado; **2.** *v/t.* ⊕ biselar; *v/i.* inclinarse.

bev·er·age [ˈbevəridʒ] bebida *f*.

bev·y [ˈbevi] (*birds*) bandada *f*; (*ladies*) grupo *m*.

be·wail [biˈweil] lamentar.

be·ware [biˈwɛə] precaverse (*of de*); ~! ¡atención!

be·wil·der [biˈwildə] aturdir, aturrullar; desconcertar; **be·wil·der·ment** aturdimiento *m*; perplejidad *f*.

be·witch [biˈwitʃ] hechizar (*a. fig.*), embrujar.

be·yond [biˈjɔnd] **1.** *adv.* más allá (*a. fig.*), más lejos; **2.** *prp.* más allá de; además de; fuera de; superior a; *it is* ~ *me* está fuera de mi alcance; **3.** más allá *m*.

bi·an·nu·al [baiˈænjəl] semestral.

bi·as [ˈbaiəs] **1.** sesgo *m*, diagonal *f*; *fig.* pasión *f*, predisposición *f*, prejuicio *m*; *cut on the* ~ cortar al sesgo; **2.** sesgar; *fig.* influir en, torcer; ~*sed* tener prejuicio, ser partidista.

bib [bib] babador *m*, babero *m*.

Bi·ble [ˈbaibl] Biblia *f*.

bib·li·cal [ˈbiblikəl] □ bíblico.

bib·li·og·ra·pher [bibliˈɔɡrəfə] bibliógrafo *m*; **bib·li·o·graph·ic, bib·li·o·graph·i·cal** [~ouˈɡræfik(l)] □ bibliográfico; **bib·li·og·ra·phy** [~ˈɔɡrəfi] bibliografía *f*.

bi·car·bon·ate of so·da [baiˈkɑːbənitˈsoudə] bicarbonato *m* sódico.

bi·ceps [ˈbaiseps] bíceps *m*.

bick·er [ˈbikə] (*quarrel*) altercar, pararse en quisquillas.

bi·cy·cle [ˈbaisikl] **1.** bicicleta *f*; **2.** andar en bicicleta; **bi·cy·clist** ciclista *m/f*.

bid [bid] **1.** [*irr.*] *lit.* mandar; ordenar; *cards:* pujar, marcar; licitar *at auction*; *adieu etc.* decir, dar; ~ *fair to* inf. prometer *inf.*, dar indicios de *inf.*; ~ *up* pujar; **2.** (*auction etc.*) oferta *f*, postura *f*; (*cards*) marca *f*; tentativa *f* (*to* de, para); *cards: no* ~ paso!; **bid·den** *p.p. of bid*; **bid·der** licitador *m*, postor *m*; *highest* ~ mejor postor *m*; **bid·ding** orden *f*; (*auction*) licitación *f*, postura *f*.

bitch

bide [baid] † aguardar; ~ one's time esperar la hora propicia.

bi·en·ni·al [bai'enjəl] ♀ (planta f) bienal, bianual m.

bier [biə] féretro m, andas f/pl.

bi·fo·cal ['baifoukl] 1. bifocal 2. ~s pl. anteojos m/pl. bifocales.

big [big] grande (a. fig.); abultado, voluminoso; (mst ~ with child) encinta; F engreído; fig. importante; ~ shot sl. pájaro m de cuenta, señorón m; sl. talk ~ echar bravatas.

big·a·mist ['bigəmist] bígamo (a f) m; **'big·a·my** bigamia f.

big·ot ['bigət] fanático (a f) m, intolerante m/f; **'big·ot·ed** fanático, intolerante; **'big·ot·ry** fanatismo m, intolerancia f.

big toe [big'tou] dedo m gordo o grande del pie.

big·wig ['bigwig] F pájaro m de cuenta, espadón m.

bike [baik] F bici f.

bile [bail] bilis f; fig. displicencia f.

bi·lin·gual [bai'lingwəl] bilingüe.

bill¹ [bil] zo. pico m; uña f of anchor; ♪ podadera f (a. ~-hook); geog. promontorio m; 2. esp. fig. ~ and coo acariciarse, besuquearse.

bill² [~] 1. ✝ cuenta f, factura f; parl. proyecto m de ley; ✝ billete m; ✝ letra f de cambio (a. ~ of exchange); (notice) cartel m; anuncio m; thea. programa m; ⚖ alegato m; pedimento m; ~ of fare minuta f; ♣ ~ of health patente f de sanidad; ~ of lading conocimiento m de embarque; ~ of rights declaración f de derechos; ley f fundamental; ⚖ ~ of sale escritura f de venta; 2. thea. etc. anunciar.

bill·board ['bil'bɔːd] cartelera f, tablón m de anuncios.

bill·fold ['bilfould] billetera f.

bil·liard ['biljəd] de billar; '~ cue taco m; **'bil·liards** pl. billar m.

bil·lion ['biljən] American mil millones m/pl.; British billón m.

bil·low ['bilou] 1. oleada f; poet. ~s pl. piélago m; 2. ondular, ondear.

bil·ly goat ['biligout] macho m cabrío.

bin [bin] hucha f, arcón m; (bread) nasa f.

bi·na·ry ['bainəri] binario.

bind [baind] [irr.] 1. v/t. liar, atar (to a); ceñir (with, con, de); wound vendar; book encuadernar; cloth ribetear; corn agavillar; ♪ estreñir; fig. obligar; v/i. atiesarse, aglutinarse,

adherirse; 2. sl. lata f; **'bind·ing** 1. obligatorio; food que estriñe; 2. ligadura f; (book-) encuadernación f; sew. ribete m.

bin·oc·u·lars [bi'nɔkjuləz] pl. gemelos m/pl.

bi·o·chem·i·cal ['baiou'kemikl] bioquímico.

bi·og·ra·pher [bai'ɔgrəfə] biógrafo (a f) m; **bi·o·graph·ic**, **bi·o·graph·i·cal** [~ou'græfik(l)] □ biográfico; **bi·og·ra·phy** [~'ɔgrəfi] biografía f.

bi·o·log·ic, **bi·o·log·i·cal** [baiə'lɔdʒik(l)] □ biológico; **bi·ol·o·gist** [~'ɔlədʒist] biólogo m; **bi·ol·o·gy** biología f.

bi·par·ti·san [bai'pɑːtizn] de dos partidos políticos.

birch [bəːtʃ] 1. ♀ abedul m; vara f de abedul, férula f; 2. varear.

bird [bəːd] ave f, pájaro m; sl. sujeto m, tío m; ~ in the hand pájaro m en mano; ~s of a feather gente f de una calaña; kill two ~s with one stone matar dos pájaros de una pedrada; ~ cage jaula f; '~ call reclamo m; '~·lime liga f; '~ of pas'sage ave f de paso; '~ of 'prey ave f de rapiña; '~·seed alpiste m; **'bird's-'eye view** vista f de pájaro; '~ shot perdigones m/pl.; **'bird's nest** 1. nido m de pájaro; 2. buscar nidos.

birth [bəːθ] nacimiento m (a. fig.); ⚕ parto m; linaje m; fig. origen m, comienzo m; by ~ de nacimiento; give ~ to parir, dar a luz; ~ control control m de natalidad; '~·day cumpleaños m; ~ cake pastel m de cumpleaños; ~ present regalo m de cumpleaños; '~·mark antojo m, nevo m materno; '~·place lugar m de nacimiento; '~·rate natalidad f; '~·right derechos m/pl. de nacimiento; primogenitura f.

bis·cuit ['biskit] 1. galleta f; bizcocho m (a. pottery); 2. bayo, pardusco.

bi·sect [bai'sekt] bisecar; **bi'sec·tion** bisección f.

bish·op ['biʃəp] obispo m; (chess) alfil m; **'bish·op·ric** obispado m.

bi·son ['baisn] bisonte m.

bit [bit] 1. trozo m, porción f; (horse's) freno m; ⊕ barrena f; ~ by ~ poco a poco; a good ~ bastante; F (p.) a ~ of a hasta cierto punto; not a (or one) ~ ni pizca; 2. pret. of bite.

bitch [bitʃ] 1. perra f; zorra f, loba f; (woman) zorra f, mujer f de mal genio; 2. sl. chapucear.

B

bite [bait] **1.** mordedura f, dentellada f; bocado m to eat; (snack) refrigerio m; picadura f of insect etc.; fig. mordacidad f; take a ~ F comer algo; **2.** morder; (fish, insect) picar; ⊕ asir; (acid) corroer.

bit·ten ['bitn] p.p. of bite.

bit·ter ['bitə] ☐ amargo (a. fig.); fight etc. encarnizado; cold cortante.

bit·ter·ness ['bitənis] amargura f, amargor m; encarnizamiento m.

bit·ter·sweet ['bitə'swi:t] agridulce.

bi·zarre [bi'zɑ:] raro, grotesco.

black [blæk] **1.** ☐ negro (a. fig.); fig. aciago; look ceñudo; look ~ at mirar con ceño; ~ and blue amoratado, acardenalado; in ~ and white en blanco y negro; por escrito; v. eye, market; **2.** negro (a f) m (a. race); color negro m.

black...: '~·ber·ry zarzamora f; '~·bird mirlo m; '~·board pizarra f; '~·board e'ras·er cepillo m; '~·box in airplanes registrador m de vuelo; '**black·en** v/t. ennegrecer; fig. denigrar; '~·guard ['blægɑ:d] **1.** pícaro m, bribón m, canalla m; **2.** (mst '~·guard·ly) pillo, vil; **3.** injuriar, vilipendiar; '~·head ['blækhed] ⚕ comedón m; '**black·ish** negruzco; '~·list **1.** lista f negra; **2.** v/t. poner en lista negra; '~·mail **1.** chantaje m; **2.** amenazar con chantaje; '~·mail·er chantajista m/f; '**black·ness** negrura f; '~·out **1.** apagón m; ⚕ amnesia f (or ceguera f) temporal; **2.** v/t. apagar; v/i. padecer un ataque de amnesia (or ceguera) temporal; '~·smith herrero m.

blad·der ['blædə] vejiga f.

blade [bleid] hoja f of knife etc.; (cutting edge) filo m; paleta f of propeller; hoja f of grass; pala f of oar, axe, hoe; (p.) buen mozo m.

blame [bleim] **1.** culpa f; put (or lay) the ~ on echar la culpa a (for de); **2.** culpar; be to ~ for tener la culpa de.

blame·ful ['bleimful] censurable; '**blame·less** ☐ inculpable, intachable.

blanch [blɑ:ntʃ] cooking: blanquear; blanquecer; (p.) palidecer.

bland [blænd] ☐ suave, blando.

blank [blæŋk] **1.** ☐ paper etc. en blanco; vacío; fig. desconcertado; look sin expresión; verse blanco, suelto; ~ cartridge cartucho m sin bala; ~ check firma f en blanco; fig. carta f blanca; fire ~ usar municiones

de fogueo; **2.** (space etc.) blanco m; (coin) cospel m; fig. falta f de sensaciones etc.; billete m de lotería no premiado; fig. draw (a) ~ no encontrar nada.

blan·ket ['blæŋkit] **1.** manta f; cobija f S.Am.; fig. manto m; fig. wet ~ aguafiestas m/f; **2.** cubrir con manta; ♣ quitar el viento a; fig. suprimir; (p.) mantear; **3.** comprensivo, general.

blare [blɛə] **1.** (trumpet) sonar muy fuerte; ~ (out) vociferar; **2.** trompetazo m; estrépito m.

blas·pheme [blæs'fi:m] blasfemar; '**blas·phe·my** blasfemia f.

blast [blɑ:st] **1.** ráfaga f; soplo m of bellows; trompetazo m from trumpet; carga f de pólvora; (explosion) sacudida f; presión f; ⚕ tizón m, añublo m; v. full-; **2.** volar, barrenar; ⚕ añublar, marchitar; fig. arruinar; ~ (it)! ¡maldito sea!

blaze [bleiz] **1.** llamarada f; hoguera f; F incendio m; fig. ardor m; fig. resplandor m; **2.** v/i. arder, encenderse en llamas; fig. enardecerse; F ~ away ✕ seguir tirando; trabajar con ahinco; v/t. trail abrir; publicar, proclamar (mst ~ abroad); '**blaz·er** chaqueta f ligera.

bla·zon ['bleizn] **1.** blasón m (a. fig.); **2.** blasonar; proclamar.

bleach [bli:tʃ] **1.** blanquear(se); **2.** ⚗ lejía f; ~s pl. gradas f/pl. al aire libre.

bleak [bli:k] ☐ desierto, solitario; (bare) pelado; weather frío, crudo; fig. prospect nada prometedor; welcome inhospitalario.

bleat [bli:t] **1.** balido m; **2.** balar.

bled [bled] pret. a. p.p. of bleed.

bleed [bli:d] [irr.] **1.** v/i. sangrar; ~ to death morir de desangramiento; **2.** v/t. sangrar, desangrar; ~ (white) desangrar; '**bleed·ing 1.** ⚕ sangría f; **2.** sl. maldito.

blem·ish ['blemiʃ] **1.** mancha f, tacha f (a. fig.); **2.** manchar, tachar (a. fig.).

blend [blend] **1.** mezclar(se), combinar(se); (colors) casar; **2.** mezcla f, combinación f.

bless [bles] bendecir; '**blessed** [blest] p.p. of bless; agraciado (with con); **bles·sed** ['blesid] ☐ bendito; bienaventurado; '**bless·ing** bendición f (a. fig.); beneficio m.

blest [blest] poet. v. blessed.

blew [blu:] pret. of blow².

blight [blait] 1. ♀ añublo m; ♀ tizón m, roya f; fig. plaga f, infortunio m; 2. ♀ atizonar; arruinar.

blind [blaind] 1. □ ciego (a. ♠ a. fig.; with de, to a); oculto; ~ in one eye tuerto; fig. ~ alley callejón m sin salida; ~ date cita f a ciegas; ~ly fig. a ciegas; ~ venda f; (window) celosía f, persiana f; fig. pretexto m; sl. pantalla f; 3. cegar; deslumbrar.

blind...: '~·fold 1. con los ojos vendados; fig. sin reflexión; 2. vendar los ojos a; '~ 'land·ing aterrizaje m a ciegas; '~·man's-buff gallina f ciega; 'blind·ness ceguedad f; 'blind·worm lución m.

blink [bliŋk] 1. parpadeo m; (gleam) destello m; sl. on the ~ incapacitado, desconcertado; 2. v/t. guiñar, cerrar momentáneamente; v/i. parpadear; (light) oscilar.

blip [blip] bache m.

bliss [blis] bienaventuranza f; arrobamiento m.

blis·ter ['blistə] 1. ampolla f, vejiga f; 2. ampollar(se).

blitz [blits] 1. guerra f relámpago; esp. bombardeo m aéreo (alemán); 2. ✈ bombardear.

bliz·zard ['blizəd] ventisca f.

bloat [blout] hinchar(se), abotagarse; ~ed abotagado.

blob [blɔb] gota f; burbuja f.

block [blɔk] 1. stone, a. pol. a. mot. bloque m; zoquete m of wood; (butcher's, executioner's) tajo m; (pulley) polea f, aparejo m; ♠ manzana f, cuadra f S.Am.; ⊞ bloqueo m; fig. obstáculo m; fig. grupo m; ~ and tackle aparejo m de poleas; 2. obstruir, cerrar; ✝ bloquear; ~ in, ~ out esbozar; ~ up tapar, cegar; '~·bust·er F bomba f rompedora.

block·ade [blɔ'keid] 1. bloqueo m; ~ run; 2. bloquear.

blond [blɔnd] 1. rubio; blondo; 2. F rubia f; (a. ~ lace) blonda f.

blood [blʌd] 1. sangre f; linaje m, parentesco m; b. s. ira f, cólera f; (p.) currutaco m, galán m; in cold ~ a sangre fría; ~ royal estirpe f regia; his ~ ran cold se le heló la sangre; '~·bank banco m de sangre; '~·curd·ling horripilante; '~·hound sabueso m (a. fig.); 'blood·less □ exangüe; fig. pacífico.

blood...: '~·let·ting sangría f; '~ poi·son·ing envenenamiento m de la sangre; '~ pres·sure tensión f arterial; (high) hipertensión f; '~ re'la·tion pariente m/f consanguíneo; '~·shed efusión f de sangre; matanza f; '~·shot eye inyectado (de sangre); '~·stream corriente f sanguínea; '~ test análisis m de sangre; '~·thirst·y □ sanguinario; '~ trans'fu·sion transfusión f de sangre; '~ ves·sel vaso m sanguíneo; 'blood·y □ sangriento; sl. puñetero; sl. as adv. muy.

bloom [blu:m] 1. flor f; florecimiento m, floración f; vello m on fruit; fig. lozanía f; 2. florecer.

blos·som ['blɔsəm] 1. flor f; flores f/pl.; in ~ en flor; 2. florecer; fig. ~ into convertirse en.

blot [blɔt] 1. borrón m (a. fig.); manchar; borrar; (mst ~ out) light, view oscurecer; writing borrar, tachar; fig. destruir; secar with blotting-paper.

blotch [blɔtʃ] mancha f; erupción f on skin.

blot·ter ['blɔtə] papel m secante; borrador m.

blouse [blauz] blusa f.

blow[1] [blou] golpe m; bofetada f with hand; choque m; at one ~ de un golpe; come to ~s venir a las manos.

blow[2] [~] [irr.] 1. v/i. soplar (a. whale); (puff) jadear, resoplar; (hooter etc.) sonar; sl. irse; sl. ~ in entrar de sopetón; ~ on s.t. enfriar soplando; ~ open abrirse (por el viento); ~ over pasar; ser olvidado; ~ up estallar; ~ reventar (de ira); v/t. soplar; ♪ sonar, tocar; fuse quemar; nose sonar; (fly) depositar larvas en; sl. money despilfarrar; ~ out apagar; ~ up volar, hacer saltar; balloon etc. inflar; 2. soplo m; '~·out sl. reventón m; fuse quemazón f; sl. tertulia f concurrida, festín m; '~·torch antorcha f a soplete, lámpara f de soldar.

blub·ber ['blʌbə] 1. grasa f de ballena; (weeping) llanto m; 2. lloriquear.

bludg·eon ['blʌdʒən] 1. cachiporra f; 2. aporrear; fig. obligar a porrazos (into ger. a inf.).

blue [blu:] 1. azul; bruise etc. lívido, amoratado; F abatido, melancólico; talk a ~ streak F soltar la tarabilla; 2. azul m; ♚ añil m; pol. conservador (-a f) m; 3. azular; washing dar azulete a, añilar.

B

blue...: '~ **'chip** valor *m* de primera fila; '~**·ber·ry** mirtilo *m*; '~**·jay** cianocita *f*; '~ **'moon** cosa *f* muy rara; *once in a* ~ *moon* cada muerte de obispo, de Pascuas a Ramos; '~**·pen·cil** marcar o corregir con lapiz azul; '**blue·print** cianotipo *m*, ferroprusiato *m*; *fig.* programa *m*, bosquejo *m*, anteproyecto *m*; **blues** *pl.* morriña *f*, murrias *f/pl.*; ♪ música de jazz melancólica.

bluff [blʌf] **1.** □ escarpado; *p.* brusco, francote; **2.** risco *m*, promontorio *m* escarpado; amenaza *f* que no se puede realizar, bluf *m*; fanfarronada *f*; *call s.o.'s* ~ cogerle la palabra a uno; **3.** engañar, embaucar.

blu·ish ['bluːiʃ] azulado, azulino.

blun·der ['blʌndə] **1.** patochada *f*, coladura *f*, patinazo *m*; **2.** hacer una patochada *etc.*

blunt [blʌnt] **1.** □ embotado (*a. fig.*), despuntado; *fig.* rudo, torpe; *manner* francote; **2.** embotar, despuntar; '**blunt·ness** embotamiento *m*; *fig.* brusquedad *f*, franqueza *f*.

blur [bləː] **1.** borrón *m*; contorno *m* borroso; **2.** manchar; borrar.

blurb [bləːb] *sl.* anuncio *m* efusivo.

blurt [bləːt] (*a.* ~ *out*) descolgarse con.

blush [blʌʃ] **1.** rubor *m*, sonrojo *m*; color *m* de rosa; *at first* ~ a primera vista; **2.** sonrojarse, ruborizarse (*at* de); ponerse colorado.

blus·ter ['blʌstə] **1.** borrasca *f* ruidosa; *fig.* jactancia *f*, fanfarronada *f*; **2.** *v/i.* (*wind etc.*) bramar; fanfarronear.

boar [bɔː] verraco *m*; *wild* ~ jabalí *m.*

board- [bɔːd] **1.** tabla *f*, tablero *m*; (*notice-*) tablón *m*; cartón *m* for *binding*; ⚓ bordo *m*; ✝ *etc.* junta *f*, consejo *m* de administración; ~ *of health* junta *f* de sanidad; ~ *of trade* junta *f* de comercio; ~ *of trustees* consejo *m* de administración; ~*walk* paseo *m* entablado a la orilla del mar; **2.** *v/t.* entablar (*a.* ~ *up*); ⚓ abordar; ⚓ embarcarse en; 🚃 *etc.* subir a; *p.* dar pensión completa a.

boast [boust] **1.** jactancia *f*; baladronada *f*; **2.** jactarse (*about, of* de); ~ *about,* ~ *of* hacer alarde de; *fig. th.* enorgullecerse de, cacarear; '**boast·ful** □ jactancioso.

boat [bout] **1.** barca *f*, bote *m*; (*large*) barco *m*; *be in the same* ~ correr los mismos peligros; **2.** ir en bote; '~ **hook** bichero *m*; '~**·house** casilla *f* para botes; '**boat·ing** canotaje *m*.

bob [bɔb] **1.** (*jerk*) sacudida *f*, meneo *m*; (*hair*) borla *f*; pelo *m* cortado corto; *sl.* chelín *m*; (*plumb-line*) plomo *m*; **2.** *v/t.* menear, sacudir; *hair* cortar corto; *v/i.* menearse; (*a.* ~ *up and down*) fluctuar.

bob·bin ['bɔbin] carrete *m* (*a. ⚡*), bobina *f* (*a. ⚡*); *sew.* canilla *f*.

bob·sled ['bɔbsled], **bob·sleigh** ['bɔbslei] trineo *m* de balancín, bobsleigh *m.*

bode [boud]: ~ *well* (*ill*) ser buena (mala) señal.

bod·ice ['bɔdis] corpiño *m*, almilla *f*; (*dress*) cuerpo *m.*

bod·i·ly ['bɔdili] **1.** *adj.* corpóreo, corporal; **2.** *adv.* corporalmente; en conjunto; *lift etc.* en peso.

bod·y ['bɔdi] cuerpo *m*; persona *f*; (*dead*) cadáver *m*; ⊕ armazón *f*; *mot.* carrocería *f*, caja *f*; *in a* ~ en bloque, todos juntos; ✕ *main* ~ grueso *m*; '~**·guard** guardia *m* de corps; guardaespaldas *m.*

bog [bɔg] **1.** pantano *m*, ciénaga *f*; **2.**: *get* ~*ged down* enfangarse; *fig.* empantanarse, atrancarse.

bo·gus ['bougəs] falso, superchero.

Bo·he·mi·an [bou'hiːmjən] bohemio *adj. a. su. m* (*a f*); *fig.* bohemio *adj. a. su. m* (*a f*).

boil[1] [bɔil] 🔬 divieso *m*, furúnculo *m.*

boil[2] [~] hervir [*a. fig.*]; *cooking*: cocer, salcochar; ~ *down* reducir por cocción; ~ *over* (*liquid*) irse; '**boil·ing** hervor *m*; cocción *f*; ~ *point* punto *m* de ebullición.

bois·ter·ous ['bɔistərəs] □ *wind etc.* borrascoso, proceloso; *p.* alborotador, bullicioso; *voices* vocinglero.

bold [bould] □ atrevido, osado; *b.s.* desenvuelto, descocado; *fig.* claro, vigoroso; **bold·face** *typ* negrilla *f*; negrita *f*; '**bold·ness** osadía *f*; *b.s.* desenvoltura *f*, descoco *m.*

bol·ster ['boulstə] **1.** (*pillow*) travesero *m*; ⊕ plancha *f* de garnitura, cojín *m*; **2.** (*mst* ~ *up*) sostener, reforzar; *fig.* alentar.

bolt [boult] **1.** (*door*) cerrojo *m*, pestillo *m*; ✕ saeta *f*; (*thunder-*) rayo *m*; ⊕ perno *m*; salida *f* (*or* fuga *f*) repentina (*for* para alcanzar); ~ *upright* erguido; *fig.* ~ *from the blue* acontecimiento *m* inesperado, *b.s.*

rayo *m*; 2. *v/t. door* acerrojar; ⊕ sujetar con perno, empernar; F *food* engullir; *v/i.* fugarse, escaparse (*esp. horse*).

bomb [bɔm] 1. bomba *f*; (*hand*) granada *f*; *v. atomic, incendiary etc.*; *fig. fall like a* ⌐(*shell*) caer como una bomba; 2. bombardear.

bom·bard [bɔm'bɑːd] bombardear; *fig.* llenar (*with* de); **bom'bard·ment** bombardeo *m*.

bom·bast ['bɔmbæst] ampulosidad *f*, rimbombancia *f*.

bomb·er ['bɔmə] bombardero *m*.

bomb·proof ['bɔmpruːf] a prueba de bombas.

bo·na fi·de ['bɔnə'faidə] de buena fe.

bo·nan·za [bou'nænzə] F 1. *fig.* filón *m*; 2. lucrativo.

bond [bɔnd] 1. lazo *m*, vínculo *m* (*a. fig.*); ♦ obligación *f*; ♦ bono *m*; fianza *f* (de aduana); ⌂ aparejo *m*; ♦ *in* ⌐ en depósito; 2. ♦ obligar por fianza.

bone [bɔnd] 1. hueso; (*fish-*) espina *f*; ⌐s *pl. a.* esqueleto *m*; huesos *m/pl. of the dead*; ⌐ *of contention* manzana *f* de la discordia; *feel in one's* ⌐s saber a buen seguro, estar totalmente seguro de; F *have a* ⌐ *to pick with* tener que habérselas con; F *make no* ⌐s *about no* andarse con rodeos en; 2. *meat, fish* deshuesar; F (*a.* ⌐ *up*) quemarse las cejas, empollar.

bon·fire ['bɔnfaiə] hoguera *f*.

bon·net ['bɔnit] (*woman's*) gorra *f*, papalina *f*; (*child's*) capillo *m*.

bo·nus ['bounəs] adehala *f*; ♦ prima *f*.

bon·y ['bouni] huesudo; ⚔ *etc.* huesoso.

boo [buː] 1. *speaker etc.* silbar; 2.: *not to say* ⌐ no decir chus ni mus.

boo·by [buːbi] bobo *m*, mentecato *m*; *orn.* bubia *f*; ⌐ *prize* premio *m* de consolación; '⌐ **trap** trampa *f* explosiva; zancadilla *f*.

boo·hoo [buː'huː] lloriquear.

book [buk] 1. libro *m*; libreta *f* for *notes etc.*; libro *m* talonario *of cheques, tickets*; *bring* s.o. *to* ⌐ pedir cuentas a una p.; ♦ *close the* ⌐s cerrar el borrador; 2. ♦ asentar, anotar; *artist* escriturar; *room* reservar; *ticket* sacar; F (*police*) reseñar; ⌐ *through to* sacar un billete hasta; '⌐**case** armario *m* para libros, estante *m*; '⌐ **end** sujetador *m* de libros; '**book·ie** F = *bookmaker*; '**book·keep·er** tene-

dor *m* de libros; '**book·keep·ing** teneduría *f* de libros; '**book·let** folleto *m*, opúsculo *m*.

book...: '⌐**mak·er** corredor *m* profesional de apuestas; '⌐**mark** señal *f* de libros; '⌐**plate** ex libris *m*; '⌐**sell·er** librero *m*; '⌐**worm** polilla *f*; *fig.* ratón *m* de biblioteca.

boom[1] [buːm] ♣ (*jib*) botalón *m*; botavara *f*.

boom[2] [⌐] ♦ 1. auge *m*, prosperidad *f* repentina; 2. ascender (los negocios), estar en bonanza.

boom[3] [⌐] 1. estampido *m*; 2. hacer estampido; estallar; (*voice*) resonar, retumbar.

boom·er·ang ['buːməræŋ] bumerang *m*; *fig.* lo contraproducente.

boon[1] [buːn] merced *f*, gracia *f*; (*gift*) dádiva *f*; favor *m*.

boon[2] [⌐] generoso, liberal.

boor [buə] patán *m* (*a. fig.*); tosco *m*.

boost ['buːst] 1. empujar; ⚡ elevar; *fig.* promover, fomentar; ayudar; 2. *give a* ⌐ *to* dar bombo a; '**boost·er** reforzador *m*; (*enthusiastic backer*) bombista *m/f*; *elec.* elevador *m* de tensión; *radio* repetidor *m*; ⌐ *rocket* cohete *m* lanzador; ⌐ *shot* inyección *f* secundaria; ⌐ *station* repetidor *m*.

boot[1] [buːt] † 1.: *to* ⌐ también; 2. aprovechar.

boot[2] [⌐] 1. bota *f*; *mot.* maleta *f*; 2. patear; *sl.* ⌐ *out* poner en la calle; '⌐**black** limpiabotas *m*.

booth [buːð] caseta *f*; (*market*) puesto *m*; *teleph.* cabina *f*.

boot...: '⌐**lace** cordón *m*; '⌐**leg·ger** contrabandista *m* en licores.

boo·ty ['buːti] botín *m*, presa *f*.

booze [buːz] F 1. emborracharse, borrachear; 2. bebida *f* (alcohólica); borrachera *f*.

bo·rax ['bɔːræks] bórax *m*.

bor·der ['bɔːdə] 1. borde *m*, margen *m*, orilla *f*; (*frontier*) frontera *f*; ⚐ arriate *m*; *sew.* orla *f*, orilla *f*; (*embroidered etc.*) cenefa *f*; 2.: ⌐ *on* rayar en, frisar en; ⌐ *upon* lindar con, confinar con; 3. fronterizo; '⌐**line** dudoso, incierto.

bore[1] [bɔː] 1. ⊕ taladro *m*, barreno *m*; ✕ calibre *m*, alma *f*; *geol.* sonda *f*; *fig.* (*p.*) pelmazo *m*, pesado (a *f*) *m*, machaca *m/f*; (*th.*) molestia *f*, lata *f*; 2. ⊕ taladrar, perforar; *fig.* aburrir; fastidiar; dar la lata a; be

~d **to death** aburrirse como una almeja.

bore² [~] *pret. of* bear².

bore·dom ['bɔːdəm] aburrimiento *m*, fastidio *m*.

bo·ric ac·id ['bɔːrik'æsid] ácido *m* bórico.

bor·ing ['bɔːriŋ] □ aburrido, pesado.

born [bɔːn] 1. *p.p. of* bear²; be ~ nacer; *I was* ~ nací; 2. *adj. actor* nato; *liar* innato.

borne [bɔːn] *p.p. of* bear² llevar *etc.*

bor·ough ['bʌrə] villa *f*.

bor·row ['bɔrou] pedir prestado (*of, from* a); *idea etc.* apropiarse; **'bor·row·er** prestatario (-a *f*) *m*, comodatorio *m*; el (la) que pide (*or* toma) prestado.

bos·om ['buzəm] seno *m* (*a. fig.*), pecho *m*; (*garment*) pechera *f*; ~ **friend** amigo (a *f*) *m* íntimo (a).

boss¹ [bɔs] ⊕ clavo *m*, tachón *m*; protuberancia *f*; △ crucería *f*.

boss² [~] F 1. jefe (a *f*) *m*, patrón (-a *f* *m*; *esp. pol.* cacique *m*); 2. dirigir, mandar, dominar.

boss·y ['bɔsi] □ F mandón; tiránico.

bo·tan·ic, bo·tan·i·cal [bə'tænik(l)] □ botánico; **'bot·a·ny** botánica *f*.

botch [bɔtʃ] 1. chapucería *f*, chafallo *m*; 2. chapucear, chafallar.

both [bouθ] ambos, los dos; ~ ... and tanto ... como; ~ **of them** ambos, los dos.

both·er ['bɔðə] F 1. molestia *f*, lata *f*; pejiguera *f*; 2. molestar; ~ **to** tomarse la molestia de.

bot·tle ['bɔtl] 1. botella *f*; frasco *m*; (*water-*) cantimplora *f*; (*baby's*) biberón *m*; (*scent-*) pomo *m*; F **hit the** ~ **up**; *esp. fig.*); ~ **up emotion** contener; '~**neck** cuello *m* (de una botella); *fig.* embotellamiento *m*; '~ **'o·pen·er** abrebotellas *m*.

bot·tom 1. fondo *m* (*a. fig.*); lecho *m*, cauce *m of river*; asiento *m of chair, bottle*; ♨ (*ship's*) quilla *f*, casco *m*; F trasero *m*; *fig.* base *f*, fundamento *m*; *at the* ~ en el fondo; en el otro extremo; *fig. at* ~ en el fondo; *fig. be at the* ~ *of* ser causa (*or* motivo) de; 2. ínfimo, más bajo; último; ~ **dollar** último dólar *m*.

bough [bau] rama *f*.

bought [bɔːt] *pret. a. p.p. of* buy.

boul·der ['bouldə] canto *m* rodado.

bounce [bauns] 1. (re)bote *m*; F fanfarronería *f*; 2. (re)botar; F fanfarronear; ~ **in** (**out**) entrar (salir) sin ceremonia.

bound¹ [baund] 1. *pret. a. p.p. of* bind; 2. *adj.* atado; *fig.* obligado; *fig.* ~ **to** seguro de *inf.*; ~ **up with** estrechamente relacionado con.

bound² [~]: ~ **for** con rumbo a, con destino a.

bound³ [~] 1. límite *m*, linde *m a. f*; *in* ~s a raya; *out of* ~s fuera de los límites; *fig. fix* (**the**) ~s fijar los jalones; 2. limitar, deslindar.

bound⁴ [~] 1. salto *m*, brinco *m*; 2. saltar, brincar.

bound·ary ['baundəri] límite *m*, linde *m a. f*; lindero *m*.

bound·less ['baundlis] □ ilimitado.

boun·te·ous ['bauntiəs] □, **boun·ti·ful** ['~tiful] □ liberal, generoso.

boun·ty ['baunti] munificencia *f*; ✗ *etc.* gratificación *f*, enganche *m*; (*esp. royal*) merced *f*, gracia *f*.

bou·quet [bu'kei] ♀ ramillete *m*, ramo *m*; (*wine*) aroma *m*, nariz *f*.

bour·geois ['buəʒwɑː] burgués *adj. a. su. m* (-a *f*).

bout [baut] turno *m*; 𝒮 ataque *m*; ✗ encuentro *m*; *fenc.* asalto *m*.

bow¹ [bau] 1. reverencia *f*, inclinación *f*; *make one's* ~ presentarse, debutar; 2. *v/i.* hacer una reverencia *f* (*to* a); *v/t.* inclinar; *fig.* agobiar.

bow² [~] Φ proa *f*.

bow³ [bou] 1. arco *m* (*a. ♪*); (*tie, knot*) lazo *m*; 2. ♪ hacer pasos de arco.

bow·el ['bauəl] intestino *m*; ~s *pl.* entrañas *f/pl.* (*a. fig.*).

bowl¹ [boul] (*large*) (al)jofaina *f*, palangana *f*; (*small*) escudilla *f*, tazón *m*; *fig.* copa *f of wine*; hornillo *m of pipe*; pala *f of spoon*.

bowl² [~] 1. bola *f*, bocha *f*; ~s *sg. a. pl.* juego *m* de las bochas; 2. *v/t.* rodar; *sport:* arrojar; *v/i.* rodar; *sport:* jugar a las bochas; arrojar la pelota.

bow·leg·ged ['bou'legid] estevado.

bow-wow ['bau'wau] ¡guau!

box¹ [bɔks] 1. ♀ boj *m*; caja *f* (*a. ⚡*); (*large*) cajón *m*; cofre *m*, arca *f*; (*jewel-*) estuche *m*; ⊕ caja *f*, cojinete *m*; (*coach*) pescante *m*; *thea.* palco *m*; 2. encajonar (*a. fig.*; *esp.* ~ **up**); *compass* cuartear.

box² [~] boxear; **'box·er** boxeador *m*; *zo.* boxer *m*.

box·ing ['bɔksiŋ] boxeo *m*; '~ **gloves** *pl.* guantes *m/pl.* de boxeo; '~ **match** partido *m* de boxeo; '~ **ring** cuadrilátero *m* de boxeo.

box...: '~ **num·ber** apartado *m*; '~ **of·fice 1.** taquilla *f*; **2.** *adj.* seguro de éxito popular; ~ *hit* éxito *m* de taquilla; '~ **pleat** pliegue *m* de tabla; '~ **seat** asiento *m* de palco; '~**wood** boj *m*.

boy [bɔi] **1.** niño *m*; muchacho *m*, chico *m*; (*son*) hijo *m*; (*servant*) criado *m*, botones *m*; **2.** *adj.* joven; *v. scout*.

boy·cott ['bɔikɔt] **1.** boicotear; **2.** boicoteo *m*.

boy·hood ['bɔihud] muchachez *f*, puericia *f*; juventud *f*.

boy·ish ['bɔiiʃ] □ amuchachado; juvenil.

brace [breis] **1.** ⊕ abrazadera *f*; refuerzo *m*, laña *f*; △ tirante *m*, riostra *f*; (*carriage*) sopanda *f*; *typ.* corchete *m*; ♣ braza *f*; (*pair*) par *m*; ~s *pl.* tirantes *m/pl.*; ~ *and bit* berbiquí *m* y barrena; **2.** asegurar, reforzar; ♣ bracear; *fig.*, *esp.* ~ *o.s.* vigorizar(se); prepararse.

brace·let ['breislit] pulsera *f*, brazalcte *m*.

brack·et ['brækit] **1.** △ ménsula *f*, repisa *f*; (*gas*) mechero *m*; (*light*) brazo *m*; *typ.* corchete *m*; **2.** poner entre corchetes; *fig.* asociar, agrupar.

brag [bræg] **1.** fanfarronada *f*; **2.** fanfarronear; ~ *of*, ~ *about* jactarse de.

brag·gart ['brægət] fanfarrón *m*.

braid [breid] **1.** (*hair*) trenza *f*; trencilla *f*; ✕ galón *m*; **2.** trenzar; galonear.

braille [breil] alfabeto *m* de los ciegos.

brain [brein] **1.** cerebro *m*, sesos *m/pl.*; *fig.* (*mst* ~s *pl.*) intelecto *m*, cabeza *f*; *rack one's* ~s devanarse los sesos; **2.** *sl.* romper la crisma a.

brain...: '~ **child** parto *m* del ingenio; '~ **drain** éxodo *m* de técnicos; '~ **fe·ver** meningitis *f* cerebroespinal; '~ **less** □ tonto, insensato; '~ **storm** frenesí *m*; '**brain-trust** consultorio *m* intelectual; '~ **wash·ing** lavado *m* cerebral; '~ **wave** onda *f* encefálica.

braise [breiz] guisar, estofar.

brake[1] [breik] ♣ helecho *m*; soto *m*.

brake[2] [~] **1.** ⊕ freno *m* (*a. fig.*); (*flax*) agramadera *f*; *mot.* rubia *f* ~ *lining*

forro *m* del freno, guarnición *f* del freno; ~ *pedal* pedal *m* de freno; ~ *shoe* zapata *f*; **2.** ⊕ frenar; *flax* agramar.

bram·ble ['bræmbl] zarza *f*.

bran [bræn] salvado *m*.

branch [braːntʃ] **1.** ♀ rama *f*; *fig.* ramo *m*, dependencia *f*; sección *f*; brazo *m* *of river*; † sucursal *f*; **2.** (*a.* ~ *out*) ramificarse; ♀ echar ramas; extenderse; (*a.* ~ *off*) bifurcarse; separarse (*from* de); '**branch 'of·fice** sucursal *f*.

brand [brænd] **1.** tizón *m*; ♪ *etc.* hierro *m* de marcar; *esp. poet.* tea *f*; *poet.* espada *f*; † marca *f*, sello *m*; **2.** marcar (con hierro candente); *fig.* tiznar (*acc.* de).

bran·dish ['brændiʃ] blandir.

brand-new ['brænd'njuː] enteramente nuevo, flamante.

bran·dy ['brændi] coñac *m*.

brash [bræʃ] insolente, respondón; descarado; inculto; tosco.

brass [braːs] latón *m*; F pasta *f*; plancha *f* conmemorativa (de latón); *fig.* descaro *m*; ♪ *the* ~ el cobre; ~ *band* charanga *f*, banda *f*; ✕ F ~ *hat* espadón *m*; F ~ *knuckles* boxeador *m*; *sl.* ~ *tacks pl.* lo esencial; *get down to* ~ *tacks* ir al grano.

brassière ['bræsiə] sostén *m*.

brat [bræt] F mocoso *m*.

bra·va·do [brə'vaːdou] bravata *f*, baladronada *f*.

brave [breiv] **1.** □ valiente, animoso; *lit.* magnífico, vistoso; **2.** desafiar, arrostrar; '**brav·er·y** valor *m*, valentía *f*.

brawl [brɔːl] **1.** pendencia *f*; alboroto *m*; *poet.* murmullo *m*; **2.** alborotar, armar pendencia.

brawn [brɔːn] músculo *m*; *fig.* fuerza *f* muscular.

bray [brei] **1.** rebuzno *m*; **2.** rebuznar.

bra·zen ['breizn] □ de latón; *fig.* descarado.

bra·zier ['breiziə] brasero *m*.

Bra·zil-nut [brə'zil'nʌt] castaña *f* de Pará.

breach [briːtʃ] **1.** rompimiento *m* (*a. fig.*), rotura *f*; violación *f*, infracción *f* *of rule*; ✕ brecha *f*; ~ *of contract* infracción *f* de contrato; ~ *of faith* abuso *m* de confianza, infidencia *f*; **2.** romper; ✕ abrir brecha en.

bread [bred] pan *m* (*a. fig.*); *know*

B

which side one's ~ is buttered saber a qué carta quedarse; '**~ bas·ket** panera *f*, cesto *m* para el pan; *fig.* granero *m*; '**~·board** tablero *m* para cortar el pan; '**~·box** caja *f* para pan; '**~·fruit** fruto *m* del pan; '**~ knife** cuchillo *m* para cortar el pan; '**~ line** cola *f* del pan.

breadth [bredθ] anchura *f*, ⚓ (*beam*) manga *f*; *fig.* amplitud *f*; tolerancia *f*.

bread-win·ner ['bredwinə] el (la) que se gana la vida.

break [breik] **1.** ruptura *f*; abertura *f*, grieta *f*; pausa *f*, intervalo *m*; interrupción *f*; (*rest*) descanso *m*; (*holiday*) asueto *m*; (*voice*) gallo *m*; (*carriage*) break *m*; partida *f at billiards*; ♠ (*price*) baja *f*; ~ *of day* alba *f*, amanecer *m*; *without a* ~ sin parar; F *give a p. a* ~ abrirle a uno la puerta; **2.** [*irr.*] *v/t.* romper, quebrantar (*a. fig.*); ⚡ interrumpir; *bank* quebrar; *horse* domar, amansar; *impact* amortiguar, suavizar; *news* comunicar; *p.* arruinar; *record* batir, superar; ~ *open* abrir (*freq. fig.*: ~ *new ground* emprender algo nuevo); ~ *down* derribar; destruir; ~ *in* forzar, irrumpir; ~ *in pieces* hacer pedazos; ~ *up* desmenuzar; *v/i.* romperse, quebrantarse; (*bank*) hacer bancarrota; (*boil*) reventar; (*day*) apuntar; (*health*) desfallecerse; (*voice*) mudar; ~ *away* desprenderse; separarse; ~ *down* perder la salud, decaer; prorrumpir en lágrimas, *mot.*, ⚙ tener averías; ~ *out* (*war*) estallar; ⚡ declararse; ~ *up* hacerse pedazos; disolverse; *v. a. broken;* '**break·a·ble** quebradizo, frágil; '**break·down** ⚙ colapso *m*; ⚡ (*nervous*) crisis *f* nerviosa; interrupción *f*, cesión *f*.

break...: **~·fast** ['brekfəst] **1.** desayuno *m*; **2.** desayunar(se); **~·neck** ['breiknek] precipitado; arriesgado; *at* ~ *speed* a mata caballo; '**~ through** ⚔ ruptura *f*; *fig.* descubrimiento *m* sensacional; '**~·up** desmoronamiento *m*; desintegración *f*, disolución *f*.

breast [brest] pecho *m* (*a. fig.*); seno *m*; *fig.* corazón *m*; pechuga *f of bird*; *make a clean* ~ *of* confesar con franqueza.

breast...: '**~·bone** esternón *m*; '**~·plate** peto *m*; '**~·stroke** brazada *f* de pecho.

breath [breθ] aliento *m*, respira-

ción *f*; (*animals*) hálito *m* (*a. poet.* = *breeze*); (*pause*) respiro *m*, pausa *f*; *out of* ~ sin aliento; *short of* ~ corto de resuello; *under one's* ~ en voz baja; *waste one's* ~ *on* gastar saliva en; **breathe** [bri:ð] *v/i.* respirar (*a. fig.*); (*heavily*) resollar; aspirar (*a.* ~ *in*); *v/t.* inspirar, respirar; exhalar; *fig.* sugerir; *v. last, word;* '**breath·er** respiro *m*.

breath·ing ['bri:ðiŋ] respiración *f*. **breath·less** ['breθlis] ☐ falto de aliento.

breath-tak·ing ['breθteikiŋ] ☐ *speed* vertiginoso; pasmoso.

bred [bred] *pret. a. p.p. of* breed. **breech** [bri:tʃ] ⊕ recámara *f*; **breech·es** ['~iz] *pl.* calzones *m/pl.*

breed [bri:d] **1.** casta *f*, progenie *f*; raza *f*; **2.** [*irr.*] *v/t.* criar, engendrar; *fig.* ocasionar, producir; educar; *v/i.* reproducirse; '**breed·er** criador (-a *f*) *m*; ~ *reactor* reactorgenerador *m*; '**breed·ing** cría *f*; crianza *f* (*a. fig.*).

breeze [bri:z] brisa *f*; F bronca *f*. **breez·y** ['bri:zi] ☐ ventilado; (*windy*) ventoso; *p.* animado, jovial.

breth·ren ['breðrin] hermanos *m/pl.* **brev·i·ty** brevedad *f*.

brew [bru:] **1.** *v/t.* hacer, preparar; *fig.* urdir; *v/i.* prepararse; (*storm*) amenazar; **2.** poción *f*, brebaje *m*; mezcla *f*; '**brew·er** cervecero *m*; '**brew·er·y** fábrica *f* de cerveza.

bribe [braib] **1.** soborno *m*, cohecho *m*; **2.** sobornar, cohechar; '**brib·er·y** soborno *m*, cohecho *m*.

brick [brik] **1.** ladrillo *m*; F *a regular* ~ un buen sujeto; **2.** (*mst* ~ *up*) cerrar (con ladrillos); '**~·bat** trozo *m* de ladrillo.

brid·al ['braidl] **1.** ☐ nupcial; **2.** *mst poet.* boda *f*.

bride [braid] novia *f*, desposada *f*; '**~·groom** novio *m*, desposado *m*; '**brides·maid** madrina *f* de boda, prónuba *f*.

bridge¹ ['bridʒ] **1.** puente *m* (*a.* ♪); (*nose*) caballete *m*; (*billiards*) violín *m*; **2.** tender un puente sobre.

bridge² [~] *cards:* bridge *m*.

bridge·head ['bridʒhed] cabeza *f* de puente.

bri·dle ['braidl] **1.** brida *f*, freno *m*; **2.** *v/t.* enfrenar; *fig.* refrenar, reprimir; *v/i.* levantar la cabeza; *fig.* picarse (*at por*); *fig.* erguirse; '**~·path** camino *m* de herradura.

brief [bri:f] **1.** □ breve, conciso; (*fleeting*) fugaz, pasajero; **2.** epítome *m*, resumen *m*; (*papal*) breve *m*; escrito *m*, memorial *m*; hold a ~ for abogar por (*a. fig.*); '~**case** cartera *f*; '~**·ing** órdenes *f/pl.*; (*of the press*) informe *m*; reunión *f* en que se dan las órdenes.

bri·gade [bri'geid] brigada *f*.

bright [brait] □ luminoso, brillante; *surface* lustroso, pulido; *color* subido; *fig.* (*cheerful*) vivo, alegre; (*clever*) listo, talentoso; '**bright·en** *v/t.* pulir, abrillantar; *fig.* mejorar, avivar, animar; *v/i.* (*freq.* ~ *up*) avivarse, animarse; mejorar; '**bright·ness** claridad *f*, brillantez *f*; resplandor *m*; lustre *m*; lo subido of *color*; *fig.* viveza *f*; talento *m*, viveza *f* de ingenio.

brill [bril] rodaballo *m*.

bril·liance ['briljəns] *or* **bril·lian·cy** ['briljənsi] brillantez *f*, brillo *m*; '**bril·liant 1.** □ brillante, refulgente; *fig.* excelente, sobresaliente; (*showy*) vistoso; **2.** brillante *m*.

brim [brim] **1.** borde *m*, orilla *f*; ala *f* of *hat*; **2.** (*a.* ~ *over*) rebosar (*with* de; *a. fig.*); '~**·ful**, '~**·full** lleno hasta el borde; rebosante (*with* de); '~**·less** *hat* sin ala.

brim·stone ['brimstən] azufre *m*.

brine [brain] salmuera *f*.

bring [briŋ] [*irr.*] llevar; traer; conducir; 🏛 *charge* exponer; 🏛 *suit* entablar, armar; ~ *about* ocasionar, originar; ~ *along* llevar consigo; ~ *away* llevarse; ~ *back* devolver; *p., th.* volver con; ~ *down price* rebajar; 🦌 derribar; *thea.* ~ *down the house* hacer que se venga abajo el teatro; ~ *forth* dar a luz, parir; *fig.* producir; ~ *forward* presentar; *date* adelantar; † llevar a otra cuenta; ~ *s.t. home to s.o.* hacer que alguien se dé cuenta de algo; ~ *in* presentar; *fashion etc.* introducir; *income etc.* producir, rendir; *p.* hacer entrar; *verdict* dar; ~ *off* 🏛 exculpar; *success* conseguir; ~ *on* causar, inducir; ~ *out th.* sacar, hacer salir; *book* sacar a luz, publicar; *p.* hacer más afable, ayudar a adquirir confianza; ~ *round* (*win over*) ganar, convertir; 🦌 hacer volver en sí; ~ *a p. to do s.t.* inducir a alguien a hacer algo; ~ *o.s. to inf.* resignarse a *inf.*, cobrar suficiente ánimo para *inf.*; ♻ ~ *to* ponerse en facha; ~ *together* reunir; *enemies* re-

conciliar; ~ *under* sojuzgar, someter; ~ *up p.* criar, educar; *subject* sacar a colación; (*stop*) parar; F vomitar, arrojar.

brink [briŋk] borde *m*, orilla *f*; *fig.* on the ~ of a punto de.

brin·y ['braini] salado, salobre.

brisk [brisk] **1.** □ enérgico, vigoroso; despejado; animado, activo; *gait etc.* gallardo, airoso; **2.** (*mst* ~ *up*) avivar, animar.

bris·tle ['brisl] **1.** cerda *f*; **2.** erizarse; *fig.* (*freq.* ~ *up*) montar en cólera; *fig.* estar erizado (*with* de).

Brit·ish ['britiʃ] británico; inglés; the ~ *pl.* los ingleses.

brit·tle ['britl] quebradizo, frágil.

broach [broutʃ] **1.** asador *m*; (*spire*) aguja *f*; ⊕ broca *f*; **2.** *cask* espitar; *fig.* mencionar por primera vez.

broad [brɔːd] □ ancho, amplio; extenso, vasto; *outline etc.* claro, explícito; (*coarse*) grosero; *story* verde; *mind, view* liberal, tolerante; *accent* marcado, cerrado; ~*ly* en general; '~**·cast 1.** 🔊 sembrado al vuelo; *fig.* diseminado, divulgado; **2.** [*irr.* (*cast*)] *v/t.* 🔊 sembrar al vuelo; *fig.* diseminar, divulgar; *radio:* emitir, radiar; *v/i.* hablar *etc.* por la radio; ~*ing* radiodifusión *f*; ~*ing station* emisora *f*; **3.** *radio:* emisión *f*, programa *m*; '~**·cloth** paño *m* fino; '**broad·en** ensanchar(se); *fig.* ampliar(se); **broad·'mind·ed** liberal, tolerante; de miras amplias; '**broad·ness** anchura *f*; *esp. fig.* amplitud *f*; liberalismo *m*, tolerancia *f*.

broad...: '~**·side** ⚓ andanada *f*.

bro·cade [brəˈkeid] brocado *m*.

broc·co·li ['brɔkəli] brécol *f*.

bro·chure ['brɔʃuə] folleto *m*.

broil [brɔil] asar sobre ascuas (*or* a la parrilla); tostar (al sol); '**broil·er** pollo *m* para asar.

broke [brouk] *pret. of* break; *sl.* sin blanca.

bro·ken ['broukən] *p.p. of* break; *adj.* ~ *ground* accidentado, desigual; *health* estropeado, deshecho; *language* chapurreado; *voice* cascado; (*despairing*) desesperado; '~**·heart·ed** traspasado de dolor; '**bro·ken·ly** con la voz cascada; acongojado.

bro·ker ['broukə] ~ corredor *m*; † agente *m* de negocios; prendero *m*; '**bro·ker·age**, '**bro·king** corretaje *m*.

bron·chi·al ['brɔŋkiəl] bronquial;

bron·chi·tis [brɔŋˈkaitis] bronquitis *f.*

bronze [brɔnz] **1.** bronce *m* (*a. fig.*); **2.** *attr.* de bronce; **3.** *v/t.* broncear; F (*beat*) zurrar.

brooch [broutʃ] broche *m.*

brood [bruːd] **1.** camada *f*, cría *f; fig.* progenie *f;* **2.** empollar; *fig.* ~ on, ~ over rumiar *acc.*; meditar *acc.* melancólicamente.

brook¹ [bruk] arroyo *m.*

brook² [~] *lit.* (*mst negative*) sufrir, aguantar.

broom [bruːm] escoba *f;* ♀ hiniesta *f*, retama *f;* **~-stick** [ˈbruːmstik] palo *m* de escoba.

broth [brɔθ] caldo *m.*

broth·el [ˈbrɔθl] burdel *m*, lupanar *m.*

broth·er [ˈbrʌðə] hermano *m* (*a. fig.*); **~-hood** [ˈ~hud] fraternidad *f;* (*a. guild*) hermandad *f;* **'~-in-law** cuñado *m;* **'broth·er·ly** fraternal.

brought [brɔːt] *pret. a. p.p. of* bring.

brow [brau] ceja *f;* (*forehead*) frente *f;* cumbre *f* of hill; knit one's ~ fruncir las cejas; **'~-beat** [*irr.* (*beat*)] intimidar (con palabras); (*dominate*) imponerse a.

brown [braun] **1.** pardo, castaño, moreno; *bread* moreno; *paper* de embalar, de estraza; *shoes* de color; ~ *sugar* azúcar *f* terciada; **2.** color *m* pardo *etc.*; **3.** (*skin etc.*) broncear(se); poner(se) moreno; *cooking*: dorar (-se); *sl.* be ~ed off estar harto (with de).

browse [brauz] **1.** pimpollos *m/pl.*; **2.** herbajar; ramonear, rozar (on *acc.*); *fig.* leer por gusto.

bruise [bruːz] **1.** contusión *f*, cardenal *m*, magulladura *f;* **2.** magullar; (*batter*) majar, machacar.

bru·nette [bruːˈnet] morena, trigueña *adj. a. su. f.*

brunt [brʌnt] ✗ embate *m*, acometida *f; fig.* bear the ~ of aguantar lo más recio de.

brush [brʌʃ] **1.** cepillo *m;* (*large*) escoba *f; paint.* pincel *m*, brocha *f;* (*fox*) rabo *m;* ⚡ escobilla *f;* ✗ escaramuza *f;* = ~wood; ~ *stroke* pincelada *f;* give a p. a ~ cepillar a una p.; have a ~ with a p. desavenirse con una p.; **2.** *v/t.* (a)cepillar; rozar in passing; ~ *aside* echar a un lado; ~ *away*, ~ *off* quitar con cepillo (or con la mano); ~ *down* (a)cepillar, limpiar, almohazar; ~ *up* acicalar; *fig.* repasar, refrescar; *v/i.*:

~ *against* rozar; ~ *by*, ~ *past* pasar rozando (*or* muy cerca); **'~-wood** matorral *m*, breñal *m.*

brusque [brusk] □ brusco, rudo.

bru·tal [ˈbruːtl] □ brutal; feroz; **bru·tal·i·ty** [bruːˈtæliti] brutalidad *f;* ferocidad *f;* **brute 1.** brutal; bruto; **2.** bruto *m*, bestia *f;* monstruo *m.*

bub·ble [ˈbʌbl] **1.** burbuja *f*, ampolla *f; fig.* bagatela *f;* **2.** burbujear, borbotar; ~ *over fig.* rebosar (with de).

buck [bʌk] **1.** *zo.* gamo *m;* (*goat*) macho *m* cabrío; (*rabbit*) conejo *m* macho; (*p.*) petimetre *m; sl.* dólar *m;* F *pass the* ~ echar la carga a otro; **2.** *v/i.* corcovear; F ~ *up* animarse, cobrar ánimo; F ~ *up!* ¡apúrate!; *v/t.* F hacer frente a; F embestir, arrojarse sobre; F ~ *up* animar.

buck·et [ˈbʌkit] cubo *m*, balde *m;* ⊕ paleta *f;* F *a drop in the* ~ una nonada; *sl. kick the* ~ estirar la pata.

buck·le [ˈbʌkl] **1.** hebilla *f;* **2.** *v/t.* hebillar; *v/i.* doblarse, encorvarse; ~ *down to* (*prp.*) dedicarse con empeño a.

buck...: **'~-shot** balines *m/pl.*; perdigón *m* zorrero; **'~-skin** cuero *m* de ante; **'~-wheat** alforfón *m.*

bud [bʌd] **1.** pimpollo *m*, brote *m;* chica *f* que se presenta en la sociedad; *in* ~ en brote; *fig. nip in the* ~ cortar de raíz; **2.** *v/t.* ✓ injertar de escudete; *v/i.* brotar, echar pimpollos.

bud·dy [ˈbʌdi] F camarada *m*, compinche *m.*

budge [bʌdʒ] mover(se); *he did not dare to* ~ no osaba bullirse.

budg·et [ˈbʌdʒit] **1.** presupuesto *m; attr.* presupuestario; **2.** ~ *for* presupuestar; **'budg·et·ar·y** presupuestario.

buff [bʌf] **1.** piel *f* de ante; *in* (*one's*) ~ en cueros; **2.** color de ante.

buf·fa·lo [ˈbʌfəlou], *pl.* **buf·fa·loes** [ˈ~z] búfalo *m.*

buff·er [ˈbʌfə] 🚋 tope *m;* amortiguador *m;* F mastuerzo *m;* ~ *state* estado *m* tapón.

buf·fet¹ [ˈbʌfit] **1.** bofetada *f;* golpe *m;* **2.** abofetear; golpear.

buf·fet² [ˈbufei] 🚋 fonda *f*, cantina *f;* (*sideboard*) aparador *m;* (*meal*) ambigú *m.*

buf·foon [bʌˈfuːn] bufón *m;* **buf·'foon·er·y** bufonada *f.*

bug [bʌg] chinche *f; esp.* bicho *m*,

burden

insecto *m*; *sl.* microbio *m*; *sl.* estorbo *m*, traba *f*; **'bug·gy 1.** lleno de chinches; **2.** calesa *f*.

bu·gle¹ ['bju:gl] ♪ corneta *f*.

bu·gle² [~] abalorio *m*.

bu·gler ['bju:glə] corneta *m*.

build [bild] **1.** [*irr.*] construir, fabricar; *fig.* edificar (*on* sobre); fundar, establecer, componer; ⊕ ~ in emportar; ~ up componer *from parts*; armar; ⚓ fortalecer; *fig.* crear; **2.** estructura *f*; *anat.* talle *m*; **'build·er** arquitecto *m*; constructor *m*; maestro *m* de obras; **'build·ing** edificio *m*; construcción *f*; *attr.* de construcción; relativo a edificios; ~ lot solar *m*; ~ site terreno *m* para construir; ~ trades *pl.* oficios *m/pl.* de edificación; **'build-'up** composición *f*, acumulación *f*; *fig.* propaganda *f* previa.

built [bilt] *pret. a. p.p. of* build 1; **'built-'in** ⚙ empotrado; ⊕ incorporado, montado; ⚡ interior; **'built-'up** urbanizado.

bulb [bʌlb] ♣ bulbo *m*; ⚡ bombilla *f*; ampolleta *f* of *thermometer*.

bulge [bʌldʒ] **1.** bombeo *m*, comba *f*, pandeo *m*; **2.** bombearse, combarse.

bulk [bʌlk] bulto *m*, volumen *m*; grueso *m*; *fig.* la mayor parte; ⚓ carga *f*; *in* ~ a granel.

bull¹ [bul] **1.** *zo.* toro *m*; ✝ *sl.* alcista *m*; *Am. sl.* detective *m*, policía *m*; *take the* ~ *by the horns* irse a la cabeza del toro; *attr.* macho; **2.** ✝ *sl.* jugar al alza; *sl.* chapucear.

bull² [~] *eccl.* bula *f*.

bull³ [~] disparate *m*.

bull·dog ['buldɔg] dogo *m*.

bull·doze ['buldouz] ✝ intimidar; *opposition* arrollar; **'bull·doz·er** empujadora *f* niveladora, motoniveladora *f*.

bul·let ['bulit] bala *f* (de fusil); **'~-proof** a prueba de balas, blindado.

bul·le·tin ['bulitin] boletín *m*; anuncio *m*; ~ *board* tablón *m* de anuncios; tablilla *f*.

bull···: '~-fight corrida *f* de toros; **'~-finch** camachuelo *m*; **'~-frog** rana *f* toro; **'~-head·ed** obstinado, terco.

bul·lion ['buljən] oro *m* (*or* plata *f*) en barras (*or* lingotes); (*fringe*) entorchado *m*.

bull's-eye ['bulzai] centro *m* del blanco; ⚓ cristal *m* de patente, portilla *f*.

bul·ly ['buli] **1.** matón *m*, valentón *m*; **2.** intimidar; tiranizar.

bul·rush ['bulrʌʃ] junco *m*; espadaña *f*.

bul·wark ['bulwək] baluarte *m* (*a. fig.*); ⚓ macarrón *m*.

bum [bʌm] F **1.** (*p.*) holgazán *m*, vagabundo *m*; **2.** holgazanear, vagabundear; **3.** *sl.* inferior, chapucero; *feel* ~ sentirse muy malo.

bum·ble·bee ['bʌmblbi:] abejorro *m*.

bump [bʌmp] **1.** topetón *m*; batacazo *m in falling*; sacudida *f*; (*lump etc.*) chichón *m*, hinchazón *f*; protuberancia *f*; comba *f on surface*; **2.** chocar contra, topetar (*a.* ~ *against*); F ~ *into p.* topar; *sl.* ~ *off* asesinar, despenar; **bump·er** ['bʌmpə] tope *m*; ⚙ *a. mot.* parachoques *m*; copa *f* llena; *attr.* muy grande, abundante.

bump·kin ['bʌmpkin] patán *m*.

bump·y ['bʌmpi] abollado; *land* desigual; *air* agitado; *road* lleno de baches.

bun [bʌn] bollo *m*; (*hair*) moño *m*.

bunch [bʌntʃ] **1.** manojo *m*, atado *m*; ramo *m of flowers*; racimo *m of grapes*; F grupo *m*; F montón *m*; **2.** agrupar, juntar.

bun·dle ['bʌndl] **1.** lío *m*, bulto *m*; legajo *m of papers*; haz *f of sticks*; **2.** *v/t.* arropar, envolver (*mst* ~ *up*); *v/i.* escaparse, irse.

bun·ga·low ['bʌŋgəlou] bungalow *m*, casa *f* de campo.

bun·gle ['bʌŋgl] **1.** chapucería *f*; **2.** chapucear.

bun·ion ['bʌnjən] hinchazón *f* en el pie, juanete *m*.

bunk¹ [bʌŋk] *sl.* palabrería *f*, música *f* celestial.

bunk² [~] camastro *m*, tarima *f* para dormir; F cama *f*.

bunk·er ['bʌŋkə] (*coal*) carbonera *f*; ⚓ pañol *m* del carbón.

bun·ny ['bʌni] conejito *m*.

bun·ting¹ ['bʌntin] *orn.* escribano *m*; *corn* ~ triguero *m*.

bun·ting² [~] ⊕ estameña *f*; ⚓ *etc.* banderas *f/pl.*, empavesado *m*.

buoy [bɔi] **1.** boya *f*; **2.** aboyar; ~ *up* mantener a flote; *fig.* alentar.

buoy·an·cy ['bɔiənsi] fluctuación *f*, facultad *f* de flotar; ⚓ fuerza *f* ascensional; **'buoy·ant** □ boyante; *fig.* alegre, animado; ✝ al alza.

bur [bə:] ♣ erizo *m*; *fig.* persona *f* muy pegadiza.

bur·den ['bə:dn] **1.** carga *f* (*a. fig.*),

B

gravamen m; ⚓ arqueo m; ⚓ peso m de la carga; 2. cargar (a. fig.; with de); **'bur·den·some** oneroso, gravoso.

bu·reau [bjuə'rou], pl. a. **bu·reaux** ['∼z] escritorio m; oficina f, agencia f; ramo m, departamento m; **bu·reauc·ra·cy** [∼'rɔkrəsi] burocracia f; **bu·reau·crat** ['bjuəroukræt] burócrata m/f; **bu·reau'crat·ic** □ burocrático.

bur·glar ['bə:glə] escalador m; '∼ **alarm** alarma f de ladrones; '∼**proof** a prueba de escaladores; **bur·gla·ry** ['∼əri] allanamiento m de morada.

bur·i·al ['beriəl] entierro m; '∼ **ground** cementerio m.

bur·lap ['bə:læp] harpillera f.

bur·lesque [bə:'lesk] 1. burlesco, festivo; 2. parodia f; 3. parodiar.

bur·ly ['bə:li] membrudo, fornido.

burn [bə:n] 1. quemadura f; Scot. arroyo m; 2. [irr.] v/t. quemar; (sun) abrasar; ⊕ fuel funcionar con; house etc. (a. ∼ down) incendiar; ⚡ ∼ out fundir, quemar; ∼ up consumir (a. fig.; with con, en); v/i. quemar(se); arder; incendiarse (a. ∼ down); ∼ out apagarse; ⚡ fundirse, quemarse; ∼ up consumirse; arder mejor; fig. ∼ with arder en (or de); the light is ∼ing la luz está encendida; **'burn·er** mechero m; (gas etc.) quemador m, fuego m; **'burn·ing** □ ardiente (a. fig.).

bur·nish ['bə:niʃ] bruñir.

burnt [bə:nt] pret. a. p.p. of burn 2; ∼ almond almendra f dulce tostada; ∼ offering holocausto m.

bur·row ['bʌrou] 1. madriguera f; (rabbit's) conejera f; 2. socavar; (a. ∼ through) horadar.

burst [bə:st] 1. reventón m, estallido m; (leak) fuga f; ✗ ráfaga f of fire; fig. arranque m, ímpetu m; 2. [irr.] v/i. reventar(se); estallar (a. fig.); ∼ into room irrumpir en; tears prorrumpir en, deshacerse en; threats etc. desatarse en; ∼ out laughing echarse a reir; ∼ with laughing reventar de risa; v/t. reventar; romper.

bur·y ['beri] enterrar, sepultar; fig. ocultar.

bus [bʌs] F autobús m; sl. miss the ∼ perder la ocasión; '∼**boy** ayudante m de camarero; '∼**driv·er** conductor m de autobús; '∼ **stop** parada f de autobús.

bush [buʃ] arbusto m; matorral m; ⊕ forro m de metal; **bush·el** ['buʃl] medida de áridos (American = 35.24 litros; British = 36.36 litros); **bush·y** ['buʃi] p. peludo; ground matoso.

busi·ness ['biznis] negocio m, comercio m; (firm) empresa f; negocios m/pl.; (calling) empleo m, ocupación f; (matter) asunto m, cuestión f; big ∼ comercio m en gran escala; on ∼ de negocios; ∼ connections pl. relaciones f/pl. comerciales; ∼ deal trato m comercial; ∼ district barrio m comercial; ∼ hours pl. horas f/pl. de oficina; ∼ trip viaje m de negocios; do ∼ with comerciar con; have no ∼ to inf. no tener derecho a inf.; F mean ∼ actuar (or hablar) en serio; mind one's own ∼ no meterse donde no le llaman; '∼**like** metódico, eficaz; negocioso; '∼**man** hombre m de negocios; '∼ **suit** traje m de calle.

bust¹ [bʌst] busto m; pecho m de mujer.

bust² [∼] F 1. reventón m; ✝ fracaso m; go ∼ quebrar; 2. romper(se), entropear(se).

bus·tle ['bʌsl] 1. bullicio m, animación f; (esp. crowd) bulla f; (dress) polisón m; 2. v/i. menearse, apresurarse; (a. ∼ about) bullir; v/t. impeler (a trabajar etc.).

bus·y ['bizi] 1. □ ocupado (at, with en); activo; b.s. entrometido; bullicioso; place muy concurrido, de mucha actividad; keep ∼ (v/t.) ocupar, (v/i.) estar ocupado; 2. (mst ∼ o.s.) ocupar(se) (about, at, in with en, de, con); '∼**body** buscavidas m/f, entrometido (a f) m.

but [bʌt] 1. cj. pero, mas (lit.); (after negative) sino; sino que; que no subj. (e.g., not so busy ∼ he can come no tan ocupado que no pueda venir); he never walks ∼ he falls nunca anda sin caer; ∼ for a no ser por; 3. prp. excepto; solamente; I cannot ∼ inf. no puedo menos de inf.; v. last; ∼ for a no ser por; 3. adv. solamente; v. all; nothing ∼ nada más que; ∼ little muy poco; 4. su. pero m, objeción f.

butch·er ['butʃə] 1. carnicero m (a. fig.); asesino m; 2. cattle matar; dar muerte a; '∼ **knife** cuchilla f de carnicero; '∼ **shop** carnicería f.

but·ler ['bʌtlə] despensero m; mayordomo m.

butt¹ [bʌt] 1. cabo m, extremo m;

mocho *m*; culata *f of gun*; colilla *f of
cigarette*; ⊕ cabeza *f* de biela; (*target*)
blanco *m*; *fig.* hazmerreír *m*; cabezada *f with head*; **2.** dar cabezadas
(*v/t.* contra); F ~ *in* interrumpir; *b.s.*
entrometerse.

butt² [~] tonel *m*.

but·ter [ˈbʌtə] **1.** mantequilla *f*; **2.**
untar con mantequilla; F (*a.* ~ *up*)
lisonjear; **'~·cup** ranúnculo *m*; **'~·
fin·gered** desmañado en coger (la
pelota *etc.*); **'~·fly** mariposa *f* (*a. fig.*);
'~·milk leche *f* de manteca; **'but·
ter·y** despensa *f*.

but·tock [ˈbʌtək] nalga *f* (*mst pl.*).

but·ton [ˈbʌtn] **1.** botón *m* (*a.* ✿); **2.**
abotonar (*a.* ~ *up*); **'~·hole 1.** ojal *m*;
2. *sew.* abrir ojales en; *fig.* obligar a
escuchar.

but·tress [ˈbʌtris] **1.** contrafuerte *m*
(*a. geog.*); **2.** sostén *m*, apoyo *m*;
flying ~ arbotante *m*; **2.** apoyar, reforzar (*a. fig.*).

bux·om [ˈbʌksəm] rolliza; frescacho-
na.

buy [bai] [*irr.*] *v/t.* comprar (*from a*);
fig. (*a.* ~ *off*) comprar, sobornar; ~ *out
partner* comprar la parte de; ~ *up* ♱
acaparar; *v/i. mst* ~ *and sell* traficar,
comerciar; **'buy·er** comprador (-a *f*)
m; **'buy·ing** compra *f*.

buzz [bʌz] **1.** zumbido *m*; **2.** *v/i.*
zumbar; ~ *about* cazcalear; **'~·bomb**
bomba *f* volante; **'~·saw** sierra *f*
circular.

buz·zard [ˈbʌzəd] ratonero *m* común,
águila *f* ratonera.

buzz·er [ˈbʌzə] ⚡ zumbador *m*.

by [bai] **1.** *prp.* por; *norm* según, de
acuerdo con; (*in respect of*) de;
(*time*) ~ *day* de día; ~ *3 o'clock* para
las 3; ~ *now* ya, ahora; ~ *then* para
entonces; antes de eso; *day ~ day*
día por día; (*place*) ~ *me* cerca de mí,
a mi lado; *north ~ east* norte por este;
side ~ *side* lado a lado; (*manner*) ~ *easy
stages* en cortas etapas; ~ *leaps and
bounds* a pasos agigantados; ~ *lamp-
light* a la luz de una lámpara; ~ *land*
por tierra; ~ *the dozen fig.* a docenas;
~ *twos* en pares; ✕ (*multiplication*)
por; ~ *far*, ~ *half* con mucho; ~ *o.s.*
solo; ~ *the* ~ a propósito; ~ *the way*
de paso; a propósito; **2.** *adv.* cerca; a
un lado; aparte; ~ *and by* luego, pronto; ~ *and large* de un modo general;
close ~ cerca; **3.** *adj.* secundario,
incidente.

bye-bye [ˈbaiˈbai] F ¡adiosito!; (*lull-
ing children*) ¡ro ro!

by...: **'~·gone 1.** pasado; **2.** ~ *pl.*:
let ~ *be* ~ olvidemos lo pasado; **'~·
law** estatuto *m*, reglamento *m*; **'~·
pass 1.** desviación *f*; ⊕ tubo *m* de
paso; **2.** desviar; evitar (*a. fig.*);
'~·prod·uct subproducto *m*; ⚒ derivado *m*; **'~·stand·er** espectador
(-a *f*) *m*, circunstante *m*/*f*; **'~·word**
objeto *m* de burla (*or* aprobio);
refrán *m*; *be a* ~ *for* ser notorio por.

C

cab[kæb] taxi *m*.

cab·a·ret [ˈkæbərei] cabaret *m*.

cab·bage [ˈkæbidʒ] col *f*; repollo
m.

cab·by [ˈkæbi] F taxista *m*.

cab·in [ˈkæbin] cabaña *f*; ♱ camarote
m; *lorry*, 🚗 cabina *f*; **'~ boy** mozo *m*
de cámara; grumete *m*.

cab·i·net [ˈkæbinit] vitrina *f*; armario
m; (*radio*) caja *f*; *pol.* gabinete *m*,
consejo *m* de ministros; *medicine* ~
botiquín *m*; **'~ mak·er** ebanista
m.

ca·ble [ˈkeibl] **1.** ⚓, *tel.* cable *m* (*a.* F);
2. cablegrafiar; **'~·gram** cablegrama
m.

cab·stand [ˈkæbstænd] parada *f* de
taxis.

cache [kæʃ] escondite *m*; ~ *of arms*
alijo *m* de armas.

ca·chet [ˈkæʃei] sello *m*; *fig.* marca *f*
de distinción.

cack·le [ˈkækl] **1.** cacareo *m*; risa *f*
aguda; *sl.* cháchara *f*; **2.** cacarear; *sl.*
chacharear.

cac·tus [ˈkæktəs] cacto *m*.

cad [kæd] F sinvergüenza *m*, pillo
m.

cad·dy [ˈkædi] cajita *f* para té.

ca·dence [ˈkeidəns] cadencia *f*; compás *m*.

ca·det [kəˈdet] cadete *m*; hijo *m* menor.

cadge [kædʒ] *v/t.* obtener mendi-
gando; *v/i.* gorronear.

ca·fé [ˈkæfei] café *m*; restaurante *m*.

caf·e·te·ri·a [kæfi'tiəriə] cafetería f.

caf·fe·ine ['kæfiːn] cafeína f.

cage [keidʒ] **1.** jaula f (a. ⚔); **2.** enjaular.

cage·y ['keidʒi] □ F astuto, taimado; cauteloso, reservado.

cais·son ['keisn] ⚔ cajón m; ⊕ cajón m hidráulico; ⚓ cajón m de suspensión.

ca·jole [kə'dʒoul] halagar, camelar; ~ s.o. into s.t. conseguir por medio de halagos que una p. haga algo.

cake [keik] **1.** pastelillo m, bollo m; bizcocho m; (soap) pastilla f; sl. take the ~ ganar el premio; ser el colmo; **2.** apelmazarse; endurecerse.

ca·lam·i·tous [kə'læmitəs] □ calamitoso; **ca·lam·i·ty** calamidad f.

cal·ci·fy ['kælsifai] calcificar(se); **cal·ci·um** ['kælsiəm] calcio m.

cal·cu·late ['kælkjuleit] v/t. calcular; ~d to inf. aprestado para inf.; v/i. calcular, conjeturar; ~ on contar con; calculating machine máquina f de calcular; sumadora f; **cal·cu·la·tion** cálculo m, calculación f.

cal·en·dar ['kælində] calendario m; lista f; ~ month mes m del año.

cal·en·der [~] ⊕ **1.** calandria f; **2.** calandrar.

calf [kɑːf], pl. **calves** [kɑːvz] ternero m; fig. F bobo m; (or '~·leath·er) piel f de becerro; anat. pantorrilla f.

cal·i·brate ['kælibreit] calibrar.

cal·i·co ['kælikou] calicó m.

calk [kɔːk] **1.** poner ramplones; **2.** ramplón m (a. **calk·in** ['kælkin]).

call [kɔːl] **1.** llamada f; grito m; visita f (pay hacer); ⚖ citación f; ⚔ toque m, llamada f; (bird's, birdcatcher's) reclamo m; hunt. chilla f; ⚓ demanda f; fig. (~ to) obligación f (a, de), necesidad f (de); thea. llamamiento m; demanda f (for por); ~ girl prostituta f, mujer f de lujo; ⚓ ~ money dinero m a la vista; radio: ~ sign indicativo m; port of ~ puerto m de escala; on ~ disponible; ⚓ a solicitud; within ~ al alcance de la voz; **2.** v/t. llamar; meeting convocar; invitar; calificar de; considerar, juzgar; roll pasar; llamar por teléfono; cards: (bid) marcar; poker: exigir la exposición de una mano; attention llamar (to sobre, a); be ~ed llamarse; ~ back hacer volver; teleph. volver a llamar; ~ down pedir al cielo; F regañar; ~ forth sacar; protest originar, motivar; ~ in

p. hacer entrar; police llamar; pedir la ayuda de; thing issued retirar; ~ off cancelar, abandonar; ~ together convocar; ~ up memory evocar; teleph. llamar; ⚔ llamar (al servicio militar); v/i. llamar (a. teleph.), dar voces; venir; hacer una visita; ~ at house etc. pasar por; ⚓ ~ port hacer escala en; ~ for ir (or venir) por; exigir; pedir; ~ on acudir a (for en busca de).

call·ing ['kɔːliŋ] vocación f, profesión f; acción f de llamar etc.; ~ card tarjeta f de visita.

cal·lis·then·ics [kælis'θeniks] mst sg. calistenia f.

cal·lous ['kæləs] □ calloso; fig. duro, insensible.

cal·low ['kælou] inexperto, sin plumas.

call-up [kɔːl'ʌp] ⚔ movilización f; servicio m militar; llamamiento m.

calm [kɑːm] **1.** □ weather calmoso, bonancible; p. etc. tranquilo, sosegado; **2.** calma f; tranquilidad f, sosiego m; v. dead; **3.** (a. ~ down) calmar(se); tranquilizar(se), sosegar(se); ~ down! ¡tente quieto!

came [keim] pret. of come.

cam·el ['kæml] zo. a. ⚓ camello m.

ca·mel·li·a [kə'miːljə] camelia f.

cam·e·o ['kæmiou] camafeo m.

cam·er·a ['kæmərə] máquina f (fotográfica); cámara f (de televisión); in ~ en secreto; '~·man camarógrafo m, tomavistas m.

cam·ou·flage ['kæmuflɑːʒ] **1.** camuflaje m; **2.** camuflar.

camp [kæmp] **1.** campamento m; ~bed catre m de tijera; ~-chair, ~ stool silla f plegadiza; **2.** acampar; F alojarse temporalmente.

cam·paign [kæm'pein] **1.** campaña f; election ~ campaña f electoral; **2.** hacer campaña (for a favor de).

cam·phor ['kæmfə] alcanfor m.

cam·pus ['kæmpəs] recinto m (de la Universidad).

cam·shaft ['kæmʃɑːft] árbol m de levas.

can¹ [kæn] [irr.] puedo; sé; etc.

can² [~] **1.** lata f, bote m; vaso m (de lata); **2.** enlatar, conservar; sl. poner en la calle; sl. carry the ~ pagar el pato; ~·ning industry industria f conserva.

ca·nal [kə'næl] canal m (a. ⚓).

ca·nar·y [kə'nɛəri] canario m.

can·cel ['kænsl] v/t. cancelar (a. fig.); stamp matar; v/i. ⚔ ~ out destruirse;

can·cel·la·tion [kænseˈleiʃn] cancelación f, supresión f.

can·cer [ˈkænsə] ♂ cáncer m; ♀ ast. Cáncer m; **ˈcan·cer·ous** canceroso.

can·did [ˈkændid] ☐ franco; ∼ly francamente.

can·di·date [ˈkændidit] candidato m (for para); opositor (-a f) m; **can·di·da·ture** [∼ʃə] candidatura f.

can·died [ˈkændid] azucarado.

can·dle [ˈkændl] candela f, bujía f; vela f; eccl. cirio m; ∼ power bujía f, **ˈcan·dle·stick** candelero m; (low) palmatoria f.

can·dor [ˈkændə] candor m; franqueza f.

can·dy [ˈkændi] 1. azúcar m cande; bombón m, dulce m; ∼ floss caramelo m americano; 2. v/t. azucarar; v/i. cristalizarse.

cane [kein] ♀ caña f; ♀ caña f de azúcar; (stick) bastón m; school: palmeta f; ∼ chair silla f de mimbre.

ca·nine [ˈkeinain] 1. canino; 2. canino m, colmillo m (a. ∼ tooth).

can·is·ter [ˈkænistə] bote m, lata f.

canned [kænd] envasado; en lata; sl. ∼ music música f en discos.

can·ner·y [ˈkænəri] fábrica f de conservas alimenticias.

can·ni·bal [ˈkænibl] 1. caníbal m; 2. antropófago.

can·non [ˈkænən]✕ cañón m; artillería f; billiards: carambola f.

can·not [ˈkænɔt] no puedo; no sé; etc.

can·ny [ˈkæni] ☐ Scot. astuto; frugal, económico.

ca·noe [kəˈnuː] 1. canoa f; 2. pasear en canoa.

can·on [ˈkænən] canon m; (p.) canónigo m; typ. gran canon m; ∼ law derecho m canónico.

can·o·py [ˈkænəpi] dosel m; ♱ baldaquín m; cielo m of bed.

cant [kænt] lenguaje m insincero, gazmoñería f; (jargon) jerga f, germanía f.

can't [∼] = cannot.

can·ta·loup [ˈkæntəluːp] cantalupo m, melón m.

can·tan·ker·ous [kənˈtæŋkərəs] ☐ F arisco, intratable; quejumbroso.

can·teen [kænˈtiːn] cantina f; (bottle) cantimplora f.

can·ter [ˈkæntə] 1. medio galope m; 2. andar a medio galope.

can·vas [ˈkænvəs] cañamazo m, lona f; paint. lienzo m; under ∼ en tiendas,

can·vass [∼] 1. solicitación f (esp. de votos); sondeo m; escrutinio m, pesquisa f; 2. v/t. escudriñar; votes solicitar; opinion sondear; v/i. solicitar.

cap [kæp] gorra f; (with peak) gorra f de visera; (cover) tapa f, tapón m; caballete m of chimney; ⊕ casquete m; ♣ tamborete m; cápsula f of gun, bottle; ∼ and bells gorro m con campanillas; ∼ and gown toga f y bonete; ∼ in hand con el sombrero en la mano; the ∼ fits viene de perilla; polar ∼ casquete m polar; put on one's thinking ∼ meditarlo bien.

ca·pa·bil·i·ty [keipəˈbiliti] capacidad f, habilidad f; **ˈca·pa·ble** ☐ capaz (of de), hábil.

ca·pac·i·ty [kəˈpæsiti] capacidad f; mot. cilindrada f; in my ∼ as en mi calidad de; 2. attr. máximo; thea. lleno.

cape¹ [keip] geog. cabo m, promontorio m.

cape² [∼] capa f, esclavina f.

cap·il·lar·y [kəˈpiləri] 1. capilar; 2. tubo m (or vaso m) capilar.

cap·i·tal [ˈkæpitl] 1. ☐ capital; ♱ de capital; F excelente, magnífico; 2. ♱ capital m; (town) capital f; ♱ capitel m; typ. (or ∼ letter) mayúscula f; fig. make ∼ out of aprovechar; **ˈcap·i·tal·ism** capitalismo m; **ˈcap·i·tal·ist** capitalista m/f; **cap·i·tal·is·tic** capitalista; **cap·i·tal·ize** capitalizar; typ. escribir (or imprimir) con mayúscula; ∼ on aprovecharse de.

ca·pit·u·late [kəˈpitjuleit] capitular.

ca·price [kəˈpriːs] capricho m; **ca·pri·cious** [kəˈpriʃəs] ☐ caprichoso, caprichudo.

Cap·ri·corn [ˈkæprikɔːn] Capricornio m.

cap·size [kæpˈsaiz] v/i. volcar, zozobrar; v/t. tumbar, volcar.

cap·sule [ˈkæpsjuːl] ♀ a. ♂ cápsula f.

cap·tain [ˈkæptin] capitán m.

cap·tion [ˈkæpʃn] 1. encabezamiento m; pie m; film: subtítulo m; 2. intitular.

cap·tious [ˈkæpʃəs] ☐ criticón, reparador; quisquilloso; falso.

cap·ti·vate [ˈkæptiveit] fig. cautivar, fascinar; **ˈcap·tive** cautivo adj. a. su. m (a f); **cap·tiv·i·ty** [∼ˈtiviti] cautiverio m.

cap·tor [ˈkæptə] apresador (-a f) m; **cap·ture** [∼tʃə] 1. apresamiento m; captura f; toma f of city etc.; (p.) prisionero (a f) m; presa f; 2. apre-

sar, capturar; *city etc.* tomar; *fig.* captar.

car [kɑː] coche *m*, carro *m S.Am.*; *(tram-)* tranvía *m*; 🚃 vagón *m*, coche *m*.

ca·rafe [kə'rɑːf] garrafa *f*.

car·a·mel ['kærəmel] caramelo *m*.

car·at ['kærət] quilate *m*.

car·a·van [kærə'væn] caravana *f*; carricoche *m*; *mot.* remolque *m*.

car·a·way ['kærəwei] alcaravea *f*.

car·bide ['kɑːbaid] carburo *m*.

car·bine ['kɑːbain] carabina *f*.

car·bo·hy·drate ['kɑːbou'haidreit] 🔬 hidrato *m* de carbono *m*; 🔬 carbohidrato *m*, fécula *f*.

car·bol·ic ac·id [kɑː'bolik'æsid] ácido *m* carbólico.

car·bon ['kɑːbən] carbono *m*; ⚡ carbón *m*; *(a. ∼ paper)* papel *m* carbón; ∼ *copy* copia *f* al carbón.

car·bun·cle ['kɑːbʌŋkl] *min.* carbunclo *m*; 🔬 carbunco *m*; F grano *m*.

car·bu·re·tor ['kɑːbjureitə] carburador *m*.

car·cass ['kɑːkəs] cadáver *m* (de un animal); res *f* muerta; *(frame)* armazón *f*.

card¹ [kɑːd] ⊕ **1.** carda *f*; **2.** *wool* cardar.

card² [∼] *(playing-)* carta *f*; 🃏 *etc.* tarjeta *f*, postal *f*; *(index)* ficha *f*; F *(tipo m)* salado *m*; ∼ *catalogue* catálogo *m* de fichas, fichero *m*; ∼ *game* juego *m* de naipes; *game of* ∼*s* partida *f* de cartas; *like a house of* ∼*s* como un castillo de naipes; F *on the* ∼*s* probable; *have a* ∼ *up one's sleeve* tener ayuda en reserva; *put one's* ∼*s on the table* poner las cartas boca arriba.

card·board ['kɑːdbɔːd] cartón *m*; ∼ *box* caja *f* de cartón.

car·di·ac ['kɑːdiæk] cardíaco.

car·di·nal ['kɑːdinl] **1.** □ cardinal; **2.** cardenal *m* *(a. orn.)*.

card...: '∼ **in·dex** fichero *m*; '∼ **sharp·er** fullero *m*.

care [kɛə] **1.** cuidado *m*, solicitud *f*; esmero *m*, atención *f*; cargo *m*, custodia *f*; ∼ *of (abbr* c/o) ... a manos de; *en casa de*; *take* ∼ tener cuidado; *take* ∼ *of* cuidar de; F atender a; *with* ∼ ¡atención!; ¡cuidado!; **2.** tener cuidado; ∼ *about* preocuparse de *(or* por); ∼ *for* cuidar; *(love)* querer, amar; *besar* (; I don't ∼ *for that* no me gusta eso; ∼ *to* tener ganas de; *would you* ∼ *to say?* ¿quiere Vd. decirme?; F *I don't* ∼ *(twopence etc.)* ¡no se me da

un bledo! *(for* de); *well* ∼*d for* bien cuidado.

ca·reen [kə'riːn] ⚓ carenar; volcar, inclinar.

ca·reer [kə'riə] **1.** carrera *f*; ∼ *diplomat* diplomático *m* de carrera; **2.** correr a carrera tendida.

care·free ['kɛəfriː] despreocupado.

care·ful ['kɛəful] □ cuidadoso; esmerado; cauteloso; *appearance* acicalado; *be* ∼ *to inf.* poner diligencia en *inf.*

care·less ['kɛəlis] □ descuidado; desatento, desaplicado; alegre, sin cuidado.

ca·ress [kə'res] **1.** caricia *f*; **2.** acariciar *(a. fig.).*

care·tak·er ['kɛəteikə] custodio *m*, conserje *m*; guardesa *f*.

care·worn ['kɛəwɔːn] agobiado de inquietudes.

car·fare ['kɑːfɛə] pasaje *m*.

car·go ['kɑːgou] carga *f*, cargamento *m*; *mixed (or general)* ∼ carga *f* mixta.

car·i·ca·ture ['kærikə'tjuə] **1.** caricatura *f*; *(newspaper)* dibujo *m*; **2.** caricaturizar.

car·nage ['kɑːnidʒ] carnicería *f*, mortandad *f*; '**car·nal** □ carnal; **car·na·tion** [∼'neiʃn] **1.** clavel *m*; **2.** encarnado.

car·ni·val ['kɑːnivl] carnaval *m*; fiesta *f*, feria *f*.

car·ol ['kærl] **1.** villancico *m*; **2.** cantar villancicos.

carp¹ [kɑːp] *ichth.* carpa *f*.

carp² [∼] criticar, censurar; ∼ *at* quejarse de.

car·pen·ter ['kɑːpintə] **1.** carpintero *m*; **2.** carpintear.

car·pet ['kɑːpit] **1.** alfombra *f*, tapete *m*; F *be on the* ∼ estar sobre el tapete; F ser reprobado; **2.** alfombrar; *fig.* cubrir, revestir; F reprobar; '**car·pet·ing** alfombrado *m*.

car·riage ['kæridʒ] carruaje *m*; 🚃 vagón *m*; ✗ cureña *f*; ✝ porte *m*; ⊕ carro *m*; *(bearing)* andares *m/pl.*, modo *m* de andar.

car·ri·er ['kæriə] porteador *m*; trajinante *m*; empresa *f* de transportes; ⚓ porta(a)viones *m*; 🔬 portador *(-a f) m*; *radio:* onda *f* portadora; '∼ **pi·geon** paloma *f* mensajera.

car·rot ['kærət] zanahoria *f*.

car·ry ['kæri] **1.** *v/t.* llevar, traer; transportar; llevar encima *or* p.; *goods* acarrear; *burden* sostener; *prize, election* ganar, lograr; ✗ for-

tress conquistar, tomar; *proposition* hacer aceptar; ♱ *stock* tener en existencia; (*extend*) extender, llevar más lejos; ⚓ llevar; *fig.* comprender, implicar; *v. day, effect, weight*; ∼ *o.s.* andar (con garbo *etc.*); ∼ *along* llevar consigo; ∼ *away* llevarse; *fig.* encantar, arrebatar; ∼ *everything before one* arrollarlo todo; ♱ ∼ *forward* pasar; ∼ *off* llevarse; (*kill*) matar; ∼ *s.t. off well* salir airoso; ∼ *on* continuar; *esp.* ♱ dirigir; promover; ∼ *out* (*or through*) *plan* realizar, llevar a cabo; *repairs* hacer; ♱ ∼ *over* guardar para más tarde; ♱ *pasar*; ∼ *through p.* sostener hasta el fin; *v/i.* (*reach*) alcanzar; ∼ *on* continuar; F (*complain*) quejarse sin motivo; (*misbehave*) travesar; insistir, machacar (*about* en); ∼ *on* ¡adelante!; ¡siga!; ∼ *on* with tener un amorío con; ∼*ing capacity* capacidad f de carga; 2. ⚔ alcance *m*.

cart [kɑːt] 1. carro *m*, carreta *f*; ∼ *horse* caballo *m* de tiro; *hand* ∼ carretilla *f*, carretón *m*; *fig.* put the ∼ *before the horse* trastrocar las cosas; 2. carretear.

car·tel [kɑːtel] ♱ *a.* ⚔ cartel *m*.

car·ti·lage [ˈkɑːtilidʒ] cartílago *m*.

car·ton [ˈkɑːtən] caja *f* de cartón, envase *m*.

car·toon [kɑːˈtuːn] 1. *paint.* cartón *m*; caricatura *f*, dibujo *m*; *film:* dibujo *m* animado; 2. caricaturizar.

carve [kɑːv] *meat* trinchar; *stone etc.* esculpir, tallar (*in* en); *fig.* ∼ *one's way through* hacerse un camino por.

carv·ing [ˈkɑːviŋ] acción *f* de trinchar; ⚔ *etc.* escultura *f*; obra *f* de talla.

cas·cade [kæsˈkeid] cascada *f*.

case[1] [keis] 1. caja *f* (*a. typ.*); estuche *m*; funda *f*; (*window etc.*) marco *m*, bastidor *m*; (*cartridge etc.*) cápsula *f*; (*glass*) vitrina *f*; *typ.* lower ∼ caja *f* baja; *upper* ∼ caja *f* alta; 2. encajonar; enfundar.

case[2] [∼] caso *m* (*a.* ♽ *a. gr.*); ⚖ causa *f*, pleito *m*; F persona *f* divertida; argumento *m* convincente; *a* ∼ *for* una razón por; *have a strong* ∼ tener un argumento fuerte; *as the* ∼ *may be* según el caso; *in* ∼ en caso que; por si acaso; *in* ∼ *of* en caso de; *in any* ∼ en todo caso; *in such a* ∼ en tal caso.

cash [kæʃ] 1. dinero *m* contante; pago *m* al contado; ∼ *down, for* ∼ al contado; *in* ∼ en metálico; *be out of* ∼ estar sin blanca; ∼ *payment* pago *m* al

contado; ∼ *on delivery* pagar contra recepción; ∼ *register* caja *f* registradora; 2. *check* cobrar, hacer efectivo; F ∼ *in on* sacar provecho de; **cash·ier** [kæˈʃiə] 1. cajero (*a f*) *m*; 2. destituir; degradar.

cash·mere [kæʃˈmiə] casimir *m*.

ca·si·no [kəˈsiːnou] casino *m*.

cask [kɑːsk] tonel *m*, barril *m*.

cas·ket [ˈkɑːskit] cajita *f*, cofrecito *m*; ataúd *m*.

cas·se·role [ˈkæsəroul] cacerola *f*.

cast [kɑːst] 1. echada *f*, lance *m of net*; molde *m*, forma *f*; *fig.* apariencia *f*, estampa *f*; *thea.* reparto *m*, personal *m*; ⊕ pieza *f* fundida; ♱ *balance m*; (*eye*) mirada *f* bizca; (*color*) tinte *m*; 2. [*irr.*] *v/t.* echar, lanzar; desechar; *eyes* volver; *shadow* proyectar; ⊕ fundir; *thea. parts* repartir; *lots* echar; *sum* (*a.* ∼ *up*) calcular, sumar; ∼ *iron* hierro *m* colado; ∼ *steel* acero *m* colado; ∼ (*a th.*) *in a p.'s teeth* echar a uno en la cara; ∼ *away* desechar, abandonar; ⚓ *be* ∼ *away* ser un náufrago; ∼ *down* derribar; *fig.* desanimar; *eyes* bajar; ∼ *forth* despedir; ∼ *loose* soltar; ∼ *off* abandonar; ∼ *on* (*knitting*) empezar con; ∼ *out* arrojar; despedir; *v/i.* (*fishing*) lanzar, arrojar; (*balance*) ∼ *about for* buscar; ⚓ ∼ *off* desamarrar.

cas·ta·net [kæstəˈnet] castañuela *f*.

caste [kɑːst] casta *f*; *lose* ∼ desprestigiarse.

cas·ti·gate [ˈkæstigeit] castigar.

cast·i·ron [ˈkɑːstˈaiən] hecho de hierro fundido; *fig.* fuerte, duro.

cas·tle [ˈkɑːstl] 1. castillo *m*; *chess:* torre *f*, roque *m*; ∼ *in Spain* castillo *m* en el aire; 2. *chess:* enrocar.

cas·tor[1] [ˈkɑːstə] *pharm.* castóreo *m*; *sl.* sombrero *m*; ∼ *oil* aceite *m* de ricino.

cas·tor[2] [∼] ruedecilla *f* de mueble; vinagrera *f*; ∼ *pl.* angarillas *f/pl.*

cas·trate [kæsˈtreit] castrar; **cas·tra·tion** castración *f*.

cas·u·al [ˈkæʒjuəl] ☐ casual; descuidado, indiferente; **'cas·u·al·ty** accidente *m*; ⚔ baja *f*; víctima *f*.

cat [kæt] gato *m*; azote *m* con nueve ramales; F *let the* ∼ *out of the bag* revelar el secreto, cantar.

cat·a·clysm [ˈkætəklizm] cataclismo *m*.

cat·a·comb [ˈkætəkoum] catacumba *f*.

cat·a·log, *a.* **cat·a·logue** [ˈkætələg] 1. catálogo *m*; fichero *m*; 2. catalogar

cat·a·lyst ['kætəlist] catalizador *m*.

cat·a·pult ['kætəpʌlt] catapulta *f*; honda *f*.

cat·a·ract ['kætərækt] catarata *f* (*a.* 🦮).

ca·tas·tro·phe [kə'tæstrəfi] catástrofe *f*; **cat·a·stroph·ic** [kætə'strɔfik] □ catastrófico.

cat·call ['kætkɔːl] **1.** rechifla *f*, silba *f*; **2.** rechiflar, silbar.

catch [kætʃ] **1.** cogida *f*; presa *f*, botín *m*; pesca *f* *of fish*; (*lock*) pestillo *m*, aldabilla *f*; ♪ canon *m* de carácter cómico; (*deceit*) trampa *f*; **2.** [*irr.*] *v/t.* coger, atrapar; agarrar, asir; *fig.* comprender; llegar a oír; *fig.* sorprender; *breath* suspender; F ~ *it* merecerse un regaño; ~ *in the act* coger con las manos en la masa; *v. cold, fire, hold etc.*; F ~ *out p.* cazar, sorprender; coger en una falta; ~ *up p.* alcanzar; *th.* asir; **3.** *v/i.* enredarse, engancharse; ⊕ engranar; (*fire*) encenderse; 🦮 *be* ~ing ser contagioso; ~ *at* tratar de asir (*or* coger); ~ *on* prender en; F coger el tino; caer en la cuenta; ~ *up with* alcanzar, emparejar con; '**catch·er** *sport*: receptor *m*, parador *m*; '**catch·ing** 🦮 contagioso; atrayente; ♪ pegajoso.

cat·e·chism ['kætikizm] catecismo *m*; (*method*) catequismo *m*.

cat·e·go·ry ['kætigəri] categoría *f*.

ca·ter ['keitə]: ~ *for* abastecer, proveer; *fig.* proveer a; '**ca·ter·er** abastecedor *m*; proveedor *m*; '**ca·ter·ing** abastecimiento *m*.

ca·ter·pil·lar ['kætəpilə] oruga *f*.

cat·gut ['kætgʌt] cuerda *f* de tripa.

ca·the·dral [kə'θiːdrl] catedral *f*.

cath·ode ['kæθoud] cátodo *m*; ~ *ray tube* tubo *m* de rayos catódicos.

cath·o·lic ['kæθəlik] **1.** □ *eccl.* católico, liberal, de amplias miras; **2.** católico (*a f*) *m*; **ca·thol·i·cism** catolicismo *m*.

cat·sup ['ketʃəp, kætsəp] salsa *f* de tomate condimentada.

cat·tle ['kætl] ganado *m* (vacuno).

cau·cus ['kɔːkəs] camarilla *f* política.

caught [kɔːt] *pret. a. p.p. of* **catch** 2 *a.* 3.

caul·dron ['kɔːldrən] calderón *m*.

cau·li·flow·er ['kɔliflauə] coliflor *f*.

caulk [kɔːk] calafatear; '**caulk·er** calafate *m*.

cause [kɔːz] **1.** causa *f* (*a.* 🏛️); make

common ~ *with* hacer causa común con; **2.** causar.

cau·tion ['kɔːʃn] **1.** cautela *f*; (*warning*) amonestación *f*; F persona *f* extraordinaria; ~ *money* caución *f*; **2.** advertir; amonestar.

cau·tious ['kɔːʃəs] □ cauteloso, precavido.

cav·al·cade [kævl'keid] cabalgata *f*.

cav·a·lier [kævə'liə] **1.** caballero *m*; galán *m*; **2.** altivo, desdeñoso.

cav·al·ry ['kævlri] caballería *f*.

cave [keiv] **1.** cueva *f*; **2.** ~ *in*: *v/i.* hundirse, derrumbarse; *v/t.* F quebrar.

cave·man ['keivmən] troglodita *m*; hombre *m* de las cavernas.

cav·ern ['kævən] caverna *f*, antro *m*.

cav·il ['kævil] **1.** crítica *f*, reparo *m*; **2.** sutilizar, critiquizar; ~ *at, about* poner peros a.

cav·i·ty ['kæviti] cavidad *f*.

ca·vort [kə'vɔːt] cabriolar.

caw [kɔː] **1.** graznar; **2.** graznido *m*.

cease [siːs] *v/i.* cesar (*from* de); ~ *from* dejar de; *v/t.* suspender, cesar; '~·'fire cese *m* de hostilidades; '**cease·less** □ incesante.

ce·dar ['siːdə] cedro *m*.

cede [siːd] ceder.

ceil·ing ['siːliŋ] techo *m*, cielo *m* raso; 🦮 techo *m*; *fig.* punto *m* más alto; ~ *price* precio *m* tope.

cel·e·brate ['selibreit] celebrar (*a. eccl.*); '**cel·e·brat·ed** célebre, famoso (*por*); **cel·e·bra·tion** celebración *f*; (*party*) reunión *f*.

ce·leb·ri·ty [si'lebriti] celebridad *f* (*a. p.*).

cel·er·y ['seləri] apio *m*.

ce·les·tial [si'lestjəl] celestial (*a. fig.*).

cel·i·ba·cy ['selibəsi] celibato *m*.

cell [sel] (*prison*) celda *f*; *biol.* célula *f*; *pol.* célula *f* (de comunistas); 🦮 elemento *m*; (*bees*) celdilla *f*.

cel·lar ['selə] **1.** sótano *m*; (*wine*) bodega *f*; **2.** embodegar.

cel·lo·phane ['seləfein] (papel *m*) celofán *m*.

ce·ment [si'ment] **1.** cemento *m*; **2.** cementar; *fig.* consolidar.

cem·e·ter·y ['semitri] cementerio *m*.

cen·sor ['sensə] **1.** censor *m*; **2.** censurar; **cen·sor·ship** ['~əʃip] censura *f*.

cen·sure ['senʃə] **1.** censura *f*; **2.** censurar.

cen·sus ['sensəs] censo *m*.

cent [sent] centavo *m* (= $1/100$ *dólar*); *per* ~ por ciento.

cen·ten·ni·al [sen'tenjəl] centenario adj. a. su. m.

cen·ti... ['senti] 1. '**-grade** centígrado; '**-gramme** centígramo m; '**-me·ter** centímetro m; '**-pede** ['-pi:d] ciempiés m.

cen·tral ['sentrəl] □ central; ~ heating calefacción f central; '**cen·tral·ize** centralizar.

cen·ter ['sentə] 1. centro m; ~ forward delantero m centro; ~ half medio centro m; 2. central; 3. centrar; concentrarse (on, about en); ⊕ ~ punch punzón m de marcar.

cen·trif·u·gal [sen'trifjugl] □ centrífugo.

cen·tu·ry ['sentʃuri] siglo m.

ce·ram·ic [si'ræmik] cerámico; **ce·ram·ics** pl. cerámica f.

ce·re·al ['siəriəl] cereal adj. a. su. m.

cer·e·bral ['seribrəl] cerebral.

cer·e·mo·ni·al [seri'mounjəl] □ ceremonial adj. a. su. m.; **cer·e·mo·ny** ['serimani] ceremonia f; Master of Ceremonies maestro m de ceremonias.

cer·tain ['sə:tn] □ cierto; know for ~ saber a buen seguro; make ~ asegurarse (de), cerciorarse (de); **~ly** ciertamente; sin falta; '**cer·tain·ty** certeza f.

cer·tif·i·cate 1. [sə'tifikit] certificado m, título m; ~ of baptism (death, marriage) partida f de bautismo (defunción, casamiento); 2. [sə'tifikeit] certificar; **cer·ti·fy** ['-fai] certificar; garantizar.

ces·sa·tion [se'seiʃn] cesación f; ~ of hostilities suspensión f de hostilidades.

cess·pool ['sespu:l] pozo m negro.

chafe [tʃeif] 1. v/t. rozar, raer; calentar (frotando); fig. irritar, enfadar; 2. v/i. desgastarse (against contra); fig. irritarse, enfadarse; chafing dish escalfador m.

chaff [tʃæf] 1. barcia f, aechaduras f/pl.; b.s. broza f, desecho m; (banter) zumba f, chanza f; 2. p. zumbarse de, dar chasco a.

cha·grin ['ʃægrin] 1. desazón f, disgusto m; 2. desazonar, apesadumbrar.

chain [tʃein] 1. cadena f; phys. ~ reaction reacción f en cadena; ~ store tienda f de una cadena; 2. encadenar; '**~·gang** cadena f de presidiarios, collera f, cuerda f de presos; '**~ re·ac·tion** reacción f en cadena; '**~**

smoke fumar un pitillo tras otro; '**~ store** empresa f con una cadena de tiendas; tienda f de una cadena de tiendas.

chair [tʃeə] 1. silla f; cátedra f (a. professorial ~); presidencia f of meeting; take the ~ presidir; 2. p. in authority asentar; llevar en una silla; meeting presidir; '**~·man**, '**~·wom·an** presidente m; '**~·man·ship** presidencia f.

chalk [tʃɔ:k] geol. creta f; tiza f for drawing; French ~ jaboncillo m de sastre; esteatita f.

chal·lenge ['tʃælindʒ] 1. desafío m (a. fig.), reto m; ✗ quién vive m; ✗ recusación f; 2. desafiar (a. fig.), retar; ✗ dar el quién vive a; ✗ recusar; disputar; dudar; '**chal·leng·er** desafiador (-a f) m; retador (-a f) m.

cham·ber ['tʃeimbə] cámara f; recámara f of gun; lit. aposento m; ~ music música f de cámara; ~s pl. despacho m de un abogado (or juez).

champ [tʃæmp] morder; mordiscar.

champ [~] campeón m.

cham·pagne [ʃæm'pein] champaña m.

cham·pi·on ['tʃæmpjən] 1. campeón m (a. fig.); paladín m (of a cause etc.); 2. defender; abogar por; '**cham·pi·on·ship** campeonato m.

chance [tʃɑːns] 1. ocasión f, oportunidad f; posibilidad f, probabilidad f; suerte f; riesgo m; by ~ por casualidad; stand a ~ tener una probabilidad (of de); take a (or one's) ~ aventurarse; take no ~s obrar con cautela; 2. casual; fortuito; 3. v/i. acontecer, suceder; ~ upon tropezar con; v/t. F arriesgar.

chan·de·lier [ʃændi'liə] araña f (de luces).

change [tʃeindʒ] 1. cambio m; transformación f; muda f of clothing; (a. small ~) moneda f suelta; (money returned) vuelta f; 2. v/t. cambiar; transformar; (replace) reemplazar; clothes, opinion cambiar de; color demudarse; ~ places trocarse (with con); ~ the subject volver la hoja; v/i. cambiar, mudar; 🚆 transbordar, hacer transbordo.

chan·nel ['tʃænl] 1. canal m (a. radio); brazo m of river; (irrigation-) cacera f; fig. vía f; 2. acanalar; fig. encauzar.

chant [tʃɑːnt] 1. canto m llano;

C CH

(*talking*) sonsonete *m*; **2.** cantar (el canto llano).

cha·os [ˈkeiɔs] caos *m*; **cha·ot·ic** □ caótico.

chap[1] [tʃæp] **1.** grieta *f*, hendedura *f*; **2.** agrietar(se).

chap[2] [∿] mandíbula *f*, quijada *f*.

chap[3] [∿] F tipo *m*, pájaro *m*.

chap·el [ˈtʃæpl] capilla *f*; templo *m*.

chap·er·on [ˈʃæpəroun] **1.** acompañanta *f* de señorita, carabina *f*; **2.** acompañar (a una señorita), ir de carabina.

chap·lain [ˈtʃæplin] capellán *m*.

chap·ter [ˈtʃæptə] capítulo *m*; *eccl. mst* cabildo *m*.

char·ac·ter [ˈkærɪktə] carácter *m*; *thea.* personaje *m*; F tipo *m*, sujeto *m*; *in* ∿ conforme al tipo; **char·ac·ter·is·tic 1.** □ característico; propio (*of* de); **2.** característica *f*; distintivo *m*.

cha·rade [[ʃəˈrɑːd] charada *f*.

char·coal [ˈtʃɑːkoul] carbón *m* vegetal; carboncillo *m for drawing*.

charge [tʃɑːdʒ] **1.** carga *f* of gun (a. ⚡); *fig.* cargo *m*; ✕ carga *f*; *eccl.*, ⚖ exhortación *f*, exhorto *m*; ⚖ acusación *f*; (*price*) precio *m*; *heraldry:* blasón *m*; ∿s *pl.* coste *m*; honorarios *m/pl.*; *in* ∿ *of p.* a cargo de; *th.* encargado de; *free of* ∿ gratis; *give a p. in* ∿ entregar a la policía; *take* ∿ *of* hacerse cargo de; ∿ *account* cuenta *f* corriente; **2.** *v/t.* cargar (*a.* ✕, ⚡); *price* cobrar; ordenar, mandar (*to inf.*); *p.* cargar (*with* con, de); *v/i.* cobrar (*freq.* mucho).

char·i·ot [ˈtʃæriət] carro *m* romano, carro *m* de guerra.

char·i·ta·ble [ˈtʃæritəbl] □ caritativo; benéfico.

char·i·ty [ˈtʃæriti] caridad *f*; *out of* ∿ por caridad.

char·la·tan [ˈʃɑːlətən] charlatán *m*, curandero *m*.

charm [tʃɑːm] **1.** hechizo *m*, encanto *m*; amuleto *m*; *fig.* encanto *m*; ∿s *pl.* hechizos *m/pl. of woman*; **2.** hechizar, encantar (*a. fig.*); ∿ *away* hacer desaparecer como por magia; llevarse misteriosamente; **charm·ing** □ encantador.

chart [tʃɑːt] **1.** ⚓ carta *f* de marear; tabla *f*, cuadro *m*; **2.** poner en una carta de marear; ∿ *a course* trazar un derrotero.

char·ter [ˈtʃɑːtə] **1.** carta *f*; carta *f* de privilegio, encartación *f*; **2.** estatuir; *ship* fletar; *bus etc.* alquilar.

chase[1] [tʃeis] **1.** caza *f*; persecución *f*; *give* ∿ dar caza; **2.** perseguir; ∿ *after* ir en pos de; *fig.* ir tras; ∿ *away* ahuyentar.

chase[2] [∿] grabar; *jewel* engastar.

chase[3] [∿] *typ.* rama *f*.

chasm [ˈkæzm] grieta *f*; sima *f*; *fig.* abismo *m*.

chas·sis [ˈʃæsi] chasis *m*, armazón *f*.

chaste [tʃeist] □ casto; *fig.* castizo, sin adorno.

chas·ten [ˈtʃeisn] castigar; *style* acendrar, apurar (*mst p.p.*); templar; ∿*ed p.* escarmentado.

chas·tise [tʃæsˈtaiz] *lit.* castigar.

chas·ti·ty [ˈtʃæstiti] castidad *f*.

chat [tʃæt] **1.** charla *f*, palique *m*; **2.** charlar.

chat·ter [ˈtʃætə] **1.** (*p.*) chacharrear; (*birds*) chirriar; (*teeth*) castañetear; **2.** cháchara *f*; chirrido *m*; castañeteo *m*.

chauf·feur [ˈʃoufə] chófer *m*.

cheap [tʃiːp] □ barato; (*selling cheap*) baratero; *fig.* de mal gusto, chabacano; F *feel* ∿ sentirse avergonzado; *hold* ∿ despreciar; **'cheap·en** abaratar; *fig.* desprestigiar; ∿ *o.s.* aplebeyarse; **'cheap·skate** *sl.* tacaño (a *f*) *m*.

cheat [tʃiːt] **1.** trampa *f*, fraude *m*; (*p.*) tramposo (a *f*) *m*, petardista *m/f*; **2.** trampear, petardear; defraudar; estafar (*out of* de acc.); **'cheat·ing** trampa *f*, engaño *m*.

check [tʃek] **1.** parada *f* (súbita); rechazo *m*, repulsa *f* (*a.* ♟); impedimento *m* (*on* para), estorbo *m* (*on* a); control *m*, inspección *f* (*on* de); (*luggage*) talón *m*; billete *m* de reclamo; ficha *f in games*; ⊕ tope *m*; (*square*) cuadro *m*; (*cloth*) paño *m* a cuadros; *chess:* jaque *m*; cuenta *f*; *hold in* ∿ contener, refrenar; **2.** parar, rechazar, repulsar; impedir, estorbar; controlar, inspeccionar; *document* compulsar; *facts* comprobar; *baggage* facturar; *chess:* dar jaque a; ∿ *in* inscribir el nombre (en el registro de un hotel); ∿ *up* comprobar, verificar (*on acc.*); **'∿·book** talonario *m* de cheques; **'check·ers** *pl.* juego *m* de damas; **'check girl** moza *f* de guardarropa; **'check·ing** control *m*, verificación *f*; **'check(·ing) ac·count** cuenta *f* corriente; **'check(·ing) room** guardarropa *f*; **'check·mate 1.** mate *m*; **2.** dar mate a; **'check·out** *from a hotel* salida *f*; *time* hora *f* de salida; *in a self-service retail store* revisión *f* de pago; **'check·out**

'coun·ter mostrador *m* de revisión; **'check·point** punto *m* de inspección; **'check·up** verificación *f*; ⚕ reconocimiento *m* general.

cheek [tʃiːk] mejilla *f*, carrillo *m*; F descaro *m*, frescura *f*; ⊕ quijada *f*; **'cheek·y** F descarado.

cheep [tʃiːp] piar.

cheer [tʃiə] *v/t.* alegrar, consolar (*a.* ~ *up*); aplaudir; animar con aplausos (*a.* ~ *on*); *v/i.* alegrarse, animarse (*a.* ~ *up*); ~ *up!* ¡ánimo!; **'cheer·ful** □ alegre; **'cheer·ful·ness** alegría *f*, complacencia *f*.

cheese [tʃiːz] queso *m*; cream ~ requesón *m*; **'~·cloth** estopilla *f*.

chef [ʃef] jefe *m* de cocina.

chem·i·cal ['kemikl] 1. □ químico; 2. sustancia *f* química.

chem·ist ['kemist] ♫ químico (*a f*); **'chem·is·try** química *f*.

cher·ish ['tʃeriʃ] estimar, apreciar; *hopes etc.* acariciar, abrigar.

cher·ry ['tʃeri] 1. cereza *f*; (*a.* ~ *tree*) cerezo *m*; 2. *attr.* rojo cereza.

chess [tʃes] ajedrez *m*; **'~·board** tablero *m* (de ajedrez); **'~·man** trebejo *m*, pieza *f*.

chest [tʃest] arca *f*, cofre *m*; *anat.* pecho *m*; (*money*-) caja *f*; ~ *of drawers* cómoda *f*; get *a th.* off one's ~ desahogarse.

chest·nut ['tʃesnʌt] 1. castaña *f*; (*a.* ~ *tree*) castaño *m*; F chiste *m* ya conocido; 2. castaño, marrón.

chev·a·lier [ʃevə'liə] caballero *m*.

chev·ron ['ʃevrən] ✕ galón *m*; *heraldry:* cheurón *m*.

chew [tʃuː] 1. mascar, masticar; ~ *the cud* rumiar (*a. fig.*; *a.* ~ *s.t. over*); *sl.* ~ *the rag* dar la lengua; 2. mascadura *f*; **'chew·ing-gum** chicle *m*.

chick ['tʃik] pollito *m*; F crío (*a f*) *m*; **chick·en** ['tʃikin] pollo *m*, gallina *f*; **'~·farm** avicultor *m*; **'~·feed** *sl.* pan *m* comido; *sl.* breva *f*; **'~·pox** varicela *f*; **'chick·pea** garbanzo *m*.

chic·o·ry ['tʃikəri] chicoria *f*.

chide [tʃaid] [*irr.*] *lit.* reprobar.

chief [tʃiːf] 1. □ principal; primero; 2. jefe *m*; ...-*in* ~ ... en jefe; ~ *of staff* jefe *m* de estado mayor; **chief·tain** ['~·tən] jefe *m*, cacique *m*.

chil·blain ['tʃilblein] sabañón *m*.

child [tʃaild] niño (*a f*) *m*; hijo (*a f*) *m*; *attr.* muy joven; **'~·birth** parto *m*; **'child·hood** niñez *f*, infancia *f*; **'child·ish** □ pueril; *b.s.* aniñado; **'~·la·bor** trabajo *m* de menores;

'child·like *fig.* propio de un niño; **children** ['tʃildrən] *pl.* of *child*; **'~·'s play** juego *m* de niños.

chill [tʃil] 1. *lit.* frío; *manner* desapacible; 2. frío *m*; escalofrío *m* (*a.* 🎣); 3. *v/t.* enfriar (*a. metal*); *fig.* desalentar; *v/i.* enfriarse; *esp.* 🎣 calofriarse; **chill·y** frío (*a. fig.*); *p.* friolero; *feeling* escalofriado.

chime [tʃaim] 1. campaneo *m*; (*peal*) repique *m*; carillón *m*; *fig.* conformidad *f*, acuerdo *m*; 2. repicar, sonar; *fig.* estar en armonía.

chim·ney ['tʃimni] chimenea *f* (*exterior*); tubo *m* de lámpara; *mount.* olla *f*, cañón *m*.

chim·pan·zee [tʃimpən'ziː] chimpancé *m*.

chin¹ [tʃin] barba *f*, barbilla *f*; *double* ~ papada *f*; F *keep one's* ~ *up* no desanimarse; F *take it on the* ~ mantenerse firme.

chin² [~] *sl.* parlotear.

chi·na ['tʃainə] porcelana *f*.

Chi·nese ['tʃai'niːz] 1. chino *adj. a. su. m* (*a f*); 2. (*language*) chino *m*.

chink¹ [tʃiŋk] grieta *f*, hendedura *f*; resquicio *m* (*a. fig.*).

chink² [~] 1. sonido *m* metálico; tintineo *m*; 2. sonar, tintinear.

chip [tʃip] 1. astilla *f*, brizna *f*; lasca *f* *of stone:* (*defect*) saltadura *f*; ~ *off the old block* de tal palo tal astilla; F *have a* ~ *on one's shoulder* ser un resentido; 2. desportillar(se), astillar(se); F ~ *in* interrumpir (una conversación) (*with* diciendo); **chip·munk** ['tʃipmʌŋk] ardilla *f* listada.

chirp [tʃəːp] 1. gorjear, pipiar; (*cricket*) chirriar; F hablar alegremente; 2. gorjeo *m*; chirrido *m*.

chis·el ['tʃizl] 1. formón *m*, escoplo *m* *for wood*; cincel *m* *for stone*; 2. escoplear; cincelar; *sl.* timar; **'chis·el·er** F gorrón *m*.

chiv·al·rous ['ʃivlrəs] □ caballeroso; **'chiv·al·ry** caballería *f*; (*spirit*) caballerosidad *f*.

chive [tʃaiv] cebollino *m*.

chlo·ral ['klɔːrl] cloral *m*; **chlo·ride** ['~·aid] cloruro *m*; ~ *of lime* cloruro *m* de cal; **chlo·rine** ['~·iːn] cloro *m*; **chlo·ro·form** ['~·ɔfɔːm] 1. cloroformo *m*; 2. cloroformizar.

chock [tʃɔk] 1. cuña *f*; combo *m* *of barrel*; ⚓ calzo *m*; 2. acuñar; afianzar con combos (*or* calzos).

choc·o·late ['tʃɔkəlit] chocolate *m*.

choice [tʃɔis] **1.** elección f; preferencia f; **2.** selecto, escogido.

choir [ˈkwaiə] coro m.

choke [tʃouk] **1.** v/t. estrangular; sofocar (a. fig.); tapar, atascar (a. ~ up); fig. ~ back retener; F ~ off p. parar; reprobar; v/i. sofocarse, ahogarse (a. fig.); atascarse, obstruirse; **2.** ⊕ cierre m, obturador m; mot. estrangulador m; mot. aire m.

chol·er·a [ˈkɔlərə] cólera m.

choose [tʃuːz] [irr.] escoger; elegir; seleccionar; ~ between optar entre; ~ to inf. optar por inf.; **'choos·y** f melindroso, quisquilloso.

chop [tʃɔp] golpe m cortante; tajada f; (meat) chuleta f.

chop·per [tʃɔpə] person tajador m; tool hacha f; of butcher cortante m; sl. helicóptero m.

'chop·stick palillo m para comer (de los chinos).

cho·ral [ˈkɔːrl] □ coral; **cho·ral(e)** [kɔˈrɑːl] coral m.

chord [kɔːd] acorde m.

chore [tʃɔː] tarea f de ocasión; (household) ~s pl. quehaceres m/pl. domésticos.

cho·rus [ˈkɔːrəs] **1.** coro m; ~ girl corista f, conjuntista f; **2.** hablar (or cantar) en coro.

chose [tʃouz] pret., **'cho·sen** p.p. of choose.

chough [tʃʌf] chova f.

chow [tʃau] chao m; sl. comida f.

chris·ten [ˈkrisn] bautizar; **'chris·ten·ing** bautismo m, bautizo m.

Chris·tian [ˈkristjən] □ cristiano adj. a. su. m (a f); ~ name nombre m de pila; **Chris·ti·an·i·ty** [ˌkristiˈæniti] cristianismo m.

Christ·mas [ˈkrisməs] Navidad(es) f(pl.); ~ Day Día m de Navidad; ~ Eve Noche f Buena.

chrome [kroum] [a. ~ yellow] amarillo m de cromo; **chro·mi·um** [ˈ~jəm] cromo m.

chron·ic [ˈkrɔnik] □ crónico; F terrible, muy serio; **'chron·i·cle 1.** crónica f; **2.** anotar; narrar.

chron·o·log·i·cal [krɔnəˈlɔdʒikl] □ cronológico; ~ly en orden cronológico; **chronol·o·gy** [krəˈnɔlədʒi] cronología f.

chrys·an·the·mum [kriˈsænθəməm] crisántemo m.

chub [tʃʌb] cacho m; **'chub·by** rechoncho; face mofletudo.

chuck·le [ˈtʃʌkl] **1.** reír entre dientes,

soltar una risa sofocada; **2.** risa f sofocada.

chum [tʃʌm] F compinche m.

chump [tʃʌmp] F zoquete m.

chunk [tʃʌŋk] F pedazo m grueso.

church [tʃəːtʃ] iglesia f.

churn [tʃəːn] **1.** mantequera f; **2.** batir en una mantequera; hacer (mantequilla); revolver, agitar.

chute [ʃuːt] salto m de agua; canalón m in house; tolva f in mill.

ci·der [ˈsaidə] sidra f.

ci·gar [siˈgɑː] (cigarro) puro m.

cig·a·rette [sigəˈret] cigarrillo m; pitillo m; ~ case petaca f, pitillera f; ~ hold·er boquilla f; ~ light·er mechero m; ~ pa·per papel m de fumar.

cinch [sintʃ] sl. breva f.

cin·der [ˈsində] carbonilla f; ~s pl. cenizas f/pl.

cin·e·ma [ˈsinimə] cine m.

cin·na·mon [ˈsinəmən] canela f.

ci·pher [ˈsaifə] **1.** cifra f; cero m; (p.) cero m a la izquierda; in ~ en cifra; **2.** cifrar; calcular.

cir·cle [ˈsəːkl] **1.** círculo m (a. fig.); thea. anfiteatro m; **2.** circundar, cercar; (go round) dar vueltas (a); girar.

cir·cuit [ˈsəːkit] circuito m (a. ⚡); ⚖ approx. distrito m; sport: pista f; v. short ~; ⚡ ~breaker cortacircuitos m; **cir·cu·i·tous** [səˈkjuitəs] □ tortuoso.

cir·cu·lar [ˈsəːkjulə] □ circular; **2.** circular f (a. ~ letter).

cir·cu·late [ˈsəːkjuleit] circular; **cir·cu·la·tion** circulación f (a. ⚕).

cir·cum [ˈsəːkəm] circum, circun...; **cir·cum·cise** [ˈ~saiz] circuncidar; **cir·cum·ci·sion** [ˌ~ˈsiʒn] circuncisión f; **cir·cum·fer·ence** [səˈkʌmfərəns] circunferencia f; **cir·cum·flex** [ˈsəːkəmfleks] circunflejo m; **cir·cum·spect** [ˈ~spekt] □ circunspecto; **cir·cum·stance** [ˈsəːstəns] circunstancia f; in (or under) the ~s en las circunstancias; under no ~s de ninguna manera; **cir·cum·stan·tial** [ˌ~ˈstænʃl] □ circunstancial; ⚖ ~ evidence prueba f indiciaria; **cir·cum·vent** [ˌ~ˈvent] embaucar; burlar.

cir·cus [ˈsəːkəs] circo m; (in town) plaza f redonda.

cis·tern [ˈsistən] arca f, depósito m; (rainwater) aljibe m.

cit·a·del [ˈsitədl] ciudadela f.

ci·ta·tion [saiˈteiʃn] citación f (a. ⚖); ✗ mención f; **cite** [sait] citar; ✗ mencionar.

cit·i·zen [ˈsitizn] ciudadano (a f) m;

Am. ✕ paisano *m*; **cit·i·zen·ship** ['ˌ∼ʃip] ciudadanía *f*.

cit·ric ac·id ['sitrik'æsid] ácido *m* cítrico; **cit·rus** ['∼rəs] **1.** auranciáceo; **2.** cidro *m* (*el género Citrus*).

cit·y ['siti] **1.** ciudad *f*; **2.** ciudadano; ∼ **hall** palacio *m* municipal.

civ·ic ['sivik] cívico; ∼ **centre** casa *f* consistorial; conjunto *m* de edificios municipales; ∼**s** *sg.* ciencia *f* de los derechos *etc.* del ciudadano.

civ·il ['sivl] □ civil; ∼ **servant** funcionario (a *f*) *m* del Estado; ♀ **service** burocracia *f* oficial; **ci·vil·ian** [si'viljən] paisano (a *f*) *m*; ∼ *clothes pl.* traje *m* de paisano; **civ·i·li·za·tion** [∼lai'zeiʃn] civilización *f*; **'civ·i·lize** civilizar.

clack [klæk] **1.** chasquido *m*; (*p.*) tarabilla *f*; **2.** hacer chasquido; sonar; (*chatter*) charlar.

clad [klæd] *lit. pret. a. p.p. of clothe.*

claim [kleim] **1.** demanda *f* (*a.* ⚖); petición *f*; pretensión *f* (to a); ⚒ pertinencia *f*; **lay** ∼ **to** reclamar; **2.** demandar; reclamar; pretender (to *inf.*); afirmar; *attention* merecer.

clair·voy·ance [klɛə'vɔiəns] clarividencia *f*.

clam [klæm] almeja *f*.

clam·ber ['klæmbə] gatear, trepar, subir gateando (*up* a).

clam·my ['klæmi] □ frío y húmedo.

clam·or·ous ['klæmərəs] clamoroso; **'clam·or 1.** clamor *m*, clamoreo *m*; **2.** clamorear, clamar (*for* por).

clamp [klæmp] **1.** abrazadera *f*; (*screw*) tornillo *m* de banco; **2.** afianzar con abrazadera; *fig.* ∼ **down on** apretar los tornillos a; suprimir.

clan [klæn] clan *m* (*a. fig.*).

clan·des·tine [klæn'destin] □ clandestino.

clang [klæŋ] **1.** sonido *m* metálico fuerte, clamoreo *m*; ∼! ¡tolón!; **2.** (re)sonar.

clank [klæŋk] **1.** sonido *m* metálico seco, rechino *m*; **2.** rechinar.

clan·nish ['klæniʃ] exclusivista.

clap [klæp] **1.** palmoteo *m*, aplauso *m*; (*thunder*) trueno *m*; golpe *m* seco; *sl.* gonorrea *f*; **2.** dar palmadas, aplaudir; **'clap·trap 1.** faramalla *f*; farfolla *f*; **2.** faramallón.

clar·i·fi·ca·tion [klærifi'keiʃn] aclaración *f*; **clar·i·fy** ['∼fai] clarificar, aclarar.

clar·i·net [klæri'net] clarinete *m*.

clar·i·ty ['klæriti] claridad *f*.

clash [klæʃ] **1.** choque *m*; fragor *m*; **2.** chocar (*a. fig.*; *with* con); (*colors*) desentonar (*with* con).

clasp [klɑːsp] **1.** broche *m*, corchete *m*; (*book*) broche *m*, manecilla *f*; (*shoe*) hebilla *f*; agarro *m* of hand *etc.*; (*handshake*) apretón *m*; **2.** abrochar; abrazar; agarrar; *hand* apretar; '∼ **knife** navaja *f*.

class [klæs] **1.** clase *f*; **2.** clasificar; ∼ **with** comparar con.

clas·sic ['klæsik] clásico *adj. a. su. m*; the ∼**s** *pl.* las obras clásicas (*esp.* griegas y latinas); las humanidades; **'clas·si·cal** □ clásico.

clas·si·fi·ca·tion [klæsifi'keiʃn] clasificación *f*; **clas·si·fy** ['∼fai] clasificar.

class...: '∼**·room** aula *f*, clase *f*.

clat·ter ['klætə] **1.** martilleo *m*; repiqueteo *m*; estruendo *m*; trápala *f* of hooves; choque *m* of plates; rumor *m* of conversation; **2.** martillear; (*esp. metal*) guachapear; chocar; mover con estruendo confuso.

clause [klɔːz] cláusula *f* (*a. gr.*).

clav·i·cle ['klævikl] clavícula *f*.

claw [klɔː] **1.** garra *f*; garfa *f* esp. of bird of prey; (*lobster's etc.*) pinza *f*; ⊕ garfio *m*, gancho *m*; **2.** arañar; agarrar; (*tear*) desgarrar.

clay [klei] arcilla *f*; ∼ **pigeon** pichón *m* de barro.

clean [kliːn] **1.** *adj.* □ limpio (*a. fig.*); neto, distinto; *surface etc.* despejado, desembarazado; *limb etc.* bien formado; *fig.* diestro; *sl.* **come** ∼ cantar; **2.** *adv.* enteramente; **3.** limpiar; ∼ **out** limpiar vaciando; *sl.* **be** ∼**ed out** quedar limpio; ∼ **up** arreglar; *sl.* sacar de ganancia; **4.** *su.* limpia *f*; **'clean·ing** limpia *f*, limpiadura *f*; *attr.* de limpiar; ∼ **woman** asistenta *f*; **clean·li·ness** ['klenlinis] limpieza *f*; esmero *m*; **clean·ly** *adj.* ['klenli] esmerado; limpio; **cleanse** [klenz] *lit.* limpiar, purificar (*of* de); **clean·up** ['kliːn'ʌp] limpiadura *f*; *sl.* ganancia *f*.

clear [kliə] **1.** □ claro; *sky* despejado, libre (*of* de); completo, total; **2.** *v/t.* aclarar, clarificar (*a.* ∼ *up*); *table* despejar; (*a.* ∼ *away*) levantar; *site* desmontar; quitar (*a.* ∼ *away, off*); limpiar (*of* de); (*jump*) saltar por encima de; ⚖ absolver; probar la inocencia de; *ball* despejar; † **check** hacer efectivo; † **debt** liquidar (*a.* ∼ *off*); *v/i.* abonanzar (*a.* ∼ *up*); (*sky*) despejarse; F ∼ **off** irse, escabullirse (*a.* ∼ *out*); **'clear–'cut** claro, bien definido.

clem·en·cy ['klemənsi] clemencia f.

clench [klentʃ] apretar, cerrar.

cler·gy ['klɜːdʒi] clero m, clerecía f; '**~·man** clérigo m, sacerdote m.

cler·i·cal ['klerikl] □ clerical; oficinista, b.s. oficinesco; **~** error error m de pluma.

clerk [klɑːk] oficinista m/f; dependiente (a f) m.

clev·er ['klevə] □ inteligente; hábil; listo; b.s. habilidoso.

cli·ché ['kliːʃei] cliché m.

click [klik] 1. golpecito m seco; piñoneo m of gun; chasquido m of tongue; taconeo m of heels; 2. piñonear; chasquear.

cli·ent ['klaiənt] cliente m/f; **cli·en·tèle** [kliːɑːnˈtel] clientela f.

cliff [klif] risco m; (sea) acantilado m.

cli·mate ['klaimit] clima m; fig. ambiente m.

cli·max ['klaimæks] rhet. clímax m; colmo m; cima f de intensidad.

climb [klaim] [irr.] 1. trepar, escalar; subir (a); F fig. ~ down cejar; desdecirse; 2. subida f.

clinch [klintʃ] 1. agarro m; ⊕ remache m; boxing: clincha f; 2. agarrar; remachar; luchar cuerpo a cuerpo; fig. argument remachar; v. clench.

cling [kliŋ] [irr.] adherirse (to a), pegarse (to a) (a. fig.); ~ to p. abrazarse a, quedar abrazado a.

clin·ic ['klinik] 1. clínica f; 2. '**clin·i·cal** □ clínico.

clink [kliŋk] 1. tintín m; choque m of glasses; sl. trena f; 2. tintinear; chocar.

clip¹ [klip] 1. esquileo m of wool; F golpe m; 2. trasquilar, esquilar.

clip² [~] grapa f; (paper) sujetapapeles m; sujetador m of pen; (brooch) alfiler m de pecho, clip m.

clip·per ['klipə] (a pair of ~s una) cizalla f; ✈ tijeras f/pl. podadoras; ♣, ✂ clíper m; '**clip·pings** pl. recortes m/pl.; trasquilones m/pl. of wool; retales m/pl. of cloth.

clique [kliːk] pandilla f; peña f.

cloak [klouk] 1. capa f (a. fig.), capote m; ~ and dagger de capa y espada; 2. encapotar; fig. encubrir, disimular.

clock [klɔk] 1. reloj m; sport: cronómetro m; against the ~ contra el reloj; 2.: ~ in fichar; '**~·wise** en la dirección de las agujas del reloj; '**~·work** aparato m de relojería; like ~ como un reloj.

clog [klɔg] 1. zueco m; fig. traba f;

estorbo m; 2. atascar(se) (a. fig.); (hamper) estorbar.

clois·ter ['klɔistə] 1. claustro m; 2. enclaustrar (a. fig.).

close 1. a) [klouz] fin m; conclusión f; at the ~ of day a la caída de la tarde; b) [klous] recinto m, cercado m; 2. [klouz] v/t. cerrar (a. ✈); ~d shop fig. coto m cerrado; ~ down cerrar definitivamente; closing date fecha f tope; v/i. cerrar(se); terminar; ~ in acercarse rodeando; ~ in on rodear; ~ up ponerse más cerca; (wound) cicatrizarse; 3. [klous] □ cercano, próximo; friendship etc. estrecho, íntimo; weave etc. compacto, tupido; argument minucioso; atmosphere sofocante, mal ventilado; imitation arrimado; score igual, casi empatado; translation fiel; F (mean) avaro, mezquino; ~ by, ~ to cerca de; '**~·call** F escape m por un pelo; '**~·fist·ed** tacaño; '**~·fit·ting** ajustado; '**~·shave** afeitado m a ras; F escape m por un pelo.

clos·et ['klɔzit] retrete m, gabinete m; (cupboard) armario m.

close·up ['klousʌp] vista f de cerca.

clot [klɔt] 1. grumo m; cuajarón m of blood etc.; sl. papanatas m; 2. cuajarse, coagularse.

cloth [klɔθ], pl. **cloths** [klɔθs, klɔːðz] tela f, paño m; (table) mantel m; fig. clero m.

clothe [klouð] [irr.] vestir; p. trajear; fig. revestir, investir (with de).

clothes [klouðz] ropa f, vestidos m/pl.; '**~·bas·ket** cesto m de la colada; '**~·hang·er** colgador m, perchero m; '**~·line** cordel m para tender la ropa; '**~·pin** pinza f.

cloth·ing ['klouðiŋ] ropa f, vestidos m/pl.; ropaje m; attr. textil.

cloud [klaud] 1. nube f (a. fig.); storm ~ nubarrón m; 2. anublar (a. fig.); ~ (over) anublarse; '**~·burst** chaparrón m; '**cloud·less** sin nubes, despejado; '**cloud·y** □ anublado, nuboso; liquid turbio.

clout [klaut] 1. F dar de bofetadas; 2. F bofetada f; † trapo m.

clo·ver ['klouvə] trébol m; F be in ~ vivir holgadamente; '**~·leaf** hoja f de trébol; intersection cruce m de trébol.

clown [klaun] 1. payaso m in circus; palurdo m; 2. bufonearse.

cloy [klɔi] empalagar(se), hartar(se).

club [klʌb] 1. porra f, cachiporra f; (golf-) palo m; (society) club m; ca-

sino *m*; **cards**: ~s *pl*. tréboles *m/pl*., (*Spanish*) bastos *m/pl*.; **2**. *v/t*. arrear; '**∼house** *golf*: chalet *m*.

cluck [klʌk] cloquear.

clue [kluː] indicio *m*; pista *f*.

clump [klʌmp] **1**. grupo *m* de árboles, arboleda *f*; masa *f* informe; **2**. andar pesadamente (*a.* ~ *along*).

clum·si·ness ['klʌmzinis] desmaña *f*, torpeza *f*; '**clum·sy** ☐ desmañado, torpe; (*badly done*) chapucero.

clung [klʌŋ] *pret. a. p.p.* of **cling**.

clus·ter [klʌstə] **1**. grupo *m*; ♀ racimo *m*; **2**. agruparse; ♀ arracimarse; (*people*) apiñarse.

clutch [klʌtʃ] **1**. agarro *m*; *mot.* (pedal *m* de) embrague *m*; **2**. agarrarse (*at* a); empuñar.

clut·ter ['klʌtə] **1**. desorden *m*, confusión *f*; (*with noise*) barahunda *f*; **2**. poner en confusión; *be* ~*ed up with* estar atestado de.

coach [koutʃ] **1**. coche *m*, diligencia *f*; *sport*: entrenador *m*; **2**. *team etc*. entrenar; *student* enseñar, preparar.

co·ag·u·late [kou'ægjuleit] coagular.

coal [koul] carbón *m*; hulla *f*; (*freq.* ~s *pl*.) ascua *f*, brasa *f*; ~ *industry* industria *f* hullera; '**∼bin** carbonera *f*; '**∼ car** vagón *m* carbonero; '**∼ deal·er** carbonero *m*.

co·a·lesce [kouə'les] unirse; combinarse; *pol. etc.* incorporarse.

coal·field ['koulfiːld] yacimiento *m* de carbón; cuenca *f* minera.

co·a·li·tion [kouə'liʃn] *pol.* coalición *f*; unión *f*, combinación *f*.

coarse [kɔːs] ☐ basto, tosco; *fig.* grosero, rudo.

coast [koust] **1**. costa *f*; litoral *m*; **2**. costear; *mot.* ir en punto muerto; ~ *along* avanzar sin esfuerzo; '**coast guard** guardacostas *m*.

coat [kout] **1**. chaqueta *f*, americana *f*; (*overcoat*) abrigo *m*; (*layer*) capa *f*; mano *f* of paint; (*animal's*) pelo *m*; ~ *of arms* escudo *m* de armas; ~ *of mail* cota *f* de malla; **2**. cubrir, revestir (*with* con, de); dar una mano de pintura a; '**∼ hang·er** colgador *m*.

coax [kouks] engatusar; conseguir por medio de halagos (*into que, de subj.*); '**coax·ing** ☐ lenguaje *m* almibarado; coba *f*; halagos *m/pl*.

co·balt ['kə'bɔːlt] cobalto *m*.

cob·web ['kɔbweb] telaraña *f*.

co·caine [kə'kein] cocaína *f*.

cock [kɔk] **1**. gallo *m*; macho *m* de ave; ⊕ grifo *m*, espita *f*; martillo *m* of

gun; **2**. gun amartillar; enderezar, volver hacia arriba; ~*ed hat* sombrero *m* de tres picos (*or* de candil).

cock-and-bull sto·ry ['kɔkənd'bulstɔːri] cuento *m*, camelo *m*.

cock...: '**∼eyed** ['kɔkaid] bizco; *sl.* ladeado; *sl. fig.* incomprensible, estúpido; '**∼fight(·ing)** pelea *f* de gallos.

cock·pit ['kɔkpit] cancha *f*, reñidero *m* de gallos; ✈ cabina *f*, carlinga *f*; *fig.* sitio *m* de muchos combates.

cock·roach ['kɔkroutʃ] cucaracha *f*.

cocks·comb ['kɔkskoum] cresta *f* de gallo; '**cock'sure** ℉ demasiado seguro; presuntuoso; '**cock·tail** combinación *f*; ~ *party* cóctel *m*; '**cock·y** ☐ ℉ engreído, hinchado.

co·co ['koukou] cocotero *m*.

co·coa ['koukou] cacao *m*; (*drink*) chocolate *m*.

co·co·nut ['koukənʌt] coco *m*.

co·coon [kə'kuːn] capullo *m*.

cod [kɔd] bacalao *m*.

cod·dle ['kɔdl] mimar.

code [koud] **1**. código *m* (ᵗⱽ *a. fig.*); cifra *f*; *tel.* alfabeto *m* Morse; *in* ~ en cifra; **2**. cifrar.

cod·fish ['kɔdfiʃ] bacalao *m*.

codg·er ['kɔdʒə] ℉ (*freq. old* ~) tipo *m*, sujeto *m*.

cod·i·cil ['kɔdisil] codicilo *m*; **cod·i·fy** ['.fai] codificar.

cod-liv·er oil ['kɔdlivər'ɔil] aceite *m* de hígado de bacalao.

co·ed ['kou'ed] ℉ **1**. coeducacional; **2**. alumna *f* de un colegio coeducacional.

co·ed·u·ca·tion [kouedju'keiʃn] coeducación *f*.

co·erce [kou'əːs] obligar, apremiar (*into ger.* a *inf.*); coercer.

co·ex·ist [kouig'zist] coexistir (*with* con); '**co·ex·ist·ence** coexistencia *f*, convivencia *f*.

cof·fee ['kɔfi] café *m*; '**∼bean** grano *m* de café; '**∼ grounds** heces *f/pl*. del café; '**∼pot** cafetera *f*.

cof·fer ['kɔfə] cofre *m*, arca *f*; ∆ artesón *m*; ~s *pl. fig.* fondos *m/pl*.

cof·fin ['kɔfin] ataúd *m*.

cog [kɔg] diente *m*; rueda *f* dentada.

co·gen·cy ['koudʒənsi] fuerza *f*.

cog·i·tate ['kɔdʒiteit] *v/i.* meditar, reflexionar; *v/t.* recapacitar.

co·gnac ['kounjæk] coñac *m*.

cog·nate ['kɔgneit] cognado *adj. a. su. m* (*a f*); afín.

cog-wheel ['kɔgwiːl] rueda *f* dentada,

co·hab·it [kouˈhæbit] cohabitar.

co·here [kouˈhiə] adherirse, pegarse; (ideas etc.) enlazarse; **co·her·en·cy** coherencia f; **co·her·ent** □ coherente.

co·he·sion [kouˈhiːʒn] cohesión f (a. fig.); **co·he·sive** □ cohesivo.

coif·feur [kwaːˈfəː] peluquero m; **coif·fure** [~ˈfjuə] peinado m.

coil [kɔil] 1. rollo m; ⚓ aduja f of rope; ⚡ carrete m; ⚛ serpentín m; † desorden m, barahunda f; ~ spring resorte m espiral; 2. arrollar(se), enrollar(se); serpentear; ⚓ rope adujar.

coin [kɔin] 1. moneda f; 2. acuñar; fig. forjar; word etc. inventar, idear; **coin·age** acuñación f; amonedación f; sistema m monetario; fig. invención f.

co·in·cide [kouinˈsaid] coincidir (with con); **co·in·ci·dence** [kouˈinsidəns] coincidenca f; **co·in·ci·dent·al** □ coincidente; fortuito.

coke [kouk] 1. coque m; F Coca-Cola f; 2. convertir en coque.

cold [kould] 1. □ frío (a. fig.); ~ meat carne f fiambre; be ~ (p.) tener frío; (weather) hacer frío; (th.) estar frío; F have ~ feet encogérsele a uno el ombligo; 2. frío m; ⚕ resfriado m; catch ~ resfriarse; F leave out in the ~ dejar al margen; '~-'blood·ed zo. de sangre fría; fig. insensible; (cruel) desalmado; '**cold·ness** frialdad f; indiferencia f; '~-'shoul·der tratar con frialdad; '~-'stor·age almacenaje m frigorífico.

cole·slaw [ˈkoulslɔː] ensalada de coles.

col·ic [ˈkɔlik] cólico m.

col·lab·o·rate [kəˈlæbəreit] colaborar; **col·lab·o·ra·tion** colaboración f; **col·lab·o·ra·tor** colaborador (-a f) m; ⚔ colaboracionista m.

col·lapse [kəˈlæps] 1. ⚕ sufrir colapso; F desmayarse; ⚓ etc. hundirse; fig. fracasar; 2. ⚕ colapso m; hundimiento m; fracaso m; **col·laps·i·ble** plegable.

col·lar [ˈkɔlə] 1. cuello m; (animals a. ⊕) collar m; F slip the ~ escaparse; 2. prender por el cuello; sl. coger, prender; '~·bone clavícula f.

col·late [kɔˈleit] colacionar (a. eccl.); text cotejar.

col·lat·er·al [kɔˈlætərəl] □ colateral; ~ security garantía f subsidiaria.

col·league [ˈkɔliːg] colega m.

col·lect 1. [ˈkɔlekt] eccl. colecta f; 2.

[kəˈlekt] v/t. acumular; reunir; antiques etc. coleccionar; taxes colectar, recaudar; ~ o.s. recobrarse; ~ one's wits reconcentrarse; v/i. acumularse; reunirse; coleccionar; **col·lect 'call** llamada f por cobrar; **col·lec·tion** colección f; montón m; recaudación f of taxes; **col·lec·tive** □ colectivo (a. gr.); ~ bargaining trato m colectivo; **col·lec·tor** coleccionador m; (tax-) recaudador m; ⚡ colector m.

col·lege [ˈkɔlidʒ] colegio m; colegio m de universidad; **col·le·gi·an** [kəˈliːdʒiən] colegial m.

col·lide [kəˈlaid] chocar (with con; a. fig.); fig. entrar en conflicto.

col·lier [ˈkɔliə] minero m de carbón; ⚓ barco m minero.

col·li·sion [kəˈliʒn] colisión f, choque m (a. fig.).

col·lo·qui·al [kəˈloukwiəl] □ popular, familiar; **col·lo·qui·al·ism** popularismo m.

co·lon [ˈkoulən] typ. dos puntos; anat. colon m.

colo·nel [kəːnl] coronel m.

co·lo·ni·al [kəˈlounjəl] 1. colonial; 2. colono m; **col·o·nist** [ˈkɔlənist] colonizador m; colono m; **col·o·ni·za·tion** [kɔlənaiˈzeiʃn] colonización f; '**col·o·nize** colonizar.

col·o·ny [ˈkɔləni] colonia f.

col·or [ˈkʌlə] 1. color m (a. fig.); ⚔ ~s pl. bandera f; F be off ~ estar indispuesto; change ~ mudar de color, demudarse; ~ film película f en colores; call to the ~s llamar al servicio militar; show one's ~s dejar ver uno su verdadero carácter; fig. with flying ~s con lucimiento; 2. v/t. colorear (a. fig.), colorar; v/i. sonrojarse (a. ~ up); '~ bar barrera f racial; '~·blind daltoniano; '~ 'blind·ness daltonismo m; **col·or·ful** [~ful] □ lleno de color; vivo, animado; '~ 'tel·e·vi·sion televisión f en colores.

co·los·sal [kəˈlɔsl] □ colosal.

colt [koult] potro m; fig. mozuelo m.

col·umn [ˈkɔləm] columna f; **col·um·nist** [ˈkɔləmnist] periodista m, columnista m.

co·ma [ˈkoumə] ⚕ coma m.

comb [koum] 1. peine m; almohaza f for horse; (cock's) cresta f; ⊕ carda f; v. honey-~; 2. peinar; wool cardar; fig. registrar (or explorar) con minuciosidad.

com·bat [ˈkɔmbət] 1. combate m (a. fig.); ~ duty servicio m de frente; 2.

C
CH

combatir(se); **'com·bat·ant** combatiente *m*.

com·bi·na·tion [kɔmbi'neiʃn] combinación *f* (*a. garment, mst* ~s *pl.*); ~ lock cerradura *f* de combinación; **com·bine 1.** [kəm'bain] combinar (-se); **2.** ['kɔmbain] ✝ monopolio *m*; ✗ (*a.* ~ *harvester*) cosechadora *f*.

com·bus·tion [kəm'bʌstʃən] combustión *f*.

come [kʌm] (*irr.*) venir; ir; ~*! ¡ven!, ¡venga!; oh, ~! ¡pero mire!; *how* ~? F ¿cómo eso?; *coming!* ¡voy!; ~ *about* pasar; suceder (*that* que); realizarse; ~ *across* p. topar a; *th.* encontrar, dar con; ~ *along* venir, ir; ~ *back* volver; ~ *before* anteponerse a; llegar antes; ~ *by* conseguir; ~ *down* bajar; fig. desplomarse; ~ *down on* caer sobre; F regañar; ~ *down with* ⚕ enfermar de; ~ *for* venir por; ~ *forward* presentarse, acudir; ~ *in* entrar; fig. ponerse en uso, ponerse de moda; empezar; llegar *in race*; ~ *in!* ¡adelante!; ~ *in useful* servir, ser útil; ~ *off* (*part*) soltarse; desprenderse; fig. (*event*) verificarse, celebrarse; (*succeed*) tener éxito, verse logrado; ~ *off well* salir airoso; ~ *on!* ¡vamos!, ¡despabílate! (*encouragement*) ¡ánimo!; ~ (*up*)*on* encontrarse con; descubrir; ~ *out* salir; salir a luz; ~ *out with* decir, revelar; ~ *over: what's* ~ *over you?* ¿qué te pasa?; ~ *round* ✎ volver en sí, (*visit*) ir a ver; (*agree*) convenir, asentir; dejarse persuadir; ~ *to* a) *adv.* ⚓ volver en sí, ⚓ parar, fachear; b) *prp.* heredar; sum subir a; ~ *to mind* ocurrirse; ~ *up* subir; aparecer; acercarse (*to* a); mencionarse *in conversation*; *univ.* matricularse; ~ *up to* estar a la altura de; ~ *up with th.* proponer; *~·back* F rehabilitación *f*; respuesta *f* aguda.

co·me·di·an [kə'miːdiən] cómico *m*; autor *m* de comedias; **co·me·di·enne** [‿i'en] cómica *f*.

come-down ['kʌmdaun] F desazón *f*, humillación *f*; desgracia *f*.

com·e·dy ['kɔmidi] comedia *f*; (*musical*) zarzuela *f*.

come-on ['kʌmɔn] *sl.* añagaza *f*; desafío *m*; (*p.*) bobo *m*.

com·et ['kɔmit] cometa *m*.

com·fort ['kʌmfət] **1.** consuelo *m*, alivio *m*; (*physical*) confort *m*, comodidad *f*; bienestar *m*; ~ *loving* comodón *m*; **2.** consolar, aliviar; ⚕ ayudar; **'com·fort·a·ble** ☐ cómodo, con-

fortable; *living* desahogado, holgado; **'com·fort·er** consolador (-a *f*) *m*; (*scarf*) bufanda *f* de lana; (*baby's*) chupete *m*; colcha *f*, cobertor *m*.

com·ic ['kɔmik] **1.** ☐ (*mst* **com·i·cal** ☐) cómico; divertido, entretenido; **2.** (*p.*) cómico *m*; revista *f* cómica (infantil), tebeo *m*; **'com·ic book** tebeo *m*; **'com·ic strip** tira *f* cómica.

com·ma ['kɔmə] coma *f*.

com·mand [kə'maːnd] **1.** orden *f*, mandato *m*; mando *m*, dominio *m*; ✗ comando *m*; ✗, ⚓ comandancia *f*; dominio *m* *of language*; *be at the* ~ *of* estar a la disposición de; *be in* ~ estar al mando; **2.** mandar, ordenar (*to* a); *respect* merecer, imponer; ✗, ⚓ comandar; **com·man·dant** [kɔmən'dænt] comandante *m*; **com·man·deer** [‿'dia] ✗ *men* reclutar por fuerza; *stores etc.* expropiar; F apoderarse de; **com·mand·er** [kə'maːndə] ✗ comandante *m*; ⚓ capitán *m* de fragate; comendador *m* *of Order*; **com·man·er-in-'chief** generalísimo *m*; **com·mand·ment** mandamiento *m*.

com·mem·o·rate [kə'meməreit] conmemorar; **com·mem·o·ra·tion** conmemoración *f* (*in* ~ *of* en ... de); **com·mem·o·ra·tive** ☐ conmemorativo.

com·mence [kə'mens] comenzar, empezar (*ger. or to inf.* a *inf.*); **com·mence·ment** comienzo *m*, principio *m*.

com·mend [kə'mend] encomendar (*to* a); recomendar, alabar.

com·ment ['kɔment] **1.** comento *m*, comentario *m* (*on* sobre); observación *f* (*on* sobre); (*conversational*) dicho *m*; **2.** comentar (*on* acc.); observar (*that* que); **'com·men·ta·ry** comentario *m*; **'com·men·ta·tor** comentador *m*, comentarista *m*; *radio*: locutor *m*.

com·merce ['kɔməːs] comercio *m*; *Chamber of* ✧ Cámara *f* de Comercio; **com·mer·cial** [kə'məːʃl] **1.** ☐ comercial; ~ *traveller* viajante *m*, agente *m* viajero *S.Am.*; **2.** *radio:* anuncio *m*, programa *m* publicitario; **com·mer·cial·ism** mercantilismo *m*; **com·mer·cial·ize** comercializar.

com·mis·er·ate [kə'mizəreit] compadecer; ~ *with* condolerse de.

com·mis·sion [kə'miʃn] **1.** comisión *f* (*a.* ✝); ✗ nombramiento *m*; ⚖ perpetración *f* *of crime*; ✝ ~ *merchant* comisionista *m*; **2.** comisionar; ✗

nombrar; *ship* poner en servicio activo.

com·mit [kə'mit] cometer; *business* confiar; *parl. bill* someter (a una comisión); (*o.s.*) comprometer(se); 🅟 *p.* encarcelar, internar; **com'mit·ment** obligación *f*; compromiso *m*; 🅟 auto *m* de prisión; *parl.* traslado *m* a una comisión; **com'mit·tal** 🅟 auto *m* de prisión; entierro *m* *of body*; **com'mit·tee** comité *m*, comisión *f*.

com·mode [kə'moud] cómoda *f*; (*a. night*~) sillico *m*; **com'mo·di·ous** cómodo, espacioso, holgado; **com·mod·i·ty** [kə'mɔditi] mercancía *f*; cosa *f* útil.

com·mon ['kɔmən] 1. □ común; F ordinario; ~ *law* derecho *m* de consuetudinario; *in* ~ en común; *in* ~ *with* de común con; 2. campo *m* común, ejido *m*; '~ **law** derecho *m* consuetudinario; '~**law mar·riage** matrimonio *m* consensual; **'com·mon·place** 1. perogrullada *f*; lugar *m* común; 2. común, trivial; '~ **sense** sentido *m* común; '~**sense** cuerdo, razonable; '~ **'stock** acción *f* ordinaria; acciones *f/pl.* ordinarias.

com·mo·tion [kə'mouʃn] conmoción *f*, tumulto *m*.

com·mu·ni·cate [kə'mju:nikeit] comunicar (*with* con); *eccl.* comulgar; (*buildings*) mandarse (*with* con); **com·mu·ni·ca·tion** comunicación *f*; *be in* ~ *with* estar en contacto con.

com·mun·ion [kə'mju:njən] comunión *f*.

com·mu·ni·qué [kə'mju:nikei] comunicado *m*, parte *m*.

com·mu·nism ['kɔmju:nizm] comunismo *m*; **'com·mu·nist** 1. comunista *m/f*; 2. = **com·mu·nis·tic** □ comunista.

com·mu·ni·ty [kə'mju:niti] comunidad *f*; sociedad *f*; (*local*) vecindario *m*.

com·mute [kə'mju:t] *v/t.* conmutar (*for, to* por, *into* en); *v/i.* ser abonado al ferrocarril; viajar con billete de abono (*esp.* al trabajo); **com'mut·er** abonado *m* al ferrocarril.

com·pact 1. ['kɔmpækt] pacto *m*, convenio *m*; (*make-up*) estuche *m* de afeites; 2. [kəm'pækt] compacto; conciso, breve; 3. [~] condensar, hacer compacto.

com·pan·ion [kəm'pænjən] compañero (a *f*) *m*; campañía *f*; ⚓ lumbrera *f*.

com·pa·ny ['kʌmpəni] compañía *f* (*a.* ✕ *a. thea.*); ✝ sociedad *f*, empresa *f*; F (*p.*) visita *f*; *bad* ~ amistades *f/pl.* sospechosas; F *good* ~ compañero *m* simpático (*or* entretenido); *keep s.o.* ~ acompañar a, estar con; *ir juntos*; *part* ~ separarse, tomar rumbos distintos.

com·pa·ra·ble ['kɔmpərəbl] □ comparable; **com·par·a·tive** [kəm'pærətiv] 1. *gr.* comparativo *m*; 2. □ comparado; *gr.* comparativa.

com·pare [kəm'pɛə] 1. *beyond* ~, *without* ~, *past* ~ sin comparación; 2. *v/t.* comparar (*with, to* con); *as* ~*d with* comparado con; *v/i.* compararse (*with* con); **com·par·i·son** [~'pærisn] comparación *f*; *in* ~ *with* en comparación con.

com·part·ment [kəm'pɑːtmənt] compartimiento *m*; 🚃 departamento *m*.

com·pass ['kʌmpəs] 1. ⚓ brújula *f*; ♪ extensión *f*, límites *m/pl.* (de la voz *etc.*); confín *m*, circuito *m*; *fig.* alcance *m*; 2. rodear, ceñir; (*contrive*) conseguir; *fig.* alcanzar.

com·pas·sion [kəm'pæʃn] compasión *f*, piedad *f*; *have* ~ *on* tener piedad de; **com'pas·sion·ate** [~ʃə-nit] □ compasivo.

com·pat·i·bil·i·ty [kəmpætə'biliti] compatibilidad *f*; **com'pat·i·ble** □ compatible.

com·pel [kəm'pel] *p.* compeler (*to* a); *respect* imponer.

com·pen·sate ['kɔmpenseit] *v/t.* compensar (*with* con); indemnizar (*for* de); *v/i.*: ~ *for* compensar; **com·pen·sa·tion** compensación *f*; indemnización *f*; ⊕ retribución *f*, recompensa.

com·pete [kəm'pi:t] competir, hacer competencia (*for* para; *with* con).

com·pe·tence, **com·pe·ten·cy** ['kɔmpitəns(i)] competencia *f* (*a.* 🅟); capacidad *f*; aptitud *f*; **'com·pe·tent** □ competente (*a.* 🅟); capaz, hábil.

com·pe·ti·tion [kɔmpi'tiʃn] competencia *f*; concurso *m*; (*Civil Service etc.*) oposiciones *f/pl.*; *in* ~ *with* en competencia (con); **com·pet·i·tive** [kəm'petitiv] □ competidor *f*; *price* competitivo; *post* de (*or* por) concurso (*or* oposición); **com'pet·i·tor** competidor (-a *f*) *m*; opositor (-a *f*) *m* *for post*.

com·pi·la·tion [kɔmpi'leiʃn] compi-

concern

lación *f*; **com·pile** [kəm'pail] compilar.

com·pla·cence, **com·pla·cen·cy** [kəm'pleisns(i)] complacencia *f*; *b.s.* satisfacción *f* de sí mismo; **com·pla·cent** □ satisfecho (con poca razón) (*about* de).

com·plain [kəm'plein] quejarse (*about*, *of* de; *that* de que); *t͡s* demandar; **com·plaint** queja *f*; *t͡s* querella *f*, demanda *f*; *s͡* enfermedad *f*, mal *m*.

com·ple·ment ['kɔmplimənt] 1. complemento *m* (*a. gr.*, *A*); *♣* personal *m*; 2. complementar.

com·plete [kəm'pli:t] 1. □ completo, entero; consumado; 2. completar, llevar a cabo; *form* llenar; **com·ple·tion** cumplimiento *m*, terminación *f*.

com·plex ['kɔmpleks] 1. □ complejo; complicado; 2. *s͡* complejo *m*; F idea *f* fija, prejuicio *m* irracional; **com·plex·ion** [kəm'plekʃn] tez *f*, color *m* de la cara; aspecto *m*, carácter *m*; **com·plex·i·ty** complejidad *f*.

com·pli·ance [kəm'plaiəns] sumisión *f* (*with* a), condescendencia *f* (*with* a); *in ~ with* accediendo a.

com·pli·cate ['kɔmplikeit] complicar; embrollar; **com·pli·ca·tion** complicación *f*.

com·plic·i·ty [kəm'plisiti] complicidad *f*.

com·pli·ment 1. ['kɔmplimənt] cumplimiento *m*, cumplido *m*; piropo *m to woman*; *send ~s* enviar saludos; 2. ['~ment] cumplimentar; felicitar (*on* sobre); **com·pli·men·ta·ry** lisonjero; *ticket etc.* de regalo, de cortesía.

com·ply [kəm'plai] conformarse (*with* con); obedecer (*with* a); *~ with* obrar de acuerdo con.

com·po·nent [kəm'pounənt] componente *adj. a. su. m* (*a. ~ part*).

com·pose [kəm'pouz] componer (*a. ♪ a. typ.*); **com·posed**, *adv. spirit* sosegado; compuesto (*of* de); *be ~ of* componerse de, estar compuesto de; **com·pos·er** ♪ compositor *m*; autor *m*; **com·pos·ite** ['kɔmpəzit] 1. compuesto; 2. compuesto *m*; *♀ ~s pl.* compuestas *f/pl.*; **com·pos·i·tion** [kɔmpə'ziʃn] composición *f*; *♀* arreglo *m*, ajuste *m*; **com·po·sure** [kəm'puʒə] compostura *f*, serenidad *f*.

com·pound¹ 1. ['kɔmpaund] com-

puesto; *~ fracture* fractura *f* complicada; *~ interest* interés *m* compuesto; 2. [~] compuesto *m* (*a. A*); *gr.* (*a. ~ word*) vocablo *m* compuesto; 3. [kəm'paund] *v/t.* componer; *v/i.*: *~ with* capitular con.

com·pound² ['kɔmpaund] comprender; encerrar, incluir.

com·pre·hen·si·ble [kɔmpri'hensəbl] □ comprensible; **com·pre·hen·sion** comprensión *f*; **com·pre·hen·sive** □ comprensivo.

com·press 1. [kəm'pres] comprimir; 2. ['kɔmpres] compresa *f*; **com·pres·sion** [~'preʃn] compresión *f*; **com·pres·sor** compresor *m*.

com·prise [kəm'praiz] comprender; constar de; *range* abarcar.

com·pro·mise ['kɔmprəmaiz] 1. compromiso *m*, componenda *f*; 2. *v/t. affair* arreglar; *p.* comprometer; *v/i.* comprometer(se).

com·pul·sion [kəm'pʌlʃn] compulsión *f*; **com·pul·so·ry** [~səri] □ obligatorio; compulsivo.

com·pu·ta·tion [kɔmpju:'teiʃn] cómputo *m*, cálculo *m*; **com·pute** [kəm'pju:t] computar, calcular; **com·put·er** calculadora *f*, computador *m*.

com·rade ['kɔmreid] camarada *m*; *~ in arms* compañero *m* de armas.

con·cave ['kɔn'keiv] □ cóncavo.

con·ceal [kən'si:l] ocultar (*from* a, de); *t͡s* encubrir.

con·cede [kən'si:d] conceder.

con·ceit [kən'si:t] presunción *f*, engreimiento *m*, ínfulas *f/pl.*; *lit.* concepto *m*; **con·ceit·ed** □ engreído, afectado; *style* conceptuoso.

con·ceiv·a·ble [kən'si:vəbl] □ concebible; **con·ceive** *v/i.* concebir; *v/t.* imaginar, formar concepto de; *child* concebir; *plan* idear.

con·cen·trate 1. ['kɔnsentreit] concentrar(se); 2. ['~trit] *esp.* *m* sustancia *f* concentrada; **con·cen·tra·tion** concentración *f* (*a. A*); *~ camp* campo *m* de concentración; **con·cen·tric** □ concéntrico.

con·cep·tion [kən'sepʃn] concepción *f*; idea *f*, concepto *m*.

con·cern [kən'sə:n] 1. asunto *m*, negocio *m*; interés *m*, preocupación *f* (*for*, *with* por); inquietud *f* (*for* por); *♥* empresa *f*; 2. concernir, atañer; preocupar, inquietar; *~ o.s. with* ocuparse de, interesarse por; *be ~ed* estar interesado en; estar metido en;

be ~ed estar preocupado (*with*; *that porque*); *be* ~ed *to inf.* (me *etc.*) interesa *inf.*; *as far as he is* ~ed en cuanto le toca a él; *as* ~s respecto de; **con'cerned** □ interesado (*in* en); ocupado; inquietado (*at, about, for* por); *those* ~ los interesados; **con'cern·ing** *prp.* concerniente a; respecto de.

con·cert 1. ['kɔnsət] concierto *m* (*a.* ♪); *in* ~ de concierto; **2.** [kən'sət] concertar; **con·cer·ti·na** [kɔnsə'ti:nə] concertina *f*.

con·ces·sion [kən'seʃn] concesión *f*; privilegio *m*; **con·ces·sion·aire** [kənse(ə)'neə] concesionario *m*.

con·cil·i·ate [kən'silieit] conciliar; (*win over*) ganar, granjear; **con·cil·i·a·tion** [kən'silieiʃn] conciliación *f*.

con·cise [kən'sais] □ conciso.

con·clude [kən'klu:d] concluir, terminar; sacar una consecuencia; *agreement* llegar a; *business* finalizar; **con'clud·ing** final.

con·clu·sion [kən'klu:ʒn] conclusión *f*; *in* ~ en conclusión; **con'clu·sive** (*decisive*) decisivo.

con·coct [kən'kɔkt] mezclar, confeccionar; *fig.* tramar, urdir.

con·cord 1. ['kɔŋkɔ:d] concordia *f*; *gr.*, ♪ concordancia *f*; **2.** [kən'kɔ:d] concordar (*with* con); **con'cord·ance** concordancia *f* (*a. eccl.*).

con·course ['kɔŋkɔ:s] confluencia *f* of *rivers*; concurso *m*, reunión *f* of *people*; 🚉 gran salón *m*.

con·crete 1. ['kɔnkri:t] □ concreto; ⊕ de hormigón; **2.** [~] ⊕ hormigón *m*; ~ *mixer* hormigonera *f*; **3.** [kən'kri:t] cuajarse; solidificarse.

con·cur [kən'kə:] concurrir; convenir (*with* con; *in* en); **con·cur·rence** [~'kʌrəns] concurrencia *f*; unión *f* (*agreement*) acuerdo *m*; (*assent*) asenso *m*.

con·cus·sion [kən'kʌʃn] sacudimiento *m*; ⚕ commoción *f* cerebral.

con·demn [kən'dem] condenar (*to* a); censurar; **con·dem·na·tion** [kɔndem'neiʃn] condenación *f*; ⚖ condena *f*; censura *f*.

con·den·sa·tion [kɔnden'seiʃn] condensación *f*; (*a.* 📻) compendio *m* of *material*; **con'dense** [kən'dens] condensar; *material* abreviar.

con·de·scend [kɔndi'send] condescender (*to* en); dignarse (*to inf.*); **con·de'scend·ing** □ condescen-

diente; **con·de'scen·sion** dignación *f*, condescendencia *f*.

con·di·tion [kən'diʃn] **1.** condición *f*; ~s *pl.*; condiciones *f/pl.*, circunstancias *f/pl.*; **2.** condicionar, acondicionar; determinar; **con·di'tion·al** □ condicional (*a. gr.*).

con·do·min·i·um [kɔndə'miniəm] condominio *m*.

con·done [kən'doun] condonar.

con·duct 1. ['kɔndʌkt] conducta *f*; **2.** [kən'dʌkt] conducir; llevar; *orchestra* dirigir; ♪ (*v/i.*) llevar la batuta; ~ *o.s.* comportarse; **con·duc·tor** [kən'dʌktə] conductor *m* (*a. phys.*); ♪ director *m*; (*bus*) cobrador *m*; 🚋 revisor *m*; (*lightning*) pararrayos *m*.

con·duit ['kɔndjuit] conducto *m*, canal *m*.

cone [koun] cono *m* (*a.* ♀); (*ice-cream* ~) barquillo *m*.

con·fec·tion [kən'fekʃn] confección *f*, hechura *f*; (*sweetmeat*) confite *m*.

con·fed·er·a·cy [kən'fedərəsi] confederación *f*; 🏴 complot *m*; **con'fed·er·ate 1.** [~rit] confederado; **2.** [~] confederado *m*; cómplice *m*; **3.** [~reit] confederarse.

con·fer [kən'fə:] *v/t.* conferir (*on* a); *v/i.* conferir (*with* con; *about, upon* acerca de, sobre); **con·fer·ence** ['kɔnfərəns] conferencia *f*; (*assembly*) congreso *m*.

con·fess [kən'fes] confesar (*to p.* a); ~ *to th.* reconocer, admitir; **con·fes·sion** [~'feʃn] confesión *f* (*a. eccl.*); *eccl.* (*a.* ~ *of faith*) credo *m*; ~ *box* confesonario *m*.

con·fi·dant [kɔnfi'dænt] confidente *m*; **con·fi·dante** [~] confidenta *f*.

con·fide [kən'faid] *v/i.*: ~ *in* confiar en, fiarse de; ~ *to* hacer confidencias a; *v/t. th.* confiar (*to* a, en); **con'fi·dence** ['kɔnfidəns] confianza *f* (*in* en); confidencia, secreto *m*; *in* ~ en confianza; *gain* ~ adquirir confianza; ~ *man* timador *m*; **'con·fi·dent** □ seguro (*of* de; *that* de que); lleno de confianza; *b.s.* confiado; **con·fi'den·tial** □ confidencial; ~*ly* en confianza.

con·fine 1. ['kɔnfain] *mst* ~s *pl.* confines *m/pl.* (*a. fig.*); **2.** [kən'fain] confinar (*s.o. to* en); encerrar; limitar.

con·firm [kən'fə:m] confirmar (*a. eccl.*); ratificar, revalidar; **con·fir·ma·tion** [kɔnfə'meiʃn] confirmación *f* (*a. eccl.*); **con'firmed** confirmado (*a. eccl.*); (*by habit*) inveterado.

con·fis·cate ['kɔnfiskeit] confiscar; **con·fis·ca·tion** confiscación *f*.

con·fla·gra·tion [kɔnflə'greiʃn] conflagración *f*.

con·flict 1. ['kɔnflikt] conflicto *m* (*a. fig.*); **2.** [kən'flikt] ~ *with* estar en pugna con.

con·form [kən'fɔ:m] *v/t*. conformar (*to* con); *v/i.*: ~ *to* conformarse con, allanarse a; **con·for·ma·tion** [kɔn-fɔ:'meiʃn] conformación *f*.

con·found [kən'faund] confundir; vencer; F ~ *it!* ¡demonio!; **con·found·ed** □ F condenado.

con·front [kən'frʌnt] afrontar, carear; *s.o.* confrontar (*with* con); hacer cara a; *manuscripts* cotejar; *be* ~*ed with* encararse con; salírsele a una; **con·fron·ta·tion** [kɔnfrʌn'teiʃn] confrontación *f*; cotejo *m*.

con·fuse [kən'fju:z] confundir (*s.t. with* con); ~ *the issue* oscurecer las cosas; **con·fus·ed** □ confuso; perturbado, aturrullado; **con·fu·sion** confusión *f*; (*mental*) aturdimiento *m*; desorden *m*.

con·geal [kən'dʒi:l] congelar(se); (*blood*) coagular(se).

con·ge·la·tion [kɔndʒi'leiʃn] congelación *f*.

con·gen·ial [kən'dʒi:niəl] □ congenial; *atmosphere etc.* agradable.

con·gen·i·tal [kən'dʒenitl] □ congénito.

con·gest [kən'dʒest] congestionar(se) (*a. ♨*); (*people*) apiñarse; **con·ges·tion** congestión *f*.

con·grat·u·late [kən'grætjuleit] felicitar ([*up*]*on* por); **con·grat·u·la·tion** felicitación *f*, parabién *m*; ~*s!* ¡enhorabuena!

con·gre·gate ['kɔngrigeit] congregar (-se); **con·gre·ga·tion** *eccl.* congregación *f*.

con·gress ['kɔngres] congreso *m*; ♀ Congreso *m* (*de Estados Unidos*); ~*man* congresista *m*; **con·gre·sion·al** [~'greʃnl] congresional; '~·man congresista *m*.

con·ic, con·i·cal ['kɔnik(l)] □ cónico; Å ~ *section* sección *f* cónica.

con·jec·ture [kən'dʒektʃə] **1.** conjetura *f*; **2.** conjeturar (*from* de, por).

con·ju·gal ['kɔndʒugl] □ conjugal; **con·ju·gate** ['~geit] **1.** *v/t*. conjugar; *v/i. biol.* reproducirse; **2.** ♀ conjugado; **con·ju·ga·tion** [~'geiʃn] conjugación *f* (*a. biol.*).

con·junc·tion [kən'dʒʌŋkʃən] con-

junción *f*; **con·junc·tive** [kən-'dʒʌŋktiv] conjuntivo; ~ *mood* modo *m* conjuntivo; **con·junc·ti·vi·tis** [~-'vaitis] conjuntivitis *f*.

con·ju·ra·tion [kɔndʒuə'reiʃn] conjuro *m*; **con·jure 1.** [kən'dʒuə] *v/t*. conjurar, pedir con instancia; **2.** ['kʌndʒə] *v/t*. conjurar, exorcizar (*a.* ~ *away*); ~ *up* hacer aparecer; *fig.* evocar; *v/i*. escamotear; practicar las artes mágicas.

con·nect [kə'nekt] conectar(se), conexionar(se); asociar(se), enlazar (-se); ♨ empalmar (*with* con); *teleph.* poner en comunicación (*with* con); **con·nect·ed** □ conexo; asociado; enlazado (*with* con); *be* ~ *with* estar asociado con; **con·nec·tion** [kə-'nekʃn] conexión *f* (*a. ♪*); *fig.* relación *f*; (*family* ~) parentesco *m*; unión *f*, enlace *m*; ♨ correspondencia *f* (*with* con), empalme *m*; ⊕ acoplamiento *m*; *in* ~ *with* a propósito de; *in this* ~ con respecto a esto.

con·niv·ance [kə'naivəns] connivencia *f*; confabulación *f* (*at*, *in* para).

con·nois·seur [kɔni'sə:] conocedor (-a *f*) *m*; catador *m* of wine.

con·no·ta·tion [kɔnou'teiʃn] connotación *f*; **con·note** connotar.

con·quer ['kɔŋkə] conquistar (*a. fig.*), vencer; '**con·quer·or** conquistador (-a *f*) *m*; vencedor (-a *f*) *m*.

con·quest ['kɔŋkwest] conquista *f*.

con·science ['kɔnʃns] conciencia *f*; F *in all* ~ en realidad de verdad.

con·sci·en·tious [kɔnʃi'enʃəs] □ concienzudo; ~ *objector* pacifista *m* que se niega a tomar las armas.

con·scious ['kɔnʃəs] □ consciente; intencional; *be* ~ hacerse cargo, tener conocimiento (*of* de; *that* de que); ♣ tener conocimiento; '**con·scious·ness** conciencia *f*; ♣ conocimiento *m*; *phls.* consciencia *f*; *lose* (*regain*) ~ perder (recobrar) el conocimiento.

con·script [kən'skript] reclutar; **con·script** ['kɔnskript] recluta *m*, quinto *m*; **con·scrip·tion** reclutamiento *m*.

con·se·crate ['kɔnsikreit] consagrar (*a. fig.*); **con·se·cra·tion** consagración *f*.

con·sec·u·tive [kən'sekjutiv] consecutivo (*a. gr.*), sucesivo; **con·sec·u·tive·ly** sucesivamente.

con·sen·sus [kən'sensəs] consenso *m*.

con·sent [kən'sent] **1.** consentimiento *m* (*to* en); *by common* ~ según la opinión unánime; **2.** consentir (*to* en).

con·se·quence [ˈkɔnsikwəns] consecuencia f; **ˈcon·se·quent 1.** consiguiente; *phls.* consecuente; *be ∼ on* ser consecuencia de; **2.** *gr.* consiguiente m; *phls.,* ℞ consecuente m; **con·sequent·ly** [ˈ∼kwentli] por consiguiente.

con·ser·va·tion [kɔnsəˈveiʃn] conservación f; **con·serv·a·tism** [kənˈsəːvətizm] conservatismo m; **conˈserv·a·tive** □ conservativo; *pol.* conservador (*a. su. m*); moderado, cauteloso; **conˈserve 1.** conserva f, compota f; **2.** conservar.

con·sid·er [kənˈsidə] considerar; **conˈsid·er·a·ble** □ considerable; **conˈsid·er·ate** [∼rit] □ considerado; **conˈsid·er·a·tion** [∼ˈreiʃn] consideración f; ✝ remuneración f; *in ∼ of* en consideración a; *take into ∼* tomar en cuenta; *without due ∼* sin reflexión; **conˈsid·er·ing 1.** *prp.* en consideración a; **2.** F *adv.* teniendo en cuenta las circunstancias.

con·sign [kənˈsain] consignar (*a.* ✝); confiar, entregar; **conˈsign·ment** [kənˈsainmənt] consignación f (*a.* ✝); envío m, remesa f.

con·sist [kənˈsist] consistir (*in, of* en); constar (*of* de); **conˈsist·en·cy** consistencia f; consecuencia f *of actions*; **conˈsist·ent** □ consistente; consonante (*with* con); *conduct* consecuente; *∼ly* sin excepción, continuamente.

con·so·la·tion [kɔnsəˈleiʃn] consolación f, consuelo m.

con·sole 1. [kənˈsoul] consolar; **2.** [ˈkɔnsoul] △ consola f.

con·sol·i·date [kənˈsɔlideit] consolidar (*a.* ✝); **conˈsol·i·da·tion** consolidación f.

con·so·nant [ˈkɔnsənənt] consonante.

con·sort [ˈkɔnsɔːt] consorte m/f; ⚓ buque m que acompaña a otro.

con·spic·u·ous [kənˈspikjuəs] □ visible, evidente; que llama la atención.

con·spir·a·cy [kənˈspirəsi] conspiración f, complot m; **conˈspir·a·tor** [∼tə] conspirador (-a f) m; **conˈspire** [∼ˈspaiə] *v/t.* urdir, maquinar; *v/i.* conspirar (*to* a).

con·stant [ˈkɔnstənt] **1.** □ constante; incesante; (*persistent*) porfiado; **2.** ℞ constante f.

con·stel·la·tion [kɔnstəˈleiʃn] constelación f (*a. fig.*).

con·ster·na·tion [kɔnstəˈneiʃn] consternación f.

con·sti·pate [ˈkɔnstipeit] estreñir; **con·sti·pa·tion** estreñimiento m.

con·sti·tute [ˈkɔnstitjuːt] constituir (*a p. judge* a una p. juez); **con·sti·tu·tion** constitución f.

con·strain [kənˈstrein] constreñir, obligar (*to* a); imponer; **conˈstraint** coacción f, constreñimiento m; encierro m; *fig.* desconcierto m.

con·strict [kənˈstrikt] apretar.

con·struct [kənˈstrʌkt] construir (*a. gr.*); **conˈstruc·tion** construcción f; interpretación f, explicación f; *under ∼* en construcción.

con·sul [ˈkɔnsl] cónsul m; **con·su·lar** [ˈkɔnsjulə] consular; **con·su·late** [ˈ∼lit] consulado m.

con·sult [kənˈsʌlt] consultar (*with* con); *∼ing attr.* consultor; 🏥 *∼ing room* consultorio m; **conˈsult·ant** consultor m; 🏥 especialista m; **con·sul·ta·tion** [kɔnsəlˈteiʃn] consulta f (*a.* 🏥), consultación f.

con·sume [kənˈsjuːm] consumir (*a. fig.*); **conˈsum·er** consumidor m; *∼ goods pl.* artículos m/pl. de consumo.

con·sump·tion [kənˈsʌmpʃn] consunción f; consumo m *of goods*.

con·tact [ˈkɔntækt] **1.** contacto m (*a. fig.*, 🔌); *∼ lenses* microlentillas f/pl. *get in ∼ with =* **2.** [kənˈtækt] F ponerse en contacto con; ˈ∼ **break·er** ⚡ ruptor m.

con·ta·gion [kənˈteidʒn] contagio m (*a. fig.*); **conˈta·gious** □ contagioso (*a. fig.*).

con·tain [kənˈtein] contener (*a.* ✕); *space* abarcar; **conˈtain·er** continente m; ✝ *etc.* envase m, caja f.

con·tam·i·nate [kənˈtæmineit] contaminar (*a. fig.*); **conˈtam·iˈna·tion** contaminación f; refundición f, fusión f *of text*.

con·tem·plate [ˈkɔntempleit] contemplar; proponerse (*doing* hacer); **conˈtem·ˈpla·tion** contemplación f; mira f, intención f.

con·tem·po·ra·ne·ous [kəntempəˈreinjəs] □ contemporáneo; **conˈtem·po·rar·y** contemporáneo *adj. a. su. m* (*a f*); coetáneo *adj. a. su. m* (*a f*).

con·tempt [kənˈtempt] desprecio m, desdén m; ⚖ *∼ of court* contumacia f, rebeldía f; *hold in ∼* despreciar; **conˈtempt·i·ble** □ despreciable; **conˈtemp·tu·ous** [∼juəs] □ desprecia-

tivo, despectivo; desdeñoso (*of* para, hacia).

con·tend [kən'tend] *v/i.* contender (*with ... over* con ... sobre); luchar (*for* por); (*argument*) sostener; *v/t.* afirmar, sostener.

con·tent [kən'tent] **1.** contento (*with* de, con); **2.** contentar; **3.** contento *m*; *to one's heart's* ~ a gusto, hasta más no poder; **4.** ['kɔntent] contenido *m* (*freq.* ~s *pl.*); (*capacity*) cabida *f*; (*esp.* 🜨) componente *m*.

con·ten·tion [kən'tenʃn] contienda *f*, disputa *f*; argumento *m*, aseveración *f* (*that* de que).

con·tent·ment [kən'tentmənt] contento *m*, satisfacción *f*.

con·test 1. ['kɔntest] debate *m*, disputa *f*; (*fight*) contienda *f*, lid *f* (*a. fig.*); (*competition*) concurso *m*; **2.** [kən'test] disputar, impugnar; tomar parte en un concurso; *election* ser candidato en; **con·test·ant** contendiente *m/f*; contrincante *m*; rival *m/f*.

con·text ['kɔntekst] contexto *m*.

con·ti·nent ['kɔntinənt] **1.** ☐ continente; **2.** continente *m*; *the* ♀ la Europa continental; **con·ti·nen·tal** [~'nentl] ☐ continental.

con·tin·gent [kən'tindʒənt] **1.** ☐ contingente, eventual; dependiente (*on* de); **2.** contingente *m*.

con·tin·u·al [kən'tinjuəl] ☐ continuo, incesante; **con·tin·u·a·tion** continuación *f*; ♰ prórroga *f*; **con·tin·ue** *v/t.* continuar; mantener; ♻ aplazar; *to be* ~d continuará; *v/i.* continuar(se); **con·ti·nu·i·ty** [kɔnti-'njuːiti] continuidad *f*; **con·tin·u·ous** [kən'tinjuəs] ☐ continuo (*a. ⚡*).

con·tour ['kɔntuə] contorno *m*; ~ *line* curva *f* de nivel.

con·tra·band ['kɔntrəbænd] (*attr.* de) contrabando *m*.

con·tract 1. [kən'trækt] *v/t.* contraer; *v/i.* contraerse; comprometerse por contrato (*to* a); **2.** ['kɔntrækt] contrato *m*; ♰ contrata *f*; **con·tract·ed** [kən'træktid] contraído; encogido; **con·trac·tion** contracción *f*; **con·trac·tor** contratista *m/f*; contratante *m*.

con·tra·dict [kɔntrə'dikt] contradecir; **con·tra·dic·tion** contradicción *f*; **con·tra·dic·to·ry** ☐ contradictorio; *p.* contradictor.

con·trap·tion [kən'træpʃn] dispositivo *m*, artificio *m*; *contp.* armatoste *m*.

---

con·tra·ry ['kɔntrəri] **1.** contrario; F [kən'trɛəri] obstinado, terco; que lleva la contra; *adv.* en contrario; ~ *to* contrario a; **2.** contrario *m*; *on the* ~ al contrario; *to the* ~ en contrario.

con·trast 1. ['kɔntræst] contraste *m*; *in* ~ por contraste; *in* ~ *to* en contraposición *f*; **2.** [kən'træst] *v/t.* poner en contraste; *v/i.* contrastar (*with* con).

con·trib·ute [kən'tribjuːt] contribuir (*towards* a, para; *to ger.* a *inf.*); ~ *to paper* colaborar en; **con·tri·bu·tion** [kɔntri'bjuːʃn] contribución *f*; artículo *m*, escrito *m* *to paper*; **con·trib·u·tor** [kən'tribjuːtə] contribuidor (-a *f*) *m*, contribuyente *m*; colaborador *m* *to paper*.

con·trite ['kɔntrait] ☐ contrito; **con·tri·tion** [kən'triʃn] contrición *f*.

con·trol [kən'troul] **1.** mando *m*, gobierno *m*; inspección *f*, intervención *f* (*esp.* ♻); control *m*; ⊕ regulador *m*; 📟 norma *f* de comprobación; dirección *f*; *attr.* de mando, de control; ~s *pl. esp.* ✈ aparatos *m/pl.* de mando; *remote* ~ comando *m* a distancia, telecontrol *m*; *be in* ~ tener el mando, mandar; *get out of* ~ perder control; *get under* ~ conseguir dominar; **2.** mandar, gobernar; controlar, comprobar; ⊕ regular; *price* controlar; ~ *o.s.* dominarse.

con·tro·ver·sial [kɔntrə'vəːʃl] ☐ controvertible; contencioso; **con·tro·ver·sy** ['kɔntrəvəːsi] controversia *f*.

con·un·drum [kə'nʌndrəm] acertijo *m*, adivinanza *f*.

con·va·lesce [kɔnvə'les] convalecer; **con·va·les·cence** convalecencia *f*; **con·va·les·cent** convaleciente *adj. a. su. m/f*; ~ *home* clínica *f* de reposo.

con·vene [kən'viːn] *v/i.* juntarse, reunirse; *v/t. meeting* convocar.

con·ven·ience [kən'viːnjəns] conveniencia *f*; comodidad *f*; (*time*) oportunidad *f*; *at your earliest* ~ cuando le sea conveniente; **con·ven·ient** ☐ conveniente; cómodo; *time* oportuno; apto.

con·vent ['kɔnvənt] convento *m* (de religiosas); **con·ven·tion** convención *f*; (*meeting*) asamblea *f*.

con·verge [kən'vəːdʒ] convergir.

con·ver·sant [kən'vəːsənt] versado (*with* en); *become* ~ *with* familiarizarse con; **con·ver·sa·tion** [~'seiʃn] conversación *f*, plática *f*; **con·ver·sa·tion·al** ☐ de conversación; *p.*

hablador, expansivo; **con·verse 1.** [ˈkɔnvəːs] □ contrario, inverso; **2.** [~] plática *f*; ≬ inversa *f*; **3.** [kənˈvəːs] conversar (*with* con); **con·ver·sion** conversión *f* (*to* a; *into* en); ✝ cambio *m*, conversión *f*; ✝, ⊕ reorganización *f*; ⚏ apropiación *f* ilícita.

con·vert 1. [ˈkɔnvəːt] converso (a *f*) *m*, convertido (a *f*) *m*; **2.** [kənˈvəːt] convertir (*to* a); ⚏ apropiarse ilícitamente (*to one's own use* para uso propio); **con·vert·er** ⊕, ⚡ convertidor *m*; **con·vert·i·bil·i·ty** [~ˈbiliti] convertibilidad *f*.

con·vex [ˈkɔnˈveks] □ convexo.

con·vey [kənˈvei] transportar, llevar; *current* transmitir; *news* comunicar; dar a entender (*to* a); ⚏ traspasar; **con·vey·ance** transporte *m*; vehículo *m*; (*a.* ⚡) transmisión *f*; comunicación *f*; ⚏ (escritura *f* de) traspaso *m*.

con·vict 1. [ˈkɔnvikt] presidiario *m*; **2.** [kənˈvikt] condenar; declarar culpable (*of* de); **con·vic·tion** [kənˈvikʃn] convencimiento *m*; ⚏ condena *f*; ~*s pl.* convicciones *f/pl.*

con·vince [kənˈvins] convencer (*of* de); **con·vinc·ing** □ convincente.

con·viv·i·al [kənˈviviəl] □ festivo, jovial.

con·vo·ca·tion [kɔnvəˈkeiʃn] convocación *f*; (*meeting*) asamblea *f*.

con·voy [ˈkɔnvoi] **1.** convoy *m*; **2.** convoyar.

con·vulse [kənˈvʌls] agitar(se); *nerves* convulsionar; *be ~d with laughter* desternillarse de risa; **con·vul·sion** convulsión *f* (*a. fig.*); ~*s pl.* (*of laughter*) paroxismo *m* de risa.

coo [kuː] arrullar.

cook [kuk] **1.** cocinero (a *f*) *m*; **2.** cocinar; cocer, guisar; *meal* preparar; *sl.* ~ *up* maquinar, tramar; '~·book libro *m* de cocina; '**cook·ie** pastelito *m* dulce; '**cook·ing** cocina *f*; *attr.* de cocina(r).

cool [kuːl] **1.** □ fresco; tibio (*a. fig.*); *fig.* indiferente, frío, sereno, tranquilo; *b.s.* descarado, audaz; F sin exageración; *a* ~ *thousand* mil libras contantes y sonantes; **2.** fresco *m*; **3.** refrescar(se); (*a.* ~ *down*) moderarse; ~ *off* enfriarse; *sl.* trena *f*; '**cool·head·ed** sereno, sosegado.

cool·ing [ˈkuːliŋ] refrigeración *f*; *attr.* refrigerante; *drink* refrescante; ~ *tower* torre *f* de refrigeración; '**cool·ness** frescura *f*; tibieza *f* (*a. fig.*), *etc.*

coop [kuːp] **1.** gallinero *m*, caponera *f*; **2.** ⚡ ~ *up* encerrar, enjaular.

co-op [kouˈɔp] F = *cooperative*.

co·op·er·ate [kouˈɔpəreit] cooperar; **co·op·er·a·tion** cooperación *f*; **co-op·er·a·tive** [~pərətiv] cooperativo; *p.* socorrido.

co·or·di·nate 1. [kouˈɔːdinit] □ coordenado; (*equal*) igual; *gr.* coordinante; **2.** [~] ≬ coordenada *f*; **3.** [~neit] coordinar; **co·or·di·na·tion** coordinación *f*.

co·part·ner [ˈkouˈpɑːtnə] consocio *m*; copartícipe *m/f*.

cope [koup] **1.** *eccl.* capa *f* pluvial; △ albardilla *f*; **2.** △ poner albardilla *a*; abovedar.

cope² [~]: ~ *with* poder con, vencer.

co-pi·lot [ˈkouˈpailət] copiloto *m*.

co·pi·ous [ˈkoupjəs] □ copioso.

cop·per¹ [ˈkɔpə] **1.** cobre *m*; (*utensil*) caldero *m*; (*money*) calderilla *f*; **2.** cubrir con cobre; **3.** de cobre, cobreño; (*color*) cobrizo.

cop·per² [~] *sl.* polizonte *m*, esbirro *m*.

cop·u·late [ˈkɔpjuleit] tener ayuntamiento; **cop·u·la·tion** ayuntamiento *m* carnal, coito *m*.

cop·y [ˈkɔpi] **1.** copia *f*; ejemplar *m* of *book*; número *m* of *journal*; *typ.* material *m*, original *m*; *v. fair*, rough; **2.** copiar; imitar; (*counterfeit*) contrahacer; '~·book cuaderno *m*; '~·cat F imitador (-a *f*) *m*; '**cop·y·ist** copista *m/f*; '**cop·y·right** derecho *m* de propiedad literaria, copyright *m*; '**cop·y·writ·er** escritor *m* de anuncios.

cor·al [ˈkɔrəl] coral *m*; *attr.* coralino.

cord [kɔːd] **1.** cuerda *f*; *anat.* cordón *m*; (*cloth*) pana *f*; **2.** acordonar.

cor·dial [ˈkɔːdiəl] □ cordial *adj. a. su.* *m*; **cor·dial·i·ty** [~diˈæliti] cordialidad *f*.

cor·du·roy [ˈkɔːdərɔi] pana *f*; ~ *road* camino *m* de troncos.

core [kɔː] corazón *m*, centro *m*; *fig.* quid *m*, esencia *f*; ✿ foco *m*; alma *f* of *cable*; núcleo *m* of electromagnet.

cork [kɔːk] **1.** corcho *m*; tapón *m* (de corcho); **2.** tapar con corcho (*a.* ~ *up*); '~·screw **1.** sacacorchos *m*; **2.** en caracol, en espiral; **3.** zigzaguear, moverse en espiral; '~·tipped *cigarette* emboquillado.

corn¹ [kɔːn] **1.** maíz *m*; *sl.* broma *f* gastada; ~ *bread* pan *m* de maíz; **2.** acecinar; ~*ed beef* carne *f* de vaca conservada en lata.

corn² [~] ✿ callo *m*.

corn...: '~**cob** mazorca f de maíz.

cor·ner ['kɔːnə] 1. ángulo m; esquina f (esp. street~), (inside) rincón m (a. fig.); fig. apuro m, aprieto m; sport: córner m; 2. arrinconar (a. fig.); † acaparar; '~**cup·board** rinconera f; '~**stone** piedra f angular (a. fig.).

corn...: '~ **ex·change** bolsa f de granos; '~**field** maizal m; in England trigal m; '~ **flour** harina f de maíz; '~**flow·er** cabezuela f; '~**husk** perfolla f; '~ **meal** harina f de maíz; **on the** '~**cob** maíz m en la mazorca; '~**stalk** tallo m de maíz; '~**starch** almidón m de maíz.

cor·nu·co·pi·a [kɔːnjuˈkoupjə] cornucopia f.

corn·y ['kɔːni] de maíz; ♣ calloso; sl. ♪ muy sentimental; sl. joke etc. pesado, gastado, trivial.

co·ro·na [kəˈrounə], pl. **co·ro·nae** [~niː] corona f; △ cornisa f, coronamiento m; '**co·ro·na·ry** ♣ coronario; ~ **thrombosis** trombosis f coronaria; **cor·o·na·tion** [kɔrəˈneiʃn] coronación f; **cor·o·ner** ['kɔrənə] juez m de primera instancia de instrucción.

cor·po·ral ['kɔːpərəl] 1. □ corporal; 2. ✕ cabo m; eccl. corporal m; **cor·po·rate** ['~rit] □ corporativo; incorporado; **cor·po·ra·tion** [~'reiʃn] corporación f; F panza f, tripa f; † sociedad f anónima.

corps [kɔː], pl. **corps** [kɔːz] cuerpo m; ~ **de ballet** cuerpo m de baile.

corpse [kɔːps] cadáver m.

cor·pu·lence, cor·pu·len·cy [ˈkɔːpjuləns(i)] corpulencia f; '**cor·pu·lent** corpulento.

cor·pus ['kɔːpəs], pl. **cor·po·ra** ['~pərə] cuerpo m (de leyes, escritos etc.); ~ **delicti** cuerpo m de delito; **cor·pus·cle** ['kɔːpʌsl] (blood) glóbulo m.

cor·ral [kɔˈrɑːl] 1. corral m; 2. acorralar, encerrar.

cor·rect [kəˈrekt] 1. □ exacto, justo; behaviour correcto, cumplido; **be** ~ freq. tener razón, acertar; 2. corregir; exam puntuar, calificar; **cor·rec·tion** corrección f; calificación f of exam paper.

cor·re·late ['kɔrileit] 1. correlacionar; 2. correlativo m; **cor·re·la·tion** correlación f.

cor·re·spond [kɔrisˈpɔnd] corresponder (to a); corresponderse, catearse (with p. con); **cor·re·spond·ence** correspondencia f; (collected

letters) epistolario m; **cor·re·spond·ent** 1. □ correspondiente; 2. correspondiente m; (newspaper) corresponsal m; el (la) que escribe cartas.

cor·ri·dor ['kɔridɔː] pasillo m, corredor m.

cor·rob·o·rate [~reit] corroborar; **cor·rob·o·ra·tion** corroboración f.

cor·rode [kəˈroud] corroer (a. fig.); **cor·ro·sion** corrosión f.

cor·ru·gate ['kɔrugeit] arrugar(se); ⊕ acanalar; ~**d iron** hierro m ondulado; ~**d paper** papel m ondulado.

cor·rupt [kəˈrʌpt] 1. □ corrompido; manners estragado; text viciado, depravado; 2. v/t. corromper; estragar; v/i. corromperse; (rot) podrirse; **cor·rup·tion** corrupción f (a. fig.).

cor·sage [kɔːˈsɑːʒ] corpiño m, jubón m; ♣ ramillete m para la cintura.

co·sine ['kousain] coseno m.

cos·met·ic [kɔzˈmetik] 1. cosmético; 2. cosmético m, afeite m.

cos·mic ['kɔzmik] □ cósmico; ~ **rays** rayos m/pl. cósmicos.

cos·mo·pol·i·tan [kɔzməˈpɔlitən] cosmopolita adj. a. su. m/f.

cost [kɔst] 1. precio m; coste m, costa f; † **at** ~ a costa; ~ **of living** costo m de la vida; ~**s** pl. ⚖ costas f/pl.; **at all** ~**s** a todo trance; 2. [irr.] costar.

cos·tume ['kɔstjuːm] 1. traje m; (fancy dress) disfraz m; 2. trajear.

co·sy ['kouzi] = cozy.

cot [kɔt] catre m; camita f de niño, cuna f; ♣ choza f.

co·te·rie ['koutəri] grupo m; camarilla f.

cot·tage ['kɔtidʒ] casita f, chalet m; (labourer's etc.) barraca f, choza f, cabaña f; ~ **cheese** requesón m, naterón m.

cot·ton ['kɔtn] algodón m; (plant) algodonero m.

couch [kautʃ] 1. sofá m, canapé m, meridiana f; poet. lecho m; 2. acostar(se) (now only p.p.); thoughts expresar, formular; (crouch) agacharse; (lie in wait) emboscarse.

cough [kɔf] 1. tos f; 2. toser; ~ **up** expectorar; sl. descolgarse con; sl. sacar, producir; (money) desdinerarse.

could [kud] pret. of can.

couldn't ['kudnt] = could not.

coun·cil ['kaunsl] junta f, consejo m; eccl. concilio m; (town) concejo m, ayuntamiento m; **coun·ci·l(l)or** ['~ilə] concejal m.

coun·sel ['kaunsəl] **1.** consejo *m*; deliberación *f*, consulta *f*; ⚖️ abogado *m*; *take ~ with* consultar; **2.** aconsejar; **coun·se(l)·lor** ['ˌlə] consejero (a *f*) *m*; *Ir.* abogado *m* (*a.* '*~-at-*'law).

count¹ [kaunt] **1.** cuenta *f*, cálculo *m*; suma *f*, total *m*; ⚖️ cargo *m*; *boxing:* cuenta *f*; *lose ~* perder la cuenta; **2.** *v/t.* contar; *~ out* no incluir, no tener en cuenta; *boxing:* declarar vencido; *v/i.* contar; valer (*a. ~ for*); *that doesn't ~* eso no vale; *~ on* contar con.

count² [~] conde *m*.

coun·te·nance ['kauntinəns] **1.** semblante *m*, figura *f*; **2.** dar aprobación a; (*encourage*) apoyar.

coun·ter¹ ['kauntə] (*shop etc.*) mostrador *m*, contador *m*; (*check*) ficha *f*, chapa *f*; (*horse's*) pecho *m*; ⚓ bovedilla *f*; *fenc.* contra *f*; *Geiger ~* contador *m* Geiger; *sl. under the ~* por la trastienda.

count·er² [~] **1.** en contra; *~ to* contrario a, opuesto a; *run ~ to* oponerse a, ser contrario a; **2.** oponerse a, contradecir; contrarrestar; *blow* parar; *~ with* contestar con.

coun·ter·act [kauntə'rækt] contrarrestar; neutralizar.

coun·ter·at·tack ['kauntərətæk] **1.** contraataque *m*; **2.** contraatacar.

coun·ter·clock·wise ['kauntə'klɔkwaiz] en sentido contrario al de las agujas del reloj.

coun·ter·cur·rent ['kauntə'kʌrənt] contracorriente *f*.

coun·ter·es·pi·o·nage ['kauntər'espiɑːɜ] contraespionaje *m*.

coun·ter·feit ['kauntəfiːt] **1.** falsificado, falseado, contrahecho; **2.** falsificación *f*, contrahechura *f*; **3.** falsificar, falsear, contrahacer; '**coun·ter·feit·er** falsificador (-a *f*) *m*, falseador (-a *f*) *m*; '**coun·ter·feit 'mon·ey** moneda *f* falsa.

coun·ter·part ['kauntəpɑːt] copia *f*, imagen *f*; (*complement*) contraparte *f*, complemento *m*.

coun·ter·point ['kauntəpɔint] contrapunto *m*.

coun·ter·sign ['kauntəsain] **1.** contraseña *f* (*a.* ✕); ✝ *etc.* contramarca *f*; **2.** refrendar.

count·ess ['kauntis] condesa *f*.

count·less ['kauntlis] sin cuento.

coun·try ['kʌntri] **1.** país *m*; patria *f*; (*not town*) campo *m*; **2.** *attr.* de campo, rural; *~ club* club *m* campestre; *~ estate* finca *f*; *~ folk* gente *f* del campo; *~ house* quinta *f*, casa *f* de campo; *~ life* vida *f* del campo; '*~·man* campesino *m*; *fellow ~* compatriota *m*; '*~·side* campo *m*; (*open ~*) campiña *f*.

coun·ty ['kaunti] condado *m*; *~ seat* cabeza *f* de partido.

coup [kuː] golpe *m*; *~ d'état* golpe *m* de estado; *~ de grâce* golpe *m* de gracia.

cou·ple ['kʌpl] **1.** par *m*; (*people*) pareja *f*; F dos más o menos; *married ~* matrimonio *m*; **2.** juntar, unir; *animals* aparear; ⊕ acoplar, enganchar; F casar; '**cou·pler** *radio:* acoplador *m*; '**cou·plet** pareado *m*; par *m* de versos.

cou·pling ['kʌpliŋ] ⊕ acoplamiento *m*; 🚃 enganche *m*.

cou·pon ['kuːpɔn] cupón *m*; (*football*) boleto *m*.

cour·age ['kʌridʒ] valor *m*, valentía *f*; *~!* ¡ánimo!; *pluck up ~* hacer de tripas corazón; **cou·ra·geous** [kə'reidʒəs] ☐ valiente.

cour·i·er ['kuriə] estafeta *f*, correo *m* diplomático; agente *m* de turismo.

course [kɔːs] **1.** curso *m*; ✕ trayectoria *f*; *fig.* proceder *m*, camino *m*; ⚓ rumbo *m*; *plato m of meal;* transcurso *m*, paso *m of time;* hilada *f of bricks;* corriente *f of water;* (*golf*) campo *m*; (*race*) pista *f*; *in due ~* a su tiempo; *andando el tiempo; in the ~ of* durante; *of ~* por supuesto, desde luego; *give ~ to* dar curso a; **2.** *v/t.* dar caza a, perseguir; *v/i.* correr (*freq. ~ along*).

court [kɔːt] **1.** corte *f*; ⚖️ tribunal *m*; *sport:* pista *f*; 🏛️ patio *m*; (*house*) palacete *m*, mansión *f* suntuosa; **2.** cortejar, galantear; **cour·te·ous** ['kɔːtiəs] ☐ cortés; **cour·te·san** [kɔːti'zæn] cortesana *f*, hetera *f*; **cour·te·sy** ['kɔːtisi] cortesía *f*, gentileza *f*; **court·house** ['kɔːthaus] palacio *m* de justicia; **court·i·er** ['~jə] cortesano *m*; '**court·ly** urbano, elegante; *b.s.* obsequioso, halagüeño; *~ love* amor *m* cortés.

court...: '*~·*'**mar·tial 1.** consejo *m* de guerra; **2.** someter a consejo de guerra; '*~·*ship cortejo *m*; noviazgo *m*; '*~·*yard patio *m*, atrio *m*.

cous·in ['kʌzn] primo (a *f*) *m*; *first ~*, *~ german* primo (a *f*) *m* carnal.

cove¹ [kouv] **1.** ⚓ cala *f*, ensenada *f*; escondrijo *m*; 🏛️ bovedilla *f*; **2.** abovedar.

cove² [~] *sl.* tío *m*, tipo *m*.

cov·e·nant ['kʌvinənt] **1.** pacto *m*, convenio *m*; **2.** pactar, convenir.

cov·er ['kʌvə] **1.** (*lid*) tapa *f*, cubierta *f*; (*cutlery*) cubierto *m*; colcha *f on bed*; forro *m*, cubierta *f of book*; portada *f of magazine*; (*insurance*) cobertura *f*; *mot.* (*a. outer* ~) cubierta *f*; *fig. b.s.* disimulación *f*, pretexto *m*; ~ *charge* precio *m* del cubierto; *take* ~ abrigarse (*from* de); esconderse; *under* ~ clandestinamente; *under* ~ *of* so pretexto de; *under separate* ~ por separado; **2.** cubrir (*a. fig.*); revestir; tapar *with lid etc.*; (*hide*) ocultar; *fig.* disimular; *fig.* incluir; *distance* recorrer; ✕ apuntar a, dominar; *retreat* cubrir; (*stallion*) cubrir; ~ *in* llenar; ~ *over* cubrir, revestir (*with* de, con); ~ *up* tapar, correr el velo sobre; *fig.* ocultar; disimular; '**cov·ered** ['kʌvəd] '**wag·on** carromato *m*; '**cov·er·ing** cubierta *f*, envoltura *f*; ~ *letter* carta *f* adjunta; **cov·er·let** ['ʌ.lit] cubrecama *m*, colcha *f*.

cov·ert ['kʌvət] **1.** □ cubierto, secreto, disimulado; **2.** *zo.* guarida *f*, abrigo *m*; ♦ soto *m*.

cov·et ['kʌvit] codiciar; '**cov·et·ous** □ codicioso (*of* de); avaro.

cov·ey ['kʌvi] nidada *f* de perdices; *fig.* grupo *m*, peña *f*.

cow[1] [kau] vaca *f*; hembra *f* del elefante *etc.*

cow[2] [ʌ] intimidar, acobardar.

cow·ard ['kauəd] **1.** cobarde *adj. a. su.* *m*; '**cow·ard·ice**, '**cow·ard·li·ness** cobardía *f*; '**cow·ard·ly** cobarde.

cow·boy ['kaubɔi] vaquero *m*; gaucho *m S.Am.*

cow·er ['kauə] agacharse (*esp.* por causa de miedo).

cow·hide ['kauhaid] cuero *m*; (*whip*) zurriago *m*.

cox·comb ['kɔkskoum] farolero *m*, mequetrefe *m*.

cox·swain ['kɔkswein, 'kɔksn] timonel *m*.

coy [kɔi] □ reservado, tímido, recatado.

co·zy ['kouzi] **1.** □ cómodo; *room* acogedor; **2.** cubretetera *f*.

crab[1] [kræb] cangrejo *m*, centolla *f*.

crab[2] [ʌ] ♀ (*freq.* ~ **ap·ple**) manzana *f* silvestre; (*tree*) manzano *m* silvestre; F persona *f* desabrida; **crab·bed** ['kræbid] □ avinagrado, amargado; (*disagreeable*) desabrido; '**ʌ·grass** garranchuelo *m*.

crack [kræk] **1.** grieta *f*, hendedura *f*; (*sound*) chasquido *m*; chasquido *m* (*of whip*), estallido *m*; F instante *m*; *sl.* chiste *m*, cuchufleta *f*; *attr.* F de primera; F *shot* certero; *at* (*the*) ~ *of dawn* al romper el alba; **2.** *v/t.* agrietar, hender; hacer chasquear; *safe*, *bottle* abrir; *joke* decir, contar; *nut* cascar; *sl.* ~ *up* elogiar; *v/i.* agrietarse, henderse; chasquear; (*window*) rajarse; (*voice*) cascarse; F ~ *down on* castigar severamente; F ~ *up* fracasar; (✕ *etc.*) desbaratarse; *s.* perder la salud; '**ʌ·brained** chiflado, loco; '**cracked** agrietado; *window* rajado; F chiflado; '**crack·er** triquitraque *m*, petardo *m*; (*biscuit*) cracker *m*; blanco *m* de baja clase; '**crack·er·jack** F la monda, el non plus ultra; '**crack·le 1.** crujir, crepitar; **2.** crujido *m*, crepitación *f*; '**crack·up** F fracaso *m*; ⚙ colapso *m*; ✈ aterrizaje *m* violento.

cra·dle ['kreidl] **1.** cuna *f* (*a.* ⚓ *a. fig.*); ✕ artesa *f* oscilante; ⚓ plataforma *f* colgante; ~ *song* canción *f* de cuna; **2.** poner en la cuna; *fig.* criar.

craft [krɑːft] oficio *m*, empleo *m*; (*skill*) destreza *f*; *b.s.* maña *f*, astucia *f*; ⚓ embarcación *f*, barco *m*; '**crafts·man** artesano *m*, artífice *m*; '**crafts·man·ship** artesanía *f*, artificio *m*; '**craft·y** □ astuto, socarrón.

crag [kræg] peñasco *m*, risco *m*, despeñadero *m*.

cram [kræm] embutir, rellenar; *hen* cebar; F empollar; F ~ *o.s.* (*with food*) hartarse; '**ʌ·full** atestado, repleto (*of* de).

cramp [kræmp] **1.** ⚙ grapa *f*; ⚙ abrazadera *f*; ✕ calambre *m*; **2.** engrapar, lañar; ~ (*one's*) *style* cortarle las alas a uno; '**cramped** estrecho, apretado; ✕ entumecido.

cran·ber·ry ['krænbəri] arándano *m* agrio.

crane [krein] **1.** *orn.* grulla *f* (común); ⚙ grúa *f*; **2.** levantar (*or mover*) con grúa; *neck* estirar.

cra·ni·um ['kreiniəm] cráneo *m*.

crank [kræŋk] **1.** ⚙ manivela *f*, manubrio *m*; F persona *f* rara, maniático *m*; extravagante *m*; concepto raro *m*; **2.** *mot.* hacer arrancar con la manivela (*a.* ~ *up*); '**ʌ·case** cárter *m* del cigüeñal; '**crank·shaft** eje *m* del cigüeñal; '**crank·y** chiflado, extravagante.

crash [kræʃ] **1.** (*noise*) estrépito *m*,

crass 368

C
CH

estallido *m*; *mot.*, 🚋 *etc.* accidente *m*, choque *m*, encontronazo *m*; *fig.* fracaso *m*; ✈ quiebra *f*; ~ *dive of submarine* sumersión *f* instantánea; ~ *helmet* casco *m* protector; ~ *landing* aterrizaje *m* violento; ~ *program* programa *m* intensivo; 2. romperse con estrépito; *mot.*, 🚋 tener un accidente; ✂ estrellarse; ✈ quebrar; ~ *a party sl.* colarse, entrar de gorra; ~ *into* chocar con, estrellarse contra.
crass [kræs] tupido, espeso; *fig.* craso.
crate [kreit] caja *f*, cajón *m* (de embalaje); jaula *f* (de listones).
cra·ter [ˈkreitə] cráter *m*.
crave [kreiv] implorar, solicitar; ansiar, anhelar (*for*, *after acc.*).
cra·ven [ˈkreivn] cobarde.
crav·ing [ˈkreiviŋ] ansia *f*, regosto *m*, deseo *m* vehemente (*for* de).
crawl [krɔːl] 1. arrastramiento *m*; (*on all fours*) gateamiento *m*; *swimming*: crol *m*, crawl *m*; 2. arrastrarse; gatear, ir a gatas; F (*a.* ~ *along*) ir a paso de tortuga.
cray·fish [ˈkreifiʃ] ástaco *m*.
cray·on [ˈkreiən] 1. creyón *m*, tiza *f*; 2. dibujar con creyón.
craze [kreiz] 1. manía *f* (*for* por), locura *f*; (*fashion*) moda *f*; 2. estriar; **ˈcrazed** enloquecido, alocado; **ˈcra·zy** □ loco (*for*, *about* por); chiflado; *idea* disparatada; ~ *quilt* centón *m*.
creak [kriːk] 1. crujido *m*, chirrido *m*; rechinamiento *m*; 2. crujir, chirriar; rechinar.
cream [kriːm] 1. crema *f*; nata *f*; *fig.* flor *f* y nata (of de); *cold* ~ crema *f*; ~ *of tartar* crémor *m* (tártaro); 2. formar nata; *milk* desnatar; *butter* batir; **ˈcream·y** □ cremoso.
crease [kriːs] 1. pliegue *m*, arruga *f*; (*fold*) doblez *m*; (*trouser*) raya *f*; ~ *resisting* inarrugable; 2. arrugar(se), plegar(se).
cre·ate [kriˈeit] crear; originar, ocasionar; *sl.* hacer alharacas; **cre·ˈa·tion** creación *f*; **cre·ˈa·tive** creador; fecundo; **cre·ˈa·tor** creador *m*; **crea·ture** [ˈkriːtʃə] criatura *f*.
cre·den·tials [kriˈdenʃlz] *pl.* credenciales *f/pl.*
cred·i·ble [ˈkredəbl] □ creíble.
cred·it [ˈkredit] 1. crédito *m* (*a.* ✝); *on* ~ a crédito; *give* ~ *to* creer; 2. *attr.* ✝ crediticio; 3. creer; ✝ acreditar; **ˈcred·it·a·ble** □ estimable, honorable; **ˈcred·i·tor** acreedor (-a *f*) *m*.

creed [kriːd] credo *m*.
creek [kriːk] cala *f*, ensenada *f*; río *m*, riachuelo *m*.
creep [kriːp] 1. [*irr.*] arrastrarse; gatear; moverse despacio y con cautela; (*flesh*) sentir hormigueo; 2. arrastramiento *m*; *sl.* be *a* ~ reptar; ~*s pl.* hormigueo *m*; *give the* ~*s* horripilar.
cre·mate [kriˈmeit] incinerar; **cre·ˈma·tion** incineración *f* (de cadáveres).
Cre·ole [ˈkriːoul] criollo *adj. a. su. m* (a *f*).
crept [krept] *pret. a. p.p.* of creep 1.
cres·cent [ˈkresnt] 1. creciente *m*; 2. cuarto *m* creciente (*or* menguante); *heraldry*: creciente *m*.
crest [krest] cresta *f*; **ˈcrest·fall·en** alicaído, abatido.
cre·tin [ˈkretin] cretino *m*.
crev·ice [ˈkrevis] grieta *f*.
crew[1] [kruː] ⚓ tripulación *f*; equipo *m*; (*gang*) banda *f*, pandilla *f*.
crew[2] [kruː] *pret. of* crow 2.
crib [krib] 1. pesebre *m*; cama *f* pequeña para niños; F plagio *m*; hucha *f* para maíz; 2. F plagiar; F usar una chuleta.
crick [krik] tortícolis *m* (*esp.* ~ *in the neck*); calambre *m*.
crick·et[1] [ˈkrikit] *zo.* grillo *m*.
crick·et[2] [~] 1. cricquet *m*; F juego *m* limpio; 2. jugar al cricquet.
crime [kraim] crimen *m*.
crim·i·nal [ˈkriminl] criminal *adj. a. su. m/f*.
crim·son [ˈkrimzn] 1. carmesí *adj. a. su. m*; 2. enrojecer(se).
cringe [krindʒ] 1. agacharse, encogerse; *fig.* reptar; 2. servilismo *m*.
crin·kle [ˈkriŋkl] 1. arruga *f*; *sl.* parné *m*; 2. arrugar(se).
crip·ple [ˈkripl] 1. lisiado (a *f*) *m*, mutilado *m* (a *f*), tullido (a *f*) *m*; 2. lisiar, mutilar.
cri·sis [ˈkraisis], *pl.* **cri·ses** [ˈ~siːz] crisis *f*.
crisp [krisp] 1. □ crespo, rizado; frágil pero duro; tostado; *style* cortado; 2. encrespar, rizar; tostar *in oven*.
criss·cross [ˈkriskrɔs] 1. cruz *f*; líneas *f/pl.* cruzadas; 2. *adv.* en cruz; 3. trazar líneas cruzadas (sobre); entrecruzarse.
cri·te·ri·on [kraiˈtiəriən], *pl.* **cri·te·ri·a** [~ə] criterio *m*.
crit·ic [ˈkritik] crítico *m*; *b.s.* criticón

C
CH

(-a *f*) *m*; **'crit·i·cal** □ crítico; (*hyper-*) criticón; *be* ~ *of* criticar; **crit·i·cism** ['∼sizm], **cri·ti·que** [kri'tiːk] crítica *f*; **crit·i·cize** ['∼saiz] criticar.

croak [krouk] **1.** (*crow*) graznar; (*frog*) croar; (*p.*) gruñir; *sl.* estirar la pata; **2.** graznido *m*.

crock [krok] vasija *f* de barro; F (*p.*) carcamal *m*; (*car*) cacharro *m*; **'crock·er·y** loza *f*; vajilla *f*, los platos.

croc·o·dile ['krokədail] cocodrilo *m*; ~ *tears* lágrimas *f/pl.* de cocodrilo.

cro·cus ['kroukəs] azafrán *m*.

crone [kroun] vieja *f* arrugada.

cro·ny ['krouni] F compinche *m*.

crook [kruk] **1.** (*shepherd's*) cayado *m*; ⊕ gancho *m*; (*bend*) curva *f*; F criminal *m*, fullero *m*; **2.** encorvar(se); **crook·ed** ['∼kid] □ encorvado, curvo; *fig.* torcido.

croon [kruːn] canturrear; **'croon·er** vocalista *m/f* (sentimental).

crop [krop] **1.** cosecha *f* (*a. fig.*); *orn.* buche *m*; (*hair*) cabellera *f*, corte *m* de pelo; (*whip*) látigo *m* mocho; **2.** *v/t.* cortar; desorejar; *top* desmochar; trasquilar (*a. fig.*); *grass* pacer; *v/i.* ~ *up* *geol.* aflorar; F manifestarse inesperadamente; salir.

cro·quet ['kroukei] juego *m* de croquet.

cross [krɔs] **1.** cruz *f*; *biol.* cruzamiento *m*; (*burden*) cruz *f*; *on the* ~ diagonalmente; *make the sign of the ♀* hacer la señal de la cruz; **2.** □ transversal, opuesto (*to* a); F malhumorado, arisco, de mal genio; *get* ~ enfadarse, ponerse furioso; **3.** *v/t.* atravesar, cruzar; *p.* contrariar; *breed* cruzar; ~ *o.s.* santiguarse; ~ *out* tachar; ~ *one's mind* ocurrírsele a uno; *v/i.* cruzar (*a. letters*); ~ *over* atravesar de un lado a otro; **'∼beam** viga *f* transversal; **'∼bow** ballesta *f*; **'∼breed 1.** híbrido; **2.** cruzar; **'∼coun·try** a campo traviesa; ~ *race* cross *m*; **'∼cur·rent** contracorriente *f*; **'∼cut saw** sierra *f* de trazar; **'∼ex·am·i·na·tion** ⚖ repregunta *f*; interrogatorio *m* severo; **∼ex·am·ine** ['krɔsig'zæmin] ⚖ repreguntar; interrogar; **'∼eyed** bizco; **'cross·ing** ⚓ travesía *f*; (*roads*) cruce *m*; (*ford*) vado *m*. **cross...: '∼patch** F malhumorado (a *f*) *m*; **'∼ref·er·ence** contrarreferencia *f*, remisión *f*; **'∼road** camino *m* que cruza; (*a.* ~*s pl.*) cruce *m*, encrucijada *f*; **'∼ sec·tion** sección *f* transversal; *fig.* sección *f* representativa; **'∼wise** al través; en cruz; **'∼word** (*a.* ~ *puzzle*) crucigrama *m*.

crotch [krɔtʃ] bifurcación *f*; *anat.* horcajadura *f*; **crotch·et** ['∼it] ♪ negra *f*; capricho *m*.

crouch [krautʃ] agacharse, encogerse.

croup[1] [kruːp] (*horse's*) grupa *f*.

croup[2] [∼] ♪ crup *m*.

crou·pi·er ['kruːpiə] coime *m*.

crow [krou] **1.** corneja *f*; *as the* ~ *flies* en derechura; F *eat* ~ cantar la palinodia; **2.** (*irr.*) cantar (el gallo); *fig.* alardear, exultar; **'∼bar** palanca *f*.

crowd [kraud] **1.** multitud *f*, muchedumbre *f*; gentío *m*; *contp.* vulgo *m*; *sport:* espectadores *m/pl.*; *follow the* ~ irse tras el hilo de la gente; *fig.* *pass in* a ~ no descollar; **2.** *v/t.* amontonar, atestar; *people* apiñar (*a.* ~ *together*); ~*ed* atestado (*with* de); concurrido; *be* ~*ed out* (*place*) estar de bote en bote; (*p.*) ser excluido; *v/i.* agolparse, arremolinarse (*a.* ~ *together*, ~ *around*).

crow·foot ['kroufut] ranúnculo *m*.

crown [kraun] **1.** corona *f*; cruz *f* of *anchor*; copa *f* of *hat*; cima *f* of *hill*; △ coronamiento *m*; **2.** coronar; completar, terminar; (*reward*) premiar; *sl.* golpear en la cabeza.

crow's-nest ['krouznest] ⚓ torre *f* de vigía.

cru·cial ['kruːʃiəl] □ decisivo, crítico; *shape* cruciforme; **cru·ci·ble** ['kruːsibl] crisol *m* (*a. fig.*); **cru·ci·fix** ['∼fiks] crucifijo *m*, cruz *f*; **cru·ci·fix·ion** [∼'fikʃn] crucifixión *f*; **cru·ci·fy** ['∼fai] crucificar; *fig.* mortificar.

crude [kruːd] □ (*raw*) crudo; *fig.* tosco, grosero.

cru·el ['kruəl] □ cruel (*a. fig.*); **'cru·el·ty** crueldad *f*.

cruise [kruːz] **1.** viaje *m* por mar, crucero *m*; **2.** cruzar; *cruising speed* velocidad *f* de crucero; **'cruis·er** ⚓ crucero *m*.

crul·ler ['krʌlə] *Am.* buñuelo *m*.

crumb [krʌm] **1.** migaja *f* (*a. fig.*); miga *f* of *loaf*; **2.** desmigar; cubrir con migajas; **crum·ble** ['∼bl] *v/t.* desmigar; *v/i.* desmoronarse (*a. fig.*; *a.* ~ *away*); **'crum·bling** desmenuzable, desmoronadizo.

crum·my ['krʌmi] *sl.* sucio; *joke* gastado; *bar etc.* de baja categoría.

crum·ple ['krʌmpl] arrugar(se), plegar(se); (*dress*) ajar(se); *fig.* (*a.* ~ *up*) ceder, desplomarse.

C
CH

crunch [krʌntʃ] ronzar; (ground) crujir.

cru·sade [kruːˈseid] 1. cruzada f (a. fig.); 2. participar en una cruzada; ~ for hacer campaña en pro de (or por); **cru·sad·er** cruzado m.

crush [krʌʃ] 1. aplastar; grapes etc. prensar, estrujar; stones etc. moler; dress ajar; fig. abrumar, anonadar; ~ing fig. aplastante; 2. presión f violenta, aplastamiento m; (crowd) agolpamiento m, bullaje m; sl. have a ~ on perder la chaveta por.

crust [krʌst] 1. corteza f; (🍷 a. wine) costra f; 🍷 escara f; (old bread) mendrugo m; 2. encostrarse; **'crust·y** □ costroso; fig. áspero, desabrido.

crutch [krʌtʃ] muleta f (a. fig.).

crux [krʌks] enigma m; lo esencial.

cry [krai] 1. grito m; lloro m, lamento m; be a far ~ estar lejos, ser mucho camino; 2. gritar; llorar; wares pregonar; ~ for clamar por; ~ for joy llorar de alegría; s.t. renunciar (a), romper; ~ out gritar, publicar en voz alta; ~ out (against) protestar (contra); **'~·ba·by** llorón (-a f) m; **'cry·ing** fig. atroz, enorme.

crypt [kript] cripta f; **'cryp·tic** □ oculto, misterioso.

crys·tal ['kristl] 1. cristal m; as clear as ~ tan claro como el agua; ~ ball bola f de cristal; 2. = **crys·tal·line** ['~təlain] cristalino.

cub [kʌb] cachorro m; fig. rapaz m.

cub·by·hole ['kʌbihoul] chiribitil m.

cube [kjuːb] 1. cubo m; ~ root raíz f cúbica; 2. cubicar; **'cu·bic, 'cu·bi·cal** □ cúbico.

cu·bi·cle ['kjuːbikl] cubículo m.

cuck·old ['kʌkəld] 1. cornudo m; 2. encornudar, poner los cuernos a.

cuck·oo ['kuku:] 1. cuc(lill)o m; 2. sl. chiflado.

cu·cum·ber ['kjuːkʌmbə] cohombro m, pepino m; cool as a ~ fresco como una lechuga; fig. sosegado.

cud [kʌd] bolo m alimenticio; v. chew.

cud·dle ['kʌdl] 1. abrazo m, caricia f; 2. acariciar, abrazar; ~ up arrimarse (to a).

cudg·el ['kʌdʒl] 1. porra f; take up the ~s for ir a la defensa de; 2. aporrear, apalear.

cue [kjuː] billiards: taco m; thea. pie m, apunte m; (hair) coleta f; take one's ~ from seguir el ejemplo de.

cuff¹ [kʌf] 1. bofetada f; 2. abofetear, dar de bofetadas.

cuff² [~] (shirt-, etc.) puño m; (hand-) ~s pl. esposas f/pl.; **'~ links** pl. gemelos m/pl.

cui·rass [kwiˈræs] coraza f.

cui·sine [kwiˈziːn] cocina f.

cu·li·nar·y ['kʌlinəri] culinario.

cull [kʌl] lit. entresacar, espigar.

cul·mi·nate ['kʌlmineit] culminar (a. ast.); ~ in terminar en.

cul·prit ['kʌlprit] culpado (a f) m; reo m; f bribón m.

cult [kʌlt] culto m.

cul·ti·vate ['kʌltiveit] cultivar (a. fig.); fig. ~d culto, refinado; **cul·ti·va·tion** cultivo m.

cul·tur·al ['kʌltʃərəl] □ cultural.

cul·ture ['kʌltʃə] cultura f; cultivo m (a. 🧫); **'cul·tured** culto.

cul·vert ['kʌlvət] alcantarilla f.

cun·ning ['kʌniŋ] □ astuto, taimado; Am. precioso, mono; 2. astucia f; sagacidad f.

cup [kʌp] 1. taza f; eccl. a. 🏆 cáliz m; (fig. a. prize) copa f; 2. ahuecar; poner en forma de taza (or bocina); **'~·board** ['kʌbəd] armario m; aparador m; **'~ love** amor m interesado.

cu·pid·i·ty [kjuˈpiditi] codicia f.

cu·po·la ['kjuːpələ] cúpula f.

cur [kəː] perro m de mala raza; (p.) canalla m.

curb [kəːb] 1. barbada f (de la brida); (pavement) encintado m; (well) brocal m; fig. impedimento m, estorbo m (on para); 2. proveer de barbada (or encintado); fig. refrenar.

curd [kəːd] cuajada f; **cur·dle** ['~dl] cuajar(se); ~ the blood horripilar.

cure [kjuə] 1. cura f; fig. curato m; 2. curar; **'~·all** panacea f.

cur·few ['kəːfjuː] queda f.

cu·ri·o ['kjuəriou] curiosidad f; **cu·ri·os·i·ty** [~'ositi] curiosidad f; **'cu·ri·ous** □ curioso.

curl [kəːl] 1. rizo m, bucle m of hair; espiral f of smoke; ondulación f; 2. rizar(se), encrespar(se); ondular(se); lips fruncir; (waves) encresparse; ~ up arrollarse; (p.) acurrucarse; f abatirse.

curl·ing ['kəːliŋ] sport: curling m (juego sobre un campo de hielo); **'~·i·rons, tongs** pl. encrespador m; **'curl·y** crespo, encrespado, rizado.

cur·mudg·eon [kəːˈmʌdʒn] erizo m, mezquino m, cicatero m.

cur·rant ['kʌrənt] (dried) pasa f de

C
CH

Corinto; *(fresh)* grosella *f;* ~ *(bush)* grosellero *m.*

cur·ren·cy ['kʌrənsi] moneda *f* (en circulación); *fig.* uso *m* corriente; *fig.* extensión *f,* propagación *f;* '**cur·rent 1.** □ corriente; *be* ~ correr, ser de actualidad; ~ *events* actualidades *f/pl.;* ~*ly* actualmente; **2.** corriente *f (a. ⚡).*

cur·ric·u·lum [kə'rikjuləm], *pl.* **cur·ric·u·la** [~lə] programa *m* de estudios.

cur·ri·er ['kʌriə] curtidor *m.*

cur·ry[^1] ['kʌri] **1.** cari *m,* curry *m;* **2.** preparar con cari.

cur·ry[^2] [~] *leather* curtir; *horse* almohazar; ~ *favour* buscar favores.

curse [kəːs] **1.** maldición *f;* blasfemia *f; (oath)* palabrota *f; v/t.* maldecir; echar pestes de; *be* ~*d with* padecer de; tener que aguantar; *v/i.* blasfemar; *(a.* ~ *and swear)* soltar palabrotas.

cur·so·ry ['kəːsəri] □ precipitado, apresurado; *glance* rápido.

curt [kəːt] □ brusco, áspero; conciso; '**curt·ness** brusquedad *f.*

cur·tail [kəː'teil] cercenar *(a. fig.),* reducir; *favour (of* de).

cur·tain ['kəːtn] **1.** cortina *f (a. ✕); (heavy)* cortinón *m; thea.* telón *m; pol. iron* ~ telón *m* de acero; **2.** proveer de cortina; separar con cortina *(a.* ~ *off);* '~ **rais·er** pieza *f* preliminar; '~ **ring** anilla *f;* '~ **rod** barra *f* de cortina.

curt·sy ['kəːtsi] **1.** reverencia *f; drop a* ~ *= 2.* hacer una reverencia *(to* a).

cur·va·ture ['kəːvətʃə] curvatura *f.*

curve [kəːv] **1.** curva *f;* **2.** encorvar (-se); voltear en curva *through air.*

cush·ion ['kuʃn] **1.** cojín *m,* almohadón *m; billiards:* baranda *f; fig.* ✝ colchón *m;* **2.** amortiguar; proteger con cojines(◯ *o* acojinar.

cuss [kʌs] F **1.** blasfemia *f,* ajo *m; sl.* tipo *m,* tío *m;* **2.** blasfemar, soltar un ajo; '**cuss·ed** ['kʌsid] maldito.

cus·tard ['kʌstəd] natillas *f/pl.;* flan *m.*

cus·to·di·an [kʌs'toudiən] custodio *m;* **cus·to·dy** ['kʌstədi] custodia *f; in* ~ en prisión; *take into* ~ arrestar.

cus·tom ['kʌstəm] costumbre *f;* ✝ clientela *f,* parroquia *f;* ~*s pl.* aduana *f;* derechos *m/pl.* de costumbre; '**cus·tom·ar·y** ['~əri] □ acostumbrado, de costumbre; '**cus·tom·er** cliente *m;* F tío *m;* '**cus·tom·made** hecho a la medida.

cut [kʌt] **1.** corte *m; (blow)* golpe *m*

cortante, tajo *m;* tajada *f of meat; (deletion)* corte *m;* ✝ reducción *f;* ⚕ herida *f,* incisión *f;* corte *m,* hechura *f of dress; (proportion)* parte *f; (insult)* desaire *m,* zaherimiento *m;* ⚡ apagón *m; sl.* tajada *f; short* ~ atajo *m;* **2.** *[irr.] v/t.* cortar; *esp. hole* practicar, hacer; *stone etc.* tallar; *(divide)* partir, dividir; ✝ *losses* abandonar; *class* fumarse; *p.* desairar, zaherir; fingir no ver; *tooth* salirle a uno (un diente); ~ *across* cortar al través; atravesar; *fig.* ir en contra de; ~ *down* cortar, derribar; *costs* aminorar; *price* rebajar; ~ *off* cortar *(a. ⚡); leg* amputar; ~ *open* abrir (cortando); ~ *out (re)cortar; hole etc.* practicar, hacer; *stone* tallar, labrar; *fig.* suprimir; *be* ~ *out for* tener talento especial para; *have one's work* ~ *out* tener trabajo de sobra *(to inf.* para poder *inf.);* F ~ *it out!* ¡déjese de eso!; ~ *up* desmenuzar; *meat* picar; F *fig.* criticar severamente; F *be* ~ *up* acongojarse, afligirse *(about* por); *v/i.* cortar; ~ *in* interrumpir, interponerse; **3.** cortado; ⊕ labrado; ~ *glass* cristal *m* tallado; ~ *and dried* preparado *(or* convenido) de antemano; ~ *off* aislado, incomunicado.

cute [kjuːt] □ F mono; astuto.

cut·lass ['kʌtləs] chafarote *m.*

cut·let ['kʌtlit] chuleta *f.*

cut...: '~**off** atajo *m;* '~**out** diseño *m* para recortar; ⚡ portafusible *m;* ⊕ válvula *f* de escape; '~**rate** de precio reducido; '**cut·throat 1.** asesino *m;* **2.** sanguinario, cruel; *competition* intenso, implacable; '**cut·ting 1.** □ cortante; *fig.* mordaz; ~ *edge* filo *m;* **2.** corte *m,* cortadura *f; (paper)* recorte *m;* ✝ *etc.* trinchera *f,* desmonte *m;* 🚂 zanja *f* ferroviaria.

cy·a·nide ['saiənaid] cianuro *m.*

cy·cle ['saikl] **1.** ciclo *m (a. ♪ etc.);* F bicicleta *f;* **2.** montar *(or* ir) en bicicleta; **cy·clic, cy·cli·cal** ['saiklik(l)] □ cíclico; '**cy·cling** ciclismo *m;* '**cyclist** ciclista *m/f.*

cy·clone ['saikloun] ciclón *m;* borrasca *f.*

cyl·in·der ['silində] cilindro *m;* **cy'lin·dric, cy'lin·dri·cal** □ cilíndrico.

cyn·ic ['sinik] **1.** *(a.* '**cyn·i·cal** □) cínico; **2.** cínico *m;* **cyn·i·cism** ['~sizm] cinismo *m.*

cy·press ['saipris] ciprés *m.*

cyst [sist] quiste *m.*

Czar [zɑː] zar *m;* **Czar·i·na** [zɑː'riːnə] zarina *f.*

D

'd F = had; would.
dab [dæb] **1.** golpe *m* ligero; soba *f*; untadura *f* of liquid; brochazo *m* of paint; pizca *f*, porción *f* pequeña; *ichth.* lenguado *m*; **2.** golpear (*or* tocar) ligeramente; sobar; untar.
dab·ble ['dæbl] salpicar; mojar; *feet etc.* chapotear; ~ *in* interesarse en, ser aficionado a.
dad [dæd], **dad·dy** ['~i] F papá *m*, papaíto *m*.
dad·dy-long·legs ['dædi'lɔŋlegz] F típula *f*.
daf·fo·dil ['dæfədil] dafodelo *m*; narciso *m*.
dag·ger ['dægə] daga *f*, puñal *m*; *look* ~*s at* apuñalar con la mirada.
dahl·ia ['deiliə] dalia *f*.
dai·ly ['deili] diario *adj. a. su. m.*
dain·ty ['deinti] **1.** ☐ delicado, regalado; de buen gusto, precioso; *b.s.* quisquilloso, esmerado; **2.** golosina *f*.
dair·y ['dɛəri] ✝ lechería *f*; (*farm*) quesería *f*, vaquería *f*.
da·is ['deiis] estrado *m*.
dai·sy ['deizi] margarita *f*, maya *f*; *sl.* primor *m*.
dale [deil] valle *m*.
dal·ly ['dæli] coquetear (*with* con); (*sport*) juguetear; (*delay*) tardar; (*idle*) holgar.
dam¹ [dæm] madre *f* (de un animal).
dam² [~] **1.** presa *f*; embalse *m*; **2.** represar (*a. fig.*); ~ *up* cerrar, tapar.
dam·age ['dæmidʒ] **1.** daño *m*, perjuicio *m*; ⊕ *etc.* avería *f*; 🏛 ~*s pl.* daños *m/pl.* y perjuicios; **2.** dañar, perjudicar; averiar; *mot. etc.* causar daño a; *mot. etc. be* ~*d* sufrir daño.
dame [deim] dama *f*; *sl.* tía *f*.
damn [dæm] **1.** condenar (*a. eccl.*); censurar; maldecir; ~ *it!* ¡maldito sea!; **2.** terno *m*, palabrota *f*; **damned** *eccl.* condenado; F maldito, condenado; *adv.* extremadamente; **damn·ing** ['dæmiŋ] damnificador.
damp [dæmp] **1.** húmedo; mojado; **2.** humedad *f*; *fig.* abatimiento *m*, desaliento *m*; **3.** (*a.* **'damp·en**) humedecer; mojar; (*dull*) amortiguar, amortecer; *fig.* desalentar; (*a.* ~ *down*) cubrir; **'damp·er** registro *m*; ♪ sordina *f*; tiro *m* (de chimenea).
dam·sel ['dæmzl] ✝, *lit.* damisela *f*.
dance [dɑːns] **1.** baile *m*, danza *f*; *formal* ~ baile de etiqueta; **2.** bailar,

danzar (*a. fig.*); '~ **floor** pista *f* de baile; '**danc·er** bailador (-a *f*) *m*; danzante (a *f*) *m*; (*professional*) bailarín (-a *f*) *m*.
danc·ing ['dɑːnsiŋ] baile *m*.
dan·de·li·on [dændi'laiən] diente *m* de león.
dan·driff ['dændrif], **dan·druff** ['dændrəf] caspa *f*.
dan·dy ['dændi] **1.** currutaco *m*; *sl.* cosa *f* excelente; **2.** *sl.* de primera.
dan·ger ['deindʒə] peligro *m*; '**dan·ger·ous** ☐ peligroso; '**dan·ger sig·nal** señal *f* de peligro.
dan·gle ['dæŋgl] colgar(se) en el aire.
dank [dæŋk] húmedo, liento.
dap·per ['dæpə] ☐ apuesto, gallardo.
dare [dɛə] *v/i.* osar (*to inf.*), atreverse (*to* a); I ~ *say* quizá; concedo (*that* que); *v/t. s.o.* desafiar; *gaze* resistir; '~**dev·il** temerario (a *f*); *m*; '**dar·ing** ☐ **1.** atrevido, osado; **2.** atrevimiento *m*, osadía *f*.
dark [dɑːk] **1.** ☐ oscuro; *complexion* moreno, trigueño, sombrío, secreto; ignorante; (*evil*) malvado, alevoso; ⚲ *Ages* edades *f/pl.* bárbaras; ~ *horse fig.* aparador *m* inesperado; candidato *m* poco conocido; ~ *room* cuarto *m* oscuro; *get* ~ hacerse de noche; **2.** oscuridad *f*, tinieblas *f/pl.*; *in the* ~ a oscuras (*a. fig.*); *keep s.o. in the* ~ no revelar a una p. cierta noticia; '**dark·en** oscurecer(se); *fig.* entristecer; *fig.* confundir, turbar; '**dark·ness** oscuridad *f*.
dar·ling ['dɑːliŋ] **1.** querido (a *f*) *m*; *my* ~! ¡amor mío!; **2.** querido.
darn¹ [dɑːn] F = damn.
darn² [~] **1.** zurcido *m*, zurcidura *f*; **2.** zurcir.
darn·ing ['dɑːniŋ] acción *f* de zurcir; zurcidura *f*; cosas *f/pl.* por zurcir; '~ **nee·dle** aguja *f* de zurcir.
dart [dɑːt] **1.** ⚔ dardo *m*, venablo *m*; (*game*) rehilete *m*; movimiento *m* rápido; ~*board* blanco *m*; **2.** lanzarse, precipitarse; moverse rápidamente.
dash [dæʃ] *m* choque *m*; rociada *f* of *water etc.*; pequeña cantidad *f*; raya *f* *with pen*; *typ.* guión *m*; *fig.* arrojo *m*, brío *m*; carrera *f* corta (*for* hasta *etc.*); **2.** *v/t.* romper, estrellar (*against* contra); rociar, salpicar; despedazar (*mst* ~ *to pieces*); *hope* frustrar; ~ *off letter* escribir de prisa; *v/i.* estre-

deathless

llarse; *(waves)* romperse; correr; F ~
away, ~ *off* marcharse; '**~board** tablero *m* de instrumentos, panel *m*;
'**dash·ing** ☐ brioso, arrojado;
apuesto, guapo.

da·to ['deitə] *pl.* datos *m/pl.*

date[1] [deit] ♧ dátil *m*; *(tree)* datilera *f*
(a. ~ *palm).*

date[2] [~] **1.** fecha *f*; F cita *f*; ♱ plazo *m*;
F novio *(a f) m*; *what is the* ~? ¿a
cuántos estamos?; F *make a* ~ citar
(with a); *out of* ~ anticuado; *(up) to* ~
hasta la fecha; *up to* ~ al día; moderno; **2.** fechar; F citar; *al día; back to*
remontarse a; ~ *from* datar de; ~d
fechado; *fig.* anticuado.

daub [dɔːb] **1.** embadurnar; *paint.*
pintorrear; **2.** embadurnamiento *m;*
paint. pintarrajo *m.*

daugh·ter ['dɔːtə] hija *f*; ~**in-law**
['dɔːtərinlɔ] nuera *f.*

daunt [dɔːnt] acobardar, desalentar;
'~**less** ☐ intrépido, impávido.

daw·dle ['dɔːdl] F *v/i.* holgazanear;
andar muy despacio; *v/t.* ~ *away*
malgastar.

dawn [dɔːn] **1.** amanecer *m*, alba *f*;
from ~ *to dusk* de sol a sol; **2.** amanecer, apuntar el día; *fig.* ~ *on s.o.* caer
uno en la cuenta.

day [dei] día *m; eccl.* fiesta *f; fig.*
palma *f*, victoria *f;* ~ *after* ~, ~ *in,* ~ *out*
día tras día; *the* ~ *after* el día siguiente; *the* ~ *before* el día anterior;
víspera de *event etc.;* *by* ~ de día; *by*
the ~ a journal; *good* ~! ¡buenos días!;
to this ~ hasta el día de hoy; *call it a* ~
dejar de trabajar *etc.;* *carry the* ~
ganar la victoria; *v. off etc.;* '~**break**
amanecer *m;* '~**dream** ensueño *m;*
'~**light** luz *f* del día; *in broad* ~ en
pleno día; *fig. see* ~ comprender; ver
el final de un trabajo; '~**nurse·ry**
guardería *f* para niños; '~**time** día
m; '~**to-'day** diario, cotidiano.

daze [deiz] **1.** aturdir, ofuscar; deslumbrar; **2.** aturdimiento *m; in a* ~
aturdido.

daz·zle ['dæzl] **1.** deslumbrar *(a. fig.),*
ofuscar; **2.** deslumbramiento *m.*

dead [ded] **1.** muerto; difunto; insensible *(to a); leaf* marchito, seco; *hands*
etc. entumecido; *color* apagado;
sound sordo; ⚡ sin corriente; *(obso-*
lete) anticuado, obsoleto; ~ *bolt* cerrojo *m* dormido; ~ *calm* calma *f*
chicha; ~ *center* punto *m* muerto;
letter fig. letra *f* muerta; ~ *load* carga *f*
fija; ~ *march* marcha *f* fúnebre; ~ *stop*

parada *f* en seco; ~ *water* agua *f*
tranquila; ~ *weight* peso *m* muerto;
fig. carga *f* onerosa; ~ *wood* leña *f*
seca; *fig.* material *m* inútil; **2.** *adv.*
completamente, absolutamente; ~
drunk borracho como un tronco; ~ *set*
empeñado *(on* en); ~ *tired* hecho
polvo, muerto de cansancio; **3.**: *the* ~
pl. los muertos; *fig.* lo más profundo;
in the ~ *of night* en las altas horas; *in*
the ~ *of winter* en lo más recio del
invierno; '~**beat 1.** hecho polvo,
agotado; **2.** *sl.* gorrón *(-a f) m;* holgazán *(-a f) m;* '**dead·en** amortiguar,
amortecer; '**dead'end** callejón *m* sin
salida *(a. fig.);* ~ *kids* chicos *m/pl.* de
las calles; '**dead·line** fecha *f* tope,
línea *f* tope; '**dead·lock** *fig.* punto *m*
muerto; '**dead·ly 1.** mortal; fatal *(a.*
fig.); fig. abrumador; **2.** *adv.* sumamente; '~**pan** *sl.* (semblante *m*) sin
expresión.

deaf [def] sordo *(to* a); '**deaf·en** ensordecer; *(noise)* asordar; '**deaf-**
'**mute** sordomudo *(a f) m.*

deal[1] [diːl] tabla *f* de pino *(or* de
abeto).

deal[2] [~] **1.** negocio *m*, negociación *f;*
♱ trato *m*, transacción *f;* convenio *m*,
acuerdo *m; cards:* reparto *m*, mano *f;*
(turn) turno *m;* porción *f; a good* ~
bastante; *a great* ~ mucho; *it's a* ~!
¡trato hecho!; *make a great* ~ *of p.*
estimar mucho a; *th.* dar importancia a; **2.** *[irr.] v/t. blow* asestar, dar;
(esp. ~ *out)* repartir; *cards* dar; *v/i.*
negociar, comerciar *(in* en); *cards:*
ser mano; ~ *with p.* tratar a *(or* con);
subject tratar de; '**deal·er** ♱ comerciante *m (in* en); *cards:* mano *f;*
'**deal·ing** *(mst* ~*s pl.)* comercio *m*,
trato *m;* relaciones *f/pl.*

dealt [delt] *pret. a. p.p. of* deal[2].

dean [diːn] *univ. etc.* decano *m.*

dear [diə] **1.** ☐ *p. etc.* querido; *fig.*
pay ~*ly for* pagar caro *acc.;* **2.** querido *(a f) m;* persona *f* simpática; *my*
~! ¡querido *(a)* mío *(a)!;* ¡hombre!;
3. *int. oh* ~!, ~ *me!* ¡Dios mío!; ¡caramba!; '**dearth** [dɔːθ] carestía *f*,
escasez *f.*

death [deθ] muerte *f;* fallecimiento
m, defunción *f; be at* ~*'s door* estar a la
muerte; *do (put)* to ~ dar la muerte a;
~ *penalty* pena *f* de muerte; *tired to* ~
rendido, fatigado; *fig.* harto *(of* de);
to the ~ a muerte; '~**bed** lecho *m* de
muerte; '~**blow** golpe *m* mortal;
'~**less** inmortal.

D

debase

de·base [di'beis] degradar, envilecer; *coinage* adulterar.

de·bat·a·ble [di'beitəbl] ☐ discutible, contestable; dudoso; **de'bate 1.** debate *m*, discusión *f*; **2.** discutir, debatir (*with* con); disputar (*on de, sobre*; *with* con); (*think*) deliberar.

de·bauch [di'bɔːtʃ] **1.** libertinaje *m*; **2.** corromper; viciar.

de·bil·i·tate [di'biliteit] debilitar.

deb·it ['debit] **1.** debe *m* (*a.* ~ *side*); (*entry*) cargo *m*; **2.** cargar.

de·bris ['debri:] escombros *m/pl.*, desechos *m/pl.*

debt [det] deuda *f*; *deeply in* ~ lleno de deudas; *be in* ~ tener deudas; *run into* ~ contraer deudas, endeudarse; **'debt·or** deudor (-a *f*) *m*.

de·bunk [di:'bʌŋk] F *p.* desenmascarar; desacreditar.

dé·but ['deibu:] estreno *m*, debut *m*; *make one's* ~ *thea.* estrenarse, debutar; (*in society*) ponerse de largo, presentarse en la sociedad.

dec·ade [dekeid] década *f*; decenio *m*, década *of years*.

de·ca·dence ['dekədəns] decadencia *f*; **'de·ca·dent** decadente.

de·cap·i·tate [di'kæpiteit] degollar.

de·cay [di'kei] **1.** decadencia *f*, decaimiento *m*; caries *f* of teeth; podredumbre *f*; **2.** decaer; *esp.* △ *a. fig.* desmoronarse; cariarse; pudrirse.

de·cease [di'si:s] *esp.* ⚖ **1.** fallecimiento *m*; **2.** fallecer; *the* ~*d* el (la) difunto (a).

de·ceit [di'si:t] engaño *m*; fraude *m*; **de'ceit·ful** ☐ engañoso; (*lying*) mentiroso.

de·ceive [di'si:v] engañar; defraudar; *be* ~*d freq.* equivocarse; **de'ceiv·er** engañador (-a *f*) *m*.

De·cem·ber [di'sembə] diciembre *m*.

de·cen·cy [di:snsi] decencia *f*; **'de·cent** ☐ decente.

de·cen·tral·i·za·tion [di:sentrəlai-'zeiʃn] descentralización *f*; **de'cen·tral·ize** descentralizar.

de·cep·tion [di'sepʃn] engaño *m*, fraude *m*, decepción *f*; **de'cep·tive** ☐ engañoso; ilusorio.

de·cide [di'said] decidir (*to inf. or* -se a *inf.*; *in favor of* a favor de; [*up*]*on* por); *attitude* determinar; **de'cid·ed** ☐ decidido, resuelto; indudable; ~*ly* indudablemente.

dec·i·mal ['desiml] decimal *adj. a. su. m*; ~ *point* punto *m* decimal, coma *f*.

de·ci·pher [di'saifə] descifrar.

de·ci·sion [di'siʒn] decisión *f*; ⚖ resolución *f*, fallo *m*; (*resoluteness*) firmeza *f*; *make (or take) a* ~ tomar una decisión; **de·ci·sive** [di'saisiv] ☐ decisivo; (*conclusive*) terminante.

deck [dek] **1.** ⚓ cubierta *f*; (*omnibus*) planta *f*; *cards:* baraja *f*; **2.** *lit.* ataviar, engalanar; '~**chair** hamaca *f*, tumbona *f*.

de·claim [di'kleim] declamar; ~ *against* protestar contra.

dec·la·ma·tion [deklə'meiʃn] declamación *f*.

dec·la·ra·tion [deklə'reiʃn] declaración *f* (*a.* ⚖); **de'clare** [di'kleə] declarar; afirmar; *nothing to* ~ nada de pago; **de'clared** ☐ manifiesto.

de·clen·sion [di'klenʃn] declinación *f* (*a. gr.*).

dec·li·na·tion [dekli'neiʃn] declinación *f* (*ast. a.* ⚓); denegación *f*; **de'cline** [di'klain] **1.** *v/t.* rehusar, no aceptar; *gr.* declinar; *v/i.* declinar (*a. fig.*); negarse (*to a*); **2.** declinación *f* (*a. fig.*); ⚹ *etc.* bajón *m*; ocaso *m* of sun; baja *f* of prices; F crisis.

de·code ['di:'koud] descifrar.

de·con·tam·i·nate [di:kən'tæmineit] descontaminar.

dec·o·rate ['dekəreit] decorar, adornar; *room* empapelar, pintar; ⚔ condecorar; **dec·o'ra·tion** adorno *m*, ornato *m*; ⚔ condecoración *f*; **dec·o·ra·tive** ['dekərətiv] ☐ decorativo; bonito; **dec·o·ra·tor** ['~reitə] adornista *m/f*; (*pintor m*) decorador *m*.

de·co·rum [di'kɔ:rəm] decoro *m*.

de·coy [di'kɔi] **1.** señuelo *m* (*a. fig.*); (*a.* **de'coy duck**) reclamo *m*; trampa *f*; **2.** atraer con señuelo.

de·crease 1. ['di:kri:s] disminución *f*; **2.** [di:'kri:s] disminuir(se).

de·cree [di'kri:] **1.** decreto *m*; **2.** decretar.

de·crep·it [di'krepit] decrépito.

de·cry [di'krai] desacreditar; rebajar.

ded·i·cate ['dedikeit] dedicar; **ded·i'ca·tion** dedicación *f*; dedicatoria *f* *in book*; **'ded·i·ca·to·ry** dedicatorio.

de·duce [di'dju:s] deducir.

de·duct [di'dʌkt] restar; **de'duc·tion** deducción *f*; ✝ descuento *m*.

deed [di:d] **1.** hecho *m*, acto *m*, hazaña *f*; ⚖ escritura *f*, documento *m*; **2.** traspasar por escritura.

deem [di:m] juzgar, considerar; (*believe*) creer.

deep [di:p] **1.** ☐ hondo, profundo; ♪ grave, bajo; *color* oscuro; subido; *p.*

insondable, astuto; ~ in debt lleno de deudas; F *go off the* ~ *end* montar en cólera; **2.** *poet.* piélago *m*; **'deep·en** profundizar(se); *voice* ahuecar; *color* hacer(se) más oscuro (*or* subido).

deer [diə] ciervo *m*.

de·face [di'feis] desfigurar, deformar.

def·a·ma·tion [defə'meiʃn] difamación *f*; **de·fame** [di'feim] difamar; mancillar.

de·fault [di'fɔːlt] **1.** omisión *f*, descuido *m*; falta *f*, incumplimiento *m*; 🕮 rebeldía *f*; *in* ~ *of* por falta de; **2.** faltar; 🕮 caer en rebeldía; *ponerse en mora*; † demorar los pagos.

de·feat [di'fiːt] **1.** derrota *f*; **2.** vencer (*a. fig.*); derrotar; *fig. e.g. hopes* frustrar.

de·fect [di'fekt] defecto *m*; **de·fec·tive** ☐ defectuoso; defectivo (*a. gr.*); *child etc.* anormal.

de·fend [di'fend] defender (*from* de); **de·fen·dant** (*civil*) demandado (a *f*) *m*; (*criminal*) acusado (a *f*) *m*, reo *m*; **de·fend·er** defensor *m*; **de·fense** [di'fens] defensa *f* (*a. sport*). **de·fen·si·ble** [di'fensəbl] defendible; **de·fen·sive 1.** ☐ defensivo; **2.** defensiva *f*.

de·fer¹ [di'fəː] diferir, aplazar.

de·fer² [~] deferir (*to* a); **def·er·ence** [~'defərəns] deferencia *f*; *in* ~ *to, out of* ~ obedeciendo a, teniendo respeto a.

de·fer·ment [di'fəːment] aplazamiento *m*; prórroga *f* (*a.* 🕮).

de·fi·ance [di'faiəns] desafío *m*; oposición *f* terca; **de·fi·ant** ☐ desafiador; provocativo.

de·fi·cien·cy [di'fiʃənsi] deficiencia *f*, carencia *f*; **de·fi·cient** insuficiente; incompleto; deficiente; *be* ~ *in* carecer de.

def·i·cit ['defisit] déficit *m*.

de·fin·a·ble [di'fainəbl] definible; **de·fine** definir; delimitar, determinar; **def·i·nite** ['definit] ☐ definido (*a. gr.*); *statement etc.* categórico; distinto, preciso; *quite* ~ indudable; **def·i·ni·tion** definición *f*; claridad *f*; *by* ~ por definición; **de·fin·i·tive** ☐ definitivo; categórico.

de·flate [diː'fleit] desinflar; † deflacionar.

de·flect [di'flekt] desviar.

de·form [di'fɔːm] deformar; ~ed deforme, mutilado; **de·form·i·ty** deformidad *f*.

de·fraud [di'frɔːd] defraudar (*of* de).

de·fray [di'frei] *costs* sufragar, costear.

deft [deft] ☐ diestro (*at* en); *touch* ligero.

de·funct [di'fʌŋkt] difunto.

de·fy [di'fai] desafiar (*a. fig.*); oponerse a.

de·gen·er·a·cy [di'dʒenərəsi] depravación *f*; **de·gen·er·ate 1.** [~rit] ☐ degenerado *adj. a. su.* (a *f*); **2.** [~reit] degenerar (*into* en).

deg·ra·da·tion [degrə'deiʃn] degradación *f*, envilecimiento *m*; **de·grade** [di'greid] degradar, envilecer; ~ *o.s. freq.* aplebeyarse.

de·gree [di'griː] grado *m* (🄰 *etc.*); *univ.* título *m*, licenciatura *f*; grado *f*; rango *m*, condición *f* social; *by* ~s poco a poco.

de·hy·drat·ed [diː'haidreitid] deshidratado; **de·hy·dra·tion** deshidratación *f*.

de-ice [diː'ais] 🛫 deshelar.

de·i·fy [di'difai] deificar.

deign [dein]: ~ *to* dignarse *inf.*

de·i·ty ['diːiti] deidad *f*; *the* 🝰 Dios.

de·ject [di'dʒekt] abatir, desanimar; **de·ject·ed** ☐ abatido.

de·lay [di'lei] **1.** tardanza *f*, retraso *m*; dilación *f*; **2.** *v/i.* tardar (*in* en); *v/t.* diferir, dilatar.

del·e·gate 1. ['deligeit] delegar (*to* a); *p.* diputar; **2.** ['deligit] delegado (a *f*) *m*; diputado (a *f*) *m*; **del·e·ga·tion** [~'geiʃn] delegación *f* (*a. body*); diputación *f*.

de·lete [diː'liːt] tachar, suprimir, borrar; **de·le·tion** [di'liːʃn] supresión *f*.

de·lib·er·ate 1. [di'libəreit] *v/t. s.t.* meditar; *v/i.* deliberar (*on* sobre); **2.** [~rit] ☐ premeditado, reflexionado; (*cautious*) cauto, circunspecto; *movement etc.* lento, espacioso; ~*ly freq.* de propósito, con premeditación; **de·lib·er·a·tion** [~'reiʃn] deliberación *f*; premeditación *f*.

del·i·ca·cy ['delikəsi] delicadeza *f*; (*titbit*) golosina *f*; **del·i·cate** ['~kit] ☐ delicado; *food* exquisito; *action* considerado; **del·i·ca·tes·sen** [delikə'tesn] tienda *f* que se especializa en manjares exquisitos.

de·li·cious [di'liʃəs] ☐ delicioso, exquisito.

de·light [di'lait] **1.** deleite *m*, delicia *f*; **2.** deleitarse (*in* en, con); *be* ~ed to tener mucho gusto en; **de·light·ful** [~ful] ☐ delicioso, precioso.

de·lin·e·ate [di'linieit] delinear; bosquejar (*a. fig.*).

de·lin·quen·cy [di'liŋkwənsi] 死 delincuencia *f*; (*guilt*) culpa *f*; (*omission*) descuido *m*; **de'lin·quent** delincuente *adj. a. su. m/f*; culpable *adj. a. su. m/f*.

de·lir·i·ous [di'liriəs] □ delirante.

de·liv·er [di'livə] librar (*from* de); (*a.* ~ *up*, ~ *over*) entregar; 😊 distribuir, repartir; *speech* pronunciar; *blow* asestar; 🦶 *woman* partear; *message* comunicar; *ball* lanzar; *be* ~*ed of* parir *acc.*; **de'liv·er·ance** liberación *f*, rescate *m*; **de'liv·er·y** liberación *f*, salvación *f*; 😊 repartido *m*; 🦶 parto *m*, alumbramiento *m*; entrega *f* of goods, writ; modo *m* de expresarse; *attr.* de entrega; de reparto; ~ *man* mozo *m* de reparto; ~ *room* sala *f* de alumbramiento; ~ *truck* sedán *m* de reparto.

dell [del] vallecito *m*.

de·louse [di:'laus] despiojar, espulgar.

del·ta ['deltə] delta *f*; *geog.* delta *m*.

de·lude [di'lu:d] engañar, deludir (*into* para que); *easily* ~*d* iluso.

del·uge ['delju:dʒ] **1.** diluvio *m*; **2.** inundar (*with* de).

de·lu·sion [di'lu:ʒn] engaño *m*; ilusión *f*, alucinación *f*.

de luxe [di'lʌks] de lujo.

delve [delv] cavar (*into* en; *a. fig.*).

dem·a·gog·ic, dem·a·gog·i·cal [demə'gɔgik[l]] □ demagógico; **dem·a·gogue** ['~gog] demagogo *m*.

de·mand [di'mɑ:nd] **1.** demanda *f* (*a.* ✝, 死); exigencia *f*; *on* ~ a solicitud; **2.** demandar; exigir (*of a*), solicitar perentoriamente (*of* de); **de'mand·ing** exigente.

de'mean·or [~ə] porte *m*, conducta *f*.

de·ment·ed [di'mentid] □ demente.

de·mer·it [di:'merit] demérito *m*.

de·mil·i·ta·ri·za·tion [di:militəri-'zeiʃn] desmilitarización *f*; **de'mil·i·ta·rize** desmilitarizar.

de·mise [di'maiz] **1.** 死 transferencia *f*; traspaso *m* of title or estate; fallecimiento *m* of p. **2.** transferir, traspasar.

de·mo·bi·li·za·tion ['di:moubilai-'zeiʃn] desmovilización *f*; **de'mo·bi·lize** desmovilizar.

de·moc·ra·cy [di'mɔkrəsi] democracia *f*; **dem·o·crat** ['deməkræt] demócrata *m/f*; **dem·o'crat·ic, dem·o'crat·i·cal** □ democrático.

de·mol·ish [di'mɔliʃ] demoler, derribar; *argument etc.* destruir; F zamparse; **dem·o·li·tion** [demə'liʃn] demolición *f*, derribo *m*.

de·mon ['di:mən] demonio *m*; **de·mon·ic** [di:'mɔnik] demoníaco.

de·mon·stra·ble ['demənstrəbl] □ demostrable; **dem·on·strate** ['~streit] demostrar; *pol.* hacer una manifestación; **dem·on'stra·tion** demostración *f*; *pol.* manifestación *f*; **de·mon·stra·tive** [di'mɔnstrətiv] **1.** □ demostrativo (*a. gr.*); *p.* exagerado, exaltado; **2.** demostrativo *m*; **dem·on·stra·tor** ['demənstreitə] demostrador (-a *f*) *m*; *pol.* manifestante *m*.

de·mor·al·i·za·tion [dimɔrəlai'zeiʃn] desmoralización *f*; **de'mor·al·ize** desmoralizar.

de·mur [di'mə:] **1.** reparo *m*, pega *f*; **2.** poner pegas, objetar.

de·mure [di'mjuə] □ grave, solemne; (*modest*) recatado; *b.s.* gazmoño.

den [den] (*animal's, robber's*) madriguera *f*; F (*room*) cuchitril *m*; F cuarto *m* de estudio.

de·ni·a·ble [di'naiəbl] negable; **de·ni·al** negación *f*; (*refusal*) denegación *f*; (*a. self*-~) abnegación *f*.

den·i·grate [di'nigreit] denigrar.

den·im ['denim] (*freq.* ~s *pl.*) dril *m* de algodón.

den·i·zen ['denizn] habitante *m/f*; extranjero (*a f*) *m* naturalizado (a).

de·nom·i·nate [di'nɔmineit] denominar; **de·nom·i·na·tion** denominación *f*; categoría *f*; *eccl.* secta *f*, confesión *f*; valor *m* of coin etc.; **de'nom·i·na·tor** [~neitə] denominador *m*; *common* ~ denominador *m* común.

de·note [di'nout] denotar; señalar, designar; significar.

de·nounce [di'nauns] denunciar; censurar, reprender.

dense [dens] □ denso, compacto; *undergrowth etc.* tupido; **'den·si·ty** densidad *f* (*a. phys.*).

dent [dent] **1.** abolladura *f*, mella *f* in edge; **2.** abollar(se); mellar.

den·tal ['dentl] **1.** dental; odontológico; **2.** 🔲 dental *f*; **dent·i·frice** ['~tifris] dentífrico *m*; **'den·tist** dentista *m*, odontólogo *m*; **'den·tist·ry** odontología *f*; **den·ture** ['~tʃə] dentadura *f*; (*esp.* ~s *pl.*) dentadura *f* postiza.

de·nun·ci·a·tion [dinʌnsi'eiʃn] de-

nuncia *f* (*a.* 🏛️), denunciación *f.*

de·ny [di'nai] negar; *request etc.* denegar; *report* desmentir; ~ *o.s.* abnegarse; ~ *o.s. th.* negarse, no permitirse.

de·o·dor·ize [diː'oudəraiz] desodorizar; **de'o·dor·ant** desodorante *m.*

de·part [di'pɑːt] *v/i.* partir, marcharse; (*train etc.*) salir, tener su salida; **de'part·ment** departamento *m*; sección *f*, ramo *m*; ministerio *m*; ~ *store* grandes almacenes *m/pl.*; **de·part'men·tal** □ departamental; **de'par·ture** [ʌt'ʃə] partida *f*, salida *f*; *fig.* desviación *f.*

de·pend [di'pend] 🔗 pender, colgar; ~ (*up*)*on* depender de; *p. etc.* contar con, confiar en; F *it* ~*s* eso depende; **de'pend·a·ble** □ *p.* formal, confiable; seguro; **de'pend·ence** dependencia *f* (*on* de); confianza *f* (*on* en); apoyo *m* (*on* sobre); **de'pend·ent** □ dependiente (*on* de); pendiente (*on* de); *gr.* subordinado.

de·pict [di'pikt] representar, describir; *paint.* pintar, dibujar.

de·plete [di'pliːt] agotar; *stock etc.* mermar; 🔬 depauperar.

de·plor·a·ble [di'plɔːrəbl] □ deplorable; **de·plore** [di'plɔː] deplorar.

de·ploy [di'plɔi] ✕ desplegar; *fig.* organizar.

de·port [di'pɔːt] deportar; ~ *o.s.* comportarse; **de·por'ta·tion** deportación *f*; **de'port·ment** porte *m*, continente *m*; conducta *f.*

de·pose [di'pouz] deponer (*a.* 🏛️).

de·pos·it [di'pozit] 1. depósito *m* (*a.* ♀); *geol.* yacimiento *m*; 🕈 señal *f*; (*house etc.*) desembolso *m* inicial; 🕈 poso *m*; 2. depositar (*with* en); 🕈 dar para señal; 🔬 sedimentar; **de·pos'i·tor** [di'pozitə] depositador (-a *f*) *m*; 🕈 cuentacorrentista *m/f*, imponente *m.*

de·pot ['depou] depósito *m*, almacén *m*; 🚂 estación *f.*

de·prave [di'preiv] depravar; **de·'praved** depravado; **de·prav·i·ty** [di'præviti] depravación *f*, estragamiento *m.*

de·pre·ci·ate [di'priːʃieit] depreciar (-se); desestimar, despreciar; **de·pre·ci'a·tion** depreciación *f.*

dep·re·da·tion [depri'deiʃn] depredación *f*; ~*s pl.* estragos *m/pl.*

de·press [di'pres] deprimir (*a. fig.*); (*dispirit*) desalentar, desanimar; *price* hacer bajar; ~*ed* alicaído, aba-

tido; **de'press·ing** □ deprimente; triste; **de·pres·sion** [di'preʃn] depresión *f* (*a.* ✳️, ♀); 🕈 flojedad *f*; crisis *f* económica.

dep·ri·va·tion [depri'veiʃn] privación *f*; **de·prive** [di'praiv] privar (*of* de).

depth [depθ] profundidad *f* (*a. fig.*); fondo *m of building*; ~ *charge* carga *f* de profundidad; *in the* ~ *of* en lo más recio de, en pleno ...

dep·u·ta·tion [depju'teiʃn] diputación *f*; **dep·u·tize** ['depjutaiz] diputar; ~ *for s.o.* sustituir a; **'dep·u·ty** diputado *m* (*a. pol.*); sustituto *m.*

de·range [di'reindʒ] desarreglar, descomponer; *p.* volver loco; **de·'range·ment** desarreglo *m*, descompostura *f*; 🔬 trastorno *m* mental.

der·e·lict ['derilikt] 1. abandonado; negligente; 2. *esp.* ♆ derrelicto *m*; pelafustán (-a *f*) *m*; **der·e·lic·tion** [deri'likʃn] abandono *m*; desamparo *m.*

de·ride [di'raid] ridiculizar, mofarse de.

de·ri·sion [di'riʒn] mofa *f*, befa *f*; **de·ri·sive** [di'raisiv] □ mofador; **de·ri·so·ry** [~səri] mofador; *quantity etc.* irrisorio, ridículo.

der·i·va·tion [deri'veiʃn] derivación *f*; **de·riv·a·tive** [di'rivətiv] 1. □ derivativo, derivado (*a. gr.*); 2. derivativo *m* (*a. gr.*, ✳️); **de·rive** [di'raiv] derivar(se) (*from* de); *profit* sacar (*from* de); *be* ~*d from* provenir de.

der·ma·tol·o·gist [dəːmə'tolədʒist] dermatólogo *m*; **der·ma·tol·o·gy** dermatología *f.*

de·rog·a·to·ry [di'rogətəri] □ despreciativo, despectivo.

der·rick ['derik] grúa *f*; (*oil*) torre *f* de perforación, derrick *m.*

de·scend [di'send] descender, bajar (*from* de); ~ (*up*)*on* caer sobre; *fig.* ~ *to* rebajarse a; ~ (*or be* ~*ed*) *from* descender de; **de'scend·ant** descendiente *m/f.*

de·scent [di'sent] descendimiento *m* (*a. eccl.*); (*fall*) descenso *m* (*a. fig.*); (*origin*) descendencia *f* (*from* de); 🏛️ herencia *f*; *geog.* declive *m*; *esp.* ♆ invasión *f.*

de·scribe [dis'kraib] describir (*a.* 🅐); ~ *as* calificar de.

de·scrip·tion [dis'kripʃn] descripción *f*; clase *f*, género *m*; **de'scrip·tive** □ descriptivo; *style* pintoresco.

des·e·crate [desikreit] profanar; **des·e'cra·tion** profanación f.

des·ert 1. ['dezət] a) desierto; inhabitado; b) desierto m, yermo m; **2.** [di'zə:t] v/t. ✕ desertar; abandonar, desamparar; v/i. ✕, ⚖ desertar (from de; to a).

de·sert·er [di'zə:tə] desertor m; **de'ser·tion** deserción f, abandono m.

de·serve [di'zə:v] merecer (of de, para con); *he got what he ∼d* llevó su merecido; **de'serv·ed·ly** [∼vidli] merecidamente; **de'serv·ing** ☐ merecedor (of de); digno (of de).

de·sign [di'zain] **1.** ⊕ etc. diseño m, traza f; (pattern) dibujo m; (sketch) bosquejo m; (purpose) designio m, intención f; by ∼ intencionadamente; F have ∼s on tener su proyectos sobre; **2.** diseñar, trazar; dibujar; (purpose) idear, proyectar.

des·ig·nate 1. ['dezigneit] designar; nombrar; (point to) señalar; **2.** ['∼nit] designado, nombrado; **des·ig'na·tion** nombramiento m; (title etc.) denominación f.

de·sign·er [di'zainə] dibujante m; diseñador m.

de·sir·a·ble [di'zaiərəbl] ☐ deseable, apetecible; **de·sire** [di'zaiə] **1.** deseo m (for, to de); **2.** desear (to inf.; a p. to que una p. subj.).

de·sist [di'zist] desistir (from de).

desk [desk] pupitre m; (a. writing ∼) escritorio m; mesa f.

des·o·late 1. ['desəleit] asolar; p. entristecer; **2.** ['∼lit] ☐ desierto, solitario; despoblado; (in ruins) arruinado; (forlorn) lúgubre, triste; **des·o'la·tion** soledad f; desolación f; (act) arrasamiento m.

de·spair [dis'pɛə] **1.** desesperación f; **2.** desesperar (of de).

des·per·a·do [despə'rɑ:dou] bandido m; forajido m.

des·per·ate ['despərit] ☐ desesperado; situation etc. grave; fight encarnizado; (bold) temerario; **des·per·a·tion** [despə'reiʃn] desesperación f; in ∼ desesperado.

des·pi·ca·ble ['despikəbl] ☐ despreciable; vil, ruin.

de·spise [dis'paiz] despreciar; desdeñar.

de·spite [dis'pait] prp. a despecho de.

de·spond·ent [dis'pondənt] ☐ abatido, alicaído; be ∼ andar de capa caída.

des·pot ['despɔt] déspota m; **des-**
'pot·ic ☐ despótico; **des·pot·ism** ['∼pətizm] despotismo m.

des·sert [di'zə:t] postre m.

des·ti·na·tion [desti'neiʃn] destino m (a. ⚙), paradero m; **des·tine** ['∼tin] destinar (to, for a, para); be ∼d to estar destinado a; **'des·ti·ny** destino m, hado m.

des·ti·tute ['destitju:t] indigente; desprovisto (of de); **des·ti'tu·tion** indigencia f.

de·stroy [dis'trɔi] destruir (a. fig.); matar; (annihilate) aniquilar; **de·stroy·er** destructor m (a. ⚓).

de·struct·i·ble [di'strʌktəbl] destructible; **de'struc·tion** destrucción f (a. fig.); ✕ etc. estragos m/pl.; **de'struc·tive** ☐ destructivo (a. fig.); child revoltoso; nocivo (of a).

de·tach [di'tætʃ] separar, desprender; ✕ destacar; **de'tach·a·ble** separable, desmontable; suelto; **de'tached** separado, desprendido; fig. imparcial, objetivo; ∼ house hotel m; become ∼ desprenderse, separarse; **de'tach·ment** separación f, desprendimiento m; fig. objetividad f (of mind de ánimo).

de·tail 1. ['di:teil] detalle m, pormenor m; ✕ destacamento m; in ∼ en detalle; go into ∼ menudear; **2.** [di'teil] detallar; ✕ destacar; **de'tailed** account etc. detallado, detenido.

de·tain [di'tein] detener (a. ⚖); (delay) retener.

de·tect [di'tekt] descubrir, percibir; **de'tect·a·ble** perceptible; **de'tec·tion** descubrimiento m; **de'tec·tive** detective m; attr. policíaco, de detective; **de'tec·tor** descubridor m; radio a. ⚓ detector m.

dé·tente [dei'tã:nt] pol. détente f.

de·ten·tion [di'tenʃn] detención f, arresto m.

de·ter [di'tə:] disuadir (from de); impedir (from que subj.).

de·ter·gent [di'tə:dʒənt] detergente adj. a. su. m.

de·te·ri·o·rate [di'tiəriəreit] v/t. deteriorar; v/i. empeorarse; **de·te·ri·o·'ra·tion** deterioro m, empeoramiento m.

de·ter·ment [di'tə:mənt] disuasión f.

de·ter·mi·na·tion [ditə:mi'neiʃn] determinación f; (resolve) empeño m; **de'ter·mine** [∼min] determinar (to inf.); determinarse (to a); ocasionar, dar motivo a; ∼ on optar por;

did

resolverse a; **de·ter·mined** □ resuelto; (*stubborn*) porfiado.

de·ter·rent [di'terənt] **1.** disuasivo; **2.** lo que disuade; impedimento *m*; (*threat*) amenaza *f*.

de·test [di'test] detestar; **de·test·a·ble** □ detestable.

det·o·nate ['detouneit] (hacer) detonar; **'det·o·nat·ing-cap** cápsula *f* fulminante; **det·o'na·tion** detonación *f*.

de·tour [di'tuə], **dé·tour** [di'deituə] desvío *m*, rodeo *m*.

de·tract [di'trækt] **:** ~ *from* quitar atractivo a; rebajar, quitar mérito a.

det·ri·ment ['detrimənt] perjuicio *m*, detrimento *m*; *to the* ~ *of* en perjuicio de; **det·ri·men·tal** [detri'mentl] □ perjudicial (*to* a, para).

deuce [dju:s] **1.** *dice*: dos *m*; *tennis*: a dos; **2.** F diantre *m*, demonio *m*; *what the* ~ ...? ¿qué demonios ...?

de·val·u·a·tion [di:vælju'eiʃn] desvalorización *f*; **de'val·ue** desvalorizar.

dev·as·tate ['devəsteit] devastar; **'dev·as·tat·ing** □ *fig.* arrollador; **dev·as·ta·tion** devastación *f*.

de·vel·op [di'veləp] *v/t.* desarrollar (*a.* 𝔸), desenvolver; *phot.* revelar; *land* urbanizar; 🗲 *etc.* explotar; *v/i.* desarrollarse; F (*esp. be* ~*ing*) ir, progresar; **de'vel·op·ment** desarrollo *m*, desenvolvimiento *m*; *phot.* revelado *m*; (*a. urban* ~) urbanización *f*; 🗲 explotación *f*.

de·vi·ate ['di:vieit] desviar(se) (*from* de); **de·vi'a·tion** desviación *f* (*a. compass*).

de·vice [di'vais] ⊕ dispositivo *m*, aparato *m*; *fig.* recurso *m*, ardid *m*; emblema *m*; (*motto*) lema *m*; *nuclear* ~ ingenio *m* nuclear.

dev·il ['devl] diablo *m* (*a. fig.*); F arrojo *m*, ardor *m*; 𝔩𝔷 abogado *m* principiante; *typ.* mozo *m* recadero; plato *m* picante; *the* ~! ¡diablos!; F *there'll be the* ~ *to pay* nos sentarán las costuras; F *raise the* ~ armarla; **'dev·il·ish** □ diabólico; *adv.* F extremadamente; **'dev·il-may-'care** F despreocupado; temerario.

de·vi·ous ['di:viəs] □ apartado, aislado; *path.* tortuoso.

de·vise [di'vaiz] **1.** 𝔩𝔷 legado *m*; **2.** idear, proyectar; hacer proyectos; 𝔩𝔷 legar.

de·void [di'vɔid] desprovisto (*of* de).

de·vote [di'vout] dedicar; ~ *o.s. to* dedicarse a; **de'vot·ed** □ devoto,

dedicado (*to* a); (*letter*) *your* ~ *servant* suyo afmo.; **de·vo·tion** [di'vouʃn] devoción *f* (*to* a); **de'vo·tion·al** □ piadoso, devoto.

de·vour [di'vauə] devorar (*a. fig.*); F *food* zamparse.

de·vout [di'vaut] □ devoto, piadoso; (*earnest*) cordial.

dew [dju:] **1.** rocío *m*; **2.** rociar; **'~-drop** gota *f* de rocío; **'~-lap** papada *f*.

dex·ter·i·ty [deks'teriti] destreza *f*.

di·a·be·tes [daiə'bi:ti:z] diabetes *f*; **di·a'be·tic** diabético *adj. a. su. m* (*a f*).

di·a·bol·ic, di·a·bol·i·cal [daiə'bol·ik(l)] □ diabólico.

di·a·dem ['daiədem] diadema *f*.

di·ag·nose ['daiəgnouz] diagnosticar; **di·ag'no·sis** [~sis], *pl.* **di·ag'no·ses** [~si:z] diagnosis *f*.

di·ag·o·nal [dai'ægənl] □ diagonal *adj. a. su. f* (𝔸 *a. cloth*).

di·a·gram ['daiəgræm] diagrama *m*, esquema *m*.

di·al ['daiəl] **1.** esfera *f*, cuadrante *m*; *teleph.* disco *m*; *radio*: dial *m*; **2.** *teleph.* marcar; ~*ling tone* tono *m* (de marcar).

di·a·lect ['daiəlekt] dialecto *m*.

di·a·logue, a. di·a·log ['daiələg] diálogo *m*.

di·am·e·ter [dai'æmitə] diámetro *m*.

di·a·mond ['daiəmənd] diamante *m*; (*shape*) losange *m*; *cards*: ~s *pl.* diamantes *m/pl.*, (*Spanish*) oros *m/pl.*

di·a·per ['daiəpə] pañal *m*.

di·a·phragm ['daiəfræm] diafragma *m* (*a. teleph.*).

di·ar·rhe·a [daiə'riə] diarrea *f*.

di·a·ry ['daiəri] diario *m*.

di·a·tribe ['daiətraib] diatriba *f*.

dice [dais] [*pl. of die²*] **1.** dados *m/pl.*; (*shape*) cubitos *m/pl.*, cuadritos *m/pl.*; *load the* ~ cargar los dados; **2.** jugar a los dados; *vegetables* cortar en cuadritos.

dick·er ['dikə] regatear.

dic·ta·phone ['diktəfoun] dictáfono *m*.

dic·tate 1. ['dikteit] mandato *m*; **2.** [dik'teit] dictar; mandar, disponer (*a. fig.*); **dic'ta·tion** dictado *m*; = *dictate*; *take* ~ escribir al dictado; **dic'ta·tor** dictador *m*; **dic'ta·tor·ship** [dik'teitəʃip] dictadura *f*.

dic·tion ['dikʃn] dicción *f*, lenguaje *m*; **dic·tion·ar·y** ['dikʃənri] diccionario *m*.

did [did] *pret. of.* ᵭᵒ.

di·dac·tic [di'dæktik] □ didáctico.

didn't ['didnt] = did not.

die¹ [dai] [ger. dying] morir (of, from de); ~ away acabarse gradualmente; desaparecer.

die² [~] [pl. dice] dado m; (pl. dies [daiz]) ⊕ troquel m; matriz f, molde m.

die...: '**~hard** intransigente (a. su. m); acérrimo, empedernido.

di·et ['daiət] **1.** régimen m, dieta f; pol. etc. dieta f; **2.** v/t. poner a dieta; v/i. estar a dieta (a. be on a ~).

dif·fer ['difə] diferenciar, discordar (with, from de); diferenciarse (from de); **dif·fer·ence** ['difrəns] diferencia f (a. Å); it makes no ~ lo mismo da; split the ~ partir la diferencia; '**dif·fer·ent** □ diferente, distinto (from de); **dif·fer·en·tial** [~ʃl] **1.** diferencial; ~ calculus cálculo m diferencial; **~** differencial f (Å a. mot.); **dif·fer·en·ti·ate** [~ʃieit] v/t. distinguir (between entre); v/i. diferenciarse (a. ♀ etc.).

dif·fi·cult ['difikəlt] □ difícil; '**dif·fi·cul·ty** dificultad f; aprieto m; difficulties pl. ♥ etc. aprietos m/pl., apuros m/pl.

dif·fuse 1. [di'fju:z] difundir(se) (a. fig.); **2.** [~s] □ difuso (a. fig.); **dif·fused** [~zd] light etc. difuso.

dig [dig] **1.** [irr.] cavar, excavar; ⊕ empalizar, empujar; ✕ ~ in atrincherarse; ~ up desenterrar; **2.** empujón m; F fig. indirecta f, zumba f.

di·gest 1. [di'dʒest] digerir (a. fig.); compendiar, resumir; **2.** ['daidʒest] resumen m; ⚕ digesto m; **di·gest·i·ble** digerible; **di·ges·tion** digestión f; **di·ges·tive** digestivo.

dig·it ['didʒit] Å dígito m; '**dig·it·al** digital.

dig·ni·fied ['dignifaid] grave, solemne; **dig·ni·fy** ['~fai] dignificar.

dig·ni·tar·y ['dignitəri] dignatario m; '**dig·ni·ty** dignidad f; beneath one's ~ impropio.

di·gress [dai'gres] hacer una digresión, apartarse del tema.

dike [daik] **1.** dique m (a. fig. a. geol.); **2.** contener con un dique.

di·lap·i·date [di'læpideit] furniture etc. desmantelar(se); house desmoronar(se); **di·lap·i·dat·ed** destartalado.

di·late [dai'leit] dilatar(se) (upon sobre); **dil·a·to·ry** ['dilətəri] □ dilativo; tardón (F).

di·lem·ma [di'lemə] dilema m (a. phls.), perplejidad f, apuro m.

dil·i·gence ['dilidʒens] diligencia f; '**dil·i·gent** □ diligente, trabajador.

di·lute [dai'lju:t] **1.** diluir (a. fig.); **2.** diluido; **di·lu·tion** dilución f.

dim [dim] **1.** □ light débil, mortecino; fig. confuso, indistinto; **2.** amortiguar; mot. poner a media luz; fig. ofuscar.

dime [daim] moneda de diez centavos (de un dólar).

di·men·sion [di'menʃn] dimensión f.

di·min·ish [di'miniʃ] disminuir(se); **dim·i·nu·tion** [dimi'nju:ʃn] disminución f; **di·min·u·tive** [~jutiv] **1.** □ gr. diminutivo; (small) menudo; **2.** gr. diminutivo m.

dim·ple ['dimpl] **1.** hoyuelo m; **2.** formar(se) hoyuelos; (water) rizar(se).

din [din] **1.** estruendo m continuo; **2.** atolondrar con reiteraciones.

dine [dain] v/i. cenar; ~ out cenar fuera; v/t. dar de cenar a; '**din·er** convidado m; comensal m; ⚅ cochecomedor m.

din·gy ['dindʒi] □ deslustrado, desmejorado; sórdido.

din·ing... ['dainiŋ...]: '~ car coche comedor m; '~ hall comedor m; '~ room comedor m; '~ suite comedor m; ~ ta·ble mesa f de comer.

dink·y ['diŋki] F mono; pequeñito.

din·ner ['dinə] cena f; comida f at midday; banquete m; '~ jack·et smoking m; '~ par·ty banquete m.

dint [dint] **1.** † golpe m; by ~ of a fuerza de; **2.** abollar.

dip [dip] **1.** v/t. bañar, sumergir (a. ⊕); flag bajar, saludar con; pen mojar; cloth teñir; meter, mojar (into en); mot. poner a media luz; v/i. sumergirse; inclinarse hacia abajo, ladearse; (disappear) desaparecer, bajar; geol. buzar; F ~ into meterse en; book hojear; **2.** baño m (a. liquid), inmersión f; inclinación f, ladeo m; depresión f in road, horizon; F baño m de mar; (candle) vela f de sebo; geol. buzamiento m.

diph·the·ri·a [dif'θiəriə] difteria f.

diph·thong ['difθɔŋ] diptongo m.

di·plo·ma [di'ploumə] diploma m; **di·plo·ma·cy** [di'ploumasi] diplomacia f; **dip·lo·mat** ['diplomæt] diplomático m; **dip·lo·mat·ic** □ diplomático.

dip·per ['dipə] cazo m; orn. mirlo m acuático; '**dip·py** sl. loco.

dire [ˈdaiə] horrendo, calamitoso; extremado.

di·rect [diˈrekt] **1.** □ directo (*a. gr.*); sincero, abierto; ~ *current* corriente *f* continua; **2.** *adv.* derecho, en derechura; = ~*ly*; **3.** dirigir (*to, towards, at* a, hacia); mandar, ordenar (*or inf.*); **di·rec·tion** dirección *f*; (*order*) orden *f*, instrucción *f*; ~*s for use* modo *m* de empleo; *in the* ~ *of* en la dirección de; **di·rec·tion·al** *radio*: direccional; ~ *aerial* antena *f* orientable; **di·rec·tive** [~tiv] **1.** directivo; **2.** directorio *m*; **di·rect·ly 1.** *adv.* en el acto, en seguida; precisamente; **2.** *cj.* en cuanto; **di·rect·ness** derechura *f*; franqueza *f*.

di·rec·tor [diˈrektə] director *m* (*a. film*); ♀ *board of* ~*s* junta *f*, consejo *m* de administración; **di·rec·to·ry** directorio *m*; *teleph.* guía *f* telefónica.

dirge [dəːdʒ] endecha *f*.

dir·i·gi·ble [ˈdiridʒəbl] dirigible *adj. a. su. m.*

dirk [dəːk] puñal *m*.

dirt [dəːt] mugre *f*, suciedad *f*; (*mud*) lodo *m*; (*filth, a. fig.*) porquería *f*; obscenidad *f*; '~-'**cheap** F tirado; '~**road** camino *m* de tierra; '**dirt·y 1.** □ sucio (*a. fig.*); (*stained*) manchado; indecente, obsceno; **2.** ensuciar; manchar.

dis·a·bil·i·ty [disəˈbiliti] inhabilidad *f*, impedimento *m*.

dis·a·ble [disˈeibl] inhabilitar, incapacitar (*for, from* para); **dis·a·bled** incapacitado; impedido; mutilado.

dis·ad·van·tage [disədˈvɑːntidʒ] desventaja *f*; **dis·ad·van·ta·geous** [disædvɑːnˈteidʒəs] □ desventajoso.

dis·a·gree [disəˈɡriː] desavenirse (*with* con); discrepar (*with* de); no estar de acuerdo (*on* sobre); (*quarrel*) altercar; ~ *with* (*food*) sentar mal a; **dis·a·gree·a·ble** □ desagradable; *p.* displicente, de mal genio; desabrido (*to* con); **dis·a·gree·ment** desacuerdo *m*; discrepancia *f*; disconformidad *f* (*with* con); (*quarrel*) altercado *m*.

dis·ap·pear [disəˈpiə] desaparecer; **dis·ap·pear·ance** [~ˈpiərəns] desaparición *f*.

dis·ap·point [disəˈpɔint] decepcionar; desilusionar; *hopes* frustrar; **dis·ap·point·ing** □ decepcionante; **dis·ap·point·ment** decepción *f*, desilusión *f*, chasco *m*.

dis·ap·prov·al [disəˈpruːvəl] desapro-

bación *f*; **dis·ap'prove** desaprobar (*of the acc.*); ~ *of p.* tener poca simpatía a.

dis·arm [disˈɑːm] desarmar; **dis·ar·ma·ment** desarme *m*.

dis·ar·range [disəˈreindʒ] desarreglar, descomponer.

dis·ar·ray [disəˈrei] desorden *m*, descompostura *f*.

dis·as·ter [diˈzɑːstə] desastre *m*; **dis·'as·trous** □ desastroso, catastrófico.

dis·band [disˈbænd] *v/t. troops* licenciar; *organization* disolver; *v/i.* desbandarse.

dis·bar [disˈbɑː] ♁ excluir del foro.

dis·be·lief [ˈdisbiˈliːf] incredulidad *f* (*a. eccl.*).

dis·burse [disˈbəːs] desembolsar; **dis·burse·ment** desembolso *m*.

disc [disk] = **disk**.

dis·card 1. [disˈkɑːd] (*a. cards*) descartar, echar a un lado; **2.** [ˈdiskɑːd] descarte *m*.

dis·cern [diˈsəːn] discernir, percibir; **dis·cern·ment** discernimiento *m*, perspicacia *f*.

dis·charge [disˈtʃɑːdʒ] **1.** *v/t.* descargar; *duty* desempeñar; *worker* despedir; *patient* dar de alta; *river, ⚡*) descargar; *⚕* supurar; **2.** descarga *f*; descargo *m of debt*; desempeño *m*; despedida *f*, desacomodo *m*; *⚕* supuración *f*.

dis·ci·ple [diˈsaipl] discípulo (*a f*) *m*; **dis·ci·ple·ship** discipulado *m*.

dis·ci·pline [ˈdisiplin] **1.** disciplina *f*; (*punishment*) castigo *m*; **2.** disciplinar; castigar.

dis·claim [disˈkleim] desconocer, negar; ♁ renunciar; **dis·claim·er** negación *f*; renuncia *f*.

dis·close [disˈklouz] revelar; divulgar, propalar; **dis·clo·sure** [~ʒə] revelación *f*; divulgación *f*.

dis·col·or·a·tion [diskʌləˈreiʃn] descoloramiento *m*; **dis·col·or** descolorar(se).

dis·con·cert [diskənˈsəːt] desconcertar.

dis·con·nect [ˈdiskəˈnekt] ♀, ⊕ desconectar; desacoplar; '**dis·con·nect·ed** □ desconectado; *speech* inconexo.

dis·con·so·late [disˈkɔnsəlit] □ desconsolado (*a. fig.*).

dis·con·tent [diskənˈtent] **1.** descontento *m*; **2.** descontentar; **dis·con·'tent·ed** □ descontento; **dis·con·'tent·ment** descontento *m*.

dis·con·tin·u·ance [ˈdiskənˈtinjuəns]

(a. **dis·con·tin·u'a·tion**) descontinuación f; **'dis·con'tin·ue** [∧nju:] descontinuar; cesar de; *paper* anular el abono de.

dis·cord ['diskɔːd], **dis'cord·ance** discordia f; ♪ disonancia f; *fig.* sow ∼ sembrar cizaña; **dis'cord·ant** □ discorde (a. *fig.*); *fig.* disonante.

dis·count 1. ['diskaunt] descuento m, rebaja f; at a ∼ al descuento; *fig.* be at a ∼ no valorarse en su justo precio; 2. [dis'kaunt] descontar (a. *fig.*); desestimar; *report* considerar exagerado.

dis·cour·age [dis'kʌridʒ] desalentar, desanimar; disuadir (*from* de); desaprobar; **dis'cour·age·ment** desaliento m; disuasión f; desaprobación f.

dis·course 1. ['diskɔːs] discurso m; hold ∼ with platicar con; 2. [dis'kɔːs] discurrir (*about, upon* sobre).

dis·cour·te·ous [dis'kɔːtiəs] □ descortés; **dis'cour·te·sy** [∧tisi] descortesía f.

dis·cov·er [dis'kʌvə] descubrir; revelar; manifestar; **dis'cov·er·er** descubridor m; **dis'cov·er·y** descubrimiento m; revelación f; manifestación f.

dis·cred·it [dis'kredit] 1. descrédito m; (*doubt*) duda f, desconfianza f; 2. desacreditar; (*disbelieve*) descreer.

dis·crep·an·cy [dis'krepənsi] discrepancia f.

dis·crete [dis'kriːt] □ discreto; discontinuo.

dis·cre·tion [dis'kreʃn] discreción f; at one's ∼ a discreción.

dis·crim·i·nate [dis'krimineit] distinguir (*between* entre); ∼ *against* hacer distinción en perjuicio de; **dis'crim·i·nat·ing** □ discernidor, perspicaz; de buen gusto, fino; ♰ *duty* diferencial; parcial; **dis·crim·i·na·tion** discernimiento m, discreción f; *b.s.* tratamiento m parcial (*against* de); *racial* ∼ discriminación f racial; **dis'crim·i·na·tive** [∧neitiv] □, **dis'crim·i·na·to·ry** □ discernidor; *b.s.* parcial.

dis·cuss [dis'kʌs] hablar de, tratar de; *theme etc.* versar sobre; (*argue*) discutir; **dis'cus·sion** discusión f; tratamiento m, exposición f *of theme*.

dis·dain [dis'dein] 1. desdén m; 2. desdeñar; **dis'dain·ful** [∧ful] □ desdeñoso.

dis·ease [di'ziːz] enfermedad f; **dis-**

'eased enfermo; morboso; *fig.* depravado.

dis·em·bark ['disim'bɑːk] desembarcar.

dis·en·chant ['disin'tʃɑːnt] desencantar (a. *fig.*).

dis·en·gage ['disin'geidʒ] ⊕ soltar, desenganchar; p., ♰ *etc.* desempeñar(se); ✕ retirar(se); **'dis·en'gage·ment** mot. desembrague m; ⊕ desunión f; ♰ *etc.* desempeño m; ✕ retirada f; *pol.* neutralización f.

dis·en·tan·gle ['disin'tæŋgl] librar (*from* de); desenredar; *fig.* ∼ o.s. from desenredarse de.

dis·fa·vor ['dis'feivə] 1. desfavor m; desaprobación f; *fall into* ∼ caer en la desgracia; 2. desfavorecer; *action* desaprobar.

dis·fig·ure [dis'figə] desfigurar; **dis'fig·ure·ment** desfiguración f.

dis·grace [dis'greis] 1. desgracia f, disfavor m; ignominia f; escándalo m; 2. deshonrar, desacreditar; **dis'grace·ful** [∧ful] □ ignominioso, vergonzoso; ∼! ¡qué vergüenza!

dis·grun·tled [dis'grʌntld] descontento (*at* de); (*moody*) veleidoso.

dis·guise [dis'gaiz] 1. disfraz (*as* de; a. *fig.*); *voice* cambiar, disfrazar; 2. disfraz m.

dis·gust [dis'gʌst] 1. repugnancia f, aversión f (*at* hacia); 2. repugnar, dar asco a; **dis'gust·ing** □ repugnante, asqueroso; ofensivo.

dish [diʃ] 1. plato m, fuente f; *cooking*; plato m, manjar m; 2. servir en un plato; *sl.* vencer, burlar.

dish·cloth ['diʃklɔθ] paño m de cocina; *approx.* estropajo m.

dis·heart·en [dis'hɑːtn] desalentar; abatir.

di·shev·el·(l)ed [di'ʃevld] *hair* despeinado, desgreñado; desaliñado.

dis·hon·est [dis'ɔnist] □ fraudulento; no honrado; **dis·hon·est·y** [∧'ɔnisti] fraude m; falta f de honradez.

dis·hon·or [dis'ɔnə] 1. deshonra f, deshonor m; 2. deshonrar, afrentar; *check, etc.* negarse a aceptar (*or* pagar); **dis'hon·or·a·ble** □ deshonroso.

dish...: '∼·pan jofaina f para fregar los platos; **'∼·wash·er** friegaplatos m; ⊕ lavadora f de platos; **'∼·wa·ter** lavazas f/pl.

dis·il·lu·sion [disi'luːʒn] 1. desilusión f; 2. desilusionar; **dis·il·lu·sion·ment** desilusión f.

dispossess

dis·in·fect ['disin'fekt] desinfectar; **'dis·in'fect·ant** desinfectante *m*.

dis·in·her·it ['disin'herit] desheredar.

dis·in·te·grate [dis'intigreit] desagregar(se), disgregar(se).

dis·in·ter ['disin'tə:] desenterrar.

dis·in·ter·est·ed [dis'intristid] □ desinteresado.

disk [disk] disco *m*.

dis·like [dis'laik] **1.** *p.*: *I ~ him* le tengo aversión, me es antipático; *th.*: *I ~ that* eso no me gusta; *I ~ walking* no me gusta ir a pie; **2.** aversión *f*, antipatía *f* (*for, of* hacia, a); *take a ~ to* coger antipatía a; *~d* malquisto; poco grato.

dis·lo·cate [dis'ləkeit] dislocar.

dis·lodge [dis'lɔdʒ] desalojar (*a.* ✕); quitar de su sitio, hacer caer.

dis·loy·al ['dis'lɔiəl] □ desleal.

dis·mal ['dizməl] □ *fig.* sombrío, tenebroso, tétrico; (*sad*) triste, lúgubre; F pésimo.

dis·man·tle [dis'mæntl] desmontar, desarmar; *house* desmantelar; ♕ desaparejar; ✕ desguarnecer.

dis·may [dis'mei] **1.** consternación *f*, conturbación *f*; (*discouragement*) desánimo *m*; **2.** consternar, turbar (*a. fill with ~*); desanimar.

dis·mem·ber [dis'membə] desmembrar.

dis·miss [dis'mis] *v/t.* despedir, destituir; dar permiso a *p.* para irse; *possibility etc.* descartar, echar a un lado; *~ (from one's mind)* poner en olvido; **dis'miss·al** despedida *f*, destitución *f*.

dis·mount [dis'maunt] desmontar (-se).

dis·o·be·di·ence [disə'bi:djəns] desobediencia *f*; **dis·o'be·di·ent** □ desobediente; **'dis·o'bey** desobedecer.

dis·or·der [dis'ɔ:də] **1.** desorden *m*; ⚕ trastorno *m*; (*indisposition*) destemplanza *f*; tumulto *m*, motín *m*; *mental ~* trastorno *m* mental; **2.** desordenar, desarreglar.

dis·or·gan·ize [dis'ɔ:gənaiz] desorganizar.

dis·own [dis'oun] repudiar, desconocer; renegar de.

dis·par·age [dis'pæridʒ] desacreditar; (*with words*) menospreciar, hablar mal de; **dis'par·ag·ing** □ despreciativo.

dis·pa·rate ['dispərit] □ dispar, dis-

tinto; **dis·par·i·ty** [dis'pæriti] disparidad *f*.

dis·patch [dis'pætʃ] **1.** despachar; *goods* consignar, enviar; (*deathblow*) rematar; *meal* despabilar; **2.** despacho *m*; consignación *f*; (*speed*) prontitud *f*.

dis·pel [dis'pel] disipar, dispersar; *esp. fig.* desvanecer.

dis·pen·sa·ble [dis'pensəbl] dispensable; prescindible; **dis'pen·sa·ry** dispensario *m*; **dis·pen·sa·tion** [dispen'seiʃn] dispensación *f*; *eccl. etc.* dispensa *f*; designio *m* divino.

dis·pense [dis'pens] *v/t.* dispensar; *v/i.*: *~ with* deshacerse de; prescindir de; *oath etc.* eximir de; **dis'pens·er** dispensador *m*.

dis·perse [dis'pə:s] dispersar(se); **dis'per·sal, dis'per·sion** dispersión *f* (*a. of Jews*).

dis·pir·it [dis'pirit] desalentar; **dis'pir·it·ed** □ desalentado; abatido.

dis·place [dis'pleis] sacar de su sitio; destituir; (*replace*) suplir, reemplazar; *phys.* desplazar; *~d person* (*abbr.* D. P.) desplazado (a *f*) *m*.

dis·play [dis'plei] **1.** despliegue *m of quality*; exhibición *f*; pompa *f*, aparato *m*; ostentación *f* (*esp. b.s.*); *~ window* escaparate *m*; **2.** desplegar; exhibir; ostentar; *quality* revelar.

dis·please [dis'pli:z] desagradar, desplacer; (*annoy*) enojar, enfadar; **dis'pleased** □ disgustado (*at, with* de, con); enfadado, indignado; **dis'pleas·ing** □ desagradable, ingrato; **dis·pleas·ure** [ˌ⁓'pleʒə] desagrado *m*; disgusto *m* (*at por, a causa de*); enojo *m*, indignación *f*; *incur s.o.'s ~* incurrir en el enojo de una p.

dis·pos·a·ble [dis'pouzəbl] disponible; **dis'pos·al** disposición *f*; arreglo *m*, ajuste *m of a matter*; ♔ *etc.* consignación *f*, donación *f*; (*sale*) venta *f*; *at one's ~ a* su disposición; **dis'pose** *v/t.* disponer, arreglar; inducir, mover (*to* a); determinar, decidir; *v/i. ~ of* disponer de; (*rid*) deshacerse de, quitarse de; *rights* enajenar; *problem etc.* solucionar; *food* comer; *property* vender; **dis·po·si·tion** [ˌ⁓pə'siʃn] disposición *f*, orden *m*; (*character*) índole *f*, natural *m*; decreto *m*; ⚖ (*will*) legado *m*; propensión *f* (*to* a); plan *m*; ✕ *make ~s* hacer preparativos.

dis·pos·sess [dispə'zes] desposeer, privar (*of de*); *tenant* desahuciar.

dis·prove ['dis'pru:v] confutar, refutar.

dis·pute [dis'pju:t] **1.** disputa *f*, contienda *f*; *beyond* (*or without*) ~ sin disputa; *in* ~ disputado; **2.** *v/t.* disputar; *v/i.* disputar, discutir (*about*, *over* sobre).

dis·qual·i·fy [dis'kwɔlifai] inhabilitar, incapacitar (*for* para); *sport*: descalificar.

dis·qui·et·ing [dis'kwaiətiŋ] inquietante.

dis·qui·si·tion [diskwi'ziʃn] disertación *f*, disquisición *f*.

dis·re·gard ['disri'ga:d] **1.** indiferencia *f* (*for* a); (*neglect*) descuido *m*; **2.** desatender, descuidar; (*ignore*) no hacer caso de.

dis·re·pair ['disri'pɛə] mal estado *m*; *fall into* ~ desmoronarse.

dis·rep·u·ta·ble [dis'repjutəbl] □ de mala fama, mal reputado; *house of* mal vivir; **dis·re·pute** ['ˌri'pju:t] mala fama *f*, descrédito *m*; *bring into* ~ desacreditar.

dis·re·spect ['disris'pekt] desacato *m*, falta *f* de respeto; **dis·re·spect·ful** ['ˌ'pektful] □ irrespetuoso, desacatador.

dis·robe ['dis'roub] desnudar(se) (*of* de; *a. fig.*).

dis·rupt [dis'rʌpt] romper; *fig.* desbaratar, desorganizar; **dis·rup·tion** rompimiento *m*; desordenamiento *m*, confusión *f*; desbaratamiento *m*, desorganización *f*.

dis·sat·is·fac·tion ['dissætis'fækʃn] descontento *m*; desagrado *m*.

dis·sect [di'sekt] disecar; *fig.* hacer la disección de; **dis·sec·tion** [di'sekʃn] disección *f*; análisis *m* minucioso.

dis·sem·ble [di'sembl] *v/t.* disimular, encubrir; *v/i.* disimular, ser hipócrita.

dis·sem·i·nate [di'semineit] diseminar, difundir; **dis·sem·i·na·tion** difusión *f*.

dis·sen·sion [di'senʃn] disensión *f*, discordia *f*; *eccl.* disidencia *f*.

dis·sent [di'sent] **1.** disentir (*from* de); *eccl.* disidir; **2.** disentimiento *m*; *eccl.* disidencia *f*.

dis·ser·ta·tion [disə'teiʃn] disertación *f* (*on* sobre).

dis·serv·ice ['dis'sə:vis] deservicio *m* (*to* a); *render a* ~ perjudicar.

dis·si·pate ['disipeit] *v/t.* disipar; *money* despilfarrar; *v/i.* disiparse;

(*p.*) entregarse a los vicios; **dis·si·pat·ed** disoluto.

dis·so·ci·ate [di'souʃieit] disociar; ~ *o.s. from* hacerse insolidario de.

dis·so·lute ['disəlu:t] □ disoluto.

dis·solve [di'zɔlv] *v/t.* disolver (*a. fig.*); *v/i.* disolverse; *fig.* desvanecerse.

dis·suade [di'sweid] disuadir (*from* de).

dis·taff ['dista:f] rueca *f*; *fig. on the* ~ *side* por parte de madre.

dis·tance ['distəns] **1.** distancia *f* (*a. fig.*); lejanía *f*, lontananza *f*; *fig.* reserva *f*, recato *m*; *paint.* término *m*; *at* ~ a una distancia; *in the* ~ a lo lejos, en lontananza; *from a* ~ de lejos; *fig. keep at a* ~ no tratar con familiaridad; *keep one's* ~ mantenerse a distancia; *striking* ~ alcance *m*; **2.** distanciar; *sport:* dejar atrás (*a. fig.*); **dis·tant** □ distante; lejano; (*slight*) leve, ligero; *fig.* indiferente, frío; *relation* lejano; *be* ~ *with s.o.* tratar con frialdad.

dis·taste ['dis'teist] aversión *f*, repugnancia *f* (*for, towards* hacia, por); **dis·taste·ful** [ˌ'ful] □ desagradable, poco grato (*to* a); (*annoying*) enfadoso.

dis·tend [dis'tend] dilatar(se), distender(se), hinchar(se).

dis·til(l) [dis'til] destilar (*a.* ♈); **dis·till·er** destilador *m*; **dis·till·er·y** destilería *f*.

dis·tinct [dis'tiŋkt] □ distinto; claro, inequívoco, positivo; *as* ~ *from* a diferencia de; **dis·tinc·tion** distinción *f*; individualidad *f of style*; *have the* ~ *of ger.* haberse distinguido por *inf.*; **dis·tinc·tive** □ distintivo, característico.

dis·tin·guish [dis'tiŋgwiʃ] distinguir (*between* entre); ~ *o.s.* distinguirse; *be* ~*ed from* distinguirse de; **dis·tin·guished** distinguido; conocible (*by* por).

dis·tort [dis'tɔ:t] torcer (*a. fig.*), deformar; **dis·tor·tion** torcimiento *m*, deformación *f*; *radio etc.*: distorsión *f*.

dis·tract [dis'trækt] distraer; (*confuse*) aturdir, confundir; (*madden*) volver loco; **dis·trac·tion** distracción *f*; diversión *f*; aturdimiento *m*, perplejidad *f*; locura *f*.

dis·tress [dis'tres] **1.** pena *f*, angustia *f*; (*straits*) apuro *m*, miseria *f*; (*danger*) peligro *m*; ♣ agotamiento *m*; ~ *signal* señal *f* de peligro; **2.** apenar,

386
n m.
minio m; fig.
m; cúpula f.
1. □ domés-
tico m; do-
mesticar; ~d
sp. ⚖ domi-
s] domina-
inante adj.
'~neit] do-
ominación
dominar,
'neer·ing
minio m.
ival) do-
; dom·i-
ominó m.
'na·tion
freq. ser
g); have
with th.
req. no
haber
ado de
termi-
hecho
te; ⚘
o!; ✝
ante
gre,
pro-
m,
icio
e, a
e);
del
et)
nt

re-
□
uir,
bu-
to m;
f) m.
región
ción f;
fianza f,
recelar;
confiado;
estar, es-
bar; *order*
trastornar;
n, disturbio
go *m*; tras-
oad) cuneta *f*;
asta quemar el
i. abrir zanjas;
⚔ *sl*. ~ *a plane*
emecimiento *m*;
idem.
neta *f*.
ván *m*; ~ *bed* cama *f*
nergirse; *swimming*:
water, bucear *under*
; **2.** *swimming*: salto *m*
zambullida *f*; ✈ pi-
low) ~ tasca *f*; '**div·er**
colimbo *m*.
'və:dʒ] divergir; (*road*)
di'ver·gent □ diver-
epante.
i'və:s] □ diverso; varia-
·sion [~ʃn] diversión *f* (*a*.
ic) desviación *f*; **di'ver-**
rsidad *f*.
ai'və:t] divertir; *traffic* des-
dai'vest] desnudar; *fig*. des-
of de); ~ *o.s. of fig*. renunciar a.
[di'vaid] **1.** *v/t*. partir, dividir
~ *up*; *into* en); ✗ dividir (*by*
); *fig*. dividir, sembrar la dis-
dia entre; ~ *out* repartir; *v/i*. di-
dirse (*into* en); **2.** *geog*. divisoria *f*;
div·i·dend ['dividend] ✝, ✗ dividendo *m*; **di·vid·ing** [di'vaidiŋ] divisorio; ~ *line* línea *f* divisoria.
di·vine [di'vain] **1.** □ divino (*a. fig.*); *v. service*; **2.** sacerdote *m*; teólogo *m*; **3.** adivinar (*a. fig.*).

div·ing ['daiviŋ] salto *m* de trampolín, el bucear *etc*; '~ **bell** campana *f* de bucear; '~ **suit** escafandra *f*.
di·vin·i·ty [di'viniti] divinidad *f*; teología *f*.
di·vi·sion [di'viʒn] división *f* (*a*. ✗, ⚔); sección *f*; *fig*. discordia *f*; división *f*; *parl*. votación *f*.
di·vorce [di'vɔ:s] **1.** disolución *f* del matrimonio; divorcio *m*; *fig*. separación *f*, divergencia *f*; *get a* ~ divorciarse; **2.** divorciar; *fig*. separar; **di-vor'cee** [~sei] divorciado (a *f*) *m*.
di·vulge [dai'vʌldʒ] divulgar.
diz·zi·ness ['dizinis] vértigo *m*; '**diz-zy** □ vertiginoso; aturdido, confuso.
do [du:] [*irr*.] (*v. a. done*) **1.** *v/t*. hacer; obrar; ejecutar; terminar; *thea*. desempeñar, representar; *cooking*: asar, cocer; *distance* recorrer; *duty* cumplir con; *hair* peinar; *homage* rendir, tributar; *problem* resolver; *room* limpiar; *sl*. visitar de turista; *sl*. estafar, timar (*a*. ~ *down*); F ~ *o.s. well* regalarse; ~ (*over*) *again* repetir; *sl*. ~ *in* apalear; asesinar; F ~ *out* decorar; F ~ *out of* hacer perder; ~ *up laces etc*. liar, atar; *parcel* empaquetar; *room* renovar el papel *etc*. de; **2.** *v/i*. actuar, proceder; convenir, ser suficiente; estar, encontrarse; *that will* ~ basta ya; eso sirve; *that won't* ~ no sirve; no vale; *how do you* ~? encantado, mucho gusto; ¿cómo está Vd.?; ~ *away with* quitar, suprimir; *have nothing to* ~ *with* no tener nada que ver con; ~ *without* pasarse sin, prescindir de; **3.** *v/aux*. a) *question*: ~ *you know him?* ¿le conoce Vd.?; b) *negation with* not: *I* ~ *not know him* no le conozco; c) *emphasis*: *I* ~ *feel better* ciertamente me encuentro mejor; ~ *come and see me* le ruego que venga a verme; *I* ~ *tell truth* yo sí que digo la verdad; d) *to avoid repetition of a verb*: ~ *you like London?–I* ~ ¿le gusta Londres?–Sí; *you write better than I* ~ Vd. escribe mejor que yo; *I take a bath every day–so* ~ me baño todos los días–yo también; e) *inversion after adv*.: *seldom does she come here* (ella) rara vez viene por aquí; **4.** *su*. F (*swindle*) estafa *f*; (*party*) reunión *f*, guateque *m*; *make* ~ *with* conformarse con; hacer lo posible con.
doc [dɔk] F = *doctor*.
doc·ile ['dousail] dócil.
dock[1] [dɔk] recortar; *tree* desmochar; *pay* reducir, rebajar.

dock² [~] ♣ acedera f, romaza f.

dock³ [~] **1.** ♣ *(with gates)* dique m; dársena f; esp. muelle m; ⚓ barra f; ~s pl. puerto m; dry ~ dique m seco; floating ~ dique m flotante; **2.** (hacer) entrar en dique; atracar al muelle; '~hand portuario m; '~yard arsenal m, astillero m.

doc·tor ['dɒktə] **1.** doctor m (a ♣); médico m; **2.** F medicinar; reparar; F castrar; adulterar, falsificar; **doc·tor·ate** ['~rit] doctorado m.

doc·trine ['dɒktrin] doctrina f.

doc·u·ment 1. ['dɒkjumənt] documento m; **2.** ['~ment] documentar; **doc·u·men·ta·tion** documentación f.

dodge [dɒdʒ] **1.** regate m (a. fig.); *(trick)* truco m; ⊕ ingenio m, artificio m; **2.** v/t. evadir (moviéndose bruscamente); *(elude)* dar esquinazo a; v/i. F fig. escurrir el bulto; ~ around andar a saltos.

do·er ['du:ə] hacedor m.

does [dʌz] hace etc. (v. do).

dog [dɒg] **1.** perro m; hunt. sabueso m; *(male of fox)* zorro m; *(wolf)* lobo m; F tío m; F b.s. tunante m; ⊕ grapa f; *(fire ~)* morillo m; F go to the ~s arruinarse; entregarse al vicio; F put on the ~ darse ínfulas; F fig. seguir de cerca, perseguir. **2.** seguir de cerca, perseguir.

dog·ged ['dɒgid] □ tenaz, terco.

dog·ma ['dɒgmə] dogma m; **dog·mat·ic**, **dog·mat·i·cal** [dɒg'mætik(l)] □ dogmático (a. fig.); arrogante, autoritario.

dog...: '~('s)-eared book sobado, muy usado; '~ show exposición f canina; '~'s life vida f miserable; '~-tired rendido, cansadísimo; '~wood cornejo m.

doi·ly ['dɔili] pañito m (de adorno).

do·ing ['du:iŋ] **1.** present participle of do; nothing ~! de ninguna manera; **2.**: esp. ~s pl. actos m/pl., hechos m/pl.; conducta f.

dol·drums ['dɒldrəmz] pl. ♣ zona f de las calmas; fig. be in the ~ tener murria; (th.) languidecer.

dole [doul] **1.** limosna f, subsidio m de paro; **2.** repartir, distribuir (mst ~ out).

dole·ful ['doulful] □ triste, lúgubre.

doll [dɒl] **1.** muñeca f; sl. mozuela f; **2.** F engalanarse, emperejilarse (a. ~ up).

dol·lar ['dɒlə] dólar m.

doll·y ['dɔli] F muñequita f.

dol·phin ['dɒlfin] delf[...]

do·main [də'mein] d[...] campo m.

dome [doum] cimborri[...]

do·mes·tic [də'mestik] [...] tico; casero; **2.** domés[...] 'mes·ti·cate [~keit] d[...] p. hogareño.

dom·i·cile ['dɒmisail] **1.** [...] cilio m; **2.** domiciliar(se[...]

dom·i·nance ['dɒminən[...] ción f; **'dom·i·nant** dom[...] a. su. f (♪); **dom·i·nate** [...] minar; **dom·i·na·tion** [...] f; **dom·i·neer** [dɒmi'niə[...] tiranizar (over acc.); **dom[...]** □ dominante, dominad[...]

do·min·ion [də'minjən] do[...]

dom·i·no ['dɒminou] *(car[...]* minó m; ficha f del domino[...] **noes** [~z] pl. (juego m de d[...]

do·nate [dou'neit] donar; d[...] donación f.

done [dʌn] **1.** p.p. of do; [...] hecho, estar hecho (a. cookin[...] ~ haber terminado; have ~ [...] haber terminado con; p. [...] tener nada que ver con; ger[...] terminado de inf., haber dej[...] inf.; well ~! ¡bien!; **2.** adj. [...] nado; F (a. ~ in, ~ up) rendido[...] cisco; F ~ for fuera de comb[...] desahuciado; **3.** int. ¡terminad[...] ¡trato hecho!

don·key ['dɒŋki] burro m.

do·nor ['dounə] donador m; do[...] m/f; blood ~ donante m/f de san[...]

don't [dount] **1.** = do not; **2.** F [...] hibición f.

doom [du:m] **1.** mst b.s. destino[...] hado m; perdición f, muerte f; ju[...] m final; **2.** predestinar (a la mue[...] la perdición); condenar (a muer[...] **dooms·day** ['du:mzdei] día m [...] juicio final.

door [dɔ:] puerta f (a. fig.); *(stre[...]* portal m; portezuela f of vehicle; fro[...] ~, main ~ puerta f principal; side [...] puerta f accesoria; behind closed ~s [...] puertas cerradas; next ~ en la casa d[...] al lado; next ~ to al lado de; fig. [...] raya en; out of ~s al aire libre, afuera[...] lay the blame at s.o.'s ~ echarle a un[...] la culpa (for de); '~bell campanilla [...] de puerta, timbre m de puerta; '~[...] knob botón m de puerta, pomo m de[...] puerta; '~man portero m; '~way portal m, puerta f.

dope [doup] **1.** grasa f lubricante[...]

barniz *m* (*a.* 🐾); *sl.* narcótico *m*; *sl.* informe *m*; *sl.* (*p.*) bobo *m*; **2.** *sl.* dar (*or* poner) un narcótico a; *sl.* pronosticar; '**~ fiend** F toxicómano; '**~ sheet** *sl.* hoja *f* confidencial sobre los caballos de carreras.

dor·mant ['dɔːmənt] *mst fig.* durmiente, inactivo; latente.

dor·mer (win·dow) ['dɔːmə('windou)] buhardilla *f.*

dor·mi·to·ry ['dɔːmitəri] dormitorio *m;* ✕ compañía *f.*

dose [dous] **1.** dosis *f;* **2.** administrar una dosis a (*a.* ~ *a p.* with).

dos·si·er ['dɔsiei] expediente *m;* (*police etc.*) ficha *f.*

dot [dɔt] **1.** punto *m;* F *on the* ~ en punto; **2.** poner punto a; puntear, salpicar de puntos; *fig.* esparcir, desparramar (*a.* ~ *about*); *sl.* ~ *s.o.* one dar de bofetadas a; ~ted *with* salpicado de.

dot·age ['doutidʒ] chochez *f; be in one's* ~ chochear; **dote** [dout] chochear; ~ (*up*)*on* estar loco por (*or* con); '**dot·ing** ☐ chocho (*a. fig.*); (*doltish*) lelo.

dou·ble ['dʌbl] **1.** doble (*a.* ♀); ~ veces; doblado; *fig.* doble, falso; ~ *meaning* doble sentido *m;* **2.** doble *m* (*a. p.*); ~s *pl. tennis:* juego *m* de dobles; *at the* ~ a paso ligero; **3.** *v/t.* doblar (*a. bridge*); *p.* ser el doble de; ~*d up* doblado; agachado; *v/i.* doblarse; (*a.* ~ *up*) agacharse; F ~ *up* compartir dos la misma habitación; (*a.* ~ *back*) virar; '**~ 'bar·reled** de dos cañones; *fig.* ambiguo; '**~ 'bass** contrabajo *m;* '**~ 'bed** cama *f* de matrimonio; '**~ 'breast·ed** *jacket* cruzado, de dos filas; '**~ 'cross** *sl.* hacer una mala faena a; '**~ 'edged** de dos filos; '**~ 'en·try** † partida *f* doble; '**~ 'head·er** tren *m* con dos locomotoras; *baseball* dos partidos *m/pl.* jugados sucesivamente; '**~ 'joint·ed** de articulaciones dobles; '**~ 'park** aparcar en doble fila; '**~ 'talk** *f* galimatías *m;* F habla *f* ambigua para engañar.

doubt [daut] **1.** *v/i.* dudar (*whether que subj.*); tener dudas; *v/t.* dudar; *I* ~ *it* lo dudo; **2.** duda *f; beyond* ~ sin duda; *in* ~ dudoso; *no* ~ sin duda; *without* ~ indudablemente; *call in* ~ poner en duda; **doubt·ful** ['~ful] ☐ dudoso (*a. character*); '**doubt·less** *adv.* sin duda, indudablemente.

dough [dou] masa *f,* pasta *f; sl.* pasta

9*

f, guita *f;* '**~·boy** F soldado *m* de infantería; '**~·nut** buñuelo *m.*

dour ['duə] severo, austero; (*obstinate*) terco.

douse [daus] mojar, calar *with water; v. dowse.*

dove [dʌv] paloma *f;* '**~·cot(e)** palomar *m;* '**~·tail** ⊕ **1.** cola *f* de milano; **2.** ensamblar a cola de milano; *fig.* corresponder, ajustarse.

dow·dy ['daudi] ☐ *p., dress* poco elegante, poco atractivo.

down¹ [daun] vello *m;* plumón *m.*

down² [~] **1.** *adv.* abajo; hacia abajo, para abajo; (*to ground*) en tierra; (*south*) hacia el sur; ~ *below* allá abajo, ~ *from* desde; ~ *to* hasta; *be* ~ (*price*) haber bajado; F estar abatido; (*battery etc.*) estar agotado; *sport:* quedarse atrás, perder; F *be* ~ *on p.* tener una inquina a; tratar severamente; *be* ~ *and out* estar arruinado, estar en las últimas; **2.** *prp.* abajo de; ~ *the street* calle abajo; **3.** *int.* ¡abajo!; ~ *with …!* ¡muera …!; **4.** *adj. train etc.* descendente; **5.** F echar a tierra; *food* tragar; '**~·cast** alicaído, abatido; '**~·fall** caída *f,* ruina *f;* '**~·grade** F *be on the* ~ ir cuesta abajo (*fig.*); '**~·heart·ed** abatido, desanimado; '**~·hill 1.** *adj.* en declive; **2.** *adv.* cuesta abajo (*a. fig.*); '**~·pour** chaparrón *m;* aguacero *m;* '**~·right 1.** *lie etc.* categórico, absoluto; patente, evidente; *p.* franco, abierto; **2.** *adv.* absolutamente, completamente; '**~·stairs 1.** abajo; en el piso de abajo; **2.** piso *m* inferior; '**~·stream** aguas abajo, río abajo; '**~·stroke** (*pen*) palote *m,* pierna *f;* ⊕ carrera *f* descendente; '**~·town** en el centro de la ciudad; '**~·trod·den** pisoteado (*a. fig.*); oprimido; '**~·ward 1.** descendente; **2.** (*a.* '**~·wards**) hacia abajo.

down·y ['dauni] velloso; plumoso; *sl.* despabilado, taimado.

dow·ry ['dauəri] dote *f.*

dowse [dauz] *light* apagar; '**dows·er** zahorí *m;* '**dows·ing rod** varilla *f* de zahorí.

doze [douz] **1.** dormitar (*a.* ~ *away*); ~ *off* quedarse medio dormido; **2.** sueño *m* ligero.

doz·en ['dʌzn] docena *f; baker's* ~ docena *f* de fraile.

drab [dræb] **1.** gris amarillento; *fig.* monótono; **2.** ramera *f.*

draft [drɑːft] **1.** tiro *m* (*a. chimney*); corriente *f* de aire; (*drink*) trago *m;*

♣ calado *m of ship*; ♣ (*net*) rastreo *m*;
✝ giro *m*, letra *f* de cambio; ✗ quinta
f; (*sketch*) bosquejo *m*; borrador *m*,
versión *f of article etc.*; *attr.* horse etc.
de tiro; *beer* de barril, al grifo; *v.*
draught; **2.** *article* redactar; *plan* bosquejar; ✗ quintar; ✗ destacar; '**~
age** edad *f* de quintas; '**~ beer** cerveza *f* a presión; '**~ board** ✗ junta *f*
de reclutamiento; '**~ dodg·er** ✗ emboscado *m*; **draft·ee** [drœfˈtiː] ✗
quinto *m*; '**drafts·man** dibujante *m*;
(*professional*) delineante *m*; '**drafts-
man·ship** arte *m* del dibujante (*or*
delineante); '**draft·y** airoso; *house*
ventilado, aireado, lleno de corrientes de aire.

drag [drœg] **1.** rastra *f* (*a.* ♣); ✔
grada *f*; narria *f for wood etc.*; ♣ (*a.* ~
net) red *f* barredera; ✘ resistencia *f*
al avance; *fig.* estorbo *m*, demora *f*; *F*
cuesta *f* dura; *sl.* influencia *f*; **2.** *v/t.*
arrastrar; ♣ rastrear; ~ *along* arrastrar consigo (*or* tras sí); ~ *out* hacer
demasiado largo (*or* lento); *v/i.*
arrastrarse (*along the ground* por el
suelo); ♣ rastrear (*for* en busca de);
✝ decaer; (*time*) pesar.

drag·on [ˈdrœgən] dragón *m*; *F fig.*
fiera *f*; *F* (*duenna*) carabina *f*; '**~ fly**
libélula *f*, caballito *m* del diablo.

drain [drein] **1.** (*outlet*) desaguadero
m; alcantarilla *f*, boca *f* de alcantarilla *in street*; *fig.* desaguadero *m* (*on*
de); ~ *pipe* tubo *m* de desagüe (*a.*
fig.); **2.** *v/t.* desaguar; ✔ avenar; ✽
wound drenar; *glass* apurar; *lake*
desangrar (*a.* ~ *off*); *vessel* escurrir;
v/i desaguar (*into* en); '**drain·age**
desagüe *m*, avenamiento *m*; (*system*)
alcantarillado *m*; ~ *basin* cuenca *f* de
un río; ✔ ~ *channel* zanja *f*.

drake [dreik] pato *m* macho.

dram [drœm] dracma *f*; cantidad *f*
pequeña *of brandy etc.*

dra·ma [ˈdrɑːmə] drama *m* (*a. fig.*);
dra·mat·ic [drəˈmœtik] ☐ dramático (*a. fig.*); **dram·a·tist** [ˈdrœmə-
tist] dramaturgo *m*; '**dram·a·tize**
dramatizar.

drank [drœŋk] *pret. of* drink.

drape [dreip] colgar, adornar con
colgaduras; vestir (con telas de muchos pliegues; *in de*).

dras·tic [ˈdrœstik] ☐ drástico.

draught [drɑːft] tiro *m* (*a. chimney*);
corriente *f* de aire; (*drink*) trago *m*; ♣
calado *m of ship*; ♣ (*net*) rastreo *m*;
attr. horse de tiro; *beer* de barril, al

grifo; ~*s pl.* juego *m* de damas; *v.*
draft; *at a* ~ de un trago; '**~·board**
tablero *m* (del juego de damas);
'**~·horse** caballo *m* de tiro.

draw [drɔː] **1.** [*irr.*] *v/t.* arrastrar, tirar
de (*a.* ~ *along*); (*take out*) sacar;
(*lengthen*) alargar; atraer; *bow* tender; *breath* aspirar; *cheque* girar, librar; *curtain* correr; *drawing* dibujar; *fowl* destripar; *line* trazar, tirar;
lots echar; *money*, *prize* sacar; *salary*
cobrar; *sword*, *water* sacar; ♣ *water*
calar; ~ *aside p.* apartar; ~ *back* retirar; *curtain* descorrer; ~ *forth* hacer
salir, producir; ~ *off* sacar, extraer;
liquid trasegar; ~ *on p.* engatusar;
glove ponerse; ~ *out* sacar; *p.* hacer
hablar; *b.s.* sonsacar; ~ *up* redactar;
chair acercar; ✗ ordenar para el
combate; ~ *o.s. up* enderezarse, ponerse en su lugar; ~ (*up*)*on* ✝ girar a
cargo de; *fig.* inspirarse en; *v/i.*
(*chimney*) tirar; *sport:* empatar;
atraer; (*artist*) dibujar; moverse
(*aside* a un lado *etc.*); ~ *back* retroceder, cejar (*a. fig.*); ~ *near* acercarse
(*to* a); ~ *up* pararse (*sharp* en seco); ~
to a close estar para terminar; **2.**
sport: empate *m*; *chess:* tablas *f/pl.*;
lottery: sorteo *m*; *F* función *f* taqui-
llera (*or* de mucho éxito); '**~·back**
inconveniente *m* (*to* en); ✝ (*excise*)
reembolso *m*; '**~·bridge** puente *m*
levadizo; '**draw·er 1.** [ˈdrɔːə] dibujante *m*; ✝ girador *m*, librador *m*; **2.**
[ˈdrɔː] cajón *m*; ~*s pl.* calzoncillos
m/pl.; bragas *f/pl.* de mujer.

draw·ing [ˈdrɔːiŋ] dibujo *m*; ~ *instruments pl.* instrumentos *m/pl.* de dibujar; '**~· board** tablero *m* de dibujo;
'**~· card** polo *m* de atracción popular;
'**~· room** salón *m*; recepción *f*.

drawl [drɔːl] **1.** *v/t. words* arrastrar;
v/i. hablar lentamente arrastrando
las palabras; **2.** habla *f* lenta y pesada.

drawn [drɔːn] **1.** *p.p. of* draw **1**; **2.** *adj.*
game empatado; *face* ojeroso, can-
sado; *sew.* ~ *work* calado *m*; '**~·butter**
mantequilla *f* derretida.

dread [dred] **1.** pavor *m*, temor *m*; **2.**
temer; **3.** espantoso; **dread·ful** [ˈ~·
ful] ☐ terrible, espantoso; *F* desagradable; *F* malísimo.

dream [driːm] **1.** sueño *m* (*a. fig.*); (*a.
day~*) ensueño *m*; **2.** [*irr.*] soñar (*of*
con); ~ *away* (*e.g. the day*) pasar (el
día) soñando; '**dream·er** soñador *m*
(*-a f*) *m*; *fig.* fantaseador (*-a f*) *m*;
'**dream·like** de ensueño; **dreamt**

pret. a. p.p. of dream 2; **'dream·y** □ *p.* distraído, muy en las nubes; entre sueños, nebuloso.

drear·i·ness ['driərinis] tristeza *f;* monotonía *f;* **'drear·y** □ triste, melancólico, monótono.

dredge [dredʒ] ♣ 1. draga *f,* rastra *f;* 2. dragar; rastrear; ~ *up* pescar (*a. fig.*).

dregs [dregz] *pl.* heces *f/pl.* (*a. fig.*).

drench [drentʃ] 1. *vet.* poción *f;* (*shower*) chaparrón *m;* 2. mojar, empapar; F *be ~ed* calarse, estar calado.

dress [dres] 1. vestido *m,* ropa *f;* (*a. fig.*) atavío *m;* (*woman's*) vestido *m;* ~ *ball* baile *m* de etiqueta; *thea.* ~ *rehearsal* ensayo *m* general; *full* ~ traje *m* de etiqueta; *v. fancy;* 2. *v/t.* vestir (*a. fig.,* in black de negro); (*a. ~ up*) ataviar, adornar (*in* con, de); *hair* peinar; *horse, skins* peinar, almohazar; *stone* labrar; *window* poner; *wound* curar, vendar; 🖋 abonar; ✕ alinear; F ~ *down* dar un rapapolvo a; *v/i.* (*a. get ~ed*) vestirse; ~ (*well*) vestir(se) (bien); ~ *up* acicalarse; vestirse de etiqueta; **'~ 'cir·cle** *thea.* anfiteatro *m;* **'~ 'coat** frac *m;* **'~ de'sign·er** modisto *m;* **'dress·er** aparador *m* con estantes; cómoda *f* con espejo.

dress·ing ['dresiŋ] (*act*) el vestir(se); 🖋 vendaje *m;* (*food*) salsa *f,* condimento *m;* 🖋 abono *m;* **'~ 'down** F repasata *f,* regaño *m;* **'~ gown** bata *f;* **'~ room** vestidor *m; thea.* camarín *m,* camerino *m;* **'~ 'ta·ble** tocador *m.*

dress...: **'~ 'mak·er** costurera *f,* modista *f;* **'~ 'mak·ing** costura *f;* **'~ pa'rade** ✕ parada *f;* **'~ re'hears·al** ensayo *m* general; **'~ 'shirt** camisa *f* de pechera dura; **'~ 'suit** traje *m* de etiqueta; **'dress·y** F acicalado; elegante.

drew [dru:] *pret. of* draw 1.

drib·ble ['dribl] gotear, caer gota a gota; (*mouth*) babear; *football:* driblar.

drib·let ['driblit] adarme *m; in ~s* por adarmes.

dried [draid] secado; *fruit* paso; *vegetables* seco.

drift [drift] 1. (impulso *m* de una) corriente *f;* ♣ deriva *f; fig.* sentido *m,* tendencia *f;* fig. giro *m; b.s.* (*esp. pol.*) inacción *f;* (*snow etc.*) montón *m,* geol. terrenos *m/pl.* de acarreo; ✕ galería *f* horizontal que sigue el filón; 2. *v/t.* impeler, llevar; amontonar;

v/i. ir a la deriva (*a. ~ along*); *fig.* vivir sin rumbo; **'~ ice** hielo *m* a la deriva; **'~ wood** madera *f* de deriva.

drill [dril] 1. ⊕ taladro *m;* (*pneumatic*) ~ perforadora *f,* martillo *m* picador; 🖋 hilera *f;* 🖋 (*machine*) sembradora *f;* ✕ instrucción *f; fig.* disciplina *f; sl.* rutina *f;* 2. *v/t.* ⊕ taladrar; 🖋 sembrar con sembradora; ✕ enseñar instrucción a; *v/i.* perforar (*for oil* en busca de); ✕ hacer instrucción; **'drill·ing** perforación *f for oil etc.*

drink [driŋk] 1. bebida *f;* beber *m* (en exceso); (*swing*) trinquis *m,* trago *m; have a* ~ tomar unas copas, tomar algo; *take a* ~ echar un trago; 2. beber (*a. fig.*); ~ *to a p.'s health* brindar por alguien.

drink·ing...: **'~ bout** juerga *f* de borrachera; **'~ 'foun·tain** fuente *f;* **'~ song** canción *f* de taberna; **'~ 'wa·ter** agua *f* potable.

drip [drip] 1. goteo *m;* ⌂ alero *m; sl.* bobalicón (-a *f*) *m;* tontaina *m/f;* 2. gotear, caer gota a gota.

drive [draiv] 1. *mot.* paseo *m* (en coche); calzada *f up to house; sport:* golpe *m* fuerte (*tennis:* a ras de la red); *fig.* vigor *m,* energía *f;* campaña *f* vigorosa (*to* para); ⊕ mecanismo *m* de transmisión; 🛪 venta *f* de liquidación; *hunt.,* ✕ batida *f;* ~ *way* calzada *f;* camino *m* de entrada para coches; 2. [*irr.*] *v/t.* impeler, empujar; mover, actuar (*a. fig.*); ⊕ impulsar; *mot. etc.* conducir, guiar; *p.* llevar en coche; *fig. p.* forzar (*to* a); *sport:* golpear con gran fuerza; *p. crazy etc.* volver; ~ *away* (*or off*) ahuyentar; ~ *back* obligar a retroceder; ~ *in* (*or home*) hincar, remachar; ~ *a good bargain* hacer un buen trato; *v/i.* conducir; ~ *at* th. *fig.* insinuar, querer decir; ~ *away* trabajar mucho; *mot.* ~ *on* seguir adelante.

drive-in ['draiv'in] motocine *m;* auto-teatro *m;* ~ *restaurant* restaurante *m* donde los clientes no necesitan dejar sus coches.

driv·el ['drivl] 1. babear; 2. música *f* celestial, monserga *f.*

driv·en ['drivn] *p.p. of* drive 2.

driv·er ['draivə] conductor *m;* 🚂 maquinista *m;* ⊕ rueda *f* motriz; persona *f* despótica; **'~ 's li·cense** carnet *m* de chófer, permiso *m* de conducir.

driv·ing ['draiviŋ] 1. conducción *f;* 2. *adj. freq.* motriz; *rain* torrencial, recio; **'~ 'school** auto-escuela *f.*

drizzle

driz·zle ['drizl] **1.** llovizna *f*; **2.** lloviznar.

droll [droul] (*adv.* drolly) gracioso, festivo; (*odd*) raro; **'droll·er·y** chuscada *f*.

drone [droun] **1.** *zo.* zángano *m* (*a. fig.*); (*noise*) zumbido *m*; **2.** zumbar; hablar monótonamente.

drool [dru:l] **1.** babear; **2.** F bobería *f*.

droop [dru:p] *v/t.* inclinar, dejar caer; *v/i.* inclinarse; pender, colgar; *fig.* decaer; *fig.* (*lose heart*) desalentarse; **'droop·ing** □ caído, inclinado, lánguido.

drop [drɔp] **1.** gota *f* (*a.* 🍴); (*fall*) baja *f*, caída *f* repentina; (*slope*) cuesta *f*, declive *m*, pendiente *f*; *mount.* precipicio *m*; lanzamiento *m* by *parachute*; *thea.* (*a.* ~ *curtain*) telón *m* de boca; ~ by ~ gota a gota; ~ light lámpara *f* colgante; F get (*have*) the ~ on coger (llevar) la delantera a; **2.** *v/t.* dejar caer; inclinar; *hunt.* derribar; abandonar; omitir, suprimir; *claim* renunciar a; *consonant* comerse; *curtsy* hacer; *money* perder; *passenger, subject* bajar; *voice* bajar; ~ that! ¡deja eso!; ~ a hint soltar una indirecta; *v/i.* caer; bajar (*a.* ~ *down*); (*crouch*) agacharse; *fig.* cesar, terminar; (*drip*) gotear; ~ *behind* quedarse atrás; ~ *dead* caer muerto; ~ *in* (or by, over) visitar de paso; ~ *off* esp. quedarse dormido; ~ *out* darse de baja, retirarse; ~ *out of sight* desaparecer; **'drop·let** gotita *f*; **'drop·ping** goteo *m*; ~s *pl.* excremento *m* (de los animales).

dross [drɔs] escoria *f* (*a. fig.*).

drought [draut] sequía *f*; **'drought·y** árido, seco.

drove [drouv] **1.** manada *f*, piara *f*; *fig.* muchedumbre *f*; **2.** *pret. of* drive 2.

drown [draun] *v/t.* anegar (*a. fig.*; *in* en); *sound* apagar; *v/i.* (or be ~ed) ahogarse; perecer ahogado, anegarse.

drowse [drauz] adormecer(se); **'drow·sy** □ soñoliento; be ~ tener sueño.

drudge [drʌdʒ] **1.** esclavo *m* del trabajo (or de la cocina), azacán (-a *f*) *m*; **2.** azacanarse, afanarse; **'drudg·er·y** perrera *f*, trabajo *m* penoso.

drug [drʌg] **1.** droga *f* (*a. b.s.*), medicamento *m*; (*esp. to sleep*) narcótico *m*; ~ *store* farmacia *f*, droguería *f*; **2.** administrar narcóticos a, narcotizar;

aletargar; **drug·gist** ['drʌgist] farmacéutico *m*.

dru·id ['dru:id] druida *m*.

drum [drʌm] **1.** tambor *m* (*a.* ⊕); (*big*) timbal *m*; (*ear-*) tímpano *m*; (*oil- etc.*) bidón *m*; **2.** *v/i.* ♩ tocar el tambor; tamborilear *with fingers*; *v/t.* ~ *into* s.o. meterle a uno en la cabeza; ※ ~ *out* expulsar; **'~head** piel *f* (or parche *m*) de tambor; **'drum·mer** tambor *m*; **'drum·stick** palillo *m*, maza *f*.

drunk [drʌŋk] **1.** *p.p. of* drink 2; **2.** borracho (*a. fig.*); get ~ emborracharse; **drunk·ard** ['~əd] borracho (a *f*) *m*; **'drunk·en** borracho, dado a la bebida; **'drunk·en·ness** embriaguez *f*.

dry [drai] **1.** □ seco; *climate etc.* árido; *fig.* aburrido, sin interés; F ~ *goods pl.* lencería *f*; **2.** secar(se) (*a.* ~ *up*); *sl.* ~ *up* callarse, dejar de hablar.

dry-clean ['drai'kli:n] limpiar en seco; **'dry-'clean·ing** limpieza *f* en seco.

dry·ness ['drainis] sequedad *f*; (*climate*) aridez *f*.

du·al ['dju:əl] *gr.* dual; doble; ~ *control* doble mando *m*.

dub [dʌb] *film* doblar; *knight* armar caballero; *apodar with name*; **'dub·bing** *film:* doblaje *m*.

du·bi·ous ['dju:biəs] □ dudoso; be ~ dudar, tener dudas (*of, about, over* sobre, de).

duch·ess ['dʌtʃis] duquesa *f*.

duck¹ [dʌk] *orn.* pato *m*; ánade *m*; F ~! ¡querida!

duck² [~] **1.** zambullida *f* *in water*; agachada *f* *to escape*; **2.** chapuzar(se) *in water*; agachar(se) *to escape*; F ~ *out* esfumarse.

duck³ [~] (*cloth*) dril *m*, brin *m*; ~s *pl.* pantalón *m* de dril.

duck·ling ['dʌkliŋ] patito *m*, anadón *m*.

duck·y ['dʌki] F **1.** ¡querida!; **2.** mono, majo.

duct [dʌkt] conducto *m* (*a.* 🍴).

dud [dʌd] **1.** ※ granada *f etc.* fallida; *fig.* fallo *m*; (*fake*) filfa *f*; **2.** fallido, huero; falso.

dude [dju:d] petimetre *m*, cursi *m*; ~ *ranch* rancho *m* para turistas.

due [dju:] **1.** *adj.* debido; ✝ pagadero; conveniente, oportuno; 🚂 *etc.* (que) debe llegar; ~ *to* por causa de; debido a; (*time*) estar para *inf.*; *fall* ~ vencer; **2.** *adv.* ⬇ derecho, en derechura;

precisamente; 3. *su.* (*right*) derecho *m*; (*desert*) merecimiento *m*; (*debt*) deuda *f*; ~*s pl.* ✝ derechos *m/pl.*

du·el ['djuːəl] 1. duelo *m*; 2. batirse en duelo.

duff·el ['dʌfl] paño *m* de lana basta.

duff·er ['dʌfə] tonto *m*, zoquete *m*.

dug [dʌg] *pret. a. p.p. of* dig.

duke [djuːk] duque *m*.

dull [dʌl] 1. (*adv.* dully) lerdo, estúpido; insensible; (*tedious etc.*) insulso, aburrido; *color* apagado; *day* gris; *edge* embotado; *pain, sound* sordo; *surface* deslustrado, mate; ✝ inactivo, flojo; 2. embotar (*a. fig.*); deslustrar; *enthusiasm* enfriar; *p.* entorpecer.

du·ly ['djuːli] *v.* due; debidamente; a su (debido) tiempo.

dumb [dʌm] ☐ mudo; F estúpido, lerdo; *deaf and* ~ sordomudo; *show; strike* ~ dejar sin habla, pasmar; **'~bell** pesa *f*; *sl.* estúpido *m*; **'~found** dejar sin habla, pasmar; **'dumb·ness** mudez *f*; F estupidez *f*; **'dumb·wait·er** estante *m* giratorio; montaplatos *m*.

dum·my ['dʌmi] 1. (*tailor's*) maniquí *m*; ✝ envase *m* vacío; (*baby's*) chupete *m*; *bridge:* (be hacer de) muerto *m*; ✝ (*p.*) testaferro *m*; 2. falso, postizo.

dump [dʌmp] 1. descargar de golpe; (*rid*) deshacerse de; *rubbish* vaciar; ✝ *goods* inundar el mercado con; F ~ *down meter*; 2. basurero *m*, escorial *m*; ✗ depósito *m*; *sl. contp.* pueblucho *m*, poblachón *m*; F (be *down*) in the *tener*) ~*s pl.* murria *f*; **'dump·ing** ✝ dumping *m*; **'dump·ing-ground** basurero *m*.

dun[1] [dʌn] pardo, castaño oscuro.

dun[2] [~] 1. acreedor *m* importuno; 2. molestar, dar la lata a.

dunce [dʌns] zopenco (a *f*) *m*; **'~ cap** capirote *m* que se le pone al alumno torpe.

dune [djuːn] duna *f*.

dung [dʌŋ] 1. estiércol *m*; 2. estercolar.

dun·geon ['dʌndʒən] mazmorra *f*, calabozo *m*.

dung·hill ['dʌŋhil] estercolero *m*.

duo ['djuːou] dúo *m*.

dupe [djuːp] 1. primo *m*, inocentón *m*; 2. embaucar; (*swindle*) timar.

du·plex ['djuːpleks] dúplice, doble; ~ *house* casa *f* para dos familias.

du·pli·cate 1. ['djuːplikit] a) (*in por*)

duplicado; b) duplicado *m*; 2. ['~keit] duplicar; **du·pli·ca·tion** [~'keiʃn] duplicación *f*; **'du·pli·ca·tor** duplicador *m*, multicopista *m*.

du·ra·ble ['djuərəbl] ☐ durable, duradero; ~ *goods pl.* artículos *m/pl.* duraderos; **du·ra·tion** [~'reiʃn] duración *f*.

du·ress [djuə'res] (*under* por) coacción *f*.

dur·ing ['djuəriŋ] durante.

dusk [dʌsk] crepúsculo *m*, anochecer *m*; *poet.* oscuridad *f*; **'dusk·y** ☐ oscuro, sombrío; *complexion* moreno.

dust [dʌst] 1. polvo *m*; (*refuse*) basura *f*; *fig.* cenizas *f/pl.*; *sl.* pasta *f*; 2. quitar el polvo, despolvorear; *cooking:* espolvorear; **'~ bowl** estepa *f*, terreno *m* estéril a causa de la erosión; **'~ cov·er** guardapolvo *m*; sobrecubierta *f of book*; **'dust·er** plumero *m*; (*rag*) gamuza *f*, trapo *m*; guardapolvo *m*; **'dust 'jack·et** sobrecubierta *f*; **'dust·pan** cogedor *m*; **'dust·y** polvoriento, empolvado.

Dutch [dʌtʃ] holandés *adj. a. su. m*; *in* ~ en desgracia; **'~ 'treat** F convite *m* a escote.

du·ti·ful ['djuːtiful] ☐ obediente, respetuoso; (*obliging*) servicial.

du·ty ['djuːti] deber *m*, obligación *f* (*to a, para con*); (*esp. duties pl.*) tarea *f*, faena *f*; ✝ derechos *m/pl.* de aduana; *off* ~ libre; ✗ franco de servicio; *on* ~ de servicio; de guardia; *in* ~ *bound* obligado (*to a*); *do* ~ *for* servir en lugar de; **'~-'free** ✝ libre de derechos de aduana.

dwarf [dwɔːf] 1. enano *m*; 2. enano; diminuto; 3. achicar; *fig.* empequeñecer.

dwell [dwel] [*irr.*] morar, habitar; ~ (*up*)*on* explayarse en; hacer hincapié en; **'dwell·ing** morada *f*, vivienda *f*; **dwelt** [dwelt] *pret. a. p.p. of* dwell.

dwin·dle ['dwindl] disminuirse, menguar (*a.* ~ *away*); quedar reducido (*into* a).

dye [dai] 1. tinte *m*; matiz *m*, color *m*; *fig.* of deepest ~ de lo más vil; 2. teñir (*s.t. black* de negro); *v. wool*; **'dy·er** tintorero *m*.

dy·ing ['daiiŋ] 1. moribundo; agonizante; *moments* final; 2. *ger. of* die[1].

dy·nam·ic [dai'næmik] 1. ☐ dinámico (*a. fig.*); 2. *fig.* dinámica *f*; **dy'nam·ics** *sg.* dinámica *f*; **dy·na·**

mite ['dainəmait] **1.** dinamita *f;* **2.** volar con dinamita; **dy·na·mo** ['dainəmou] dínamo *f.*

dy·nas·ty ['dinəsti] dinastía *f.*
dys·en·ter·y ['disntri] disentería *f.*
dys·pep·sia [dis'pepsiə] dispepsia *f.*

E

each [iːtʃ] **1.** *adj.* cada; todo; **2.** *pron.* cada uno; ~ *other* uno(s) a otro(s), el uno al otro; mutuamente; **3.** *adv.* por persona.

ea·ger ['iːgə] □ ansioso; anhelante; impaciente; vehemente; *be* ~ *for* anhelar; *be* ~ *to* tener vivo deseo de; **'ea·ger·ness** ansia *f;* anhelo *m etc.*

ea·gle ['iːgl] águila *f; eye* (de) lince.

ear[1] [iə] ♀ espiga *f.*

ear[2] [~] oreja *f;* (*sense*) oído *m;* ♪ *by* ~ de oído; *be all* ~*s* ser todo oídos; **~ache** ['iəreik] dolor *m* de oídos; **'~·drum** tímpano *m.*

ear·ly ['əːli] **1.** *adj.* temprano (*a.* ♥); primero, primitivo; precoz; *reply* pronto; *at an* ~ *date* en fecha próxima; ~ *bird* madrugador (-a *f) m;* ~ *life* juventud *f;* **2.** *adv.* temprano; con tiempo; *arrive 5 minutes* ~ llegar con 5 minutos de anticipación; ~ *last century* a principios del siglo pasado; ~ *in the morning* muy de mañana.

ear·mark ['iəmaːk] *fig.* reservar, poner aparte (*for* para); destinar (*for* a).

earn [əːn] ganar(se); adquirir, obtener; *praise etc.* merecer(se), granjearse; ✝ (*bonds*) *interest* devengar.

ear·nest[1] ['əːnist] prenda *f,* señal *f;* (*a.* **'~ mon·ey**) arras *f/pl.*

ear·nest[2] [~] □ serio; formal; *desire* ardiente; *in* (*good*) ~ (muy) de veras, en serio; **'ear·nest·ness** seriedad *f;* formalidad *f.*

earn·ings ['əːninz] *pl.* sueldo *m;* ingresos *m/pl.;* ganancias *f/pl.*

ear...:' '~·phones *pl.* auriculares *m/pl.;* **'~·ring** (*long*) pendiente *m;* (*round*) arete *m;* **'~·shot:** *within* ~ al alcance del oído; **'~·split·ting** *shout* desaforado; *noise* que rompe el tímpano.

earth [əːθ] **1.** tierra *f* (*a.* ♀); *zo.* madriguera *f; down-to-*~ práctico; **2.** ≨ conectar a tierra; ♂ ~ *up* acollar; **'earth·en** de tierra; *pot* de barro; **'earth·en·ware** loza *f* de barro; cacharros *m/pl.;* **'earth·ly** terrenal, mundano; *be of no* ~ *use* no servir para nada en absoluto; **'earth-**

quake terremoto *m;* **'earth·worm** lombriz *f.*

ease [iːz] **1.** facilidad *f;* soltura *f;* comodidad *f of living etc.;* alivio *m from pain;* naturalidad *f of manner; at* ~ cómodo; a sus anchas; *ill at* ~ incómodo; ✗ *at* ~! en su lugar ¡descanso!; *life of* ~ vida *f* desahogada; *take one's* ~ descansar; *with* ~ fácilmente, con facilidad; **2.** *v/t.* aliviar, mitigar; (*soften*) suavizar; *weight* aligerar; *pressure* aflojar; *mind* tranquilizar; *v/i.* (*wind*) amainar; (*rain*) moderarse; ~ *up* suavizarse, aligerarse.

ea·sel ['iːzl] caballete *m.*

ease·ment ['iːzmənt] ♫♫ servidumbre *f.*

eas·i·ness ['iːzinis] facilidad *f;* soltura *f.*

east [iːst] **1.** este *m,* oriente *m;* **2.** *adj.* del este, oriental; **3.** *adv.* al este, hacia el este.

East·er ['iːstə] pascua *f* florida (*or* de Resurrección); (*period*) semana *f* santa; *attr.* ... de pascua; ~ *Day,* ~ *Sunday* Domingo *m* de Resurrección.

east·er·ly ['iːstəli] *direction* hacia el este; *wind* del este; **east·ern** ['~tən] oriental; **'east·ern·er** habitante *m/f* del este; **east·ward(s)** ['iːstwəd(z)] hacia el este.

eas·y ['iːzi] **1.** □ fácil; *conditions* cómodo, holgado; *manner* natural, afable; *pace* lento, pausado; *virtue* laxo; *p.* de moralidad laxa; ✝ *money* abundante; F *p.* fácil de engañar; ~ *to get on with* muy afable; ~ *to run* de fácil manejo; **2.** *adv.* F fácilmente; *take it* ~ descansar; *b.s.* haraganear; ir despacio; *take it* ~! ¡cálmese!; **'~·chair** butaca *f,* sillón *m.*

eat [iːt] [*irr.*] comer; *meal* tomar; consumir *with envy etc.; sl. what's* ~*ing you?* ¿qué mosca te ha picado?; ~ *away,* ~ *into* corroer; *fig.* carcomer; *fig.* mermar; ~ *up* comerse; devorar; **'eat·a·ble** comestible; **'eat·en** *p.p. of eat;* **'eat·er:** *be a big* ~ tener siempre buen apetito; ser comilón.

eaves [i:vz] *pl.* alero *m*; **'eaves·drop** escuchar a las puertas; fisgonear.

ebb [eb] **1.** menguante *m*, reflujo *m*; ~ *tide* marea *f* menguante; *at a low* ~ decaído; **2.** bajar; *fig.* decaer, disminuir.

e·bul·li·ent [i'bʌljənt] *fig.* exaltado, entusiasta.

ec·cen·tric [ik'sentrik] **1.** □ excéntrico; **2.** ⊕ excéntrica *f*; (*p.*) excéntrico *m*.

ec·cle·si·as·tic [ikli:zi'æstik], *adj. mst* **ec·cle·si·as·ti·cal** □ eclesiástico *adj. a. su. m.*

ech·e·lon ['eʃələn] **1.** escalón *m*; **2.** escalonar.

ech·o ['ekou] **1.** eco *m*; **2.** *v/t.* repetir; *opinion* hacerse eco *de*; *v/i.* resonar.

ec·lec·tic [ek'lektik] □ ecléctico *adj. a. su. m.*

e·clipse [i'klips] **1.** eclipse *m* (*a. fig.*); **2.** eclipsar (*a. fig.*).

e·co·nom·ic [i:kə'nɔmik], **e·co·nom·i·cal** □ económico; frugal; *rent* justo; **e·co'nom·ics** *pl.* economía *f* política; **e·con·o·mist** [i'kɔnəmist] economista *m/f*; **e'con·o·mize** [~maiz] economizar (*on* en); **e'con·o·my** economía *f*; frugalidad *f*.

ec·sta·sy ['ekstəsi] éxtasis *m*; *go into ecstasies* extasiarse (*over* ante); **ec·stat·ic** [eks'tætik] □ extático.

ec·ze·ma ['eksimə] eczema *m*.

ed·dy ['edi] **1.** remolino *m*; **2.** arremolinarse.

edge [edʒ] **1.** (*cutting*) filo *m*, corte *m*; (*border*) margen *m*, borde *m*, orilla *f*; canto *m of table etc.*; (*end*) extremidad *f*; *on* ~ de canto; *fig.* nervioso; *put an* ~ *on* afilar; **2.** *v/t.* afilar; orlar; *sew.* ribetear; *v/i.* ~ *along* avanzar de lado.

edg·ing ['edʒiŋ] orla *f*, ribete *m*.

edg·y ['edʒi] F nervioso.

ed·i·ble ['edibl] comestible.

e·dict ['i:dikt] edicto *m*.

ed·i·fi·ca·tion [edifi'keiʃn] edificación *f*; **ed·i·fice** ['~fis] edificio *m* (imponente).

ed·it ['edit] *script* preparar (*or* corregir) para la imprenta; *paper* dirigir, redactar; *book* editar; ~ *ed by* (en) edición *de*; **e·di·tion** [i'diʃn] edición *f*; *typ.* tirada *f*; **ed·i·tor** ['edita] director *m*, redactor *m of paper*; editor *m of book*; **ed·i·to·ri·al** [~'tɔ:riəl] artículo *m* de fondo; ~ *staff* redacción *f*; **ed·i·tor·ship** ['~tə∫ip] dirección *f*.

ed·u·cate ['edjukeit] educar; instruir; ~*d* culto; **ed·u·ca·tion** educación *f*;

instrucción *f*; cultura *f*; *elementary* ~ primera enseñanza *f*; *secondary* ~ segunda enseñanza *f*; **ed·u·ca·tion·al** □ educacional; docente; *film etc.* instructivo; **'ed·u·ca·tor** educador (-a *f*) *m*.

eel [i:l] anguila *f*.

e'en [i:n] = *even*.

e'er [ɛə] = *ever*.

ee·rie, ee·ry ['iəri] □ misterioso; horripilante; inquietante.

ef·face [i'feis] borrar.

ef·fect [i'fekt] **1.** efecto *m*; resultado *m*; impresión *f*; fuerza *f*; ~*s* *pl.* efectos *m/pl.*; *in* ~ en efecto, en realidad; *law* vigente; *of no* ~ inútil; *to this* ~ con este propósito; *carry into* ~ poner en ejecución; *feel the* ~ *of* estar resentido de; *put into* ~ poner en vigor; *take* ~ (*law*) ponerse en vigor; (*remedy*) surtir efecto; **2.** efectuar, llevar a cabo; **ef·fec·tive 1.** □ eficaz; potente, impresionante; efectivo; ✕, ⚓ útil para todos servicios; ⚔ *become* ~ entrar en vigor; **2.** ✕, ~ *pl.* efectivos *m/pl.*

ef·fem·i·nate [i'feminit] □ afeminado.

ef·fete [e'fi:t] gastado; decadente.

ef·fi·ca·cious [efi'keiʃəs] □ eficaz.

ef·fi·cien·cy [i'fiʃnsi] eficiencia *f*; eficacia *f*; capacidad *f*; ⊕ rendimiento *m*; **ef'fi·cient** [~∫nt] □ eficiente, eficaz; capaz; ⊕ de buen rendimiento.

ef·fi·gy ['efidʒi] efigie *f*.

ef·fort ['efət] esfuerzo *m* (*to* por); F tentativa *f*; resultado *m*; *spare no* ~ no regatear medio para; **'ef·fort·less** □ fácil, nada penoso.

ef·fron·ter·y [e'frʌntəri] descaro *m*, impudencia *f*.

ef·fu·sion [i'fju:ʒn] efusión *f*; **ef'fu·sive** [~siv] □ efusivo.

egg¹ [eg]: ~ *on* incitar (*to* a), impulsar (*to* a).

egg² [~] huevo *m*; *sl.* tío *m*; *sl. bad* ~ calavera *m*, sinvergüenza *m*; *as sure as* ~*s* sin duda alguna; '~ **'beat·er** batidor *m* de huevos; '~**cup** huevera *f*; '~**head** intelectual *m* erudito; '~**nog** caldo *m* de la reina; yema *f* mejida; '~**plant** berenjena *f*; '~**shell** cáscara *f* de huevo.

e·go ['egou] (el) yo; **'e·go·ism** egoísmo *m*; **'e·go·ist** egoísta *m/f*; **e·go·is·tic**, **e·go·is·ti·cal** □ egoísta; **e·go·tism** ['egoutizm] egotismo *m*; **e·go·tist** egotista *m/f*; **e·go·tis·tic**, **e·go·tis·ti·cal** □ egotista

e·gre·gious [i'gri:dʒes] □ enorme, chocante.

eh [ei] ¿cómo?; ¿qué?; ¿no?

eight [eit] ocho (*a. su. m*); **eight·een** ['ei'ti:n] dieciocho; **'eight'eenth** [~θ] décimoctavo; **eighth** [~θ] octavo (*a. su. m*); **eighth·i·eth** ['~iiθ] octogésimo; **'eight·y** ochenta.

ei·ther ['aiðə, 'i:ðe] 1. *adj.* cualquier ... de los dos; 2. *pron.* uno u otro, cualquiera de los dos; 3. *cj.* ~ ... or o ... o; 4. *adv.* tampoco.

e·jac·u·late [i'dʒækjuleit] exclamar, proferir (de repente).

e·ject [i'dʒekt] expulsar, echar, arrojar; *tenant* desahuciar; **e'jec·tion** expulsión *f*; desahucio *m from house*.

eke [i:k]: ~ *out* hacer llegar; suplir las deficiencias de (*with* con); *livelihood* ganar a duras penas.

e·lab·o·rate 1. [i'læbərit] □ complicado; primoroso; detallado; rebuscado; 2. [~reit] *v/t.* elaborar; *v/i.* explicarse (~ *on* explicar) con muchos detalles; ~ *on* ampliar; **e·lab·o·ra·tion** [~'reiʃn] elaboración *f*, complicación *f etc.*

e·lapse [i'læps] pasar, transcurrir.

e·las·tic [i'læstik] □ elástico *adj. a. su. m*; ~ *band* gomita *f*; **e·las·tic·i·ty** [~'tisiti] elasticidad *f*.

e·late [i'leit] regocijar, exaltar; *be* ~*d* alegrarse (*at*, *with* de); **e'la·tion** regocijo *m*, viva alegría *f*, júbilo *m*.

el·bow ['elbou] 1. codo *m* (*a.* ⊕); (*bend*) recodo *m*; *at one's* ~ a la mano; muy cerca; 2. empujar con el codo; ~ *one's way* (*through*) abrirse paso codeando; ~ *grease* F codo *m*; esfuerzo *m*, aplicación *f*; **'~·room** espacio *m* suficiente; libertad *f* de acción.

eld·er[1] ['eldə] 1. mayor; 2. mayor *m/f*; *eccl.* anciano *m*; ~*s pl.* jefes *m/pl.* (de tribu); *my* ~*s pl.* mis mayores.

eld·er[2] [~] ♀ saúco *m*.

eld·er·ly ['eldəli] mayor, de edad.

eld·est ['eldist] (el) mayor.

e·lect [i'lekt] 1. elegir, escoger; ~ *to* optar por *inf.*; decidir *inf.*; 2. elegido; *eccl.* electo; *the* ~ los elegidos; *president* ~ presidente *m* electo; **e'lec·tion** elección *f*; **e·lec·tive 1.** □ electivo; 2. asignatura *f* electiva.

e·lec·tric [i'lektrik] □ eléctrico; *fig.* cargado de emoción; muy tenso, candente; ~ *blanket* caliente-camas *m*; ~ *chair* silla *f* eléctrica; ~ *fan* ventilador *m* eléctrico; ~ *percolator*

cafetera *f* eléctrica; ~ *shaver* eléctro-afeitadora *f*; ~ *tape* cinta *f* aislante; **e'lec·tri·cal** □ eléctrico; ~ *engineer* ingeniero *m* electricista; ~ *engineering* electrotecnia *f*; **e·lec·tri·cian** [~'triʃn] electricista *m*; **e·lec'tric·i·ty** [~siti] electricidad *f*; **e'lec·tri·fy** [~fai] electrificar; electrizar (*a. fig.*).

e·lec·tro [i'lektrou] electro...; **e'lec·tro·cute** [~trəkju:t] electrocutar; **e·lec·tro'cu·tion** electrocución *f*; **e'lec·trode** [~troud] electrodo *m*.

e·lec·tron [i'lektron] electrón *m*; *attr.* = **e·lec'tron·ic** □ electrónico; ~ *brain* cerebro *m* electrónico; **e·lec'tron·ics** *sg.* electrónica *f*.

el·e·gance ['eligəns] elegancia *f*; **'el·e·gant** □ elegante.

el·e·gi·ac [eli'dʒaiek] elegíaco.

el·e·gy ['elidʒi] elegía *f*.

el·e·ment ['elimənt] *all senses:* elemento *m*; ~*s pl.* elementos *m/pl.*, nociones *f/pl.*; **el·e'men·tal** □ elemental; **el·e'men·ta·ry** □ elemental; ~ *school* escuela *f* primaria.

el·e·phant ['elifənt] elefante *m*; *white* ~ maula *f*.

el·e·vate ['eliveit] elevar; *p.* exaltar; ascender *in rank*; **'el·e·vat·ed** elevado (*a. fig.*); F (*a.* ~ *railroad*) ferrocarril *m* elevado; **el·e'va·tion** *all senses:* elevación *f*; **'el·e·va·tor** ascensor *m*; (*goods*) montacargas *m*; ✓ elevador *m* de granos; ✈ timón *m* de profundidad.

e·lev·en [i'levn] once (*a. su. m*); **e'lev·enth** [~θ] undécimo, onceno.

elf [elf] duende *m*; (*dwarf*) enano *m*.

e·lic·it [i'lisit] (*son*)sacar, lograr obtener.

e·lide [i'laid] elidir.

el·i·gi·bil·i·ty [elidʒə'biliti] elegibilidad *f*; **'el·i·gi·ble** □ elegible; aceptable, adecuado.

e·lim·i·nate [i'limineit] eliminar; *solution etc.* descartar; suprimir; **e·lim·i'na·tion** eliminación *f etc.*

e·li·sion [i'liʒn] elisión *f*.

e·lite [ei'li:t] élite *f*; lo selecto, flor *f* y nata.

e·lix·ir [i'liksə] elixir *m*.

elk [elk] alce *m*.

el'lip·tic, el·lip·ti·cal [i'liptik(l)] □ elíptico.

elm [elm] olmo *m*.

e·lon·gate ['i:lɔŋgeit] alargar, extender.

e·lope [i'loup] fugarse (con un amante); **e'lope·ment** fuga *f*.

el·o·quence ['eləkwəns] elocuencia *f*; **'el·o·quent** □ elocuente.

else [els] **1.** *adj.* otro; *all* ~ todo lo demás; *anyone* ~ (cualquier) otro; *nobody* ~ ningún otro; *nothing* ~ nada más; *how* ~? ¿de qué otra manera?; *what*~? ¿qué más?; **2.** *adv.* (ade)más; F de otro modo; *or* ~ o bien, si no; **'else·where** en (*or* a) otra parte.

e·lu·ci·date [i'lu:sideit] aclarar, dilucidar, elucidar.

e·lude [i'lu:d] *blow etc.* eludir, esquivar, evitar; *grasp* escapar de; **e·lu·sive** [i'lu:siv] □ fugaz; evasivo; *p.* difícil de encontrar.

elves [elvz] *pl. of* elf.

e·ma·ci·at·ed [i'meiʃieitid] demacrado, extenuado.

em·a·nate ['emǝneit] emanar.

e·man·ci·pate [i'mænsipeit] emancipar; **e·man·ci·pa·tion** emancipación *f*.

em·balm [im'ba:m] embalsamar.

em·bank·ment [im'bæŋkmǝnt] terraplén *m*; dique *m*.

em·bar·go [em'ba:gou] **1.** embargo *m*; prohibición *f* (*on* de), suspensión *f*; **2.** embargar.

em·bark [im'ba:k] *v/t.* embarcar; *v/i.* embarcarse (*for* con rumbo a); ~ (*up*)*on* emprender.

em·bar·rass [im'bærǝs] desconcertar, turbar, azorar; molestar; poner en un aprieto; **em'bar·rass·ing** □ embarazoso, desconcertador; vergonzoso; molesto; *moment, situation* violento; **em'bar·rass·ment** desconcierto *m*, (per)turbación *f*, azoramiento *m*; apuro *m*; estorbo *m*.

em·bas·sy ['embǝsi] embajada *f*.

em·bat·tled [im'bætld] en orden de batalla; *city* sitiado; △ almenado.

em·bel·lish [im'beliʃ] embellecer; adornar, guarnecer.

em·bez·zle [im'bezl] malversar, defalcar.

em·bit·ter [im'bitǝ] amargar; *relations* envenenar.

em·blem ['emblǝm] emblema *m*.

em·bod·i·ment [im'bodimǝnt] encarnación *f*, personificación *f*; **em·'bod·y** encarnar, personificar; (*include*) incorporar.

em·bo·lism ['embǝlizm] embolia *f*.

em·brace [im'breis] **1.** abrazar(se); (*include*) abarcar; *offer* aceptar; **2.** abrazo *m*.

em·broi·der [im'broidǝ] bordar, recamar; *fig.* adornar con detalles ficticios; **em'broi·der·y** bordado *m*.

em·broil [im'broil] embrollar, enredar; ~ *with* indisponer con.

em·bry·o ['embriou] **1.** embrión *m*; *in* ~ en embrión; **2.** = **em·bry·on·ic** [~'onik] □ embrionario.

e·mend [i'mend] enmendar; **e·men'da·tion** enmienda *f*.

em·er·ald ['emǝrǝld] **1.** esmeralda *f*; **2.** esmeraldino.

e·merge [i'mǝ:dʒ] salir, surgir, emerger; aparecer; **e'mer·gen·cy** necesidad *f* urgente, aprieto *m*, situación *f* imprevista; ~ *brake* freno *m* de auxilio; ~ *exit* salida *f* de urgencia; ~ *landing* aterrizaje *m* forzoso.

em·er·y ['emǝri] esmeril *m*; '~ **cloth** tela *f* de esmeril; '~ **wheel** esmeriladora *f*, rueda *f* de esmeril, muela *f* de esmeril.

e·met·ic [i'metik] emético *adj. a. su. m*.

em·i·grant ['emigrǝnt] emigrante *adj. a. su. m/f*; **em·i·grate** [~'greit] emigrar; **em·i·gra·tion** emigración *f*.

em·i·nence ['eminǝns] eminencia *f* (*a. little*); **'em·i·nent** □ eminente.

em·is·sar·y ['emisǝri] emisario *m*; **e·mis·sion** [i'miʃn] emisión *f*.

e·mit [i'mit] emitir; *smoke etc.* arrojar, despedir; *cry* dar; *sound* producir.

e·mo·tion [i'mouʃn] emoción *f*; **e'mo·tion·al** □ emocional; *moment* de mucha emoción; *p.* exaltado; demasiado sensible.

em·per·or ['empǝrǝ] emperador *m*.

em·pha·sis ['emfǝsis], *pl.* **em·pha·ses** [~'si:z] énfasis *m*; **em·pha·size** ['~saiz] acentuar (*a. fig.*); *fig.* subrayar, recalcar; **em·phat·ic** [im'fætik] □ enfático; enérgico; *be* ~ *that* insistir en que.

em·pire ['empaiǝ] imperio *m*.

em·ploy [im'ploi] **1.** emplear; servirse de; **2.** empleo *m*; servicio *m*; ocupación *f*; **em·ploy·ee** [emploi'i:] empleado (a *f*) *m*, dependiente (a *f*) *m*; **em·ploy·er** [im'ploiǝ] patrón *m*; **em'ploy·ment** empleo *m*; ocupación *f*; servicio *m*; *full* ~ pleno empleo *m*; ~ *agency* agencia *f* de colocaciones.

em·pow·er [im'pauǝ] autorizar (*to* a); habilitar (*to* para que).

em·press ['empris] emperatriz *f*.

emp·ti·ness ['emptinis] vacío *m*; vaciedad *f*, vacuidad *f*; **emp·ty** ['empti] **1.** vacío; (*fruitless*) vano, inútil,

house, place desocupado; *post* vacante; *vehicle* sin carga; F hambriento; **2.** *v/t.* vaciar; *contents* descargar, verter; *place* desocupar, dejar vacío; *v/i.* vaciarse; (*drain away*) desaguar; (*place*) ir quedando vacío (*or* desocupado); ~ *into* (*river*) desembocar en; **3.** botella *f etc.* vacía; *empties pl.* envases *m/pl.*; **'emp·ty-'han·ded** con las manos vacías, manivacío.

em·u·late ['emjuleit] emular.

en·a·ble [i'neibl] permitir (*to inf.*); habilitar (*to para que*); poner en condiciones (*to para*).

en·act [i'nækt] decretar; *law* dar, promulgar; *thea.* representar, realizar; **en'act·ment** ley *f*, estatuto *m*; promulgación *f of law.*

en·am·el [i'næml] **1.** esmalte *m*; **2.** esmaltar, pintar al esmalte.

en·am·or [i'næmə] enamorar.

en·chant [in'tʃɑːnt] encantar (*a. fig.*); **en'chant·er** hechicero *m*; **en'chant·ing** □ encantador.

en·cir·cle [in'səːkl] cercar; rodear; circunvalar; *waist* ceñir; ✕, *pol.* envolver; **en'cir·cle·ment** ✕, *pol.* envolvimiento *m*.

en·close [in'klouz] cercar, encerrar; (*include*) incluir; remitir adjunto, adjuntar *with letter*; **en'clo·sure** [~ʒə] (*place*) cercado *m*, recinto *m*; (*act*) encerramiento *m*; cosa *f etc.* inclusa *in letter.*

en·com·pass [in'kʌmpəs] abarcar; (*surround*) rodear; (*bring about*) lograr.

en·core [ɔŋ'kɔː] **1.** ¡bis!; **2.** pedir la repetición de *a th.*, a *a p.*; **3.** repetición *f*, bis *m*.

en·coun·ter [in'kauntə] **1.** *all senses:* encuentro *m*; **2.** encontrar(se con), tropezar con.

en·cour·age [in'kʌridʒ] animar, alentar (*to a*); *industry* fomentar, reforzar; *growth* estimular; fortalecer *in a belief*; **en'cour·age·ment** estímulo *m*, incentivo *m*; aliento *m*; fomento *m*; **en'cour·ag·ing** □ alentador, esperanzador; favorable.

en·croach [in'kroutʃ] pasar los límites (*on de*); invadir (*on acc.*); *fig.* usurpar (*on acc.*).

en·crust [in'krʌst] incrustar(se).

en·cum·ber [in'kʌmbə] estorbar; gravar, cargar *with debts etc.*; *place* llenar.

en·cy·clo·pe·di·a [ensaiklou'piːdiə] enciclopedia *f*; **en·cy·clo'pe·dic** enciclopédico.

end [end] **1.** fin *m*, final *m*; extremo *m*, cabo *m*; remate *m*; límite *m*; *sport:* lado *m*; desenlace *m of play*; (*object*) fin *m*, objeto *m*; *at the* ~ al cabo de; *century etc.* a fines de; *in the* ~ al fin y al cabo; *on* ~ de punta, de canto; *3 days on* ~ 3 días seguidos; *for days on* ~ durante una infinidad de días; *no* ~ *of* un sinfín de, la mar de; *to the* ~ *that* a fin de que; *to this* ~ con este propósito; *be at an* ~ estar terminado; *come to an* ~ terminarse; *make an* ~ *of* acabar con; *make both* ~s *meet* hacer llegar el dinero; *put an* ~ *to* poner fin a; *stand on* ~ poner(se) de punta; **2.** final; **3.** *v/t.* acabar, terminar; *v/i.* terminar (*in en; with con*); *by present participle*) acabar; (*route*) morir; ~ *up* acabar; ir a parar (*at en*).

en·dan·ger [in'deindʒə] poner en peligro, comprometer.

en·dear [in'diə] hacer querer; ~ *o.s. to* hacerse querer de; **en'dear·ing** □ atractivo, simpatiquísimo.

en·deav·or [in'devə] **1.** esfuerzo *m*, empeño *m*; tentativa *f*; **2.** esforzarse (*to por*), procurar (*to inf.*).

end·ing ['endiŋ] fin *m*, conclusión *f*; desenlace *m of book etc.*; *gr.* desinencia *f*.

en·dive ['endiv] escarola *f*, endibia *f*.

end·less ['endlis] □ inacabable, interminable; ⊕ sin fin.

en·dorse [in'dɔːs] endosar; *fig.* aprobar, confirmar; *licence* poner nota de inhabilitación en; **en·dorse·ment** [in'dɔːsmənt] endoso *m*; *fig.* aprobación *f*, confirmación *f*.

en·dow [in'dau] dotar (*a. fig.*) (*with con, fig. de*); fundar; **en'dow·ment** dotación *f*, fundación *f*; *fig.* dote *f*, prenda *f*.

en·dur·ance [in'djuərəns] resistencia *f*, paciencia *f*; aguante *m*; *past* ~ inaguantable; **en·dure** [in'djuə] *v/t.* aguantar, soportar, tolerar; resistir; *v/i.* (per)durar; sufrir sin rendirse.

en·e·ma ['enimə] enema *f*.

en·e·my ['enimi] enemigo *adj. a. su. m* (*a f*) (*of* de).

en·er·get·ic [enə'dʒetik] □ enérgico; **'en·er·gize** activar; excitar (*a. ⚡*); **'en·er·gy** energía *f*.

en·er·vate ['enəːveit] enervar.

en·fold [in'fould] envolver, abrazar; estrechar (*entre los brazos*).

en·force [in'fɔːs] *law* hacer cumplir, poner en vigor; *demand* insistir en; imponer (*upon* a); **en'force·ment**

ejecución f *of law;* imposición f.

en·fran·chise in'fræntʃaiz] conceder el derecho de votar a; *(free)* emancipar.

en·gage [in'geidʒ] v/t. *(contract)* apalabrar; *taxi etc.* alquilar; *servant* ajustar, tomar a su servicio; *attention* atraer, ocupar; *p.* entretener *in conversation;* ⊕ *(a. ~ with)* engranar con; ⊕ *coupling* acoplar; ✕ *enemy* trabar batalla con; be *~d* estar prometido *(to* para casarse con*);* teleph. estar comunicando; be *~d* estar ocupado en, dedicarse a; get *~d* prometerse; v/i. *(promise)* comprometerse (to a); ⊕ engranar (in, with con); *~ in* ocuparse en, dedicarse a; **en·gage·ment** *(contract)* contrato m, ajuste m; *(appointment)* compromiso m, cita f; *(to marry)* palabra f de casamiento; *(period of ~)* noviazgo m; ✕ combate m, acción f.

en·gag·ing [in'geidʒiŋ] □ simpático, atractivo, agraciado.

en·gine ['endʒin] motor m; 👹 máquina f, locomotora f.

en·gi·neer [endʒi'niə] 1. ingeniero m *(a.* ✕, ⚓*);* mecánico m; 👹 maquinista m; 2. F lograr, agenciar, gestionar; **en·gi·neer·ing** ingeniería f.

Eng·lish ['iŋgliʃ] inglés adj. a. su. m; *the ~* los ingleses; '*~* '**Chan·nel** Canal m de la Mancha; '*~* '**Eng·lish·man** inglés m; '*~* '**speak·ing** de habla inglesa; '**Eng·lish·wom·an** inglesa f.

en·grave [in'greiv] grabar *(a. fig.);* burilar; **en·grav·ing** grabado m.

en·gross [in'grous] absorber; 🔬 redactar en forma legal; poner en limpio.

en·gulf [in'gʌlf] sumergir, hundir, tragar(se).

en·hance [in'hæns] realzar; *price* aumentar.

e·nig·ma [i'nigmə] enigma m; **e·nig·mat·ic, e·nig·mat·i·cal** [enig'mætik(l)] □ enigmático.

en·join [in'dʒɔin] mandar, ordenar *(to inf.);* imponer *(on* a*);* 🔬 prohibir *(from inf.).*

en·joy [in'dʒɔi] *health, possessions* gozar de, disfrutar de; *advantages* poseer; *meal* comer con gusto; he *~s swimming* le gusta nadar; *b.s. ~ ger.* gozarse in inf.; *~ o.s.* divertirse mucho, pasarlo bien; *did you ~ the play?* ¿le gustó la comedia?; **en·joy·a·ble** □ deleitable, agradable; divertido; **en·joy·ment** placer m; goce m; gusto m; disfrute m *of inheritance etc.*

en·lace [in'leis] en(tre)lazar; ceñir.

en·large [in'lɑːdʒ] v/t. agrandar, ensanchar; aumentar; ampliar *(a. phot.);* v/i.: *~ upon* tratar con más extensión; exagerar; **en·large·ment** ensanche m; extensión f; aumento m; ampliación f *(a. phot.).*

en·light·en [in'laitn] ilustrar, iluminar; instruir *(in* en*); can you ~ me?* ¿puede Vd. ayudarme? *(about* en el asunto de*).*

en·list [in'list] ✕ alistar(se); *support* conseguir.

en·liv·en [in'laivn] vivificar, avivar, animar.

en·mesh [in'meʃ] coger en la red; ⊕ engranar.

en·mi·ty ['enmiti] enemistad f.

en·no·ble [i'noubl] ennoblecer.

e·nor·mi·ty [i'nɔːmiti] *fig.* enormidad f; **e·nor·mous** □ enorme.

e·nough [i'nʌf] bastante; suficiente; *be kind ~ to* tener la amabilidad de; *that's ~!* ¡basta!

en·rage [in'reidʒ] enfurecer, hacer rabiar.

en·rap·ture [in'ræptʃuə] embelesar.

en·rich [in'ritʃ] enriquecer; *soil* fertilizar; **en·rich·ment** enriquecimiento m; fertilización f.

en·rol(l) [in'roul] alistar(se) *(a.* ✕*);* inscribir(se), matricular(se); **en·rol(l)·ment** alistamiento m; inscripción f.

en·sign ['ensain] bandera f; alférez m.

en·slave [in'sleiv] esclavizar; **en·slave·ment** esclavitud f; *(act)* avasallamiento m.

en·tail [in'teil] 1. vínculo m, vinculación f; 2. ocasionar, causar; suponer; 🔬 vincular.

en·tan·gle [in'tæŋgl] enmarañar, enredar.

en·ter ['entə] v/t. entrar en; penetrar en; *society* ingresar en, matricularse en; *member* matricular; asentar, registrar *in records;* *protest* formular; 🔬 *order* asentar, anotar; *child* matricular como futuro alumno *(for* de*); ~ a p.'s head* ocurrírsele a uno; *~ up* 🔬 *ledger* hacer, llevar; *diary* poner al día; v/i. entrar; *thea.* entrar en escena; *sport:* participar *(for* en*),* presentarse *(for* a*); ~ into* participar en; *agreement* firmar; *conversation* entablar; *plans* formar parte de; *relations* establecer; *~ into the spirit of* dejarse emocionar por; empaparse en; *~ (up)on career* emprender; *office* tomar posesión de; *term* empezar.

en·ter·prise [ˈentəpraiz] empresa *f*; (*spirit*) iniciativa *f*; *private* ~ iniciativa *f* privada; **ˈen·ter·pris·ing** □ emprendedor.

en·ter·tain [entəˈtein] (*amuse*) entretener, divertir; *guest* recibir; festejar, agasajar; *idea, hope* abrigar; considerar; **en·ter·tain·er** actor *m*, músico *m* (*etc.*); **en·ter·tain·ing** □ entretenido, divertido; **en·ter·tain·ment** entretenimiento *m*, diversión *f*; espectáculo *m*; función *f*.

en·thral(l) [inˈθrɔːl] *fig.* encantar, embelesar; cautivar.

en·thu·si·asm [inˈθjuːziæzm] entusiasmo *m* (*for* por); **en·thu·si·as·tic** □ entusiasta; entusiástico; lleno de entusiasmo (*about, over* por).

en·tice [inˈtais] tentar, atraer (con maña); seducir.

en·tire [inˈtaiə] entero; completo; **en·tire·ly** enteramente; **en·tire·ty:** *in its* ~ enteramente, completamente; en su totalidad.

en·ti·tle [inˈtaitl] *book* intitular; ~ *to* dar derecho a (*acc., inf.*); *be* ~*d to* tener derecho a.

en·ti·ty [ˈentiti] entidad *f*, ente *m*.

en·tour·age [ɔntuˈrɑːʒ] séquito *m*.

en·trails [ˈentreilz] *pl.* entrañas *f/pl.*

en·trance[1] [ˈentrəns] entrada *f*; ingreso *m*; *thea.* entrada *f* en escena.

en·trance[2] [inˈtræns] encantar, embelesar, hechizar; extasiar.

en·trant [ˈentrənt] principiante *m/f*; *sport:* participante *m/f*.

en·treat [inˈtriːt] rogar, suplicar (insistentemente) (*to inf.*).

en·tree [ˈɑːntrei] entrada *f*, ingreso *m*; *of meal* entrada *f*, principio *m*.

en·trench [inˈtrentʃ] ✕ atrincherar(se); *fig.* ~ *o.s.* establecerse firmemente.

en·trust [inˈtrʌst] confiar (*to* a; *a p. with* a.).

en·try [ˈentri] entrada *f*; ingreso *m*, (*street*) bocacalle *f*; 🏛 toma *f* de posesión (*on* de); *sport:* (*total*) participación *f*; (*p.*) participante *m/f*; artículo *m in dictionary;* apunte *m in diary;* ✝ partida *f*.

en·twine [inˈtwain] entretejer; entrelazar.

e·nu·mer·ate [iˈnjuːməreit] enumerar; **e·nu·mer·a·tion** enumeración *f*.

e·nun·ci·ate [iˈnʌnsieit] enunciar; pronunciar; **e·nun·ci·a·tion** enunciación *f*; pronunciación *f*.

en·vel·op [inˈveləp] envolver (*in* en); **en·ve·lope** [ˈenviloup] sobre *m*.

en·vi·ron·ment [inˈvaiərənmənt] medio *m* ambiente.

en·vis·age [inˈvizidʒ] prever; concebir, representarse; contemplar.

en·voy [ˈenvɔi] enviado *m*.

en·vy [ˈenvi] 1. envidia *f*; 2. envidiar (*a p. a th.* algo a alguien); *p.* tener envidia a.

en·zyme [ˈenzaim] enzima *f*.

e·phem·er·al [iˈfiːmərəl] efímero.

ep·ic [ˈepik] 1. □ épico; 2. épica *f*, epopeya *f*.

ep·i·dem·ic [epiˈdemik] 1. □ epidémico; 2. epidemia *f*.

ep·i·lep·sy [ˈepilepsi] epilepsia *f*; **ep·i·lep·tic** epiléptico *adj. a. su. m* (*a f*).

ep·i·log, ep·i·logue [ˈepilɔg] epílogo *m*.

ep·i·sode [ˈepisoud] episodio *m*.

ep·i·taph [ˈepitɑːf] epitafio *m*.

ep·i·thet [ˈepiθet] epíteto *m*.

e·pit·o·me [iˈpitəmi] epítome *m*, compendio *m*.

ep·och [ˈiːpɔk] época *f*.

e·qual [ˈiːkwl] 1. □ igual (*to* a); *fig.* ~ *to ask* con fuerzas para; estar a la nivel de; 2. igual *m/f*; 3. ser igual a; **e·qual·i·ty** [iˈkwɔliti] igualdad *f*; **e·qual·ize** *v/t.* igualar; *v/i. sport:* lograr el empate.

e·quate [iˈkweit] igualar, considerar equivalente (*to, with* a); **e·qua·tion** ecuación *f*; **e·qua·tor** ecuador *m*.

e·qui·lib·ri·um [iːkwiˈlibriəm] equilibrio *m*.

e·qui·nox [ˈiːkwinɔks] equinoccio *m*.

e·quip [iˈkwip] equipar; ⊕ ~*ped with* dotado de; **e·quip·ment** [iˈkwipmənt] equipo *m*; material *m*; avíos *m/pl.*; equipaje *m*; pertrechos *m/pl.*

eq·ui·ta·ble [ˈekwitəbl] □ equitativo; **ˈeq·ui·ty** equidad *f* (*a.* 🏛).

e·quiv·a·lence [iˈkwivələns] equivalencia *f*; **e·quiv·a·lent** equivalente *adj. a. su. m* (*to* a).

e·quiv·o·cal [iˈkwivəkl] □ equívoco, ambiguo.

e·ra [ˈiərə] era *f*, época *f*.

e·rad·i·cate [iˈrædikeit] desarraigar, extirpar.

e·rase [iˈreiz] borrar (*a. fig.*); **e·ras·er** goma *f* de borrar; **e·ra·sure** [~ʒə] borradura *f*.

e·rect [iˈrekt] 1. □ erguido, derecho; *hair etc.* erizado; 2. erigir, construir, levantar; ⊕ montar; *principles* formular; constituir (*into* en); **e·rec·tion** construcción *f*, estructura *f*; (*act*) erección *f*; ⊕ montaje *m*.

er·mine ['ɔːmin] armiño *m*.

e·rode [i'roud] *soil* erosionar(se), causar erosión en.

e·ro·sion [i'rouʒn] erosión *f*; desgaste *m*.

e·rot·ic [i'rɔtik] □ erótico; erotómano; (*obscene*) sicalíptico.

err [ɔ:] errar, equivocarse; (*sin*) pecar.

er·rand ['erənd] recado *m*, mandado *m*; *run ~s* ir a los mandados; '*~ boy* mandadero *m*, recadero *m*.

er·rant ['erənt] errante; *knight* andante; (*erring*) equivocado.

er·rat·ic [i'rætik] □ irregular, inconstante; *behavior, record etc.* desigual; *geol.* errático; **er·ra·tum** [i'rɑːtəm], *pl.* **er·ra·ta** [~ə] errata *f*.

er·ro·ne·ous [i'rounjəs] □ erróneo.

er·ror ['erə] error *m*, yerro *m*; equivocación *f*; *in ~* por equivocación.

e·ru·dite ['erudait] □ erudito.

e·rupt [i'rʌpt] (*volcano*) entrar en erupción; 🌶 hacer erupción; *fig.* irrumpir (*into* en); (*anger*) estallar; **e·rup·tion** erupción *f* (*a.* 🌶); explosión *f of anger etc.*

es·ca·la·tor ['eskəleitə] escalera *f* móvil (*or* rodante).

es·ca·pade [eskə'peid] travesura *f*, aventura *f*; **es·cape** [is'keip] **1.** *v/i.* evitar, eludir; *death* escapar a; *vigilance* burlar; (*forget*) olvidársele (a uno); (*meaning*) p. escaparse a; *v/i.* escapar(se); evadirse; (*gas etc.*) fugarse; *~ from* p. escaparse a; *prison* escaparse de; **2.** escape *m*, fuga *f*; fuga *f of gas etc.*; *fig.* escapatoria *f* (*from duties etc.*); *have a narrow ~* escaparse por un pelo.

es·cort 1. ['eskɔːt] ✕ escolta *f*; acompañante *m/f*; **2.** [is'kɔːt] escoltar; acompañar.

Es·ki·mo ['eskimou] esquimal *m/f*.

e·so·ter·ic [esou'terik] □ esotérico.

es·pe·cial [is'peʃl] □ especial; particular; **es·pe·cial·ly** especialmente; sobre todo; máxime.

es·pi·o·nage [espiə'nɑːʒ] espionaje *m*.

es·pous·al [is'pauzl] *fig.* adhesión *f* (*of a*); **es·pouse** [~z] casarse con; *fig.* adherirse a, abrazar.

es·say 1. [e'sei] intentar (*to inf.*); (*test*) ensayar; **2.** ['esei] ensayo *m*; **es·say·ist** ensayista *m/f*.

es·sence ['esns] esencia *f*; **es·sen·tial** [i'senʃl] **1.** □ esencial; indispensable, imprescindible; *~ oil* aceite *m* esencial; **2.** esencial *m*.

es·tab·lish [is'tæbliʃ] establecer; fundar; *facts* verificar; *~ that* comprobar que; *2ed Church* iglesia *f* del Estado; **es·tab·lish·ment** establecimiento *m*; fundación *f*.

es·tate [is'teit] (*land etc.*) finca *f*, hacienda *f*, heredad *f*; 🏚 (*property*) bienes *m/pl.* (relictos); herencia *f*; *pol.* estado *m*; *real ~* bienes *m/pl.* raíces.

es·teem [is'tiːm] **1.** estima *f*; consideración *f*, aprecio *m*; **2.** estimar, apreciar.

es·ti·ma·ble ['estiməbl] estimable.

es·ti·mate 1. ['estimeit] estimar; apreciar; calcular (*that* que); computar, tasar (*at* en); hacer un presupuesto (*for* de); **2.** ['~mit] estimación *f*; tasa *f*; cálculo *m*; presupuesto *m for work*; **es·ti·ma·tion** estimación *f*; *in my ~* según mis cálculos; en mi opinión.

es·trange [is'treindʒ] enajenar, apartar; become *~d* malquistarse.

et·cet·er·a [it'setrə] etcétera; *~s pl.* adiciones *f/pl.*, adornos *m/pl.*

etch [etʃ] grabar al agua fuerte; '**etch·ing** aguafuerte *f*.

e·ter·nal [i'tɔːnl] □ eterno; (*a. b.s.*) sempiterno; **e·ter·ni·ty** eternidad *f*.

e·ther ['iːθə] éter *m*; **e·the·re·al** [i'θiːriəl] etéreo (*a. fig.*).

eth·i·cal ['eθikl] □ ético; honrado; '**eth·ics** *mst sg.* ética *f*; moralidad *f*.

et·i·quette [eti'ket] etiqueta *f*; honor *m* profesional.

eu·lo·gy ['juːlədʒi] elogio *m*, encomio *m*.

eu·nuch ['juːnək] eunuco *m*.

eu·phe·mism ['juːfimizm] eufemismo *m*.

Eu·ro·pe·an [juərə'piːən] europeo *adj. a. su. m* (a *f*).

eu·tha·na·si·a [juːθə'neiziə] eutanasia *f*.

e·vac·u·ate [i'vækjueit] evacuar; desocupar; **e·vac·u·a·tion** evacuación *f*; **e·vac·u·ee** evacuado (a *f*) *m*.

e·vade [i'veid] evadir, eludir; *v. issue*.

e·val·u·ate [i'væljueit] evaluar; **e·val·u·a·tion** evaluación *f*.

e·van·gel·ic, e·van·gel·i·cal [iːvæn'dʒelik(l)] □ evangélico; **e·van·ge·list** [i'vændʒilist] evangelizador *m*.

e·vap·o·rate [juərə'pəreit] evaporar(se) (*a. fig.*); *~d milk* leche *f* evaporada; **e·vap·o·ra·tion** evaporación *f*.

e·va·sion [i'veiʒn] evasiva *f*, evasión *f*; **e·va·sive** [~siv] □ evasivo.

eve [iːv] víspera *f*.

e·ven¹ ['iːvn] **1.** *adj.* □ llano, liso; igual; *temperature etc.* constante, invariable; *treatment* imparcial; *temper* sereno, apacible; Å par; *be ~* estar en paz (*with* con); *get ~* desquitarse (*with* con); *that makes us ~* (*game*) eso iguala el tanteo; **2.** *adv.* aun, hasta; incluso; tan siquiera; *~ as* precisamente cuando, en el mismo momento en que; *~ if*, *~ though* aunque, aun cuando; *~ so* aun así; *not ~* ni (...) siquiera; F *break ~* salir sin ganar ni perder; **3.** *v/t.* igualar, allanar; *~ out ps.* hacer iguales; *th.* repartir con justicia; *~ up score etc.* igualar, nivelar; *v/i.*: *~ up* pagar, ajustar cuentas (*with* con).

e·ven² [~] *poet.* anochecer *m.*

e·ven...: '**~'hand·ed** imparcial; '**~'tem·pered** apacible, ecuánime.

eve·ning ['iːvniŋ] tarde *f*; anochecer *m*; noche *f*; *good ~!* ¡buenas tardes! *;~ gown* vestido *m* de noche *de mujer; ~ star* estrella *f* vespertina, lucero *m* de la tarde.

e·ven·ness ['iːvənnis] igualdad *f*; lisura *f*; uniformidad *f*; imparcialidad *f*; serenidad *f*.

e·vent [i'vent] suceso *m*, acontecimiento *m*; caso *m*; consecuencia *f*; *sport:* prueba *f*, carrera *f etc.; ~ s pl.* (*program*) programa *m*; *at all ~ s, in any ~* en todo caso; *in the ~ of* en caso de; **e'vent·ful** [~ful] □ *life* azaroso, accidentado; memorable; *match etc.* lleno de emoción, lleno de incidentes.

e·ven·tu·al [i'ventjuəl] □ final; consiguiente; eventual; *~ly* finalmente, con el tiempo; al fin y al cabo; **e·ven·tu·al·i·ty** [~'æliti] eventualidad *f*.

ev·er ['evə] siempre; alguna vez; (*negative sense*) jamás, nunca; *~ after, ~ since* desde entonces; (*cj.*) después (de) que; F *~ so* (− *adj.*) muy; F *~ so* (*much*) (*adv.*) muchísimo; F *~ so many things* la mar de cosas; *as ~* como siempre; (*in letter*) tu amigo, un abrazo; *as soon as ~ I can* lo más pronto que pueda; *for ~* para siempre; *for ~ and ~* por siempre jamás; *hardly ~* casi nunca; *better than ~* mejor que nunca; F *the best ~* el mejor que se ha visto nunca; F *did you ~?* ¿se vió jamás tal cosa?; *did you ~ meet him?* ¿llegó V. a conocerle?; '**~'green** (planta *f*) de hoja perenne; **~'last·ing** □ sempiterno, perpetuo,

perdurable; *b.s.* aburrido; '**~'more** eternamente; *for ~* por siempre jamás.

ev·er·y ['evri] cada, todo; todos (los *etc.*);~ *now and then* de vez en cuando; *~ one* cada uno; *~ one of them* todos ellos;~ *other day* un día sí y otro no, cada dos días; *~ ten years* cada diez años; '**~'bod·y** todos, todo el mundo; '**~'day** diario; rutinario; acostumbrado, corriente; '**~'thing** todo; *he paid for ~* lo pagó todo; '**~'where** en (por, a) todas partes.

e·vict [i'vikt] desahuciar; **e'vic·tion** desahucio *m.*

ev·i·dence ['evidəns] **1.** ⚖ prueba *f*, declaración *f*, testimonio *m*, deposición *f*; (*sign*) prueba *f*, indicio *m*; evidencia *f*; *in ~* manifiesto, visible; *give ~* deponer, prestar declaración; dar testimonio; **2.** evidenciar; *be ~d by* estar probado por; '**ev·i·dent** [~] □ evidente, claro; manifiesto; *be ~ in* manifestarse en.

e·vil ['iːvl] **1.** □ *p.* malo, malvado, perverso; *th.* pernicioso; **2.** mal *m*, maldad *f.*

e·vince [i'vins] dar señales de, mostrar; indicar.

e·voke [i'vouk] evocar.

ev·o·lu·tion [iːvə'luːʃn] evolución *f.*

e·volve [i'vɔlv] *v/t.* evolucionar, desarrollar; *heat etc.* desprender; *v/i.* evolucionar, desarrollarse.

ewe [juː] oveja *f.*

ex [eks] **1.** *prp. dividend* sin participación en; *works* en; *~ officio* de oficio; **2.** antiguo; ... que fue, ex...;~ *minister* ex ministro *m.*

ex·act [ig'zækt] **1.** □ exacto; puntual; **2.** exigir (*from* a); *obedience etc.* imponer (*from* a); **ex'act·ing** exigente; **ex'act·ly** exactamente; (*time*) en punto; (*as answer*) exacto.

ex·ag·ger·ate [ig'zædʒəreit] exagerar; **ex·ag·ger·a·tion** exageración *f.*

ex·alt [ig'zɔːlt] exaltar; elevar; ensalzar.

ex·am [ig'zæm] F examen *m.*

ex·am·i·na·tion [igzæmi'neiʃn] examen *m*; ⚖ reconocimiento *m*; ⚖ interrogación *f*; investigación *f* (*into* de); registro *m* of *baggage*; **ex'am·ine** [~min] examinar; ⚖ interrogar; (*closely*) escudriñar; *baggage* registrar.

ex·am·ple [ig'zɑːmpl] ejemplo *m*; ejemplar *m*; Å problema *m*; *for ~* por

ejemplo; **make an ~ of** castigar de modo ejemplar; **set an ~** dar ejemplo.

ex·as·per·ate [ig'zɑːspəreit] exasperar, irritar, sacar de quicio; **ex·as·per'a·tion** exasperación f.

ex·ca·vate ['ekskəveit] excavar; **ex·ca'va·tion** excavación f.

ex·ceed [ik'siːd] exceder (de); *limit* rebasar; *speed limit* sobrepasar; *expectations* superar.

ex·cel [ik'sel] v/t. aventajar, superar; v/i. sobresalir (*in* en); **ex'cel·lence** ['eksələns] excelencia f; **'ex·cel·lent** □ excelente.

ex·cept [ik'sept] **1.** exceptuar, excluir; **2.** cj. † ~ (*that*) a menos que; **3.** prp. excepto, salvo, fuera de; ~ **for** excepto; dejando aparte, sin contar; **ex'cept·ing** prp. excepto, a excepción de; **ex'cep·tion** excepción f; **with the ~ of** a excepción de; **take ~** ofenderse (*to* por); **ex'cep·tion·al** □ excepcional.

ex·cerpt 1. [ek'səːpt] citar; sacar; **2.** ['eksəːpt] cita f, extracto m; *separata f from journal*.

ex·cess [ik'ses] exceso m (a. fig.); fig. desmán m, desafuero m; † ~ excedente m; attr. excedente, sobrante; **in ~ of** superior a; **ex'ces·sive** □ excesivo; sobrado.

ex·change [iks'tʃeindʒ] **1.** cambiar (*for* por); *prisoners, stamps* etc. canjear; *shots* cambiar; *courtesies* hacerse; **2.** cambio m; canje m; (*cultural* etc.) intercambio m; *teleph.* central f telefónica; † (*Stock* 2) Bolsa f; (*corn* etc.) lonja f; **in ~ for** a cambio de; *bill of ~* letra f de cambio; (*rate of ~*) ~ (tipo m de) cambio m.

ex·cite [ik'sait] emocionar; entusiasmar; (*stimulate*) excitar, estimular; (*rouse*) provocar; **get ~d** emocionarse; alborotarse; entusiasmarse (*about*, *over* por); **ex'cite·ment** emoción f; entusiasmo m; excitación f; **ex'cit·ing** □ emocionante, conmovedor; apasionante; excitante.

ex·claim [iks'kleim] v/t. decir con vehemencia; v/i. exclamar.

ex·cla·ma·tion [ekskləˈmeiʃn] exclamación f; ~ **mark** punto m de admiración.

ex·clude [iks'kluːd] excluir; exceptuar.

ex·clu·sion [iks'kluːʒn] exclusión f; **to the ~ of** con exclusión de; **ex'clu·sive** [~siv] □ exclusivo; privativo; *policy*

etc. exclusivista; (*sole*) único; *club* etc. selecto.

ex·com·mu·ni·cate [ekskə'mjuːnikeit] excomulgar.

ex·cre·ment ['ekskrimənt] excremento m.

ex·crete [eks'kriːt] excretar.

ex·cru·ci·at·ing [iks'kruːʃieitiŋ] □ agudísimo, atroz.

ex·cur·sion [iks'kəːʃn] excursión f.

ex·cus·a·ble [iks'kjuːzəbl] □ perdonable, disculpable; **ex'cuse 1.** [iks'kjuːz] disculpar, perdonar (*a p. a th.* algo a alguien); excusar; dispensar (*from* de); ~ **me!** ¡dispense Vd.!; **2.** [iks'kjuːs] excusa f; disculpa f; pretexto m.

ex·e·cute ['eksikjuːt] ejecutar (a. ♩); llevar a cabo, cumplir; ⚖ *man* ejecutar, ajusticiar; *document* otorgar; legalizar; **ex·e'cu·tion** ejecución f (a. ♩ a. ⚖); ⚖ otorgamiento m; legalización f; **ex·e'cu·tion·er** verdugo m; **ex·ec·u·tive** [ig'zekjutiv] **1.** □ ejecutivo; **2.** † gerente m, director m; pol. poder m ejecutivo; autoridad f suprema; ejecutivo m; **ex'ec·u·tor** [~tə] albacea m, ejecutor m testamentario.

ex·em·pli·fy [ig'zemplifai] ejemplificar; ⚖ hacer copia notarial de.

ex·empt [ig'zempt] **1.** exento (*from* de); **2.** exentar, eximir (*from* de); dispensar, exceptuar; **ex'emp·tion** exención f.

ex·er·cise ['eksəsaiz] **1.** *all senses:* ejercicio m; **2.** v/t. *power, profession* ejercer; *care* poner (*in* en); *right* valerse de; *mind*, *p.* preocupar; *dog* llevar de paseo; *horse* entrenar; v/i. ejercitarse; hacer ejercicios.

ex·ert [ig'zəːt] ejercer; ~ **o.s.** esforzarse; afanarse; trabajar etc. demasiado; **ex'er·tion** esfuerzo m; afán m; trabajo m etc. excesivo.

ex·hale [eks'heil] *air* espirar; exhalar.

ex·haust [ig'zɔːst] **1.** agotar (a. fig.); fig. apurar; debilitar; (*tire*) cansar; **be ~d** (*tired*) estar rendido; **2.** ⊕ (*tubo m de*) escape m; *gases m/pl.* de escape; *attr.* de escape; ~ **pipe** tubo m de escape; ~ **valve** válvula f de escape; **ex'haust·ing** □ duro, que agota; **ex'haus·tion** agotamiento m (a. fig.); fig. postración f; **ex'haus·tive** □ exhaustivo; comprensivo.

ex·hib·it [ig'zibit] **1.** *signs* etc. mostrar, manifestar, exhibir; *exhibit* exponer; *film* etc. presentar; **2.** objeto

m expuesto; pieza *f* de museo; 🏛 documento *m*; on ~ expuesto; **ex·hi·bi·tion** [eksi'biʃn] *paint. etc.* exposición *f*; exhibición *f*; demostración *f*; on ~ expuesto; **ex·hi'bi·tion·er** becario *m*; **ex·hi'bi·tion·ist** exhibicionista *m/f*; **ex·hib·i·tor** [ig'zibitə] expositor *m*.

ex·hil·a·rate [ig'ziləreit] alegrar, regocijar; excitar; levantar el ánimo de; **ex·hil·a·rat·ing** □ que regocija *etc.*; tónico, vigorizante; **ex·hil·a·'ra·tion** alegría *f*, regocijo *m*; excitación *f*.

ex·hort [ig'zɔ:t] exhortar (*to* a).

ex·i·gence, ex·i·gen·cy [*'eksidʒən-s(i)*] exigencia *f*, necesidad *f*, (urgente); caso *m* de urgencia.

ex·ile ['eksail] **1.** destierro *m*, exilio *m*; (*p.*) desterrado (a *f*) *m*, exilado (a *f*) *m*; **2.** desterrar, exil(i)ar.

ex·ist [ig'zist] existir; **ex'ist·ence** existencia *f*; vida *f*; *be in* ~ existir; *in* ~ = **ex'istent** existente; actual.

ex·it ['eksit] **1.** salida *f*; *thea.* mutis *m*; ~ *permit* permiso *m* de salida; **2.** *thea.* hacer mutis; ~ *Macbeth* váse Macbeth.

ex·o·dus ['eksədəs] éxodo *m*.

ex·on·er·ate [ig'zɔnəreit] exculpar, disculpar (*from blame* de); exonerar (*from duty* de).

ex·or·bi·tant [ig'zɔ:bitənt] □ exorbitante, excesivo.

ex·ot·ic [eg'zɔtik] **1.** □ exótico; **2.** ♀ planta *f* exótica.

ex·pand [iks'pænd] *v/t.* extender; ensanchar; dilatar; *market etc.* expansionar; ⅋ *equation* desarrollar; *v/i.* extenderse; dilatarse; (*p.*) hacerse más expansivo; **ex·panse** [~'pæns] extensión *f*; envergadura *f of wings*; **ex'pan·sion** expansión *f*; dilatación *f*; ensanche *m of town etc.*; ✝ desarrollo *m*.

ex·pa·tri·ate [eks'pætrieit] **1.** desterrar; ~ *o.s.* expatriarse; **2.** expatriado (a *f*) *m*.

ex·pect [iks'pekt] esperar (*of* de; *that* que *subj.*); contar con; prometerse; *baby* esperar; (*foresee*) prever; F suponer; F *be* ~*ing* estar encinta; **ex·'pect·ant** □ expectante; ~ *mother* mujer *f* encinta; **ex·pec'ta·tion** expectación *f*; expectativa *f*; ~*s pl.* esperanza *f* de heredar *in will*; *beyond* ~ mejor de lo que se esperaba; *in* ~ *of* esperando.

ex·pec·to·rate [eks'pektəreit] expectorar.

ex·pe·di·ence, ex·pe·di·en·cy [iks-'pi:diəns(i)] conveniencia *f*; oportunidad *f*; **ex'pe·di·ent 1.** □ conveniente; oportuno; ventajoso; **2.** expediente *m*, recurso *m*; **ex·pe·dite** ['ekspidait] *progress* facilitar; *business* despachar; (*speed up*) acelerar; **ex·pe·di·tion** [~'diʃn] expedición *f*; **ex·pe'di·tion·ar·y** expedicionario.

ex·pel [iks'pel] expeler, despedir; arrojar; *p.* expulsar.

ex·pend [iks'pend] expender, gastar (*on* en; *in doing* haciendo); *time* pasar; *resources* consumir, agotar; **ex'pend·a·ble** prescindible; **ex'pend·i·ture** [~itʃə] gasto(s) *m* (*pl.*); desembolso *m*; **ex·pense** [~'pens] gasto *m*; costa *f*; expensas *f pl.*; *at my* ~ corriendo yo con los gastos; *at the* ~ *of fig.* a expensas de; *at great* ~ gastándose muchísimo dinero; ~ *account* cuenta *f* de gastos; *go to* ~ meterse en gastos; **ex'pen·sive** □ caro, costoso; *shop etc.* carero.

ex·pe·ri·ence [iks'piəriəns] **1.** experiencia *f*; **2.** experimentar; *loss, fate* sufrir; *difficulty* tener; **ex'pe·ri·enced** experimentado; perito; versado (*in* en).

ex·per·i·ment 1. [iks'perimənt] experimento *m*; prueba *f*; **2.** [~mənt] hacer experimentos, experimentar (*on* en, *with* con); **ex·per·i·men·tal** [ekspəri'mentl] □ experimental.

ex·pert ['ekspə:t] **1.** □ experto, perito (*at, in* en); hábil; 🏛 *witness* pericial; **2.** experto *m*, perito *m* (*at, in* en); **ex·per·tise** [ekspə:'ti:z], **'ex·pert·ness** pericia *f*; habilidad *f*.

ex·pi·ate ['ekspieit] expiar.

ex·pi·ra·tion [ekspi'reiʃn] vencimiento *m*, expiración *f of term*; espiración *f of air*; **ex·pire** [iks'paiə] *v/i.* (*die*) expirar; (*term*) vencer, expirar, cumplirse; (*ticket*) caducar; *v/t. air* expeler, espirar.

ex·plain [iks'plein] explicar; *mystery* aclarar; *plan* exponer; *conduct* explicar, justificar; ~ *o.s.* explicarse; hablar más claro; justificar su conducta; ~ *away* justificar hábilmente, dar razones convincentes de; *difficulty* salvar hábilmente.

ex·pla·na·tion [eksplə'neiʃn] explicación *f*; aclaración *f*, *etc.*; **ex·plan·a·to·ry** [iks'plænətəri] explicativo.

ex·ple·tive [eks'pli:tiv] voz *f* expletiva, reniego *m*; (*oath*) palabrota *f*.

ex·pli·ca·ble ['eksplikəbl] explicable.

ex·plic·it [iks'plisit] □ explícito.

ex·plode [iks'ploud] *v/t.* volar, hacer saltar; *theory* refutar, desmentir; *v/i.* estallar, hacer explosión; reventar *with anger etc.*

ex·ploit 1. [iks'plɔit] explotar; **2.** ['eksplɔit] hazaña *f*, proeza *f*; **ex·ploi'ta·tion** explotación *f*.

ex·plo·ra·tion [eksplɔ:'rei∫n] exploración *f*; **ex'plor·a·to·ry** [~rətəri] preparatorio, de sondaje; **ex·plore** [iks'plɔ:] explorar; *fig.* examinar, sondar; **ex'plor·er** explorador *m*.

ex·plo·sion [iks'plouʒn] explosión *f* (*a. fig.*); **ex'plo·sive** [~siv] □ explosivo *adj. a. su. m* (*a. fig.*).

ex·po·nent [eks'pounənt] exponente *m/f*; partidario (a *f*) *m*; intérprete *m/f*; ⅍ exponente *m*.

ex·port 1. [eks'pɔ:t] exportar; **2.** ['ekspɔ:t] exportación *f* (*a. ~s pl.*); **ex'port·er** exportador *m*.

ex·pose [iks'pouz] exponer (*a. phot.*); *plot etc.* desenmascarar; **ex'posed** *adj. position* expuesto, desabrigado, al descubierto; *flank* desguarnecido; **ex·po·si·tion** [ekspə'zi∫n] exposición *f*.

ex·po·sure [iks'pouʒə] exposición *f* (*a. phot.*); desenmascaramiento *m* of *plot etc.*; ~ meter fotómetro *m*.

ex·pound [iks'paund] exponer, explicar; comentar.

ex·press [iks'pres] **1.** □ expreso, explícito, categórico; *letter* urgente; ~ *train* rápido *m*; **2.** rápido *m* (*a. ~ train*); **3.** *adv.* por carta (*etc.*) urgente; **4.** expresar; ~ *o.s.* expresarse; **ex'pres·sion** *all senses:* expresión *f*, **ex'pres·sive** □ expresivo.

ex·pro·pri·ate [eks'prouprieit] expropiar; **ex·pro·pri'a·tion** expropiación *f*.

ex·pul·sion [iks'pʌl∫n] expulsión *f*.

ex·qui·site ['ekskwizit] **1.** □ exquisito, primoroso; *pain* agudísimo; **2.** petimetre *m*.

ex·tant [eks'tænt] existente.

ex·tem·po·rar·y [iks'tempərəri], **ex·tem·po·re** [eks'tempəri] **1.** *adj.* improvisado; **2.** *adv.* de improviso, sin preparación.

ex·tend [iks'tend] extender(se) *building* etc. ensanchar, ampliar; *hand* tender; *term etc.* prolongar(se); *thanks, welcome* dar, ofrecer; *athlete* exigir el máximo esfuerzo a.

ex·ten·si·ble [iks'tensibl] extensible; **ex'ten·sion** extensión *f*; △ *etc.* en-

sanche *m*, ampliación *f*; prolongación *f* of *term etc.*; ⊹ prórroga *f*; *teleph.* línea *f* derivada; ∮ ~ cord cordón *m* de extensión; **ex'ten·sive** □ extenso; vasto, dilatado; *use etc.* abundante, general.

ex·tent [iks'tent] extensión *f*; alcance *m*; amplitud *f*; *to the* ~ *of* hasta el punto de; *to the full* ~ en toda su extensión; *to a certain* ~, *to some* ~ hasta cierto punto; *to a great* ~ en gran parte.

ex·ten·u·ate [eks'tenjueit] atenuar, disminuir, mitigar; *extenuating circumstances pl.* circunstancias *f/pl.* atenuantes.

ex·te·ri·or [eks'tiəriə] exterior *adj. a. su. m*.

ex·ter·mi·nate [eks'tə:mineit] exterminar; **ex·ter·mi'na·tion** exterminio *m*.

ex·ter·nal [eks'tə:nl] **1.** □ externo; exterior; ~ *trade* comercio *m* exterior; **2.** ~s *pl.* exterioridad *f*, aspecto *m* exterior.

ex·tinct [iks'tiŋkt] *volcano etc.* extinto, apagado; *animal* extinto, extinguido; **ex'tinc·tion** extinción *f*.

ex·tin·guish [iks'tiŋgwi∫] extinguir; apagar; *right etc.* suprimir.

ex·tir·pate ['ekstə:peit] extirpar.

ex·tol [iks'tɔl] ensalzar, celebrar.

ex·tort [iks'tɔ:t] obtener (*or* sacar) por fuerza; **ex'tor·tion** *all senses:* exacción *f*.

ex·tra ['ekstrə] **1.** *adj.* extra (...); de más, de sobra; *charge etc.* extraordinario, suplementario; *part* de repuesto; adicional; **2.** *adv.* especialmente, extraordinariamente; *with verbs:* más; de sobra; **3.** *su.* extra *m* on *bill*; exceso *m*; cosa *f* adicional; (*pieza f* de) repuesto *m*; *thea.* comparsa *m/f*; ~s *pl.* comparsería *f*.

ex·tract 1. ['ekstrækt] cita *f*, trozo *m*; *pharm.* extracto *m*; **2.** [iks'trækt] extraer (*a.* ⅍); sacar; **ex'trac·tion** extracción *f*.

ex·tra·or·di·nar·y [iks'trɔ:dnri] □ extraordinario.

ex·trav·a·gance [iks'trævigəns] prodigalidad *f*, despilfarro *m*, gasto *m* (*or* lujo *m*) excesivo; extravagancia *f*; **ex'trav·a·gant** □ *p.* pródigo, despilfarrado(r); *price* exorbitante; *praise* excesivo; *living* muy lujoso.

ex·treme [iks'tri:m] **1.** □ extremo; *case freq.* excepcional; ~*ly* extremadamente, sumamente; **2.** extremo *m*;

extremidad f; **ex·trem·ist** extremista m/f; **ex·trem·i·ty** [ʌ'tremiti] extremidad f; medida f extrema; rigor m; **ex·trem·i·ties** [ʌz] pl. extremidades f/pl. of body; medidas f/pl. extremas; be driven to ~ estar muy apurado.

ex·tri·cate ['ekstrikeit] librar, extraer, sacar (from de).

ex·tro·vert ['ekstrouvə:t] extrovertido m.

ex·u·ber·ance [ig'zju:bərəns] exuberancia f; euforia f.

ex·ult [ig'zʌlt] exultar; regocijarse (at, in por; to find al encontrar); triunfar (over sobre).

eye [ai] 1. mst ojo m; sew. corcheta f; ✿ yema f; ❀ black~ ojo m amoratado; in the ~s of a los ojos de; with an ~ to ger. con la intención de inf.; be all ~s ser todo ojos; catch the ~ llamar la atención; catch s.o.'s ~ atraer la atención de uno; cry one's ~s out llorar a mares; have an ~ for tener gusto por; saber apreciar acc.;

an ~ to vigilar; tener en cuenta; F have one's ~ on tener los ojos en; vigilar; (desire) echar el ojo a; keep an ~ on vigilar; echar una mirada a; make ~s at hacer guiños a; open s.o.'s ~s to hacer que uno se dé cuenta de; (not to) see ~ to ~ (with) (no) estar completamente de acuerdo (con); shut one's ~s to hacer la vista gorda a; 2. ojear; mirar (detenidamente etc.); **'~ball** globo m del ojo; **'~brow** ceja f; **'~cup** ojera f, lavaojos m; **'~ful** F buena ojeada f; **'~glass** anteojo m; lente m; monóculo m; **'~lash** pestaña f; **'eye·let** ojete m.

eye...: **'~lid** párpado m; **'~o·pen·er** revelación f, sorpresa f grande; acontecimiento m asombroso; **'~shade** visera f; **'~ shad·ow** crema f para los párpados; **'~shot** alcance m de la vista; **'~sight** (alcance m de la) vista f; **'~sore** monstruosidad f, cosa f que ofende la vista; **'~strain** vista f fatigada; **'~tooth** colmillo m; **'~wit·ness** testigo m presencial.

F

fa·ble ['feibl] fábula f.

fab·ric ['fæbrik] tejido m, tela f; 🔺 fábrica f; **fab·ri·cate** ['~keit] fabricar (a. fig.); fig. inventar, falsificar.

fab·u·lous ['fæbjuləs] ☐ fabuloso.

fa·çade [fə'sɑːd] fachada f; fig. apariencia f, barniz m.

face [feis] 1. cara f; semblante m, rostro m; superficie f; faz f of the earth; (grimace) mueca f; (effrontery) desfachatez f; (prestige) prestigio m, apariencias f/pl.; esfera f of watch; 🝔 cara f de trabajo; ~ downwards boca abajo; ~ to ~ cara a cara; in (the) ~ of ante; luchando contra; a pesar de; on the ~ of it a primera vista; lose ~ desprestigiarse; F make (or pull) ~s hacer carantoñas (at a), hacer muecas (at a); save (one's) ~ salvar las apariencias; say s.t. to one's ~ decir algo en (or en) la cara de uno; F show one's ~ dejarse ver; ~ value ✝ valor m nominal; fig. valor m aparente, significado m literal; 2. v/t. danger arrostrar, hacer cara a; p...; enemy encararse con; problem afrontar; facts reconocer, aceptar; (building) mirar hacia, estar enfrente de; ⊕ revestir; (a)fo-

rrar; ⊕ (a. ~ off) alisar; be ~d with presentársele a uno; v/i.: ~ about dar media vuelta; ~ on to dar a, dar sobre; ~ up to dar cara a; **'~ card** figura f, naipe m de figura; **'~lift** cirugía f estética; **'~ pow·der** polvos m/pl.

fa·cial ['feiʃl] 1. ☐ facial; 2. masaje m facial.

fac·ile ['fæsail] fácil, vivo; b.s. ligero, superficial; **fa·cil·i·tate** [fə'siliteit] facilitar; **fa·cil·i·ty** facilidad f.

fac·ing ['feisiŋ] ⊕ revestimiento m; sew.: ~s pl. vueltas f/pl.

fac·sim·i·le [fæk'simili] facsímil adj. a. su. m.

fact [fækt] hecho m; realidad f; ~s pl. ⵣ datos m/pl.; the ~ is that ello es que; **'~find·ing** ... de investigación, de indagación.

fac·tion ['fækʃn] facción f; disensión f.

fac·tor ['fæktə] factor m (🝔 a. fig.); fig. elemento m, hecho m; ✝ agente m; **'fac·to·ry** fábrica f, factoría f.

fac·tu·al ['fæktjuəl] ☐ objetivo; que consta de hechos (or datos).

fac·ul·ty ['fækəlti] all senses: facultad f.

fad [fæd] F manía *f*, capricho *m*.

fade [feid] destenir(se), descolorar (-se); (*flower*) marchitar(se); ~ *away*, ~ *out* desdibujarse; desvanecerse (*a. radio*); apagarse; ~ *in*, ~ *up* (hacer) aparecer gradualmente; *film*: ~ to fundir a.

fail [feil] **1.** *v/i.* fracasar; frustrarse; malograrse; no surtir efecto; (*supply*) acabarse; (*voice*) desfallecer; ser suspendido *in exam*; ✝ quebrar, hacer bancarrota; ~ *to* dejar de; no lograr; *v/t.* faltar a; *p.* faltar a sus obligaciones a; *pupil* suspender; *exam* salir mal en, no aprobar; (*strength etc.*) abandonar; **2.** *without* ~ sin falta; **'fail·ing 1.** falta *f*, defecto *m*, flaqueza *f*; **2.** *prp.* a falta de; **fail·ure** ['feiljə] fracaso *m*; malogro *m*; falta *f*, omisión *f*; (*p.*) fracasado (a *f*) *m*; ⚡ corte *m*; suspenso *m in exam*.

faint [feint] **1.** □ débil; *sound etc.* indistinto, casi imperceptible; *resemblance* ligero; *line etc.* tenue; *f feel* ~ tener vahídos; **2.** desmayarse, desfallecer (*with de*); **3.** desmayo *m*, desfallecimiento *m*.

fair¹ [fɛə] **1.** □ (*beautiful*) hermoso, bello; *hair* rubio; *skin* blanco; (*just*) justo, equitativo; *hearing* imparcial; *name* honrado; *prospects* favorable; *sky* sereno, despejado; *weather* bueno; *chance, warning* razonable; (*middling*) regular, mediano; *the* ~ (*sex*) el bello sexo; *it's not* ~! ¡no hay derecho!; ~ *copy* copia *f* en limpio; *by* ~ *means* por medios rectos; ~ *play* juego *m* limpio; ~ *sex* bello sexo *m*; **2.** *adv.* directamente; exactamente; justamente; *play* ~ jugar limpio; *speak a p.* ~ hablar a una p. cortésmente.

fair² [~] feria *f*; (*fun-*) parque *m* de atracciones; verbena *f*; **'~-ground** real *m*.

fair·ly ['fɛəli] *v. fair¹*; bastante; medianamente; completamente; **'fair·ness** justicia *f*, imparcialidad *f*; blancura *f of skin*; *in all* ~ para ser justo.

fair·y ['fɛəri] **1.** hada *f*; **2.** feérico, mágico; de hada(s); **'~·god·moth·er** hada *f* madrina; **'fair·y tale** cuento *m* de hadas; fantástico, de ensueño.

faith [feiθ] fe *f*; confianza *f* (*in* en); *in good* ~ de buena fe; *break* ~ faltar a la palabra (*with* dada a); *keep* ~ cumplir su palabra (*with* dada a); **faith·ful** ['~ful] □ fiel, leal; puntual; *the* ~ *pl.*

los fieles; *yours* ~*ly* atentamente le saluda; **'faith·ful·ness** fidelidad *f*, lealtad *f*; **'faith·less** □ infiel, desleal; falso.

fake [feik] F **1.** falsificación *f*, impostura *f*; filfa *f*; (*p.*) impostor *m*, farsante *m* (*a.* **'fak·er**); **2.** falso, fingido; **3.** contrahacer, falsificar, fingir.

fal·con ['fɔːlkən] halcón *m*; **'fal·con·ry** halconería *f*, cetrería *f*.

fall [fɔːl] **1.** caída *f*; ✝ baja *f*; otoño *m*; declive *m*, desnivel *m in ground*; (*water*) salto *m* de agua, cascada *f*, catarata *f* (*a.* ~*s pl.*); *the* ⚥ la Caída; *ride for a* ~ ir a acabar mal; **2.** [*irr.*] caer(se); disminuir; (*level, price*) bajar; ✗ caer, rendirse; (*wind*) amainar; sucumbir (*to* ante); *his face fell* se inmutó; ~ *asleep* dormirse; ~ *away* enflaquecer; apostatar; ~ *back* retroceder; ✗ replegarse (*on* sobre); ~ *back* (*up*)*on* recurrir a; ~ *behind* quedarse atrás; ~ *down* caerse; F fracasar; ~ *due* vencer; ~ *flat* caer de bruces, caer de boca; (*suggestion*) caer en el vacío; ~ *for p.* enamorarse de; *trick* dejarse engañar por; ~ *in* (*roof*) desplomarse; ✗ alinearse; ~ *in love* enamorarse (*with* de); ~ *in with p.* encontrarse con; *idea* convenir en; ~ *into error etc.* incurrir en; *category* estar incluido en; *conversation* entablar; *habit* adquirir; *three parts etc.* dividirse en; ~ *off* desprenderse; caerse; (*quantity*) disminuir; (*quality*) empeorar; ~ *on* ✗ *etc.* caer sobre, echarse sobre; ~ *out* reñir (*with* con), pelearse (*with* con), indisponerse (*with* con); resultar (*that* que); ✗ romper filas; *v. short*; ~ *through* fracasar, quedar en nada; ~ *to* empezar a comer; (*duty*) competer a, corresponder a; ~ *to ger.* empezar a *inf.*

fal·la·cious [fə'leiʃəs] □ erróneo, delusorio, ilusorio; *b.s.* sofístico.

fal·la·cy ['fæləsi] error *m*; sofisma *m*.

fall·en ['fɔːlən] *p.p. of fall* 2.

fall guy ['fɔːl'gai] *sl.* pato *m*, cabeza *f* de turco.

fal·li·bil·i·ty [fæli'biliti] falibilidad *f*; **fal·li·ble** ['fæləbl] □ falible.

false [fɔːls] □ falso; *p.* desleal, pérfido; *teeth etc.* postizo; *be* ~ *to play* ~ traicionar; ~ *bottom* doble fondo *m*; **false·hood** ['~hud] mentira *f*; falsedad *f*.

fal·set·to [fɔːl'setou] falsete *m*.

fal·ter ['fɔːltə] *v/i.* vacilar, titubear;

(voice) desfallecer, empañarse; v/t. decir titubeando.

fame [feim] fama f; **famed** famoso (for por), afamado.

fa·mil·iar [fəˈmiljə] 1. ☐ familiar (to a)(a.b.s.); conocido; íntimo; 2. familiar m (a. eccl.; a. ~ spirit); **fa·mil·i·ar·i·ty** [⹁liˈæriti] familiaridad f (a. b.s.); conocimiento m; intimidad f.

fam·i·ly [ˈfæmili] 1. familia f; 2. familiar; casero; business de familia; butcher etc. doméstico; in the ~ way en estado de buena esperanza, encinta; ~ tree árbol m genealógico.

fam·ine [ˈfæmin] hambre f; carestía f of goods.

fa·mous [ˈfeiməs] ☐ famoso, célebre (for por); F ~ly a las mil maravillas.

fan¹ [fæn] 1. abanico m; ventilador m; ✈ aventador m; (machine) aventadora f; 2. abanicar; ventilar; ✈ aventar; fire avivar, soplar; fig. excitar, atizar.

fan² [~] F aficionado (a f) m, entusiasta m/f; admirador (-a f) m.

fa·nat·ic, fa·nat·i·cal [fəˈnætik(l)] ☐ fanático adj. a. su. m (a f).

fan·cy [ˈfænsi] 1. fantasía f; imaginación f; capricho m, antojo m; afición f, gusto m; quimera f, suposición f arbitraria; take a ~ to aficionarse a; p. prendarse de; 2. de fantasía; de lujo, de adorno; ideas etc. extravagante; price exorbitante; ~ dress disfraz m; ~ dress ball baile m de trajes; 3. imaginar(se), figurarse; antojarse; aficionarse a, encapricharse por.

fan·fare [ˈfænfɛə] approx. toque m de trompeta, fanfarria f.

fang [fæŋ] colmillo m; ⊕ diente m.

fan·tas·tic [fænˈtæstik] ☐ fantástico.

fan·ta·sy [ˈ⹁təsi] fantasía f.

far [fɑː] 1. adj. lejano, distante; más lejano; 2. adv. lejos, a lo lejos (a. ~ away, off); how ~ is it (to)? ¿cuánto hay de aquí (a)?; ~ and near, ~ and wide por todas partes; ~ better mucho mejor; ~ the best con mucho el mejor; ~ from ger. lejos de inf.; ~ from it! ¡nada de eso!; as ~ as hasta; as ~ as I know que yo sepa; in so ~ as en tanto que; so ~ hasta aquí; (time) hasta ahora.

farce [fɑːs] farsa f; fig. tontería f, absurdo m.

fare [fɛə] 1. precio m (del billete); billete m; ♣ pasaje m; (p.) pasajero (a f) m; (food) comida f; 2. pasarlo, irle

a uno (bien etc.); suceder; ~well 1. ¡adiós!; 2. adiós m, despedida f; bid ~ despedirse (to de); 3. ... de despedida.

far... [fɑː]: ~-fetched inverosímil, poco probable; forzado, traído por los cabellos; ~-flung extenso.

farm [fɑːm] 1. granja f; cortijo m; estancia f S.Am.; (oyster- etc.) criadero m; = ~house; 2. v/t. cultivar, labrar; ~ out arrendar, dar en arriendo; v/i. cultivar la tierra; ser agricultor; **farm·er** granjero m, agricultor m; labrador m; estanciero m S.Am.; **farm hand** labriego m; peón m S.Am.; **farm·house** alquería f, cortijo m; **farm·ing** 1. agricultura f; labranza f, cultivo m; 2. agrícola; land labrantío, de labor.

far-off [ˈfɑːrˈɔf] lejano, remoto.

far-reach·ing [ˈfɑːriːtʃiŋ] trascendental; de mucho alcance.

far·ther [ˈfɑːðə], **far·thest** [ˈ⹁ðist] comp. a. sup. of far.

fas·ci·nate [ˈfæsineit] fascinar, encantar; **fas·ci·nat·ing** ☐ fascinador, encantador; **fas·ci·na·tion** fascinación f, encanto m.

fash·ion [ˈfæʃn] 1. moda f; estilo m; uso m, manera f; buen tono m; in ~ de moda; out of ~ pasado de moda; 2. formar; labrar; forjar; adaptar; modelar; **fash·ion·a·ble** ☐ de moda; de buen tono, elegante; **fash·ion pa·rade**, ~ **show** desfile m de modelos; **fash·ion plate** figurín m de moda.

fast¹ [fɑːst] 1. adj. rápido, veloz; ligero; (firm) fijo, firme; color sólido, inalterable; friend leal; living disoluto; F woman muy coqueta; fresca; make ~ sujetar, amarrar; F pull a ~ one jugar una mala pasada (on a); 2. adv. rápidamente; de prisa; ~ asleep profundamente dormido; be ~ (clock) adelantar; hold ~ mantenerse firme.

fast² [~] 1. ayuno m; 2. ayunar; ~day día m de ayuno.

fas·ten [ˈfɑːsn] v/t. asegurar, fijar; atar; sujetar, pegar.

fas·tid·i·ous [fæsˈtidiəs] ☐ quisquilloso, delicado; exigente.

fat [fæt] 1. gordo, grueso; land fértil; living, profits pingüe; meat poco magro; 2. grasa f.

fa·tal [ˈfeitl] ☐ fatal, funesto (to para); **fa·tal·ism** [ˈ⹁əlizm] fatalismo m; **fa·tal·i·ty** [fəˈtæliti] fatalidad f; (p.) muerto m, muerte f.

fate [feit] hado *m*; suerte *f*, destino *m*; the ∿s *pl.* las Parcas.

fat·head ['fæthed] F tronco *m*, estúpido *m*.

fa·ther ['fɑːðə] 1. padre *m*; 2. engendrar; prohijar; servir de padre a; '**fa·ther-in-law** suegro *m*; '**fa·ther·land** patria *f*; '**Fa·ther 'Time** el Tiempo *m*.

fath·om ['fæðəm] 1. braza *f*; 2. ⊕ sond(e)ar (*a. fig.*); *fig.* penetrar; profundizar; entender.

fa·tigue [fə'tiːg] 1. fatiga *f* (*a.* ⊕), cansancio *m*; ✕ faena *f*; 2. fatigar, cansar.

fat·ness ['fætnis] gordura *f*; fertilidad *f*; '**fat·ten** engordar (*a. v/i.*).

fau·cet ['fɔːsit] grifo *m*.

fault [fɔːlt] 1. falta *f* (*a. sport*); culpa *f*; imperfección *f* in manufacture etc.; ⊕, ⚡ avería *f*, desperfecto *m*, defecto *m*; *geol.* falla *f*; at ∿ culpable; to a ∿ excesivamente, sumamente; *find* ∿ criticar, censurar (*with acc.*); 2. tachar, encontrar defectos en; '∿-**find·er** criticón (-a *f*) *m*; '**fault·less** □ impecable, intachable; '**fault·y** □ defectuoso, imperfecto.

fa·vor ['feivə] 1. favor *m*; (*approval*) aprobación *f*; (*support*) amparo *m*; privanza *f* at court; (*token*) prenda *f*; ✝ grata *f*, atenta *f*; do a ∿ hacer un favor; 2. favorecer; apoyar; **fa·vor·a·ble** ['∿vərəbl] □ favorable; **fa·vor·ite** ['∿vərit] 1. favorito, predilecto; 2. favorito (*a f*) *m* (*a. sport*); '**fa·vor·it·ism** favoritismo *m*.

fawn[1] [fɔːn] *zo.* cervato *m*; color *m* de cervato.

fawn[2] [∿] adular, lisonjear (*on acc.*); (*animal*) acariciar (*on acc.*).

faze [feiz] F inquietar, molestar.

fear [fiə] 1. miedo *m* (*of* a, de), temor *m*; aprensión *f*; *for* ∿ temiendo, por miedo de; 2. *v/t.* temer; *v/i.* tener miedo (*to inf.* de *inf.*); '**fear·ful** ['∿ful] □ *p.* temeroso (*of* de), tímido, aprensivo; *th.* pavoroso, horrendo; '**fear·less** □ intrépido, audaz.

fea·si·ble ['fiːzəbl] factible, posible; *make* ∿ posibilitar.

feast [fiːst] 1. banquete *m*, festín *m*; (*day*) fiesta *f*; 2. *v/t.* festejar; agasajar; banquetear; *v/i.* banquetear; ∿ *on* regalarse con.

feat [fiːt] hazaña *f*, proeza *f*.

feath·er ['feðə] 1. pluma *f*; ⊕ lengüeta *f*; ⊕ cuña *f*; *in fine etc.* ∿ de buen humor; 2. emplumar; ∿ *one's nest*

ponerse las botas, hacer su agosto; '∿-**bed** plumón *m*; '∿-**brained** cascabelero; '**feath·ered** plumado; alado.

fea·ture ['fiːtʃə] 1. rasgo *m*; característica *f*; facción *f* of face; (*film*) atracción *f* principal; artículo *m* in paper; ∿s *pl.* facciones *f/pl.*; 2. delinear; representar; *film* ofrecer; destacar; *actor* presentar.

Feb·ru·ar·y ['februəri] febrero *m*.

fed [fed] *pret. a. p.p.* of feed 2; *be* ∿ *up* estar harto (*with* de).

fed·er·al ['fedərəl] □ federal.

fee [fiː] derechos *m/pl.*; honorarios *m/pl.*; (*entrance*) cuota *f*; (*tip*) gratificación *f*.

fee·ble ['fiːbl] □ débil; flojo; irresoluto; '∿-**'mind·ed** imbécil.

feed [fiːd] 1. comida *f*, ✓ pienso *m*, pasto *m*; F cuchipanda *f*, comilona *f*; ⊕ (tubo *m*, dispositivo *m* de) alimentación *f*; 2. (*irr.*) *v/t.* dar de comer a; nutrir; alimentar (*a.* ⊕); *fire* cebar; *v/i.* comer; alimentarse (*on* de); ✓ pacer; '∿-**back** radio: realimentación *f*.

feel [fiːl] 1. (*irr.*) *v/t.* sentir; experimentar, percibir; (*touch*) palpar, tocar; *pulse* tomar; reconocer; ∿ *that* creer que, parecerle a uno que; *v/i.* sentirse; ∿ *bad*, ∿ *ill* sentirse mal; ∿ *cold* (*p.*) tener frío; (*th.*) estar frío; ∿ *for* condolerse de; ∿ *like doing* tener ganas de hacer; ∿ *rough etc.* ser áspero etc. al tacto; ∿ *up to* creerse capaz de; 2. tacto *m*; sensación *f*; '**feel·er** *zo.* antena *f*; *zo.* tentáculo *m*; *pol. etc.* sondeo *m*; tentativa *f*; '**feel·ing** 1. □ sensible; compasivo; ∿*ly* con honda emoción; 2. tacto *m*; sensación *f*; sentimiento *m*; sensibilidad *f*; (*opinion*) parecer *m*; (*foreboding*) presentimiento *m*; *with* ∿ con emoción; (*angrily*) con pasión; *hurt one's* ∿*s* herir los sentimientos de uno.

feet [fiːt] *pl.* of foot pies *m/pl.*

feign [fein] fingir.

feint [feint] 1. artificio *m*, engaño *m*; (*fencing*) finta *f*; 2. hacer una finta.

fe·line ['fiːlain] felino.

fell[1] [fel] *pret.* of fall 2; 2. *tree* talar; derribar; *cattle* acogotar.

fel·low ['felou] compañero *m*; prójimo *m*; (*equal*) igual *m/f*; (*other half*) pareja *f*; *univ. approx.* miembro *m* de la junta de gobierno de un colegio; *univ.* becario *m*; socio *m*, miembro *m* of society; F tipo *m*, sujeto *m*, individuo *m*; *nice,* buen chico *m*; poor ∿ (*?*)

pobrecito *m*; young ~ chico *m*; '~ **be·ing** prójimo *m*; ~ **'cit·i·zen** conciudadano *m*; '~ **'coun·try·man** compatriota *m*; '~ **'crea·ture** prójimo *m*; '~ **'feel·ing** simpatía *f*, afinidad *f*; '~ **'mem·ber** consocio *m*; **~ship** ['~ʃip] compañerismo *m*; compañía *f*; hermandad *f*; *univ.* (*office*) dignidad *f* del *fellow*; *univ.* (*grant*) beca *f*; '~ **'trav·el·er** compañero *m* de viaje (*a. fig.*); *pol.* filocomunista *m/f*.

fel·on ['felən] criminal *m*, delincuente *m/f* de mayor cuantía; **fel·o·ny** ['feləni] crimen *m*, delito *m* de mayor cuantía.

felt¹ [felt] *pret. a. p.p. of feel* 1.

felt² [~] **1.** fieltro *m* (*a.* ~ *hat*); **2.** cubrir con fieltro.

fe·male ['fiːmeil] hembra *adj. a. su. f* (*a.* ⊕); femenino.

fem·i·nine ['feminin] femenino; *contp.* afeminado; **fem·i·'nin·i·ty** feminidad *f*; **'fem·i·nism** feminismo *m*; **'fem·i·nist** feminista *m/f*.

fence [fens] **1.** cerca *f*, valla *f*; cercado *m*; *sl.* receptor *m* de cosas robadas; *sit on the* ~ ver los toros desde la barrera; (*estar*) ~ ver venir; **2.** *v/t.* cercar; proteger, defender (*from* de); ~ *in* encerrar con cerca; ~ *off* separar con cerca; *v/i. fig.* defenderse con evasivas; *sport:* esgrimir; **fenc·ing** ['fensiŋ] esgrima *f*; *attr.* de esgrima; ~ *post* poste *m* de cerca.

fend [fend]: ~ *for o.s.* defenderse (a sí mismo), apañarse por su cuenta; ~ *off* parar; desviar; **'fend·er** guardafuego *m*; *mot.* parachoques *m*; guardafango *m*; 🚢 trompa *f*; ⚓ defensa *f*.

fer·ment 1. ['fɔːmənt] fermento *m*, fermentación *f*; *fig.* agitación *f*; **2.** [fəˈment] (*hacer*) fermentar; **fermen·ta·tion** [fɔːmenˈteiʃn] fermentación *f*.

fern [fɔːn] helecho *m*.

fe·ro·cious [fəˈrouʃəs] □ feroz; **fe·roc·i·ty** [fəˈrɔsiti] ferocidad *f*.

fer·ret ['ferit] **1.** hurón *m* (*a. fig.*); **2.** cazar con hurones; ~ *about* buscar revolviéndolo todo; ~ *out* husmear; *secret* lograr saber.

Fer·ris wheel ['feriswiːl] rueda *f* de feria, noria *f*.

fer·ry ['feri] **1.** pasaje *m*; balsadero *m*; (*boat*) balsa *f*, barca *f* (*de pasaje*); **2.** pasar ... a través del río *etc.*; '~**boat** balsa *f*, barca *f*.

fer·tile ['fɔːtail] fértil (*of*, *in* en); *a.*

fig.), fecundo; **fer·til·i·ty** [fɔːˈtiliti] fertilidad *f*, fecundidad *f*; **'fer·ti·lize** fertilizar, fecundar; ✗ abonar; **'fer·ti·liz·er** fertilizante *m*, abono *m*.

fer·vent ['fɔːvənt] □, **fer·vid** ['fɔːvid] □ fervoroso, ardiente.

fer·vor ['fɔːvə] fervor *m*, ardor *m*.

fes·ter ['festə] ulcerarse, enconarse (*a. fig.*).

fes·ti·val ['festəvl] **1.** fiesta *f*; ♪ festival *m*; **2.** festivo; **fes·tive** ['~iv] □ festivo; regocijado; **fes·tiv·i·ty** fiesta *f*; regocijo *m*.

fetch [fetʃ] *v/t.* traer; ir por, ir a buscar; hacer venir.

fet·id ['fetid] □ fétido.

fet·ish ['fetiʃ] fetiche *m*.

fet·ter ['fetə] **1.** grillete *m*; ~*s pl.* grillos *m/pl.* (*a. fig.*); **2.** encadenar; trabar (*a. fig.*); *fig.* estorbar.

feud [fjuːd] enemistad *f* heredada (*entre dos familias etc.*); vendetta *f*; odio *m* de sangre; **feu·dal** ['~dl] □ feudal; **feu·dal·ism** ['~dəlizm] feudalismo *m*.

fe·ver ['fiːvə] fiebre *f*; calentura *f*; **'fe·ver·ish** □ febril (*a. fig.*) calenturiento.

few [fjuː] pocos; (*alg*)unos; *a* ~ unos cuantos; *not a* ~ no pocos; ~ *and far between* muy raros; *the* ~ la minoría.

fi·an·cé(e *f*) [fiˈɑ̃nsei] *approx.* novio (*a* *f*) *m*, prometido (*a* *f*) *m*.

fi·as·co [fiˈæskou] fiasco *m*.

fi·at ['faiæt] fíat *m*, autorización *f*.

fib [fib] **F 1.** mentirilla *f*, bola *f*; **2.** decir mentirillas; **'fib·ber** F mentirosillo (*a* *f*) *m*.

fi·bre ['faibə] fibra *f*; *fig.* carácter *m*; **'fi·brous** □ fibroso.

fick·le ['fikl] inconstante, mudable, veleidoso.

fic·tion ['fikʃn] ficción *f*; novelas *f/pl.*, género *m* novelístico; **'fic·tion·al** □ novelesco.

fic·ti·tious [fikˈtiʃəs] □ ficticio.

fid·dle ['fidl] **1.** ♪ violín *m*; F trampa *f*; *be fit as a* ~ andar como un reloj; *play second* ~ desempeñar un papel secundario; **2.** ♪ tocar el violín; *sl.* agenciarse; ~ *away* desperdiciar; ~ *with* jugar con, manosear.

fi·del·i·ty [fiˈdeliti] fidelidad *f*.

fidg·et ['fidʒit] **F 1.** (*p.*) persona *f* inquieta; ~*s pl.* agitación *f* nerviosa; **2.** agitarse nerviosamente; ~ *with* manosear, jugar con.

fief [fiːf] feudo *m*.

field [fiːld] **1.** campo *m* (*a.* ✗, ⚡

sport); prado *m*, pradera *f*; esfera *f* of *activities*; competidores *m*/*pl.* in *race*; *take the* ~ salir a la palestra; **2.** *ball* parar, recoger; *team* presentar; '**~ day** día *m* de maniobras; *fig.* día *m* de gran éxito.

field...: '~ **glass·es** *pl.* gemelos *m*/*pl.* (de campo); '~ '**mar·shal** *approx.* mariscal *m* de campo; capitán *m* general del ejército; '~ **work** trabajo *m* en el propio campo.

fiend [fiːnd] demonio *m*, diablo *m*; desalmado *m*; fanático *m* (*for* de); '**fiend·ish** □ diabólico.

fierce [fiəs] □ feroz, fiero; furioso; *heat* intenso; *supporter etc.* acérrimo.

fi·er·y ['faiəri] □ ardiente; caliente; *fig.* vehemente; *horse* fogoso; *speech* apasionado.

fife [faif] pífano *m*.

fif·teen ['fif'tiːn] quince (*a. su. m*); '**fif'teenth** [~θ] decimoquinto; **fifth** [fifθ] **1.** □ quinto; **2.** quinto *m*; quinta parte *f*; ♪ quinta *f*; '**fifth 'col·umn** quinta columna *f*; '**fifth 'col·um·nist** quintacolumnista *m*/*f*; **fif·ti·eth** ['~tiiθ] quincuagésimo; '**fif·ty** cincuenta; '**fif·ty·'fif·ty:** *go* ~ ir a medias, pagar a escote.

fig [fig] (*green*) higo *m*; (*early*) breva *f*; ~*leaf fig.* hoja *f* de parra.

fight [fait] **1.** pelea *f*, combate *m*; lucha *f* (*for* por); combatividad *f*, brío *m*; riña *f*; *put up a good* ~ dar buena cuenta de sí; *show* ~ enseñar los dientes; **2.** [*irr.*] *v*/*t.* combatir; batirse con; luchar con(tra); *battle* dar; *bull* lidiar; ~ *it out* decidirlo luchando; ~ *off* rechazar; *v*/*i.* batirse, pelear; luchar (*against* con, contra; *for* por); ~ *back* resistir; ~*ing chance* posibilidad *f* de éxito; ~*ing fit* en excelente salud; '**fight·er** combatiente *m*/*f*; luchador (-a *f*) *m*; ✗ caza *m*; '**fight·ing** combate *m*; lucha *f*; pendencia *f*; *attr.* guerrero; *cock* ~ de pelea.

fig·ment ['figmənt] ficción *f*, invención *f*.

fig·ur·a·tive ['figərətiv] □ *sense* figurado; figurativo.

fig·ure ['figə] **1.** figura *f*; tipo *m* of *body*; (*sketch etc.*) dibujo *m*, figura *f*; ᴀ figura *f*; (*number*) cifra *f*; número *m*; ✝ precio *m*; (~ *of speech*) figura *f*, tropo *m*; *fig.* exageración *f*; **2.** *v*/*t.* figurar; representar; imaginar; calcular (*a.* ~ *up*); ~ *out* calcular; resolver; descifrar; *v*/*i.* figurar (*as* como,

among entre); figurarse; '~·**head** ⚓ mascarón *m* (de proa); *fig.* figurante (a *f*) *m*; '~ **skat·ing** patinaje *m* de figura.

fig·u·rine ['figjuriːn] figurina *f*.

fil·a·ment ['filəmənt] *all senses*: filamento *m*.

fil·bert ['filbəːt] avellana *f*.

filch [filt͡ʃ] sisar, ratear.

file[1] [fail] **1.** carpeta *f*; fichero *m*; archivo *m*; legajo *m*; (*row*) fila *f*, hilera *f*, *the* ~*s pl.* los archivos; **2.** *v*/*t.* archivar (*a.* ~ *away*); clasificar; registrar; *v*/*i.* ~ *by*, ~ *past* desfilar; ~ *out* salir en fila; ~ *case* fichero *m*; ~ *clerk* fichador *m*; *filing cabinet* archivador *m*; *filing clerk* archivero *m*.

file[2] [~] ⊕ **1.** lima *f*; **2.** limar.

fill [fil] **1.** llenar(se) (*with* de); rellenar(se); *post* ocupar; *vacancy* cubrir; *sails* hinchar(se); *space* llenar (*or* ocupar) completamente; *tooth* empastar; *tyre* inflar; *details* añadir; *outline etc.* completar; ~ *out form* llenar; (*p.*) engordar; *fig.* completar; ~ *up* llenar; colmar; **2.** hartazgo *m*; *eat one's* ~ hartarse.

fill·ing ['filiŋ] relleno *m*; ⊕ empaquetadura *f*; empaste *m* of *tooth*; *mot.* ~ *station* estación *f* de servicio.

film [film] **1.** película *f*; capa *f* of *dust*; *fig.* velo *m*; *phot. a. thea.* película *f*, film *m*; **2.** filmar; hacer una película de; rodar; '~ **star** estrella *f* (*or* astro *m*) de cine.

fil·ter ['filtə] **1.** filtro *m*; **2.** filtrar(se); ~ *in*, ~ *through* infiltrarse; *fig.* introducirse; '~ **pa·per** papel *m* de filtro; '~ **tip** embocadura *f* de filtro.

filth [filθ] inmundicia *f*; suciedad *f*, mugre *f*; '**filth·y** □ inmundo (*a. fig.*); sucio, mugriento.

fin [fin] *all senses*: aleta *f*.

fi·nal ['fainl] **1.** □ final, último; decisivo, definitivo; terminante; ~*ly* finalmente, por último; **2.** *sport*: final *f*; *univ.* ~*s pl.* examen *m* final; **fi·nale** [fi'nɑːli] ♪ final *m*; **fi·nal·ist** ['fainəlist] finalista *m*/*f*.

fi·nance [fi'næns] **1.** finanzas *f*/*pl.*; fondos *m*/*pl.*; asuntos *m*/*pl.* financieros; **2.** financiar; **fi·nan·cial** [~ʃl] □ financiero; bancario; monetario; **fi·nan·cier** [~siə] financiero *m*.

find [faind] **1.** [*irr.*] encontrar, hallar; dar con; descubrir; ⚖ declarar, fallar; (*supply*) proveer; lograr obtener, lograr reunir; ~ *o.s. fig.* descubrir su verdadera vocación; *all found*

todo incluido; ~ **out** averiguar; (llegar a) saber; F conocer el juego de, calar; ~ **out about** informarse sobre; **2.** hallazgo m.

fine[1] [fain] **1.** ☐ fino; bello, hermoso; escogido, primoroso; refinado; p. admirable; magnífico; *iro.* bueno, lindo; *be* ~ (*weather*) hacer buen tiempo; *that's* ~! ¡estupendo!; *have a* ~ *time* divertirse mucho; ~ *arts pl.* bellas artes f/pl.; ~ *print* letra f menuda, tipo m menudo; **2.** *adv.* F muy bien; *feel* ~ estar de primera; **3.** *meteor.* buen tiempo m.

fine[2] [~] ⚖ **1.** multa f; *in* ~ en resumen; **2.** multar.

fine-drawn ['fain'drɔ:n] fino, sutil.

fine-ness ['fainnis] fineza f etc. (v. fine[1]); ley f of metals.

fi-nesse [fi'nes] discriminación f sutil; artificio m, sutileza f; tino m; *cards:* impase m.

fine-toothed comb ['faintu:θd-'koum] lendrera f, peine m de púas finas; *go over with a* ~ escudriñar minuciosamente.

fin-ger ['fiŋgə] **1.** dedo m; *little* ~ dedo m meñique; *middle* ~ dedo m del corazón; *ring* ~ dedo m anular; *have a* ~ *in the pie* meter su cucharada; *put one's* ~ *on* señalar acertadamente; *slip through one's* ~*s* escaparse de entre los dedos de uno; *twist s.o. round one's little* ~ hacer con uno lo que le da la gana; **2.** manosear; ♪ pulsar; ♪ teclear (v/i.); ~ **board** teclado m; ~ **bowl** lavadedos m, lavafrutas m; 'fin-gered con ... dedos; 'fin-ger-ing ♪ digitación f.

fin-ger...: '~**nail** uña f; '~**nail 'pol-ish** esmalte m para las uñas; '~**print 1.** huella f dactilar; **2.** tomar las huellas dactilares a; '~**tip** punta f del dedo; *have at one's* ~*s* saber al dedillo.

fin-ish ['finiʃ] **1.** v/t. acabar (a. ⊕, a. ~ *up*); terminar; concluir; consumar; ~ *off* completar; rematar; acabar con; F p. despachar; ~*ing touch* última mano f, aderezo m definitivo; v/i. acabar (*by* por); *ger.* de *inf.*); **2.** fin m, final m; conclusión f; remate m; *sport:* poste m de llegada; ⊕ acabado m.

fi-nite ['fainait] ☐ finito (a. *gr.*).

fir [fə:] abeto m; *Scotch* ~ pino m; '~**cone** piña f (de abeto).

fire [faiə] **1.** fuego m; (*damaging*) incendio m; (*warming*) fuego m, lumbre f; *fig.* ardor m; viveza f; *be on* ~ estar ardiendo; *catch* ~ encenderse;

open ~ abrir fuego; *play with* ~ *fig.* jugar con fuego; *set on* ~, *set* ~ *to* pegar fuego a; **2.** v/t. encender, incendiar, quemar; *pottery etc.* cocer; *gun, shot* disparar; F p. despedir; *fig.* excitar, enardecer; ~ *off* descargar; v/i. encenderse; ⚔ hacer fuego; *mot.* dar explosiones; ~ *at, ~* (*up*)*on* hacer fuego sobre, tirar a; ~ *away!* ¡adelante!; **3.** ¡fuego!; ~ **alarm** alarma f de incendios; '~**arm** arma f de fuego; '~**brand** *fig.* partidario m violento; '~**com-pa-ny** cuerpo m de bomberos; compañía f de seguros; '~**crack-er** triquitraque m; '~**damp** ⚒ grisú m; '~ **de-part-ment** servicio m de bomberos; '~**dog** morillo m; '~ **drill** ejercicio m para caso de incendio; '~ **en-gine** bomba f de incendios; '~ **es-cape** escalera f de incendios; '~ **ex-tin-guish-er** extintor m; '~**fly** luciérnaga f; '~**house** cuartel m de bomberos, estación f de incendios; '~**hy-drant** boca f de incendio; '~ **in-sur-ance** seguro m de incendios; ~ **i-rons** *pl.* útiles m/pl. de chimenea; '~**less 'cook-er** cocinilla f sin fuego; '~**man** bombero m; 🚂 fogonero m; '~**place** chimenea f; hogar m; '~**plug** boca f de agua; '~**proof** incombustible, a prueba de fuego; '~ **sale** venta f de mercancías averiadas en un incendio; '~**screen** pantalla f de chimenea; '~**ship** brulote m; '~**side 1.** hogar m; **2.** familiar, hogareño, doméstico; '~ **sta-tion** parque m de bomberos; '~**trap** edificio m sin medios adecuados de escape en caso de incendio; '~ **wall** cortafuego m; '~**war-den** vigía m de incendios; '~**wa-ter** aguardiente m; '~**wood** leña f; '~**works** fuegos m/pl. artificiales; *fig.* explosión f de cólera *etc.*

fir-ing ['faiəriŋ] (*fuel*) combustible m; (*act*) incendio m; cocción f of pottery *etc.*; *mot.* encendido m; ⚔ disparo m, tiroteo m; ~ *squad* pelotón m de ejecución.

firm [fə:m] **1.** ☐ firme; **2.** firma f, casa f de comercio, empresa f.

fir-ma-ment ['fə:məmənt] firmamento m.

firm-ness ['fə:mnis] firmeza f.

first [fə:st] **1.** *adj.* primero; original, primitivo; **2.** *adv.* primero; en primer lugar; ~ *of all*, ~ *and foremost* ante todo; *at* ~ al principio; **3.** primero (a f) m; ✝ ~*s pl.* artículos m/pl. de primera calidad; '~ **'aid** primera cu-

ración *f*, primeros auxilios *m/pl.*; ∼ **kit** botiquín *m*; ∼ **post or station** puesto *m* de socorro; '∼**born** primogénito (a *f*) *m*; '∼**class** de primera (clase); '∼ e**di·tion** edición *f* príncipe; '∼ **fruits** *pl.* primicias *f/pl.*; '∼**hand** de primera mano; **first·ly** en primer lugar; **first mate** piloto *m*; **first name** nombre *m* de pila; **first night** estreno *m*; '**first-rate** excelente, de primera.

fis·cal ['fiskl] fiscal; monetario.

fish [fiʃ] **1.** pez *m*; (*as food*) pescado *m*; F tipo *m*, tío *m*; **have other** ∼ **to fry** tener cosas más importantes que hacer; **2.** *v/t.* pescar; *river* pescar en; F ∼ **out** sacar; *v/i.* pescar; ∼ **for** tratar de pescar; F *compliment etc.* andar a la pesca de; '∼**bone** raspa *f*, espina *f* (de pez); '∼**bowl** pecera *f*.

fish·er·man ['fiʃəmən] pescador *m*.

fish·hook ['fiʃhuk] anzuelo *m*.

fish·ing ['fiʃiŋ] pesca *f*; '∼ **boat** barca *f* pesquera; '∼ **grounds** *pl.* pesquera *f*; '∼ **reel** carrete *m*; '∼ **rod** caña *f* (de pescar); '∼ **tack·le** aparejo *m* de pescar.

fish...: '∼ **line** sedal *m*; '∼ **mar·ket** pescadería *f*; '∼**plate** ⊕ elisa *f*; '∼ **pond** piscina *f*; '∼ **sto·ry** F andaluzada *f*, patraña *f*; *tell ∼ stories* F mentir por la barba; '∼**tail 1.** ⚒ coleadura *f*; **2.** ⚒ *v/i.* colear; '∼**wife** pescadera *f*; *foul-mouthed woman* verdulera *f*; '∼**worm** lombriz *f* de tierra (*cebo para pescar*); '**fish·y** *eye* vidrioso; F dudoso, inverosímil; *it's* ∼ me huele a camelo.

fis·sion ['fiʃn] *phys.* fisión *f*; *biol.* escisión *f*; '**fis·sion·a·ble** fisionable.

fis·sure ['fiʃə] **1.** grieta *f*, hendedura *f*; **2.** agrietar(se), hender(se).

fist [fist] puño *m*; F escritura *f*; ∼**ful** puñado *m*; '∼ **fight** pelea *f* con los puños; **fist·i·cuffs** ['∼ikʌfs] *pl.* pelea *f* a puñetazos.

fit¹ [fit] **1.** ☐ apto, a propósito; adecuado, conveniente, apropiado; útil (*for para*); hábil (*for a post para*); digno (*for a king* de); ⚕ sano, bien de salud; ∼ *to eat* bueno de comer; *see* ∼ juzgar conveniente (*to inf.*); *survival of the* ∼*test* supervivencia *f* de los mejor dotados; **2.** *v/t.* ajustar, acomodar (*to* a); encajar (*a.* ⊕); adaptar (*for para*); *clothes* probar (*a.* ∼ *on*); *p.* (*clothes*) sentar a, venir bien a; *description* cuadrar con; *facts* estar de acuerdo con; ⊕ ∼ *in(to)* encajar en; ∼

out, ∼ *up* equipar (*with* con); ⚓ armar; *v/i.* ajustarse; (*clothes*) entallar, encajar *in place*; (*facts*) estar de acuerdo; ∼ *in* caber; ⊕ encajarse en; F *fig.* acomodarse; ∼ *in with* cuadrar con, concordar con; (*p.*) llevarse bien con; **3.** ajuste *m*, corte *m*; ⊕ encaje *m*; *it's a good* ∼ le sienta bien.

fit² [∼] acceso *m*, ataque *m*; arranque *m of anger*; *by* ∼*s and starts* a saltos, a rachas.

fit·ful ['fitful] ☐ espasmódico, caprichoso; '**fit·ness** aptitud *f*, conveniencia *f*; ⚕ (buena) salud *f*; '**fit·ting 1.** ☐ conveniente, apropiado; *it is not* ∼ *that* no está bien que *subj.*; **2.** prueba *f of dress*; ajuste *m*; (*size*) medida *f*.

five [faiv] cinco (*a. su. m*).

fix [fiks] **1.** fijar (*a. phot.*), asegurar; *attention* fijar (*on* en); *bayonet* calar; *blame* colgar (*on* a); *date* fijar, señalar (*a.* ∼ *on*); *eyes* clavar (*on* en); *price* determinar, decidir; (*establish*) precisar; *sl.* pagar en la misma moneda; F = ∼ *up* arreglar; componer; decidir, organizar; F ∼ (*up*)*on* escoger, elegir; F ∼ *up with* arreglarlo con; proveer de, **2.** F aprieto *m*; **fixed** ['∼t] (*adv.* **fix·ed·ly** ['∼idli]) *all senses*: fijo; **fix·ture** ['∼tʃə] cosa *f* fija; instalación *f* fija; *sport*: (fecha *f* de un) partido *m*; *fig.* (*p.*) ostra *f*; *lighting* ∼*s pl.* guarniciones *f/pl.* de alumbrado.

fizz [fiz] **1.** sisear; **2.** siseo *m*; F gaseosa *f*; '**fiz·zle** **1.** sisear débilmente; F ∼ *out* (*candle*) apagarse; *fig.* no dar resultado, fracasar; **2.** siseo *m* débil; F fracaso *m*.

flab·ber·gast ['flæbəgɑːst] pasmar.

flab·by ['flæbi] ☐ flojo; blanducho.

flag¹ [flæg] **1.** bandera *f*, pabellón *m*; (*small*) banderín *m*; **2.** hacer señales con bandera.

flag² [∼] ⚘ **1.** losa *f*; **2.** enlosar.

flag³ [∼] ⚘ lirio *m*.

flag⁴ [∼] flaquear, decaer; (*conversation etc.*) languidecer; (*enthusiasm etc.*) aflojar, enfriarse.

flag...: '∼**pole** asta *f* de bandera.

fla·grant ['fleigrənt] ☐ notorio, escandaloso.

flag...: '∼**ship** capitana *f*; '∼**staff** asta *f* de bandera; '∼**stone** losa *f*.

flail [fleil] **1.** ⚒ mayal *m*; **2.** *v/t. fig.* golpear, azotar; *v/i.:* ∼ *about* debatirse.

flair [flɛə] instinto *m*, aptitud *f* especial (*for para*).

flake [fleik] 1. escama *f*; hojuela *f*; copo *m* of *snow*; 2. *v/t.* separar en escamas; *v/i.* desprenderse en escamas; **'flak·y** escamoso; desmenuzable.

flam·boy·ant [flæm'bɔiənt] □ extravagante; flameante (*a.* △).

flame [fleim] 1. llama *f*; fuego *m*; *co.* novio (a *f*) *m*; 2. llamear; brillar; *fig.* estallar, encenderse (*a.* ~ *up*); ~ *up* inflamarse; **'~·throw·er** lanzallamas *m*.

flank [flæŋk] 1. costado *m*; ijada *f* of *animal*; ⚔ flanco *m*; 2. flanquear.

flan·nel ['flænl] franela *f*; (*face*-) paño *m*; ~s *pl.* pantalones *m/pl.* de franela; ropa *f* interior de lana.

flap [flæp] 1. fald(ill)a *f on dress*; cartera *f of pocket*; hoja *f* plegadiza of table; solapa *f of envelope*; aletazo *m of wing*; *sl.* lío *m*; estado *m* nervioso; 2. *v/t.* batir; sacudir; agitar; *v/i.* aletear; *sl.* ponerse nervioso.

flare [fleə] 1. *v/i.* resplandecer, llamear, destellar; ~ *up* encenderse; *fig.* (*p.*) encolerizarse; estallar; *v/t. skirt* nesgar; 2. llamarada *f*, destello *m* (*signal*) cohete *m* de señales; (*skirt*) nesga *f*; **'~·up** llamarada *f*; *fig.* arranque *m of anger*; manifestación *f* súbita, estallido *m of trouble*.

flash [flæʃ] 1. relámpago *m of lightning* (*a. fig.*); destello *m*, ráfaga *f of light*; fogonazo *m of gun*; rayo *m of hope etc.*; (*moment*) instante *m*; *phot.* = ~*light*; flash *m*, noticia *f* de última hora, mensaje *m* urgente; *in a* ~ en un instante; ~ *of wit* rasgo *m* de ingenio; 2. *v/i.* relampaguear; destellar; ~ *past* pasar como un rayo; *v/t. light* despedir; *look* dirigir rápidamente; *message* transmitir rápidamente; F hacer ostentación de (*a.* ~ *about*); **'~·back** *film*: escena *f* retrospectiva; **'~ bulb** bombilla *f* fusible (*or* de flash); **'~ light** *phot.* flash *m*, relámpago *m*; *held in hand* linterna *f* eléctrica, lámpara *f* eléctrica de bolsillo; *of lighthouse* luz *f* intermitente, fanal *m* de destellos; **'flash·light 'bat·ter·y** pila *f* de linterna; **'flash·light 'bulb** bombilla *f* de linterna; **'flash·y** chillón, llamativo.

flask [flɑːsk] frasco *m*; redoma *f*; ⚗ matraz *m*.

flat [flæt] 1. □ llano (*smooth*) liso; (*even*) igual; horizontal; (*stretched out*) tendido; *denial* terminante; *drink* muerto; *feeling* de abatimien-

to; *p.* alicaído; *taste* insípido; *tone* monótono; *tyre* desinflado; *voice* desafinado; ♪ bemol; ↑ flojo; 2. *adv.*: *sing* ~ desafinar; *turn down* ~ rechazar de plano; 3. piso *m*; palma *f of hand*; ♪ bemol *m*; ⚓ banco *m*; pantano *m*; *mot. sl.* pinchazo *m*; **'~·foot** *sl.* polizonte *m*; **'~·i·ron** plancha *f*; **'flat·ness** llanura *f*; *fig.* insipidez *f*; **'flat·ten** allanar; aplanar (-se); aplastar; ⚔ ~ *out* enderezarse.

flat·ter ['flætə] adular, lisonjear; (*clothes*, *picture*) favorecer; **'flat·ter·y** adulación *f*, lisonja *f*.

flaunt [flɔːnt] *v/t.* ostentar, lucir; *v/i.* pavonearse.

fla·vor ['fleivə] 1. sabor *m*; gusto *m*; condimento *m* (*a.* ~*ing*); 2. sazonar, condimentar; *fig.* dar un sabor característico a.

flaw [flɔː] tacha *f*; imperfección *f*; desperfecto *m*; defecto *m* (*a.* ⚙ & ⊕); (*crack*) grieta *f*; **'flaw·less** □ intachable, perfecto.

flax [flæks] lino *m*; **'fla·xen** de lino; *hair* muy rubio.

flay [flei] desollar; *fig.* azotar.

flea [fliː] pulga *f*.

fled [fled] *pret. a. p.p.* of flee.

fledge [fledʒ] emplumar; ~*d* plumado; *full*-~*d fig.* hecho y derecho.

flee [fliː] [*irr.*] huir (*from* de).

fleece [fliːs] 1. vellón *m*; lana *f*; 2. esquilar; F pelar, mondar.

fleet [fliːt] 1. □ *poet.* veloz, ligero; 2. flota *f*; armada *f*; escuadra *f of cars*; **'fleet·ing** □ fugaz, efímero, pasajero.

flesh [fleʃ] carne *f* (*a. fig.*); *in the* ~ en persona; *of* ~ *and blood* de carne y hueso; **'flesh·ly** carnal, sensual; **'fleshwound** herida *f* superficial.

flew [fluː] *pret.* of fly 2.

flex [fleks] 1. doblar(se); 2. ⚡ hilo *m*, cordón *m* (de la luz); **flex·i·bil·i·ty** [~'biliti] flexibilidad *f* (*a. fig.*); **'flex·i·ble** □ flexible (*a. fig.*).

flick [flik] 1. dar un capirotazo a; rozar levemente; *whip* chasquear; ~ *away* quitar *etc.* rápidamente; 2. capirotazo *m of finger*; chasquido *m of whip*; golpe *m* rápido y ligero.

flick·er ['flikə] 1. (*light*) parpadear; brillar con luz mortecina; (*flame*) vacilar; (*movement*) oscilar, vibrar; *fig.* fluctuar; 2. parpadeo *m*; luz *f* mortecina.

flight [flait] ⚔ vuelo *m*; (*distance*) recorrido *m*; (*unit*) escuadrilla *f*; ⚔

trayectoria f of bullet etc.; (flock of birds) bandada f; (escape) huida f, fuga f; escalera f, tramo m of steps; ~ of fancy sueño m, ilusión f; put to ~ ahuyentar; take ~ alzar el vuelo; take to ~ ponerse en fuga; '~ **deck** ♣ cubierta f de vuelo.

flim·flam ['flimflæm] 1. F engaño m, trampa f; tontería f; 2. F engañar, trampear.

flim·sy ['flimzi] 1. □ débil, endeble; fig. baladí, frívolo; cloth muy delgado; 2. papel m muy delgado.

flinch [flintʃ] acobardarse, retroceder (from ante); desistir de miedo (from de); without ~ing sin vacilar.

fling [fliŋ] 1. baile m escocés; have a ~ at intentar; 2. [irr.] v/i. arrojarse; ~ out salir muy enfadado; v/t. arrojar, tirar (a. ~ away); echar (a. ~ out); ~ o.s. arrojarse; ~ down echar al suelo; ~ open abrir de golpe.

flint [flint] pedernal m; piedra f of lighter; '**flint·y** fig. empedernido.

flip [flip] 1. capirotazo m; & sl. vuelo m; 2. coin etc. echar un capirotazo; mover de un tirón.

flip·pant ['flipənt] □ ligero, frívolo.

flip·per ['flipə] aleta f (a. sl.).

flirt [fləːt] 1. coqueta f; mariposón m; 2. coquetear (with con), flirtear, mariposear.

flit [flit] revolotear; volar con vuelo cortado; pasar rápidamente.

float [fləut] 1. boya f, corcho m; balsa f; carroza f in procession; 2. v/t. poner a flote; ✝ emitir; company lanzar; v/i. flotar; (bather) hacer la plancha.

flock¹ [flɔk] 1. rebaño m; bandada f of birds; eccl. grey f; gentío m of people; 2. congregarse, reunirse; come ~ing venir en masa.

flock² [~] (wool) borra f.

floe [fləu] témpano m de hielo.

flog [flɔg] azotar.

flood [flʌd] 1. inundación f; diluvio m; avenida f in river; fig. torrente m, plétora f; (a. ~ tide) pleamar f; 2. inundar (with de; a. fig.), anegar; v/i. desbordar; ~ in etc. entrar a raudales; '~**gate** compuerta f, esclusa f; '~**light** 1. foco m; 2. iluminar con foco(s).

floor [flɔː] 1. suelo m; (storey) piso m; fondo m of sea; parl. hemiciclo m; first ~ primer piso m, principal m; ground ~ piso m bajo, planta f baja; have the ~ tener la palabra; ~ show atracciones f/pl. (en la pista de baile); 2. solar, entarimar; p. derribar; fig. dejar sin réplica posible, confundir; '**floor·ing** entarimado m, piso m, suelo m; '~ **lamp** lámpara f de pie; '~ **mop** fregasuelos m, estropajo m; '~ **plan** planta f; '**floor·walk·er** superintendente m/f de división; '~ **wax** cera f de piso.

flop [flɔp] 1. dejarse caer pesadamente; sl. fracasar; thea. venirse al foso; 2. thea. caída f; sl. fracaso m; sl. ~-house posada f de baja categoría; '**flop·py** flojo, colgante.

flo·ra ['flɔːrə] flora f.

flo·ral ['flɔːrəl] floral; de flores.

flo·res·cence [flɔːˈresns] florescencia f.

flor·id ['flɔrid] □ florido; face encarnado, subido de color.

flo·rist ['flɔrist] florista m/f; ~'s floristería f.

flo·til·la [fləˈtilə] flotilla f.

floun·der¹ ['flaundə] ichth. platija f.

floun·der² [~] revolcarse, forcejear (a. ~ about).

flour ['flauə] harina f; ~ mill molino m de harina.

flour·ish ['flʌriʃ] 1. rúbrica f, rasgo m in writing; ♪ floreo m; ♪ toque m de trompeta; además m of hand; with a ~ triunfalmente; 2. v/i. florecer; prosperar; crecer rápidamente; v/t. weapon blandir; stick menear; fig. hacer alarde de, mostrar orgullosamente; '**flour·ish·ing** □ floreciente; (healthy) como un reloj.

flout [flaut] mofarse de, burlarse de.

flow [fləu] 1. corriente f; flujo m; (amount) caudal m; curso m; torrente m of words etc.; 2. fluir; correr; (tide) subir.

flow·er ['flauə] 1. flor f; fig. flor f (y nata); in ~ en flor; 2. florecer; '~ **bed** cuadro m, macizo m; '~ **girl** florera f; at a wedding dama f de honor; '~ **pot** tiesto m, maceta f; '~ **shop** floristería f; '~ **show** exposición f de flores; '**flow·er·y** florido, cubierto de flores; fig. florido.

flown [fləun] p.p. of fly 2.

flu [fluː] F = influenza gripe f.

fluc·tu·ate ['flʌktjueit] fluctuar.

flue [fluː] humero m, (cañón m de) chimenea f.

flu·en·cy ['fluːənsi] fluidez f, facilidad f; dominio m (in language de); '**flu·ent** □ fluido, fácil; corriente.

fluff·y ['flʌfi] velloso; que tiene mucha pelusa.

fluid   414

flu·id ['fluːid] flúido adj. a. su. m (a.
✒); líquido m.

fluke [fluːk] zo. trematodo m; ichth.
platija f; ♣ uña f; F chiripa f.

flung [flʌŋ] pret. a. p.p. of fling 2.

flunk [flʌŋk] F v/t. p. reprobar, dar
calabazas a; exam perder; v/i. salir
mal.

flu·o·res·cence [fluə'resns] fluorescencia f; **flu·o'res·cent** fluorescente.

flur·ry ['flʌri] **1.** agitación f, conmoción f; nevisca f, ráfaga f of snow;
2. agitar, hacer nervioso.

flush [flʌʃ] **1.** ⊕ nivelado; igual, parejo; F adinerado; **2.** rubor m, sonrojo m; abundancia f; fig. vigor m,
plenitud f; cards: flux m; **3.** v/t.
limpiar con chorro de agua (a. ~
out); game levantar; v/i. ruborizarse,
sonrojarse; '~ **tank** depósito m de
limpia; '~ **toi·let** inodoro m con
chorro de agua.

flus·ter ['flʌstə] **1.** confusión f, aturdimiento m; **2.** confundir, aturdir.

flute [fluːt] **1.** ♪ flauta f; ♣ estría f; **2.**
estriar, acanalar.

flut·ter ['flʌtə] **1.** revoloteo m of
wings; palpitación f of heart; fig.
agitación f, emoción f; sl. apuesta f;
2. v/t. agitar, menear; v/i. (bird etc.)
revolotear; (heart) palpitar; (flag)
ondear; agitarse.

flux [flʌks] fig. flujo m; ♏ fundente
m; (state) continua mudanza f.

fly [flai] **1.** mosca f; (trouser-) bragueta f; thea. flies pl. bambalinas
f/pl.; die like flies morir como chinches; **2.** [irr.] v/i. volar; (rush) precipitarse; (escape) evadirse, huir; I
must ~ tengo que darme prisa; ~ at
lanzarse sobre; ~ away irse volando;
~ off (part) desprenderse; (bird) alejarse volando; ~ open abrirse de repente; v/t. hacer volar; ✈ dirigir;
transportar en avión; ocean ~
atravesar (en avión); distance ~
correr (en avión); flag llevar, tener
izado; danger huir (de); country
abandonar; let ~ descargar, proferir
(at contra); **3.** F despabilado, avispado.

fly·er ['flaiə] aviador m; tren m etc.
rápido; sl. empresa f arriesgada.

fly·ing ['flaiiŋ] **1.** vuelo m; aviación f;
2. attr. de vuelo; de aviación; adj.
volante, volador; rápido, veloz; visit
muy breve; ~ colors pl. gran éxito
m; ~ fish pez m volador; ~ saucer

platillo m volante; ~ start salida f
lanzada.

fly...: '~ **leaf** hoja f de guarda; '~ **pa·
per** papel m matamoscas; '~ **speck**
macha f de mosca; '~ **swat·ter** matamoscas m; '~ **trap** atrapamoscas
m; '~ **wheel** volante m (de motor).

foam [foum] **1.** espuma f; ~ rubber
espuma f de látex (or de caucho); **2.**
espumar; echar espuma; ~ at the
mouth espumajear; **'foam·y** espu-
m(aj)oso.

fo·cal ['foukl] focal; phot. ~ distance
distancia f focal; phot. ~ plane plano
m focal; ~ point punto m focal.

fo·cus ['foukəs] **1.** foco m (a. fig.) in ~
enfocado; out of ~ desenfocado; **2.**
enfocar; attention fijar, concentrar
(on en).

fod·der ['fɔdə] forraje m.

foe [fou] lit. enemigo m.

foe·tus ['fiːtəs] feto m.

fog [fɔg] **1.** niebla f (a. fig.); fig.
confusión f; phot. velo m; **2.** fig.
oscurecer; issue entenebrecer; phot.
velar(se).

fog·gy ['fɔgi] brumoso, nebuloso (a.
fig.); phot. velado; it is ~ hay niebla.
'fog·horn sirena f (de niebla).

foi·ble ['fɔibl] flaco m.

foil¹ [fɔil] hojuela f (de metal); fig.
contraste m.

foil² [~] **1.** frustrar; attempt desbaratar; **2.** fenc. florete m.

foist [fɔist]: ~ on encajar a, lograr con
engaño que ... acepte; imputar a.

fold¹ [fould] ✎ **1.** redil m, aprisco m;
eccl. rebaño m; **2.** apriscar.

fold² [~] **1.** doblez m, pliegue m (a.
geol.); arruga f; **2.** plegar(se), do-
blar(se); envolver (in en); wings recoger; ~ one's arms cruzar los brazos;
~ up doblar(se); F ♣ quebrar; entrar
en liquidación.

fold·ing ['fouldiŋ] plegadizo; plegable; '~ **bed** or **cot** catre m de tijera; '~
chair silla f de tijera; '~ **door** puerta f
plegadiza; '~ **rule** metro m plegadizo.

fo·li·age ['fouliidʒ] follaje m.

fo·li·o ['fouliou] folio m; libro m en
folio.

folk [fouk] pl. gente f; nación f; raza f;
tribu f; F (a. ~s pl.) familia f.

folk·lore ['fouklɔː] folklore m; **'folk
song** canción f popular.

fol·low ['fɔlou] v/t. seguir; seguir la
pista a; news interesarse en; profession ejercer; p. comprender; argu-

ment seguir el hilo de; ~ *through*, ~ *up* llevar hasta el fin; proseguir; *v. suit*; *v/i.* seguirse; resultar; *as* ~*s* como sigue; *it* ~*s* that síguese que; **'fol·low·er** partidario (a *f*) *m*; secuaz *m*; imitador (-a *f*) *m*; discípulo *m*; **'fol·low·ing** 1. partidarios *m/pl.*; secuaces *m/pl.*; séquito *m*; 2. siguiente; the ~ lo siguiente; ~ *wind* viento *m* en popa.

fol·ly ['fɔli] locura *f*, desatino *m*.

fo·ment [fou'ment] fomentar (*a.* 🌶); provocar; nutrir.

fond [fɔnd] ☐ cariñoso, afectuoso; *be* ~ *of* ser aficionado a, ser amigo de.

fon·dle ['fɔndl] acariciar.

fond·ness ['fɔndnis] cariño *m*; afición *f* (*for* a).

font [fɔnt] pila *f*.

food [fu:d] comida *f*; alimento *m*, alimentación *f*; provisiones *f/pl.*; (*dish*) manjar *m*; (*material*) comestible *m*; *fig.* alimento *m*, pábulo *m*; *give* ~ *for thought* dar materia en que pensar; **'~ poi·son·ing** botulismo *m*; **'~·stuffs** *pl.* comestibles *m/pl.*, artículos *m/pl.* alimenticios.

fool [fu:l] 1. tonto (a *f*) *m*, necio (a *f*) *m*; (*jester*) bufón *m*; *make a* ~ *of* poner en ridículo; ~'*s errand* empresa *f* descabellada; misión *f* inútil; 2. F tonto; 3. *v/t.* engañar, embaucar; confundir; F ~ *away* malgastar; *v/i.* chancear; tontear; (*a.* ~ *about*) juguetear (*with* con), divertirse (*with* con); F *no* ~*ing* en serio; F ~ *around* malgastar el tiempo neciamente.

fool·har·dy ['fu:lha:di] ☐ temerario; **'fool·ish** ☐ tonto, necio; *remark etc.* disparatado; indiscreto; ridículo; **'fool·proof** ⊕ a prueba de mal trato, F infalible.

foot [fut] 1. (*pl. feet*) pie *m*; pata *f* of *animal etc.*; 🗙 infantería *f*; *on* ~ a pie; *fig.* en marcha; *put one's* ~ *down* adoptar una actitud firme; ⊢ *mot.* acelerar; F *put one's* ~ *in it* meter la pata; *set on* ~ promover, iniciar; 2. *v/t.* ~ *it* ir andando; **'~-and-'mouth (dis·ease)** fiebre *f* aftosa; **'~·ball** fútbol *m*; (*ball*) balón *m*; ~ *player* futbolista *m*; **'~ pool** quinielas *f/pl.*; **'~ brake** pedal *m* del freno; freno *m* de pie; **'~·bridge** puente *m* para peatones; **'foot·ed** de ... pies; **'foot·fall** pisada *f*, paso *m*; **'foot·hills** *pl.* colinas *f/pl.* al pie de una sierra; estribaciones *f/pl.*; **'foot·hold**

(asidero *m* para el) pie *m*, pie *m* firme; **foot·ing** ['futiŋ] pie *m*; posición *f* estable(cida); condición *f*.

foot...: **'~·lights** *pl.* candilejas *f/pl.*; **'~·loose** libre; andariego; **'~·man** lacayo *m*; **'~·note** nota *f*; apostilla *f*; **'~·print** huella *f*; **'~·rest** apoyapié *m*; **'~·sore** con los pies cansados; **'~·step** paso *m*; **'~·stool** escabel *m*; **'~·wear** calzado *m*.

for [fɔ:, fə, fo, f] 1. *prp.* para; por; a causa de; en honor de; en lugar de; ~ *all that* con todo; ~ *3 days* (*past*) (durante) 3 días; (*present a. future*) por 3 días; *as* ~ en cuanto a; *as* ~ *me* por mi parte; *but* ~ a no ser por; *time* ~ *dinner* hora *f* de comer; *were it not* ~ *that* si no fuera por eso; 2. *cj.* pues, ya que.

for·age ['fɔridʒ] 1. forraje *m*; 2. forrajear; dar forraje a; *fig.* buscar (*for acc.*).

for·ay ['fɔrei] correría *f*, incursión *f*.

for·bade [fə'beid] *pret. of* forbid.

for·bear [fɔ:'bɛə] [*irr.*] abstenerse (*from* de); contenerse.

for·bid [fə'bid] [*irr.*] prohibir (*to inf.*; *a p. a th.* algo a alguien); *God* ~! ¡no lo permita Dios!; **for·bid·den** *p.p. of* forbid; **for·bid·ding** ☐ formidable; repugnante.

for·bore, for·borne [fɔ:'bɔ:(n)] *pret. a. p.p. of* forbear.

force [fɔ:s] 1. fuerza *f*; personal *m*; 🗙 cuerpo *m*; 🗙 ~*s pl.* fuerzas *f/pl.* (armadas); *by* ~ *of* a fuerza de; *in* ~ en gran número; *in* ~ (*law*) vigente, en vigor; 2. *mst* forzar (*to a inf.*; upon *a p.* a uno a aceptar); obligar; violentar; 🌶 hacer madurar temprano; 🗙 obligar a aterrizar; ~ *in* introducir por fuerza; ~ *open* forzar; **'forced** (*adv.* **forc·ed·ly** ['·idli]) *mst* forzado; *smile* que no le sale a uno; **'forced 'land·ing** aterrizaje *m* forzado or forzoso; **'forced 'march** marcha *f* forzada; **'force·ful** ['·ful] ☐ vigoroso, poderoso.

for·ceps ['fɔ:seps] fórceps *m*; tenacillas *f/pl.*

ford [fɔːd] 1. vado *m*; 2. vadear.

fore [fɔ:] 1. *adv.*: *to the* ~ en la delantera; destacado; *come to the* ~ empezar a destacar; ♟ ~ *and aft de* (*etc.*) popa a proa; 2. *adj.* anterior, delantero; ♟ *and aft* proa; **'~·arm** antebrazo *m*; **'~·bod·ing** presagio *m*, presentimiento *m*; **'~·cast** 1. pronóstico *m*; 2. [*irr.* (*cast*)] pronosticar, prever;

~·**close** excluir; ᵶᵶ extinguir el derecho de redimir; ~ antepasados m/pl.; '~**fin·ger** dedo m índice; ~**foot** pata f delantera; '~**front** vanguardia f; sitio m de actividad más intensa; ~**go** [irr. (go)] renunciar, privarse de; ~**go·ing** anterior, precedente; '~**ground** primer plano m; ~**head** ['fɔrid] frente f.

for·eign ['fɔrin] extranjero; trade etc. exterior; extraño, ajeno (to a); ~ **exchange** divisas f/pl. (currency); cambio m extranjero; ~ trade comercio m exterior; '**for·eign·er** extranjero (a f) m.

fore...: '~**leg** pata f delantera; '~**man** capataz m; maestro m de obras; ᵶᵶ presidente m del jurado; '~**mast** trinquete m; '~**most** delantero; primero; principal; '~**noon** mañana f.

fo·ren·sic [fə'rensik] forense.

fore...: '~**run·ner** precursor (-a f) m; ~**sail** ['~seil, ⚓ '~sl] trinquete m; '~**see** [irr. (see)] prever; ~**see·a·ble** □ previsible; ~**shad·ow** prefigurar; prever, anunciar; ~'**shorten** escorzar; '~**sight** previsión f; '~**skin** prepucio m.

for·est ['fɔrist] bosque m; attr. forestal, del bosque.

fore·stall [fɔː'stɔːl] th. prevenir; p. anticipar (e impedir).

for·est·er ['fɔristə] silvicultor m; ingeniero m forestal (or de montes); (keeper) guardabosques m; '**for·est·ry** silvicultura f.

fore...: '~**taste** anticipo m; '~**tell** [irr. (tell)] predecir, pronosticar; presagiar; '~**thought** providencia f, prevención f; b.s. premeditación f; ~'**warn** prevenir; be ~ed precaverse; '~**word** prefacio m.

for·feit ['fɔːfit] 1. perdido; f. (fine) multa f; † pena f; prenda f in game; ~s pl. juego m de prendas; 3. perder (el derecho a); **for·fei·ture** ['~tʃə] pérdida f.

for·gath·er [fɔː'gæðə] reunirse.

for·gave [fə'geiv] pret. of forgive.

forge¹ [fɔːdʒ] 1. (fire) fragua f; (blacksmith's) herrería f; (factory) fundición f; 2. metal forjar, fraguar; money etc. falsificar, contrahacer; '**forg·er** falsificador m; '**for·ger·y** falsificación f.

forge² [~]: ~ **ahead** avanzar constantemente; adelantarse muchísimo a todos.

for·get [fə'get] [irr.] v/t. olvidar(se de) (to inf.); ~ o.s. propasarse; F ~ it! ¡no te preocupes!; v/i. olvidarse; **for·'get·ful** [~ful] □ olvidadizo; descuidado; **for'get·ful·ness** olvido m; descuido m; **for'get-me-not** nomeolvides f.

for·give [fə'giv] [irr.] perdonar (acc.; a p. [for] a th. algo a alguien); **for·'give·ness** p.p. of forgive; perdón m; misericordia f; **for'giv·ing** □ perdonador; magnánimo.

for·go [fɔː'gou] [irr. (go)] renunciar, privarse de.

for·got [fə'gɔt], **for·got·ten** [~n] pret. a. p.p. of forget.

fork [fɔːk] 1. tenedor m; ⚔ horca f; horquilla f (a. ⊕); bifurcación f in road; horcajo m in river; horcadura f in tree; anat. horcajadura f, entrepierna f; 2. v/i. (road) bifurcarse; v/t. cultivar (cavar, hacinar etc.) con horquilla; F ~ **out** desembolsar de mala gana; F ~ **over** entregar; '**forked** ahorquillado; road bifurcado; lightning en zigzag.

for·lorn [fə'lɔːn] abandonado, desamparado; appearance triste, de abandono.

form [fɔːm] 1. forma f; figura f; (condition) estado m; (formality) formalidad f; (seat) banco m; school: clase f; (document) hoja f, formulario m; be in (good) ~ sport: estar en forma; (witty) estar de vena; be bad ~ ser de mal gusto; for ~'s sake por pura fórmula; 2. formar(se); habit adquirir; ✗ alinearse.

for·mal ['fɔːml] □ formal; manner etc. ceremonioso; visit de cumplido; dress etc. de etiqueta; **for·mal·i·ty** [fɔː'mæliti] formalidad f; etiqueta f.

for·mat ['fɔːmæt] formato m.

for·ma·tion [fɔː'meiʃn] all senses: formación f.

for·mer ['fɔːmə] antiguo; anterior, primero, precedente; ex...; the ~ ése etc., aquél etc.; '**for·mer·ly** antes, antiguamente.

form·less ['fɔːmlis] □ informe.

for·mu·la ['fɔːmjulə], pl. mst **for·mu·lae** ['~liː] fórmula f; **for·mu·late** ['~leit] formular.

for·sake [fə'seik] [irr.] abandonar, dejar; desamparar; opinion renegar de; **for'sak·en** p.p. of forsake.

for·sook [fə'suk] pret. of forsake.

for·swear [fɔː'swɛə] [irr. (swear)] abjurar; ~ o.s. perjurarse.

frame

fort [fɔːt] fuerte *m*, fortín *m*.

forte [~] *fig.* fuerte *m*.

forth [fɔːθ] (a)delante, (a)fuera; *v. so; from this day* ~ de hoy en adelante; **~'com·ing** venidero, próximo; *book etc.* de próxima aparición; *p.* abierto, afable; '**~'right** directo; franco; terminante; '**~'with** en el acto, sin dilación.

for·ti·eth ['fɔːtiiθ] cuadragésimo.

for·ti·fi·ca·tion [fɔːtifi'keiʃn] fortificación *f*; **for·ti·fy** ['~fai]✗ fortificar; *wine* encabezar; *opinion* corroborar; *p.* animar; *p.* confirmar (*in belief* en);

for·ti·tude ['~tjuːd] fortaleza *f*, valor *m*, resistencia *f*.

fort·night ['fɔːtnait] quince días *m/pl.*, quincena *f*; *this day* ~ de hoy en quince (días).

for·tress ['fɔːtris] fortaleza *f*, plaza *f* fuerte.

for·tu·nate ['fɔːtʃnit] ☐ afortunado; feliz; **~·ly** afortunadamente.

for·tune ['fɔːtʃn] fortuna *f*; suerte *f*; *cost a* ~ valer un dineral; *tell one's* ~ decirle a uno la buenaventura; '**~·tel·ler** adivina *f*.

for·ty ['fɔːti] cuarenta.

fo·rum ['fɔːrəm] foro *m*; *fig.* tribunal *m*.

for·ward ['fɔːwəd] **1.** *adj.* delantero; adelantado; precoz; ♣ de proa; F descarado, impertinente; **2.** *adv.* (hacia) adelante; ♣ hacia la proa; ~ *march!* de frente ¡mar!; **3.** *sport:* delantero *m*; **4.** *project* fomentar, promover, favorecer; ⚅ hacer seguir; expedir; enviar.

for·went [fɔː'went] *pret. of forgo.*

fos·sil ['fɔsl] fósil *adj. a. su. m* (*a. fig.*); '**fos·sil·ized** fosilizado.

fos·ter ['fɔstə] **1.** fomentar, favorecer; criar; **2.:** ~ *brother* hermano *m* de leche; ~ *home* hogar *m* de adopción; ~ *mother* madre *f* adoptiva; (*nurse*) ama *f* de leche.

fought [fɔːt] *pret. a. p.p. of fight* 2.

foul [faul] **1.** ☐ sucio, puerco; asqueroso; *air* viciado; *blow, play* sucio, feo; *breath* fétido; *deed* vil; *weather* feo, muy malo; **2.** falta *f*, juego *m* sucio; **3.** ensuciar; chocar contra; enredarse en; obstruir; *sport:* cometer una falta contra; '**~·mouthed** [~mauðd] deslenguado.

found[1] [faund] *pret. a. p.p. of find* 1.

found[2] [~] fundar, establecer; basar.

found[3] [~] ⊕ fundir.

foun·da·tion [faun'deiʃn] fundación

f; fig. fundamento *m*, base *f*; ~*s pl.* ♠ cimientos *m/pl.*

found·er ['faundə] **1.** fundador (-a *f*) *m*; **2.** ⊕ fundidor *m*; **3.** ♣ irse a pique, hundirse (*a. fig.*).

found·ling ['faundliŋ] niño *m* expósito.

found·ry ['faundri] fundición *f*.

fount *poet.* [faunt] fuente *f*.

foun·tain ['fauntin] fuente *f* (*a. fig.*); surtidor *m*; '**~·head** *fig.* fuente *f*, origen *m*; **~ 'pen** (pluma *f*) estilográfica *f*; plumafuente *f* S.Am.

four [fɔː] cuatro (*a. su. m*); *on all* ~*s* a gatas; *fig.* en completa armonía (*with* con); '**~'flush·er** *sl.* impostor *m*, embustero *m*; '**~'fold 1.** *adj.* cuádruple; **2.** *adv.* cuatro veces; '**~·'foot·ed** cuadrúpedo; '**four'square** *fig.* firme; franco, sincero; **four'teen** ['~'tiːn] catorce; **four'teenth** ['~'tiːnθ] decimocuarto; **fourth** [fɔːθ] **1.** cuarto; **2.** cuarto *m*; cuarta parte *f*; ♪ cuarta *f*; '**fourth·ly** en cuarto lugar.

fowl [faul] ave *f* (de corral); gallina *f*; pollo *m*; ~ *pest* peste *f* aviar.

fox [fɔks] **1.** zorra *f*; (*dog*-) zorro *m* (*a. fig.*); **2.** F engañar, confundir.

fox...: '**~·glove** dedalera *f*; '**~·hole** zorrera *f*;✗ pozo *m* de lobo, hoyo *m* de protección; '**~·hound** perro *m* raposero; '**~·hunt** cacería *f* de zorras; '**~ trot** fox *m*; '**fox·y** *fig.* taimado, astuto.

foy·er ['fɔiei] vestíbulo *m*, hall *m*.

fra·cas ['frækaː] gresca *f*, riña *f*.

frac·tion ['frækʃn] ♠ fracción *f*, quebrado *m*.

frac·ture ['fræktʃə] **1.** fractura *f*; **2.** fracturar(se), quebrar(se).

frag·ile ['frædʒail] frágil; quebradizo; delicado.

frag·ment ['frægmənt] fragmento *m*.

fra·grance ['freigrəns] fragancia *f*; '**fra·grant** ☐ fragante.

frail [freil] ☐ frágil; *fig.* débil, endeble.

frame [freim] **1.** estructura *f*; esqueleto *m*; marco *m of picture*; *sew.*, ⊕ bastidor *m*; armadura *f of spectacles*; ⊕ armazón *f*; *p.'s* figura *f*, figura *f*; ♣ cuaderna *f*; ~ *house* casa *f* de madera; ~ *of mind* estado *m* de ánimo; **2.** formar; inventar; construir; *picture* poner un marco a; *fig.* servir de marco a; *question* formular, expresar; *esp. Am. sl.* incriminar por medio de una estratagema; arreglar

bajo cuerda; **'frame-up** esp. Am. F estratagema f para incriminar a alguien; complot m; **'frame-work** ⊕ armazón f, esqueleto m, armadura f; fig. sistema m, organización f.

fran-chise ['fræntʃaiz] derecho m de votar, sufragio m.

frank-furt-er ['fræŋkfə:tə] salchicha f de carne de vaca y de cerdo.

frank-ness ['fræŋknis] franqueza f.

fran-tic ['fræntik] □ frenético, furioso; F desquiciado with worry.

fra-ter-nal [frə'tə:nl] □ fraternal, fraterno; **fra'ter-ni-ty** fraternidad f, hermandad f; univ. club m de estudiantes.

fraud [frɔ:d] fraude m; (p.) impostor m, farsante m; **'fraud-u-lent** □ fraudulento.

fray[1] [frei] v/i. deshilacharse; ~ed raido; v/t. desgastar.

fray[2] [~] combate m; refriega f, riña f.

freak [fri:k] 1. capricho m of imagination; (p.) fenómeno m; (a. ~ of nature) monstruo m, monstruosidad f; curiosidad f; 2. = **'freak-ish** □ caprichoso; imprevisto.

freck-le ['frekl] peca f; **'freck-led** pecoso.

free [fri:] 1. □ mst libre (from, of de); franco, exento (from de); inmune (from contra); p. liberal; (not fixed) suelto; (untied) desatado; (for nothing) gratuito; be ~ on offer libremente inf.; set ~ libertar; ~ and easy despreocupado, poco ceremonioso; ~ of charge gratis; ✦ ~ on board franco a bordo; ~ fight, F ~ for all sarracina f, riña f general; 2. librar (from de), libertar; eximir, exentar (from, of de); place etc. desembarazar, despejar; knot etc. soltar, desenredar; **'free-dom** libertad f; exención f, inmunidad f; ~ of speech libertad f de la palabra; ~ of the press libertad f de imprenta; ~ of the seas libertad f de los mares; ~ of worship libertad f de cultos.

free...: '~ **en-ter-prise** libertad f de empresa; '~ **lance** (periodista m etc.) independiente; '~ **man** hombre m libre; ciudadano m de honor of city; '𝔔 **ma-son** francmasón m; '𝔔 **ma-son-ry** francmasonería f; fig. compañerismo m; '~ **think-er** librepensador (-a f) m; '~ **will** (libre) albedrío m; of one's own ~ por voluntad propia.

freeze [fri:z] 1. [irr.] helar(se); congelar(se) (a. fig., ✦ etc.); ~ to death morir de frío; 2. helada f; congelación f of wages etc.; **'freez-er** heladora f, sorbetera f; **'freez-ing** □ glacial (a. fig.), helado; ~ point punto m de congelación.

freight [freit] 1. flete m, carga f; attr. de mercancías; 2. fletar, cargar; **'freight car** vagón m de mercancías; **'freight-er** buque m de carga; **'freight sta-tion** estación f de carga; **'freight train** mercancías m/sg., tren m de mercancías; **'freight yard** patio m de carga.

French [frentʃ] francés adj. a. su. m; ~ bean judía f; take ~ leave despedirse a la francesa; ~ window puerta f ventana; '~ **man** francés m; '~ **wom-an** francesa f.

fren-zied ['frenzid] □ frenético; **'fren-zy** frenesí m, delirio m.

fre-quen-cy ['fri:kwənsi] frecuencia f (a. ⚡); **fre-quent** 1. ['~kwənt] □ frecuente; 2. [~'kwent] frecuentar.

fresh [freʃ] □ fresco; nuevo, reciente; air puro; face de buen color; water dulce; wind fresco; p. nuevo, novicio; F fresco, descarado; in the ~ air al aire libre; **'fresh-en** refrescar (-se).

fret[1] [fret] ⊕ 1. calado m; 2. adornar con calados.

fret[2] [~] 1. v/t. raer, rozar, corroer; p. irritar, molestar; v/i. inquietarse, apurarse, impacientarse (at por); 2. estado m inquieto.

fret[3] [~] ♪ traste m.

fret-work ['fretwə:k] calado m.

fri-ar ['fraiə] fraile m; fray in titles.

fric-tion ['frikʃn] rozamiento m (a. fig.), fricción f; fig. desavenencia f; ~ tape cinta f aislante.

Fri-day ['fraidi] viernes m.

friend [frend] amigo (a f) m; 𝔔 cuákero (a f) m; ~! ¡gente de paz!; be ~s with ser amigo de; make ~s with trabar amistad con; **'friend-less** sin amigos; **'friend-li-ness** cordialidad f, amigabilidad f; **'friend-ly** amistoso; cordial, amigable; place etc. acogedor; **'friend-ship** amistad f.

frieze [fri:z] friso m.

frig-ate ['frigit] fragata f.

fright [frait] susto m, sobresalto m; terror m; (p.) espantajo m; **'fright-en** asustar, espantar, sobresaltar; ~ away, ~ off ahuyentar, espantar; be ~ed of tener miedo a; **fright-ful**

[ˈ↲ful] ☐ espantoso, horrible, horroroso (a. fig.); F tremendo.

frig·id [ˈfridʒid] ☐ frío; frígido; **fri·'gid·i·ty** frialdad f; frigidez f.

frill [fril] lechuga f, volante m; ↲s pl. fig. afectación f, adornos m/pl.

fringe [frindʒ] **1.** franja f; borde m; orla f; flequillo m of hair; **2.** orlar (with de) (a. fig.).

frisk [frisk] v/i. retozar, cabriolar, juguetear; v/t. sl. palpar, registrar, cachear; **'frisk·y** ☐ retozón, juguetón; horse fogoso.

frit·ter [ˈfritə] **1.** fruta f de sartén, buñuelo m; **2.:** ↲ away desperdiciar, disipar.

friv·o·lous [ˈfrivələs] ☐ frívolo; trivial.

fro [frou]: to and ↲ de un lado a otro, de aquí para allá.

frog [frɔg] rana f; ↲ in the throat carraspera f; **'↲·man** hombre-rana m.

frol·ic [ˈfrɔlik] **1.** juego m alegre; travesura f; **2.** retozar, juguetear.

from [frɔm, frəm] de; desde; message de parte de; date a partir de; price desde ... en adelante; ↲ above desde encima; ↲ among de entre; ↲ afar desde lejos; ↲ memory de memoria; ↲ what he says según lo que dice; judging ↲ juzgando por; take s.t. ↲ s.o. quitar algo a alguien.

front [frʌnt] **1.** frente m (a. ✕, meteor., pol.); parte f delantera (or anterior); fachada f of house; principio m of book; pechera f of shirt; fig. apariencia f falsa; in ↲ delante (of de); **2.** delantero; anterior; primero; ↲ door puerta f principal; ✕ ↲ line primera línea f; ↲ wheel drive tracción f a las ruedas delanteras; **3.:** ↲ on (to) dar a; **fron·tier** [ˈ↲iə] **1.** frontera f; **2.** fronterizo; **'↲·page** primera plana f.

frost [frɔst] **1.** helada f; escarcha f (a. hoar ↲, white ↲); sl. fracaso m; **2.** cubrir de escarcha; plant quemar; ↲ed glass vidrio m deslustrado; **'↲·bite** congelación f; **'frost·bit·ten** congelado, helado; **'frost·y** ☐ helado; escarchado; fig. glacial.

froth [frɔθ] **1.** espuma f; fig. bachillerías f/pl.; **2.** espumar; ↲ at the mouth espumajear.

frown [fraun] **1.** ceño m; entrecejo m; **2.** fruncir el entrecejo; ↲ at mirar con ceño; ↲ on desaprobar.

froze [frouz] pret. of freeze 1; **'froz·en** p.p. of freeze 1 a. adj.; ↲ foods alimentos m/pl. congelados.

fru·gal [ˈfruːgəl] ☐ frugal.

fruit [fruːt] **1.** fruto m (a. fig.); fruta f; ↲ tree árbol m frutal; **2.** dar fruto, frutar; **'↲ cake** torta f de frutas; **'↲ fly** mosca f del vinagre; mosca f de las frutas; **fruit·ful** [ˈ↲ful] ☐ fructífero; fig. fructuoso, provechoso; **fru·i·tion** [fruˈiʃn] cumplimiento m; fruición f; come to ↲ verse logrado; **'↲ juice** jugo m de frutas; **'fruit·less** ☐ infructuoso.

frus·trate [frʌsˈtreit] frustrar; plot desbaratar; **frus·'tra·tion** frustración f; desazón f.

fry [frai] **1.** fritada f; **2.** ichth. pececillos m/pl.; F small ↲ gente f menuda; **3.** freír(se); fried fish pescado m frito; **'fry·ing pan** sartén f.

fu·el [ˈfjuəl] **1.** combustible m; carburante m; fig. pábulo m; **2.** aprovisionar(se) de combustible.

fu·gi·tive [ˈfjuːdʒitiv] **1.** fugitivo; fugaz; de interés pasajero; **2.** fugitivo (a f) m, evadido m.

fugue [fjuːg] fuga f.

ful·crum [ˈfʌlkrəm] fulcro m.

ful·fil [fulˈfil] cumplir; realizar; condition etc. llenar; orders ejecutar; **ful·'fil·ment** cumplimiento m; realización f; ejecución f.

full[1] [ful] **1.** (adv. fully) mst lleno; fig. pleno; (complete) cabal, íntegro; account extenso; bus completo; dress (formal) de etiqueta; meal abundante; member de número; session plen(ari)o; skirt amplio; ↲ moon luna f llena, plenilunio m; at ↲ speed a máxima velocidad, a toda máquina; ↲ stop punto m; fig. parada f completa; in ↲ view totalmente visible; **2.** adv. de lleno; ↲ well muy bien, bien bradamente; **3.:** in ↲ sin abreviar, por extenso; pay in ↲ pagar la deuda entera; to the ↲ completamente, al máximo.

full[2] [↲] ⊕ abatanar.

full...: **'↲ blast** a máxima velocidad (or capacidad); en plena actividad; **'↲ bod·ied** fuerte; wine generoso.

full...: ↲ **'fledged** fig. hecho y derecho; ↲ **'grown** crecido; **'↲ length** de cuerpo entero.

full-time [ˈfultaim] (adj. que trabaja) jornada f completa, jornada f de costumbre; adj. en plena dedicación

ful·some ['fulsəm] □ exagerado; repugnante; servil.

fum·ble ['fʌmbl] *v*/*t*. manosear, revolver *etc.* torpemente; *ball* dejar caer; *v*/*i*. ~ *for* buscar con las manos; ~ *with* tocar (*o* manejar *etc.*) torpemente.

fume [fjuːm] **1.**: ~*s pl.* humo *m*, gas *m*, vapor *m*; **2.** humear; (*p.*) enfadarse; echar pestes (*at th.* contra, *p.* de).

fu·mi·gate ['fjuːmigeit] fumigar; **fu·mi'ga·tion** fumigación *f.*

fun [fʌn] **1.** diversión *f*, alegría *f*; *be* (*good, great*) ~ ser (muy) divertido; *for* ~, *in* ~ en broma; *have* ~ divertirse; *make* ~ *of* burlarse de, hacer chacota de.

func·tion ['fʌŋkʃn] **1.** función *f*; acto *m*, ceremonia *f*; cargo *m*; **2.** funcionar; **'func·tion·al** □ funcional.

fund [fʌnd] **1.** fondo *m* (*a. fig.*); ~*s pl.* fondos *m*/*pl.*; *be in* ~*s* estar en fondos; **2.** *debt* consolidar.

fun·da·men·tal [fʌndə'mentl] □ fundamental; **fun·da'men·tals** [~z] *pl.* fundamentos *m*/*pl.*

fu·ner·al ['fjuːnərəl] **1.** entierro *m*, funerales *m*/*pl.*; ~ *director* director *m* de funeraria; **2.** funeral, fúnebre.

funk [fʌŋk] **F 1.** canguelo *m*, jindama *f*; (*p.*) gallina *m*/*f*, mandria *m*/*f*; *in a* ~ aterrado; **2.** retraerse por miedo de.

fun·nel ['fʌnl] embudo *m*; ♣, 🚂 chimenea *f.*

fun·ny ['fʌni] □ cómico, gracioso, divertido; chistoso; (*strange*) raro, curioso; '~ **bone** F hueso *m* de la alegría.

fur [fəː] **1.** piel *f*; pelo *m*; saburra *f* *on tongue*; sarro *m* *in kettle etc.*; **2.** de piel(es); ~ *coat* abrigo *m* de pieles; **3.** guarnecer *etc.* con pieles; depositar sarro en.

fur·bish ['fəːbiʃ] pulir; ~ *up* renovar, restaurar.

fu·ri·ous ['fjuəriəs] □ furioso; frenético; violento.

furl [fəːl] ♣ aferrar; arrollar.

fur·lough ['fəːlou] **1.** licencia *f*; **2.** dar licencia a.

fur·nace ['fəːnis] horno *m*; lugar *m* de mucho calor.

fur·nish ['fəːniʃ] suministrar, proporcionar (*with acc.*); equipar (*with con*); *proof* aducir; *room* amueblar (*with de*); **'fur·nish·ings** *pl.*, **furni·ture** ['fəːnitʃə] muebles *m*/*pl.*, mueblaje *m*, mobiliario *m*; *piece of* ~ mueble *m*; **'fur·ni·ture 'store** mueblería *f.*

fur·ri·er ['fʌriə] peletero *m.*

fur·row ['fʌrou] **1.** surco *m*; **2.** surcar.

fur·ry ['fəːri] peludo.

fur·ther ['fəːðə] **1.** *adj.* más lejano; nuevo, adicional; *till* ~ *orders* hasta nueva orden; **2.** *adv.* más lejos, más allá (~ *on*); además; **3.** promover, fomentar; adelantar; **'fur·ther 'more** además.

fur·thest ['fəːðist] **1.** *adj.* más lejano; extremo; **2.** *adv.* (lo) más lejos.

fur·tive ['fəːtiv] □ furtivo.

fu·ry ['fjuəri] furor *m*, furia *f*; frenesí *m*; *like* ~ a toda furia.

fuse [fjuːz] **1.** fundir(se) (*a. ⚡*); fusionar(se), ⚡ plomo *m*, fusible *m*, tapón *m*; ✕ espoleta *f*, mecha *f*; ~ *box* caja *f* de fusibles.

fu·se·lage ['fjuːzilaːʒ] fuselaje *m.*

fu·sion ['fjuːʒn] fusión *f* (*a. fig.*), fundición *f.*

fuss [fʌs] **1.** (*noisy*) bulla *f*, alharaca *f*; (*excessive display*) aspaviento *m*, hazañería *f*; (*trouble*) lío *m*; (*formalities*) ceremonia *f*; *there's no need to make such a* ~ no es para tanto; **2.** agitarse, inquietarse (por pequeñeces); **'fuss·y** □ F exigente; remilgado.

fu·tile ['fjuːtail] □ inútil, vano, infructuoso; frívolo; **fu·til·i·ty** [fjuː'tiliti] inutilidad *f*, lo inútil; frivolidad *f.*

fu·ture ['fjuːtʃə] **1.** futuro; **2.** porvenir *m*, futuro *m*; ✝ ~*s pl.* futuros *m*/*pl.*; *in* (*the*) ~ en el futuro, en lo sucesivo; *in the near* ~ en fecha próxima.

fuzz [fʌz] tamo *m*, pelusa *f*; **'fuzz·y** □ borroso; *hair* muy ensortijado.

G

gab [gæb] F locuacidad *f*; cháchara *f*; *have the gift of* ~ tener mucha labia, ser un pico de oro.

ga·ble ['geibl] aguilón *m*.

gad [gæd] (*mst* ~ *about*) andar de aquí para allá; corretear; viajar mucho.

gadg·et ['gædʒit] F artilugio *m*, chisme *m*.

gag [gæg] 1. mordaza *f* (*a. fig.*); *thea.* morcilla *f*; *parl.* clausura *f*; F chiste *m*; *sl.* timo *m*; 2. amordazar (*a. fig.*); *thea.* meter morcillas.

gai·e·ty ['geiəti] alegría *f*, regocijo *m*; diversión *f* alegre.

gai·ly ['geili] alegremente.

gain [gein] 1. ganancia *f*; aumento *m*, provecho *m*; ⚡ amplificación *f*; 2. *v/t.* ganar; conseguir; (*clock*) adelantarse; *v/i.* crecer, medrar; ganar terreno; ~ *on* ir alcanzando; **gain·ful** ['~ful] □ ganancioso; ~ *employment* trabajo *m* remunerado.

gain·say [gein'sei] *lit.* contradecir, negar.

gait [geit] paso *m*, andar *m*.

gai·ter ['geitə] polaina *f*.

gal [gæl] *sl.* chica *f*.

ga·la ['gɑːlə] fiesta *f*.

gal·ax·y ['gæləksi] *ast.* galaxia *f*; *fig.* constelación *f*, pléyade *f*.

gale [geil] ventarrón *m*; (*esp. southerly*) vendaval *m*; *poet.* brisa *f*.

gall¹ [ɡɔːl] bilis *f*, hiel *f* (*a. fig.*); vejiga *f* de la bilis; *fig.* rencor *m*; *sl.* descaro *m*; ~ *bladder* vejiga *f* de la bilis, vesícula *f* biliar.

gall² [~] ♀ agalla *f*.

gall³ [~] 1. *vet.* matadura *f*; 2. lastimar rozando; *fig.* irritar, mortificar.

gal·lant ['gælənt] 1. □ (*brave*) gallardo, valiente; lucido; 2. [*mst* ɡə'lænt] □ galante; 3. [~] galán *m*.

gal·ler·y ['gæləri] galería *f* (*a.* ✗, *thea.*); *art* ~ museo *m* de arte.

gal·ley ['gæli] ♣ *a. typ.* galera *f*; ♣ cocina *f*, fogón *m*; '~ **proof** galerada *f*; '~ **slave** galeote *m*.

gal·lon ['gælən] galón *m* (= *American 3,785 litros, British 4,546 litros*).

gal·lop ['gæləp] 1. galope *m*; galopada *f*; *at full* ~ a galope tendido, a uña de caballo; 2. galopar.

gal·lows ['gæləuz] *sg.* horca *f*; '~ **bird** carne *f* de horca.

gam·bit ['gæmbit] gambito *m*; *fig.* táctica *f*.

gam·ble ['gæmbl] 1. jugar; 2. jugada *f*; empresa *f* arriesgada; '**gam·bler** jugador (-a *f*) *m*, tahur *m*.

gam·bling ['gæmbliŋ] juego *m*.

gam·bol ['gæmbl] 1. brinco *m*; retozo *m*; 2. brincar, retozar, juguetear.

game [geim] 1. juego *m* (*a.* F); partida *f*; (*match*) partido *m*; deporte *m*; *bridge:* manga *f*; *hunt.* caza *f*; *big* ~ caza *f* mayor; ~ *of chance* juego *m* de azar; 2. F animoso, valiente; *leg* cojo; *be* ~ *for anything* atreverse a todo; 3. jugar (por dinero).

gam·ma ['gæmə] gama *f*; '~ **rays** *pl.* rayos *m/pl.* gama.

gam·ut ['gæmət] gama *f*.

gam·y ['geimi] manido, salvajino.

gan·der ['gændə] ganso *m* (macho).

gang [gæŋ] 1. cuadrilla *f*; pandilla *f*; brigada *f* (*of workers*); juego *m* (*of tools*); 2. ~ *up* conspirar, obrar de concierto (*against, on* contra); 3. ⊕ múltiple; '**gang·plank**, ♣ plancha *f*.

gan·grene ['gæŋgriːn] gangrena *f*.

gang·ster ['gæŋstə] pistolero *m*, atracador *m*, gángster *m*.

gang·way ['gæŋwei] paso *m*, pasadizo *m*, pasillo *m*; ♣ plancha *f*, pasarela *f*; ♣ (*opening*) portalón *m*; ♣ pasamano *m*; ~! ¡abran paso!

gap [gæp] portillo *m*, abertura *f*, brecha *f*, boquete *m*; quebrada *f* *in mountains*; vacío *m*, hueco *m*.

gape [geip] 1. bostezo *m*; abertura *f*, hendedura *f*; 2. bostezar; embobarse, estar boquiabierto; ~ *at* mirar boquiabierto.

ga·rage ['gærɑːʒ; 'gæridʒ] 1. garaje *m*; 2. dejar en garaje.

garb [gɑːb] 1. traje *m*, vestido *m*; ropaje *m* (*a. fig.*); 2. vestir.

gar·bage ['gɑːbidʒ] basura *f*, bazofia *f*, desperdicios *m/pl.*; ~ *can* cubo *m* de basuras.

gar·ble ['gɑːbl] mutilar; falsear (por selección).

gar·den ['gɑːdn] 1. jardín *m*; (*fruit. a. vegetables*) huerto *m*; 2. cultivar un huerto (*or* jardín); trabajar en el huerto (*or* jardín); '**gar·den·er** jardinero (a *f*) *m*; hortelano (a *f*) *m*; '**gar·den·ing** jardinería *f*; horticultura *f*.

gar·gle ['gɑːgl] 1. gargarizar, hacer gárgaras; 2. gargarismo *m*.

gar·goyle ['ɡuigoil] gárgola *f*.

gar·land ['gɑːlənd] 1. guirnalda f; 2. enguirnaldar.

gar·lic ['gɑːlik] ajo m.

gar·ment ['gɑːmənt] prenda f (de vestir).

gar·nish ['gɑːniʃ] adornar, guarnecer; aderezar (a. cooking).

gar·ri·son ['gærisn] 1. guarnición f; 2. guarnecer, guarnicionar.

gar·ru·lous ['gæruləs] □ gárrulo.

gar·ter ['gɑːtə] liga f; ~-belt portaligas m.

gas [gæs] 1. pl. **gas·es** ['~iz] gas m; F parloteo m; = gasoline; mot. step on the ~ acelerar la marcha; 2. asfixiar con gas; F parlotear; '~-**bag** 🦋 cámara f de gas; F charlatán (-a f) m; '~ **heat** calefacción f por gas; '~ **jet** mechero m de gas; llama f de gas.

gash [gæʃ] 1. cuchillada f, chirlo m; raja f, hendedura f; 2. acuchillar, herir.

gas·ket ['gæskit] ⚓ tomador m; ⊕ empaquetadura f.

gas...: '~-**light** luz f de gas, alumbrado m de gas; '~-**main(s)** cañería f (maestra) de gas; '~ **man·tle** manguito m incandescente; '~-**mask** careta f antigás; **gas·o·line** ['gæsəliːn] mot. gasolina f; **gas·o·line pump** poste m distribuidor de gasolina, surtidor m de gasolina; '**gas ov·en** cocina f de (or a) gas.

gasp [gæsp] 1. (esp. last ~) boqueada f; grito m entrecortado; 2. boquear; ~ for breath jadear.

gas-proof ['gæs'pruːf] a prueba de gas; '**gas range** cocina f de (or a) gas; '**gas sta·tion** estación f de gasolina, '**gas stove** cocina f de (or a) gas.

gat [gæt] sl. arma f de fuego, revólver m.

gate [geit] puerta f; verja f of iron; portal m of town; (wicket) portillo m; (level crossing) barrera f; sport: entrada f; '~-**crash·er** sl. intruso (a f) m; '~-**leg(·ged) ta·ble** mesa f de alas abatibles; '~-**way** portal m; entrada f.

gath·er ['gæðə] 1. v/t. recoger, reunir; acumular; wood, flowers coger; crops cosechar; sew. fruncir; fig. colegir, inferir, sacar la consecuencia (that que); ~ dust empolvarse; ~ strength cobrar fuerzas; ~ in recoger; money recaudar; ~ together reunir, juntar; ~ up recoger; v/i. reunirse, juntarse, congregarse (a. ~ together); acumularse; condensarse; (clouds) amontonarse; 🩹 formar plus; 2. (mst

~s pl.) frunce m; '**gath·er·ing** reunión f, asamblea f.

gaud·y ['gɔːdi] □ chillón, llamativo.

gauge [geidʒ] 1. (norma f de) medida f; calibre m; indicador m, manómetro m; ⊕ calibrador m; carpentry: gramil m; 🚂 entrevía f, ancho m; 2. medir; calibrar; aforar; fig. estimar.

gaunt [gɔːnt] □ flaco, desvaído, maciento; sombrío.

gaunt·let ['gɔːntlit] guantelete m; guante m; run the ~ correr baquetas; take up the ~ recoger el guante; throw down the ~ arrojar el guante.

gauze [gɔːz] gasa f; '**gauz·y** diáfano.

gave [geiv] pret. of give.

gav·el ['gævl] martillo m de los presidentes y subastadores.

gawk [gɔːk] F 1. zote m, bobo m; 2. papar moscas.

gay [gei] 1. adj. a su. homosexual m/f; 2. † alegre, festivo; (brilliant) vistoso; (pleasure-loving) amigo m de los placeres.

gaze [geiz] 1. mirada f fija; contemplación f; 2. a. ~ at, ~ on mirar con fijeza, contemplar.

gear [giə] 1. aparejo m, pertrechos m/pl., herramientas f/pl.; F cosas f/pl., chismes m/pl.; (attire) atavío m; (harness) arreos m/pl., arneses m/pl.; ⊕ aparato m, mecanismo m; ⊕ engranaje m, rueda f dentada; mot. marcha f (low, bottom primera, second segunda, top tercera or cuarta), velocidad f; in ~ en juego; put into ~ engranar; throw out of ~ desengranar; fig. desconcertar; 2. aparejar; ⊕ engranar; '~-**box** , '~-**case** caja f de velocidades (or de engranajes); '**gear-le·ver**, '**gear-shift** (palanca f de) cambio m de marchas.

gee [dʒiː] esp. ~ up! ¡arra!; ¡caramba!

geese [giːs] pl. of goose.

gel·a·tin(e) ['dʒelətin] gelatina f.

gem [dʒem] gema f, piedra f preciosa; fig. joya f, preciosidad f.

gen [dʒen] sl. información f.

gen·der ['dʒendə] género m.

gene [dʒiːn] biol. gen m.

gen·e·al·o·gy [dʒiːni'ælədʒi] genealogía f.

gen·er·al ['dʒenərəl] 1. □ general; become ~ generalizarse; in ~, as a ~ rule en general, por lo general, por regla general; 2. ✕ general m; '**gen·er·al·ly** generalmente, en general, por lo común; '**gen·er·al·ship** generalato m; dirección f.

gen·er·ate ['dʒenereit] engendrar (a. Ⓐ), generar (a. ⚡); **gen·er·a·tion** generación f; **'gen·er·a·tor** generador m (a. ⚡, ⊕).

ge·ner·ic [dʒi'nerik] genérico.

gen·er·os·i·ty [dʒenə'rɔsiti] generosidad f; **'gen·er·ous** □ generoso; dadivoso; amplio, abundante.

ge·net·ic [dʒi'netik] □ genético, genésico; **ge·net·ics** genética f.

gen·ial ['dʒi:njəl] □ afable, complaciente, cordial; suave.

gen·i·tals ['dʒenitlz] pl. órganos m/pl. genitales.

gen·i·tive ['dʒenitiv] genitivo m (a. ~ case).

gen·ius ['dʒi:njəs] pl. **gen·i·i** ['~niai] (deidad, espíritu tutelar), pl. **gen·iuses** [~njəsiz] (facultad, persona) genio m.

gen·o·cide ['dʒenəsaid] genocidio m.

gen·teel [dʒen'ti:l] □ mst iro. fino, cortés, elegante, de buen tono.

gen·tile ['dʒentail] no judío adj. a. su. m (a f); (pagan) gentil adj. a. su. m/f.

gen·til·i·ty [dʒen'tiliti] mst iro. fineza f, buen tono m; cursilería f.

gen·tle ['dʒentl] □ suave, dulce; benigno; sosegado; esp. animals manso, dócil; moderado; ligero; lento, pausado; bien nacido; † caballeroso; **'~·man** caballero m, señor m; (at court) gentilhombre m; he is no ~ es un mal caballero; **~'s agreement** acuerdo m verbal; **'~·man·ly** caballeroso; **'gen·tle·ness** suavidad f, dulzura f; mansedumbre f; **'gent·ly** suavemente; poco a poco, despacio; ~! ¡paso!

gen·u·ine ['dʒenjuin] □ auténtico, legítimo, genuino; sincero.

ge·nus ['dʒi:nəs], pl. **gen·er·a** ['dʒenərə] género m.

ge·og·ra·pher [dʒi'ɔgrəfə] geógrafo m; **ge·o·graph·i·cal** [~ə'græfikl] □ geográfico; **ge·og·ra·phy** [~'ɔgrəfi] geografía f.

ge·o·log·ic, ge·o·log·i·cal [dʒiə'lɔdʒik(l)] □ geológico; **ge·ol·o·gist** [dʒi'ɔlədʒist] geólogo m.

ge·o·met·ric, ge·o·met·ri·cal [dʒiə'metrik(l)] □ geométrico; **ge·om·e·try** [~'ɔmitri] geometría f.

ge·o·phys·ics [dʒiou'fiziks] geofísica f.

ge·o·pol·i·tics [dʒiou'pɔlitiks] geopolítica f.

ge·ra·ni·um [dʒi'reinjəm] geranio m.

ger·i·a·trics [dʒeri'ætriks] geriatría f.

germ [dʒə:m] biol., fig. a. ✿ germen m; ✿ microbio m.

Ger·man[1] ['dʒə:mən] **1.** alemán adj. a. su. m (-a f); ✿ ~ **measles** rubéola f; ⊕ ~ **silver** plata f alemana; ~ **text** typ. letra f gótica; **2.** (language) alemán m.

ger·man[2] [~]: **brother** etc. ~ hermano m etc. carnal; **ger·mane** [dʒə:'mein] relacionado (to con); pertinente (to a); oportuno.

Ger·man·ic [dʒə:'mænik] germánico.

ger·mi·nate ['dʒə:mineit] (hacer) germinar; **ger·mi·na·tion** germinación f.

ges·tic·u·late [dʒes'tikjuleit] accionar, gesticular, manotear.

ges·ture ['dʒestʃə] **1.** gesto m, además m; demostración f; (small token) muestra f, detalle m; empty ~ pura formalidad f; **2.** hacer ademanes.

get [get] [irr.] **1.** v/t. obtener, adquirir; lograr, conseguir; coger; (grasp) asir, agarrar S.Am.; recibir; wage etc. cobrar; ganar; tomar, prender; (hit) dar en; captar; comprender; alcanzar; cazar; hallar; (fetch) buscar, traer; sacar; (dis)poner; procrear; have got tener; have got to inf. tener que inf.; ~ it sl. ser castigado; F (do you)~ it? ¿comprendes?; I'll~ him one day! sl. ¡algún día me lo cargaré!; ~ a p. to do it. lograr que una p. haga algo; F ~ religion darse a la religión; s.t. done hacer (or mandar) hacer una cosa; that's what ~s me! sl. ¡eso es lo que me irrita!; F ~ across hacer entender; ~ away quitar (de en medio); separar; conseguir que (una p.) se escape; ~ back recobrar; ~ down bajar; descolgar; tragar; apuntar; F (state of mind) abatir; ~ in hacer entrar; harvest recoger; word decir; blow dar; ~ off clothes etc. quitar(se); stain sacar; despachar; (punishment) librar; aprender; ~ on clothes etc. ponerse; ~ out sacar; publicar; problem resolver; ~ over hacer pasar por encima de; F hacer entender; terminar; let's ~ it over with! ¡vamos a concluir de una vez!; ~ through conseguir pasar (por); ~ up levantar; (hacer) subir; organizar; presentar; (dress) ataviar; (disguise) disfrazar; **2.** v/i. hacerse, llegar a ser, ponerse, volverse, quedar(se); ir; sl. largarse; venir; llegar; ~ going ponerse en marcha; empezar; ~ going! ¡menearse!; ~ dark oscurecer; ~ old enveje-

cer(se); ~ *angry* enfadarse; ~ *married* casarse; ~ *about* ir a muchos sitios; *(after sickness etc.)* estar levantado y moverse; *(report)* divulgarse; ~ *across* lograr cruzar; F *thea.* surtir efecto, tener éxito; F indisponerse con; ~ *ahead (of)* adelantar(se a); ~ *along* seguir andando; *(depart)* marcharse; *(manage)* ir tirando; *how are you* ~ *ting along?* ¿cómo te va?; ~ *along with* avenirse con; ~ *along with you!* ¡no digas bobadas! ~ *along without* pasarse sin; ~ *around* viajar mucho; *(report)* divulgarse; ~ *around to s.t.* llegar a una cosa (con el tiempo); ~ *at* alcanzar, llegar a; atacar; descubrir, averiguar; querer decir; F apuntar a; F sobornar; *(spoil)* estropear; ~ *away* escapar(se); conseguir marcharse; alejarse; ~ *away with* fig. hacer impunemente; ~ *back* volver; retroceder; ~ *behind* penetrar; quedarse atrás; ~ *by* lograr pasar; eludir; ~ *arreglárselas*; ~ *down* bajar; ~ *down to* emprender; *problem* abordar; ~ *down to work* ponerse a trabajar; ~ *in* (lograr) entrar (en); llegar, volver a casa; *pol.* ser elegido; ~ *into* (lograr) entrar (en); *vehicle* subir a; *difficulties etc.* meterse en; *clothes* ponerse; ~ *off* apearse (de); bajar (de); marcharse; *punishment* librarse de; escaparse; ✄ despegar; ~ *off!* ¡suelta!; ¡fuera!; ~ *off with sl.* enamorar; ~ *on* subir a; ponerse encima de; *(make progress)* adelantar; *(continue)* seguir; *(prosper)* medrar, tener éxito; ~ *on with a.* p. congeniar con; llevarse (bien) con; ~ *out* salir; escaparse; *(news)* hacerse público; ~ *out of vehicle* bajar de; *responsibility etc.* librarse de; evadir; ~ *over* atravesar; *obstacle* vencer, superar; *illness etc.* reponerse de, salir de; *fright* sobreponerse a; ~ *round* dar la vuelta a; *difficulty* soslayar; *p.* persuadir; ~ *through* (conseguir) pasar por; *time* pasar; *money* gastar; llegar al final de; terminar; penetrar; *exam* aprobar; ~ *through to* comunicar con; ~ *to* llegar a; empezar a; aprender a; ~ *together* reunirse; ~ *up* levantarse; ponerse de pie; subir; *(wind)* empezar a soplar recio; *(fire)* avivarse; **get·a·way** ['getəwei] *sport:* salida *f*; escapatoria *f*; *make one's* ~ escaparse; **'get·up** *(dress)* atavío *m*; presentación *f*.

gey·ser ['gaizə] géiser *m*; ['giːzə] calentador *m*.

ghast·ly ['gɑːstli] horrible; pálido; cadavérico; F malo, desagradable.

gher·kin ['gəːkin] pepinillo *m*.

ghet·to ['getou] judería *f*.

ghost [goust] fantasma *m*, aparecido *m*, espectro *m*; alma *f*, espíritu *m*; sombra *f*; *Holy* ⚄ Espíritu *m* Santo; ~ *(writer)* escritor *m* fantasma; *not the* ~ *of a chance* ni la más remota posibilidad; **'ghost·write** componer escritos por otra persona.

gi·ant ['dʒaiənt] **1.** gigante *m*; **2.** gigantesco; **'gi·ant·ess** gigante *f*.

gid·dy ['gidi] □ vertiginoso; mareado; atolondrado; ligero de cascos.

gift [gift] **1.** regalo *m*, dádiva *f*; *(esp. spiritual)* don *m*; *(personal quality)* dote *f*, talento *m*, prenda *f*; *eccl.* ofrenda *f*; ⚖ donación *f*; *sl.* ganga *f*; **2.** dotar; **'gift·ed** talentoso; **'~·horse:** *never look a* ~ *in the mouth* a caballo regalado no se le mira el diente; **'~·of gab** F facundia *f*, labia *f*.

gi·gan·tic [dʒai'gæntik] □ gigantesco.

gig·gle ['gigl] (reír con una) risilla *f* sofocada *(or* tonta).

gild [gild] **1.** = guild; **2.** [*irr.*] (sobre-) dorar.

gilt [gilt] **1.** *pret. a p.p.* of *gild*; **2.** dorado *m*; *fig.* atractivo *m*; **'~·edged** con los cantos dorados; *fig.* de toda confianza, de primer orden.

gim·let ['gimlit] barrena *f* de mano.

gim·mick ['gimik] *sl.* treta *f*, artilugio *m*; *thea.* truco *m* característico; ✦ truco *m* publicitario.

gin¹ [dʒin] *(drink)* ginebra *f*.

gin² [~] **1.** trampa *f*; ⊕ desmotadera *f* de algodón; **2.** coger con trampa; ✦ desmotar.

gin·ger ['dʒindʒə] **1.** jengibre *m*; F brío *m*, viveza *f*; **2.** rojo; **3.** F *(mst ~ up)* animar, estimular; **'~·ale** gaseosa *f*; **'~·bread** pan *m* de jengibre; **'gin·ger·ly 1.** *adj.* cuidadoso, delicado; **2.** *adv.* con tiento, con pies de plomo; **'gin·ger·snap** galleta *f* de jengibre.

gip·sy ['dʒipsi] gitano *adj. a. su. m* (a *f*).

gi·raffe [dʒi'rɑːf] jirafa *f*.

gird [gəːd] [*irr.*] ceñir; rodear.

gird·er ['gəːdə] viga *f*.

gir·dle ['gəːdl] **1.** cinto *m*; *(belt a. fig.)* cinturón *m*; *(corset)* faja *f*; **2.** ceñir; cercar.

girl [gəːl] *(mst young)* niña *f*, muchacha *f*, chica *f*; *(young woman)* joven *f*; *(servant)* criada *f*; **'~·friend** amiguita

glitter

f; novia *f*; **girl·hood** [ˈ‿hud] niñez *f*; mocedad *f*; **girl·ish** ☐ de niña; juvenil; afeminado *f*.

girt [gə:t] *pret. a. p.p. of gird.*

girth [gə:θ] **1.** (*horse's*) cincha *f*; cintura *f*; corpulencia *f*; circunferencia *f*; **2.** (*a. ~ up*) cinchar.

gist [dʒist] esencia *f*, quid *m*, meollo *m*.

give [giv] **1.** [*irr.*] *v/t.* dar; proporcionar; ofrecer; (*as present*) regalar; (*pass on*) transmitir; *disease* contagiar con; *punishment* imponer, condenar a, castigar con; *aid* prestar; (*produce*) dar por resultado, arrojar, producir; (*cause*) ocasionar; (*hand over*) entregar; (*grant*) otorgar, conceder; *time, energy* dedicar, consagrar; *sacrificar*; (*impart*) comunicar; *lecture* explicar; *thea.* representar; *speech* pronunciar; ~ *it to a p.* regañar a una p.; pegar a una p.; ~ *us a song!* ¡cántanos algo!; (*get rid of*) deshacerse de; (*sell cheaply*) malvender; (*disclose*) revelar; (*betray*) traicionar; ~ *back* devolver; ~ *forth* publicar, divulgar; emitir, despedir; ~ *in* entregar; ~ *off* emitir, despedir, echar; ~ *out* distribuir, repartir; anunciar; divulgar; afirmar; emitir, despedir; ~ *over* entregar; transferir; F cesar (de); dejar (de); ~ *up* entregar; ceder; cesar (de), dejar (de); renunciar (a); ✍ desahuciar; (*for lost*) dar por perdido; ~ *o.s. up to* entregarse a; dedicarse a; **2.** [*irr.*] *v/i.* dar; ceder; (*weaken*) flaquear; (*break*) romperse; (*cloth etc.*) dar de sí; ~ *in* ceder; consentir; darse por vencido; ~ *out* agotarse; fallar; F ~ *over* cesar; ~ *up* rendirse, darse por vencido; perder la esperanza; **3.** elasticidad *f*; **give-and-take** [ˈgivənˈteik] toma y daca *m*; concesiones *f/pl.* mutuas; **give-a·way** [ˈgivəˈwei] revelación *f* indiscreta; ~ *price* precio *m* obsequio; **giv·en** *p.p. of give*; ~ *that* dado que; ~ *to* dado a, adicto a; **giv·er** dador (-a *f*) *m*, donador (-a *f*) *m*.

glad [glæd] ☐ contento, satisfecho; alegre, gozoso; *be* ~ alegrarse (*of, to* de); tener mucho gusto (*to* en); ~*ly* con mucho gusto; alegremente; **glad·den** [ˈ‿dn] alegrar, regocijar.

glade·i·a·tor [ˈglædieitə] gladiador *m*.

glad·i·o·lus [glædiˈoulǝs], *pl.* **glad·i·o·li** [‿ˈoulai] estoque *m*, gladiolo *m*.

glad·ness [ˈglædnis] alegría *f*, gozo *m*; contento *m*.

glam·or·ous [ˈglæmərəs] ☐ encantador, hechicero; **glam·our** [ˈ‿mə] encanto *m*, hechizo *m*; ~ *girl* glamour *f*, chica *f* picante.

glance [glɑːns] **1.** (*look*) ojeada *f*, vistazo *m*; (*light*) destello *m*; golpe *m* oblicuo; resbalón *m*, rebote *m* of *projectile*; *at a* ~ de un vistazo; *at first* ~ a primera vista; **2.** destellar; (*a. ~ off*) rebotar de soslayo; ~ *at* ojear, echar un vistazo a; *book* (*a. ~ over, ~ through*) hojear; examinar de paso.

gland [glænd] *anat.*, ♀ glándula *f*; ⊕ prensaestopas *m*.

glare [glɛə] **1.** luz *f* deslumbradora; deslumbramiento *m*; mirada *f* feroz; **2.** relumbrar, deslumbrar; mirar ferozmente, echar fuego por los ojos; **glar·ing** [ˈ‿riŋ] ☐ deslumbrador; *color* chillón; de mirada feroz; *fig.* manifiesto, proba.

glass [glɑːs] **1.** vidrio *m*, cristal *m*; (*drinking*) vaso *m*; (*wine*) copa *f*; (*beer*) caña *f*; (*spyglass*) catalejo *m*; barómetro *m*; (*mirror*) espejo *m*; ~*es pl.* gafas *f/pl.*, anteojos *m/pl.*, lentes *m/pl.*; (*binoculars*) gemelos *m/pl.*; **2.** de vidrio, de cristal; **ˈ‿ware** cristalería *f*; **ˈglass·y** ☐ vítreo; *water* espejado; *eyes* vidrioso.

glaze [gleiz] **1.** vidriado *m*, barniz *m*; **2.** vidriar; poner vidrio a.

gleam [gliːm] **1.** rayo *m*, destello *m*; *a. fig.* vislumbre *f*; brillo *m*; **2.** brillar, destellar.

glean [gliːn] espigar (*a. fig.*).

glee [gliː] regocijo *m*, júbilo *m*; ♪ canción *f* para voces solas; ~ *club* orfeón *m*.

glen [glen] cañada *f*.

glib [glib] ☐ de mucha labia; *explanation* fácil; **ˈglib·ness** labia *f*.

glide [glaid] **1.** deslizamiento *m*; ✈ planeo *m*; **2.** deslizarse; ✈ planear; ~ *away, off* escurrirse; **ˈglid·er** planeador *m*; (*light*) velero *m*; **ˈglid·ing** vuelo *m* a vela.

glim·mer [ˈglimə] **1.** luz *f* trémula; *a. fig.* vislumbre *f*; **2.** brillar con luz tenue y vacilante.

glimpse [glimps] **1.** vistazo *m*, vislumbre *f*; *catch a* ~ of vislumbrar; **2.** vislumbrar, entrever; ver por un momento.

glint [glint] **1.** destello *m*, reflejo *m*, centelleo *m*; **2.** destellar, centellear.

glis·ten [ˈglisn] relucir, brillar, centellear.

glit·ter [ˈglitə] **1.** resplandecer, rutil-

lar; 2. resplandor *m*; brillo *m*; **'glit·ter·ing** resplandeciente, brillante, reluciente.

gloat [glout] (*mst* ~ *over*) deleitarse (en); relamerse.

glob·al ['gloubl] mundial, global; **globe** [gloub] globo *m*; esfera *f*; *geog.* bola *f* del mundo; **'globe·trot·ter** trotamundos *m*.

gloom [glu:m], **'gloom·i·ness** tenebrosidad *f*, lobreguez *f*, oscuridad *f*; melancolía *f*, abatimiento *m*; **'gloom·y** □ tenebroso, lóbrego; abatido, melancólico.

glo·ri·ous ['glɔːriəs] □ glorioso; F magnífico, estupendo.

glo·ry ['glɔːri] 1. gloria *f*; 2. (*rejoice*) gloriarse (*in* en); (*boast*) gloriarse (*in* de).

gloss[1] [glɔs] 1. glosa *f*; 2. glosar.

gloss[2] [~] 1. lustre *m*, brillo *m*; *put a* ~ *on* sacar brillo a; 2. pulir, lustrar; ~ *over* paliar, colorear.

glos·sa·ry ['glɔsəri] glosario *m*.

glos·sy ['glɔsi] □ lustroso, pulido; *paper*, *cloth* satinado.

glove [glʌv] guante *m*.

glow [glou] 1. incandescencia *f*; brillo *m*; calor *m*; luz *f* (difusa); arrebol *m* of *sky*; color *m* vivo; sensación *f* de bienestar; 2. estar candente; brillar; estar encendido.

glow·er ['glauə]: ~ *at* mirar con ceño.

glow·ing ['glouiɳ] candente, encendido; ardiente; *fig.* entusiasta.

glow·worm ['glouwə:m] luciérnaga *f*.

glue [glu:] 1. cola *f*; 2. encolar, pegar.

glum [glʌm] □ taciturno, sombrío.

glut [glʌt] 1. hartazgo *m*; superabundancia *f*; 2. hartar; *market* inundar.

glut·ton ['glʌtn] glotón (-a *f*) *m*; *zo.* glotón *m*; *be a* ~ *for* ser insaciable de.

glyc·er·in(e) ['glisərin] glicerina *f*.

gnarled [nɑːld] nudoso, rugoso; (*weather-beaten*) curtido.

gnash [næʃ] rechinar (los dientes).

gnat [næt] mosquito *m*; jején *m* S.Am.

gnaw [nɔː] roer; **'gnaw·ing** 1. roedura *f*; 2. roedor.

gnome [noum] gnomo *m*; **gnom·ic** ['noumik] gnómico.

gnu [nu:] ñu *m*.

go [gou] 1. [*irr.*] (*v. a. going, gone*) ir; viajar, caminar; (*no direction indicated*) andar; (*depart*) irse, marcharse; desaparecer; eliminarse; (*give*

way) ceder, romperse, hundirse; ⊕ funcionar, trabajar, marchar; seguir; hacer (gestos *or* movimientos); (*be current*) correr; (*be habitually*) andar; (*turn out*) resultar, salir; (*become*) hacerse, ponerse, volverse; (*food*) pasarse; (*milk*) cortarse; (*be sold*) venderse; (*time*) pasar; (*reach*) alcanzar, llegar; (*fit*) ajustarse, caber; (*belong*) (deber) colocarse; *as far as it* ~*es* dentro de sus límites; *as they etc.* ~ considerando lo que corre; F *here* ~*es!* ¡vamos a ver!; F *how* ~*es it?* ¿qué tal?; *the story* ~*es* se dice; *who* ~*es there?* ¿quién vive?; ~ *and* (*or to*) *see* ir a ver; *v. bad*; ~ *blind* quedarse ciego; ~ *hungry* pasar hambre; ~ *hunting* ir de caza; *sl.* ~ *it* alone obrar sin ayuda; ~ *one better* quedar por encima (*than* de); ~ *about* andar (de un sitio para otro); circular; ocuparse en; emprender, hacer las gestiones para; ♫ virar; ~ *abroad* ir al extranjero; salir; ~ *against* ir en contra de; oponerse a; chocar con; ~ *ahead* ir adelante, continuar, avanzar; ~ *ahead!* ¡adelante!; ~ *along* por; marcharse; seguir andando; ~ *along* lanzarse sobre; acometer; ~ *away* irse, marcharse; desaparecer; ~ *back* volver, regresar; retroceder; F ~ *back on* desdecirse de; faltar a; ~ *before* ir a la cabeza de; anteceder; comparecer ante; ~ *between* interponerse; mediar (entre); ~ *beyond* ir más allá de (de); exceder; ~ *by* pasar (por); atenerse a; juzgar por; regirse por; ~ *by the name of* conocerse por el nombre de; ~ *down* bajar; (*sun*) ponerse; (*ship*) hundirse; sucumbir (*before* ante); F aceptarse, tragarse; pasar a la historia; ~ *for* ir por; F atacar; ~ *in* entrar (en); (*fit*) caber (en); ~ *in for* dedicarse a; tomar parte en; *exam* tomar, presentarse para; comprar; ~ *into* entrar en; caber en; investigarse; ~ *in with* asociarse con; ~ *off* irse, marcharse; (*gun*) dispararse; (*explosion*) estallar; deteriorarse; ~ *on* seguir (adelante); durar; pasar; F machacar; F echar pestes; *thea.* salir a escena; F ~ *on!* ¡anda!; ~ *on to* inf. pasar luego a *inf.*; ~ *on to say* decir a continuación; ~ *on with* continuar, proseguir; ~ *out* salir; (*light*) apagarse; F pasar de moda; ~ *over* recorrer, atravesar; examinar, repasar; (*to another party, etc.*) pasarse a; ~ *round* dar la vuelta a; circular; (*re-*

volve) girar; (*suffice*) alcanzar para todos; ~ *round to* hacer una visita a; ~ *through* pasar por; atravesar; penetrar; sufrir; experimentar; (*spend*) (mal)gastar; examinar; ~ *through with* llevar a cabo; ~ *to* (*bequest*) pasar a; servir para, ayudar a; destinarse a; ~ *under* (*ship*) hundirse; arruinarse; fracasar; *name* pasar por; ~ *up* subir (a); (*explode*) estallar; ~ *with* acompañar; (*agree*) estar de acuerdo con; hacer juego con; ir bien con; ~ *without* pasarse sin; **2.** F (*occurrence*) suceso *m*; (*fix*) lío *m*; energía *f*; turno *m*; F *be on the* ~ trajinar; F *have a* ~ probar suerte; tentar; *in on* ~ de una vez, de un tirón; F *is it a* ~? ¿hace?; F *it's a* ~! ¡trato hecho!; *no* ~ es inútil; no puede ser; F *it's your* ~ te toca a ti; *make a* ~ *of* tener éxito en.

goad [goud] **1.** aguijada *f*; (*a. fig.*) aguijón *m*; **2.** aguijonear; *fig.* irritar, incitar; ~ *into* provocar a.

go-a·head [ˈgouəhed] **1.** emprendedor; **2.** permiso *m* (*or* señal *f*) para seguir adelante.

goal [goul] meta *f*; *sport*: portería *f*, meta *f*; (*score*) gol *m*, tanto *m*; ˈ**~-keep·er** portero *m*, guardameta *m*; ˈ**~ post** poste *m* de la portería, larguero *m*.

goat [gout] cabra *f*, macho *m* cabrío; *sl.* get *a p.'s* ~ irritar a una p.; **goatˈee** perilla *f*.

gob [gɔb] salivazo *m*; *sl.* boca *f*; F marino *m*.

gob·ble [ˈgɔbl] **1.** engullir; (*turkey*) gluglutear; **2.** gluglú *m of turkey*; **gob·ble·dy·gook** [ˈgɔbldiguk] *sl.* jerga *f* burocrática.

go-be·tween [ˈgoubitwiːn] medianero (a *f*) *m*, tercero (a *f*) *m*; *b.s.* alcahuete (a *f*) *m*.

gob·let [ˈgɔblit] copa *f*.

gob·lin [ˈgɔblin] duende *m*.

god [gɔd] dios *m*; ♀ Dios *m*; ~*s thea.* F paraíso *m*, gallinero *m*; *please* ♀ plegue a Dios; ♀ *willing* Dios mediante; ˈ**god·child** ahijado (a *f*) *m*; ˈ**god-daugh·ter** ahijada *f*; ˈ**god·dess** diosa *f*; ˈ**god·fa·ther** padrino *m*; ˈ**god-fear·ing** timorato; ˈ**god·less** descreído; ˈ**god·like** (de aspecto) divino; ˈ**god·li·ness** piedad *f*, santidad *f*; ˈ**god·ly** piadoso; ˈ**god·moth·er** madrina *f*; *fairy* ~ hada madrina *f*; ˈ**god·par·ents** *pl.* padrinos *m*/*pl.*

go·er [ˈgouə] corredor (-a *f*) *m*.

go-get·ter [ˈgouˈgetə] *sl.* persona *f* emprendedora, buscavidas *m*/*f*.

go·ing [ˈgouiŋ] **1.** yendo, que va; en marcha, funcionando; F en venta; F disponible; F existente; *be* ~ *of inf.* ir a *inf.*; *keep* ~ seguir; no cejar; *set* ~ poner en marcha; ~ *concern* empresa *f* en pleno funcionamiento (*or* que marcha bien); ~, ~, *gone!* ¡a la una, a las dos, a las tres!; **2.** ida *f*; partida *f*, salida *f*; marcha *f*, velocidad *f*; estado *m* del camino (*sport*: de la pista); *good* ~! ¡bien hecho!; ˈ**go·ings-ˈon** *pl.* F actividades *f*/*pl.* (dudosas); jarana *f*.

goi·tre [ˈgɔitə] bocio *m*.

gold [gould] **1.** oro *m*; **2.** de oro, áureo; *sl.* ~ *brick* estafa *f*; ~ *leaf* oro *m* batido; ~ *plate* vajilla *f* de oro; ~ *standard* patrón *m* oro; ˈ**~ dig·ger** *sl.* aventurera *f*; ˈ**gold·en** áureo, de oro; dorado; *fig.* excelente, próspero, feliz; ~ *jubilee* quincuagésimo aniversario *m*; ~ *mean* justo medio *m*; ~ *wedding* bodas *f*/*pl.* de oro; ˈ**gold-finch** jilguero *m*; ˈ**gold·fish** pez *m* de colores; ~ *bowl* pecera *f*; ˈ**gold mine** mina *f* de oro; *fig.* río *m* de oro, potosí *m*; ˈ**gold·smith** orfebre *m*.

golf [gɔlf] golf *m*; ~ *club* (*stick*) palo *m* de golf; club *m* de golf; ˈ**golf·er** jugador (-a *f*) *m* de golf; ˈ**golf links** terreno *m* de golf.

gon·do·la [ˈgɔndələ] ⚓ góndola *f*; ✈ barquilla *f*.

gone [gɔn] (*p.p. of go*) ido; pasado; desaparecido; arruinado; (*lost*) perdido; (*used up*) agotado; muerto; F chiflado; *be* ~!, *get you* ~! ¡vete!; F *far* ~ muy adelantado; cerca de la muerte; muy borracho; *sl.* ~ *on* loco por; enamorado de; ~ (*with child*) encinta; ˈ**gon·er** *sl.* persona *f* (dada por) muerta.

gong [gɔŋ] gong(o) *m*, batintín *m*.

good [gud] **1.** bueno; F ~ *and adj. or adv.* bien, muy; ~ *at* hábil en; *be* ~ *for* ser bueno para; servir para; F tener fuerzas para; F ser capaz de (hacer *or* pagar *or* dar); *that's a* ~ *one!* ¡ésa sí que es buena!; **2.** bien *m*; provecho *m*, utilidad *f*; ~*s pl.* bienes *m*/*pl.*; † géneros *m*/*pl.*, mercancías *f*/*pl.*; *do* ~ hacer bien; sentar bien; *for* ~ (*and all*) (de una vez) para siempre; *for the* ~ *of* en bien de, para el bien de; *it is no* ~ es inútil, no sirve (para nada); *he is up to no* ~ está urdiendo algo malo; *the* ~ lo bueno; los buenos; *to the* ~ en el haber, de sobra; ˈ**~ afˑterˈnoon!**

¡buenas tardes!; **~bye** 1. [gud'bai] adiós m; 2. ['gud'bai] ¡adiós!; '**~ 'eve·ning!** ¡buenas noches!; **for-'noth·ing** 1. inútil; 2. haragán (-a f) m; '**~·'hu·mored** de buen humor; afable; '**good·li·ness** hermosura f; excelencia f; '**good-look-ing** bien parecido; '**good·ly** hermoso; considerable; '**~ 'morn·ing!** ¡buenos días!; **good-'na·tured** bondadoso; bonachón; '**good·ness** bondad f; (food) sustancia f, lo mejor; ~! ¡válgame Dios!; **for ~' sake!** ¡por Dios!; '**~ 'night!** ¡buenas noches!; '**~·sized** ['~saizd] bastante grande, de buen tamaño; '**~ 'time** rato m agradable; **have a ~ time** divertirse; '**~ 'turn** favor m, servicio m; '**good'will** buena voluntad f (to-wards hacia); buena gana f; **†** clientela f, buen nombre m.

goo·ey ['gu:i] sl. pegajoso, empalagoso.

goof [gu:f] sl. bobo (a f) m; '**goof·y** sl. bobo.

goon [gu:n] sl. zoquete m; gángster m, gorila m.

goose [gu:s], pl. **geese** [gi:s] ganso (a f) m, oca f, ánsar m; plancha f de sastre; **cook a p.'s ~** pararle los pies a una p; '**~ flesh**, **~ pim·ples** carne f de gallina; '**~ step** paso m de ganso.

gore[1] [gɔ:] sangre f (derramada).
gore[2] [~] 1. sew nesga f; 2. cornear, acornar; sew. nesgar.

gorge [gɔ:dʒ] 1. garganta f, barranco m; (meal) atracón m; 2. v/t. engullir; v/i. atracarse.

gor·geous ['gɔ:dʒəs] ☐ magnífico, brillante, vistoso; F maravilloso, hermoso.

gor·y ['gɔ:ri] ☐ ensangrentado; sangriento.

gosh [gɔʃ] sl. ¡caray!

gos·pel ['gɔspl] evangelio m.

gos·sip ['gɔsip] 1. hablador (-a f) m; b.s. chismoso (a f) m, murmurador (-a f) m; **†** comadre f; (conversation) charla f; comadreo m, murmuración f, chismes m/pl., habladurías f/pl.; piece of ~ chisme m, hablilla f; ~ column gacetilla f; 2. charlar; b.s. chismear.

got [gɔt], **♦** or **got·ten** ['~tn] pret. a. p.p. of get.

gouge [gaudʒ] 1. ⊕ gubia f; 2. (mst ~ out) excavar con gubia, acanalar; sl. estafar.

gourd ['guəd] calabaza f.

gour·mand ['guəmənd] glotón m.
gour·met ['guəmei] gastrónomo m.
gout [gaut] ✗ gota f.

gov·ern ['gʌvən] v/t. gobernar, regir (a. fig., gr.); dominar; v/i. gobernar; '**gov·ern·ess** institutriz f; '**gov·ern·ment** gobierno m; (a. gr.) régimen m; attr. = **gov·ern·men·tal** [~'mentl] gubernativo, gubernamental, del gobierno; '**gov·er·nor** gobernador m; director m; alcaide m of prison; F jefe m; F (father) progenitor m, viejo m S.Am.

gown [gaun] 1. (dress) vestido m; 🛠 univ. toga f; traje m talar; 2. vestir (con toga).

grab [græb] 1. arrebatar; agarrar, coger; fig. apropiarse; ~ at tratar de agarrar; 2. arrebatiña f; agarro m; F robo m; ⊕ gancho m arrancador; ⊕ cubeta f draga, cuchara f de dos mandíbulas.

grace [greis] 1. (favor, attractiveness, a. eccl.) gracia f; elegancia f; armonía f, decoro m; (at table) bendición f de la mesa; (deferment) respiro m, demora f; ~ note nota f de adorno; with (a) good (bad) ~ de buen (mal) talante; good ~s favor m; get into a p.'s good ~s congraciarse con una p.; period of ~ plazo m; 2. adornar, embellecer; favorecer; honrar; **grace·ful** ['~ful] ☐ agraciado, gracioso; elegante.

gra·cious ['greiʃəs] ☐ clemente, benigno, graciable; gracioso; good(ness) ~! ¡Dios mío!

gra·da·tion [grə'deiʃn] graduación f; gradación f; paso m (gradual).

grade [greid] 1. grado m; (quality) clase f, calidad f; (mark) nota f; (slope) pendiente f; make the ~ vencer los obstáculos, tener éxito; 🛠 ~ cross-ing paso m a nivel; ~ school escuela f primaria; 2. graduar, clasificar; cat-tle cruzar; 🛠 etc. nivelar, explanar.

grad·u·al ['grædjuəl] ☐ gradual; **grad·u·ate** 1. ['~eit] graduar(se); 2. ['~it] graduado adj. a. su. m (a f); **grad·u·a·tion** [~'eiʃn] graduación f.

graft[1] [grɑ:ft] 1. ✓, ✗ injerto m; 2. ✓, ✗ injertar (in, upon en).

graft[2] [~] 1. corrupción f, soborno m, chanchullos m/pl.; sl. hard ~ trabajo m muy duro; '**graft·er** F chanchullero m.

grain [grein] 1. grano m; cereales m/pl.; fibra f; hebra f of wood; vena f, veta f of stone; flor f of leather; granilla f of cloth; (particle) pizca f;

against the ~ *fig.* a contrapelo; *with a* ~ *of salt* con un grano de sal; **2.** vetear.
gram·mar ['græmə] gramática *f*; ~ *school* instituto *m* (de segunda enseñanza); (*private*) colegio *m*; escuela *f* intermedia; **gram·mar·i·an** [grə'mɛəriən] gramático *m*; **gram·mat·i·cal** [grə'mætikl] □ gramático, gramatical.
gram(me) [græm] gramo *m*.
gran·a·ry ['grænəri] granero *m*.
grand [grænd] **1.** □ magnífico, imponente, grandioso; espléndido; *p.* distinguido, soberbio; *style* elevado, sublime; noble; magno; gran(de); estupendo; ♫ *Duke* gran duque *m*; ~ *opera* ópera *f* seria; **2.** ♪ (*a.* ~ *piano*) piano *m* de cola; *sl.* mil dólares *m/pl.*
gran·dad ['grændæd] F abuelito *m*; **'grand·child** nieto (a *f*) *m*; **'grand·daugh·ter** nieta *f*; **'grand·fa·ther** abuelo *m*; ~('s) *clock* reloj *m* de caja (*or* de pie).
gran·di·ose ['grændious] □ grandioso; *b.s.* exagerado, hinchado.
grand·ma ['grændma] F abuelita *f*.
grand·moth·er ['grændmʌðə] abuela *f*.
grand·pa ['grændpɑ] F abuelito *m*.
grand...: **'~·par·ents** *pl.* abuelos *m/pl.*; **'~·son** nieto *m*; **'~·stand** tribuna *f*.
gran·ite ['grænit] granito *m*.
gran·ny ['græni] F nana *f*, abuelita *f*, viejecita *f*.
grant [grɑnt] **1.** concesión *f*; otorgamiento *m*; donación *f*; (*subsidy*) subvención *f*; (*for study*) beca *f*, pensión *f*; ⚖ cesión *f*; **2.** conceder; otorgar; ⚖ ceder; donar; asentir a; *take for* ~ed dar por supuesto, descontar; ~ed *that* dado que; ~ing *this* (*to*) *bc* so dado que así sea; *God* ~! ¡ojalá!; ¡Dios lo quiera! **gran'tee** ⚖ cesionario (a *f*) *m*; **grant-in-aid** ['grɑntin'eid] subvención *f*, pensión *f*; **grant·or** [~'tɔ:] ⚖ cesionista *m/f*.
gran·u·lar ['grænjulə] granular.
grape [greip] uva *f*; *sour* ~s! ¡están verdes!; **'~·fruit** toronja *f*, pomelo *m*; **~·juice** zumo *m* de uva, jugo *m* de uvas; **'~·shot** metralla *f*; **'~·vine** vid *f*, parra *f*; *sl.* sistema *m* de comunicación clandestina, rumores *m/pl.*
graph [græf] gráfico *m*; ~ *paper* papel *m* cuadriculado; **'graph·ic** □ gráfico; ~ *arts* artes *f/pl.* gráficas.
grap·ple ['græpl] **1.** ⚓ arpeo *m*, rezón *m*; asimiento *m*; *wrestling:* presa *f*;

⊕ garfio *m*; **2.** *v/t.* ⚓ aferrar con; luchar (a brazo partido) con; *fig.* esforzarse por resolver.
grasp [grɑːsp] **1.** agarro *m*, asimiento *m*; (*handclaps*) apretón *m*; (*power*) poder *m*; (*range*) alcance *m*; comprensión *f*; *have a good* ~ *of* saber a fondo; *within the* ~ *of* al alcance de; **2.** *v/t.* agarrar, asir, empuñar; *hand* estrechar; apoderarse de; *fig.* comprender; *v/i.*: ~ *at* hacer por asir; **'grasp·ing** □ codicioso, tacaño.
grass [grɑːs] **1.** hierba *f*; (*sward*) césped *m*; (*grazing*) pasto *m*; *go to* ~ ir al pasto; *fig.* descansar; *put out to* ~ echar al pasto; **2.** cubrir de hierba; apacentar; **'~·hop·per** saltamontes *m*; **'~·land** pradera *f*; **'~·plot** césped *m*; **'~·roots** básico; rústico, provinciano; popular; **'~ wid·ow(·er)** F mujer *f* cuyo marido (hombre *m* cuya mujer) está ausente; **'grass·y** herboso; herbáceo.
grate[1] [greit] parrilla *f*; reja *f*; (*fire-place*) hogar *m*.
grate[2] [~] *v/t. food* rallar; *teeth* hacer rechinar; *v/i.* rechinar; ~ (*up*)*on fig.* irritar; ~ *on the ear* herir el oído.
grate·ful ['greitful] □ agradecido, reconocido; *th.* grato, agradable; *be* ~ *for* agradecer.
grat·i·fy ['grætifai] satisfacer; complacer; **'grat·i·fy·ing** satisfactorio; grato.
grat·ing ['greitin] **1.** □ rechinador, áspero; irritante; **2.** reja *f*, verja *f*; rechinamiento *m*.
gra·tis ['greitis] **1.** *adv.* gratis; **2.** *adj.* gratuito.
grat·i·tude ['grætitjuːd] agradecimiento *m*, reconocimiento *m*, gratitud *f*.
gra·tu·i·tous [grə'tjuːitəs] □ gratuito; **gra'tu·i·ty** gratificación *f*.
grave[1] [greiv] grave (*a. gr.*); solemne; serio.
grave[2] [~] **1.** fosa *f*, sepultura *f*; (*esp. monument*) tumba *f*, sepulcro *m*; **2.** [*irr.*] grabar, esculpir; **'~·dig·ger** sepulturero *m*, enterrador *m*.
grav·el ['grævl] **1.** grava *f*, recebo *m*; ⚕ litiasis *f*, arenillas *f/pl.*; **2.** engravar, recebar; desconcertar.
grav·en ['greivən] *p.p. of* **grave**; ~ *image* ídolo *m*.
grave...: **'~·stone** lápida *f* sepulcral; **'~·yard** cementerio *m*, campo *m* santo.
grav·i·tate ['græviteit] gravitar; *fig.*

dejarse atraer [to(wards) por]; **grav·i'ta·tion** gravitación f.

grav·i·ty ['græviti] gravedad f; seriedad f, solemnidad f.

gra·vy ['greivi] salsa f; jugo m (de la carne); sl. ganga f.

gray [grei] **1.** □ gris (a. fig.); horse rucio; weather pardo; gray-haired cano, canoso; gray hairs canas f/pl.; matter anat. materia f gris, seso m; **2.** (color) gris m; (horse) rucio m; **3.** volver(se) gris; (hair) encanecer; '~**beard** anciano m, viejo m; '~**haired**, '~**head·ed** canoso; '~**hound** galgo m; '**gray·ish** grisáceo; hair entrecano.

graze [greiz] **1.** v/t. grass pacer; cattle etc. apacentar, pastar; v/i. pacer; **2.** a v/t. rozar; raspar; b su. roce m, abrasión f, desolladura f.

grease 1. [gri:z] engrasar; v. palm[2]; **2.** [gri:s] grasa f; (dirt) mugre f; '~**box**, '~**cup** vaso m de engrase, caja f de sebo; '~**gun** mot. engrasador m de compresión; '~**paint** maquillaje m.

greas·y ['gri:zi] □ grasiento, pringoso; surface resbaladizo; p. adulón.

great [greit] **1.** gran(de); enorme, vasto; importante; lit. magno; principal; mucho; time largo; F excelente, estupendo; F ~ at fuerte en; F ~ on aficionado a; **2.** the ~ los grandes; '~**aunt** tía abuela f; '~**coat** sobretodo m; '~**grand·child** bisnieto (a f) m; '~**grand·fa·ther** bisabuelo m; '~**grand·moth·er** bisabuela f; '~**grand·fa·ther** tatarabuelo m; '~**grand·son** tataranieto m; '**great·ly** grandemente, mucho, muy; '**great·ness** grandeza f.

Gre·cian ['gri:ʃn] griego.

greed [gri:d], '**greed·i·ness** codicia f, avaricia f; voracidad f, gula f; '**greed·y** □ codicioso, avaro; (for food) goloso, voraz.

Greek [gri:k] **1.** griego adj. a. su. m (a f); **2.** (language) griego m; that is ~ to me no entiendo palabra.

green [gri:n] **1.** verde; fresco; complexion pálido; (raw) crudo; F (inexperienced) novato; F (credulous) crédulo, bobo; grow~, look~ verdear; **2.** verde m; prado m; césped m; ~s pl. verduras f/pl.; bright ~ verdegay adj. a. su. m; dark ~ verdinegro; '~**horn** bisoño m; bobo m; '~**house** invernáculo m; '**green·ish** verdoso.

greet [gri:t] saludar; recibir; senses presentarse a; (welcome) dar la bien-

venida a; '**greet·ing** saludo m, salutación f; (welcome) bienvenida f; ~s (in letters) recuerdos m/pl.

gre·gar·i·ous [gre'gɛəriəs] □ gregario; sociable.

grew [gru:] pret. of grow.

grey [grei] = gray.

grid [grid] reja f; parrilla f; ⚡ red f; radio: rejilla f; mot. sl. armatoste m, rácano m; '**grid·i·ron** parrilla f; reja f; campo m de fútbol; 🚂 emparrillado m.

grief [gri:f] dolor m, pesar m, aflicción f; come to ~ malograrse; sobrevenirle a una p. una desgracia.

griev·ance ['gri:vəns] agravio m; motivo m de queja; **grieve** [gri:v] afligir(se), acongojar(se) (at, over de, por); ~ for llorar; '**griev·ous** □ doloroso, penoso; opresivo; lamentable, grave.

grill [gril] **1.** parrilla f; (meat) asado m a la parrilla; **2.** asar a la parrilla; sl. atormentar, interrogar.

grim [grim] □ severo; ceñudo; feroz; inflexible; horroroso; F muy aburrido, desagradable.

gri·mace [gri'meis] **1.** mueca f, gesto m, visaje m; **2.** hacer muecas.

grime [graim] **1.** mugre f; tizne mst m; **2.** enmugrecer.

grin [grin] **1.** sonrisa f (abierta or burlona or feroz); (grimace) mueca f; **2.** sonreír (mostrando los dientes or irónicamente or ferozmente).

grind [graind] **1.** [irr.] v/t. moler; pulverizar; (sharpen) amolar, afilar; teeth etc. hacer rechinar; dentistry: desgastar; (oppress) oprimir; ~ down desgastar; pulverizar; F oprimir, agobiar; ~ out (re)producir mecánicamente (or laboriosamente); v/i. moler(se); trabajar (or estudiar) laboriosamente; F quemarse las cejas; **2.** molienda f; F rutina f; '**grind·ing** fig. agobiante.

grip [grip] **1.** asir, agarrar; (squeeze) apretar; wheel agarrarse (a); fig. absorber la atención (a); **2.** asimiento m, agarro m; (handle) agarradero m, empuñadura f; (clutches) garras f/pl.; (handshake) apretón m; fig. dominio m, comprensión f; (bag) maletín m (con cremallera); come to ~s with luchar (a brazo partido) con; F lose one's ~ estar desbordado.

gripe [graip] **1.** esp. ~s pl. retortijón m de tripas; **2.** F quejarse.

gris·ly ['grizli] horripilante, espantoso; F desagradable.

grit [grit] 1. arena f, cascajo m; geol. arenisca f; F valor m, firmeza f; ⁓s cereales m/pl. a medio moler; 2. (hacer) rechinar.

griz·zly ['grizli] 1. gris, grisáceo; canoso; 2. oso m gris.

groan [groun] 1. gemido m, quejido m; 2. gemir, quejarse; (with weight) crujir.

gro·cer ['grousə] tendero (a f) m (de ultramarinos), abacero (a f) m, arrotero (a f) m S.Am.; **gro·cer·ies** ['⁓riz] pl. comestibles m/pl., ultramarinos m/pl.; abarrotes m/pl. S.Am.; '**gro·cer·y store** tienda f de ultramarinos (or de comestibles), abacería f, colmado m; tienda f de abarrotes S.Am.

groin [grɔin] anat. ingle f; ⚓ arista f de encuentro.

groove [gru:v] 1. ranura f, estría f, acanaladura f; record: surco m; fig. rutina f; 2. estriar, acanalar.

grope [group] andar a tientas; ⁓ one's way tentar el camino.

gross [grous] 1. □ size: grueso, espeso; enorme; total; ♣ bruto; character grosero; error etc. craso; 2. gruesa f; by the ⁓ en gruesas; in (the)⁓ en grueso; al por mayor.

gro·tesque [grou'tesk] □ grotesco.

grot·to ['grɔtou] gruta f.

grouch [grautʃ] Am. F 1. mal humor m; 2. estar de mal humor, refunfuñar.

ground¹ [graund] pret. a. p.p. of grind; ⁓ glass vidrio m deslustrado.

ground² [⁓] 1. suelo m; (earth a. ⚡) tierra f; terreno m (a. fig.); sport: campo m; ♣ fondo m; (reason) causa f, motivo m; (basis) fundamento m; paint. primera capa f, fondo m; ⁓s pl. terreno m, jardines m/pl.; fig. fundamento m, motivo m; (sediment) poso m; F down to the ⁓ completamente, como un guante; on the ⁓ sobre el terreno; on the ⁓(s) of con motivo de, en virtud de; on the ⁓(s) that porque, pretextando que; give ⁓ ceder terreno; 2. ♣ (hacer) varar; poner en tierra; ⚡ conectar con tierra; establecer; basar; enseñar los rudimentos (in de); ≷ be ⁓ed no poder despegar; ⁓ed en fundado; versado (in en); '⁓ **floor** piso m bajo, planta f baja; '⁓**less** □ infundado; '⁓ **nut** cacahuete m.

group [gru:p] 1. grupo m, agrupación f; 2. agrupar(se); 3. colectivo.

grouse¹ [graus] orn. black ⁓ gallo m lira; red ⁓ lagópodo m escocés.

grouse² [⁓] F 1. (motivo m de) queja f; 2. quejarse, refunfuñar.

grove [grouv] soto m, arboleda f, boscaje m.

grov·el ['grɔvl] arrastrarse.

grow [grou] [irr.] v/i. crecer; cultivarse; (become) hacerse, ponerse, volverse; ⁓ a. adj. is often translated by v/i. or v/r. corresponding to adj.: ⁓ angry enfadarse; ⁓ cold enfriarse; ⁓ dark oscurecer(se); ⁓ fat engordar; ⁓ old envejecer(se); ⁓ into hacerse, llegar a ser; F ⁓ on a p. gustar cada vez más a una p.; (habit) arraigar en una p.; ⁓ out of resultar de; clothes hacérsele pequeña a una p. la ropa; habit perder (con el tiempo); ⁓ to inf. llegar a inf.; ⁓ up hacerse hombre (or mujer); (custom) imponerse; '**grow·er** cultivador (-a f) m.

growl [graul] 1. gruñido m; rezongo m; 2. gruñir, regañar; rezongar; decir rezongando.

grown [groun] 1. p.p. of grow; 2. adj. crecido, adulto, maduro; ⁓ over with cubierto de; '⁓**up** 1. adj. adulto; 2. su. persona f mayor; **growth** [grouθ] crecimiento m; desarrollo m; aumento m; cobertura f, vegetación f; ✿ tumor m.

grub [grʌb] 1. larva f, gusano m; contp. puerco (a f) m; sl. alimento m, comida f; 2. v/t. desmalezar; (a. ⁓ out, ⁓ up) arrancar, desenterrar; v/i. cavar; afanarse (a. ⁓ away); emplearse en oficios bajos.

grudge [grʌdʒ] 1. (motivo m de) rencor m, inquina f, resentimiento m; bear (or have) a ⁓ against guardar rencor a; 2. escatimar, dar de mala gana; envidiar.

gru·el ['gruəl] approx. gachas f/pl.; '**gru·el·(l)ing** 1. castigo m; 2. riguroso, penoso.

grue·some ['gru:səm] □ pavoroso, horripilante.

gruff [grʌf] □ voice (b)ronco; manner brusco, malhumorado.

grum·ble ['grʌmbl] 1. queja f, regaño m; rezongo m sordo; 2. quejarse (at de); murmurar; refunfuñar; (thunder) retumbar (a lo lejos).

grunt [grʌnt] 1. gruñido m; 2. gruñir.

guar·an·tee [gærən'ti:] 1. garantía f; persona f de quien se sale fiador;

garante m/f, fiador (-a f) m; **2.** garantizar; F asegurar.

guard [gɑːd] **1.** (in general, p., act, a. of sword) guarda f; (fencing, ⚔ duty, regiment) guardia f; (soldier) guardia m; (sentry) centinela m; (safeguard) resguardo m; 🚃 jefe m de tren; ~'s van furgón m; off (one's) ~ desprevenido; on ~ en guardia; ⚔ de guardia; alerta; change ~ relevar la guardia; mount ~ montar la guardia; **2.** v/t. guardar, proteger, defender (against, from de); vigilar; escoltar; v/i. ~ against guardarse de; '**guard·ed** □ guardado; cauteloso, reservado, circunspecto; '**guard·i·an** guardián (-a f) m; ⚖ tutor (-a f) m; ~ angel ángel m custodio (or de la guarda).

gua·va ['gwɑːvə] guayaba f.

gue(r)·ril·la [gə'rilə] guerrilla f; guerrillero (a f) m.

guess [ges] **1.** adivinación f, conjetura f, suposición f; **2.** adivinar, conjeturar, suponer; creer; ~ at conjeturar, estimar aproximadamente; '**guess·work** conjetura(s) f(pl.).

guest [gest] huésped (-a f) m; (at meal) convidado (a f) m; '~ book libro m de oro; '~ room cuarto m de reserva.

guf·faw [gʌ'fɔː] **1.** risotada f; **2.** reírse a carcajadas.

guid·ance ['gaidəns] gobierno m, conducta f, dirección f; consejo m.

guide [gaid] **1.** (p.) guía m/f; (book, ⊕, fig. etc.) guía f; attr. de guía; **2.** guiar, orientar; gobernar; ~d missile proyectil m (tele)dirigido; '~·book guía f (del viajero); '~ dog perro-lazarillo m; '~·line cuerda f de guía; norma f, pauta f, directorio m; '~·post poste m indicador.

guild [gild] gremio m; cofradía f.

guile [gail] astucia f, maña f, malicia f, engaño m.

guil·lo·tine [gilə'tiːn] **1.** guillotina f (a. ⊕); **2.** guillotinar.

guilt [gilt] culpa(bilidad) f (a. '**guilt·i·ness**); '**guilt·less** □ libre de culpa, inocente (of de); '**guilt·y** □ culpable; plead ~ confesarse culpable.

guin·ea ['gini] guinea f (= 21 chelines); '~ **fowl** gallina f de Guinea; '~ **pig** cobayo m.

guise [gaiz] apariencia f; traje m; manera f; pretexto m; in the ~ of disfrazado de.

gui·tar [gi'tɑː] guitarra f; **guit·ar·ist** guitarrista m/f.

gulch [gʌltʃ] barranco m.

gulf [gʌlf] golfo m; abismo m (a. fig.); vorágine f.

gull¹ [gʌl] orn. gaviota f.

gull² [~] **1.** primo m, bobo m; **2.** engañar; inducir con engaños (into a).

gul·let ['gʌlit] esófago m; garganta f.

gul·li·ble ['gʌləbl] crédulo, simplón.

gul·ly ['gʌli] barranco m, hondonada f; canal m.

gulp [gʌlp] **1.** trago m, sorbo m; **2.** v/t. (a. ~ down) tragar, engullir; emotion ahogar; v/i. ahogarse momentáneamente.

gum¹ [~] anat. encía f.

gum² [~] **1.** goma f; (chewing-) chicle m; (adhesive) cola f; ~s pl. chanclos m/pl. de goma; **2.** engomar, pegar con goma; F (esp. ~ up) atascar.

gump·tion ['gʌmpʃn] F sentido m común; energía f.

gun [gʌn] **1.** arma f de fuego; cañón m; (sporting) escopeta f; (rifle) fusil m; F revólver m, pistola f; (shot) cañonazo m; F big (or great) ~ pájaro m gordo; stick to one's ~s seguir en sus trece; a 21-~ salute una salva de 21 cañonazos; **2.** F nadar a caza (for de); '~·boat cañonero m; '~·fire cañoneo m; '**gun·ner** ⚔, ⚓, ✈ artillero m; '~·pow·der pólvora f; '~·run·ning contrabando m de armas; '~·shot cañonazo m, escopetazo m, tiro m de fusil.

gur·gle ['gəːgl] **1.** (liquid) gluglú m, gorgoteo m; (baby) gorjeo m; **2.** gorgotear, hacer gluglú.

gush [gʌʃ] **1.** chorro m, borbotón m; fig. efusión f; **2.** chorrear, borbotar; manar a borbotones (from de); fig. hacer extremos; '**gush·er** pozo m de petróleo; fig. persona f efusiva; '**gush·ing** □ fig. efusivo.

gust [gʌst] ráfaga f, racha f; fig. acceso m, arrebato m, explosión f.

gus·to ['gʌstou] gusto m; entusiasmo m.

gus·ty ['gʌsti] borrascoso.

gut [gʌt] **1.** intestino m, tripa f; cuerda f de tripa; ⚓ estrecho m; sl. descaro m; ~s sl. agallas f/pl.; F sustancia f; **2.** destripar; saquear (or destruir) lo interior de.

gut·ter ['gʌtə] **1.** street: arroyo m; roadside: cuenta f; roof: canal m, gotera f; fig. barrios m/pl. bajos; **2.** v/t. acanalar; v/i. gotear; (candle) correrse; '~·snipe golfillo m.

gut·tur·al ['gʌtərəl] □ gutural.

guy¹ [gai] muñeco *m*, mamarracho *m*; espantajo *m*; F tío *m*, tipo *m*.

guy² [~] (*a. ~ rope*) viento *m*; retenida *f*; ~ **wire** cable *m* de retén.

guz·zle ['gʌzl] tragar, engullir; beber con exceso.

gym [dʒim] = *gymnasium*.

gym·na·si·um [dʒim'neizjəm] gimnasio *m*; **gym·nast** ['dʒimnæst] gimnasta *m/f*; **gym'nas·tic** 1. □

gimnástico; 2. ~s *pl*. gimnasia *f*.

gyp [dʒip] *sl.* 1. estafa *f*; estafador *m*; 2. estafar.

gyp·sum ['dʒipsəm] yeso *m*.

gy·rate [dʒaiə'reit] girar; **gy'ra·tion** giro *m*, vuelta *f*.

gy·ro·com·pass ['dʒaiərə'kʌmpəs] brújula *f* giroscópica, girocompás *m*; **gy·ro·scope** ['gaiərəskoup] giroscopio *m*.

H

h [eitʃ]: *drop one's h's* hablar con poca corrección.

ha [hɑː] ¡ah!

hab·it ['hæbit] costumbre *f*; hábito *m* (*a. dress*); *be in the ~ of gr.* acostumbrar *inf.*, soler *inf.*; **hab·i·tat** ['~tæt] habitat *m*, habitación *f*.

ha·bit·u·al [hə'bitjuəl] □ habitual, acostumbrado; **ha'bit·u·ate** [~eit] habituar, acostumbrar (*to* a).

hack¹ [hæk] 1. ⊕ piqueta *f*; corte *m*, hachazo *m*; mella *f*; puntapié *m* (en la espinilla); 2. cortar, acuchillar; picar; mellar; dar un puntapié (en la espinilla).

hack² [~] 1. caballo *m* de alquiler; rocín *m*; (*a. ~-writer*) escritorzuelo (a *f*) *m*, plumífero (a *f*) *m*; 2. de alquiler; mercenario; *fig.* trillado, gastado, sin originalidad.

hack·le ['hækl] ⊕ rastrillo *m*; *orn.* plumas *f/pl* del pescuezo.

hack·neyed ['hæknid] trillado, gastado.

hack·saw ['hæksɔː] sierra *f* de armero, sierra *f* de cortar metales.

had [hæd, həd] *pret. a. p.p. of have*.

had·dock ['hædək] eglefino *m*.

hag [hæg] (*mst fig.*) bruja *f*; F callo *m*.

hag·gard ['hægəd] □ macilento; trasojado, trasnochado.

hag·gle ['hægl] (*a. ~ over*) regatear.

hail¹ [heil] 1. granizo *m*, pedrisco *m*; *fig.* granizada *f*; 2. granizar (*a. fig.*).

hail² [~] 1. *v/t.* llamar; saludar; aclamar; *v/i.*: ~ *from* proceder de, ser natural de; 2. llamada *f*, grito *m*; saludo *m*; ~! ¡salud!, ¡salve!; *within* ~ al habla.

hail·stone ['heilstoun] piedra *f* de granizo; **hail·storm** ['heilstɔːm] granizada *f*.

hair [hɛə] pelo *m*; cabello *m*; (*head of*) ~ cabellera *f*, (*down*) vello *m*, F let

one's ~ down echar una cana al aire; *tear one's ~* mesarse los cabellos; *escape by a ~'s breadth* escapar por un pelo; '~**brush** cepillo *m* para el cabello; '~**cut** corte *m* de pelo; *get a ~* hacerse cortar el pelo; '~**do** F peinado *m*; '~**dress·er** peluquero (a *f*) *m*; ~'s (*shop*) peluquería *f*; '~**dry·er** secador *m* para el pelo; '~ **dye** tinte *m* para el pelo.

hair...: '~**less** sin pelo; pelón, calvo; '~ **net** redecilla *f*; '~**pin** horquilla *f*; ~ *bend* viraje *m* en horquilla; '~**rais·ing** horripilante, espeluznante; '~ **rib·bon** cinta *f* para el cabello; '~**split·ting** 1. quisquilla *f*, argucia *f*; 2. quisquilloso; '~**spring** espiral *f*; '~ **style** peinado *m*; '~ **ton·ic** vigorizador *m* del cabello; '**hair·y** peludo, velloso.

hake [heik] merluza *f*.

hal·cy·on ['hælsiən] 1. alción *m*; 2. apacible, feliz; ~ **days** días *m/pl.* tranquilos, época *f* de paz.

hale [heil] sano, robusto; ~ *and hearty* sano y fuerte.

half [hɑːf] 1. *su.* mitad *f*; *school:* trimestre *m*; '~'s parte *f*; ~ *and half* mitad y mitad; F *better* ~ cara mitad *f*; *by* ~ con mucho; ~ *halves* a medias; *go halves with* ir a medias con; *in* ~ en dos mitades; 2. *adj.* medio, semi...; *two and a* ~ *hours, two hours and a* ~ dos horas *f/pl.* y media; 3. *adv.* medio, a medias, mitad, semi...; casi; ~ *asleep* medio dormido, semidormido, dormido a medias; ~ *dressed* a medio vestir; *not* ~ *bad* bastante bueno; ~**baked** ['~'beikt] *fig.* poco maduro, incompleto; '~**breed** mestizo (a *f*) *m*; '~ **broth·er** medio hermano *m*; '~**caste** mestizo *adj. a. su. m* (a *f*); '~ **fare** medio billete *m*, '~ **full** a medio

llenar, mediado; '**~·length** de medio cuerpo; '**~·'mast:** (*at*) ~ a media asta; '**~·'moon** media luna *f*; '**~ ·'note** ♪ nota *f* blanca; '**~·'pay** media paga *f*; '**~·'price** a mitad de precio; **~·seas o·ver** ['~·'sa:fsi:z'ouvə] F calamocano; '**~·'time** *sport:* descanso *m*; '**~·tone** fotografado *m* a media tinta; '**~·'truth** verdad *f* a medias; '**~·way 1.** *adv.* a medio camino; **2.** *adj.* intermedio; '**~·'wit·ted** imbécil.

hal·i·but ['hælibət] halibut *m*.

hall [hɔːl] vestíbulo *m*; sala *f*; recibimiento *m*; casa *f* señorial; = guild~, music~, town ~; *univ.:* residencia *f*; comedor *m*; paraninfo *m*.

hal·le·lu·jah [hæli'luːjə] aleluya *f*.

hall·mark ['hɔːlmɑːk] **1.** marca *f* del contraste; *fig.* sello *m*; **2.** contrastar; *fig.* sellar.

hal·low [hælou] santificar; **Hal·low·e'en** ['~·iːn] víspera *f* de Todos los Santos.

hal·lu·ci·na·tion [həluːsi'neiʃn] alucinación *f*.

ha·lo ['heilou] halo *m*; *fig.* aureola *f*.

halt [hɔːlt] **1.** alto *m*, parada *f*; *call a ~ to* atajar; *come to a ~* pararse; interrumpirse; **2.** hacer alto; parar(se); (*hesitate*) vacilar; **3.** cojo; **4.** ~*!* ¡alto!

hal·ter ['hɔːltə] cabestro *m*, ronzal *m*; (*noose*) dogal *m*.

halt·ing ['hɔːltiŋ] □ vacilante, titubeante.

halve [hɑːv] **1.** partir por mitad; **2. halves** [~z] *pl. of half.*

ham [hæm] jamón *m*, pernil *m*; *sl.* ~ (*actor*) comicastro *m*, maleta *m*; *sl. radio:* radioaficionado *m*.

ham·burg·er ['hæmbəːgə] hamburguesa *f*.

ham·let ['hæmlit] aldehuela *f*, caserío *m*.

ham·mer ['hæmə] **1.** martillo *m*; ♪ macillo *m*; percusor *m of firearm*; **2.** martillar; batir; (*a. ~ in*) clavar (con martillo).

ham·mock ['hæmək] hamaca *f*; ♏ coy *m*.

ham·per ['hæmpə] **1.** cesto *m*, canasta *f*, excusabaraja *f*; **2.** estorbar, embarazar, impedir.

ham·ster ['hæmstə] hámster *m*.

ham·string ['hæmstriŋ] **1.** tendón *m* de la corva; **2.** desjarretar; *fig.* incapacitar.

hand [hænd] **1.** mano *f*; (*worker*)

operario (a *f*) *m*, obrero (a *f*) *m*, peón *m*; (*measure*) palmo *m*; manecilla *f of clock*; aguja *f of instrument*; (*writing*) escritura *f*; (*signature*) firma *f*; aplausos *m/pl.*; *fig.* habilidad *f*; *fig.* influencia *f*; *at ~* a mano; *at first ~* de primera mano, directamente; ~ *in glove* uña y carne; *by ~* a mano; *change* ~*s* cambiar de dueño; *live from ~ to mouth* vivir de la mano a la boca; *get one's ~ in* hacerse la mano; *have a ~ in* tomar parte en, tener mano en; *have a free ~* tener carta blanca; *in ~* entre manos; *money* contante; dominado; *take in ~* hacerse cargo de; disciplinar; entrenar; *lend a ~* arrimar el hombro; ~*s off!* ¡fuera las manos!; *on ~* a la mano; entre manos; disponible; *on one's ~s* a su cargo; *on the one ~* por una parte; *on the other ~* por otra parte; *out of ~* en seguida; desmandado; ~ *over fist* rápidamente; *take a ~* tomar parte, intervenir (*at, in* en); *to* (*one's*) ~ *a mano; ~ to ~* cuerpo a cuerpo; *put one's ~ to* emprender; firmar; ~*s up!* ¡arriba las manos!; **2.** dar; entregar; alargar; ~ *down* bajar; *p.* ayudar a bajar; transmitir; ♯♯ dictaminar; ~ *in* entregar; *p.* ayudar a entrar; ~ *out* distribuir; *p.* ayudar a salir; ~ *over* entregar; ~ *round* repartir; (hacer) pasar de uno a otro; '**~·bag** bolso *m*, bolsa *f*; '**~·ball** balonmano *m*; '**~·bill** hoja *f* volante; '**~·book** manual *m*; (*guide*) guía *f*; '**~·brake** freno *m* de mano; '**~·cuff 1.** ~*s pl.* esposas *f/pl.*; **2.** poner las esposas; **hand·ful** ['~·ful] puñado *m*, manojo *m*.

hand·i·cap ['hændikæp] **1.** desventaja *f*, obstáculo *m*; handicap *m* (*a. sport*); **2.** perjudicar, dificultar; handicapar.

hand·i·craft ['hændikrɑːft] artesanía *f*; destreza *f* manual.

hand·ker·chief ['hæŋkətʃif] pañuelo *m*.

han·dle ['hændl] **1.** mango *m*, puño *m*; asidero *m*; (*lever*) palanca *f*; asa *f of basket, jug etc.*; tirador *m of door, drawer etc.*; (*winding*) manubrio *m*; *fig.* F título *m*; *fig.* pretexto *m*; *sl. fly off the ~* salirse de sus casillas; **2.** tocar, manosear; manejar, manipular; gobernar; (*deal in*) comerciar en; '**~·bar** manillar *m*.

han·dling ['hændliŋ] manejo *m*; gobierno *m*; tratamiento *m*; manoseo *m*.

hand...: '∽·'**made** hecho a mano; '∽·**out** F limosna f; F distribución f; F nota f de prensa; '∽·'**picked** escogido a mano; '∽·**rail** pasamano m, barandal m; '∽·**saw** serrucho m, sierra f de mano; '∽·**shake** apretón m de manos.

hand·some ['hænsəm] ☐ hermoso, guapo; buen mozo; *treatment etc.* generoso; *fortune etc.* considerable.

hand...: '∽·'**spring** voltereta f sobre las manos; '∽·**writ·ing** escritura f, letra f; '**hand·y** ☐ a mano; conveniente, práctico, manuable; útil; *p.* diestro, hábil; ∽ *man* factótum m; *come in* ∽ venir bien.

hang [hæŋ] **1.** [*irr.*] *v/t.* colgar; suspender; *wallpaper* pegar; *head* inclinar; (*execute*) ahorcar; (*drape*) poner colgaduras en; ∽ *out* tender; ∽ *up* colgar; interrumpir; suspender; *v/i.* colgar, pender; estar suspendido; (*be executed*) ser ahorcado; (*garments*) caer; ∽ *in the balance* estar pendiente de un hilo; ∽ *about* frecuentar, rondar; (*idle*) haraganear; ∽ *back* resistirse a pasar adelante; vacilar; ∽ *on* colgar de; agarrarse (*to* a); persisitir; depender de; estar pendiente de; **2.** caída f *of garment*; F modo m de manejar; F sentido m; *get the* ∽ *of* (lograr) entender.

hang·ar ['hæŋə] hangar m.

hang·er ['hæŋə] percha f, colgadero m; ∽**on** ['∽'ɔn] *contp. fig.* parásito m, pegote m.

hang·man ['hæŋmən] verdugo m.

hang·out ['hæŋ'aut] *sl.* guarida f, nidal m.

hang·o·ver ['hæŋouvə] F resto m; *sl.* resaca f *after drinking*.

han·ker ['hæŋkə]: ∽ *after* ambicionar, añorar; ∽ *for* anhelar.

hap·haz·ard ['hæp'hæzəd] **1.** casualidad f; **2.** fortuito, casual.

hap·pen ['hæpən] pasar, suceder, ocurrir, acontecer, acaecer; *as* ∽*s* ∽*s that* da la casualidad que; F ∽ *in(to)* entrar por casualidad; ∽ (*up*)*on* tropezar con; acertar con; '**hap·pen·ing** suceso m, acontecimiento m.

hap·pi·ly ['hæpili] felizmente, afortunadamente.

hap·pi·ness ['hæpinis] felicidad f, dicha f.

hap·py ['hæpi] ☐ feliz, dichoso; *sl.* entre dos luces; *be* ∽ alegrarse de, tener gusto en; *be* ∽ *about* estar contento de; *v. medium*; '∽·**go-** 10*

-luck·y despreocupado, imprevisor.

ha·rangue [hə'ræŋ] **1.** arenga f; **2.** arengar.

har·ass ['hærəs] acosar, hostigar; preocupar; agobiar; ✕ picar.

har·bor ['hɑːbə] **1.** puerto m; **2.** abrigar (*a. fig.*); encubrir.

hard [hɑːd] **1.** *adj.* duro, endurecido; sólido, firme; difícil, arduo, penoso; fuerte; recio; severo, inflexible; *water* crudo; *climate* áspero; *blow* rudo; *it is* ∽ *to know* es difícil saber; *he is* ∽ *to beat* es malo de vencer, es difícil de vencer; ∽ *to deal with* intratable; *be* ∽ (*up*)*on p.* estar muy duro con; *clothing etc.* gastar, echar a perder; ∽ *and fast* inflexible; ∽ *cash* dinero m contante; ∽ *currency* moneda f dura; ∽ *drinker* bebedor (-a f) m empedernido (a); ∽ *liquor* licor m espiritoso; ∽ *of hearing* duro de oído; **2.** *adv.* duro, duramente; de firme; difícilmente; con ahínco; *look* fijamente; ∽ *by* muy cerca; ∽ *up* apurado; *be* ∽ *put to it* encontrar difícil; estar en un aprieto; **3.** F = *hard labor*; '∽·'**bit·ten** terco; '∽·'**boiled** *egg* duro; F endurecido; '∽·**coal** antracita f; '**hard·en** endurecer(se) (*a.* ✝); solidificar(se).

hard...: '∽·'**heart·ed** ☐ duro de corazón, sin entrañas; '∽·**luck** trabajos m/pl. forzados; '∽·**la·bor** trabajos m/pl. forzados; '∽·**luck** mala suerte f; ∽*-luck story* cuento m de penas; '**hard·ly** duramente; difícilmente; mal; (*scarcely*) apenas, casi no; ∽ *ever* casi nunca; '**hard·ness** dureza f, dificultad f; fuerza f; rigor m; '**hard·ship** penas f/pl., penalidad f; infortunio m; apuro m, privación f; '**hard·ware** ferretería f, quincalla f; ∽ *shop* quincallería f, ferretería f; '**hard·work·ing** trabajador, hacendoso; '**har·dy** ☐ robusto; audaz; ✽ resistente.

hare [hɛə] liebre f; '∽·**brained** ligero de cascos; '∽·'**lip** *anat.* labio m leporino.

ha·rem ['hɛərem] harén m.

har·lot ['hɑːlɔt] ramera f.

harm [hɑːm] **1.** daño m; mal m; perjuicio m; *out of* ∽*'s way* a (*or* en) salvo; **2.** hacer mal (a), hacer daño (a); dañar; perjudicar; '**harm·ful** ['∽ful] ☐ dañino, dañoso, perjudicial, nocivo; '**harm·less** ☐ inocuo, inofensivo.

har·mon·ic [hɑː'mɔnik] F **1.** ☐ armónico; **2.** armónica f; **har'mon·i·ca** [∽ikə] armónica f; **har·mo·ni·ous**

[hɑːˈmouniəs] armonioso; **ˈhar·mo·ny** armonía f.

har·ness [ˈhɑːnis] **1.** guarniciones f/pl., arreos m/pl.; + ✕ arnés m; **2.** enjaezar, poner guarniciones a; fig. hacer trabajar, utilizar.

harp [hɑːp] **1.** arpa f; **2.** tañer el arpa; ~ on repetir constantemente.

har·poon [hɑːˈpuːn] **1.** arpón m; **2.** arpon(e)ar.

har·ry [ˈhæri] acosar; asolar; atormentar, inquietar.

harsh [hɑːʃ] □ áspero; color chillón; duro, severo, cruel.

hart [hɑːt] ciervo m.

har·vest [ˈhɑːvist] **1.** cosecha f, recolección f; (reaping) siega f; vendimia f of grape; ~ festival, ~ thanksgiving fiesta f de la cosecha; **2.** cosechar (a. fig.); recoger; **ˈhar·vest·er** segador (-a) m; (machine) cosechadora f.

has [hæz, həz] ha; tiene (v. have); **ˈ~-been** F persona f (or cosa f) que ya no sirve; vieja gloria f.

hash [hæʃ] picadillo m; F embrollo m; lío m.

haste [heist] prisa f, apresuramiento m, precipitación f.

has·ten [ˈheisn] v/t. apresurar, abreviar, acelerar; v/i. apresurarse (to a), darse prisa (to para, en).

hat [hæt] sombrero m; talk through one's ~ decir disparates; **ˈ~-box** sombrerera f.

hatch[1] [hætʃ] **1.** orn. nidada f, pollada f; (door) media puerta f, postigo m; (trap) trampa f; compuerta f; ♱ escotilla f; **2.** v/t. empollar, sacar del cascarón; fig. tramar, idear; v/i. salir del huevo; empollarse; fig. madurarse.

hatch[2] [~] plumear.

hatch·et [ˈhætʃit] destral m, machado m, hacha f; bury the ~ echar pelillos a la mar.

hatch·way [ˈhætʃwei] ♱ escotilla f.

hate [heit] **1.** odio m (for a), aborrecimiento m (for de); **2.** odiar, aborrecer; **ha·tred** [ˈheitrid] = hate 1.

haugh·ty [ˈhɔːti] □ altanero, altivo.

haul [hɔːl] **1.** tirón m; (journey) recorrido m, trayecto m; redada f of fish (a. fig.); fig. botín m, ganancia f; **2.** tirar (de); arrastrar; acarrear.

haunt [hɔːnt] **1.** nidal m, querencia f, lugar m frecuentado (of por); (animal's) guarida f; **2.** frecuentar, rondar; fig. preseguir; (ghost) aparecer

en, andar por; ~ed house casa f de fantasmas.

have [hæv, həv] **1.** [irr.] v/t. tener; poseer; gozar de; contener; obtener; food, drink, lessons tomar; (cause) hacer; sentir; pasar; decir; coger; vencer; dejar perplejo; engañar; tolerar, permitir; child tener, dar a luz; ~ just p.p. acabar de inf.; ~ to do tener que hacer; ~ to do with tener que ver con; I ~ my hair cut me hago cortar el pelo; he had a suit made mandó hacer un traje; he had his leg broken se (le) rompió una pierna; I would ~ you know sepa Vd.; as Plato has it según Platón; he will ~ it that sostiene que; I had (just) as well... lo mismo da que yo ...; I had better go más vale que yo vaya; it is not to be had no se puede conseguir; no se vende; F I ~ been had me han engañado; sl. he has had it se acabó para él; ya perdió la oportunidad; we can't ~ that no se puede consentir (eso); let a p. ~ it facilitárselo a una p.; F dar una paliza a una p.; F decirle cuatro verdades a una p.; F ~ it in for tener tirria a; ~ on F p. tomar el pelo a; th. llevar puesto; ~ it out resolverlo discutiendo (or peleando); **2.** v/aux. haber; **3.** mst the ~s los ricos m/pl.

ha·ven [ˈheivn] puerto m; abrigo m, refugio m.

have-not [ˈhævnɔt] mst the ~s pl. los desposeídos m/pl.

haven't [ˈhævnt] = have not.

hav·oc [ˈhævək] estrago m, destrucción f, ruina f; make ~ of, play ~ with (or among) hacer estragos en (or entre).

haw[1] [hɔː] ♣ baya f del espino.

haw[2] [~] **1.** mst hem and ~ vacilar (al hablar); **2.** tosecilla f (falsa).

hawk[1] [hɔːk] **1.** orn. halcón m; **2.** cazar con halcones.

hawk[2] [~] carraspear.

hawk[3] [~] vender por las calles; pregonar (a. fig.).

haw·thorn [ˈhɔːθɔːn] espino m.

hay [hei] **1.** heno m; ~ fever fiebre f del heno; sl. hit the ~ acostarse; make ~ of confundir, desbaratar; **2.** segar el heno; **ˈ~-field** henar m; **ˈ~-loft** henil m; **ˈ~-mow** henil m; acopio m de heno; **ˈ~-rick**, **ˈ~-stack** almiar m; **ˈ~ ride** paseo m de placer en carro de heno; **ˈ~-seed** simiente f de heno; sl. patán m; **ˈ~-wire** sl. en desorden; loco.

haz·ard [ˈhæzəd] **1.** azar m; riesgo m,

peligro *m*; *run a* ~ correr riesgo; **2.**
arriesgar; *remark etc.* aventurar;
'haz·ard·ous ☐ peligroso, arriesgado.

haze[1] [heiz] calina *f*; *fig.* confusión *f*,
vaguedad *f*.

haze[2] [~] vejar; dar novatada a.

ha·zel ['heizl] **1.** avellano *m*; **2.** avellanado; **'~·nut** avellana *f*.

ha·zy ['heizi] calinoso; *fig.* confuso,
vago.

H-bomb ['eit∫bɔm] = *hydrogen bomb*
bomba *f* de hidrógeno.

he [hi:] **1.** él; ~ *who* el que, quien; **2.**
macho *m*, varón *m*.

head [hed] **1.** cabeza *f*; *lit. or iro.* testa
f; cabecera *f* of bed; espuma *f* of beer;
punta *f* of arrow; altura *f* de caída of
water; culata *f* of cylinder; ⚓ proa *f*;
geog. punta *f*; ♀ cabezuela *f* (*p.*) jefe
m, director (-a *f*) *m*; (*title*) encabezamiento *m*; sección *f*; *fig.* crisis *f*; ~
first de cabeza; ~ *of hair* cabellera *f*;
~*s or tails* cara o cruz; *I can't make* ~ *or
tail of* it no le veo ni pies ni cabeza;
from ~ *to* foot de pies a cabeza; *over
heels* patas arriba; *fig.* completamente, perdidamente; *off one's* ~ delirante, fuera de sí, loco; (*up*)*on one's
(own)* ~ a su responsabilidad; *over
one's* ~ fuera de su alcance; por
encima de uno; *bring to a* ~ ♀ ultimar; provocar; *come to a* ~ madurar,
llegar a la crisis; ♂ supurar; *it goes to
his* ~ se le sube a la cabeza; *keep one's*
~ ser dueño de sí mismo; *lose one's* ~
perder los estribos; *talk one's* ~ *off*
hablar por los codos; *he took it into his*
~ to se le ocurrió *inf.*; **2.** principal,
primero; delantero, de frente; ⚓ de
proa; superior; **3.** *v/t.* encabezar,
estar a la cabeza de; acaudillar; dirigir; poner cabeza a; *football* cabecear; ~*ed for* con rumbo a; ~ *off*
interceptar; desviar; distraer; atajar;
v/i. dirigirse (*for, towards* hacia);
(*stream*) nacer; ~*ing for* ⚓ con rumbo
a; **'head·ache** dolor *m* de cabeza; *fig.*
quebradero *m* de cabeza; **'head·
dress** toca *f*, tocado *m*; **'~·first** de
cabeza; precipitadamente; **'head·
gear** tocado *m*; sombrero *m*, gorro
m; cabezada *f* of horse; **'~·hunt·**
er cazador *m* de cabezas; **'head·ing**
encabezamiento *m*, título *m*; **'head·
land** promontorio *m*.

head...: **'~·light** ⚙ farol *m*; *mot.* fanor
m; **'~·line** titular *m*, cabecera *f*; **'~·
long 1.** *adj.* de cabeza, precipitado;

2. *adv.* de cabeza, precipitadamente;
'~ 'of·fice officina *f* central; **'~·'on**
de frente; **'~·phones** *pl.* auriculares
m/pl.; **'~·'quar·ters** *pl.* ⚔ cuartel *m*
general; sede *f*; jefatura *f*; oficina *f*
central; **'~·stone** lápida *f* mortuoria;
'~·strong voluntarioso, impetuoso,
cabezudo; **'~·wait·er** jefe *m* de ca-
mareros, encargado de comedor; **'~·
wat·ers** *pl.* cabecera *f* (de un río);
'~·way: *make* ~ adelantar, hacer progresos; **'~·wind** viento *m* contrario;
'head·y ☐ impetuoso, fogoso; terco;
wine cabezudo, embriagador.

heal [hi:l] curar, sanar (*of* de); *cut etc.*
cicatrizar(se); *fig.* remediar; ~ *up*
cicatrizarse.

health [helθ] salud *f*; (*public*) sanidad
f; *be in good* (*bad*) ~ estar bien (mal)
de salud; *drink* (*to*) *the* ~ *of* beber a la
salud de; **health·ful** ['~ful] ☐ sano;
saludable, higiénico; **'health·y** ☐
sano, saludable; *place etc.* salubre.

heap [hi:p] **1.** montón *m* (*a. fig.*); pila
f, hacina *f*; **2.** amontonar, hacinar,
apilar (*a. ~ up*); **3.** *adv.* F ~ mucho.

hear [hiə] [*irr.*] oír, sentir; escuchar; ~
about, ~ *of* oír hablar de, enterarse de;
I won't ~ *of* it no lo permito; ¡ni
hablar!; ~ *that* oír decir que; **heard**
[hə:d] *pret. a. p.p. of hear*; **'hear·er**
['hiərə] oyente *m/f*; **'hear·ing** (*sense*)
oído *m*; audiencia *f*; ⚖ vista *f*; *within*
~ al alcance de oído; ~ *aid* aparato *m*
del oído; **hear·ken** ['hɑ:kən] *mst* ~ *to*
escuchar; hacer caso de; **hear·say**
['hiəsei] rumor *m*, voz *f* común; *by* ~
de oídas.

hearse [hə:s] coche *m* (*or* carro *m*)
fúnebre.

heart [hɑ:t] corazón *m* (*a. fig.*); cogollo *m* of lettuce; (*soul*) alma *f*;
prenda *f* (*a. dear* ~); *cards:* ~*s pl.*
corazones *m/pl.,* (*Spanish*) copas
f/pl.; ~ *and soul* con toda el alma; *at* ~
en el fondo; *by* ~ de memoria; *from
the* ~ de todo corazón; *lose* ~ desco-
razonarse; *set one's* ~ *on* tener la
esperanza puesta en; *poner el corazón en; take* ~ cobrar ánimo; *take to*
~ tomar a pecho(s); *wear one's* ~ *on*
one's sleeve llevar el corazón en la
mano; *with all my* ~ con toda mi alma;
'~·ache angustia *f*, pesar *m*; **'~ at·
tack** ataque *m* cardíaco; **'~·beat** latido *m* del corazón; **'~·break** congoja
f, angustia *f*; **'~·break·ing** ~ angus-
tioso, desgarrador; **'~·bro·ken** con el
corazón partido, acongojado, afli-

gido; '**~·burn** ⚕ acedía f; '**heart·en**
alentar, animar; '**~ fail·ure** debilidad f coronaria; (death) paro m del
corazón; (faintness) desfallecimiento
m, desmayo m; '**heart·felt** cordial,
sincero, hondo.

hearth [hɑːθ] hogar m (a. fig.), chimenea f.

heart·i·ness ['hɑːtinis] cordialidad f,
sinceridad f; vigor m; campechanía
f; '**heart·less** ☐ despiadado, empedernido; '**heart·rend·ing** angustio-
so, desgarrador.

heart...: '**~·sick** afligido, desconsolado; '**~·strings** pl. fig. fibras f/pl. del
corazón; '**~ trou·ble** debilidad f coronaria; I have ~ soy enfermo del
corazón; '**heart·y** ☐ cordial, sincero; vigoroso, robusto; campechano.

heat [hiːt] 1. calor m (a. fig.); ardor m;
calefacción f; zo. celo m; sport: elimi-
natoria f; dead ~ empate m; in ~ en
celo; 2. calentar(se) (a. ~ up); acalo-
rar(se) (a. fig.); '**heat·ed** ☐ acalorado; '**heat·er** calentador m.

heath [hiːθ] brezal m; ♣ brezo m;
native ~ patria f chica.

hea·then ['hiːðən] gentil adj. a. su.
m/f, pagano adj. a. su. m (a f); F
bárbaro adj. a. su. m (a f).

heath·er ['heðə] brezo m.

heat·ing ['hiːtiŋ] 1. calefacción f, cal-
deo m; 2. de calefacción.

heave [hiːv] 1. esfuerzo m (para levantar); echada f; henchidura f; náusea
f; jadeo m; 2. ⚓ levantar; cargar;
lanzar; tirar; ⚓ jalar; sigh exhalar;
v/i. levantarse con esfuerzo; subir y
bajar; palpitar; ⚓ basquear; ⚓ (at
capstan) virar; ⚓ ~ in(to) sight aparecer.

heav·en ['hevn] (a. ~s pl.) cielo m;
(good) ~s! ¡Dios mío!; '**heav·en·ly**
celestial (a. fig.); ast. celeste.

heav·y ['hevi] ☐ pesado; atmosphere
opresivo; burden fig. oneroso; cloth,
line, sea grueso; ⚔ current, ✗ fire
intenso; emphasis, expense, meal, rain
fuerte; feeling aletargado; heart triste;
liquid espeso; loss considerable; movement lento, torpe; population, traffic
denso; responsibility grave; sky encapotado; soil arcilloso; surface difícil;
task duro, penoso; yield abundante;
'**~·weight** boxing: peso m pesado.

He·brew ['hiːbruː] hebreo adj. a. su.
m (a f).

heck·le ['hekl] interrumpir (a un orador).

hec·tic ['hektik] ☐ F agitado, febril;
⚕ hé(c)tico.

hedge [hedʒ] 1. seto m (vivo); cerca f;
2. v/t. cercar con seto; ~ about, ~ in
rodear, encerrar; poner obstáculos
a; v/i. eludir la respuesta, contestar
con evasivas; vacilar; '**~·hog** erizo m;
puerco m espín; '**~·hop** ✈ sl. volar a
ras de tierra.

heed [hiːd] 1. atención f, cuidado m;
give ~ to poner atención en; 2. atender (a), hacer caso (de); '**heed·less**
desatento, descuidado; distraído.

heel[1] [hiːl] 1. anat. calcañar m; anat. a.
fig. talón m; tacón m of shoe; parte f
inferior; parte f trasera; restos m/pl.;
sl. sinvergüenza m; cool one's ~s hacer
antesala; take to one's ~s poner pies
en polvorosa; 2. shoe poner tacón a;
football talonar.

heel[2] [~] ⚓ escorar; ~ over zozobrar.

heft·y ['hefti] F pesado; fuerte, fornido.

heif·er ['hefə] novilla f, vaquilla f.

heigh-ho ['hei'hou] ¡ay!

height [hait] altura f; elevación f;
altitud f; (top) cima f; p.'s estatura f;
(hill) cerro m; crisis f; '**height·en**
elevar; hacer más alto; aumentar;
(enhance) realzar; intensificar, avivar.

hei·nous ['heinəs] ☐ atroz, nefando.

heir [ɛə] heredero m; be ~ to heredar;
~ apparent, ~ at law heredero m
forzoso; '**hair·ess** heredera f; F soltera f adinerada; **heir·loom** ['~luːm]
reliquia f de familia.

held [held] pret. a. p.p. of hold 2.

hel·i·cop·ter ['helikɔptə] helicóptero
m.

he·li·um ['hiːliəm] helio m.

hell [hel] infierno m; (a. gambling-~)
garito m; sl. like ~! ¡ni hablar!; F oh ~!
¡demonio!; go to ~! ¡vete al diablo!; F
what the ~...? ¿qué demonios...?; F
raise ~ armar la de Dios es Cristo.

hel·lo ['hʌ'lou; he'lou] teleph. ¡oiga!;
(answering teleph.) ¡diga!

helm [helm] (caña f or rueda f del)
timón m.

hel·met ['helmit] casco m; † yelmo m.

helms·man ['helmzmən] timonel m.

help [help] 1. ayuda f; auxilio m;
socorro m; remedio m; (p.) criada f;
(servants) servidumbre f; ~! socorro!; call for ~ pedir socorro; 2. v/t.
ayudar (to a); auxiliar; socorrer; pain
aliviar; remediar; facilitar; (at table)
servir; ~ a p. to a th. servirle algo a

una p.; ~ *o.s.* servirse por sí mismo; *(not) if* I *can* ~ si puedo evitarlo; *it can't be* ~*ed* no hay (más) remedio; ~ *out* ayudar (a salir *or* a bajar); *v/i.* ayudar (*a.* ~ *out*); '**help·er** ayudador (-a *f*) *m*; ayudante *m*; asostente (a *f*) *m*; colaborador (-a *f*) *m*; '**help·ful** ['⌣ful] □ útil, provechoso; *p.* servicial, comprensivo; '**help·ing** ración *f*, porción *f*; plato *m*; '**help·less** □ impotente, incapaz; desamparado; '**help·mate** buen(a) compañero (a *f*) *m*; esposo (a *f*) *m*.

hel·ter-skel·ter ['heltə'skeltə] atropelladamente.

hem[1] [hem] **1.** dobladillo *m*, bastilla *f*; *(edge)* orilla *f*; **2.** dobladillar, bastillar; ~ *in* encerrar, cercar.

hem[2] [⌣] **1.** destoserse; **2.** ¡ejem!

hem·i·sphere ['hemisfiə] hemisferio *m*.

hem·lock ['hemlɔk] cicuta *f*.

hem·or·rhage ['hemɔridʒ] hemorragia *f*; **hem·or·rhoids** ['⌣rɔidz] *pl.* hemorroides *f*/*pl.*

hemp [hemp] cáñamo *m*.

hen [hen] gallina *f*; *(female bird)* hembra *f*.

hence [hens] *(a. from* ~*) (place)* de aquí, desde aquí; fuera de aquí; *(time)* desde aquí; por lo tanto, por eso, *(therefore)* por eso, ~! ¡fuera de (aquí)!; '**~·forth**, '**~·for·ward** de aquí en adelante.

hen·house ['henhaus] gallinero *m*.

hen·pecked ['henpekt] dominado por su mujer.

her [hɔː, hə] **1.** *possessive* su(s); **2.** *pron. acc.* la; *dat.* le; *(after prp.)* ella.

her·ald ['herəld] **1.** heraldo *m*; *fig.* anunciador *m*, precursor *m*; **2.** anunciar, proclamar; ser precursor de; '**her·ald·ry** ['herəldri] heráldica *f*.

herb [hɔːb] hierba *f*.

herd [hɔːd] **1.** manada *f*, hato *m*, rebaño *m*; piara *f* *of swine*; *fig.* muchedumbre *f*; **2.** *v/t.* juntar, reunir *(or* llevar) en manada; *v/i. (a.* ~ *together)* reunirse, ir juntos.

here [hiə] aquí; acá; ~! ¡presente!; ~ *and there* aquí y allá; ~ *below* aquí abajo; ~*'s to...!* ¡vaya por...!; ¡a la salud de...!; ~ *it is* aquí lo tiene Vd.; *come* ~! ¡ven acá!; *that's neither* ~ *nor there* eso no viene al caso.

here·a·bout(s) ['hiərəbaut(s)] por aquí (cerca); **here·aft·er** [hiər'ɑːftə] **1.** de aquí en adelante; en lo futuro; en la vida futura; **2.** lo futuro; vida *f*

futura; '**here·by** por este medio; por la presente.

he·red·i·tar·y [hi'reditəri] hereditario; **he·red·i·ty** herencia *f*.

here·in ['hiər'in] aquí dentro; en esto.

her·e·sy ['herəsi] herejía *f*.

her·e·tic ['herətic] **1.** *(mst* **he·ret·i·cal** □ [he'retikl]) herético; hereje *m*/*f*.

here·to·fore ['hiətu'fɔː] hasta ahora; antes; **here·up·on** ['hiərə'pɔn] en esto; en seguida; '**here·with** con esto; adjunto.

her·it·age ['heritidʒ] herencia *f*.

her·mit ['hɔːmit] ermitaño *m*.

her·ni·a ['hɔːnjə] hernia *f*.

he·ro ['hiərou], *pl.* **he·roes** ['⌣z] héroe *m*; **he·ro·ic** [hi'rouik] □ heroico; **her·o·ine** ['herouin] heroína *f*; '**her·o·ism** heroísmo *m*.

her·o·in ['herouin] *pharm.* heroína *f*.

her·on ['herən] garza *f* real.

her·ring ['heriŋ] arenque *m*; '**her·ring-bone** ⊕ espinapez *m*.

her·self [hɔː'self] *(subject)* ella misma; *acc., dat.* se; *(after prp.)* sí (misma).

hes·i·tance, **hes·i·tan·cy** ['hezitəns(i)] vacilación *f*; **hes·i·tant** ['⌣tənt] □ vacilante, irresoluto; **hes·i·tate** ['⌣teit] vacilar *(about, over, to* en); **hes·i·ta·tion** vacilación *f*, irresolución *f*; titubeo *m*.

hew [hjuː] [*irr.*] cortar, tajar; hachear; labrar; picar; **hewn** [hjuːn] *p.p. of* hew.

hey [hei] ¡eh!; ¡oye!

hey·day ['heidei] auge *m*, apogeo *m*; buenos tiempos *m*/*pl.*

hi [hai] ¡oye!; ¡eh!; ¡hala!

hi·a·tus [hai'eitəs] laguna *f*; interrupción *f*; *gr.*, ♬ hiato *m*.

hi·ber·nate ['haibəːneit] *biol.* hibernar; invernar.

hic·cup, *a.* **hic·cough** ['hikʌ] **1.** hipo *m*; **2.** *v/t.* decir con hipos; *v/i.* hipar.

hick [hik] *sl.* palurdo *m*; *attr.* de aldea.

hick·o·ry ['hikəri] nogal *m* americano.

hid [hid] *pret. a.* **hid·den** ['hidn] *p.p. of* hide[2].

hide[1] [haid] piel *f*, pellejo *m*; *(esp. tanned)* cuero *m*.

hide[2] [⌣] [*irr.*] **1.** *v/t.* esconder *(from* de), ocultar *(from* a, de); (en)cubrir; disimular; *v/i.* esconderse, ocultarse *(from* de); **2.** *hunt.* trepa *f*; '**hide-and-'seek** escondite *m*.

hid·e·ous ['hidiəs] □ horrible; feo; monstruoso.

hide-out ['haidaut] F escondrijo *m*, guarida *f*.

hid·ing[1] ['haidiŋ] F paliza *f*, tunda *f*.

hid·ing[2] [~] ocultación *f*; *in* ~ escondido; *go into* ~ ocultarse, refugiarse; ~ **place** escondrijo *m*.

hi·er·arch·y ['haiərɑːki] jerarquía *f*.

hi-fi ['hai'fai] = *high fidelity* (de) alta fidelidad *f*.

high [hai] **1.** *adj.* □ (*v. a.* ~ly) alto; *altar, mass, street* mayor; *color, price* subido; *game* manido; *manner* altanero; *meat* saqueo; *number, speed* grande; *polish* brillante; *priest* sumo; *quality* superior; F *intoxicated* embriagado; *3 feet* ~ 3 pies de alto; ~ *and dry* en seco; F ~ *and mighty* encopetado; ~*est bid* mejor postura *f*; *with a* ~ *hand* arbitrariamente, despóticamente; ~ *antiquity* antigüedad *f* remota; ♀ *Church* Alta Iglesia *f*; ⚹ ~ *command* alto mando *m*; ♀ *Court* tribunal *m* supremo; ~ *diving* saltos *m/pl.* de palanca; ⚡ ~ *frequency* alta frecuencia *f*; ~ *life* alta sociedad *f*; ~ *living* vida *f* regalada; *v. spirit, tension etc.*; ~ *treason* alta traición *f*; ~ *wind* ventarrón *m*; ~ *words* palabras *f/pl.* airadas; **2.** *meteor.* (zona *f* de) alta presión *f*; ♀ = *High Street*; ♀ = *High School*; *on* ~ en las alturas, en el cielo; **3.** *adv.* altamente; (en) alto; fuertemente; a gran precio; lujosamente; ~ *and low* por todas partes; *aim* ~ *fig.* picar muy alto; *fly* ~ 🐦 volar por alto; *fig.* picar muy alto; ~ -'**backed** de respaldo alto; '~**ball** highball *m*; '~**born** linajudo; '~**boy** cómoda *f* alta con patas altas; '~**brow** F intelectual *adj. a. su. m/f*; '~**chair** silla *f* alta; '~**class** de clase superior; '~**grade** de calidad superior; '~**hand·ed** arbitrario, despótico; '~ **hat** *sl.* **1.** esnob *m/f*; **2.** encopetado; **3.** tratar con desdén; '~**heeled** *shoes* de tacones altos; '~**jump** salto *m* de altura; ~'**lands** tierras *f/pl.* altas, montañas *f/pl.*; '~**light** toque *m* de luz; *fig.* momento *m* culminante; '**high·ly** altamente; mucho, muy; sumamente; muy favorablemente; '**high·ness** altura *f*; ♀ Alteza *f*; '~ **noon** pleno mediodía *m*; '~**pitched** agudo; tenso, impresionable.

high...: '~**pow·ered** de gran potencia; '~**pres·sure** de alta presión; *fig.* enérgico, urgente; '~**priced** de precio elevado; '~ **rise** edificio *m* de muchos pisos; '~ **so·ci·e·ty** alta sociedad *f*, gran mundo *m*; '~ **'sound·ing** altisonante; '~**speed** de alta velocidad; '~'**spir·it·ed** animoso; *horse* fogoso; '~**test fuel** supercarburante *m*; '~ **tide** pleamar *f*, marea *f* alta; *fig.* punto *m* culminante; '~ **time** hora *f*; *it is* ~ *for you to go* ya es hora de que Vd. se marche; *sl.* jarana *f*, parranda *f*; '~ **trea·son** alta traición *f*; '~**way** carretera *f*.

hi(gh)·jack ['haidʒæk] F *an airplane* robar; '~**er** F atracador *m*.

hike [haik] F **1.** caminata *f*, excursión *f* a pie; **2.** dar una caminata, ir de excursión; '**hik·er** F excursionista *m/f*.

hi·lar·i·ous [hi'lɛəriəs] □ hilarante.

hill [hil] colina *f*, cerro *m*, otero *m*, collado *m*; (*slope*) cuesta *f*; '~**bil·ly** ['~bili] F rústico *m* montañés; '**hill·side** ladera *f*; '**hill·y** accidentado, montuoso; *road* de fuertes pendientes.

hilt [hilt] puño *m*, empuñadura *f*; *ip to the* ~ hasta las cachas.

him [him] *acc.* lo, le; *dat.* le; (*after prp.*) él.

him·self [him'self] (*subject*) él mismo; *acc., dat.* se; (*after prp.*) sí (mismo); *by* ~ solo, por sí (solo).

hind[1] [haind] cierva *f*.

hind[2] [~] trasero, posterior; ~ *leg* pata *f* trasera; **hin·der** ['hində] *v/t.* estorbar, dificultar.

hin·drance ['hindrəns] obstáculo *m*, estorbo *m*, impedimento *m* (*to* para).

hinge [hindʒ] **1.** gozne *m*, pernio *m*, bisagra *f*; *a. zo.* charnela *f*; *fig. eje m*; **2.** *v/t.* engoznar, embisagrar; *v/i.*: ~ (*up)on* girar sobre.

hint [hint] **1.** indirecta *f*; indicación *f*; consejo *m*; **2.** echar indirectas; (*a.* ~ *at*) insinuar.

hin·ter·land ['hintəlænd] traspaís *m*.

hip[1] [hip] *anat.* cadera *f*; ~ *and thigh* sin piedad.

hip[2] [~] ♀ escaramujo *m*.

hip[3] [~]: *int.* ~! ~! hurra(h)! ¡viva!

hip·bone ['hipboun] cía *f*.

hire ['haiə] **1.** alquiler *m*, arriendo *m*; salario *m*, jornal *m* of *p.*; *for* (*or on*) ~ de alquiler; **2.** alquilar, arrendar (~ *out*); tomar en arriendo; *p.* contratar.

his [hiz] **1.** su(s); **2.** *pron.* (el) suyo, (la) suya *etc.*

hiss [his] **1.** siseo *m*, silbido *m*; **2.** silbar, sisear (*a.* ~ *off*).

his·to·ri·an [his'tɔːriən] historiador (-a *f*) *m*; **his·tor·ic, his·tor·i·cal** [~'tɔrik(l)] □ histórico; **his·to·ry** ['~təri] historia *f*.

his·tri·on·ic [histri'ɒnik] □ histriónico, teatral.

hit [hit] **1.** golpe *m* (bien dado); tiro *m* certero; acierto *m*; *fig.*, ♪ éxito *m*, sensación *f*; ✕ impacto *m*; sátira *f*; make a ~ with caer en gracia a; **2.** golpear, pegar; (*collide with*) chocar con(tra), dar con; *target* dar en, acertar; (*wound*) herir; (*damage*) hacer daño a; afectar; F llegar a; ~ *at* dirigir (un) golpe(s) a; *fig.* satirizar, apuntar a; ~ *it off with* hacer buenas migas con; ~ *or miss* a la buena ventura; ~ (*up*)*on* dar con; tropezar con; ~ *and run* atacar y retirarse; ~ *the nail on the head* dar en el clavo; **'~-and-'run driv·er** *mot.* conductor *m* que atropella y huye.

hitch [hit∫] **1.** tirón *m*; ♣ cote *m*, vuelta *f* de cabo; obstáculo *m*, dificultad *f*; *without a* ~ a pedir de boca; **2.** mover de un tirón; amarrar; enganchar; atar; ~ *up trousers* alzar; **'~-hike** hacer autostop.

hith·er ['hiðə] *mst lit.* acá, hacia acá; ~ *and thither* acá y acullá; **hith·er·to** ['~'tuː] hasta ahora.

hive [haiv] **1.** *a. fig.* colmena *f*; ~s 🦠 urticaria *f*; **2.** enjambrar; acopiar (miel); *fig.* vivir aglomerados.

ho [hou] ¡eh!; ¡alto!; ¡hola!

hoard [hɔːd] **1.** tesoro *m* (escondido); provisión *f*; acumulamiento *m*; **2.** (*a.* ~ *up*) atesorar; acumular.

hoar·frost ['hɔːfrɒst] escarcha *f*.

hoarse [hɔːs] □ ronco, enronquecido; **'hoarse·ness** ronquedad *f*; 🦠 ronquera *f*.

hoar·y ['hɔːri] cano; vetusto.

hoax [houks] **1.** mistificación *f*; burla *f*; engaño *m*; **2.** mistificar, burlar.

hob·ble ['hɒbl] **1.** cojera *f*; maniota *f*; **2.** *v/i.* cojear; *v/t.* manear.

hob·by ['hɒbi] pasatiempo *m*, afición *f*; tema *f*, manía *f*; *orn.* alcotán *m*; **'~-horse** caballito *m* (de niños); caballo *m* mecedor; *fig.* tema *f*.

hob·nob ['hɒbnɒb] F codearse.

ho·bo ['houbou] vagabundo *m*.

hock¹ [hɒk] **1.** *zo.* corvejón *m*; **2.** desjarretar.

hock² [~] *sl.* **1.** empeño *m*; **2.** empeñar; **'~-shop** casa *f* de empeños.

hock·ey ['hɒki] hockey *m*.

ho·cus-po·cus ['houkəs'poukəs] abracadabra *m*, mistificación *f*.

hoe [hou] **1.** azada *f*, azadón *m*; **2.** azadonar; sachar.

hog [hɒg] **1.** cerdo *m*, puerco *m* (*a. fig.*); **2.** *sl.* acaparar; tragarse lo mejor de; *credit etc.* atribuirse todo; **'hog·wash** bazofia *f*.

hoist [hɔist] **1.** montacargas *m*; elevador *m* S.Am.; cabria *f*; alzamiento *m*; **2.** alzar; *flag* enarbolar; ♣ izar.

hold [hould] **1.** agarro *m*; asimiento *m*; *wrestling*: presa *f*; *fig.* dominio *m*, influencia *f*; *fig.* arraigo *m*; (*place to grip*) asidero *m*, asa *f*; ♣ bodega *f*; ♪ calderón *m*; *catch* (*or get, say, take*) ~ *of* agarrar, coger; apoderarse de; *have a* ~ *on* (*or over*) dominar; *keep* ~ *of* seguir agarrado a; **2.** *v/t.* tener; retener, guardar; detener; (*in place*) sujetar; agarrar, coger; contener, tener cabida para; mantener; sostener (*a.* ♪); juzgar; *post* ocupar; *meeting* celebrar; *this box won't* ~ *them all* en esta caja no caben todos; ~ *back* retener; detener; refrenar; ~ *down* sujetar; oprimir; F ~ *down a job* mantenerse en puesto; estar a la altura de un cargo; *in* refrenar; ~ *off* mantener a distancia; ~ *on* sujetar; ~ *out* extender, ofrecer; ~ *over* aplazar; ~ *up* (*suport*) apoyar, sostener; (*raise*) levantar; (*stop*) detener; parar; suspender; interrumpir; (*rob*) saltear; (*gangsters*) atracar; **3.** (*irr.*) *v/i.* mantenerse firme, resistir, aguantar; (de)tenerse; ser valedero; (*weather*) continuar; (*stick*) pegarse; ~ *back* refrenarse; vacilar; ~ *forth* perorar (*about, on* sobre); ~ *good* (*or true*) ser valedero; ~ *off* mantenerse a distancia; esperar; ~ *on* agarrarse bien; aguantar; persistir; ~ *on!* ¡espera!; ~ *out* resistir; durar; ~ *out for s.t.* no cejar hasta que se conceda algo; insistir en algo; ~ *to* atenerse a; afirmarse en; ~ *up* mantenerse en pie; (*weather*) seguir bueno; **'hold·er** (*p.*) tenedor (-a *f*) *m*; (*tenant*) arrendador (a *f*) *m*; (*office, title*) titular *m/f*; (*handle*) asidero *m*; receptáculo *m*; ⊕ soporte *m*; (*pad*) agarrador *m*; (*in compounds*) porta...; **'hold·ing** posesión *f*; tenencia *f*; propiedad *f*; ✝ ~s valores *m/pl.* en cartera; ✝ ~ *company* sociedad *f* de control; compañía *f* tenedora; **'hold·o·ver** resto *m*, sobras *f/pl.*; consecuencia *f/pl.*; **'hold·up** F detención

f; interrupción *f*; *(gangsters)* atraco *m*.

hole [houl] **1.** agujero *m*; cavidad *f*; *(a. golf)* hoyo *m*; bache *m in road*; rotura *f in clothes*; boquete *m in wall*; guarida *f of animals*; *fig.* cuchitril *m*; F *in a* ~ en un aprieto; **2.** agujerear; *ball* meter en el hoyo.

hol·i·day ['hɔlədi] día *m* de fiesta, día *m* festivo; asueto *m*.

hol·low ['hɔlou] **1.** □ hueco, ahuecado; *eyes* hundido; *fig.* vacío, falso; *voice* sepulcral, cavernoso; **2.** F *adv. beat (all)* cascar, vencer completamente; **3.** hueco *m*; (con)cavidad *f*; depresión *f*; hondón *m in terrain*; **4.** *(a.* ~ *out)* ahuecar, excavar, vaciar.

hol·ly ['hɔli] acebo *m*.

hol·o·caust ['hɔləkɔːst] holocausto *m*.

hol·ster ['houlstə] pistolera *f*.

ho·ly ['houli] santo; sagrado; ~ *water* agua *f* bendita.

hom·age ['hɔmidʒ] homenaje *m*; *do, pay, or render* ~ rendir homenaje *(to* a).

home [houm] **1.** hogar *m*; domicilio *m*, casa *f*; patria *f (chica)*; *(institution)* asilo *m*; *(habitat)* habitación *f*; *sport:* meta *f*; *children's games:* la madre; *at* ~ en casa; *fig.* a gusto; **2.** *adj.* casero, doméstico; de casa; nacional; ~ *life* vida *f* de familia; ~ *team* equipo *m* de casa; **3.** *adv.* a casa; en casa; a fondo; *be* ~ estar de vuelta; *come* ~ volver a casa; *hit* ~ herir en lo vivo; dar en el blanco; ⊕ meter a fondo; **4.** volver a casa; buscar la querencia; '~**baked** hecho en casa; '~**com·ing** regreso *m* al hogar; '~**de·liv·er·y** distribución *f* a domicilio; '~ **front** frente *m* doméstico; '~**grown** de cosecha propia; del país; **'home·less** sin casa ni hogar; **'home·ly** sencillo, llano; casero; feo; **home...:** '~**made** casero, de fabricación casera; '~**mak·er** ama *f* de casa; '~**plate** *in baseball* puesto *m* metal; '~ **run** *in baseball* jonrón *m*, cuadrangular *m*; '~**sick** nostálgico; *be* ~ tener morriña; '~**stead** hacienda *f*; granja *f*; heredad *f*; casa *f*, caserío *m*; '~ **stretch** esfuerzo *m* final, último trecho *m*; '~ **town** ciudad *f* natal; '~**ward** **1.** de regreso; **2.** *adv.* hacia casa; hacia su país; '~**work** deberes *m*/*pl.*

hom·i·cide ['hɔmisaid] homicidio *m*; *(p.)* homicida *m*/*f*.

hom·i·ly ['hɔmili] homilía *f*.

hom·ing ['houmiŋ] vuelta *f* (al palomar); ~ *pigeon* paloma *f* mensajera; ~ *rocket* cohete *m* autodirigido buscador del blanco.

ho·mo·sex·u·al ['houmou'seksjuəl] homosexual.

hone [houn] **1.** piedra *f* de afilar; **2.** afilar.

hon·est ['ɔnist] □ honrado, recto, probo; *(chaste, decent, reasonable)* honesto; sincero, genuino; **'hon·es·ty** honradez *f*, rectitud *f etc.*

hon·ey ['hʌni] miel *f*; *(my)* ~! ¡vida mía!; '~**bee** abeja *f* (obrera); **'hon·ey·comb** panal *m*; **'hon·ey·combed** apanalado; acribillado; **hon·eyed** ['hʌnid] meloso, melifluo; **'hon·ey·moon 1.** luna *f* de miel, viaje *m* de novios; **2.** pasar la luna de miel; **hon·ey·suck·le** ['hʌnisʌkl] madreselva *f*.

honk [hɔŋk] **1.** graznido *m of goose*; bocinazo *m of horn*; **2.** graznar; bocinar.

hon·or ['ɔnə] **1.** honor *m*; *(esp. good name)* honra *f*; condecoración *f*; ~*s pl.* honores *m*/*pl.*; *in* ~ of en honor de; *(up)on my* ~ a fe mía; **2.** honrar *(a.* ♱*)*; *signature etc.* hacer honor a.

hon·or·a·ble ['ɔnərəbl] □ honorable; honrado; *(conferring honour)* honroso.

hon·o·rar·i·um [ɔnə'rɛəriəm] honorario *m (mst pl.)*; **hon·or·ar·y** ['ɔnərəri] honorario; no remunerado.

hood [hud] capucha *f*, capilla *f*; *(univ., penitent's, hawk's)* capirote *m*; *mot.* capota *f*; *mot.* capó *m*; *sl.* criminal *m*; **'hood·ed** encapuchado; encapirotado.

hood·lum ['huːdləm] F matón *m*, gorila *m*.

hood·wink ['hudwiŋk] vendar los ojos a; engañar.

hoof [huːf] casco *m*, pezuña *f*.

hook [huk] **1.** gancho *m (a. boxing)*; garfio *m*; *(fishing)* anzuelo *m*; *(door etc.)* aldabilla *f*; *(hanger)* colgadero *m*; ~*s and eyes* corchetes *m*/*pl.*; *by* ~ *or by crook* por fas o por nefas; ~, *line and sinker* totalmente; **2.** *v/t.* enganchar *(a. fishing)*; pescar *(a. fig.)*; encorvar; *sl.* hurtar; *sl.* ~ *it* largarse; ~ *up* enganchar; abrochar; *v/i.* engancharse; encorvarse; **hooked** [~t] ganchudo; **'hook·up** combinación *f*; conexión *f*; ♫ acoplamiento *m*; *radio:* estaciones *f*/*pl.* conjugadas; **'hook·y:** *play* ~ hacer novillos.

house

hoop [huːp] **1.** aro *m*; ~ skirt miriñaque *m*; **2.** enarcar.

hoot [huːt] **1.** ululato *m* of owl; bocinazo *m* of horn; ♫, ⊕ toque *m* de sirena; (laugh) risotada *f*; grito *m*; **2.** *v/i.* ulular; gritar; *mot.* tocar la bocina; ♫, ⊕ tocar la sirena; *v/t.* manifestar a gritos; dar grita a.

hop[^1] [hɔp] ♀ lúpulo *m* (*a.* ~s *pl.*).

hop[^2] [~] **1.** salt(it)o *m*, brinco *m*; ♪ vuelo *m*, etapa *f*; ♪ baile *m*; ~, skip and jump triple salto *m*; **2.** *v/i.* brincar, saltar; danzar; F ~ off marcharse; bajar de; *v/t.* atravesar (de un salto).

hope [houp] **1.** esperanza *f*; **2.** esperar (for acc., to inf.); ~ in confiar en; ~ against ~ esperar desesperando; **hope·ful** ['~ful] □ esperanzado; optimista; esperanzador; **'hope·less** □ desesperanzado; desesperado; imposible; ✗ desahuciado.

hop·scotch ['hɔpskɔtʃ] infernáculo *m*.

horde [hɔːd] horda *f*.

ho·ri·zon [hə'raizn] horizonte *m*; **hor·i·zon·tal** [hɔri'zɔntl] □ horizontal.

hor·mone ['hɔːmoun] hormona *f*.

horn [hɔːn] **1.** cuerno *m*; asta *f* of stag, bull; ♪ trompa *f*; *mot.* bocina *f*, claxon *m*; ~ of plenty cuerno *m* de la abundancia; **2.** *sl.* ~ in entrometerse.

hor·net ['hɔːnit] avispón *m*.

hor·o·scope ['hɔrəskoup] horóscopo *m*; cast a ~ sacar un horóscopo.

hor·ri·ble ['hɔrəbl] □ horrible, horroroso; **hor·rid** ['hɔrid] □ horroroso, horrible; F muy antipático; **hor·ri·fy** ['~fai] horrorizar; **hor·ror** ['hɔrə] horror *m* (of a).

hors d'oeuvres [ɔː'dəːvr] entremeses *m/pl.*

horse [hɔːs] **1.** *zo.*, gymnastics: caballo *m*; ✗ caballería *f*; ⊕ caballete *m*; ~ of a different color harina *f* de otro costal; eat like a ~ comer como una vaca; get on one's high ~ darse aires de suficiencia; F hold your ~s! ¡para!; ¡despacio!; take ~ montar a caballo; ~ artillery artillería *f* montada; **2.** montar; proveer de caballos; **'~back:** on ~ a caballo; **'~chest·nut** castaña *f* de Indias; (*a.* ~ tree) castaño *m* de Indias; **'~col·lar** collera *f*; **'~hair** crin *f*; **'~laugh** F risotada *f*; **'~man** jinete *m*, caballista *m*; **'~play** payasadas *f/pl.*, travesuras *f/pl.*, pela *f* amistosa; **'~pow·er** caballo *m* (de fuerza); **'~race** carrera *f* de caballos; **'~rad·ish** rábano *m* pi-

cante; **'~sense** sentido *m* común; **'~shoe** herradura *f*; **'~show** concurso *m* hípico; **'~whip** látigo *m*; **'~wom·an** amazona *f*.

hose [houz] **1.** † calzas *f/pl.*; ♀ medias *f/pl.*, calcetines *m/pl.*; **2.** regar (or limpiar) con manga.

ho·sier·y ['houʒəri] calcetería *f*; géneros *m/pl.* de punto.

hos·pice ['hɔspis] hospicio *m*.

hos·pi·ta·ble ['hɔspitəbl] □ hospitalario.

hos·pi·tal ['hɔspitl] hospital *m*; **hos·pi·tal·i·ty** [~'tæliti] hospitalidad *f*; **hos·pi·tal·ize** ['~təlaiz] hospitalizar.

host[^1] [houst] huésped *m* (*a. zo.*, ♀); anfitrión at meal; hospedero *m* of inn.

host[^2] [~] ✗ hueste *f*, ejército *m*; muchedumbre *f*; sinnúmero *m*.

host[^3] [~] *eccl.* hostia *f*.

hos·tage ['hɔstidʒ] rehén *m*.

hos·tel ['hɔstəl] albergue *m*; residencia *f* (de estudiantes).

host·ess ['houstis] huéspeda *f* (*v.* host[^1]); ✈ azafata *f* bus.

hos·tile ['hɔstail] hostil; **hos·til·i·ty** [hɔs'tiliti] hostilidad *f*.

hot [hɔt] caliente; climate cálido; day caluroso, de calor; sun ardiente, abrasador; taste picante; ⊕ en caliente; fig. dispute acalorado; supporter vehemente, acérrimo; p. enérgico; apasionado; lujurioso; F situation difícil, de mucho peligro; sl. robado; sl. radiactivo; be ~ (p.) tener calor; (weather) hacer calor; (th.) estar caliente; F ~ air palabrería *f*; F ~ dog perro *m* caliente; go like ~ cakes venderse como pan bendito; sl. ~ stuff caliente, de rechupete; experto; **'hot·bed** almajara *f*; fig. semillero *m*, foco *m*.

ho·tel [ho'tel] hotel *m*.

hot...: **'~head** persona *f* exaltada (or impetuosa); **'~house** invernáculo *m*; ~ rod *sl.* bólido *m*; **'~wa·ter:** ~ bottle bolsa *f* de agua caliente.

hound [haund] **1.** perro *m* de (caza); podenco *m*; sabueso *m* de Artois; fig. canalla *m*; **2.** acosar, perseguir.

hour ['auə] hora *f*; fig. momento *m*; after ~s fuera de horas; by the ~ por horas; the small ~s las altas horas; **'~glass** reloj *m* de arena; **'~ hand** horario *m*; **'hour·ly** (de) cada hora; por hora.

house 1. [haus], *pl.* **hous·es** ['hauziz] casa *f* (*a.* ♀); thea. sala *f*, público *m*,

entrada f; edificio m; parl. cámara f; univ. colegio m; ~ and home hogar m; F it's on the ~ está pagado (por el dueño); keep ~ llevar la casa; ~ of cards castillo m de naipes; tener casa propia; attr. de (la) casa, domiciliario, doméstico; 2. [hauz] v/t. alojar; domiciliar; almacenar; meter (en); ⊕ encajar; ♪ estibar; v/i. vivir, alojarse; '~ ar·rest arresto m domiciliario; '~boat habitación f flotante; '~break·er ladrón m con escala; demoledor m de casas; '~broken ['~brokən] dog or cat enseñado (a hábitos de limpieza); '~coat bata f de casa (or de llaves); '~ phy·si·cian médico m residente; '~to·'house de casa en casa; a domicilio; '~top tejado m; shout from the ~s pregonar a los cuatro vientos; '~trained bien enseñado, limpio; '~warm·ing (a. ~ party) fiesta f de estreno de una casa; ~wife ['~waif] ama f de casa; madre f de familia; mujer f casada.

hous·ing ['hauziŋ] alojamiento m; (provisión f de) vivienda f; casas f/pl.; (storage) almacenaje m; ⊕ encaje m; ⊕ cárter m, caja f.

hove [houv] pret. a. p.p. of heave 2.

hov·el ['hovl] casucha f, cuchitril m.

hov·er ['hovə] cernerse; revolotear; planear; estar suspendido; flotar (en el aire); rondar; vacilar.

how [hau] cómo; price: a cómo; before adj. or adv. qué, cuán; ~ large it is! ¡qué grande es!, ¡cuán grande es!; ~ large is it? ¿cómo es de grande?, ¿de qué tamaño es?; ~ are you? ¿cómo está Vd.?; ¿qué tal? (F); ~ about ...? ¿qué tal si ...?; ¿qué te parece ...?; ¿qué tal anda ...?; v. else, far; ~ long cuánto tiempo; ~ many cuántos; ~ much cuánto; ~ often cuántas veces; ~ old is he? ¿cuántos años tiene?, ¿qué edad tiene?; '~·ever 1. adv. comoquiera que; por más que; (with adj. or adv.) por (muy) ... que; ~ much por mucho que; 2. conj. sin embargo, no obstante, con todo.

how·itz·er ['hauitsə] obús m.

howl [haul] 1. aullido m; alarido m; chillido m; ♫ silbido m; 2. aullar; dar alaridos; F reír a carcajadas.

hub [hʌb] cubo m; fig. eje m, centro m; '~ cap tapacubos m.

hub·bub ['hʌbʌb] barahúnda f, batahola f, alboroto m.

hub(·by) ['hʌb(i)] F marido m.

huck·ster ['hʌkstə] 1. buhonero m; mercachifle m; 2. (re)vender; regatear.

hud·dle ['hʌdl] 1. pelotón m, montón m; grupo m apretado; sl. go into a ~ ir aparte para conferenciar; 2. v/t. amontonar; confundir; hacer precipitadamente; v/i. amontonarse, apretarse (a. ~ together, up); acurrucarse (a. ~ up).

hue¹ [hju:] color m, tinte m; matiz m; tono m.

hue² [~]: ~ and cry alarma f; protesta f clamorosa.

huff [hʌf] mal humor m, pique m; rabieta f; in a ~ ofendido.

hug [hʌg] 1. abrazo m; 2. abrazar; apretujar; coast etc. no apartarse de; fig. afirmarse en; fig. acariciar; ~ o.s. congratularse (on de, por).

huge [hju:dʒ] □ enorme, inmenso, descomunal.

hulk [hʌlk] ♪ casco m (arrumbado); pontón m, carraca f; fig. armatoste m; 'hulk·ing grande y pesado.

hull [hʌl] 1. ♪ casco m; ♀ vaina f, cáscara f; 2. mondar; desvainar; ♪ dar en el casco de.

hul·la·ba·loo [hʌləbə'lu:] barahúnda f, batahola f; vocería f.

hum [hʌm] 1. zumbido m; tarareo m; murmullo m; 2. zumbar; tune tararear; v. haw; F make things ~ avivarlo; desplegar gran actividad.

hu·man ['hju:mən] □ humano adj. a. su. m; hu·mane [hju:'mein] □ humano; compasivo; hu·man·ism ['hju:mənizm] humanismo m; 'hu·man·ist humanista m/f; hu·man·i·tar·i·an [hjumæni'teəriən] humanitario adj. a. su. m (a f); hu·man·i·ty [hju:'mæniti] humanidad f; humanities pl. humanidades f/pl.

hum·ble ['hʌmbl] 1. □ humilde; 2. humillar.

hum·bug ['hʌmbʌg] 1. bola f, farsa f; embaucamiento m; 2. embaucar.

hum·drum ['hʌmdrʌm] monótono; rutinario; aburrido.

hu·mid ['hju:mid] húmedo; hu·mid·i·ty humedad f.

hu·mil·i·ate [hju:'milieit] humillar; hu·mil·i·a·tion humillación f; hu·mil·i·ty [hju:'militi] humildad f.

hum·ming·bird ['hʌmiŋbə:d] colibrí m.

hu·mor·ist [ˈhjuːmərist] humorista *m/f*; persona *f* chistosa.

hu·mor·ous [ˈhjuːmərəs] □ festivo, chistoso, humorístico.

hu·mor [ˈhjuːmə] **1.** humor *m*; humorismo *m*; capricho *m*; (*situation*) comicidad *f*; *in a good (bad)* ~ de buen (mal) humor; **2.** seguir el humor a; complacer; mimar.

hump [hʌmp] **1.** joroba *f*, corcova *f*, giba *f*; montecillo *m*; **2.** corcovar(se); *fig.* jorobar.

humph [mm] ¡bah!, ¡qué va!

hunch [hʌntʃ] **1.** tajada *f*, pedazo *m* grande; F idea *f*, corazonado *f*, sospecha *f*; **2.** encorvar (*a.* ~ *up*); **'hunch·back** corcova *f*, joroba *f*; (*p.*) corcovado (a *f*) *m*, jorobado (a *f*) *m*; **'hunch·backed** corcovado, jorobado.

hun·dred [ˈhʌndrəd] **1.** cien(to); **2.** ciento *m*; centenar *m*; centena *f*; *in* (*by*) ~s a centenares; **'hun·dred·fold 1.** *adj.* céntuplo; **2.** *adv.* cien veces; **hun·dredth** [ˈ-θ] centésimo (*a. su. m*).

hung [hʌŋ] *pret. a. p.p. of* **hang 1**.

hun·ger [ˈhʌŋgə] **1.** hambre *f* (*a. fig.*) (*for* de); ~ *strike* huelga *f* de hambre; **2.** hambrear; tener hambre (*after, for* de).

hun·gry [ˈhʌŋgri] □ hambriento; *land* pobre, estéril; *be* ~ tener hambre, tener ganas (*for* de).

hunk [hʌŋk] F buen pedazo *m*, rebanada *f* gruesa.

hunt [hʌnt] **1.** (partida *f* de) caza *f*, cacería *f*; montería *f*; **2.** *v/t.* cazar; perseguir; buscar; *hounds etc.* emplear en la caza; *country* recorrer de caza; ~ *out*, ~ *up* rebuscar; *v/i.* cazar, buscar (*a.* ~ *for*); *go* ~*ing* ir de caza; **'hunt·er** cazador *m*; caballo *m* de caza; (*watch*) saboneta *f*; **'hunt·ing 1.** caza *f*; montería *f*; **2.** cazador; de caza; **'hunt·ing ground** cazadero *m*.

hur·dle [ˈhɜːdl] valla *f* (*a. sport*).

hurl [hɜːl] **1.** lanzamiento *m*; **2.** lanzar, arrojar.

hur·ra(h) [huˈrɑː] ¡hurra!; ~ *for* ...! ¡viva ...!

hur·ri·cane [ˈhʌrikən] huracán *m*.

hur·ried [ˈhʌrid] □ apresurado; hecho de (*or* a) prisa.

hur·ry [ˈhʌri] **1.** prisa *f*; *in a* ~ de prisa; *be in a* ~ (*to*) tener prisa (por); **2.** *v/t.* apresurar, dar prisa a, acelerar (*a.* ~ *on*, ~ *up*); ~ *away*, ~ *off* hacer marchar de prisa; *v/i.* apresurarse (*to* a), darse

prisa (*a.* ~ *up*) (*to* para, en); ~ *away*, ~ *off* marcharse de prisa; ~ *over* pasar rápidamente por; concluir a prisa; hacer con precipitación.

hurt [hɜːt] **1.** daño *m*, mal *m*; dolor *m*; herida *f*; **2.** [*irr.*] *v/t.* lastimar, dañar; herir; perjudicar; hacer mal a; doler; ofender; *get* ~ lastimarse; *v/i.* doler; hacer mal; F sufrir daño; **hurt·ful** [ˈ-ful] □ dañoso, perjudicial.

hur·tle [ˈhɜːtl] arrojarse con violencia; volar; caer con violencia.

hus·band [ˈhʌsbənd] **1.** marido *m*, esposo *m*; **2.** economizar; manejar con economía.

hush [hʌʃ] **1.** silencio *m*; quietud *f*; **2.** *v/t.* acallar; apaciguar; ~ *up* echar tierra a; *v/i.* callar(se); **3.** ¡chito!, ¡chitón!

husk [hʌsk] **1.** cascabillo *m*; cáscara *f* (*a. fig.*); **2.** descascarar; desvainar; **'hus·ky**[1] □ ronco; 🌳 cascarudo; F fornido.

hus·ky[2] [ˈhʌski] esquimal *adj. a. su. m/f*; perro *m* esquimal, husky *m*.

hus·sar [huˈzɑː] húsar *m*.

hus·tle [ˈhʌsl] **1.** prisa *f*; actividad *f* (febril); empuje *m*; **2.** *v/t.* empujar; atropellar; apresurar; dar prisa a; *v/i.* aprersurarse; F menearse.

hut [hʌt] cabaña *f*; barraca *f* (*a.* 🌳); casucha *f*; casilla *f*; cobertizo *m*.

hy·a·cinth [ˈhaiəsinθ] jacinto *m*.

hy·brid [ˈhaibrid] híbrido *adj. a. su. m* (*a f*).

hy·dra [ˈhaidrə] hidra *f*.

hy·dran·gea [haiˈdreindʒə] hortensia *f*.

hy·drant [ˈhaidrənt] boca *f* de riego.

hy·drau·lic [haiˈdrɔːlik] **1.** □ hidráulico; **2.** ~s hidráulica *f*.

hy·dro... [ˈhaidrou...] hidr(o)...; '~·'car·bon hidrocarburo *m*; '~·'chlo·ric ac·id ácido *m* clorhídrico; '~·e'lec·tric hidroeléctrico; **hy·drogen** [ˈhaidridʒən] hidrógeno *m*; ~ *bomb* bomba *f* de hidrógeno; '~·'pho·bi·a hidrofobia *f*; '~·plane hidroplano *m* (*a f*).

hy·drox·ide [haiˈdrɔksaid] hidróxido *m*.

hy·e·na [haiˈiːnə] hiena *f*.

hy·giene [ˈhaidʒiːn] higiene *f*; **hy·gi·en·ic** [-] higiénico.

hymn [him] **1.** himno *m*; **2.** *v/t.* ensalzar con himnos; *v/i.* cantar himnos; **hym·nal** [ˈ-nəl], **'hymn book** himnario *m*.

hy·per·bo·le [haiˈpɜːbəli] *rhet.* hi

pérbole _f_; **hy·per·crit·i·cal** [ˌ⸱ˈkri-tikl] □ hipercrítico.

hy·phen [ˈhaifən] guión _m_; **hy·phen·ate** [ˈ⸱eit] unir (_or_ separar _or_ escribir) con guión.

hyp·no·sis [hipˈnousis] hipnosis _f_.

hyp·not·ic [hipˈnɔtik] □ hipnótico _adj. a. su. m_ (a _f_); **hyp·no·tism** [ˈ⸱nətizm] hipnotismo _m_; **ˈhyp·no·tist** hipnotista _m/f_; **hyp·no·tize** [ˈ⸱taiz] hipnotizar.

hy·po·chon·dri·a [haipouˈkɔndriə]

hipocondría _f_; **hy·poc·ri·sy** [hiˈpɔkrəsi] hipocresía _f_; **hyp·o·crite** [ˈhipəkrit] hipócrita _m/f_; **hyp·o·crit·i·cal** [haipəˈdɔːmik] □ hipócrita; **hy·po·der·mic** [haipəˈdɔːmik] hipodérmico; **hy·poth·e·sis** [ˌ⸱θisis], _pl._ **hy·poth·eses** [ˌ⸱θisiːz] hipótesis _f_; **hy·po·thet·i·cal** [ˌ⸱pəˈθetikl] □ hipotético.

hys·te·ri·a [hisˈtiəriə] ⚕ histerismo _m_; excitación _f_ loca; **hys·ter·i·cal** [hisˈterik(l)] □ histérico; **hys·ter·ics** paroxismo _m_ histérico; _go into_ ~ ponerse histérico.

I

I [ai] yo.

ice [ais] **1.** hielo _m_; (_to eat_) helado _m_; _break the_ ~ romper el hielo; F _cut no_ ~ pinchar ni cortar; **2.** _v/t._ helar; (_with sugar_) alcorzar, garapiñar; _v/i._ helarse (_a._ ~ _up_); **ice·berg** [ˈ⸱bəːg] témpano _m_, iceberg _m_; **ˈ⸱bound** helado; preso entre los hielos; **ˈ⸱box** nevera _f_; **ˈ⸱break·er** ⚓ rompehielos _m_; **ˈ⸱cap** bolsa _f_ para hielo; manto _m_ de hielo; **ˈ⸱cream** helado _m_, mantecado _m_; **ˈ⸱cream cone** cucurucho _m_ de helado, barquillo _m_ de helado; **ˈ⸱cube** cubito _m_ de hielo; **ˈ⸱floe** témpano _m_; **ˈ⸱hock·ey** hockey _m_ sobre hielo.

i·ci·cle [ˈaisikl] carámbano _m_.

i·ci·ness [ˈaisinis] frialdad _f_ (de hielo).

ic·ing [ˈaisiŋ] formación _f_ de hielo; alcorza _f_, capa _f_ de azúcar _on cake_.

i·con [ˈaikɔn] icono _m_; **i·con·o·clast** [aiˈkɔnəklæst] iconoclasta _m/f_.

i·cy [ˈaisi] □ helado; glacial (_a. fig._); gélido (_mst lit._).

i·de·a [aiˈdiə] idea _f_, concepto _m_; _bright_ ~ ocurrencia _f_, idea _f_ luminosa; F _the very_ ~! ¡ni hablar!: **i·de·al 1.** □ ideal; perfecto; **2.** ideal _m_; **i·de·al·ism** idealismo _m_; **i·de·al·ist** idealista _m/f_; **i·de·al·is·tic** □ idealista.

i·den·ti·cal [aiˈdentikl] □ idéntico; **i·den·ti·fi·ca·tion** identificación _f_; ~ _mark_ señal _f_ (_or_ marca _f_) de identificación; ~ _card_ carta _f_ de identificación; ~ _papers pl._ documentos _m/pl._ de identificación; **i·den·ti·fy** [ˌ⸱fai] identificar; **i·den·ti·ty** identidad _f_.

id·e·o·log·i·cal [aidiəˈlɔdʒikl] □

ideológico; **id·e·ol·o·gy** [ˌ⸱ˈɔlədʒi] ideología _f_.

id·i·o·cy [ˈidiəsi] idiotez _f_, imbecilidad _f_.

id·i·om [ˈidiəm] modismo _m_, idiotismo _m_; lenguaje _m_; idioma _m_; estilo _m_; **id·i·o·mat·ic** [idiəˈmætik] □ idiomático.

id·i·o·syn·cra·sy [idiəˈsiŋkrəsi] idiosincrasia _f_.

id·i·ot [ˈidiət] idiota _m/f_, tonto (a _f_) _m_, imbécil _m/f_; **id·i·ot·ic** [idiˈɔtik] □ idiota, necio, imbécil.

i·dle [ˈaidl] **1.** □ ocioso; desocupado; ⊕ parado; inactivo; _p. contp._ holgazán, perezoso; vano, inútil; _talk_ vacío, frívolo; ~ _question_ pregunta _f_ ociosa; ⊕ _run_ ~ marchar en vacío; **2.** _v/t._ (_mst_ ~ _away_) gastar ociosamente; perder; _v/i._ haraganear; vagar; ⊕ marchar en vacío.

i·dol [ˈaidl] ídolo _m_; **i·dol·a·try** idolatría _f_; **i·dol·ize** [ˈaidəlaiz] idolatrar.

i·dyll [ˈaidil] idilio _m_; **i·dyl·lic** □ idílico.

if [if] **1.** si; ~ _only...!_ ¡ojalá (que)...!; ~ _so_ si es así; **2.** hipótesis _f_; duda _f_; ~ _s and buts_ peros _m/pl._, dudas _f/pl._; **ˈif·fy** F dudoso.

ig·loo [ˈiglu] iglú _m_.

ig·nite [igˈnait] encender(se); **ig·nition** [ˌ⸱ˈniʃn] ignición _f_; _mot._ encendido _m_; ~ _key_ llave _f_ de contacto.

ig·no·ble [igˈnoubl] □ innoble.

ig·no·min·i·ous [ignəˈminiəs] □ ignominioso.

ig·no·ra·mus [ignəˈreiməs] ignorante _m/f_; **ig·no·rance** [ˈignərəns] ignorancia _f_; **ˈig·no·rant** ignorante; F inculto; _be_ ~ _of_ ignorar, desconocer;

ig·nore [ig'nɔ:] desatender, no hacer caso de (*a p.*).

ilk [ilk] (mismo) nombre *m*; F especie *f*, jaez *m*.

ill [il] 1. *su.* mal *m*; desgracia *f*; daño *m*; 2. *adj.* malo; enfermo; *fall (or take)* ~ caer (*or* ponerse) enfermo; 3. *adv.* mal; *v. ease*; *take it* ~ tomarlo a mal; '~-ad·vised ['iləd'vaizd] malaconsejado; '~·bred malcriado; '~-dis·posed malintencionado; maldispuesto (*to[wards]* a, hacia).

il·le·gal [i'li:gəl] □ ilegal.

il·leg·i·ble [i'ledʒəbl] □ ilegible.

il·le·git·i·mate [ili'dʒitimit] □ ilegítimo.

ill...: '~·fat·ed aciago; malhadado; malogrado; '~·fa·vored feo, mal parecido; '~·feel·ing hostilidad *f*, rencor *m*; '~·got·ten mal adquirido.

il·lic·it [i'lisit] □ ilícito.

il·lit·er·a·cy [i'litərəsi] analfabetismo *m*; **il·lit·er·ate** ['~rit] □ analfabeto *adj. a. su. m* (*a f*); iletrado.

ill...: '~·man·nered grosero, mal educado; '~·na·tured malicioso; malhumorado.

ill·ness ['ilnis] enfermedad *f*, mal *m*.

il·log·i·cal [i'lɔdʒikl] □ ilógico.

ill...: '~·starred malhadado; '~·tem·pered de mal genio; malhumorado; '~·timed intempestivo.

il·lu·mi·na·tion [ilju:mi'neiʃn] iluminación *f*; alumbrado *m*.

ill-use ['il'ju:z] maltratar.

il·lu·sion [i'lu:ʒn] ilusión *f*; **il·lu·sive** [~siv] □, **il·lu·so·ry** [~səri] □ ilusorio.

il·lus·trate ['iləstreit] ilustrar; **il·lus·'tra·tion** ilustración *f*; '**il·lus·tra·tive** □ ilustrativo; *be* ~ *of* ejemplificar; '**il·lus·tra·tor** ilustrador (-a *f*) *m*.

il·lus·tri·ous [i'lʌstriəs] □ ilustre.

ill-will ['il'wil] mala voluntad *f*; rencor *m*, odio *m*.

I'm [aim] = *I am*.

im·age ['imidʒ] 1. imagen *f*; *be the very* (F *spitting*) ~ *of* ser el vivo retrato de; 2. representar; retratar; imaginar; reflejar; '**im·age·ry** imaginería *f*.

im·ag·i·na·ble [i'mædʒinəbl] imaginable; **im·ag·i·nar·y** imaginario; **im·ag·i·na·tion** [~'neiʃn] imaginación *f*; **im·ag·ine** [~dʒin] imaginar (-se), figurarse; *just* ~! ¡imagínese!

im·be·cile ['imbisi:l] imbécil *adj. a. su. m/f*.

im·bibe [im'baib] (em)beber; *fig.* embeberse de (*or* en).

im·i·tate ['imiteit] imitar; *b.s.* remedar; **im·i·ta·tion** imitación *f*; *b.s.* remedo *m*; *attr.* imitado, artificial; '**im·i·ta·tor** imitador (-a *f*) *m*.

im·mac·u·late [i'mækjulit] □ sin mancha, limpísimo; inmaculado; correcto.

im·ma·ture [imə'tjuə] immaturo; verde.

im·me·di·ate [i'mi:djət] inmediato; **im'me·di·ate·ly** 1. *adv.* inmediatamente, luego, en seguida; 2. *cj.* así que, luego que.

im·mense [i'mens] □ inmenso, enorme, vasto; *sl.* estupendo.

im·merse [i'mə:s] sum(erg)ir; ~ *in fig.* sumergirse en; ~*ed in fig.* absorto en.

im·mi·grant ['imigrənt] inmigrante *adj. a. su. m/f*; **im·mi·gra·tion** inmigración *f*.

im·mi·nent ['iminənt] □ inminente.

im·mo·bile [i'moubail] inmóvil, inmoble.

im·mod·er·ate [i'mɔdərit] □ inmoderado.

im·mod·est [i'mɔdist] □ inmodesto, impúdico.

im·mor·al [i'mɔrəl] □ inmoral.

im·mor·tal [i'mɔ:tl] □ inmortal *adj. a. su. m/f*; **im·mor·tal·i·ty** [~'tæliti] inmortalidad *f*.

im·mov·a·ble [i'mu:vəbl] □ inmoble, inmóvil; inalterable.

im·mune [i'mju:n] inmune (*from, to* contra); exento (*from* de); **im'mu·ni·ty** inmunidad *f*; exención *f*; '**im·mu·nize** [~aiz] inmunizar.

imp [imp] trasgo *m*, duende *m*, diablillo *m* (*a. fig.*).

im·pact ['impækt] impacto *m* (*a. fig.*), choque *m*; *fig.* efecto *m*.

im·pair [im'pɛə] perjudicar, menoscabar, deteriorar, debilitar.

im·pale [im'peil] empalar, espetar.

im·pan·el [im'pænl] inscribir en la lista de los jurados; *a juror* elegir.

im·part [im'pɑ:t] comunicar, hacer saber; impartir.

im·par·tial [im'pɑ:ʃl] □ imparcial.

im·pass·a·ble [im'pɑ:səbl] □ intransitable, impracticable.

im·passe [æm'pɑ:s] callejón *m* sin salida (*a. fig.*).

im·pa·tience [im'peiʃns] impaciencia *f*; **im'pa·tient** □ impaciente (*at, with* con, de, por); intolerante (*of*

con, para); be(come) (or get, grow) ~
impacientarse (at, with ante, con; to
por); make ~ impacientar.

im·peach [im'piːtʃ] acusar (de alta
traición); prosesar; censurar; tachar; **im'peach·ment** procesamiento m (por alta traición); acusación f.

im·pec·ca·ble [im'pekəbl] □ impecable, intachable.

im·pede [im'piːd] dificultar, estorbar; impedir.

im·ped·i·ment [im'pedimənt] impedimento m (a. ⚜); estorbo m (to
para); speech: defecto m del habla.

im·pel [im'pel] impeler, impulsar (to
a).

im·pend·ing [im'pendiŋ] inminente;
pendiente.

im·per·a·tive [im'perətiv] **1.** □ imperativo; imperioso; indispensable;
gr. ~ mood = **2.** gr. (modo) imperativo m.

im·per·cep·ti·ble [impə'septəbl] □
imperceptible.

im·per·fect [im'pəːfikt] □ imperfecto (a. gr.); deficiente, defectuoso;
im·per·fec·tion [~pə'fekʃn] imperfección f; desperfecto m.

im·pe·ri·al [im'piəriəl] **1.** □ imperial; imperatorio; **2.** (beard) perilla f.

im·per·il [im'peril] poner en peligro,
arriesgar.

im·per·son·al [im'pəːsnl] □ impersonal.

im·per·son·ate [im'pəːsəneit] hacerse pasar por; hacer el papel de; thea.
imitar; **im·per·son·a·tion** representación f; thea. imitación f.

im·per·ti·nent [im'pəːtinənt] □ impertinente; insolente.

im·per·vi·ous [im'pəːviəs] □ impermeable, impenetrable (to a); fig. insensible (to a).

im·pet·u·ous [im'petjuəs] □ impetuoso; irreflexivo; **im·pe·tus** [~pitəs] ímpetu m; impulso m (a. fig.).

im·pinge [im'pindʒ] incidir ([up]on
en); chocar ([up]on con).

im·pi·ous ['impiəs] □ impío.

imp·ish ['impiʃ] □ endiablado; travieso; juguetón.

im·pla·ca·ble [im'plækəbl] □ implacable.

im·plant [im'plɑːnt] implantar; inculcar.

im·plau·si·ble [im'plɔːzəbl] inverosímil.

im·ple·ment 1. ['implimənt] utensi-

lio m, herramienta f, instrumento m;
~s pl. ⚒ apero m; **2.** ['~ment] poner
por obra; llevar a cabo; cumplir.

im·pli·cate ['implikeit] implicar;
comprometer; enredar; **im·pli'ca·tion** inferencia f; insinuación f;
complicidad f; ~s pl. trascendencia f,
consecuencias f/pl.

im·plic·it [im'plisit] □ implícito;
faith etc. absoluto, incondicional,
ciego.

im·plied [im'plaid] implícito; be ~
sobre(e)ntenderse.

im·plore [im'plɔː] implorar.

im·ply [im'plai] implicar; (pre)suponer; dar a entender; insinuar.

im·po·lite [impə'lait] □ descortés,
mal educado.

im·port 1. ['impɔːt] ✝ importación f;
mercancía f importada; importancia
f; significado m; ~ duty derechos
m/pl. de entrada; **2.** [im'pɔːt] importar (a. ✝); significar; **im'por·tance**
importancia f; **im'por·tant** □ importante; de categoría; **im'port·er**
importador (-a f) m.

im·pose [im'pouz] imponer; cargar;
hacer aceptar; ~ upon embaucar;
abusar de; molestar; **im'pos·ing** □
imponente, impresionante, majestuoso.

im·pos·si·bil·i·ty [impɔsə'biliti] imposibilidad f; **im'pos·si·ble** □ imposible.

im·pos·tor [im'pɔstə] impostor (-a f)
m, embaucador (-a f) m.

im·po·tence ['impətəns] impotencia
f; **im·po·tent** impotente.

im·pov·er·ish [im'pɔvəriʃ] empobrecer.

im·prac·ti·ca·ble [im'præktikəbl] □
impracticable; intratable.

im·preg·na·ble [im'pregnəbl] □ inexpugnable; **im·preg·nate** [~'neit]
impregnar; empreñar; biol. fecundar.

im·pre·sa·ri·o ['imprəsario] empresario m, empresario m de teatro.

im·press 1. ['impres] impresión f,
huella f; fig. sello m; **2.** [im'pres]
imprimir; estampar; (of emotions)
impresionar, imponer; **im'pres·sion** [~ʃn] impresión f (a. fig.); huella
f; fig. efecto m; make an ~ hacer
efecto; make an ~ on impresionar; be
under the ~ that tener la impresión de
que; **im'pres·sive** □ impresionante, imponente.

im·print 1. [im'print] imprimir; es-

tampar; *fig.* grabar; **2.** ['imprint] impresión *f*; huella *f*; *typ.* pie *m* de imprenta.

im·pris·on [im'prizn] encarcelar, aprisionar; **im'pris·on·ment** encarcelamiento *m*; prisión *f*.

im·prob·a·ble [im'prɔbəbl] ☐ improbable, inverosímil.

im·promp·tu [im'prɔmtju:] **1.** *su.* improvisación *f*; **2.** *adj.* improvisado; espontáneo; **3.** *adv.* de improviso.

im·prop·er [im'prɔpə] ☐ impropio; incorrecto; indecoroso; ~ *fraction* fracción *f* impropria; **im·pro·pri·e·ty** [imprə'praiəti] inconveniencia *f*; indecencia *f*; indecoro *m*; impropiedad *f of language*.

im·prove [im'pru:v] *v/t.* mejorar; perfeccionar; ✶ abonar; enmendar; reformar; *opportunity* aprovechar; *yield etc.* aumentar; *v/i.* mejorar(se), medrar; perfeccionarse; aumentar (-se); hacer progresos *in studies etc.*; ~ *upon* mejorar, perfeccionar; aventajar; **im'prove·ment** mejora *f*; ✶ mejoría *f*; perfeccionamiento *m*; ✶ abono *m*; enmienda *f*; reforma *f*; aprovechamiento *m*; aumento *m*; progreso *m*.

im·pro·vise ['imprəvaiz] improvisar.

im·pru·dent [im'pru:dənt] ☐ imprudente, malaconsejado.

im·pu·dent ['impjudənt] ⊡ impudente, descarado, insolente, desvergonzado.

im·pugn [im'pju:n] impugnar; poner en tela de juicio.

im·pulse ['impʌls] impulso *m*, impulsión *f*; ímpetu *m*; arranque *m*, arrebato *m*; **im'pul·sive** ☐ impulsivo; irreflexivo.

im·pu·ni·ty [im'pju:niti] impunidad *f*; *with ~* impunemente.

im·pure [im'pjuə] ☐ impuro; adulterado; deshonesto; **im'pu·ri·ty** [~riti] impureza *f*.

in [in] **1.** *prp.* en; dentro de; ~ *Spain* en España; ~ *1984* en (el año) 1984; ~ *the box* en (*or* dentro de) la caja; ~ *a week* dentro de una semana, de aquí a 8 días; *the biggest* ~ *Spain* el más grande de España; ~ *this way* de esta manera; *dressed* ~ *white* vestido de blanco; ~ *the morning* por la mañana; *at 7* ~ *the morning* a las 7 de la mañana; ~ *the daytime* de día, durante el día; ~ *writing* por escrito; ~ *my opinion* a mi parecer; ~ *(good) time (early)* a tiempo, con tiempo; *(eventually)* andan-

do el tiempo, con el tiempo; ~ *the rear* a retaguardia; ~ *the reign of* bajo el reinado de; *one* ~ *four* uno sobre cuatro; *day* ~, *day out* día tras día; F *there's nothing* ~ *it* van muy iguales; no da ningún resultado; no tiene importancia; *it is not* ~ *him to* no es capaz de; *he has it* ~ *him to* tiene capacidad (*or* predisposición) para; ~ *that* en que, por cuanto; ~ *saying this* al decir esto; **2.** *adv.* (a)dentro; *be* ~ estar en casa (*or* en su oficina *etc.*); haber llegado; *parl.* estar en el poder; F estar en sazón; F estar de moda; *is John* ~? ¿está Juan?; F *be* ~ *for* estar expuesto a; *exam* presentarse a; *post* ser candidato a, solicitar; *competition* concurrir a; F *you're* ~ *for it now* la vas a pagar; F *you don't know what you're* ~ *for* no sabes lo que te pescas; F *be* ~ *on (it)* estar en el secreto, estar al tanto de; ~ *here* aquí dentro; ~ *there* allí dentro; **3.** *su.* ~s *and outs pl.* recovecos *m/pl.*; pormenores *m/pl.*

in·a·bil·i·ty [inə'biliti] incapacidad *f*; impotencia *f*; imposibilidad *f*.

in·ac·ces·si·ble [inæk'sesəbl] ☐ inaccesible; inasequible.

in·ac·cu·ra·cy [in'ækjurəsi] inexactitud *f*; incorrección *f*; **in'ac·cu·rate** [~rit] ☐ inexacto; incorrecto.

in·ac·tive [in'æktiv] ☐ inactivo.

in·ad·e·quate [in'ædikwit] ☐ insuficiente, inadecuado.

in·ad·vert·ent [inəd'və:tənt] ☐ inadvertido; accidental; *~ly a.* sin querer.

in·ad·vis·a·ble [inəd'vaizəbl] ☐ imprudente, no aconsejable.

in·ane [i'nein] ☐ necio, fatuo, inane.

in·ap·pro·pri·ate [inə'proupriit] ☐ improprio, inoportuno, inadecuado.

in·ar·tic·u·late [inɑː'tikjulit] ☐ *p.* incapaz de expresarse; inarticulado.

in·as·much [inəz'mʌtʃ]: ~ *as* ya que; en cuanto.

in·at·ten·tion [inə'tenʃn] desatención *f*; **in·at'ten·tive** ☐ desatento; distraído; descuidado.

in·au·di·ble [in'ɔ:dəbl] ☐ inaudible, imperceptible.

in·au·gu·ral [i'nɔ:gjurəl] inaugural; **in'au·gu·rate** [~reit] inaugurar; **in·au·gu·ra·tion** inauguración *f*.

in·born ['in'bɔ:n] innato.

in·cal·cu·la·ble [in'kælkjuləbl] ☐ incalculable.

in·ca·pa·ble [in'keipəbl] ☐ incapaz; inhábil; imposibilitado; **in·ca·pac-**

i·tate [inkə'pæsiteit] incapacitar (*for, from* para); imposibilitar.

in·cen·di·ar·y [in'sendjəri] incendiario *adj. a. su. m* (a f); ~ **bomb** bomba f incendiaria.

in·cense[1] ['insens] **1.** incienso *m* (a. *fig.*); **2.** incensar.

in·cense[2] [in'sens] encolerizar, indignar.

in·cen·tive [in'sentiv] incentivo *adj. a. su. m.*

in·cep·tion [in'sepʃn] principio *m*, comienzo *m*; inauguración f.

in·ces·sant [in'sesnt] □ incesante.

in·cest ['insest] incesto *m*; **inces·tu·ous** [in'sestjuəs] □ incestuoso.

inch [intʃ] pulgada f (= 2,54 cm.); *fig.* pizca f; ~es *pl. a.* estatura f; ~ **by** ~, **by** ~es palmo a palmo; **every** ~ **a man** nada menos que todo un hombre; **within an** ~ **of** a dos dedos de; **2.:** ~ **forward** *etc.* avanzar *etc.* palmo a palmo.

in·ci·dence ['insidəns] incidencia f; frecuencia f; extensión f; **angle of** ~ ángulo *m* de incidencia; **'in·ci·dent 1.** incidente *m*; episodio *m*; ocurrencia f; suceso *m*; **2.** incidente; propio (*to* de); **in·ci·den·tal** [~'dentl] **1.** cosa f accesoria (*or* sin importancia); **2.** □ incidental, incidente; accesorio; casual; ~**ly** *a.* a propósito.

in·cin·er·ate [in'sinəreit] incinerar; **in·cin·er·a·tion** incineración f; **in'cin·er·a·tor** incinerador *m*.

in·cip·i·ent [in'sipiənt] incipiente.

in·ci·sion [in'siʒn] incisión f; **in·ci·sive** [~'saisiv] □ incisivo; *fig.* tajante; **in'ci·sor** [~zə] incisivo *m*.

in·cite [in'seit] incitar, mover (*to* a).

in·cli·na·tion [inkli'neiʃn] inclinación f; declive *m*; tendencia f; afición f (*for* a); gana(s) f(*pl.*) (*to, for* de); **in·cline** [~'klain] **1.** *v/t.* inclinar (a. *fig.*), ladear; ~**ed plane** plano *m* inclinado; *fig.* **be** ~**ed to** inclinarse a; *v/i.* inclinarse (*to* a); ladearse; estar inclinado, estar ladeado; **2.** *su.* [*mst* '~klain] declive *m*, pendiente f.

in·clude [in'kluːd] incluir; adjuntar; comprender; **be** ~**d in** figurar en; **everything** ~**d** todo comprendido; **including** comprendido, inclusive; **not including** no comprendido.

in·clu·sion [in'kluːʒn] inclusión f; **in'clu·sive 1.** □ *adj.* inclusivo; completo; **be** ~ **of** incluir; ~ **terms** todo incluido; **2.** *adv.* inclusive.

in·co·her·ent [inkou'hiərənt] □ incoherente; sin pies ni cabeza.

in·come ['inkʌm] ingreso(s) *m(pl.*); renta f; entrada f; **annual** ~ ingresos *m*/*pl.* anuales; **family** ~ entradas f/*pl.* familiares; **income tax** ['inkʌm-tæks] impuesto *m* sobre la renta.

in·com·mu·ni·ca·do [inkəmjuni'kɑːdou] incomunicado.

in·com·pa·ra·ble [in'kɔmpərəbl] □ incomparable.

in·com·pat·i·ble [inkəm'pætəbl] □ incompatible.

in·com·pe·tent [in'kɔmpitənt] □ incompetente; inhábil; incapaz.

in·com·plete [inkəm'pliːt] □ incompleto; defectuoso; inconcluso.

in·com·pre·hen·si·ble [inkəmpri-'hensəbl] □ incomprensible.

in·con·ceiv·a·ble [inkən'kiːvəbl] □ inconcebible.

in·con·clu·sive [inkən'kluːsiv] □ no concluyente; poco convincente; indeterminado.

in·con·sid·er·ate [inkən'sidərit] □ desconsiderado.

in·con·sist·en·cy [inkən'sistənsi] inconsistencia f, inconsecuencia f; **in·con'sist·ent** □ inconsistente, inconsecuente.

in·con·spic·u·ous [inkən'spikjuəs] □ que no llama la atención; poco aparente; modesto.

in·con·test·a·ble [inkən'testəbl] □ incontestable.

in·con·ven·ience [inkən'viːnjəns] **1.** incomodidad f, inconveniencia f, molestia f; inoportunidad f; **2.** incomodar, molestar; **in·con'ven·ient** □ incómodo, inconveniente, molesto; inoportuno.

in·cor·po·rate 1. [in'kɔːpəreit] incorporar (*in*[*to*], *with* a, con, en); incluir; comprender; ⚖ constituir(se) en corporación (*or* sociedad anónima); **2.** [in'kɔːpərit] incorpóreo; asociado, incorporado; **in'cor·po·rat·ed** [~reitid] ✝ sociedad f anónima (*abbr.* S.A.); **in·cor·po'ra·tion** incorporación f; constitución f en sociedad anónima.

in·cor·rect [inkə'rekt] □ incorrecto; inexacto; erróneo.

in·cor·ri·gi·ble [in'kɔridʒəbl] □ incorregible, empecato.

in·crease 1. [in'kriːs] *v/t.* aumentar; acrecentar; multiplicar; *v/i.* aumentarse; crecer; multiplicarse; *increasing* creciente; *increasingly* cada vez

más; **2.** ['inkri:s] aumento *m*, incremento *m*; crecimiento *m*.

in·cred·i·ble [in'kredibl] □ increíble.

in·cre·du·li·ty [inkri'dju:liti] incredulidad *f*; **in·cred·u·lous** [in'kredjuləs] □ incrédulo.

in·cre·ment ['inkrimənt] incremento *m*; añadidura *f*; (*a.* ~ *value*) plusvalía *f*.

in·crim·i·nate [in'krimineit] acriminar, incriminar.

in·crust [in'krʌst] incrustar(se).

in·cu·bate ['inkjubeit] empollar, incubar; **in·cu·ba·tion** incubación *f*; **'in·cu·ba·tor** incubadora *f*; **in·cu·bus** ['~bəs] íncubo *m*.

in·cul·cate ['inkʌlkeit] inculcar (*in* en); **in·cul'ca·tion** inculcación *f*.

in·cul·pate ['inkʌlpeit] inculpar.

in·cum·bent [in'kʌmbənt] **1.** *eccl.* beneficiado *m*; **2.** incumbente, obligatorio; *be* ~ *upon* incumbir a.

in·cur [in'kə:] incurrir en; *debt* contraer.

in·cur·a·ble [in'kjuərəbl] □ incurable.

in·cur·sion [in'kə:ʃn] incursión *f*, invasión *f*; *fig.* penetración *f*.

in·debt·ed [in'detid] adeudado; reconocido; obligado; *be* ~ *to* estar en deuda con; **in'debt·ed·ness** deuda *f*; obligación *f*.

in·de·cent [in'di:sənt] □ indecente.

in·de·ci·sive [indi'saisiv] □ indeciso; inconcluyente; dudoso.

in·deed [in'di:d] verdaderamente, de veras; por cierto; en efecto (*a.* yes, ~); ~? ¿de veras?; *yes,* ~! ¡sí, por cierto!

in·de·fat·i·ga·ble [indi'fætigəbl] □ infatigable, incansable.

in·de·fen·si·ble [indi'fensəbl] □ indefendible.

in·de·fin·a·ble [indi'fainəbl] indefinible.

in·def·i·nite [in'definit] □ indefinido; incierto; vago.

in·del·i·ble [in'delibl] □ indeleble; ~ *pencil* lápiz tinta *m*.

in·del·i·cate [in'delikit] □ poco delicado, indecoroso, grosero.

in·dem·ni·ty [in'demniti] (*compensation*) indemnización *f*; indemnidad *f*.

in·dent [in'dent] mellar; (en)dentar; *typ.* sangrar.

in·de·pend·ence [indi'pendəns] independencia *f*; **in·de'pend·ent** □ independiente *adj. a. su. m/f*.

in·de·scrib·a·ble [indis'kraibəbl] □ indescriptible; *b.s.* incalificable.

in·de·struct·i·ble [indis'trʌktəbl] □ indestructible.

in·de·ter·mi·nate [indi'tə:minit] □ indeterminado; vago.

in·dex ['indeks] **1.** (*pl. a.* **in·di·ces** ['indisi:z]) (*finger, of book*) índice *m*; ~ *card* ficha *f* catalográfica; Å exponente *m*; ♀ *eccl.* índice *m* expurgatorio; **2.** *book* poner índice a; *entry* poner en un índice.

In·di·a ['indjə]: ~ *ink* tinta *f* china; ~ *paper* papel *m* de China, papel *m* biblia; ~ *rubber* goma *f* de borrar; caucho *m*.

In·di·an ['indjən] **1.** indio (*a f*) *m*; (*Red*) ~ piel roja *m/f*; **2.** indio; ~ *club* maza *f* (de gimnasia); ~ *corn* maíz *m*; ~ *file* fila *f* india; F ~ *giver* dador *m* interesado (*or* de toma y daca); ~ *ink* tinta *f* china; ~ *summer* veranillo *m* de San Martín.

in·di·cate ['indikeit] indicar, señalar; **in·di'ca·tion** indicio *m*, señal *f*; indicación *f*; **in·dic·a·tive** [in'dikətiv] indicativo *adj. a. su. m*; *be* ~ *of* indicar; **in·di·ca·tor** ['~keitə] indicador *m* (*a.* ⊕, 🔧).

in·di·ces [in'disi:z] *pl. of* **index**.

in·dict [in'dait] acusar (ante el juez) (*for, on a charge of* de); encausar; **in'dict·ment** acusación *f*; ⚖ sumaria *f*.

in·dif·fer·ence [in'difrəns] indiferencia *f*; desapego *m*; falta *f* de importancia; **in'dif·fer·ent** □ indiferente; desinteresado; imparcial; *quality* mediano, ordinario.

in·dig·e·nous [in'didʒinəs] indígena (*to* de).

in·di·gent ['indidʒənt] indigente.

in·di·gest·i·ble [indi'dʒestəbl] □ indigestible, indigesto; **in·di'ges·tion** indigestión *f*, empacho *m*.

in·dig·nant [in'dignənt] □ indignado (*at a p.* con[tra]; *at a th.* de, por); **in·dig'na·tion** indignación *f*; ~ *meeting* mitin *m* de protesta; **in'dig·ni·ty** [~niti] indignidad *f*, afrenta *f*.

in·di·rect [indi'rekt] □ indirecto; ~ *discourse* estilo *m* indirecto.

in·dis·creet [indis'kri:t] □ indiscreto.

in·dis·crim·i·nate [indis'kriminit] □ promiscuo, sin distinción; falto de discernimiento.

in·dis·pen·sa·ble [indis'pensəbl] □ indispensable, imprescindible.

in·dis·pose [indis'pouz] indisponer (*for* para); **in·dis'posed** ♣ indispuesto; mal dispuesto.

in·dis·pu·ta·ble ['indis'pju:təbl] □ indisputable, incontestable.

in·dis·tinct [indis'tiŋkt] □ indistinto.

in·dis·tin·guish·a·ble [indis'tiŋgwiʃəbl] indistinguible.

in·di·vid·u·al [indi'vidjuəl] **1.** individuo *m*; *mst contp.* sujeto *m*; **2.** □ individual; personal; particular.

in·di·vis·i·ble [indi'vizbl] □ indivisible.

in·doc·tri·nate [in'dɔktrineit] adoctrinar (*with* en).

in·dom·i·ta·ble [in'dɔmitəbl] □ indómito, indomable.

in·door ['indɔ:] interior; de casa; de puertas adentro; *sport:* en sala; **in·doors** ['in'dɔ:z] en casa; (a)dentro; bajo techado.

in·duce [in'dju:s] inducir (*a. ⚡*) (*to* a); producir; ocasionar; *sleep* provocar; **in'duce·ment** incentivo *m*; aliciente *m*; estímulo *m*.

in·dulge [in'dʌldʒ] *v/t.* desires gratificar, dar rienda suelta a; *p.* consentir, mimar; dar gusto a; *v/i.:* ~ in darse a, entregarse a; darse el lujo de, permitirse; **in'dul·gence** indulgencia *f* (*a. eccl.*); mimo *m*; gratificación *f*; abandono *m* (*in* a); desenfreno *m*; **in'dul·gent** □ indulgente.

in·dus·tri·al [in'dʌstriəl] industrial; **in'dus·tri·al·ist** industrial(ista) *m*; **in'dus·tri·ous** □ industrioso, aplicado.

in·dus·try ['indəstri] industria *f*; laboriosidad *f*, diligencia *f*.

in·e·bri·ate 1. [i'ni:brieit] embriagar, emborrachar; **2.** [i'ni:briit] borracho *adj. a. su. m* (a *f*).

in·ed·i·ble [in'edibl] incomible.

in·ef·fa·ble [in'efəbl] □ inefable.

in·ef·fec·tive [ini'fektiv], **in·ef·fec·tu·al** [~tjuəl] □ ineficaz; vano; *p.* incapaz.

in·ef·fi·ca·cy [in'efikəsi] ineficacia *f*.

in·ef·fi·cien·cy [ini'fiʃənsi] ineficiencia *f*; **in·ef'fi·cient** □ ineficiente, ineficaz.

in·e·le·gance [in'eligəns] inelegancia *f*; **in'el·e·gant** □ inelegante.

in·el·i·gi·ble [in'elidʒəbl] □ inelegible.

in·ept [i'nept] □ inepto.

in·e·qual·i·ty [ini'kwɔliti] desigualdad *f*.

in·eq·ui·ta·ble [in'ekwitəbl] injusto.

in·ert [i'nə:t] □ inerte; **in·er·tia** [i'nə:ʃiə], **in'ert·ness** inercia *f*.

in·es·cap·a·ble [inis'keipəbl] ineludible.

in·es·ti·ma·ble [in'estiməbl] inestimable.

in·ev·i·ta·ble [in'evitəbl] □ inevitable, ineludible.

in·ex·act [inig'zækt] inexacto.

in·ex·cus·a·ble [iniks'kju:zəbl] □ inexcusable, imperdonable.

in·ex·haust·i·ble [inig'zɔ:stəbl] □ inagotable, inexhausto.

in·ex·pen·sive [iniks'pensiv] □ barato, económico.

in·ex·pe·ri·ence [iniks'piəriəns] inexperiencia *f*, falta *f* de experiencia; **in·ex'pe·ri·enced** inexperto, novel.

in·ex·pli·ca·ble [in'eksplikəbl] □ inexplicable.

in·ex·press·i·ble [iniks'presəbl] □ inexpresable, indecible.

in·fal·li·bil·i·ty [infælə'biliti] infalibilidad *f*; **in'fal·li·ble** □ infalible.

in·fa·mous ['infəməs] □ infame; ꜰ infamante; **in·fa·my** ['~mi] infamia *f*.

in·fan·cy ['infənsi] infancia *f* (*a. fig.*); ꜰ menor edad *f*; *from* ~ desde niño; **in·fant** ['~fənt] **1.** criatura *f*, infante *m*; niño (a *f*) *m*; ꜰ menor *m/f*; ~ *school* escuela *f* de párvulos; **2.** infantil.

in·fan·ti·cide [in'fæntisaid] infanticidio *m*; (*p.*) infanticida *m/f*; **in·fan·tile** ['infəntail] infantil; pueril; aniñado; ~ *paralysis* parálisis *f* infantil.

in·fan·try ['infəntri] infantería *f*.

in·fat·u·ate [in'fætjueit] apasionar, amartelar; *be* ~*d with* apasionarse de (*or* por); ꜰ estar chiflado por.

in·fect [in'fekt] infectar; inficionar (*a. fig.*); contagiar (*a. fig.*); *fig.* influenciar; **in'fec·tion** infección *f*; contagio *m* (*a. fig.*); **in'fec·tious** □ infeccioso; contagioso (*a. fig.*).

in·fer [in'fə:] inferir; deducir, colegir; ꜰ conjeturar; **in·fer·ence** ['infərəns] inferencia *f*.

in·fe·ri·or [in'fiəriə] inferior *adj. a. su. m/f*; **in·fe·ri·or·i·ty** [~ri'ɔriti] inferioridad *f*; ~ *complex* complejo *m* de inferioridad.

in·fest [in'fest] infestar; *be* ~*ed with* estar plagado de.

in·fi·del ['infidəl] infiel *adj. a. su. m/f*; pagano *adj. a. su. m* (a *f*).

in·fil·trate ['infiltreit] infiltrar(se en); **in·fil'tra·tion** infiltración *f*.

in·fi·nite ['infinit] □ infinito; **in·fin·i·tes·i·mal** [∼'tesiml] infinitesimal (a. ℱ); **in'fin·i·tive** infinitivo m (a. ∼ mood); **in'fin·i·ty** infinidad f; sinfín m; ℱ infinito m.

in·firm [in'fə:m] enfermizo, achacoso; débil; inestable; ∼ of purpose irresoluto; **in'fir·ma·ry** enfermería f; hospital m; **in'fir·mi·ty** achaque m; enfermedad f; debilidad f; (moral) flaqueza f.

in·flame [in'fleim] inflamar (a. fig. a. ℱ).

in·flam·ma·ble [in'flæmbl] □ inflamable; **in·flam·ma·tion** [infla'meiʃn] inflamación f (a. ℱ); **in·flam·ma·to·ry** [in'flæmətəri] ℱ inflamatorio; inflamador; speech incendiario.

in·flate [in'fleit] hinchar (a. fig.); inflar; **in'fla·tion** inflación f (a. ✝); **in'fla·tion·ar·y** inflacionista.

in·flect [in'flekt] torcer, encorvar; voice modular; gr. declinar, conjugar; ∼ed gr. flexional; **in'flec·tion** inflexión f.

in·flict [in'flikt] inferir, infligir (on a); damage causar.

in·flu·ence ['influəns] 1. influencia f, influjo m ([up]on sobre); valimiento m (with cerca de); ascendiente m (over sobre); 2. influir en, influenciar; **in·flu·en·tial** [∼'enʃl] □ influ(y)ente; p. prestigioso.

in·flu·en·za [influ'enzə] gripe f, trancazo m.

in·form [in'fə:m] v/t. informar (of de, about sobre); avisar, comunicar; enterar; v/i.: ∼ against delatar; **in'for·mal** □ de confianza, sin ceremonia; familiar; sencillo; (unofficial) extraoficial; (irregular) informal; **in·for·mal·i·ty** [∼'mæliti] falta f de ceremonia; familiaridad f; sencillez f; informalidad f; **in'form·ant** [∼ənt] informante m/f; informador (-a f) m; = informer; **in·for·ma·tion** [infə'meiʃən] información f (a. piece of ∼); informe(s) m(pl.); noticia(s) f(pl.); dato(s) m(pl.); conocimientos m(pl.); **in·form·a·tive** [in'fə:mətiv] informativo; **in'form·er** ⚖ denunciante m/f, delator (-a f) m; F soplón m.

in·frac·tion [in'frækʃn] infracción f.

in·fre·quent [in'fri:kwənt] □ poco frecuente, infrecuente.

in·fringe [in'frindʒ] infringir, violar (a. ∼ upon); **in'fringe·ment** infracción f, transgresión f.

in·fu·ri·ate [in'fjuərieit] enfurecer, poner furioso.

in·fuse [in'fju:z] all senses: infundir (into a, en).

in·gen·ious [in'dʒi:njəs] □ ingenioso, inventivo, hábil; listo; **in·ge·nu·i·ty** [indʒi'njuiti] ingenio m, ingeniosidad f; inventiva f; maña f.

in·got ['iŋɡət] lingote m.

in·grain [in'ɡrein] teñido en rama; fig. (a. **in'grained** [∼d]) arraigado, inveterado; innato.

in·gra·ti·a·ting [in'greiʃieitiŋ] □ insinuante; congraciador; **in·grat·i·tude** [∼'ɡrætitju:d] ingratitud f, desagradecimiento m.

in·gre·di·ent [in'ɡri:diənt] ingrediente m, componente m.

in·hab·it [in'hæbit] habitar; **in'hab·it·a·ble** habitable; **in'hab·it·ant** habitante m/f.

in·hale [in'heil] inspirar; ℱ inhalar.

in·her·ent [in'hiərənt] □ inherente (in a).

in·her·it [in'herit] heredar; **in'her·it·ance** herencia f; patrimonio m.

in·hib·it [in'hibit] inhibir; eccl. prohibir; impedir (from inf.); **in·hi·bi·tion** [∼'biʃn] inhibición f.

in·hos·pi·ta·ble [in'hɔspitəbl] □ inhospitalario, inhóspito.

in·hu·man [in'hju:mən] □ inhumano.

in·hume [in'hju:m] inhumar.

in·im·i·cal [i'nimikəl] enemigo (to de); contrario (to a).

in·im·i·ta·ble [i'nimitəbl] □ inimitable.

in·iq·ui·tous [i'nikwitəs] □ inicuo.

in·i·tial [i'niʃl] 1. □ inicial adj. a. su. f; 2. marcar (or firmar) con iniciales; **in·i·ti·ate** 1. [i'niʃiit] iniciado adj. a. su. m (a f); 2. [i'niʃieit] iniciar (into en); **in·i·ti·a·tion** iniciación f; **in·i·ti·a·tive** [∼iətiv] 1. iniciativa f; on one's own ∼ por su propia iniciativa; take the ∼ tomar la iniciativa; 2. iniciativo.

in·ject [in'dʒekt] inyectar (into en); fig. introducir; injertar; **in'jec·tion** inyección f.

in·junc·tion [in'dʒʌŋkʃn] mandato m, precepto m; ⚖ entredicho m.

in·jure [in'dʒə] body lastimar, herir, ℱ lesionar, (esp. permanently) lisiar; (damage) dañar, perjudicar, averiar; feelings, reputation injuriar, ofender; **in·ju·ri·ous** [in'dʒuəriəs] □ dañoso, perjudicial; nocivo; injurioso; **in**

jury ['indʒəri] herida *f*, lesión *f*; perjuicio *m*, daño *m*; injuria *f*.

in·jus·tice [in'dʒʌstis] injusticia *f*.

ink [iŋk] **1.** tinta *f*; **2.** entintar.

ink·ling ['iŋkliŋ] atisbo *m*; sospecha *f*; indicio *m*; idea *f*.

in·laid ['inleid] *pret. a. p.p.* of *inlay.*

in·lay ['in'lei] **1.** [*irr.* (*lay*)] taracear, embutir, incrustar; **2.** taracea *f*, embutido *m*.

in·mate ['inmeit] residente *m/f*; inquilino (a *f*) *m*; preso (a *f*) *m*.

in·most ['inmoust] (más) interior; más íntimo, más recóndito.

inn [in] posada *f*, mesón *m*; (*poor, wayside*) venta *f*; (*bigger*) fonda *f*.

in·nate ['i'neit] □ innato.

in·ner ['inə] interior, interno; secreto, oculto; *mot. etc.* ~ *tube* cámara *f*; **'in·ner·most** = *inmost.*

inn·keep·er ['inki:pə] posadero (a *f*) *m*, mesonero (a *f*) *m*; ventero (a *f*) *m*; fondista *m/f*.

in·no·cence ['inəsns] inocencia *f*; **in·no·cent** ['~snt] □ inocente *adj. a. su. m/f* (*of* de).

in·noc·u·ous [i'nɔkjuəs] □ inocuo.

in·no·vate ['inouveit] innovar; **in·no·va·tion** innovación *f*.

in·nu·en·do [inju'endou] indirecta *f*, insinuación *f*, pulla *f*.

in·nu·mer·a·ble [i'nju:mərəbl] □ innumerable.

in·oc·u·late [i'nɔkjuleit] inocular; **in·oc·u·la·tion** inoculación *f*.

in·of·fen·sive [inə'fensiv] □ inofensivo.

in·op·er·a·tive [in'ɔpərətiv] inoperante.

in·op·por·tune [in'ɔpətju:n] □ inoportuno, ~*ly* a deshora.

in·or·di·nate [i'nɔ:dinit] □ desmesurado, excesivo; inordenado.

in·put ['input] ⊕, ⚡ (potencia *f* de) entrada *f*.

in·quire [in'kwaiə] preguntar (*about, after, for* por; *of* a); pedir informes (*about* sobre); ~ *into* inquirir, averiguar, indagar; **in·quir·y** pregunta *f*; encuesta *f*; (*esp.* ⚡) pesquisa *f*.

in·qui·si·tion [inkwi'ziʃn] inquisición *f*; **in·quis·i·tive** □ *b.s.* curioso, preguntón; especulativo.

in·road ['inroud] incursión *f*, *fig.* invasión *f*, usurpación *f* (*into, on* de).

in·sane [in'sein] □ insano, loco, demente; (*senseless*) insensato; **in·san·i·ty** insania *f*, locura *f*, demencia *f*.

in·sa·ti·a·ble [in'seiʃiəbl] insaciable.

in·scribe [in'skraib] inscribir (*a. fig.*, ⚓, Å); *book* dedicar.

in·scrip·tion [in'skripʃn] inscripción *f*; dedicatoria *f in book.*

in·sect ['insekt] insecto *m*; **in·sec·ti·cide** [~isaid] insecticida *adj. a. su. m.*

in·se·cure [insi'kjuə] □ inseguro; **in·se·cu·ri·ty** [~riti] inseguridad *f*.

in·sen·si·tive [in'sensətiv] insensible (*to* a).

in·sep·a·ra·ble [in'sepərəbl] □ inseparable.

in·sert 1. [in'sə:t] insertar, inserir; introducir; **2.** ['insə:t] inserción *f*; hoja *f* insertada; *sew.* entredós *m*. **in·ser·tion** inserción *f*; *sew.* entredós *m*.

in·set ['inset] inserción *f*; intercalación *f*, encaje *m*; *typ.* medallón *m*, mapa *m* (*or* grabado *m*) en la esquina de la página.

in·side ['in'said] **1.** interior *m*; parte *f* de dentro; F entrañas *f/pl.*; *on the* ~ por dentro; F ~ *out* al revés; *turn* ~ *out* volver(se) al revés; **2.** *adj.* interior; interno; F secreto, confidencial; **3.** *adv.* (a)dentro, hacia dentro; por dentro; **4.** *prp.* dentro de.

in·sid·i·ous [in'sidiəs] □ insidioso.

in·sight ['insait] penetración *f* (psicológica); perspicacia *f*; intuición *f*.

in·sig·ni·a [in'signiə] *pl.* insignias *f/pl.*

in·sig·nif·i·cance [insig'nifikəns] insignificancia *f*; **in·sig·nif·i·cant** □ insignificante.

in·sin·cere [insin'siə] □ poco sincero, falso; **in·sin·cer·i·ty** [~'seriti] falta *f* de sinceridad, falsedad *f*.

in·sin·u·ate [in'sinjueit] insinuar; **in·sin·u·at·ing** □ insinuador; **in·sin·u·a·tion** insinuación *f*; indirecta *f*, pulla *f*.

in·sip·id [in'sipid] □ insípido, soso.

in·sist [in'sist] insistir (*[up]on* en, sobre; *on ger.* en *inf.*; *that* en que); empeñarse (en); porfiar; **in·sist·ence** insistencia *f*, empeño *m*, porfía *f*; **in·sist·ent** □ insistente, porfiado; urgente.

in·so·la·tion [insou'leiʃn] ☀ insolación *f*.

in·so·lence ['insələns] insolencia *f*, descaro *m*; **'in·so·lent** □ insolente, descarado.

in·sol·u·ble [in'sɔljəbl] □ insoluble; *problem* indescifrable.

in·som·ni·a [in'sɔmniə] insomnio *m*.

in·spect [in'spekt] inspeccionar; examinar; registrar; ⚔ pasar revista a;

intend

in·spec·tion inspección *f*; examen *m*; registro *m*; ✕ revista *f*; ⚒ pit foso *m* de reconocimiento; **in'spec·tor** inspector *m*; interventor *m*; ⚙ revisor *m*.

in·spi·ra·tion [inspə'reiʃn] inspiración *f*; **in·spire** [ʌ'spaiə] inspirar; mover (to *a*).

in·stall [in'stɔːl] instalar; **in·stal·la·tion** [instəˈleiʃn] instalación *f*.

in·stal(l)·ment [in'stɔːlmənt] entrega *f*; ✝ plazo *m*; *payment by (or in)* ~s pago m a plazos; **'~ plan** pago *m* a plazos, compra *f* a plazos; *on the* ~ *plan* con facilidades de pago.

in·stance [ˈinstəns] **1.** ejemplo *m*, caso *m*; vez *f*, ocasión *f*; petición *f*; *for* ~ por ejemplo; **2.** poner por caso, citar (como ejemplo).

in·stant [ˈinstənt] **1.** instante *m*, momento *m*; *in an* ~, *on the* ~, al instante, en seguida; **2.** *cj.: the* ~ luego que, en cuanto; **3.** ☐ inmediato, urgente; *the 10th* ~ (*mst inst.*) el 10 del (mes) corriente; **in·stan·ta·ne·ous** [ʌ'teinjəs] ☐ instantáneo; **in·stant·ly** [ˈinstəntli] inmediatamente, al instante.

in·stead [in'sted] en cambio; en lugar de ello (*or* él, ella, *etc.*); ~ *of* en lugar de, en vez de.

in·sti·gate [ˈinstigeit] instigar.

in·stil(l) [in'stil] instilar; infundir, inculcar (*in[to]* en).

in·stinct 1. [ˈinstiŋkt] instinto *m*; **2.** [in'stiŋkt] ~ *with* animado de, lleno de; **in'stinc·tive** ☐ instintivo.

in·sti·tute [ˈinstitjuːt] **1.** instituto *m*; **2.** instituir; **in·sti'tu·tion** institución *f*; fundación *f*, establecimiento *m*; iniciación *f*; instituto *m*; asilo *m*; costumbre *f*.

in·struct [in'strʌkt] instruir (*about, in* de, en, sobre); mandar (to *a*); **in'struc·tion** instrucción *f*; ~s *pl.* instrucciones *f/pl.*; indicaciones *f/pl.*; orden *f*; ~s *for use* modo *m* de empleo; **in'struc·tive** ☐ instructivo; **in'struc·tor** instructor *m*; *univ.* profesor *m* (auxiliar).

in·stru·ment [ˈinstrumənt] *all senses*: instrumento *m*; **in·stru·men·tal** [ʌ'mentl] instrumental; *be* ~ *in* contribuir (materialmente) a, intervenir en, ayudar a.

in·suf·fi·cient [insə'fiʃnt] ☐ insuficiente.

in·su·lar [ˈinsjulə] insular, isleño; *fig.* de miras estrechas; **in·su·lar·i·ty** [ʌ-

'læriti] insularidad *f*; *fig.* estrechez *f* de miras; **in·su·late** [ˈʌleit] aislar; **in·su'la·tion** aislamiento *m*.

in·su·lin [ˈinsjulin] insulina *f*.

in·sult 1. [ˈinsʌlt] insulto *m*, ultraje *m*, injuria *f*; **2.** [in'sʌlt] insultar, ultrajar, injuriar; **in'sult·ing** ☐ insultante, injurioso.

in·sur·ance [in'ʃuərəns] aseguramiento *m*; ✝ seguro *m*; ~ *company* compañía *f* de seguros; ~ *policy* póliza *f*; ~ *premium* prima *f*, premio *m*; **in·sure** [in'ʃuə] asegurar; **in'sured** asegurado (a *f*) *m*.

in·sur·gent [in'sɔːdʒənt] insurgente *adj. a. su. m/f*, insurrecto *adj. a. su. m* (a *f*).

in·sur·mount·a·ble [insə'mauntəbl] insuperable.

in·sur·rec·tion [insə'rekʃn] insurrección *f*, levantamiento *m*.

in·tact [in'tækt] intacto, íntegro, ileso.

in·take [ˈinteik] ⊕ admisión *f*, toma *f*, entrada *f*; cantidad *f* admitida; número *m* admitido; ~ *manifold* múltiple *m* de admisión, colector *m* de admisión; ~ *valve* válvula *f* de admisión.

in·tan·gi·ble [in'tænʒəbl] ☐ intangible.

in·te·ger [ˈintidʒə] (número *m*) entero *m*; **in·te·gral** [ˈʌgrəl] **1.** ☐ (*whole*) íntegro; (*component*) integrante; Å integral; **2.** Å integral *f*; **in·te·grate** [ˈʌgreit] integrar (*a.* Å); combinar en un todo (*with* con); **in·te'gra·tion** integración *f*; **in·teg·ri·ty** [ʌ'tegriti] integridad *f*, probidad *f*.

in·tel·lect [ˈintilekt] intelecto *m*, entendimiento *m*; **in·tel·lec·tu·al** [ʌ'tjuəl] ☐ intelectual *adj. a. su. m/f*.

in·tel·li·gence [in'telidʒəns] inteligencia *f*; información *f*; noticias *f/pl.*; ~ *quotient* cociente *m* intelectual; ~ *service* ✕ servicio *m* de información; ~ *test* prueba *f* (*or* test *m*) de inteligencia.

in·tel·li·gent [in'telidʒənt] ☐ inteligente; **in·tel·li·gent·si·a** [ʌ'dʒentsiə] intelectualidad *f*; **in·tel·li·gi·ble** ☐ inteligible.

in·tem·per·ance [in'tempərəns] intemperancia *f*; inmoderación *f*; exceso *m* en la bebida; **in'tem·per·ate** [ʌrit] ☐ intemperante; inmoderado; descomedido.

in·tend [in'tend] pensar, proponerse; (*mean*) querer decir (*by* con); *deuti*

nar (for a, para); ∼ to do pensar hacer; **in'tend·ed** [in'tendid] pensado; deseado; be ∼ to tener por fin.

in·tense [in'tens] □ intenso; fuerte; extremado; p. apasionado.

in·tent [in'tent] **1.** □ absorto (on en); resuelto (on a); **2.** intento m, propósito m; **in'ten·tion** intención f; intento m, propósito m; significado m; **in'ten·tion·al** [∼ʃnl] □ intencional; ∼ly adrede, de propósito.

in·ter [in'tɜː] enterrar, sepultar.

in·ter... [intə] inter...; entre.

in·ter·cede [intə'siːd] interceder, mediar (with con, for por).

in·ter·cept [intə'sept] interceptar; detener; ✗ cortar.

in·ter·ces·sion [intə'seʃn] intercesión f.

in·ter·change 1. [intə'tʃeindʒ] (inter)cambiar(se), trocar(se); alternar (-se); **2.** ['∼'tʃeindʒ] intercambio m; canje m of prisoners, publications; alternación f; **in·ter'change·a·ble** intercambiable.

in·ter·com [intə'kɔm] F sistema m de intercomunicación.

in·ter·course ['intəkɔːs] (social) trato m; comercio m; intercambio m; (sexual) coito m, trato m sexual.

in·ter·de·nom·i·na·tion·al [intədinɔmi'neiʃnl] interconfesional.

in·ter·est ['intrist] **1.** interés m (a. ✝); ✝ rédito m; participación f; influencia f (with sobre); ∼s pl. intereses m/pl.; ✝ personas f/pl. interesadas; bear ∼ devengar intereses; be of ∼ to interesar; take an ∼ interesarse (in th. en, p. por); **2.** interesar (in en); be ∼ed in, ∼ o.s. in interesarse por (or en); **'in·ter·est·ed** □ interesado; **'in·ter·est·ing** □ interesante.

in·ter·fere [intə'fiə] (entro)meterse, mezclarse, intervenir (in en); ∼ with estorbar; dificultar; meterse con; F tocar, manosear; phys. interferir; **in·ter'fer·ence** entrometimiento m; intervención f; estorbo m; phys., ⚡ interferencia f.

in·ter·im ['intərim] **1.** intervalo m, intermedio m, interín m; in the ∼ entretanto, en el ínterin, interinamente; **2.** interino; provisional.

in·te·ri·or [in'tiəriə] **1.** interior m; **2.** interior, interno; ∼ decoration decoración f de interiores.

in·ter·ject [intə'dʒekt] interponer; interrumpir (con); **in·ter'jec·tion** gr. interjección f; exclamación f.

in·ter·lude ['intəluːd] ♪ interludio m; thea. intermedio m; intervalo m; descanso m.

in·ter·mar·riage [intə'mæridʒ] matrimonio m entre parientes; matrimonio m entre personas de distintas razas o religiones.

in·ter·me·di·a·ry [intə'miːdiəri] intermediario adj. a. su. m (a f); **in·ter·me·di·ate** [∼'miːdiət] □ (inter-)medio; intermediario.

in·ter·ment [in'tɜːmənt] entierro m.

in·ter·mi·na·ble [in'tɜːminəbl] □interminable, inacabable.

in·ter·mis·sion [intə'miʃn] interrupción f; intervalo m, pausa f; thea. entreacto m; ⚇ intermisión f.

in·ter·mit·tent [intə'mitənt] □ intermitente (a. ✗); ∼ly a intervalos.

in·tern [in'tɜːn] recluir, internar.

in·tern(e) ['intɜːn] ✗ practicante m de hospital.

in·ter·nal [in'tɜːnl] □ interno, interior; ∼com'bus·tion en·gine motor m de explosión, motor m de combustión interna.

in·ter·na·tion·al [intə'næʃnl] □ internacional; ∼ law derecho m internacional (or de gentes).

in·ter·plan·e·tar·y [intə'plænitəri] interplanetario.

in·ter·play ['intə'plei] interacción f.

in·ter·po·late [in'tɜːpouleit] interpolar.

in·ter·pret [in'tɜːprit] interpretar; **in·ter·pre'ta·tion** interpretación f; **in'ter·pret·er** intérprete m/f.

in·ter·ro·gate [in'terəgeit] interrogar, examinar; **in·ter·ro·ga·tion** interrogación f, examen m.

in·ter·rupt [intə'rʌpt] interrumpir; (entre)cortar; **in·ter'rup·tion** interrupción f.

in·ter·sect [intə'sekt] v/t. cortar; v/i. intersecarse; **in·ter'sec·tion** intersección f; cruce m.

in·ter·sperse [intə'spɜːs] esparcir, entremezclar; salpicar (with de).

in·ter·val ['intəvəl] intervalo m (a. ♪); thea. entreacto m; descanso m (a. sport); pausa f; at ∼s de vez en cuando; a intervalos.

in·ter·vene [intə'viːn] intervenir, interponerse, mediar; **in·ter·ven·tion** [∼'venʃn] intervención f.

in·ter·view ['intəvjuː] **1.** entrevista f; (press etc.) interviú f; have an ∼ with = **2.** entrevistarse con, interviuvar; **'in·ter·view·er** interviuva-

dor (-a f) m; interrogador (-a f) m.

in·tes·tine [in'testin] intestino adj. a. su. m; large ～ intestino m grueso; small ～ intestino m delgado.

in·ti·ma·cy ['intiməsi] intimidad f; F trato m sexual; **in·ti·mate 1.** ['∽meit] intimar; dar a entender; **2.** ['∽mit] a) □ íntimo; estrecho; knowledge profundo, detallado; become ～ intimarse (with con); b) amigo (a f) m de confianza; **in·ti·ma·tion** [∽'meiʃn] intimación f; insinuación f, indirecta f; indicio m.

in·tim·i·date [in'timideit] intimidar, amedrentar, acobardar.

in·to ['intu, before consonant 'intə] en; a; dentro de; hacia el interior de.

in·tol·er·a·ble [in'tɔlərəbl] □ intolerable, inaguantable; **in·tol·er·ance** intolerancia f; **in·tol·er·ant** □ intolerante (of con, para).

in·to·na·tion [intou'neiʃn] entonación f.

in·tox·i·cant [in'tɔksikənt] **1.** embriagador; **2.** bebida f alcohólica; **in·tox·i·cate** [∽keit] embriagar (a. fig.); ⚕ intoxicar; **in·tox·i·ca·tion** embriaguez f (a. fig.); ⚕ intoxicación f.

in·tra·mu·ral ['intrə'mjuərəl] interior, situado intramuros.

in·tran·si·gent [in'trænsidʒənt] intransigente.

in·tran·si·tive [in'trɑːnsitiv] □ intransitivo adj. a. su. m.

in·tra·ve·nous ['intrə'viːnəs] intravenoso.

in·trench [in'trentʃ] v. entrench.

in·trep·id [in'trepid] □ intrépido.

in·tri·cate ['intrikit] □ intrincado.

in·trigue [in'triːg] **1.** intriga f; amorío m secreto, lío m; thea. enredo m; **2.** intrigar; tener un lío.

in·tro·duce [intrə'djuːs] introducir; meter, insertar; **in·tro·duc·tion** [∽'dʌkʃn] introducción f; inserción f; presentación f of p.; prólogo m to book; letter of ～ carta f de recomendación; **in·tro·duc·to·ry** [∽təri] introductor; preliminar; ～ offer ofrecimiento m de presentación, oferta f preliminar.

in·tro·spec·tion [introu'spekʃn] introspección f.

in·trude [in'truːd] v/t. introducir (sin derecho), meter, encajar (in en); imponer (upon a); v/i. (entro)meterse, encajarse (upon en); pegarse; estorbar; **in·trud·er** intruso (a f) m.

in·tru·sion [in'truːʒn] intrusión f

in·trust [in'trʌst] v. entrust.

in·tu·i·tion [intju'iʃn] intuición f.

in·vade [in'veid] invadir (a. fig.); **in·vad·er** invasor (-a f) m.

in·val·id 1. [in'vælid] inválido, nulo; **2.** ['invəli(ː)d] ✕, ♣ inválido adj. a. su. m (a f); enfermo adj. a. su. m (a f); **3.** [invə'liːd] incapacitar; ✕, ♣ (～ out) licenciar por invalidez; **in·val·i·date** [in'vælideit] invalidar.

in·val·u·a·ble [in'væljuəbl] □ inestimable, inapreciable.

in·var·i·a·ble [in'vɛəriəbl] □ invariable.

in·va·sion [in'veiʒn] invasión f (a. fig., ✕).

in·vent [in'vent] inventar; idear; fingir; **in·ven·tion** invención f, invento m; (faculty) inventiva f; ficción f; **in·ven·tor** inventor (-a f) m; **in·ven·to·ry** ['invəntri] **1.** inventario m; existencias f/pl.; **2.** inventariar.

in·ver·sion [in'veːʃn] inversión f.

in·vert 1. [in'vəːt] invertir; trastrocar; volver al revés; ～ed commas pl. comillas f/pl.; ～ed exclamation point principio m de admiración; ～ed question mark principio m de interrogación; **2.** ['invəːt] invertido (a f) m.

in·vest [in'vest] v/t. ✝ invertir, colocar; v/i.: ～ in poner (or invertir) dinero en; F comprar.

in·ves·ti·gate [in'vestigeit] investigar; averiguar; examinar; **in·ves·ti·ga·tion** investigación f; averiguación f; pesquisa f; **in·ves·ti·ga·tor** [∽geitə] investigador (-a f) m.

in·vest·ment ✝ inversión f, colocación f (de fondos); ✝ ～s pl. valores m/pl. en cartera, fondos m/pl. invertidos; **in·ves·tor** inversionista m/f; accionista m/f, inversor (-a f) m.

in·vig·or·ate [in'vigəreit] vigorizar, tonificar; **in·vig·or·a·ting** vigorizador; **in·vig·or·a·tion** tonificación f.

in·vin·ci·ble [in'vinsəbl] □ invencible.

in·vis·i·ble [in'vizbl] □ invisible; ～ ink tinta f simpática.

in·vi·ta·tion [invi'teiʃn] invitación f, convite m; **in·vite** [in'vait] invitar (to a); (esp. to food, drink) convidar (to a); **in·vit·ing** □ atrayente; incitante; provocativo; food apetitoso.

in·vo·ca·tion [invou'keiʃn] invocación f; evocación f of spirits.

in·voice ['invɔis] **1.** factura f; **2.** facturar.

in·voke [in'vouk] invocar; *spirits* evocar.

in·vol·un·tar·y [in'vɔləntəri] □involuntario.

in·volve [in'vɔlv] envolver; (*entangle*) enredar, enmarañar; complicar; (*entail*) traer consigo, acarrear; implicar; comprometer; get ~d in meterse en, embrollarse en; **in·volve·ment** envolvimiento m; enredo m; complicación f; compromiso m; apuro m, dificultad f.

in·ward ['inwəd] **1.** *adj.* interior, interno; **2.** *adv.* hacia dentro, para dentro, interiormente; **'in·ward·ly** interiormente; (hacia) dentro; para sí.

i·o·dide ['aiədaid] yoduro m; **i·o·dine** ['~di:n] yodo m.

i·on ['aiən] ion m; ~ *trap* ⚡ trampa f, de iones.

I·o·ni·an [ai'ounjən] jonio *adj. a. su. m* (a f), jónico *adj. a. su. m* (a f).

I·on·ic [ai'ɔnik] jónico.

i·on·ize ['aiənaiz] ionizar.

i·o·ta [ai'outə] (*letter*) iota f; fig. jota f, ápice m, pizca f.

I·ra·ni·an [i'reinjən] iranio *adj. a. su. m* (a f), iranés *adj. a. su. m* (-a f).

I·ra·qi [i'ra:ki] iraki *adj. a. su. m/f*.

i·ras·ci·ble [i'ræsibl] □ irascible, iracundo.

i·rate [ai'reit] airado, colérico.

ire [aiə] *poet.* ira f, cólera f.

ir·i·des·cent [iri'desnt] iridescente, irisado; tornasolado.

i·ris ['aiəris] *opt.* iris m; ♀ lirio m.

I·rish ['aiəri∫] irlandés *adj. a. su. m*; *the ~ pl.* los irlandeses; **'I·rish·ism** idiotismo m irlandés; **'I·rish·man** irlandés m.

irk [ə:k] fastidiar, molestar.

irk·some ['ə:ksəm] □fastidioso, molesto, pesado; **'irk·some·ness** fastidio m, molestia f, tedio m.

i·ron ['aiən] **1.** hierro m (*a. fig., tool, weapon, golf*); (*a. flat-~*) plancha f; ~s pl. hierros m/pl., grillos m/pl.; **2.** de hierro; férreo (*a. fig.*); ~ *curtain* telón m de acero; ~ *lung* pulmón m de hierro; ~ *ore* mineral m de hierro; **3.** *clothes* planchar, aherrojar; ⅓ **'~Age** Edad f de Hierro; **'~bound** zunchado con hierro; fig. férreo, inflexible; **'~clad** acorazado *adj. a. su. m*.

i·ron·ic, i·ron·i·cal [ai'rɔnik(l)] □ irónico.

i·ron·ing ['aiəniŋ] planchado m.

i·ron...: **'~stone** mineral m de hierro;

'~willed de voluntad f ferrea; **'~work** herraje m; obra f de hierro; **'~works** herrería f; fábrica f de hierro.

i·ro·ny ['aiərəni] ironía f.

ir·ra·di·ant [i'reidiənt] luminoso, radiante.

ir·ra·di·ate [i'reidieit] *v/t. phys.*, ⚗ irradiar; iluminar(se de); *fig.* derramar; *v/i.* brillar; **ir·ra·di·a·tion** irradiación f.

ir·ra·tion·al [i'ræ∫nl] □irracional (*a. Ⓐ*); **ir·ra·tion·al·i·ty** [~∫ə'næliti] irracionalidad f.

ir·re·claim·a·ble [iri'kleiməbl] □ irrecuperable; irredimible.

ir·re·con·cil·a·ble [i'rekənsailəbl] □ irreconciliable, intransigente.

ir·re·cov·er·a·ble [iri'kʌvərəbl] irrecuperable; incobrable.

ir·re·duc·i·ble [iri'dju:səbl] irreducible.

ir·ref·u·ta·ble [i'refjutəbl] □ irrefutable.

ir·reg·u·lar [i'regjulə] **1.** □irregular; **2.** ✕ guerillero m; **ir·reg·u·lar·i·ty** [~'læriti] irregularidad f.

ir·rel·e·vance, ir·rel·e·van·cy [i'relivəns(i)] impertinencia f; inaplicabilidad f; **ir·rel·e·vant** □ fuera de propósito; impertinente; inaplicable.

ir·re·li·gious [iri'lidʒəs] □ irreligioso.

ir·re·me·di·a·ble [iri'mi:diəbl] □ irremediable.

ir·rep·a·ra·ble [i'repərəbl] □ irreparable.

ir·re·place·a·ble [iri'pleisəbl] insustituible, irreemplazable.

ir·re·press·i·ble [iri'presəbl] indomable; incorregible, incontrolable.

ir·re·proach·a·ble [iri'prout∫əbl] □ irreprochable.

ir·re·sist·i·ble [iri'sistəbl] □ irresistible.

ir·res·o·lute [i'rezəlu:t] □ irresoluto, irresuelto, indeciso; **ir·res·o·lute·ness** indecisión f.

ir·re·spec·tive [iris'pektiv] □: ~ *of* aparte de, prescindiendo de.

ir·re·spon·si·ble [iris'ponsəbl] □ irresponsable.

ir·re·triev·a·ble [iri'tri:vəbl] irrecuperable, irreparable.

ir·rev·er·ence [i'revərəns] irreverencia f; **ir'rev·er·ent** □ irreverente.

ir·re·vers·i·ble [iri'və:səbl] irreversible; irrevocable.

ir·rev·o·ca·ble [i'revəkəbl] □ irre-vocable.

ir·ri·gate ['irigeit] regar; irrigar (a. ♣); **ir·ri·ga·tion** riego m; irrigación f.

ir·ri·ta·bil·i·ty [iritə'biliti] irritabili-dad f; **ir·ri·tate** ['⸏teit] irritar; exas-perar; molestar; **ir·ri·tat·ing** □ irritador, irritante; enojoso; molesto.

ir·rup·tion [i'rʌpʃn] irrupción f.

is [iz] es; está (v. be).

Is·lam ['izlɑːm] islam m; **Is·lam·ic** [iz'læmik] islámico.

is·land ['ailənd] 1. isla f; refugio m in road; 2. isleño.

isle [ail] mst poet. isla f; **is·let** ['ailit] isleta f; islote m.

ism [izm] F mst contp. ismo m; teoría f; sistema m.

isn't ['iznt] = is not.

i·so·late ['aisəleit] aislar; apartar; **i·so·lat·ed** aislado; insulado; aleja-do; **i·so·la·tion** aislamiento m, apar-tamiento m; **i·so·la·tion·ism** aisla-cionismo m.

i·so·met·ric [aisə'metrik] isométrico; **⸏s** isométrica.

i·so·sce·les [ai'sɔsəliːz] isósceles.

i·so·tope ['aisoutoup] isótopo m.

Is·ra·el·i [iz'reili] israelí, israelita adj. a. su. m/f.

is·sue ['isjuː, 'iʃuː] 1. salida f; distri-bución f; ✝ emisión f of coins, shares, stamps; publishing: edición f, impre-sión f; (copy) número m, entrega f; (question) cuestión f, problema m, punto m en disputa; evade the ~ esquivar la pregunta; face the ~ afrontar la situación; 2. v/t. distri-buir; expedir; ✝ emitir; poner en circulación; publicar; decree pro-mulgar; v/i. salir; brotar; provenir; emanar; fluir.

isth·mus ['isməs] istmo m.

it [it] 1. (subject, but gen. omitted) él, ella, ello; acc. lo, la; dat. le; after prp. él, ella, ello; ~ is I (or F ~'s me) soy yo; ~ is raining llueve; ~ is said that se dice que; ~ is 2 o'clock son las 2; 2. F aquél m; atracción f sexual; lo necesario; 3. F pred.: you're ~ children's games: tú te quedas.

I·tal·ian [i'tæljən] 1. italiano adj. a. su. m (a f); 2. (language) italiano m.

i·tal·ic [i'tælik] 1. (a. 2) itálico; 2. typ. mst ~s (letra f) bastardilla f; in ~s en bastardilla; en cursiva; **i·tal·i·cize** [i'tælisaiz] poner en (letra) bastar-dilla; subrayar.

itch [itʃ] 1. ♣ sarna f; picazón f; comezón f, prurito m (a. fig. for por, to de); 2. picar; sentir comezón; my arm ~es me pica el brazo; **itch·ing** prurito m, comezón f (a. fig.).

i·tem ['aitem] 1. item m, artículo m; (newspaper) noticia f, detalle m; 2. adv. item; **i·tem·ize** ['aitəmaiz] ole-tallar; especificar.

i·tin·er·ant [i'tinərənt] ambulante, errante; **i·tin·er·ar·y** [ai'tinərəri] 1. itinerario m; ruta f; guía f; 2. itine-rario.

its [its] 1. su(s); 2. pron. (el) suyo, (la) suya etc.

it's [its] = it is, it has.

it·self [it'self] (subject) él mismo, ella misma, ello mismo; acc., dat. se; (after prp.) sí mismo [a]).

i·vied ['aiviːd] cubierto de hiedra.

i·vo·ry ['aivəri] 1. marfil m; ~ tower torre f de marfil; fig. inocencia f; sl. ivories pl. teclas f/pl. de piano; 2. de marfil; poet. ebúrneo.

i·vy ['aivi] hiedra f.

J

jab [dʒæb] 1. (poke) hurgonazo m; (prick) pinchazo m; (with elbow) co-dazo m; boxing: golpe m rápido; 2. hurgonear; pinchar; dar un codazo a; golpear.

jab·ber ['dʒæbə] 1. (a. ~ing) je-rigonza f; farfulla f; 2. farfu-llar.

jack [dʒæk] 1. ⊕, mot. gato m; ⚡ enchufe m hembra; cards: sota f; zo. macho m; ⚓ bandera f de proa;

2.: ~ up alzar con el gato; price subir, aumentar.

jack·al ['dʒækɔːl] zo. chacal m.

jack·ass ['dʒækæs] burro m (a. fig.).

jack·et ['dʒækit] chaqueta f, america-na f; saco m S.Am.; cubierta f; envoltura f; ⊕ camisa f.

jack...: ~-in-the-box caja f sorpresa; **~-knife** navaja f; **~-of-all-trades** factótum m; hombre m de muchos oficios; **~-o'-lan·tern** fuego m fa

tuo; '**∼•pot** *cards*: bote *m*; premio *m* gordo; '**∼ rab•bit** liebre *m* grande.

Jac•o•bite ['dʒækəbait] jacobita *adj. a. su. m/f.*

jade¹ [dʒeid] **1.** *contp.* mujerzuela *f*, picarona *f*; **2.** saciar.

jade² [∼] *min.* jade *m*.

jag•ged ['dʒægid] dentado, desigual, mellado; áspero; rasgado (en sietes).

ja•gu•ar ['dʒægwɑːr] jaguar *m*.

jail [dʒeil] **1.** cárcel *f*; **2.** encarcelar; '**∼•bird** presidiario *m*; encarcelado *m*; '**∼•break** escaparoria *f* de encarcelado.

jail•er ['dʒeilər] carcelero *m*.

ja•lop•y [dʒə'lɔpi] F *mot.*, ✗ cacharro *m*, armatoste *m*.

jam¹ [dʒæm] *approx.* mermelada *f*, confitura *f*, compota *f*.

jam² [∼] **1.** apiñadura *f*; (*stoppage*) atasc(amient)o *m*; aglopamiento *m* of *people*; *sl.* aprieto *m*, lío *m*; *traffic* ∼ aglomeración *f* de tráfico; F ∼ *session* concierto *m* improvisado de jazz; **2.** apiñar(se); apretar(se); atascar(se); *radio:* interferir; ∼ *on brakes* echar (or poner) con violencia; '**∼•packed** apiñado, apretujado.

Ja•mai•can [dʒə'meikən] jamaicano *adj. a. su. m* (a *f*).

jam•bo•ree [dʒæmbə'riː] F francachela *f*, juerga *f*; congreso *m* de (niños) exploradores.

jan•gle ['dʒæŋgl] **1.** sonido *m* discordante, cencerreo *m*; **2.** cencerrear, (hacer) sonar de manera discordante; '**jan•gling** discordante, estridente, desapacible.

jan•i•tor ['dʒænitə] portero *m*, conserje *m*.

Jan•u•ar•y ['dʒænjuəri] enero *m*.

ja•pan [dʒə'pæn] **1.** laca *f* negra; **2.** barnizar con laca japonesa.

Jap•a•nese [dʒæpə'niːz] **1.** japonés *adj. a. su. m* (-a *f*); *the* ∼ *pl.* los japoneses; **2.** (*language*) japonés *m*.

jar¹ [dʒɑː] tarro *m*; pote *m*; jarra *f*; (*narrow-necked*) botija *f*; (*large*) tinaja *f*.

jar² [∼] **1.** choque *m*, sacudida *f*; sorpresa *f* desagradable; **2.** chocar; sacudir, (hacer) vibrar.

jar•gon ['dʒɑːgən] jerigonza *f*; (*specialist*) jerga *f*.

jas•min(e) ['dʒæsmin] jazmín *m*.

jas•per ['dʒæspə] jaspe *m*.

jaun•dice ['dʒɔːndis] ✦ icteria *f*; '**jaun•diced** ✦ ictérico; cetrino.

jaunt [dʒɔːnt] **1.** caminata *f*, excur-

sión *f*, paseo *m*; **2.** hacer una caminata, ir de excursión; '**jaun•ti•ness** viveza *f*, garbo *m*, soltura *f*; '**jaun•ty** □ garboso, airoso, ligero.

Jav•a•nese [dʒɑːvə'niːz] javanés *adj. a. su. m* (-a *f*).

jave•lin ['dʒævlin] jabalina *f*.

jaw [dʒɔː] **1.** quijada *f*, mandíbula *f*, maxilar *m*; *sl.* cháchara *f*, ∼*s pl.* fauces *f/pl.*; **2.** F *v/i.* chismear, charlar; *v/t.* regañar; '**∼•bone** maxilar *m*, quijada *f*.

jay [dʒei] *orn.* arrendajo *m*; F necio (*a f*) *m*; '**∼•walk** cruzar la calle sin cuidar; '**∼•walk•er** peatón *m* imprudente.

jazz [dʒæz] **1.** jazz *m*; **2.** de jazz; **3.** *v/t.* sincopar; *v/i.* tocar (or bailar) el jazz; '∼ **'band** orquesta *f* de jazz, jazz-band *m*; '**jazz•y** F sincopado; de colores chillones.

jeal•ous ['dʒeləs] □ celoso, envidioso; cuidadoso, vigilante; *be* ∼ *of a p.* tener celos de una p.; '**jeal•ous•y** celos *m/pl.*; envidia *f*.

jeans [dʒiːnz] *pl.* F pantalones *m/pl.* de dril.

jeep [dʒiːp] jeep *m*.

jeer [dʒiə] **1.** escarnio *m*; (*shout*) grito *m* de sarcasmo (or protesta *etc.*); **2.** mofarse (*at* de), befar; '**jeer•ing** □ mofador.

jell [dʒel] cuajarse; ponerse gelatinoso.

jel•ly ['dʒeli] **1.** jalea *f*, gelatina *f*; **2.** convertir(se) en jalea; '**∼•bean** frutilla *f*; '**∼•fish** medusa *f*.

jeop•ard•ize ['dʒepədaiz] arriesgar, comprometer; '**jeop•ard•y** riesgo *m*, peligro *m*.

jerk [dʒɔːk] **1.** tirón *m*, sacudida *f*, arranque *m*; espasmo *m* muscular; *by* (or *in*) ∼*s* a sacudidas; **2.** *v/t.* sacudir; mover a tirones; arrojar; *v/i.* sacudirse; avanzar a tirones.

jer•kin ['dʒɔːkin] justillo *m*.

jerk•wa•ter ['dʒɔːkwɔːtə] F de poca monta.

jerk•y ['dʒɔːki] □ espasmódico, desigual; que se mueve a tirones.

jer•ry-built ['dʒeribilt] mal construido, de pacotilla.

jer•sey ['dʒɔːzi] jersey *m*.

jest [dʒest] **1.** chanza *f*, broma *f*; (*esp. verbal*) chiste *m*; **2.** bromear, chancear(se); '**jest•er** bufón *m*.

Jes•u•it ['dʒezjuit] jesuita *adj. a. su. m*; **Jes•u•it•ic, Jes•u•it•i•cal** □ jesuítico.

jet¹ [dʒet] *min.* azabache *m*.

jet² [~] **1.** chorro *m*, surtidor *m*; (*burner*) mechero *m*; ⊕, ⚒ *attr.* a reacción, a chorro; ~ *engine* reactor *m*, motor *m* a chorro; ~ *fighter* cazarreactor *m*; ~ *plane* avión *m* a reacción; **2.** *v/t.* echar en chorro *v/i.* chorrear.

jet·black ['dʒet'blæk] azabachado.

jet...: '~-'pow·ered, '~-'pro'pelled a reacción.

jet·sam ['dʒetsəm] ⚓ echazón *f*.

jet·ti·son ['dʒetisn] **1.** ⚓ echazón *f*; **2.** ⚓ echar al mar; *fig.* desechar.

jet·ty ['dʒeti] malecón *m*; muelle *m*; embarcadero *m*.

Jew [dʒuː] judío (a *f*) *m*; ~'s *harp* birimbao *m*.

jew·el ['dʒuːəl] **1.** joya *f*; alhaja *f* (a. *fig.*); piedra *f* preciosa; **2.** enjoyar; '~ 'case joyero *m*; '**jew·el·er** joyero *m*; ~'s (*shop*) joyería *f*; '**jew·elry** joyas *f/pl.*; ✞ joyería *f*.

'**Jew·ish** [dʒuːiʃ] judío; **Jew·ry** ['dʒuəri] judería *f*, los judíos *m/pl.*

jib [dʒib] ⚓ foque *m*; ⊕ aguilón *m*; *fig. the cut of his* ~ su pergeño *m*.

jibe [dʒaib] F concordar.

jif·fy ['dʒifi] F instante *m*; *in a* ~ en un santiamén.

jig [dʒig] **1.** jiga *f*; ⊕ plantilla *f* (de guía); **2.** bailar (la jiga); mover(se) a saltitos.

jig·gle [dʒigl] F zangolotear; vibrar.

jig-saw ['dʒigsɔː] sierra *f* de vaivén; ~ *puzzle* rompecabezas *m*.

jilt [dʒilt] dar calabazas a, dejar plantado.

jim·my ['dʒimi] ganzúa *f*.

jin·gle ['dʒiŋgl] **1.** (re)tintín *m*, cascabeleo *m*; rima *f* infantil; **2.** *v/t.* hacer sonar; *v/i.* cascabelear, tintinear.

jin·go ['dʒiŋgou] patriotero (a *f*) *m*, jingoísta *m/f*; F *by* ~! ¡caramba!; '**jin·go·ism** jingoísmo *m*, patriotería *f*.

jinx [~] *sl.* cenizo *m*, pájaro *m* de mal agüero, duendecillo *m*.

jit·ter ['dʒitə] *sl.* **1.** temblar, estremecerse; bailar; **2.** ~*s pl.* inquietud *f*, nerviosidad *f*; ~·**bug** ['dʒʌɡ] *sl.* (aficionado [a *f*] *m*) bailar el jazz; '**jitter·y** *sl.* nervioso, inquieto.

jiu-jit·su ['dʒuː'dʒitsu:] jiu-jitsu *m*.

jive [dʒaiv] *sl.* (modo *m* de) bailar el jazz.

job [dʒɔb] tarea *f*, quehacer *m*; labor *m*; trabajo *m*; (*post*) empleo *m*, puesto *m*; F cosa *f* difícil, faena *f*; *sl.*

crimen *m*, robo *m*; *be on the* ~ estar trabajando; *sl.* estar al pie; *be out of a* ~ estar sin trabajo; *a bad* ~ mala situación *f*, caso *m* desahuciado; ~ *security* garantía *f* de empleo continuo; *odd* ~ tarea *f* suelta.

job·ber ['dʒɔbə] destajista *m/f*; ✞ agiotista *m*; ✞ corredor *m*; ✞ intermediario *m*; *b.s.* chanchullero *m*; '**job·less** desempleado; desocupado; '**job mar·ket** oportunidades *f* de empleo.

jock·ey ['dʒɔki] **1.** jockey *m*; **2.** *v/t.* embaucar (*into* para que); *v/i.* maniobrar (*for* para obtener).

jock·strap ['dʒɔk'stræp] suspensorio *m* de atleta.

jo·cose [dʒə'kous] □, **joc·u·lar** ['dʒɔkjulə] □ jocoso.

joc·und ['dʒɔkənd] jocundo.

jodh·purs ['dʒɔdpəz] pantalones *m* de equitación.

jog [dʒɔg] **1.** empujoncito *m*, cidazo *m*, sacudimiento *m* (ligero); trote *m* corto, paso *m* lento; *fig.* estímulo *m*; **2.** *v/t.* empujar (*or* sacudir) levemente; *fig.* estimular; *memory* refrescar; *v/i.* (*mst* ~ *along*, ~ *on*) andar a trote corto; '~·**ging** recreo; calisténica: trote *m* (corto).

jog·gle ['dʒɔgl] **1.** traqueo *m*, sacudimiento *m*; ⊕ esambladura *f* dentada; **2.** traquear, sacudir.

john [dʒɔn] F retrete *m*; inodoro *m*.

john·ny ['dʒɔni] F tipo *m*, chico *m*; currutaco *m*; ~ *cake* pan *m* de maíz.

join [dʒɔin] **1.** juntura *f*, costura *f*; **2.** *v/t.* unir, juntar; ⊕ ensamblar, acoplar; ⚔ alistarse en; ~ *hands* darse las manos; ~ *one's regiment* (*ship*) incorporarse a su regimiento (barco); ~ *a p. in* acompañar a una p. en; *v/i.* juntarse, unirse; (*lines*) empalmar; ~ *in* tomar parte (en), participar (en).

join·er ['dʒɔinə] carpintero *m* (de blanco); ensamblador *m*.

joint [dʒɔint] **1.** junt(ur)a *f*; *anat.* articulación *f*, coyuntura *f*; ⚒ nudo *m*; ⚒ empalme *m*; ⊕ esambladura *f*; *sl.* garito *m*; *sl.* fonducho *m*; *out of* ~ descoyuntado; *fig.* fuera de quicio; **2.** □ (en) común; mutuo; colectivo; conjunto; combinado; (*in compounds*) co...; **3.** juntar, unir; ⊕ ensamblar; articular; '**joint·ed** articulado; ⚒ nudoso; '**joint-stock 'com·pa·ny** sociedad *f* anónima; '**joint·ure** ⚖ bienes *m* parafernales.

joist [dʒɔist] vig(uet)a *f*.

J K

joke [dʒouk] **1.** broma *f*, chanza *f*; (*esp. verbal*) chiste *m*; (*laughing matter*) cosa *f* de reír; (*p.*) hazmerreír *m*; **2.** bromear, chancear(se); decir chistes; hablar en broma; F chunguear; '**jok·er** bromista *m/f*; guasón (-a *f*) *m*; *cards:* comodín *m*; '**jol·li·ty** alegría *f*, regocijo *m*; diversión *f*.

jol·ly ['dʒɔli] **1.** □ alegre, regocijado; jovial; divertido; F agradable, estupendo; **2.** *adv.* F muy.

jolt [dʒoult] **1.** sacudida *f*; choque *m*; (*a.* ~*ing*) traque(te)o *m*; **2.** sacudir; traque(te)ar.

josh [dʒɔʃ] *sl.* **1.** broma *f*; **2.** burlarse de, tomar el pelo a.

jos·tle ['dʒɔsl] **1.** empujón *m*, empellón *m*; **2.** empujar; codear.

jot [dʒɔt] **1.** jota *f*, pizca *f*; **2.**: ~ *down* apuntar; '**jot·ting** apunte *m*.

jour·nal ['dʒɔːnl] (✝ libro *m*) diario *m* (♣ de navegación); (*newspaper*) periódico *m*; (*review*) revista *f*; **jour·nal·ese** ['ˌnəˈliːz] lenguaje *m* periodístico; '**jour·nal·ism** periodismo *m*; '**jour·nal·ist** periodista *m/f*.

jour·ney ['dʒɔːni] **1.** viaje *m*; **2.** viajar; '**·man** oficial *m*.

joust [dʒaust] **1.** justa *f*, torneo *m*; **2.** justar.

jo·vi·al ['dʒouviəl] □ jovial.

jowl [dʒaul] quijada *f*; carrillo *m*.

joy [dʒɔi] alegría *f*, júbilo *m*, regocijo *m*; deleite *m*; '**joy·ful** ['ˌful] □ alegre, regocijado; '**joy·ous** □ alegre, regocijado; '**joy·ride** F excursión *f* (desautorizada) en coche *etc.*, '**joy·stick** ✈ *sl.* palanca *f* de gobierno.

ju·bi·lant ['dʒuːbilənt] □ jubiloso; triunfante; **ju·bi·la·tion** júbilo *m*; **ju·bi·lee** ['ˌliː] *hist., eccl.* jubileo *m*; (*rejoicing*) júbilo *m*.

Ju·da·ism ['dʒuːdeiizm] judaísmo *m*; '**Ju·da·ize** *v/i.* convertir al judaísmo; *v/t.* judaizar.

judge [dʒʌdʒ] **1.** juez *m*; *fig.* conocedor (-a *f*) *m*; *sport:* árbitro *m*; **2.** juzgar; considerar; opinar; *judging by* a juzgar por; '**·'ad·vo·cate** ✗ auditor *m* de guerra.

judge·ship ['dʒʌdʒˈʃip] judicatura *f*; **judg·ment** ['ˌmənt] juicio *m*; ⚖ sentencia *f*, fallo *m*; entendimiento *m*, discernimiento *m*; opinión *f*; *in my* ~ a mi parecer; *pronounce* ~ pronunciar sentencia (*on* en, sobre); ♀ *Day* día *m* del juicio (final).

ju·di·ca·ture ['dʒuːdikətʃə] judicatura *f*.

ju·di·cial [dʒuˈdiʃl] □ judicial; juicioso; ~ *murder* asesinato *m* legal.

ju·di·cious [dʒuˈdiʃəs] □ juicioso, sensato.

jug [dʒʌg] **1.** jarro *m*; pote *m*; *sl.* chirona *f*; **2.** *sl.* encarcelar.

Jug·ger·naut ['dʒʌgənɔːt] *fig.* monstruo *m* destructor de los hombres.

jug·gle ['dʒʌgl] **1.** juego *m* de manos; *b.s.* engaño *m*; **2.** *v/t.* escamotear; *b.s.* falsear; *v/i.* hacer juegos malabares (*or* de manos); *b.s.* hacer trampas; '**jug·gler** malabarista *m/f*, jugador (-a *f*) *m* de manos; *b.s.* tramposo (a *f*) *m*; '**jug·gler·y** juegos *m/pl.* malabares (*or* de manos); *b.s.* trampas *f/pl.*; fraude *m*.

juice [dʒuːs] (*esp. fruit*) zumo *m*; jugo *m*; ⚡ *sl.* corriente *f*; '**juic·i·ness** ['ˌinis] jugosidad *f*; '**juic·y** □ zumoso, jugoso; F picante, sabroso.

ju·jube ['dʒuːdʒuːb] ♀ azufaifa *f*; pastilla *f*.

juke·box ['dʒuːkbɔks] tocadiscos *m* (tragamonedas).

ju·lep ['dʒuːlep] julepe *m*.

Ju·ly [dʒuˈlai] julio *m*.

jum·ble ['dʒʌmbl] **1.** revoltijo *m*; confusión *f*; mezcolanza *f*; **2.** mezclar, emburujar; confundir.

jum·bly ['dʒʌmbli] revuelto, emburujado.

jum·bo ['dʒʌmbou] F elefante *m*; *attr.* enorme.

jump [dʒʌmp] **1.** salto *m*, brinco *m*; F *get* (*have*) *the* ~ *on* llevar la ventaja a; **2.** *v/t.* saltar; *horse* hacer saltar; F ~ *the gun* madrugar; ~ *the rails* descarrilar; ~ *ship* desertar del buque; *v/i.* saltar; brincar; dar saltos; bailar; ~ lanzarse; ~ *to conclusions* juzgar al (buen) tuntún; '**jump·er** saltador (-a *f*) *m*; (*dress*) suéter *m*, jersey *m*; blusa *f*; ⚡ hilo *m* de cierre; '**jump seat** *mot.* asiento *m* desmontable; traspuntín *m*; '**jump suit** vestido *m* unitario (como de paracaidista); '**jump·y** saltón; *fig.* asustadizo, nervioso.

junc·tion ['dʒʌŋkʃən] juntura *f*, unión *f*; conexión *f*; confluencia *f of rivers*; 🚂 (estación *f* de) empalme *m*; ⚡ *box* caja *f* de empalmes; '**junc·ture** ['ˌtʃə] coyuntura *f*; (*critical*) trance *m*; ⚙ juntura *f*.

June [dʒuːn] junio *m*.

jun·gle ['dʒʌŋgl] jungla f; selva f; fig. maraña f.

jun·ior ['dʒuːnjə] **1.** menor, más joven; más nuevo; subalterno; juvenil; *Paul Jones*, ∼ *Paul Jones*, hijo; **2.** menor m/f; joven m/f; hijo m.

ju·ni·per ['dʒuːnipə] enebro m.

junk¹ [dʒʌŋk] ♣ junco m.

junk² [∼] F trastos m/pl. viejos; (*iron*) chatarra f; (*cheap goods*) baratijas f/pl.; sl. heroína (*pharm.*); ∼ *yard* parque m de chatarra.

junk·et ['dʒʌŋkit] **1.** dulce m de leche cuajada; (a. ∼*ing*) francachela f, festividades f/pl.; jira f; **2.** festejar; banquetear; ir de jira.

junk·ie (a. **junk·y**) ['dʒʌŋki] sl. toxicómano m; narcotómano m.

jun·ta ['dʒʌntə] junta f; camarilla f.

ju·rid·i·cal [dʒuə'ridikl] □ jurídico.

ju·ris·dic·tion [dʒuəris'dikʃn] jurisdicción f; **ju·ris·pru·dence** ['∼pruːdəns] jurisprudencia f.

ju·rist ['dʒuərist] jurista m.

ju·ror ['dʒuərə] (miembro m de un) jurado m.

ju·ry ['dʒuəri] jurado m; **ju·ry box** tribuna f del jurado; **ju·ry·man** (miembro m de un) jurado m.

ju·ry rig ['dʒuərig] ♣ aparejar temporariamente.

just [dʒʌst] **1.** adj. □ justo; recto;

exacto; **2.** adv. justamente, exactamente, ni más ni menos; precisamente, F absolutamente, completamente; *it's* ∼ *perfect!* ¡es absolutamente perfecto!; ∼ *as* en el momento en que; (tal) como; ∼ *as you wish* como Vd. quiera.

jus·tice ['dʒʌstis] justicia f; juez m; 2 *of the Peace* juez m de paz; *court of* ∼ tribunal m de justicia.

jus·ti·fi·a·ble ['dʒʌstifaiəbl] justificable; **jus·ti·fi·a·bly** con razón, con justicia; **jus·ti·fi·er** tip.: justificador m; **jus·ti·fy** justificar (a. *typ.*); dar motivo para; ∼ *o.s.* sincerarse; acreditarse.

just·ly ['dʒʌstli] justamente, con justicia; con derecho; debidamente.

just·ness ['dʒʌstnis] justicia f; rectitud f; exactitud f.

jut [dʒʌt] **1.** saliente m, saledizo m; **2.** (a. ∼ *out*) sobresalir, resaltar.

jute ['dʒuːt] yute m.

ju·ve·nile ['dʒuːvənail] **1.** joven m/f; niño (a f) m; **2.** juvenil; de (o para) niños (or menores); 2 *Court* tribunal m juvenil; ∼ *delinquency* delincuencia f de menores; ∼ *lead* thea.: galancete m.

jux·ta·pose [dʒʌkstə'pouz] yuxtaponer; **jux·ta·po·si·tion** [∼pə'ziʃn] yuxtaposición f.

K

kale [keil] col f (rizada); sl. guita f.

ka·lei·do·scope [kə'laidəskoup] cal(e)idoscopio m; fig. escena f animada y variadísima.

kan·ga·roo [kæŋɡə'ruː] canguro m.

ka·pok ['keipɔk] capoc m; lana f de ceiba.

ka·put [kə'put] sl. inútil; gastado; roto.

kay·ak ['kaiɔk] ♣ kayak m.

keel [kiːl] **1.** ♣, orn., ♀ quilla f; *on an even* ∼ ♣ en iguales calados; en equilibrio (a. fig.); fig. derecho, estable; **2.:** ∼ *over* ♣ dar de quilla; volcar(se); F caerse patas arriba.

keen [kiːn] □ agudo; *edge* afilado; *wind* penetrante; sutil; perspicaz; *emotion* vivo, ardiente, sentido; *appetite* bueno; p. entusiasta, celoso; ansioso; F *be* ∼ *on th.* ser muy aficionado a; p. estar prendado de; **keen-**

ness agudeza f; perspicacia f; viveza f; entusiasmo m.

keep [kiːp] **1.** mantenimiento m; subsistencia f; comida f; hist. torreón m, torre f del homenaje; F *for* ∼*s* para siempre, para guardar; **2.** [*irr.*] v/t. guardar; tener guardado; (re)tener; reservar; (*not give back*) quedarse con; preservar; conservar; mantener; defender; cuidar; custodiar; (*delay a p.*) detener, entretener; *promise* cumplir; ∼ *a p. waiting* hacer esperar a una p.; ∼ *away* mantener a distancia; no dejar acercarse; ∼ *a p. from ger.* no dejar *inf.* a una p.; ∼ *s.t. from a p.* ocultar algo a una p.; ∼ *in p.* no dejar salir, tener encerrado; *feelings* contener; ∼ *up* mantener, conservar; sostener; p. hacer trasnochar; ∼ *it up* no cejar; **3.** [*irr.*] v/i. quedar(se); permanecer; seguir, conti-

nuar; mantenerse; conservarse; estar(se); ~ *doing* seguir haciendo, continuar haciendo; ~ *still!* ¡estáte quieto!; F ~ *at it* machacar; ~ *away* mantenerse alejado (*from place* de); no dejarse ver; ~ *off* mantenerse a distancia; *grass* no pisar; no tocar; ~ *out!* ¡prohibida la entrada!; ~ *up* continuar; no rezagarse; ~ *up with* ir al paso de; emular; proseguir.

keep·er ['kiːpə] guarda *m*; custodio *m*; (*park etc.*) guardián (-a *f*) *m*; (*owner*) dueño (a *f*) *m*; (*a. game~*) guardabosques *m*; archivero *m*; cerradero *m*; culata *f*; **'keep·ing** custodia *f*; guarda *f*; protección *f*; mantenimiento *m*; **keep·sake** ['~seik] recuerdo *m*.

keg [keg] cuñete *m*, barrilete *m*.

ken·nel ['kenl] 1. perrera *f*; jauría *f* of *hounds*; *fig.* cuchitril *m*; 2. tener (or encerrar *or* estar) en perrera.

kept [kept] *pret. a. p.p. of* keep 2.

ker·chief ['kəːtʃif] pañuelo *m*, pañoleta *f*.

ker·nel ['kəːnl] almendra *f*, núcleo *m*; grano *m*; *fig.* meollo *m*.

ker·o·sene ['kerəsiːn] keroseno *m*.

ketch·up ['ketʃəp] salsa *f* de tomate *etc.*; *v.* catsup.

ket·tle ['ketl] *approx.* olla *f* en forma de cafetera, tetera *f*; pava *f* *S.Am.*; **'~drum** timbal *m*.

key [kiː] 1. llave *f* (*a.* ⊕); tecla *f* of *piano, typewriter*; *tel.* manipulador *m*; ⊕ chaveta *f*, cuña *f*; *fig.*, △ clave *f*; ♪ tonalidad *f*, tono *m*; ~ *man* hombre *m* indispensable; 2. ⊕ enchavetar, acuñar; ♪ afinar; **'~board** teclado *m*; **'~hole** ojo *m* (de la cerradura); **'~saw** sierra *f* de punta; **'~ money** pago *m* ilícito al casero; **'~note** (nota *f*) tónica *f*; *fig.* idea *f* fundamental; **'~ring** llavero *m*; **'~stone** △ clave *f*; *fig.* piedra *f* angular.

khak·i ['kɑːki] (de) caqui *m*.

kib·itz·er ['kibitsə] F entrometido (a *f*) *m*; mirón (-a *f*) *m*.

kick [kik] 1. puntapié *m*; patada *f*; coz *f* of *animal*; culatazo *m* of *firearm*; *fig.* (fuerza *f* de) reacción *f*; *sl.* fuerza *f* of *drink*; F queja *f*, protesta *f*; 2. *v/t.* dar un puntapié a; dar de coces a; *goal* marcar; ~ *out* echar (a puntapiés); F ~ *the bucket* morir; ~ *up the dust* levantar una polvareda; ~ *up a row* meter bulla; armar camorra; *v/i.* dar coces; cocear (*a. fig.*); patalear; *fig.* respingar, quejarse; **'~back** 1. ⊕ contra-

golpe *m*; 2. ✝ comisión *f* ilícita; propina *f* ilícita; **'kick·er** caballo *m* coceador; F reparón (-a *f*) *m*, persona *f* quejumbrosa; **'kick-'off** *football*: saque *m* inicial.

kid [kid] 1. (*meat* carne *f* de) cabrito *m*, chivo *m*; (*leather*) cabritilla *f*; F crío *m*, niño (a *f*) *m*, chico (a *f*) *m*; F the ~s la chiquillería *f*; ~ *gloves* guantes *m/pl.* de cabritilla; 2. *sl.* embromar, tomar el pelo a; *I was only ~ding* lo decía en broma; **'kid·dy** F niño (a *f*) *m*.

kid·nap ['kidnæp] secuestrar; **'kid-nap·(p)er** secuestrador (-a *f*) *m*, ladrón *m* de niños.

kid·ney ['kidni] riñón *m*; ~ *bean* judía *f*, habichuela *f*.

kill [kil] 1. matar (*a. fig.*); destruir, eliminar; *feeling* apagar; *parl. bill* ahogar; F hacer morir de risa; 2. matanza *f*; golpe *m* (*or* ataque *m*) final; **'kill·er** matador (-a *f*) *m*; asesino *m*; **'kill·ing** 1. matanza *f*; F éxito *m* financiero; 2. □ matador, destructivo; abrumador; **'kill·joy** aguafiestas *m/f*.

kiln [kiln, ⊕ kil] horno *m*; **'~dry** secar al horno.

kil·o·cy·cle ['kiləusaikl] kilociclo *m*; **kil·o·gram** ['~græm] kilo (gramo) *m*; **kil·o·me·ter** ['kiləmiːtə] kilómetro *m*; **kil·o·watt** ['kiləwɔt] kilovatio *m*; **'kil·o·watt-'hours** kilovatios-hora *m/pl.*

kilt [kilt] tonelete *m* (*de los montañeses de Escocia*).

kin [kin] familia *f*, parientes *m/pl.*; parentela *f*; *next of* ~ pariente(s) *m(pl.)* más próximo(s).

kind [kaind] 1. clase *f*, género *m*, especie *f*, suerte *f*; *a* ~ *of* uno a modo de; F ~ *of* casi, vagamente; 2. □ bondadoso, bueno; benigno; amable.

kin·der·gar·ten ['kindəgɑːtn] jardín *m* de (la) infancia.

kind-heart·ed ['kaind'hɑːtid] de buen corazón, bondadoso.

kin·dle ['kindl] encender(se).

kind·li·ness ['kaindlinis] bondad *f*, benignidad *f*, benevolencia *f*.

kin·dling ['kindlin] (*act*) encendimiento *m*; (*wood*) leña *f* menuda.

kind·ly ['kaindli] 1. *adj.* bondadoso, benévolo; *climate* benigno; 2. *adv.* bondadosamente; benignamente.

kind·ness ['kaindnis] bondad *f*; benevolencia *f*; amabilidad *f*.

kin·dred ['kindrid] **1.** (*kinship*) parentesco *m*; parientes *m/pl.*; **2.** allegado; afín.

kin·e·scope ['kinəskoup] cinescopio *m*.

ki·net·ic [kai'netik] cinético; **ki'net·ics** cinética *f*.

king [kiŋ] rey *m* (*a. fig., chess, cards*); *draughts*: dama *f*; ♀'s English inglés *m* correcto; **'king·dom** reino *m*; **'king·fish·er** martín *m* pescador; **'king·ly** real, regio; digno de un rey; **'king·pin** perno *m* real, perno *m* pinzote; pivote *m*; *fig.* persona *f* principal, elemento *m* fundamental; **'king-size** *F* de tamaño extra.

kink [kiŋk] **1.** coca *f*, enroscadura *f*; *fig.* chifladura *f*, peculiaridad *f*; **2.** formar cocas; **'kink·y** enroscado, ensortijado; *sl.* inortodoxo; raro.

kin...: '**~·ship** parentesco *m*, afinidad *f*; '**~s·man** pariente *m*.

ki·osk ['kiːɔsk] quiosco *m*; *teleph.* cabina *f*.

kip·per ['kipə] arenque *m* ahumado.

kiss [kis] **1.** beso *m*; ósculo *m* (*lit.*); *fig.* roce *m*; **2.** besar(se).

kit [kit] avíos *m/pl.*; ✗ equipo *m*; (*travel*) equipaje *m*; (*tools*) herramental *m*; (*first aid*) botequín *m*.

kitch·en ['kitʃin] cocina *f*; ~ utensils batería *f* de cocina; **kitch·en·ette** [~'net] cocina *f* pequeña.

kitch·en...: '**~ maid** fregona *f*; '**~ range** cocina *f* económica; ~ **sink** fregadero *m*; *F including the ~* sin faltar nada; completísimo.

kite [kait] *orn.* milano *m* real; cometa *f*; ✝ giro *m* ficticio.

kit·ten ['kitn] gatito (*a f*) *m*; **'kit·ten·ish** juguetón; coquetón.

kit·ty ['kiti] *F* minino *m*; *cards etc.*: puesta *f*, bote *m*.

klax·on ['klæksn] claxon *m*.

klep·to·ma·ni·a [kleptou'meiniə] cleptomanía *f*; **klep·to'ma·ni·ac** [~niæk] cleptómano (*a f*) *m*.

knack [næk] tino *m*; maña *f*, destreza *f*; hábito *m*; truco *m*.

knap·sack ['næpsæk] mochila *f*, barjuleta *f*.

knave [neiv] bellaco *m*, bribón *m*; **knav·er·y** [~əri] bellaquería *f*.

knav·ish ['neiviʃ] ☐ bellaco, bribón, ruin.

knead [niːd] amasar, sobar.

knee [niː] **1.** rodilla *f*; ⊕ ángulo *m*, cod(ill)o *m*; *on bended ~, on one's ~s* de rodillas; **2.** dar un rodillazo a; '**~**

'**deep** metido hasta las rodillas; '**~ joint** articulación *f* de la rodilla; **kneel** [niːl] [*irr.*] (*a. ~ down*) arrodillarse, hincar la rodilla (*to ante*); estar de rodillas.

knell [nel] doble *m*, toque *m*.

knelt [nelt] *pret. a. p.p. of* kneel.

knew [njuː] *pret. of* know.

knick·ers ['nikəz] *pl.* bragas *f/pl.*

knick-knack ['niknæk] chuchería *f*.

knife [naif] **1.** [*pl.* knives] cuchillo *m*; navaja *f*; ⊕ cuchilla *f*. **2.** acuchillar; apuñalar; '**~ edge** filo *m* (de cuchillo); '**~ grind·er** amolador *m*; '**~ switch** ⚡ interruptor *m* de cuchilla.

knight [nait] **1.** caballero *m*; *chess*: caballo *m*; **2.** armar caballero; **knight-er·rant** ['nait'erənt] caballero *m* andante; **'knight-'er·rant·ry** caballería *f* andante; **knight·hood** ['~hud] caballería *f*; título *m* de caballero; **'knight·li·ness** caballerosidad *f*; **'knight·ly** caballeroso, caballeresco.

knit [nit] [*irr.*] *v/t.* hacer (a punto de aguja); *brows* fruncir; (*a. ~ together*) enlazar, unir; *v/i.* hacer calceta (*or* media *or* punto); (*bone*) soldarse; '**knit·ting** labor *f* de punto; '**knit·ting nee·dle** aguja *f* de hacer calceta; '**knit·wear** géneros *m/pl.* de punto.

knives [naivz] *pl. of* knife.

knob [nɔb] protuberancia *f*, bulto *m*; botón *m*, perilla *f*; tirador *m* of door, drawer; puño *m* of stick; (*fragment*) terrón *m*; **'knobbed**, **'knob·by** nudoso.

knock [nɔk] **1.** golpe *m*; porrazo *m*; aldabonazo *m*, llamada *f* on door; ⊕ golpeo *m*; **2.** *v/t.* golpear; chocar contra; *sl.* criticar, calumniar; ~ off quitar (de un golpe); hacer caer; *F work* terminar, suspender; ✝ rebajar; *F* cejar prontamente; *sl.* apropiarse, robar; ~ out *mst boxing:* poner fuera de combate, noquear; eliminar; suprimir; ~ over volcar; *v/i.* llamar a la puerta; ⊕ golpear, martillear; *F* ~ about vagabundear, ver mucho mundo; '**knock·er** aldaba *f*; '**knock-kneed** patizambo; *fig.* débil, irresoluto; '**knock-'out** *boxing:* (*a. ~ blow*) knockout *m*, noqueada *f*; *sl.* moza *f* (*or* cosa *f*) estupenda.

knoll [noul] otero *m*, montículo *m*.

knot [nɔt] **1.** nudo *m* (*a. fig.*, ♣,); (*bow*) lazo *m*; corrillo *m* of people; *tied up in ~s* confuso, enmarañado; per-

plejo; **2.** *v/t.* anudar, atar; *v/i.* hacer nudos; enmarañarse; '**knot-hole** agujero *m* in wood; '**knot-ty** nudoso; *fig.* difícil, complicado, espinoso.

know [nou] **1.** [*irr.*] saber; (*be acquainted with*) conocer; (*recognize*) reconocer; ~ *best* saber lo que más conviene; ~ *how to inf.* saber *inf.*; ~ *of* saber de; tener conocimiento de; **2.**: F *be in the* ~ estar enterado (*about* de); **know·a·ble** ['nouəbl] conocible; '**know·how** habilidad *f*, destreza *f*; experiencia *f*; '**know·ing** □ inteligente; sabio; entendido; *b.s.* astuto; ~*ly* a sabiendas; '**know-it-all** sabelotodo *m/f*; **knowl·edge** ['nɔlidʒ] conocimiento(s) *m(pl.)*; saber *m*; '**knowl·edge·a·ble** □ enterado, conocedor.

knuck·le ['nʌkl] **1.** nudillo *m*; jarrete *m* of meat; **2.**: ~ down to inf. ponerse a *inf.* con ahínco; ~ under someterse.

kook [ku:k] tipo *m* raro; (*p.*) excéntrico *m*.

Ko·ran [kɔ'rɑːn] Alcorán *m*, Corán *m*.

ko·sher ['kouʃə] de ortodoxia judía; *sl.* genuino.

kow·tow ['kau'tau] saludar humildemente; humillarse (*to* ante).

ku·dos ['kju:dɔs] F renombre *m*, prestigio *m*.

L

lab [læb] F = *laboratory*.

la·bel ['leibl] **1.** rótulo *m*, marbete *m*, etiqueta *f*; *fig.* calificación *f*, apodo *m*; **2.** rotular, poner etiqueta a.

la·bi·al ['leibiəl] labial *adj a. su. f.*

la·bor ['leibə] **1.** trabajo *m*; labor *f*; faena *f*; esfuerzo *m*; pena *f*; (*a.* ~ *force*) mano *f* de obra; clase *f* obrera; (*dolores m/pl.* del) parto *m*; *be in* ~ estar de parto; **2.** *attr.* de trabajo; laboral; obrero; *pol.* ♀ laborista; ~ *union* sindicato *m* (de trabajadores de la misma rama) industrial; **3.** *v/t.* insistir en; *v/i.* trabajar (*at* en); afanarse (*to* por); moverse penosamente.

lab·o·ra·to·ry ['læbrətəri] laboratorio *m*; ~ *assistant* ayudante (*a f*) *m* (*or* mozo *m*) de laboratorio.

la·bor...: ~**ed** penoso, dificultoso; fatigoso; *style* premioso; '~**er** trabajador *m*; obrero *m*; (*day*) jornalero *m*; (*unskilled*) peón *m*; bracero *m*; (*farm*) labriego *m*; ~**i·ous** [lə'bɔːriəs] □ laborioso; '~**sav·ing** que ahorra trabajo.

lab·y·rinth ['læbərinθ] laberinto *m*.

lace [leis] **1.** cordón *m* of shoes etc.; encaje *m*; (*trimming*) puntilla *f*; **2.** atar; enlazar(se).

lac·er·ate ['læsəreit] lacerar; *feelings* herir; **lac·er·a·tion** laceración *f*.

lach·ry·mose ['lækrimous] lacrimoso.

lack [læk] **1.** carencia *f*; falta *f*; necesidad *f*; ausencia *f*; *for* (*or through*) ~ *of* por falta de; **2.** *v/t.* carecer de;

necesitar; *he* ~*s money* le (hace) falta dinero.

lack·a·dai·si·cal [lækə'deizikl] □ lánguido; indiferente; distraído.

lack·ey ['læki] lacayo *m*; *fig.* secuaz *m* servil.

lack·ing ['lækiŋ] sin, carente de; *be* ~ faltar.

lack·lus·ter ['læklʌstə] deslustrado, inexpresivo, apagado.

la·con·ic [lə'kɔnik] □ lacónico.

lac·quer ['lækə] **1.** (*a.* ~ *work*) laca *f*, maque *m*; **2.** laquear, maquear.

lac·tic ['læktik] láctico.

lac·tose ['læktouz] lactosa *f*.

la·cu·na [lə'kju:nə] laguna *f*.

lad [læd] muchacho *m*, mozalbete *m*, zagal *m*, rapaz *m*, chico *m*.

lad·der ['lædə] escala *f* (*a.* ♣); escalera *f* de mano; *fig.* escalón *m*.

lad·en ['leidn] cargado; **lad·ing** ['leidiŋ] cargamento *m*, flete *m*.

la·dle ['leidl] **1.** cucharón *m*, cazo *m*; **2.** sacar (*or* servir) con cucharón.

la·dy ['leidi] señora *f*; (*noble*) dama *f*; *young* ~ señorita *f*; *ladies and gentlemen!* ¡(señoras y) señores!; '~**bird** mariquita *f*, vaca *f* de San Antón; '~**in-'wait·ing** dama *f* (de honor); '~**kill·er** ⸠ tenorio *m*; '~**like** delicado; elegante; *contp.* afeminado; '~**love** amada *f*, querida *f*.

lag [læg] **1.** retraso *m*, retardo *m*; **2.** (*a.* ~ *behind*) rezagarse; retrasarse; **lag·gard** ['lægəd] rezagado (*a f*) *m*; holgazán (-a *f*) *m*; persona *f* irresoluta.

la·goon [lə'gu:n] laguna *f*.

laid [leid] *pret. a. p.p. of* lay⁴ 2; *be* ~ **up** tener que guardar cama (*with a causa de*).

lain [lein] *p.p. of* lie² 2.

lair [leə] cubil *m*, guarida *f*.

la·i·ty ['leiiti] legos *m/pl.*, laicado *m*.

lake [leik] lago *m*.

lam [læm] *sl.* pegar, tundir (*a.* ~ *into*).

lamb [læm] **1.** cordero (*a f*) *m* (*a. fig.*); (*older*) borrego (*a f*) *m*; (*meat*) carne *f* de cordero; **2.** parir (*la oveja*).

lam·baste [læm'beist] F dar una paliza a; poner como un trapo.

lamb...: '~ **chop** chuleta *f* de cordero; '~**like** (manso) como un cordero; '~**skin** corderina *f*, piel *f* de cordero; '~**s·wool** añinos *m/pl.*

lame [leim] **1.** cojo; lisiado; ~ **duck** persona *f* incapacitada (*or* ✝ insolvente); político *m* derrotado; ~ *excuse* disculpa *f* de poco crédito; **2.** lisiar, encojar; '**lame·ness** cojera *f*, incapacidad *f*.

la·ment [lə'ment] **1.** lamento *m*, queja *f*; *poet. etc.* elegía *f*; **2.** lamentar(se de); **lam·en·ta·ble** ['læməntəbl] □ lamentable, deplorable; **lam·en·ta·tion** lamentación *f*.

lamp [læmp] lámpara *f*; linterna *f*; (*street*) farol *m*, farola *f*; *mot.* faro *m*; (*bulb*) bombilla *f*; *fig.* antorcha *f*; '~**black** negro *m* de humo; '~**chim·ney**, '~ **glass** tubo *m* (de lámpara); '~**hold·er** portalámpara(s) *m*; '~**light** luz *f* de (la) lámpara; '~**light·er** farolero *m*.

lam·poon [læm'pu:n] **1.** pasquín *f*; **2.** pasquinar.

lamp·shade ['læmpʃeid] pantalla *f*.

lance [lɑ:ns] **1.** lanza *f*; **2.** (a)lancear; ✗ abrir con lanceta; '~ **cor·po·ral** soldado *m* (de) primera; **lanc·er** ['lɑ:nsə] lancero *m*.

lan·cet ['lɑ:nsit] lanceta *f*.

land [lænd] **1.** *all senses:* tierra *f*; (*soil*) suelo *m*; (*nation*) país *m*; (*a. tract of* ~) terreno *m*; *native* ~ patria *f*; *promised* ~ tierra *f* de promisión; ~ *forces* fuerzas *f/pl.* terrestres; ~ *reform* reforma *f* agraria; **2.** *v/t.* *passengers* desembarcar; *goods* descargar; ✗ poner en tierra; F conseguir; *v/i.* desembarcar; ✗ aterrizar; ✗ (*on sea*) amerizar; '**land·ed** hacendado; que consiste en tierras; '~**fall** ✣ aterrada *f*; '~**hold·er** terrateniente *m/f*.

land·ing ['lændiŋ] aterraje *m*; desembarco *m of passengers;* desembarque

m of cargo; ✗ aterrizaje *m*; (*stairs*) descanso *m*; '~ **field** pista *f* de aterrizaje; '~ **gear** tren *m* de aterrizaje; '~ **stage** (des)embarcadero *m*.

land...: '~**la·dy** dueña *f*; patrona *f*, huéspeda *f of boardinghouse*; '~**locked** cercado de tierra; '~**lord** propietario *m*, dueño *m of property;* '~**lub·ber** ✣ *contp.* marinero *m* de agua dulce; '~**mark** ✣ marca *f* (de reconocimiento); mojón *m*; punto *m* destacado; *fig.* monumento *m;* '~ **own·er** terrateniente *m/f*, propietario (*a f*) *m;* ~**scape** ['lænskeip] paisaje *m;* '~**slide** corrimiento *m* de tierras (*a.* ~**slip**); *pol.* victoria *f* electoral arrolladora; ~ **tax** contribución *f* territorial.

lane [lein] (*country*) camino *m* (vecinal), vereda *f*; (*town*) callejón *m*; ✣ ruta *f* de navegación.

lan·guage ['læŋgwidʒ] lenguaje *m* (*faculty of speech, particular mode of speech, style*); lengua *f*, idioma *m of nation;* '~ **lab·o·ra·to·ry** laboratorio *m* de idiomas.

lan·guid ['læŋgwid] □ lánguido; '**lan·guid·ness** languidez *f*.

lan·guish ['læŋgwiʃ] languidecer; afectar languidez; '**lan·guish·ing** □ lánguido; sentimental.

lank·y ['læŋki] □ zancudo.

lan·tern ['læntən] linterna *f* (*a.* △); fanal *m of lighthouse;* ✣ faro(l) *m;* '~ **jawed** chupado de cara; '~ **slide** diapositiva *f*.

lap¹ [læp] **1.** regazo *m*; falda *f*; *fig.* seno *m; sport:* vuelta *f*; **2.** envolver (*in* en); traslapar(se (*a.* ~ *over*).

lap² [~] **1.** lametada *f*, chapaleteo *m*; **2.** lamer; (*waves*) chapalear.

lap dog ['læpdɔg] perro *m* faldero.

la·pel [lə'pel] solapa *f*.

lap·i·dar·y ['læpidəri] lapidario *adj. a. su. m*.

Lap·land·er ['læplændə], **Lapp** [læp] lapón (*-a f*) *m*.

lapse [læps] **1.** (*moral, of time*) lapso *m*; desliz *m*; recaída *f* (*into* en); **2.** (*time*) transcurrir; pasar; recaer (*into* en); ✝ caducar.

lar·board ['lɑ:bəd] (de) babor.

lar·ce·ny ['lɑ:sni] latrocinio *m; petty* ~ robo *m* de menor cuantía.

larch [lɑ:tʃ] alerce *m*.

lard [lɑ:d] **1.** manteca *f* (de cerdo), lardo *m*; **2.** lard(e)ar, mechar; *fig.* adornar (*with* con); '**lard·er** despensa *f*

large [lɑːdʒ] grande; *as ~ as* life de tamaño natural; en persona; **'large-ly** en gran parte; **'large-ness** grandeza *f*; gran tamaño *m*; **'large-scale** en gran(de) escala; **'large-sized** de gran tamaño.

lar-iat ['læriət] lazo *m*.

lark[1] [lɑːk] *orn.* alondra *f* común.

lark[2] [~] juerga *f*; travesura *f*; broma *f*.

lar-va ['lɑːvə], *pl.* **lar-vae** ['~viː] larva *f*; **lar-val** ['~vl] larval.

lar-yng-i-tis [lærin'dʒaitis] laringitis *f*.

lar-ynx ['læriŋks] laringe *f*.

las-civ-i-ous [lə'siviəs] □ lascivo.

la-ser ['leizə] ⚡ láser *m*.

lash [læʃ] **1.** tralla *f*; azote *m*; (*whip*) látigo *m*; (*stroke*) latigazo *m* (*a. fig.*); *anat.* pestaña *f*; **2.** azotar, fustigar (*a. fig.*); provocar (*into* hasta); *tail* agitar; chocar con; (*bind*) atar, ⚓ trincar; ~ *out* dar golpes furiosos; estallar; **'lash-ing** azotamiento *m*; atadura *f*; ⚓ trinca *f*.

lass [læs] chica *f*, muchacha *f*; zagala *f*; moza *f*; **'las-sie** ['~i] muchachita *f*.

las-si-tude ['læsitjuːd] lasitud *f*.

las-so ['læsəu] **1.** lazo *m*; **2.** lazar.

last[1] [lɑːst] **1.** *adj.* último; postrero; final; extremo; *week etc.* pasado; *the* ~ *o* el último en; *at the* ~ *moment* a última hora; **2.** último (*a f*) *m*; última cosa *f*; fin *m*; *my* ~ mi última carta; *at* ~ por fin; *at long* ~ al fin y al cabo; *to the* ~ hasta el fin; *breathe one's* ~ exhalar el último suspiro; **3.** *adv.* por último; por última vez; finalmente; ~ *but not least* el último pero no el peor.

last[2] [~] (per)durar; continuar; permanecer; resistir; subsistir.

last[3] [~] horma *f* (del calzado).

last-ing ['lɑːstiŋ] □ duradero, perdurable; constante; *color* sólido.

last-ly ['lɑːstli] por último, finalmente.

latch [lætʃ] picaporte *m*; pestillo *m* de golpe; aldabilla *f*.

late [leit] **1.** *adj.* tardío; *hour* avanzado; reciente, de ha poco; (*dead*) fallecido, difunto; (*former*) antiguo, ex...; *he is* ~ llega tarde; *I was* ~ *in inf.* tardé en *inf.*; *be 2 minutes* ~ ⚡ *etc.* llegar con 2 minutos de retraso; *get* (*or grow*) ~ hacerse tarde; **2.** *adv.* tarde; ~ *in life* a una edad avanzada; ~ *in the year* hacia fines del año; *at the* ~*st* a más tardar; ~ *on* más tarde; *of* ~ últimamente, recientemente; **'~-**

com-er recién llegado (*a f*) *m*; rezagado (*a f*) *m*; **'late-ly** últimamente, recientemente.

late-ness ['leitnis] retraso *m*; lo avanzado *of the hour*; lo tarde; lo reciente.

la-tent ['leitənt] □ latente.

lat-er-al ['lætərəl] □ lateral.

la-tex ['leiteks] ⚡ látex *m*.

lath [lɑːθ] listón *m*.

lathe [leið] torno *m*.

lath-er ['lɑːðə] **1.** jabonadura(s) *f(pl.)*, espuma *f* (de jabón); **2.** *v/t.* (en)jabonar; *v/i.* hacer espuma.

Lat-in ['lætin] **1.** latino *adj. a. su. m* (*a f*); **2.** (*language*) latín *m*; **'~ A'mer-i-can** latinoamericano *adj. a. su. m* (*a f*); **'Lat-in-ism** latinismo *m*.

lat-i-tude ['lætitjuːd] latitud *f*; *fig.* libertad *f*.

la-trine [lə'triːn] letrina *f*.

lat-ter ['lætə] más reciente; posterior; último; segundo de 2; *the* ~ éste *etc.*; **'~-day** moderno, reciente.

lat-tice ['lætis] **1.** enrejado *m* (*a.* '~**work**); celosía *f*; **2.** enrejar.

Lat-vi-an ['lætviən] letón *adj. a. su. m* (*a f*).

laud [lɔːd] *mst lit.* **1.** alabanza *f*; ~*s eccl.* laudes *f/pl.*; **2.** alabar, loar, elogiar; **'laud-a-ble** □ laudable, loable; **laud-a-to-ry** ['~ətəri] □ laudatorio.

laugh [lɑːf] **1.** risa *f*; (*loud*) carcajada *f*, risotada *f*; **2.** reír(se); ~ *at* reírse de, burlarse de; ~ *off* tomar a risa; ~ *out* (*loud*) reírse a carcajadas; **'laugh-ing 1.** risa *f*; **2.** risueño, reidor; ~ *matter* cosa *f* de risa; **'laugh-ing-stock** hazmerreír *m*; **'laugh-ter** risa(s) *f* (*pl.*).

launch [lɔːntʃ] **1.** botadura *f*; (*boat*) lancha *f*; **2.** *v/t. ship* botar, echar al agua, (*throw, publicize, set up*) lanzar; dar principio a; poner en operación; ✝ emitir; *v/i.*: ~ *forth*, ~ *out* lanzarse, salir; ~ (*out*) *into* lanzarse a; emprender; **'launch-ing** botadura *f*; lanzamiento *m*; iniciación *f*; ✝ emisión *f*; **'launch-(ing) 'pad** paraje *m* de lanzamiento.

laun-der ['lɔːndə] *v/t.* lavar (y planchar); *v/i.* resistir el lavado.

laun-dress ['lɔːndris] lavandera *f*; **'laun-dry** lavadero *m*; lavandería *f* *S. Am.*; (*clothes*) ropa *f* lavada (*or* por lavar).

lau-rel ['lɔrl] laurel *m*; *win* ~*s* cargarse de laureles, laurearse.

la-va ['lɑːvə] lava *f*.

lav-a-to-ry ['lævətəri] wáter *m*, excusado *m*, inodoro *m*, retrete *m*; (*wash-*

place) lavabo *m*; *public* ~ evacuatorio *m* (público).

lav·en·der ['lævində] espliego *m*, lavanda *f*.

lav·ish ['læviʃ] **1.** □ pródigo (*of* de, *in* en); profuso; **2.** prodigar; ~ *s.t. upon a p.* colmar a una p. de algo; **'lav·ish·ness** prodigalidad *f*; profusión *f*.

law [lɔ:] ley *f*; (*study, body of*) derecho *m*; jurisprudencia *f*; *sport*: regla *f*; ~ *and order* orden *m* público; *by* ~ según la ley; *in* ~ según derecho; *...-in* ~ político; *lay down the* ~ hablar autoritariamente; *practice* ~ ejercer (la profesión) de abogado; *take the* ~ *into one's own hands* tomarse la justicia por su mano; **'~·a·bid·ing** observante de la ley; morigerado; **'~·break·er** infractor (-a *f*) *m* de la ley; **'~ court** tribunal *m* de justicia; **'law·ful** □ lícito, legítimo, legal; **'law·mak·er** legislador (-a *f*) *m*.

lawn[1] [lɔ:n] linón *m*.

lawn[2] [~] césped *m*; **'~ mow·er** cortacésped *m*; **'~ 'ten·nis** tenis *m*.

law·suit ['lɔ:su:t] pleito *m*, litigio *m*, proceso *m*; **law·yer** ['~jə] abogado *m*; jurisconsulto *m*.

lax [læks] (*morally*) laxo; indisciplinado; negligente; **lax·a·tive** [~ətiv] laxante *adj. a. su. m*; **'lax·i·ty**, **'lax·ness** negligencia *f*.

lay[1] [lei] *pret. of* lie[2].

lay[2] [~] *lit.* trova *f*, romance *m*.

lay[3] [~] laico, lego, seglar; profano.

lay[4] [~] **1.** disposición *f*, situación *f*; **2.** [*irr.*] *v/t.* poner, colocar, dejar; (ex-)tender; acostar; derribar; acabar con; *blame*, *foundations* echar; *eggs*, *table* poner; ~ *aside*, ~ *away* echar a un lado, arrinconar; ahorrar; ~ *bare* poner al descubierto; ~ *before* presentar a; exponer ante; ~ *by* poner a un lado; guardar; ahorrar; ~ *in* (*stocks of*) proveerse de; almacenar; ~ *low* derribar; poner fuera de combate; ~ *off* workers despedir (temporalmente); F ~ *it on* (*thick*) (*beat*) zurrar; (*exaggerate*) recargar las tintas; (*flatter*) adular; ~ *up* almacenar, guardar, ahorrar; ⚘ obligar a guardar cama; *v/i.* (*hens*) poner; apostar (*a.* ~ *a wager*) (*that* a que); *sl.* ~ *into* atacar, dar una paliza a; ~ *off sl.* dejar en paz, quitarse de encima; *sl.* dejar; **'~·a·bout** holgazán (-a *f*) *m*.

lay·er **1.** ['leiə] capa *f*; lecho *m*; *geol.* estrato *m*; (*gallina f*) ponedora *f*; ✿ acodo *m*; **2.** ['leə] acodar.

lay·ette [lei'et] canastilla *f*, ajuar *m* (de niño).

lay·ing ['leiiŋ] colocación *f*; tendido *m of cable*; postura *f of eggs*.

lay·man ['leimən] seglar *m*, lego *m*.

lay...: '~·off paro *m* involuntario; **'~·out** trazado *m*; disposición *f*; equipo *m*.

laze [leiz] holgazanear; **'laz·i·ness** pereza *f*, indolencia *f*, holgazanería *f*; **'la·zy** □ perezoso, indolente, holgazán; **'la·zy·bones** gandul (-a *f*) *m*.

lead[1] [led] **1.** plomo *m*; ⚓ sonda *f*, escandallo *m*; *typ.* regleta *f*; mina *f in pencil*; **2.** emplomar; *typ.* regletear; ~*ed gasoline* gasolina *f* con plomo.

lead[2] [li:d] **1.** delantera *f*, cabeza *f* (*a. sport*); iniciativa *f*; dirección *f*, mando *m*; ejemplo *m*; guía *f*; **2.** *v/t.* conducir; guiar; encabezar; dirigir; mandar; *life* llevar; mover (*to inf. a inf.*); *v/i.* llevar la delantera; tener el mando; conducir (*to* a).

lead·en ['ledn] plúmbeo, de plomo; *color* plomizo; *fig.* pesado.

lead·er ['li:də] jefe (a *f*) *m*, líder *m*, caudillo *m*; guía *m/f*; conductor (-a *f*) *m*; director *m of band*; primer violín *m of orchestra*; artículo *m* de fondo in *newspaper*; **'lead·er·ship** jefatura *f*, liderato *m*; mando *m*, dirección *f*; iniciativa *f*.

lead·ing ['li:diŋ] **1.** dirección *f*; **2.** principal, capital; primero; ~ *article* artículo *m* de fondo; ~ *lady* dama *f*, primera actriz *f*; ~ *man* primer galán *m*; ~ *question* ⚖ pregunta *f* capciosa.

leaf [li:f] **1.** (*pl.* **leaves**) hoja *f*; *turn over a new* ~ reformarse; **2.** ~ *through* hojear; **leaf·age** follaje *m*; **'leaf·less** deshojado, sin hojas; **leaf·let** ['~lit] hoja *f* volante, folleto *m*; **'leaf·y** frondoso.

league [li:g] **1.** (*measure*) legua *f*; *pol.*, *sport*: liga *f*; ♀ *of Nations* Sociedad *f* de las Naciones; *in* ~ *with* de acicate con; **2.** (co)ligar(se).

leak [li:k] **1.** ⚓ vía *f* de agua; gotera *f in roof*; (*aperture*) agujero *m*, rendija *f*; salida *f*; **2.** ⚓ hacer agua; salirse; gotear(se); ~ *out* rezumarse (*a. fig.*); *fig.* filtrarse; **leak·age** escape *m*; derrame *f*; filtración *f*; **'leak·y** ⚓ que hace agua; *roof* llovedizo; agujereado.

lean[1] [li:n] flaco; *meat* magro.

lean[2] [~] **1.** [*irr.*] ladear(se), inclinar(se); ~ *against* arrimar(se) a; ~ (*up*)*on* apoyarse en; **2.** (*a. fig.*

lean·ing [lektən] inclinación f; tendencia f.

lean·ness ['li:nnis] flaqueza f; magrez f; fig. carestía f.

lean-to ['li:n'tu:] colgadizo m.

leap [li:p] 1. salto m, brinco m; 2. saltar (a. ~ over); dar un salto (a. fig.); '~·frog 1. fil derecho m, pídola f; 2. jugar a la pídola; saltar; **leapt** [lept] pret. a. p.p. of leap 2; '**leap year** año m bisiesto.

learn [lə:n] [irr.] aprender (to a); instruirse (about en); enterarse de a fact; **learn·ed** ['~id] □ docto, sabio; erudito; profession liberal; '**learn·er** principiante m/f, aprendiz (-a f) m; '**learn·ing** el aprender; estudio m; erudición f, saber m.

lease [li:s] 1. (contrato m de) arrendamiento f; 2. arrendar; dar (or tomar) en arriendo; '~·hold·er arrendatario (a f) m.

leash [li:ʃ] trailla f.

least [li:st] 1. adj. menor; más pequeño; mínimo; 2. adv. menos; 3. su. lo menos; menor m/f; at ~ a lo menos, al menos, por lo menos; at the (very) ~ lo menos; not in the ~ de ninguna manera; nada; to say the ~ para no decir más.

leath·er ['leðə] 1. cuero m; piel f; F pellejo m; 2. de cuero; 3. F zurrar; **leath·er·ette** [~'ret] cuero m artificial; '**leath·er·neck** sl. soldado m de la infantería de marina norteamericana; '**leath·er·y** correoso; skin curtido.

leave [li:v] 1. permiso m; ✕ (a. ~ of absence) licencia f; (a. ~-taking) despedida f; by your ~ con permiso de Vd.; take (one's) ~ despedirse (of de); 2. [irr.] v/t. dejar; abandonar; salir de; marcharse de; legar in will; ~ it to me yo me encargaré de eso; it ~s much to be desired deja mucho que desear; ~ alone p. dejar en paz; no meterse con; th. no tocar, no manosear; ~ it alone ¡déjalo!; ~ behind dejar atrás; olvidar; ~ out omitir; v/i. irse, marcharse; salir (for para); ~ off ger. cesar de inf., dejar de inf.

leav·en ['levn] 1. levadura f; 2. influencia f, estímulo m, mezcla f; 2. (a)leudar; fig. entremezclar.

leaves [li:vz] pl. of leaf.

leav·ings ['li:viŋz] pl. sobras f/pl.

Leb·a·nese ['lebəni:z] libanés adj. a. su. m (-a f).

lech·er·ous ['letʃərəs] □ lascivo; '**lech·er·y** lascivia f.

lec·tern ['lektən] atril m.

lec·ture ['lektʃə] 1. conferencia f; univ. mst lección f, clase f; fig. sermoneo m; 2. dar una conferencia, dar conferencias (or lecciones) (on sobre); fig. sermonear; '**lec·tur·er** conferenciante m/f; conferencista m/f S.Am.; univ. approx. profesor m adjunto; '**lec·ture room** sala f de conferencias; univ. aula f, sala f de clase.

ledge [ledʒ] repisa f, (re)borde m; (shelf) anaquel m; retallo m.

ledg·er ['ledʒə] ✝ libro m mayor.

lee [li:] ♣ (attr. de) sotavento m; (shelter) socaire m.

leech [li:tʃ] sanguijuela f (a. fig.).

leek [li:k] puerro m.

leer [liə] 1. mirada f (de reojo) con una sonrisa impúdica (or maligna); 2. mirar (de reojo) con una sonrisa impúdica (or maligna) (at acc.).

leer·y ['liəri] sl. suspicaz; cauteloso.

lees [li:z] pl. heces f/pl., poso m.

lee·ward ['li:wəd] (attr. de, adv. a) sotavento m.

lee·way ['li:wei] ♣ deriva f; fig. atraso m, pérdida f de tiempo; F sobra f de tiempo, libertad f.

left[1] [left] pret. a. p.p. of leave 2; be ~ quedar(se); be ~ over sobrar; ~overs sobras f/pl.

left[2] [~] 1. su. izquierda f; pol. izquierda(s) f(pl.); on (or to) the ~ a la izquierda; 2. adj. izquierdo; pol. izquierdista; siniestro (lit.); 3. adv. a (or hacia) la izquierda; '~-'hand: ~ drive mot. conducción f a la izquierda; '~-'hand·ed □ zurdo; fig. p. torpe, desmañado; compliment ambiguo, insincero; '**left·ist** izquierdista adj. a. su. m/f; '~-'wing pol. izquierdista.

leg [leg] pierna f; pata f of animals, furniture; (support) pie m; pernil m of pork, trousers; caña f of stocking; (stage) etapa f, recorrido m; ~ bail sl. fuga f; evasión f; ~ room espacio m para las piernas of a car etc.

leg·a·cy ['legəsi] legado m, herencia f.

le·gal ['li:gəl] □ legal; lícito; **le·gal·i·za·tion** [li:gəlai'zeiʃn] legalización f; '**le·gal·ize** legalizar.

le·ga·tion [li'geiʃn] legación f.

leg·end ['ledʒənd] leyenda f; '**leg·end·ar·y** legendario.

leg·er·de·main ['ledʒədə'mein] juego m de manos; trapacería f.

leg·gings ['legiŋz] *pl.* polainas *f/pl.*; **'leg·gy** zanquilargo.

leg·i·bil·i·ty [ledʒi'biliti] legibilidad *f*; **leg·i·ble** ['ledʒəbl] □ legible.

le·gion ['liːdʒən] legión *f (a. fig.)*.

leg·is·late ['ledʒisleit] legislar; **leg·is·la·ture** ['˄tʃə] legislatura *f*.

le·git·i·ma·cy [li'dʒitiməsi] legitimidad *f*; **le'git·i·mate** [˄mit] □ legítimo; admisible; **le'git·i·'ma·tion** legitimación *f*.

leg·ume ['legjuːm] legumbre *f*.

lei·sure ['leʒə] **1.** ocio *m*, tiempo *m* libre, desocupación *f*; **2.** de ocio, desocupado, de pasatiempo; *˄ activities* recreo(s) *m*; pasatiempos *m*; *˄ time* horas *f/pl.* de ocio; *˄ wear* ropa *f* de recreo; traje *m* informal; **'lei·sure·ly 1.** *adj.* pausado, lento; **2.** *adv.* pausadamente, despacio, con calma.

lem·on ['lemən] **1.** limón *m*; (*a. ˄ tree*) limonero *m*; **2.** *attr.* de limón; (*color*) limonado; *sl.* cosa *f* de fábrica defectuosa; **lem·on·ade** ['˄neid] limonada *f*, gaseosa *f* de limón; **lem·on·'squeez·er** exprimelimones *m*.

lend [lend] [*irr.*] prestar; *fig.* dar, añadir; *˄ o.s. to* prestarse a; *˄ing library* biblioteca *f* circulante; **'lend·er** prestador (-a *f*) *m*; **'Lend-'Lease Act** ley *f* de préstamos y arriendos.

length [leŋθ] largo(r) *m*, longitud *f*; ♣ eslora *f*; *racing:* cuerpo *m*; duración *f* *of time;* corte *m* *of cloth;* **'length·en** alargar(se), prolongar(se); **'length·wise** longitudinal(mente); a lo largo; **'length·y** largo; prolongado.

le·ni·ent ['liːniənt] □ indulgente, clemente, poco severo; **'le·ni·ence**, **le·ni·en·cy** ['˄niəns(i)] lenidad *f*.

lens [lenz] lente *f; anat.* cristalino *m*.

Lent [lent] cuaresma *f*.

Lent·en ['lentən] cuaresmal.

len·til ['lentil] lenteja *f*.

leop·ard ['lepəd] leopardo *m*.

le·o·tard ['liːətɑːd] *baile, gimnástica:* traje *m* ajustado de ejercicio.

lep·er ['lepə] leproso (a *f*) *m*.

lep·ro·sy ['leprəsi] lepra *f*.

Les·bi·an ['lezbiən] lesbia *f*; lesbiana *f*; mujer *f* homosexual; **˄ism** lesbianismo.

less [les] **1.** *adj.* (*size, degree*) menor, inferior; (*quantity*) menos; **2.** *adv., prp.* menos; *˄ and ˄* cada vez menos; *grow ˄* menguar, disminuir(se).

...less [lis] sin...

less·en ['lesn] *v/t.* disminuir, reducir; *v/i.* disminuir(se).

less·er ['lesə] menor, más pequeño; inferior.

les·son ['lesn] lección *f; fig.* escarmiento *m*; *˄s pl.* clases *f/pl.*

lest [lest] para que no, no sea que.

let [let] [*irr.*] *v/t.* dejar, permitir; *property* alquilar, arrendar; *˄ inf.* = *imperative:* *˄ him come!* ¡que venga!; *˄'s go!* ¡vamos!; *˄ alone* no tocar; dejar en paz; F *˄ be* dejar en paz; *˄ by* dejar pasar; *˄ down* (dejar) bajar; *o.s. down by* descolgarse con; *˄ fly* disparar (*at contra*); soltar (*palabras duras*) (*at contra*); *˄ go* soltar; *property* vender; (*miss, pass*) dejar pasar; F *˄ o.s. go* desfogarse; dejar de cuidarse *in appearance;* *˄ a p. know* hacer saber a una p., avisar a una p.; *˄ out* dejar salir; poner en libertad; *˄ through* dejar pasar (por); *v/i.* alquilarse (*at, for en*); F *˄ up* moderarse (*on en*); trabajar menos, cesar; **let·down** ['letdaun] desilusión *f*; chasco *m*.

le·thal ['liːθl] □ mortífero; letal.

le·thar·gic, le·thar·gi·cal [le'θɑː-dʒik(l)] □ letárgico.

let·ter ['letə] **1.** carta *f*; letra *f of alphabet, typ. a. fig.;* *˄s pl.* (*learning etc.*) letras *f/pl.;* *˄ of credit* carta *f* de crédito; *small ˄* minúscula *f;* *to the ˄* a(l pie de) la letra; **2.** rotular; estampar con letras; **'˄-box** buzón *m;* **'˄-car·rier** cartero *m;* **'let·tered** *p.* letrado; rotulado, marcado con letras; **'let·ter-file** carpeta *f*, archivo *m;* **'˄-head** membrete *m;* pliego *m* con membrete; **'let·ter·ing** inscripción *f*, letras *f/pl.;* **'˄-press** texto *m* impreso; **'˄ press** prensa *f* de copiar cartas.

let·tuce ['letis] lechuga *f*.

let up ['let˄p] cesación *f;* F calma *f*, tregua *f*, descanso *m*.

leu·ke·mia [ljuː'kiːmiə] leucemia *f*.

lev·ee ['levi] ribero *m*, dique *m*.

lev·el ['levl] **1.** (*flat place*) llano *m;* llanura *f;* (*instrument, altitude, degree*) nivel *m; fig.* uniformidad *f*, monotonía *f; sl. on the ˄* honrado; sin engaño, en serio; **2.** *v/t.* nivelar (*a. surv.*); igualar; allanar; derribar; *site* desmontar; *v/i.* ˄ *at, ˄ against* apuntar a; *˄ off* nivelarse; ⚡ enderezarse; (*prices*) estabilizarse; **3.** raso, llano, plano; a nivel; nivelado; igual; **4.** *adv.* a nivel; ras con ras; **'˄-'head·ed** sensato, juicioso.

le·ver ['liːvə] **1.** palanca *f (a. fig.);* **2.** apalancar; **'le·ver·age** apalanca

miento *m*; *fig.* influencia *f*, ventaja *f*.
le·vi·a·than [li'vaiəθən] leviatán *m*.
lev·i·ty ['leviti] frivolidad *f*, levedad *f*.
lev·y ['levi] **1.** exacción *f* (de tributos); impuesto *m*; ⚔ leva *f*; **2.** *tax* exigir, recaudar; ⚔ reclutar.
lewd [lu:d] □ lascivo, impúdico; **'lewd·ness** lascivia *f*, impudicia *f*.
lex·i·cog·ra·pher [leksi'kɔgrəfə] lexicógrafo *m*; **lex·i·cog·ra·phy** [∼'kɔgrəfi] lexicografía *f*; **lex·i·con** ['leksikən] léxico *m*.
li·a·bil·i·ty [laiə'biliti] obligación *f*, compromiso *m*; responsabilidad *f*; riesgo *m*.
li·a·ble ['laiəbl] responsable (*for* de); obligado; expuesto, sujeto.
li·ai·son [li'eizɔ:n] enlace *m* (*a.* ⚔); (*affair*) lío *m*.
li·ar ['laiə] mentiroso (a *f*) *m*.
li·bel ['laibl] **1.** (*written*) libelo *m* (on contra); difamación *f*, calumnia *f* (on de); **2.** difamar, calumniar; **'li·bel-(l)ous** □ difamatorio.
lib·er·al ['libərəl] **1.** □ liberal (*a. pol.*); generoso; tolerante; abundante; **2.** liberal *m/f*; **'lib·er·al·ism** liberalismo *m*; **lib·er·al·i·ty** [∼'ræliti] liberalidad *f*.
lib·er·ate ['libəreit] libertar, librar (*from* de); **lib·er'a·tion** liberación *f*; **'lib·er·a·tor** libertador (-a *f*) *m*.
lib·er·tar·ian [libə'tɛəriən] libertariano *adj. a. su. m/f.*
lib·er·tine ['libətain] libertino *m*; **lib·er·tin·ism** libertinaje *m*; **lib·er·ty** ['libəti] libertad *f*; ⚓ licencia *f*; *take liberties* permitirse (*or* tomar) libertades; *be at* ∼ estar en libertad; *set at* ∼ poner en libertad.
li·bid·i·nous [li'bidinəs] □ libidinoso.
li·bi·do [li'bi:dou] libido *f*; libídine *f*.
li·brar·i·an [lai'brɛəriən] bibliotecario (a *f*) *m*; **li·brar·y** ['laibrəri] biblioteca *f* (*esp. private*) librería *f*; ∼ *science* bibliotecnia *f*; biblioteconomía *f*.
li·bret·to [li'bretou] libreto *m*.
Lib·y·an ['libiən] **1.** libio (a *f*) *m*; **2.** *f.* libio; libico.
lice [lais] *pl. of* **louse.**
li·cense ['laisəns] **1.** licencia *f*; permiso *m*; autorización *f*; título *m*; **2.** licenciar; autorizar; **'∼ plate** placa *f* de matrícula; **li·cen·see** [∼'si:] concesionario (a *f*) *m*.
li·cen·tious [lai'senʃəs] □ licencioso.
lick [lik] **1.** lamedura *f*; lamida *f*

S.Am.; lengüetada *f*; **2.** lamer; F vencer; F zurrar; habilitar; ∼ *one's lips* relamerse; **'lick·ing** lamedura *f*; F zurra *f*.
lic·o·rice ['likəris] regaliz *m*.
lid [lid] tapa(dera) *f*; cobertera *f* of *pan etc.*; *anat.* párpado *m*.
lie[1] [lai] **1.** mentira *f*; *give the* ∼ *to* desmentir; *tell a* ∼ = **2.** mentir.
lie[2] [∼] **1.** disposición *f*; **2.** [*irr.*] echarse, acostarse; estar echado; yacer, estar enterrado *in grave*; ∼ *back*, ∼ *down* echarse, acostarse, tenderse; ∼ *in wait for* acechar; F ∼ *low* agacharse, no chistar.
liege [li:dʒ] *hist.* **1.** feudatario; **2.** (*a.* **'∼·man** ['∼·mæn] vasallo *m*.
li·en ['liən] derecho *m* de retención.
lieu [lju:] *in* ∼ *of* en lugar de.
lieu·ten·ant [lu:'tenənt] lugarteniente *m*; ⚔ teniente *m*; ⚓ teniente *m* de navío; ⚔ *second* ∼ alférez *m*; ⚓ *sub-*∼ alférez *m* de navío; **'∼ 'colo·nel** teniente coronel *m*; **'∼ com'mand·er** capitán *m* de corbeta; **'∼ 'gen·er·al** teniente general *m*; ∼ *gov·er·nor* vicegobernador *m*; **lieu·ten·an·cy** lugartenencia *f*; tenencia *f*.
life [laif] (*pl. lives*) vida *f*; (modo *m* de) vivir *m*; ser *m*, existencia *f*; vivacidad *f*, animación *f*; (*period of validity*) vigencia *f*; **'∼ an·nu·i·ty** vitalicio *m*; **'∼ belt** (cinturón *m*) salvavidas *m*; **'∼·blood** sangre *f* vital; *fig.* alma *f*, nervio *m*, sustento *m*; **'∼·boat** lancha *f* de socorro; (*ship's*) bote *m* salvavidas, bote *m* de salvamento; **'∼ buoy** guindola *f*; ∼ *ex·pect·an·cy* expectación *f* de vida; **'∼·guard** ⚔ guardia *m* de corps; **'∼ 'jack·et** chaleco *m* salvavidas; **'∼·less** □ sin vida, muerto; exánime; *fig.* desanimado; flojo; deslucido; **'∼·like** natural; **'∼ line** cuerda *f* salvavidas; **'∼·long** de toda la vida; **'∼ pre·serv·er** cachiporra *f*; **'∼ raft** balsa *f* salvavidas; **'∼·sav·ing** (de) salvamento *m*; **'∼·'size** de tamaño natural; **'∼ span** período *m* de la vida; **'∼·time** (transcurso *m* de la) vida *f*; **lif·er** *sl.* presidiario *m* de por vida.
lift [lift] **1.** alzamiento *m* para levantar, empuje *m* para arriba; ayuda *f* (para levantar); (*cargo*) montacargas *m*; F viaje *m* en coche ajeno; 🛫 sustentación *f*; **2.** *v/t.* levantar, alzar, elevar (*a.* ∼ *up*); transportar (en avión); *v/i.* levantarse; (*clouds etc.*) disiparse; **'∼·off** despegue *m* (vertical); alzamiento *m*.

light[1] [lait] **1.** luz f (a. fig. a. window); lumbre f; fuego m for cigarette etc.; ~s pl. luces f/pl., conocimientos m/pl.; bring (come) to ~ sacar (salir) a luz, descubrir(se); ~ bulb bombilla f; ~ meter exposímetro m; ~ wave onda f luminosa; **2.** claro; hair rubio; skin blanco; **3.** [irr.] v/t. (ignite) encender; alumbrar, iluminar (a. ~ up); v/i. (mst ~ up) encenderse; alumbrarse.

light[2] [~] **1.** adj. □ a. adv. ligero; (slight) leve; (bearable) llevadero; (unencumbered) desembarazado; (fickle, wanton) liviano; ~ opera opereta f, zarzuela f; **2.** tropezar con; (bird) posarse en.

light·en[1] [laitn] iluminar(se).

light·en[2] [~] load etc. aligerar(se).

light·er [laitə] encendedor m; (petrol-) mechero m.

light...: '~·fin·gered largo de uñas; '~·head·ed mareado; '~·heart·ed □ alegre (de corazón); poco serio; '~·house faro m.

light·ing [laitiŋ] alumbrado m; iluminación f; ~ engineering luminotecnia f.

light·ly [laitli] adv. ligeramente; levemente; frívolamente; sin pensarlo bien; '**light-mind·ed** tonto; atolondrado; '**light·ness** ligereza f; agilidad f; claridad f.

light·ning [laitniŋ] relámpago m, rayo m (a. ~ flash); relampagueo m; ~ **bug** luciérnaga f; ~ **rod** pararrayos m.

light·ship [laitʃip] buque m faro.

light·weight [laitweit] persona f de poco peso (a. fig.); boxing: peso m ligero.

light-year [lait'jə:] año m luz.

lik·a·ble [laikəbl] simpático.

like [laik] **1.** adj. parecido (a), semejante (a); igual; propio de, característico de; como; feel ~ ger. tener ganas de inf.; something ~ algo así como; what is he ~? ¿cómo es?; **2.** adv. or prp. como; del mismo modo (que); igual (que); **3.** conj. F como, del mismo modo que; **4.** su. semejante m/f, semejanza f; ~s pl. simpatías f/pl., gustos m/pl.; **5.** vb. gustar; querer; estar aficionado a; I ~ bananas me gustan los plátanos; I don't ~ bullfighting no estoy aficionado a los toros; how do you ~ Madrid? ¿qué te parece Madrid?; as you ~ como quieras, como gustes.

like·able v. likable.

like·li·hood [laiklihud] probabilidad f; '**like·ly 1.** adj. probable; verosímil; prometedor; **2.** adv. probablemente.

lik·en [laikn] comparar (to con), asemejar (to a); '**like·ness** parecido m, semejanza f; imagen f; (portrait) retrato m; '**like·wise** asimismo, igualmente.

lik·ing [laikiŋ] gusto m (for por); afición f (for a); simpatía f (for p. hacia), cariño m (for p. a).

li·lac [lailək] (de color de) lila f.

lil·y [lili] lirio m; azucena f.

limb [lim] miembro m of body; rama f of tree.

lim·ber [limbə] **1.** ágil, flexible; **2.** hacer flexible; ~ up agilitarse.

lim·bo [limbou] limbo m.

lime[1] [laim] **1.** cal f; (a. bird-~) liga f; **2.** encalar; untar con liga.

lime[2] [~] ♀ (a. ~ tree) tilo m.

lime[3] [~] ♀ lima f; (tree) limero m; '~ **juice** jugo m de lima.

lime...: '~·light luz f de calcio; be in the ~ estar a la vista del público; '~·stone (piedra f) caliza f.

lim·er·ick [limərik] especie de quintilla f jocosa.

lim·it [limit] **1.** límite m, confín m; to the ~ hasta no más; **2.** limitar (to a), restringir; **lim·i·ta·tion** limitación f, restricción f; ⚖ prescripción f; '**lim·it·ed** limitado, restringido; '**lim·it·less** □ ilimitado.

lim·ou·sine [limuzi:n] limousine f, limusina f.

limp[1] [limp] **1.** cojera f; **2.** cojear.

limp[2] [~] □ flojo, lacio; flexible.

lim·pid [limpid] □ límpido, cristalino, transparente.

linch·pin [lintʃpin] pezonera f.

line[1] [lain] línea f; cuerda f; ⚓ cordel m; fishing: sedal m; ♀ ramo m, género m; ⚓ vía f; typ. renglón m; poet. verso m; draw the ~ no pasar más allá (at de); drop a ~ poner unas letras (to a); teleph. hold the ~! ¡un momento(!)o!, ¡no cuelgue Vd.!; in ~ with conforme a, de acuerdo con; **2.** v/t. rayar; linear; face etc. arrugar; alinear (a. ~ up); v/i.: ~ up alinearse; ponerse en fila.

line[2] [~] clothes forrar; ⊕ revestir; brakes guarnecer.

lin·e·age [liniidʒ] linaje m; **lin·e·al** [liniəl] □ lineal; en línea recta; **lin·e·ar** [~iə] lineal; de longitud.

lin·en [linin] **1.** lino m, hilo m; (a

piece of un) lienzo m; (sheets, under-clothes etc.) ropa f blanca; dirty ~ ropa f sucia; 2. de lino; '~ clos·et armario m para ropa blanca.

lin·er ['lainə] ♣ vapor m de línea, transatlántico m; **lines·man** ['lainzmən] (a. **line·man**) sport: juez m de línea; '**line-up** alineación f, formación f.

lin·ger ['lingə] (a. ~ on) tardar (en marcharse [or entrar]); quedarse; persistir; '**lin·ger·ing** □ prolongado, dilatado, lento.

lin·ge·rie ['lɛ̃:nʒəri:] ropa f blanca (or interior) de mujer, lencería f.

lin·go ['lingou] F lengua f, jerga f, galimatías m.

lin·gua fran·ca ['lingwa 'frænkə] lengua f franca.

lin·guist ['lingwist] poliglota (a f) m; lingüista m/f; **lin·guis·tics** lingüística f.

lin·i·ment ['linimənt] linimento m.

lin·ing ['lainiŋ] forro m of clothes; etc.); ⊕ revestimiento m.

link [liŋk] 1. eslabón m; fig: enlace m; ⊕ varilla f, corredera f; 2. eslabonar(se), enlazarse (a. ~ up).

link·age ['liŋkidʒ] enlace m, eslabonamiento m; ⊕ varillaje m.

links [liŋks] pl. campo m de golf.

link-up ['li:nkʌp] conexión f; acoplamiento m in space.

li·no·le·um [li'nouljəm] linóleo m.

lin·o·type ['lainoutaip] linotipia f.

lin·seed ['linsi:d] linaza f; ~ oil aceite m de linaza.

lint [lint] hilas f/pl.

li·on ['laiən] león m (a. astr. a. fig.); fig: celebridad f; ~'s share parte f del león; '**li·on·ize** tratar como una celebridad.

lip [lip] labio m (a. fig., 🌶); pico m of jug; borde m of cup; sl. insolencia f; keep a stiff upper ~ no inmutarse; '~-read leer en los labios; '~-serv·ice jarabe m de pico; '~-stick rojo m de labios.

liq·ue·fy ['likwifai] liquidar(se).

liq·uid ['likwid] 1. líquido m; gr. líquida f; 2. □ líquido; fig: límpido; ♣ realizable.

liq·ui·date ['likwideit] all senses: liquidar(se).

liq·uor ['likə] licor m; bebida f alcohólica.

lisp [lisp] 1. ceceo m; balbuceo m as of child; 2. cecear; balbucear.

list¹ [list] 1. lista f, relación f; (regis-

tration) matrícula f; 2. poner en una lista; hacer una lista de; inscribir.

list² [~] ♣ 1. escora f; 2. escorar.

lis·ten ['lisn] escuchar, oír (to acc.); prestar atención, dar oídos, atender (to a); (eavesdrop) escuchar a hurtadillas; '**lis·ten·er** oyente m/f.

lis·ten·ing ['lisniŋ] escucha f; attr. de escucha; '~ post puesto m de escucha.

list·less ['listlis] □ lánguido, apático, indiferente; '~ness apatía f; indiferencia f.

lit·a·ny ['litəni] letanía f.

li·ter ['li:tə] litro m.

lit·er·a·cy ['litərəsi] capacidad f de leer y escribir.

lit·er·al·ism ['litərəlizm] literalismo m.

lit·er·ar·y ['litərəri] □ literario; **lit·er·ate** ['litərit] que sabe leer y escribir; **lit·er·a·ture** ['litəritʃə] literatura f.

lith·o·graph ['liθəgræf] 1. litografía f; 2. litografiar; **li·thog·ra·phy** [li'θɔgrəfi] litografía f.

Lith·u·a·ni·an [liθjuˈeinjən] lituano adj. a. su. m (a f).

lit·i·gate ['litigeit] litigar; **lit·i·ga·tion** [liti'geiʃn] litigio m, litigación f; **li·ti·gious** [li'tidʒəs] □ litigioso.

lit·mus (pa·per) ['litməs (peipə)] (papel m de) tornasol m.

lit·ter ['litə] 1. litera f; 🌶 camilla f; lecho m, cama f de paja for animals; (rubbish) desperdicios m/pl., basura f; 2. poner en desorden; esparcir (cosas por); ~ bas·ket basurero m; cubo m para desechos; '~bug caminante m desperdiciador.

lit·tle ['litl] 1. adj. pequeño; chico; menudo; poco; escaso; (mean) mezquino; ~ ones los pequeños, los chiquillos, la gente menuda; ~ people hadas f/pl.; 2. adv. poco; a ~ better un poco mejor, algo mejor; 3. su. poco; he knows ~ sabe poco; a ~ un poco; ~ by ~ poco a poco.

lit·ur·gy ['litədʒi] liturgia f.

liv·a·ble ['livəbl] life llevadero; F habitable.

live 1. [liv] v/i. vivir; long ~! ¡viva(n)!; ~ high (or well) darse buena vida; ~ up to promise cumplir; standard vivir (or ser) en conformidad con; ~ up to one's income gastarse toda la renta; ~ within one's means vivir con arreglo a los ingresos; v/t. life llevar; experience vivir; ~ down lograr borrar; 2. [laiv]

vivo; ardiente, encendido; *issue etc.* de actualidad; ⚡ con corriente; ✕ cargado; **live·li·hood** ['laivlihud] vida *f*, sustento *m*; **live·li·ness** ['⌐linis] viveza *f*; **live·ly** ['laivli] vivo, vivaz; animado, bullicioso; alegre.

liv·en ['laivən] avivar; animar.

liv·er ['livə] hígado *m*.

liv·er·y ['livəri] librea *f*.

lives [laivz] *pl. of life;* '**live·stock** ganado *m*, ganadería *f*.

liv·id ['livid] lívido; F furioso.

liv·ing ['liviŋ] **1.** vivo, viviente; vital; **2.** vida *f*; sustento *m*; modo *m* de vivir; '**~ room** sala *f* de estar, living *m*; '**~ space** espacio *m* vital *of a nation.*

liz·ard ['lizəd] lagarto *m*.

load [loud] **1.** carga *f* (*a. fig.,* ⊕, ⚡); peso *m*; **2.** *v/t.* cargar; (*oppress*) agobiar; (*favor*) colmar (*with* de); **~ed** *question* intencionado; *v/i.* (*a. ~ up*) cargar(se); tomar carga; '**load·ing 1.** cargamento *m*, carga *f*; **2.** de carga; cargador; '**~ zone** zona *f* de carga; '**load·stone** piedra *f* imán.

loaf[1] [louf] (*pl. loaves*) pan *m*; (*large*) hogaza *f*; ~ *sugar* azúcar *m* de pilón.

loaf[2] [⌐] F haragancar, gandulear.

loaf·er ['loufə] haragán (-a *f*) *m*.

loam [loum] marga *f*.

loan [loun] **1.** préstamo *m*; (*public*) empréstito *m*; *ask for the* ~ *of* pedir prestado *acc.*; **2.** prestar.

loath [louθ] poco dispuesto (*to* a); *be* ~ *for a p. to* no querer que una p. *subj.*; **loathe** [louð] abominar, detestar, aborrecer; *I* ~ *cheese* me da asco el queso; **loath·ing** ['⌐ðiŋ] asco *m*, detestación *f*, repugnancia *f*; **loath·some** ['⌐θsəm] asqueroso, repugnante; '**~·ness** asquerosidad *f*.

loaves [louvz] *pl. of loaf*[1].

lob·by ['lɔbi] **1.** vestíbulo *m*; antecámara *f*; *parl.* camarilla *f* de cabilderos; **2.** *parl.* cabildear; '**lob·by·ist** *parl.* cabildero *m*.

lob·ster ['lɔbstə] langosta *f*.

lo·cal ['loukəl] **1.** ☐ local; vecinal; ⚙ (*a. ~ train*) tren *m* ómnibus (*or* suburbano); **lo·cale** [lou'kɑːl] lugar *m*; escenario *m* (*de acontecimientos*); **lo·cal·i·ty** [⌐'kæliti] localidad *f*; situación *f*; **lo·cal·ize** [⌐'kalaiz] localizar.

lo·cate [lou'keit] situar; colocar; localizar, hallar; **lo·ca·tion** localidad *f*; situación *f*; colocación *f*.

lock[1] [lɔk] **1.** cerradura *f*; traba *f*;

retén *m*; (*wrestling a.* ✕) llave *f*; esclusa *f on canal etc.*; **2.** *v/t.* cerrar con llave; encerrar; ⊕ trabar, enclavar; *v/i.* cerrarse con llave; ⊕ trabarse.

lock[2] [⌐] mechón *m*; guedeja *f*.

lock·er ['lɔkə] armario *m* (particular); cajón *m* cerrado con llave; **lock·et** ['⌐it] guardapelo *m*.

lock...: '**~·jaw** trismo *m*; '**~ keep·er** esclusero *m*; '**~ nut** contratuerca *f*; '**~·out** cierre *m*, paro *m* voluntario de patronos; '**~·smith** cerrajero *m*; '**~ up** cierre *m*; cárcel *f*.

lo·co·mo·tion [loukə'mouʃn] locomoción *f*; **lo·co·mo·tive** ['⌐tiv] **1.** locomotora *f*; **2.** locomotor.

lo·cust ['loukəst] langosta *f* (*a. fig.*).

lode [loud] filón *m*; '**~·star** estrella *f* polar; *fig.* norte *m*; '**~·stone** piedra *f* imán.

lodge [lɔdʒ] **1.** casita *f*; casa *f* de campo; **2.** *v/t.* alojar, hospedar; colocar, depositar; *v/i.* alojarse; hospedarse; '**lodg·er** huésped (-a *f*) *m*; '**lodg·ing** alojamiento *m*, hospedaje *m*; (*a. ~s pl.*) habitación *f*.

loft [lɔft] desván *m*; pajar *m*; **loft·i·ness** ['⌐inis] altura *f*; eminencia *f*; '**loft·y** ☐ alto, elevado; eminente; noble; sublime.

log [lɔg] **1.** leño *m*, tronco *m*, troza *f*; ⚓ corredera *f*; **2.** cortar (y transportar) leños; apuntar, registrar.

log·a·rithm ['lɔgəriθm] logaritmo *m*.

log...: '**~·book** ⚓ cuaderno *m* de bitácora, diario *m* de navegación; ✈ libro *m* de vuelo(s); ⊕ cuaderno *m* de trabajo; '**~ cab·in** cabaña *f* de madera.

log·ic ['lɔdʒik] lógica *f*; **lo·gis·tic** [lɔ'dʒistik] logístico; **~s** logística *f*.

log·roll·ing ['lɔgrouliŋ] trueque *m* de favores políticos.

loin [lɔin] ijada *f*; lomo *m*; '**~·cloth** taparrabo *m*.

loi·ter ['lɔitə] holgazanear, perder el tiempo; '**loi·ter·er** holgazán (-a *f*) *m*; vago (a *f*) *m*.

loll [lɔl] repantigarse (*a. ~ about*); apoyarse con indolencia.

lol·li·pop ['lɔlipɔp] F gilda *f*.

Lon·don·er ['lʌndənə] londinense *m/f*.

lone [loun] solo, solitario; soltero; aislado; '**lone·li·ness** soledad *f*; '**lone·ly, lone·some** ['⌐səm] solitario, solo; aislado, remoto; **~ wolf** lobo *m* solitario.

long¹ [lɔŋ] **1.** adj. largo; extenso; prolongado; F alto; it is 4 feet ~ tiene 4 pies de largo; in the ~ run a la larga; ~ wave radio: (de) onda f larga; **2.** su. largo (or mucho) tiempo m; **3.** adv. largo (or mucho) tiempo; largo rato; largamente; ~ before mucho antes; as ~ as mientras; con tal que subj.; F so ~! ¡hasta luego!; so ~ as con tal que.

long² [~] anhelar (for acc., to inf.).

long...: '~·**dis·tance** (a larga or gran) distancia; sport: de fondo; teleph. ~ call conferencia f interurbana; ~ flight vuelo m a distancia; **lon·gev·i·ty** [lɔn'dʒeviti] longevidad f; **long·hair** F aficionado a la música clásica adj. a. su.; **'long·hand** escritura f normal (or sin abreviaturas).

long·ing ['lɔŋiŋ] **1.** anhelo m, añoranza f; **2.** □ anhelante.

lon·gi·tude ['lɔndʒitjuːd] longitud f.

long...: '~ **johns** F ropa f interior que cubre brazos y piernas; '~**jump** salto m de longitud; '~·**leg·ged** zancudo; '~·**lived** ['~'laivd] de larga vida, duradero; '~·**play·ing** de larga duración; '~·**range** ✗ de gran alcance; ✗ de gran autonomía; '~**shore·man** estibador m, obrero m portuario; '~·**stand·ing** existente desde hace mucho tiempo; '~·**suf·fer·ing** sufrido; '~·**term** a largo plazo; '~·**wind·ed** □ prolijo.

look [luk] **1.** mirada f, vistazo m; (a.~s pl.) aspecto m, apariencia f; aire m; good ~s pl. buen parecer m; **2.** v/i. mirar; parecer; tener aire (de); buscar; considerar; ~ before you leap antes que te cases, mira lo que haces; ~ here! ¡oye!; ~ like parecerse a; it ~s well on you te sienta bien; ~ about mirar alrededor; ~ about for andar buscando; ~ down on dominar; fig. mirar por encima del hombro, despreciar; ~ for buscar; esperar; ~ forward to anticipar con placer, esperar con ilusión; F ~ in hacer una visita breve (on a), pasar por la casa etc. (on de); ~ out! ¡cuidado!, ¡ojo!; ~ out for buscar; estar a la expectativa de; tener cuidado con; ~ out on dar a, caer a; ~ (up)on fig. considerar, estimar; ~ up to respetar, admirar; **3.** v/t. emotion expresar con la mirada; ~ a p. in the face mirar a una p. cara a cara (a. fig.); ~ over examinar; recorrer; ~ up buscar, averiguar, consultar; F visitar; ~ a p. up and down mirar

a una p. de arriba abajo; '~·**a·like** doble; parecido adj. a. su. m (a f).

look·out ['luk'aut] (p.) vigía m, atalaya m; (tower) atalaya f; observación f, vigilancia f; perspectiva f; be on the ~ (for) estar a la mira (de); '~·**o·ver** sl. vistazo m; ojeada f.

loom¹ [luːm] telar m.

loom² [luːm] surgir, asomar(se), aparecer (a. ~ up); vislumbrarse; fig. amenazar.

loon·y ['luːni] sl. loco adj. a. su. m (a f); '~ **bin** sl. manicomio m.

loop [luːp] **1.** gaza f, lazo m; (fastening) presilla f; (bend) curva f, vuelta f, recodo m; **2.** v/t. hacer gaza con; asegurar con gaza (or presilla); enlazar; ✗ ~ the ~ hacer (or rizar) el rizo; v/i. formar lazo(s); serpentear; '~·**hole** ✗ aspillera f, tronera f; fig. escapatoria f, evasiva f.

loose [luːs] **1.** □ (free; separate) suelto, desatado; (not tight) flojo, movedizo; (unpacked) sin envase; dress holgado; wheel, pulley etc. loco; connexion desconectado; poco exacto; aproximado; negligente; morals relajado; woman fácil; ~ change suelto m; ~ end cabo m suelto; **2.** soltar; desatar; aflojar; (a. ~ off) disparar; ~ one's hold on soltar; **3.:** F be on the ~ estar en libertad; estar de juerga; '~ **leaf:** ~ book cuaderno m de hojas sueltas (or movibles); **loos·en** ['luːsn] desatar(se), aflojar(se), soltar(se); ~ up muscles desentumecer; '**loose·ness** soltura f, flojedad f; holgura f.

loot [luːt] **1.** botín m; F ganancias f/pl.; **2.** saquear, pillar; '**loot·er** saqueador (-a f) m.

lop [lɔp] tree (des)mochar; cercenar.

lop...: '~ '**sid·ed** desproporcionado; ladeado; desequilibrado (a. fig.).

lo·qua·cious [lou'kweiʃəs] □ locuaz.

lo·ran ['lɔːrən] ⚓ lorán m.

lord [lɔːd] **1.** señor m; (title) lord m; the ♀ el Señor; my ~ señor; Su Señoría; ♀'s Prayer padrenuestro m; ♀'s Supper (última) Cena f; parl. the (House of) ♀s (la Cámara de) los Lores; **2.:** ~ it mandar, mangonear; señorear; mandar despóticamente; '**lord·ly** señoril; altivo; imperioso; espléndido; '**lord·ship** (title) señoría f; (rule) señorío m.

lore [lɔː] saber m (popular), ciencia f.

lose [luːz] v/t. perder; hacer perder; that lost us the war eso nos hizo perder la guerra; ~ o.s. perderse;

v/i. perder; ser vencido; (*clock*) atrasar; '**los·er** perdidoso (a *f*) *m*, perdedor (-a *f*) *m*; *sl.* persona *f* sin atractivo.

loss [lɔs] pérdida *f*; *be a total* ~ considerarse totalmente perdido; *at a* ~ **♣** con pérdida; *be at a* ~ estar perplejo, no saber qué hacer; '~ **lead·er** artículo *m* vendido a gran descuento.

lost [lɔst] *pret. a p.p. of lose*; ~ *in* abismado m, absorto en; ~ *to* insensible a; inaccesible a.

lot [lɔt] **†** lote *m*; porción *f*; (*fate*) suerte *f*; solar *m for building*; F gran cantidad *f*.

lo·tion ['louʃn] loción *f*.

lo·ter·y ['lɔtəri] lotería *f*.

loud [laud] □ alto; fuerte, recio; ruidoso, estrepitoso; *color* chillón; '**loud·mouth** bocón *m* (a *f*); '**loud·ness** (gran) ruido *m*; sonoridad *f*; **loud·speak·er** altavoz *m*, altoparlante *m*.

lounge [laundʒ] **1.** salón *m*; sala *f* (de estar); sofá *m*; **2.** arrellanarse, repantigarse; pasearse perezosamente; haraganear.

louse [laus] (*pl. lice*) piojo *m*; **lous·y** ['lauzi] piojoso; *sl.* asqueroso, vil.

lout [laut] patán *m*; gamberro *m*; '**lout·ish** grosero, zafio.

lov·a·ble ['lʌvəbl] □ amable.

love [lʌv] **1.** amor *m* (*of, for, towards* de, a); querer *m*; cariño *m*; *tennis*: cero *m*; *attr.* de amor, amoroso; *in* ~ *with* enamorado de; *fall in* ~ enamorarse (*with* de); *make* ~ *to* hacer el amor a; cortejar; **2.** amar, querer; tener cariño a; ser muy aficionado a; '~ **af·fair** amores *m/pl.*; amorío(s) *m(pl.)* (F); '~ **bird** periquito *m*; *fig.* palomito *m*; '~ **child** hijo (a *f*) *m* del amor; '~ **feast** ágape *m*; '**love·li·ness** belleza *f*, hermosura *f*; encanto *m*; exquisitez *f*; **love·lorn** ['~lɔːn] suspirando de amor, abandonado de su amante; '**love·ly** bello, hermoso; encantador; exquisito; precioso; simpático; '**love-mak·ing** galanteo *m*; trato *m* sexual; '**lov·er** amante *m/f*; aficionado (a *f*) *m* (*of a*), amigo (a *f*) *m* (*of* de); ~*s pl.* amantes *m/pl.*; '**love·sick** enfermo de amor, amartelado.

low¹ [lou] **1.** bajo; *bow* profundo; *blow* sucio; *dress* escotado; *price* módico; ~ *comedy* farsa *f*; **2.** *meteor.* área *f* de baja presión; F punto *m* bajo; *mot.* primera marcha *f*; **3.** *adv.* bajo; bajamente; en voz baja.

low² [~] **1.** mugir; **2.** mugido *m*.

low...: '~ **born** de humilde cuna; '~ **brow** F (persona *f*) nada intelectual; '~ **cost** económico; '~ **down 1.** bajo, vil; **2.** ['~] verdad *f*, informes *m/pl.* confidenciales; pormenores *m/pl.*

low·er¹ ['louə] **1.** más bajo *etc.*; inferior; bajo; ~ *classes* clase *f* baja; **2.** bajar; disminuir; *price* rebajar; **♣** arriar; **♣** debilitar.

low·er² ['lauə] fruncir el entrecejo, mirar con ceño.

low-key ['louki:] modesto; retirado; **low·land** ['louland] tierra *f* baja; '**low·li·ness** humildad *f*; '**low·ly** humilde; '**low-'necked** escotado; '**low·ness** bajeza *f etc.*

loy·al ['lɔiəl] □ leal, fiel; '**loy·al·ist** legitimista *adj. a. su. m/f*; '**loy·al·ty** lealtad *f*, fidelidad *f*.

loz·enge ['lɔzindʒ] pastilla *f*.

lub·ber ['lʌbə] **♣** marinero *m* de agua dulce; bobalicón *m*.

lu·bri·cant ['lu:brikənt] lubri(fi)cante *adj. a. su. m*; **lu·bri·cate** ['~keit] lubri(fi)car, engrasar.

lu·cid ['lusid] □ lúcido; **lu·cid·i·ty** lucidez *f*.

luck [lʌk] suerte *f*, ventura *f*; fortuna *f*; azar *m*; '**luck·i·ly** afortunadamente, por fortuna; '**luck·less** desafortunado, desdichado; '**luck·y** □ afortunado; de buen agüero; *be* ~ tener (buena) suerte; tener buena sombra.

lu·cra·tive ['lu:krətiv] □ lucrativo, provechoso.

lu·di·crous ['lu:dikrəs] □ absurdo, ridículo.

lug [lʌg] **1.** oreja *f*; ⊕ orejeta *f*; agarradera *f*; (*movement*) (es)tirón *m*; **2.** arrastrar; tirar de.

lug·gage ['lʌgidʒ] equipaje *m*; '~ **car·ri·er** portaequipajes *m*; '~ **rack** rejilla *f*.

lu·gu·bri·ous [lu:'gju:briəs] □ lúgubre.

luke·warm ['lu:kwɔːm] tibio (*a. fig.*), templado; *fig.* indiferente; '~ **ness** tibieza *f*.

lull [lʌl] recalmón *m*, intervalo *m* de calma; *fig.* tregua *f*, respiro *m*.

lull·a·by ['lʌləbai] nana *f*, canción *f* de cuna.

lum·ba·go [lʌm'beigou] lumbago *m*.

lum·ber ['lʌmbə] **1.** maderos *m/pl.*, maderas *f/pl.* (de sierra); **2.** moverse pesadamente (*or* con ruido sordo);

lum·ber·ing pesado; **lum·ber·jack, lum·ber·man** hachero *m*, maderero *m*, leñador *m*; **lum·ber·yard** corral *m* de madera.

lu·mi·nous [ˈluːminəs] □ luminoso.

lump [lʌmp] **1.** terrón *m* (*a. of sugar*); masa *f*; borujo *m*; (*swelling*) bulto *m*, hinchazón *f*; protuberancia *f*; ~ **sugar** azúcar *m* en terrón; ~ **sum** suma *f* global; **2.** *v/t.* amontonar; aborujar; ~ **together** agrupar, mezclar; *v/i.* aborujarse; **lump·y** □ aterronado; borujoso.

lu·na·cy [ˈluːnəsi] locura *f*.

lu·nar [ˈluːnə] lunar; ~ **mod·ule** (*semiindependent spaceship*) módulo *m* lunar.

lu·na·tic [ˈluːnətik] loco *adj. a. su. m* (*a f*), demente *adj. a. su. m/f*; ~ **asylum** manicomio *m*; F ~ **fringe** elementos *m/pl.* fanáticos.

lunch [lʌntʃ] **1.** almuerzo *m*, comida *f* (*a. more formally* **lunch·eon** [ˈ-ən]); lonche *m S.Am.*; (*snack*) merienda *f*; **2.** almorzar, merendar; ~ **hour** hora *f* del almuerzo.

lung [lʌŋ] pulmón *m*.

lunge [lʌndʒ] **1.** *fenc.* estocada *f*; arremetida *f*; **2.** dar una estocada; arremeter (*at* contra).

lurch [ləːtʃ] **1.** sacudida *f*, tumbo *m*,

tambaleo *m* repentino; **2.** dar sacudidas, dar un tumbo; tambalearse.

lure [ljuə] **1.** cebo *m*; señuelo *m* (*a. fig.*); aliciente *m*, seducción *f*; **2.** atraer (con señuelo); tentar; seducir.

lu·rid [ˈljuərid] □ lívido, cárdeno; sensacional; espeluznante.

lurk [ləːk] ocultarse; estar en acecho.

lus·cious [ˈlʌʃəs] □ delicioso, rico, exquisito, suculento.

lust [lʌst] **1.** lujuria *f*, lascivia *f*; (*greed*) codicia *f*; **2.** lujuriar; **lust·ful** □ lujurioso, lascivo.

lus·ter [ˈlʌstə] lustre *m*, brillo *m*.

lus·trous [ˈlʌstrəs] □ lustroso.

lust·y [ˈlʌsti] □ vigoroso; lozano.

Lu·ther·an [ˈluːθərən] luterano *adj a. su. m* (*a f*).

lux·u·ri·ance [lʌgˈzjuəriəns] lozanía *f*, exuberancia *f*; **lux·u·ri·ant** □ lozano, exuberante; **lux·u·ri·ous** [~riəs] □ lujoso; **lux·u·ry** [ˈlʌkʃəri] lujo *m*; *attr.* de lujo.

lye [lai] lejía *f*.

ly·ing [ˈlaiiŋ] **1.** *ger. of* lie¹ *a.* lie²; **2.** *adj.* mentiroso; ~ **in** parto *m*.

lynch [lintʃ] linchar; ~ **law** ley *f* de Lynch; ley *f* de la soga.

lynx [liŋks] lince *m*.

lyr·ic [ˈlirik] **1.** lírico; **2.** poesía *f* lírica; letra *f* (de una canción); **lyr·i·cal** □ lírico; F elocuente.

M

ma'am [mæm, F məm, m] = *madam*.

ma·ca·bre [məˈkɑːbr] macabro.

mac·ad·am [məˈkædəm] macadán *m*; **mac·ad·am·ize** macadamizar.

mac·a·ro·ni [mækəˈrouni] macarrones *m/pl.*

mac·a·roon [mækəˈruːn] macarrón *m* (de almendras), mostachón *m*.

mach·i·na·tion [mækiˈneiʃn] maquinación *f*; **ma·chine** [məˈʃiːn] **1.** máquina *f* (*a. fig.*); aparato *m*; *mot.* coche *m*; *pol.* organización *f*, camarilla *f*; **2.** elaborar (*or* acabar, coser) a máquina; **ma·chine gun 1.** ametralladora *f*; **2.** ametrallar; **ma·chine-made** hecho a máquina; **ma·chin·er·y** maquinaria *f*; mecanismo *m* (*a. fig.*); **ma·chine shop** taller *m* de máquinas; **ma·chine trans·la·tion** traducción *f* automática; **ma·chine-wash·able** lavable en lavadora au-

tomática; **ma·chin·ist** maquinista *m/f*.

mack·in·tosh [ˈmækintʃ] impermeable *m*.

mad [mæd] □ loco, demente; F furioso; *dog* rabioso; *idea* insensato; **drive** ~ enloquecer.

mad·am [ˈmædəm] señora *f*.

mad·cap [ˈmædkæp] locuelo *m*; **mad·den** [ˈmædn] enloquecer; enfurecer.

made-to-order [ˈmeidtuːˈɔːdə] hecho a la medida.

made-up [ˈmeidˈʌp] hecho; compuesto; *story* ficticio; *face* pintado.

mad·house [ˈmædhaus] manicomio *m*; **mad·man** loco *m*; **mad·ness** locura *f*, demencia *f*.

mag·a·zine [mægəˈziːn] revista *f*; ✕ almacén *m*; ✕ polvorín *m for powder*.

mag·got [ˈmægət] cresa *f*, gusano *m*.

mag·ic ['mæd3ik] **1.** magia f; *as if by* ~ (como) por ensalmo; **2.** mágico; **ma·gi·cian** [mə'd3iʃn] mágico m; (*conjuror*) prestidigitador m.

mag·is·tra·cy ['mæd3istrəsi] magistratura f; **mag·is·trate** ['⸏trit] magistrado m; juez m (municipal).

mag·na·nim·i·ty [mægnə'nimiti] magnanimidad f; **mag·nan·i·mous** [⸏'næniməs] magnánimo.

mag·ne·sia [mæg'ni:ʃə] magnesia f; **mag·ne·sium** [⸏ziəm] magnesio m.

mag·net ['mægnit] imán m; **mag·net·ism** ['⸏nitizm] magnetismo m; **'mag·net·ize** magnetizar, iman(t)ar.

mag·nif·i·ca·tion [mægnifi'keiʃn] aumento m, (*high* alto, *low* bajo) enfoque m; *fig.* exageración f.

mag·nif·i·cent [mæg'nifisnt] magnífico; **mag·ni·fy** ['⸏fai] opt. aumentar, ampliar; *fig.* exagerar; ~*ing glass* lupa f, lente f de aumento.

mag·no·li·a [mæg'nouljə] magnolia f.

mag·pie ['mægpai] urraca f, marica f.

ma·hog·a·ny [mə'hogəni] caoba f.

maid [meid] criada f, camarera f; *mst lit.* doncella f, virgen f.

maid·en ['meidn] **1.** *mst lit.* doncella f, virgen f; muchacha f; soltera f; **2.** virginal, intacto; (*de*) soltera; *speech* primero; *voyage* inaugural.

mail [⸏] **1.** ✉ correo m; correspondencia f; **2.** echar al correo; **'⸏bag** valija f, mala f; **'⸏box** buzón m; **'⸏man** cartero m; **'⸏or·der house** casa f de ventas por correo; **'⸏ train** (tren m) correo m; **'mail·ing** lista f de direcciones.

maim [meim] tullir; mutilar.

main [mein] **1.** principal; maestro; mayor; **2.** cañería f (maestra); *poet.* océano m; **'⸏land** tierra f firme, continente m; **'⸏mast** [⸏'mɑːst, ♣ '⸏məst] palo m mayor; **'⸏sail** ['⸏seil, ♣ '⸏sl] vela f mayor; **'⸏spring** muelle m real; *fig.* causa f (or motivo m) principal; **'⸏stream** vía f principal.

main·tain [mein'tein] mantener, sostener; ⊕ entretener.

main·te·nance ['meintinəns] mantenimiento m; sustento m.

maize [meiz] maíz m.

ma·jes·tic [mə'd3estik] ☐ majestuoso; **maj·es·ty** ['mæd3isti] majestad f.

ma·jor ['meid3ə] **1.** mayor (*a.* ♪); principal; importante; **2.** ✕ comandante m; *phls.* mayor f; *univ.* especia-

lidad f; **3.** *univ.* especializarse (*in* en); **'~ gen·er·al** general m de división; **ma·jor·i·ty** [mə'd3oriti] mayoría f, mayor número m; mayor edad f.

make [meik] **1.** [*irr*] v/t. hacer; crear; formar; construir; practicar, ejecutar, efectuar; constituir; causar, ocasionar; componer; producir; (*compel*) forzar, obligar, compeler (*inf.* a *inf.*); (*equal*) ser (igual a); (*induce*) inclinar, inducir (*inf.* a *inf.*); (*manufacture*) fabricar, confeccionar, elaborar; (*prepare*) aderezar, preparar, disponer, arreglar; *mistake* cometer; *speech* pronunciar; ~ *believe* fingir (-se); ~ *good damage* reparar; *loss* compensar, indemnizar; ~ *up* hacer; preparar; fabricar; inventar; componer, formar; *collection* reunir; *clothes* confeccionar; *face* pintar, maquillar; **2.** [*irr*.] v/i. ~ *as if to*, ~ *as though to inf.* hacer como si quisiese *inf.*, fingir que va a *inf.*, aparentar *inf.*; ~ *after* (per)seguir; ~ *away with* llevarse, hurtar; ~ *off* largarse, escaparse; ~ *off with* alzarse con, llevarse; escaparse con; *mst* F ~ *out* arreglárselas, salir bien; *how did you* ~ *out?* ¿cómo te fue?; ~ *up* pintarse, maquillarse; *thea.* caracterizarse; ~ *up for* compensar; suplir; *lost time* recobrar; ~ *up to* (procurar) congraciarse con; halagar; adular; galantear; **3.** hechura f; confección f; corte m of *clothes*; (*brand*) marca f; modelo m; *sl.* be on the ~ echar el agua a su molino; *our own* ~ de fabricación propia; **'⸏be·lieve 1.** ficción f, simulación f; **2.** simulado, falso, fingido; **'mak·er** hacedor (-a f) m, creador (-a f) m; fabricante m; artífice m/f; **'⸏shift** improvisado, provisional; **'~up** composición f; carácter m, modo m de ser; hechura f, confección f of *clothes*; maquillaje m, cosmético(s) m(pl.) *for face; thea.* caracterización f; **mak·ing** creación f; formación f; fabricación f, confección f.

mal·ad·just·ment ['mælə'd3ʌstmənt] mal ajuste m; inadaptación f.

mal·a·dy ['mælədi] mal m, enfermedad f.

mal·aise [mæ'leiz] malestar m.

mal·a·prop·ism ['mæləpropizm] despropósito m.

ma·lar·i·a [mə'lɛəriə] paludismo m, malaria f; **ma·lar·i·al** palúdico.

ma·lar·key [mə'lɑːki] sl. habla f necia; tontería(s) f(pl.); mentira(s) f(pl.).

Ma·lay [mə'lei] **1.** malayo (a f) m; (language) malayo m; **2.** malayo (a. **Ma'lay·an**).

mal·con·tent ['mælkəntent] malcontento adj. a. su. m (a f).

male [meil] **1.** macho; masculino; ~ child hijo m varón; ~ nurse enfermero m; **2.** macho m; varón m.

ma·lev·o·lence [mə'levələns] malevolencia f; **ma'lev·o·lent** □ malévolo.

mal·func·tion [mæl'fʌŋkʃn] **1.** malfuncionamiento m; **2.** ir de través; estropearse.

mal·ice ['mælis] malicia f, mala voluntad f; t⅛ intención f delictuosa.

ma·li·cious [mə'liʃəs] □ malicioso.

ma·lign [mə'lain] **1.** □ maligno; **2.** calumniar, difamar; **ma·lig·nan·cy** [mə'lignənsi] malignidad f; **ma'lig·nant** maligno.

mal·le·a·ble ['mæliəbl] maleable (a. fig.).

mal·let ['mælit] mazo m, mallo m.

mal·nu·tri·tion ['mælnjuːˈtriʃn] desnutrición f.

mal·prac·tice ['mæl'præktis] procedimientos m/pl. ilegales; abuso m de autoridad.

malt [mɔːlt] **1.** malta f; **2.** preparar la malta.

Mal·tese ['mɔːlˈtiːz] maltés adj. a. su. m (-a f); ~ cross cruz f de Malta.

mal·treat [mæl'triːt] maltratar.

ma·ma, mam·ma [mə'mɑː] mamá f.

mam·mal ['mæməl] mamífero m.

mam·moth ['mæməθ] **1.** mamut m; **2.** gigantesco.

man [mæn, in compounds ... mən] **1.** (pl. men) hombre m; varón m; el género humano; (servant) criado m; (workman) obrero m; ✕ soldado m; pieza f in chess, etc.; ~ in the street hombre m medio, hombre m de la calle; ~ of the world hombre m de mundo; no ~ nadie; **2.** ♣ tripular; ✕ guarnecer; proveer de gente (armada); guns servir.

man·a·cle ['mænəkl] manilla f; ~s pl. esposas f/pl.

man·age ['mænidʒ] v/t. manejar; manipular; llevar; conseguir (hacer); guiar; regir; administrar; business dirigir; house gobernar; v/i. arreglárselas, componérselas; ir tirando; ~ to inf. lograr inf.; **'man·age·ment**

dirección f, gerencia f; administración f; **'man·ag·er** director m, gerente m; administrador (-a f) m; jefe m; **man·a·ge·ri·al** [~ə'dʒiəriəl] □ directivo; administrativo.

man·da·rin ['mændərin] mandarín m; ♀ mandarina f.

man·date ['mændeit] **1.** mandato m; **2.** asignar por mandato; ~d territory país m bajo mandato; **man·da·to·ry** ['~dətəri] obligatorio; conferido por mandato.

man·do·lin ['mændəlin] mandolina f.

man·drake ['mændreik] mandrágora f.

mane [mein] crin(es) f (pl.); melena f of lion.

man·eat·ing ['mæniːtiŋ] antropófago; caníbal.

ma·neu·ver [mə'nuːvə] **1.** maniobra f; **2.** v/t. hacer maniobrar, manipular; lograr con maniobras; v/i. maniobrar.

man·ful ['mænful] □ valiente, resuelto; '~·ness virilidad f.

man·ga·nese [mæŋgə'niːz] manganeso m; ~ steel acero m al manganeso.

mange [meindʒ] vet. roña f, sarna f.

man·ger ['meindʒə] pesebre m.

man·gle[1] ['mæŋgl] **1.** exprimidor m de la ropa; rodillo m; **2.** pasar por el exprimidor.

man·gle[2] [~] lacerar, destrozar; mutilar (a. fig.); magullar.

man·go ['mæŋgou] mango m.

man·gy ['meindʒi] sarnoso, roñoso.

man...: '~·han·dle ⊕ mover a brazo; (roughly) maltratar; '~·hole registro m, pozo m de visita; '~·hood virilidad f; naturaleza f humana; hombres m/pl.; '~·hunt persecución f de un criminal.

ma·ni·a ['meiniə] manía f; **ma·ni·ac** ['~iæk] maníaco (a f) m; '**man·ic-de'press·ive** maníacodepresivo.

man·i·cure ['mænikjuə] **1.** manicura f; **2.** hacer manicura a.

man·i·fest ['mænifest] **1.** □ manifiesto; make ~ poner de manifiesto; **2.** ♣ manifiesto m; **3.** manifestar; hacer patente, revelar; **man·i·fes·to** [~'festou] manifiesto m.

man·i·fold ['mænifould] □ múltiple; multiforme; numeroso; exhaust ~ múltiple m de escape.

ma·nip·u·late [mə'nipjuleit] manipular, manejar.

man·kind [mæn'kaind] humanidad

f, raza *f* humana; ['∼] sexo *m* masculino; **'man·li·ness** virilidad *f*, masculinidad *f*; hombr(ad)ía *f*; **'man·ly** varonil; masculino; valiente; **'man-'made** hecho por el hombre; manufacturado.

man·ne·quin ['mænikin] maniquí *m*/*f*, modelo *f*; ∼ **parade** desfile *m* de modelos.

man·ner ['mænə] manera *f*, modo *m*; ademán *m*, aire *m* of *p*.; clase *f*; ∼*s pl.* modales *m*/*pl.*, crianza *f*, educación *f*; costumbres *f*/*pl.*; he has no ∼*s* tiene malos modales, no tiene crianza; es un mal criado; *after (or in) the* ∼ *of* a la manera de; *all* ∼ *of* toda clase de; **'man·nered** *style* amanerado; de modales...; **'man·ner·ism** amaneramiento *m of style*; hábito *m*; idiosincrasia *f*; **'man·ner·ly** cortés, bien criado.

man·nish ['mæni∫] hombruno.

man·or ['mænə] solar *m*, finca *f* solariega, señorío *m*; (*a.* ∼ **house**) casa *f* señorial, casa *f* solariega.

man·pow·er ['mænpauə] mano *f* de obra; potencial *m* humano.

man·sion ['mæn∫n] palacio *m*, hotel *m*, casa *f* grande; casa *f* solariega.

man·slaugh·ter ['mænslɔːtə] homicidio *m* (sin premeditación).

man·tel ['mæntl] manto *m* (de chimenea); **'∼-piece** repisa *f* de chimenea.

man·til·la [mæn'tilə] mantilla *f*.

man·tle ['mæntl] **1.** manto *m* (*a. fig., zo.*); (*incandescent* ∼) manguito *m* incandescente; **2.** cubrir, ocultar.

man·u·al ['mænjuəl] **1.** □ manual; **2.** manual *m*; ♪ teclado *m* de órgano.

man·u·fac·ture [mænju'fækt∫ə] **1.** fabricación *f*; (*product*) manufactura *f*; **2.** fabricar (*a. fig.*); manufacturar, elaborar.

ma·nure [mə'njuə] estiércol *m*.

man·u·script ['mænjuskript] manuscrito *adj. a. su. m.*

man·y ['meni] **1.** muchos (*a.* ∼ *a*, *a one*); ∼ *a time* muchas veces; ∼ *people* mucha gente *f*; *as* ∼ *as* tantos como; *how* ∼ cuántos; *so* ∼ tantos; *too* ∼ demasiados; **2.** gran número *m*; muchos (*as f*/*pl.*) *m*/*pl.*; *a good* ∼ un buen número (de).

map [mæp] **1.** mapa *m*, carta *f* geográfica; **2.** trazar el mapa (*or* plano) de; *fig.* planear.

ma·ple ['meipl] arce *m*.

map-mak·ing   ['mæp'meikiŋ],

map·ping ['mæpiŋ] cartografía *f*.

mar [mɑː] estropear; desfigurar.

mar·a·schi·no [mɑːrəs'kiːnou] (*liqueur*) marrasquino.

Mar·a·thon ['mærəθən] (*or* ∼ *race*) carrera *f* de Maratón.

ma·raud [mə'rɔːd] merodear.

mar·ble ['mɑːbl] **1.** mármol *m*; canica *f in game*; **2.** marmóreo (*a. fig.*); de mármol; **3.** crispir; jaspear.

March¹ [mɑːt∫] marzo *m*.

march² [∼] **1.** marcha (*a.* ♪, *fig.*); **2.** *v/i.* marchar; caminar con resolución; ∼ *past* desfilar (ante); *v/t. p. etc.* hacer marchar; llevar.

mare [mɛə] yegua *f*.

mar·ga·rine [mɑːdʒə'riːn] margarina *f*.

mar·gin ['mɑːdʒin] margen *mst m* (*a. typ.*, **✝** ∼ *of profit*); reserva *f*; sobrante *m*; ∼ *of error* margen *m* de error; ∼ *of safety* margen *m* de seguridad; *in the* ∼ al margen.

mar·i·gold ['mærigould] caléndula *f*, maravilla *f*.

mar·i·jua·na [mæri'wɑːnə] marihuana *f*.

ma·ri·na [mə'riːnə] dársena *f*; **mar·i·nade** ['mærəneid] **1.** escabeche; **2.** escabechar; marinar.

ma·rine [mə'riːn] **1.** marino, marítimo; **2.** marina *f*; soldado *m* de marina; ∼*s pl.* infantería *f* de marina.

mar·i·o·nette [mæriə'net] marioneta *f*, títere *m*.

mar·i·tal ['mæritl] □ marital; matrimonial; ∼ *status* estado *m* civil.

mar·i·time ['mæritaim] marítimo.

mark¹ [mɑːk] (*coin*) marco *m*.

mark² [∼] **1.** señal *f* (*distinguishing*, *trade*-) marca *f*; impresión *f*; (*trace*) huella *f*; (*stain*) mancha *f*; (*sign*) indicio *m*; (*target*) blanco *m*; (*label*) marbete *m*; *exam*: calificación *f*, nota *f*; distinción *f*, categoría *f*; **2.** *v/t.* señalar; marcar; (*stain*) manchar; notar; apuntar; distinguir; *exam*: dar nota a, calificar; (*label*) rotular; indicar (el precio de); ∼ *down* **✝** rebajar (el precio de); apuntar; *fig.* señalar, escoger; ∼ *off* señalar; separar; definir; jalonar; ∼ *out* trazar; marcar; definir; jalonar; **mark·edly** ['mɑːkidli] marcadamente; notablemente; **'mark·er** marcador *m* (*a. billiards*); ficha *f*; registro *m in book*.

mar·ket ['mɑːkit] **1.** mercado *m*; (*a.* ∼ *place*) plaza *f* (del mercado); **✝** bolsa *f*; *fig.* tráfico *m*, venta *f*; *be in the* ∼

for estar dispuesto a comprar; *black* ~ estraperlo *m*, mercado *m* negro; bolsa *f* negra *S. Am.*; ~ *research* análisis *m* de mercados; *on the* ~ de venta; en la bolsa; *play the* ~ jugar a la bolsa; *ready* ~ fácil salida *f*; **2.** vender, poner a la venta; llevar al mercado; **'mar·ket·a·ble** ☐ vendible, comerciable; **mar·ket·eer** [~'tiə]: *black* ~ estraperlista *m/f*; **mar·ket·ing** venta *f*, comercialización *f*; **'mar·ket price** precio *m* corriente; **'mar·ket re·search** investigación *f* mercológica.

mark·ing ['mɑːkɪŋ] señal *f*, marca *f*; pinta *f on animals*; coloración *f*.

marks·man ['mɑːksmən] tirador (-a *f*) *m*; **'marks·man·ship** buena puntería *f*.

mar·ma·lade ['mɑːməleid] mermelada *f* (de naranjas amargas).

ma·roon¹ [mə'ruːn] **1.** (*color*) marrón *m*; **2.** marrón.

ma·roon² [~] abandonar (en una isla desierta).

mar·quee [mɑː'kiː] entoldado *m*; marquesina *f*.

mar·riage ['mærɪdʒ] matrimonio *m*; (*wedding*) boda(s) *f* (*pl.*), casamiento *m*; *fig.* unión *f*; *by* ~ político; *civil* ~ matrimonio *m* civil; ~ *licence* licencia *f* para casarse; ~ *settlement* capitulaciones *f/pl.*

mar·ried ['mærɪd] *p.* casado; *state etc.* conyugal; *get* ~ casarse (*to* con).

mar·row ['mærou] médula *f* (*or* medula *f*), tuétano *m*; meollo *m* (*a. fig.*); *to the* ~ hasta los tuétanos.

mar·ry ['mæri] *v/t.* (*give or join in marriage*) casar (*to* con); (*take in marriage*) casar(se) con; *fig.* unir; *v/i.* casarse; ~ *into family* emparentar con.

marsh [mɑːʃ] pantano *m*, marjal *m*; marisma *f*; ciénaga *f*; ~ *fever* paludismo *m*.

mar·shal ['mɑːʃəl] **1.** mariscal *m*; maestro *m* de ceremonias; **2.** ordenar; conducir con ceremonia; dirigir; **'marsh·mal·low** ✿ malvavisco *m*; bombón *m* de merengue blando; **'marsh·y** pantanoso.

mar·su·pi·al [mɑː'sjuːpiəl] marsupial *adj. a. su. m.*

mart [mɑːt] emporio *m*; (*auction-room*) martillo *m*.

mar·tial ['mɑːʃəl] ☐ marcial; castrense; ~ *law* ley *f* marcial.

Mar·tian ['mɑːʃn] marciano *adj. a. su. m* (*a f*).

mar·tin ['mɑːtin] *orn.* avión *m*.

mar·ti·net [mɑːtiˈnet] ordenancista *m/f*.

mar·ti·ni [mɑːˈtiːni] cóctel *m* compuesto de ginebra con vermut.

mar·tyr ['mɑːtə] **1.** mártir *m/f*; **2.** martirizar; **'mar·tyr·dom** martirio *m*; **'mar·tyr·ize** martirizar.

mar·vel ['mɑːvəl] **1.** maravilla *f*; prodigio *m*; **2.** maravillarse.

mar·vel·(l)ous ['mɑːviləs] ☐ maravilloso.

Marx·ian ['mɑːksjən] marxista.

Marx·ism ['mɑːksizm] marxismo *m*; **Marx·ist** marxista *adj. a. su. m/f*.

mar·zi·pan [mɑːziˈpæn] mazapán *m*.

mas·ca·ra [mæsˈkɑːrə] tinte *m* para las pestañas.

mas·cot ['mæskət] mascota *f*.

mas·cu·line ['mæskjulin] masculino, varonil.

mash [mæʃ] **1.** mezcla *f*; amasijo *m*; baturrillo *m*; *brewing*: malta *f* remojada; **2.** majar, machacar; mezclar; amasar.

mask [mɑːsk] **1.** máscara *f* (*a. fig.*); careta *f*, antifaz *m*; (*p.*) máscara *m/f*; **2.** enmascarar; ocultar.

mas·och·ism ['mæzəkizm] masoquismo *m*.

ma·son ['meisn] △ cantero *m*, albañil *m*; (*free-*) (*franc*)masón *m*; **'ma·son·ry** albañilería *f*; (*franc*)masonería *f*.

mas·quer·ade [mæskə'reid] **1.** mascarada *f*; (*baile m de*) máscaras *f/pl.*; *fig.* farsa *f*; **2.** enmascararse, ir disfrazado (*as* de).

mass¹ [mæs] *eccl.* misa *f*.

mass² [~] **1.** masa *f* (*a. phys.*); bulto *m* (*informe*); macizo *m of mountains*; montón *m*, gran cantidad *f*; muchedumbre *f*; *the* ~*es pl.* las masas; ~ *meeting* mitin *m* popular; ~ *production* producción *f* en serie; **2.** juntar(se) en masa, reunir(se); concentrar(se).

mas·sa·cre ['mæsəkə] **1.** matanza *f*; carnicería *f*; **2.** hacer una carnicería de, masacrar.

mas·sage ['mæsɑːʒ] **1.** masaje *m*; **2.** dar masaje a.

mas·seur [mæ'sə:] masajista *m*; **mas·seuse** [~z] masajista *f*.

mas·sive ['mæsiv] macizo, sólido.

mass me·di·a ['mæs 'miːdjə] (*press, radio, television etc.*) medios *m* de comunicación en grande escala.

mast [mɑːst] ⚓ mástil *m*, palo *m*, árbol *m*; *radio*: torre *f*.

mas·ter ['mɑːstə] **1.** señor m; amo m of house etc.; (owner) dueño m; (graduate, expert, teacher a. fig.) maestro m; profesor m in secondary school; director m of college; ♣ capitán m; **2.** maestro m; fig. magistral, superior, principal; **3.** dominar (a. fig.); llegar a ser maestro en; vencer; **'mas·ter 'build·er** arquitecto m; maestro m de obras; constructor m; **mas·ter·ful** ['-ful] □ imperioso, dominante; **'mas·ter·ly** magistral; maestro; perfecto; **mas·ter·mind** mente f directora; **'-·piece** obra f maestra; **'-·stroke** golpe m maestro; **'mas·ter·y** maestría f; dominio m; autoridad f.

mas·ti·cate ['mæstikeit] mas(ti)car.

mas·tiff ['mæstif] mastín m; perro m alano.

mast·oid ['mæstɔid] mastoides.

mat [mæt] **1.** estera f; esterilla f; (round) ruedo m; felpudo m at door; salvamanteles m for table; (lace etc.) tapetito m; greña f of hair; **2.** esterar; enmarañar(se), entretejerse.

match¹ [mætʃ] cerilla f, fósforo m, cerillo m S.Am.

match² [~] **1.** igual m/f; compañero (a f) m; pareja f; matrimonio m; sport: partido m; concurso m; good ~ buena pareja f; buen partido m in marriage; **2.** v/t. (pair) emparejar; parear; igualar; competir con; v/i. hacer juego, casar.

match·box ['mætʃbɔks] cajita f de cerillas, fosforera f.

match·less ['mætʃlis] sin par, incomparable; **'match·mak·er** casamentero (a f) m.

mate¹ [meit] chess: **1.** mate m; **2.** dar jaque mate (a).

mate² [~] **1.** compañero m, camarada m; (married) cónyuge m/f, consorte m/f; ♣ primer oficial m, segundo m, piloto m; **2.** casar(se); zo. parear(se), acoplar(se).

ma·te·ri·al [mə'tiəriəl] **1.** □ material, importante, esencial; **2.** material m; (substance) materia f; fig. datos m/pl.; (cloth) tejido m, tela f; ~s pl. material(es) m/pl.; raw ~s materias f/pl. primas; **ma·te·ri·al·ism** materialismo m; **ma·te·ri·al·ize** materializar (-se); realizarse.

ma·ter·nal [mə'tɔːnl] □ materno; affection etc. maternal; **ma·ter·ni·ty** [~niti] maternidad f; ~ benefit subsidio m de natalidad.

math [mæθ] sl. matemática f.

math·e·mat·i·cal [mæθi'mætikl] □ matemático; **math·e·ma·ti·cian** [~mə'tiʃn] matemático m; **math·e·mat·ics** [~'mætiks] mst sg. matemática(s) f(pl.).

mat·i·née ['mætinei] función f de tarde.

ma·tri·arch ['meitriɑːk] matriarca f.

ma·tric·u·late [mə'trikjuleit] matricular(se).

mat·ri·mo·ny ['mætriməni] matrimonio m; vida f conyugal.

ma·trix ['meitriks] matriz f.

ma·tron ['meitrən] matrona f; ~ of honor dama f de honor; **'ma·tron·ly** matronal; respetable; maduro y algo corpulento.

mat·ter ['mætə] **1.** materia f (a. ♣); material m; tema m; asunto m, cuestión f; motivo m; cosa f; printed ~ impresos m/pl.; a ~ of cosa de; obra de; as a ~ of course por rutina; to make ~s worse para colmo de desgracias; for that ~ en cuanto a eso; what ~? ¿qué importa?; what's the ~? ¿qué hay?; what's the ~ with you? ¿qué te pasa?, ¿qué tienes?; **2.** importar; it does not ~ no importa, es igual; what does it ~? ¿qué importa?; **'~-of-'fact** prosaico; práctico, positivista; flemático.

mat·ting ['mætiŋ] estera f.

mat·tres ['mætris] colchón m.

ma·ture [mə'tjuə] **1.** □ maduro (a. ♣); ✝ vencido; **2.** madurar; ✝ vencer; **ma·tu·ri·ty** madurez f.

maud·lin ['mɔːdlin] sensiblero; llorón.

maul [mɔːl] magullar; maltratar.

mau·so·le·um [mɔːsə'liːəm] mausoleo m.

mauve [mouv] (de) color m de malva.

mav·er·ick ['mævərik] res f sin marcar; pol. disidente m.

mawk·ish ['mɔːkiʃ] □ insulso; empalagoso, dulzarrón; sensiblero; **'mawk·ish·ness** sensiblería f etc.

max·im ['mæksim] máxima f; **'max·i·mal** máximo; **max·i·mum** ['-əm] **1.** máximo; **2.** máximo m, máximum m.

May [mei] mayo m; ~ Queen maya f; ♀ ♣ flor f del espino blanco.

may [~] (irr.) poder; ser posible; tener permiso para; I ~ come puede (ser) que yo venga; if I ~ so me lo permites; ~ I come in? ¿se puede (pasar)?; it ~ be that puede ser que, tal vez.

M

11ᵏ

maybe

may·be ['meibiː] quizá(s), tal vez, acaso.

May Day ['meidei] (fiesta *f* del) primero *m* de mayo; **May·day** ¡socorro! (*naves, aviones*).

may·on·naise [meiə'neiz] mayonesa *f*.

may·or [mɛə] alcalde *m*; **'may·or·al** de alcalde; **'may·or·al·ty** alcaldía *f*.

may·pole ['meipoul] mayo *m*.

maze [meiz] laberinto *m*; *fig.* enredo *m*, perplejidad *f*.

me [miː, mi] (*after prp.*) mí; **with ~** conmigo.

mead·ow ['medou] prado *m*; (*big*) pradera *f*; henar *m* for hay.

mea·ger ['miːgə] □ escaso, exiguo, pobre; magro, flaco; **'mea·ger·ness** escasez *f etc.*

meal¹ [miːl] comida *f*.

meal² [~] harina *f* (a medio moler).

meal·time ['miːltaim] hora *f* de comer.

meal·y ['miːli] harinoso, pálido; **'~-mouthed** mojigato.

mean¹ [miːn] □ humilde, pobre; bajo; sórdido; mezquino, tacaño; F malo, desconsiderado.

mean² [~] **1.** medio; **2.** medio *m*; promedio *m*, término *m* medio; Ⓐ media *f*; **~ s** *sg. or pl.* medio(s) *m(pl.)*; manera *f*; **~ s** *pl.* recursos *m/pl.*, medios *m/pl.*, dinero *m*; **by fair ~ s** or foul por las buenas o por las malas; **by ~ s** of por medio de, mediante; **by this ~ s** por este medio, de este modo; **~ s to an end** medio *m* para conseguir un fin.

mean³ [~] (*irr.*) querer decir (*by* con); significar (*to* para); destinar (*for* para); decir en serio; **~ to** *inf.* pensar *inf.*, proponerse.

me·an·der [mi'ændə] serpentear.

mean·ing ['miːniŋ] **1.** □ significativo; **2.** significado *m*, sentido *m*; **what's the ~ of ...?** ¿qué significa ...?; **'mean·ing·less** sin sentido; insignificante; insensato.

mean·ness ['miːnnis] humildad *f*; mezquindad *f*.

mean·time ['miːntaim], **mean·while** ['miːnwail] entretanto, mientras tanto.

mea·sles ['miːzlz] sarampión *m*; **'mea·sly** F pobre, despreciable.

meas·ure ['meʒə] **1.** medida *f* (*a. fig.*); (*rule*) regla *f*; ♩ compás *m*; *parl.* (proyecto *m* de) ley *f*; **made to ~** hecho a medida; **take a p.'s ~** *fig.* tomarle las medidas a una p.; **2.** medir (*a. ~ off*, ~

out); *p.* for height tallar; *p.* for clothes tomar las medidas a; **'meas·ure·ment** medida *f*; medición *f*.

meat [miːt] carne *f*; † comida *f*; *fig.* meollo *m*, sustancia *f*; *cold* ~ fiambre *m*; ~ *ball* albóndiga *f*; ~ *head sl.* tonto *m*; **'meat·y** carnoso; *fig.* sustancioso.

me·chan·ic [mi'kænik] mecánico *m*; **me'chan·i·cal** □ mecánico; maquinal (*a. fig.*); ~ *engineering* ingeniería *f* mecánica; **me·chan·ics** [mi'kæniks] *mst sg.* mecánica *f*; mecanismo *m*, técnica *f*.

mech·a·nism ['mekənizm] mecanismo *m*; *phls.* mecanicismo *m*; **mech·a·nize** ['~naiz] mecanizar.

med·al ['medl] medalla *f*; **me·dal·lion** [mi'dæljən] medallón *m*.

med·dle ['medl] entrometerse (*in* en); meterse (*with* con); **'med·dler** entrometido (*a f*) *m*; **'med·dle·some** ['~səm] □ entrometido.

me·di·a = mass media.

me·di·al ['miːdiəl] □ medial; **'me·di·an** mediano; ~ *strip* faja *f* divisora of highway.

me·di·ate 1. □ ['miːdiit] mediato; **2.** ['miːdieit] mediar (*between* entre, *for* por, *in* en).

med·i·cal ['medikəl] médico; de medicina; medicinal; ~ *board* tribunal *m* médico; ~ *certificate* certificado *m* médico; ~ *corps* cuerpo *m* de sanidad; ~ *student* estudiante *m/f* de medicina; **me'dic·a·ment** medicamento *m*; **'med·i·care** seguros *m/pl.* de enfermedad para los viejos en Estados Unidos.

med·i·cate ['medikeit] medicar; impregnar.

med·i·cine ['medsin] medicina *f*; medicamento *m*; ~ *chest* botiquín *m*; ~ *man* curandero *m*; hechizalero *m*.

me·di·e·val [medi'iːvəl] □ medieval; **me·di'e·val·ist** medievalista *m/f*.

me·di·o·cre [miːdi'oukə] mediano, mediocre; **me·di·oc·ri·ty** [~'ɔkriti] mediocridad *f*, medianía *f* (*a. p.*).

med·i·tate ['mediteit] meditar (*on acc.*); reflexionar (*on* en, sobre).

me·di·um ['miːdiəm] **1.** *pl. a.* **me·dia** ['~diə] medio *m*; (*p.*) médium *m*; **happy ~** justo medio *m*; *through the ~* of por medio de; **2.** mediano, intermedio, regular; **'~-sized** de tamaño medi(an)o.

med·ley ['medli] mezcla *f*, mezcolanza *f*; miscelánea *f*; ♩ popurrí *m*.

merger

meek [mi:k] ☐ manso, dócil, humilde; **'meek·ness** mansedumbre *f.*

meet [mi:t] **1.** [*irr.*] *v/t.* encontrar(se con); (*come across*) tropezar con; (*on arrival*) ir a recibir, esperar; (*become acquainted with*) conocer; (*fight*) batirse con; *sport:* enfrentarse con; *expense* hacer frente a; *go to* ∼ ir al encuentro de; ∼ *a p.* half-way *fig.* partir la diferencia, hacer concesiones a una p.; *v/i.* encontrarse; reunirse; **2.** concurso *m* de cazadores (*or* deportistas).

meet·ing ['mi:tiŋ] reunión *f*; sesión *f*; (*public*) mitin *m*; encuentro *m*; (*by appointment*) cita *f*; ∼ *house* iglesia *f* de disidentes; iglesia *f* de los cuáqueros.

meg·a·cy·cle ['megəsaikl] megaciclo *m*; **meg·a·lo·ma·ni·a** ['∼lou'meinjə] megalomanía *f*; **meg·a·phone** ['∼foun] megáfono *m*; **meg·a·ton** ['∼tʌn] megatón *m*.

mel·an·chol·y ['melənkəli] **1.** melancolía *f*; **2.** melancólico.

mê·lée ['melei] pelea *f* confusa, refriega *f.*

mel·low ['melou] **1.** ☐ maduro, sazonado; *fig.* blando, suave, **2.** madurar(se); suavizar(se); **'mel·low·ness** madurez *f etc.*

me·lo·di·ous [mi'loudjəs] ☐ melodioso; **'mel·o·dra·ma** melodrama *m*; **mel·o·dra·mat·ic** melodramático; **'mel·o·dy** melodía *f.*

mel·on ['melən] melón *m.*

melt [melt] (*snow*) derretir(se); (*metal*) fundir(se); disolver(se); *fig.* ablandar(se); ∼ *away* disolverse.

melt·ing ['meltiŋ] **1.** fusión *f*; derretimiento *m*; **2.** ☐ fundente; **'∼ point** punto *m* de fusión; **'∼ pot** crisol *m* (*a. fig.*).

mem·ber ['membə] miembro *m* (*a. parl.*); socio (*a f*) *m*, individuo *m of society*); *parl.* diputado *m* (*Spanish:* a Cortes); **'mem·ber·ship** calidad *f* de miembro (*or* socio); asociación *f.*

mem·brane ['membrein] membrana *f.*

me·men·to [me'mentou] recuerdo *m.*

mem·oir ['memwa:] memoria *f.*

mem·o·ran·dum [memə'rændəm] apunte *m*, memoria *f.*

me·mo·ri·al [mi'mɔ:riəl] **1.** conmemorativo; monumento *m* (conmemorativo); (*document*) memorial *m*; **me'mo·ri·al·ize** conmemorar; dirigir un memorial a,

mem·o·rize ['meməraiz] aprender de memoria.

mem·o·ry ['meməri] memoria *f.*

men·ace ['menəs] **1.** amenaza *f*; F sujeto *m* peligroso (*or* fastidioso); **2.** amenazar.

me·nag·er·ie [mi'nædʒəri] casa *f* (*or* colección *f*) de fieras.

mend [mend] *v/t.* remendar; componer, reparar; mejorar.

men·di·cant ['mendikənt] mendicante *adj. a. su. m/f*; **men'dic·i·ty** [∼siti] mendicidad *f.*

mend·ing ['mendiŋ] compostura *f*; reparación *f*; (*darning*) zurcidura *f.*

me·ni·al ['mi:niəl] *mst contp.* bajo; servil; doméstico.

men·in·gi·tis [menin'dʒaitis] meningitis *f.*

men·stru·al ['menstruəl] menstrual; **men·stru'a·tion** menstruación *f.*

men·tal ['mentl] ☐ mental; ∼ *arithmetic* cálculo *m* mental; ∼ *derangement* trastorno *m* mental; ∼ *home*, ∼ *hospital* manicomio *m*; ∼ *hygiene* higiene *f* mental; **men·tal·i·ty** [∼'tæliti] mentalidad *f.*

men·tion ['menʃən] **1.** mención *f*; alusión *f*; **2.** mencionar, mentar.

men·u ['menju:] lista *f* (de platos), minuta *f*, menú *m.*

me·ouw [mi'au] **1.** miau *m*; **2.** maullar.

mer·can·tile ['mə:kəntail] mercantil, comercial.

mer·ce·nar·y ['mə:sinəri] ☐ mercenario (✕, *a. su. m*); interesado.

mer·chan·dise ['mə:tʃəndaiz] mercancía(s) *f(pl.)*; géneros *m/pl.*

mer·chant ['mə:tʃent] **1.** comerciante *m/f*, negociante *m*; **2.** mercantil; ♣ mercante; **'mer·chant 'bank** banco *m* mercantil; **'mer·chant·man** buque *m* mercante; **'mer·chant ma·rine** marina *f* mercante.

mer·ci·ful ['mə:siful] ☐ misericordioso, piadoso; clemente.

mer·ci·less ['mə:silis] ☐ despiadado, inhumano; **'∼ness** inhumanidad *f*; crueldad *f.*

mer·cu·ri·al [mə:'kjuəriəl] mercurial; (*changeable*) veleidoso.

mer·cu·ry ['mə:kjuri] mercurio *m.*

mer·cy ['mə:si] misericordia *f*, compasión *f*; clemencia *f*; merced *f*; ∼ *killing* eutanasia *f.*

mere [miə] ☐ mero; simple; solo.

merge [mə:dʒ] *v/t.* unir; refundir; ✝ fusionar; *v/i.* fundirse; ✝ fusionarse; **'merg·er** fusión *f.*

M

me·rid·i·an [mə'ridiən] 1. *geog.*, *ast.* meridiano *m*; mediodía *m*; 2. meridiano.

me·ringue [mə'ræŋ] merengue *m*.

mer·it ['merit] 1. mérito *m*, merecimiento *m*; ~s 🎓 méritos *m/pl.*; circunstancias *f/pl.* (de cada caso); 2. merecer.

mer·maid ['mə:meid] sirena *f*.

mer·ri·ment ['merimənt] alegría *f*.

mer·ry ['meri] □ alegre, regocijado, alborozado; ~ *Christmas!* ¡felices pascuas!; '**~-go-round** tiovivo *m*, caballitos *m/pl.*; '**~-mak·ing** festividades *f/pl.*; alborozo *m*.

me·sa ['meisə] meseta *f*.

mesh [meʃ] 1. malla *f*; ⊕ engran(aj)e *m*; *fig.* (*freq.* ~es) red *f*; 2. *v/i.* engranar (*with* con).

mes·mer·ize ['mezməraiz] hipnotizar.

mess¹ [mes] 1. revoltijo *m*, lío *m*, confusión *f*; suciedad *f*; 2. (*a.* ~ *up*) echar a perder; desordenar; ensuciar.

mess² [~] comida *f*; ✗, ⚓ rancho *m*; '**~-kit** utensilios *m/pl.* de rancho.

mes·sage ['mesidʒ] recado *m*, mensaje *m*.

mes·sen·ger ['mesindʒə] mensajero (*a f*) *m*; mandadero (*a f*) *m*, recadero (*a f*) *m*.

mess·y ['mesi] desarreglado; sucio.

met·a·bol·ic [metə'bɔlik] metabólico; **me·tab·o·lism** metabolismo *m*.

met·al ['metl] 1. metal *m*; *fig.* temple *m*; *fig.* ánimo *m*; ~ *polish* lustre *m* para metales; 2. metálico; **me·tal·lic** [mi'tælik] □ metálico; **met·al·lur·gic, met·al·lur·gi·cal** [~'lə:dʒik(l)] metalúrgico; '**met·al·lur·gy** metalurgia *f*.

met·a·mor·pho·sis [metə'mɔ:fəsis], *pl.* **met·a·mor·pho·ses** [~fəsi:z] metamorfosis *f*.

met·a·phor ['metəfə] metáfora *f*.

met·a·phys·i·cal [metə'fizikl] □ metafísico; **met·a·phys·ics** *mst sg.* metafísica *f*.

mete [mi:t] repartir, distribuir.

me·te·or ['mi:tjə] meteorito *m*; *fig.* meteoro *m*; **me·te·or·ite** ['mi:tjərait] bólido *m*; **me·te·or·o·log·i·cal** [mi:-tjərə'lɔdʒikl] □ meteorológico; **me·te·or·ol·o·gy** meteorología *f*.

me·ter ['mi:tə] 1. contador *m*; medidor *m* *S.Am.*; metro *m*; 2. medir (con contador).

meth·ane ['meθein] metano *m*.

meth·od ['meθəd] método *m*, procedimiento *m*, sistema *m*; orden *m*; **Meth·od·ism** ['meθədizm] metodismo *m*; '**Meth·od·ist** metodista *m/f*; **meth·od·ol·o·gy** [~'dɔlədʒi] metodología *f*.

meth·yl ['meθil] metilo *m*; **meth·yl·at·ed spir·it** ['meθileitid 'spirit] alcohol *m* metilado.

me·tic·u·lous [mi'tikjuləs] □ meticuloso; minucioso.

met·ric ['metrik] métrico; ~ *system* sistema *m* métrico; '**met·rics** *pl. a. sg.* métrica *f*.

me·trop·o·lis [mi'trɔpəlis] metrópoli *f*; **me·tro·pol·i·tan** [metrə'pɔlitən] metropolitano.

met·tle ['metl] ánimo *m*, brío *m*; temple *m*.

mew [mju:] 1. maullido *m* of cat; 2. maullar.

Mex·i·can ['meksikən] mejicano (*in Mexico* mexicano) *adj. a. su. m* (*a f*).

mez·za·nine ['mezəni:n] entresuelo *m*.

mi·cro... ['maikrou] micro...

mi·cro·bi·ol·o·gy [maikroubai'ɔlə-dʒi] microbiología *f*.

mi·cro·bus ['maikroubʌs] microbus *m*; **mi·cro·card** [~.'fi:ʃ] microficha *f*; **mi·cro·cosm** ['~.kɔzm] microcosmo *m*; '**mi·cro·film** microfilm *m*; '**mi·cro·groove** microsurco *m*; '**mi·crom·e·ter** [mai'krɔmitə] micrómetro *m*; '**mi·cro·phone** ['mai-krəfoun] micrófono *m*; **mi·cro·scope** ['~.skoup] microscopio *m*; '**mi·cro·wave** microonda *f*.

mid [mid] medio; '**~·air**: *in* ~ en medio del aire; '**~·day** 1. mediodía *m*; 2. de(l) mediodía.

mid·dle ['midl] 1. centro *m*, medio *m*, mitad *f*; (*waist*) cintura *f*; *in the* ~ *of* en medio de; en pleno; 2. medio, intermedio; de en medio; central; ♀ *Ages* Edad *f* Media; ~ *class(es pl.)* clase *f* media; '**~·aged** de mediana edad, de edad madura; '**~·class** de la clase media; '**~·man** intermediario *m*; corredor *m*; '**~·sized** de tamaño mediano; *p.* de estatura mediana.

mid·dling ['midliŋ] 1. *adj.* mediano, mediocre; 2. *adv.* medianamente.

midg·et ['midʒit] 1. enano (*a f*) *m*; 2. (en) miniatura.

mid·land ['midlənd] del interior, del centro (de un país); '**mid·night** (de) medianoche *f*; *burn the* ~ *oil* quemar-

se las cejas; **mid·riff** ['∿rif] diafragma *m*; **'mid·ship·man** guardia marina *m*; **midst** [midst]: *in the* ∿ *of* entre, en medio de; *in our* ∿ entre nosotros; **'mid·stream**: *in* ∿ en medio de la corriente; **'mid·way 1.** (situado) a mitad del camino; **2.** mitad *f* del camino; avenida *f* central; **'mid·wife** comadrona *f*, partera *f*; **mid·wife·ry** ['midwifri] partería *f*.

might [mait] **1.** fuerza *f*, poder(ío) *m*; *with* ∿ *and main* con todas sus *etc*. fuerzas; **2.** *pret. of* may; podría *etc*.; ser posible; *they* ∿ *arrive today* es posible que lleguen hoy; **might·iness** ['∿inis] fuerza *f*, poder(ío) *m*; grandeza *f*; **'might·y 1.** □ fuerte, potente; F enorme; **2.** *adv.* F muy.

mi·graine ['mi:grein] jaqueca *f*, migraña *f*.

mi·grant ['maigrənt] migratorio.

mi·grate ['mai'greit] emigrar; **mi·gra·to·ry** ['∿grətəri] migratorio.

mike [maik] *sl.* micrófono *m*.

mild [maild] □ suave; manso; blando; apacible; dulce.

mil·dew ['mildju:] **1.** moho *m*; añublo *m on wheat*; **2.** enmohecer(se).

mild·ness ['maildnis] suavidad *f etc.*

mile [mail] milla *f*.

mil(e)·age ['mailidʒ] número *m* de millas; distancia *f* en millas; *approx.* kilometraje *m*.

mile·stone ['mailstoun] piedra *f* miliar(ia); mojón *m*.

mil·i·tant ['militənt] □ militante; belicoso; agresivo; **mil·i·ta·rism** ['∿rizəm] militarismo *m*; **'mil·i·tar·y 1.** □ militar; de guerra; **2.** *the* ∿ los militares; **mi·li·tia** [mi'liʃə] milicia *f*.

milk [milk] **1.** leche *f*; ∿ *diet* régimen *m* lácteo; ∿ *of magnesia* leche *f* de magnesia; **2.** *v/t.* ordeñar; *fig.* chupar; *v/i.* dar leche; **'milk·ing** ordeño *m*; **'milk·ing ma'chine** ordeñadora *f* (mecánica).

milk...: **'∿maid** lechera *f*; **'∿man** lechero *m*; **'∿shake** batido *m* de leche; **'milk·y** lechoso; ♀ *Way* Vía *f* Láctea.

mill¹ [mil] **1.** molino *m*; molinillo *m for coffee etc.*; *(factory)* fábrica *f*; **'∿end** retazo *m* de hilandería; **2.** moler; ⊕ fresar.

mill² [∿] milésimo *m* de dólar.

mil·len·ni·al [mi'leniəl] milenario; **mil'len·ni·um** [∿iəm] milenario *m*, milenio *m*.

mil·le·pede ['milipi:d] miriápodo *m*.

mill·er ['milə] molinero *m*.

mil·les·i·mal [mi'lesiməl] milésimo.

mil·li·gram ['miligræm] miligramo *m*.

mil·li·me·ter ['milimi:tə] milímetro *m*.

mil·li·ner ['milinə] sombrerera *f*, modista *f* (de sombreros).

mil·ling ['milin] molienda *f*; cordoncillo *m of coin*.

mil·lion ['miljən] millón *m*; *three* ∿ *men* tres millones de hombres; **million·aire** [∿'nɛə] millonario (a *f*) *m*; **mil·lionth** ['miljənθ] millonésimo *adj. a. su. m*.

mill...: **'∿ pond** represa *f* de molino, cubo *m*; **'∿stone** piedra *f* de molino, muela *f*.

mil·om·e·ter [mai'lɔmitə] *approx.* cuentakilómetros *m*.

mime [maim] **1.** mimo *m*; pantomima *f*, mímica *f*; **2.** *v/t.* remedar, hacer en pantomima; *v/i.* hacer de mimo.

mim·e·o·graph ['mimiəgra:f] **1.** mimeógrafo *m*; **2.** mimeografiar.

mim·ic ['mimik] **1.** mímico; fingido; **2.** remedador (-a *f*) *m*; **3.** imitar; **'mim·ic·ry** mímica *f*, remedo *m*.

mince [mins] **1.** *v/t.* picar; desmenuzar; *not to* ∿ *matters, not to* ∿ *one's words* no tener pelos en la lengua; *v/i.* andar con pasos menuditos; **2.** carne *f* picada; **'∿meat** (*carne picada con frutas*) cuajado *m*; **'∿ pie** pastel *m* de mincemeat.

mind [maind] **1.** mente *f*; *(intellect)* inteligencia *f*, entendimiento *m*; *(not matter)* espíritu *m*; ánimo *m*; juicio *m*; *(opinion)* parecer *m*; *change one's* ∿ cambiar de opinión, mudar de parecer; *bear (or keep) in* ∿ tener presente, tener en cuenta; *be in one's right* ∿ estar en sus cabales; *make up one's* ∿ resolverse, decidirse (*to* a); determinar (*to inf.*); *it slipped my* ∿ se me escapó de la memoria; *speak one's* ∿ decir su parecer, hablar con franqueza; **2.** *v/t.* (*heed*) fijarse en, hacer caso de; (*bear in* ∿) tener en cuenta; cuidar; *do you* ∿ *the noise?* ¿le molesta el ruido?; *v/i.* tener cuidado; sentir molestia; tener inconveniente; ∿! ¡cuidado!; *never* ∿! ¡no haga Vd. caso!; ¡no importa!; ¡no se preocupe!; **'mind·bend·ing** *sl.* alucinante; **'mind·blow·ing** *sl.* alucinante en exceso; *sl.* deslumbrante *in general sense*; **'mind-bog·gling** des-

M

lumbrante; abrumador; **'mind·ful**
□ atento (*of* a), cuidadoso (*of* de);
'mind·less □ estúpido; negligente
(*of* de).

mine¹ [main] (el) mío, (la) mía *etc.*

mine² [∼] **1.** mina *f* (*a.* ✠, ✗, *fig.*); **2.** *v/t.* extraer; minar (*mst* ✗); ✗, ✠ sembrar minas en; *v/i.* extraer minerales; ✗ minar; **'∼·field** campo *m* de minas; **'∼·lay·er** buque *m* minador; **'min·er** minero *m*.

min·er·al ['minǝrǝl] mineral *adj. a. su. m*; ∼ *water* agua *f* mineral; gaseosa *f*; **min·er·al·o·gy** mineralogía *f*.

mine sweep·er ['mainswi:pǝ] barreminas *m*, dragaminas *m*.

min·gle [miŋgl] mezclar(se) (*in, with* con); asociarse (*with* con).

min·i·a·ture ['minjǝtʃǝ] **1.** miniatura *f*; **2.** diminuto.

mi·ni·com·put·er [minik∂m'pju:tǝr] minicomputadora *f*.

min·i·mal ['minimǝl] mínimo; **'min·i·mize** minimizar, reducir al mínimo; **min·i·mum** ['∼imǝm] **1.** mínimo *m*, mínimum *m*; **2.** mínimo.

min·ing ['mainiŋ] minería *f*; extracción *f*.

min·i·skirt ['mini:skɔ:t] minifalda *f*.

min·i·ster ['ministǝ] **1.** ministro *m*; **2.** ministrar; atender (*to* a); **min·is·te·ri·al** [∼'tiǝriǝl] □ *pol.* ministerial; de ministro.

min·is·tra·tion [minis'treiʃn] ayuda *f*; servicio *m*; **'min·is·try** ministerio *m*; *eccl.* sacerdocio *m*.

mink [miŋk] (piel *f* de) visón *m*.

min·now ['minou] pececillo *m* de agua dulce.

mi·nor ['mainǝ] **1.** menor (*a.* ♪); menor de edad; secundario; **2.** menor *m/f* de edad; *phls.* menor *f*; *univ.* asignatura *f* secundaria; **mi·nor·i·ty** [mai'nɔriti] minoría *f*; (*age*) minoridad *f*.

min·strel ['minstrǝl] juglar *m*, trovador *m*; cantor *m*.

mint¹ [mint] ♀ hierbabuena *f*.

mint² [∼] **1.** casa *f* de moneda; *a* ∼ *of money* un dineral; **2.** sin usar; **3.** acuñar; *fig.* inventar.

mi·nus ['mainǝs] **1.** *prp.* menos; F sin; **2.** *adj.* negativo.

mi·nute [mai'nju:t] diminuto, menudo; **'∼·ly** minuciosamente.

min·ute ['minit] minuto *m*; *fig.* instante *m*, momento *m*; *∼s pl.* acta(s) *f(pl.)*; **'min·ute hand** minutero *m*.

minx [miŋks] picaruela *f*.

mir·a·cle ['mirǝkl] milagro *m*; **mi·rac·u·lous** [mi'rækjulǝs] □ milagroso.

mi·rage ['mira:ʒ] espejismo *m*.

mire ['maiǝ] fango *m*, lodo *m*.

mir·ror ['mirǝ] **1.** espejo *m* (*a. fig.*); *mot.* retrovisor *m*; **2.** reflejar.

mirth [mɔ:θ] regocijo *m*, alegría *f*; hilaridad *f*, risa *f*; **mirth·ful** ['∼ful] □ alegre; reidor.

mis·ad·ven·ture ['misǝd'ventʃǝ] desgracia *f*, accidente *m*.

mis·an·thrope ['mizǝnθroup] misántropo *m*; **mis·an·throp·ic, mis·an·throp·i·cal** [∼'θrɔpik(l)] □ misantrópico; **mis·an·thro·py** misantropía *f*.

mis·ap·ply [misǝ'plai] aplicar mal; abusar de.

mis·ap·pre·hend ['misæpri'hend] entender mal; **'mis·ap·pre·hen·sion** equivocación *f*; concepto *m* erróneo.

mis·ap·pro·pri·ate ['misǝ'prouprieit] malversar.

mis·be·got·(ten) ['misbi'gɔt(n)] bastardo, ilegítimo.

mis·be·have ['misbi'heiv] portarse mal; (*child*) ser malo; **'mis·be'hav·ior** [∼jǝ] mala conducta *f*, mal comportamiento *m*.

mis·be·lief ['misbi'li:f] error *m*; creencia *f* heterodoxa.

mis·cal·cu·late ['mis'kælkjuleit] calcular mal.

mis·car·riage ['mis'kæridʒ] malparto *m*, aborto *m*; malogro *m*; ♀ extravío *m*; **mis'car·ry** malparir, abortar; malograrse.

mis·cel·la·ne·ous [misi'leinjǝs] misceláneo.

mis·cel·la·ny [mi'selǝni] miscelánea *f*.

mis·chance [mis'tʃa:ns] mala suerte *f*; infortunio *m*; accidente *m*.

mis·chief ['mistʃif] daño *m*; mal *m*; malicia *f*; travesura *f*, diablura *f* '∼·**mak·er** enredador (-a *f*) *m*, chismoso (a *f*) *m*.

mis·chie·vous ['mistʃivǝs] dañoso, perjudicial; malo; *child* travieso.

mis·con·ceive [miskǝn'si:v] entender mal, formar un concepto erróneo de.

mis·con·duct ['mis'kɔndǝkt] mala conducta *f*; adulterio *m*.

mis·con·strue [miskǝn'stru:] interpretar mal.

mis·count ['mis'kaunt] **1.** contar mal; **2.** cuenta *f* errónea.

mis·date ['mis'deit] fechar erróneamente.

mis·deed ['mis'di:d] malhecho *m*, delito *m*.

mis·de·mean·or ['misdi'mi:nə] mala conducta *f*; ⚖ delito *m* de menor cuantía.

mis·di·rect ['misdi'rekt] dirigir mal; extraviar.

mi·ser ['maizə] avaro (a *f*) *m*.

mis·er·a·ble ['mizərəbl] □ triste; miserable; lastimoso; despreciable.

mi·ser·ly ['maizəli] avariento, tacaño.

mis·er·y ['mizəri] sufrimiento *m*, aflicción *f*; infelicidad *f*; miseria *f*.

mis·fire ['mis'faiə] 1. falla *f* de tiro (*mot.* de encendido); 2. fallar.

mis·fit ['misfit] cosa *f* mal ajustada; (*p.*) inadaptado (*m*).

mis·for·tune [mis'fɔ:tʃn] desgracia *f*, infortunio *m*, desventura *f*.

mis·giv·ing ['mis'givin] recelo *m*.

mis·guide ['mis'gaid] dirigir mal; aconsejar mal.

mis·han·dle ['mis'hændl] manejar mal; maltratar.

mis·hap ['mishæp] contratiempo *m*.

mish·mash ['miʃmæʃ] baturrillo *m*; mezcolanza *f*.

mis·in·form ['misin'fɔ:m] informar mal, dar informes erróneos a.

mis·in·ter·pret ['misin'tə:prit] interpretar mal.

mis·judge ['mis'dʒʌdʒ] juzgar mal.

mis·lay [mis'lei] [*irr.* (*lay*)] extraviar, perder.

mis·lead [mis'li:d] [*irr.* (*lead*)] extraviar; despistar; engañar; **mis'lead·ing** engañoso.

mis·man·age ['mis'mænidʒ] administrar mal, manejar mal; **'mis'man·age·ment** mala administración *f*, desgobierno *m*.

mis·no·mer ['mis'noumə] nombre *m* equivocado (*or* inapropiado).

mis·place [mis'pleis] colocar mal; poner fuera de su lugar; extraviar.

mis·print ['mis'print] 1. error *m* de imprenta; 2. imprimir mal.

mis·pro·nounce ['misprə'nauns] pronunciar mal.

mis·quote [mis'kwout] citar mal.

mis·read ['mis'ri:d] leer mal.

mis·rep·re·sent ['misrepri'zent] falsificar; describir engañosamente; **'mis·rep·re·sen'ta·tion** falsificación *f*; descripción *f* falsa.

mis·rule ['mis'ru:l] 1. desgobierno *m*; desorden *m*; 2. desgobernar.

miss¹ [mis] señorita *f*; muchacha *f*.

miss² [~] 1. tiro *m* errado; (*mistake*) desacierto *m*; (*failure*) malogro *m*, fracaso *m*; 2. *v/t. aim, target, vocation* errar; *chance, train etc.* perder; *solution* no acertar; (*regret absence of*) echar de menos; (*overlook*) pasar por alto; *v/i.* errar el blanco; fallar, salir mal; *mot.* ratear.

mis·sal ['misəl] misal *m*.

mis·shap·en ['mis'ʃeipən] deforme.

mis·sile ['misl] proyectil *m*; arma *f*; arrojadiza.

miss·ing ['misin] ausente; perdido; ✕ desaparecido; be ~ faltar.

mis·sion ['miʃn] misión *f*; **'mis·sion·ar·y** misionero *adj. a. su. m* (a *f*).

mis·spell ['mis'spel] [*irr.* (*spell*)] deletrear (*or* escribir) mal; **'mis'spell·ing** error *m* de ortografía.

mis·spend ['mis'spend] malgastar, desperdiciar, perder.

mis·state ['mis'steit] relatar mal.

mist [mist] niebla *f*; (*low*) neblina *f*; bruma *f* at sea; (*slight*) calina *f*.

mis·tak·a·ble [mis'teikəbl] confundible, equívoco; **mis·take** [~'teik] 1. *v/t.* entender mal; confundir, equivocar(se en); be ~n engañarse; equivocarse (*for* con); *v/i.* ⚒ equivocarse; 2. equivocación *f*, error *m*; falta *f* in exercise; by ~ por equivocación; sin querer; **mis'tak·en** □ equivocado; erróneo, incorrecto.

mis·ter ['mistə] señor *m* (*abbr.* **Mr.**).

mis·tle·toe ['misltou] muérdago *m*.

mis·trans·late ['mistræns'leit] traducir mal.

mis·tress ['mistris] ama *f* de casa; dueña *f*; maestra *f* (de. escuela); amante *f*, querida *f*.

mis·tri·al [mis'traiəl] ⚖ pleito *m* o juicio *m* viciado de nulidad.

mis·trust ['mis'trʌst] 1. desconfiar de; 2. desconfianza *f*, recelo *m*; **'mis'trust·ful** [~ful] □ receloso.

mist·y ['misti] □ nebuloso, brumoso; *fig.* vaporoso; **'~·ness** nebulosidad *f*.

mis·un·der·stand ['misʌndə'stænd] entender mal, comprender mal; **'mis·un·der'stand·ing** equivocación *f*; malentendido *m*.

mis·use 1. ['mis'ju:z] emplear mal; maltratar; 2. ['~'ju:s] abuso *m*; maltratamiento *m*.

mite [mait] (*coin*) ardite *m*; pizca *f*.

mi·ter ['maitə] **1.** mitra *f*; ⊕ inglete *m*; ~ **box** caja *f* de ingletes; ~ **joint** ensambladura *f* de inglete; ~ **joint** ingletear. **2.** ⊕

mit·i·gate ['mitigeit] mitigar.

mitt [mit] guante *m* forreado; *sl.* mano *f*; **'mit·ten** mitón *m*, guante *m* con solo el pulgar separado.

mix [miks] mezclar, mixturar; *flour, plaster etc.* amasar; *drinks* preparar; *salad* aderezar; combinar; confundir; ~ed mixto; mezclado; *v/i.* mezclarse; (*p.*) asociarse; (*get on well*) llevarse bien; **mix·ture** ['~tʃə] mezcla *f*, mixtura *f*; **'mix-'up** confusión *f*; F lío *m*, enredo *m*.

moan [moun] **1.** gemido *m*, quejido *m*; **2.** gemir; F quejarse.

mob [mɔb] **1.** gentío *m*, muchedumbre *f*; *b.s.* chusma *f*; **2.** atropellar.

mo·bile ['moubil] móvil, movible; **mo·bil·i·ty** [mou'biliti] movilidad *f*; **'mo·bi·lize** movilizar.

mob·ster ['mɔbstə] *sl.* gángster *m*; panderillero *m*.

moc·ca·sin ['mɔkəsin] mocasín *m*.

mock [mɔk] **1.** fingido, simulado; burlesco; **2.** *v/t.* burlarse de, mofarse de; (*mimic*) remedar; *v/i.* mofarse (*at de*); **'mock·er** mofador (-a *f*) *m*; **'mock·er·y** mofa *f*, burla *f*; hazmerreír *m*; parodia *f*; **'mock-'he·ro·ic** heroicocómico; **'mock-up** maqueta *f*, modelo *m* en escala natural.

mod·al ['moudl] □ modal.

mode [moud] modo *m* (*a. phls.*, ♪); manera *f*; (*fashion*) moda *f*.

mod·el ['mɔdl] **1.** modelo *m* (*a. fig.*); ▲ maqueta *f*; (*fashion*) ~ modelo *m*/*f*; *attr.* modelo; **2.** *v/t.* modelar (*on sobre*); planear (*after, on según*); *v/i.* servir de modelo.

mod·er·ate 1. ['mɔdərit] □ moderado (*pol. a. su. m*); mediocre; *price* módico; **2.** ['~reit] moderar(se), templar(se).

mod·ern ['mɔdən] **1.** moderno, **2.:** *the* ~*s pl.* los modernos; **'mod·ern·ism** modernismo *m*; **'mod·ern·ize** modernizar(se).

mod·est ['mɔdist] □ modesto; moderado; **'mod·es·ty** modestia *f*.

mod·i·fi·a·ble ['mɔdifaiəbl] modificable; **mod·i·fy** ['~fai] modificar (-se).

mod·ish ['moudiʃ] de moda, elegante.

mod·u·late ['mɔdjuleit] modular; **mod·u·la·tion** modulación *f*; *radio:*

---

frequency ~ modulación *f* de frecuencia.

mo·hair ['mouhɛə] moer *m*.

Mo·ham·med·an [mou'hæmidən] mahometano *adj. a. su. m* (a *f*).

moist [mɔist] húmedo; mojado; **mois·ten** ['mɔisn] humedecer(se); mojar(se); **'moist·ness, mois·ture** ['~tʃə] humedad *f*.

mo·lar ['moulə] molar *m*, muela *f*.

mo·las·ses [mə'læsiz] melaza(s) *f*(*pl.*).

mold [mould] *v.* mo(u)ld.

mole [moul] *zo.* topo *m*; (*spot*) lunar *m*; ⚓ mola *f*.

mol·e·cule ['mɔlikjuːl] molécula *f*.

mole·hill ['moulhil] topera *f*; *make a mountain out of a* ~ hacer de una pulga un elefante.

mo·lest [mou'lest] importunar; molestar; **mo·les·ta·tion** [moules'teiʃn] importunidad *f*; molestia *f*.

moll [mɔl] *sl.* amiga *f*, ramera *f*.

mol·li·fy ['mɔlifai] apaciguar, mitigar.

mol·ly·cod·dle ['mɔlikɔdl] **1.** niño *m* mimado; marica *m*; **2.** mimar.

mo·ment ['moumənt] momento *m*; instante *m*; importancia *f*; *at any* ~ de un momento a otro; **'mo·men·tar·y** □ momentáneo; **mo·men·tous** [~'mentəs] □ grave, trascendental, de suma importancia; **mo'men·tum** [~təm] *phys.* momento *m*; ímpetu *m*.

mon·arch ['mɔnək] monarca *m*; **mon·arch·ism** ['mɔnəkizm] monarquismo *m*; **mon·arch·y** ['~ki] monarquía *f*.

mon·as·ter·y ['mɔnəstri] monasterio *m*; **mon·as·ti·cism** monacato *m*; monaquismo *m*.

Mon·day ['mʌndi] lunes *m*.

mon·e·tar·y ['mʌnitəri] monetario.

mon·ey ['mʌni] dinero *m*; plata *f* esp. *S.Am.*; (*coin*) moneda *f*; *make* ~ ganar dinero; (*business*) dar dinero; **'~·chang·er** cambista *m*/*f*; **mon·eyed** ['mʌnid] adinerado.

mon·ey...: '~ **grub·ber** avaro (a *f*) *m*; '~·**lend·er** prestamista *m*/*f*; '~'**mar·ket** mercado *m* monetario; '~ **'or·der** *approx.* giro *m* postal.

mon·ger ['mʌŋgə] traficante *m*/*f*.

Mon·gol ['mɔŋgɔl], **Mon·go·lian** [~'gouljən] **1.** mogol *adj. a. su. m* (-a *f*); **2.** (*language*) mogol *m*.

mon·grel ['mʌŋgrəl] **1.** perro *m* callejero; mestizo (a *f*) *m*; **2.** mestizo.

mon·i·tor ['mɔnitə] **1.** *school:* moni-

tor *m*; *radio*: (*p.*) escucha *m/f*; **2.** vigilar; regular.

monk [mʌŋk] monje *m*.

mon·key ['mʌŋki] **1.** mono (a *f*) *m*, mico (a *f*) *m*; *fig.* diablillo *m*; F ~ *business* trampería *f*, malas mañas *f/pl.*; **2.** F hacer payasadas; ~ (*about* *with*) manosear; meterse con; '~ **shine** *sl.* monada *f*; '~ **wrench** ⊕ llave *f* inglesa.

monk·ish ['mʌŋkiʃ] *mst contp.* frailuno, de monje.

mo·no... ['mɔnou] mono...; **mon·o·chrome** ['mɔnəkroum] monocromo *adj. a. su. m*; **mon·o·cle** ['mɔnəkl] monóculo *m*; **mo·nog·a·my** [~gəmi] monogamia *f*; **mon·o·gram** ['mɔnəgræm] monograma *m*; **mon·o·graph** ['~grɑːf] monografía *f*; **mon·o·lith** ['mɔnəliθ] monolito *m*; **mon·o·logue** ['mɔnələg] monólogo *m*; **mon·o·ma·ni·a** ['mɔnou'meiniə] monomanía *f*; **mon·o·plane** ['mɔnəplein] monoplano *m*; **mo·nop·o·list** [mə'nɔpəlist] monopolista *m/f*; acaparador (-a *f*) *m*; **mo·nop·o·lize** [~laiz] monopolizar; acaparar (*a. fig.*); **mo·nop·o·ly** monopolio *m*; **mon·o·syl·lab·ic** ['mɔnəsi'læbik] □ *word* monosílabo; monosilábico; **mon·o·syl·la·ble** ['~ləbl] monosílabo *m*; **mon·o·the·ism** ['mɔnouθiːizm] monoteísmo *m*; **mon·o·tone** ['mɔnətoun] monotonía *f*; **mo·not·o·nous** [mə'nɔtənəs] □ monótono; **mo·not·o·ny** [~təni] monotonía *f*.

mon·soon [mɔn'suːn] monzón *m or f*.

mon·ster ['mɔnstə] monstruo *m*.

mon·stros·i·ty [mɔns'trɔsiti] monstruosidad *f*; '**mon·strous** □ monstruoso.

month [mʌnθ] mes *m*; *100 pesetas a* ~ 100 pesetas mensuales, '**month·ly 1.** mensual(mente); **2.** revista *f* mensual.

mon·u·ment ['mɔnjumənt] monumento *m*.

moo [muː] **1.** mugido *m*; **2.** mugir.

mooch [muːtʃ] pedir de gorra; F ~ *about* vagar, haraganear.

mood[1] [muːd] *gr.* modo *m*.

mood[2] [~] humor *m*; capricho *m*; *be in a good* (*bad*) ~ estar de buen (mal) humor.

mood·y ['muːdi] □ de mal humor; melancólico; caprichoso.

moon [muːn] luna *f*; *poet.* mes *m*; '~**beam** rayo *m* de luna; '**moon·light 1.** luz *f* de la luna; **2.** tener

empleo segundo; '~**shine** F pamplinas *f/pl.*, música *f* celestial; F licor *m* destilado ilegalmente; '~**shin·er** F fabricante *m* de licor ilegal.

Moor[1] [muə] moro (a *f*) *m*.

moor[2] [~] páramo *m*, brezal *m*.

moor[3] [~] ⚓ *v/t.* amarrar; *v/i.* echar las amarras.

moor·ings ['muəriŋz] *pl.* ⚓ amarras *f/pl.*; (*place*) amarradero *m*.

Moor·ish ['muəriʃ] moro; △ *etc.* árabe.

moose [muːs] alce *m* de América.

moot [muːt]: ~ *point*, ~ *question* punto *m* discutible.

mop [mɔp] **1.** fregasuelos *m*; mata *f*, greña *f* of hair; **2.** fregar; limpiar.

mope [moup] estar abatido (*or* aburrido); andar alicaído.

mo·ped ['mouped] moto *f*.

mo·raine [mɔ'rein] *geol.* morena *f*.

mor·al ['mɔrəl] **1.** □ moral, ético; virtuoso; **2.** moraleja *f*; ~ *pl.* moral *f*; moralidad *f*; costumbres *f/pl.*; **mo·rale** [mɔ'rɑːl] estado *m* de ánimo; **mor·al·ist** ['mɔrəlist] moralista *m/f*; moralizador (-a *f*) *m*; **mo·ral·i·ty** [mɔ'ræliti] moralidad *f etc.*; **mor·al·ize** ['mɔrəlaiz] moralizar.

mor·a·to·ri·um [mɔrə'tɔːriəm] moratoria *f*.

mor·bid ['mɔːbid] □ mórbido, morboso; *mind* malsano, enfermizo; **mor·bid·i·ty** morbosidad *f*.

mor·dant ['mɔːdənt] mordaz.

more [mɔː] *adj., adv., su.* más; ~ *and* ~ cada vez más; ~ *or less* (poco) más o menos; *no* (*or not any*) ~ ya no, no más; *the* ~ ... *the* ~ ... cuanto más ... (tanto) más ...

more·o·ver [mɔː'rouvə] además (de eso), por otra parte.

morgue [mɔːg] depósito *m* de cadáveres.

mor·i·bund ['mɔribʌnd] moribundo.

Mor·mon ['mɔːmən] **1.** mormón (-a *f*) *m*; **2.** mormónico.

morn·ing ['mɔːniŋ] **1.** mañana *f*; *good* ~! ¡buenos días!; *in the* ~ por la mañana; *at 6 o'clock in the* ~ a las 6 de la mañana; *to-morrow* ~ mañana por la mañana; **2.** matutino, matinal, de (la) mañana.

Mo·roc·can [mə'rɔkən] marroquí *adj. a. su. m/f*, marrueco *adj. a. su. m* (a *f*).

mo·ron ['mɔːrɔn] imbécil *m/f*.

mo·rose [mə'rous] □ malhumorado, sobrio,

morphine

mor·phine [ˈmɔːfiːn] morfina f.

mor·phol·o·gy [mɔːˈfɔlədʒi] morfología f.

mor·sel [ˈmɔːsəl] pedazo m; bocado m.

mor·tal [ˈmɔːtl] □ mortal adj. a. su. m/f; **mor·tal·i·ty** [mɔːˈtæliti] mortalidad f; mortandad f.

mor·tar [ˈmɔːtə] mortero m (a. ✕).

mort·gage [ˈmɔːgidʒ] 1. hipoteca f; 2. hipotecar; **mort·ga·gee** [~gəˈdʒiː] acreedor (-a f) m hipotecario (a); **mort·ga·gor** [~gəˈdʒɔː] deudor (-a f) m hipotecario (a).

mor·ti·cian [mɔːˈtiʃn] director m de pompas fúnebres.

mor·ti·fi·ca·tion [mɔːtifiˈkeiʃn] mortificación f; humillación f.

mor·ti·fy [ˈmɔːtifai] v/t. mortificar; humillar; v/i. ✠ gangrenarse.

mor·tu·ar·y [ˈmɔːtjuəri] 1. depósito m de cadáveres; 2. mortuorio.

mo·sa·ic¹ [məˈzeiik] mosaico m.

Mo·sa·ic² [~] mosaico.

Mos·lem [ˈmɔzlem] musulmán adj. a. su. m (-a f); islámico.

mosque [mɔsk] mezquita f.

mos·qui·to [məsˈkiːtou], pl. **mos·ʼqui·tos** [~z] mosquito m.

moss [mɔs] musgo m; geog. pantano m; **ʼmoss·y** musgoso.

most [moust] 1. adj. □ más; la mayor parte de; los más, la mayoría de; 2. adv. más; muy, sumamente; de lo más; ~ of all sobre todo; a ~ interesting book un libro interesantísimo; 3. su. la mayor parte; el mayor número, los más.

most·ly [ˈmoustli] por la mayor parte; principalmente; en general.

mo·tel [mouˈtel] motel m.

moth [mɔθ] mariposa f (nocturna); polilla f in clothes etc.; **ʼ~·ball** bola f de naftalina; **ʼ~·eat·en** apolillado.

moth·er [ˈmʌðə] 1. madre f; attr. madre, maternal, materno; ♀ Church la santa madre iglesia; iglesia f metropolitana; 2. servir de madre a; mimar; animal ahijar; **ʼmoth·er·hood** [ˈ~hud] maternidad f; madres f/pl.; **ʼmoth·er-in-law** suegra f; **ʼmoth·er·land** (madre) patria f; **ʼmoth·er·less** huérfano de madre, sin madre; **ʼmoth·er·ly** maternal; **ʼ~-of-ʼpearl** 1. nácar m; 2. nacarado; **ʼ~ tongue** lengua f materna; lengua f madre.

mo·tif [mouˈtiːf] ♪, art: motivo m; tema m; sew. adorno m.

mo·tion [ˈmouʃn] 1. movimiento m; ⊕ marcha f, operación f; ⊕ mecanismo m; parl. moción f; ademán m; señal f; (set) in ~ (poner) en marcha; 2. v/t. indicar a una p. con la mano etc. (to inf. que subj.); v/i. hacer señas; **ʼmo·tion·less** inmóvil; **ʼmo·tion pic·ture** 1. película f; 2. cinematográfico.

mo·ti·vate [ˈmoutiveit] motivar.

mo·tive [ˈmoutiv] 1. motivo m; 2. motor, motivo; motriz.

mot·ley [ˈmɔtli] 1. abigarrado; vario; 2. botarga f; mezcla f.

mo·tor [ˈmoutə] 1. motor m; 2. motor; ~ ship, ~ vessel motonave f; 3. ir (or viajar) en automóvil; **ʼ~·bike** F moto f; **ʼ~·boat** gasolinera f, motora f, motorbote m; **ʼ~ ʼbus** autobús m; **ʼ~·cade** [ˈ~keid] caravana f de automóviles; **ʼ~ coach** autocar m; **ʼ~·cy·cle** moto(cicleta) f; **mo·tor·ing** [ˈmoutəriŋ] automovilismo m; **ʼmo·tor·ist** automovilista m/f; **mo·tor·i·za·tion** [~raiˈzeiʃn] motorización f; **ʼmo·tor·ize** motorizar; **ʼmo·tor launch** lancha f (or canoa f) automóvil; **ʼ~·man** ⑥ conductor m (de locomotora eléctrica); **ʼ~ ʼscoot·er** vespa f; motoneta f.

mot·tled [ˈmɔtld] jaspeado, abigarrado.

mot·to [ˈmɔtou], pl. **mot·toes** [ˈ~z] lema m; heraldry: divisa f.

mo(u)ld¹ [mould] mantillo m; (fungus) moho m; (iron ~) mancha f de orín.

mo(u)ld² [~] 1. molde m; cosa f moldeada; fig. carácter m; 2. moldear; vaciar; amoldar (a. fig.).

mo(u)ld·er [~] (a. ~ away) desmoronarse; convertirse en polvo.

mo(u)ld·ing [ˈmouldiŋ] amoldamiento m; vaciado m; △ moldura f.

mo(u)ld·y [ˈmouldi] mohoso, enmohecido; fig. rancio, anticuado.

moult [moult] mudar (la pluma).

mound [maund] montón m; montículo m; terraplén m.

mount [maunt] 1. poet. a. geog. monte m; engaste m of jewel; base f; 2. v/t. montar (a. ⊕); (climb) subir; (get on to) subir a (or en); poner a caballo; jewel engastar; v/i. subir a caballo; montar(se); aumentar.

moun·tain [ˈmauntin] 1. montaña f; (pile) montón m; ~ chain cordillera f; ~ range sierra f; 2. montañés, de montaña; **moun·tain·eer** [~iˈniə]

montañés (-a f) m; montañero (a f) m, alpinista m/f; **moun·tain'eer·ing** 1. montañismo m; alpinismo m; 2. montañero; **'moun·tain·ous** montañoso; fig. enorme.

mount·ing ['mauntiŋ] montadura f; ⊕ montaje m; base f.

mourn [mɔːn] v/t. llorar (la muerte de); lamentar; v/i. lamentarse; estar de luto; **mourn·ful** ['ˌful] □ triste, lastimero; **'mourn·ful·ness** tristeza f, melancolía f.

mourn·ing ['mɔːniŋ] 1. luto m, duelo m; lamentación f; be in ~ estar de luto; 2. de luto.

mouse 1. [maus] (pl. mice) ratón m; 2. [mauz] cazar ratones; **'mouse·trap** ratonera f.

mous·tache [məs'tɑːʃ] bigote(s) m(pl.), mostacho m.

mous·y ['mausi] tímido.

mouth [mauθ] 1. boca f (a. fig.); (des)embocadura f of river; boquilla f of wind-instrument; 2. [mauð] v/t. pronunciar (con rimbombancia), proferir; v/i. hablar exagerando los movimientos de la boca; **mouth·ful** ['ˌful] bocado m; **'ˌor·gan** armónica f (de boca); **'ˌpiece** boquilla f; teleph. micrófono m; fig. portavoz m; **'ˌwash** enjuague m; **'ˌwa·ter·ing** apetitoso.

mov(e)·a·ble ['muːvəbl] 1. movible; 2. ~s pl. bienes m/pl. muebles.

move [muːv] 1. v/t. mover; poner en marcha; trasladar from one place to another; house mudar de; emotion: conmover, enternecer; ⊕ proponer; v/i. moverse; trasladarse; caminar; ponerse en marcha; menearse; mudar de casa; ~ forward avanzar; ~ in instalarse (en); ~ out salir; abandonar la casa; ~ up ascender, subir; 2. movimiento m; paso m; acción f; maniobra f; game: jugada f; mudanza f of house; F get a ~ on menearse, darse prisa; F get a ~ on! ¡anda, espabílate!; **'move·ment** movimiento m (a. fig.); ⊕ mecanismo m; juego m; ♪ tiempo m; ⚥ defecación f; ✝ actividad f; **'mov·er** movedor (-a f) m; móvil m; (proposer) autor (-a f) m; prime ~ ⊕ máquina f motriz.

mov·ie ['muːvi] F película f; ~s pl. cine m; **'ˌgo·er** aficionado m al cine.

mov·ing ['muːviŋ] □ motor; movedor; movedizo; fig. conmovedor.

mow [mou] [irr.] segar (a. ~ down);

'mow·er segador (-a f) m; **'mow·ing** 1. siega f; 2. segador; **'mow·ing ma·chine** segadora f mecánica; cortacésped m for lawn; **mown** p.p. of mow.

much [mʌtʃ] adj. mucho; adv. mucho; (before p.p.) muy; (almost) casi, más o menos; as ~, so ~ tanto; as ~ again, as ~ more otro tanto más; as ~ as tanto como; how ~ cuánto; think ~ of estimar en mucho; not to think ~ of tener en poco; I thought as ~ ya me lo figuraba; too ~ demasiado.

mu·ci·lage ['mjuːsilidʒ] mucílago m.

muck [mʌk] ✒ estiércol m; suciedad f; F porquería f (a. fig.); **'muck·rak·er** escarbador (-a f) m de vidas ajenas.

mu·cus ['mjuːkəs] moco m, mucosidad f.

mud [mʌd] lodo m, barro m; fango m (a. fig.); sling ~ at F vilipendiar; ~slinger F menospreciador m; stick in the ~ aguafiestas m/f.

mud·dle ['mʌdl] 1. embrollo m, confusión f; F lío m; get into a ~ embrollarse; 2. v/t. embrollar, confundir; v/i. obrar confusamente (or sin ton ni son); ~ through salir del paso sin saber cómo; **'ˌhead·ed** atontado, estúpido; confuso.

muddy ['mʌdi] 1. □ lodoso, fangoso; 2. enlodar; enturbiar.

mud...: **'ˌguard** guardabarros m; **'ˌlark** F galopín m.

muff¹ [mʌf] sport: dejar escapar (la pelota); perder (la ocasión).

muff² [∨∂] manguito m.

muf·fin ['mʌfin] approx. mollete m.

muf·fle ['mʌfl] embozar(se), tapar (-se) (a. ~ up); amortiguar (el ruido de); **'muf·fler** bufanda f; ♪ sordina f; ⊕ silenciador m.

muf·ti ['mʌfti] traje m de paisano; in ~ vestido de paisano.

mug [mʌg] 1. taza f (alta sin platillo); barro m, jarra f of beer; sl. (face) hocico m, jeta f; sl. bruto m; 2. asaltar para robar; **mug·ger** ['mʌgə] ladrón m asaltador.

mug·gy ['mʌgi] húmedo y sofocante.

mu·lat·to [mjuˈlætou] mulato adj. a. su. m (a f).

mul·ber·ry ['mʌlbəri] mora f.

mulch [mʌlʃ] ✒ (cubrir con) estiércol m, paja f y hojas f/pl.

mule [mjuːl] mulo (a f) m; (slipper) babucha f; fig. sujeto m terco.

mul·ish ['mjuːliʃ] □ terco, obstinado.

[M]

mullet 494

mul·let ['mʌlit] (*red*) salmonete *m*.

mul·lion ['mʌljən] 1. △ parteluz *m*; 2. dividir con parteluz.

mul·ti·col·ored ['mʌltikʌləd] multicolor; **mul·ti·far·i·ous** [ˌˈfeəriəs] □ múltiple, vario; **mul·ti·form** ['ˌfɔːm] multiforme; **mul·ti·lat·er·al** [ˌˈlætərəl] □ multilátero; **mul·ti·mil·lion·aire** [ˌˈmiljəˈneə] multimillonario (a *f*) *m*; **mul·ti·ple** ['mʌltipl] 1. múltiple; múltiplo; 2. múltiplo *m*; *lowest common* ~ mínimo común múltiplo *m*; **mul·ti·plex** múltiple; **mul·ti·pli·ca·tion** multiplicación *f*; ~ *table* tabla *f* de multiplicar; **mul·ti·plic·i·ty** [ˌˈplisiti] multiplicidad *f*; **mul·ti·pli·er** [ˌˈplaiə] multiplicador *m*; **mul·ti·ply** [ˌˈplai] multiplicar (-se); **mul·ti·tude** [ˌˈtjuːd] multitud *f*, muchedumbre *f*.

mum·ble ['mʌmbl] mascullar, musitar; hablar entre dientes.

mum·bo jum·bo ['mʌmbou 'dʒʌmbou] F fetiche *m*; conjuro *m*; mistificación *f*; galimatías *m*.

mum·mer ['mʌmə] máscara *m*/*f*; *contp.* comicastro *m*; '**mum·mer·y** momería *f*, mojiganga *f*.

mum·mi·fi·ca·tion [mʌmifiˈkeiʃn] momificación *f*; **mum·mi·fy** ['ˌfai] momificar(se).

mum·my ['mʌmi] momia *f*.

mumps [mʌmps] *sg.* papera *f*, parótidas *f*/*pl*.

munch [mʌntʃ] ronzar.

mu·nic·i·pal [mjuːˈnisipl] □ municipal; **mu·nic·i·pal·i·ty** [ˌˈpæliti] municipio *m*; **mu·nic·i·pal·ize** [ˌaiz] municipalizar.

mu·ni·tions [mjuːˈniʃnz] *pl.* municiones *f*/*pl*.

mu·ral ['mjuərəl] 1. mural; 2. pintura *f* mural.

mur·der ['mɜːdə] 1. asesinato *m*; homicidio *m*; 2. asesinar; *fig.* arruinar, '**mur·der·er** asesino *m*; '**mur·der·ous** □ asesino, homicida; sanguinario; intolerable.

murk·y ['mɜːki] □ oscuro, lóbrego; tenebroso (*a. fig.*).

mur·mur ['mɜːmə] 1. murmullo *m*, murmurio *m* (*a. fig.*); 2. murmurar.

mus·cle ['mʌsl] 1. músculo *m*; *fig.* fuerza *f* muscular; 2.: *sl.* ~ *in* entrar (*or* establecerse) por fuerza (en un negocio ilegal); '**ˌbound** de musculatura desarrollada en exceso.

Muse[1] [mjuːz] musa *f*.

muse[2] [~] meditar, reflexionar.

mu·se·um [mjuːˈziəm] museo *m*.

mush [mʌʃ] gacha(s) *f*(*pl.*); *fig.* disparates *m*/*pl.*; *fig.* sensiblería *f*.

mush·room ['mʌʃrum] 1. seta *f*, hongo *m*; champiñón *m*; 2. crecer rápidamente.

mush·y ['mʌʃi] pulposo, mollar; *fig.* sensiblero.

mu·sic ['mjuːzik] música *f*; F *face the* ~ pagar el pato; '**mu·si·cal** □ músico, musical; ~ *comedy* zarzuela *f*; ~ *instrument* instrumento *m* músico.

mu·sic hall ['mjuːzikhɔːl] teatro *m* de variedades; salón *m* de conciertos.

mu·si·cian [mjuːˈziʃn] músico (a *f*) *m*; '**ˌship** musicalidad *f*.

musk [mʌsk] (olor *m* de) almizcle *m*; ♀ almizcleña *f*; '**ˌdeer** almizclero *m*.

mus·ket ['mʌskit] mosquete *m*; **mus·ket·eer** [ˌˈtiə] mosquetero *m*; '**mus·ket·ry** mosquetes *m*/*pl.*; (*troops*) mosquetería *f*.

musk·y ['mʌski] almizcleño, almizclado.

Mus·lim ['mʌzlim] *v. Moslem.*

mus·lin ['mʌzlin] muselina *f*.

muss [mʌs] F 1. desaliño *m*, confusión *f*; 2. desarreglar.

must[1] [mʌst, məst] deber; tener que; haber de; *probability:* deber (de); I ~ *do it now* tengo que hacerlo ahora; I ~ *keep my word* debo cumplir lo prometido; *he* ~ *be there by now* ya debe (de) estar allí.

must[2] [~] moho *m*.

mus·tache [məsˈtæʃ] *v. moustache.*

mus·tard ['mʌstəd] mostaza *f*; '~ *gas* gas *m* mostaza; '**mus·tard pot** mostacera *f*.

mus·ter ['mʌstə] 1. asamblea *f*; ✕ revista *f*; lista *f*, matrícula *f*; 2. *v/t.* llamar a asamblea; *v/i.* juntarse.

mus·ti·ness ['mʌstinis] moho *m*; ranciedad *f*; '**mus·ty** mohoso; rancio.

mu·ta·bil·i·ty [mjuːtəˈbiliti] mutabilidad *f*; '**mu·ta·ble** □ mudable.

mute [mjuːt] 1. □ mudo; silencioso; 2. mudo (a *f*) *m*; ♪ sordina *f*; 3. poner sordina a; apagar.

mu·ti·late ['mjuːtileit] mutilar.

mu·ti·neer [mjuːtiˈniə] amotinado(r) *m*; '**mu·ti·nous** □ amotinado; turbulento, rebelde; '**mu·ti·ny** 1. motín *m*; 2. amotinarse.

mut·ter ['mʌtə] 1. murmullo *m*; 2. *v/t.* murmurar; *v/i.* murmurar.

mut·ton ['mʌtn] carne *f* de carnero; '~ *chop* chuleta *f* de carnero.

mu·tu·al ['mjuːtjuəl] □ mutuo; F

común; ~ *consent* común acuerdo *m*; ~ *fund* sociedad *f* inversionista mutualista.

muz·zle ['mʌzl] 1. hocico *m*; bozal *m* *for dog*; 2. abozalar; (*gag*) amordazar.

my [mai, *a.* mi] mi(s).

my·op·ic [mai'ɔpik] □ miope *adj. a. su. m/f*; **my·o·pi·a** [ˌ'oupiə], **my·o·py** [ˌ'oupi] miopía *f*.

myr·tle ['mə:tl] arrayán *m*, mirto *m*.

my·self [mai'self] (*subject*) yo mismo, yo misma; *acc., dat.* me; (*after prp.*) mí (mismo, misma).

mys·te·ri·ous [mis'tiəriəs] □ misterioso.

mys·ter·y ['mistəri] misterio *m*; arcano *m*; *thea.* auto *m*, misterio *m*; (*a.* ~ *novel*) novela *f* policíaca; '~ **play** auto *m*; misterio *m*.

mys·tic ['mistik] 1. (*a.* '**mys·ti·cal**) □ místico; 2. místico (*a f*) *m*; **mys·ti·cism** [ˌ'sizm] misticismo *m*, mística *f*; **mys·ti·fi·ca·tion** [ˌfi'keiʃn] mistificación *f*; **mys·ti·fy** [ˌ'fai] dejar perplejo; ofuscar.

myth [miθ] mito *m*; **myth·ic**, **myth·i·cal** ['ˌik(l)] □ mítico; fabuloso.

myth·o·log·ic,   **myth·o·log·i·cal** [miθə'lɔdʒik(l)] □ mitológico; **my·thol·o·gy** [ˌ'θɔlədʒi] mitología *f*.

nab [næb] coger, atrapar, prender.

na·dir ['neidiə] *ast.* nadir *m*; *fig.* punto *m* más bajo.

nag¹ [næg] jaca *f*; *contp.* rocín *m*.

nag² [ˌ] regañar; *fig.* hostigar.

nail [neil] 1. *anat.* uña *f*; ⊕ clavo *m*; *bite one's* ~s comerse las uñas; 2. clavar (*a. fig.*), enclavar; clavetear; **F** coger; '~ **clip·pers** cortauñas *m*; '~ **file** lima para las uñas; '~ **pol·ish** laca *f* de uñas.

na·ïve [nai'i:v] □ ingenuo, cándido, sencillo; **na·ïve·té** [nai'i:vtei] ingenuidad *f etc.*

na·ked ['neikid] desnudo (*a. fig.*), en cueros; obvio; *fig.* desvergonzado; '**na·ked·ness** desnudez *f*.

nam·by-pam·by ['næmbi'pæmbi] 1. soso, ñoño; melindroso; 2. insulseces *f/pl.*

name [neim] 1. nombre *m* (*a. fig.*); (*surname*) apellido *m*; reputación *f*; *b.s.* apodo *m*; título *m of book etc.*; *my* ~ *is* me llamo; *what is your* ~? ¿cómo se llama?; 2. nombrar; designar; (*mention*) mentar; *date, price etc.* fijar, señalar; bautizar *with Christian name*; '**name·less** □ anónimo, sin nombre; *vice* nefando; '**name·ly** *a* saber (*abbr. viz.*); '**name·plate** placa *f* rotulada, letrero *m* con nombre; '**name·sake** tocayo (*a f*) *m*, homónimo (*a f*) *m*.

nan·ny ['næni] **F** niñera *f*; ~ **goat** **F** cabra *f*.

nap¹ [næp] *cloth:* lanilla *f*, flojel *m*.

nap² [ˌ] 1. sueño *m* ligero, dormirela *m*, (*afternoon*) siesta *f*, 2. dormitar.

na·palm ['neipɑ:m] jalea *f* de gasolina.

nape [neip] cogote *m*, nuca *f*.

naph·tha ['næfθə] nafta *f*; **naph·tha·lene** ['ˌli:n] naftaleno *m*, naftalina *f*.

nap·kin ['næpkin] servilleta *f* (*a. table-*~); pañal *m* (*a. baby's* ~); '~ **ring** servilletero *m*.

nar·cis·sus [nɑː'sisəs] narciso *m*.

nar·co·sis [nɑː'kousis] narcotismo *m*; **nar·cot·ic** [ˌ'kɔtik] narcótico *adj. a. su. m*; **nar·co·tize** ['nɑːkətaiz] narcotizar.

nar·rate [næ'reit] narrar, referir, relatar; **nar·ra·tive** ['ˌrətiv] 1. □ narrativo; 2. narrativa *f*, narración *f*.

nar·row ['nærou] 1. □ estrecho (*a. fig.*); *passage etc.* angosto; *p.* de miras estrechas; 2. ~s *pl.* ♣ estrecho *m*; desfiladero *m*; 3. estrechar(se), (en-)angostar(se); '~ **gauge** 🚇 de vía estrecha; '~ **mind·ed** □ intolerante; de miras estrechas; '**nar·row·ness** angostura *f*; intolerancia *f*.

na·sal ['neizl] □ nasal *adj. a. su. f*; **na·sal·i·ty** [ˌ'zæliti] nasalidad *f*; **na·sal·ize** ['ˌzəlaiz] nasalizar.

nas·ty ['nɑːsti] □ sucio, asqueroso; feo; horrible; áspero; **F** peligroso; **F** difícil.

na·tal ['neitl] natal.

na·tion ['neiʃn] nación *f*.

na·tion·al ['næʃnl] □ nacional *adj. a. su. m/f*; ~ *debt* deuda *f* pública; ♀ *Socialism* nacionalsocialismo *m*; **na·tion·al·i·ty** [næʃə'næliti] nacionalidad *f*; **na·tion·al·ize** ['næʃnəlaiz] nacionalizar.

na·tion-wide ['neiʃnwaid] por (or de) toda la nación.

na·tive ['neitiv] **1.** □ nativo (a. ⚒); natural; indígena, originario (to de); **2.** natural m/f; indígena m/f; nacional m/f.

na·tiv·i·ty [nə'tiviti] natividad f; (Christmas) Navidad f; ~ play auto m del nacimiento.

natt·y ['næti] □ F elegante; majo.

na·tu·ral ['nætʃrəl] **1.** □ natural (a. ♪); nativo; innato; p. sencillo, llano; normal; **2.** ♪ nota f natural; ♪ becuadro m; F cosa f de éxito certero; **'nat·u·ral·ism** naturalismo m; **nat·u·ral·ist** naturalista m/f; **nat·u·ral·i·za·tion** [⌐lai'zeiʃn] naturalización f; ~ papers carta f de naturaleza; **'nat·u·ral·ize** naturalizar.

na·ture ['neitʃə] naturaleza f; p.'s temperamento m; (kind) género m, clase f.

naught [nɔːt] nada; cero m; **naughti·ness** [⌐tinis] travesura f etc.; **'naugh·ty** travieso, pícaro; desobediente.

nau·se·a ['nɔːsiə] náusea f, asco m; **nau·se·ate** [⌐sieit] dar asco (a); **'nau·se·at·ing, 'nau·seous** □ nauseabundo; asqueroso.

nau·ti·cal ['nɔːtikl] □ náutico, marítimo; ~ mile milla f marina.

na·val ['neivəl] naval, de marina.

na·vel ['neivəl] ombligo m; '~ **orange** navel m; naranja f umbilicada.

nav·i·ga·ble ['nævigəbl] river etc. navegable; ship etc. gobernable; **nav·i·gate** [⌐geit] navegar; ship marear; **nav·i·ga·tion** navegación f, náutica f; mareaje m; **'nav·i·ga·tor** navegante m.

na·vy ['neivi] marina f de guerra; armada f; ~ blue azul m marino.

Naz·a·rene [næzə'riːn] nazareno adj. a. su. m (a f).

Na·zi ['nɑːtsi] nazi adj. su. m/f; **Nazism** nazismo m.

Ne·a·pol·i·tan [niə'pɔlitən] napolitano adj. a. su. m (a f).

near [niə] **1.** adj. cercano, próximo, inmediato, vecino; relationship estrecho, íntimo; **2.** adv. cerca; ~ at hand a la mano, cerca; **3.** prp. (a. ~ to) cerca de; próximo a, junto a; **4.** acercarse a; **near·by** ['⌐bai] **1.** adj. próximo, cercano; **2.** adv. cerca; **'near·ly** casi, de cerca; aproximadamente; **'near·ness** proximidad f, cercanía f; **'near-**

'sight·ed miope, corto de vista.

neat [niːt] □ pulcro, esmerado, aseado; primoroso; (shapely) bien proporcionado; **'neat·ness** pulcritud f; aseo m.

neb·u·la ['nebjulə] nebulosa f; **'neb·u·lous** □ nebuloso.

nec·es·sar·y ['nesisəri] **1.** □ necesario, preciso, indispensable; **2.** cosa f necesaria, requisito m indispensable; **ne·ces·si·tate** [ni'sesiteit] necesitar, exigir; **ne'ces·si·ty** necesidad f; requisito m indispensable.

neck [nek] **1.** cuello m; pescuezo m of animal; gollete m of bottle; **2.** sl. acariciarse, besruquearse; **'neck·lace** ['⌐lis] collar m; **'neck·tie** corbata f.

ne·crol·o·gy [ne'krɔlədʒi] necrología f; **nec·ro·man·cy** ['nekroumænsi] necromancia f.

nec·tar ['nektə] néctar m.

née [nei] nacida; Rosa Bell, ~ Martin Rosa Martin de Bell.

need [niːd] **1.** necesidad f (for, of de); requisito m; urgencia f; carencia f; if ~ be si fuera necesario; in ~ necesitado; **2.** v/t. necesitar; requerir; exigir; carecer de; deber inf.; tener que inf.; v/i. estar necesitado; **need·ful** ['⌐ful] □ necesario; **'need·i·ness** necesidad f, estrechez f.

nee·dle ['niːdl] **1.** aguja f; **2.** F aguijar; fastidiar; ~ case alfiletero m.

need·less ['niːdlis] innecesario, superfluo, inútil; ~ to say excusado es decir, huelga decir; '⌐**ly** inútilmente.

needs [niːdz] necesariamente; **'need·y** □ necesitado, indigente.

ne'er-do-well ['nɛəduːwel] holgazán m, perdulario m.

ne·gate [ni'geit] negar; anular, invalidar; **neg·a·tive** ['negətiv] **1.** □ negativo; **2.** negativa f; phot. negativo m; gr. negación f; ⚡ electricidad f negativa; **3.** negar; desaprobar; anular.

neg·lect [ni'glekt] **1.** negligencia f, descuido m; abandono m; **2.** descuidar, desatender; abandonar; duty etc. faltar a; ~ to inf. dejar de inf., olvidarse de inf.; **neg'lect·ful** [⌐ful] □ negligente, descuidado.

neg·li·gence ['neglidʒəns] negligencia f, descuido m; **'neg·li·gent** □ negligente, descuidado.

neg·li·gi·ble ['neglidʒəbl] insignificante; despreciable.

ne·go·ti·ate [ni'gouʃieit] v/t. nego-

ciar; gestionar; agenciar; pasar por; **ne·go·ti·a·tion** negociación *f*; gestión *f*; *enter into* ~ *with* entrar en tratos con.

Ne·gri·tude ['negrətuːd] negrura *f*; calidad *f* de ser identificada con la raza negra; **Ne·gro** ['niːgrou] *mst contp.* negro *adj. a. su. m*; **Ne·groid** ['niːgrɔid] negroide.

neigh [nei] **1.** relincho *m*; **2.** relinchar.

neigh·bor ['neibə] **1.** vecino (a *f*) *m*; prójimo *adj. m*; **2.** (*a.* ~ *upon*) colindar con, estar contiguo a; **'neigh·bor·hood** vecindad *f*, vecindario *m*; barrio *m*; **'neigh·bo·ring** vecino, colindante.

nei·ther ['naiðə, 'niːðə] **1.** ninguno (de los dos), ni (el) uno ni (el) otro; **2.** *adv.* ni; ~ ... *nor* ni ... ni; **3.** *conj.* ni; tampoco; ni ... tampoco.

ne·o·lo·gism [niˈɔlədʒizm] neologismo *m*.

ne·on ['niːən] neón *m*, neo *m*; **'~ light** lámpara *f* neón.

ne·o·phyte ['niːoufait] neófito (a *f*) *m*.

neph·ew ['nevjuː] sobrino *m*.

nerve [neːv] nervio *m* (*a. fig.*); (*courage*) valor *m*, ánimo *m*; *sl.* descaro *m*, tupé *m*; **'~ cell** neurona *f*; célula *f* nerviosa; **'nerve-'rack·ing** irritante; exasperante.

nerv·ous ['nəːvəs] □ nerv(i)oso; tímido; ~ *breakdown* crisis *f* nerviosa; **'nerv·ous·ness** nerviosidad *f*, nerviosismo *m*; timidez *f*.

nerv·y ['nəːvi] F nervioso; *sl.* descarado.

nest [nest] **1.** nido *m* (*a. fig.*); nidada *f* *of eggs or young birds*; nidal *m* *of hen*; **2.** anidar; buscar nidos; **'nest egg** nidal *m*; *fig.* ahorros *m/pl.*; **nes·tle** ['nesl] abrigar(se); anidar(se); arrimar(se) (*up to* a).

net¹ [net] **1.** red *f* (*a. fig.*); (*fabric*) tul *m*; redecilla *f* *for hair etc.*; **2.** coger (con red); enredar.

net² [~] ✚ neto, líquido; ~ *income* renta *f* neta; ~ *price* precio *m* neto; ~ *weight* peso *m* neto.

net·tle ['netl] **1.** ortiga *f*; **2.** irritar, provocar.

net·work ['netwəːk] red *f* (*a. fig.*); malla *f*.

neu·ral·gia [njuˈrældʒə] neuralgia *f*; **neu·ras·the·ni·a** [njuərəsˈθiːniə] neurastenia *f*; **neu·ri·tis** [njuˈraitis] neuritis *f*; **neu·rol·o·gist** [~ˈrɔlədʒist] neurólogo *m*; **neu·rol·o·gy** [~ˈrɔlədʒil] neurología *f*; **neu·ron** ['~

rɔn] neurona *f*; **neu·ro·sis** [~ˈrousis] neurosis *f*; **neu·rot·ic** [~ˈrɔtik] □ neurótico *adj. a. su. m* (a *f*).

neu·ter ['njuːtə] neutro.

neu·tral ['njuːtrəl] **1.** □ neutral; ✚, ⚡, ♈ zo. neutro; **2.** neutral *m/f*; *mot. in* ~ en punto muerto; **neu·tral·i·ty** [njuːˈtræliti] neutralidad *f*; **'neu·tral·ize** neutralizar.

neu·tron ['njuːtrɔn] neutrón *m*.

nev·er ['nevə] nunca, jamás; de ningún modo; **'nev·er·more** nunca más; **nev·er·the·less** [~ðəˈles] sin embargo, no obstante, con todo.

new [njuː] **1.** *adj.* nuevo; (*fresh*) fresco; *bread* tierno; *p.* inexperto; F *what's* ~? ¿qué hay de nuevo?; ♈ *Testament* Nuevo Testamento; ♈ *Yorker* neoyorquino (a *f*) *m*; ♈ *Zealander* neozelandés (-a *f*) *m*; **2.** *adv.* recién; **'new·born** recién nacido; **'new·com·er** recién llegado (a *f*) *m*; **new·fan·gled** ['~fæŋgld] *contp.* recién inventado, moderno; **'new·ish** bastante nuevo; **'new·ly** nuevamente, recién; ~ *wed* recién casado; **'new·ness** novedad *f*; inexperiencia *f*.

news *mst sg.* noticia(s) *f*(*pl.*); nueva(s) *f* (*pl.*); radio: noticiario *m*; **~ a·gen·cy** agencia *f* de información; **'~ 'bul·le·tin** (boletín *m* de) noticias *f/pl.*, noticiario *m*; **'~·cast** noticiario *m*; **'~·cast·er** reportero *m* radiofónico; **'~ con·fer·ence** conferencia *f* de prensa; **'~·let·ter** circular *f* noticiera; **'~·pa·per** periódico *m*, diario *m*; *attr.* periodístico; **'~·pa·per·man** periodista *m*; **'~·print** papel *m* prensa; **'~·reel** noticiario *m*, actualidades *f/pl.*; **'~·stand** quiosco *m* de periódicos; **news·y** ['njuːzi] noticioso.

next [nekst] **1.** *adj.* próximo, siguiente; *year etc.* que viene; inmediato; *house etc.* de al lado, vecino; ~ *time* la próxima vez; ~ *week* la semana que viene; **2.** *adv.* luego, inmediatamente, después; ~ *to* junto a, al lado de.

nib·ble ['nibl] (*a.* ~ *at*) mordiscar; (*fish*) picar; *grass* rozar.

nice [nais] □ ameno, agradable; bonito (*a. iro.*); bueno; *p.* simpático, amable; **'~·look·ing** F mono, guapo; **'nice·ness** amenidad *f*, lo bonito, simpatía *f etc.*; **nice·ty** ['~iti] exactitud *f*; sutileza *f*; refinamiento *m*.

niche [nitʃ] nicho *m*.

nick [nik] 1. mella *f*; muesca *f*; 2. mellar, hacer muescas en.

nick·el ['nikl] 1. níquel *m* (*a. moneda de 5 centavos*); 2. niquelar (*a. '~plate*).

nick·name ['nikneim] 1. apodo *m*, sobrenombre *m*, mote *m*; 2. apodar.

nic·o·tine ['nikətiːn] nicotina *f*.

niece [niːs] sobrina *f*.

nif·ty ['nifti] *F* sl. elegante, pera.

nig·gard ['nigəd] tacaño; **'nig·gard·ly** tacaño, avariento.

night [nait] noche *f*; *attr.* nocturno; *at ~, by ~, in the ~* de noche, por la noche; *good ~!* ¡buenas noches!; *last ~* anoche; **'~cap** gorro *m*; *F* resopón *m*; **'~club** cabaret *m*; **'~fall** anochecer *m*; *at ~* al anochecer; **'~gown** camisa *f* de dormir, camisón *m*; **night·in·gale** ['~iŋgeil] ruiseñor *m*; **'night·ly** de noche; (de) todas las noches; **'~mare** pesadilla *f* (*a. fig.*); **'~ school** escuela *f* nocturna; **'~ shift** turno *m* de noche; **'~spot** cabaret; **'~time** noche *f*; **'~ watch(·man)** sereno *m*; guardia *m* de noche.

ni·hil·ism ['naiilizm] nihilismo *m*.

nim·ble ['nimbl] □ ágil, activo.

nine [nain] nueve (*a. su. m*); **nine·teen** ['~'tiːn] diecinueve; **'nine·'teenth** [~θ] decimonoveno, decimonono; **nine·tieth** ['~tiiθ] nonagésimo; **'nine·ty** noventa.

ninth [nainθ] noveno, nono.

nip¹ [nip] 1. pellizco *m*, mordisco *m*; viento *m* frío; 2. pellizcar, mordiscar; helar; (*wind*) picar.

nip² [~] trago *m*, sorb(it)o *m*.

nip³ [~] *F* correr; *~ off* pirarse; *~ in the bud* atajar en el principio.

nip·ple ['nipl] pezón *m*; tetilla *f* of *male or bottle*; ⊕ boquilla *f* roscada, manguito *m* de unión.

nip·py ['nipi] ágil, listo; helado.

nir·va·na [niəˈvɑːnə] nirvana *m*.

nit [nit] liendre *f*.

ni·trate ['naitreit] nitrato *m*.

ni·tric ac·id ['naitrikˈæsid] ácido *m* nítrico.

ni·tro·gen ['naitridʒən] nitrógeno *m*; **ni·tro·glyc·er·in** [naitrouˈglisərin] nitroglicerina *f*.

nit·wit ['nitwit] *sl.* bobalicón *m*.

no [nou] 1. *adv.* no; 2. *adj.* ninguno; *~ one* nadie, ninguno; *with ~* sin; 3. *su.* no *m*; voto *m* negativo.

no·bil·i·ty [nouˈbiliti] nobleza *f*.

no·ble ['noubl] 1. □ noble; hidalgo, caballeroso; sublime; 2. (*a. '~man*)

noble *m*; hidalgo *m*; **'no·ble·ness** nobleza *f*; hidalguía *f*.

no·bod·y ['noubədi] nadie, ninguno; *a ~* un (don) nadie, un cualquiera.

noc·tur·nal [nɔkˈtəːnl] nocturno.

nod [nɔd] 1. menear la cabeza de arriba abajo; cabecear; indicar con la cabeza; 2. cabezada *f*; inclinación *f* de la cabeza.

node [noud] protuberancia *f*; nudo *m*; ♣, *ast.*, *phys.* nodo *m*.

nod·ule ['nɔdjuːl] nódulo *m*.

nog·gin ['nɔgin] vaso *m* pequeño; *medida de licor (= 1,42 decilitros)*; *sl.* cabeza *f*.

noise [nɔiz] 1. ruido *m*; clamor *m*; 2.: *~ about* divulgar, publicar.

noise·less ['~lis] □ silencioso, sin ruido.

nois·i·ness ['nɔizinis] ruido *m*, estrépito *m*; lo ruidoso.

nois·y ['nɔizi] □ ruidoso, estrepitoso, clamoroso.

no·mad ['nɔməd] nómada *adj. a. su. m/f*; **no·mad·ic** [nouˈmædik] □ nómada.

nom·i·nal ['nɔminl] □ nominal; **nom·i·nate** ['~neit] nombrar, proponer como candidato (*for* a); **nom·i·na·tive** ['~nətiv] nominativo *adj. a. su. m*; **nom·i·nee** [~ˈniː] candidato *m* nombrado.

non [nɔn] *in compounds:* no, des..., in..., falta *f* de.

non·ac·cept·ance [nɔnækˈseptəns] rechazo *m*; falta *f* de aceptación.

non·a·ge·nar·i·an [nounədʒiˈneəriən] nonagenário (a *f*) *m*.

non·ag·gres·sion [nɔnəˈgreʃn]: no agresión *f*; *~ pact* pacto *m* de no agresión.

non·al·co·hol·ic [nɔnælkəˈhɔlik] no alcohólico.

non·a·ligned [nɔnəˈlaind] *country* no comprometido *to a major power*.

non·cha·lant [nɔnʃəˈlɑːnt] □ indiferente; descuidado.

non·com·bat·ant ['nɔnˈkɔmbətənt] no combatiente *adj. a. su. m/f*.

non·com·mis·sioned ['nɔnkəˈmiʃənd]: *~ officer* ✕ sargento *m or* cabo *m*; suboficial *m* de marina.

non·com·mit·al ['nɔnkəˈmitl] que no compromete; ambiguo, evasivo.

non·com·pli·ance ['nɔnkəmˈplaiəns] falta *f* de cumplimiento, desobediencia *f* (*with* de).

non·con·form·ist ['nɔnkənˈfɔːmist]

disidente *adj. a. su. m/f;* '**non·con·form·i·ty** disidencia *f.*

non·de·script [ˈnɒndiskript] indefinido, inclasificable; *b.s.* mediocre.

none [nʌn] **1.** *pron.* (*p.*) nadie; (*p.*, *th.*) ninguno; (*th.*) nada; **2.** *adv.* no; de ninguna manera.

non·en·ti·ty [nɔˈnentiti] nulidad *f.*

non·ex·ist·ence [nɒnekˈzistəns] inexistencia *f.*

non·fic·tion [ˈnɒnˈfikʃn] literatura *f* no novelesca.

non·in·ter·ven·tion [ˈnɒnintəˈvenʃn] no intervención *f.*

non·par·ti·san [ˈnɒnˈpɑːtizn] imparcial.

non·plus [ˈnɒnˈplʌs] dejar perplejo, confundir.

non·prof·it(-making) [ˈnɒnˈprɒfit (meikiŋ)] sin fin *m* lucrativo.

non·res·i·dent [ˈnɒnˈrezidənt] transeúnte *adj. a. su. m/f.*

non·sense [ˈnɒnsəns] disparate *m,* desatino *m,* tontería *f; ~!* ¡tonterías!; **non·sen·si·cal** desatinado.

non·shrink [ˈnɒnˈʃriŋk] inencogible.

non·skid [ˈnɒnˈskid] antideslizante.

non·smok·er [ˈnɒnˈsmoukə] no fumador *m.*

non·stop [ˈnɒnˈstɒp] **1.** *adj.* 🚂 directo; ✈ sin escalas; continuo; **2.** *adv.* sin parar.

non·un·ion [nɒnˈjuːnjən] no sindicalizado.

noo·dle [ˈnuːdl] *f* **1.** cabeza *f; cooking:* tallarín *m;* fideo *m; ~ soup* sopa *f* de pastas.

nook [nuk] rincón *m,* escondrijo *m.*

noon [nuːn] **1.** mediodía *m;* **2.** de mediodía, meridional.

noose [nuːs] lazo *m* (corredizo); (*hangman's*) dogal *m.*

nope [noup] F no.

nor [nɔː] ni, no, tampoco; *neither ... ~ ... ni ... ni ...* ni yo tampoco.

Nor·dic [ˈnɔːdik] nórdico.

norm [nɔːm] norma *f;* modelo *m;* '**nor·mal** □ normal (*a.* Ⓐ); regular, corriente.

north [nɔːθ] **1.** norte *m;* **2.** *adj.* del norte, septentrional; **3.** *adv.* norte, hacia el norte; '**~east** noreste *adj. a. su. m;* **north·er·ly** [ˈ~ðəli] *direction* hacia el norte; *wind* del norte; **north·ern** [ˈ~ðən] (del) norte, norteño, septentrional; '**north·ern·er** habitante *m/f* del norte; '**north·ward(s)** hacia el norte; '**~west** noroeste *adj.*

Nor·we·gian [nɔːˈwiːdʒən] noruego *adj. a. su. m* (*a* [f]).

nose [nouz] **1.** nariz *f;* narices *f/pl.* (F); hocico *m of animals;* (*sense of smell*) olfato *m; under the* (*very*) *~ of* en las barbas de; **2.** husmear, olfatear (*a. ~ out*); restregar la nariz contra; '**~cone** cono *m* de proa *of a rocket;* '**~dive** ✈ picado *m* vertical; (*involuntary*) caída *f* de bruces.

no-show [ˈnouˈʃou] F persona *f* que no se presenta cuando debe.

nos·y [ˈnouzi] F curioso.

nos·tal·gi·a [nɒsˈtældʒiə] nostalgia *f,* añoranza *f.*

nos·tril [ˈnɒstril] (ventana *f* de la) nariz *f.*

not [nɒt] no; *~* I yo no; *to say por no decir; why ~?* ¿cómo no?

no·ta·ble [ˈnoutəbl] **1.** □ notable, señalado; **2.** notabilidad *f; ~s pl.* notables *m/pl.*

no·ta·ry [ˈnoutəri] notario *m.*

no·ta·tion [nouˈteiʃn] notación *f.*

notch [nɒtʃ] **1.** muesca *f,* mella *f;* **2.** mellar, cortar muescas en.

note [nout] **1.** nota *f* (*a.* ♪); apunte *m;* marca *f,* señal *f;* (*letter*) esquela *f,* recado *m;* (*bank*) billete *m;* ♦ vale *m; of ~* notable; **2.** notar, observar, anotar, apuntar (*a. ~ down*); '**~book** cuaderno *m,* libro *m* de apuntes, libreta *f;* '**not·ed** conocido, célebre (*for* por); '**note·wor·thy** notable, digno de notarse.

noth·ing [ˈnʌθiŋ] **1.** nada; Ⓐ cero *m,* friolera *f,* nadería *f; sweet ~s pl.* ternezas *f/pl.; ~ else* nada más; *think ~ of* tener en poco; tener por fácil; no hacer caso de; **2.** *adv.* de ninguna manera, en nada; '**noth·ing·ness** nada *f,* inexistencia *f.*

no·tice [ˈnoutis] **1.** aviso *m;* (*poster etc.*) letrero *m,* anuncio *m,* cartel *m;* (*review*) reseña *f;* observación *f,* atención *f; take ~ of* observar, hacer caso de; *until further ~* hasta nuevo aviso; **2.** notar, observar; hacer caso de; advertir, fijarse en.

no·ti·fy [ˈnoutifai] notificar, comunicar, intimar; avisar.

no·tion [ˈnouʃn] noción *f,* idea *f;* capricho *m; ~s pl.* mercería *f.*

no·to·ri·e·ty [noutəˈraiəti] mala fama *f;* notoriedad *f;* **no·to·ri·ous** [nouˈtɔːriəs] □ de mala fama; notorio, célebre (*for* por).

not·with·stand·ing [nɒtwiθˈstændiŋ] **1.** *prp.* a pesar de; **2.** *adv.* no

obstante; **3.** *cj.* a pesar de que.

nought [nɔːt] A cero *m*; nada.

noun [naun] nombre *m*, sustantivo *m*.

nour·ish [ˈnʌriʃ] nutrir, alimentar, sustentar; **'nour·ish·ing** nutritivo, alimenticio; **'nour·ish·ment** nutrimento *m*, alimento *m*.

nov·el [ˈnɔvl] **1.** nuevo, original, insólito; **2.** novela *f*; **'nov·el·ist** novelista *m/f*; **nov·el·ty** [ˈnɔvlti] novedad *f*; ✝ baratija *f*.

No·vem·ber [nouˈvembə] noviembre *m*.

nov·ice [ˈnɔvis] principiante *m/f*.

now [nau] **1.** ahora; ya; *before* ~ antes, ya; *from* ~ *on(ward)* de aquí en adelante; *just* ~ ahora mismo; hace poco; **2.** *cj.* ahora bien, pues; ~ *(that)* ya que.

now·a·days [ˈnauədeiz] hoy en día.

no·way(s) [ˈnouwei(z)] F de ninguna manera.

no·where [ˈnouweə] en (or a) ninguna parte.

nox·ious [ˈnɔkʃəs] □ nocivo, dañoso; pestífero.

nu·cle·ar [ˈnjuːkliə] nuclear; ~ *fission* fisión *f* nuclear, escisión *f* nuclear; ~ *physics* física *f* nuclear; ~-*powered* accionado por la energía nuclear; **nu·cle·us** [ˈnjuːkliəs] núcleo *m*.

nude [njuːd] desnudo *adj. a. su. m*.

nudge [nʌdʒ] **1.** codazo *m* (ligero); **2.** dar una codazo a.

nud·ism [ˈnjuːdizm] desnudismo *m*; **'nu·di·ty** desnudez *f*.

nug·get [ˈnʌgit] pepita *f* (de oro).

nui·sance [ˈnjuːsns] molestia *f*, fastidio *m*; plaga *f*; lata *f* (F).

nuke [nuːk] *sl.* **1.** arma *f* atómica; **2.** atacar con arma atómica.

null [nʌl] nulo, inválido (*a.* ~ *and void*); **nul·li·fy** [ˈ∼ifai] anular, invalidar; **nul·li·ty** nulidad *f* (*a. p.*).

numb [nʌm] **1.** □ entumecido; insensible; **2.** entumecer; entorpecer.

num·ber [ˈnʌmbə] **1.** número *m*; *(figure)* cifra *f*; *a* ~ *of* una porción

de, varios; **2.** numerar; contar; poner número a; *(total)* ascender a; **'num·ber·less** innumerable, sin número.

nu·mer·al [ˈnjuːmərəl] **1.** numeral; **2.** número *m*, cifra *f*, guarismo *m*; **'nu·mer·a·tor** numerador *m*.

nu·mer·i·cal [njuˈmerikl] □ numérico.

nu·mer·ous [ˈnjuːmərəs] □ numeroso; muchos.

nu·mis·mat·ic [njuːmizˈmætik] □ numismático; **nu·mis·mat·ics** *mst sg.* numismática *f*.

num·skull [ˈnʌmskʌl] F zote *m*.

nun [nʌn] monja *f*, religiosa *f*.

nup·tial [ˈnʌpʃəl] **1.** nupcial; **2.** ~*s* [ˈ∼lz] *pl.* nupcias *f/pl*.

nurse [nəːs] **1.** enfermera *f*; nodriza *f*; *(children's)* niñera *f*; **2.** *v/t. sick* cuidar; *child* criar, amamantar; *v/i.* ser enfermera.

nurs·er·y [ˈnəːsri] cuarto *m* de los niños; ✓ criadero *m*, semillero *m*; ~ *school* jardín *m* de la infancia; **'∼ rhyme** canción *f* infantil.

nurs·ing [ˈnəːsin] crianza *f*; profesión *f* de enfermera; ~ *home* casa *f* de inválidos.

nur·ture [ˈnəːtʃə] **1.** nutrición *f*; crianza *f*; **2.** nutrir, alimentar.

nut [nʌt] nuez *f*; ⊕ tuerca *f*; *sl.* cabeza *f*; *sl.* excéntrico *m*; loco *m*; *sl. be* ~*s on* estar loco por.

nut·crack·er [ˈnʌtkrækə] cascanueces *m*; **nut·meg** [ˈ∼meg] nuez *f* moscada.

nut·shell [ˈnʌtʃel] cáscara *f* de nuez; **nut·ty** *sl.* loco.

nuz·zle [ˈnʌzl] hocicar; acariciar con el hocico.

ny·lon [ˈnailɔn] nylón *m*.

nymph [nimf] ninfa *f*.

O

o [ou] ¡oh!, ¡ay!; ~ *that* ...! ¡ojalá (que) ...!

oaf [ouf] zoquete *m*, bobalicón *m*, patán *m*.

oak [ouk] **1.** roble *m*; **2.** de roble.

oa·kum [ˈoukəm] estopa *f*.

oar [ɔː] remo *m*; *(p.)* remero (a *f*) *m*; **oars·man** [ˈɔːzmən] remero *m*.

o·a·sis [ouˈeisis], *pl.* **o·a·ses** [∼siːz] oasis *m*.

oat [out] avena *f (mst ~s pl.)*; rolled ~s copos *m/pl.* de avena.

oath [ouθ], **oaths** [ouðz] juramento *m*, jura *f; b.s.* blasfemia *f*, reniego *m*.

oat·meal ['outmiːl] harina *f* de avena.

ob·du·rate ['ɔbdərit] ☐ obstinado, terco; empedernido.

o·be·di·ence [ə'biːdjəns] obediencia *f*; **o'be·di·ent** ☐ obediente.

o·bei·sance [ou'beisns] reverencia *f*, acato *m*; homenaje *m*.

ob·e·lisk ['ɔbilisk] obelisco *m*.

o·bese [ou'biːs] obeso.

o·bey [ə'bei] obedecer; *instructions* cumplir, observar.

o·bit·u·ar·y [ə'bitjuəri] necrología *f*; *eccl.* obituario *m*.

ob·ject 1. ['ɔbdʒikt] objeto *m*; *(thing)* cosa *f*, artículo *m*; *gr.* complemento *m*; **2.** [əb'dʒekt] *v/t.* objetar; *v/i.* poner reparos, hacer objeciones, oponerse (*to* a).

ob·jec·tion [əb'dʒekʃn] objeción *f*, reparo *m*; dificultad *f*, inconveniente *m*; **ob'jec·tion·a·ble** ☐ molesto, desagradable; ofensivo.

ob·jec·tive [əb'dʒektiv] ☐ objetivo *adj. a. su. m*; **ob'jec'tiv·i·ty** objetividad *f*.

ob·ject...: '~ lens objetivo *m*; '~ les·son lección *f* práctica, ejemplo *m*.

ob·li·ga·tion [ɔbli'geiʃn] obligación *f*; deber *m*; compromiso *m*; **ob·lig·a·to·ry** ['~gətəri] obligatorio.

o·blige [ə'blaidʒ] obligar, forzar (*to* a); complacer, hacer un favor a; *much ~d* muy agradecido (*for* por); **o'blig·ing** ☐ atento, servicial, complaciente.

ob·lique [ə'bliːk] ☐ oblicuo; indirecto, evasivo.

ob·lit·er·ate [ə'blitəreit] borrar; destruir, aniquilar; ✍ obliterar; **ob·lit·er'a·tion** borradura *f*, destrucción *f*; aniquilación *f*.

ob·liv·i·on [ə'bliviən] olvido *m*; **ob·liv·i·ous** ☐ olvidado, inconsciente (*of*, *to* de).

ob·long ['ɔblɔŋ] **1.** oblongo, rectangular, cuadrilongo; **2.** rectángulo *m*.

ob·nox·ious [ɔb'nɔkʃəs] ☐ detestable, ofensivo, odioso.

o·boe ['oubou] oboe *m*.

ob·scene [ɔb'siːn] ☐ obsceno, indecente; **ob'scen·i·ty** [~iti] obscenidad *f*.

ob·scure [əb'skjuə] **1.** ☐ oscuro (*a. fig.*); **2.** oscurecer; eclipsar; esconder; **ob'scu·ri·ty** oscuridad *f* (*a. fig.*).

ob·se·qui·ous [əb'siːkwiəs] ☐ servil; obsequioso; **ob'se·qui·ous·ness** servilismo *m*; obsequiosidad *f*.

ob·serv·a·ble [əb'zəːvəbl] ☐ observable; **ob'serv·ance** observancia *f*; práctica *f*, costumbre *f*; **ob'serv·ant** ☐ observador; atento; perspicaz; vigilante; **ob·ser·va·tion** [ɔbzə-'veiʃn] observación *f*; experiencia *f*; **ob·serv·a·to·ry** [əb'zəːvətri] observatorio *m*; **ob'serve** observar; decir; *festival*, *silence* guardar; *p.* vigilar.

ob·sess [əb'ses] obsesionar; **ob·ses·sion** [əb'seʃn] obsesión *f*.

ob·so·lete ['ɔbsəlit] anticuado, desusado; *biol.* rudimentario.

ob·sta·cle ['ɔbstəkl] obstáculo *m*; impedimento *m*; inconveniente *m*.

ob·ste·tri·cian [ɔbste'triʃn] obstétrico *m*; **ob'stet·rics** [~riks] obstetricia *f*.

ob·sti·na·cy ['ɔbstinəsi] obstinación *f* *etc.*; **ob·sti·nate** ['~nit] ☐ obstinado, terco, porfiado; pertinaz.

ob·struct [əb'strʌkt] *v/t.* obstruir; *action* estorbar; *pipe etc.* atorar; *v/i.* estorbar; **ob'struc·tion** obstrucción *f* (*a. parl.*); estorbo *m*; **ob'struc·tion·ist** obstruccionista *m/f*.

ob·tain [əb'tein] *v/t.* obtener; adquirir; lograr, conseguir; *v/i.* existir, prevalecer.

ob·trude [əb'truːd] *opinions* imponer (*on* a), introducir a la fuerza; **ob'tru·sive** [~siv] ☐ entrometido, intruso.

ob·tuse [əb'tjuːs] ☐ obtuso (*a. Å*, *fig.*); *p.* estúpido, duro de mollera; **ob'tuse·ness** embotadura *f*; *fig.* estupidez *f*.

ob·vi·ate ['ɔbvieit] obviar, evitar, eliminar.

ob·vi·ous ['ɔbviəs] ☐ evidente, obvio, patente; transparente.

oc·ca·sion [ə'keiʒn] **1.** ocasión *f*; vez *f*; coyuntura *f*, sazón *f*; motivo *m*; *on* ~ de vez en cuando; **2.** ocasionar; **oc'ca·sion·al** ☐ poco frecuente; uno que otro.

oc·ci·dent ['ɔksidənt] *lit.* occidente *m*; **oc·ci·den·tal** [~'dentl] ☐ occidental.

oc·cult [ɔ'kʌlt] ☐ oculto, secreto; misterioso; sobrenatural; **oc·cul·ta·tion** [~'eiʃn] *ast.* ocultación *f*; **oc·cult·ism** ['ɔkəltizm] ocultismo *m*.

oc·cu·pan·cy ['ɔkjupənsi] ocupancia *f*, tenencia *f*; **'oc·cu·pant** ocupante *m/f*; *(tenant)* inquilino a *f* *m*; **oc·cu·pa·tion** ocupación *f* (*a. ✕*); te-

nencia *f*, inquilinato *m*; **oc·cu·pation·al** de oficio, profesional; ~ *hazard* riesgo *m* ocupacional; ~ *therapy* terapia *f* vocacional; **oc·cu·py** ['~pai] ocupar; *house* habitar; *time* emplear, pasar.

oc·cur [ə'kəː] (*happen*) ocurrir, suceder, acontecer; (*be found*) encontrarse; **oc'cur·rence** [ə'kʌrəns] acontecimiento *m*, ocurrencia *f*; caso *m*, aparición *f*.

o·cean ['ouʃn] océano *m*; *fig.* ~s of la mar *sl*; **'~go·ing** transoceánico.

o'clock [ə'klɔk] = of the clock; *it is* 1 ~ es la una; *it is* 5 ~ son las cinco; *at* 2 ~ a las dos.

oc·ta·gon ['ɔktəgən] octágono *m*.

oc·tane ['ɔktein] octano *m*.

oc·tave ['ɔktiv] octava *f*; **oc·ta·vo** [~'teivou] (*libro m*) en octavo.

Oc·to·ber [ɔk'toubə] octubre *m*.

oc·to·ge·nar·i·an ['ɔktoudʒi'nɛəriən] octogenario *adj. a. su. m* (a *f*).

oc·to·pus ['ɔktəpəs] pulpo *m*.

oc·u·list ['ɔkjulist] oculista *m/f*.

odd [ɔd] *number* impar; desigual; (*isolated*) suelto, desparejado; (*extra*) sobrante; (*queer*) raro, extraño, estrambótico; (*occasional*) tal cual; **'odd·ball** excéntrico; disidente *adj. a. su. m/f*; **'odd·i·ty** rareza *f*, excentricidad *f*; ente *m* singular; cosa *f* rara; **'odd 'job(s)** empleo *m* al azar; pequeña(s) tarea(s) *f* (*pl.*); **odds** [ɔdz] *mst pl.* (*advantage*) ventaje *f*, superioridad *f*; (*chances*) probabilidades *f/pl.*; *betting*: puntos *m/pl.* de ventaja; ~ *and ends* retazos *m/pl.*

ode [oud] oda *f*.

o·di·ous ['oudjəs] □ odioso, detestable, infame; **o·di·um** ['oudiəm] oprobio *m*; odio *m*.

o·dor·if·er·ous [oudə'rifərəs] □ odorífero; **'o·dor·ous** oloroso.

o·dor ['oudə] olor *m*; fragancia *f*; *fig.* sospecha *f*; *fig.* estimación *f*; **'o·dor·less** inodoro.

o'er [ouə] = over.

of [ɔv, *unstressed* əv, v] de; *I was robbed* ~ *my money* me robaron el dinero; *how kind* ~ *you to inf.* qué amable ha sido Vd. *en inf.*; *a friend* ~ *mine* un amigo mío; *I dream* ~ *you* sueño contigo; *I think* ~ *you* pienso en ti.

off [ɔf] **1.** *adv.* lejos, a distancia; fuera; *mst in combination with vb.*: *be* ~ *go* ~ marcharse *etc.*; *3 miles* ~ a 3 millas (de distancia); *the exam is 3 days* ~ faltan 3 días para el examen; *far* ~ (*a*

long) *way* ~ muy lejos; *hands* ~! ¡fuera las manos! ¡que ~ estar acomodado; *there is nothing* ~ no hay descuento; **2.** *prp.* lejos de; fuera de; separado de, de, desde; **3.** *adj.* separado; terminado; quitado; ≠ desconectado; ⊕ parado; *water etc.* cortado; *brake* desapretado; *light* apagado; *tap* cerrado; *day* ~ día *m* libre; ~ *season* estación *f* muerta.

off·beat ['ɔːf'biːt] *sl.* insólito; original.

off-col·or ['ɔːf'kʌlə] detenido; F arriesgado; de mal gusto.

off-du·ty hours ['ɔːfdjuːti'auəz] horas *f/pl.* libres (de servicio).

of·fend [ə'fend] ofender; *be* ~ed tomarlo a mal; **of'fend·er** delincuente *m/f*; culpable *m/f*; ofensor (-a *f*) *m*.

of·fense [ə'fens] ofensa *f*; ᵗᵗ violación *f* de la ley; delito *m*; ⚔ ofensiva *f*; **of·fen·sive** [ə'fensiv] **1.** □ ofensivo, injurioso; repugnante; agresivo; **2.** ofensiva *f*; **of'fen·sive·ness** repugnancia *f*; inolencia *f*.

of·fer ['ɔfə] **1.** oferta *f* (*a.* ✝), ofrecimiento *m*; **2.** ofrecer (*a.* ~ *up*); *prospect etc.* deparar, brindar; **'of·fer·ing** ofrecimiento *m*.

of·fer·to·ry ['ɔfətəri] ofertorio *m*.

off-hand ['ɔːf'hænd] **1.** *adj.* informal, brusco; despreocupado; **2.** *adv.* de improviso, sin pensarlo.

of·fice ['ɔfis] oficina *f*; (*room*) despacho *m*, escritorio *m*; (*lawyer's*) bufete *m*; (*function*) oficio *m* (*a. eccl.*); ~ *boy* mandadero *m*; ~ *force* gente *f* de la oficina; ~ *hours* horas de oficina *or* de negocio; ~ *seeker* aspirante *m*; ~ *worker* oficinista *m/f*.

of·fi·cer ['ɔfisə] **1.** oficial *m* (*a.* ⚔); funcionario *m*; dignatario *m*; (*agente m* de) policía *m*; **2.** mandar.

of·fi·cial [ə'fiʃl] **1.** □ oficial; formal; autorizado; ⚔ oficial; **2.** oficial *m* (público), funcionario *m*.

of·fi·cious [ə'fiʃəs] entrometido.

off...: '~-'peak (*horas, estación, etc.*) de valle; de menor tránsito; '~·print separata *f*, tirada *f* aparte; '~·set **1.** compensación *f*; △ retallo *m*; *typ.* offset *m*; **2.** compensar; '~·shoot vástago *m*; *fig.* ramal *m*; '~·shore costanero; costeño; '~·side *sport*: fuera de juego, offside; '~·spring vástago *m*; prole *f*; '~·stage (de) entre bastidores; '~-the-'record confidencial.

of·ten ['ɔfn, 'ɔftən] a menudo, muchas veces, con frecuencia; *as* ~ *as* siempre que, tantas veces como.

opaque

o·gre [ˈougə] ogro *m.*

oh [ou] ¡oh!, ¡ay!

ohm [oum] ohmio *m.*

oil [ɔil] 1. *mst* aceite *m; geol. etc.*
petróleo *m; paint., eccl.* óleo *m;* 2.
lubri(fi)car, engrasar; aceitar; '**~·can**
aceitera *f;* '**~·cloth** hule *m;* F linóleo
m; '**~ field** campo *m* petrolífero; '**~
glut** exceso *m* de petróleo; **~ painting** pintura *f* al óleo; '**~ tank·er** ⚓
(buque) petrolero *m;* tanquero *m*
S. Am.; '**~ well** pozo *m* de petróleo;
'**oil·y** ♀ aceitoso

oint·ment [ˈɔintmənt] ungüento *m.*

O.K., o·kay [ˈouˈkei] 1. ¡está bien!; 2.
aprobar; 3. aprobado; satisfactorio;
4. visto *m* bueno.

old [ould] viejo; anciano (*p. only*);
(*long-standing, former*) antiguo; *wine*
añejo; *grow* ~ envejecer(se); *how* ~ is
he? ¿cuántos años tiene?, ¿qué edad
tiene?; *he is 6 years* ~ tiene 6 años (de
edad); ♀ *Glory bandera de los
EE.UU.;* ♀ *Testament* Antiguo Testamento *m;* '**old·en** † *or poet.* antiguo; '**old-ˈfash·ioned** anticuado,
pasado de moda.

ol·fac·to·ry [ɔlˈfæktəri] olfativo, olfa-
torio.

ol·i·gar·chy [ˈɔligɑːki] oligarquía *f.*

ol·ive [ˈɔliv] 1. aceituna *f,* oliva *f;* ~ *oil*
aceite *m* (de oliva); 2. aceitunado; '**~
grove** olivar *m.*

O·lym·pi·an [ouˈlimpiən] olímpico;
O·lym·pic Games *pl.* Juegos *m/pl.*
Olímpicos.

om·e·let, om·e·lette [ˈɔmlit] tortilla
f.

o·men [ˈoumen] agüero *m,* presagio
m.

om·i·nous [ˈɔminəs] □ ominoso.

o·mis·sion [ouˈmiʃn] omisión *f.*

o·mit [ouˈmit] omitir; olvidar.

om·nip·o·tent [ɔmˈnipətənt] □ om-
nipotente.

om·ni·pres·ence [ˌɔmniˈprezəns]
omnipresencia *f.*

om·nis·cience [ɔmˈnisiəns] omnis-
ciencia *f;* **om·nis·cient** □ omnis-
ciente, omniscio.

on [ɔn] 1. *prp.* en, sobre, encima de;
(*concerning*) sobre, (acerca de); ~
arriving al llegar; ~ *Sunday* el domingo; ~ *Sundays* los domingos; ~ *his
arrival* a su llegada; ~ *holiday* de
vacaciones; *get* ~ *a train* subir a un
tren; F *have you any change* ~ *you?*
¿tienes cambio encima?; F *this is* ~
me esto corre por mi cuenta; 2. *adv.*

(*hacia*) adelante; encima; *vb.* ~ seguir
ger.: ~ *read* ~ seguir leyendo; *farther* ~
más allá, más adelante; 3. *adj. clothes*
puesto; *light* encendido; ⚡ conec-
tado; ⊕ (puesto) en marcha; *brake*
apretado; *tap* abierto.

once [wʌns] 1. *adv.* una vez; (*formerly*) antes, antiguamente; *at* ~ en seguida, inmediatamente; (*in one go*)
de una vez; *all at* ~ (*suddenly*) de
repente; ~ *in a while* de tarde en
tarde, de vez en cuando; ~ *more* otra
vez; ~ *upon a time* there was érase que
se era, había una vez; 2. *su.* (una) vez
f; this ~ esta vez; 3. *cj.* una vez que.

once-o·ver [ˈwʌnsouvə] *sl.* vistazo *m,*
examen *m* (rápido).

on·col·o·gy [ɔnˈkɔlədʒi] oncología *f.*

on·com·ing [ˈɔnkʌmiŋ] inminente;
pendiente.

one [wʌn] 1. un(o); solo, único; un
tal; igual; 2. uno (a *f*) *m;* alguno (a *f*)
m; (*hour*) la una; (*indefinite*) se, uno;
the little ~s los pequeños, los chiquillos, la gente menuda; ~ *and all*
todos; ~ *another* se, uno(s) a otro(s);
this ~ éste (a *f*) *m;* '**~-eyed** tuerto; '**~-
hand·ed** manco; '**~-piece** enterizo,
de una pieza.

on·er·ous [ˈɔnərəs] □ oneroso.

one...: ~ˈself (*subject*) uno mismo, una
misma; (*acc., dat.*) se; (*after prp.*) sí
(mismo), sí (misma); '**~-sid·ed** □
unilateral; desequilibrado; parcial;
'**~-way:** ~ *street* calle *f* de dirección
única; ~ *traffic* dirección *f* obliga-
toria.

on·ion [ˈʌnjən] cebolla *f.*

on·look·er [ˈɔnlukə] mirón (-a *f*) *m,*
espectador (-a *f*) *m.*

on·ly [ˈounli] 1. *adj.* solo, único; 2.
adv. (tan) sólo, solamente; únicamente; *if* ~...! ¡ojalá...!; 3. *cj.* ~ (*that*)
sólo que, pero.

on·rush [ˈɔnrʌʃ] arremetida *f.*

on·set [ˈɔnset] ataque *m;* acceso *m,*
comienzo *m* (*a.* ✧).

on·slaught [ˈɔnslɔːt] embestida *f* fu-
riosa.

on·ward [ˈɔnwəd] 1. *adj.* progresivo;
hacia adelante; 2. *adv.* (hacia) adelante (*a.* **on·wards** [ˈ~z]).

oo·dles [ˈuːdlz] F: ~ *of* la mar de.

oomph [uːmf] *sl.* vigor *m;* atracción *f*
sexual.

ooze [uːz] 1. lama *f,* cieno *m;* 2.
rezumarse (*a.* ~ *out*), exudar.

o·pal [ˈoupəl] ópalo *m.*

o·paque [ouˈpeik] □ opaco.

o·pen ['oupən] **1.** □ abierto; (*uncovered*) descubierto, destapado; (*unfolded*) desplegado, extendido; *event etc.* público; libre; *p.* franco; *mind* receptivo, sin prejuicios; ~ *question* cuestión *f* pendiente (*or* sin resolver); ~ *secret* secreto *m* a voces; **2.:** *in the* ~ al aire libre; en el campo; al descubierto; *bring into the* ~ hacer público; **3.** *v/t.* abrir; (*uncover*) descubrir, destapar; *v/i.* abrir(se) (*a.* ~ *out*); comenzar; extenderse; (*play*) estrenarse; ~ *on* (*to*) dar a, mirar a; '~**·end·ed** sin límite *m*; sin término *m* fijo; '~**·hand·ed** □ liberal, dadivoso; **'o·pen·ing 1.** abertura *f*; brecha *f in wall*; claro *m in woods*; **2.** *de* apertura; inaugural; '**o·pen·**'**ed** □ receptivo; imparcial; '**o·pen·**'**mouthed** boquiabierto; **o·pen·ness** ['oupnnis] espaciosidad *f*; *fig.* franqueza *f*.

op·er·a ['ɔpərə] ópera *f*; ~ *glass*(·**es** *pl.*) gemelos *m/pl.* de teatro; '~**·house** teatro *m* de la ópera; '~ '**sing·er** cantante *m/f* de la ópera.

op·er·ate ['ɔpəreit] *v/t.* hacer funcionar; actuar; impulsar; manejar; dirigir; *v/i.* funcionar; ✝, ⚙, ✕ operar; **op·er·at·ing** ['ɔpəreitiŋ] operante; ~ *expenses pl.* gastos *m/pl.* de explotación; **op·er·a·tion** operación *f* (*a.* ⚙, ✝, ✕); funcionamiento *m*; explotación *f*; manejo *m*; procedimiento *m*; **op·er·a·tor** ['~reitə] ⊕ maquinista *m/f*; ⚙, *film:* operador (-a *f*) *m*; ✝ agente *m*, corredor *m* de bolsa; *teleph.* telefonista *m/f*.

op·er·et·ta [ɔpə'retə] opereta *f*; *Spain:* zarzuela *f*.

oph·thal·mol·o·gist [ɔfθæl'mɔlədʒist] oftalmólogo *m*.

o·pi·ate ['oupiit] **1.** opiata *f*, narcótico *m*; **2.** opiato.

o·pine [ou'pain] opinar; **o·pin·ion** [ə'pinjən] opinión *f*, parecer *m*, juicio *m*, concepto *m*; *public* ~ opinión *f* pública; *be of* (*the*) ~ opinar; **o'pin·ion·at·ed** [~eitid] porfiado, pertinaz; dogmático.

o·pi·um ['oupjəm] opio *m*; ~ *den* fumadero *m* de opio; ~ *poppy* ☿ adormidera *f*.

op·po·nent [ə'pounənt] adversario (a *f*) *m*, contrincante *f*.

op·por·tune ['ɔpətju:n] □ oportuno, tempestivo; '**op·por·tun·ism** oportunismo *m*; **op·por·tu·ni·ty** oportunidad *f*, ocasión *f*.

op·pose [ə'pouz] oponerse a; resistir, combatir; (*set against*) oponer; **op·**'**posed** opuesto; *be* ~ *to* oponerse a; **op·**'**pos·ing** opuesto, contrario; **op·po·site** [ə'pəzit] **1.** □ opuesto, contrario; de enfrente; **2.** *prp.* (*a.* ~ *to*) enfrente de, frente a; **3.** *adv.* enfrente; **op·po·si·tion** oposición *f*; resistencia *f*; ✝ competencia *f*.

op·press [ə'pres] oprimir; agobiar.

opt [ɔpt] optar (*for* por).

op·tic ['ɔptik], **op·ti·cal** □ óptico; **op·ti·cian** [ɔp'tiʃn] óptico *m*; '**op·tics** *sg.* óptica *f*.

op·ti·mism ['ɔptimizm] optimismo *m*; '**op·ti·mist** optimista *m/f*; **op·ti·mis·tic** □ optimista; '**op·ti·mize** mejorar todo lo posible.

op·tion ['ɔpʃn] opción *f* (*on* a); '**op·tion·al** □ opcional, discrecional.

op·u·lence ['ɔpjuləns] opulencia *f*; '**op·u·lent** □ opulento.

o·pus ['oupəs] ♪ obra *f*; opus *m*.

or [ɔ:] o; (*before* o-, ho-) u; *after negative* ni; *either ... ~ ...* o ... o ...

or·a·cle ['ɔrəkl] oráculo *m*.

o·ral ['ɔ:rəl] oral; *anat.* bucal.

or·ange ['ɔrindʒ] **1.** naranja *f*; **2.** (a)naranjado; **or·ange·ade** ['~'eid] naranjada *f*.

o·rate [ɔ:'reit] *co.* perorar; **o'ra·tion** oración *f*, discurso *m*; **or·a·to·ri·o** [~'tɔ:riou] ♪ oratorio *m*; **or·a·to·ry** ['ɔrətəri] oratoria *f*; *eccl.* oratorio *m*.

orb [ɔ:b] orbe *m*, globo *m*; **or·bit 1.** órbita *f* (*a. fig.*); *go into* ~ entrar en órbita; **2.** girar (alrededor de).

or·chard ['ɔːtʃəd] huerto *m*, huerta *f* (de árboles frutales).

or·ches·tra ['ɔːkistrə] orquesta *f*.

or·chid ['ɔːkid] orquídea *f*.

or·dain [ɔː'dein] ordenar (*a. eccl.*); decretar; disponer.

or·deal [ɔː'di:l] prueba *f* rigurosa, experiencia *f* penosa.

or·der ['ɔːdə] **1.** orden *m*; (*command, society*) orden *f*; ✝ pedido *m for goods*; ✝ libranza *f for money*; ~ *blank* ✝ hoja *f* de pedidos; *in* ~ *that* para que; *in* ~ *to* para; *of the* ~ *of* del orden de; *on the* ~*s of* por orden de; *out of* ~ desarreglado, descompuesto; ⊕ que no funciona; *keep* ~ mantener el orden; *put in* ~ poner en orden, arreglar; *take* (*holy*) ~*s* ordenarse; **2.** ordenar; mandar; (*arrange*) disponer; *goods* encargar, pedir; '**or·der·ly 1.** ordenado, metódico; regular;

tranquilo; obediente; **2.** ⚒ ordenanza *m*; ⚔ enfermero *m*.

or·di·nance [ˈɔːdinəns] ordenanza *f*, decreto *m*.

or·di·nar·y [ˈɔːdnri] □ común, corriente, normal; ordinario (*a. b.s.*).

or·di·na·tion [ɔːdiˈneiʃn] ordenación *f*.

ord·nance [ˈɔdnəns] artillería *f*; pertrechos *m/pl.* de guerra (**~ stores**).

ore [ɔː] mineral *m*, mena *f*.

or·gan [ˈɔːgən] *all senses*: órgano *m*; **'~ grind·er** organillero (a *f*) *m*; **or·gan·ism** [ˈɔːgənizm] organismo *m*; **'or·gan·ist** organista *m/f*; **or·gan·i·za·tion** [ˌ~naiˈzeiʃn] organización *f*, organismo *m*; **'or·gan·ize** organizar(se); *sl.* agenciar.

or·gasm [ˈɔːgæzm] orgasmo *m*.

or·gy [ˈɔːdʒi] orgía *f*.

o·ri·ent [ˈɔːriənt] **1.** ♀ Oriente *m*; oriente *m of pearl*; **2.** [ˈ~ent] orientar; **o·ri·en·ta·tion** orientación *f*.

or·i·gin [ˈɔridʒin] origen *m*.

o·rig·i·nal [əˈridʒənl] **1.** □ original; primitivo, primordial; **~ sin** pecado *m* original; **2.** original *m* (*a. p.*); prototipo *m*; **o·rig·i·nal·i·ty** [ˌ~ˈnæliti] originalidad *f*.

o·rig·i·nate [əˈridʒineit] originar(se); **~ from**, **~ in** a th. traer su origen de; **o'rig·i·nat·ive** creador; inventivo; **o'rig·i·na·tor** creador (-a *f*) *m*, inventor (-a *f*) *m*.

o·ri·ole [ˈɔːrioul] oropéndola *f*.

or·na·ment 1. [ˈɔːnəmənt] adorno *m*, ornato *m*; ornamento *m* (*a. fig.*); **2.** [ˈ~ment] adornar, ornamentar; **or·na'men·tal** □ ornamental.

or·nate [ɔːˈneit] □ muy ornado; *language* florido.

or·ni·tho·log·i·cal [ɔːniθəˈlɔdʒikl] □ ornitológico; **or·ni·thol·o·gist** [ˈ~ˈθɔlədʒist] ornitólogo *m*; **or·ni·thol·o·gy** ornitología *f*.

or·phan [ˈɔːfən] huérfano *adj. a. su. m* (a *f*) (*adj. a. ~ed*); **or·phan·age** [ˈ~idʒ] orfanato *m*.

or·tho·dox [ˈɔːθədɔks] ortodoxo.

or·thog·ra·phy [ɔːˈθɔgrəfi] ortografía *f*.

or·tho·pe·dic [ɔːθouˈpiːdik] ortopédico; **or·tho·pe·dics** *sg.* ortopedia *f*; **or·tho'pe·dist** ortopedista *m/f*.

os·cil·late [ˈɔsileit] oscilar; **os·cil·la·to·ry** [ˈ~lətri] oscilatorio; **os·cil·lo·graph** [ˈ~græf] ✏ oscilógrafo *m*.

os·cu·late [ˈɔskjuleit] *mst co.* besar (-se).

os·si·fy [ˈɔsəfai] osificar(se); **os·su·ar·y** [ˈɔsjuəri] osario *m*.

os·ten·si·ble [ɔsˈtensəbl] □ supuesto, pretendido, aparente.

os·ten·ta·tion [ɔstenˈteiʃn] ostentación *f*; aparato *m*, boato *m*; **os·ten·ta·tious** □ ostentoso, aparatoso.

os·te·o·path [ˈɔstiəpəθ] osteópata *m/f*; **os·te·op·a·thy** [ɔstiˈɔpəθi] osteopatía *f*.

os·tra·cism [ˈɔstrəsizm] ostracismo *m*; **os·tra·cize** [ˈ~saiz] condenar al ostracismo, excluir de la sociedad.

os·trich [ˈɔstritʃ] avestruz *m*.

oth·er [ˈʌðə] **1.** otro (*than* que); the **~ day** el otro día; some **~ day** otro día; the **~ (one)** el otro; **2.** *adv.*: **~ than** de otra manera que; otra cosa que; **'~·wise** de otra manera; si no; (*in other respects*) por lo demás.

ot·ter [ˈɔtə] nutria *f*.

ought [ɔːt] **1.** = *aught* algo; **2.** *v/aux. mst* deber; *I* **~** *to do it* debo or debería hacerlo; *I* **~** *to have done it* debiera haberlo hecho; one **~** *to drink water* conviene beber agua.

ounce [auns] onza *f* (= 28,35 *gr.*).

our [ˈauə] nuestro(s), nuestra(s); **ours** [ˈauəz] (el) nuestro, (la) nuestra *etc.*; **our'selves** (*subject*) nosotros mismos, nosotras mismas; (*acc.*, *dat.*) nos; (*after prp.*) nosotros (mismos), nosotras (mismas).

oust [aust] desposeer; expulsar.

out [aut] **1.** *adv.* afuera, fuera, hacia fuera; *a. in combination with vb.*: *come* **~**, *go* **~** salir; *run* **~** salir corriendo; *be* **~** haber salido; estar fuera (de casa); (*fire*) estar apagado; *Mr Jones is* **~** no está el señor Jones; *be* **~** *for* buscar; ambicionar; *be* **~** *to inf.* esforzarse por *inf.*; proponerse *inf.*; **2.** *prp.* **~** *of* fuera de; de; entre; de entre; por; sin; **3.** *int.* **~** *with him!* ¡fuera con él!; F **~** *with it!* ¡habla sin rodeos!

out...: [~] **'~·and-'~** perfecto, rematado; *b.s.* redomado; **'~·board** (**~ motor** motor *m*) fuera de borda; **'~·break** erupción *f*; estallido *m*; rompimiento *m of war*; brote *m of disease*; **'~·burst** explosión *f*, arranque *m*, acceso *m*; **'~·cast** paria *m/f*, proscrito (a *f*) *m*; **~·class** ser muy superior a, aventajar con mucho; **'~·come** resultado *m*, consecuencia *f*; **'~·cry** grito *m*, clamor *m*; protesta *f* (ruidosa); **~·'dat·ed** fuera de moda, anticuado; **~·do** *irr.*(*do*) exceder, sobrepujar; *he was not to be outdone* no

se quedó en menos; **'~door** *adj.* al aire libre; externo; **'~doors 1.** *adv.* fuera de casa, al aire libre; **2.** *su.* aire *m* libre, campo *m* raso.

out·er ['autə] exterior, externo; **~ space** espacio *m* exterior.

out...: **'~fit** equipo *m*; (*suit*) traje *m*; (*tools*) juego *m* de herramientas; F✗ cuerpo *m*; F organización *f*; **'~flow** efusión *f*, derrame *m*, desagüe *m*; **'~go** gasto *m*; **'~go·ing** saliente; *p.* sociable; **'~grow** [*irr.* (*grow*)] crecer más que; **'~growth** excrecencia *f*; *fig.* consecuencia *f*.

out·ing ['autiŋ] excursión *f*, paseo *m*.

out...: **'~land·ish** estrafalario; **'~last** durar más que; sobrevivir a; **'~law 1.** proscrito *m*, forajido *m*; **2.** proscribir; declarar fuera de la ley; **'~lay** desembolso *m*; **'~let** salida *f* (*a. fig.*, ✝); ⚡ toma *f* de corriente; **'~line 1.** contorno *m*, perfil *m*; trazado *m*; bosquejo *m*; **2.** perfilar, trazar; bosquejar (*a. fig.*); *policy* prefigurar; **'~live** sobrevivir a; durar más que; **'~look** perspectiva(s) *f(pl.)* (*a. fig.*); punto *m* de vista; actitud *f*; **'~ly·ing** remoto; exterior, de las afueras; **'~mod·ed** anticuado, fuera de moda; **'~num·ber** exceder en número; **'~of-the-way** apartado; poco concurrido; **'~pa·tient** paciente *m/f* externo (*a.*) (*del hospital*); **'~post** avanzada *f*, puesto *m* avanzado; **'~pour·ing** chorro *m*; efusión *f* (*a. fig.*); **'~put** producción *f*; ⊕ rendimiento *m*.

out·rage ['autreidʒ] **1.** atrocidad *f*; ultraje *m*, atropello *m*; **2.** ultrajar; violentar; **out'ra·geous** □ ultrajoso.

out...: **'~right 1.** ['autrait] *adj.* completo, cabal, franco; **2.** [aut'rait] *adv.* de una vez, de un golpe; enteramente; **'~run** [*irr.* (*run*)] correr más que; *fig.* exceder; **'~set** principio *m*, comienzo *m*; **'~shine** [*irr.* (*shine*)] brillar más que; *fig.* eclipsar; **'~side 1.** exterior *m*; superficie *f*; apariencia *f*; **2.** *adj.* exterior, externo; superficial; ajeno; **3.** *adv.* (a)fuera; **4.** *prp.* fuera de; más allá de; **'~sid·er** forastero (a *f*) *m*; intruso (a *f*) *m*; desplazado (a *f*) *m*; **'~skirts** *pl.* afueras *f/pl.*, alrededores *m/pl.*; **'~spok·en** □ franco, abierto; **'~stand·ing** destacado, descollante; sobresaliente; ✝ pendiente, sin pagar; **'~stretched** extendido; **'~strip** dejar atrás, aventajar.

out·ward ['autwəd] **1.** □ exterior,

externo; aparente; **2.** *adv.* (*mst* **outwards** ['~z]) hacia fuera.

out...: **'~weigh** pesar más que; valer más que; **'~wit** ser más listo que; burlar.

o·val ['ouvl] **1.** oval(ado); **2.** óvalo *m*.

o·va·ry ['ouvəri] ovario *m*.

ov·en ['ʌvn] horno *m*, cocina *f*.

o·ver ['ouvə] **1.** *adv.* (por) encima; al otro lado; de un lado a otro; al revés; patas arriba; otra vez; de añadidura; *all* ~ por todas partes; **2.** *prp.* sobre, (por) encima de; al otro lado de; por, a través de; más allá de; *number* más de; (*concerning*) acerca de; por causa de; **3.** adicional, excesivo; acabado, concluido; *it's all* ~ se acabó.

o·ver...: **'~bear·ing** □ despótico, dominante; **'~board** ⚓ al mar, al agua; *man* ~! ¡hombre al agua!; **'~charge** sobrecargar; ✝ cobrar un precio excesivo (a); **'~coat** abrigo *m*, sobretodo *m*, gabán *m*; **'~come** [*irr.* (*come*)] vencer; superar; (*sleep etc.*) rendir; **'~crowd·ing** sobrepoblación *f*, congestionamiento *m*; **'~do** [*irr.* (*do*)] exagerar; llevar a exceso, excederse en; *food* recocer, requemar; ~ *it* F trabajar demasiado, fatigarse; **'~done** [ouvə'dʌn] exagerado; ['ouvə'dʌn] *food* muy hecho, requemado, pasado; **'~dose** dosis *f* excesiva; **'~drive** *mot.* superdirecta *f*; **'~due** atrasado; ✝ vencido y no pagado; **'~eat** [*irr.* (*eat*)] comer con exceso, atracarse; **'~ex·pose** *phot.* sobreexponer; **'~ex·po·sure** *phot.* sobreexposición *f*; **'~flow 1.** [ouvə'flou] [*irr.* (*flow*)] desbordar(se); rebosar (*a. fig.*); **2.** ['ouvəflou] desbordamiento *m*; derrame *m*; (*pipe*) vertedor *m*, cañería *f* de desagüe; **'~grown** revestido, cubierto (*with* de); **'~haul 1.** revisar; rehabilitar, componer; (*catch up*) alcanzar; **2.** repaso *m*, revisión *f*; **'~head 1.** [ouvə'hed] *adv.* por lo alto, por encima de la cabeza; **2.** ['ouvəhed] *adj.* de arriba; aéreo; ✝ general; **3.** ✝ ~s *pl.* gastos *m/pl.* generales; **'~hear** [*irr.* (*hear*)] oír (por casualidad); acertar a oír; *conversation* sorprender; **'~heat** recalentar; **'~in·dulge** mimar demasiado; ~ *in* tomar con exceso; **'~kill 1.** exceso *m* de potencia (*or* eficacia); **2.** *fig.* exceder lo necesario; **'~lap 1.** traslapar(se); *fig.* coincidir en parte; **2.** solapo *m*, traslapo *m*; *fig.* coincidencia *f* (parcial);

~·**lay 1.** [ouvə'lei] [*irr.* (*lay*)] cubrir (*with* con); **2.** ['ouvəlei] capa *f*; cubierta *f*; ~·**load 1.** ['ouvə'loud] sobrecargar; **2.** ['ouvəloud] sobrecarga *f*; ~·**look** (*p.*) dominar con la vista; vigilar; (*leave out*) pasar por alto, no hacer caso de; (*tolerate*) disimular; (*forgive*) perdonar; '~·**night** de la noche a la mañana; ~·**pow·er** vencer; subyugar; dominar; embargar; ~·**ride** [*irr.* (*ride*)] no hacer caso de; anular; poner a un lado; ~·**rid·ing** predominante, decisivo; ~·**rule** anular; ⚖ denegar; ~·**run** [*irr.* (*run*)] invadir; ~·**sea(s) 1.** *adj.* de ultramar; **2.** *adv.* allende el mar, en ultramar; ~·**see** [*irr.* (*see*)] superentender, fiscalizar; ~·**shoe** chanclo *m*; '~·**shoot** [*irr.* (*shoot*)] tirar más allá de; ⚒ sobrepasar; '~·**sight** descuido *m*, inadvertencia *f*; equivocación *f*; (*supervision*) vigilancia *f*; '~·**sleep** [*irr.* (*sleep*)] dormir demasiado; '~·**step** exceder; ~ *the mark* propasarse; '~·**sup·ply** proveer en exceso.

o·**vert** ['ouvə:t] □ abierto, manifiesto.

over...: ~·**take** [*irr.* (*take*)] alcanzar; pasar, adelantar(se) a; *fig.* coger, sorprender; '~·**tax** oprimir con tributos; *fig.* agobiar; ~·**throw 1.** [ouvə'θrou] [*irr.* (*throw*)] echar abajo; volcar; **2.** ['ouvəθrou] derrocamiento *m*, derribo *m*; '~·**time** horas *f/pl.* extraordinarias; '~·**tone** ♪ armónico *m*; *fig.* sugestión *f*.

over·ture ['ouvətjuə] ♪ obertura *f*; *fig.* proposición *f*; sondeo *m*.

o·**ver...:** ~·**turn** [ouvə'tə:n] *v/t.* volcar, trastornar; *v/i.* volcar; ⚓ zozobrar; '~·**weight 1.** sobrepeso *m*, peso *m* de añadidura; **2.** excesivamente pesado; *be* ~ pesar demasiado; ~·**whelm** abrumar; anonadar; inundar; '~·**work 1.** trabajo *m* excesivo; **2.** [*irr.* (*work*)] (hacer) trabajar demasiado.

owe [ou] *v/t.* deber; estar agradecido por; *v/i.* tener deudas.

ow·ing ['ouiŋ] sin pagar; debido; ~ *to* debido a, por causa de.

owl [aul] (*barn*-) lechuza *f* común; (*little*) mochuelo *m* común.

own [oun] **1.** propio; particular; *my* ~ *self* yo (*after prp.* mí) mismo; yo por mi parte; **2.** *my* ~ (lo) mío; *come into one's* ~ entrar en posesión de lo suyo; *on one's* ~ por su propia cuenta; *a solas*; *a house of one's* ~ una casa propia; **3.** poseer; ser dueño de.

own·er ['ounə] amo (a *f*) *m*, dueño (a *f*) *m*, poseedor (-a *f*) *m*; '**own·er·less** sin dueño; abandonado; '**own·er·ship** posesión *f*, propiedad *f*.

ox [ɔks], *pl.* **ox·en** ['ɔksn] buey *m*.

ox·ide ['ɔksaid] óxido *m*; **ox·i·di·za·tion** [ɔksidi'zeiʃən] oxidación *f*; **ox·i·dize** ['ɔksidaiz] oxidar(se).

ox·y·gen ['ɔksidʒən] oxígeno *m*; **oxy·gen·ate** ['ɔk'sidʒineit] oxigenar.

oys·ter ['ɔistə] ostra *f*; '~ **bed** ostral *m*; '~ **catch·er** *orn.* ostrero *m*.

o·zone ['ouzoun] ozono *m*.

P

P [pi:]: *mind one's Ps and Qs* andar con cuidado con lo que dice uno.

pa [pɑ:] *F* papá *m*.

pace [peis] **1.** paso *m*; marcha *f*; velocidad *f*; *keep* ~ *with* llevar el mismo paso con; *fig.* correr parejas con; **2.** *v/t. distance* medir a pasos (*a.* ~ *out*); *room* pasearse por; *v/i.*: ~ *up and down* pasearse de un lado a otro; '**pace·mak·er** el que marca el paso; ⚕ marcapasos.

pa·**cif·ic** [pə'sifik] □ pacífico; '**pac·i·fism** pacifismo *m*; '**pac·i·fist** pacifista *m/f*; **pac·i·fy** ['pæsifai] pacificar; apaciguar, calmar.

pack [pæk] **1.** (*bundle*) lío *m*, fardo *m*; (*animal's*) carga *f*, (*rucksack*) mochi-

la *f* (*a.* ✕); paquete *m*; cajetilla *f* de *cigarettes*; ~ *animal* bestia *f* de carga; **2.** *v/t. case etc.* hacer; embaular *in trunk*, encajonar *in box*; (*a.* ~ *up*) empacar, empaquetar; (*wrap*) envasar; ~ *off* despachar; *v/i.* hacer las maletas; ~ *up* hacer el equipaje; *F* terminar; '**pack·age 1.** paquete *m*; bulto *m*; **2.** empaquetar, envasar; '**pack·er** embalador (-a *f*) *m*; **pack·et** ['~it] paquete *m*; cajetilla *f* of *cigarettes etc.*

pact [pækt] **1.** pacto *m*; **2.** pactar.

pad¹ [pæd] (*a.* ~ *about etc.*) andar, pisar (*sin hacer ruido etc.*).

pad² [~] **1.** almohadilla *f*, cojinete *m*; (*ink*-) tampón *m*; bloc *m* of *paper*; *sl.*

vivienda *f*; **2.** rellenar, forrear; **'pad·ding** relleno *m*; paja *f in book etc.*

pad·dle ['pædl] **1.** canalete *m*, zagual *m*; **2.** *v*/*i*. remar con canalete; chapotear *in sea*; *v*/*t*. impulsar con canalete; '~ **steam·er** vapor *m* de ruedas; '~ **wheel** rueda *f* de paletas.

pad·dy wag·on ['pædiwægən] *sl.* camión *m* de policía.

pad·lock ['pædlɔk] **1.** candado *m*; **2.** cerrar con candado.

pa·gan ['peigən] pagano *adj. a. su. m* (a *f*); **'pa·gan·ism** paganismo *m*.

page¹ ['peidʒ] **1.** (*boy*) paje *m*; **2.** (*in hotel*) buscar llamando.

page² [~] **1.** página *f*; *typ.* plana *f of newspaper etc.*; **2.** paginar.

pag·eant ['pædʒənt] espectáculo *m* brillante; desfile *m*; **'pag·eant·ry** pompa *f*, boato *m*.

pa·go·da [pə'goudə] pagoda *f*.

pail [peil] cubo *m*, balde *m*.

pain [pein] **1.** dolor *m*; ⚕ ~*s pl.* (*labor*) dolores *m*/*pl.* del parto; ~*s fig.* trabajo *m*; **2.** doler; dar lástima; **pain·ful** ['~ful] □ doloroso; penoso; *decision* muy difícil; **'pain·kil·ler** calmante *m* de dolor; analgésico *m*; **'pain·less** □ indoloro, sin dolor; **'pains·tak·ing** □ *p.*, *th.* esmerado; cuidadoso; laborioso.

paint [peint] **1.** pintura *f*, colorete *m for face*; **2.** pintar; *face* pintarse; '~**brush** (*small*) pincel *m*; (*large*) brocha *f*.

paint·er ['peintə] pintor (-a *f*) *m*.

paint·ing ['peintiŋ] pintura *f*; cuadro *m*; **'paint roll·er** rodillo *m* pintor.

pair [pɛə] **1.** par *m*; pareja *f*; **2.** aparear(se) (*a. zo.*, *a.* ~ *off*).

pa·ja·mas [pə'dʒɑːməz] *pl.* pijama *m*.

pal [pæl] F **1.** compañero (a *f*) *m*; amigo (a *f*) *m*; **2.**: ~ *up with* hacerse amigo de.

pal·ace ['pælis] palacio *m*.

pal·at·a·ble ['pælətəbl] □ sabroso, apetitoso; F comible; *fig.* aceptable.

pal·ate ['pælit] paladar *m* (a. *fig.*).

pa·la·tial [pə'leiʃəl] □ suntuoso.

pa·la·ver [pə'lɑːvə] (*discussion*) conferencia *f*, parlamento *m*; (*words*) palabrería *f*.

pale [peil] **1.** □ pálido; *color* claro; *grow* ~ = **2.** palidecer; descolorarse; **'pale·face** F rostropálido *m*.

pale·ness ['peilnis] palidez *f*.

pa·le·og·ra·phy [peili'ɔgrəfi] paleografía *f*.

Pal·es·tin·i·an [pæles'tiniən] palestino *adj. a. su. m* (a *f*).

pal·ette ['pælit] paleta *f*.

pal·i·sade [pæli'seid] estacada *f*.

pall¹ [pɔːl] paño *m* mortuorio; *eccl.* palio *m*; capa *f of smoke*; '~**bear·er** portaféretro *m*.

pall² [~] perder su sabor (*on* para), dejar de gustar (*on* a).

pal·lid ['pælid] □ pálido; **'pal·lid·ness, pal·lor** ['pælə] palidez *f*.

palm¹ [pɑːm] ♀ palma *f* (a. *fig.*), palmera *f*; ♀ *Sunday* Domingo *m* de Ramos.

palm² [~] **1.** palma *f of hand*; *grease s.o.'s* ~ untar la mano a alguien; **2.** *card etc.* escamotear; ~ *off* encajar (*on* a); **palm·is·try** ['~istri] quiromancia *f*; **'palm tree** palmera *f*.

pal·pa·ble ['pælpəbl] □ palpable (*a. fig.*).

pal·pi·tate ['pælpiteit] palpitar.

pal·try ['pɔːltri] □ insignificante, mezquino, baladí; **'pal·tri·ness** mezquindad *f*; insignificancia *f*.

pam·pas ['pæmpəs] pampas *f*/*pl.*

pam·per ['pæmpə] mimar.

pam·phlet ['pæmflit] octavilla *f*; folleto *m*, panfleto *m*; **pam·phlet·eer** [~'tiə] folletista *m*/*f*.

pan¹ [pæn] **1.** cazuela *f*, cacerola *f*; **2.** *v*/*t*. *gold* separar en la gamella; F *play* criticar severamente; *v*/*i*.: ~ *out* tener éxito; resultar.

pan²... [~] **pan...**

pan·a·ce·a [pænə'siə] panacea *f*.

pan·cake ['pænkeik] hojuela *f*, tortita *f*; ~ *landing* aterrizaje *m* a vientre.

pan·da ['pændə] *zo.* panda *m*/*f*.

pan·der ['pændə] **1.** alcahuetear; **2.** alcahuete *m*.

pane [pein] cristal *m*, (hoja *f* de) vidrio *m*.

pan·el ['pænl] panel *m*; (*door*) entrepaño *m*; (*ceiling*) artesón *m*; (*wall*) panel *m*; ~ *discussion* coloquio *m* ante un auditorio; tribunal *m of experts etc.*; **'pan·eled** artesonado; con paneles; de tableros; **'pan·el·ing** entrepaños *m*/*pl. of door*; artesonado *m*; paneles *m*/*pl.*

pang [pæŋ] punzada *f*, dolor *m*.

pan·han·dle ['pænhændl] F pedir limosna; **'pan·han·dler** F mendigo *m*.

pan·ic ['pænik] **1.** pánico; **2.** (*terror m*) pánico *m*; **3.** llenarse (sin motivo) de terror; aterrarse; '~**strick·en** lleno de terror.

pan·o·ra·ma [pænə'rɑːmə] panorama *m*.

pan·sy ['pænsi] ♀ pensamiento *m*; F maricón *m*.

pant [pænt] jadear; resollar.

pan·the·ism ['pænθiizm] panteísmo *m*; **pan·the·is·tic** ☐ panteísta; **pan·the·on** ['pænθiən] panteón *m*.

pan·ther ['pænθə] pantera *f*.

pant·ies ['pæntiz] *pl.* F (*a pair of* unas) bragas *f/pl.*; pantaloncillas *f/pl.*

pan·to·mime ['pæntəmaim] pantomima *f*.

pan·try ['pæntri] despensa *f*.

pants [pænts] *pl.* F calzoncillos *m/pl.*; pantalones *m/pl.*

pa·pa [pə'pɑː] papá *m*.

pa·pa·cy ['peipəsi] papado *m*, pontificado *m*.

pa·per ['peipə] 1. papel *m*; (*news-*) periódico *m*; (*learned*) comunicación *f*, ponencia *f*; (*written*) artículo *m*; ~s *pl.* (*identity etc.*) documentación *f*; brown ~ papel *m* de embalar, papel *m* de estraza; on ~ sobre el papel; 2. *attr.* ... de papel; ~ *money* papel *m* moneda; 3. *wall* empapelar; '~**back** libro *m* en rústica; '~ **bag** saco *m* de papel; '~ **clip** sujetapapeles *m*; clip *m*; '~ **hang·er** empapelador *m*; '~ **knife** cortapapeles *m*; '~ **mill** fábrica *f* de papel; '~ **work** preparación *f* de escritos; papeleo *m*.

pa·pier **mâché** ['pæpjeimɑː'ʃei] (*attr.* de) cartón *m* piedra.

pa·py·rus [pə'paiərəs] papiro *m*.

par [pɑː] 1. par *f*; *above* ~ a premio; *below* ~ ♀ a descuento; 2. *value* nominal; *standard* normal.

pa·rab·o·la [pə'ræbələ] parábola *f*.

par·a·chute ['pærəʃuːt] 1. paracaídas *m*; 2. lanzar(se) en paracaídas; '**par·a·chut·ist** paracaidista *m*.

pa·rade [pə'reid] 1. ⚔ desfile *m*, parada *f*; (*road*) paseo *m*; 2. *v/t.* ⚔ formar; *streets* desfilar por; *th.* pasear (*through the streets* por las calles); *v/i.* desfilar.

par·a·dise ['pærədais] paraíso *m*.

par·a·dox ['pærədɔks] paradoja *f*; *fig.* persona *f etc.* enigmática.

par·a·gon ['pærəgɔn] dechado *m*.

par·a·graph ['pærəgrɑːf] párrafo *m*.

Pa·ra·guay·an [pærə'gwaiən] paraguayo *adj. a. su. m* (*a f*).

par·a·keet ['pærəkiːt] perico *m*, periquito *m*.

par·al·lel ['pærəlel] 1. paralelo; ✗ en paralelo; ~ *bars* paralelas *f*; 2. (*línea f*) paralela *f*; *geog. fig.* paralelo *m*; ✗ in

~ en paralelo; '**par·al·lel·ism** paralelismo *m*; **par·al·lel·o·gram** [~ə-græm] paralelogramo *m*.

par·a·lyse ['pærəlaiz] paralizar (*a. fig.*); **pa·ral·y·sis** [pə'rælisis] parálisis *f*.

pa·ra·mil·i·ta·ry ['pærə'militəri] seudomilitar; semimilitar.

par·a·mount ['pærəmaunt] supremo; *importance* capital.

par·a·noi·a [pærə'nɔijə] paranoia *f*; **par·a·noid** ['~nɔid] paranoico *adj. a. su.* (*a f*).

par·a·pet ['pærəpit] parapeto *m*.

par·a·pher·na·li·a [pærəfə'neiljə] F avíos *m/pl.*, chismes *m/pl.*

par·a·phrase ['pærəfreiz] 1. paráfrasis *f*; 2. parafrasear.

pa·ra·ple·gia [pærə'pliːdʒə] paraplejía *f*.

par·a·site ['pærəsait] parásito *m* (*a. fig.*); **par·a·sit·ic**, **par·a·sit·i·cal** [~'sitik(l)] ☐ parasítico.

par·a·sol [pærə'sɔl] sombrilla *f*, quitasol *m*.

par·a·troop·er ['pærətruːpə] paracaidista *m*.

par·cel ['pɑːsl] 1. paquete *m*; lío *m*; parcela *f of land*; 2. parcelar; repartir; embalar; '**par·cel post** (servicio *m* de) paquetes *m/pl.* postales.

parch [pɑːtʃ] (re)secar, (re)quemar.

par·don ['pɑːdn] 1. perdón *m*; ⚖ indulto *m*; *I beg your* ~ le pido perdón, perdone; 2. perdonar, dispensar; ⚖ indultar.

pare [pɛə] adelgazar; *fruit etc.* mondar; *fig.* reducir.

par·ent ['pɛərənt] 1. padre *m*, madre *f*; ~s *pl.* padres *m/pl.*; 2. madre.

pa·ren·the·sis [pə'renθisis] paréntesis *m*; **par·en·thet·i·cal** [pærən-'θetikl] ☐ entre paréntesis; explicativo.

par·ent·hood ['pɛərənthud] paternidad *f* or maternidad *f*.

par·ish ['pæriʃ] 1. parroquia *f* (*a.* ~ *church*); 2. *attr.* parroquial; ~ *priest* párroco *m*.

Pa·ri·sian [pə'rizjən] parisiense *adj. a. su. m/f*, parisino *adj. a. su. m* (*a f*).

par·i·ty ['pæriti] paridad *f*, igualdad *f*.

park [pɑːk] 1. parque *m*; jardines *m/pl.*; 2. *v/t.* estacionar; aparcar; F parquear, dejar; *v/i.* estacionarse; aparcar; '**park·ing** estacionamiento *m*; aparcamiento *m*; *no* ~ prohibido estacionarse; ~ *fee* costa *f* de esta-

P

cionamiento; ~ lot parque m de estacionamiento; ~ meter reloj m de estacionamiento.

par·lia·ment ['pɑːləmənt] parlamento m; (Spanish) Cortes f/pl.; Houses of ♀ Cámara f de los Lores y la de los Comunes; member of ~ diputado m, miembro m del parlamento; **par·lia·men·ta·ry** [~'mentəri] parlamentario.

par·lor ['pɑːlə] salón m, saloncito m; eccl. locutorio m.

pa·ro·chi·al [pə'roukjəl] □ parroquial; fig. de miras estrechas.

par·o·dy ['pærədi] 1. parodia f; 2. parodiar.

pa·role [pə'roul] 1. palabra f (de honor); libertad f bajo palabra; 2. dejar libre bajo palabra.

par·rot ['pærət] 1. loro m, papagayo m; 2. remedar; imitar.

par·ry ['pæri] fenc. parar, quitar; fig. esquivar, desviar (hábilmente).

par·si·mo·ni·ous [pɑːsi'mounjəs] □ parsimonioso.

pars·ley ['pɑːsli] perejil m.

pars·nip ['pɑːsnip] chirivía f.

par·son ['pɑːsn] clérigo m, cura m.

part [pɑːt] 1. parte f; porción f; ⊕ pieza f; thea. a. fig. papel m; ♪ parte f; (place) lugar m, comarca f; (duty) deber m; ~ of speech parte f de la oración; for my (own) ~ por mi parte; for the most ~ por la mayor parte; in ~ en parte; take ~ in tomar parte en; 2. adv. (en) parte; 3. adj. parcial; co..., con; ~ author coautor (-a f) m; 4. v/t. separar; dividir; partir; v/i. separarse; (come apart) desprenderse; romperse; ~ from despedirse de.

par·take [pɑː'teik] [irr. (take)]: ~ of food etc. comer etc.; aceptar.

par·tial ['pɑːʃl] □ parcial; ~ to aficionado a; **par·ti·al·i·ty** [pɑːʃi'æliti] (bias) parcialidad f.

par·tic·i·pant [pɑː'tisipənt] mst partícipe m/f; combatiente m/f in fight; **par·tic·i·pate** [~peit] participar, tomar parte (in en); **par·ti·ci·ple** ['pɑːtsipl] participio m; past ~ participio m de pasado; present ~ participio m de presente.

par·ti·cle ['pɑːtikl] partícula f; pizca f; ~ physics física f de partículas.

par·tic·u·lar [pə'tikjulə] 1. □ particular; detallado, minucioso; (scrupulous) escrupuloso; (fastidious) exigente, quisquilloso; 2. particularidad f; detalle m; **par·tic·u·lar·i·ty**

[~'læriti] particularidad f; **par·tic·u·lar·ize** v/t. particularizar; v/i. dar todos los detalles.

part·ing ['pɑːtiŋ] 1. separación f; despedida f; 2. ... de despedida.

par·ti·san [pɑːti'zæn] 1. partidario (a f) m; ⚔ partisano m, guerrillero m; 2. partidista; '~·ship parcialidad f; partidismo m.

par·ti·tion [pɑː'tiʃn] 1. partición f, división f; 2. (share) repartir; country, room dividir.

part·ly ['pɑːtli] en parte; en cierto modo.

part·ner ['pɑːtnə] 1. ✝ socio (a f) m; compañero (a f) m (a. cards); pareja f in dance, tennis etc.; 2. acompañar; '**part·ner·ship** ✝ sociedad f, asociación f.

part...: '~·own·er condueño (a f) m; '~·pay·ment pago m en parte.

part-time ['pɑːt'taim] 1. adj. parcial, que trabaja por horas; 2. adv.: work ~ trabajar por horas.

par·ty ['pɑːti] 1. pol. partido m; grupo m; hunt. etc. partida f; (gathering) reunión f; (informal) tertulia f; (merry) fiesta f; ⚖ parte f; interesado (a f) m; 2. attr. pol. de partido; dress de gala; ~ leader jefe m de partido; ~ politics b.s. politiqueo m, partidismo m; ~ ticket candidatura f apoyada por un partido.

pass [pɑːs] 1. geog. puerto m, paso m, desfiladero m; ⚔ etc. pase m (a. fenc., sport); salvoconducto m; thea. entrada f de favor; univ. etc. nota f de aprobado; 2. v/i. pasar; univ. etc. aprobar, ser aprobado; come to ~ suceder, acontecer; let ~ dejar pasar, no hacer caso de; ~ away fallecer; ~ out F desmayarse; caer redondo; v/t. pasar; pasar por delante de; (overtake) pasar, dejar atrás; p. cruzarse con on street etc.; bill, candidate, exam, proposal aprobar; opinion expresar; ~ over pasar por alto; F ~ up renunciar a, rechazar; '**pass·a·ble** □ (tolerable) pasadero, pasable.

pas·sage ['pæsidʒ] paso m; ⚓, ♪ pasaje m; ⚙ pasillo m, galería f; (alley) callejón m; (underground) pasadizo m; trozo m of book.

pass·book ['pɑːsbuk] libreta f de banco.

pass·é ['pæsei] pasado (de moda).

pas·sen·ger ['pæsindʒə] pasajero (a f) m, viajero (a f) m; ~ train tren m de pasajeros.

pass·er-by, *pl.* **pass·ers-by** ['pɑːs-ə(z)'baɪ] transeúnte *m/f*.

pass·ing ['pɑːsɪŋ] **1.** paso *m*; (*death*) fallecimiento *m*; **2.** pasajero.

pas·sion ['pæʃən] pasión *f*; (*arranque m de*) cólera *f*; *have a* ~ *for* tener pasión por; **pas·sion·ate** ['~ʃənɪt] apasionado; (*angry*) colérico; *believer, desire* vehemente, ardiente; **'pas·sion·less** sin pasión; frío; **'pas·sion play** drama *m* de la Pasión.

pas·sive ['pæsɪv] **1.** □ pasivo; **2.** voz *f* pasiva.

pass·key ['pɑːskiː] llave *f* maestra.

Pass·o·ver ['pɑːsouvə] Pascua *f* de los hebreos.

pass·port ['pɑːspɔːt] pasaporte *m*.

pass·word ['pɑːswəːd] santo *m* y seña.

past [pɑːst] **1.** *adj.* pasado (*a. gr.*); *all that is now* ~ todo eso se acabó ya; **2.** *adv.* por delante; *rush* ~ pasar precipitadamente; **3.** *prp. place* (*beyond*) más allá de; *number* más de; *time etc.* después de; *half* ~ 2 las 2 y media; F I *wouldn't put it* ~ *him* le creo capaz de eso; **4.** *su.* pasado *m* (*a. gr.*); antecedentes *m/pl.*

paste [peɪst] **1.** pasta *f*; engrudo *m* for *sticking*; **2.** engrudar; pegar (con engrudo); *sl.* pegar.

pas·tel ['pæstəl] pastel *m*; pintura *f* al pastel; ~ *shade* tono *m* pastel.

paste-up ['peɪstʌp] montaje *m*; arreglo *m* compósito.

pas·teur·ize ['pæstəraɪz] pasteurizar.

pas·time ['pɑːstaɪm] pasatiempo *m*.

pas·tor ['pɑːstə] pastor *m*.

pas·try ['peɪstrɪ] pasta *f*; pastas *f/pl.*; pasteles *m/pl.*; (*art*) pastelería *f*; hojaldre *m*; '~ **cook** pastelero (*a f*) *m*; repostero (*a f*) *m*.

pas·ture ['pɑːstʃə] **1.** pasto *m*, pastura *f*; (*land*) dehesa *f*; **2.** *v/t. animals* apacentar, pastorear; *herbage* comer; *v/i.* pastar, pacer.

pat [pæt] **1.** palmadita *f*; caricia *f*; palmada *f*; pastelillo *m* of *butter*; **2.** dar una palmadita a; *dog etc.* acariciar (con la mano).

patch [pætʃ] **1.** remiendo *m* in *dress*; parche *m* on *tire, wound*; lunar *m* postizo on *face*; (*stain etc.*) mancha *f*; (*small area*) pequeña extensión *f*; **2.** remendar; ~ *up quarrel* componer; ~·**work** ['pætʃwəːk] labor *f* de retazos; ~ *quilt* centón *m*; **'patch·y** desigual, poco uniforme.

pat·ent ['pætnt] **1.** □ patente, pal-

mario; ✝ *de patente,* patentado; **2.** patente *f*, privilegio *m* de invención; ~ *office* oficina *f* de patentes; **3.** patentar.

pa·ter·nal [pə'təːnl] □ paternal, *relation* paterno; **pa·ter·ni·ty** paternidad *f*.

path [pɑːθ] senda *f*, sendero *m*; *fig.* camino *m*, trayectoria *f*; curso *m*; '~·**less** sin camino *m*; desconocido.

pa·thet·ic [pə'θetik] patético, conmovedor.

path·o·log·i·cal [pæθə'lɔdʒikl] □ patológico; **pa·thol·o·gy** patología *f*.

pa·thos ['peɪθɔs] patetismo *m*.

pa·tience ['peɪʃns] paciencia *f*; *cards:* solitario *m*; **pa·tient 1.** □ paciente, sufrido; **2.** paciente, enfermo (*a f*) *m*.

pa·ti·o ['pɑːtiou] patio *m*.

pa·tri·arch ['peɪtriɑːk] patriarca *m*.

pat·ri·mo·ny ['pætrɪmənɪ] patrimonio *m*.

pa·tri·ot ['pætriət] patriota *m/f*; **pa·tri·ot·ism** ['~ətɪzm] patriotismo *m*.

pa·trol [pə'troul] **1.** ⚔ *etc.* patrulla *f*; ronda *f*; **2.** patrullar (*v/t. por*); *fig.* rondar, pasearse (por); ~·**man** [pə'troulmæn] guardia *m* municipal.

pa·tron ['peɪtrən] *lit.* mecenas *m*; *eccl.* patrono (*a f*) *m* (*a.* ~ *saint*); patrocinador (*-a f*) *m* of *enterprise*; **pa·tron·age** ['pætrənɪdʒ] *lit.* mecenazgo *m*; *eccl.* patronato *m*; patrocinio *m* of *enterprise*; **pa·tron·ize** ['pætrənaɪz] *shop* ser parroquiano de; *enterprise* patrocinar; *b.s.* tratar con aire protector.

pat·ter ['pætə] **1.** andar con pasos ligeros; (*rain*) tamborilear; **2.** pasos *m/pl.* ligeros of *feet*; tamborileo *m* of *rain etc.*; (*rapid speech*) parloteo *m*.

pat·tern ['pætən] **1.** (*design*) diseño *m*, dibujo *m*; modelo *m*; patrón *m* for *dress etc.*; **2.** modelar (*on sobre*).

pau·ci·ty ['pɔːsɪtɪ] escasez *f*.

paunch [pɔːntʃ] panza *f*; **'paunch·y** panzudo.

pau·per ['pɔːpə] pobre *m/f*, indigente *m/f*.

pause [pɔːz] **1.** pausa *f*; **2.** hacer una pausa, detenerse (brevemente).

pave [peɪv] pavimentar, enlosar; **'pave·ment** acera *f*; pavimento *m*.

pa·vil·ion [pə'vɪljən] pabellón *m*.

paw [pɔː] **1.** pata *f*; (*cat's etc.*) garra *f*; (*lion's*) zarpa *f*; **2.** (*lion etc.*) dar zarpazos a; F manosear.

P

pawn[1] [pɔːn] *chess*: peón *m*; *fig*. instrumento *m*.
pawn[2] [~] empeñar, dejar en prenda; **'~·bro·ker** prestamista *m*, prendero *m*; **'~·bro·ker's, '~·shop** casa *f* de empeños, prendería *f*; monte *m* de piedad.
pay [pei] **1.** paga *f*; sueldo *m*; *on half* ~ a medio sueldo; **2.** [*irr.*] *v/t*. pagar; *account* liquidar; (*be profitable*) ser provechoso a, rendir (bien, *etc.*); *attention* prestar; *respects* ofrecer; ~ *out* desembolsar; *rope* ir dando; *v/i*. pagar (*for acc.*); (*be profitable*) rendir, ser provechoso; *it doesn't* ~ *to* vale más no *inf.*; **'pay·a·ble** pagadero; **'pay·load** carga *f* útil; **'pay·mas·ter** oficial *m* pagador; **'pay·ment** pago *m* (*a. fig.*); *in* ~ *for* en pago de; *on* ~ *of* pagando; *monthly* ~ mensualidad *f*; **'~·off** F colmo *m*; resultado *m*; momento *m* decisivo.
pea [piː] guisante *m*; *be as like as 2* ~*s* parecerse como dos gotas de agua.
peace [piːs] paz *f*; *at* ~ en paz; **'peace·a·ble** □ pacífico; sosegado; **Peace Corps** Cuerpo *m* de Paz; **peace·ful** ['~ful] □ tranquilo.
peach [piːtʃ] ⚘ melocotón *m*; (*a.* ~ *tree*) melocotonero *m*; *sl.* monada *f*; *sl.* (*girl*) botón *m*, real moza *f*.
pea·cock ['piːkɔk] pavo *m* real, pavón *m*.
peak [piːk] pico *m*; cima *f*; cumbre *f* (*a. fig.*); visera *f of cap*; ~ *hours pl.* horas *f/pl.* punta; ~ *season* época *f* más popular del año; ~ *traffic* movimiento *m* máximo; **peaked** [piːkt] *cap* con visera.
peal [piːl] **1.** repique(teo) *m*; (*set*) juego *m* de campanas; ~ *of laughter* carcajada *f*; ~ *of thunder* trueno *m*; **2.** *v/i. a. v/t.* repicar, tocar a vuelo.
pea·nut ['piːnʌt] cacahuete *m*; ~ *butter* manteca *f* de cacahuete.
pear [pɛə] pera *f*; (*a.* ~ *tree*) peral *m*.
pearl [pəːl] perla *f* (*a. fig.*); **'pearl·y** de perla(s); color de perla; nacarado.
peas·ant ['pezənt] campesino (a *f*) *m*, labrador (-a *f*) *m*.
pea soup ['piː'suːp] puré *m* de guisantes.
peat [piːt] turba *f*; **'~ bog** turbera *f*.
peb·ble ['pebl] guija *f*, guijarro *m*.
pe·can ['piːkæn] ⚘ pacana *f*.
peck[1] [pek] *medida de áridos* (= *9,087 litros*).
peck[2] [~] **1.** picotazo *m*; F beso *m* poco cariñoso; **2.** picotear.
pec·to·ral ['pektərəl] pectoral.
pe·cul·iar [pi'kjuːljə] □ peculiar; singular; ~ *to* propio de, privativo de; **pe·cu·li·ar·i·ty** [~li'æriti] peculiaridad *f*; rasgo *m* característico.
ped·a·gog·ic, ped·a·gog·i·cal [pedə'gɔdʒik(l)] □ pedagógico; **'ped·a·gogue** [~gɔg] pedagogo *m* (*a. b.s.*); **ped·a·go·gy** ['~gi] pedagogía *f*.
ped·al ['pedl] **1.** pedal *m*; **2.** impulsar pedaleando.
ped·ant ['pedənt] pedante *m*.
ped·dle ['pedl] andar vendiendo (de puerta en puerta); **'ped·dler** vendedor *m* ambulante.
ped·er·as·ty ['pedəræsti] pederastia *f*.
ped·es·tal ['pedistl] pedestal *m*; **pe·des·tri·an** [pi'destriən] **1.** de (*or* para) peatones; pedestre (*a. fig.*); **2.** peatón *m*; paseante *m/f*.
ped·i·gree ['pedigriː] **1.** genealogía *f*, linaje *m*; **2.** de raza.
pe·dom·e·ter [pi'dɔmitə] podómetro *m*.
peek [piːk] **1.** mirada *f* furtiva; *take a* ~ (*at*) = **2.** mirar furtivamente.
peel [piːl] **1.** piel *f*; (*removed*) pieles *f/pl.*, monda *f*, peladura(s) *f*(*pl.*); **2.** pelar, mondar.
peep [piːp] **1.** mirada *f* (rápida, furtiva, por una rendija *etc.*); **2.** (*a.* ~ *at*) mirar (rápidamente, furtivamente, por una rendija *etc.*); atisbar; **'peep·hole** mirilla *f in door*, atisbadero *m*; **Peep·ing Tom** mirón *m*; **'peep show** mundonuevo *m*.
peer[1] [piə] (*a.* ~ *at*) mirar de cerca.
peer[2] [~] (*noble*) par *m*; (*equal*) igual *m*; **'peer·less** incomparable.
peeved [piːvd] irritado; **pee·vish** ['piːviʃ] □ malhumorado, displicente; **'pee·vish·ness** mal humor *m*, displicencia *f*.
peg [peg] **1.** clavija *f*, claveta *f*; (*tent- etc.*) estaca *f*; (*clothes-*) pinza *f*; colgadero *m for coats*; **2.** enclavijar; (*a.* ~ *down*) estaquillar.
pe·jo·ra·tive ['piːdʒərətiv] □ peyorativo.
pel·i·can ['pelikən] pelícano *m*.
pel·let ['pelit] bolita *f*; bodoque *m*.
pelt[1] [pelt] (*skin*) pellejo *m*.
pelt[2] [~] tirar, arrojar; apedrear *with stones*; *they* ~*ed him with tomatoes* le tiraron tomates.
pel·vis ['pelvis] pelvis *f*.
pen[1] [pen] **1.** pluma *f*; (*fountain-*) estilográfica *f*; **2.** escribir; redactar; ~ *pal* F amigo *m* por correspondencia.

pen² [~] 🖊 corral *m*, redil *m*.

pe·nal ['pi:nl] penal; ~ **code** código *m* penal; **pe·nal·ize** ['~əlaiz] penar; (*accidentally, unfairly*) perjudicar; *sport:* castigar; **pen·al·ty** ['penltɪ] pena *f*; multa *f*; castigo *m*.

pen·ance ['penəns] penitencia *f*.

pen·chant ['pɑ:ŋ'ɑːŋ] predilección *f* (*for* por), afición *f* (*for* a).

pen·cil ['pensl] **1.** lápiz *m*; rayo *m* of *light*; **2.** escribir con lápiz; **'pen·cil sharp·en·er** sacapuntas *m*.

pend·ant, pend·ent ['pendənt] **1.** pendiente; **2.** pendiente *m*, medallón *m*.

pend·ing ['pendɪŋ] pendiente.

pen·e·trate ['penitreit] penetrar; **'pen·e·trat·ing** □ penetrante (*a. fig.*); **pen·e'tra·tion** penetración *f*.

pen·guin ['peŋgwin] pingüino *m*.

pen·i·cil·lin [peni'silin] penicilina *f*.

pen·in·su·la [pi'ninsjulə] península *f*; **pen'in·su·lar** peninsular.

pe·nis ['pi:nis] pene *m*.

pen·i·tence ['penitəns] penitencia *f*, arrepentimiento *m*; **'pen·i·tent** □ penitente *adj. a. su. m/f*; **pen·i·ten·tia·ry** [~'tenʃəri] cárcel *f*, presidio *m*.

pen·knife ['pennaif] navaja *f*, cortaplumas *m*.

pen·man·ship ['penmənʃip] caligrafía *f*.

pen name ['pen neim] seudónimo *m*.

pen·nant ['penənt] ⚓ gallardete *m*; banderola *f*.

pen·ny ['peni] penique *m*; centavo *m*; **'~·weight** *peso* (= 1,555 gr.).

pen·sion ['penʃn] **1.** pensión *f*; jubilación *f*; **2.** pensionar; jubilar (*a. ~ off*); **'pen·sion·er** pensionado (a *f*) *m*, pensionista *m/f*.

pen·sive ['pensiv] □ pensativo; melancólico; preocupado.

pent-up ['pent'ʌp] contenido; reprimido.

pen·ta·gon ['pentəgən] pentágono *m*.

Pen·te·cost ['pentikɔst] Pentecostés *f*; **pen·te'cos·tal** de Pentecostés.

pent·house ['penthaus] colgadizo *m*; casa *f* de azotea.

pe·o·ny ['piəni] peonía *f*.

peo·ple ['pi:pl] **1.** (*nation*) pueblo *m*, nación *f*; (*lower orders*) pueblo *m*, plebe *f*; (*in general*) gente *f*; personas *f/pl.*; the English ~ el pueblo inglés; *old* ~ los viejos; *some* ~ algunos; ~ *say that* se dice que; *I like the* ~ *here* aquí la gente es muy simpática; **2.** poblar.

pep [pep] *sl.* ánimo *m*, vigor *m*; ~ **talk** palabras *f* alentadoras.

pep·per ['pepə] **1.** pimienta *f*; (*plant*) pimiento *m*; **2.** sazonar con pimienta; *fig.* salpicar; acribillar *with shot*; **'~·corn** grano *m* de pimienta; **'~·mint** (pastilla *f etc.* de) menta *f*; **'pep·per·y** picante; *fig.* enojadizo, de malas pulgas.

pep·tic ['peptik] péptico.

per [pə:] por; ~ *annum* al año; ~ *cent* por ciento.

per·am·bu·late [pə'ræmbjuleit] pasearse, deambular; **per·am·bu·la·tor** ['præmbjuleitə] cochecito *m* de niño.

per·ceive [pə'si:v] percibir; ver; notar; comprender.

per·cent·age [pə'sentidʒ] porcentaje *m*; proporción *f*; *sl.* tajada *f*.

per·cep·ti·ble [pə'septəbl] □ perceptible; **per'cep·tion** percepción *f*; comprensión *f*; perspicacia *f*.

perch¹ [pə:tʃ] *ichth.* perca *f*.

perch² [~] **1.** (*bird's*) percha *f*; posición *f* elevada; **2.** *v/i.* posar(se); encaramarse; *v/t.* colocar (en una posición elevada).

per·co·late ['pə:kəleit] filtrar(se), infiltrar(se); **'per·co·la·tor** *approx.* cafetera *f* filtradora.

per·cus·sion [pə:'kʌʃn] (♩ *attr.* de) percusión *f*.

per·di·tion [pə:'diʃn] perdición *f*; infierno *m*.

per·en·ni·al [pə'renjəl] □ perenne *adj. a. su. m* (*a.* ♧).

per·fect 1. ['pə:fikt] □ perfecto (*a. gr.*); **2.** [~] (*a. tense*) perfecto *m*; **3.** [pə'fekt] perfeccionar; **per'fec·tion** perfección *f*; *to* ~ a la perfección; **per'fec·tion·ist** persona *f* que lo quiere todo perfecto; detallista *m/f*.

per·fid·i·ous [pə'fidiəs] □ pérfido; **per·fi·dy** [pə'fidi] perfidia *f*.

per·fo·rate ['pə:fəreit] perforar, horadar; ~*d stamp* dentado; **per·fo'ra·tion** perforación *f*; trepado *m* of *stamp*; **'per·fo·ra·tor** perforador (-a *f*) *m*.

per·form [pə'fɔ:m] *v/t. task etc.* realizar, cumplir, hacer; *functions* desempeñar; ♩ *etc.* ejecutar; *v/i.* ♩ tocar; *thea.* representar, actuar; **per'form·ance** ejecución *f* (*a.* ♩); desempeño *m*; *thea.* representación *f*; función *f*; actuación *f* (brillante *etc.*); ⊕ funcionamiento *m*.

per·fume 1. ['pə:fju:m] perfume *m*; **2.** [pə'fju:m] perfumar.

P

per·haps [pə'hæps, præps] tal vez, quizá(s); puede que.

per·il ['peril] peligro *m*, riesgo *m*; **'per·il·ous** □ peligroso, arriesgado.

pe·ri·od ['piəriəd] período *m* (*a. gr.*), época *f*; término *m*; *typ.* punto *m*; *school*: clase *f*, hora *f*; *♂·~s pl.* reglas *f/pl.*; **pe·ri·od·i·cal 1.** □ periódico; **2.** periódico *m*, publicación *f* periódica.

per·i·pa·tet·ic [peripə'tetik] □ ambulante; *phls.* peripatético.

pe·riph·ra·sis [pə'rifrəsis] perífrasis *f*; **per·i·phras·tic** [peri'fræstik] □ perifrástico.

per·i·scope ['periskoup] periscopio *m*.

per·ish ['periʃ] *v/i.* parecer; (*material*) deteriorarse; *v/t.* deteriorar, echar a perder; **'per·ish·a·ble 1.** perecedero; *food etc.* corruptible, que no se conserva bien; **2.** ~s *pl.* mercancías *f/pl.* corruptibles.

per·i·win·kle ['periwiŋkl] ♀ (vinca)pervinca *f*; *zo.* litorina *f*.

per·jure ['pɜːdʒə] ~ *o.s.* perjurar(se); **'per·ju·ry** perjurio *m*.

perk [pɜːk] F: ~ *up* reanimarse, sentirse mejor; **'~·i·ness** viveza *f*; gallardía *f*.

perk·y ['pɜːki] F de excelente humor; despabilado.

perm [pɜːm] F permanente *f*.

per·ma·nence ['pɜːmənəns], **'per·ma·nen·cy** permanencia *f*; **'per·ma·nent** □ permanente; fijo; duradero; ~ *press* planchado *m* permanente.

per·me·a·bil·i·ty [pɜːmiə'biliti] permeabilidad *f*; **per·me·ate** ['~mieit] penetrar; saturar; impregnar.

per·mis·si·ble [pə'misəbl] □ permisible; **per·mis·sive** [~'misiv] permisivo.

per·mit 1. [pə'mit] permitir (*to inf.*, que *subj.*); **2.** ['pɜːmit] permiso *m*; licencia *f*; *♱* permiso *m* de importación *etc.*

per·mu·ta·tion [pɜːmjuː'teiʃn] permutación *f*.

per·ni·cious [pə'niʃəs] □ pernicioso, funesto.

per·ox·ide [pə'rɔksaid] peróxido *m*; *♂* ~ *blonde* rubia *f* de bote.

per·pen·dic·u·lar [pɜːpən'dikjulə] □ perpendicular *adj. a. su. f.*

per·pe·trate ['pɜːpitreit] perpetrar.

per·pet·u·al [pə'petjuəl] □ perpetuo; **per'pet·u·ate** [~eit] perpetuar;

per·pe·tu·i·ty [pɜːpi'tjuiti] perpetuidad *f*; *in* ~ para siempre.

per·plex [pə'pleks] confundir, dejar perplejo; **per'plexed** □ perplejo; **'per'plex·ing** □ confuso, que causa perplejidad; **per'plex·i·ty** perplejidad *f*.

per·qui·site ['pɜːkwizit] gaje *m*; ~s *pl.* gajes *m/pl.*; *salary and* ~s un sueldo y lo que cabe.

per·se·cute ['pɜːsikjuːt] perseguir, acosar; **per·se·cu·tion** persecución *f*; ~ *mania* manía *f* persecutoria.

per·se·vere [pɜːsi'viə] perseverar, persistir (*in* en); **per·se'ver·ing** □ perseverante.

Per·sian ['pɜːʃn] persa *adj. a. su. m/f.*

per·sist [pə'sist] persistir; porfiar, empeñarse (*in* en); **per'sist·ent** □ porfiado; *disease etc.* pertinaz.

per·son ['pɜːsn] persona *f*; *in* ~ en persona; **'per·son·a·ble** bien parecido; **'per·son·age** personaje *m*; **'per·son·al** □ personal; (*private*) privado; de uso personal; *cleanliness etc.* corporal; *interview etc.* en persona; **per·son·al·i·ty** [~sə'næliti] personalidad *f*; **per·son·i·fi·ca·tion** [~sɔnifi'keiʃn] personificación *f*; **per·son·i·fy** [~'sɔnifai] personificar; **per·son·nel** [~sə'nel] personal *m*; ~ *manager* jefe *m* del personal.

per·spec·tive [pə'spektiv] (*in* en) perspectiva *f*.

per·spi·ca·cious [pɜːspi'keiʃəs] □ perspicaz.

per·spi·ra·tion [pɜːspə'reiʃn] transpiración *f*, sudor *m*; **per·spire** [pəs'paiə] transpirar, sudar.

per·suade [pə'sweid] persuadir, inducir (*to* a); convencer.

per·sua·sion [pə'sweiʒən] persuasiva *f*; (*act*) persuasión *f*.

pert [pɜːt] □ impertinente, respondón; fresco.

per·tain [pɜː'tein] referirse a, tener que ver con; pertenecer con.

per·ti·nence, **per·ti·nen·cy** ['pɜːtinəns(i)] pertinencia *f*; **'per·ti·nent** □ pertinente, oportuno.

pert·ness ['pɜːtnis] frescura *f*.

per·turb [pə'tɜːb] perturbar, inquietar.

pe·ruse [pə'ruːz] leer (con atención), examinar.

Pe·ru·vi·an [pə'ruːviən] peruano *adj. a. su. m* (a *f*); ~ *bark* quina *f*.

per·vade [pə:'veid] extenderse por,

difundirse por; impregnar, ocupar; **per·va·sive** [~siv] penetrante.

per·verse [pə'vəːs] □ perverso; avieso; contumaz; **per·ver·si·ty** perversidad f; contumacia f.

per·vert 1. [pə'vəːt] pervertir; *taste etc.* estragar; *talent* emplear mal; **2.** ['pəːvəːt] 🗲 pervertido (a f) m; (*apostate*) apóstata m/f.

pes·ky ['peski] molesto.

pes·si·mism ['pesimizm] pesimismo m; **'pes·si·mist** pesimista m/f; **pes·si·mis·tic** □ pesimista.

pest [pest] zo. plaga f; insecto m etc. nocivo; *fig. (p.)* machaca f; ~ control control m de los insectos; **'pes·ter** molestar, acosar (con preguntas etc.), importunar; **pes·ti·cide** [~'~said] insecticida m; **'pes·ti·lence** pestilencia f; **'pes·ti·lent** pestilente; *fig.* engorroso.

pet [pet] **1.** animal m doméstico (or de casa); *(p.)* favorito (a f) m, persona f muy mimada; **2.** *animal* doméstico, de casa, domesticado; *(favourite)* favorito; **3.** v/t. acariciar; *(spoil)* mimar; v/i. 🗲 besuquearse, sobarse.

pet·al ['petl] pétalo m.

pe·ter ['piːtə]: ~ out *(supply)* agotarse; ir disminuyendo.

pe·ti·tion [pi'tiʃn] **1.** petición f, memoria f, instancia f; **2.** suplicar, rogar *(for acc.; to inf.* que *subj.)*; **pe'ti·tion·er** suplicante m/f.

pet·rel ['petrəl] petrel m, paíño m.

pet·ri·fac·tion [petri'fækʃn] petrificación f.

pet·ri·fy ['petrifai] petrificar(se) *(a. fig.)*.

pet·rol ['petrəl] gasolina f; bencina f for lighter.

pe·tro·le·um [pi'trouljəm] petróleo m; ~ jelly vaselina f, jalea f de petróleo.

pet·ti·coat ['petikout] enagua(s) f(pl.); *(slip)* combinación f; *(stiff)* falda f.

pet·ti·fog·ger ['petifɔgə] picapleitos m; trapacister m.

pet·ti·ness ['petinis] insignificancia f etc.

pet·ty ['peti] □ insignificante, pequeño; despreciable; p. intolerante; rencoroso; reparón; ~ cash gastos m/pl. menores.

pet·u·lant ['petjulənt] mal humor m; **pet·u·lant** ['~lənt] □ malhumorado, enojadizo.

pew [pjuː] banco m de iglesia

pew·ter ['pjuːtə] *(attr.* de) peltre m; '~·er peltrero m.

pha·lanx ['fælæŋks] falange f.

phan·tom ['fæntəm] **1.** fantasma m; **2.** fantasmal.

phar·i·sa·ic, phar·i·sa·i·cal [færi'seiik(l)] □ farisaico.

Phar·i·see ['færisiː] fariseo m.

phar·ma·ceu·tics [faːmə'suːtiks] farmacéutica f; farmacia f; **phar·ma·cist** ['faːməsist] farmacéutico m; **phar·ma·col·o·gy** [~'kɔlədʒi] farmacología f; **'phar·ma·cy** farmacia f.

phar·inx ['færiŋks] faringe f.

phase [feiz] fase f, etapa f.

pheas·ant ['feznt] faisán m.

phe·nom·e·nal [fi'nɔminl] □ fenomenal; **phe'nom·e·non** [~nən], pl. **phe'nom·e·na** [~nə] fenómeno m.

phi·lan·der [fi'lændə] flirtear, mariposear; **phi'lan·der·er** tenorio m.

phil·an·throp·ic [filən'θrɔpik] □ filantrópico; **phi·lan·thro·pist** [fi'lænθrəpist] filántropo (a f) m; **phi'lan·thro·py** filantropía f.

phi·lat·e·list [fi'lætəlist] filatelista m/f; **phi'lat·e·ly** filatelia f.

Phi·lip·pine ['filipain] filipino adj. a. su. m (a f).

phi·lol·o·gist [fi'lɔlədʒist] filólogo m; **phi'lol·o·gy** filología f.

phi·los·o·pher [fi'lɔsəfə] filósofo m; **phil·o·soph·ic, phil·o·soph·i·cal** [filə'sɔfik(l)] □ filosófico; **phi·los·o·phize** [fi'lɔsəfaiz] filosofar; **phi'los·o·phy** filosofía f.

phlegm [flem] flema f *(a. fig.)*; **phleg·mat·ic** [fleg'mætik] □ flemático.

phone [foun] F = *telephone*; ~ call llamada f telefónica.

pho·net·ic [fou'netik] □ fonético; **pho·net·ics** [fou'netiks] fonética f.

pho·no·graph ['founəgraːf] fonógrafo m.

pho·nol·o·gy [fou'nɔlədʒi] fonología f.

pho·ny ['founi] sl. **1.** farsante m/f; persona f insincera; **2.** falso, postizo; sospechoso; insincero.

phos·pho·resce [fɔsfə'res] fosforecer; **phos·pho·res·cent** fosforescente; **phos·pho·rus** ['~fərəs] fósforo m.

pho·to ['foutou] F foto f; ~·cop·i·er fotocopiador m; fotóstato m; '~·co·py **1.** fotocopia f; **2.** fotocopiar; '~·e·lec·tric 'cell célula f fotoeléctrica; '~·en·grav·ing [~in'greiviŋ] foto-

grabado *m*; '~ **'fin·ish** (resultado *m* comprobado por) fotocontrol *m*; *fig.* final *m* muy reñido; **pho·to·gen·ic** [~'dʒenik] fotogénico (*a.* F).

pho·to·graph ['foutəgrɑːf] 1. fotografía *f* (*foto*); 2. fotografiar; **pho·tog·ra·pher** [fə'tɔgrəfə] fotógrafo (*a* f) *m*; **pho·tog·ra·phy** [fə'tɔgrəfi] fotografía *f* (*arte*).

pho·to·gra·vure [foutəgrə'vjuə] fotograbado *m*, huecograbado *m*; '**pho·to·play** fotodrama *m*; **pho·to·stat** ['foutoustæt] 1. fotóstato *m*; 2. fotostatar; **pho·to·syn·the·sis** fotosíntesis *f*; **pho·to·type** ['~taip] fototipo *m*.

phrase [freiz] 1. frase *f* (*a.* ♩); expresión *f*, locución *f*; 2. expresar; **phrase·ol·o·gy** [~i'ɔlədʒi] fraseología *f*.

phys·ic [fizik] purgante *m*; ~s *sg.* física *f*; '**phys·i·cal** □ físico; **phy·si·cian** [fi'ziʃn] médico *m*; **phys·i·cist** ['~sist] físico *m*.

phys·i·og·no·my [fizi'ɔnəmi] fisonomía *f*; **phys·i·og·ra·phy** [~'ɔgrəfi] fisiografía *f*; **phys·i·ol·o·gy** [~'ɔlədʒi] fisiología *f*.

phy·sique [fi'ziːk] físico *m*.

pi·an·ist ['pjænist; 'piənist] pianista *m*/*f*.

pi·an·o ['pjænou, 'pjɑ:nou, pi'ɑːnou] piano(forte) *m*.

pi·az·za [pi'ædʒə] pórtico *m*, galería *f*.

pic·a·resque [pikə'resk] picaresco.

pick [pik] 1. (*axe*) (zapa)pico *m*, piqueta *f*; (*choice*) derecho *m* de elección; 2. *v/t.* escoger (con cuidado); *bone* roer; *flower* coger; *fruit* recoger; ~ *out* escoger; ~ *up* recoger *from floor etc.*; (*recover*) recobrar; (*casually*) saber (*or* encontrar *etc.*) por casualidad; (*learn*) lograr aprender; *radio*: captar; *v/i.* escoger; F ~ *on* perseguir, criticar; ~ *up ♪* reponerse; '~**axe** *v. pick* 1; **picked** [pikt] escogido; '**pick·er** recogedor *m*.

pick·et ['pikit] 1. estaca *f*; ✗ piquete *m*; (guardia *f* de) vigilante(s) *m*(*pl.*) huelguista(s); 2. *factory* cercar con un cordón de huelguistas.

pick·ing ['pikiŋ] recolección *f* *of fruit etc.*; ~*s pl.* sobras *f*/*pl.*

pick·le ['pikl] 1. (*as condiment*) encurtido *m* (*a.* ~*s pl.*); (*fish, olives*) escabeche *m*; F apuro *m*; lío *m*; 2. escabechar; adobar.

pick...: '~**me-up** F reconstituyente *m*; ♂ tónico *m*; '~**pock·et** ratero *m*,

carterista *m*; '~**up** pick-up *m*; ~ *arm* palanca *f*.

pic·nic ['piknik] 1. jira *f*, excursión *f* campestre, picnic *m*; *sl.* cosa *f* fácil; 2. merendar *etc.* en el campo.

pic·to·ri·al [pik'tɔːriəl] □ pictórico.

pic·ture ['piktʃə] 1. cuadro *m*, pintura *f*; (*portrait*) retrato *m*; (*photo*) fotografía *f*; lámina *f* *in book*; *television*: cuadro *m*; 2. pintar; describir; ~ (*to o.s.*) imaginarse, representarse; '~**frame** marco *m*; '~**gal·ler·y** museo *m* de pintura; '~**post·card** postal *f* ilustrada.

pic·tur·esque [piktʃə'resk] □ pintoresco.

pie [pai] (*sweet*) pastel *m*; (*meat etc.*) empanada *f*.

piece [piːs] 1. (*fragment*) pedazo *m*, fragmento *m*; trozo *m*; ♪, *thea.*, ✗, ⊕, *coin, chess etc.*: pieza *f*; *in* ~*s* hecho pedazos, roto; desmontado; ~ *of advice* consejo *m*; ~ *of furniture* mueble *m*; ~ *of ground* terreno *m*; solar *m*; ~ *of news* noticia *f*; 2. (*a.* ~ *together*) juntar (las piezas de); *fig.* atar cabos; '~**meal** *adv.* a trozos; sin sistema fijo; '~**work** trabajo *m* a destajo.

pier [piə] ♙ estribo *m*, pila *f* *of bridge*; pilar *m*, columna *f*; ♏ muelle *m*.

pierce [piəs] penetrar, taladrar; horadar; perforar; **pierc·ing** ['piəsiŋ] □ penetrante, agudo.

pi·e·ty ['paiəti] piedad *f*, devoción *f*.

pig [pig] cerdo *m*, puerco *m*, cochino *m*; F (*p.*) marrano *m*; F *make a* ~ *of o.s.* comer demasiado.

pi·geon ['pidʒin] paloma *f*; '~**hole** 1. casilla *f*; 2. encasillar; clasificar.

pig-head·ed ['pig'hedid] □ terco, cabezudo.

pig i·ron ['pigaiən] hierro *m* en lingotes.

pig·ment ['pigmənt] pigmento *m*.

pig·my ['pigmi] pigmeo *adj. a. su. m.*

pig...: '~**skin** piel *f* de cerdo; *sl.* balón *m* de fútbol; '~**sty** ['~stai] pocilga *f*, cochiquera *f* (*a. fig.*); '~**tail** trenza *f*, coleta *f*.

pike [paik] ✗ pica *f*; *ichth.* lucio *m*; '**pik·er** *sl.* cicatero *m*; cobarde *m*.

pile¹ [pail] 1. montón *m*, pila *f*; mole *f* *of buildings*; *phys.* (*atomic* ~) pila *f*; 2. (*a.* ~ *up*) amontonar(se), apilar(se).

pile² [~] pelo *m* *of carpet*; pelillo *m* *of cloth*.

pile driv·er ['paildraivə] martinete *m*.

piles [pailz] *pl.* ♂ almorranas *f*/*pl.*

pil·fer ['pilfə] ratear; '**pil·fer·ing** ratería f.

pil·grim ['pilgrim] peregrino (a f) m, romero (a f) m; '**pil·grim·age** peregrinación f, romería f.

pill [pil] píldora f; sl. pelota f; sl. persona f molesta.

pil·lar ['pilə] pilar m, columna f; fig. sostén m.

pill·box ['pilbɔks] fortín m; estuche m para píldoras.

pil·low ['pilou] 1. almohada f; 2. apoyar sobre una almohada; '**~·case**, '**~ slip** funda f de almohada.

pi·lot ['pailət] 1. ♉ piloto m; ⚓ práctico m; mechero m encendedor on stove; 2. pilotar; fig. guiar; conducir.

pi·men·to [pi'mentou] pimienta f.

pimp [pimp] 1. alcahuete m; 2. alcahuetear.

pim·ple ['pimpl] grano m; '**pim·ply** granujoso.

pin [pin] 1. alfiler m; ⊕ perno m; (wooden) clavija f; ~s pl. sl. piernas f/pl.; ~·ball billar m romano; 2. prender con alfiler(es); sujetar (con perno etc.); ~ down fig. inmovilizar; p. obligar a que concrete.

pinch [pintʃ] 1. pellizco m with fingers; cooking: pizca f; pulgarada f of snuff; 2. v/t. pellizcar with fingers; finger cogerse in door etc.; (shoe) apretar; sl. (steal) birlar, guindar; (arrest) prender; v/i. (shoe) apretar.

pinch-hit ['pintʃ'hit] 1. batear de emergente; 2. sl. servir de sustituto (for para).

pin·cush·ion ['pinkuʃin] acerico m.

pine[1] [pain] ♉ pino m.

pine[2] ['~] languidecer, consumirse.

pine...: '**~·ap·ple** ananás m, piña f; '**~·cone** piña f; '**~ need·le** aguja f de pino.

ping [piŋ] 1. sonido m metálico; 2. hacer un sonido metálico (como una bala).

ping-pong ['piŋpɔŋ] ping-pong m.

pin·ion ['pinjən] 1. ⊕ piñón m; 2. p. atar los brazos de.

pink [piŋk] 1. ♉ clavel m, clavellina f; 2. rosado; color de rosa (a. su. m); pol. rojillo, procomunista m/f.

pin mon·ey ['pinmʌni] alfileres m/pl.

pin·na·cle ['pinəkl] △ pináculo m, chapitel m; cumbre f (a. fig.).

pin...: '**~·point** fig. indicar con toda precisión; '**~·prick** alfilerazo m; fig. molestia f pequeña.

pint [paint] pinta f (= 0,473 litros).

pin-up ['pinʌp] F foto f de muchacha guapa, pin-up f; fig. mujer f ideal.

pi·o·neer [paiə'niə] 1. explorador m; (early settler) colonizador m; 2. v/i. explorar; v/t. settlement etc. preparar el terreno para; scheme, study iniciar, promover.

pi·ous ['paiəs] □ piadoso, devoto.

pipe [paip] 1. tubo m, caño m, cañería f; conducto m; cañón m of organ; ♪ caramillo m; pipa f for tobacco; 2. v/t. conducir en cañerías etc.; v/i. tocar el caramillo; sl. ~ down callarse; '**~ line** (oil) oleoducto m; cañería f.

pip·ing ['paipiŋ] cañería(s) f(pl.).

pip·squeak ['pipskwi:k] persona f sin importancia.

pi·quant ['pi:kənt] □ picante.

pique [pi:k] 1. pique m, resentimiento m; 2. picar, herir.

pi·ra·cy ['paiərəsi] piratería f; **pi·rate** ['~rit] 1. pirata m; 2. pillar, robar; publicar fraudulentamente.

pi·rou·ette [piru'et] 1. pirueta f; 2. piruetear.

piss [pis] 1. orina f; 2. mear.

pis·tol ['pistl] pistola f; revólver m; sl. persona f descarada.

pis·ton ['pistən] émbolo m, pistón m; '**~ ring** aro m (or segmento m) de pistón; '**~ dis·place·ment** cilindrada f.

pit [pit] 1. hoyo m, hoya f, foso m; ⚒ mina f (de carbón); (quarry) cantera f; thea. parte f posterior del patio; hueso m of a fruit; 2. marcar (con hoyas); (match) oponer (against a).

pitch[1] [pitʃ] pez f, brea f; ~ dark negro como boca de lobo.

pitch[2] [~] 1. (throw) lanzamiento m, echada f; ⚓ cabezada f; ♪ tono m; 2. v/t. arrojar, echar; lanzar; tent armar; ♪ graduar el tono de; note entonar, dar; v/i. caerse (into en); ⚓ cabecear.

pitch·er[1] ['pitʃə] cántaro m, jarro m.

pitch·er[2] [~] lanzador m of baseball team.

pitch·fork ['pitʃfɔ:k] horca f, tornadera f, bielda f.

pit·e·ous ['pitiəs] □ lastimero, lastimoso.

pit·fall ['pitfɔ:l] fig. escollo m, trampa f.

pith [piθ] ♉ médula f (a. fig.).

pith·y ['piθi] □ fig. sucinto, expresivo, lacónico.

P

pit·i·a·ble ['pitiəbl] □ enternecedor, digno de compasión.

pit·i·ful ['pitiful] □ lastimero, lastimoso; (*contemptible*) despreciable, lamentable.

pit·i·less ['pitilis] □ despiadado, implacable.

pi·tu·i·tar·y [pi'tjuːitəri] **1.** pituitario; **2.** (*a. ~ gland*) glándula *f* pituitaria.

pit·y ['piti] **1.** piedad *f*, compasión *f*; lástima *f*; *for ~'s sake!* ¡por piedad!; *it is a ~ (that)* es lástima (que *subj.*); *what a ~!* ¡qué lástima!; **2.** tener piedad de, compadecerse de).

piv·ot ['pivət] **1.** pivote *m*, gorrón *m*; *fig.* punto *m* central; **2.** *v/t.* montar sobre un pivote; *v/i.* girar (*on* sobre).

pix·ie ['piksi] duende *m*.

pla·card ['plækaːd] cartel *m*.

pla·cate [plə'keit] aplacar.

place [pleis] **1.** sitio *m*, lugar *m*; (*enclosed*) local *m*; (*post*) puesto *m*, empleo *m*; (*rank*) lugar *m*, puesto *m*; (*seat*) plaza *f*; cubierto *m at table*; ~ *mat* estera *f* de cubierto; *in ~ of* en lugar de; *in the first ~* en primer lugar; *out of ~* fuera de (su) lugar; fuera de serie; fuera de propósito; *take ~* tener lugar; verificarse; **2.** colocar, poner; fijar; colocar *in post etc.*; '~*name* topónimo *m*.

plac·id ['plæsid] □ plácido; **pla'cid·i·ty** placidez *f*.

pla·gi·a·rism ['pleidʒiərizm] plagio *m*; '**pla·gi·a·rist** plagiario (a *f*) *m*; '**pla·gi·a·rize** plagiar.

plague [pleig] **1.** peste *f*, plaga *f*; **2.** plagar, infestar; *fig.* atormentar.

plaid [plæd] plaid *m*, manta *f* escocesa; (*cloth*) tartán *m*.

plain [plein] **1.** □ sencillo, llano; sin adornos; (*unmixed*) natural, puro; *face* sin atractivo, ordinario; *it is ~ that* es evidente que; ~ *truth* verdad *f* lisa y llana; **2.** *adv.* claro, claramente; **3.** llano *m*, llanura *f*; '~'**clothes man** agente *m* de policía que lleva traje de calle; '**plain·ness** llaneza *f*, falta *f* de atractivo *of face etc.*

plains·man ['pleinzmən] llanero *m*.

plain·tiff ['pleintif] demandante *m/f*; '**plain·tive** □ dolorido, plañidero.

plait [plæt] **1.** trenza *f*; **2.** trenzar.

plan [plæn] **1.** proyecto *m*, plan *m*; ⚙ plano *m*; **2.** *v/t.* planear, planificar; proyectar; idear; *v/i.* hacer proyectos (*for* para); ~ *to* proponerse *inf.*

plane [plein] **1.** plano; **2.** ⚒ plano *m*;

avión *m*; ala *f*; ⊕ cepillo *m* (de carpintero); **3.** ⊕ acepillar.

plan·et ['plænit] planeta *m*.

plan·e·tar·i·um [plæni'tɛəriəm] planetario *m*; **plan·e·tar·y** ['~təri] planetario.

plank [plæŋk] **1.** tablón *m*, tabla *f* (*gruesa*); ~*s pl.* tablaje *m*; **2.** entablar, entarimar.

plan·ning ['plæniŋ] planificación *f*.

plant [plaːnt] **1.** ♀ planta *f* (*a.* ⊕); ⊕ instalación *f*, maquinaria *f*; ⚡ grupo *m* electrógeno; (*factory*) fábrica *f*; **2.** plantar; (*sow*) sembrar; sentar, colocar.

plan·tain ['plæntin] llantén *m*.

plan·ta·tion [plæn'teiʃn] plantación *f*; vega *f S.Am. of tobacco*; arboleda *f of trees*; **plant·er** ['plaːntə] plantador *m*; colono *m*.

plaque [plaːk] placa *f*.

plas·ma ['plæzmə] plasma *m*.

plas·ter ['plaːstə] **1.** yeso *m*; ⚕ argamasa *f*; (*layer*) enlucido *m*; 🩹 emplasto *m*; **2.** enyesar, enlucir; 🩹 emplastar; *fig.* cubrir, llenar (*with* de).

plas·tic ['plæstik] **1.** plástico; ~ *surgery* cirugía *f* estética (*or* plástica); **2.** plástico *m*.

plate [pleit] **1.** plato *m*; (*plaque*) placa *f*; ⊕ lámina *f*, chapa *f*, plancha *f*; (*silver*) vajilla *f* de plata; **2.** planchear, chapear; niquelar *etc.*; ~ *glass* vidrio *m* cilindrado.

pla·teau ['plætou] meseta *f*.

plate·ful ['pleitful] plato *m*.

plat·form ['plætfɔːm] plataforma *f*; tablado *m*; tribuna *f at meeting*; 🚋 andén *m*; *pol.* programa *m* electoral.

plat·ing ['pleitiŋ] enchapado *m*.

plat·i·num ['plætinəm] platino *m*; ~ *blonde* rubia *f* platino.

plat·i·tude ['plætitjuːd] lugar *m* común, perogrullada *f*, platitud *f*.

pla·toon [plə'tuːn] pelotón *m*.

plat·ter ['plætə] fuente *f*; *sl.* ♪ disco *m*.

plau·si·ble ['plɔːzəbl] □ especioso, aparente.

play [plei] **1.** juego *m* (*a.* ⊕), recreo *m*; *thea.* obra *f* dramática, pieza *f*; *fair (foul)* ~ juego *m* limpio (sucio); ~ *on words* juego *m* de palabras; *sport: in* ~ en juego; **2.** *v/i.* jugar (*at* a); divertirse; ♪ tocar; *thea.* representar; *v/t. card* jugar, *game*, *cards etc.* jugar a; *opponent* jugar con(tra); ♪ tocar; *thea. play* representar, poner; '~

back ⚇ lectura *f*; '**~·bill** cartel *m*; '**~·boy** señorito *m* amante de los placeres; '**play·er** jugador (-a *f*) *m*; *thea.* actor *m*, actriz *f*; ♪ músico (a *f*) *m*; '**~** *'piano* autopiano *m*; **play·ful** ['~·ful] □ juguetón; '**~·go·er** aficionado (a *f*) *m* al teatro; '**~·ground** patio *m* de recreo; '**~·house** teatro *m*; casita *f* de muñecas.

play·ing...: '**~ card** carta *f*; '**~ field** campo *m* de deportes.

play...: '**~·mate** compañero (a *f*) *m* de juego; '**~·off** (*partido m de*) desempate *m*; '**~·pen** parque *m* (de niño), corral *m*; '**~·thing** juguete *m* (*a. fig.*).

plea [pli:] pretexto *m*, disculpa *f*; ⚖ (alegato *m* de) defensa *f*; contestación *f* a la demanda.

plead [pli:d] *v/i.* suplicar (*with acc.*), rogar (*with* s.o. *for* a uno que conceda); ⚖ abogar; **~** *guilty* confesarse culpable; '**plead·ing** (*a. ~s pl.*) súplicas *f/pl.*; ⚖ alegatos *m/pl.*

pleas·ant ['plɛznt] □ agradable; *surprise etc.* grato; *manner, style* ameno.

please [pli:z] *v/i.* gustar; dar satisfacción; **~** *tell me* haga Vd. el favor de decirme, dígame por favor; *as you* ~ como Vd. quiera; *v/t.* gustar, dar gusto a, caer en gracia a; *be* ~d to complacerse en; *we are* ~d *to inform you* nos es grato informarle; *I am* ~d *to meet you* tengo mucho gusto en conocerle; '**pleas·ing** □ agradable, grato.

pleas·ur·a·ble ['plɛʒərəbl] □ agradable, deleitoso.

pleas·ure ['plɛʒə] placer *m*; gusto *m*; deleite *m*; (*will*) voluntad *f*; *it is a* ~ es un placer.

pleat [pli:t] **1.** pliegue *m*; **2.** plegar, plisar.

ple·be·ian [pli'bi:ən] plebeyo *adj. a. su. m* (*a f*).

pledge [plɛdʒ] **1.** (*security*) prenda *f* (*a. fig.*); (*promise*) promesa *f*; (*toast*) brindis *m*; **2.** (*pawn*) empeñar; (*promise*) prometer; (*toast*) brindar por.

ple·na·ry ['pli:nəri] plenario *m*.

plen·te·ous ['plɛntiəs] □, **plen·ti·ful** ['plɛntiful] □ copioso, abundante.

plen·ty ['plɛnti] **1.** abundancia *f*; *in* ~ en abundancia; **2.** F: *know* ~ saber (lo) bastante; ~ *of people* do hay muchos que lo hacen.

pleu·ri·sy ['pluərisi] pleuresía *f*.

ple·xi·glass ['plɛksiglæs] plexiglás *m*.

pli·a·ble ['plaiəbl] □, **pli·ant** ['plai-

ənt] □ flexible, plegable; *fig.* dócil, manejable.

pli·ers ['plaiəz] *pl.* (*a pair of* ~ unos) alicates *m/pl.*

plight [plait] apuro *m*, aprieto *m*; condición *f* (inquietante), situación *f* (difícil).

plod [plɔd] avanzar (*or* caminar) laboriosamente; trabajar laboriosamente (*away at* en); '**plod·der** estudiante *m/f etc.* más aplicado que brillante; '**plod·ding** □ perseverante, laborioso.

plot[1] [plɔt] ⚘ parcela *f*, terreno *m*; (*building-*) solar *m*; cuadro *m*.

plot[2] [~] **1.** complot *m*, conspiración *f*; *thea. etc.* argumento *m*, trama *f*; **2.** *v/t. course etc.* trazar; maquinar; *v/i.* conspirar, intrigar (*to* para); '**plot·ter** conspirador (-a *f*) *m*.

plough [plau] = plow.

plow [~] **1.** arado *m*; **2.** *v/t.* arar; *v/i.* arar; *fig.* ~ *through* snow etc. abrirse con dificultad paso por; *book* leer con dificultad; '**~·ing** arada *f*; '**~·share** reja *f* del arado.

ploy [plɔi] maniobra *f*; artimaña *f*.

pluck [plʌk] **1.** valor *m*, ánimo *m*; **2.** coger; arrancar; *bird* desplumar; **pluck·y** ['plʌki] □ valiente, animoso.

plug [plʌg] **1.** tapón *m*, taco *m*; tampón *m* (*a.* ⚘); *mot.* bujía *f*; ⚇ enchufe *m*; ⚇ (*wall*) toma *f*; (*fire-*) boca *f* de agua; **2.** *v/t.* tapar, obturar; ⚇ ~ *in* enchufar; *v/i. sl.* (*a.* ~ *away*) trabajar con ahinco (*at* en), seguir trabajando a pesar de todo; '**~·in** enchufable.

plum [plʌm] ciruela *f*; ciruelo *m*.

plumb [plʌm] **1.** plomada *f*; **2.** *adj.* vertical, a plomo; **3.** *adv.* verticalmente, a plomo; **4.** *fig.* sond(e)ar; '**plumb·er** ['~mə] fontanero *m*; '**plumb·ing** ['~miŋ] (*craft*) fontanería *f*; (*piping*) instalación *f* de cañerías; '**plumb line** cuerda *f* de plomada.

plume [plu:m] pluma *f*, penacho *m*.

plump[1] [plʌmp] rechoncho, rollizo; *fowl etc.* gordo.

plump[2] [~] dejar(se) caer pesadamente; ~ *for* optar por.

plump·ness ['plʌmpnis] gordura *f*.

plum pud·ding ['plʌm 'pudiŋ] pudín *m* inglés (*de Navidad*).

plun·der ['plʌndə] **1.** botín *m*, pillaje *m*; **2.** saquear, pillar.

plunge [plʌndʒ] **1.** zambullida *f*; salto *m*; **2.** zambullir(se); sumergir(se);

fig. arrojar(se); precipitar(se); hundir.

plu·per·fect [ˈpluːˈpəːfikt] pluscuamperfecto *m.*

plu·ral [ˈpluərəl] plural *adj. a. su. m;* **plu·ral·i·ty** [ˌ·ˈræliti] pluralidad *f.*

plus [plʌs] **1.** *prp.* más, y; **2.** *adj.* Ⓐ positivo; adicional; F y algo más, y pico.

plush [plʌʃ] **1.** felpa *f;* **2.** F lujoso, de buen tono.

plu·to·ni·um [pluːˈtouniəm] plutonio *m.*

ply [plai] **1.:** *three·* ~ de tres capas; *wool* de tres cordones; **2.** *v/t. tool* manejar, menear (vigorosamente); *trade* ejercer; *v/i.:* ~ *between* hacer el servicio entre; '~·**wood** madera *f* contrachapeada, panel *m.*

pneu·mat·ic [njuˈmætik] □ neumático; ~ *drill* perforadora *f*, martillo *m* picador; ~ *tire* neumático *m.*

pneu·mo·ni·a [njuˈmounjə] pulmonía *f.*

poach[1] [poutʃ] *v/t. a. v/i.* cazar (*or* pescar) en vedado.

poach[2] [ˌ] *egg* escalfar.

poach·er [ˈpoutʃə] cazador *m* furtivo; '**poach·ing** caza *f* furtiva.

pock·et [ˈpɔkit] **1.** bolsillo *m;* *fig.* bolsa *f (a.* ⚒, geol.); cavidad *f;* *pick s.o.'s* ~ robar la cartera *etc.* a alguien; **2.** embolsar; **3.** *attr.* ... de bolsillo; '~·**book** (*purse*) bolsa *f;* portamonedas *m;* '~ **cal·cu·la·tor** calculadora *f* de bolsillo; '~·**knife** cortaplumas *m;* '~ **mon·ey** dinero *m* para pequeños gastos personales; '~·**size** de bolsillo.

pock·marked [ˈpɔkmaːkt] picado de viruelas; *fig.* marcado de hoyos.

pod [pɔd] vaina *f.*

po·di·um [ˈpoudiəm] △ podio *m.*

po·em [ˈpouim] poesía *f*, poema *m.*

po·et [ˈpouit] poeta *m;* '**po·et·ry** poesía *f; attr.* de poesía.

poign·an·cy [ˈpɔinənsi] patetismo *m;* '**poign·ant** □ conmovedor.

point [pɔint] **1.** punto *m (a. sport, typ.,* Ⓐ); (*sharp*) punta *f;* puntilla *f* of *pen; geog.* punta *f*, cabo *m;* cuarta *f* of *compass;* (*objective*) propósito *m*, finalidad *f; the* ~ *is that* lo importante es que; *there is no* ~ *in ger.* no vale la pena *inf.;* ~ *of order* cuestión *f* de procedimiento; *up to a* ~ hasta cierto punto; *be beside the* ~ no venir al caso; *see the* ~ caer en la cuenta; *I do not see the* ~ *of ger.* no creo que sea

necesario *inf.; speak to the* ~ hablar al caso; **2.** *v/t.* (*sharpen*) afilar, aguzar; *pencil* sacar punta a; *gun etc.* apuntar (*at* a); ~ *a finger at* señalar con el dedo; ~ *out* indicar, señalar; *v/i.: it* ~*s west* está orientado hacia el oeste; '~·**-blank** (*adj.* hecho *etc.*) a quemarropa (*a. fig.*); '**point·ed** □ puntiagudo; *remark* inequívoco; lleno de intención; '**point·er** indicador *m on gauge;* (*dog*) perro *m* de muestra.

poise [pɔiz] **1.** equilibrio *m;* aplomo *m;* confianza *f* en sí mismo; **2.** *v/t.* equilibrar; balancear.

poi·son [ˈpɔizn] **1.** veneno *m (a. fig.);* **2.** *attr.* venenoso; ~ *gas* gas *m* asfixiante; ~*pen letter* carta *f* calumniosa; **3.** envenenar (*a. fig.*); '**poi·son·ous** □ venenoso; F pésimo.

poke [pouk] **1.** empuje *m,* empujón *m;* codazo *m;* hurgonazo *m of fire;* **2.** empujar; *hole* hacer a empujones; *fire* hurgar, atizar.

pok·er[1] [ˈpoukə] *approx.* atizador *m,* badila *f.*

po·ker[2] [ˌ] *cards:* póker *m,* póquer *m;* ~ *face* cara *f* impasible.

po·lar [ˈpoulə] polar; ~ *bear* oso *m* blanco; **po·lar·i·ty** [pouˈlæriti] polaridad *f;* '**po·lar·ize** polarizar.

Pole[1] [ˌ] polaco (a *f) m.*

pole[2] [ˌ] *geog.,* ⚡ *etc.* polo *m.*

pole[3] [ˌ] palo *m*, vara *f* larga; (*flag*) asta *f;* (*tent*) mástil *m;* (*telegraph*) poste *m;* (*vaulting etc.*) pértiga *f;* '~·**cat** turón *m;* mofeta *f.*

pole·star [ˈpoulstaː] estrella *f* polar; *fig.* norte *m.*

pole vault [ˈpoulvɔːlt] salto *m* con pértiga.

po·lice [pəˈliːs] **1.** policía *f;* ~ *court* tribunal *m* de policía; ~ *force* (cuerpo *m* de) policía *f;* ~ *state* estadopolicía *m;* **2.** *frontier* vigilar, patrullar; *area* mantener servicio de policía en; '~·**man** guardia *m*, policía *m;* agente *m* de policía; '~ **re·cord** ficha *f;* '~·**sta·tion** comisaría *f;* '~·**wom·an** policía *m* femenino.

pol·i·cy [ˈpɔlisi] política *f;* programa *m* político; normas *f/pl.* de conducta *of newspaper etc;* (*insurance*) póliza *f.*

Pol·ish [ˈpouliʃ] polaco *adj. a. su. m.*

pol·ish [ˈpɔliʃ] **1.** (*shine*) lustre *m,* brillo *m*, bruñido *m;* (*shoe*) betún *m;* (*floor*) cera *f* de lustrar; **2.** *floor etc.* encerar, sacar brillo a; *pans etc.* abrillantar; *shoes* limpiar; *silver etc.* pulir; '**pol·ished** *fig.* fino, elegante,

acabado; '**pol·ish·ing 1.** el pulir *etc.*; **2.** *attr.* de lustrar *etc.*; ∼ *machine* enceradora *f*.

po·lite [pəˈlait] □ cortés, atento, fino; **po'lite·ness** cortesía *f etc.*

pol·i·tic [ˈpɔlitik] □ prudente, aconsejable; *body* ∼ el estado; **pol·i·ti·cian** [pɔliˈtiʃn] □ político *m*; *b.s.* politiquero *m*; **pol·i·tics** [ˈpɔlitiks] política *f*.

pol·ka [ˈpɔlkə] polca *f*; diseño *m* de puntos.

poll [poul] (*election*) elección *f*; (*total votes*) votos *m/pl.*; (*public opinion* ∼) organismo *m* de sondaje; (*inquiry*) encuesta *f*, sondeo *m*.

pol·len [ˈpɔlin] polen *m*; **pol·lin·ate** [ˈpɔlineit] fecundar (con polen).

poll·ing [ˈpoulin] votación *f*; '∼ **booth** caseta *f* de votar; '∼ **day** día *m* de elecciones; '∼ **place** urnas *f/pl.* electorales; '∼ **sta·tion** urnas *f/pl.* electorales; '**poll tax** capitación *f*.

pol·lu·tant [pəˈluːtənt] contaminante *m*; **pol·lute** [pəˈluːt] *water etc.* contaminar, ensuciar.

po·lo [ˈpoulou] polo *m*.

po·lyg·a·mist [pəˈliɡəmist] polígamo (*a f*) *m*; **po·lyg·a·my** [pəˈliɡəmi] poligamia *f*; **pol·y·glot** [ˈpɔliɡlɔt] poligloto *adj. a. su. m* (*a f*); **pol·y·phon·ic** [∼ˈfɔnik] □ polifónico *adj.*; **pol·y·syl·la·ble** [∼ˈsiləbl] polisílabo *m*; **pol·y·tech·nic** [∼ˈteknik] escuela *f* de formación profesional; **pol·y·the·ism** [ˈ∼θiizm] politeísmo *m*.

pome·gran·ate [ˈpɔmiɡrænit] granada *f*.

pom·mel [ˈpʌml] **1.** pomo *m*; **2.** apuñear, dar de puñetazos.

pomp [pɔmp] pompa *f*; **pom·pos·i·ty** [pɔmˈpɔsiti] pomposidad *f etc.*; '**pomp·ous** □ pomposo.

pond [pɔnd] charca *f*; estanque *m*.

pon·der [ˈpɔndə] *v/t. a. v/i.* ponderar, considerar con especial cuidado; '**pon·der·ous** □ pesado; laborioso.

pon·tiff [ˈpɔntif] pontífice *m*; **pon·tif·i·cal** [∼ˈtifikl] □ pontificio, pontifical.

pon·toon [pɔnˈtuːn] pontón *m*.

po·ny [ˈpouni] jaca *f*, caballito *m*, poney *m*; **P·** chuleta *f*.

pooch [puːtʃ] *sl.* perro *m*.

poo·dle [ˈpuːdl] perro *m* de lanas.

pooh-pooh [puːˈpuː] rechazar con desdén; negar importancia a.

pool [puːl] **1.** charca *f*; (*artificial*) estanque *m*; (*swimming-*) piscina *f*; *billiards:* trucos *m/pl.*; fusión *f* de

intereses; **†** fondo *m* común; **2.** *resources* juntar, mancomunar; '∼ **room** sala *f* de trucos; '∼ **table** mesa *f* de trucos.

poor [pue] □ pobre; *quality* malo, bajo; *spirit* mezquino; ∼ para los pobres; '∼ **house** asilo *m* de los pobres; '**poor·ly 1.** *adj.* enfermo; **2.** *adv.* pobremente; mal.

pop¹ [pɔp] **1.** ligera detonación *f*; taponazo *m of cork*; **F** gaseosa *f*; **2.** *v/t.* ∼ *corn* hacer palomitas de maíz; **F** ∼ *the question* declararse; *v/i.* estallar (con ligera detonación); reventar; **3.** ¡pum!

pop² [∼] **F** (*abbr. of popular*): ∼ *concert* concierto *m* popular.

pop³ [∼] **F** papá *m*.

pop·corn [ˈpɔpkɔːn] rosetas *f/pl.*, palomitas *f/pl.*

pope [poup] papa *m*.

pop·eyed [ˈpɔpaid] de ojos saltones.

pop·gun [ˈpɔpɡʌn] taco *m*, fusil *m* de juguete.

pop·lar [ˈpɔplə] (*white*) álamo *m*; (*black*) chopo *m*.

pop·lin [ˈpɔplin] popelín *m*, popelina *f*.

pop·py [ˈpɔpi] amapola *f*, adormidera *f*; '∼ **cock** **F** ¡tonterías! (*a. su. f/pl.*).

pop·u·lace [ˈpɔpjuləs] pueblo *m*; *contp.* populacho *m*.

pop·u·lar [ˈpɔpjulə] □ popular; **pop·u·lar·ize** [∼ˈləraiz] vulgarizar.

pop·u·late [ˈpɔpjuleit] poblar; **pop·u·la·tion** población *f*.

por·ce·lain [ˈpɔːslin] porcelana *f*.

porch [pɔːtʃ] pórtico *m*; entrada *f*.

por·cu·pine [ˈpɔːkjupain] puerco *m* espín.

pork [pɔːk] carne *f* de cerdo (*or* puerco); ∼ *chop* chuleta *f* de puerco; '**pork·er** cerdo *m*.

por·no·graph·ic [pɔːnəˈɡræfik] pornográfico; **por·no·gra·phy** [pɔːˈnɔɡrəfi] pornografía *f*; **F** '**por·no queen** actriz *f* de películas pornográficas.

po·rous [ˈpɔːrəs] □ poroso.

por·poise [ˈpɔːpəs] marsopa *f*.

port¹ [pɔːt] ⚓ (*harbor*) puerto *m*.

port² [∼] ⚓ (*hole*) portilla *f*; ⊕ lumbrera *f*.

port³ [∼] ⚓ (*a. ∼ side*) babor *m*.

port⁴ [∼] vino *m* de Oporto.

port·a·ble [ˈpɔːtəbl] portátil.

por·tend [pɔːˈtend] pronosticar.

por·tent [ˈpɔːtent] presagio *m*, augurio *m*, **por'ten·tous** □ portentoso,

por·ter ['pɔːtə] portero *m*, conserje *m*; 🚂 mozo *m* (de estación); '**porter·house**: ~ steak biftec *m* de filete.

port·fo·li·o [pɔːt'fouljou] cartera *f*; carpeta *f*; *without* ~ sin cartera.

port·hole ['pɔːthoul] portilla *f*.

por·tion ['pɔːʃn] 1. porción *f*, parte *f*; (*dowry*) dote *f*; (*helping*) ración *f*; 2. (*a.* ~ *out*) repartir, dividir.

port·li·ness ['pɔːtlinis] corpulencia *f*; '**port·ly** corpulento; grave.

por·trait ['pɔːtrit] retrato *m*; **por·tray** [pɔː'trei] retratar; *fig.* describir.

Por·tu·guese [pɔːtju'giːz] 1. portugués *adj. a. su. m* (-a *f*); 2. (*language*) portugués *m*.

pose [pouz] 1. postura *f* of body; *fig.* afectación *f*, pose *f*; 2. *v/t. problem* plantear; *v/i.* (*model*) posar.

posh [pɔʃ] F elegante, de lujo, lujoso.

po·si·tion [pə'ziʃn] 1. posición *f*, situación *f*; categoría *f*; (*post*) puesto *m*, colocación *f*; 2. colocar, disponer.

pos·i·tive ['pɔzitiv] 1. □ positivo (*a.* Å, ⚡, *phot.*); (*affirmative*) afirmativo; (*emphatic*) enfático, categórico; ~*ly* realmente, absolutamente; 2. *phot.* positiva *f*; '**pos·i·tiv·ism** positivismo *m*.

pos·sess [pə'zes] poseer; apoderarse de; *be* ~*ed by idea* estar dominado por; **pos'sessed** [~t] poseído, poseso; **pos·ses·sion** [pə'zeʃn] posesión *f*; ~*s pl.* bienes *m/pl.*; *in the* ~ *of* en poder de; **pos'ses·sor** poseedor (-a *f*) *m*.

pos·si·bil·i·ty [pɔsə'biliti] posibilidad *f*; '**pos·si·ble** □ posible; *as soon as* ~ cuanto antes; *do as much as* ~ to hacer lo posible para; '**pos·si·bly** posiblemente; tal vez; *if I* ~ *can* a serme posible.

post¹ [poust] poste *m*.

post² [~] 1. (*job*) puesto *m*; destino *m*; cargo *m*; ✕ *etc.* puesto *m*; ⚓ correo *m*; (*casa f de*) correos *m*; 2. *poster etc.* fijar, pegar; ⚓ echar al correo; mandar por correo, despachar.

post·age ['poustidʒ] franqueo *m*; ~ *stamp* sello *m* (de correo), estampilla *f S.Am.*

post...: '~ **card** (tarjeta *f*) postal *f*; '~**date** fechar con fecha adelantada a.

post·er ['poustə] cartel *m*.

pos·te·ri·or [pɔs'tiəriə] 1. posterior; 2. F *co.* asentaderas *f/pl.*

pos·ter·i·ty [pɔs'teriti] posteridad *f*.

post-free ['poust'friː] porte pagado.

post·grad·u·ate ['poust'grædjuit] postgraduado *adj. a. su. m* (a *f*).

post·hu·mous ['pɔstjuməs] □ póstumo.

post...: '~**man** cartero *m*; '~**mark** 1. matasellos *m*; 2. matar (el sello de); '~**mas·ter** administrador *m* de correos.

post·me·rid·i·an ['poustmə'ridiən] postmeridiano; **post-mor·tem** ['~'mɔːtəm] autopsia *f*.

post...: '~ **of·fice** (casa *f* de) correos; ~ *box* apartado *m* (de correos); '~**paid** porte pagado.

post·pone [poust'poun] aplazar.

post·script ['pousskript] posdata *f*.

pos·tu·late 1. ['pɔstjulit] postulado *m*; 2. ['~ʃleit] postular; '**pos·tu·lant** *eccl.* postulante (a *f*) *m*.

pos·ture ['pɔstʃə] 1. postura *f*, actitud *f*; 2. adoptar una actitud (afectada).

post·war ['poust'wɔː] de (la) pos(t)-guerra.

po·sy ['pouzi] ramillete *m*; flor *f*.

pot [pɔt] 1. (*cooking*) olla *f*, puchero *m*, marmita *f*; (*preserving*) tarro *m*, pote *m*; (*flower-*) tiesto *m*; F *go to* ~ echarse a perder, arruinarse; 2. *plant* poner en tiesto.

po·tas·si·um [pə'tæsiəm] potasio *m*.

po·ta·to [pə'teitou], *pl.* **po·ta·toes** [~z] patata *f*, papa *f S.Am.*; '~ **om·e·let** tortilla *f* a la española.

pot...: '~**bel·lied** barrigón; '~**boil·er** obra *f* mediocre compuesta para ganar dinero; '~ **cheese** requesón *m*.

po·ten·cy ['poutənsi] potencia *f*; '**po·tent** □ potente; poderoso, eficaz; **po·ten·tial** [pə'tenʃl] potencial *adj. a. su. m*.

pot·hole ['pɔthoul] bache *m in road*; *geol.* marmita *f* de gigante.

pot·luck ['pɔt'lʌk]: *take* ~ comer (*fig.* tomar) lo que haya.

pot shot ['pɔtʃɔt] tiro *m* a corta distancia; tiro *m* al azar.

pot·ter ['pɔtə] alfarero *m*; ~*'s clay* arcilla *f* de alfarería; '**pot·ter·y** (*works, art*) alfarería *f*; (*pots*) cacharros *m/pl.*; (*archaeological etc.*) cerámicas *f/pl.*

pouch [pautʃ] bolsa *f*; *hunt. etc.* morral *m*, zurrón *m*; (*tobacco-*) petaca *f*.

poul·tice ['poultis] 1. cataplasma *f*, emplasto *f*; 2. emplastar.

poul·try ['poultri] aves *f/pl.* de corral; ~ *farm* granja *f* avícola.

pounce [pauns] 1. salto *m*; ataque *m* súbito; 2. atacar súbitamente.

pound¹ [paund] libra *f* (= 453,6 *gr.*); ~ (*sterling*) libra *f* (esterlina).

pound² [~] corral *m* de concejo.
pound³ [~] *v/t.* machacar, martillar, aporrear; (*grind*) moler; ✕ bombardear; *v/i.* dar golpes (*at* en).
pour [pɔː] *v/t.* echar, verter, derramar (*a. fig.*); *v/i.* correr, fluir (abundantemente); (*rain*) diluviar; llover a torrentes.
pout [paut] **1.** puchero *m*, mala cara*f*; **2.** hacer pucheros.
pov·er·ty ['pɔvəti] pobreza *f*, miseria *f*; escasez *f*.
pow·der ['paudə] **1.** polvo *m*; (*face*) polvos *m/pl.*; (*gun*) pólvora *f*; **2.** pulverizar(se); (*dust with* ~) polvorear; *face*, *o.s.* empolvarse, ponerse polvos; '~ **com·pact** polvera *f*; '~ **puff** borla *f* para empolvarse; '~ **room** cuarto *m* tocador; '**pow·der·y** *substance* en polvo; pulverizable.
pow·er ['pauə] poder *m* (*a.* ⚡); poderío *m*; autoridad *f*; *pol.*, ⚡ potencia *f*; ⊕ potencia *f*, energía *f*; ⚡ fuerza *f*; '~ **brake** *mot.* servofreno *m*; '~ **drill** taladradora *f* de fuerza; '~ **fail·ure** interrupción *f* de fuerza; **pow·er·ful** ['~ful] □ poderoso; ⊕ potente; *build* fuerte; '**pow·er·house** central *f* eléctrica; '**pow·er·less** □ impotente; sin fuerzas (*to* para); '~ **line** ⚡ línea *f* de fuerza; '~ **plant** grupo *m* electrógeno; '~ **saw** motosierra *f*; '~ **sta·tion** central *f* eléctrica; '~ **steer·ing** *mot.* servodirección *f*; '~ **strug·gle** lucha *f* por control; '~ **tool** herramienta *f* mecánica.
prac·ti·ca·ble ['præktikəbl] □ practicable, hacedero; '**prac·ti·cal** □ práctico; ~ *joke* trastada *f*, broma *f* pesada.
prac·tice ['præktis] **1.** práctica *f*; costumbre *f*; ejercicio *m*; ⚖ clientela *f*; **2.** *v/t.* practicar; *profession etc.* ejercitar, ejercer; *piano etc.* hacer prácticas de; *sport:* hacer ejercicios de, entrenarse en; *v/i.* ensayarse, hacer ensayos (*on* en); (*professionally*) ejercer (*as* de); ⚖ practicar la medicina.
prag·mat·ic [præg'mætik] □ pragmático.
prai·rie ['prɛəri] pradera *f*, pampa *f*.
praise [preiz] **1.** alabanza(s) *f(pl.)*, elogio(s) *m(pl.)*; **2.** alabar, elogiar; '~**wor·thy** □ loable, digno de alabanza.
prance [præns] encabritarse.
prank [præŋk] travesura *f*; broma *f*.
prat·tle ['prætl] **1.** parloteo *m*;

(*child's*) balbuceo *m*; **2.** parlotear; (*child*) balbucear.
prawn [prɔːn] gamba *f*.
pray [prei] *v/i.* rezar; orar (*for* por, *to* a); *v/t.* rogar, pedir, suplicar (*for acc.*).
pray·er ['prɛə] oración *f*, rezo *m*; (*entreaty*) súplica *f*, ruego *m*.
preach [priːtʃ] predicar (*a.* F, *b.s.*); *advantages etc.* celebrar; '~**y** moralizador.
pre·am·ble [priː'æmbl] preámbulo *m*.
pre·ar·range [priːə'reindʒ] arreglar (*or* fijar) de antemano.
pre·car·i·ous [pri'kɛəriəs] □ precario.
pre·cau·tion [pri'kɔːʃn] precaución *f*; **pre'cau·tion·ar·y** de precaución, preventivo.
pre·cede [priː'siːd] preceder; **prec·e·dence** ['presidəns] precedencia *f*; *take* ~ *over* primar sobre; **prec·e·dent** ['president] precedente *m*; **pre'ced·ing** precedente.
pre·cept ['priːsept] precepto *m*.
pre·cinct ['priːsiŋkt] recinto *m*; distrito *m* electoral; barrio *m*; ~*s pl.* contornos *m/pl.*
pre·cious ['preʃəs] **1.** □ precioso; *p.* amado, querido; *style* afectado.
prec·i·pice ['presipis] precipicio *m*, despeñadero *m*; **pre'cip·i·tate 1.** [~teit] precipitar (*a.* 🝧); **2.** [~] 🝧 precipitado *m*; **3.** [~tit] precipitado; **pre'cip·i·tous** □ escarpado, cortado a pico.
pre·cise [pri'sais] □ preciso, exacto; (*too*~) afectado; *p.* escrupuloso; **pre'cise·ness**, **pre·ci·sion** [pri'siʒn] (*attr.* de) precisión *f*, exactitud *f*.
pre·clude [pri'kluːd] excluir.
pre·co·cious [pri'kouʃəs] □ precoz.
pre·con·ceived ['priːkən'siːvd] preconcebido.
pre·cur·sor [priː'kɔːsə] precursor (-a *f*) *m*.
pred·e·ces·sor ['priːdisesə] predecesor (-a *f*) *m*, antecesor (-a *f*) *m*.
pre·des·ti·na·tion [priːdesti'neiʃn] predestinación *f*.
pre·de·ter·mine ['priːdi'tɔːmin] predeterminar.
pre·dic·a·ment [pri'dikəmənt] apuro *m*, situación *f* difícil.
pred·i·cate ['predikit] *gr.* predicado *m*.
pre·dict [pri'dikt] pronosticar, predecir; **pre·dic·tion** [~'dikʃn] pronóstico *m*, predicción *f*.

pre·di·lec·tion [priːdiˈlekʃn] predilección f.

pre·dis·pose [ˈpriːdisˈpouz] predisponer; **pre·dis·po·si·tion** [ˈˌdispə-ˈziʃn] predisposición f.

pre·dom·i·nance [priˈdominəns] predominio m; **pre'dom·i·nate** [ˌˈneit] predominar.

pre·em·i·nence [priːˈeminəns] preeminencia f; **pre'em·i·nent** □ preeminente.

pre·ex·ist [ˈpriːigˈzist] preexistir; **'pre·ex'ist·ent** preexistente.

pre·fab [ˈpriːˈfæb] F casa f prefabricada; **'pre'fab·ri·cate** [ˌˈrikeit] prefabricar; ∼d prefabricado.

pref·ace [ˈprefis] 1. prólogo m, prefacio m; book etc. a modo de prólogo a.

pref·a·to·ry [ˈprefətəri] preliminar, a modo de prólogo.

pre·fer [priˈfəː] preferir (to inf.; A to B A a B); p. ascender, promover to post; charge etc. hacer, presentar; **pref·er·a·ble** [ˈprefərəbl] □ preferible; **'pref·er·ence** preferencia f; ∼ shares pl. acciones f/pl. preferentes.

pre·fix 1. [ˈpriːfiks] prefijo m; 2. [priːˈfiks] prefijar.

preg·nan·cy [ˈpregnənsi] embarazo m; **'preg·nant** □ embarazada, encinta, en estado; fig. preñado.

pre·his·tor·ic [ˈpriːhisˈtorik] prehistórico.

pre·ig·ni·tion [ˈpriːigˈniʃn] preignición f.

pre·judge [ˈpriːˈdʒʌdʒ] prejuzgar.

prej·u·dice [ˈpredʒudis] 1. prejuicio m; parcialidad f; 2. chances etc. perjudicar; prevenir, predisponer (against contra); ∼d parcial.

prej·u·di·cial [predʒuˈdiʃl] □ perjudicial.

pre·lim·i·nar·y [priˈliminəri] preliminar adj. a. su. m; **pre'lim·i·na·ries** [ˌˈz] pl. preliminares m/pl.; **pre·lim** [ˈpriːlim] F examen m preliminar.

prel·ude [ˈpreljuːd] preludio m.

pre·ma·ture [preməˈtjuə] prematuro; ∼ baldness calvicie f precoz.

pre·med·i·tate [priːˈmediteit] premeditar.

pre·mier [ˈpremjə] 1. primero, principal; 2. primer ministro m; **pre·mi·ère** [ˈpremjɛə] estreno m.

prem·ise [ˈpremis] premisa f; ∼s pl. local m, casa f, tienda f etc.

pre·mi·um [ˈpriːmjəm] † premio m;

(insurance) prima f; be at a ∼ fig. estar en gran demanda.

pre·mo·ni·tion [priːməˈniʃn] presentimiento m, premonición f.

pre·na·tal [ˈpriːˈneitl] prenatal.

pre·oc·cu·pied [priːˈɔkjupaid] preocupado; **pre'oc·cu·py** [ˌˈpai] preocupar.

prep [prep] F = 1. preparation, preparatory; 2. prepare, ready.

pre·pack·aged [ˈpriːˈpækidʒd] precintado.

pre·paid [ˈpriːˈpeid] pagado por adelantado.

prep·a·ra·tion [prepəˈreiʃn] preparación f; ∼s pl. preparativos m/pl.; **pre'par·a·to·ry** [ˌˈtəri] 1. preparatorio, preliminar; 2. adv.: ∼ to con miras a, antes de.

pre·pare [priˈpɛə] preparar(se), disponer(se), prevenir(se); **pre'pared·ness** preparación f (militar etc.).

pre·pay [ˈpriːˈpei] pagar por adelantado; **'pre'pay·ment** pago m adelantado.

pre·pon·der·ance [priˈpondərəns] preponderancia f.

prep·o·si·tion [prepəˈziʃn] preposición f.

pre·pos·ter·ous [priˈpostərəs] □ absurdo, ridículo.

pre·re·cord [priːriˈkɔːd] grabar de antemano.

pre·req·ui·site [ˈpriːˈrekwizit] requisito m previo.

pre·rog·a·tive [priˈrogətiv] prerrogativa f.

pres·age [ˈpresidʒ] presagio m.

Pres·by·te·ri·an [prezbiˈtiəriən] presbiteriano adj. a. su. m (a f).

pre·sci·ence [ˈpreʃəns] presciencia f; **'pre·sci·ent** presciente.

pre·scribe [prisˈkraib] prescribir, ordenar; ✗ recetar.

pre·scrip·tion [prisˈkripʃn] prescripción f; ✗ receta f.

pres·ence [ˈprezns] presencia f; asistencia f (at a).

pres·ent¹ [ˈpreznt] 1. □ presente, actual; ∼! ¡presente!; be ∼ asistir (at a); 2. presente m; actualidad f; gr. tiempo m presente.

pres·ent² [priˈzent] presentar, ofrecer, dar; case exponer; ∼ o.s. presentarse.

pres·ent³ [ˈpreznt] regalo m, presente m; make a ∼ of regalar.

pres·en·ta·tion [preznˈteiʃn] presentación f; (present) obsequio m.

priestly

pres·ent·day ['prezntdei] actual.
pre·senti·ment [pri'zentimənt] presentimiento m, corazonada f.
pres·ent·ly ['prezntli] luego, dentro de poco.
pres·er·va·tion [prezə'veiʃn] conservación f; preservación f; **pre·serv·a·tive** [pri'zə:vətiv] preservativo adj. a. su. m.
pre·serve [pri'zə:v] 1. conservar; preservar (from contra); guardar (from de); 2. conserva f; confitura f, compota f.
pre·side [pri'zaid] presidir (at, over acc.).
pres·i·den·cy ['prezidənsi] presidencia f; **pres·i·dent** presidente m; ✝ director m; ∼-elect presidente m electo (todavía sin gobierno).
press [pres] 1. ⊕ etc. prensa f; imprenta f; (pressure) presión f; urgencia f of affairs; apiñamiento m of people; be in ∼ estar en prensa; 2. v/t. ⊕ etc. prensar; apretar; button etc. pulsar, presionar, empujar; clothes planchar; fig. abrumar, acosar; ∼ the point insistir (that en que); ∼ into service utilizar; v/i. apremiar, apretar; ∼ forward, ∼ on seguir adelante (a pesar de todo); '∼ agent agente m de publicidad; '∼ box tribuna f de la prensa; '∼ 'con·fer·ence conferencia f de prensa; 'press·ing ☐ urgente, apremiante, acuciante; 'press·mark signatura f; 'press re·lease comunicado m de prensa.
pres·sure ['preʃə] presión f (a. ⊕, meteor.); fig. urgencia f, apremio m; ⚡ tensión f (nerviosa); '∼ gauge manómetro m; '∼ group grupo m de presión; 'pres·sur·ize ⚡ sobrecargar; 'pres·sur·ized cabin cabina f a presión (or altimática).
pres·ti·dig·i·ta·tion ['prestididʒi'teiʃn] prestidigitación f.
pres·tige [pres'ti:ʒ] prestigio m.
pre·stressed con·crete ['pri:strest kɔnkri:t] hormigón m pretensado.
pre·sum·a·bly [pri'zju:məbli] adv. según cabe presumir; **pre·sume** presumir, suponer; ∼ to atreverse a.
pre·sump·tion [pri'zʌmpʃn] presunción f; pretensión f; **pre·sump·tive** heir presunto; **pre·sump·tu·ous** [∼tjuəs] ☐ presuntuoso, presumido.
pre·sup·pose [pri:sə'pouz] presuponer.
pre·tend [pri'tend] (feign) fingir,

aparentar; (claim) pretender (to acc.); **pre·tend·ed** ☐ pretendido; **pre·tend·er** pretendiente m/f; **pre·tense** [pri'tens] (claim) pretensión f; (display) ostentación f; (pretext) pretexto m; **pre·ten·sion** [pri'tenʃn] pretensión f; **pre·ten·tious** [pri'tenʃəs] ☐ pretencioso, presuntuoso; ambicioso.
pret·er·it(e) ['pretərit] pretérito m.
pre·text ['pri:tekst] pretexto m; under ∼ of so pretexto de.
pret·ti·fy ['pritifai] embellecer; **pret·ti·ness** ['pritinis] lindeza f.
pret·ty ['priti] 1. ☐ bonito, guapo, lindo; precioso, mono; 2. adv. bastante, algo; ∼ difficult bastante difícil; be sitting ∼ estar en posición muy ventajosa.
pre·vail [pri'veil] prevalecer, imponerse; (conditions) reinar; **pre·vail·ing** reinante, imperante; predominante; general.
prev·a·lence ['prevələns] uso m corriente, costumbre f; frecuencia f; **prev·a·lent** ☐ corriente; extendido; frecuente.
pre·vent [pri'vent] impedir ([from] ger. inf.), evitar, estorbar; **pre·vent·a·ble** evitable; **pre·ven·tion** prevención f; el impedir; **pre·ven·tive** ☐ preventivo, impeditivo; ∼ medicine medicina f preventiva.
pre·view ['pri:vju:] pre-estreno m.
pre·vi·ous ['pri:viəs] ☐ previo, anterior; ∼ to antes de.
pre·war ['pri:'wɔ:] de (la) preguerra.
prey [prei] 1. presa f, víctima f; bird of ∼ ave f de rapiña; 2.: ∼ (up)on atacar, alimentarse de, pillar.
price [prais] 1. precio m; at any ∼ a toda costa; ∼ control control m de precios; 2. tasar, fijar el precio de; 'price·less inapreciable; 'price war guerra f de precios; 'price·y ☐ caro.
prick [prik] 1. pinchazo m, punzada f; alfilerazo m with pin; 2. v/t. pinchar, punzar, agujerear; v/i.: ∼ up prestar atención; **prick·le** ['∼l] espina f, pincho m, púa f; 'prick·ly espinoso; lleno de púas.
pride [praid] 1. orgullo m; b.s. soberbia f, arrogancia f; 2.: ∼ o.s. on enorgullecerse de, preciarse de.
priest [pri:st] sacerdote m; cura m; 'priest·ess sacerdotisa f; 'priest·hood ['∼hud] (function) sacerdocio m; (priests collectively) clero m; 'priest·ly sacerdotal.

prig [prig] presumido (a *f*) *m*; **'priggish** ☐ presumido; pedante.

prim [prim] ☐ remilgado; estirado.

pri·ma·cy ['praiməsi] primacía *f*; **pri·ma·ri·ly** ['∽rili] ante todo; **'pri·ma·ry 1.** primario; **2.** elección *f* preliminar; **pri·mate** ['∽mit] *zo.* primate *m*.

prime [praim] **1.** primero; principal; fundamental; *quality* selecto; **2.** flor *f*, lo mejor; ∽ *of life* la flor de la vida; **3.** *gun, pump* cebar; *surface etc.* preparar.

prim·er ['praimə] cartilla *f*; libro *m* de texto elemental.

pri·me·val [prai'mi:vəl] primitivo, prístino.

prim·ing ['praimiŋ] preparación *f*; primera capa *f of paint*.

prim·i·tive ['primitiv] ☐ primitivo; rudimentario, sencillo; F sucio.

prince [prins] príncipe *m*; **'prince·ly** principesco, magnífico; **prin·cess** ['prinsis] princesa *f*.

prin·ci·pal ['prinsəpəl] **1.** ☐ principal; *gr.* ∽ *parts pl.* partes *f/pl.* principales; **2.** principal *m* (*a.* ✝, ♂); director (-a *f*) *m of school, etc.*

prin·ci·ple ['prinsəpl] principio *m*; *in* ∽ en principio; *on* ∽ por principio.

print [print] **1.** (*mark*) marca *f*, impresión *f*; *typ.* tipo *m*; (*picture*) estampa *f*, grabado *m*; *phot.* impresión *f*, positiva *f*; (*cloth, dress*) estampado *m*; **2.** *dress* estampado; **3.** (*hacer*) imprimir (*a. phot.*); (*write*) escribir en caracteres de imprenta; **'print·ed** impreso; *dress etc.* estampado; *v. matter*; **'print·er** impresor *m*.

print·ing ['printiŋ] impresión *f*; tipografía *f*; (*quantity*) tirada *f*; **'∽ press** prensa *f* de imprenta; **'print-out** (*computer*) impreso *m* derivado.

pri·or ['praiə] **1.** anterior; previo; **2.** *adv.*: ∽ *to* antes de; hasta; **3.** *eccl.* prior *m*; **pri·or·i·ty** [∽'ɔriti] prioridad *f*.

prism ['prizm] prisma *m*; **pris·mat·ic** [priz'mætik] ☐ prismático.

pris·on ['prizn] cárcel *f*, prisión *f*; *put in* ∽ encarcelar; **'pris·on·er** ♂ preso (a *f*) *m*; ✗ prisionero *m*; *take* ∽ hacer prisionero.

pris·sy ['prisi] F remilgado, melindroso.

pri·va·cy ['praivəsi] secreto *m*, reserva *f*, retiro *m*; aislamiento *m*.

pri·vate ['praivit] **1.** ☐ privado; particular; secreto, reservado; *report etc.* confidencial; *conversation etc.* íntimo; ∽*!* prohibida la entrada; ∽ *enterprise* iniciativa *f* privada; **2.** ✗ (*or* ∽ *soldier*) soldado *m* raso; ∽*s pl.*, ∽ *parts pl.* partes *f/pl.* pudendas; *in* ∽ en privado.

pri·va·tion [prai'veiʃn] estrechez *f*, miseria *f*; privación *f*.

pri·va·tive ['privətiv] privativo.

priv·i·lege ['privilidʒ] **1.** privilegio *m*, prerrogativa *f*; **2.** privilegiar; *be* ∽*d to* tener el privilegio de.

priv·y ['privi] **1.** ☐: *be* ∽ *to* estar enterado secretamente de; **2.** retrete *m*.

prize [praiz] **1.** premio *m*; ♫ *etc.* presa *f*; **2.** premiado; digno de premio; **3.** apreciar, estimar.

prize...: '∽ fight·er boxeador *m* profesional; **'∽ mon·ey** bolsa *f*; **'∽ win·ner** premiado (a *f*) *m*.

pro¹ [prou] en pro de.

pro² [∽] F profesional *m/f*.

prob·a·bil·i·ty [prɔbə'biliti] probabilidad *f*; *in all* ∽ según toda probabilidad; **'prob·a·bly** probablemente; *he* ∽ *forgot* lo habrá olvidado.

pro·ba·tion [prə'beiʃn] probación *f*; ♂ *approx.* libertad *f* condicional; *on* ∽ a prueba; ♂ bajo libertad condicional; **pro'ba·tion·ar·y** de prueba.

probe [proub] **1.** ♂ sonda *f*; (*rocket*) cohete *m*, proyectil *m*; *fig.* F investigación *f* (*into* de), encuesta *f*; **2.** ♂ sondar, tentar; *fig.* indagar.

prob·lem ['prɔbləm] problema *m*; *attr.* F difícil; **prob·lem·at·ic, prob·lem·at·i·cal** [∽bli'mætik(l)] problemático, dudoso.

pro·ce·dure [prou'si:dʒə] procedimiento *m*; trámites *m/pl.*

pro·ceed [prə'si:d] proceder; (*continue*) seguir, continuar; obrar; ∽ *against* proceder contra, procesar; **pro'ceed·ing** procedimiento *m*; ∽*s pl.* actos *m/pl.*; transacciones *f/pl.*; (*published*) actas *f/pl.*; ♂ proceso *m*, procedimiento *m*; **pro·ceeds** ['prousi:dz] *pl.* ganancia *f*, producto *m*; ingresos *m/pl.*

proc·ess ['prouses] **1.** procedimiento *m*, proceso *m*; *in* ∽ *of construction* bajo construcción; **2.** ⊕ preparar, tratar (*into* para hacer); **'proc·ess·ing** tratamiento *m*; **pro·ces·sion** [prə'seʃn] desfile *m*; *eccl.* procesión *f*.

pro·claim [prə'kleim] proclamar.

pro·cliv·i·ty [prə'kliviti] propensión *f*, inclinación *f*.

pro·cras·ti·nate [prəˈkræstineit] hablar *etc.* para aplazar una decisión, no decidirse; **pro·cras·ti·na·tion** falta *f* de decisión, dilación *f*.

pro·cre·ate [ˈproukrieit] procrear.

pro·cur·a·ble [prəˈkjuərəbl] asequible.

pro·cure [prəˈkjuə] *v/t.* obtener; conseguir; lograr; gestionar; *girl* obtener para la prostitución; *v/i.* alcahuetear; **pro'cure·ment** obtención *f*; **pro'cur·er** alcahuete *m*; **pro'cur·ess** alcahueta *f*.

prod [prɔd] **1.** empuje *m*; codazo *m*; estímulo *m*; **2.** empujar; codear; *fig.* pinchar, estimular.

prod·i·gal [ˈprɔdigəl] □ pródigo (of de); the ~ son el hijo pródigo.

pro·di·gious [prəˈdidʒəs] □ prodigioso; enorme, ingente; **prod·i·gy** [ˈprɔdidʒi] prodigio *m*.

pro·duce 1. [ˈprɔdjuːs] producto(s) *m(pl.)* (esp. agrícolas); **2.** [prəˈdjuːs] producir; (show) presentar, mostrar; sacar; (cause) causar, ocasionar, motivar; **pro'duc·er** productor (-a f) *m*; *thea.* director *m* de escena.

prod·uct [ˈprɔdəkt] producto *m*; **pro·duc·tion** [prəˈdʌkʃn] producción *f*; *thea.* (re)presentación *f*; **pro'duc·tive** □ productivo; **pro·duc·tiv·i·ty** [prɔdʌkˈtiviti] productividad *f*.

prof [prɔf] F profesor *m*.

pro·fane [prəˈfein] **1.** □ profano; impío; *language etc.* fuerte; **2.** profanar; **pro·fan·i·ty** [prəˈfæniti] blasfemia *f*, impiedad *f*; F lenguaje *m* indecente.

pro·fess [prəˈfes] profesar; declarar, confesar; *regret etc.* manifestar; **pro'fessed** □ declarado; *b.s.* supuesto; *eccl.* profeso.

pro·fes·sion·al [prouˈfeʃnəl] □ profesional (a. su. *m/f*), de profesión; **pro'fes·sion·al·ism** [ˌ~əlizm] *sport:* profesionalismo *m*.

pro·fes·sor [prəˈfesə] profesor (-a f) *m* (universitario a]), catedrático (a f) *m*; **pro'fes·sor·ship** cátedra *f*.

pro·fi·cien·cy [prəˈfiʃnsi] pericia *f*, habilidad *f*; **pro'fi·cient** □ perito, hábil (at, in en).

pro·file [ˈproufail] **1.** perfil *m*; **2.** perfilar.

prof·it [ˈprɔfit] **1.** ganancia *f* (✝, a. ~s *pl.*); *fig.* provecho *m*, beneficio *m*; utilidad *f*; ~ *margin* excedente *m* de ganancia; **2.** *v/t.* servir a, aprovechar

a; **'prof·it·a·ble** □ provechoso; **prof·it·eer** [ˌ~ˈtiə] **1.** acaparador *m*; **2.** hacer ganancias excesivas; **prof·it'eer·ing** (negocios *m/pl.* que dan) ganancias *f/pl.* excesivas; **'prof·it·less** □ inútil; **prof·it shar·ing** [ˈ~ˌʃɛəriŋ] participación *f* en los beneficios.

prof·li·gate [ˈprɔfligit] □ libertino *adj. a. su. m*.

pro·found [prəˈfaund] □ profundo; **pro·fun·di·ty** [ˌ~ˈfʌnditi] profundidad *f*.

pro·fuse [prəˈfjuːs] □ profuso, abundante; pródigo.

prog·no·sis [prɔgˈnousis], *pl.* **prog·no·ses** [ˌ~siːz] pronóstico *m*.

prog·nos·tic [prɔgˈnɔstik] **1.** pronóstico *m*; **2.** pronosticación, pronóstico; **prog'nos·ti·cate** [ˌ~keit] pronosticar.

pro·gram [ˈprougræm] **1.** programa *m*; **2.** *computer, etc.* programar; **pro·gram·(m)er** [ˈprougræmə] programador *m*.

pro·gram·(m)ing [ˈprougræmiŋ] programación *f*; *computer* ~ programación *f* de computadoras.

prog·ress 1. [ˈprougres] progreso(s) *m(pl.)*; marcha *f*; **2.** **pro·gress** [prəˈgres] progresar, hacer progresos; **pro'gress·ive** □ progresivo; *pol.* progresista (a. su. *m/f*).

pro·hib·it [prəˈhibit] prohibir; **pro·hi'bi·tion·ist** prohibicionista *m/f*; **pro·hib·i·tive** [prəˈhibitiv] □ prohibitivo; *price* exorbitante.

proj·ect [ˈprɔdʒekt] proyecto *m*; **pro·ject** [prəˈdʒekt] *v/t.* proyectar; *v/i.* (sobre)salir; resaltar; **pro·jec·tile** [prəˈdʒektil] proyectil *m*; **pro'ject·ing** saliente.

pro·le·tar·i·an [prouleˈtɛəriən] proletario *adj. a. su. m* (a f).

pro·lif·ic [prəˈlifik] □ prolífico (of en).

pro·logue, *a.* **pro·log** [ˈproulɔg] prólogo *m* (a. fig.).

pro·long [prəˈlɔŋ] prolongar, alargar.

prom·e·nade [prɔmiˈnɑːd] **1.** paseo *m*; **2.** pasear(se).

prom·i·nence [ˈprɔminəns] prominencia *f*; *fig.* eminencia *f*; **'prom·i·nent** □ saliente, prominente.

pro·mis·cu·ous [prəˈmiskjuəs] □ promiscuo.

prom·ise [ˈprɔmis] **1.** promesa *f*; **2.** prometer (to inf.); asegurar; **'prom·is·ing** □ prometedor, que promete; **'prom·is·so·ry note** pagaré *m*

prom·on·to·ry [ˈprɒməntri] promontorio *m*.

pro·mote [prəˈmout] promover, fomentar; ascender *in rank*; *discussion etc.* estimular, facilitar; **proˈmot·er** promotor *m*; ✝ fundador *m*; *boxing*: empresario *m*, promotor *m*; **proˈmo·tion** promoción *f*, fomento *m*; ascenso *m in rank*.

prompt [prɒmpt] 1. □ pronto, puntual; 2. *adv.* puntualmente; 3. mover, incitar, estimular (to a); *thea.* apuntar; **ˈprompt·er** apuntador *m*, **ˈprompt·ness** prontitud *f*, puntualidad *f*.

pro·mul·gate [ˈprɒmʌlgeit] promulgar.

prone [proun] postrado (boca abajo); *fig.* ~ to propenso a.

prong [prɒŋ] punta *f*, púa *f*.

pro·noun [ˈprounaun] pronombre *m*.

pro·nounce [prəˈnauns] *v/t.* pronunciar (*a.* 🐾); (*with adj.*) declarar, juzgar; *v/i.*: ~ on expresar una opinión sobre, juzgar *acc*; **proˈnounced** marcado, fuerte; decidido.

proof [pruːf] 1. prueba *f* (*a. typ.*); graduación *f* normal *of alcohol*; in ~ of en prueba de, en comprobación de; 2. *drink* de graduación normal; *bullet*-~ a prueba de balas; 3. impermeabilizar; **ˈproof·read** [ˈpruːfriːd] corregir; **ˈ~·read·er** corrector *m* (de pruebas); **ˈ~ sheets** pruebas *f/pl*.

prop [prɒp] 1. 🔼 puntal *m*; sostén *m* (*a. fig.*); 🧰 entibo *m*; 2. (*a.* ~ up) apuntalar; apoyar.

prop·a·gan·da [prɒpəˈgændə] propaganda *f*; **prop·aˈgan·dist** propagandista *m/f*; **ˈprop·a·gate** [ˈprɒpəgeit] propagar.

pro·pel [prəˈpel] ⊕ impeler, impulsar; empujar; **proˈpel·lent** propulsor *m*; **proˈpel·ler** hélice *f*.

prop·er [ˈprɒpə] □ propio (to de); conveniente, apropiado; (*decent*) decente, decoroso; (*prim and* ~) relamido, etiquetero; *in the* ~ *sense of the word* en el sentido estricto de la palabra; ~ *name* nombre *m* propio; **ˈprop·er·ly**: *do s.t.* ~ hacer algo bien (*or como hace falta*), (*correctly*) correctamente, debidamente; **ˈprop·er·ty** (*estate, quality*) propiedad *f*; hacienda *f*; bienes *m/pl.*; ~ *owner* propietario *m* de bienes raíces; **ˈprop·er·ty tax** impuesto *m* sobre la propiedad.

proph·e·cy [ˈprɒfisi] profecía *f*;

proph·e·sy [ˈ~sai] profetizar; *fig.* augurar, prever.

proph·et [ˈprɒfit] profeta *m*; **proˈphet·ic, proˈphet·i·cal** [prəˈfetik(l)] □ profético.

pro·phy·lac·tic [prɒfiˈlæktik] □ profiláctico *adj. a. su. m*.

pro·pi·tious [prəˈpiʃəs] □ propicio.

prop·jet [ˈprɒpˈdʒet] turbohélice *m*.

pro·po·nent [prəˈpounənt] defensor *m*; patrocinador *m*.

pro·por·tion [prəˈpɔːʃn] 1. proporción *f*; *in* ~ *as* a medida que; 2.: *well etc.* ~ed bien *etc.* proporcionado; **proˈpor·tion·ate** [~it] □ proporcionado.

pro·pos·al [prəˈpouzəl] propuesta *f*, proposición *f*; oferta *f*; **proˈpose** *v/t.* proponer; ofrecer; *v/i.* proponer; (*marriage*) pedir la mano; ~ *to inf.* proponerse *inf.*; **prop·o·si·tion** [prɒpəˈziʃn] proposición *f*; oferta *f*; F empresa *f*, problema *m*.

pro·pri·e·tar·y [prəˈpraiətəri] propietario; *article* patentado; **proˈpri·e·tor** propietario *m*; dueño *m*; **proˈpri·e·ty** corrección *f*; conveniencia *f*; decoro *m*.

pro·pul·sion [prəˈpʌlʃn] propulsión *f*.

pro·rate [prouˈreit] 1. prorrata *f*; 2. prorratear.

pro·sa·ic [prouˈzeiik] □ prosaico.

prose [prouz] 1. prosa *f*; 2. *attr.* de (*or* en) prosa.

pros·e·cute [ˈprɒsikjuːt] 🐾 procesar, enjuiciar; **pros·eˈcu·tion** 🐾 (*case*) proceso *m*, causa *f*; 🐾 (*side*) parte *f* actora; prosecución *f*; **ˈpros·e·cu·tor** acusador *m*.

pros·e·lyte [ˈprɒsilait] prosélito (a *f*) *m*.

pros·o·dy [ˈprɒsədi] métrica *f*, prosodia *f*.

pros·pect 1. [ˈprɒspekt] perspectiva *f*; (*view*) vista *f*; (*expectation*) expectativa *f*, esperanza *f*; 2. [prəˈspekt] *v/t.* explorar; *v/i.*: ~ *for* buscar; **proˈspec·tive** □ anticipado, esperado; futuro; **ˈpros·pec·tor** 🧰 prospector *m*.

pros·per [ˈprɒspə] prosperar, medrar; **prosˈper·i·ty** [prɒsˈperiti] prosperidad *f*; **ˈpros·per·ous** [ˈ~pərəs] □ próspero.

pros·tate [ˈprɒsteit] 🦴 1. próstata *f*; 2. prostático; ~ *gland* glandula *f* prostática.

pros·ti·tute [ˈprɒstitjuːt] 1. prostituta *f*; 2. prostituir.

pros·trate 1. ['prɔstreit] postrado (*a. fig.*); *fig.* abatido (*with* por); **2.** postrar (*a. fig.*); *fig.* abatir.

pro·tag·o·nist [prou'tægɔnist] protagonista *m/f.*

pro·tect [prɔ'tekt] proteger (*from* de, contra); **pro'tec·tion·ist** proteccionista *adj. a. su. m/f*; **pro'tec·tive** □ protector; **pro'tec·tor·ate** [~tɔrit] protectorado *m.*

pro·té·gé(e) ['prɔteiʒei] protegido (*a f*) *m*, ahijado (*a f*) *m.*

pro·te·in ['prɔutiːn] proteína *f.*

pro·test 1. ['prɔutest] protesta *f*; queja *f*; **2.** [prɔ'test] protestar (*against* de, *that* de que); quejarse.

Prot·es·tant ['prɔtistɔnt] protestante *adj. a. su. m/f*; **'Prot·es·tant·ism** protestantismo *m.*

prot·es·ta·tion [proutes'teiʃn] protesta *f.*

pro·to·col ['proutɔkɔl] protocolo *m.*

pro·ton ['prouton] protón *m.*

pro·to·type ['proutɔtaip] prototipo *m.*

pro·tract [prɔ'trækt] prolongar.

pro·trude [prɔ'truːd] *v/t.* sacar fuera; *v/i.* (sobre)salir, salir fuera.

pro·tu·ber·ance [prɔ'tjuːbɔrɔns] protuberancia *f*, saliente *m*; **pro'tu·ber·ant** □ protuberante, saliente.

proud [praud] □ orgulloso; *b.s.* soberbio, engreído; (*imposing*) espléndido, imponente.

prove [pruːv] *v/t.* (com)probar; demostrar; *will* verificar; *v/i.* resultar (*that* que; *true* verdadero).

prov·erb ['prɔvɔb] refrán *m*, proverbio *m.*

pro·vide [prɔ'vaid] *v/t.* suministrar, surtir; proporcionar; abastecer (*with* de); *v/i.:* ~ *against* precaverse de; ~ *for* prevenir, ~ *that* disponer que, estipular que; **pro'vid·ed (that)** con tal que.

prov·i·dence ['prɔvidɔns] providencia *f*; previsión *f*; ♀ (Divina) Providencia; **'prov·i·dent** □ providente, previsor.

pro·vid·er [prɔ'vaidɔ] proveedor (-a *f*) *m.*

prov·ince ['prɔvins] provincia *f*; *fig.* competencia *f*, jurisdicción *f.*

pro·vin·cial [prɔ'vinʃl] **1.** provincial; *contp.* provinciano; **2.** provinciano (*a f*) *m*; **pro'vin·cial·ism** provincialismo *m.*

prov·ing ground ['pruːviŋgraund] campo *m* de ensayos.

pro·vi·sion [prɔ'viʒn] **1.** provisión *f*; estipulación *f*; ~*s pl.* provisiones *f/pl.*, víveres *m/pl.*; **2.** aprovisionar, abastecer.

pro·vi·so [prɔ'vaizou] estipulación *f*; salvedad *f.*

pro·voke [prɔ'vouk] provocar (*to* a), incitar (*to* a); causar, motivar; (*anger*) irritar; **pro'vok·ing** □ enojoso.

prov·ost ['prɔvɔst] preboste *m.*

prow [prau] proa *f.*

prow·ess ['prauis] valor *m*; habilidad *f*, destreza *f.*

prowl [praul] rondar (en busca de presa *etc.*); vagar (*v/t.* por); '~ **car** coche *m* de policía; '~**er** rondador *m* sospechoso.

prox·im·i·ty [prɔk'simiti] proximidad *f*; inmediaciones *f/pl.*

prox·y ['prɔksi] poder *m*; (*p.*) apoderado (*a f*) *m*; *by* ~ por poder(es).

pru·dence ['pruːdɔns] prudencia *f*; **'pru·dent** □ prudente.

prud·er·y ['pruːdɔri] remilgo *m*, gazmoñería *f*; **'prud·ish** □ gazmoño.

prune¹ [pruːn] ciruela *f* pasa.

prune² [~] podar; escamondar (*a. fig.*); **'prun·ing** poda *f.*

pru·ri·ence, pru·ri·en·cy ['pruːriɔns(i)] salacidad *f*, lascivia *f.*

Prus·sian ['prʌʃn] prusiano *adj. a. su. m* (*a f*); ~ *blue* azul *m* de Prusia.

pry [prai] fisgar, fisgonear; curiosear; entrometerse (*into* en); ~ *up*, *apart*, *etc.* apalancar; **'pry·ing** □ fisgón, entrometido; curioso.

psalm [sɑːm] salmo *m.*

pseu·do... ['psjuːdou] seudo...; falso, fingido; **pseu·do·nym** ['~dɔnim] seudónimo *m*; **pseu·don·y·mous** [~'dɔnimɔs] □ seudónimo.

psy·che ['saiki] psique *f.*

psy·chi·a·trist [sai'kaiɔtrist] psiquiatra *m/f*; **psy'chi·a·try** psiquiatría *f.*

psy·chic ['saikik] □ psíquico.

psy·cho·a·nal·y·sis [saikouɔ'nælɔsis] psicoanálisis *m*; **psy·cho·an·a·lyst** [~'ænɔlist] psicoanalista *m/f.*

psy·chol·o·gist [sai'kɔlɔdʒist] psicólogo *m*; **psy'chol·o·gy** psicología *f.*

psy·cho·sis [sai'kousis] psicosis *f.*

pto·maine ['toumein] ptomaína *f.*

pub [pʌb] ⊦ taberna *f*, tasca *f*; '~**crawl** *sl.* **1.** chateo *m* (de tasca en tasca); **2.** ir de chateo, copear.

pu·ber·ty ['pjuːbɔti] pubertad *f.*

pub·lic ['pʌblik] **1.** □ público; ~ *address system* sistema *m* amplificador (de discursos públicos); ~ *house* ta-

berna f; posada f; ~ *library* biblioteca f pública; ~ *relations* relaciones f/pl. públicas; 2. público m; *in* ~ en público; **pub·li·cist** ['⌂sist] publicista m; **pub·lic·i·ty** [⌂siti] publicidad f; **pub·li·cize** ['⌂saiz] publicar, dar publicidad a, anunciar; **'pub·lic-'spir·it·ed** □ *action* de buen ciudadano; *p.* lleno de civismo.

pub·lish ['pʌbliʃ] publicar; **'pub·lish·er** editor m; **'pub·lish·ing** publicación f de libros.

puck·er ['pʌkə] 1. *sew.* frunce m, fruncido m; 2. (*a.* ~ *up*) v/t. *sew.*, *brow* fruncir; v/i. arrugarse.

pud·ding ['pudiŋ] pudín m.

pud·dle ['pʌdl] 1. charco m; 2. ⊕ pudelar.

pudg·y ['pʌdʒi] F gordinflón; rechoncho.

pu·er·ile ['pjuərail] pueril.

puff [pʌf] 1. resoplido m, resuello m; soplo m *of air*, racha f *of wind*; bocanada f, humarada f *of smoke*; 2. v/t. soplar; ~ *out smoke etc.* echar, arrojar; ~ *up* hinchar, inflar; v/i. soplar; jadear, acezar, resollar.

puff-pas·try ['pʌf'peistri] hojaldre m; **'puff·y** hinchado.

pu·gil·ism ['pju:dʒilizm] pugilato m; **'pu·gil·ist** púgil m; pugilista m.

pug-nosed ['pʌgnouzd] chato, braco.

puke [pju:k] vomitar.

pull [pul] 1. tirón m; estirón m; chupada f *at pipe*; cuerda f *of bell*; F (*influence*) buenas aldabas f/pl.; 2. v/t. tirar de; (*drag*) arrastrar; *muscle* torcerse, dislocarse; ~ *along* arrastrar; ~ *back* tirar hacia atrás; ~ *out* sacar; arrancar; (*stretch*) estirar; ~ *o.s. together* sobreponerse, recobrar la calma; v/i. tirar, dar un tirón; ~ *at pipe* chupar; *rope etc.* tirar de; ~ *through* 🏵 recobrar la salud; salir de un apuro; ~ *up* pararse, detenerse; mejorar su posición.

pul·let ['pulit] poll(it)a f.

pul·ley ['puli] polea f.

pull·o·ver ['pulouvə] jersey m; pulóver m.

pul·mo·nar·y ['pʌlmənəri] pulmonar.

pulp [pʌlp] pulpa f; pasta f.

pul·pit ['pulpit] púlpito m.

pulp·y ['pʌlpi] pulposo.

pul·sate ['pʌl'seit] pulsar, latir.

pulse [pʌls] 1. pulso m; *feel one's* ~ tomar el pulso a; 2. pulsar, latir.

pul·ver·ize ['pʌlvəraiz] pulverizar (-se); F cascar.

pum·ice ['pʌmis] (*a.* '~-*stone*) piedra f pómez.

pump[1] [pʌmp] 1. bomba f; 2. sacar (*or elevar etc.*) con bomba; F *p.* sonsacar; ~ *dry* secar con bomba(s); ~ *up tire* inflar.

pump[2] [~] (*shoe*) zapatilla f.

pump·kin ['pʌmpkin] calabaza f.

pun [pʌn] 1. juego m de palabras (*on* sobre); 2. jugar del vocablo.

punch[1] [pʌntʃ] 1. ⊕ punzón m; 2. punzar, taladrar; *ticket* picar.

punch[2] [~] 1. (*blow*) puñetazo m; F empuje m, vigor m; *pull one's* ~es no emplear toda su fuerza; 2. dar un puñetazo a; golpear; *cattle* guiar; cuidar.

punch[3] [~] (*drink*) ponche m.

punch-drunk ['pʌntʃ'drʌŋk] *boxer* atontado.

punc·tu·al ['pʌŋktjuəl] □ puntual; **punc·tu·al·i·ty** [~'æliti] puntualidad f.

punc·tu·ate ['pʌŋktjueit] puntuar.

punc·ture ['pʌŋktʃə] 1. *mot. etc.* pinchazo m; puntura f, punzada f; 2. pinchar; perforar, punzar.

pun·ish ['pʌniʃ] castigar; F maltratar; (*tax*) exigir esfuerzos sobrehumanos a; **'pun·ish·ment** castigo m; F tratamiento m severo.

punk [pʌŋk] 1. basura f, 'fruslerías f/pl.; *sl.* pillo m; 2. *sl.* malo, baladí; . **punk rock** ['pʌŋkrɔk] música f rock de efectos deliberadamente chocantes.

punt [pʌnt] ♣ 1. batea f; 2. v/i. ir en batea; v/t. impeler con botador.

pu·ny ['pju:ni] encanijado; insignificante; *effort etc.* débil.

pup [pʌp] cachorro (a f) m.

pu·pil ['pju:pil] alumno (a f) m; *anat.* pupila f.

pup·pet ['pʌpit] títere m; (*p.*) marioneta f; '~ *show* (función f de) títeres m/pl.

pup·py ['pʌpi] cachorro (a f) m; perrito (a f) m.

pur·chase ['pə:tʃəs] 1. compra f; *fig.* agarre m firme; ⊕ apalancamiento m; 2. comprar, adquirir; *purchasing power* poder m adquisitivo.

pure [pjuə] □ puro; '~-**bred** de pura sangre; **'pure·ness** pureza f.

pur·ga·tive ['pə:gətiv] purgativo; purgante (*a. su. m*); **'pur·ga·to·ry** purgatorio m.

purge [pə:dʒ] 1. ⚕ purga *f*, purgante *m*; *pol.* purga *f*; 2. purgar; purificar, depurar; *pol. party* purgar.

pu·ri·fi·er ['pjuərifaiə] (*water-*) depurador *m*; **pu·ri·fy** ['~fai] purificar, depurar; **'pu·rist** purista *m/f*, casticista *m/f*.

pu·ri·tan ['pjuəritən] puritano *adj. a. su. m* (*a f*); **pu·ri·tan·ism** ['~tənizm] puritanismo *m*.

pu·ri·ty ['pjuəriti] pureza *f*.

pur·ple ['pə:pl] 1. purpúreo, morado; 2. púrpura *f*.

pur·port 1. ['pə:pət] significado *m*, tenor *m*; intención *f*; 2. [pə'pɔːt] significar, dar a entender (*that* que).

pur·pose ['pə:pəs] propósito *m*, intención *f*; resolución *f*; *novel with a* ~ novela *f* de tesis; *for the* ~ *of ger.* con el fin de *inf.*; *on* ~ adrede, de propósito; **pur·pose·ful** ['~ful] □ determinado, resuelto; **'pur·pose·less** □ sin propósito fijo, sin fin determinado; **'pur·pose·ly** *adv.* adrede, de propósito.

purr [pə:] 1. (*cat, motor*) ronronear; 2. ronroneo *m*.

purse [pə:s] 1. bolsa *f*, bolso *m*; (*prize*) premio *m*; ~ *lips* fruncir; **'purs·er** contador *m* de navío; **'purse·strings**: *hold the* ~ tener las llaves de la caja.

pur·sue [pə'sjuː] (*hunt*) seguir (la pista de), cazar; (*a. fig.*) perseguir; acosar; *pleasures etc.* dedicarse a; **pur·suit** [~'sjuːt] caza *f*, busca *f*; persecución *f*; (*occupation*) ocupación *f*; (*pastime*) pasatiempo *m*; *in* ~ *of* en pos de; ~ *plane* avión *m* de caza.

pur·vey [pə:'vei] suministrar, abastecer, proveer; **pur·vey·or** abastecedor (-a *f*) *m*, proveedor (-a *f*) *m*.

pur·view ['pə:vjuː] alcance *m*, esfera *f*.

pus [pʌs] pus *m*.

push [puʃ] 1. empuje *m*, empujón *m*; ⚔ ofensiva *f*, avance *m*; F agresividad *f*; 2. *v/t.* empujar; *enterprise* promover, fomentar; *claim* proseguir; F *product* hacer una campaña publicitaria a favor de; ~ *away* apartar con la mano; empujar; ~ *back* echar atrás; *v/i.* empujar, dar un empujón; hacer esfuerzos; ~ *on* seguir adelante, continuar (a pesar de todo); avanzar; **'~·but·ton** botón *m* de llamada *etc.*; ~ *control* mando *m* por botón; **'~·cart** carretilla *f* de mano; **'push·o·ver** F cosa *f* muy fácil, persona *f* muy fácil de (con)vencer *etc.*; breva *f*; **push·y** F agresivo; presumido.

pu·sil·lan·i·mous [pjuːsi'læniməs] □ pusilánime.

puss(·y) ['pus(i)] minino *m*, micho *m*; **'puss·y·foot** F moverse a paso de gato, andar a tientas; no declararse.

put [put] [*irr.*] 1. *v/t.* poner; colocar; (*insert*) meter; *question* hacer; *motion* proponer, someter a votación; (*expound*) exponer, presentar; expresar; redactar *in words*; ~ *across meaning* comunicar, hacer entender; *idea, product* hacer aceptar; ~ *aside* (*reject*) rechazar; (*save*) poner aparte, ahorrar; ~ *away* (*keep*) guardar; (*save*) ahorrar; volver a poner en su lugar; (*imprison*) encarcelar; *lunatic* meter en un manicomio; ~ *back th.* devolver a su lugar; *clock, process* retardar, atrasar; *function etc.* aplazar; ~ *forth book etc.* publicar; *bud etc.* producir, echar; *effort* emplear; ~ *forward* presentar, proponer; *function, date* adelantar; *time* dedicar; ~ *off* (*postpone*) aplazar, dejar para después; *p.* quitar las ganas de, hacer perder el sabor de; ~ *on clothes* ponerse; *shoes* calzarse; ~ *it on* exagerar; emocionarse demasiado; *fire, light* apagar; (*expel*) poner en la calle; (*inconvenience*) molestar, incomodar; (*disconcert*) desconcertar; ~ *over idea, product* hacer aceptar; *meaning* comunicar; *teleph.* poner (*to* con); ~ *it to p.* decirlo a; sugerirlo a; proponerlo a; *be hard* ~ *to* tener mucha dificultad en *inf.*; ~ *together* añadir; juntar; ⊕ montar; ~ *up building* construir; *umbrella* abrir; *price* aumentar; *money* poner, contribuir; *candidate* nombrar, apoyar; *guest* hospedar; 2. *v/i.*: ~ *about* ⚓ cambiar de rumbo; ~ *in* ⚓ entrar a puerto; ~ *in at* ⚓ hacer escala en; ~ *up with* aguantar, resignarse a.

pu·tre·fy ['pjuːtrifai] pudrirse.

pu·tres·cence [pjuː'tresns] pudrición *f*; **pu·tres·cent** putrescente.

pu·trid ['pjuːtrid] □ podrido, putrefacto; F malísimo, pésimo.

putt [pʌt] 1. golpe *m* corto; 2. golpear con poca fuerza.

put·ty ['pʌti] 1. masilla *f*; 2. enmasillar.

put-up job ['putʌp'dʒɔb] *sl.* cosa *f* proyectada y preparada de antemano; asunto *m* fraudulento.

puz·zle ['pʌzl] 1. problema *m*, enigma *m*; (*game*) rompecabezas *m*, acertijo

m; 2. *v/t.* intrigar, confundir, dejar perplejo; *v/i.*: ~ over tratar de resolver, devanarse los sesos para descifrar; **'puz·zled** intrigado; perplejo; **'puz·zling** enigmático, misterioso.

pyg·my ['pigmi] pigmeo *adj. a. su. m.*

py·lon ['pailən] pilón *m*; ⚡ torre

f de conducción eléctrica.

pyr·a·mid ['pirəmid] pirámide *f*; **pyram·i·dal** [pi'ræmidl] piramidal.

py·ri·tes [pai'raiti:z] pirita *f*.

py·ro... ['paiərou] piro...; **py·ro·'tech·nics** *pl.* pirotecnia *f*.

py·thon ['paiθən] pitón *m*.

Q

quack¹ [kwæk] *approx.* 1. graznido *m*; 2. graznar.

quack² [~] 1. charlatán *m*, curandero *m*; 2. falso; *remedy* de curandero.

quad·ra·gen·ar·ian [kwɔdrədʒə'neəriən] cuadragenario *adj. a. su. m* (a *f*).

quad·ran·gle ['kwɔdræŋgl] cuadrángulo *m*; △ patio *m*.

quad·rant ['kwɔdrənt] cuadrante *m*.

quad·ra·phon·ic [kwɔdrə'fɔnik] cuadrafónico; **quad·rat·ic** [kwɔ'drætik] de segundo grado.

quad·ri·lat·er·al [kwɔdri'lætərəl] cuadrilátero *adj. a. su. m.*

quad·ru·ped ['kwɔdruped] 1. cuadrúpedo *m*; 2. cuadrúpedo; **quadru·ple** 1. ['kwɔdrupl] cuádruple; 2. [~] cuádruplo *m*; 3. [~'rupl] cuadruplicar(se); **quad·ru·plets** [kwɔd'ru:plits] *pl.* cuatrillizos (as *f/pl.*) *m/pl.*; **quad·ru·pli·cate** 1. [kwɔ'dru:plikit] (*in por*) cuadruplicado *m*; 2. [~keit] cuadruplicar.

quail [kweil] *orn.* codorniz *f*.

quaint [kweint] □ curioso, original; pintoresco; típico.

quake [kweik] 1. temblor *m*; terremoto *m*; 2. temblar, trepidar, estremecerse (*with*, *for* de).

Quak·er ['kweikə] cuáquero *m*; **'Quak·er·ism** cuaquerismo *m*.

qual·i·fi·ca·tion [kwɔlifi'keiʃn] calificación *f*; requisito *m*; **qual·i·fied** ['~faid] *p.* c(u)alificado, habilitado, capacitado, competente; **qual·i·fy** ['~fai] *v/t.* calificar (*a. gr.*); habilitar, modificar, limitar; *v/i.* habilitarse, capacitarse; llenar los requisitos; **'qual·i·ty** (*type, character*) calidad *f*, categoría *f*, clase *f*; (*characteristic*) cualidad *f*, virtud *f*.

qualm [kwɔ:m, kwɑ:m] ♂ bascas *f/pl.*, náusea *f*; duda *f*.

quan·ti·ta·tive ['kwɔntiteitiv] □ cuantitativo; **'quan·ti·ty** cantidad *f*.

quan·tum ['kwɔntəm] cantidad *f*.

quar·an·tine ['kwɔrənti:n] 1. cuarentena *f*; 2. poner en cuarentena.

quar·rel ['kwɔrəl] 1. riña *f*, disputa *f*; (*violent*) reyerta *f*, pendencia *f*; 2. reñir, disputar; pelear; **quar·rel·some** ['~səm] □ pendenciero.

quar·ry ['kwɔri] *hunt.* presa *f*.

quart [kwɔ:t] *cuarto de galón* (= *1,136 litros*).

quar·ter ['kwɔ:tə] 1. cuarto *m*, cuarta parte *f*; (*3 months*) trimestre *m*; cuarto *m* of *moon*; barrio *m* of *town*; *moneda f de 25 centavos*; ~*s pl.* vivienda *f*; ⚔ cuartel *m*, alojamiento *m*; 2. cuartear; *meat* descuartizar; *heraldry:* cuartelar; ⚔ acuartelar; *be ~ed* (*up*) on estar alojado en casa de; **'~deck** alcázar *m*; **'quar·ter·ly** 1. trimestral; 2. publicación *f* trimestral; 3. cada tres meses, por trimestres; **'quar·ter·mas·ter** *approx.* furriel *m*, comisario *m*.

quartz [kwɔ:ts] cuarzo *m*.

quash [kwɔʃ] anular, invalidar.

qua·ver ['kweivə] 1. temblor *m*; ♪ trémolo *m*; (*note*) corchea *f*; 2. temblar, vibrar; ♪ gorjear.

quay [ki:] muelle *m*, desembarcadero *m*.

quea·si·ness ['kwi:zinis] bascas *f/pl.*; propensión *f* a la náusea; **'quea·sy** □ bascoso; delicado.

queen [kwi:n] 1. reina *f* (*a. chess*); *cards:* dama *f*, (*Spanish*) caballo *m*; ~ *bee* abeja *f* reina; ~ *mother* reina *f* madre; 2. *pawn* coronar; ~ *it* pavonearse.

queer [kwiə] □ raro, extraño; misterioso; excéntrico, extravagante; F ⚥ enfermo; F maricón (*a. su. m*).

quell [kwel] reprimir, domar.

quench [kwentʃ] *thirst etc.* apagar; extinguir, ahogar; ⊕ templar; **'quench·er** F trago *m*.

quer·u·lous ['kwerʊləs] ☐ quejumbroso, quejicoso.

que·ry ['kwiəri] **1.** pregunta f; duda f; punto m de interrogación [?]; **2.** preguntar; dudar de.

quest [kwest] **1.** busca f; búsqueda f; pesquisa f; **2.** buscar.

ques·tion ['kwestʃn] **1.** pregunta f; (affair) asunto m, cuestión f; problema m; ~ mark punto m de interrogación; it is a ~ of se trata de; the ~ is el caso es; that is the ~ ahí está el problema; that is out of the ~ es totalmente imposible; there is no ~ of no se trata de; **2.** interrogar, hacer preguntas a; examinar; (doubt) poner en duda; desconfiar de; **ques·tion·naire** [kestiə'nɛə, kwestʃə'nɛə] cuestionario m.

queue [kju:] **1.** cola f; **2.** hacer cola.

quib·ble ['kwibl] **1.** evasión f, sofistería f; retruécano m; **2.** sutilizar; jugar del vocablo; buscar evasivas; **'quib·bler** sofista m/f.

quick [kwik] **1.** rápido, veloz; pronto; vivo; ágil; ear fino; eye, wit agudo; **2.** carne f viva; the ~ los vivos; cut to the ~ herir en lo vivo; **'quick·en** acelerar(se), apresurar; vivificar; **'quick·froz·en** de congelación rápida; **quick·ie** ['~i] F pregunta f (or acción) relámpago f; **'quick·lime** cal f viva; **'quick·ly** pronto; de prisa, rápidamente; **'quick·ness** presteza f, celeridad f; prontitud f.

quick...: '~sand arena f movediza; '~·sil·ver azogue m, mercurio m; '~·tem·pered de genio vivo; '~·witted agudo, perspicaz.

qui·es·cence [kwai'esns] quietud f, tranquilidad f; **qui·es·cent** ☐ quieto, inactivo; latente.

qui·et ['kwaiət] **1.** ☐ (silent) silencioso, callado; (motionless, not excited) quieto, tranquilo; reposado; color no llamativo; celebration etc. sin ceremonias, más bien privado; all ~ sin novedad; be ~, keep ~ (p.) callarse; **2.** silencio m; tranquilidad f, reposo m; F on the ~ a la sordina; **3.** calmar(se); **4.** ~! ¡silencio!; **'qui·et·ness, qui·e·tude** ['~tju:d] tranquilidad f, quietud f; silencio m.

quill [kwil] **1.** pluma f; cañón m (de

pluma); (spine) púa f; (bobbin) canilla f; **2.** plegar; **'quill pen** pluma f de ave (para escribir).

quilt [kwilt] **1.** colcha f; **2.** acolchar; estofar; pespunt(e)ar; **'quilt·ing** colchadura f; (art) piqué m.

qui·nine ['kwainain] quinina f.

quin·qua·gen·ar·i·an [kwiŋkwədʒə'nɛəriən] quincuagenario adj. a. su. (a f) m.

quin·quen·ni·um [kwiŋ'kweniəm] quinquenio m.

quint·es·sence [kwin'tesns] quinta esencia f.

quin·tet(te) [kwin'tet] quinteto m.

quin·tu·ple ['kwintjupl] **1.** quíntuplo; **2.** quintuplicar(se); **quin·tu·plets** ['~plits] pl. quintillizos (as f/pl.) m/pl.

quip [kwip] **1.** agudeza f, pulla f, chiste m; **2.** echar pullas.

quire ['kwaiə] mano f de papel.

quirk [kwə:k] (oddity) capricho m, peculiaridad f; (quip) agudeza f.

quit [kwit] v/t. dejar, abandonar; salir de; desocupar; ~ ger. dejar de inf., desistir de inf.; v/i. retirarse, despedirse; rajarse; cejar.

quite [kwait] totalmente, completamente; (rather) bastante ~ a hero todo un héroe; ~ (so)! efectivamente, perfectamente.

quits [kwits] en paz (with con); en conclusión; cry ~ hacer las paces; call it ~ no seguir; descontinuar.

quit·ter ['kwitə] F approx. faltón m, remolón m; catacaldos m.

quiv·er ['kwivə] **1.** temblar, estremecerse; **2.** temblor m.

quix·ot·ic [kwik'sɔtik] ☐ quijotesco.

quiz [kwiz] **1.** encuesta f; acertijo m; prueba f; ~ show torneo m radiofónico; torneo m televisado; **2.** interrogar; mirar con curiosidad; **'quiz·zi·cal** ☐ burlón.

quo·rum ['kwɔːrəm] quórum m.

quo·ta ['kwoutə] cuota f; contingente m, cupo m.

quo·ta·tion [kwou'teiʃn] cita f, citación f; † cotización f; **quo·ta·tion marks** pl. comillas f/pl.

quote [kwout] citar; † cotizar (at en).

quo·tient ['kwouʃənt] cociente m.

R

rab·bi ['ræbai] rabino *m*; (*before name*) rabí *m*.

rab·bit ['ræbit] conejo *m*.

rab·ble ['ræbl] canalla *f*, chusma *f*; '**~rous·er** agitador *m*.

rab·id ['ræbid] □rabioso (*a. fig.*); *fig.* fanático.

ra·bies ['reibi:z] rabia *f*.

race¹ [reis] raza *f* (*a. biol.*); estirpe *f*, casta *f*; *human* ~ género *m* humano.

race² [~] 1. carrera *f*; regata *f on water*; (*current*) corriente *f* fuerte; 2. *v/i.* competir; ir a máxima velocidad; *v/t.* hacer correr; competir con; '**~course** hipódromo *m*, cancha *f* *S.Am.*

race ha·tred ['reis'heitrid] odio *m* racial.

race horse ['reishɔ:s] caballo *m* de carrera.

rac·er ['reisə] caballo *m* (*or* coche *m* *etc.*) de carrera.

race ri·ot ['reis'raiə] disturbio *m* racista.

race track ['reistræk] pista *f*, cancha *f* *S.Am.*; *mot.* autódromo *m*.

ra·cial ['reiʃl] □racial.

rac·i·ness ['reisinis] sal *f*, vivacidad *f*, picante *f*.

rac·ing ['reisiŋ] carreras *f/pl.*; *attr.* de carrera(s).

rac·ism ['reisizm] actitud *f* discriminatoria hacia razas específicas; racismo *m*.

rac·ist ['reisist] practicante *m/f* o creyente *m/f* del racismo; racista *adj. a. su. m/f*.

rack [ræk] 1. estante *m*, anaquel *m*; (*hat- etc.*) percha *f*, cuelgacapas *m*; 2. atormentar.

rack·et¹ ['rækit], **racqu·et** [~] raqueta *f*.

rack·et² [~] 1. alboroto *m*, baraúnda *f*, jaleo *m*, estrépito *m*; F estafa *f*; **rack·et·eer** [~'tiə] F estafador *m*, chantajista *m*, trapacista *m*; **rack·et·eer·ing** F chantaje *m* sistematizado.

rac·y ['reisi] □espirituoso *m*; picante; castizo; *style* salado, vivaz.

ra·dar ['reidɑ:] radar *m*; ~scope radarscopio *m*; ~ scanner explorador *m* de radar.

ra·di·al ['reidiəl] □radial.

ra·di·ance, ra·di·an·cy ['reidiəns(i)] brillantez *f*, resplandor *m*; '**ra·di·ant** □radiante (*a. fig.*); brillante.

ra·di·ate ['reidieit] (ir)radiar; *happiness etc.* difundir; **ra·di·a·tor** ['~eitə] radiador *m*.

rad·i·cal ['rædikəl] □ *all senses*: radical *a. su. m*; '**rad·i·cal·ism** radicalismo *m*.

ra·di·o ['reidiou] 1. radio *f* (*a. ~ set*); radio(tele)fonía *f*; *on* (*or over*) *the* ~ por radio; ~ *station* emisora *f*; ~ *studio* estudio *m* (de emisión); 2. radiar, transmitir por radio; '**~'ac·tive** radiactivo; '**~·ac·tiv·i·ty** radiactividad *f*; **ra·di·o·gra·phy** [reidi'ɔgrəfi] radiografía *f*; **ra·di·ol·o·gy** [reidi'ɔlə-dʒi] radiología *f*; **ra·di·os·co·py** [~'ɔskəpi] radioscopia *f*; **ra·di·o·tel·e·scope** radiotelescopio *m*; '**ra·di·o·'ther·a·py** radioterapia *f*.

rad·ish ['rædiʃ] rábano *m*.

ra·di·us ['reidiəs], *pl.* **ra·di·i** ['~ai] *all senses*: radio *m*.

raf·fle ['ræfl] 1. rifar, sortear; 2. rifa *f*.

raft [rɑ:ft] 1. balsa *f*, almadía *f*; 2. transportar en balsa; '**raft·er** △ cab(r)io *m*; traviesa *f*.

rag¹ [ræg] trapo *m*; andrajo *m*, harapo *m*; F (*newspaper*) periodicucho *m*; *sl.* chew the ~ platicar.

rag² [~] *sl. v/t.* embromar, dar guerra a; *v/i.* guasearse, bromear.

rag·a·muf·fin ['rægəmʌfin] granuja *m*, galopín *m*.

rage [reidʒ] 1. rabia *f*, furor *m*; manía *f*, afán *m* (*for* de); 2. rabiar.

rag·ged ['rægid] □ harapiento, andrajoso; *edge* desigual, mellado.

rag·ing ['reidʒiŋ] rabioso, furibundo.

rag...: '**~·tag** F chusma *f* (*freq.* ~ *and bobtail*); '**~·time** ♪ tiempo *m* sincopado.

raid [reid] 1. correría *f*, incursión *f*; ✕ ataque *m*, bombardeo *m*; 2. invadir; atacar; ✕ bombardear.

rail¹ [reil] 1. baranda *f*, barandilla *f*, pasamanos *m*; 🚂 riel *m*, carril *m*; ~ *car* automotriz *m*; *by* ~ por ferrocarril; 2. (*a.* ~ *in*, ~ *off*) poner cerca (*or* barandilla) a.

rail² [~]: ~ *at*, ~ *against* protestar amargamente contra.

rail·ing ['reiliŋ] (*a.* ~s *pl.*) verja *f*, barandilla *f*.

rail·road ['reilroud] ferrocarril *m*; 2. *attr.* ... ferroviario; 3. (*through*) llevar a cabo muy precipitadamente; *sl.* encarcelar falsamente.

rashness

rain [rein] **1.** lluvia *f* (*a. fig.*); **2.** llover (*a. fig.*); ~ *cats and dogs* llover a cántaros; '~**bow** arco iris *m*; '~**coat** impermeable *m*; '~**drop** gota *f* de agua; '~**fall** precipitación *f*; (cantidad *f* de) lluvia *f*; ~ **gauge** ['~geidʒ] pluviómetro *m*; '**rain·y** □ lluvioso; ~ *day* día *m* de lluvia.

raise [reiz] levantar, alzar, elevar, subir, erguir; ⚡ elevar (a una potencia); *building* erigir; *crop* cultivar; *livestock* criar; *money* reunir.

rai·sin ['reizin] pasa *f*, uva *f* seca.

rake[1] [reik] **1.** (*garden*) rastrillo *m*; (*farm*) rastro *m*; (*fire*) hurgón *m*; **2.** *v/t.* rastrillar; *fire* hurgar; ~ *together* (*off*) reunir (quitar) con el rastrillo; *v/i.* rastrear.

rake[2] [~] libertino *m*, calavera *m*.

'**rake-off** *sl.* tajada *f*.

rak·ish ['reikiʃ] **1.** ⚓ de palos inclinados; veloz, ligero; gallardo (*a. fig.*); *at a* ~ *angle hat* echado al lado, a lo chulo; **2.** □ *p.* libertino.

ral·ly ['ræli] **1.** *mst pol.* reunión *f*, manifestación *f*; ✕, ✈ recuperación *f*; **2.** *v/i.* reunirse; ✕, ✈ recuperarse; ✕ replegarse, rehacerse; *v/t.* reanimar.

ram [ræm] **1.** *zo.* carnero *m*; *ast.* Aries *m*; ✕ ariete *m*; ⚓ espolón *m*; ⊕ pisón *m*; **2.** dar contra.

ram·ble ['ræmbl] **1.** paseo *m* por el campo, excursión *f* a pie; **2.** salir de (*or* hacer una) excursión a pie; '**ram·bler** excursionista *m/f*; vagabundo *m*; *rosal* ✿ trepador; '**rambling** □ errante; ✿ trepador; *speech* divagador.

ram·i·fi·ca·tion [ræmifi'kei∫n] ramificación *f*; **ram·i·fy** ['~fai] ramificarse.

ram·jet (en·gine) ['ræmdʒet ('endʒən)] ✈ motor *m* autorreactor; estatorreactor *m*.

ramp [ræmp] rampa *f*; descendedero *m*; '**ram·page** *co.* **1.** *v/i.* = **2.**: *be on the* ~ desbocarse, desenfrenarse; '**ram·pant** □ prevaleciente; exuberante; desenfrenado.

ram·part ['ræmpɑːt] muralla *f*; terraplén *m*.

ram·shack·le ['ræmʃækl] desvencijado, destartalado, ruinoso.

ranch [rɑːntʃ] hacienda *f*, rancho *m* *S.Am.*; '**ranch·er** ganadero *m*.

ran·cid ['rænsid] □ rancio; **ran'cid·i·ty**, '**ran·cid·ness** rancidez *f*, rancidad *f*.

ran·cor ['ræŋkə] rencor *m*; **ran·cor·ous** ['ræŋkərəs] □ rencoroso.

ran·dom ['rændəm] **1.** *at* ~ al azar; **2.** fortuito, casual, impensado; aleatorio.

rang [ræŋ] *pret. of* ring[2] 2.

range [reindʒ] **1.** alcance *m*; extensión *f*; serie *f*; ⚡ gama *f* (de frecuencias); ✝ surtido *m*; (*cattle-*) dehesa *f*; (*mountain-*) sierra *f*, cordillera *f*; (*stove*) fogón *m*; ✕ campo *m* de tiro; *within* ~ al alcance (*a. fig.*); **2.** *v/t.* ordenar; clasificar; *v/i.* extenderse; variar; alinearse; '~**find·er** telémetro *m*; '**rang·er** guardabosques *m*.

rank[1] [ræŋk] **1.** (*row*) fila *f* (*a.* ✕), hilera *f*; (*status*) rango *m*, graduación *f*, rango *m*; **2.** *v/t.* clasificar, ordenar; *v/i.* clasificarse; figurar; ~ *above* ser superior a; ~ *with* equipararse con.

rank[2] [~] □ *growth* lozano, exuberante; *smell etc.* maloliente, rancio; '**rank·ness** ['ræŋknis] exuberancia *f* of *growth*; fetidez *f* of *smell*.

ran·sack ['rænsæk] saquear; registrar (de arriba abajo).

ran·som ['rænsəm] **1.** rescate *m*; **2.** rescatar; redimir.

rant [rænt] **1.** lenguaje *m* campanudo (*or* declamatorio); **2.** despotricar, delirar, hablar con violencia.

rap [ræp] **1.** golpecito *m*; *not to care a* ~ no importarle un bledo a uno; *sl. take the* ~ pagar la multa; **2.** golpear.

ra·pa·cious [rə'pei∫əs] □ rapaz; **ra·pac·i·ty** [rə'pæsiti] rapacidad *f*.

rape [reip] **1.** violación *f*, estupro *m*; **2.** violar, forzar, estuprar; '**rap·ist** violador *m*; estuprador *m*.

rap·id ['ræpid] **1.** □ rápido, veloz; **2.** ~s *pl.* rápidos *m/pl.*, recial *m*, rabión *m*; **ra·pid·i·ty** [rə'piditi] rapidez *f*.

rapt [ræpt] arrebatado, transportado; ~ *attention* atención *f* fija.

rap·ture ['ræptʃə] rapto *m*, éxtasis *m*, arrobamiento *m*; *in* ~ extasiado; '**rap·tur·ous** □ extático.

rare [rɛə] □ raro, poco común; peregrino; *phys.* ralo; *esp. meat* poco hecho; poco asado; '~**ly** rara vez.

rar·e·fy ['rɛərifai] enrarecer; '**rare·ness**, '**rar·i·ty** rareza *f*.

ras·cal ['rɑːskəl] pillo *m*, pícaro *m*; **ras·cal·i·ty** [~'kæliti] picardía *f*.

rash[1] [ræʃ] □ temerario; precipitado.

rash[2] [~] ✸ erupción *f* (cutánea); salpullido *m*.

rash·ness ['ræʃnis] temeridad *f*; precipitación *f*

rasp ['rɑːsp] 1. escofina f; 2. escofinar, raspar; decir en voz áspera.

rasp·ber·ry ['rɑːzbəri] frambuesa f.

rasp·ing ['rɑːspiŋ] 1. □ voice áspero.

rat [ræt] 1. rata f; sl. canalla m; pol. desertor m; rat race sl. lucha f diaria por ganarse el pan; 2. cazar ratas; pol. a. sl. ~ on chivatear contra.

ratch·et ['rætʃit] trinquete m; '~ wheel rueda f de trinquete.

rate [reit] 1. proporción f; relación f; tanto m (por ciento); (speed) velocidad f, paso m; (price) tasa f, precio m; at any ~ de todas formas; at that ~ de ese modo; ~ of exchange cambio m; ~ of interest tipo m de interés; 2. tasar (at en), valorar; clasificar; imponer contribución (municipal) a.

rate pay·er ['reitpeiə] contribuyente m/f.

rath·er ['rɑːðə] (more) mejor, primero, más bien; (somewhat) algo, bastante; F ~! ['rɑː'ðə] ¡ya lo creo! or ~ mejor dicho.

rat·i·fi·ca·tion [rætifi'keiʃn] ratificación f; **rat·i·fy** ['~fai] ratificar.

rat·ing ['reitiŋ] clasificación f; contribución f; ⏚ (ship) clase f.

ra·tio ['reiʃiou] relación f, razón f, proporción f.

ra·tion ['ræʃn] 1. ración f; ✕ ~s pl. suministro m; 2. racionar.

ra·tion·al ['ræʃənl] □ racional, razonable; **ra·tion·al·ism** ['~nəlizm] racionalismo m; **ra·tion·al·i·ty** [~'næliti] racionalidad f; **'ra·tion·al·ize** hacer racional, organizar racionalmente; buscar pretexto racional a.

ra·tion·ing ['ræʃniŋ] racionamiento m.

rat·tle ['rætl] 1. golpeteo m; traqueteo m; crujido m; sonsonete m; (instrument) matraca f, carraca f; (child's) sonajero m; 2. v/i. sonar, crujir, castañetear; F ~ on parlotear; v/t. agitar, sacudir; ~ off enumerar rápidamente; **'rat·tler** F = **'rat·tle·snake** serpiente f de cascabel; **'rat·tle·trap** 1. desvencijado; 2. armatoste m.

rat·tling ['rætliŋ] ruidoso; desconcertante.

rat·ty ['ræti] sl. amostazado; clothing ruin, vil.

rau·cous ['rɔːkəs] □ estridente, ronco.

rav·age ['rævidʒ] 1. estrago m, destrozo m; 2. destrozar, asolar; pillar.

rave [reiv] delirar, desvariar.

rav·en ['reivn] cuervo m.

rav·en·ous ['rævnəs] □ famélico, voraz, hambriento; be ~ly hungry tener una hambre canina.

rav·ings ['reiviŋz] pl. delirio m, desvarío m.

rav·ish ['ræviʃ] encantar, embelesar; lit. robar, violar; **'rav·ish·ing** □ encantador, embelesador.

raw [rɔː] 1. □ food, weather crudo; spirit puro; substance en bruto, sin refinar, crudo; (inexperienced) novato; 2. carne f viva; '~·boned huesudo; '~ **deal** sl. mala pasada f; '~·hide cuero m en verde; **'raw·ness** crudeza f; inexperiencia f.

ray¹ [rei] 1. rayo m; ♥ bráctea f; 2. emitir rayos.

ray² [~] ichth. raya f.

ray·on ['reiən] rayón m.

raze [reiz] arrasar, asolar.

ra·zor ['reizə] (open) navaja f; (safety-) maquinilla f de afeitar; ⚡ máquina f de afeitar, rasurador m; '~ **blade** hoja f (or cuchilla f) de afeitar.

razz [ræz] sl. echar un rapapolvo a; ridiculizar.

raz·zle(-daz·zle) ['ræzl(dæzl)] sl. ostentación f; confusión f.

re [riː] respecto a, con referencia a.

reach [riːtʃ] 1. alcance m; extensión f, distancia f; capacidad f; within (easy) ~ al alcance; 2. v/i. extenderse; with hand (freq. ~ out) alargar (or tender) la mano (for para tomar); v/t. alcanzar; llegar a; lograr.

re·act [ri'ækt] reaccionar (against contra; to a, ante; upon sobre).

re·ac·tion [ri'ækʃn] reacción f; **re·'ac·tion·ar·y** esp. pol. reaccionario adj. a. su. m (a f).

re·ac·tive [ri'æktiv] reactivo; **re'ac·tor** phys. reactor m.

read [riːd] [irr.] v/t. leer; interpretar, descifrar; typ. corregir; v/i. leer; (notice etc.) rezar, decir; (thermometer etc.) indicar, marcar; ~ aloud leer en alta voz; ~ between the lines fig. leer entre líneas.

read·a·ble ['riːdəbl] □ legible; digno de leerse, entretenido.

read·er ['riːdə] (a-f) m; typ. corrector m; (book) libro m de lectura; **'read·er·ship** número m total de lectores (de un periódico).

read·i·ly ['redili] adv. de buena gana; fácilmente; **'read·i·ness** prontitud f; alacridad f; buena disposición f.

read·ing ['riːdiŋ] lectura f (a. parl.);

interpretación f; ~ **room** sala f de lectura.

re·ad·just ['riːə'dʒʌst] reajustar; *pol. etc.* reorientar; '**re·ad'just·ment** reajuste m; reorientación f.

read·y ['redi] **1.** □ listo, preparado (*for* para; *to* para *inf.*); pronto; (*inclined*) dispuesto (*to* a); **✝** contante, efectivo; *answer* fácil; *wit* agudo, vivo; *get* (*or make*) ~ preparar(se), disponer(se); **2.:** *at the* ~ ✕ listo para tirar; apercibido; en ristre; '**~-made**, '**~-to-'wear** ya hecho, confeccionado.

re·af·firm ['riːəfəːm] reafirmar, reiterar.

re·a·gent [ri'eidʒənt] reactivo m.

re·al [riəl] **1.** □ real; verdadero; auténtico; genuino; legítimo; **2.** F *adv.* verdaderamente; muy; '**re·al·ism** realismo m; '**re·al'is·tic** □ realista; **re·al·i·ty** [ri'æliti] realidad f; **re·al·iz·a·ble** ['riəlaizəbl] □ realizable; '**re·al·ize** darse cuenta de; reconocer; **✝** realizar; *plan etc.* realizar, llevar a cabo; '**re·al·ly** en realidad; verdaderamente, realmente; ~? ¿de veras?

realm [relm] reino m; *fig.* campo.

re·al·tor ['riəltə] corredor m de bienes raíces (*or* de fincas); '**re·al·ty** ᵼᵼ bienes m/pl. raíces.

ream¹ [riːm] (*paper*) resma f; F montón m.

ream² [~] ⊕ escariar; '**ream·er** escariador m.

reap [riːp] segar; cosechar (*a. fig.*); '**reap·er** segador (*-a f*) m; (*machine*) segadora f; '**reap·ing** siega f.

re·ap·pear ['riːə'piə] reaparecer.

re·ap·point ['riːə'point] volver a nombrar.

rear¹ [riə] *v/t.* criar; alzar; *v/i.* encabritarse, ponerse de manos.

rear² [~] **1.** parte f posterior (*or* trasera); cola f; ✕ última fila; ✕ retaguardia f; *bring up the* ~ cerrar la marcha; **2.** trasero, posterior; *de cola;* ~ **wheel drive** mando m de las ruedas traseras; '**~ 'ad·mi·ral** contraalmirante m; '**~-guard** retaguardia f.

re·arm ['riː'ɑːm] rearmar(se); '**re·'ar·ma·ment** [~məmənt] rearme m.

re·ar·range ['riːə'reindʒ] ordenar de nuevo; ♪ volver a adaptar.

rear-view ['riə'vjuː] *adj.* retrovisor; de retrovisión.

rear·ward ['riəwəd] **1.** *adj.* trasero,

de atrás; **2.** *adv.* (*a.* '**rear·wards** [~z]) hacia atrás.

rea·son ['riːzn] **1.** razón f; motivo m, causa f; sensatez f, moderación f; *by* ~ *of* a causa de; en virtud de; **2.** *v/i.* razonar, discurrir; *v/t.* razonar; resolver pensando (*a.* ~ *out*); '**rea·son·a·ble** □ razonable; justo, equitativo; *p.* sensato; '**rea·son·ing** razonamiento m; argumento m.

re·as·sur·ance ['riːə'ʃuərəns] noticia f (*or* promesa f *etc.*) tranquilizadora; **re·as·sure** [~'ʃuə] tranquilizar; alentar; **re·as·sur·ing** □ tranquilizador.

re·bate ['riːbeit] **1.** rebaja f, descuento m; **2.** rebajar, descontar.

re·bel ['rebl] rebelde m/f; **2.** [~] rebelde (*mst* **re·bel·lious** [ri'beljəs]); **3.** [ri'bel] rebelarse, sublevarse; **re·'bel·lion** [~jən] rebelión f.

re·birth ['riːbəːθ] renacimiento m.

re·bound [ri'baund] **1.** rebotar; resaltar; **2.** rebote m.

re·buff [ri'bʌf] **1.** repulsa f, desaire m; **2.** rechazar, desairar.

re·build ['riː'bild] [*irr.* (*build*)] reedificar, reconstruir.

re·buke [ri'bjuːk] **1.** reprensión f, reprimenda f; **2.** reprender, censurar.

re·but [ri'bʌt] rebatir, refutar.

re·cal·ci·trant [ri'kælsitrənt] recalcitrante, refractorio.

re·call [ri'kɔːl] **1.** revocación f; retirada f (*of ambassador, capital*); llamada f (*para que vuelva una p.*); **2.** revocar; *ambassador, capital* retirar; llamar; hacer volver; recordar.

re·can·ta·tion [riːkæn'teiʃn] retractación f.

re·cap [riː'kæp] *tires* recauchutar.

re·ca·pit·u·late [riːkə'pitjuleit] recapitular; '**re·ca·pit·u'la·tion** recapitulación f.

re·cap·ture ['riː'kæptʃə] **1.** represa f, recobro m; **2.** represar, recobrar.

re·cede [ri'siːd] retroceder, retirarse.

re·ceipt [ri'siːt] **1.** recibo m; **✝** ~ *pl.* ingresos m/pl.; **2.** dar recibo (por).

re·ceiv·a·ble [ri'siːvəbl] admisible; recibidero; **✝** por cobrar; **re·ceive** recibir, admitir; *guest etc.* acoger; *money* cobrar; **re·'ceiv·er** recibidor (*-a f*) m; destinatario (*a f*) m; *radio:* receptor m; *teleph.* auricular m; *phys.,* ⚗ recipiente m; ᵼᵼ (*official* ~) *approx.* síndico m; **re·'ceiv·er·ship** ᵼᵼ sindicatura f.

re·cent ['riːsnt] ☐ reciente, nuevo.

re·cep·ta·cle [ri'septəkl] receptáculo *m* (*a.* ♀).

re·cep·tion [ri'sepʃn] recepción *f* (*a. radio*); recibimiento *m*; **re'cep·tion·ist** recibidor (-a *f*) *m*; **re'cep·tion room** sala *f* de recibo.

re·cep·tive [ri'septiv] ☐ receptivo.

re·cess [ri'ses] vacaciones *f/pl.*, intermisión *f*; *esp. parl.* suspensión *f*; intermedio *m*; ⊕ rebajo *m*; ⚠ hueco *m*.

re·ces·sion [ri'seʃn] retirada *f*, retroceso *m* (*a.* ♪); ♪ recesión *f*.

re·ci·pe ['resipi] receta *f*.

re·cip·i·ent [ri'sipiənt] recibidor (-a *f*) *m*, recipiente *m/f*.

re·cip·ro·cal [ri'siprəkl] **1.** ☐ recíproco, mutuo; **2.** ⅍ recíproca *f*, inverso *m*; **re'cip·ro·cate** [~keit] *v/i.* ⊕ oscilar, alternar; *v/t.* intercambiar; corresponder a; **rec·i·proc·i·ty** [resi'prɔsiti] reciprocidad *f*.

re·cit·al [ri'saitl] relación *f*, narración *f*; ♪ recital *m*; **rec·i·ta·tive** [~tə'tiːv] ♪ recitativo *adj. a. su. m*; recitado *m*; **re·cite** [ri'sait] recitar; declamar; narrar, referir.

reck·less ['reklis] ☐ temerario; imprudente; inconsiderado; **'reck·less·ness** temeridad *f*.

reck·on ['rekn] *v/t.* contar, calcular; estimar; considerar (*as* como); *v/i.* calcular; F estimar, creer; **'reck·on·ing** cuenta *f*; cálculo *m*.

re·claim [ri'kleim] reclamar; amansar, reformar; *land* recuperar.

rec·la·ma·tion [reklə'meiʃn] reclamación *f*; recuperación *f*; *land* ~ rescate *m* de terrenos.

re·cline [ri'klain] reclinar(se), recostar(se); **re'clin·ing chair** sillón *m* reclinable, poltrona *f*.

re·cluse [ri'kluːs] recluso, solitario *adj. a. su. m* (*a f*).

rec·og·ni·tion [rekəg'niʃn] reconocimiento *m*; **rec·og·ni·zance** [ri'kɔgnizəns] ⅍ reconocimiento *m*; obligación *f* contraída; **rec·og·nize** ['rekəgnaiz] reconocer; confesar.

re·coil [ri'kɔil] **1.** recular, retroceder (de espanto); ⚔ retroceder; **2.** reculada *f*, retroceso *m* (*a.* ⚔).

rec·ol·lect [rekə'lekt] recordar, acordarse de; **rec·ol·lec·tion** [rekə'lekʃn] recuerdo *m*.

rec·om·mend [rekə'mend] recomendar, encarecer; **rec·om·men·da·tion** recomendación *f*.

re·com·mit [riːkə'mit] volver a confiar; volver a internar.

rec·om·pense ['rekəmpens] **1.** recompensa *f*, compensación *f*; **2.** recompensar (*for acc.*).

rec·on·cil·a·ble ['rekənsailəbl] reconciliable; **'rec·on·cile** (re)conciliar; ~ *o.s.* to resignarse a, acomodarse con.

re·con·di·tion ['riːkən'diʃn] reacondicionar.

re·con·nais·sance [ri'kɔnisəns] reconocimiento *m*.

rec·on·noi·ter [rekə'nɔitə] reconocer.

re·con·quer ['riː'kɔŋkə] reconquistar; **'re'con·quest** [~kwest] reconquista *f*.

re·con·sid·er ['riːkən'sidə] repensar, reconsiderar.

re·con·sti·tute ['riː'kɔnstitjuːt] reconstituir.

re·con·struct ['riːkəns'trʌkt] reconstruir; reedificar.

re·con·ver·sion ['riːkən'vəːʃn] reconversión *f*, reorganización *f*.

re·cord 1. ['rekɔːd] registro *m*; partida *f*; documento *m*; relación *f*; (*p.'s history*) historial *m*, curriculum vitae *m*, carrera *f*; ~*s pl.* archivos *m/pl.*; *esp. off the* ~ no oficial, confidencial (-mente); ~ *card* ficha *f*; ~ *library* discoteca *f*; **2.** [~] *attr.* sin precedentes, máximo; ~ *time* tiempo *m* record; **3.** [ri'kɔːd] registrar; hacer constar, consignar; inscribir; **re'cord break·er** ['rekɔːd'breikə] plusmarquista *m/f*; **re'cord·er** registrador *m*, archivero *m*; ⅍ approx. juez *m* municipal; ♪ caramillo *m*; **re'cord·ing** grabación *f*; **'re·cord 'play·er** tocadiscos *m*.

re·count [ri'kaunt] (re)contar, referir.

re·course [ri'kɔːs] recurso *m*; *have* ~ *to* recurrir a.

re·cov·er[1] [ri'kʌvə] *v/t.* recobrar, recuperar; *money* reembolsarse; recaudar; *v/i.* ❀ restablecerse (*a.* ♪), reponerse.

re·cov·er[2] ['riː'kʌvə] recubrir.

re·cov·er·a·ble [ri'kʌvərəbl] recuperable; **re'cov·er·y** recobro *m*, recuperación *f*; ❀ restablecimiento *m*, mejoría *f*.

rec·re·ate ['rekrieit] recrear(se), divertir(se); **rec·re·a·tion** recreación *f*; *school:* recreo *m*; ~ *ground* campo *m* de deportes; ~*al vehicle* vehículo *m* de recreo.

re·crim·i·nate [ri'krimineit] recriminar; **re·crim·i·na·tion** recriminación f.

re·cruit [ri'kruːt] 1. recluta m; fig. novicio m; 2. reclutar, alistar; **re·'cruit·ment** reclutamiento m.

rec·tan·gle [ri'rektæŋgl] rectángulo m; **rec·'tan·gu·lar** [ˌ◌gjulə] □ rectangular.

rec·ti·fi·a·ble [ˈrektifaiəbl] rectificable; **rec·ti·fi·er** [ˌ◌faiə] mst rectificador m; ⊕ (crankshafts etc.) rectificadora f; **rec·ti·fy** [ˈ◌fai] all senses: rectificar; **rec·ti·lin·e·al** [rekti'linjəl], **rec·ti·lin·e·ar** [ˌ◌njə] □ rectilíneo; **rec·ti·tude** [ˈ◌tjuːd] rectitud f, probidad f.

rec·to·ry [ˈrektəri] rectoría f; casa f del cura.

rec·tum [ˈrektəm] recto m.

re·cu·per·ate [ri'kjuːpəreit] v/t. recuperar; v/i. ✵ restablecerse; **re·'cu·per·a·tive** [ˌ◌rətiv] recuperativo.

re·cur [ri'kəː] repetirse, producirse de nuevo, volver a ocurrir; **re·cur·rence** [ri'kʌrəns] repetición f, reaparición f; **re·'cur·rent** □ repetido; recurrente (a. anat., ✲); ♉ periódico.

red [red] 1. rojo (a. pol.); colorado; encarnado; wine tinto; face encendido with anger, ruboroso with shame; sl. paint the town ∼ echar una cana al aire; ∼ herring fig. pista f falsa, ardid m para apartar la atención del asunto principal; ∼ tape papeleo m, formalidades f/pl., burocracia f; 2. (color m) rojo m; (pol.) rojo m; comunista m/f; be in the ∼ estar adeudado.

red·breast [ˈredbrest] (freq. robin ∼) petirrojo m; **'red·cap** mozo m de estación; **red·den** [ˈredn] v/t. enrojecer, teñir de rojo; v/i. enrojecer(se) with anger; ponerse colorado; **'red·dish** rojizo.

re·deem [ri'diːm] redimir; promise cumplir; pledge etc. rescatar, desempeñar; **Re·'deem·er** Redentor m.

re·demp·tion [ri'dempʃn] redención f; rescate m; desempeño m; ✝ amortización f.

red...: '∼**faced** vergonzado; '∼**handed** con las manos en la masa, en flagrante; '∼**head·ed** pelirrojo; '∼**hot** candente; fig. vehemente, acérrimo.

re·dis·cov·er [ˈriːdisˈkʌvə] volver a descubrir.

red-let·ter day [ˈredletəˈdei] día m festivo; fig. día m señalado.

red-light dis·trict [ˈredlaitˈdistrikt] barrio m de los lupanares, barrio m chino.

red·ness [ˈrednis] rojez f; inflamación f.

red·o·lence [ˈredələns] fragancia f, perfume m; **'red·o·lent** perfumado (of como); fig. be ∼ of recordar.

re·dound [ri'daund] redundar.

re·dress [ri'dres] 1. reparación f, compensación f, resarcimiento m; 2. reparar, resarcir; enmendar.

red...: '∼skin piel roja m/f indio m norteamericano; '∼**tape** papeleo m.

re·duce [ri'djuːs] v/t. reducir (to a, hasta; a. ✲, ♉); disminuir; abreviar; price rebajar; degradar in rank; v/i. ✿ adelgazar; **re·duc·tion** [ri'dʌkʃn] reducción f; di(s)minución f; abreviación f; rebaja f of price.

re·dun·dance, re·dun·dan·cy [ri'dʌndəns(i)] redundancia f; **re·'dun·dant** □ redundante.

red·wood [ˈredwud] secoya f.

re·ech·o [riːˈekou] repercutirse.

reed [riːd] ♃ carrizo m, junco m, caña f; ♪ lengüeta f; ♪ (pipe) caramillo m.

reed·y [ˈriːdi] place cañoso; voice alto y delgado.

reef [riːf] escollo m, arrecife m.

reef·er [ˌ◌] sl. pitillo m de mariguana.

reek [riːk] 1. vaho m; hedor m; 2. vahear, humear; heder, oler (of a).

reel [riːl] 1. carrete m, tambor m; (fishing) carrete(l) m; sew. broca f, devanadera f; phot., film: rollo m, cinta f, película f; 2. v/t. devanar; ∼ off enumerar rápidamente, ensartar; v/i. tambalear(se).

re·e·lect [ˈriːiˈlekt] reelegir.

re·en·act [ˈriːiˈnækt] ⚖ volver a promulgar; thea. volver a representar.

re·en·list [ˈriːinˈlist] reenganchar(se).

re·en·ter [ˈriːˈentə] reingresar en, reentrar en; **re·en·try** [ˌ◌tri] reingreso m; into earth's atmosphere reentrada f.

re·es·tab·lish [ˈriːisˈtæbliʃ] restablecer; **re·es·tab·lish·ment** restablecimiento m.

re·fer [ri'fəː] v/t. remitir (a th. to a p. algo a una p., a p. to a th. una p. a algo); v/i.: ∼ to referirse a, hacer referencia (or alusión) a; **ref·er·ee** [refə'riː] 1. all senses: árbitro m; 2. arbitrar; **ref·er·ence** [ˈrefrəns] referencia f; alusión f; recomenda-

f; (*a.* ~ *mark*) llamada *f*; *with* (*or in*) ~ *to* en cuanto a, respecto a (*or* de); ~ *book* libro *m* de consulta; ~ *library* biblioteca *f* de consulta.

re·fer·en·dum [refə'rendəm] referéndum *m*.

re·fill ['riː'fil] 1. repuesto *m*, recambio *m*; mina *f* *for pencil*; 2. rellenar.

re·fine [ri'fain] *v/t.* refinar (*a.* ⊕); purificar; ⊕ acrisolar; *v/i.*: ~ (*up*)on sutilizar *acc.*; mejorar *acc.*; **re'fined** fino, refinado; *b.s.* redicho; **re'fine·ment** refinamiento *m*; esmero *m*, urbanidad *f*; **re'fin·er·y** refinería *f*.

re·flect [ri'flekt] *v/t.* reflejar; *v/i.* (*think*) reflexionar; **re'flec·tion** reflejo *m*, reflexión *f*; (*thinking*) reflexión *f*, consideración *f*, meditación *f*; **re'flec·tive** ☐ reflexivo; **re'flec·tor** reflector *m*.

re·flex ['riːfleks] reflejo *adj. a. su. m*; ~ *action physiol.* (acto *m*) reflejo *m*; **re·flex·ive** [ri'fleksiv] ☐ reflexivo.

re·for·est·a·tion ['riːfɔris'teiʃn] repoblación *f* forestal.

re·form [ri'fɔːm] 1. reforma(ción) *f*; 2. reformar(se), enmendar(se); reconstituir; **ref·or·ma·tion** [refə'meiʃn] reformación *f*; *eccl.* ♀ Reforma *f*; **re·form·a·to·ry** [ri'fɔːmətəri] reformatorio *adj. a. su. m* (*mst* de jóvenes).

re·fract [ri'frækt] refractar; ~*ing telescope* telescopio *m* de refracción; **re'frac·tion** refracción *f*; **re'frac·to·ri·ness** lo refractario (*a.* 🜍), obstinación *f*; **re'frac·to·ry** refractario (*a.* 🜍), obstinado.

re·frain[1] [ri'frein] abstenerse (*from* de).

re·frain[2] [ri'frein] estribillo *m*.

re·fresh [ri'freʃ] refrescar; **re'fresh·ing** ☐ refrescante; **re'fresh·ment** refresco *m*; ~s *pl.* refrescos *m/pl.*

re·frig·er·ant [ri'fridʒərənt] refrigerante *adj. a. su. m*; **re'frig·er·ate** [~reit] refrigerar; **re'frig·er·a·tor** nevera *f*, refrigerador *m*; 🜍 refrigerante *m*.

re·fu·el [riː'fjuəl] reabastecer(se) de combustible, rellenar (de combustible).

ref·uge ['refjuːdʒ] refugio *m*, asilo *m*; *fig.* recurso *m*, amparo *m*; *mount.* albergue *m*; **ref·u·gee** [~dʒiː] refugiado (*a f*) *m*.

re·fund 1. [riː'fʌnd] devolver, reintegrar; 2. ['riːfʌnd] devolución *f*.

re·fus·al [ri'fjuːzl] negativa *f*; denegación *f*; rechazamiento *m*.

re·fuse 1. [ri'fjuːz] *v/t.* rehusar, (de-)negar, rechazar; no querer aceptar; *v/i.* ~ *to inf.* negarse a *inf.*, rehusar *inf.*; 2. **ref·use** ['refjuːs] desechado 3. [~] basura *f*; desperdicios *m/pl.*; sobras *f/pl.*

re·fute [ri'fjuːt] refutar, rebatir.

re·gain [ri'gein] (re)cobrar.

re·gal ['riːgl] ☐ regio; real.

re·gale [ri'geil] regalar(se) (*on* con); agasajar, festejar.

re·gard [ri'gɑːd] 1. consideración *f*, respeto *m*; estimación *f*; (*gaze*) mirada *f*; ~s *pl.* recuerdos *m/pl.*; in (*or with*) ~ *to* con repecto a, en cuanto a; 2. considerar (*as* como); observar; respetar; mirar; **re'gard·ing** en cuanto a; relativo a; **re'gard·less** 1.: ~ *of* indiferente a; sin hacer caso de; sin miramientos de; 2. *adv.* F pese a quien pese, a pesar de todo.

re·gen·cy ['riːdʒənsi] regencia *f*.

re·gen·er·ate [ri'dʒenəreit] regenerar; 2. [~rit] regenerado; **re'gen·er·a·tive** [~rətiv] regenerador.

re·gent ['riːdʒənt] regente *adj. a. su. m/f*; ~**ship** regencia *f*.

ré·gime [rei'ʒiːm], **reg·i·men** ['redʒimen] régimen *m*.

reg·i·ment 1. ['redʒimənt] regimiento *m*; 2. [~ment] *fig.* organizar muy estrictamente, reglamentar; **reg·i·men·ta·tion** organización *f* estricta.

re·gion ['riːdʒən] región *f*, comarca *f*; zona *f*; in the ~ of alrededor de.

reg·is·ter ['redʒistə] 1. registro *m* (*a.* ♪); lista *f*, padrón *m* of *members*; *univ.*, ⚓ matrícula *f*; ⊕ indicador *m*, registrador *m*; 2. *v/t.* registrar; inscribir, matricular; ⊕ indicar; *v/i.* inscribirse, matricular; **'reg·is·tered** *letter* certificado.

reg·is·trar [redʒis'trɑː] registrador *m*, archivero *m*; **reg·is·tra·tion** [~'treiʃn] registro *m*, inscripción *f*, matrícula *f*; **'reg·is·try** registro *m*, archivo *m*; ~ *office approx.* juzgado *m*.

re·gress 1. ['riːgres] retroceso *m*; 2. [~'gres] perder terreno; retroceder; **re·gres·sion** [ri'greʃn] regresión *f*.

re·gret [ri'gret] 1. sentimiento *m*, pesar *m*; remordimiento *m*; 2. sentir, lamentar; arrepentirse de; **re'gret·ful** [~ful] ☐ pesaroso; arrepentido; **re'gret·ta·ble** ☐ lamentable, deplorable.

re·group [riː'gruːp] reagrupar(se).

reg·u·lar ['regjulə] **1.** □ regular; normal; uniforme; ordenado; *attender etc.* asiduo; F cabal, verdadero; **2.** obrero *m* permanente; ⚔ soldado *m* de línea; F parroquiano *m*, asiduo *m*.

reg·u·late ['regjuleit] regular (*a.* ⊕), arreglar, ajustar; **'reg·u·lat·ing** ⊕ regulador; **reg·u·la·tion 1.** regulación *f*; regla *f*, reglamento *m*; **2.** reglamentario; **'reg·u·la·tor** regulador *m* (*a.* ⊕).

re·gur·gi·tate [riː'gəːdʒiteit] *v/t.* vomitar; *v/i.* regurgitar.

re·ha·bil·i·tate [riːə'biliteit] rehabilitar.

re·hash ['riː'hæʃ] *fig.* **1.** refundir, rehacer; **2.** refundición *f*; repetición *f* sin novedad.

re·hears·al [ri'həːsl] repetición *f*; *thea.*, ♪ ensayo *m*; **re·hearse** [ri'həːs] repetir; *thea.*, ♪ ensayar.

re·heat [ri'hiːt] recalentar.

reign [rein] **1.** reinado *m*; *fig.* (pre-)dominio *m*; **2.** reinar; *fig.* imperar.

re·im·burse [riːim'bəːs] reembolsar; **'re·im'burse·ment** reembolso *m*.

rein [rein] **1.** rienda *f*; *give ~ to* dar rienda suelta a; **2.** *v/t.:* *~ in* refrenar.

rein·deer ['reindiə] reno *m*.

re·in·force [riːin'fɔːs] reforzar (*a. fig.*); **'re·in'force·ments** *pl.* refuerzos *m/pl.*

re·in·state ['riːin'steit] reinstalar; rehabilitar.

re·in·sur·ance ['riːin'ʃuərəns] reaseguro *m*; **re·in·sure** ['~'ʃuə] reasegurar.

re·it·er·ate ['riː'itəreit] reiterar.

re·ject [ri'dʒekt] *offer etc.* rechazar; *application* denegar; *plan etc.* desechar; **re'jec·tion** rechazamiento *m*; denegación *f*, desestimación *f*.

re·joice [ri'dʒɔis] alegrar(se), regocijar(se) (*at, by* de); **re'joic·ing** regocijo *m*, júbilo *m*, alegría *f*.

re·join 1. ['riː'dʒɔin] reunirse con, volver a juntarse con; **2.** [ri'dʒɔin] replicar; **re'join·der** réplica *f*.

re·ju·ve·nate [ri'dʒuːvineit] rejuvenecer; **re·ju·ve·na·tion** rejuvenecimiento *m*.

re·lapse [ri'læps] **1.** ⚕ recaída *f*, recidiva *f*; reincidencia *f*; ⚕ recaer; reincidir.

re·late [ri'leit] *v/t.* relatar, contar; *v/i.:* *~ to* relacionarse con; **re'lat·ed** *subject* afín, conexo.

re·la·tion [ri'leiʃn] (*narration*) relato

m, relación *f*; (*~ship*) conexión *f*, relación *f* (*to, with* con); **re'la·tion·ship** conexión *f*, afinidad *f* (*to, with* con); (*kinship*) parentesco *m*.

rel·a·tive ['relətiv] **1.** □ relativo (*to* a); **2.** *gr.* relativo *m*; (*kin*) pariente *m/f*; **rel·a·tiv·i·ty** relatividad *f*.

re·lax [ri'læks] *v/t.* relajar, aflojar; suavizar; *v/i.* esparcirse, expansionarse, descansar; F *~!* ¡cálmate!; **re·lax·a·tion** esparcimiento *m*, recreo *m*, descanso *m*.

re·lay [ri'lei] **1.** parada *f*, posta *f* of *horses etc.*; tanda *f* of *workmen*; relevo *m*; ⚡ relé *m*; **2.** *radio*: retransmitir.

re·lease [ri'liːs] **1.** liberación *f*; excarcelación *f from prison*; descargo *m from obligation*; **2.** soltar, libertar; descargar, absolver; *brake* soltar.

rel·e·gate ['religeit] relegar.

re·lent [ri'lent] ablandarse, ceder; **re'lent·less** □ implacable.

rel·e·vance, rel·e·van·cy ['relivəns(i)] pertinencia *f*; **'rel·e·vant** □ pertinente.

re·li·a·bil·i·ty [rlaiə'biliti] confiabilidad *f*; seguridad *f*; integridad *f*; **re'li·a·ble** □ confiable; seguro; de fiar, de confianza; *p.* formal.

re·li·ance [ri'laiəns] confianza *f* (*on* en); dependencia *f* (*on* de).

re·li·ant [ri'laiənt] confiado.

rel·ic ['relik] reliquia *f* (*a. eccl.*), vestigio *m*; **rel·ict** ['relikt] viuda *f*.

re·lief [ri'liːf] alivio *m*; desahogo *m*; consuelo *m*; (*a. poor ~*) socorro *m*, auxilio *m*; ⚔ (*troops*) relevo *m*; △ relieve *m*; *~ map* mapa *m* en relieve.

re·lieve [ri'liːv] aliviar; (*reassure*) tranquilizar; *burden* aligerar; *poor* socorrer; *headache etc.* quitar, suprimir; ⚔ *men* relevar; *~ one's feeling* desahogarse.

re·li·gion [ri'lidʒən] religión *f*.

re·li·gious [ri'lidʒəs] □ religioso; *~ly fig.* puntualmente.

re·lin·quish [ri'liŋkwiʃ] abandonar, renunciar (a); **re'lin·quish·ment** abandono *m*, renuncia *f*.

rel·ish ['reliʃ] **1.** sabor *m*, gusto *m*; apetito *m*; (*sauce*) salsa *f*; **2.** saborear; gustar de.

re·lo·cate [riː'loukeit] mudar(se); cambiar de lugar.

re·luc·tance [ri'lʌktəns] desgana *f*, renuencia *f*, aversión *f*; *with ~ a* desgana; **re'luc·tant** □ maldispuesto.

re·ly [ri'lai]: ~ (up)on confiar en, fiarse de; contar con.

re·main [ri'mein] **1.** quedar(se), permanecer; (be left over) sobrar; **2.** ~s pl. restos m/pl.; sobras f/pl.; **re'main·der** resto m; ⅋ residuo m, resta f; (books) restos m/pl. de edición.

re·mark [ri'mɑːk] **1.** observación f; **2.** v/t. observar, notar; v/i. hacer una observación (up)on sobre); **re'mark·a·ble** □ notable; raro.

re·me·di·a·ble [ri'miːdiəbl] □ remediable; **re·me·di·al** [ri'miːdiəl] □ remediador.

rem·e·dy ['remidi] **1.** remedio m; **2.** remediar.

re·mem·ber [ri'membə] acordarse de, recordar; **re'mem·brance** recuerdo m, memoria f; recordación f.

re·mind [ri'maind] recordar (a p. of a th. algo a una p.); **re'mind·er** recordatorio m, advertencia f.

rem·i·nisce [remi'nis] contar los recuerdos; **rem·i·nis·cence** [remi-'nisns] reminiscencia f; **rem·i'nis·cent** □ evocador; recordativo.

re·miss [ri'mis] □ negligente, descuidado; **re'mis·si·ble** [~əbl] remisible; **re·mis·sion** [~'miʃn] remisión f; perdón m.

re·mit [ri'mit] all senses: remitir; **re'mit·tance** remesa f; **re·mit·tee** consignatorio (a f) m.

rem·nant ['remnənt] resto m, residuo m; ⅏ retazo m of cloth.

re·mon·strate [ri'mɒnstreit] reconvenir (with a); protestar (against contra).

re·morse [ri'mɔːs] remordimiento m; **re'morse·ful** [~ful] □ arrepentido; **re'morse·less** □ implacable.

re·mote [ri'mout] □ remoto.

re·mov·a·ble [ri'muːvəbl] separable, amovible; **re'mov·al** [~vəl] removimiento m, remoción f; mudanza f of furniture; deposición f from office; ⊕ separación f **re·move** [~'muːv] quitar, remover; traslado (to a); furniture mudar; ⊕ part separar, retirar; obstacle, waste eliminar; ⚕ extirpar; **re'mov·er** agente m de mudanzas; spot ~ quitamanchas m.

re·mu·ner·ate [ri'mjuːnəreit] remunerar.

Ren·ais·sance [ri'neisəns] Renacimiento m.

re·nal ['riːnl] renal.

re·nas·cence [ri'næsns] renacimiento m; **re'nas·cent** renaciente.

rend [rend] [irr.] lit. rasgar, hender.

ren·der ['rendə] hacer, volver; service, honour, thanks dar; ♪ interpretar, ejecutar.

ren·dez·vous ['rɒndivuː] (lugar m de una) cita f.

ren·di·tion [ren'diʃn] ♪ ejecución f.

ren·e·gade ['renigeid] renegado adj. a. su. m (a f).

re·new [ri'njuː] renovar; reanudar; **re'new·al** [~əl] renovación f.

re·nounce [ri'nauns] renunciar.

ren·o·vate ['renouveit] renovar.

re·nown [ri'naun] lit. renombre m, nombradía f; **re'nowned** lit. renombrado, ínclito.

rent¹ [rent] rasgón m; fig. cisma m.

rent² [~] **1.** alquiler m; arriendo m; **2.** alquilar; arrendar; **'rent·al** alquiler m, arriendo m; **'rent-'free** exento de alquiler.

re·o·pen [riː'oupn] reabrir(se); **'re·o·pen·ing** reapertura f.

re·or·gan·ize [riː'ɔːgənaiz] reorganizar.

re·paint [riː'peint] repintar.

re·pair [ri'pɛə] **1.** reparación f; compostura f; (esp. shoes) remiendo m; **2.** reparar; componer; shoes etc. remendar; **'~·man** reparador m; mecánico m; **'~ shop** taller m de reparaciones.

rep·a·ra·tion [repə'reiʃn] reparación f; satisfacción f; ~s pol. indemnizaciones f/pl.; make ~s dar satisfacción.

re·pa·tri·ate 1. [riː'pætrieit] repatriar; **2.** [riː'pætriit] repatriado m.

re·pay [riː'pei] [irr. (pay)] pagar, devolver; reembolsar; p. resarcir; **re'pay·ment** reembolso m; devolución f.

re·peal [ri'piːl] **1.** revocación f, abrogación f; **2.** revocar, abrogar.

re·peat [ri'piːt] **1.** v/t. repetir; thanks etc. reiterar; (aloud) recitar; v/i. repetirse; (rifle, clock, taste) repetir; **2.** ♪ repetición f; **re'peat·er** reloj m (rifle m etc.) de repetición.

re·pel [ri'pel] rechazar, repeler; fig. repugnar; **re'pel·lent** repugnante.

re·pent [ri'pent] arrepentirse (of de). **re·pent·ance** [ri'pentəns] arrepentimiento m; **re'pent·ant** □ arrepentido.

re·per·cus·sion [riːpəˈkʌʃn] repercusión f (a. fig.); fig. resonancia f.

rep·er·toire ['repətwɑː], **rep·er·to·ry** ['repətəri] repertorio m (a. fig.).

rep·e·ti·tion [repi'tiʃn] repetición f; **re'pet·i·tive** □ reiterativo.

re·place [ri'pleis] reemplazar, sustituir (*with*, by por); **re'place·ment** (*th.*) repuesto *m*; (*p.*) sustituto *m*.

re·plen·ish [ri'pleniʃ] rellenar, reaprovisionar; **re'plen·ish·ment** rellenado *m*, reaprovisionamiento *m*.

re·plete [ri'pli:t] repleto (*with* de); **re'ple·tion** hartazgo *m*.

rep·li·ca ['replikə] *paint. etc.* copia *f*, reproducción *f* (exacta).

re·ply [ri'plai] 1. responder, contestar; 2. respuesta *f*, contestación *f*.

re·port [ri'pɔːt] 1. (*official*) informe *m*; parte *m*; relato *m*; (*newspaper*) información *f*, reportaje *m*; ~ card certificado *m* escolar; 2. *v/t.* relatar; *event etc.* informar acerca de; *v/i.* hacer un informe (on acerca de); presentarse (*at* en); **re'port·er** reportero *m*; repórter *m*.

re·pose [ri'pouz] 1. reposo *m*; 2. descansar, reposar; **re·pos·i·to·ry** [ri-'pɔzitəri] repositorio *m*; depósito *m*.

rep·re·hend [repri'hend] reprender; **rep·re'hen·si·ble** □ reprensible.

rep·re·sent [repri'zent] representar; ⚓ ser apoderado de; † ser agente (*or* representante) de; **rep·re'sent·a·tive** [~ətiv] 1. □ representativo; 2. representante *m/f*; ⚓ apoderado *m*; *House of* ≈*s* Cámara *f* de Representantes.

re·press [ri'pres] reprimir; **re·pres·sion** [ri'preʃn] represión *f*.

re·prieve [ri'pri:v] 1. respiro *m*; ⚓ indulto *m*; 2. indultar.

rep·ri·mand ['reprimɑːnd] 1. reprimenda *f*; 2. reprender.

re·print ['ri:'print] 1. reimprimir; 2. reimpresión *f*.

re·pris·al [ri'praizl] represalia *f*.

re·proach [ri'proutʃ] 1. reproche *m*; oprobio *m*; baldón *m*; 2. reprochar (*s.o. for*, with a *th.* algo a alguien); **re'proach·ful** [~ful] □ acusador.

re·pro·cess [ri:'prɔses] elaborar de nuevo; confeccionar de nuevo; reproducir.

re·pro·duce [ri:prə'djuːs] reproducir(se); **re·pro'duc·tive** □ reproductor; *organ etc.* de la generación.

re·proof [ri'pruːf] reproche *m*, reprensión *f*.

re·prov·al [ri'pruːvl] reprobación *f*; **re·prove** [~'pruːv] reprobar, reprender (*s.o. for s.t.* algo a alguien).

rep·tile ['reptail] reptil *adj. a. su. m.*

re·pub·lic [ri'pʌblik] república *f*; **re'pub·li·can·ism** republicanismo *m*,

re·pu·di·ate [ri'pjuːdieit] *charge etc.* desechar, negar, rechazar; *obligation etc.* desconocer.

re·pulse [ri'pʌls] 1. repulsión *f*, rechazo *m*; 2. rechazar, repulsar; **re'pul·sive** □ repulsivo, repelente.

rep·u·ta·ble ['repjutəbl] □ firme acreditado; *p.* honroso, estimable; **rep·u·ta·tion** [~'teiʃn] reputación *f*, fama *f*; **re·pute** [ri'pjuːt] 1. reputación *f*; **re'put·ed** supuesto.

re·quest [ri'kwest] 1. petición *f*, instancia *f*, solicitud *f*; † demanda *f*; 2. pedir; solicitar; suplicar.

re·quire [ri'kwaiə] necesitar, exigir; **re'quired** requisito, obligatorio; **re'quire·ment** requerimiento *m*; requisito *m*; necesidad *f*.

req·ui·site ['rekwizit] 1. preciso, indispensable; 2. requisito *m*; **req·ui·si·tion** [~'ziʃn] 1. requisición *f* (a. ⚔); requerimiento *m*; ⚓ 2. requisar; exigir.

re·quite [ri'kwait] □ compensar; desquitarse; corresponder a.

re·run ['riːrʌn] exhibición *f* repetida *of film*, programa *m* grabado repetido.

re·scind [ri'sind] rescindir.

res·cue ['reskjuː] 1. salvamento *m*; liberación *f*; rescate *m*; 2. salvar; librar, libertar; rescatar.

re·search [ri'sɔːtʃ] 1. investigación *f* (*in*, into de); 2. investigar; indagar.

re·sem·blance [ri'zembləns] semejanza *f*, parecido *m* (*to* a); **re'sem·ble** [~bl] asemejarse a, parecerse a.

re·sent [ri'zent] resentirse de (*or* por); tomar a mal; **re'sent·ful** [~ful] □ resentido, ofendido (*at*, of por).

res·er·va·tion [rezə'veiʃn] (*act*) reserva *f*, reservación *f*; (*mental*) reserva *f*.

re·serve [ri'zɔːv] 1. reserva *f* (a. ⚔, †); *sport:* suplente *m/f*; *in* ~ de reserva; 2. reservar; **re'served** □ reservado, callado; sigiloso.

res·er·voir ['rezəvwɑː] embalse *m*, pantano *m* of water; depósito *m*.

re·set·tle [ri:'setl] *p.* restablecer; *land* colonizar; **re'set·tle·ment** restablecimiento *m*; colonización *f*.

re·side [ri'zaid] residir (*fig. in* en); **res·i·dence** ['rezidəns] residencia *f*; ~ permit visado *m* de permanencia; **res·i·dent** 1. residente; 2. residente *m/f*, vecino a (*f*) *m*.

re·sid·u·al [ri'zidjuəl] residual; **re-ˈsid·u·ar·y** restante; residual; **res·i·due** ['rezidju:] residuo *m*; resto *m*.

re·sign [ri'zain] *v/t.* dimitir, renunciar, resignar; ~ o.s. resignarse (to a); *v/i.* dimitir (*from* de); **res·ig·na·tion** [rezig'neiʃn] dimisión *f* (*from* de), renuncia *f*; resignación *f*.

re·sil·i·ence [ri'ziliəns] resistencia *f*; elasticidad *f*; *fig.* resistencia *f*; **re-ˈsil·i·ent** elástico; resistente (*a. fig.*).

res·in ['rezin] 1. resina *f*; 2. tratar con resina; **ˈres·in·ous** resinoso.

re·sist [ri'zist] resistir (a); **re-ˈsist·ance** resistencia *f* (*a. phys.*, ⚡); **re'sis·tor** ⚡ resistor *m*.

res·o·lute ['rezəlu:t] □ resuelto; **ˈres·o·lute·ness** resolución *f*.

res·o·lu·tion [rezə'lu:ʃn] resolución *f*; *parl. etc.* acuerdo *m*.

re·solve [ri'zɔlv] 1. *v/t. all senses*: resolver (*into* en); *v/i.* resolverse (*into* en; *to* a); *parl. etc.* acordar (*to do* hacer); 2. resolución *f*; **re'solved** resuelto.

res·o·nance ['rezənəns] resonancia *f*.

re·sort [ri'zɔ:t] 1. recurso *m*; punto *m* de reunión; *health* ~ balneario *m*; *as a last* ~ en último caso; 2.: ~ *to* recurrir a, acudir a; place frecuentar.

re·sound [ri'zaund] resonar, retumbar; **re'sound·ing** □ sonoro.

re·source [ri'sɔ:s] recurso *m*, expediente *m*; inventiva *f*; ~s *pl.* recursos *m/pl.*; **re'source·ful·ness** inventiva *f*, iniciativa *f*.

re·spect [ris'pekt] 1. (*esteem*) respeto *m*, consideración *f* (*for* por); (*aspect, relation*) respecto *m*; *with* ~ *to* con respecto a; *pay one's* ~s *to* cumplimentar a; 2. respetar; estimar; *law etc.* atenerse a; **re·spect·a·bil·i·ty** respetabilidad *f*; **re'spect·ful** [~ful] □ respetuoso; *Yours* ~*ly* le saluda atentamente; **re'spect·ing** con respecto a, en cuanto a; **re'spec·tive** □ respectivo.

res·pi·ra·tion [respə'reiʃn] respiración *f*.

re·spir·a·to·ry [ris'paiərətəri] respiratorio.

re·spire [ris'paiə] respirar.

res·pite ['respait] 1. respiro *m*, respiradero *m*; ⚖ prórroga *f*; 2. aplazar, prorrogar.

re·splend·ent [ris'plendənt] □ resplandeciente.

re·spond [ris'pɔnd] responder; ~ *to*

treatment etc. reaccionar a, ser sensible a.

re·sponse [ris'pɔns] respuesta *f*; *fig.* reacción *f* (*to* a); *eccl.* responsorio *m*.

re·spon·si·bil·i·ty [risponsə'biliti] responsabilidad *f* (*for* de); **re'spon·si·ble** responsable (*for* de).

rest¹ [rest] 1. descanso *m*, reposo *m*; *fig.* paz *f*; (*support*) apoyo *m*; ♪ silencio *m*, pausa *f*; 2. *v/i.* descansar; holgar; posar(se) (*on* en); apoyarse (*on* en); (*matter*) quedar; *v/t.* descansar; apoyar (*on* en).

rest² [~] resto *m*; ♦ reserva *f*; *the* ~ lo demás, los demás *etc.*

res·tau·rant ['restərɔ:n] restaurante *m*, restorán *m*; ~ *car* coche *m* restaurante, coche-comedor *m*.

rest·ful ['restful] □ descansado, sosegado; tranquilizador.

rest home ['resthoum] casa *f* de reposo.

res·ti·tu·tion [resti'tju:ʃn] restitución *f*; *make* ~ indemnizar.

res·tive ['restiv] □ intranquilo, inquieto; *horse etc.* rebelón; **ˈres·tive·ness** intranquilidad *f*.

rest·less ['restlis] □ inquieto; desasosegado; **ˈrest·less·ness** inquietud *f*; desasosiego *m*; insomnio *m*.

res·to·ra·tion [restə'reiʃn] restauración *f*; **re·stor·a·tive** [ris'tɔrətiv] reconstituyente *adj. a. su. m*.

re·store [ris'tɔ:] restaurar; devolver; ~ *a p. to liberty* (*health*) devolver la libertad (la salud) a una p.

re·strain [ris'train] contener, refrenar, reprimir; ~ s.o. *from ger.* impedir que alguien *subj.*; **re'straint** moderación *f*, comedimiento *m*; restricción *f*.

re·strict [ris'trikt] restringir, limitar.

rest room ['rest'ru:m] sala *f* de descanso; excusado *m*; retrete *m*.

re·sult [ri'zʌlt] 1. resultado *m*; *as a* ~ por consiguiente; 2. resultar (*from* de); ~ *in* terminar en, parar en.

ré·su·mé ['rezju:mei] resumen *m*.

re·sume [ri'zju:m] reasumir; *journey etc.* reanudar; **re·sump·tion** [ri-ˈzʌmpʃn] reasunción *f*; reanudación *f*.

re·sur·gence [ri'sɔ:dʒəns] resurgimiento *m*.

res·ur·rect [rezə'rekt] resucitar.

re·sus·ci·tate [ri'sasiteit] resucitar (*v/t. a. v/i.*).

re·tail 1. ['ri:teil] venta *f* al por menor; ~ *price* precio *m* al por menor (*or*

al detall); ~ **book·sel·ler** librero *m* al por menor; **2.** [~] *adj.*, *adv.* al (por) menor; **3.** [ri'teil] *v/t.* vender al (por) menor (*or* al detall); *v/i.* venderse al (por) menor (*at* a); **re'tail·er** detallista *m/f.*

re·tain [ri'tein] retener; conservar; quedarse con; **re'tain·er** *hist.* adherente *m*; ⚖️ (*a.* retaining fee) ajuste *m*, anticipo *m.*

re·tal·i·ate [ri'tælieit] desquitarse; vengarse (*on* en); **re'tal·i·a·tion** represalias *f/pl.*; venganza *f*; **re'tal·i·a·to·ry** [~əri] vengativo.

re·tard [ri'to:d] retardar, retrasar; **re·tar·da·tion** retardación *f.*

retch [ri:tʃ] (esforzarse por) vomitar.

re·ten·tion [ri'tenʃn] retención *f* (*a.* 🩸), conservación *f*; **re'ten·tive** □ retentivo.

ret·i·cence ['retisəns] reserva *f*; **'ret·i·cent** □ reservado.

ret·i·na ['retinə] retina *f.*

re·tire [ri'taiə] *v/i.* retirarse (*a.* ✗); recogerse *to bed* etc.; jubilarse *from post*; *v/t.* jubilar; **re'tired** jubilado, ✗ retirado; **re'tire·ment** retiro *m*; ✗ retirada *f*; jubilación *f from post*; **re'tir·ing** □ retraído, reservado.

re·touch ['ri:'tʌtʃ] retocar (*a.* phot.).

re·trace [ri'treis] volver a trazar; repasar.

re·tract [ri'trækt] retractar(se); retraer(se); ⊕ replegar; **re'tract·a·ble** retractable; ⊕ replegable.

re·tread 1. ['ri:tred] llanta *f* recauchutada; **2.** [ri:'tred] recauchutar.

re·treat [ri'tri:t] **1.** retiro *m* (*a.* eccl.); retraimiento *m*; ✗ retirada *f*; **2.** ✗ retirarse.

re·trench [ri'trentʃ] cercenar; **re'trench·ment** cercenadura *f.*

ret·ri·bu·tion [retri'bju:ʃn] justo castigo *m*; desquite *m.*

re·trieve [ri'tri:v] (re)cobrar; *fortunes* reparar; **re'triev·al** recobro *m*; cobra *f*; **re'triev·er** perro *m* cobrador.

ret·ro... ['retrou] retro...; **re'tro·ac·tive** □ retroactivo; **ret·ro'cede** retroceder; **'ret·ro·grade 1.** retrógrado; **2.** *ast.* retrogradar; **'ret·ro'rock·et** retrocohete *m*; **ret·ro'spect** ['~spekt] retrospección *f*; *in* ~ retrospectivamente; **ret·ro'spec·tion** retrospección *f*, consideración *f* de lo pasado.

re·turn [ri'tə:n] **1.** vuelta *f*, regreso *m*; devolución *f of book* etc.; 🩸 etc. reaparición *f*; *pol.* elección *f*; resultado *m* (del escrutinio); ✝ (*freq.* ~s *pl.*) ganancia *f*, rédito *m on capital* etc.; ingresos *m/pl.*; ~s *pl.* (*official*) estadística *f*; (*tax* ~) declaración *f* (de renta); *in* ~ en cambio, en recompensa (*for* de); **2.** *v/i.* volver, regresar; (*reply*) responder; (*reappear*) reaparecer; ⚖️ revertir; *v/t.* devolver; ✝ producir, rendir; *parl.* elegir; **re'turn·a·ble** restituible; ⚖️ devolutivo.

re·un·ion [ri:'ju:njən] reunión *f*; **re·u·nite** ['ri:ju:'nait] reunir(se); reconciliar(se).

re·val·u·a·tion [ri:vælju'eiʃn] revalor(iz)ación *f*; **re·val·ue** [~'vælju:] revalorizar.

re·vamp ['ri:'væmp] renovar; remendar.

re·veal [ri'vi:l] revelar; **re'veal·ing** □ revelador.

re·veil·le [ri'væli] diana *f.*

rev·el [revl] **1.** (*freq.* ~s *pl.*) jarana *f*, juerga *f*, fiesta *f* bulliciosa; **2.** jaranear; ir de parranda.

rev·el·(l)er ['revlə] jaranero *m*, juerguista *m/f*; **'rev·el·ry** jolgorio *m.*

re·venge [ri'vendʒ] **1.** venganza *f*; **2.** vengar(se); ~ *o.s.* (*or be* ~ed) *on* vengarse en; **re'venge·ful** [~ful] □ vengativo.

rev·e·nue ['revinju:] rentas *f/pl.* públicas; (*a.* ~s *pl.*) ingresos *m/pl.*

re·ver·ber·ate [ri'və:bəreit] retumbar; (*light*) reverberar.

re·vere [ri'viə] reverenciar, venerar; **rev·er·ence** ['revərəns] **1.** reverencia *f*; **2.** reverenciar; **'rev·er·end 1.** reverendo; **2.** pastor *m.*

rev·er·ent ['revərənt] □ reverente.

re·ver·sal [ri'və:səl] inversión *f*; cambio *m* completo *f of policy* etc.; ⚖️ revocación *f*; **re·verse** [~'və:s] **1.** (*the* ~) lo contrario; *fig.* revés *m*, contratiempo *m*; reverso *m of coin*; revés *m of cloth*; ⊕ marcha *f* atrás; **2.** inverso, invertido; contrario; *mot.* ~ *gear* cambio *m* de marcha atrás; **3.** *v/t.* invertir; *opinion* cambiar completamente de; trastrocar; *v/i.* dar la marcha atrás.

re·ver·sion [ri'və:ʃn] reversión *f.*

re·vert [ri'və:t] volver(se) (*to* a); revertir (*a.* ⚖️); *biol.* saltar atrás.

re·view [ri'vju:] **1.** revista *f* (⚓, ✗, *magazine*); repaso *m*; ⚖️ revisión *f*; reseña *f of book*; **2.** rever (*a.* ⚖️); repasar; *book* reseñar; **re'view·er** crítico *m.*

.evile

546

re·vile [ri'vail] ultrajar, injuriar.

re·vise [ri'vaiz] revisar; *lesson* repasar; *book* corregir, refundir.

re·vi·sion [ri'viʒn] revisión *f;* repaso *m;* corrección *f,* refundición *f;* '**~·ism** revisionismo *m;* '**~·ist** revisionista *adj. a. su. m/f.*

re·vi·tal·ize ['ri:'vaitəlaiz] revivificar.

re·viv·al [ri'vaivl] reanimación *f;* renacimiento *m; thea.* reposición *f;* '**~·ist** predicador *m* del renacimiento del sentimiento religioso.

re·vive [~'vaiv] *v/t.* reanimar; restablecer; *v/i.* reanimarse; volver en sí, renacer.

re·voke [ri'vouk] *v/t.* revocar; *v/i. cards:* renunciar.

re·volt [ri'voult] **1.** rebelión *f,* sublevación *f;* **2.** *v/i.* rebelarse, sublevarse; *v/t. fig.* dar (*or* causar) asco a; **re'volt·ing** □ repugnante.

rev·o·lu·tion [revə'lu:ʃn] revolución *f* (*a.* ⊕, *pol.*); vuelta *f,* rotación *f.*

re·volve [ri'vɔlv] *v/i.* girar, dar vueltas; *ast.* revolverse; *fig.* depender (*round* de); *v/t.* (hacer) girar; **re'volv·er** revólver *m;* **re'volv·ing** giratorio; rotativo.

re·vul·sion [ri'vʌlʃn] 🞇 revulsión *f;* asco *m;* reacción *f.*

re·ward [ri'wɔːd] **1.** recompensa *f,* premio *m,* galardón *m;* **2.** recompensar, premiar.

re·write ['ri:'rait] [*irr.* (*write*)] refundir; escribir de nuevo.

rhap·so·dize ['ræpsədaiz] *fig.:* ~ *over* entusiasmarse por, extasiarse ante; '**rhap·so·dy** rapsodia *f; fig.* transporte *m* (de admiración *etc.*).

rhet·o·ric ['retərik] retórica *f;* **rhe·tor·i·cal** [ri'tɔrikl] □ retórico.

rheu·mat·ic [ruː'mætik] □ reumático; **rheu·ma·tism** ['ruːmətizm] reumatismo *m.*

rhi·no ['rainou] = **rhi·noc·er·os** [rai'nɔsərəs] rinoceronte *m.*

rhu·barb ['ru:ba:b] ruibarbo *m.*

rhyme [raim] **1.** rima *f;* poesía *f; without* ~ *or reason* sin ton ni son; **2.** rimar.

rhythm [riðm] ritmo *m;* '**rhyth·mic,** '**rhyth·mi·cal** □ rítmico.

rib [rib] **1.** costilla *f,* ⚓ nervio *m;* **2.** F tomar el pelo a.

rib·ald ['ribəld] obsceno; irreverente y regocijado; '**rib·ald·ry** obscenidad *f;* irreverencia *f.*

rib·bon ['ribən] cinta *f* (*a. typewriter* ~); ⚔ galón *m.*

ri·bo·fla·vin [raibou'fleivin] riboflavina *f.*

rice [rais] arroz *m;* ~ *field* arrozal *m.*

rich [ritʃ] □ rico; (*lavish*) suntuoso; exquisito; *color* vivo; *food* rico, sabroso; **rich·es** ['~iz] *pl.* riqueza *f;* '**rich·ness** riqueza *f;* fertilidad *f* of *soil etc.*

rick·ets ['rikits] 🞇 raquitismo *m,* raquitis *f;* '**rick·et·y** raquítico.

rick·shaw ['rikʃɔ:] rikscha *f.*

ri·co·chet ['rikɔʃei] rebotar.

rid [rid] [*irr.*] librar, desembarazar (*of* de); *be* ~ *of* estar libre de; '**rid·dance** libramiento *m; good* ~! ¡enhorabuena!

rid·dle¹ ['ridl] acertijo *m,* adivinanza *f;* (*p. etc.*) enigma *m.*

rid·dle² [~] **1.** criba *f* (gruesa); (*potato* ~) escogedor *m;* **2.** cribar; acribillar *with shot.*

ride [raid] **1.** cabalgata *f;* paseo *m,* viaje *m* (a caballo, en coche *etc.*); **2.** *v/i.* montar, cabalgar; ir, viajar, pasear(se) (en coche *etc.*); *v/t. horse etc.* montar; *bicycle* ir en; *a distance* recorrer (a caballo *etc.*); '**rid·er** jinete (a *f*) *m,* caballero *m;* (*cyclist*) ciclista *m/f.*

ridge [ridʒ] cadena *f,* sierra *f* of *hills;* cresta *f* of *hill;* 🏛 caballete *m.*

rid·i·cule ['ridikju:l] **1.** irrisión *f,* burlas *f/pl.;* **2.** ridiculizar, poner en ridículo; **ri·dic·u·lous** [~juləs] □ ridículo.

rid·ing ['raidiŋ] **1.** equitación *f;* **2.** ... de montar; '~ **hab·it** traje *m* de montar.

rife [raif] corriente, frecuente; general; endémico.

riff·raff ['rifræf] chusma *f,* bahorrina *f;* canalla *f.*

ri·fle¹ ['raifl] robar; saquear.

ri·fle² [~] **1.** rifle *m,* fusil *m;* **2.** ⊕ rayar; '~ **range** tiro *m* de rifle.

rift [rift] hendedura *f,* rendija *f; fig.* desavenencia *f.*

rig¹ [rig] *sl.* falsificar; subvertir.

rig² [~] **1.** ⚓ aparejo *m;* **2.** ⚓ aparejar, enjarciar; F ~ *out* ataviar; F ~ *up* improvisar; '**rig·ger** ⚓ aparejador *m;* '**rig·ging** jarcia *f;* aparejo *m;* cordaje *m.*

right [rait] **1.** □*side* derecho; (*correct*) correcto, exacto; (*true*) verdadero; (*just*) justo, equitativo; (*proper*) indicado, debido; *conditions* favorable; *be* ~ (*p.*) tener razón; *that's* ~ eso es; **2.** *adv.* derechamente; directamente; bien; completamente; a la de-

recha; ~ *away* en seguida; ~ *here* aquí mismo; **3.** derecho *m* (*to* a *su.*, *inf.*); justicia *f*; título *m*; privilegio *m* (*of ger. de inf.*); (*side*) derecha *f* (*a. pol.*); **4.** enderezar (*a.* ♻); corregir, rectificar; '~ **'an·gle** Ⓐ ángulo *m* recto; '~**'an·gled** rectangular; **right·eous** ['~ʃəs] □ justo, honrado, probo; **'right·eous·ness** honradez *f*, probidad *f*; **right·ful** ['~ful] □ justo; legítimo; **'right·'hand:** ~ *drive* mot. conducción *f* a la derecha; ~ *man* mano *f* derecha, ~ *side* derecha *f*; **'right·'hand·ed** que usa (*or* ⊕ para) la mano derecha; **'right·ist** derechista *adj. a. su. m/f*; **'right·wing** *pol.* derechista.

rig·id ['ridʒid] □ rígido; **ri'gid·i·ty** rigidez *f*.

rig·ma·role ['rigmərəul] galimatías *m*, relación *f* disparatada.

rig·or·ous ['rigərəs] □ riguroso.

rig·or ['rigə] rigor *m*, severidad *f*.

rim [rim] borde *m*, canto *m*; llanta *f* of *wheel*.

rind [raind] corteza *f*; cáscara *f*; piel *f*.

ring¹ [riŋ] **1.** (*finger*) anillo *m*; círculo *m*; (*iron*) argollo *f*; (*boxing*) cuadrilátero *m*; (*bull*) redondel *m*, plaza *f*; pandilla *f*; **2.** cercar, rodear (*by*, with de).

ring² [∿] **1.** campanilleo *m*; toque *m* (de timbre); *teleph.* telefonazo *m*; **2.** *v/i.* sonar; resonar (*with* con); (*bell*) repicar; campanillear; *v/t. small bell* tocar; *large bell* tañer; (hacer) sonar; ~ **'bind·er** cuaderno *m* de hojas sueltas; **'ring·lead·er** cabecilla *m*; **'ring·let** ['∿lit] rizo *m*; **'ring·worm** tiña *f* [w.].

rink [riŋk] pista *f*.

rinse [rins] **1.** aclarar; enjuagar (*a.* ~ *out*); **2.** enjuague *m*.

ri·ot ['raiət] **1.** tumulto *m*, alboroto *m*, motín *m*; orgía *f* (*a. fig.*); *run* ~ des enfrenarse; **2.** amotinarse, alborotarse; **'ri·ot·er** manifestante *m/f*; amotinado(r) *m*; **'ri·ot·ous** □ alborotado; *life* desenfrenado; *party* bullicioso; **'ri·ot·'squad** pelotón *m* de asalto.

rip [rip] **1.** rasgón *m*, rasgadura *f*; **2.** rasgar(se), ~ *off* arrebatar; ~ *up* desgarrar, romper.

ripe [raip] □ maduro; **'rip·en** madurar; **'ripe·ness** madurez *f*.

rip·off ['ripof] *sl.* estafa *f*; timo *m*.

rip·ple ['ripl] **1.** rizo *m*; ondulación *f*; (*sound*) murmullo *m*; **2.** rizar(se), encrespar(se); (*sound*) murmurar.

rise [raiz] **1.** subida *f*, alza *f*, elevación

f of prices etc.; ascenso *m in rank*; crecida *f of river*; **2.** [*irr.*] subir; alzarse; levantarse; ponerse en pie; ascender *in rank*; (*sun*) salir; **'ris·er:** *early* ~ madrugador (-a *f*) *m*.

ris·ing ['raiziŋ] **1.** (*revolt*) sublevación *f*; levantamiento *m*; salida *f of sun*; **2.** naciente, ascendiente; *sun* saliente.

risk [risk] **1.** riesgo *m*; peligro *m*; *run a* (*or the*) ~ *of ger.* correr riesgo de *inf.*; **2.** arriesgar, exponer(se a); **'risk·y** □ arriesgado, aventurado.

rite [rait] rito *m*; *last* (*or funeral*) ~ *s pl.* exequias *f*/*pl.*; **rit·u·al** ['ritjuəl] □ ritual *adj. a. su. m.*

ri·val ['raivl] **1.** rival *m/f*, competidor (-a *f*) *m*; **2.** rival, competidor (*a.* ♈); **3.** rivalizar con, competir con; **'ri·val·ry** rivalidad *f*.

riv·er ['rivə] río *m*; *down* ~ río abajo; *up* ~ río arriba; *attr.* fluvial; '~ **ba·sin** cuenca *f* de río; '~ **horse** caballo *m* marino; hipopótamo *m*.

riv·et ['rivit] **1.** roblón *m*, remache *m*; **2.** ⊕ remachar; *fig.* clavar.

roach [routʃ] *ichth.* escarcho *m*; *zo.* cucaracha *f*.

road [roud] camino *m* (*to* de; *a. fig.*); carretera *f*; (*in town*) calle *f*; '~ **hog** conductor *m* poco considerado, asesino *m* de carretera; '~ **house** taberna *f*; posada *f*; '~ **race** carrera *f* sobre carretera; '~ **side** borde *m* del camino; **road·ster** ['∿stə] coche *m* (*or* bicicleta *f etc.*) de turismo; **'road·way** calzada *f*.

roam [roum] *v/i.* vagar; callejear *in town*; *v/t.* vagar por, recorrer.

roar [rɔ:] **1.** rugir; bramar; (*with laughter*) reírse a carcajadas; **2.** rugido *m*; bramido *m*; **roar·ing** ['∿riŋ] □ rugiente; bramante.

roast [roust] **1.** asar; *coffee* tostar; **2.** asado; *coffee tostado*; ~ *beef* rosbif *m*; **3.** carne *f* asada, asado *m*.

rob [rob] robar (*s.o. of s.t.* algo a alguien); saltear *on highway*; **'rob·ber** ladrón *m*; salteador *m* (de caminos); **'rob·ber·y** robo *m*.

robe [roub] túnica *f*, manto *m*; ⚖ toga *f*; vestido *m* talar.

rob·in ['robin] petirrojo *m*.

ro·bot ['roubot] autómata *m*, robot *m*; **ro·bot·ics** [rou'botiks] ciencia o uso del robot; robótica *f*.

ro·bust [rə'bʌst] □ robusto; recio, vigoroso; **ro'bust·ness** robustez *f*.

rock¹ [rok] roca *f*; peña *f*; ♻ escollo *m*; *sl.* diamante *m*; *the* ♀ el Peñón (de

Gibraltar); *get down to* ~ *bottom* llegar a lo más bajo; ~ *crystal* cristal *m* de roca; ~ *salt* sal *f* gema.

rock² [⌐] mecer(se), balancear(se); (*violently*) sacudir(se).

rock-bot·tom ['rɔk'bɔtəm] F *price* más bajo, mínimo.

rock·er ['rɔkə] (eje *m* de) balancín *m*; *chair* mecedora *f*.

rock·et ['rɔkit] 1. cohete *m*; *sl.* peluca *f*; ~ *propulsion* propulsión *f* a cohete; 2. subir como cohete; **rock·et·ry** cohetería *f*.

rock·ing... ['rɔkiŋ]: '~ **chair** mecedora *f*; '~ **horse** caballo *m* de balancín.

rock-'n'-roll (rock²) ['rɔkən'roul] música popular de compás intenso, poca melodía y mucha percusión; rock *m*.

rock·y ['rɔki] rocoso, peñascoso; *sl.* inestable; (~ *Mountains*).

rod [rɔd] *medida de longitud* (= 5,029 *m*); var(ill)a *f*; barra *f*; vástago *m*; (*fishing*) caña *f*; *sl.* pistola *f*.

ro·dent ['rɔudənt] roedor *m*.

ro·de·o ['rɔudiou, rou'deiou] rodeo *m*.

roe¹ [rou] hueva *f*; *soft* ~ lecha *f*.

roe² [⌐] *zo.* corzo (a *f*) *m*; '~·**buck** corzo *m*.

rogue [roug] pícaro *m*, pillo *m*; canalla *m*; ~*s' gallery* fichero *m* de delincuentes; **ro·guer·y** picardía *f*; '**ro·guish** □ pícaro, picaruelo; travieso.

role [roul] *thea.* papel *m* (*a. fig.*); *play* (*or take*) *a* ~ hacer un papel.

roll [roul] 1. rollo *m*; ⊕ rodillo *m*; (*bread-*) panecillo *m*; bollo *m*; (*list*) lista *f*; retumbo *m* of *thunder*; ⚓ balance(o) *m*; 2. *v/t.* hacer rodar; *soil* allanar; *cigarette* liar; *eyes* poner en blanco; *v/i.* rodar; revolcarse *on ground*; (*land*) ondular; (*thunder*) retumbar; '~ **call** (acto *m* de pasar) lista *f*; '**roll·er** ✓, ⊕ rodillo *m*; ⚓ ola *f* larga; ~ *coaster* montaña *f* rusa; ~ *skates* patines *m/pl.* de ruedas; '**roll film** película *f* en rollo.

roll·ing ['roulin] 1. rodante; rodadero; *ground* ondulado; 2. rodadura *f*; ⚓ balanceo *m*; ~ *pin* rodillo *m*; '~ **stock** material *m* rodante.

ro·ly-po·ly ['rouli'pouli] regordete.

Ro·man ['roumən] romano *adj. a. su.* *m* (a *f*); *typ.* (*mst* ⟨⟩) tipo *m* romano.

ro·mance [rə'mæns] 1. novela *f*; ficción *f*; sentimentalismo *m*; F amoríos *m/pl.*, amores *m/pl.*; 2. soñar; exage-

rar; 3. románico, romance; ⟨⟩ **lan·guages** lenguas *f/pl.* romances *or* románicas.

ro·man·tic [rə'mæntik] 1. □ romántico; *affair* novelesco; *p.* sentimental; *place* pintoresco, encantado; 2. romántico *m*; **ro'man·ti·cism** romanticismo *m*.

romp [rɔmp] 1. retozo *m*, trisca *f*; 2. retozar, juguetear, triscar; '**romp·ers** traje *m* infantil de juego.

roof [ru:f] 1. tejado *m*, techo *m*; (*flat*) azotea *f*; 2. (*freq.* ~ *in*, *over*) techar.

rook¹ [ruk] 1. *orn.* graja *f*; 2. trampear, estafar.

rook² [⌐] *chess:* torre *f*, roque *m*.

room [ru:m] cuarto *m*, habitación *f*; pieza *f*; (*large*) aposento *m*; (*space*) sitio *m*, espacio *m*; cabida *f*; ~*s pl.* alojamiento *m*; ~ *and board* pensión *f* completa; '**room·er** subinquilino (a *f*) *m*; huésped *m/f*; '**room·ing house** casa *f* donde se alquilan cuartos; '**room·mate** compañero (a *f*) *m* de cuarto; '**room·y** □ espacioso, holgado.

roost [ru:st] 1. percha *f*; gallinero *m*; *rule the* ~ mandar; 2. (*bird*) descansar (en una percha); '**roost·er** gallo *m*.

root [ru:t] *all senses:* raíz *f*; *take* (*or strike*) ~ echar raíces, arraigar; 2. *v/t.*: ~ *out*, ~ *up* arrancar, desarraigar, extirpar; *v/i.* ♀ arraigar(se); (*pig*) hozar, hocicar; *sl.* ~ *for* gritar por el éxito de.

rope [roup] 1. cuerda *f*; soga *f*; (*esp.* ⚓) maroma *f*, cable *m*; *know the* ~*s* saber cuántas son cinco; 2. atar, amarrar con cuerda(s) *etc.*; ~ *off* cercar con cuerdas; '~ **lad·der** escala *f* de cuerda.

ro·sa·ry ['rouzəri] *eccl.* rosario *m*.

rose¹ [rouz] ♀ *rosa; (color)* color *m* de rosa; △ rosetón *m* (*a.* ~ *window*).

rose·bud ['rouzbʌd] capullo *m* de rosa; '**rose bush** rosal *m*; '**rose hip** ♀ cinarrodón *m*; eterio *m*.

rose·mar·y ['rouzmɛri] romero *m*.

ro·sette [rou'zet] escarapela *f*; △ rosetón *m*.

ros·ter ['rɔstə] lista *f*.

ros·y ['rouzi] □ (son)rosado.

rot [rɔt] 1. putrefacción *f*, podredumbre *f*; *sl.* tonterías *f/pl.*; 2. pudrir(se), corromper(se).

ro·ta·ry ['routəri] rotativo, rotatorio; ~ *press* prensa *f* rotativa; **ro·tate** [rou'teit] (hacer) girar; alternar(se).

ro·tor ['routə] rotor *m*.

rot·ten ['rɔtn] ☐ podrido, corrompido; *food* putrefacto; *wood* carcomido; *sl.* vil, ruin; **'rot·ten·ness** podredumbre *f*, putrefacción *f*.

rot·ter ['rɔtə] *sl.* canalla *m*, sinvergüenza *m*.

ro·tund [rou'tʌnd] ☐ rotundo; *figure* corpulento.

rouge [ruːʒ] **1.** colorete *m*, arrebol *m*; **2.** ponerse colorete, arrebolarse.

rough [rʌf] **1.** ☐ áspero; tosco; *estimate* aproximado; *ground* quebrado; *manners* grosero; *material* crudo, bruto; *play* duro; *sea* bravo; *treatment* brutal; *weather* tempestuoso; ~ *copy*, ~ *draft* borrador *m*; **2.** terreno *m* áspero, superficie *f* áspera; **3.** F ~ it pasar apuros, vivir sin comodidades; **'rough·age** alimento *m* poco digerible; **'rough·en** poner(se) áspero (*or* tosco).

rough...: '~**hewn** ['~'hjuːn] desbastado; '~**house** *sl.* trapatiesta *f*, trifulca *f*; '~**neck** *sl.* canalla *m*; matón *m*; **'rough·ness** aspereza *f*, tosquedad *f etc.*; **'rough-shod:** *ride* ~ *over* tratar sin miramientos, imponerse a.

rou·lette [ruː'let] ruleta *f*.

round [raund] **1.** ☐ redondo (*a. number, sum*); *denial etc.* rotundo, categórico; ~ *trip* viaje *m* de ida y vuelta; **2.** *adv.* alrededor; (*freq.* ~ *about*) a la redonda; 2 *feet* ~ 2 pies en redondo; **3.** *prp.* alrededor de; cerca de, cosa de; ~ *the corner* a la vuelta de esquina; ~ *the town* por la ciudad; **4.** esfera *f*; círculo *m*; (*daily*) rutina *f*; (*tradesman's etc.*) recorrido *m*; (*drinks, meetings*) ronda *f*; **5.** redondear (*a. ~ off, ~ out*); *corner etc.* doblar; ~ *up* acorralar, rodear *S.Am.*

round·a·bout ['raundəbaut] indirecto; ambagioso; **round·house** ['raundhaus] depósito *m* de locomotoras; **'round·ness** redondez *f*; **'round-'shoul·dered** cargado de espaldas; repartidor *m*; **'round-ta·ble con·fer·ence** reunión *f* de mesa redonda; **'round·up** rodeo *m*.

rouse [rauz] despertar(se); excitar; provocar *to fury etc.*; **'rous·ing** conmovedor.

rout [raut] **1.** derrota *f* completa, fuga *f* desordenada; *put to* ~ = **2.** derrotar (completamente).

route [ruːt, ✕ raut] ruta *f*, itinerario *m*, camino *m*.

rou·tine [ruː'tiːn] **1.** rutina *f*; **2.** rutinario.

rove [rouv] vagar, errar; **'rov·er** vagabundo (a *f*) *m*; **'rov·ing** errante; ambulante.

row¹ [rou] fila *f* (*a. thea. etc.*), hilera *f*; *in a* ~ seguidos.

row² [~] ♪ **1.** *v/i.* remar; *v/t.* conducir remando; **2.** paseo *m* en bote.

row³ [rau] F (*noise*) ruido *m*, jaleo *m*, tremolina *f*, estrépito *m*; (*quarrel*) bronca *f*, pelea *f*, camorra *f*; lío *m*.

row·boat ['roubout] bote *m* (de remos).

row·dy ['raudi] quimerista *adj. a. su. m*; gamberro *m*.

row·er ['rouə] remero (a *f*) *m*.

roy·al ['rɔiəl] ☐ real; regio; **'roy·al·ist** monárquico (a *f*) *m*; **'roy·al·ty** realeza *f*; personaje *m/pl.* reales; derechos *m/pl.* (de autor).

rub [rʌb] **1.** frotamiento *m*, roce *m*, rozadura *f*; **2.** *v/t.* frotar; (*hard*) (r)estregar; limpiar frotando; ~ *down horse* almohazar; ~ *out* borrar; *sl.* asesinar; *v/i.*: ~ *against*, ~ *on* rozar *acc.*

rub·ber ['rʌbə] remero (a *f*) *m*; (*eraser*) goma *f* de borrar; ⊕ paño *m etc.* de pulir; *bridge:* juego *m* (primero *etc.*); ~s *pl.* chanclos *m/pl.*; *sl.* ~ *check* cheque *m* no cobradero; '~**neck** sl. mirón (-a *f*) *m*; **2.** curiosear; '~**stamp 1.** estampilla *f* (*or* sello *m*) de goma; **2.** F aprobar maquinalmente.

rub·bish ['rʌbiʃ] basura *f*; desperdicios *m/pl.*; desecho(s) *m/pl.*); *fig.* disparates *m/pl.*, tonterías *f/pl.*

rub·ble ['rʌbl] cascote *m*, escombros *m/pl.*; (*filling*) cascajo *m*.

ru·bric ['ruːbrik] rúbrica *f* (*a. eccl.*).

ru·by ['ruːbi] **1.** rubí *m*; **2.** de color de rubí.

ruck·sack ['ruksæk] mochila *f*.

rud·der ['rʌdə] timón *m* (*a. ✈*), gobernalle *m*.

rud·dy ['rʌdi] rubicundo; rojizo.

rude [ruːd] ☐ grosero, descortés; ofensivo; (*rough*) inculto, rudo; **'rude·ness** grosería *f*; rudeza *f*.

ru·di·ment ['ruːdimənt] *biol.* rudimento *m*; ~s *pl. fig.* rudimentos *m/pl.*; **ru·di·men·ta·ry** [~'mentəri] *biol.* rudimental; *fig.* rudimentario.

rue [ruː] arrepentirse de, lamentar.

rue·ful ['ruːful] ☐ triste, arrepentido; lamentable; **'rue·ful·ness** tristeza *f*.

ruff [rʌf] gorguera *f*.

ruf·fi·an ['rʌfjən] rufián *m*; canalla *m*; pillo *m*; bribón *m*.

ruf·fle ['rʌfl] 1. *sew.* volante *m*; 2. descomponer; perturbar.

rug [rʌg] alfombr(ill)a *f*; tapete *m*; manta *f* (de viaje).

rug·by ['rʌgbi] rugby *m*.

rug·ged ['rʌgid] □ *country* áspero, escabroso; *character* robusto; '**rug·ged·ness** escabrosidad *f etc.*

ru·in ['ruːin] 1. ruina *f*; arruinamiento *m*; perdición *f*; ∼ *pl.* ruinas *f/pl.*; 2. arruinar; perder; estropear; estragar.

rule [ruːl] 1. regla *f* (*a. eccl.*); reglamento *m*; norma *f*; mando *m*; dominio *m*; ⊕ metro *m* (plegable *etc.*); as a ∼ por regla general; 2. *v/t.* mandar, gobernar (*a.* ∼ *over*); regir; *line* trazar, tirar; *paper* rayar, reglar; *v/i.* gobernar; reinar; prevalecer; ✝ (*price*) regir; '**rul·er** gobernante *m/f*; (*for lines*) regla *f*; '**rul·ing** 1. *esp.* ⚖ fallo *m*; 2. ✝ *price* que rige; imperante.

rum [rʌm] ron *m*; aguardiente *m*.

Ru·ma·ni·an [ruː'meinjən] 1. rumano *adj. a. su. m* (a *f*); 2. (*language*) rumano *m*.

rum·ble ['rʌmbl] 1. retumbo *m*; ruido *m* sordo; ∼ *seat* asiento *m* trasero (descubierto); 2. retumbar; F (*stomach*) sonar.

ru·mi·nant ['ruːminənt] rumiante *adj. a. su. m*; **ru·mi·nate** ['∼neit] rumiar (*a. fig.*).

rum·mage ['rʌmidʒ] buscar (*in* en) revolviéndolo todo; registrar.

rum·my ['rʌmi] *cards:* rummy *m*.

ru·mor ['ruːmə] 1. rumor *m*; 2. rumorear.

rump [rʌmp] *anat.* trasero *m*, ancas *f/pl.*; *cooking:* cuarto *m* trasero.

rump·steak ['rʌmp'steik] biftec *m* del cuarto trasero.

rum·pus ['rʌmpəs] F tumulto *m*, bataola *f*, revuelo *m*; ∼ *room* ['∼ruːm] cuarto *m* para juegos y fiestas.

run [rʌn] 1. [*irr.*] *v/i.* correr; apresurarse; (*continue*) seguir; (*reach*) extenderse; (*liquid*) correr, fluir; ⊕ funcionar, marchar, andar; ✍ supurar; *parl.* ser candidato; ∼ *away* huir; escaparse; ∼ *in the family* venir de familia; ∼ *into* extenderse a; (*meet*) topar a; (*crash*) chocar con; ∼ *up against* tropezar con, chocar con; 2. [*irr.*] *v/t.* correr; *blockade* forzar, burlar; *business* dirigir, organizar; *city* gobernar; *contraband* pasar; *distance, race* correr; *machine* manejar;

∼ *down* (*car*) atropellar; (*police*) acorralar, cazar; *reputation* desacreditar, desprestigiar, denigrar; ✍ *be* ∼ *down* estar debilitado; ∼ *over text* repasar; (*search*) registrar a la ligera; *p.* atropellar; ∼ *one's eye over* examinar *acc.*; ∼ *one's hand over* pasar la mano por, recorrer con la mano; 3. carrera *f* (*a. sport*); corrida *f*; *mot.* paseo *m* en coche; trayecto *m*, recorrido *m of vehicle*; ♪ glisado *m*, fermata *f*; ♣ (*a. day's* ∼) singladura *f*; *thea.* serie *f* de representaciones; (*progress*) marcha *f*, progreso *m*; *the common* ∼ el común (de las gentes); *in the long* ∼ a la larga; *on the* ∼ en fuga desordenada; (*prisoner*) fugado; *have the* ∼ *of* tener libre uso de.

run·a·bout ['rʌnəbaut] *mot.* coche *m* pequeño.

run·a·way ['rʌnəwei] 1. fugitivo *m*; caballo *m* desbocado; 2. *victory* fácil; *marriage* clandestino.

run·down ['rʌn'daun] desmantelado, inculto.

rung [rʌŋ] escalón *m* (*a. fig.*).

run·ner ['rʌnə] corredor (-a *f*) *m*; caballo *m*; ✗ ordenanza *m*, mensajero *m*; patín *m of sledge*; ∼**up** ['∼ər'ʌp] subcampeón *m*.

run·ning ['rʌniŋ] 1. corriente; *writing* cursivo; *commentary* continuo; ✍ supurante; ∼ *start* salida *f* lanzada; 2. carrera *f*; ⊕ marcha *f*, funcionamiento *m of machine*; administración *f*, dirección *f of business*; *be in the* ∼ tener posibilidades de ganar; '∼ **board** *mot.* estribo *m*; '∼'**in** *mot.* (*adv. en*) rodaje *m*; '∼·**mate** compañero *m* de candidatura.

run-of-the-mill ['rʌnəvðəmil] F ordinario; mediocre.

runt [rʌnt] redrojo *m*, enano *m* (*a. fig.*); animal *m* achaparrado.

run·way ['rʌnwei] ✈ pista *f* de aterrizaje; *hunt.* pista *f*.

rup·ture ['rʌptʃə] 1. ✍ hernia *f*, quebradura *f*; *fig.* ruptura *f*; 2. ✍ quebrarse (*a.* ∼ *o.s.*).

ru·ral ['ruərəl] □ rural.

rush [rʌʃ] 1. ímpetu *m*; ataque *m* (*a.* ✗), acometida *f*; torrente *m of words etc.*; (*haste*) prisa *f*, precipitación *f*; agolpamiento *m of people*; 2. *v/i.* precipitarse, lanzarse; venir *etc.* de prisa; *v/t.* work despachar (*or* ejecutar) de prisa; ✗ asaltar.

Rus·sian ['rʌʃən] 1. ruso *adj. a. su. m* (a *f*); 2. (*language*) ruso *m*.

rust [rʌst] **1.** orín *m*, herrumbre *f*; **2.** aherrumbrar(se), oxidar(se).

rus·tic ['rʌstik] **1.** □ rústico; palurdo; **2.** rústico *m*, palurdo *m*.

rus·tle ['rʌsl] **1.** (hacer) susurrar; (hacer) crujir; F hurtar; **2.** (*a.* **'rus·tling**) crujido *m* of *paper*; susurro *m* of *wind*.

rust...: **'~·less** inoxidable; **'~·proof**, **'~·re·sist·ant** a prueba de herrum-

bre; **'rust·y** mohoso, enmohecido, oxidado; *fig.* torpe; empolvado.

rut [rʌt] rodera *f*, rodada *f*, carril *m*; bache *m*; *fig.* rutina *f*.

ruth·less ['ruːθlis] □ despiadado; implacable; **'~·less·ness** implacabilidad *f*.

rut·ted ['rʌtid] *road* lleno de baches.

rye [rai] centeno *m*; whisky *m* de centeno.

S

sab·bath ['sæbəθ] (*Christian*) domingo *m*; (*Jewish*) sábado *m*.

sab·o·tage ['sæbətɑːʒ] **1.** sabotaje *m*; **2.** sabotear; **sab·o·teur** [sæbə'təː] saboteador *m*.

sa·bre ['seibə] sable *m*.

sac·cha·rin ['sækərin] sacarina *f*; **sac·cha·rine** ['~rain] sacarino; *fig.* azucarado.

sack[1] [sæk] **1.** saco *m*, costal *m*; (*a.* ~ *coat*) saco *m*, americana *f*; **2.** ensacar; F despedir.

sack[2] [~] **1.** saqueo *m*; **2.** saquear.

sack·cloth ['sækkklɔθ], **'sack·ing** (h)arpillera *f*.

sac·ra·ment ['sækrəmənt] sacramento *m*.

sa·cred ['seikrid] □ sagrado; **'sa·cred·ness** santidad *f*.

sac·ri·fice ['sækrifais] **1.** sacrificio *m*; víctima *f*; **2.** sacrificar.

sac·ri·lege ['sækrilidʒ] sacrilegio *m*; **sac·ri·le·gious** [~'lidʒəs] sacrílego.

sac·ris·tan ['sækristən] sacristán *m*.

sad [sæd] □ triste; lamentable.

sad·den ['sædn] entristecer.

sad·dle ['sædl] **1.** silla *f*, sillín *m*; (*cycle-*) sillín *m*; (*hill*) collado *m*; **2.** ensillar (*a.* ~ *up*); **'~·bag** alforja *f*; **'~·cloth** sudadero *m*; **'sad·dler** talabartero *m*, guarnicionero *m*.

sad·ism ['sædizm] sadismo *m*; **sa·'dis·tic** □ sádico.

sad·ness ['sædnis] tristeza *f*.

sa·fa·ri [sə'fɑːri] safari *f*.

safe [seif] **1.** □ seguro; intacto, ileso; *p.* digno de confianza; ~ *from* a salvo de, al abrigo de; ~ *and sound* sano y salvo; **2.** caja *f* de caudales; ~ *deposit* cámara *f* acorazada; ~ *keeping* custodia *f*; **~·'con·duct** salvoconducto *m*; **'~·crack·er** ladrón *m* de cajas de caudales; **'~·de·pos·it box** caja *f* de

seguridad; **'~·guard 1.** salvaguardia *f*; protección *f*; **2.** salvaguardar; **'safe·ly** con toda seguridad; **'safe·ness** seguridad *f*.

safe·ty ['seifti] **1.** seguridad *f*; **2.** *attr.* de seguridad; **'~ belt** ✈ cinturón *m* de seguridad; **'~ match** fósforo *m* de seguridad; **'~ pin** imperdible *m*; ~ **ra·zor** maquinilla *f* de afeitar; **'~ valve** válvula *f* de seguridad.

sag [sæg] **1.** combarse, hundirse; ✝ bajar; *fig.* aflojarse; **2.** comba *f*.

sa·ga ['sɑːgə] saga *f*.

sail [seil] **1.** vela *f*; paseo *m* en barco (de vela); aspa *f* of *mill*; **2.** *v/i.* navegar; darse a la vela; flotar; *v/t. boat* gobernar; *sea* navegar; **'~·boat** barco *m* de vela; **'~·cloth** lona *f*; **'sail·ing:** *be plain* ~ ser cosa de coser y cantar; **'sail·ing ship** velero *m*; **'sail·or** marinero *m*, marino *m*; **'sail·plane** velero *m*, planeador *m*.

saint [seint] santo (*a f*) *m*; (*before most m names*) San ...; **'saint·li·ness** santidad *f*; **'saint·ly** santo.

sake [seik]: *for the* ~ *of* por, por motivo de, en atención a; *for God's* ~ por el amor de Dios.

sa·la·cious [sə'leiʃəs] □ salaz.

sal·ad ['sæləd] ensalada *f*; ~ *bowl* ensaladera *f*; ~ *dressing* mayonesa *f*.

sal·a·ried ['sælərid] *post* retribuido; *p.* asalariado; **'sal·a·ry** sueldo *m*; **'sal·a·ry earn·er** persona *f* que gana un sueldo.

sale [seil] venta *f*; (*clearance* ~) saldo *m*, liquidación *f*; *for* ~, *on* ~ de venta, en venta; *se vende*; **'sale·a·ble** vendible.

sales... [seilz]: **'~·man** dependiente *m*, vendedor *m*; viajante *m*; **'~·man·ship** arte *m* de vender; **'~·room** salón *m* de ventas; **'~·wom·an** dependienta *f*, vendedora *f*.

sa·li·ent ['seiliənt] ☐ (fig. sobre)saliente *adj. a. su. m.*

sa·li·va [sə'laivə] saliva *f*; **sal·i·var·y** ['sæliveri] salival.

sal·low ['sælou] cetrino, amarillento.

sal·ly ['sæli] **1.** ✗ salida *f* (a. *fig.*); **2.** hacer una salida.

salm·on ['sæmən] (color *m*) salmón *m*.

sa·loon [sə'lu:n] salón *m*; ♣ cámara *f*; bar *m*, taberna *f*; **sa'loon car** 🚗 coche-salón *m*.

salt [sɔ:lt] **1.** sal *f*; ~s *pl.* sales *f/pl.* medicinales; **2.** salado; salobre; **3.** salar.

salt...: '~**cel·lar** salero *m*; **'salt·ness** salinidad *f*; **salt'pe·ter** salitre *m*; **'salt shak·er** salero *m*; **'salt·works** salinas *f/pl.*; **'salt·y** salado.

sa·lu·bri·ous [sə'lu:briəs] ☐ salubre; **sal·u·tar·y** ['sæljutəri] ☐ saludable.

sa·lute [sə'lu:t] **1.** saludo *m*; *co.* beso *m*; salva *f of guns*); **2.** saludar.

sal·vage ['sælvidʒ] **1.** salvamento *m*; objetos *m/pl.* salvados; **2.** salvar.

sal·va·tion [sæl'veiʃn] salvación *f*; ♀ Army Ejército *m* de Salvación.

salve [sɑ:v] **1.** *mst fig.* ungüento *m*; **2.** curar (con ungüento); *fig.* tranquilizar.

sal·vo ['sælvou] ✗ salva *f*.

Sa·mar·i·tan [sə'mæritn] samaritano *adj. a. su. m* (a *f*).

same [seim] mismo; igual, idéntico; the ~ ... *as* el mismo ... que; the ~ *to* you igualmente; **'same·ness** igualdad *f*; identidad *f*; monotonía *f*.

sam·ple ['sɑ:mpl] **1.** *esp.* ♣ muestra *f*; **2.** probar; *wine etc.* catar; 🅰 muestrear.

san·a·to·ri·um [sænə'tɔːriəm] sanatorio *m*.

sanc·ti·fi·ca·tion [sæŋktifi'keiʃn] santificación *f*; **sanc·ti·fy** ['~fai] santificar; **sanc·ti·mo·ni·ous** [~'mouniəs] ☐ mojigato, santurrón; **sanc·tion** ['sæŋkʃn] **1.** sanción *f*; **2.** sancionar, autorizar; **sanc·ti·ty** ['~titi] santidad *f*; inviolabilidad *f*; **sanc·tu·ar·y** ['~tjuəri] santuario *m*; (high altar) sagrario *m*; *fig.* refugio *m*.

sand [sænd] **1.** arena *f*; ~s *pl.* arenal *m*, playa *f* (arenosa); **2.** enarenar; lijar.

san·dal ['sændl] sandalia *f*.

sand...: '~**bag** saco *m* terrero; '~**bank** banco *m* de arena; '~**blast** ⊕ chorro *m* de arena; '~**pa·per 1.** papel *m* de lija; **2.** lijar; '~**pit** arenal *m*; '~**stone** piedra *f* arenisca.

sand·wich ['sænwidʒ, '~witʃ] **1.** sándwich *m*; bocadillo *m*; **2.** poner (entre dos cosas *or* capas).

sand·y ['sændi] arenoso; *hair* rojo.

sane [sein] ☐ cuerdo, sensato.

san·gui·nary ['sæŋgwinəri] ☐ sanguinario; sangriento; **san·guine** ['~gwin] optimista.

san·i·tar·y ['sænitəri] ☐ sanitario; ~ *napkin* compresa *f* higiénica, paño *m* higiénico.

san·i·ta·tion [sæni'teiʃn] sanidad *f*; instalación *f* sanitaria, servicios *m/pl.*; saneamiento *m in house*; **'san·i·ty** cordura *f*, sensatez *f*.

San·skrit ['sænskrit] sánscrito *adj. a. su. m.*

sap¹ [sæp] ♀ savia *f*; jugo *m*; *fig.* vitalidad *f*; *sl.* simplón *m*.

sap² [~] **1.** ✗ zapa *f*; **2.** ✗ zapar; socavar; *strength* minar.

sap·ling ['sæpliŋ] pimpollo *m*, árbol *m* nuevo; *fig.* jovenzuelo *m*.

sap·phire ['sæfaiə] zafiro *m*.

sap·py ['sæpi] jugoso; *fig.* enérgico; *sl.* tonto.

sar·casm ['sɑ:kæzm] sarcasmo *m*; **sar·cas·tic**, sarcástico.

sar·dine [sɑ:'di:n] sardina *f*.

Sar·din·i·an [sɑ:'dinjən] sardo *adj. a. su. m* (a *f*).

sar·don·ic [sɑ:'dɔnik] ☐ burlón, irónico; sardónico *S.Am.*

sash¹ [sæʃ] marco *m* (corredizo) de ventana.

sash² [~] faja *f*; ✗ fajín *m*.

satch·el ['sætʃl] cabás *m*; cartapacio *m*.

sat·el·lite ['sætəlait] satélite *adj. a. su. m*; ~ *country* país *m* satélite.

sa·ti·ate ['seiʃieit] saciar, hartar.

sat·in ['sætin] raso *m*.

sat·ire ['sætaiə] sátira *f*; **sat·i·rist** ['sætərist] escritor *m* satírico; **'sat·i·rize** satirizar.

sat·is·fac·tion [sætis'fækʃn] satisfacción *f*; **sat·is·fac·to·ry** [~təri] ☐ satisfactorio.

sat·is·fied ['sætisfaid] satisfecho; **sat·is·fy** ['~fai] satisfacer.

sat·u·rate ['sætʃəreit] saturar; empapar; **sat·u·ra·tion** saturación *f*.

Sat·ur·day ['sætədi] sábado *m*.

sauce [sɔ:s] salsa *f*; (sweet) crema *f*; '~**pan** cacerola *f*, cazo *m*; **'sauc·er** platillo *m*.

sau·ci·ness ['sɔ:sinis] F impertinencia *f*, desfachatez *f*; **sau·cy** ['sɔ:si] F impertinente, descarado.

saun·ter ['sɔːntə] 1. paseo *m* lento y tranquilo; 2. pasearse despacio y tranquilamente; deambular.

sau·sage ['sɔsidʒ] embutido *m*, salchicha *f*, chorizo *m*.

sav·age ['sævidʒ] 1. □ salvaje; *attack* feroz; 2. salvaje *m/f*; **'sav·age·ness**, **'sav·age·ry** salvajismo *m*; salvajería *f*; ferocidad *f*.

save [seiv] 1. *v/t.* salvar (*from* de); *time, money* ahorrar; *trouble* evitar; (*keep*) guardar; *v/i.* ahorrar, economizar; 2. *lit. prp. a. cj.* salvo, excepto.

sav·ing ['seiviŋ] 1.: ~ *grace* único mérito *m*; 2. economía *f*; ~s *pl.* ahorros *m/pl.*; '~s ac·count cuenta *f* de ahorros; '~s bank caja *f* de ahorros.

sav·ior ['seivjə] salvador (-a *f*) *m*; Ⅽ Salvador *m*.

sa·voir faire ['sævwɑːˈfɛə] desparpajo *m*, destreza.

sa·vor ['seivə] 1. sabor *m*, gust(ill)o *m*; 2. *v/i.* saber (*of* a), oler (*of* a) (*a. fig.*); *v/t.* saborear; **'sa·vor·y** 1. sabroso; salado; 2. entremés *m* salado.

sav·vy ['sævi] *sl.* 1. comprender; 2. comprensión *f*.

saw [sɔː] ⊕ 1. sierra *f*; 2. (a)serrar; '~·buck cabrilla *f*; *sl.* billete *m* de diez dólares; '~·dust serrín *m*; '~·fish pez *m* sierra; '~·horse burro *m*; '~·mill aserradero *m*.

Sax·on ['sæksn] sajón *adj. a su. m* (-a *f*).

sax·o·phone ['sæksəfoun] saxofón *m*.

say [sei] 1. [*irr.*] decir; afirmar; (*text*) rezar; ~ *grace* bendecir la mesa; ~ *mass* decir misa; *that is to* ~ es decir; *I should* ~ *so!* ¡ya lo creo!; ~ *to o.s.* decir para sí; *it is said* se dice; 2. voz *f*, (uso *m* de la) palabra *f*; **'say·ing** dicho *m*, refrán *m*.

scab [skæb] costra *f*; *vet.* roña *f*; ℉ esquirol *m*.

sca·brous ['skeibrəs] escabroso.

scaf·fold ['skæfəld] cadalso *m*; andamiaje *m*, andamio *m*.

scald [skɔːld] 1. escaldadura *f*; 2. escaldar; *milk* calentar.

scale[1] [skeil] 1. (*fish*) escama *f*; 2. *v/t.* escamar; descostrar; ⊕ raspar; *v/i.* descamarse.

scale[2] [~] platillo *m* de balanza; (*a pair of* una) ~s *pl.* balanza *f*.

scale[3] [~] 1. escala *f* (*a. ♪*); *to* ~ según escala; *on a large* ~ en gran(de) escala; 2. *mountain* escalar, trepar a; ~ *down* reducir según escala; graduar.

scal·lop ['skɔləp] 1. *zo.* venera *f*; *sew.* festón *m*; 2. *sew.* festonear.

scalp [skælp] 1. cuero *m* cabelludo; cabellera *f*; 2. escalpar; *sl. billetes* revender a precio subido.

scal·y ['skeili] escamoso.

scamp [skæmp] tunante *m/f*, bribón (-a *f*) *m*; (*child*) diablillo *m*; golfo *m*; **'scamp·er** (*a.* ~ *away*, ~ *off*) escabullirse, escaparse precipitadamente.

scan [skæn] escudriñar, examinar; explorar (*a. television*); *verse* escandir.

scan·dal ['skændl] escándalo *m*; 🏛 difamación *f*; **'scan·dal·ize** escandalizar; **'scan·dal-mon·ger** chismoso (a *f*) *m*; difamador (-a *f*) *m*; **'scan·dal·ous** □ escandaloso.

Scan·di·na·vi·an [skændi'neivjən] escandinavo *adj. a. su. m* (a *f*).

scan·ner ['skænə] (*radar*) antena *f* direccional giratoria; (*television*) dispositivo *m* explorador.

scant [skænt] escaso; poco.

scant·i·ness ['skæntinis] escasez *f*, insuficiencia *f*.

scant·y ['skænti] □ escaso, corto; insuficiente.

scape·goat ['skeipgout] cabeza *f* de turco.

scar [skɑː] 1. 🖋 cicatriz *f*, señal *f* (*a. fig.*); 2. *v/t.* señalar; *v/i.* cicatrizarse.

scar·ab ['skærəb] escarabajo *m*.

scarce [skɛəs] escaso; raro; ℉ *make o.s.* ~ escabullirse, esfumarse; **'scarce·ly** apenas; con dificultad; **'scar·ci·ty** escasez *f*; carestía *f*.

scare [skɛə] 1. espantar, asustar; ~ *away* ahuyentar; 2. susto *m*, sobresalto *m*; '~·crow espantapájaros *m*; *fig.* espantajo *m*; '~·mon·ger alarmista *m/f*.

scarf [skɑːf] bufanda *f*; (*head*) pañuelo *m*; tapete *m*.

scar·i·fy ['skɛərifai] 🖋, ✔ escarificar; *fig.* criticar severamente.

scar·la·ti·na [skɑːlə'tiːnə] escarlatina *f*.

scar·let ['skɑːlit] 1. escarlata *f*, grana *f*; 2. de color escarlata, de grana; ~ *fever* escarlatina *f*.

scarred [skɑːd] señalado de cicatrices; abusado.

scar·y ['skɛəri] ℉ asustadizo.

scath·ing ['skeiðiŋ] □ acerbo, mordaz.

scat·ter ['skætə] 1. esparcir, desparramar(se); ⚔ dispersar(se); ~ed dis-

perso; **2.** ⅍ dispersión *f*; **'~·brain** F cabeza *m/f* de chorlito.

scav·enge ['skævindʒ] limpiar (las calles), recoger la basura.

sce·nar·i·o [si'næriou] guión *m*; escenario *m*.

scene [si:n] escena *f* (*a. thea.*); vista *f*; perspectiva *f*; paisaje *m*; teatro *m* of *events*; escenario *m* of *crime*; **scen·er·y** ['~əri] paisaje *m*; *thea.* decoración(es) *f*(*pl.*); decorado *f*.

sce·nic ['si:nik] □ pintoresco; escénico; ~ *railway* montaña *f* rusa.

scent [sent] **1.** perfume *m*, olor *m*; (*sense*) olfato *m*; *hunt.* rastro *m*, pista *f*; **2.** perfumar; *danger etc.* percibir; olfatear, husmear; **'scent·ed** perfumado.

scep·tic ['skeptik] escéptico (*a f*) *m*; **scep·ti·cism** ['~sizm] escepticismo *m*.

sched·ule ['skedju:l] **1.** lista *f*; *esp.* ⅟ inventario *m*, apéndice *m*; programa *m*; horario *m*; **2.** catalogar; fijar la hora de; proyectar.

scheme [ski:m] **1.** esquema *m*; plan *m*, proyecto *m*; (*plot*) ardid *m*, intriga *f*; **2.** *v/t.* proyectar; *b.s.* tramar; *v/i. b.s.* intrigar; **'schem·er** intrigante *m/f*.

schism ['sizm] cisma *m*; **schis·mat·ic** [siz'mætik] **1.** cismático; **2.** cismático *m*.

schiz·o·phre·nia [skitsə'fri:njə] esquizofrenia *f*; **schiz·o·phre·nic** [~'frenik] □ esquizofrénico.

schol·ar ['skɔlə] (*pupil*) colegial (-a *f*) *m*, escolar *m/f*; (*learned p.*) erudito (a *f*) *m*; **'schol·ar·ship** erudición *f*; *univ.* beca *f*.

scho·las·tic [skə'læstik] □ escolástico *adj. a. su. m.*

school [sku:l] **1.** escuela *f* (*a. ~ of thought*); colegio *m*; *high ~* instituto *m*; *primary ~* escuela *f* primaria; *secondary ~* escuela *f* secundaria; **2.** instruir, enseñar; disciplinar; **'~·boy** colegial *m*, escolar *m*; **'~·girl** colegiala *f*, escolar *f*; **'school·ing** instrucción *f*, enseñanza *f*; **'~·mate** compañero (a *f*) *m* de clase.

school...: **'~·room** (sala *f* de) clase *f*; **'~·teach·er** maestro (a *f*) *m*.

schoon·er ['sku:nə] ⚓ goleta *f*.

sci·ence ['saiəns] ciencia *f*; **'~ fic·tion** literatura *f* fictiva; novela *f* científica.

sci·en·tif·ic [saiən'tifik] □ científico.

sci-fi ['saifai] *sl.* literatura *f* fictiva.

scin·til·late ['sintileit] centellear, chispear; *fig.* brillar.

scis·sors ['sizəz] *pl.* (*a pair of* unas) tijeras *f/pl.*

scle·ro·sis [skliə'rousis] esclerosis *f*.

scoff [skɔf] **1.** mofa *f*, befa *f*; **2.** mofarse, burlarse (*at* de); *sl.* engullir.

scold [skould] regañar, reprender; **'scold·ing** reprensión *f*, regaño *m*.

scoop [sku:p] **1.** pal(et)a *f*; (*water*) achicador *m*; cuchara *f* (de draga); *sl.* primera publicación *f* de una noticia; **2.** sacar con pal(et)a; *water* achicar; *hole* excavar.

scoot·er ['sku:tə] (*child's*) patinete *m*; (*adult's*) vespa *f*; monopatín *m*.

scope [skoup] alcance *m*; extensión *f*; envergadura *f*; oportunidad *f*; esfera *f* de acción.

scorch [skɔ:tʃ] chamuscar; (*sun, wind*) abrasar; **'scorch·er** F día *m* de mucho calor.

score [skɔ:] **1.** (*cut*) muesca *f*, entalladura *f*; (*line*) raya *f*; ♪ partitura *f*; (*20*) veintena *f*; *sport:* tanteo *m*; **2.** *v/t.* rayar; hacer cortes en; ♪ instrumentar; *sport: goal* marcar; *points* ganar; *total* apuntar (*a. ~ up*); F criticar severamente; *v/i.* marcar (un tanto), ganar (puntos); **'score·board** tanteador *m*; **'score card** anotador *m*; **'scor·er** (*player*) marcador *m*; (*recorder*) tanteador *m*.

scorn [skɔ:n] **1.** desprecio *m*, desdén *m*; **2.** despreciar, desdeñar; **scorn·ful** ['~ful] □ desdeñoso.

scor·pi·on ['skɔ:pjən] alacrán *m*.

Scot [skɔt] escocés (-a *f*) *m*.

Scotch [skɔtʃ] **1.** escocés; *the ~* los ecoceses; **2.** *whisk(e)y m* escocés.

scot-free ['skɔt'fri:] impune.

Scots [skɔts] escocés; **'Scots·man** escocés *m*.

Scot·tish ['skɔtiʃ] escocés.

scoun·drel ['skaundrl] canalla *m*.

scour ['skauə] *dish* fregar, estregar; *channel* limpiar; ⚙ purgar.

scourge [skə:dʒ] *lit.* **1.** azote *m* (*a. fig.*); **2.** azotar, hostigar.

scout [skaut] **1.** explorador *m*, escucha *m*; F busca *f*, reconocimiento *m*; *Boy ♂* (niño *m*) explorador *m*; **2.** explorar; reconocer.

scow [skau] gabarra *f*.

scowl [skaul] **1.** ceño *m*, sobrecejo *m*; **2.** fruncir el ceño; mirar con ceño.

scram [skræm] *sl.* **1.** largarse, dar un zarpazo; **2.** *int.* ¡lárgate!

scram·ble ['skræmbl] **1.:** ~ *up* trepar

sea horse

a, subir gateando a; ∿d eggs huevos *m*/*pl*. revueltos; 2. subida *f* (up a); arrebatiña *f*, pelea *f* (for por).

scrap [skræp] **1.** pedazo *m*, fragmento *m*; *sl.* riña *f*, bronca *f*; ∿s desperdicios *m*/*pl*.; 2. *v*/*t*. desechar; ✤ reducir a chatarra; *v*/*i*. *sl.* reñir; '∿·book álbum *m* de recortes.

scrape [skreip] **1.** raspadura *f*; F aprieto *m*, lío *m*; 2. *v*/*t*. raspar, raer; ♪ *co.* rascar; (*a.* ∿ against) rozar; *v*/*i*.: F ∿ along ir tirando; F ∿ through *exam* aprobar justo; '**scrap·er** (*tool*) raspador *m*, rascador *m*; limpiabarros *m* for shoes.

scrap...: '∿ heap montón *m* de desechos; '∿ i·ron chatarra *f*, hierro *m* viejo; '**scrap·py** ☐ fragmentario; *sl.* combativo.

scratch [skrætʃ] **1.** rasguño *m*, arañazo *m*; raya *f* on stone etc.; *sport*: línea *f* de partida; start from ∿ empezar sin nada, empezar desde el principio; 2. *competitor* sin ventaja; *team etc.* reunido de prisa; 3. *v*/*t*. rasguñar; rascar; *stone* rayar; *earth* escarbar; *v*/*i*. rasguñar; rascarse; (*pen*) raspear; '**scratch·y** *pen* que raspea; *tone* áspero.

scrawl [skrɔːl] **1.** garrapatear; 2. garrapatos *m*/*pl*.

scraw·ny ['skrɔːni] F descarnado.

scream [skriːm] **1.** chillido *m*, grito *m*; 2. chillar, gritar (*a.* ∿ out); *abuse etc.* vociferar.

screech [skriːtʃ] *v.* scream; '∿ owl lechuza *f* común.

screen [skriːn] **1.** (*cinema etc.*) pantalla *f*; (*folding*) biombo *m*; (*sieve*) tamiz *m*; ✗ cortina *f*; 2. (*sift*) tamizar; *film* proyectar; *suspects* investigar; ∿·play cinedrama *m*.

screw [skruː] **1.** tornillo *m*; (*thread*) rosca *f*; ✤, ✈ hélice *f*; F he has a ∿ loose le falta un tornillo; 2. atornillar; ∿ down fijar con tornillos; '∿·ball *sl.* estrafalario, excéntrico *adj. a. su. m*; '∿·driv·er destornillador *m*; '∿ jack gato *m* de tornillo; '∿ pro'pel·ler hélice *f*; '**screw·y** *sl.* chiflado.

scrib·ble ['skribl] **1.** garrapatos *m*/*pl*.; 2. garrapatear; ∿ over emborronar; '**scrib·bler** autorzuelo *m*.

scrim·mage ['skrimidʒ] arrebatiña *f*, pelea *f*.

scrimp [skrimp] escatimar.

script [skript] escritura *f*, letra *f* (cursiva); manuscrito *m*; *film*: guión *m*; ∿ wri·ter guionista *m*/*f*.

Scrip·tur·al ['skriptʃərəl] escriturario; bíblico; **Scrip·ture** ['∿tʃə] Sagrada Escritura *f*.

scroll [skroul] rollo *m* de pergamino *etc.*; △ voluta *f*.

scro·tum ['skroutəm] escroto *m*.

scrounge [skraundʒ] *sl. v*/*i.* ir de gorra, gorronear, sablear; *v*/*t.* sacar por medio de gorronería.

scrub [skrʌb] **1.** fregar, (r)estregar; 2. fregado *m* (*a.* '**scrub·bing**); jugador *m* no adiestrado; **scrub brush** ['skrʌbrʌʃ] bruza *f*, estregadera *f*.

scrub·by ['skrʌbi] achaparrado, enano.

'**scrub wom·an** fregona *f*.

scruff of the neck ['skrʌfəvðə'nek] pescuezo *m*; '**scruf·fy** F sucio; desaliñado, piojoso.

scrump·tious ['skrʌmpʃəs] *sl.* de rechupete.

scru·ple ['skruːpl] **1.** escrúpulo *m*; 2. escrupulizar, vacilar (to en); **scru·pu·lous** ['∿juləs] ☐ escrupuloso (*about* en cuanto a); '**scru·pu·lous·ness** escrupulosidad *f*.

scru·ti·nize ['skruːtinaiz] escudriñar; examinar; *votes* escrutar; '**scru·ti·ny** escrutinio *m*; examen *m*.

scuff [skʌf] **1.** rascadura *f*; 2. rascar; desgastar.

scuf·fle ['skʌfl] **1.** refriega *f*, riña *f*; 2. pelear(se).

scul·ler·y ['skʌləri] trascocina *f*, fregadero *m*; '∿ maid fregona *f*.

sculp·tor ['skʌlptə] escultor *m*.

sculp·tur·al ['skʌlptʃərəl] ☐ escultural; **sculp·ture** ['skʌlptʃə] **1.** escultura *f*; 2. esculpir; '**sculp·tur·ing** escultura *f*.

scum [skʌm] espuma *f*; *metall.* escoria *f*; *fig.* heces *f*/*pl*.; canalla *f*.

scur·ril·i·ty [skʌ'riliti] grosería *f*; '**scur·ril·ous** ☐ grosero, procaz.

scur·ry ['skʌri] **1.** escabullirse; 2. carrera *f* precipitada.

scur·vy ['skɜːvi] ✻ escorbuto *m*.

scut·tle ['skʌtl] (*coal*–) cubo *m*.

scythe [saið] **1.** guadaña *f*; 2. guadañar.

sea [siː] mar *m* or *f*; océano *m*; (*waves*) marejada *f*; *fig.* (*all*) at ∿ despistado, perplejo; put to ∿ hacerse a la mar; '∿·board litoral *m*; '∿·dog lobo *m* de mar; '∿·far·ing marinero; ∿ food (*a.* ∿s *pl.*) mariscos *m*/*pl*.; '∿·go·ing de alta mar; '∿ green verdemar; '∿·gull gaviota *f*; '∿ horse caballito *m* de mar

seal   556

seal¹ [si:l] *zo.* foca *f.*

seal² [~] 1. sello *m; great~* sello *m* real;
2. sellar; cerrar; lacrar *with wax; ~ off*
obturar; *~ up* cerrar.

sea legs ['si:legs] pie *m* marino.

sea lev·el ['si:levl] nivel *m* del mar.

seal·ing ['si:lin] caza *f* de la foca.

seal·ing wax ['si:linwæks] lacre *m.*

sea li·on ['si:laiən] león *m* marino.

seal·skin ['si:lskin] piel *f* de foca.

seam [si:m] *sew.* costura *f;* ⊕ juntura
f; geol. filón *m,* veta *f.*

sea·man ['si:mən] marinero *m;* 'sea·
man·ship marina *f,* náutica *f.*

seam·stress ['semstris] costurera *f.*

seam·y ['si:mi] vil; burdo; soez.

sé·ance ['seiã:ns] sesión *f* de espiritismo.

sea...: '~·plane hidroavión *m;*
'~·port puerto *m* de mar; '~ po·wer
potencia *f* naval.

sear [siə] chamuscar; (*wind*) abrasar;
fig. marchitar; 𝆑 cauterizar.

search [sə:tʃ] 1. busca *f,* buscada *f,*
búsqueda *f* (for de); registro *m;* 𝆑𝆑
pesquisa *f;* 2. buscar (*a. ~ for*); *place*
explorar, registrar; *conscience* examinar; 𝆑 tentar; ¡qué sé yo!; 'search·
er buscador (-a *f*) *m;* 'search·light
reflector *m;* 'search war·rant mandamiento *m* judicial.

sea...: ~·scape ['si:skeip] marina *f;*
'~·ser·pent serpiente *f* de mar; '~·
shore playa *f,* orilla *f* del mar;
'~·sick mareado; *be ~* marearse;
'~·sick·ness mareo *m;* '~·side playa *f*
(*a. ~ place, ~ resort*); orilla *f* del mar.

sea·son ['si:zn] 1. estación *f* of *year;*
(*indefinite*) época *f; social, sport.*: temporada *f;* (*opportune time*) sazón *f; at
this ~* en esta época (del año); 2.
sazonar, condimentar; *wood* curar;
fig. templar; 'sea·son·a·ble □ propio de la estación; oportuno; 'sea·
son·al ['si:znl] □ estacional; según
la estación; 'sea·son·ing condimento *m;* aderezo *m;* 'sea·son 'tick·et
abono *m* (de temporada); *~ holder*
abonado *m.*

seat [si:t] 1. asiento *m,* silla *f; thea.*
localidad *f; parl.* escaño *m;* 𝆑 etc.
plaza *f;* residencia *f;* sede *f; ~ belt*
cinturón *m* de asiento; 2. (a)sentar;
establecer, fijar; *chair* poner asiento
a; 'seat·er *mot.,* 𝆑 de ... plaza(s);
'seat·ing ca'pac·i·ty número *m* de
asientos.

SEATO ['si:to] (la) O.T.A.S.E.

sea ur·chin ['si:'ə:tʃin] erizo *m* de

mar; 'sea 'wall dique *m* (marítimo);
sea·ward ['~wəd] 1. *adj.* del lado del
mar; 2. *adv.* (*a.* sea·wards ['~z])
hacia el mar.

sea...: '~·weed alga *f* (marina); '~·
wor·thy marinero, en condiciones
de hacerse a la mar.

se·cede [si'si:d] separarse; se'ced·er
separatista *m.*

se·ces·sion [si'seʃn] secesión *f.*

se·clud·ed [si'klu:did] retirado, apartado; se'clu·sion [~ʒn] recogimiento
m, retiro *m.*

sec·ond ['sekənd] 1. □ segundo; 2.
segundo *m; duel:* padrino *m; boxing:*
segundante *m;* ♩ segunda *f;* ♰ *~s pl.*
artículos *m/pl.* de segunda calidad; 3.
apoyar, secundar; *p.* [si'kɔnd] trasladar temporalmente; 'sec·ond·a·ry
□ secundario (*a. school*); 'sec·ond-
'best 1. expediente *m,* sustituto *m;* 2.
(el) mejor después del primero; 'sec·
ond-'hand 1. de segunda mano, de
lance; *~ bookseller* librero *m* de viejo;
2. segundero *m* of *watch;* 'sec·ond·ly
en segundo lugar; 'sec·ond-'rate de
segunda categoría; de calidad inferior.

se·cre·cy ['si:krisi] secreto *m;* discreción *f;* se·cret ['si:krit] 1. □ secreto;
oculto; clandestino; 2. secreto *m.*

sec·re·tar·y ['sekrətri] secretario (a *f*)
m; ♀ 2 *of State* Ministro *m* de Asuntos
Exteriores; 'sec·re·tar·y·ship secretaría *f.*

se·crete [si'kri:t] esconder; *physiol.*
secretar; se'cre·tive □ callado, reservado; sigiloso.

sect [sekt] secta *f;* sec·tar·i·an [~·
'teəriən] secretario *adj. a. su. m* (a *f*).

sec·tion ['sekʃn] *mst* sección *f; region
f* of *country;* barrio *m* of *city;* tramo *m*
of *road etc.;* sector *m* of *opinion;*
'sec·tion mark párrafo *m.*

sec·tor ['sektə] sector *m.*

sec·u·lar ['sekjulə] □ secular; seglar;
'sec·u·lar·ize secularizar.

se·cure [si'kjuə] 1. □ seguro; firme,
fijo; 2. asegurar; (*obtain*) conseguir.

se·cu·ri·ty [si'kjuəriti] seguridad *f;*
protección *f;* ♰ fianza *f on loan,*
prenda *f;* se'cu·ri·ties *pl.* valores
m/pl., obligaciones *f/pl.,* acciones
f/pl.

se·date [si'deit] 1. □ sosegado, sentado, grave; 2. dar sedante a;
se'date·ness compostura *f,* gravedad *f.*

sed·a·tive ['sedətiv] sedante *adj. a. su. m*; calmante *adj. a. su. m*.

sed·en·tar·y ['sedntəri] ☐ sedentario.

sed·i·ment ['sedimənt] sedimento *m* (*a. geol.*); poso *m*; **sed·i·men·ta·ry** [~'mentəri] sedimentario (*a. geol.*).

se·di·tious [si'diʃəs] ☐ sedicioso.

se·duce [si'djuːs] seducir; **se'duc·er** seductor *m*; **se'duc·tive** ☐ seductor.

see[1] [siː] [*irr.*] *v/i. a. v/t.* ver; observar; percibir; *fig.* comprender; (*visit*) visitar; (*receive*) recibir; *let's* ~ a ver; *let me* ~ vamos a ver; ~ *about a th.* atender a; encargarse de; ~ *off* despedir (se de); ~ *to* atender a; ~ (*to it*) *that* hacer que, cuidar de que; ~ *home* acompañar a casa.

see[2] [~] sede *f*; *Holy* ♀ Santa Sede *f*.

seed [siːd] 1. semilla *f*, simiente *f*; *fig.* germen *m*; 2. *v/t. land* sembrar; *sport:* seleccionar; *v/i.* dejar caer semillas; '~**bed** (*or* '~**plot**) semillero *m*; '**seed·ling** planta *f* de semillero; **seed·i·ness** ['~inis] aspecto *m* raído; '**seed·y** andrajoso; raído; *place* asqueroso.

see·ing ['siːiŋ] vista *f*, visión *f*; *worth* ~ que vale la pena de verse.

seek [siːk] [*irr.*] (*a.* ~ *after*, ~ *for*) buscar; *post* pretender, solicitar; *honor* ambicionar; '**seek·er** buscador (-a *f*) *m*.

seem [siːm] parecer; '**seem·ing 1.** ☐ aparente; 2. apariencia *f*; '**seem·li·ness** decoro *m*; '**seem·ly** decoroso, decente, correcto.

seen [siːn] *p.p.* of *see*[1].

seep [siːp] rezumarse, filtrar(se); '**seep·age** filtración *f*.

see·saw ['siːsɔː] 1. columpio *m*; balancín *m*; *fig.* vaivén *m*; 2. columpiarse; vacilar.

seg·ment ['segmənt] segmento *m*.

seg·re·gate ['segrigeit] segregar; **seg·re'ga·tion** segregación *f*; **seg·re·ga·tion·ist** segregacionista *adj. a. su. m/f*.

seis·mo·graph ['saizməgrɑːf] sismógrafo *m*.

seize [siːz] agarrar, asir, coger; apoderarse de; *ɪʰ p.* prender; *property* embargar; **sei'zure** ['~ʒə] asimiento *m*; captura *f*; *ɪʰ* prendimiento *m*; embargo *m*; *⚕* ataque *m*.

sel·dom ['seldəm] rara vez, raramente.

se·lect [si'lekt] 1. escoger, elegir; 2. selecto, escogido; **se'lec·tion** selec-

ción *f* (*a.* ♀, *zo.*); elección *f*; ♪ selecciones *f/pl.*; ✝ surtido *m*; **se'lect·man** concejal *m*; **se'lec·tor** *radio:* selector *m*; *sport:* seleccionador *m*.

self [self] 1. *pron.* se *etc.*; (*after prps.*) sí mismo *etc.*; ✝ *or* F = myself *etc.*; 2. *su.* (*pl.* **selves** [selvz]) uno mismo; *the* ~ el yo; (*all*) by one's ~ (*unaided*) sin ayuda de nadie; (*alone*) completamente a solas; '~**act·ing** automático; '~**as'sur·ance** confianza *f* en sí mismo; '~**cen·tered** egocéntrico; '~**con'ceit** presunción *f*, arrogancia *f*; '~**con'fi·dence** confianza *f* en sí mismo; '~**con·scious** ☐ cohibido, tímido; '~**con·tained** ['~kən'teind] independiente; reservado; '~**con'trol** autodominio *m*, dominio *m* sobre sí mismo; '~**de·fence** (*in en*) defensa *f* propia; '~**de·ni·al** abnegación *f*; '~**de·ter·mi'na·tion** autodeterminación *f*; '~**ed·u·cat·ed** autodidacto; '~**ev·i·dent** patente, palmario; '~**in·ter·est** egoísmo *m*; **self'ish** ☐ egoísta; '**self·ish·ness** egoísmo *m*.

self...: '~**made man** hijo *m* de sus propias obras; '~**por·trait** autorretrato *m*; '~**pos·sessed** sereno, dueño de sí mismo; '~**pres·er·va·tion** propia conservación *f*; '~**pro·pelled** autopropulsado; automotriz (*f only*); '~**re·li·ant** confiado en sí mismo; '~**re'spect** amor *m* propio, dignidad *f*; '~**right·eous** ☐ santurrón; '~**sat·is·fied** pagado de sí mismo; '~**seek·ing** egoísta; '~**ser·vice res·tau·rant** autoservicio *m*; '~**start·er** *mot.* arranque *m* automático; '~**styled** supuesto, sediciente; '~**suf·fi·cien·cy** independencia *f*; confianza *f* en sí mismo; '~**willed** terco, obstinado; '~**wind·ing** de cuerda automática.

sell [sel] [*irr.*] 1. *v/t.* vender (*a. fig.*); F *idea* hacer aceptar; ✝ ~ *off* liquidar; ~ *out* saldar; *be sold out* estar agotado; *v/i.* venderse, estar de venta; 2. F decepción *f*, estafa *f*; '**sell·er** vendedor (-a *f*) *m*; *best* ~ éxito *m* de librería; '**sell·ing price** precio *m* de venta.

se·man·tics [si'mæntiks] semántica *f*.

sem·a·phore ['seməfɔː] 1. semáforo *m*; 2. comunicar por semáforo.

sem·blance ['sembləns] apariencia *f*; simulacro *m*.

sem·i... ['semi] semi...; medio...; '~**cir·cle** semicírculo *m*; '~**co·lon**

punto *m* y coma; '~**de'tached** semiseparado; '~**'fi·nal** semifinal *f*.

sem·i·of·fi·cial ['semiə'fiʃl] □ semioficial.

Sem·ite ['si:mait] semita *m/f*; **Se·mit·ic** [si'mitik] semítico.

se·mi·week·ly ['semi'wi:kli] bisemanal.

sen·ate ['senit] senado *m*; *univ. approx.* claustro *m*.

sen·a·tor ['senətə] senador *m*; **sen·a·to·ri·al** [~'tɔ:riəl] □ senatorial.

send [send] [*irr.*] enviar, mandar, despachar; remitir; expedir; *telegram* poner; ~ off *p.* despedir; expedir; *signal* emitir; *invitations* mandar; distribuir; '**send·er** remitente *m/f*; *⚡* transmisor *m*; '**send-'off** despedida *f*; principio *m*.

se·nile ['si:nail] senil; caduco; **se·nil·i·ty** [si'niliti] vejez *f*; *⚗* debilidad *f* senil.

sen·ior ['si:njə] **1.** mayor (de edad); más antiguo *in post* (to que); **2.** mayor *m/f*; *univ.* alumno *m* del último año; **sen·ior·i·ty** [si:ni'ɔriti] antigüedad *f*; prioridad *f*.

sen·sa·tion [sen'seiʃn] sensación *f*; **sen'sa·tion·al** □ sensacional; **sen'sa·tion·al·ism** sensacionalismo *m*.

sense [sens] **1.** sentido *m*; sensación *f*; juicio *m*; opinión *f* of meeting; ~ of humor sentido *m* de humor; *common* (or *good*) ~ sentido *m* común; *make* ~ tener sentido; *talk* ~ hablar con juicio; *in a* ~ en cierto sentido; **2.** sentir, percibir; intuir.

sense·less ['senslis] □ sin sentido; (*mad*) insensato; '**sense·less·ness** insensatez *f*.

sen·si·bil·i·ty [sensi'biliti] sensibilidad *f* (to a).

sen·si·ble ['sensəbl] □ (*reasonable*) sensato, cuerdo; (*feeling*) sensible.

sen·si·tive ['sensitiv] □ sensitivo; sensible (to a); impresionable; '**sen·si·tive·ness, sen·si·tiv·i·ty** [~'tiviti] sensibilidad *f* (to a); susceptibilidad *f*.

sen·si·tize ['sensitaiz] sensibilizar.

sen·su·al·ism ['sensjuəlizm] sensualismo *m*; '**sen·su·al·ist** sensualista *m/f*; **sen·su·al·i·ty** [~'æliti] sensualidad *f*.

sen·su·ous ['sensjuəs] □ sensual.

sent [sent] *pret. a. p.p. of* send.

sen·tence ['sentəns] **1.** *⚖* sentencia *f*, condena *f*; fallo *m*; **2.** sentenciar, condenar (to a).

sen·ti·ment ['sentimənt] sentimiento *m*; **sen·ti·men·tal·i·ty** [~'tæliti] sentimentalismo *m*; sensiblería *f*.

sen·ti·nel ['sentinl], **sen·try** ['sentri] centinela *m*.

sen·try box ['sentribɔks] garita *f* de centinela.

sep·a·rate 1. ['seprit] □ separado; distinto; suelto; **2.** ['~əreit] separar(se (from de); desprender(se); apartar(se); **sep·a·ra·tist** ['~ərətist] separatista *m/f*.

se·phar·dic [sə'fɑ:dik] sefardí *adj. a. su. m/f*; sefardita *adj. a. su. m/f*.

Sep·tem·ber [sep'tembə] se(p)tiembre *m*.

sep·tic ['septik] séptico.

sep·tu·a·ge·nar·i·an ['septjuedʒi·'neəriən] septuagenario *adj. a. su. m* (a *f*).

se·pul·chral [si'pʌlkrəl] sepulcral (*a. fig.*); **sep·ul·chre** ['sepəlkə] *lit.* **1.** sepulcro *m*; **2.** sepultar en sepulcro.

se·quel ['si:kwəl] continuación *f* of story; resultado *m* (to act de).

se·quence ['si:kwəns] (orden *m* de) sucesión *f*; serie *f*; *film*: secuencia *f*.

se·ques·ter [si'kwestə] secuestrar.

se·ques·trate [si'kwestreit] *⚖* secuestrar; **se·ques·tra·tion** [si:kwes·'treiʃn] secuestro *m*.

se·quoi·a [si'kwɔiə] secoya *f*.

ser·aph ['serəf], *pl. a.* **ser·a·phim** ['~fim] serafín *m*; **se·raph·ic** [se·'ræfik] □ seráfico.

Serb, Ser·bi·an [sə:b, '~jən] servio *adj. a. su. m* (a *f*).

ser·e·nade [seri'neid] **1.** serenata *f*; **2.** dar serenata a.

serf [sə:f] siervo (a *f*) *m* (de la gleba); '**serf·dom** servidumbre *f* (de la gleba).

ser·geant ['sɑ:dʒnt] sargento *m*; '~ **'ma·jor** *approx.* sargento *m* mayor, brigada *m*.

se·ri·al ['siəriəl] **1.** □ consecutivo; en serie; *number* de serie; *story* por entregas; **2.** serial *m*, novela *f* por entregas.

se·ries ['siəri:z] *sg. a. pl. all senses*: serie *f*; *⚡ connect or join in* ~ conectar en serie.

se·ri·ous ['siəriəs] □ serio; *news, condition* grave; '**se·ri·ous·ness** seriedad *f*; gravedad *f*.

ser·mon ['sə:mən] sermón *m*.

ser·pent ['sə:pənt] serpiente *f*, sierpe *f*; **ser·pen·tine** ['~ain] **1.** serpentino; **2.** *min.* serpentina *f*.

se·rum ['siərəm] suero *m*.

serv·ant ['sə:vənt] criado (a *f*) *m*; sirviente (a *f*) *m*; servidor (-a *f*) *m*; ∼ *pl*. servidumbre *f*.

serve 1. [se:v] *p*. servir (a); estar al servicio de; *food* servir (*a*. ∼ *out*, ∼ *up*); abastecer; ser útil a; *tennis*: sacar; **2.** *tennis*: saque *m*; **'serv·er** *tennis*: saque *m*; pala *f for fish etc.*; *eccl.* acólito *m*.

serv·ice ['sə:vis] **1.** servicio *m*; vajilla *f*, juego *m*, servicio *m of crockery*; *tennis*: saque *m*; ♣ forro *m* de cable; ⚖ entrega *f*; (*a. divine* ∼) oficio *m* divino; misa *f*; **2.** ⊕ atender, mantener, reparar; **'serv·ice·a·ble** □ servible; útil; duradero.

serv·ice...: '∼ **line** *tennis*: línea *f* de saque; '∼·**man** militar *m*; mecánico *m*; ∼ **sta·tion** estación *f* de servicio; taller *m* de reparaciones.

ser·vi·ette [se:vi'et] servilleta *f*.

ser·vi·tude ['sə:vitju:d] servidumbre *f*.

ses·sion ['seʃn] sesión *f*; *univ.* curso *m*; *to be in* ∼ sesionar.

set [set] **1.** [*irr.*] *v/t.* poner, colocar; situar; establecer; arreglar, preparar; *alarm-clock* regular; ⚒ *bone* reducir; *dog* azuzar (*at*, on a que embista a); *example* dar; *hair* fijar, marcar; *jewel* engastar, montar; ∼ *apart* separar, segregar; ∼ *aside* poner aparte; reservar;·. *petition* desatender; ⚖ anular; ∼ *at ease, at rest* tranqilizar; ∼ *back* detener; entorpecer; poner obstáculos a;∼ *down* poner por escrito; depositar; *passenger* dejar (apearse); ∼ *forth* exponer; ∼ *off* (*explode*) hacer estallar; (*contrast*) hacer resaltar, poner de relieve (*against* contra); ∼ *up* fundar; *house, shop* poner; establecer, instalar; *p*. erigir (*as en*); ⊕ armar, montar; **2.** *v/i.* (*sun*) ponerse; (*jelly, mortar*) cuajarse; (*gum etc.*) endurecerse; ∼ *about ger.* ponerse a *inf.*; ∼ *about th.* emprender; ∼ *forth* salir, partir; ponerse en camino; ∼ *off* partir; ∼ *on* atacar; ∼ *out* partir, ponerse en camino; ∼ *out to inf.* ponerse a *inf.*; tener la intención de *inf.*; **3.** *adj. purpose* resuelto, determinado; inflexible *in belief*; (*rigid*) rígido, (*usual*) reglamentario; *price etc.* fijo, firme; **4.** *su.* ∼ *of* serie *f*; servicio *m* (de mesa); tendencia *f of mind*; pandilla *f*, clase *f of people*; caída *f of dress*; *thea.* decorado *m*, decoración *f*; (*radio*-) (aparato *m* de)

radio *f*; *jet* ∼, *smart* ∼ mundo *m* elegante.

set·back ['setbæk] contratiempo *m*, revés *m*; ⚖ retranqueo *m*.

set·ter ['setə] el que pone *etc.*; *hunt.* perro *m* de muestra.

set·ting ['setiŋ] puesta *f of sun*; engaste *m*, montadura *f of jewels*; ⊕ ajuste *m*; alrededores *m/pl.* of *play*; '∼·**up** establecimiento *m*; ⊕ ajuste *m*; composición *f of type*.

set·tle ['setl] **1.** banco *m* (largo); **2.** *v/t.* colocar; fijar; establecer; arreglar; calmar, sosegar; *account* ajustar, liquidar (*a.* ∼ *up*); *fig.* saldar cuentas con (*a.* ∼ *with*); *date* fijar; *quarrel* componer; *question* decidir, resolver; *v/i.* (*freq.* ∼ *down*) asentarse (*liquid, building*); (*a.* ∼ *o.s.*) sentarse; reposarse; (*bird etc.*) posar(se); (*p.*) instalarse, establecerse *in house, in town*.

set·tle·ment ['setlmənt] establecimiento *m*; ✝ ajuste *m*, pago *m*, liquidación *f of account*; ⚖ asignación *f* (on a); (*agreement*) convenio *m*; colonización *f of land*.

set·tler ['setlə] colono (a *f*) *m*; colonizador *m*.

set...: '∼·**to** F disputa *f*; pelea *f*; '∼·**up** F tinglado *m*, sistema *m*, organización *f*.

sev·en ['sevn] siete (*a. su. m*); **sev·en·teen** ['∼'ti:n] diecisiete (*a.*); **sev·en·teenth** [∼θ] decimoséptimo; **sev·enth** [∼θ] □ séptimo (*a. su. m*); **sev·en·ti·eth** [∼tiiθ] septuagésimo; **'sev·en·ty** setenta.

sev·er ['sevə] separar, cortar.

sev·er·al ['sevrəl] □ diversos, varios, respectivos; distintos; **'sev·er·al·ly** respectivamente; separadamente.

se·vere [si'viə] □ severo; riguroso; *storm* violento; *loss, wound* grave; *pain* intenso; **se·ver·i·ty** [∼'veriti] severidad *f*; rigor *m etc*.

Se·vil·lian [se'viljən] sevillano *adj. a. su. m* (a *f*).

sew [sou] [*irr.*] coser; ∼ *up* zurcir.

sew·age ['sju:idʒ] aguas *f/pl.* residuales.

sew·er ['sjuə] albañal *m*, alcantarilla *f*; **'sew·er·age** alcantarillado *m*.

sew·ing ['souiŋ] **1.** (labor *m* de) costura *f*; **2.** ... de coser; '∼ **ma·chine** máquina *f* de coser.

sewn [soun] *p.p. of* sew.

sex [seks] sexo *m*; *attr.* sexual; ∼ *appeal* atracción *f* sexual, gancho *m*.

sex·a·ge·nar·i·an [seksədʒiˈnɛəriən] sexagenario *adj. a. su. m* (a *f*); **sex-en·ni·al** □ [sekˈsenjəl] sexenal; **sex-tant** [ˈsekstənt] sextante *m*.

sex·tu·ple [ˈsekstjupl] séxtuplo.

sex·u·al [ˈseksjuəl] □ sexual; ~ *desire* instinto *m* sexual; **sex·u·al·i·ty** [~ˈæliti] sexualidad *f*; **sex·y** erótico; lozano; F provocativo.

sh [ʃ]: ~! ¡chitón!, ¡chis!

shab·by [ˈʃæbi] □ *p.* pobremente vestido; *dress* raído, gastado; *treatment* ruin, vil.

shack [ʃæk] chabola *f*, choza *f*; casucha *f*.

shack·le [ˈʃækl] 1. grillete *m*, grillos *m*/*pl.* (a. *fig.*); *fig.* (*mst* ~s *pl.*) trabas *f*/*pl.*; ⊕, ⚓ eslabón *m*; 2. encadenar; trabar; *fig.* poner trabas a.

shade [ʃeid] 1. sombra *f*; matiz *f* of *color, meaning, opinion*; tonalidad *f* of *color*; (*fraction*) poquito *m*; (*lamp-*) pantalla *f*; (*eye-*) visera *f*; 2. dar sombra a; (*protect*) resguardar; *paint.* sombrear; **shades** F gafas *f*/*pl.* de sol.

shad·ow [ˈʃædou] 1. *all senses*: sombra *f*; *the* ~s las tinieblas; ~ *boxing* boxeo *m* (*fig.* disputa *f*) con un adversario imaginario; 2. sombrear; (*follow*) seguir y vigilar; **shad·ow·y** umbroso, sombroso; *fig.* vago, indefinido.

shad·y [ˈʃeidi] sombreado, umbroso; F turbio, sospechoso.

shaft [ʃɑːft] (*arrow*) flecha *f*, dardo *m*; (*handle*) mango *m*; rayo *m* of *light*; ⊕ eje *m*; árbol *m*; ✗ pozo *m*.

shag·gy [ˈʃægi] velludo, peludo; *sl.* ~ *dog story* chiste *m* goma.

shake [ʃeik] 1. [*irr.*] *v/t.* sacudir (a. ~ *off*); agitar; *head* mover, menear; *building* hacer retemblar; (*perturb*) perturbar; F sorprender; *hand* estrechar; ~ *hands* estrecharse la mano; ~ *up* agitar; *fig.* descomponer; F reorganizar; *v/i.* agitarse; (*earth*) (re)temblar (*at, with* de); bambolear; ♪ trinar; 2. sacudida *f*, sacudimiento *m*; meneo *m*, movimiento *m* of *head*; '~·**down** *sl.* exacción *f* de dinero; ~ *cruise* ⚓ viaje *m* de pruebas; '**shak·er** (*cocktail*) coctelera *f*.

shake-up [ˈʃeikˌʌp] F conmoción *f*; reorganización *f*.

shak·i·ness [ˈʃeikinis] falta *f* de solidez; '**shak·y** □ tembloroso; *fig.* poco sólido; débil, debilitado.

shall [ʃæl][*irr.*] *v/aux.* que forma el futuro etc.

shal·low [ˈʃælou] 1. poco profundo; *fig.* somero, superficial; *p.* frívolo; 2. ~s *pl.* bajío *m*; '**shal·low·ness** poca profundidad *f*; *fig.* superficialidad *f*.

sham [ʃæm] 1. falso, fingido, postizo; 2. impostura *f*, engaño *m*; (*p.*) impostor *m*, farsante *m*; 3. *v/i. a.* *v/t.* fingir(se), simular.

sham·bles [ˈʃæmblz] *pl. or sg.* (lugar *m* de gran) matanza *f*; ruina *f*, escombrera *f*; lío *m*; desorden *m*.

shame [ʃeim] 1. vergüenza *f*; oprobio *m*, deshonra *f*; (*for*) ~! ~ *on you!* ¡qué vergüenza!; *what a* ~! ¡qué lástima!; 2. avergonzar.

shame-faced [ˈʃeimfeist] □ vergonzoso, avergonzado.

shame·ful [ˈʃeimful] □ vergonzoso; ignominioso; '**shame·ful·ness** ignominia *f*.

shame·less [ˈʃeimlis] □ descarado, desvergonzado; '**shame·less·ness** descaro *m*, desvergüenza *f*.

sham·poo [ʃæmˈpuː] 1. lavar la cabeza (*v/t.* a.); 2. champú *m*.

sham·rock [ˈʃæmrɔk] trébol *m*.

shang·hai [ʃæŋˈhai] ⚓ *sl.* embarcar emborrachando.

shank [ʃæŋk] zanca *f* of *bird*; caña *f* of *leg*; ⚓ tallo *m*; ⊕ mango *m*.

shan·ty [ˈʃænti] choza *f*, cabaña *f*; ♪ saloma *f*.

shape [ʃeip] 1. forma *f*; figura *f*; contorno *m*; configuración *f*; 2. formar(se); modelar; tallar; *fig. course* etc. determinar; dirigir; '**shape·less** □ informe; '**shape·li·ness** buen talle *m*; elegancia *f*; '**shape·ly** (bien) proporcionado, elegante; de buen talle.

share [ʃɛə] 1. parte *f*, porción *f*; participación *f*; interés *m*; cuota *f*, contribución *f*; ✝ acción *f*; *have a* ~ *in* participar en; 2. *v/t.* (*com*-) partir, dividir; *fig.* poseer en común; *v/i.*: ~ *in* tener parte en, participar en (*fig.* de); '~·**crop·per** aparcero *m*; '~·**hold·er** accionista *m*/*f*.

shark [ʃɑːk] *ichth.* tiburón *m*; F estafador *m*; *sl.* perito *m*; estafador *m*.

sharp [ʃɑːp] 1. □ agudo; puntiagudo; *appearance* elegante; *bend* fuerte; *edge* afilado; *feature* bien marcado; *mind* listo, vivo; *outline* definido;

pain agudo; F astuto, mañoso; avispado; 2. *adv.* ♩ desafinadamente; F 4 o'clock ~ las 4 en punto; **'sharp·en** afilar, aguzar (*a. fig.*); *pencil* sacar punta a; *feeling* agudizar; **'sharp-en·er** afilador *m*, máquina *f* de afilar; **'sharp·ness** agudeza *f etc.*

sharp...: **'~'shoot·er** tirador *m* certero; **'~'sight·ed** de vista penetrante; **'~'wit·ted** perspicaz.

shat·ter ['ʃætə] romper(se), hacer(se) pedazos, estrellar(se); *health* quebrantar; *nerves* destrozar; **'~proof** instalable.

shave [ʃeiv] **1.** [*irr.*] afeitar(se); ⊕ (a)cepillar; **2.** afeitada *f*, afeitado *m*; *have a close* ~ escaparse por un pelo.

shawl [ʃɔːl] chal *m*.

she [ʃiː] **1.** ella; **2.** hembra *f*.

sheaf [ʃiːf] (*pl.* **sheaves**) ✔ gavilla *f*; haz *m*; fajo *m* of papers.

shear [ʃiə] **1.** [*irr.*] esquilar; trasquilar; **2.** (*a pair of unas*) ~s *pl.* tijeras *f/pl.* (de jardín).

sheath [ʃiːθ] vaina *f* (*a.* ♀); estuche *m*, funda *f*; cubierta *f*; **sheathe** [ʃiːð] envainar; ⊕ revestir; **'sheath·ing** ⊕ revestimiento *m*, forro *m*.

sheaves [ʃiːvz] *pl.* of *sheaf*.

shed[1] [ʃed] [*irr.*] *tears*, *light* verter; *blood* derramar; *skin etc.* mudar; *clothes*, *leaves* despojarse de.

shed[2] [~] cobertizo *m*; (*industrial*) nave *f.*

sheen [ʃiːn] lustre *m*, brillo *m.*

sheep [ʃiːp] oveja *f*; carnero *m*; *pl.* ganado lanar; **'~dog** perro *m* pastor; **'~fold** redil *m*, aprisco *m*; **'sheep·ish** ☐ corrido; tímido; **'sheep·ish·ness** timidez *f.*

sheep...: **'~man** dueño *m* de ganado lanar; **'~skin** zamarra *f*, badana *f*; *sl.* diploma *m.*

sheer[1] [ʃiə] **1.** *adj.* completo, cabal; puro; *cloth* diáfano; fino; **2.** *adv.* directamente, completamente.

sheer[2] [~] **1.** ⚓ desviarse; ~ off *fig.* largarse; **2.** ⚓ desviación *f.*

sheet [ʃiːt] sábana *f*; hoja *f* of paper, tin; lámina *f* of metal, glass; (*news-*)periódico *m*; extensión *f* of water etc.; **'sheet·ing** tela *f* para sábanas; **'sheet light·ning** relámpago *m* difuso.

sheik(h) [ʃeik] jeque *m.*

shelf [ʃelf] (*pl.* **shelves**) estante *m*, anaquel *m*; ⚓ banco *m* de arena, bajío *m.*

shell [ʃel] **1.** cáscara *f* of egg, nut, *building*, *concha f*, caparazón *m*, ca-

rapacho *m* of mollusc, tortoise etc.; ✕ granada *f*, proyectil *m*, bomba *f*; **2.** des(en)vainar, descascarar; ✕ bombardear.

shel·lac [ʃe'læk] (goma *f*) laca *f.*

shell...: **'~fire** cañoneo *m*; **'~fish** mariscos *m/pl.*; *zo.* crustáceo *m*; **'~proof** a prueba de granadas; **'~shock** neurosis *f* de guerra.

shel·ter ['ʃeltə] **1.** abrigo *m*, asilo *m*, refugio *m*; (*mountain-*) albergue *m*; **2.** *v/i.* abrigarse, refugiarse; *v/t.* abrigar; guarecer.

shelve [ʃelv] *fig.* arrinconar; aplazar indefinidamente.

she·nan·i·gans [ʃi'nænigənz] *pl.* F embustes *m/pl.*; travesuras *f/pl.*

shep·herd ['ʃepəd] **1.** pastor *m*; **2.** guiar; dirigir.

sher·bet ['ʃɔːbət] sorbete *m.*

sher·iff ['ʃerif] sheriff *m*; alguacil *m* mayor.

sher·ry ['ʃeri] jerez *m.*

shield [ʃiːld] **1.** escudo *m* (*a. fig.*); ⊕ blindaje *m*; **2.** escudar (*a. fig.*), proteger; **'~bear·er** escudero *m.*

shift [ʃift] **1.** cambio *m*; movimiento *m*, cambio *m* de sitio; tanda *f*, turno *m at work*; astucia *f*; recurso *m*, expediente *m*; **2.** *v/t.* cambiar (de sitio); mover; *v/i.* cambiar (de sitio, de puesto, de marcha); moverse; (*move house*) mudar; (*wind*) cambiar; **'shift·less** ☐ agabanado, indolente, inútil; **'shift·y** ☐ taimado, furtivo.

shil·ling ['ʃilin] chelín *m.*

shim·mer ['ʃimə] **1.** reflejo *m* (*or* resplandor *m*) trémulo; **2.** rielar.

shim·my ['ʃimi] *sl.* shimmy (*baile*); *mot.* vibración *f.*

shin [ʃin] **1.** (*or* **~bone**) espinilla *f*; **2.:** ~ up trepar a.

shine [ʃain] **1.** lustre *m*, brillo *m*; **2.** [*irr.*] *v/i.* brillar (*a. fig.*), lucir (*a. fig.*); *v/t. shoes* limpiar; sacar brillo a.

shin·gle ['ʃingl] **1.** ripia *f*; **2.** cubrir con ripias.

shin·gles ['ʃinglz] ✿ *pl.* herpes *m/pl.* or *f/pl.*; zona *f.*

shin·y ['ʃaini] ☐ brillante, lustroso.

ship [ʃip] **1.** buque *m*, navío *m*, barco *m*; **~'s company** tripulación *f*; *merchant* ~ mercante *m*; **2.** *v/t.* embarcar; ✝ transportar; enviar, expedir; *v/i.* embarcarse; **'~board:** on ~ a bordo; **'~build·er** constructor *m* de buques, ingeniero *m* naval; **'~ chan·dler** abastecedor *m* de buques; **'ship·ment** embarque *m*; envío *m*,

remesa f; '**ship·own·er** naviero m; '**ship·per** exportador m; remitente m; '**ship·ping** buques m/pl., flota f, marina f.

ship...: '**~shape** en buen orden; '**~wreck** 1. naufragio m; 2. naufragar (a. be ~ed); '**~wrecked** náufrago; '**~yard** astillero m.

shirk [ʃəːk] v/t. eludir, esquivar, desentenderse de; v/i. faltar al deber, gandulear; '**shirk·er** gandul m.

shirt [ʃəːt] camisa f; sl. keep one's ~ on quedarse sereno; '**shirt-sleeve:** in ~s en mangas de camisa.

shit [ʃit] sl. 1. mierda f; excremento m; 2. evacuar el vientre; cagar.

shiv·er ['ʃivə] 1. (fear) temblor m; (cold) tiritón m; the ~s pl. dentera f, grima f; it gives me the ~s me da miedo; 2. estremecerse; temblar with fear; tiritar with cold; '**shiv·er·y** estremecido.

shoal [ʃoul] 1. bajío m, banco m de arena; 2. disminuir en profundidad.

shock[1] [ʃok] ✗ tresnal m.

shock[2] [~] 1. choque m (a. ⚡); sacudida f; temblor m de tierra; sobresalto m; toxic ~ syndrome síndrome m de choque tóxico; ✗ ~ troops pl. tropas f/pl. de asalto; 2. fig. chocar; sobresaltar; escandalizar.

shock[3] [~] greña f of hair.

shock ab·sorb·er ['ʃokəbsɔːbə] mot. amortiguador m.

shock·er ['ʃokə] sl. película f horripilante.

shock·ing ['ʃokiŋ] □ chocante; escandaloso; taste pésimo.

shod·dy ['ʃodi] de pacotilla, de pésima calidad.

shoe [ʃuː] 1. zapato m; (horse-) herradura f; 2. [irr.] calzar; horse herrar; '**~horn** calzador m; '**~lace** cordón m; '**~mak·er** zapatero m; '**~pol·ish** betún m; bola f; '**~shine** brillo m; lustre m; '**~shop** zapatería f.

shoo [ʃuː] 1. birds oxear; ahuyentar; 2. ¡zape!, ¡ox!

shook [ʃuk] pret. of shake 1.

shoot [ʃuːt] 1. 🌱 renuevo m, vástago m; cacería f; tiro m (al blanco); 2. [irr.] v/t. disparar; tirar; herir (or matar) con arma de fuego; (execute) fusilar; film rodar; ~ down derribar; ~ up sl. destrozar a tiros; v/i. tirar (at a).

shoot·ing ['ʃuːtiŋ] 1. tiros m/pl.; tiroteo m, cañoneo m; caza f con escopeta; rodaje m of film; 2. pain punzante; '**~ gal·ler·y** galería f de tiro (al

blanco); '**~ match** certamen m de tiro al blanco; sl. conjunto m; asunto m; '**~ star** estrella f fugaz.

shoot-out ['ʃuːtaut] pelea f a tiros.

shop [ʃop] 1. tienda f; (large) almacén m; ⊕ taller m; 2. ir de compras (mst go ~ping); '**~ as'sist·ant** dependiente (a f) m; '**~keep·er** tendero (a f) m; '**~lift·er** mechera f; '**shop·per** comprador (a f) m; '**shop·ping** compras f/pl.; ~ center zona f de tiendas.

shop...: '**~soiled** deteriorado; '**~stew·ard** representante m de los obreros en la sección de una fábrica; '**~walk·er** vigilante (a f) m; '**~win·dow** escaparate m, vidriera f S.Am.

shore[1] [ʃɔː] playa f, orilla f, ribera f.

shore[2] [~] 1. puntal m; 2. apuntalar; fig. apoyar.

short [ʃɔːt] corto, breve; p. bajo; (brusque) brusco, seco; memory flaco; ~ wave radio: onda f corta; ~ of falto de, escaso de; nothing ~ of nada menos que; run ~ acabarse; run ~ of acabársele a uno; stop ~ parar de repente; stop ~ of detenerse antes de llegar a; 2. film: corto metraje m; ⚡ cortocircuito m; film ~s pl. pantalones m/pl. cortos; 3. v. circuit; '**short·age** escasez f, falta f, carestía f; ✝ déficit m.

short...: '**~bread**, '**~cake** torta f seca y quebradiza; '**~cir·cuit** 1. cortocircuito m; 2. poner(se) en cortocircuito; '**~com·ing** defecto m; '**~cut** atajo m; '**short·en** acortar(se), reducir(se); '**short·en·ing** acortamiento m; (lard) manteca f, grasa f.

short...: '**~fall** déficit m; '**~hand** taquigrafía f; ~ writer taquígrafo (a f) m; '**~hand·ed** falto de mano de obra; '**~lived** [~laivd] efímero; '**short·ly** adv. en breve, dentro de poco.

short...: '**~sight·ed** miope, corto de vista; fig. falto de previsión; '**~sto·ry** cuento m; '**~tem·pered** enojadizo; '**~term** a plazo corto; '**~wave** radio: ... de onda corta; '**~wind·ed** corto de resuello.

shot [ʃot] tiro m; disparo m; balazo m; (a. small ~) perdigones m/pl.; (p.) tirador (-a f) m; sport: tiro m at goal; phot. fotografía f; film: fotograma m; 💉 inyección f; dosis f; sl. trago m of rum etc.; F big ~ pez m gordo; '**~gun** escopeta f; F ~ marriage casamiento m a la fuerza.

should [ʃud] 1. v/aux. que forma el

condicional etc.: I ~ do it if I could lo haría si pudiese; **2.** *deber: he* ~ be here soon debe llegar dentro de poco; *he* ~ *know that* debiera saberlo.

shoul·der [ˈʃouldə] **1.** hombro *m*; espaldas *f/pl.*; lomo *m of hill etc.*; **2.** llevar al hombro; *fig.* cargar con; empujar con el hombro; '~ **blade** omóplato *m.*

shout [ʃaut] **1.** grito *m*; voz *f*; **2.** gritar; dar voces.

shove [ʃʌv] **1.** empujón *m*; **2.** *v/i.* dar empujones; ~ *off* ♣ alejarse; *sl.* marcharse; *v/t.* empujar.

shov·el [ˈʃʌvl] **1.** pala *f*; cogedor *m*; **2.** traspalar.

show [ʃou] **1.** [*irr.*] *v/t.* mostrar, enseñar; (*prove*) probar, demostrar; señalar; manifestar; *film* poner, proyectar; *goods*, *pictures* exhibir; ~ *off* hacer gala de; ~ *out* acompañar a la puerta; *v/i.* mostrarse, (a)parecer; (*film*) representarse; ~ *off* lucirse; fachendear; F ~ *up* acudir, presentarse; **2.** (*display*) exhibición *f*; exposición *f*; (*outward*) apariencia *f*; (*pomp*) boato *m*; manifestación *f*, demostración *f of feeling*; *thea.* función *f*, espectáculo *m*; *sl.* run the ~ ser el todo; mandar; '~ **bus·i·ness** comercio *m* de los espectáculos; '~**case** vitrina *f* (de exposición); '~**down** F momento *m* decisivo, revelación *f* decisiva.

show·er [ˈʃauə] **1.** chaparrón *m*, chubasco *m*; aguacero *m*; *fig.* rociada *f*; **2.** llover; derramar; *fig.* ~ *with* colmar de; ~ **bath** [ˈ~bɑːθ] ducha *f*; '**show·er·y** lluvioso.

show·i·ness [ˈʃouinis] boato *m*; aparatosidad *f*; '**show·man** empresario *m*; *fig.* hombre *m* ostentoso; '**show·man·ship** teatralidad *f*; '**show·room** salón *m* de demostraciones; '**show win·dow** escaparate *m*; '**show·y** ☐ vistoso, llamativo; *p.* ostentoso.

shrap·nel [ˈʃræpnl] metralla *f.*

shred [ʃred] **1.** triza *f*, jirón *m*; fragmento *m*; *fig.* pizca *f*; **2.** [*irr.*] hacer trizas; desmenuzar.

shrew [ʃruː] *zo.* musaraña *f*; *fig.* mujer *f* regañona, fierecilla *f.*

shrewd [ʃruːd] ☐ astuto, sagaz; '**shrewd·ness** astucia *f*, sagacidad *f.*

shriek [ʃriːk] **1.** alarido *m*, chillido *m*; **2.** chillar (*a. fig.*).

shrill [ʃril] ☐ chillón (*a. fig.*), agudo y penetrante.

shrimp [ʃrimp] *zo.* camarón *m*; *fig.* enano *m.*

shrine [ʃrain] relicario *m*; capilla *f*, sepulcro *m* (de santo).

shrink [ʃriŋk] [*irr.*] *v/i.* encoger(se), contraer(se); mermar; (*a.* ~ *back*) acobardarse; *v/t.* encoger, contraer; '**shrink·age** encogimiento *m*, contracción *f.*

shriv·el [ˈʃrivl] (*a.* ~ *up*) marchitar(se), arrugar(se); avellanarse.

shroud [ʃraud] **1.** sudario *m*, mortaja *f*; **2.** amortajar; *fig.* velar.

shrub [ʃrʌb] arbusto *m*; **shrub·ber·y** [ˈ~əri] plantío *m* de arbustos.

shrug [ʃrʌg] **1.** encoger de hombros; **2.** encogimiento *m* (de hombros).

shud·der [ˈʃʌdə] **1.** estremecerse; **2.** estremecimiento *m.*

shuf·fle [ˈʃʌfl] **1.** *v/t.* mezclar, revolver; *cards* barajar; **2.** *v/i.* arrastrar los pies; andar (bailar *etc.*) arrastrando los pies; **3.** *cards*: (*act*) barajadura *f.*

shun [ʃʌn] esquivar, evitar.

shunt [ʃʌnt] **1.** ⚡ derivación *f*, shunt *m*; cambio *m* de vía; **2.** ⚡ poner en derivación; 🚂 maniobrar; apartar.

shut [ʃʌt] [*irr.*] cerrar; ~ *down factory* cerrar; *machine* parar; ~ *in* encerrar; cercar, rodear; ~ *off water etc.* cortar; aislar (*from* de); F ~ *up* callarse; F ~ *up!* ¡cállate!; '~**down** cierre *m*; ~ *out sport*: victoria *f* en que el contrario no gana un tanto; '**shut·ter** contraventana *f*; *phot.* obturador *m.*

shut·tle [ˈʃʌtl] **1.** lanzadera *f*; ~ *service* tren *m etc.* que hace viajes cortos entre dos puntos; *space* ~ astronave *f* dirigible; **2.** hacer viajes cortos entre dos puntos.

shy [ʃai] ☐ tímido; recatado; huraño; vergonzoso.

shy·ness [ˈʃainis] timidez *f*; recato *m*, vergüenza *f.*

shy·ster [ˈʃaistə] *sl.*, abogado *m* trampista.

Si·a·mese [saiəˈmiːz] siamés *adj. a. su. m* (-a *f*).

Si·be·ri·an [saiˈbiəriən] siberiano *adj. a. su. m* (-a *f*).

sib·ling [ˈsibliŋ] hermano *m*; hermana *f.*

sib·yl [ˈsibil] sibila *f.*

Si·cil·ian [siˈsiljən] siciliano *adj. a. su. m* (-a *f*).

sick [sik] enfermo; mareado; *be* ~ estar enfermo; sentirse mareado; *be* ~ *of* estar harto de; *sl.* perverso;

mórbido; '**~·bay** enfermería f; '**~·bed** lecho m de enfermo; '**sick·en** v/i. enfermar; ~ **at** sentir náuseas ante; v/t. dar asco a; '**sick·en·ing** □ asqueroso, nauseabundo.

sick leave ['sikli:v] permiso m de convalecencia; '**sick·li·ness** achaque m; palidez f; '**sick·ly** p. enfermizo, achacoso; pálido; smell nauseabundo; '**sick·ness** enfermedad f, mal m; náusea f; '**sick pay** subsidio m de enfermedad.

side [said] **1.** lado m; costado m of body, ship; cara f of solid, record; falda f, ladera f of hill; ~ **by** ~ lado a lado; by the ~ of al lado de; on all ~s por todas partes; **2.** lateral; secundario; indirecto; **3.:** ~ with declararse por; '**~·arms** armas f/pl. de cinto; '**~·board** aparador m; '**~·car** sidecar m.

side...: '**~·kick** compañero m; '**~·light** detalle m (or información f) incidental; '**~·line** 🚂 apartadero m; sport: línea f lateral; fig. empleo m (or negocio m) suplementario.

side...: '**~·sad·dle 1.** silla f de mujer; **2.** adv. a mujeriegas, a la inglesa; '**~·show** caseta f (de feria); '**~·step 1.** esquivada f lateral; **2.** fig. evitar, esquivar; '**~·stroke** natación f de costado; '**~·track 1.** 🚂 apartadero m, vía f muerta; **2.** fig. desviar, apartar; '**~·walk** acera f; S.Am. vereda; ('**side·ways**, '**side·wise**) de lado, hacia un lado.

siege [si:dʒ] cerco m, sitio m; lay ~ to asediar (a. fig.).

sieve [siv] cedazo m, tamiz m; (kitchen) coladera f.

sift [sift] tamizar, cerner.

sigh [sai] **1.** suspiro m; **2.** suspirar.

sight [sait] **1.** vista f (a. ✝); visión f; escena f; espectáculo m; cosa f digna de verse; ✕ puntería f; F espantoso m; catch ~ of alcanzar a ver; lose ~ of perder de vista (a. fig.); **2.** avistar, divisar; gun apuntar; '**~·less** ciego; '**~·see·ing** excursionismo m, turismo m; '**~·se·er** excursionista m/f, turista m/f.

sign [sain] **1.** señal f; indicio m; ♈, ♪ etc. signo m; (trace) huella f, vestigio m; (notice) letrero m; (shop-) rótulo m; ~s pl. señas f/pl.; **2.** v/t. firmar; v/i. firmar; usar el alfabeto de los sordomudos; ~ **off** terminar.

sig·nal ['signl] **1.** señal f; teleph. busy~ señal f de ocupado; ~s pl. ✕ (cuerpo m de) transmisiones f/pl.; **2.** □ seña-

lado, notable; **3.** hacer señales (to a); comunicar por señales (that que); **sig·nal·ize** ['~nəlaiz] distinguir, marcar; '**sig·nal·man** 🚂 guardavía m; ✕ soldado m de transmisiones.

sig·na·to·ry ['signətəri] firmante adj. a. su. m (a f), signatario adj. a. su. m (a f); **sig·na·ture** ['signitʃə] firma f; typ., ♪ signatura f.

sig·net ['signit] sello m; '**~·ring** sortija f de sello.

sig·nif·i·cance, sig·nif·i·can·cy [sig·'nifikəns(i)] significación f, significado m; **sig·nif·i·cant** □ significante, significativo.

sig·ni·fy ['signifai] significar; querer decir.

sign...: '**~·paint·er** rotulista m; '**~·post** poste m indicador.

si·lence ['sailəns] **1.** silencio m; ~! ¡silencio!; **2.** acallar (a. fig.), imponer silencio a.

si·lent ['sailənt] □ silencioso; callado; be ~, remain ~ callarse; ~ film película f muda.

sil·hou·ette [silu:'et] silueta f.

silk [silk] **1.** seda f; **2.** attr. de seda; ~ hat sombrero m de copa; '**silk·en** de seda; sedoso; '**silk-'stock·ing 1.** aristócrata m/f; **2.** aristocrático; '**silk·worm** gusano m de seda; '**silk·y** □ sedoso.

sill [sil] (window-) alféizar m; antepecho m; (door-) umbral m.

sil·li·ness ['silinis] necedad f, tontería f; '**sil·ly** □ tonto, necio.

si·lo ['sailou] silo m, ensilaje m.

silt [silt] **1.** sedimento m, aluvión m; **2.** obstruirse con sedimentos.

sil·ver ['silvə] **1.** plata f; **2.** platear (a. ⊕ ~ **plate**); mirror azogar; **3.** de plata; plateado; '**~·ware** vajilla f de plata; '**sil·ver·y** plateado; voice argentino.

sim·i·lar ['similə] □ parecido, semejante; **sim·i·lar·i·ty** [~'læriti] semejanza f.

si·mil·i·tude [si'militju:d] similitud f.

sim·mer ['simə] v/i. hervir (v/t. cocer) a fuego lento.

si·mo·ny ['saiməni] simonía f.

sim·ple ['simpl] □ sencillo; simple; style llano; F bobo; '**~-'mind·ed** □ estúpido, idiota; candoroso; **sim·ple·ton** ['~tən] inocentón m.

sim·plic·i·ty [sim'plisiti] sencillez f; llaneza f of style; F simpleza f; **sim·pli·fy** ['~fai] simplificar.

S

sim·u·late ['simjuleit] simular.

si·mul·ta·ne·i·ty [simǝltǝ'niǝti] simultaneidad *f*; **si·mul·ta·ne·ous** [~'l'teinjǝs] □ simultáneo.

sin [sin] **1.** pecado *m*; **2.** pecar.

since [sins] **1.** *prp.* desde, a partir de, después de; **2.** *adv.* desde entonces, después; **3.** *cj.* desde que; puesto que, ya que.

sin·cere [sin'siǝ] □ sincero; *Yours* ~*ly* le saluda afectuosamente; **sin·cer·i·ty** [~'seriti] sinceridad *f*.

sin·ful ['sinful] □ pecaminoso; *p.* pecador; **'sin·ful·ness** maldad *f*.

sing [siŋ] [*irr.*] cantar; (*birds*) trinar; (*ears*) zumbar; ~ *to sleep* arrullar, adormecer cantando; *sl.* confesar.

singe [sindʒ] chamuscar; *hair* quemar las puntas de.

sing·er ['siŋǝ] cantor (-a *f*) *m*; (*professional*) cantante *m/f*.

sin·gle ['siŋgl] **1.** □ único, solo; simple; *room* individual; *ticket* sencillo; (*unmarried*) soltero; **2.** (*mst* ~ *out*) distinguir, singularizar; escoger; señalar; **3.** *tennis:* ~*s pl.* juego *m* de individuales; *F* ~*s* (los) no casados *a. adj.*; **'~-'breast·ed** sin cruzar; **'~-'cham·ber** *pol.* unicameral; **'~-'en·gined** ✈ monomotor; **'~-'hand·ed** sin ayuda (de nadie); **'~-'mind·ed** □ resuelto, firme; sincero; **'sin·gle·ness** resolución *f*, firmeza *f* of *purpose*; **'sin·gle·seat·er** monoplaza *m*; **sin·gle·ton** ['~tǝn] semi-fallo *m*, carta *f* única de un palo; **'sin·gle·'track** de vía única.

sin·gly ['siŋgli] *adv.* individualmente.

sing·song ['siŋsɔŋ] **1.** (*tone*) salmodia *f*, sonsonete *m*; **2.** *tone* monótono, cantarín.

sin·gu·lar ['siŋgjulǝ] □ singular *adj. a. su. m*; **sin·gu·lar·i·ty** [~'læriti] singularidad *f*.

sin·is·ter ['sinistǝ] □ siniestro.

sink [siŋk] **1.** [*irr.*] *v/i.* menguar, declinar; (*ship*) hundirse; (*sun*) ponerse; ✈ debilitarse; dejarse caer *into chair*; *v/t.* sumergir; *ship* hundir; ✕ *shaft* abrir, cavar; **2.** fregadero *m*, pila *f*; ⊕ sumidero *m*; *fig.* sentina *f*; **'sink·er** (*fishing*) plomo *m*; **'sink·ing** hundimiento *m*.

sin·ner ['sinǝ] pecador (-a *f*) *m*.

si·nol·o·gy [sai'nɔlǝdʒi] sinología *f*; **si·nol·o·gist** sinólogo *m*.

si·nus ['sainǝs] *anat.* seno *m*; **si·nus·i·tis** [~'saitis] sinusitis *f*.

sip [sip] **1.** sorbo *m*; **2.** sorber.

si·phon ['saifǝn] **1.** sifón *m*; **2.** sacar con sifón (*a.* ~ *off*).

sir [sǝː] señor *m* (*in direct address*); sir *m* (*as title*); *Dear* ♀ Muy señor mío.

si·ren ['saiǝrin] *all senses:* sirena *f*.

sir·loin ['sǝːlɔin] solomillo *m*.

sis·sy ['sisi] marica *m*, mariquita *m*.

sis·ter ['sistǝ] hermana *f* (*a. eccl.*); *eccl.* (*as title*) Sor *f*; **sis·ter·hood** ['~hud] hermandad *f*; cofradía *f* de mujeres; **'sis·ter-in-law** cuñada *f*.

sit [sit] *v/i.* sentarse (*a.* ~ *down*); estar sentado; (*assembly*) reunirse, celebrar junta; (*clothes*) sentar; ~ *up* incorporarse; velar *at night*; **sit·com** ['sitkɔm] telecomedia *f* serial; **'~-down strike** huelga *f* de brazos caídos.

site [sait] sitio *m*; solar *m*, local *m*.

sit-in ['sitin] manifestación *f* pacífica a modo de bloqueo.

sit·ting ['sitiŋ] sesión *f*; nidada *f* of *eggs*; **'~ room** sala *f* de estar.

sit·u·at·ed ['sitjueitid] situado; sito; **sit·u·a·tion** situación *f*; (*post*) puesto *m*, colocación *f*.

six [siks] seis (*a. su. m*); *at* ~*es and sevens* en confusión; **six·teen** ['~'tiːn] dieciséis; **'six'teenth** [~θ] decimosexto; **sixth** [~θ] sexto (*a. su. m*); **six·ti·eth** ['~tiiθ] sexagésimo; **'six·ty** sesenta.

size [saiz] **1.** tamaño *m*; talla *f*; dimensiones *f/pl.*; número *m* of *shoes etc.*; **2.** clasificar según el tamaño.

siz·zle ['sizl] chisporrotear, churruscar, crepitar (al freírse).

skate [skeit] **1.** patín *m*; *ich.* raya *f*; **2.** patinar; **'skat·ing rink** pista *f* de patinaje.

ske·dad·dle [ski'dædl] F poner pies en polvorosa, largarse.

skein [skein] madeja *f*.

skel·e·ton ['skelitn] esqueleto *m*; *fig.* esquema *m*; ⊕ armazón *f*; ~ *key* llave *f* maestra.

skep·tic ['skeptik] *v.* sceptic.

sketch [sketʃ] **1.** bosquejo *m*, boceto *m*; *thea.* pieza *f* corta; **2.** dibujar; **'sketch·y** □ incompleto.

skew·er ['skjuǝ] **1.** broqueta *f*, espetón *m*; **2.** espetar.

ski [skiː] **1.** esquí *m*; **2.** esquiar.

skid [skid] **1.** derrape *m*, patinazo *m*; **2.** derrapar, patinar, deslizarse.

skid row ['skid'rou] barrio *m* de mala vida.

ski·er ['skiːǝ] esquiador (-a *f*) *m*.

ski·ing ['skiːiŋ] esquí *m*; **ski jump**

salto *m* de esquí; **'ski lift** telesquí *m*, telesilla *f*.

skil(l)ful ['skilful] □ diestro, hábil; experto; **'skil(l)·ful·ness, skill** [skil] destreza *f*, habilidad *f*; pericia *f*; **skilled** [skild] hábil, experto; *work, man* especializado.

skil·let ['skilit] sartén *f*.

skim [skim] *v/t. milk* desnatar; espumar; (*graze*) rozar, rasar; *v/i.*: ~ *over* pasar rasando.

skimp [skimp] *v/t.* escatimar; *work* chapucear, frangollar; *v/i.* economizar; **'skimp·y** □ escaso; tacaño.

skin [skin] **1.** piel *f*; cutis *m*; (*animal's*) pellejo *m*; ♀ corteza *f*; **2.** despellejar (*a. sl.*); desollar; *fruit* pelar; **'~·deep** superficial; **'~·flint** cicatero *m*, tacaño *m*; **'skin·ny** flaco, magro.

skip [skip] **1.** brinco *m*, salto *m*; **2.** *v/i.* brincar, saltar; F escabullirse; *v/t.* (*a. ~ over*) omitir, saltar.

skir·mish ['skɔːmiʃ] **1.** escaramuza *f*; **2.** escaramuzar.

skirt [skɔːt] **1.** falda *f*; faldón *m of coat*; (*edge*) orilla *f*, borde *m*; **2.** orillar, ladear.

skit [skit] sátira *f*, pasquín *m* (on contra); *thea.* número *m* corto burlesco; **'skit·tish** □ asustadizo (*esp. horse*).

skul·dug·ger·y [skʌl'dʌgəri] F trampa *f*, embuste *m*.

skulk [skʌlk] acechar; remolonear.

skull [skʌl] cráneo *m*; calavera *f*.

skunk [skʌŋk] *zo.* mofeta *f*; F canalla *m*.

sky [skai] cielo *m*; **'~-'blue** azul celeste; **'~-div·ing** ['skaidaiviŋ] paracaidismo *m* con una plomada suelta inicial; **'~-high** por las nubes; **'~-light** tragaluz *m*; claraboya *f*; **'~-line** (línea *f* del) horizonte *m*; silueta *f of building etc.*; **'~-rock·et 1.** cohete *m*; **2.** F subir (como un cohete); **'~-scrap·er** rascacielos *m*; **sky-ward(s)** ['~wəd(z)] hacia el cielo; **'sky·writ·ing** escritura *f* aérea.

slab [slæb] tabla *f* (*a.* ⊕), plancha *f*; losa *f of stone*.

slack [slæk] **1.** flojo (*a.* ♥); (*lax*) descuidado, negligente; (*lazy*) perezoso; *student* desaplicado; **2.** lo flojo; ♥ estación *f* (*or* temporada *f*) de inactividad; F cisco *m*; ~*s pl.* pantalones *m/pl.* (flojos; *mst* de mujer); **'slack·en** *v/t.* aflojar (*a.* ~ *off*); disminuir; *v/i.* aflojarse; (*wind*) amainar.

sla·lom ['slɔːləm] eslálom *m*.

slam [slæm] **1.** golpe *m*; (*door*) portazo *m*; *cards*: bola *f*; **2.** (*door*) cerrar (-se) de golpe; golpear.

slan·der ['slɑːndə] **1.** calumnia *f*, difamación *f*; **2.** calumniar, difamar; **'slan·der·ous** □ calumnioso.

slang [slæŋ] argot *m*, jerga *f*; (*thieves'*) germanía *f*; vulgarismo *m*.

slant [slɑːnt] **1.** inclinación *f*, sesgo *m*; F punto *m* de vista, parecer *m*; **2.** inclinar(se), sesgar(se); **'slant·ing** □ inclinado, sesgado; **'slant·wise** oblicuamente.

slap [slæp] **1.** palmada *f*, manotada *f*; **2.** dar una palmada (*or* bofetada) a; pegar; **3.** *adv.* (*full*) de lleno, directamente; **'~·dash** descuidado, de brocha gorda; **'~·stick** payasadas *f/pl.*

slash [slæʃ] **1.** cuchillada *f*; latigazo *m*; **2.** *v/t.* acuchillar, rasgar; azotar *with whip*; F *price* machacar; cortar; reducir; *v/i.* tirar tajos (*at* a); **'slash·ing** □ *criticism* severo.

slate [sleit] **1.** pizarra *f*; lista *f* de candidatos; **2.** cubrir de pizarra(s).

slaugh·ter ['slɔːtə] **1.** sacrificio *m*, matanza *f*; **2.** sacrificar, matar; *carnear S.Am.*; **'slaugh·ter·er** jífero *m*; **'slaugh·ter house** matadero *m*; **'slaugh·ter·ous** mortífero.

Slav [slɑːv] eslavo *adj. a. su. m* (*a f*).

slave [sleiv] **1.** esclavo (*a f*) *m*; **2.** trabajar como un negro, sudar tinta; **slav·er·y** ['sleivəri] esclavitud *f*.

Slav·ic ['slævik] eslavo *adj. a. su. m* (*a. **Slav·on·ic**).

slav·ish ['sleiviʃ] □ servil; **'slav·ish·ness** servilismo *m*.

slaw [slɔː] ensalada *f* de col.

slay [slei] [*irr.*] matar; **'slay·er** asesino *m*; matador *m*.

sled [sled], *mst* **sledge**[1] [sledʒ] **1.** trineo *m*; **2.** ir en trineo.

sledge[2] [~] acotillo *m*, macho *m* (*a.* **'~ham·mer**).

sleek [sliːk] **1.** □ liso y brillante; pulido; **2.** alisar, pulir.

sleep [sliːp] **1.** [*irr.*] *v/i.* dormir; *v/t.* pasar durmiendo (*a.* ~ *away*); **2.** sueño *m*; *go to* ~ dormirse (*a. of limb*); **'sleep·er** durmiente *m/f*; 🚆 traviesa *f*; (*coach*) coche-cama *m*; cama *f*; **'sleep·i·ness** somnolencia *f*; modorra *f*.

sleep·ing ['sliːpiŋ]: 🚆 ~ *partner* socio *m* comanditario; **'~ bag** saco *m* de dormir; **'~ car** 🚆 coche-cama *m*; **~**

pill, '~ **'tab·let** comprimido *m* para dormir, somnífero *m*; '~ **'sick·ness** enfermedad *f* del sueño.

sleep·less ['sli:plis] □ *p.* insomne; **'sleep·less·ness** insomnio *m*.

sleep·walk·er ['sli:pwɔ:kə] somnámbulo (a *f*) *m*.

sleep·y ['sli:pi] *p.* soñoliento; '~**head** F dormilón (-a *f*) *m*.

sleet [sli:t] **1.** aguanieve *f*, nevisca *f*; **2.** caer aguanieve, neviscar.

sleeve [sli:v] manga *f*; ⊕ manguito *m*, enchufe *m*; **'sleeve·less** sin mangas.

sleigh [slei] *v.* sled.

slen·der ['slendə] □ delgado; escaso, limitado; **'slen·der·ness** delgadez *f*.

sleuth [slu:θ] (*a.* '~**·hound**) sabueso *m*; *fig.* detective *m.*

slew [slu:] *pret. of* slay.

slice [slais] **1.** tajada *f*, lonja *f of meat etc.*; raja *f of sausage*; trozo *m of bread*; **2.** cortar, tajar; *bread* rebanar; **'slic·er** rebanador *m.*

slick [slik] F *p.* astuto, mañoso.

slick·er ['slikə] (*coat*) impermeable *m.*

slid [slid] *pret. a. p.p. of* slide 1.

slide [slaid] **1.** [*irr.*] *v/i.* resbalar; deslizarse (*along* por); *v/t.* correr, deslizar; **2.** resbaladero *m on ice*; ⊕ cursor *m*; corredera *f*; (*lantern-*) diapositiva *f*; **'slide rule** regla *f* de cálculo.

slid·ing ['slaidiŋ] **1.** deslizamiento *m*; **2.** corredizo.

slight [slait] **1.** lleve, ligero, insignificante; escaso, tenue; *stature* delgado; **2.** desaire *m*, desatención *f*; **3.** desatender; menospreciar.

slim [slim] **1.** □ delgado, esbelto; escaso; **2.** adelgazar.

slime [slaim] limo *m*, légamo *m*; cieno *m*; baba *f of snail*; **slim·i·ness** ['slaiminis] lo limoso; viscosidad *f.*

slim·y ['slaimi] □ limoso, legamoso, baboso; viscoso; *p.* rastrero; adulón.

sling [sliŋ] **1.** ✕ honda *f*; 🎣 cabestrillo *m*; **2.** [*irr.*] lanzar, tirar; (*a.* ~ *away*) colgar, suspender.

slink [sliŋk] [*irr.*] *v/i.* andar furtivamente; ~ *away* irse cabizbajo.

slip [slip] **1.** *v/i.* resbalar; (*freq.* ~ *up*) resbalar; F declinar; ~ *away*, ~ *off* escabullirse; ~ *by* pasar inadvertido; ~ *through* colarse; ~ *up* fig. equivocarse; *v/t.* deslizar; *bone* dislocarse; *guard* eludir; ~ *in remark* deslizar, insinuar; *it* ~*ped my mind* se me olvidó; **2.** resbalón *m*; desliz *m* (*a. fig.*); *fig.* lapso *m*, equivocación *f*;

✐ esqueje *m*; (*dress*) combinación *f*; *geol.* ~ *of paper* tira *f*, papeleta *f*; F ~ *of a girl* jovenzuela *f*; '~**'knot** lazo *m* corredizo; **'slip·per** zapatilla *f*; babucha *f*; **'slip·per·y** □ resbaladizo; *skin* viscoso; F *p.* astuto, zorro; **slip·shod** ['-ʃɔd] descuidado; desaseado; **'slip-up** F error *m*, desliz *m.*

slit [slit] **1.** hendedura *f*, raja *f*; **2.** [*irr.*] hender, rajar; cortar.

sliv·er ['slivə] raja *f.*

slob [slɔb] sujeto *m* desaseado.

slob·ber ['slɔbə] **1.** baba *f*; **2.** babear.

slog [slɔg] F *v/i.* afanarse, sudar tinta; *v/t.* golpear (sin arte).

slo·gan ['slougən] slogan *m*, lema *m.*

sloop [slu:p] balandra *f*, corbeta *f.*

slop [slɔp] **1.:** ~*s pl.* agua *f* sucia, lavazas *f/pl.*; **2.** (*a.* ~ *over*) derramar (-se), desbordar.

slope [sloup] **1.** cuesta *f*, declive *m*; inclinación *f*; vertiente *f*, ladera *f of hill*; **2.** *v/t.* inclinar; sesgar; formar en declive; *v/i.* inclinarse; declinar; **'slop·ing** □ inclinado; en declive.

slop·py ['slɔpi] □ lleno de charcos; mojado; *fig. work* descuidado; *dress* desaliñado; F sentimental.

slot [slɔt] ✕ muesca *f*, ranura *f.*

sloth [slouθ] pereza *f*; *zo.* perezoso *m*; **sloth·ful** ['-ful] □ perezoso.

slot ma·chine ['slɔtməʃi:n] tragamonedas *m*, máquina *f* tragaperras.

slouch [slautʃ] **1.** *v/i.* estar sentado (*or* andar *etc.*) con un aire gacho; agacharse; *v/t. hat* agachar; **2.** postura *f* desgarbada.

slough [slʌf] *v/i.* desprenderse; *v/t.* mudar, echar de sí (*a.* ~ *off*).

Slo·vak ['slouvæk] **1.** eslovaco (a *f*) *m*; **2.** = **Slo·va·ki·an** eslovaco.

slov·en·li·ness ['slʌvnli:nis] desaseo *m*, dejadez *f*; **'slov·en·ly** desaseado, desaliñado, dejado.

slow [slou] **1.** □ lento; pausado; *clock* atrasado; (*dull*) torpe, lerdo; **2.** *adv.* (*a.* ~*ly*) despacio, lentamente; **3.** *v/t.* retardar; ⊕ reducir la velocidad de, moderar la marcha de; *v/i.* ir más despacio; moderarse la marcha; '~ **lane** vía *f* de velocidad reducida; '~**'mo·tion** *film* a cámara lenta; **'slow·ness** lentitud *f*; torpeza *f.*

sludge [slʌdʒ] lodo *m*, fango *m.*

slug¹ [slʌg] *zo.* babosa *f*; *sl.* **1.** porrazo *m*; puñetazo *m*; **2.** apuñear.

slug² [~] ✕ posta *f*; *typ.* lingote *m.*

slug·gard ['slʌgəd] haragán (-a *f*) *m*; **'slug·gish** □ perezoso; tardo.

sluice [slu:s] **1.** esclusa *f*; (*a.* '**~•way**) canal *m*; (*a.* '**~ gate**) compuerta *f*; **2.** regar, lavar (abriendo la compuerta).

slum [slʌm] barrio *m* bajo; (*house*) casucha *f*, tugurio *m*; **~ lord** dueño *m* desinteresado de casas del barrio bajo.

slum·ber ['slʌmbə] **1.** (*a.* **~s** *pl.*) *lit.* sueño *m* (*mst* tranquilo); *fig.* inactividad *f*; **2.** dormir, dormitar.

slump [slʌmp] **1.** bajar repentinamente; descargar caer pesadamente *into chair*; **2.** ✝ baja *f* repentina *in price*; (*general*) declive *m* económico.

slur [slə:] **1.** reparo *m*; borrón *m* (en la reputación); ♩ ligado *m*; **2.** ocultar (*a.* **~ over**); *syllable* comerse.

slush [slʌʃ] nieve *f* a medio derretir; fango *m*; F sentimentalismo *m*; '**slush·y** fangoso; F sentimental.

slut [slʌt] marrana *f*, mujer *f* deseada; '**slut·tish** sucio; inmoral.

sly [slai] socarrón, taimado; astuto; furtivo; '**sly·ness** socarronería *f*.

smack[1] [smæk] **1.** sabor(cillo) *m*; **2.** saber *f*.

smack[2] [~] **1.** (*slap*) manotada *f*; golpe *m*; **2.** dar una manotada a, pegar; golpear; *lips* relamerse.

small [smɔ:l] **1.** pequeño, chico; menudo; corto, exiguo; insignificante; *print* minúsculo; **2.:** **~ of the back** parte *f* más estrecha (de la espalda); '**~ arms** *pl.* armas *f/pl.* cortas; '**small·ness** pequeñez *f*; '**small·pox** ✿ viruela *f*; '**small talk** cháchara *f*; vulgaridades *f/pl.*

smart [smɑ:t] **1.** □ listo, vivo; inteligente; *b.s.* ladino, astuto; *dress etc.* elegante; *appearance* pulcro; **2.** escozor *m*; **3.** escocer; picar; '**~·al·eck** fatuo; sabihondo *adj. a. su.* (a *f*) *m*; '**smart·ness** elegancia *f*; vivacidad *f etc.*; '**smart 'mon·ey** *fig.* inversionistas *m/pl.* astutos.

smash [smæʃ] **1.** hacer(se) pedazos; destrozar(se), aplastar(se) (*freq.* **~ up**); ✝ quebrar; **2.** 🐧 *etc.* choque *m* (violento), accidente *m*; ✝ quiebra *f*; *tennis:* golpe *m* violento; **~ hit** *sl.* exitazo *m*; '**smash·ing** *sl.* imponente, bárbaro; '**smash-up** colisión *f* violenta.

smat·ter·ing ['smætəriŋ] nociones *f/pl.*; tintura *f*.

smear [smiə] **1.** manchar(se) (*a. fig.*), embarrar(se), untar(se); **2.** mancha *f* (*a. fig.*), embarradura *f*.

smell [smel] **1.** olor *m* (of a); (*bad*) hedor *m*; (*sense of*) olfato *m*; **2.** [*irr.*] oler (*of* a); (*dog*) olfatear.

smelt [smelt] fundir; '**smelt·er** fundidor *m*; '**smelt·ing 'fur·nace** horno *m* de fundición.

smile [smail] **1.** sonrisa *f*; **2.** sonreír (-se) (*at* de); '**smil·ing** □ sonriente.

smirk [smə:k] **1.** sonreírse satisfecho; sonreírse afectadamente; **2.** sonrisa *f* satisfecha.

smite [smait] [*irr.*] † golpear (con fuerza); herir; castigar; afligir.

smith [smiθ] herrero *m*.

smit·ten ['smitn] *fig.* **~ with** afligido por; F *idea* entusiasmado por; *p.* chalado por.

smock [smɔk] blusa *f*; bata *f*.

smog [smɔg] niebla *f* espesa con humo.

smoke [smouk] **1.** humo *m*; F pitillo *m*, tabaco *m*; **2.** *v/i.* fumar; (*chimney*) echar humo, humear; *v/t.* fumar; *bacon etc.* ahumar; **~ out** ahuyentar con humo; '**smoke·less** □ sin humo; '**smok·er** fumador (-a *f*) *m*; 🐧 coche *m* fumador; '**smoke screen** cortina *f* de humo; '**smoke-stack** chimenea *f*.

smok·ing ['smoukiŋ] **1.** el fumar; *no* **~** prohibido fumar; **2.** ... de fumador(es); '**~ com·part·ment** departamento *m* de fumadores; '**~ room** salón *m* de fumar.

smok·y ['smouki] □ humeante; lleno de humo, ahumado.

smooth [smu:ð] **1.** □ liso, terso; suave; llano, igual; *manner* afable; *style* fluido; *p.*, *b.s.* zalamero, meloso, astuto; **2.** (*a.* **~ out**, **~ down**) alisar; suavizar; allanar; ⊕ desbastar; *p.* ablandar; '**smooth·ness** lisura *f*; suavidad *f etc.*

smote [smout] *pret. of smite.*

smoth·er ['smʌðə] (*a.* **~ up**) sofocar, ahogar; *fire* apagar; *yawn* contener; *doubts etc.* suprimir.

smoul·der ['smouldə] arder sin llama; *fig.* estar latente.

smudge [smʌdʒ] **1.** manchar(se), tiznar(se); **2.** mancha *f*; '**smudg·y** □ manchado; borroso.

smug [smʌg] □ pagado de sí mismo; presumido, vanidoso; farisaico.

smug·gle ['smʌgl] pasar de contrabando; '**smug·gler** contrabandista *m/f*; '**smug·gling** contrabando *m*.

smut [smʌt] tizne *m*; tiznón *m*; ⚘ tizón *m*; *fig.* obscenidad *f*.

smut·ty ['smʌti] □ tiznado; ❧ atizonado; *fig.* obsceno, verde.

snack [snæk] bocadillo *m*, tentempié *m*; '**⁓·bar** bar *m*; cafetería *f*; cantina *f*.

snag [snæg] nudo *m* in wood; tocón *m* of tree; raigón *m* of tooth; *fig.* tropiezo *m*; obstáculo *m*.

snail [sneil] caracol *m*.

snake [sneik] culebra *f*, serpiente *f*.

snap [snæp] 1. castañetazo *m* of fingers; chasquido *m* of whip; (fastener) corchete *m*; F vigor *m*; cold ⁓ ola *f* de frío; 2. repentino, imprevisto a. 3. *v/i.* (break) romperse; saltar; (sound) chasquear; ⁓ at querer morder; *fig.* contestar groseramente a; F⁓ out of it! ¡menéate!, ¡ánimo!; *v/t.* romper; hacer saltar; whip etc. chasquear; fingers castañetear; *phot.* sacar una foto (or instantánea) de; ⁓ F⁓ up aire; 4. ¡crac!; '**⁓·drag·on** cabeza *f* de dragón; '**⁓·fas·ten·er** corchete *m* (de presión); '**snap·py** F enérgico; F make it ⁓! ¡pronto!; '**snap·shot** disparo *m* rápido sin apuntar; *phot.* instantánea *f*.

snare [snɛə] 1. trampa *f*, lazo *m*; *fig.* engaño *m*; 2. coger con trampas.

snarl [snɑːl] 1. gruñir; regañar; 2. gruñido *m*; regaño *m*; enredo *m*.

snatch [snætʃ] 1. arrebatamiento *m*; 2. (⁓ at tratar de) arrebatar (from a); coger (al vuelo); ⁓ up asir.

sneak [sniːk] *v/i.* ir (⁓ in entrar) a hurtadillas; *v/t.* F hacer a hurtadillas; 2. soplón (-a *f*) *m*; '**sneak·ers** *pl.* F zapatos *m/pl.* ligeros de goma; '**sneak thief** ratero *m*.

sneer [snia] 1. visaje *m* de burla y desprecio; 2. hacer un visaje de burla y desprecio; ⁓ at mofarse de, mirar al desgaire; '**sneer·ing** □ burlador y despreciativo.

sneeze [sniːz] 1. estornudar; 2. estornudo *m*.

sniff [snif] 1. *v/i.* oler, ventear; ⁓ at husmear; *v/t.* husmear, olfatear; 2. husmeo *m*; venteo *m*.

snip [snip] 1. tijeretada *f*; recorte *m*; 2. tijeretear; recortar (a. ⁓ off).

snipe [snaip] 1. *orn.* agachadiza *f*; 2. ✗ tirar desde un escondite; ⁓ at paquear; '**snip·er** tirador *m* escondido.

snip·pets ['snipits] *pl.* recortes *m/pl.*; *fig.* retazos *m/pl.*

snitch [snitʃ] soplar, hurtar; *sl.* escamotear.

sniv·el ['snivl] lloriquear; gimotear; '**sniv·el·(l)ing** llorón.

snob [snob] (e)snob *m/f*; '**snob·ber·y** (e)snobismo *m*; '**snob·bish** □ (e)snob, (e)snobista.

snoop [snuːp] *sl.* 1. curiosear, fisgonear, ventear; 2. fisgón (-a *f*) *m*.

snoot·y ['snuːti] F fachendón.

snooze [snuːz] F 1. siestecita *f*, suñecillo *m*; 2. dormitar.

snore [snɔː] 1. ronquido *m* (a. '**snor·ing**); 2. roncar.

snort [snɔːt] 1. bufido *m*; 2. bufar.

snot [snɔt] F mocarro *m*; '**snot·ty** F mocoso; *sl.* insolente.

snout [snaut] hocico *m*, morro *m*.

snow [snou] 1. nieve *f*; *sl.* cocaína *f*; 2. nevar; *sl.* engañar; '**⁓·ball** 1. bola *f* de nieve; 2. *fig.* aumentar progresivamente; '**⁓·bound** aprisionado por la nieve; '**⁓·drift** ventisquero *m*; '**⁓·drop** campanilla *f* blanca; '**⁓·fall** nevada *f*; '**⁓·flake** copo *m* de nieve; *sl.*: '**⁓·job** decepción *f*; engaño *m*; '**⁓·man** figura *f* de nieve; '**⁓·plow** (máquina *f*) quitanieves *m*; '**⁓·shoe** raqueta *f* de nieve; '**⁓·storm** nevasca *f*; '**⁓ tire** llanta *f* de invierno; '**snow-'white** níveo; '**snow·y** □ nevoso; *fig.* níveo.

snub [snʌb] 1. desairar; 2. desaire *m*; '**snub-nosed** chato.

snuff [snʌf] 1. rapé *m*, tabaco *m* en polvo; 2. aspirar, sorber por la nariz (a. take ⁓); candle despabilar; *fig.* extinguir.

snug [snʌg] □ cómodo; abrigo; dress ajustado; **snug·gle** ['⁓l] arrimarse (up to a); apretarse (para calentarse).

so [sou] así; por tanto, por consiguiente; (and ⁓) conque; ⁓ much tanto; ⁓ many tantos; I think ⁓ creo que sí; ⁓ as to, ⁓ that (purpose) para *inf.*, para *subj.*; (result) de modo que.

soak [souk] 1. remojar(se), empapar(-se); *sl.* desplumar, clavar un precio exorbitante a; 2. F borrachín *m*; '**soak·ing** remojón *m*.

so-and-so ['souənsou] (p.) fulano (a *f*) *m*; F tío *m*; Mr ♀ Don Fulano (de Tal).

soap [soup] 1. jabón *m*; soft ⁓ *sl.* coba *f*; 2. (en)jabonar; '**⁓·box** *fig.* caja *f* vacía empleada como tribuna en la calle); '**⁓ dish** jabonera *f*; '**⁓ op·er·a** *sl.* serial *m* radiofónico (chabacano); telenovela *f*; serial *m* lacrimógeno; '**⁓ suds** *pl.* jabonaduras *f/pl.*; '**soap·y** □ jabonoso.

S

soar [sɔː] encumbrarse (*a. fig.*); cernerse; volar a gran altura.

sob [sɒb] **1.** sollozo *m*; **2.** sollozar.

so·ber ['soubə] **1.** □ sobrio; serio; (*sensible*) cuerdo; moderado; (*not drunk*) no embriagado; **2.** calmar(se) (*a. ~ down*); F ~ **up** desintoxicar(se).

so-called ['sou'kɔːld] llamado.

soc·cer ['sɔkə] F fútbol *m*.

so·cia·ble ['souʃəbl] □ sociable.

so·cial ['souʃl] **1.** □ social; ~ **democrat** socialdemócrata *m/f*; **2.** reunión *f* (social), velada *f*; **so·cial·ism** socialismo *m*; **so·cial·ist** socialista *adj. a. su. m/f*; **so·cial·ize** socializar; **Social Se·cu·ri·ty** Seguro *m* Social.

so·ci·e·ty [sə'saiəti] sociedad *f*; asociación *f*; (*high ~*) buena sociedad *f*.

so·ci·o·log·i·cal [sousiə'lɔdʒikl] □ sociológico; **so·ci·ol·o·gy** sociología *f*.

sock[1] [sɔk] calcetín *m*.

sock[2] [~] *sl.* **1.** tortazo *m*; golpe *m* fuerte; **2.** pegar; golpear con fuerza.

sock·et ['sɔkit] cuenca *f of eye*; alvéolo *m of tooth*; ⚡, ⊕ enchufe *m*.

sod [sɔd] césped *m*, terrón *m*.

so·da ['soudə] sosa *f*, soda *f* (*a. drink*); ~ **foun·tain** fuente *f* de sodas; ~ **wa·ter** agua *f* de seltz.

sod·den ['sɔdn] empapado, saturado.

so·di·um ['soudjəm] sodio *m*.

so·fa ['soufə] sofá *m*.

soft [sɔft] **1.** □ blando; muelle; suave; *water* blando; *metal* dúctil; F *heart* tierno; F *job* fácil; **2.** (*a. ~ly*) suavemente, blandamente *etc.*; **soft·en** ['sɔfn] ablandar(se); reblandecer; **soft·ness** ['sɔftnis] blandura *f*; suavidad *f*; molicie *f*; **soft·ware** programas *m/pl.* (u operaciones *f/pl.*) de computadoras.

sog·gy ['sɔgi] empapado; esponjoso.

soil[1] ['sɔil] tierra *f* (*a. fig.*), suelo *m*.

soil[2] [~] ensuciar(se); manchar(se).

so·journ ['sɔdʒəːn] **1.** permanencia *f*, estancia *f*; **2.** pasar una temporada.

sol·ace ['sɔləs] **1.** consuelo *m*; **2.** consolar.

so·lar ['soulə] solar; ~ **battery** fotopila *f*.

sold [sould] *pret. a. p.p. of* **sell**.

sol·der ['sɔldə] **1.** soldadura *f*; **2.** soldar; **sol·der·ing-i·ron** ['~riŋaiən] soldador *m*.

sol·dier ['souldʒə] soldado *m*; **sol·dier·like**, **sol·dier·ly** militar.

sole[1] [soul] □ único, solo; exclusivo.

sole[2] [~] suela *f*; planta *f*.

sole[3] [~] *ichth.* lenguado *m*.

sol·emn ['sɔləm] □ solemne; **so·lem·ni·ty** [sə'lemniti] solemnidad *f*; **sol·em·nize** solemnizar.

so·lic·it [sə'lisit] solicitar; importunar; intentar seducir; **so·lic·i·tor** ⚥ *approx.* abogado *m*; procurador *m*; (*oaths, wills etc.*) notario *m*; **so·lic·it·ous** □ solícito (*about, for* por); ansioso; **so·lic·i·tude** [~tjuːd] solicitud *f*, ansiedad *f*.

sol·id ['sɔlid] **1.** □ sólido (*a. fig.*, Ⓐ); *gold, tire etc.* macizo; *crowd* denso; *vote* unánime; Ⓐ ~ **geometry** geometría *f* del espacio; **2.** sólido *m*; **sol·i·dar·i·ty** [sɔli'dæriti] solidaridad *f*; **sol·id·i·fy** [~'fai] solidificar(se); **sol·id·state** transistorizado.

sol·i·lo·quy [sə'liləkwi] soliloquio *m*.

sol·i·taire [sɔli'tɛə] solitario *m* (*game, gem*); **sol·i·tar·y** ['~təri] □ solitario; retirado; único; **sol·i·tude** ['~tjuːd] soledad *f*.

so·lo ['soulou] ♪, *cards*: solo *m*; **so·lo·ist** solista *m/f*.

sol·u·ble ['sɔljubl] soluble.

so·lu·tion [sə'luːʃn] *all senses*: solución *f*.

solv·a·ble ['sɔlvəbl] soluble; **solve** [sɔlv] resolver; solucionar; *riddle* adivinar; **sol·vent** solvente.

som·ber ['sɔmbə] □ sombrío.

some [sʌm, *unstressed* səm] **1.** *pron. a. adj.* un poco (de); alguno(s); ciertos; *for* ~ *reason* (*or other*) por alguna que otra razón, por no sé qué razón; **2.** *adv.* algo; F muy, mucho; '~**bod·y**, '~**one** alguien; F *be* ~ ser un personaje; '~**how** de algún modo; ~ *or other* de un modo u otro.

som·er·sault ['sʌmə(ː)sɔːlt] **1.** salto *m* mortal; **2.** dar saltos mortales.

some...: '~**thing** ['sʌmθiŋ] algo; alguna cosa; ~ *else* otra cosa; '~**times** [~z] algunas veces; a veces; '~**what** algo, algún tanto; '~**where** en (*motion a*) alguna parte; ~ *else* en (*motion a*) otra parte.

som·nam·bu·lism [sɔm'næmbjulizm] somnambulismo *m*; **som·nam·bu·list** somnámbulo (a *f*) *m*.

son [sʌn] hijo *m*.

so·na·ta [sə'nɑːtə] sonata *f*.

song [sɔŋ] canción *f*; canto *m*; cantar *m*; F ~ *and dance* alharaca *f*; '~**bird** pájaro *m* cantor; '~ **book** cancionero *m*; '~ **hit** canción *f* de moda.

son·ic bar·ri·er ['sɔnik 'bæriə] ba-

rrera f del sonido; **~ boom** estampido m sónico.

son-in-law ['sʌninlɔː] yerno m, hijo m político.

son-net ['sɒnit] soneto m.

son-ny ['sʌni] F hijito m.

so-no-rous [sə'nɔːrəs] □ sonoro, resonante.

soon [suːn] pronto, temprano; ~ *after* poco después; *as* (*or so*) ~ *as* tan pronto como (*a. cj.*), luego que; *as* ~ *as possible* cuanto antes; **'soon-er** más temprano; ~ *or later* tarde o temprano.

soot [sut] hollín m.

soothe [suːð] calmar; aliviar; **'soothing** □ calmante; tranquilizador.

soot-y ['suti] holliniento.

sop [sɒp] 1. sopa f; 2. empapar; ~ *up* absorber.

soph-ist ['sɒfist] sofista m; **so-phistic, so-phis-ti-cal** [sə'fistik(l)] □ sofístico; **so'phis-ti-cat-ed** □ sofisticado.

soph-o-more ['sɒfəmɔː] estudiante m/f de segundo año.

sop-ping ['sɒpiŋ]: ~ *wet* hecho una sopa.

so-pran-o [sə'prɑːnou] soprano f, tiple f.

sor-cer-er ['sɔːsərə] hechicero m, brujo m; **'sor-cer-y** brujería f.

sor-did ['sɔːdid] □ asqueroso; vil.

sore [sɔː] 1. □ dolorido; doloroso; sensible; inflamado; 2. llaga f (*a. fig.*), úlcera f; **'sore-head** F persona f resentida; **'sore-ness** dolor m; inflamación f.

so-ror-i-ty [sə'rɒriti] *univ.* hermandad f (de estudiantas).

sor-row ['sɒrou] 1. pesar m, dolor m, pena f; 2. apenarse, afligirse; **'sorrow-ful** ['~ful] □ afligido.

sor-ry ['sɒri] □ pesaroso, apesadumbrado; apenado; arrepentido (*for th. de*); *condition, plight* desastrado, lastimoso; *be* ~ sentirlo; *be* ~ *for p.* compadecer; *be* ~ *that* sentir que *subj.*; *be* ~ *to inf.* sentir *inf.*; (*I am*) (*so*) ~! lo siento (mucho).

sort [sɔːt] 1. clase f, especie f; *of a* ~ o a modo de; *in some* ~, F ~ *of* algo; en cierta medida; *of all* ~s de toda clase; *something of the* ~, *that* ~ *of thing* algo por el estilo; *of* ~s de poco valor; 2. clasificar (*a.* ~ *out*); escoger; separar.

so-so ['sousou] F regular.

sought [sɔːt] *pret. a. p.p. of seek*; **'~-'aft-er** solicitado.

soul [soul] alma f (*a. fig.*); *upon my* ~! ¡por vida mía!; **'soul-ful** □ sentimental; conmovedor.

sound[1] [saund] □ sano; firme, sólido; *opinion* razonable, bien fundado, ortodoxo.

sound[2] [~] 1. sonido m; son m; ruido m; *I don't like the* ~ *of it* no me gusta la idea; me inquieta la noticia; ~ *barrier* barrera f del sonido; ~ *track film*: banda f sonora; ~ *wave* onda f sonora; 2. *v/i.* (re)sonar; (*seem*) parecer; *v/t.* sonar; tocar; *alarm* dar la voz de.

sound[3] [~] 1. ♪ sonda f; 2. ♫, ♪ sondar; *chest* auscultar.

sound-less ['saundlis] □ silencioso; ⊕ insonorizado.

sound-ness ['saundnis] firmeza f, solidez f *etc.*

sound-proof ['saundpruːf] insonorizado.

soup [suːp] (*thin*) caldo m, consomé m; (*thick*) puré m, sopa f.

sour ['sauə] 1. □ agrio (*a. fig.*); acre (*a. fig.*); *milk* cortado; 2. agriar(se).

source [sɔːs] fuente f, nacimiento m of *river*; *fig.* fuente f; procedencia f.

sour-ish ['sauəriʃ] agrete; **'sour-ness** agrura f (*a. fig.*); acidez f; **'sour-puss** *sl.* cascarrabias m/f.

souse [saus] 1. escabechar; *sl.* ~d ajumado; 2. escabeche m.

south [sauθ] 1. sur m, mediodía m; 2. *adj.* del sur, meridional; 3. *adv.* al sur, hacia el sur.

South A-mer-i-can ['sauθ ə'merikən] sudamericano.

south...: **'~east** sudeste *adj.* (*a.* **'~'east-er-ly, '~'east-ern**) *a. su. m.*

south-er-ly ['sʌðəli] *direction* hacia el sur; *wind* del sur; **'south-ern** [~ən] meridional.

south-paw ['sauθpɔː] jugador m zurdo; lanzador m zurdo.

south...: **'~'west** suroeste; **'~'west-er** (*wind*) suroeste m.

sou-ve-nir ['suːvəniə] recuerdo m.

sov-er-eign ['sɒvrin] soberano *adj. a. su. m* (*a f*).

so-vi-et ['souviət] 1. soviet m; 2. soviético.

sow[1] [sau] *zo.* cerda f.

sow[2] [sou] [*irr.*] sembrar (*a. fig.*); esparcir; plagar *with mines*; **'sow-er** sembrador (-a f) m; **'sow-ing** siembra f.

soy bean ['sɔi 'biːn] soja f; semilla f de soja.

S

space [speis] **1.** espacio *m* (*a. typ.*); ~ *helmet* casco *m* sideral; **2.** (*a.* ~ *out*) espaciar (*a. typ.*); **'~·ship** nave *f* espacial, astronave *f*; **'~·shut·tle** astronave *f* dirigible; **'~·sta·tion** apostadero *m* espacial; **'~·suit** escafandra *f* espacial.

spa·cious ['speiʃəs] □ espacioso; *room* amplio; *living* holgado.

spade [speid] laya *f*, pala *f*; *cards:* ~*s pl.* picos *m/pl.*, pique *m*, (*Spanish*) espadas *f/pl.*

spag·het·ti [spəg'eti] *approx.* fideos *m/pl.*; espagueti *m.*

span [spæn] **1.** palmo *m of hand*; ojo *m of bridge*; ⚞ envergadura *f*; *fig.* extensión *f*, duración *f*; **2.** (*bridge*) extenderse sobre; tender (un puente) sobre.

span·gle ['spæŋgl] **1.** lentejuela *f*; **2.** adornar con lentejuelas.

Span·iard ['spænjəd] español (-a *f*) *m.*

span·iel ['spænjəl] perro *m* de aguas.

Span·ish ['spæniʃ] español *adj. a. su. m.*

spank [spæŋk] F **1.** zurrar; manotear; **2.** manotada *f*; **'spank·ing** F zurra *f.*

spar [spɑː] *boxing:* hacer fintas; amagar (*at* a) (*a. fig.*).

spare [spɛə] **1.** □ (*lean*) enjuto; (*left over*) sobrante; *room* disponible; para convidados; *time* libre, desocupado; *part* de repuesto; **2.** ⊕ (pieza *f* de) repuesto *m* (*or* recambio *m*); **3.** ahorrar, economizar; pasarse sin; dispensar de, excusar.

spar·ing ['spɛəriŋ] □ escaso; parco (*in*, *of* en), económico.

spark [spɑːk] **1.** chispa *f*; *fig.* chispazo *m of wit*; átomo *m of life*; **2.** chispear.

spar·kle ['spɑːkl] **1.** centelleo *m*, destello *m*; *fig.* viveza *f*; **2.** centellear, chispear; relucir; **'spar·kling** centelleante; chispeante.

spark plug ['spɑːk plʌg] bujía *f.*

spar·row ['spærou] gorrión *m.*

sparse [spɑːs] □ disperso; escaso; *hair* ralo.

spasm ['spæzm] ⚕ espasmo *m*; *fig.* arranque *m*; **spas·mod·ic** espasmódico.

spat [spæt] disputa *f*; riña *f.*

spa·tial ['speiʃl] □ espacial.

spat·ter ['spætə] salpicar, rociar.

spawn [spɔːn] **1.** freza *f*, huevas *f/pl.*; *fig.* prole *f*; **2.** *v/i.* desovar, frezar; *v/t. contp.* engendrar.

speak [spiːk] [*irr.*] hablar (*to* con, a);

truth decir; *parl. etc.* hacer uso de la palabra; ~ *out* hablar claro; osar hablar; ~ *up* hablar alto; ~ *up!* ¡más fuerte!; **'~·eas·y** *sl.* taberna *f* clandestina; **'speak·er** orador (-a *f*) *m*; hablante *m/f of language*; *parl.* presidente *m*; *radio:* (loud-) altavoz *m.*

speak·ing ['spiːkiŋ] hablante; **'~·tube** tubo *m* acústico.

spear [spiə] **1.** lanza *f*; (*fishing-*) arpón *m*; **2.** alancear, herir con lanza; **'~·head 1.** punta *f* de lanza (*a. fig.*); **2.** encabezar; dar impulso a.

spe·cial ['speʃl] **1.** □ especial, particular; **2.** *approx.* guardia *m* auxiliar; F oferta *f* extraordinaria; plato *m* del día; **spe·cial·ize** ['speʃəlaiz] especializarse; **spe·cial·ty** ['~lti] ⚖ contrato *m* sellado; especialidad *f.*

spe·cies ['spiːʃiːz] *sg. a. pl.* especie *f.*

spe·cif·ic [spi'sifik] □ específico *adj.* (*all senses*) *a. su. m*; expreso.

spec·i·fi·ca·tion [spesifi'keiʃn] especificación *f*; plan *m* detallado; **spec·i·fy** ['~fai] especificar; designar (en un plan).

spec·i·men ['spesimin] espécimen *m*, ejemplar *m.*

speck [spek] manchita *f*, mota *f*; *grano m of dust*; partícula *f*; **speck·le** ['~kl] **1.** punto *m*, mota *f*; **2.** motear, salpicar de manchitas.

specs [speks] F gafas *f/pl.*

spec·ta·cle ['spektəkl] espectáculo *m*; (*a pairs of unas*) ~*s pl.* gafas *f/pl.*, anteojos *m/pl.*

spec·tac·u·lar [spek'tækjulə] □ espectacular; aparatoso.

spec·ta·tor [spek'teitə] espectador *m.*

spec·trum ['spektrəm] *opt.* espectro *m.*

spec·u·late ['spekjuleit] especular (*on* en; ✝ *in* sobre).

spec·u·lum ['spekjuləm] ⚕ espéculo *m*; *opt.* espejo *m* (metálico).

sped [sped] *pret. a. p.p. of* speed 2.

speech [spiːtʃ] (*faculty*) habla *f*; idioma *m*; (*style, manner*) lenguaje *m*; (*oration*) discurso *m*, *thea.*, ⚖ parlamento *m*; **'speech·less** □ mudo; estupefacto.

speed [spiːd] **1.** velocidad *f* (*a.* ⊕, *mot.*); prisa *f*, presteza *f*; *at full* ~ a máxima velocidad, a todo máquina; **2.** *v/i.* apresurarse, darse prisa; *mot.* exceder la velocidad permitida; *v/t.* ~ *up* ⊕ acelerar; *p.* dar prisa a; *process* activar; **'~·boat** lancha *f* rápida; **speed lim·it** velocidad *f* máxima

permitida; límite *m* de velocidad;
speed·om·e·ter [spi'dɔmitə] velocímetro *m*, cuentakilómetros *m*;
'speed·way carretera *f* para carreras; **'speed·y** □ veloz, rápido; *answer* pronto.

spell[1] [spel] **1.** tanda *f*, turno *m* of *work*; rato *m*, temporada *f*; **2.** reemplazar; relevar.

spell[2] [~] **1.** encanto *m*, hechizo *m*; **2.** [*irr.*] *word* escribir; ~ *out* deletrear; **'~·bind·er** F orador *m* fascinante; **'~·bound** F embelesado, hechizado; **'spell·er:** *be a bad* ~ no saber escribir correctamente las palabras; F abecedario *m*.

spell·ing ['spelin] ortografía *f*; **'~ bee** certamen *m* de ortografía; **'~ book** abecedario *m*.

spelt [spelt] *pret. a. p.p. of* spell[2] 2.

spend [spend] [*irr.*] *v/t. money, effort* gastar; *time* pasar; *anger* (*v/r.*) consumir(se); *v/i.* gastar dinero; **'~·ing mon·ey** dinero *m* para gastos menudos.

spend·thrift ['spendθrift] derrochador (-a *f*) *m*, pródigo *m*.

spent [spent] **1.** *pret. a. p.p. of* spend; **2.** *adj.* agotado; gastado.

sperm [spə:m] esperma *f*; **sper·ma·to·zo·on** [~ɔtou'zouɔn], *pl.* **sper·ma·to·zo·a** [~'zouə] espermatozoo *m*.

sperm whale ['spə:m'weil] cachalote *m*.

sphere [sfiə] esfera *f* (*a. fig.*); **spher·i·cal** ['sferikl] □ esférico.

sphinx [sfinks] esfinge *f*.

spice [spais] **1.** especia *f*; *fig.* picante *m*; aliciente *m*; **2.** condimentar.

spick-and-span ['spikən'spæn] impecablemente limpio; pulcro.

spic·y ['spaisi] □ especiado; picante.

spi·der ['spaidə] araña *f*; **~'s web** telaraña *f*.

spig·ot ['spigət] espita *f* of cask.

spike [spaik] **1.** pincho *m*, púa *f*; escarpia *f*, espigón *m*; **2.** sujetar con pincho *etc.*; *gun* clavar.

spill [spil] **1.** [*irr.*] derramar(se); verter(se); **2.** caída *f from horse*; vuelco *m*.

spill·way ['spilwei] derramadero *m*; bocacaz *m*.

spin [spin] **1.** [*irr.*] *thread* hilar; (*a.* ~ *round*) girar, hacer girar; *top* (hacer) bailar; ~ *out* alargar; **2.** vuelta *f*; ✈ barrena *f*; F paseo *m* en coche *etc.*

spin·ach ['spinidʒ] espinaca *f*.

spi·nal ['spainl] espinal; ~ *column* columna *f* vertebral.

spin·dle ['spindl] (*spinning-*) huso *m*; ⊕ eje *m*.

spin-dri·er ['spin'draiə] secador *m* centrífugo.

spine [spain] *anat.* espinazo *m*; *zo.* púa *f*; ♀ espina *f*; **'spine·less** □ *fig.* flojo, falto de voluntad.

spin·ner ['spinə] hilandero (a *f*) *m*.

spin·ning...: **'~ mill** hilandería *f*; **'~ top** peonza *f*; **'~ wheel** torno *m* de hilar.

spin...: **~ 'off** ⊕, ♣ *byproduct, derivative* rendir; **'~-off** ⊕, ♣ derivado *m*; subproducto *m*.

spin·ster ['spinstə] soltera *f*; *contp.* solterona *f*.

spin·y ['spaini] espinoso (*a. fig.*).

spi·ral ['spaiərəl] **1.** □ (en) espiral; helicoidal; **2.** espiral *f*, hélice *f*; **3.** dar vueltas en espiral.

spire ['spaiə] aguja *f*; chapitel *m*.

spir·it ['spirit] **1.** espíritu *m*; ánimo *m*, brío *m*; temple *m*, humor *m*; espectro *m*; 🜍 alcohol *m*; *in* (*high*) ~s animado; *in low* ~s abatido; **2.** ~ *away*, ~ *off* hacer desaparecer, llevarse misteriosamente.

spir·it·ed ['spiritid] □animoso, brioso; *horse* fogoso.

spir·it·less ['spiritlis] □ apocado, sin ánimo.

spir·it·u·al ['spirituəl] **1.** □ espiritual; **2.** tonada *f* espiritual; **'spir·it·u·al·ism** espiritismo *m*.

spit[1] [spit] espetón *m*, asador *m*.

spit[2] [~] **1.** saliva *f*; **2.** [*irr.*] *v/i.* escupir (*at* a, *on* en); (*cat*) bufar; *v/t.* (*mst* ~ *out*) escupir.

spite [spait] **1.** rencor *m*, ojeriza *f*, despecho *m*; *in* ~ *of* a pesar de, a despecho de; **2.** causar pena a.

spite·ful ['spaitful] □rencoroso, malévolo; **'spite·ful·ness** rencor *m*, malevolencia *f*.

spit·fire ['spitfaiə] fierabrás *m*.

spit·toon [spi'tu:n] ecupidera *f*.

splash [splæʃ] **1.** salpicadura *f*, rociada *f*; mancha *f* of color; F *make a* ~ impresionar; **2.** *v/t.* salpicar; *v/i.* chapotear (*a.* ~ *about*); F ~ *out* derrochar dinero; **'~·down** (*astronave*) aterrizaje *m* en la mar; **'splash·y** □ fangoso; llamativo.

spleen [spli:n] *anat.* bazo *m*; *fig.* esplín *m*, spleen *m*; rencor *m*.

splen·did ['splendid] □ espléndido; **splen·dor** ['~də] esplendor *m*, brillantez *f*.

splice [splais] **1.** empalme *m*; ⊕

(*wood*) junta *f*; 2. empalmar; ⊕ juntar; *sl.* casar.

splint [splint] 1. tablilla *f*; 2. entablillar.

splin·ter ['splintǝ] 1. astilla *f*; ~ group grupo *m* disidente, facción *f*; 2. astillar(se), hacer(se) astillas.

split [split] 1. hendedura *f*, raja *f*; *fig.* división *f*; cisma *m*; 2. partido; hendido; *fig.* dividido; 3. partir(se); hender(se); rajarse; dividir(se); *sl.* irse; huir; **'split·ting** *headache* enloquecedor.

splotch [splɔtʃ] borrón *m*, mancha *f*.

splurge [splǝːdʒ] F 1. fachenda *f*; 2. fachendear.

splut·ter ['splʌtǝ] 1. farfulla *f* of *speech*; ⊕ chisporroteo *m*; 2. (*p.*) farfullar; ⊕ chisporrotear.

spoil [spɔil] 1. (*mst* ~s *pl.*) despojo *m*, botín *m*; *pol.* ~s *system* enchufismo *m*; 2. [*irr.*] echar(se) a perder; estropear(se); dañar(se); *child* mimar; **'spoil·sport** aguafiestas *m/f*.

spoke [spouk] rayo *m*, radio *m*.

spo·ken ['spoukǝn] *p.p.* of *speak*.

spokes·man ['spouksmǝn] portavoz *m*; vocero *m*.

sponge [spʌndʒ] 1. esponja *f*; (*a.* ~ *cake*) bizcocho *m*; *boxing a.* *fig.*: throw in the ~ darse por vencido; 2. lavar con esponja; F vivir de gorra; ~ *up* absorber; **'spong·er** F gorrón *m*, sablista *m/f*.

spon·gy ['spʌndʒi] esponjoso.

spon·sor ['spɔnsǝ] 1. patrocinador *m*; ✝ fiador *m*; 2. patrocinar; **sponsor·ship** [~ʃip] patrocinio *m*.

spon·ta·ne·i·ty [spɔntǝ'niːiti] espontaneidad *f*; **spon·ta·ne·ous** [~'teinjǝs] □ *all senses*: espontáneo.

spoof [spuːf] *sl.* 1. *v/t.* engañar; *v/i.* bromear; 2. engaño *m*; broma *f*.

spook [spuːk] F espectro *m*; **'~·y** F horripilante.

spool [spuːl] carrete *m*; canilla *f*.

spoon [spuːn] 1. cuchara *f*; 2. cucharear (*a.* ~ *out*); *sl.* besuquearse; **'spoon-fed** *fig.* muy mimado; **spoon·ful** [~'ful] cucharad(it)a *f*.

spo·rad·ic [spǝ'rædik] □ esporádico.

sport [spɔːt] 1. deporte *m*; juego *m*, diversión *f*; juguete *m*; ~s *pl.* juegos *m/pl.* (atléticos); 2. *v/i.* divertirse; juguetear; *v/t. clothes* lucir; **'sporting** □ deportivo; *gun* de caza; *offer* arriesgado; **'spor·tive** □ juguetón; **sports·man** ['~smǝn] deportista *m*;

persona *f* honrada; **'sports·wear** trajes *m/pl.* de deporte.

spot [spɔt] 1. (*place*) sitio *m*, lugar *m*; (*mark*) punto *m*; (*stain*) mancha *f*; lunar *m*; F *ten* ~ billete *m* de 10 dólares; F *a* ~ *of* un poco de; *on the* ~ en el acto; al punto; *sl.* (*put*) *on the* ~ (poner) en un aprieto; 2. ✝ contante; 3. manchar(se); salpicar; F *notar*, observar; descubrir; **'spot·less** □ nítido; sin manchas, inmaculado; **'spot·less·ness** nitidez *f*; **'spot·light** arco *m*, proyector *m*; *mot.* faro *m* auxiliar; **'spot·ted** manchado; moteado; **'spot·ter** observador *m*; **'spot·ty** manchado (*face* de granos).

spouse [spauz] cónyuge *m/f.*

spout [spaut] 1. pico *m*; pitón *m*; caño *m*; chorro *m* of *water*; 2. *v/t.* arrojar (en chorro); F declamar; *v/i.* chorrear.

sprain [sprein] 1. torcedura *f*; 2. torcer(se).

sprang [spræŋ] *pret.* of *spring* 2.

sprawl [sprɔːl] arrellanarse; tumbarse; (♀, *town*) extenderse.

spray [sprei] 1. rociada *f*; ♣ espuma *f*; 2. rociar; regar; pulverizar.

spread [spred] 1. [*irr.*] extender(se); esparcir(se), desparramar(se); propagar(se), difundir(se); *butter* untar; 2. extensión *f*; propagación *f*, difusión *f*; ✝ diferencia *f*; envergadura *f* of *wings*; **'~·ea·gled** con los miembros extendidos.

spree [spriː] F juerga *f*, parranda *f*; *go on the* ~ ir de juerga.

sprig [sprig] ramita *f*; ⊕ puntilla *f*.

spright·li·ness ['spraitlinis] viveza *f*; **'spright·ly** vivo, animado.

spring [spriŋ] 1. (*season*) primavera *f*; (*water*) fuente *f*, manantial *m*; (*jump*) salto *m*, brinco *m*; ⊕ muelle *m*; 2. *v/t.* *trap* hacer saltar; *mine* volar; ♣ ~ *a leak* abrirse una (vía de) agua; ~ *a th.* (*up*)*on a p.* espetarle algo a alguien; *v/i.* saltar (*over acc.*); brincar; moverse rápidamente; brotar; ~ *up* levantarse de un salto; ♀, *fig.* brotar; (*breeze*) levantarse de pronto; 3. primaveral; ⊕ de muelle; **'~·board** trampolín *m*; **'~·clean·ing** limpieza *f* en primavera.

spring·i·ness ['spriŋinis] elasticidad *f*; **spring mat·tress** somier *m*; **'spring·time** primavera *f*; **'spring·y** □ elástico; *turf* muelle.

sprin·kle ['spriŋkl] *v/t.* salpicar, rociar (*with* de); asperjar *with holy*

water; v/i. (*rain*) llovizar; '**sprin·kler** regadera f; '**sprin·kling** rociada f; aspersión f; salpicadura f.

sprint [sprint] 1. sprint m; 2. sprintar; '**sprint·er** esprínter m.

sprite [sprait] duende m, hada f.

sprock·et ['sprɔkit] rueda f de cadena.

sprout [spraut] 1. v/i. brotar, germinar; crecer rápidamente; v/t. echar, hacerse; 2. vástago m.

spruce [spru:s] ♀ pícea f (a. ~ fir).

sprung [sprʌŋ] *pret*. (†) *a. p.p. of* spring 2.

spry [sprai] ágil, activo.

spun [spʌn] *pret. a. p.p. of* spin 1.

spunk [spʌŋk] coraje m, ánimo m; **spunk·y** animoso.

spur [spɔ:] 1. espuela f (a. fig.); zo. espolón m; geog. estribo m; fig. estímulo m, aguijón m; 2. espolear; ~ on estimular.

spurge [spɔ:dʒ] euforbio m.

spu·ri·ous ['spjuəriəs] □ espurio, falso; '**spu·ri·ous·ness** falsedad f.

spurn [spɔ:n] desdeñar, rechazar.

spurt [spɔ:t] 1. chorretada f; sport etc. esfuerzo m supremo; 2. salir a chorros; hacer un esfuerzo supremo.

sput·nik ['sputnik] sputnik m; satélite m artificial.

spy [spai] 1. espía m/f; 2. espiar (*on acc.*); columbrar, divisar; ~ out land reconocer; '~·**glass** catalejo m.

squab·ble ['skwɔbl] 1. riña f, disputa f; 2. reñir, disputar.

squad [skwɔd] escuadra f, pelotón m; **squad·ron** ['~rən] ⚔ escuadrón m; ✈ escuadrilla f; ⚓ escuadra f.

squal·id ['skwɔlid] □ miserable, sucio; mezquino.

squall [skwɔ:l] ⚓ ráfaga f, racha f, chubasco m; '**squall·y** chubascoso.

squal·or ['skwɔlə] suciedad f.

squan·der ['skwɔndə] malgastar.

square [skweə] 1. □ cuadrado (*measure, mile, & root, etc.*); en ángulo recto (*to, with con*); p. honrado; meal abundante; F ~ shooter persona f honrada; 2 feet ~ 2 pies en cuadro; 2. cuadrado m (a. &); cuadro m (a. ⨉); △, ⊕ escuadra f; plaza f in town; 3. cuadrar (a. &); △, ⊕ escuadrar; ajustar (with con; a. f); '~·**ly** adv. honradamente; directamente.

squash [skwɔʃ] 1. aplastamiento m; ♀ calabaza f; frontón m con raqueta; 2. aplastar; apretar; apiñar.

squat [skwɔt] 1. p. rechoncho; build-

ing desproporcionadamente bajo; 2. agacharse, sentarse en cuclillas; sl. establecerse (sin derecho) *on property*; '**squat·ter** colono m usurpador.

squaw [skwɔ:] india f norteamericana.

squawk [skwɔ:k] 1. graznar, chillar; 2. graznido m, chillido m,

squeak [skwi:k] 1. chirriar, rechinar; 2. chirrido m; '**squeak·y** □ chirriador.

squeal [skwi:l] 1. chillido m; 2. chillar; sl. cantar; delatar (*on* a).

squeam·ish ['skwi:miʃ] □ remilgado, escrupuloso, delicado.

squee·gee ['skwi:dʒi:] enjugador m de goma (a. phot.).

squeeze [skwi:z] 1. apretar, estrujar; oprimir; ~ out exprimir; 2. estrujón m, estrujadura f; presión f; apretón m of hand; ✝ restricción f of credit; '**squeez·er** exprimidor m.

squelch [skweltʃ] F despachurrar.

squid [skwid] calamar m.

squint [skwint] 1. bizquear; cerrar casi los ojos; 2. estrabismo m; mirada f bizca.

squirm [skwɔ:m] F retorcerse.

squir·rel ['skwirəl] ardilla f.

squirt [skwɔ:t] 1. chorro m; jeringazo m; 2. v/t. jeringar; arrojar a chorros; v/i. salir a chorros.

stab [stæb] 1. puñalada f; F tentativa f; 2. apuñalar.

sta·bil·i·ty [stə'biliti] estabilidad f.

sta·bi·lize ['steibilaiz] estabilizar; '**sta·bi·liz·er** estabilizador m.

sta·ble[1] ['steibl] □ estable.

sta·ble[2] [~] 1. establo m; (*racing*) caballeriza f; 2. poner (*or* guardar) en una cuadra.

stack [stæk] 1. hacina f; montón m, pila f; cañón m of chimney; 2. ♪ hacinar; amontonar.

sta·di·um ['steidiəm] estadio m.

staff [stɑ:f] 1. bastón m; palo m; ♪ pentagrama m; ⚔ estado m mayor; personal m of office; 2. proveer de personal.

stag [stæg] zo. ciervo m, venado m; soltero m.

stage [steidʒ] 1. plataforma f, estrado m, tablado m; thea. escena f; (*stop*) parada f; posta f; fase f, etapa f of progress; 2. play representar; '~·**coach** diligencia f; ~ **fright** miedo m al público; '~·**hand** tramoyista m; ~ **man-**

ag·er director *m* de escena; '~**struck** loco por el teatro.

stag·ger ['stægə] 1. *v/i.* tambalear, titubear; *v/t.* asombrar, sorprender; 2. tambaleo *m*; '**stag·ger·ing** □ titubeante; *fig.* asombroso.

stag·nant ['stægnənt] □ estancado (*a. fig.*); paralizado; ✝ inactivo; **stag·nate** ['~neit] estancarse; paralizarse.

stag par·ty ['stægpɑːti] ✝ tertulia *f* de solteros.

staid [steid] □ serio, formal; '**staid·ness** seriedad *f*.

stain [stein] 1. mancha *f* (*a. fig.*); tinte *m*, tintura *f* (*a.* ⊕); 2. manchar (*a. fig.*); teñir; '**stain·less** □ inmanchable; ⊕ inoxidable.

stair [stɛə] peldaño *m*, escalón *m*; (*flight of* tramo *m* de)~*s pl.* escalera *f*; '~**case**, *a.* '~**way** escalera *f*; moving~ escalera *f* móvil.

stake [steik] 1. estaca *f*, poste *m*; (*bet*) (a)puesta *f*; *fig.* interés *m*; 2. (*bet*) apostar (*on* a); ✝ aventurar.

stale [steil] *food* rancio, añejo, pasado; *bread* duro.

stale·mate ['steil'meit] 1. *chess:* tablas *f/pl.* por ahogo; *fig.* paralización *f*; 2. dar tablas por ahogo a; paralizar.

stalk[1] [stɔːk] ♀ tallo *m*; (*cabbage-*) troncho *m*.

stalk[2] [~] *v/i.* andar con paso majestuoso; *v/t. hunt. etc.* cazar al acecho.

stall [stɔːl] 1. ♂ pesebre *m*; establo *m*; (*market-*) puesto *m*; 2. *v/t.* ⊕ parar, atascar; ✝ encerrar en establo; *v/i.* ⊕ pararse, atascarse.

stal·lion ['stæljən] caballo *m* padre.

stal·wart ['stɔːlwət] □ (*sturdy*) fornido; *supporter etc.* leal.

stam·i·na ['stæminə] vigor *m*, resistencia *f*.

stam·mer ['stæmə] 1. tartamudear, balbucir; 2. tartamudeo *m*, balbuceo *m*.

stamp [stæmp] 1. (*postage-*) sello *m*, estampilla *f* *S.Am.*; (*fiscal*) timbre *m*; marca *f*, impresión *f*; ⊕ cuño *m*; 2. *v/t.* patear; patalear *disapprovingly*; '~ **al·bum** álbum *m* (para sellos); '~ **col·lect·ing** filatelia *f*; '~ **pad** tampón *m*.

stam·pede ['stæm'piːd] 1. fuga *f* precipitada, estampida *f* *S.Am.*; 2. (hacer) huir en desorden.

stance [stɑːns] postura *f*.

stan·chion ['stɑːnʃn] puntal *m*, montante *m*.

stand [stænd] 1. [*irr.*] *v/i.* estar de pie; levantarse; (*be situated*) estar (situado); (*remain*) quedarse; (*remain in force*) mantenerse (en vigor); ~ **firm** resistir, mantenerse firme; ~ **by** estar alerta; estar cerca; estar a la expectativa; (*abide by*) atenerse a; ~ **for** representar; significar; apoyar, apadrinar; F aguantar; ~ **out** destacarse (*against sky etc.* contra); *esp. fig.* descollar, sobresalir; ~ **up** levantarse, ponerse de pie; ~ **up for** defender; ~ **up to** resistir resueltamente a; *test* salir muy bien de; 2. [*irr.*] *v/t.* poner derecho; colocar; (*bear*) aguantar, soportar; *examination* resistir a; I *can't* ~ *him* no lo puedo ver; 3. posición *f*, postura *f*; resistencia *f*; (*stall*) puesto *m*; quiosco *m*; *sport:* tribuna *f*; ⊕ sostén *m*, pedestal *m*; estante *m*; (*taxi-*) parada *f*, punto *m*; *make a* ~ resistir (*against* a).

stand·ard ['stændəd] 1. patrón *m*, norma *f*, pauta *f*; nivel *m*; modelo *m*; (*flag*) estandarte *m*, bandera *f*; ~ **of living** nivel *m* de vida; 2. normal, corriente; standard, estándar; ~ **measure** medida *f* tipo; '~**bear·er** abanderado *m*; *fig.* jefe *m*; caudillo *m*; ~ **gauge** ['~geidʒ] vía *f* normal; '**stand·ard·ize** normalizar, regularizar, estandar(d)izar.

stand-by ['stændbai] 1. recurso *m* seguro, persona *f* confiable; 2. de sustituto; disponible; alternativo.

stand·ee [stæn'diː] espectador *m* que asiste de pie.

stand-in ['stændin] doble *m/f*.

stand·ing ['stændiŋ] 1. derecho, en (*or* de) pie; *army, committee* permanente; *order* vigente; 2. posición *f*; reputación *f*; importancia *f*; (*of*) *long* ~ de mucho tiempo; '~**room** sitio *m* para estar de pie.

stand...: '~**off** reserva *f*; empate *m*; '~**off·ish** □ reservado; endiosado; poco amable; '~**pipe** columna *f* de alimentación; '~**point** punto *m* de vista; '~**still** parada *f*, paro *m*; alto *m*.

stank [stæŋk] *pret. of* stink 2.

stan·za ['stænzə] estancia *f*, estrofa *f*.

sta·ple[1] ['steipl] 1. producto *m* principal; materia *f* prima; fibra *f* (*textil*); 2. sujetar con grapas; 3. principal; corriente.

sta·ple[2] [~] grapa *f*.

sta·pler ['steiplə] grapadora *f*; cosepapeles *m*.

star [stɑː] 1. estrella *f* (*a. fig.*); *thea.*

estrella *f*, astro *m*; *typ.* asterisco *m*; *north* ~ estrella *f* polar; **2.** *v/t.* adornar con estrellas; *v/i.* ser la estrella.

star·board ['staːbəd] **1.** estribor *m*; **2.** a estribor.

starch [staːtʃ] **1.** almidón *m*; *biol.* fécula *f*; **2.** almidonar; **'starch·y** □ feculento; *fig.* estirado, entonado.

star·dom ['staːdəm] fama *f* of an *actor or performer.*

stare [stɛə] **1.** mirada *f* fija; **2.** mirar fijamente (*at* acc.).

star·fish ['staːfiʃ] *zo.* estrella *f* de mar.

stark [staːk] (*stiff*) rígido; (*sheer*) completo, puro; ~ *naked* en cueros.

star·ling ['staːliŋ] estornino *m* pinto.

star·ry ['staːri] estrellado; **'~·eyed** *fig.* inocentón, ingenuo.

star-span·gled ['staːspæŋgld]: ♀ *Banner* bandera *f* estrellada.

start [staːt] **1.** comienzo *m*, principio *m*; (*departure*) salida *f* (*a. of race*); (*surprise*) sobresalto *m*; respingo *m* of horse; **2.** *v/i.* empezar, comenzar, principiar (*to inf. or ger. a inf.*); sobresaltarse, sobrecogerse *with surprise* (*at* a); (*motor*) arrancar; *v/t.* empezar, principiar; iniciar; *motor* arrancar.

start·er ['staːtə] *sport:* stárter *m*, juez *m* de salida; *mot.* arranque *m.*

start·ing ['staːtiŋ]: **'~ point** punto *m* de partida; **'~ post** poste *m* de salida; **'~ switch** botón *m* de arranque.

star·tle ['staːtl] asustar, sobrecoger; **'star·tling** □ alarmante; sorprendente.

star·va·tion [staː'veiʃn] inanición *f*, hambre *f*; ~ *diet* régimen *m* de hambre; **starve** [staːv] *v/i.* morir de hambre; padecer hambre; F tener mucha hambre; *v/t.* morir de hambre.

state [steit] **1.** estado *m* (*a. pol.*), condición *f*; pompa *f*, fausto *m*; **2.** estatal; del estado; público; *occasion* de gala; ♀ *Department* Ministerio *m* de Asuntos Exteriores; **3.** declarar, manifestar, afirmar; exponer; **'state·less** desnacionalizado; **'state·li·ness** majestad *f*, majestuosidad *f* etc.; **'state·ly** majestuoso, imponente; augusto; *carriage* etc. majestuoso, garboso; ~ *home* casa *f* solariega; **'state·ment** declaración *f*; informe *m*; exposición *f*; relación *f*; **'state·room** camarote *m*; **'state·side** F *adv.* en (*or* a) los Estados Unidos.

states·man ['steitsmən] estadista *m*,

hombre *m* de estado; **'states·man·like** digno de estadista; **'states·man·ship** habilidad *f* de estadista; arte *m* de gobernar.

stat·ic ['stætik] □ *phys.* estático; *fig.* estancado, inactivo; **'stat·ics** *pl. or sg. phys.* estática *f.*

sta·tion ['steiʃn] **1.** ⊕ *etc.* estación *f*, ♣ apostadero *m* naval; puesto *m*; situación *f*; **2.** colocar, situar; ✕ apostar, estacionar; **'sta·tion·ar·y** □ estacionario; **'sta·tion·er·y** papelería *f*, papel *m* de escribir; **'sta·tion·mas·ter** jefe *m* de estación; **sta·tion wag·on** rubia *f*; furgoneta *f.*

stat·is·ti·cian [stætis'tiʃn] estadístico *m*; **sta·tis·tics** [stə'tistiks] *pl.* (*as science*, *sg.*) estadística *f.*

stat·u·ar·y ['stætjuəri] **1.** estatuario; **2.** (*p.*) estatuario *m*; (*art*) estatuaria *f*; **stat·ue** ['stætjuː] estatua *f*; **stat·u·esque** [ˌtjuˈesk] □ estatuario; **stat·u·ette** [ˌtjuˈet] figurina *f.*

stat·ure ['stætʃə] estatura *f*, talla *f.*

sta·tus ['steitəs] condición *f*, rango *m*; **'~ seek·er** ambicioso *m*/*f*; **'~ sym·bol** símbolo *m* de categoría social.

stat·ute ['stætjuːt] estatuto *m*; ~ *law* derecho *m* escrito.

staunch [stɔːntʃ] **1.** □ leal, firme, constante; **2.** estancar; restañar.

stay [stei] **1.** estancia *f*, permanencia *f*; visita *f*; 🏛 suspensión *f*, prórroga *f*; **2.** *v/t.* detener; poner freno a; 🏛 suspender; ⊕ sostener; *v/i.* quedar (-se), permanecer; hospedarse (*at* en); esperar (*for* hasta); *fig.* ~ *put* mantenerse en su lugar.

stead [sted]: *in his* ~ en su lugar.

stead·fast ['stedfəst] □ constante, firme, resuelto.

stead·i·ness ['stedinis] constancia *f.*

stead·y ['stedi] **1.** □ firme, fijo; estable; regular; constante; **2.** estabilizar; afirmar; *nerves* calmar; **3.** F novio (*a f*) *m* formal.

steak [steik] biftec *m*; tajada *f.*

steal [stiːl] **1.** [*irr.*] *v/t.* hurtar, robar; cautivar; *v/i.:* ~ *away* escabullirse; marcharse sigilosamente; **2.** F ganga *f* extraordinaria.

stealth [stelθ] cautela *f*, sigilo *m*; **'~·i·ness** clandestinidad *f*; **'stealth·y** □ furtivo; clandestino.

steam [stiːm] **1.** vapor *m*; vaho *m*; *let off* ~ ⊕ descargar vapor; *fig.* desahogarse; **2.** ... de vapor; **3.** *v/i.* echar vapor; marchar (*or* funcionar) a vapor; *v/t.* cocer al vapor; *window*

empañar; **'steam en·gine** máquina f de vapor; **'steam·er ♨** (buque m de) vapor m; **'steam-roll·er 1.** apisonadora f; **2.** fig. aplastar, arrollar; **'steam·ship** = steamer; **'steam·y** □ lleno de vapor; window empañado.

steel [sti:l] **1.** acero m; (sharpener) chaira f, eslabón m; **2.** de acero; acerado; **3.** ⊕ acerar; fig. ~ o.s. acorazarse; **'~·clad** revestido de acero; **'steel·y** mst fig. inflexible.

steep [sti:p] □ empinado, escarpado, abrupto; F exorbitante.

stee·ple ['sti:pl] campanario m; **'~·chase** (horses) carrera f de vallas; **'~·jack** eacalatorres m.

steer¹ [stiə] ♂ buey m; novillo m.

steer² [~] dirigir; car conducir; ship gobernar; ~ clear of evitar.

steer·ing ['stiəriŋ] dirección f; ♨ gobierno m; **'~ col·umn** columna f de dirección; **'~ com·mit·tee** comité m planeador; **'~ wheel** volante m.

steers·man ['stiəzmən] timonero m.

stel·lar ['stelə] estelar.

stem [stem] **1.** ♀ tallo m; ⊕ vástago m; gr. tema m; pie m of glass; cañón m of pipe; **2.** ~ from resultar de.

stench [stentʃ] hedor m.

sten·cil ['stensl] **1.** ⊕ patrón m picado; estarcido m; **2.** estarcir.

ste·nog·ra·pher [ste'nɔgrəfə] taquígrafo (a f) m; **ste·nog·ra·phy** [ste-'nɔgrəfi] taquigrafía f.

step¹ [step] **1.** paso m (a. fig.); (stair) peldaño m, escalón m, grada f; estribo m of car; fig. medida f, gestión f; (a. flight of) ~s pl. escalera f, escalinata f; watch one's ~ ir con tiento; **2.** v/i. dar un paso; andar, ir; pisar; ~ on pisar; F ~ on it! ¡date prisa!; v/t. escalonar; distance medir a pasos (a. ~ out); ~ up aumentar, elevar.

step² [~]: **'~-fa·ther** padrastro m; **'~-son** hijastro m; etc.

steppe [step] estepa f.

ster·e·o... ['steriə]: **'~·phon·ic** □ estereofónico; **'~·scope** estereoscopio m; **'~·type** clisé m, estereotipo m; F concepción f tradicional.

ster·ile ['sterail] estéril, **ster·i·lize** ['~rilaiz] esterilizar.

ster·ling ['stə:liŋ] **1.** genuino, de ley; **2.** libras f/pl. esterlinas f.

stern¹ [stə:n] □ severo, rígido; austero.

stern² [~] ♨ popa f.

stern·ness ['stə:nnis] severidad f, rigidez f.

steth·o·scope ['steθəskoup] estetoscopio m.

ste·ve·dore ['sti:vidɔ:] estibador m.

stew [stju:] **1.** v/t. estofar; guisar; v/i. F contener el enojo; **2.** estofado m; guisado m; F apuro m.

stew·ard ['stjuəd] mayordomo m; administrador m; ♨, ⚓ camarero m; **'stew·ard·ess ♨** camarera f; ⚓ azafata f, aeromoza f.

stick¹ [stik] palo m, vara f; porra f; (walking-) bastón m; barra f of soap etc.; ~s pl. leña f.

stick² [~] (irr.) **1.** v/i. pegarse, adherirse (to a); atascarse in mud etc.; estar prendido; pararse, quedar parado; (stay) permanecer; F ~ around esperar por ahí; ~ at persistir en; F ~ to principle aferrarse a; p. permanecer fiel a; (follow) p. pegarse a, seguir de cerca; ~ together quedarse unidos; **2.** v/t. (gum etc.) pegar, encolar (a. ~ down, ~ together); (thrust) clavar, hincar; (pierce) picar; F poner, meter; **'stick·er** etiqueta f engomada; **'stick·i·ness** pegajosidad f; viscosidad f; **'stick-in-the-mud** tardón m; sl. aguafiestas m/f.

stick·ler ['stiklə] rigorista m/f.

stick-up ['stikʌp] sl. atraco m.

stick·y ['stiki] □ pegajoso; viscoso; F difícil; obstinado; sl. end triste.

stiff [stif] **1.** □ tieso, rígido; collar duro, almidonado; aterido with cold; paste espeso; F scared ~ muerto de miedo; **2.** sl. cadáver m; **'stiff·en** atiesar; endurecer(se); **'stiff·ness** entumecimiento m of limb; tiesura f etc.

sti·fle ['staifl] sofocar(se), ahogar(se); fig. suprimir; **'sti·fling** sofocante.

stig·ma ['stigmə] all senses: estigma m; **'stig·ma·tize** estigmatizar.

sti·let·to [sti'letou] estilete m.

still¹ [stil] **1.** adj. inmóvil; quieto, tranquilo; **2.** silencio m; film: vista f fija; **3.** adv. todavía, aún; **4.** cj. sin embargo, con todo; **5.** calmar, tranquilizar.

still² [~] alambique m.

still...: **'~·born** nacido muerto; **~ life** bodegón m, naturaleza f muerta.

stilt [stilt] zanco m; **'stilt·ed** hinchado, afectado.

stim·u·lant ['stimjulənt] estimulante adj. a. su. m; **stim·u·late** ['~leit] estimular (to a); **stim·u·lus** ['~ləs] estímulo m.

sting [stiŋ] **1.** ♀, zo. aguijón m; pica-

dura *f*; *fig.* punzada *f*; 2. [*irr.*] picar; punzar; **stin·gi·ness** ['stindʒinis] tacañería *f*; **stin·gy** ['stindʒi] □ tacaño, cicatero.

stink [stiŋk] 1. hedor *m*, mal olor *m*; 2. heder, oler mal (of a); '**·er** *sl.* p. sinvergüenza *m/f*.

stint [stint] 1. límite *m*, restricción *f*; tarea *f*; 2. limitar, restringir.

sti·pend ['staipend] estipendio *m*.

stip·u·late ['stipjuleit] estipular (*for acc.*); **stip·u·la·tion** estipulación *f*.

stir[1] [stə:] 1. agitación *f*; alboroto *m*; conmoción *f*; 2. *v/t.* (re)mover; agitar; *fire* hurgar; *liquid* revolver; *v/i.* moverse; menearse.

stir[2] [∼] *sl.* chirona *f*; cárcel *f*.

stir·ring ['stə:riŋ] □ emocionante, conmovedor.

stir·rup ['stirap] estribo *m*.

stitch [stitʃ] 1. punto *m*, puntada *f*; ✄ punzada *f*; 2. coser (a. ✄), hilvanar.

stock [stɔk] 1. (*family*) estirpe *f*, raza *f*; ✿ tronco *m* of tree, cepa *f* of vine; (*handle*) mango *m*; ✕ caja *f*; ✝ surtido *m*, existencias *f/pl.*; ♪ (a. live ∼) ganado *m*; ∼ *s pl.* acciones *f/pl.*, valores *m/pl.*; 2. consagrado; acostumbrado; *phrase* hecho; 3. proveer, abastecer; ∼ tener existencias de.

stock·ade [stɔ'keid] estacada *f*.

stock...: '∼**breed·er** ganadero *m*; '∼**brok·er** bolsista *m*, agente *m* de bolsa; '∼**ex·change** bolsa *f*; '∼**hold·er** accionista *m/f*.

stock·ing ['stɔkiŋ] media *f*; (*knee-length*) calceta *f*.

stock...: '∼**pile** acumular; '∼**still** completamente inmóvil; '∼**tak·ing** inventario *m*, balance *m*; '**stock·y** rechoncho, achaparrado.

stodg·y ['stɔdʒi] □ pesado.

sto·ic ['stouik] estoico *adj. a. su. m*; **sto·i·cism** estoicismo *m*.

stoke [stouk] cargar, echar carbón a; atizar; '**stok·er** fogonero *m*.

stole[1] [stoul] estola *f*.

stole[2] [∼] *pret.*, '**sto·len** *p.p. of* **steal**.

stol·id ['stɔlid] □ impasible, imperturbable.

stom·ach ['stʌmək] 1. estómago *m*; *fig.* apetito *m*, deseo *m* (for de); 2. *fig.* tragar, aguantar; ∼ *ache* dolor *m* de estómago; ∼ *pump* bomba *f* estomacal.

stomp [stɔmp] pisar muy fuerte.

stone [stoun] 1. piedra *f*; hueso *m* of *fruit*; ✿ cálculo *m*; (*weight*) catorce libras *f/pl.*; 2. ... de piedra; 3. lapi-

13*

dar, apedrear; *fruit* deshuesar; '∼**broke** arrancado; sin blanca; '∼**dead** más muerto que una piedra; '∼**deaf** sordo como una tapia; '∼**ma·son** albañil *m*; cantero *m*; '∼**pit**, '∼**quar·ry** cantera *f*; '∼**wall** *fig.* táctica *f* de cerrojo; '∼**ware** gres *m*.

stoned [stound] *sl.* borracho.

ston·y ['stouni] *ground* pedregoso; pétreo; *heart* empedernido.

stood [stud] *pret. a. p.p. of* **stand**.

stool [stu:l] taburete *m*, escabel *m*; ♀ planta *f* madre; ♪ evacuación *f*; (*folding*) silla *f* de tijera; '∼**pi·geon** soplón *m*, espía *m*.

stoop [stu:p] 1. *v/i.* encorvarse, inclinarse; (*permanently*) ser cargado de espaldas; *fig.* rebajarse (to a); 2. inclinación *f*; escalinata *f* de entrada.

stop [stɔp] 1. *v/t.* detener, parar; *abuse, process etc.* poner fin a; *payment* suspender; *supply* cortar, interrumpir; (*a. ∼ up*) tapar, cegar; obstruir; *v/i.* parar(se), detenerse; hacer alto; terminar(se), acabarse; 2. parada *f*; alto *m*; ⊕ tope *m*, retén *m*; '∼**gap** recurso *m* provisional; (*p.*) tapa(a)gujeros *m*; '∼ **light** luz *f* de parada; '∼**off**, '∼**over** parada *f* intermedia; '**stop·page** cesación *f*; detención *f*; paro *m*; ⊕ obstrucción *f*; '**stop·per** tapón *m*; ⊕ taco *m*; '**stop·watch** cronómetro *m*.

stor·age ['stɔːridʒ] almacenaje *m*, depósito *m*; ∼ *battery* acumulador *m*.

store [stɔː] 1. provisión *f*, (*reserve*) repuesto *m*; (*∼house*) almacén *m*, depósito *m*; tienda *f*; ∼ *s pl.* provisiones *f/pl.*, víveres *m/pl.*; 2. almacenar; abastecer; ∼ *away* tener en reserva, guardar, archivar; ∼ *up* amontonar, acumular; '∼**house** almacén *m*, depósito *m*; *fig.* mina *f*; '∼**keep·er** almacenero *m*; tendero *m*; '∼**room** despensa *f*; cuarto *m* de almacenar.

sto·rey ['stɔːri] = **story**[2].

stork [stɔːk] cigüeña *f*.

storm [stɔːm] 1. tormenta *f*, tempestad *f* (*a. fig.*), borrasca *f*; *take by* ∼ tomar por asalto; ∼ *troops pl.* tropas *f/pl.* de asalto; 2. *v/t.* ✕ asaltar, tomar por asalto; *v/i.* enfurecerse, tronar (*at* contra); '**storm·y** □ tempestuoso, borrascoso (*a. fig.*).

sto·ry[1] ['stɔːri] cuento *m*, histori(et)a *f*; (*joke*) chiste *m*; anécdota *f*; argumento *m*, trama *f* of *novel etc.*; F mentira *f*, embuste *m*; *short* ∼ cuento *m*.

sto·ry[2], *u.* **sto·rey** [∼] piso *m*.

sto·ry·tell·er ['stɔ:ritelə] cuentista *m/f*; F embustero (a *f*) *m*.

stout [staut] **1.** ☐ robusto, sólido, macizo; *p.* corpulento; *fig.* valiente; **2.** stout *m* (*cerveza fuerte*); '**~·heart·ed** ☐ valiente.

stove [stouv] estufa *f*; hornillo *m*; cocina *f* de gas *etc.*; '**~·pipe** tubo *m* de estufa; F (*top hat*) chistera *f*.

stow [stou] *v/t.* meter; esconder; ⚓ arrumar; *v/i.*: ~ *away* viajar de polizón; '**stow·age** ⚓ arrumaje *m*; ⚓ (*place*) bodega *f*; '**stow·a·way** polizón *m*.

strad·dle ['strædl] esparrancarse encima de; *horse* montar a horcajadas.

strafe [stra:f] bombardear.

strag·gle ['strægl] rezagarse; extraviarse; '**strag·gler** rezagado *m*; '**strag·gling** ☐ disperso.

straight [streit] **1.** *adj.* derecho, recto; *back* erguido; *hair* lacio; (*honest*) honrado; *answer* franco, directo; *drink* sin mezcla; **2.** *adv.* derecho; directamente; con franqueza; ~ *ahead*, ~ *on* todo seguido; F *go* ~ enmendarse; '**straight·en** *v/t.* enderezar (a. ~ *out*); *fig.* arreglar; *v/i.*: ~ *up* enderezarse; **straight·for·ward** [~'fɔ:wəd] ☐ honrado, franco; (*easy*) sencillo; '**straight·out** cabal; completo.

strain[1] [strein] **1.** tensión *f*, tirantez *f*; esfuerzo *m* grande; ⊕ deformación *f*; ☀ torcedura *f* of *muscle*; ☀ agotamiento *m* nervioso; **2.** *v/t.* estirar, tender con fuerza, poner tirante; ⊕ (*filter*) colar, filtrar; *v/i.* esforzarse.

strain[2] [~] (*race*) linaje *m*, raza *f*; vena *f* of *madness*.

strain·er ['streinə] colador *m*.

strait [streit] **1.** *geog.* estrecho *m* (a., ~s *pl.*); *fig.* ~s *pl.* estrecheces *f/pl.*, apuro *m*; **2.**: ~ *jacket* camisa *f* de fuerza; '**strait·en** estrechar; **strait·laced** ['~leist] gazmoño.

strand[1] [strænd] **1.** *poet.* playa *f*, ribera *f*; **2.** ⚓ varar(se), encallar.

strand[2] [~] brizna *f*; hebra *f*.

strange [streindʒ] ☐ extraño, raro, peregrino; desconocido; nuevo; '**strange·ness** extrañeza *f*, rareza *f*; novedad *f*; '**stran·ger** desconocido (a *f*) *m*; forastero (a *f*) *m*.

stran·gle ['stræŋgl] estrangular; *fig.* ahogar; '**~·hold** *sport*: collar *m* de fuerza; *fig.* dominio *m* completo.

strap [stræp] **1.** correa *f*, tira *f*, banda *f*; **2.** (*tie*) atar con correa; '**~·hang·er** pasajero *m* sin asiento; '**strap·ping** robusto, fornido.

strat·a·gem ['strætidʒəm] estratagema *f*.

stra·te·gic [strə'ti:dʒik] ☐ estratégico; '**strat·e·gy** estrategia *f*.

strat·i·fy ['strætifai] estratificar(se).

stra·to·cruis·er ['streitoukru:zə] avión *m* estratosférico.

strat·o·sphere ['streitousfiə] estratosfera *f*.

straw [strɔ:] **1.** paja *f*; (*drinking-*)pajita *f*; **2.** ... de paja; (*color*) pajizo; '**~·ber·ry** fresón *m*; (*wild*) fresa *f*; '**~ man** figura *f* de paja.

stray [strei] **1.** extraviarse; perderse; **2.** extraviado; errante; aislado; *bullet* perdido; **3.** animal *m* extraviado.

streak [stri:k] **1.** raya *f*, lista *f*; ~ *of lightning* rayo *m* (a. *fig.*); **2.** *v/t.* rayar, listar; *v/i.* pasar *etc.* como un rayo; '**streak·y** ☐ rayado.

stream [stri:m] **1.** arroyo *m*; corriente *f*; flujo *m*, chorro *m*; *on* ~ instalado; puesto en operación; **2.** *v/i.* correr, fluir; ondear, flotar *in wind*; ~ *forth*, ~ *out* brotar, chorrear; *v/t.* arrojar, derramar; '**stream·er** flámula *f*.

stream·line ['stri:mlain] aerodinamizar; *fig.* coordinar, perfeccionar; ~d aerodinámico.

street [stri:t] calle *f*; *attr.* callejero; '**~·car** tranvía *m*; '**~ floor** planta *f* baja; '**~·walk·er** prostituta *f* de calle.

strength [streŋθ] fuerza *f*; intensidad *f*; resistencia *f*; '**strength·en** fortalecer(se), reforzar(se).

stren·u·ous ['strenjuəs] ☐ vigoroso, enérgico; arduo.

strep·to·my·cin [streptou'maisin] estreptomicina *f*.

stress [stres] **1.** esfuerzo *m*; presión *f*, compulsión *f*; ☀ fatiga *f* (nerviosa); ⊕ tensión *f*; *gr.* acentuar; **2.** ⊕ cargar; *gr.* acentuar.

stretch [stretʃ] **1.** extender(se); estirar(se); alargar(se); dilatar(se), ensanchar(se); desperezarse *after sleep*; *limb* desentorpecerse; **2.** extensión *f*; (*act of stretching*) estirón *m*; ensanche *m*; esfuerzo *m* of *imagination*; '**stretch·er** ⊕ ensanchador *m*; ☀ camilla *f*.

strick·en ['strikən] afligido (*with* por).

strict [strikt] ☐ estricto; riguroso; '**strict·ness** rigor *m*; severidad *f*.

stride [straid] **1.** [*irr.*] caminar a paso largo (a. ~ *along*), andar a trancos; **2.** zancada *f*, tranco *m*.

stri·dent ['straidnt] □ estridente.

strife [straif] *lit.* disensión *f*, contienda *f*.

strike [straik] **1.** huelga *f*; F descubrimiento *m* repentino *of oil etc.*; *baseball*: golpe *m*; be on ~ estar en huelga; go on~ ponerse en huelga; **2.** [*irr.*] *v/t.* golpear; pegar; herir; *fig.* impresionar; (*clock*) *hour* dar; *match* frotar, encender; *oil* descubrir; ✤ *root* echar; ~ out borrar, tachar; ~ *up* ♪ iniciar, empezar a tocar; *v/i.* golpear; chocar; ponerse (*or* estar) en huelga; (*clock*) dar (la una *etc.*); '**~·break·er** esquirol *m*; '**~ pay** sueldo *m* de huelgista; '**strik·er** huelgista *m/f*; ⊕ percutor *m*.

strik·ing ['straikiŋ] □ impresionante; sorprendente; *color etc.* llamativo.

string [striŋ] **1.** cuerda *f* (*a.* ♪, *a.* bow-); sarta *f* of pearls, lies; (row) hilera *f*, fila *f*; ristra *f* of onions etc.; ~s *pl.* ♪ instrumentos *m/pl.* de cuerda; *pull* ~s tocar resortes, mover palancas; **2.** *violin* encordar; *pearls etc.* ensartar; F ~ *along* traer al retortero; '**~ band** orquesta *f* de cuerdas; '**~ bean** habichuela *f* verde; '**stringed** ♪ ... de cuerda(s).

strin·gen·cy ['strindʒənsi] rigor *m*, severidad *f*; '**strin·gent** □ riguroso, estricto, severo; ✚ tirante.

string·y ['striŋi] fibroso.

strip [strip] **1.** *v/t.* despojar (*of* de); *p.* desnudar; *clothes* quitar, despojarse de (*a.* ~ off); *gears* estropear; *v/i.* desnudarse; **2.** tira *f*; faja *f*; *comic* ~ tira *f* cómica.

stripe [straip] **1.** raya *f*, lista *f*; banda *f*; ✗ galón *m*; **2.** rayar, listar.

strip·tease ['stripti:z] espectáculo *m* de desnudamiento sensual.

strive [straiv] [*irr.*] esforzarse (*to* por); luchar (*against* contra).

strode [stroud] *pret. of* stride 1.

stroke [strouk] **1.** golpe *m* (*a.* sport); jugada *f*; estilo *m* of swimming; brazada *f* of swimmer; remada *f* of oar; 𝔰 ataque *m* fulminante, apoplejía *f*; ~ of luck racha *f* de suerte; *at a* ~ de un golpe; **2.** acariciar; *chin* pasar la mano sobre.

stroll [stroul] **1.** pasearse, callejear; **2.** paseo *m*; *take a* ~ dar un paseo; '**stroll·er** paseante *m/f*; cochecito *m*; '**stroll·ing** ambulante.

strong [strɔŋ] □ fuerte; recio, robusto, *accent* marcado; *conviction* profundo; *drink* alcohólico; *emotion* intenso; *language* indecente; '**~·box** caja *f* de caudales; '**~·hold** fortaleza *f*, plaza *f* fuerte; *fig.* baluarte *m*; '**~·point** fuerte *m*; '**~·'willed** obstinado.

strove [strouv] *pret. of* strive.

struck [strʌk] *pret. a. p.p. of* strike 2.

struc·ture ['strʌktʃə] estructura *f*; construcción *f*.

strug·gle ['strʌgl] **1.** luchar (*to, for* por); esforzarse (*to* por); **2.** lucha *f* (*for* por); contienda *f*; esfuerzo *m*.

strum [strʌm] *guitar* rasguear.

strum·pet ['strʌmpit] ramera *f*.

strung [strʌŋ] *pret. a. p.p. of* string 2.

strut [strʌt] **1.** *v/i.* pavonearse, contonearse; *v/t.* ⊕ apuntalar; **2.** (walk) contoneo *m*; ⊕ puntal *m*, riostra *f*.

stub [stʌb] **1.** ✔ tocón *m*; colilla *f* of cigarette; cabo *m* of pencil; **2.** ~ *one's toe* dar un tropezón.

stub·ble ['stʌbl] rastrojo *m*.

stub·born ['stʌbən] □ tenaz, inflexible; *b.s.* terco, porfiado; '**stub·born·ness** tenacidad *f*.

stuc·co ['stʌkou] **1.** estuco *m*; **2.** estucar.

stuck [stʌk] *pret. a. p.p. of* stick 2; F ~ *on* chalado por; '**~·'up** empingorotado, engreído.

stud¹ [stʌd] **1.** tachón *m*; (boot-) taco *m*; botón *m* (de camisa); **2.** tachonar; *fig.* sembrar (*with* de).

stud² [~] caballeriza *f*; yeguada *f*; '**~·horse** caballo *m* padre.

stu·dent ['stju:dənt] estudiante *m/f*; alumno (a *f*) *m*; ~ *body* estudiantado *m*.

stud·ied ['stʌdid] □ *insult* premeditado; *pose* afectado.

stu·di·o ['stju:diou] estudio *m* (*a.* radio); taller *m*.

stu·di·ous ['stju:djəs] □ estudioso.

stud·y ['stʌdi] **1.** estudio *m*; despacho *m*, gabinete *m*; **2.** estudiar.

stuff [stʌf] **1.** materia *f*, material *m*; (cloth) tela *f*, paño *m*; *fig.* cosa *f*; **2.** *v/t.* llenar, hinchar, atestar, atiborrar (*with* de); meter sin orden (*into* en); *fowl* rellenar; *sl.* ~*ed shirt* tragavirotes *m*; *sl.* ~ atracarse, hartarse; '**stuff·ing** borra *f*; *cooking*: relleno *m*; '**stuff·y** □ *room* mal ventilado, sofocante; F relamido.

stul·ti·fy ['stʌltifai] anular; hacer parecer ridículo.

stum·ble ['stʌmbl] **1.** tropezón *m*, traspié *m*; **2.** tropezar (*a. fig.*);

'stum·bling block *fig.* tropiezo *m.*

stump [stʌmp] **1.** tocón *m of tree;* muñón *m of leg etc.;* cabo *m;* ~ *speaker* orador *m* callejero; **2.** *v/t.* F confundir, dejar confuso; **'stump·y** □ achaparrado.

stun [stʌn] aturdir, atolondrar (*a. fig.*).

stung [stʌn] *pret. a. p.p. of* sting 2.

stunk [stʌŋk] *p.p. of* stink 2.

stun·ning ['stʌnɪŋ] □ F estupendo, bárbaro, imponente.

stunt[1] [stʌnt] F **1.** ✈ vuelo *m* acrobático; treta *f* publicitaria; maniobra *f* sensacional; **2.** ✈ lucirse haciendo maniobras acrobáticas.

stunt[2] [~] atrofiar, impedir el crecimiento de; **'stunt·ed** enano.

stu·pe·fy ['stjuːpɪfaɪ] atolondrar; pasmar; dejar estupefacto.

stu·pen·dous [stjuːˈpendəs] □ estupendo.

stu·pid ['stjuːpɪd] □ estúpido; **stu·pid·i·ty** [stjuːˈpɪdɪtɪ] estupidez *f.*

stu·por ['stjuːpə] estupor *m* (*a. fig.*).

stur·dy ['stɜːdɪ] □ robusto, fuerte; vigoroso; tenaz.

stut·ter ['stʌtə] **1.** *v/t.* tartamudear; *v/t.* balbucear; **2.** tartamudeo *m;* '~·er tartamudo *adj. a. su.* (a *f*) *m.*

sty [staɪ] ✒ pocilga *f,* zahúrda *f.*

style [staɪl] **1.** estilo *m* (*a.* ♀); moda *f;* elegancia *f;* título *m; live in* ~ darse buena vida; **2.** nombrar; *dress* cortar a la moda.

styl·ish ['staɪlɪʃ] □ elegante; a la moda; **'styl·ish·ness** elegancia *f.*

styl·ist ['staɪlɪst] estilista *m/f;* **styl·ized** ['staɪlaɪzd] estilizado.

sty·lo·graph ['staɪləɡrɑːf] estilógrafo *m.*

suave [swɑːv] □ afable, fino; *b.s.* zalamero.

sub·com·mit·tee ['sʌbkəmɪtɪ] subcomisión *f.*

sub·con·scious ['sʌbˈkɒnʃəs] **1.** □ subconsciente; **2.** subcon(s)ciencia *f.*

sub·di·vide ['sʌbdɪˈvaɪd] subdividir (-se); **sub·di·vi·sion** ['~vɪʒn] subdivisión *f.*

sub·due [səbˈdjuː] sojuzgar, avasallar, amansar; **sub'dued** *color* amortiguado; *emotion* templado; *light* tenue; *p.* deprimido, manso.

sub·head·(ing) ['sʌbhed(ɪŋ)] subtítulo *m.*

sub·ject ['sʌbdʒɪkt] **1.** sujeto; *people* subyugado, esclavizado; ~ *to* (*liable*) propenso a; ~ *to* (*exposed*) expuesto a;

~ *to a fee* sujeto a derechos; **2.** *gr.* sujeto *m; pol.* súbdito (a *f*) *m;* (*-matter*) tema *m,* materia *f;* materia *f,* asignatura *f in school;* **3.** [səbˈdʒekt] someter *to test etc.;* (*conquer*) dominar, sojuzgar; ~ *o.s.* to sujetarse a; **sub'jec·tion** sujeción *f;* avasallamiento *m.*

sub·ju·gate ['sʌbdʒuɡeɪt] subyugar.

sub·junc·tive [səbˈdʒʌŋktɪv] (*or* ~ *mood*) subjuntivo *m.*

sub·lease ['sʌbˈliːs], **sub·let** ['~ˈlet] realquilar, subarrendar.

sub·lime [səˈblaɪm] **1.** □ (*the* lo) sublime; **2.** sublimar; **sub·lim·i·ty** [səˈblɪmɪtɪ] sublimidad *f.*

sub·ma·chine gun ['sʌbməˈʃiːnɡʌn] subfusil *m* ametrallador.

sub·ma·rine ['sʌbməriːn] submarino *adj. a. su. m;* '~ **'chas·er** cazasubmarinos *m.*

sub·merge [səbˈmɜːdʒ] sumergir.

sub·mis·sion [səbˈmɪʃn] sumisión *f;* **sub·mis·sive** [~ˈmɪsɪv] □ sumiso.

sub·mit [səbˈmɪt] *v/t.* someter; *evidence* presentar; *esp. parl.* proponer; *v/i.* (*a.* ~ *o.s.*) someterse; *fig.* resignarse (*to* a).

sub·or·di·nate [səˈbɔːdnɪt] **1.** □ subordinado (*a. gr.*), inferior; **2.** [~] subordinado (a *f*) *m;* **3.** [~ˈbɔːdineɪt] subordinar.

sub·poe·na [səˈpiːnə] **1.** compareciendo *m;* **2.** mandar comparecer.

sub·scribe [səbˈskraɪb] su(b)scribir (-se), abonarse (*to a paper* a un periódico); † su(b)scribir (*for,* to *acc.*); **sub'scrib·er** su(b)scriptor (-a *f*) *m;* abonado (a *f*) *m.*

sub·se·quent ['sʌbsɪkwənt] □ subsecuente, posterior (*to* a); ~·ly con posterioridad, después.

sub·ser·vi·ent [səbˈsɜːviənt] □ subordinado; servil.

sub·side [səbˈsaɪd] (*water*) bajar; (*house*) hundirse; (*excitement*) calmarse; **sub·sid·i·ar·y** [~ˈsɪdjərɪ] **1.** □ subsidiario; auxiliar; † filial; **2.** sucursal *f;* **sub·si·dize** [ˈsʌbsɪdaɪz] subvencionar; **'sub·si·dy** subvención *f.*

sub·sist [səbˈsɪst] subsistir; sustentarse (*on* con); **sub'sist·ence** subsistencia *f;* ~ *allowance* dietas *f/pl.*

sub·son·ic [sʌbˈsɒnɪk] subsónico.

sub·stance ['sʌbstəns] sustancia *f.*

sub·stand·ard [sʌbˈstændəd] inferior al nivel normal, deficiente.

sub·stan·tial [səbˈstænʃl] □ sustancial, sustancioso; considerable.

sub·stan·ti·ate [səb'stænʃieit] establecer, verificar, justificar.

sub·stan·tive ['sʌbstəntiv] □ sustantivo *adj. a. su. m* (a. gr.).

sub·sta·tion ['sʌb'steiʃn] ⚡ subestación *f*; subcentral *m*.

sub·sti·tute ['sʌbstitjuːt] 1. *v/t.* sustituir (A for B B por A); *v/i.* F suplir (for a); 2. sustituto (a *f*) *m*; suplente *m/f*; reemplazo *m*; 3. sucedáneo; de reemplazo.

sub·ten·ant ['sʌb'tenənt] subarrendatario (a *f*) *m*.

sub·ter·ra·ne·an [sʌbtə'reinjən] subterráneo.

sub·ti·tle ['sʌbtaitl] subtítulo *m*.

sub·tle ['sʌtl] □ sutil; astuto; **'sub·tle·ty** sutileza *f*; astucia *f*.

sub·tract [səb'trækt] ⚹ sustraer, restar.

sub·urb ['sʌbəːb] suburbio *m*, arrabal *m*, barrio *m*; **sub·ur·ban** [sə'bəːbən] suburbano; **sub'ur·bi·a** los arrabales; vida *f* arrabalera.

sub·ver·sion [sʌb'vəː∫n] subversión *f*; **sub'ver·sive** □ subversivo.

sub·vert [sʌb'vəːt] subvertir.

sub·way ['sʌbwei] paso *m* subterráneo; metro *m*.

suc·ceed [sək'siːd] tener (buen) éxito, salir bien; ∼ *in ger.* lograr *inf.*; **suc'ceed·ing** subsiguiente.

suc·cess [sək'ses] (buen) éxito *m*; triunfo *m*; prosperidad *f*; it was a (great) ∼ salió (muy) bien; **suc'cess·ful** [‿ful] □ próspero, afortunado; feliz; be ∼ tener (buen) éxito *m*; esp. ✝ prosperar, medrar; **suc·ces·sion** [‿'se∫n] sucesión *f* (to a); descendencia *f*.

suc·cinct [sək'siŋkt] □ sucinto.

suc·cor ['sʌkə] 1. socorro *m*; 2. socorrer.

suc·cu·lent ['sʌkjulənt] □ suculento.

suc·cumb [sə'kʌm] sucumbir (to a).

such [sʌt∫] 1. *adj.* tal, semejante; ∼ a man tal hombre; no ∼ thing no hay tal cosa; 2. *adv.*: ∼ a big dog un perro tan grande; 3. *pron.*: ∼ as los que.

suck [sʌk] 1. chupar; mamar; ∼ in sorber; air aspirar; ∼ up absorber; 2. chupada *f*; **'suck·er** ⊕ émbolo *m*; ⚘ serpollo *m*, mamón *m*; *sl.* inocente *m/f*; bobo.

suc·tion ['sʌk∫n] 1. succión *f*; 2. .... de succión; aspirante.

sud·den ['sʌdn] □ repentino, súbito; imprevisto; (all) of a ∼ de repente; ∼ly de repente, de pronto.

suds [sʌds] *pl.* jabonaduras *f/pl.*; *sl.* cerveza *f*.

sue [sju:] *v/t.* procesar; demandar; *v/i.* poner pleito.

suede [sweid] suecia *f*.

suf·fer ['sʌfə] sufrir; padecer (⚘ from de); aguantar; (allow) permitir; ∼ from *fig.* adolecer de; **suf·fer·er** víctima *f*; paciente *m/f*; **'suf·fer·ing** dolor *m*.

suf·fice [sə'fais] *v/i.* bastar; *v/t.* satisfacer.

suf·fi·cient [sə'fi∫ənt] □ suficiente.

suf·fix 1. [sʌ'fiks] añadir (como sufijo); 2. ['sʌfiks] sufijo *m*.

suf·fo·cate ['sʌfəkeit] sofocar(se), asfixiar(se); **'suf·fo·cat·ing** sofocante.

suf·frage ['sʌfridʒ] sufragio *m*; aprobación *f*.

suf·fuse [sə'fjuːz] bañar (with de); difundirse por.

sug·ar ['∫ugə] 1. azúcar *m a. f*; 2. azucarar; '∼ **bowl** azucarero *m*; '∼ **cane** caña *f* de azúcar; '∼ **coat** azucarar; '∼ **plum** confite *m*; **'sug·ar·y** azucarado; *fig.* almibarado.

sug·gest [sə(g)'dʒest] sugerir; indicar.

sug·ges·tive [sə'dʒestiv] □ sugerente; sugestivo; *b.s.* sicalíptico.

su·i·cid·al [sjui'saidl] □ suicida; **su·i·cide** ['‿said] suicidio *m*; (p.) suicida *m/f*.

suit [sjuːt] 1. traje *m* (a. ∼ of clothes); (courtship) galanteo *m*, cortejo *m*; ⚖ pleito *m*, petición *f*; cards: palo *m*; 2. *v/t.* adaptar, ajustar, acomodar (to a); convenir, satisfacer; *v/i.* convenir; **suit·a·bil·i·ty** conveniencia *f*; idoneidad *f*; **'suit·a·ble** □ conveniente, apropiado; idóneo; **'suit·case** maleta *f*; **suite** [swiːt] séquito *m*, comitiva *f*; mobiliario *m*; **'suit·or** pretendiente *m*, galán *m*; ⚖ demandante *m/f*.

sulk [sʌlk] amohinarse; **sulk·i·ness** ['‿nis] mohína *f*, murria *f*; **'sulk·y** □ mohíno; resentido.

sul·len ['sʌlən] □ hosco, malhumorado; **'sul·len·ness** hosquedad *f* etc.

sul·phate ['sʌlfeit] sulfato *m*; **sul·phide** ['‿faid] sulfuro *m*.

sul·phur ['sʌlfə] 1. azufre *m*; 2. azufrar.

sul·tan ['sʌltən] sultán *m*.

sul·try ['sʌltri] □ bochornoso; sofocante; *fig.* seductor.

sum [sʌm] 1. suma *f*; total *m*; F problema *m* de aritmética; 2. (mst ∼ up) sumar; *fig.* resumir; to ∼ up en resumen.

sum·ma·rize ['sʌməraiz] resumir; **'sum·ma·ry 1.** ☐ sumario (*a.* ⚖️); **2.** resumen *m*, sumario *m*.

sum·mer ['sʌmə] **1.** verano *m*, estío *m*; **2.** ... de verano; veraniego; estival; **3.** veranear.

sum·mer·like ['sʌməlaik], **sum·mer·y** ['sʌri] veraniego, estival; **'sum·mer re·sort** lugar de veraneo.

sum·ming-up ['sʌmiŋʌp] recapitulación *f*.

sum·mit ['sʌmit] cima *f*, cumbre *f* (*a. fig.*); **~ con·fer·ence** conferencia *f* en la cumbre.

sum·mon ['sʌmən] convocar; llamar; **sum·mons** ['~z] **1.** ⚖️ citación *f*; llamamiento *m*; **2.** citar.

sump·tu·ous ['sʌmptjuəs] ☐ suntuoso; **'sump·tu·ous·ness** suntuosidad *f*.

sun [sʌn] **1.** sol *m*; **2.** ... solar; **3.** asolear; **~ o.s.** asolearse, tomar el sol (*a.* **'~bathe**); **'~baked** asoleado; muy expuesto al sol; **~beam** ['sʌn-biːm] rayo *m* de sol.

sun·burn ['sʌnbəːn] solanera *f*; quemadura *f* del sol; **'sun·burnt** tostado (por el sol), bronceado.

sun·dae ['sʌnd(e)i] *helado con frutas, jarabes o nueces.*

Sun·day ['sʌndi] domingo *m*; *attr.* dominical.

sun·di·al ['sʌndaiəl] reloj *m* de sol.

sun·down ['sʌndaun] puesta *f* del sol; **at ~** al anochecer.

sun·dry ['sʌndri] **1.** varios, diversos; **2. sun·dries** ['~driz] *pl. esp.* ♥ géneros *m/pl.* diversos.

sun·flow·er ['sʌnflauə] girasol *m*.

sung [sʌŋ] *p.p. of* sing.

sun·glass·es *pl.* gafas *f/pl.* de sol.

sunk [sʌŋk] *p.p. of* sink 1; **sunk·en** ['sʌŋkən] **1.** *p.p.p. of* sink 1; **2.** *adj.* sumido, hundido (*a. fig.*).

sun lamp ['sʌnlæmp] lámpara *f* de rayos ultravioletas.

sun·light ['sʌnlait] luz *f* solar.

sun·lit ['sʌnlit] iluminado por el sol; **'sun·ny** ▽ *place* (a)soleado.

sun...: **'~rise** salida *f* del sol; **'~set** puesta *f* del sol; ocaso *m*; **'~shade** quitasol *m*; toldo *m*; **'~shine** sol *m*; *mot.* **~ roof** techo *m* corredizo; **'~spot** mancha *f* solar; **'~stroke** ☞ insolación *f*; **'~up** salida *f* del sol.

su·per ['sjuːpə] (*abbr.*) **1.** superintendente *m*; **2.** ♥ F superfino; *sl.* bárbaro, de rechupete.

su·per...:² [~] super...; sobre...; **~a·bun·dant** ☐ sobreabundante; **~'an·nu·ate** [~'rænjueit] jubilar; **~d** jubilado; *fig.* anticuado.

su·perb [sju:'pə:b] ☐ soberbio; magnífico.

su·per...: **'~charged** sobrealimentado; **su·per·cil·i·ous** [~'silias] ☐ desdeñoso, altanero, arrogante; **su·per·fi·cial** [~'fiʃl] ☐ superficial; **su·per·fi·ci·al·i·ty** [~fiʃi'æliti] superficialidad *f*; **'su·per·fine** extrafino, superfino; **su·per·flu·i·ty** [~'fluiti] superfluidad *f*; **su·per·flu·ous** [sju'pə:-fluəs] ☐ superfluo; **su·per·heat** sobrecalentar.

su·per...: **'~hu·man** ☐ sobrehumano; **~im·pose** sobreponer; **~in·tend** dirigir; vigilar; supervisar; **~in·tend·ent** superintendente *m*; inspector *m*; supervisor *m*.

su·pe·ri·or [sju:'piəriə] **1.** ☐ superior; *b.s.* orgulloso; **2.** superior *m*; (*eccl. a.*) superiora *f*; **su·pe·ri·or·i·ty** [~'ɔriti] superioridad *f*.

su·per·la·tive [sju:'pə:lətiv] ☐ superlativo *adj. a. su. m*; **'su·per·man** superhombre *m*; **'su·per·mar·ket** supermercado *m*; **su·per'nat·u·ral** ☐ (the lo) sobrenatural; **su·per·nu·mer·ar·y** [~nju:'mərəri] supernumerario *adj. a. su. m* (*a f*); **su·per·sede** [~'si:d] reemplazar; sustituir; **su·per·son·ic** [~'sɔnik] ☐ supersónico; **su·per·sti·tion** [~'stiʃn] superstición *f*; **su·per·sti·tious** [~ʃəs] ☐ supersticioso; **su·per·struc·ture** ['~strʌktʃə] superestructura *f*; **su·per·tank·er** ['~tæŋkə] superpetrolero *m*; *S.Am.* supertanquero *m*; **su·per·vise** [~'vaiz] dirigir; vigilar; supervisar; **su·per·vi·sion** [~'viʒn] superintendencia *f*, vigilancia *f*; **su·per·vi·sor** ['~vaizə] superintendente *m*; inspector *m*.

su·pine [su:'pain] **1.** *gr.* supino *m*; **2.** ☐ supino; *fig.* letárgico.

sup·per ['sʌpə] cena *f*.

sup·plant [sə'plɑ:nt] suplantar.

sup·ple ['sʌpl] ☐ flexible; *b.s.* dócil.

sup·ple·ment 1. ['sʌplimənt] suplemento *m*; **2.** [~ment] suplir, complementar.

sup·pli·cate ['sʌplikeit] suplicar.

sup·pli·er [sə'plaiə] suministrador (-a *f*) *m*; ♥ proveedor (-a *f*) *m*.

sup·ply [sə'plai] **1.** suministrar, facilitar; surtir; **2.** provisión *f*; suministro *m*; ♥ surtido *m*; *mst* supplies

pl. provisiones *f/pl.*, víveres *m/pl.*;
✝ ~ *and demand* oferta y demanda.

sup·port [sə'pɔ:t] 1. sostén *m*, apoyo *m* (⊕ *a.* fig.); △ soporte *m*, pilar *m*; 2. apoyar (⊕ *a.* fig.); sostener, mantener; *campaign* respaldar; ~ *o.s.* mantenerse; **sup·port·er** partidario (a *f*) *m*; *sport:* seguidor (-a *f*) *m*; ⊕ soporte *m*, sostén *m*.

sup·pose [sə'pəuz] suponer; presumir; figurarse, imaginarse; F *he is* ~*d to go* debe ir; *let us* ~ pongamos por caso.

sup·posed [sə'pəuzd] □ supuesto; pretendido.

sup·pos·i·to·ry [sʌ'pɔzitɔ:ri] supositorio *m*.

sup·press [sə'pres] suprimir; **sup·'pres·sor** *radio:* supresor *m*.

su·preme [sə'pri:m] □ supremo.

sur·charge 1. [sə:'tʃɑ:dʒ] sobrecargar; 2. ['sə:tʃɑ:dʒ] sobrecarga *f*.

sure [ʃuə] 1. □ seguro; cierto; *aim etc.* certero; *manner, touch* firme; *I am* ~ estoy seguro (*that* de que); *make* ~ asegurar(se) (*that* de que); *make* ~ *of facts* verificar, cerciorarse de; ~ *thing* cosa *f* cierta; certeza *f*; 2. *adv.:* *he was mean* ése sí que era tacaño; '~- **foot·ed** de pie firme; **'sure·ty** seguridad *f*, fianza *f*; (*p.*) fiador (-a *f*) *m*.

surf [sə:f] oleaje *m*; espuma *f*, rompientes *m/pl.*

sur·face ['sə:fis] 1. superficie *f*; firme *m* *of road*; 2. *v/t.* ⊕ alisar; recubrir; *v/i.* (*submarine*) emerger.

surf·board ['sə:fbɔ:d] patín *m* de mar.

sur·feit ['sə:fit] 1. hartura *f*; exceso *m*; 2. hartar(se), saciar(se).

surf·rid·ing ['sə:fraidiŋ] patinaje *m* sobre las olas.

surge [sə:dʒ] 1. oleada *f*, oleaje *m*; 2. agitarse, hervir.

sur·geon ['sə:dʒən] cirujano *m*; **sur·ger·y** ['sə:dʒəri] cirugía *f*; **sur·gi·cal** ['sə:dʒikl] □ quirúrgico.

sur·li·ness ['sə:linis] malhumor *m*; **'sur·ly** □ áspero, hosco.

sur·mise 1. ['sə:maiz] conjetura *f*; 2. [~'maiz] conjeturar; suponer.

sur·mount [sə:'maunt] superar, vencer; ~*ed by* coronado de.

sur·name ['sə:neim] 1. apellido *m*; 2. apellidar.

sur·pass [sə:'pɑ:s] fig. aventajar, exceder, sobrepujar.

sur·plus ['sə:pləs] 1. sobrante *m*; ✝ superávit *m*; 2. ... sobrante.

sur·prise [sə'praiz] 1. sorpresa *f*,

asombro *m*; ⚔ (*a.* ~ *attack*) rebato *m*; 2. sorprender; ⚔ coger por sorpresa;

sur·pris·ing [sə'praiziŋ] □ sorprendente.

sur·re·al·ism [sə'riəlizm] surrealismo *m*; **sur·'re·al·ist** surrealista *m*.

sur·ren·der [sə'rendə] 1. rendición *f*; abandono *m*; entrega *f* *of documents*; 2. rendir(se).

sur·rep·ti·tious [sʌrəp'tiʃəs] □ subrepticio.

sur·round [sə'raund] cercar, circundar, rodear (*by* de); ⚔ sitiar; **sur·'round·ing** circundante.

sur·tax ['sə:tæks] impuesto *m* adicional (sobre ingresos excesivos).

sur·veil·lance [sə:'veiləns] vigilancia *f*.

sur·vey 1. [sə:'vei] reconocer, registrar; *surv.* medir; 2. ['sə:vei] reconocimiento *m*; inspección *f*, examen *m*; *surv.* medición *f*; **sur·'vey·ing** planimetría *f*; agrimensura *f*; **sur·'vey·or** agrimensor *m*.

sur·vive [sə'vaiv] sobrevivir (*acc.* a *acc.*); perdurar.

sus·cep·ti·bil·i·ty [səseptə'biliti] susceptibilidad *f*; delicadeza *f*; **sus·'cep·ti·ble** □ susceptible.

sus·pect 1. [səs'pekt] sospechar, recelar; 2. ['sʌspekt] sospechoso (a *f*) *m*; 3. [~] sospechado, sospechoso.

sus·pend [səs'pend] *all senses:* suspender; **sus·'pend·ers** *pl.* ligas *f/pl.*; tirantes *m/pl.*

sus·pense [səs'pens] incertidumbre *f*, duda *f*; ansiedad *f*.

sus·pen·sion [səs'penʃn] *all senses:* suspensión *f*; ~ *bridge* puente *m* colgante.

sus·pi·cion [səs'piʃn] sospecha *f*; recelo *m*, suspicacia *f*; *fig.* sombra *f*, asomo *m*; **sus·pi·cious** [~'piʃəs] □ (*causing suspicion*) sospechoso; (*feeling suspicion*) receloso; suspicaz.

sus·tain [səs'tein] sostener (*a.* ♪), apoyar; sustentar; *loss, injury* sufrir.

sus·te·nance ['sʌstinəns] sustento *m*, subsistencia *f*.

su·ture ['sju:tʃə] 1. *alla senses:* sutura *f*; ⚕ suturar, coser.

swab [swɔb] 1. estropajo *m*; ⚓ lampazo *m*; ⚕ algodón *m*; 2. lampacear.

swad·dle ['swɔdl] 1. empañar; 2. pañal *m*.

swag [swæg] *sl.* botín *m*, robo *m*.

swag·ger ['swægə] 1. fanfarronear; pavonearse; 2. fanfarronada *f*.

swal·low[1] ['swɔləu] *orn.* golondrina *f*.

swal·low[2] [~] 1. trago *m*; 2. tragar.

S

swamp [swɔmp] **1.** pantano *m*; marisma *f*; **2.** sumergir; inundar; ⚓ hundir; **'swamp·y** pantanoso.

swan [swɔn] cisne *m*; **'~ dive** salto *m* de ángel.

swank [swæŋk] *sl.* **1.** ostencación *f*; fachenda *f*; (*p.*) currutaco *m*; **2.** (*a.* **'swank·y**) ostentoso, fachendoso.

swan song ['swɔnsɔŋ] canto *m* del cisne.

swap [swɔp] F **1.** intercambio *m*, cambalache *m*, canje *m*; **2.** intercambiar, cambalachear, canjear.

swarm [swɔːm] **1.** enjambre *m*; *fig.* muchedumbre *f*, hormigueo *m*; **2.** enjambrar; (*people etc.*) hormiguear, pulular.

swarth·y ['swɔːðɪ] ☐ atezado, moreno.

swash·buck·ler ['swɔʃbʌklə] espadachín *m*, matón *m*.

swas·ti·ka ['swɔstɪkə] svástica *f*.

swat [swɔt] *fly etc.* aplastar.

sway [sweɪ] **1.** vaivén *m*, balanceo *m*; coletazo *m* of train etc. (*a.* **'sway·ing**); *fig.* imperio *m*, dominio *m*; **2.** *v/t.* hacer oscilar; *fig.* influir en; *v/i.* oscilar, ladearse.

swear [sweə] [*irr.*] *v/i.* jurar (*by* por); decir palabrotas; **~ at** maldecir *acc.*; *v/t.* jurar; juramentar; **'~·word** palabrota *f*; voto *m*; F taco *m*.

sweat [swet] **1.** sudor *m* (*a. fig.* F); **~·shirt** pulóver *m* de mangas largas; **2.** *v/i.* sudar; *v/t.* sudar; *workmen* explotar; **'sweat·er** suéter *m*; **'sweat·shop** taller *m* de trabajo afanoso y poco sueldo.

Swede [swiːd] sueco (*a f*) *m*; ♀♂ nabo *m* sueco.

Swed·ish ['swiːdɪʃ] sueco *adj. a. su. m.*

sweep [swiːp] **1.** [*irr.*] *v/t.* barrer; *chimney* deshollinar; ⚒ *mines* rastrear; *fig.* **~ away** arrebatar, arrastrar; *v/i.* barrer; (*mst with adv.,* **~ by** etc.) pasar rápidamente, pasar majestuosamente; **2.** barredura *f*, escobada *f*; (*p.*) deshollinador *m*; redada *f by police*; **'sweep·er** barrendero (*a f*) *m*; (*machine*) barredera *f*; **sweep·stake** ['~steɪk] lotería *f* de premio único.

sweet [swiːt] **1.** ☐ dulce; azucarado; suave; *smell* fragante; (*pleasing*) grato; *have a ~* **tooth** ser goloso; **2.** dulce *m*; caramelo *m*; (*course*) postre *m*; **~s** *pl.* dulces *m/pl.*, bombones *m/pl.*, golosinas *f/pl.*; **'~·breads** *pl.* lechecillas *f/pl.*; **'sweet·en** azucarar; en-

dulzar (*a. fig.*); **'sweet·heart** novio (*a f*) *m*; **'sweet·meats** *pl.* confites *m/pl.*; dulces *m/pl.*; **'sweet·ness** dulzura *f*, suavidad *f etc.*; **'sweet po'ta·to** batata *f*; camote *m*; **'sweet shop** confitería *f*.

swell [swel] **1.** [*irr.*] hinchar(se), inflar(se) crecer (*v/i.*); **2.** F muy elegante; **3.** ♪ crescendo *m*; ⚓ marejada *f*; **'swell·ing** hinchazón *f*; ⚕ chichón *m*.

swel·ter ['sweltə] sofocarse de calor, abrasarse; chorrear de sudor; **'swel·ter·ing** *heat* sofocante, abrasador.

swept [swept] *pret. a. p.p.* of sweep 1.

swerve [swəːv] **1.** *v/t.* desviarse (bruscamente); torcer; *v/t.* desviar; **2.** desvío *m* (brusco).

swift [swɪft] ☐ rápido, veloz; repentino; **'swift·ness** rapidez *f etc.*

swill [swɪl] **1.** bazofia *f*; *contp.* aguachirle *f*; **2.** *v/t.* (*mst ~ out*) enjuagar; beber a grandes tragos; F emborracharse.

swim [swɪm] **1.** [*irr.*] *v/i.* nadar; (*head*) dar vueltas; *v/t.* (*a.* **~ across**) pasar a nado; **2.:** *go for a ~* ir a nadar; **swim·mer** ['swɪmə] nadador (-a *f*) *m*.

swim·ming ['swɪmɪŋ] natación *f*; **'swim·ming pool** piscina *f*; **'swim·suit** traje *m* de baño.

swin·dle ['swɪndl] **1.** estafar, timar; **2.** estafa *f*, timo *m*.

swine [swaɪn] *zo. pl.* puercos *m/pl.*, cerdos *m/pl.*; F *sg.* canalla *m*.

swing [swɪŋ] **1.** [*irr.*] columpiar(se); balancear(se); (*hacer*) oscilar; *arm* menear; *door* girar; F he'll *~ for it* le ahorcarán; **2.** columpio *m*; (*movement*) vaivén *m*; ♪ swing *m*; ♪ ritmo *m* agradable; *boxing:* golpe *m* lateral; *in full ~* en plena actividad; **'~ bridge** puente *m* giratorio; **'~·ing door** puerta *f* giratoria.

swipe [swaɪp] **1.** golpear fuertemente; *sl.* hurtar; **2.** golpe *m*.

swirl [swəːl] **1.** arremolinarse; **2.** remolino *m*; torbellino *m*.

swish [swɪʃ] **1.** *v/t.* (*flog*) zurrar; *cane* agitar; **2.** silbar; (*dress*) crujir; **2.** silbido *m*; crujido *m of dress*.

Swiss [swɪs] suizo *adj. a. su. m* (*a f*).

switch [swɪtʃ] **1.** (*stick*) varilla *f*; cambio *m of policy*; ⚡ agujas *f/pl.*, desviación *f*; ⚡ interruptor *m*; llave *f*; **2.** *v/t.* ⚙ desviar; *policy, positions* cambiar; **~ on** ⚡ encender, conectar; **~ off** ⚡ apagar, cortar; *v/i.:* **~ from A to B** (*or* **~ [over] to B**) dejar A para tomar *etc.*

B; '**~·board** cuadro *m* de distribución; *teleph.* cuadro *m* de conexión manual.

swiv·el ['swivl] **1.** eslabón *m* giratorio; **2.** (hacer) girar.

swol·len ['swouln] *p.p. of* swell 1.

swoop [swu:p] **1.** (*a.* ~ down) precipitarse (on sobre); (*bird*) calar; **2.** descenso *m* súbito.

sword [sɔ:d] espada *f*; **~ fish** pez *m* espada; **~ rat·tling** fanfarronería.

swords·man ['sɔ:dzmən] esgrimidor *m*; espadachín *m*; '**swords·man·ship** esgrima *f*.

swore [swɔ:] *pret. of* swear.

sworn [swɔ:n] *p.p. of* swear; *enemy* implacable.

swum [swʌm] *p.p. of* swim 1.

swung [swʌŋ] *pret. a. p.p. of* swing 1.

syc·a·more ['sikəmɔ:] sicomoro *m*.

syc·o·phant ['sikəfənt] adulador *m*; **syc·o·phan·tic** [sikə'fæntik] □ adulatorio.

syl·la·ble ['siləbl] sílaba *f*.

syl·la·bus ['siləbəs] programa *m*.

syl·lo·gism ['silədʒizm] silogismo *m*.

sym·bol ['simbəl] símbolo *m*; **sym·bol·ic, sym·bol·i·cal** [~'bolik(l)] □ simbólico; **sym·bol·ism** ['~bəlizm] simbolismo *m*; '**sym·bol·ize** simbolizar.

sym·me·try ['simitri] simetría *f*.

sym·pa·thet·ic [simpə'θetik] □ compasivo; simpático; **sym·pa·thize** ['~θaiz] compadecerse; ~ with compadecer(se de); **sym·pa·thiz·er** ['~θaizə] simpatizante *m/f* (with de); partidario (a *f*) *m*; **sym·pa·thy**

['~θi] compasión *f*, conmiseración *f*.

sym·phon·ic [sim'fonik] sinfónico; **sym·pho·ny** ['simfəni] sinfonía *f*.

symp·tom ['simptəm] síntoma *m*; **symp·to·mat·ic** [~'mætik] □ sintomático.

syn·a·gogue ['sinəgɔg] sinagoga *f*.

syn·chro·mesh gear ['siŋkroumeʃ'giə] engranaje *m* sincronizado.

syn·chro·nize ['siŋkranaiz] *v/i.* ser sincrónico; *v/t.* sincronizar.

syn·co·pate ['siŋkəpeit] sincopar; **syn·co·pa·tion, syn·co·pe** [~'pi] síncopa *f*.

syn·di·cate 1. ['sindikit] sindicato *m*; **2.** ['~keit] sindicar.

syn·drome ['sindroum] síndrome *m*; toxic shock ~ síndrome *m* del choque tóxico.

syn·er·gism ['sinədʒizm] sinergia *f*.

syn·od ['sinəd] sínodo *m*.

syn·o·nym ['sinənim] sinónimo *m*; **syn·on·y·mous** [si'nɔniməs] □ sinónimo.

syn·op·sis [si'nɔpsis] sinopsis *f*.

syn·tax ['sintæks] sintaxis *f*.

syn·the·sis ['sinθisis] síntesis *f*; **syn·the·size** [~'saiz] sintetizar.

syn·thet·ic, syn·thet·i·cal [sin-'θetik(l)] □ sintético.

syph·i·lis ['sifilis] sífilis *f*.

syph·i·lit·ic [sifi'litik] sifilítico.

Syr·i·an ['siriən] sirio *adj. a. su. m* (a *f*).

syr·up ['sirəp] jarabe *m*.

sys·tem ['sistim] sistema *m* (a. ✿); ⚕ constitución *f*; ⊕ mecanismo *m*; ⚡ circuito *m*, instalación *f*.

T

T [ti:]: F *to a* ~ exactamente.

tab·by ['tæbi] **1.** (*male*) gato *m* atigrado; (*female*) gata *f*; F solterona *f*; **2.** atigrado.

tab·er·nac·le ['tæbənækl] tabernáculo *m*.

ta·ble ['teibl] **1.** mesa *f*; A *etc.* tabla *f*; (*statistical*) cuadro *m*; △ tablero *m*; **2.** *motion etc.* poner sobre la mesa, presentar; (*index*) catalogar.

ta·ble...: '**~·cloth** mantel *m*; '**~·land** meseta *f*; '**~ lin·en** mantelería *f*; '**~ mat** apartador *m*, salvamanteles *m*; '**~ nap·kin** servilleta *f*; '**~·spoon** cuchara *f* grande.

tab·let ['tæblit] pastilla *f of soap etc.*; tableta *f*; bloc *m* (de papel); ⚕ comprimido *m*.

ta·ble...: '**~ talk** conversación *f* de sobremesa; '**~ ten·nis** tenis *m* de mesa.

tab·loid ['tæblɔid] periódico *m* de formato reducido.

ta·boo [tə'bu:] **1.** tabú, prohibido; **2.** tabú *m*; **3.** prohibir.

tab·u·late ['tæbjuleit] exponer en forma de tabla, tabular.

tac·it ['tæsit] □ tácito; **tac·i·turn** ['~tə:n] □ taciturno.

tack [tæk] **1.** (*nail*) tachuela *f*; *sew.*

hilván m; ⚓ virada f; bordada f; fig.
rumbo m; 2. v/t. clavar con tachue-
las; sew. hilvanar; fig. añadir v/i. ⚓
virar.

tack·le ['tækl] 1. ⚓, ⊕ aparejo m; ⚓
jarcia f; avíos m/pl.; sport: atajo m; 2.
agarrar; sport: atajar.

tacky ['tæki] pegajoso; F desaseado,
cursi.

tact [tækt] tacto m, discreción f; **tact·
ful** ['˷ful] □ discreto.

tac·tics ['tæktiks] pl. táctica f.

tact·less ['tæktlis] □ indiscreto.

taf·fe·ta ['tæfitə] tafetán m.

tag [tæg] 1. (label) etiqueta f, marbete
m; herrete m; (rag) pingajo m; 2. v/t.
pegar una etiqueta a.

tail [teil] 1. cola f (a. fig.), rabo m;
trenza f of hair; cabellera f of comet;
faldón m, faldillas f/pl. of coat; 2. v/t.
(follow) seguir de cerca, vigilar; v/i.:
∼ away, ∼ off ir disminuyendo; **tailed**
con rabo; long-∼ rabilargo; **tail end**
cola f; extremo m; fig. parte f que
queda; porción f restante; **tail·less**
sin rabo; **tail·light** luz f piloto (or
trasera).

tai·lor ['teilə] 1. sastre m; 2. suit
confeccionar; **tai·lor·ing** sastrería
f; corte m; **tai·lor-made** hecho por
sastre.

tail...: **'˷-piece** typ. florón m; fig.
apéndice m; **'˷-pipe** mot. tubo m de
escape; **'˷-skid** ⚐ patín m de cola; **'˷-
un·it** conjunto m de cola; **'˷-wind**
viento m de cola.

taint [teint] 1. infección f; mancha f;
2. manchar(se); corromper(se).

take [teik] 1. (irr.) v/t. tomar; coger;
p. llevar; (by force) asir; arrebatar;
(steal) robar; (accept) aceptar; (tolerate) aguantar; (catch) coger; advice
seguir; oath prestar; opportunity
aprovechar; photo, ticket sacar; step,
walk etc. dar; trip hacer; it ∼s 2 men to
lift it se necesita 2 hombres para
levantarlo; F we can ∼ it lo aguanta-
mos todo; the devil ∼ it! ¡maldición!;
∼ apart desmontar, descomponer; ∼
away quitar; llevarse; ♈ restar; ∼
back recibir devuelto; ∼ down bajar;
descolgar; ⊕ desmontar; note apuntar, poner por escrito; ∼ from quitar
a; privar de; ♈ restar de; ∼ in (understand) comprender; (include) abarcar; clothes achicar; p. acoger, recibir; ∼ off clothes quitarse; discount
descontar; F contrahacer, parodiar;
∼ on (assume) tomar; duties tomar

sobre sí; ∼ out (extract) extraer, sacar;
children llevar de paseo; girl escoltar,
invitar; cortejar; ∼ it out on a p.
desahogarse riñendo a una p.; vengarse en una p.; ∼ over tomar posesión de; encargarse de; ∼ upon o.s.
tomar sobre sí; encargarse de; ∼ it
upon o.s. to atreverse a; 2. [irr.] v/i.
pegar; ser eficaz; resultar; ♟ arraigar
(a. fig.); (set) cuajar; (vaccination)
prender; ∼ after parecerse a; salir a; ∼
off salir; ⚐ despegar; F ∼ up with
relacionarse con, entramar amistad
con; 3. toma f; phot. exposición f; **'˷-
home pay** salario m neto.

tak·en ['teikn] p.p. of take; be ∼ with
estar cautivado por; be ∼ ill enfermar; be ∼ up with estar ocupado en;
estar absorto en; F be ∼ in tragar el
anzuelo; **'take·'off** ⚐ despegue m;
⊕ toma f de fuerza; F caricatura f,
parodia f (of, on de).

tak·ing ['teikin] 1. □ F atractivo,
encantador; 2. toma f; **'tak·ings** pl.
ingresos m/pl.

talc [tælk], **tal·cum pow·der** ['tæl-
kəm 'paudə] talco m.

tale [teil] cuento m (a. b.s.); fábula f;
relación f; historia f; tell ∼s (out of
school) soplar; chismear; **'˷·bear·er**
['˷ˌbɛərə] soplón (-a f) m.

tal·ent ['tælənt] talento m.

talk [tɔːk] 1. conversación f; charla f;
F palabras f/pl.; there is ∼ of ger. se
habla de inf.; ∼ of the town comidilla f
de la ciudad; 2. hablar (to con);
charlar; sense etc. decir; ∼ into persuadir a; convencer; ∼ out of disuadir
de; ∼ over discutir; hablar de; **talk·
a·tive** ['˷ətiv] □ locuaz, hablador;
talk·ie ['˷i] F película f sonora;
'talk·ing parlante; bird parlero;
'talk·ing-to ['˷ˌtuː] F rapapolvo m.

tall [tɔːl] alto; grande; be 6 feet ∼ tener
6 pies de alto; sl. ∼ order cosa f muy
difícil; sl. ∼ story, ∼ tale cuento m
exagerado; **'tall·ness** altura f.

tal·ly ['tæli] 1. (stick) tarja f; (account)
cuenta f; número m; 2. cuadrar,
concordar (with con).

Tal·mud ['tælmuːd] Talmud m; **∼·ic**
[tæl'muːdik] talmúdico.

tal·on ['tælən] garra f.

tam·a·ble ['teiməbl] domable.

ta·ma·le [tə'mæli a. tə'mɑːli] tamal.

tam·bou·rine [tæmbə'riːn] pandere-
ta f.

tame [teim] 1. □ domesticado; manso; doméstico; fig. inocuo; F abu-

rrido; 2. domar, amansar; '**tame-ness** mansedumbre f.

tamp [tæmp] apisonar; ✕ atacar.

tam·per ['tæmpə]: ~ with descomponer, estropear; *document* falsificar; *witness* sobornar.

tam·pon ['tæmpən] tapón m.

tan [tæn] 1. bronceado m; (*bark*) casca f; 2. *leather* curtir, adobar; (*sun*) tostar(se), broncear(se).

tan·dem ['tændəm] 1. tándem m; 2. *adj. a. adv.* ⚡ en tándem.

tang [tæŋ] *fig.* gustillo m, dejo m; sabor m fuerte y picante.

tan·gent ['tændʒənt] tangente *adj. a. su.*; go (*or* fly) off at a ~ cambiar súbitamente de rumbo.

tan·ger·ine [tændʒə'ri:n] mandarina f.

tan·gi·ble ['tændʒəbl] □ tangible; *fig. a.* concreto.

tan·gle ['tæŋgl] 1. enredo m (*a. fig.*), nudo m, maraña f; 2. enredar(se); F pelear (*with* con).

tank [tæŋk] tanque m depósito m; ✕ tanque m, carro m de combate.

tank·er ['tæŋkə] petrolero m; tanquero m S.Am.

tan·ner ['tænə] curtidor m.

tan·ner·y ['tænəri] curtiduría f.

tan·ta·lize ['tæntəlaiz] atormentar, tentar, dar dentera; '**tan·ta·liz·ing** □ atormentador.

tan·trum ['tæntrəm] F rabieta f.

tap¹ [tæp] 1. palmadita f, golpecito m; 2. golpear ligeramente.

tap² [~] 1. (*water*) grifo m; (*gas*) llave f; espita f *of barrel*; ⊕ macho m de terraja; on ~ servido al grifo; 2. *barrel* espitar; *tree* sangrar; *resources* explotar; *teleph. wire* escuchar clandestinamente.

tap dance ['tæpdæns] 1. zapateado m; 2. zapatear.

tape [teip] 1. cinta f (*a. sport*); cinta f adhesiva; cinta f magnetofónica *for recording*; 2. F grabar sobre cinta; '~ **meas·ure** cinta f métrica.

ta·per ['teipə] 1. cerilla f; 2. ahusado; 3. *v/i.* ahusarse; *v/t.* afilar, ahusar.

tape...: '~-**re·cord** grabar sobre cinta; '~-**re·cord·er** magnetófon m; grabador m en cinta; '~-**re·cord·ing** grabación f en cinta.

tap·es·try ['tæpistri] tapiz m; tapicería f.

tape·worm ['teipwə:m] tenia f, solitaria f.

ta·pi·o·ca [tæpi'oukə] tapioca f.

tap·pet ['tæpit] ⊕ alza-válvulas m.

tap·room ['tæprum] bodegón m.

taps [tæps] toque m de silencio; *sl.* conclusión f; muerte f.

tar [ta:] 1. alquitrán m; brea f; F ⚓ marinero m; 2. alquitranar.

ta·ran·tu·la [tə'ræntjulə] tarántula f.

tar·dy ['ta:di] □ tardío; lento.

tar·get ['ta:git] blanco m (*a. fig.*); *practice* tiro m al blanco.

tar·iff ['tærif] tarifa f; arancel m.

tar·mac ['ta:mæk] alquitranado m.

tar·nish ['ta:niʃ] 1. deslustrar(se) (*a. fig.*); 2. deslustre m.

tar·pau·lin [ta:'pɔ:lin] alquitranado m; lienzo m alquitranado.

tar·ry¹ ['tæri] *lit.* tardar; detenerse.

tar·ry² ['ta:ri] alquitranar; embreado.

tart [ta:t] 1. □ ácido, agrio; *fig.* áspero; 2. tarta f, torta f; *sl.* puta f.

tar·tan ['ta:tən] tartán m.

Tar·tar¹ ['ta:tə] tártaro m; *fig.* arpía f, mujer f regañona.

tar·tar² [~] 🜹 tártaro m, sarro m.

task [ta:sk] tarea f; faena f; take to ~ reprender (*for* acc.); **task force** agrupación f de fuerzas (para operación especial); '**task·mas·ter** capataz m; superintendente m; amo m.

taste [teist] 1. gusto m; sabor m (*of* a); (*sip*) sorbo m; (*sample*) muestra f; (*good*) ~ (buen) gusto m; 2. *v/t.* gustar; notar (un gusto de); (*try*) probar; *v/i.*: ~ of saber a; ~ *good* estar muy rico, estar sabroso; **taste·ful** ['~ful] □ de buen gusto.

taste·less ['teistlis] □ insípido, soso; (*in bad taste*) de mal gusto.

tast·y ['teisti] □ F sabroso.

ta·ta ['tæ'ta:] F adiós.

tat·tered ['tætəd] andrajoso; en jirones; **tat·ters** ['tætəz] *pl.* andrajos m/pl.; jirones m/pl.

tat·tle ['tætl] 1. parlotear; *b.s.* chismear; 2. charla f; *b.s.* chismes m/pl.

tat·too¹ [tə'tu:] ✕ (toque m de) retreta f; espectáculo m militar.

tat·too² [~] 1. tatuar; 2. tatuaje m.

taunt [tɔ:nt] 1. mofa f; pulla f; dicterio m; 2. mofar.

taut [tɔ:t] tieso, tenso, tirante.

tav·ern ['tævən] taberna f; mesón m.

taw·dry ['tɔ:dri] □ charro; barato; deslucido; cursi; de oropel.

tax [tæks] 1. impuesto m (*on* sobre), contribución f; *fig.* carga f (*on* sobre); ~ *evasion* evasión f fiscal; 2. *p.* imponer contribuciones a; *th.* imponer

contribución sobre; $\frac{x}{x+x}$ **costs** tasar;
'tax·a·ble imponible; sujeto a impuesto; **tax'a·tion** impuestos $m/pl.$; contribuciones $f/pl.$; sistema tributario; **'tax·col'lec·tor** recaudador m de contribuciones; **'tax de-duc·tion** exclusión f de contribución; tasa **e·va·sion** evasión f fiscal; **'tax-'free** exento de contribuciones; **'tax ha·ven** asilo m de los impuestos.

tax·i ['tæksi] 1. = '∼**cab** taxi m; 2. ir en taxi; ⚞ carretear, taxear.

'tax...: '∼ **loss** pérdida f reclamable; **tax·pay·er** ['tækspeiə] contribuyente m/f; **'tax re·lief** aligeramiento m de impuestos; **'tax re·turn** declaración f de renta.

tea [ti:] té m; (meal) merienda f; **'∼** merienda-cena f; '∼ **bag** muñeca f.

teach [ti:tʃ] [irr.] enseñar (to a); instruir; **'teach·er** profesor (-a f) m; maestro (a f) m; **'teach·er 'train·ing** formación f pedagógica; **'teach·ing** enseñanza f; doctrina f.

tea·cup ['ti:kʌp] taza f para té.

team [ti:m] 1. equipo m; tiro m de horses; yunta f of oxen; 2.: formar un equipo; '∼ **spir·it** compañerismo m; camaradería f; **'team·ster** ['stə] tronquista m; conductor m de camión; **'team·work** cooperación f, colaboración f; solidaridad f.

tea·pot ['ti:pɔt] tetera f.

tear¹ [tɛə] 1. [irr.] $v/t.$ rasgar, desgarrar; romper; flesh lacerar; ∼ **apart** despedazar; ∼ **down** building derribar; $v/i.$ rasgarse; F ir con toda prisa; 2. rasgón m, desgarrón m.

tear² [tiə] lágrima f.

tear·ful ['tiəful] ☐ lloroso, llorón.

tear-gas ['tiə'gæs] gas m lacrimógeno.

tease [ti:z] 1. wool cardar; fig. embromar, tomar el pelo a; 2. embromador (-a f) m, guasón (-a f) m.

tea...: '∼ **set** servicio m de té; '∼**spoon** cucharita f; '∼**strain·er** colador m de té.

teat [ti:t] pezón m; teta f.

tech·ni·cal ['teknikl] ☐ técnico; **tech·ni·cian** [tek'niʃn] técnico m.

tech·ni·col·or ['teknikʌlə] (attr. en) tecnicolor m.

tech·nique [tek'ni:k] técnica f.

tech·nol·o·gy [tek'nɔlədʒi] tecnología f.

ted·dy bear ['tedibɛə] osito m de felpa, oso m de juguete.

te·di·ous ['ti:diəs] ☐ aburrido, fastidioso; cansado.

teem [ti:m] hormiguear; hervir (with de); llover a cántaros.

teen-ag·er ['ti:neidʒə] joven m/f de 13 a 19 años.

teens [ti:nz] $pl.$ edad f de 13 a 19 años; F juventud f de 13 a 19 años.

tee·ter ['ti:tə] F balancear, oscilar.

teethe [ti:ð] echar los (primeros) dientes; **'teeth·ing** dentición f.

tee·to·tal·er ['ti:toutələ] abstemio (a f) m.

tel·e·gram ['teligræm] telegrama m.

tel·e·graph ['teligrɑ:f] 1. telégrafo m; 2. telegrafiar; **te'leg·ra·phy** telegrafía f.

tel·e·pa·thy [ti'lepəθi] telepatía f.

tel·e·phone ['telifoun] 1. teléfono m; ∼ **booth** locutorio m, cabina f de teléfono; ∼ **call** llamada f; ∼ **directory** guía f telefónica; ∼ **exchange** central f telefónica; ∼ **operator** telefonista m/f; 2. llamar por teléfono, telefonear.

tel·e·pho·to lens ['teli'foutou 'lenz] lente f telefotográfica.

tel·e·print·er ['teliprintə] teleimpresor m.

tel·e·scope ['teliskoup] 1. telescopio m; catalejo m; 2. telescopar(se); enchufar(se); **tel·e·scop·ic** ['∼'kɔpik] ☐ telescópico; de enchufe.

tel·e·type ['telitaip] 1. teletipo m; 2. transmitir por teletipo.

tel·e·vise ['telivaiz] televisar; **tel·e·vi·sion** ['∼viʒn] (attr. de) televisión f; ∼ **set** aparato m de televisión, televisor m; cable ∼ televisión f emitida por cable.

tel·ex ['teleks] servicio m comercial de teletipo.

tell [tel] [irr.] $v/t.$ decir; story contar; distinguir (from de); determinar; ∼ a p. to inf. decirle a uno que subj.; ∼ off mandar (to inf.); F reñir, regañar; $v/i.$ hablar (about, of de); hacer mella, surtir efecto (on en); **'tell·er** narrador (-a f) m; (bank) cajero m; **tell·tale** ['∼teil] 1. revelador; indicador; 2. soplón (-a f) m.

tem·per ['tempə] 1. all senses: templar; fig. a. mitigar, moderar; 2. humor m; disposición f; natural m; (anger) mal genio m; **tem·per·a·men·tal** ['∼mentl] ☐ complexional; caprichoso, excitable; be ∼ tener genio; **'tem·per·ance** templanza f; abstinencia f (del alcohol); **tem·per·ate** ['∼rit] ☐ templado; sobrio,

abstemio; **tem·per·a·ture** ['tem-prit∫ə] temperatura *f*; ♨ calentura *f*.
tem·pest ['tempist] tempestad *f*.
tem·ple[1] ['templ] templo *m*.
tem·ple[2] [~] *anat.* sien *f*.
tem·po·ral ['tempərəl] □ temporal; **'tem·po·rar·y** □ temporáneo, provisional.
tempt [tempt] tentar, provocar, inducir (*to* a); **'tempt·ing** □ tentador; *food* apetitoso.
ten [ten] diez (*a. su. m*); decena *f*.
te·na·cious [ti'nei∫əs] □ tenaz; **te·nac·i·ty** [ti'næsiti] tenacidad *f*.
ten·an·cy ['tenənsi] inquilinato *m*, arriendo *m*.
ten·ant ['tenənt] 1. arrendatario (a *f*) *m*, inquilino (a *f*) *m*; *fig.* habitante *m*/*f*; 2. alquilar; *fig.* ocupar.
tend[1] [tend] tender (*to*, *towards* a).
tend[2] [~] *sick etc.* cuidar; vigilar; *machine* manejar; *cattle* guardar.
tend·en·cy ['tendənsi] tendencia *f*.
ten·der[1] ['tendə] □ tierno; *spot* delicado, sensible; ♨ dolorido.
ten·der[2] [~] 1. ✝ oferta *f*, proposición *f*; *legal* ~ moneda *f* de curso legal; 2. *v*/*i*. ✝ ofrecer; *v*/*t*. ofrecer.
ten·der·foot ['tendəfut] recién llegado *m*; novato *m*; **ten·der·loin** ['_lɔin] filete *m*; **'ten·der·ness** ternura *f*; sensibilidad *f*.
ten·don ['tendən] tendón *m*.
ten·e·ment ['tenimənt] vivienda *f*; habitación *f*; ~*s pl.* = ~ *house* casa *f* de vecindad.
ten·et ['ti:net] dogma *m*, credo *m*.
ten·fold ['tenfould] 1. *adj.* décuplo; 2. *adv.* diez veces.
ten·nis ['tenis] tenis *m*; '~ **court** pista *f* de tenis, cancha *f* de tenis *S.Am.*; '~ **play·er** tenista *m*/*f*.
ten·or ['tenə] tenor *m* (*a.* ♪); curso *m*; tendencia *f*.
tense[1] [tens] *gr.* tiempo *m*.
tense[2] [~] 1. tieso, tenso; *situation* crítico, lleno de emoción; 2. te(n)sar; estirar; **'tense·ness** tirantez *f*; **tensile** ['tensail] tensor; de tensión; **tension** ['_∫n] tensión *f*; tirantez *f* (*a. fig.*); ≠ *high* ~ (*attr.* de) alta tensión *f*.
tent [tent] tienda *f* (de campaña).
ten·ta·cle ['tentəkl] tentáculo *m*.
ten·ter·hook ['tentəhuk] escarpia *f*; *fig.* be on ~*s* estar en ascuas.
tenth [tenθ] décimo (*a. su. m*).
ten·u·ous ['tenjuəs] □ tenue; sutil.
ten·ure ['tenjuə] posesión *f*; tenencia *f*, ejercicio *m* of office.

tep·id ['tepid] □ tibio.
term [tə:m] 1. término *m* (*end*, *word*, ♈, *phls.*); (*period*) plazo *m*, período *m*; condena *f* of *imprisonment*; mandato *m* of *president*; ⚖, *univ.*, *school*: trimestre *m*; semestre *m*; *fig.* come to ~*s with* conformarse con; 2. nombrar, llamar; calificar (de).
ter·mi·nal ['tə:minəl] 1. □ terminal (*a.* ♀); 2. ≠ borne *m*; ≠ polo *m*; (*port*) terminal *f*; ⬛ estación *f* de cabeza; **ter·mi·nate** ['_neit] *v*/*t. a. v*/*i.* terminar.
ter·mi·nol·o·gy [tə:mi'nɔlədʒi] terminología *f*.
ter·mite ['tə:mait] termita *m*, comején *m*; termite *m*.
ter·race ['terəs] 1. terraza *f*, terraplén *m*; hilera *f* of *houses*; (*roof*) azotea *f*; 2. terraplenar.
ter·rain ['terein] terreno *m*.
ter·res·tri·al [ti'restriəl] □ terrestre.
ter·ri·ble ['terəbl] □ terrible; F malísimo, pésimo.
ter·rif·ic [tə'rifik] □ tremendo; F estupendo; imponente; **ter·ri·fy** ['terifai] aterrar, aterrorizar.
ter·ri·to·ri·al [teri'tɔ:riəl] 1. □ territorial; ~ *waters pl.* aguas *f*/*pl.* territoriales (*or* jurisdiccionales); 2. reservista *m*; **ter·ri·to·ry** ['_təri] territorio *m*.
ter·ror ['terə] terror *m*, espanto *m*; **'ter·ror·ism** terrorismo *m*; **'ter·ror·ist** terrorista *m*; **'ter·ror·ize** aterrorizar.
ter·ry cloth ['teri'klɔθ] albornoz *m*.
terse [tə:s] □ breve, conciso, lacónico; **'terse·ness** laconismo *m*.
test [test] 1. prueba *f*, ensayo *m*; examen *m*; *psychological etc.*: test *m*; *acid* ~ *fig.* prueba *f* de fuego; ~ *flight* vuelo *m* de ensayo; 2. probar, ensayar; examinar.
tes·ta·ment ['testəmənt] testamento *m*.
test ban ['test'bæn] prohibición *f* contra pruebas de armas nucleares.
test case ['test keis] pleito *m* de ensayo.
test·er ['testə] (*p.*) ensayador *m*.
tes·ti·cle ['testikl] testículo *m*.
tes·ti·fy ['testifai] testificar (*that* que); atestiguar (*to acc.*); atestar.
tes·ti·mo·ny ['testimouni] testimonio *m*.
test·ing ground ['testiŋ 'graund] zona *f* de pruebas.
teoti... '~ pa·per *school*: papel *m* de

examen; ↗ papel *m* reactivo; '~**pi·lot** piloto *m* de pruebas; '~ **print** *phot.* copia *f* de prueba; '~ **tube** tubo *m* de ensayo; probeta *f*; ~ **baby** niño-probeta *m*.

tes·ty ['testi] □ enojadizo, picajoso.

te·ta·nus ['tetənəs] tétano *m*.

teth·er ['teðə] 1. atadura *f*, traba *f*; 2. apersogar, atar.

text [tekst] texto *m*; tema *m*; '~**book** libro *m* de texto.

tex·tile ['tekstail] 1. textil *f*; 2. *mst* ~*s pl.* tejidos *m/pl.*

tex·ture ['tekstʃə] textura *f* (*a. fig.*).

than [ðæn, *unstressed* ðən] que; more ~ *I* más que yo; *more* ~ *ten* más de diez; *not more* ~ *ten* no más que diez.

thank [θæŋk] 1. dar las gracias a; agradecer (*for acc.*); (*no*) ~ *you* (no) gracias; 2. ~*s pl.* gracias *f/pl.*; agradecimiento *m*; ~*s to* gracias a; '~**ful** [~'ful] □ agradecido; '**thank·less** □ *p.* ingrato; *task* impróbo, sin recompensa; **thanks·giv·ing** ['~s-givin] acción *f* de gracias.

that [ðæt, *unstressed* ðət] 1. *pron.* (*pl. those*) *m*: ése, aquél (*more remote*); *f*: ésa, aquélla; *neuter*: eso; aquello; (*relative*) que, el cual *etc.*; ~ *is* es decir; 2. *adj.* (*pl. those*) *m*: ese, aquel (*more remote*); *f*: esa, aquella; 3. *adv.* tan; 4. *cj.* que; para que; *in* ~, *so* ~ (*purpose*) para *inf.*, para que *subj.*; (*result*) de modo que.

thaw [θɔː] 1. deshielo *m*; 2. deshelar (-se), derretir(se); *fig.* ablandar(se).

the [ðiː; *before vowel* ði, *before consonant* ðə] 1. *article:* el, la; *pl.* los, las; 2. *adv.* ~ ... ~ cuanto más ... (tanto) más.

the·a·ter ['θiətə] teatro *m* (*a. fig.*); *operating* ~ quirófano *m*, sala *f* de operaciones.

theft [θeft] hurto *m*, robo *m*.

their [ðɛə] su(s); **theirs** [~z] (el) suyo, (la) suya *etc.*

them [ðem, ðəm] *acc.* los, las; *dat.* les; (*after prp.*) ellos, ellas.

theme [θiːm] tema *m*; ~ **song** motivo *m* principal, tema *m* central.

them·selves [ðəm'selvz] (*subject*) ellos mismos, ellas mismas; *acc.*, *dat.* se; (*after prp.*) sí (mismos, mismas).

then [ðen] 1. *adv.* entonces; luego; después; *by* ~ para entonces; 2. *cj.* pues; conque; 3. *adj.* (de) entonces.

thence·forth ['ðens'fɔːθ] *lit.* de allí en adelante, desde entonces.

the·o·lo·gi·an [θiə'loudʒiən] teólogo *m*; **the·ol·o·gy** [θi'ɔlədʒi] teología *f*.

the·o·rize ['θiəraiz] teorizar; '**the·o·ry** teoría *f*; *in* ~ teóricamente.

ther·a·peu·tic [θerə'pjuːtik] 1. □ terapéutico; 2. ~*s pl.* terapéutica *f*; '**ther·a·py** terapia *f*; terapéutica *f*.

there [ðɛə] *adv.* allí, allá, ahí; *F all* ~ despierto, vivo; ~ *is*, ~ *are* [ðə'riz, ðə'rɑː] hay.

there...: '~**a·bout(s)** por ahí; '~**aft·er** después de eso; '~**by** así, de ese modo; '~**fore** por (lo) tanto, por consiguiente; '~**up'on** por consiguiente; al momento, en seguida.

ther·mal ['θəːməl] □ termal; **ther·mic** ['~mik] □ térmico.

ther·mo·dy·nam·ics ['θəːmoudai'næmiks] *sg.* termodinámica *f*.

ther·mom·e·ter [θə'mɔmitə] termómetro *m*; **ther·mo·nu·cle·ar** ['~-'njuːkliə] termonuclear; **ther·mo·pile** [~'moupail] termopila *f*; **Ther·mos** ['~mɔs] (*a.* ~ *flask*, ~ *bottle*) termos *m*; **ther·mo·stat** ['~moustæt] termóstato *m*.

these [ðiːz] (*pl. of this*) 1. *pron. m*: éstos; *f*: éstas; 2. *adj. m*: estos; *f*: estas.

the·sis ['θiːsis] tesis *f*.

they [ðei] ellos, ellas; ~ *who* los que.

thick [θik] 1. □ espeso; denso; *air* (*misty*) brumoso; (*foul*) viscoso; *liquid* (*cloudy*) turbio; (*stiff*) viscoso; *2 inches* ~ *2* pulgadas de espesor; F be ~ (*as thieves*) intimar mucho, ser uña y carne; 2.: *in the* ~ *of* en medio de; (*battle*) en lo más reñido de; '**thick·en** espesar(se); (*plot*) complicarse; '**thick·et** ['~it] matorral *m*, espesura *f*; '**thick·head·ed** estúpido, torpe; '**thick·ness** espesura *f*; espesor *m*; grueso *m*; densidad *f*; '**thick·skinned** *fig.* insensible.

thief [θiːf] ladrón (-a *f*) *m*; **thieve** [θiːv] hurtar, robar; **thiev·er·y** ['~vəri], '**thiev·ing** robo *m*, latrocinio *m*.

thigh [θai] muslo *m*; '~**bone** fémur *m*.

thim·ble ['θimbl] dedal *m*.

thin [θin] 1. □ delgado; *p.* flaco; *covering* ligero; transparente; *air, scent, sound* tenue; *crop, crowd* escaso; 2. (*slim*) adelgazar(se); aclarar; (*crowd etc.*) reducir(se).

thing [θiŋ] cosa *f*; asunto *m*; ~*s pl.* (*possessions*) efectos *m/pl.*; cosas *f/pl.*; F the ~ is el caso es que; *the best* ~ lo mejor; F *know a* ~ *or two* saber cuántas son cinco; *not to know the first* ~ *about* no saber nada en absoluto de.

think [θiŋk] [*irr.*] *v/i.* pensar; (*believe*) creer; reflexionar; meditar; I ~ so creo que sí; I should ~ so! ¡ya lo creo!; *v/t.* pensar; acordarse de; ~ little of tener en poco; ~ up idear; imaginar; **'think·a·ble** concebible; **'think·ing** 1. intelectual, mental; 2. pensamiento *m*.

thin·ness ['θinnis] delgadez *f*; tenuidad *f etc.*

third [θɔːd] 1. tercero; F ~ degree interrogatorio *m* brutal; ≈ World Tercero Mundo *m*; 2. tercio *m*; tercera parte *f*; ♪ tercera *f*; **'~·rate** de tercer orden.

thirst [θɔːst] 1. sed *f*; 2. tener sed (*after*, for de); **'thirst·y** ☐ sediento; be ~ tener sed.

thir·teen ['θɔː'tiːn] trece (*a. su. m*); **'thir'teenth** [~θ] decimotercio, decimotercero; **thir·ti·eth**; ['~tiiθ] trigésimo; **'thir·ty** treinta.

this [ðis] (*pl.* these) 1. *pron. m*: éste; *f*: ésta; *neuter*: esto; 2. *adj. m*: este; *f*: esta.

thong [θɔŋ] correa *f*.

tho·rax ['θɔːræks] tórax *m*.

thorn [θɔːn] espina *f*; **'thorn·y** espinoso (*a. fig.*).

thor·ough ['θʌrə] ☐ completo; cabal; concienzudo, minucioso; **'~·bred** (de) pura sangre *m/f*; **'~·fare** vía *f* pública; carretera *f*; **'~·go·ing** cabal; totalista, de cuerpo entero; **'thorough·ness** minuciosidad *f*; lo concienzudo *etc.*

those [ðouz] (*pl.* of that 1, 2) 1. *pron. m*: ésos, aquéllos (*more remote*); *f*: ésas, aquéllas (*more remote*); ~ who los que, aquellos que *etc.*; 2. *adj. m*: esos, aquellos; *f*: esas, aquellas.

though [ðou] 1. *cj.* aunque; si bien; as ~ como si *subj.*; 2. *adv.* sin embargo.

thought [θɔːt] pensamiento *m*; reflexión *f*; solicitud *f*; **thought·ful** ['θɔːtful] ☐ (*thinking*) pensativo; (*kind*) atento; considerado; **'thought·ful·ness** atención *f*; solicitud *f*; previsión *f*.

thought·less ['θɔːtlis] ☐ irreflexivo; descuidado; inconsiderado.

thou·sand ['θauzənd] 1. mil; 2. mil *m*; millar *m*; **thou·sandth** ['~zenθ] milésimo (*a. su. m*).

thrash [θræʃ] *v/t.* golpear; azotar; zurrar; *v/i.*: ~ about *etc.* sacudirse, dar vueltas; **'thrash·ing** paliza *f*.

thread [θred] 1. hilo *m* (*a. fig.*); hebra *f* of silkworm; filete *m*, rosca *f* of

screw; 2. needle enhebrar; beads ensartar; **'~·bare** raído, gastado.

threat [θret] amenaza *f*; **'threat·en** amenazar (to con); **'threat·en·ing** ☐ amenazante, amenazador.

three [θriː] tres (*a. su. m*); **'~·col·or** de tres colores; **'~·cor·nered** triangular; ~ hat tricornio *m*; **'~·di·men·sion·al** tridimensional; **'~·fold** 1. *adj.* triple; 2. *adv.* tres veces; **~·pence** ['θrepəns] tres peniques *m/pl.*; **'~·phase** ['θriːfeiz] ≵ trifásico; **'~·ply** wood de 3 capas; wool triple; **'~·way switch** conmutador *m* de tres terminales.

thresh [θreʃ] ☞ trillar.

thresh·ing ['θreʃiŋ] ☞ trilla *f*; **'~·floor** era *f*; **~ ma·chine** trilladora *f*.

threw [θruː] *pret. of* throw 1.

thrice [θrais] † tres veces.

thrift, thrift·i·ness ['θrift(inis) economía *f*, frugalidad *f*; **'thrift·y** ☐ económico, frugal.

thrill [θril] 1. emocionar(se), conmover(se); 2. emoción *f*; estremecimiento *m*; **'thrill·er** F novela *f* (*or* película *f* or pieza *f*) escalofriante; novela *f* policíaca; **'thrill·ing** ☐ emocionante; apasionante.

thrive [θraiv] [*irr.*] medrar, florecer; **thriv·ing** ['θraiviŋ] ☐ próspero.

throat [θrout] garganta *f*; cuello *m*; **'throat·y** ☐ gutural, ronco.

throb [θrɔb] 1. latir, palpitar; (*engine*) vibrar; 2. latido *m*, pulsación *f*.

throes [θrouz] *pl.* agonía *f*, dolores *m/pl.*

throne [θroun] trono *m*.

throng [θrɔŋ] 1. tropel *m*, muchedumbre *f*; 2. atestar; apiñarse.

throt·tle ['θrɔtl] 1. ahogar, estrangular (*a.* ⊕); 2. gaznate *m*; **~ valve** regulador *m*; mot. acelerador *m*.

through [θruː] 1. *prp.* por; a través de; por medio de, debido a; 2. *adv.* de parte a parte; (desde el principio) hasta el fin; 3. *adj. train* directo; F be ~ haber terminado; haber acabado (with con); **~·out** 1. *prp.* durante todo, por todo; 2. *adv.* todo el tiempo, desde el principio hasta el fin; **'~·way** (*a.* **'thru·way**) carretera *f* troncal.

throve [θrouv] *pret. of* thrive.

throw [θrou] 1. [*irr.*] echar, lanzar, arrojar, tirar; F fight perder con premeditación; ~ away echar; malgastar; chance desperdiciar; ~ out echar, ᴐ, poner en la calle; hint proferir;

throwback

parl. bill rechazar; ~ *up* F devolver, vomitar; **2.** tirada *f*, tiro *m*, echada *f*; '~**back** *biol.* reversión *f*; **thrown** [θroun] *p.p. of throw*.

thrum [θrʌm] ♪ *v/t.* guitar rasguear.

thrush [θrʌʃ] *orn.* zorzal *m*.

thrust [θrʌst] **1.** estocada *f of sword*;⚔ avance *m*; ataque *m*; ⊕ *a. fig.* empuje *m*; **2.** *v/t.* empujar (*forward etc.* hacia adelante *etc.*); ~ *aside* rechazar bruscamente; *v/i.*: ~ *at* asestar un golpe a; ~ *forward* seguir adelante; ⚔ avanzar.

thud [θʌd] **1.** golpear con ruido sordo; **2.** ruido *m* sordo.

thug [θʌg] asesino *m*; ladrón *m* brutal; hombre *m* brutal, desalmado *m*.

thumb [θʌm] **1.** pulgar *m*; **2.** manosear; F ~ *a ride* hacer autostop; '~**in·dex** escalerilla *f*; índice *m* con pestañas; '~**screw** *hist.* empulgueras *f/pl.*; ⊕ tornillo *m* de orejas; '~**tack** chinche *m*.

thump [θʌmp] **1.** golpazo *m*; porrazo *m*; **2.** *v/t.* golpear; aporrear; *v/i.* caer *etc.* con golpe pesado.

thun·der ['θʌndə] **1.** trueno *m*; *fig.* estruendo *m*; **2.** tronar; *threats etc.* fulminar; '~**bolt** rayo *m* (*a. fig.*); '~**clap** tronido *m*; '~**cloud** nubarrón *m*; '**thun·der·ous** □ atronador; '**thun·der·storm** tronada *f*, tempestad *f* de truenos; '**thun·der·struck** *fig.* pasmado, estupefacto.

Thurs·day ['θəːzdi] jueves *m*.

thus [ðʌs] así; ~ *far* hasta aquí.

thwart [θwɔːt] frustrar, impedir, desbaratar.

thyme [taim] tomillo *m*.

thy·roid ['θairɔid] **1.** tiroideo; **2.** tiroides *m* (*a. ~ gland*).

tib·i·a ['tibiə] tibia *f*.

tic [tik] ⚕ tic *m*.

tick¹ [~] *zo.* garrapata *f*.

tick² [~] **1.** tictac *m of clock*; (*mark*) señal *f*, marca *f*; **2.** hacer tictac.

tick·er ['tikə] teleimpresor *m*; *sl.* corazón *m*.

tick·er tape ['tikəteip] cinta *f* de cotizaciones.

tick·et ['tikit] **1.** billete *m*; S.Am. boleto *m*; *thea. etc.* entrada *f*, localidad *f*; (*counterfoil*) talón *m*; (*label*) etiqueta *f*, rótulo *m*; F multa *f* (*de conductor*); **2.** rotular, poner etiqueta a; '~ **col·lec·tor** revisor *m*; '~ **scal·per** revendedor *m* de billetes con mucha ganancia; '~ **win·dow** ventanilla *f*; taquilla *f*; 🚉 despacho *m* de billetes.

tick·le ['tikl] cosquillear, hacer cosquillas a; (*amuse*) divertir; '**tick·lish** □ cosquilloso; *fig.* peliagudo; F difícil; delicado.

tid·bit ['tidbit] golosina *f*; bocadito *m*.

tide [taid] **1.** marea *f*; *fig.* corriente *f*; marcha *f*; *low* ~ bajamar *f*; *fig.* punto *m* más bajo; *high* ~ pleamar *f*; *fig.* apogeo *m*; **2.**: *fig.* ~ *over* sacar temporalmente de apuro; '~**wa·ter 1.** agua *f* de marea; **2.** *adj.* costanero.

ti·di·ness ['taidinis] aseo *m*, buen orden *m*.

ti·dy ['taidi] **1.** □ aseado; ordenado; pulcro; **2.** (*a. ~ up*) asear; arreglar.

tie [tai] **1.** corbata *f*; lazo *m*; ♪ ligado *m*; ⚓ tirante *m*; (*bond*) vínculo *m*; *sport*, *voting*: empate *m*; *v/t.* atar; liar; enlazar; ♪ *a. fig.* ligar; confinar; (*hinder*) estorbar; ~ *up* atar; envolver; *v/i. sport etc.*: empatar; '~**pin** alfiler *m* de corbata.

tier [tiə] fila *f*, grada *f*, grado *f*.

tie-up ['tai'ʌp] enlace *m*; paralización *f by strike*; bloqueo *m*.

ti·ger ['taigə] tigre *m*.

tight [tait] □ apretado; estrecho; *clothes* ajustado; (*taut*) tirante; *situation* difícil; ♦ *money* escaso; F (*mean*) agarrado; F (*drunk*) borracho; '**tight·en** apretar(se); atiesar(se); estrechar(se); '**tight·fist·ed** agarrado; '**tight·fit·ting** muy ajustado; '**tight-lipped** callado; que sabe guardar secretos; '**tight-rope walk·er** funámbulo *m*, equilibrista *m/f*; **tights** [~s] *pl.* traje *m* de malla; '**tight·squeeze** aprieto *m*; '**tight-wad** *sl.* cicatero *m*.

ti·gress ['taigris] tigresa *f*.

tile [tail] **1.** (*roof*) teja *f*; (*floor*) baldosa *f*; (*colored*) azulejo *m*; **2.** *roof* tejar; *floor* embaldosar.

till¹ [til] caja *f* registradora, cajón *m*.

till² [~] *prp.* hasta; *cj.* hasta que.

till³ [~] ✦ cultivar, labrar.

tilt [tilt] **1.** inclinación *f*; ⚔ torneo *m*; (*at*) *full* ~ a toda velocidad; **2.** inclinar(se), ladear(se).

tim·ber ['timbə] **1.** madera *f* (de construcción); (*beam*) viga *f*; árboles *m/pl.* de monte; **2.** enmaderar; '~ **line** límite *m* forestal.

time [taim] **1.** tiempo *m*; hora *f of day*; (*occasion*) vez *f*; época *f*; plazo *m*; horas *f/pl.* de trabajo; ♪ compás *m*; ¡la hora!; ♩ ~s por; *what is the* ~? ¿qué hora es?; *it is high* ~ *that* ya es hora de que; *at no* ~ nunca; *at* ~s a

veces; *behind* ~ atrasado; *behind the* ~s anticuado; *from* ~ *to* ~ de vez en cuando, con el tiempo; *in* (*good*) (*early*) a tiempo, con tiempo; *on* ~ puntual(mente); *beat* (*or keep*) ~ llevar el compás; F *do* ~ cumplir una condena; *have a bad* ~ pasarlo mal; *have a good* ~ divertirse (mucho); darse buena vida; *take one's* ~ no darse prisa; **2.** *race* cronometrar; medir el tiempo de; '~ **bomb** bomba *f* de relojería, bomba-reloj *f*; '~ **ex-po·sure** *phot.* pose *f*; '~ **hon·ored** tradicional, consagrado; '~ **keep·er** reloj *m*; cronómetro *m*; (*p.*) cronometrador *m*; '~ **lag** intervalo *m*; retraso *m*, retardo *m*; '**time·ly** oportuno; '**time 'pay·ment** pago *m* a plazos; '**time·piece** reloj *m*; '**tim·er** ⊕ reloj *m* automático; ⊕ distribuidor *m* de encendido *in engine.*

time...: '~ **'sig·nal** *radio:* señal *f* horaria; '~ **ta·ble** horario *m*; programa *m*; '~ **'zone** huso *m* horario.

tim·id ['timid] □ tímido; **ti·mid·i·ty** [ti'miditi] timidez *f.*

tim·ing ['taimiŋ] medida *f* del tiempo; ⊕ cronometraje *m.*

tin [tin] **1.** estaño *m*; (*can*) lata *f*; ⊕ hoja *f* de lata, hojalata *f*; **2.** de estaño, de hojalata; **3.** ⊕ estañar.

tinc·ture ['tiŋktʃə] **1.** tintura *f*; pharm. tintura *f*; **2.** tinturar, teñir.

tin·foil ['tin'fɔil] papel *m* de estaño.

tinge [tindʒ] **1.** tinte *m*; matiz *m* (*a. fig.*); **2.** teñir (*with* de).

tin·gle ['tiŋgl] **1.** sentir comezón; *fig.* estremecerse (*with* de); **2.** comezón *f*; estremecimiento *m.*

tin hat ['tin'hæt] casco *m* de acero.

tink·er ['tiŋkə] **1.** calderero *m* remendón; **2.** *v/t.* remendar chapuceramente (*a.* ~ *up*); *v/i.* jugar con; (*spoil*) estropear.

tin·kle ['tiŋkl] **1.** (hacer) retiñir; **2.** retintín *m*; campanilleo *m.*

tin·ny ['tini] ♪ cascado, que suena a lata; F desvencijado; '**tin·plate** hojalata *f.*

tin·sel ['tinsl] oropel *m* (*a. fig.*).

tin·smith ['tin·smiθ] hojalatero *m.*

tint [tint] **1.** tinte *m*, matiz *m*; media tinta *f*; **2.** teñir, matizar.

ti·ny ['taini] menudo, diminuto, chiquitín.

tip [tip] **1.** punta *f*, extremidad *f*; casquillo *m of stick etc.*; embocadura *f of cigarette*; F (*gratuity*) propina *f*; F aviso *m*; soplo *m*; **2.** inclinar(se),

ladear(se); F dar propina (*v/t.* a); F ~ *off* advertir clandestinamente; '~ **off** F advertencia *f* clandestina.

tip·ple ['tipl] envasar, empinar el codo; '**tip·pler** bebedor *m.*

tip·sy ['tipsi] □ achispado.

tip·toe ['tip'tou]: *on* ~ de puntillas.

tip·top ['tip'tɔp] F de primera, excelente.

ti·rade [tai'reid] diatriba *f*, invectiva *f.*

tire¹ ['taiə] neumático *m*; llanta *f*; calce *m of metal*; ~ *chain* cadena *f* antirresbaladiza.

tire² [~] cansar(se); aburrir(se).

tired ['taiəd] □ cansado (*fig. of* de).

tire·less ['taiəlis] □ infatigable, incansable.

tire·some ['taiəsəm] □ molesto, fastidioso; aburrido.

tis·sue ['tisjuː] tejido *m* (*a. anat.*); ✝ (*cloth*) tisú *m*; '~ **pa·per** papel *m* de seda.

tit·il·late ['titileit] estimular, excitar, titilar; **tit·il·la·tion** estimulación *f.*

ti·tle ['taitl] **1.** título *m*; ⚖ título *m* de propiedad; *sport:* campeonato *m*; **2.** (in)titular; ~d titulado; '~ **deed** título *m* de propiedad; '~ **hold·er** *sport:* campeón *m*, titular *m*; '~ **page** portada *f*; '~ **role** papel *m* titular *of a play.*

tit·ter ['titə] **1.** reírse a disimulo; **2.** risa *f* disimulada.

tit·u·lar ['titjulə] titular; nominal.

to [tuː] **1.** *not translated before infinitive:* *to do* hacer; *I have letters* ~ *write* tengo cartas que escribir; *the book is still* ~ *be written* el libro está todavía por escribir; **2.** *prp.* a; hacia; para; *I am going* ~ *Madrid* (Spain) voy a Madrid (España); *from door* ~ *door* de puerta en puerta.

toad [toud] sapo *m*; '~ **stool** hongo *m* (*freq.* venenoso).

toad·y ['toudi] **1.** pelotillero *m*, adulador *m* servil; **2.** adular servilmente (*to* a).

toast [toust] **1.** pan *m* tostado; tostada *f*; brindis *m* (*to* por); **2.** tostar; '**toast·er** (*electric*) tostadora *f.*

to·bac·co [tə'bækou] tabaco *m*; ~ *pouch* petaca *f.*

to·bog·gan [tə'bɔgən] **1.** tobogán *m*; **2.** deslizarse en tobogán.

to·day [tə'dei] hoy; hoy día; *a week from* ~ de hoy en ocho días.

tod·dle ['tɔdl] hacer pinos, andar a tatas; '**tod·dler** pequeñito (a *f*) *m* (que aprende a andar).

to–do [tə'du:] F lío *m*, alharaca *f*, alboroto *m*.

toe [tou] **1.** anat. dedo *m* del pie; punta *f* del pie; **2.** tocar con la punta del pie; ~ **the** (party) **line** conformarse; someterse.

tof·fee ['tɔfi] caramelo *m*.

to·geth·er [tə'geðə] **1.** adj. juntos; all ~ todos juntos; **2.** adv. juntamente, junto; a la vez.

tog·gle ['tɔgl] **1.** cazonete *m* de aparejo; **2.** asegurar con cazonete; '~ **switch** interruptor *m* a palanca.

togs [tɔgz] pl. F ropa *f*.

toil [tɔil] **1.** fatiga *f*; afán *m*; **2.** fatigarse; afanarse.

toi·let ['tɔilit] atavío *m*, tocado *m*; inodoro *m*; retrete *m*; ~ '**bowl** inodoro *m*; ~ **pa·per** papel *m* higiénico; '~ **set** juego *m* de tocador; '~ **wa·ter** agua *f* de tocador.

to·ken ['toukən] señal *f*; muestra *f*; prenda *f*; prueba *f*; attr. simbólico.

told [tould] pret. a. p.p. of tell; all ~ en total.

tol·er·a·ble ['tɔlərəbl] □ tolerable; (fair) mediano, regular; **tol·er·ate** ['~reit] tolerar; aguantar.

toll¹ [toul] peaje *m*; pontazgo *m*; fig. mortalidad *f*, número *m* de víctimas; teleph. ~ **call** conferencia *f* interurbana; '~ **bridge** puente *m* de peaje; '~**gate** barrera *f* de peaje.

toll² [~] doblar (a muerto).

to·ma·to [tə'meitou] tomate *m*.

tomb [tu:m] tumba *f*, sepulcro *m*.

tom·boy ['tɔmbɔi] muchacha *f* traviesa, moza *f* retozona.

tomb·stone ['tu:mstoun] lápida *f* sepulcral.

tome [toum] tomo *m*; co. librote *m*.

tom·my ['tɔmi] F soldado *m* inglés; ~ **gun** pistola *f* ametralladora.

to·mor·row [tə'mɔrou] mañana.

ton [tʌn] tonelada *f*.

tone [toun] **1.** all senses: tono *m*; radio: ~ **control** control *m* de tonalidad; **2.** ♪, paint. entonar; phot. virar; ~ **down** suavizar (el tono de).

tongs [tɔŋz] pl. (sugar) tenacillas *f/pl.*; (coal) tenazas *f/pl.*

tongue [tʌŋ] *m/s* lengua *f*; ⊕ lengüeta *f* (a. of scales); '**tongue-tied** de lengua trabada; fig. premioso, tímido; '**tongue twist·er** trabalenguas *m*.

ton·ic ['tɔnik] **1.** □ tónico; **2.** ♪ tónica *f*; ♪ tónico *m* (a. fig.).

to·night [tə'nait] esta noche.

ton·nage ['tʌnidʒ] tonelaje *m*.

ton·sil ['tɔnsl] amígdala *f*; **ton·sil·li·tis** [~'laitis] amigdalitis *f*.

ton·y ['touni] sl. aristocrático, elegante.

too [tu:] demasiado; (also) también; ~ **much** demasiado.

tool [tu:l] **1.** herramienta *f*; utensilio *m*; fig. instrumento *m*; **2.** filetear leather; '~ **bag**, '~ **kit** herramental *m*, bolsa *f* de herramientas; '~**box** caja *f* de herramientas.

toot [tu:t] **1.** sonar (v/i. la bocina etc.); **2.** sonido *m* breve.

tooth [tu:θ] (pl. teeth) diente *m*; (molar) muela *f*; púa *f* of comb; false teeth dentadura *f* postiza; '~**ache** dolor *m* (or mal *m*) de muelas; '~**brush** cepillo *m* de dientes; **toothed** [~θt] dentado; '**tooth·paste** pasta *f* dentífrica (or de dientes); '**tooth·pick** palillo *m*; mondadientes *m*.

top¹ [tɔp] **1.** cima *f*, cumbre *f*, ápice *m*; cabeza *f* of page, list; copa *f* of tree; remate *m* of roof etc.; (lid) tapa *f*; capuchón *m* of pen; mot. capota *f*; ~ **banana** sl. jefe *m*; persona *f* principal; from ~ **to bottom** de arriba abajo; de cabo a rabo; on ~ of encima de; fig. además de; fig. on ~ of that por añadidura; **2.** (el) más alto; cimero; floor último; **3.** coronar, rematar; fig. superar, aventajar; F ~ off rematar.

top² [~] peonza *f*; peón *m*.

to·paz ['toupæz] topacio *m*.

top·coat ['tɔpkout] sobretodo *m*.

top...: '~**flight** F sobresaliente; ~ **hat** chistera *f*; '~**heav·y** demasiado pesado por arriba.

top·ic ['tɔpik] asunto *m*, tema *m*; '**top·i·cal** □ corriente; 🔹 tópico.

top...: '~**most** (el) más alto; '~**notch** F sobresaliente.

to·pog·ra·pher [tə'pɔgrəfə] topógrafo *m*; **to·pog·ra·phy** [tə'pɔgrəfi] topografía *f*.

top·per ['tɔpə] sl. chistera *f*; '**top·ping:** cake ~ garapiña *f*.

top·ple ['tɔpl] v/t. derribar, volcar; v/i. volcar(se), venirse abajo.

top-se·cret ['tɔp'si:krit] ✗ de máxima confidencia.

top·sy-tur·vy ['tɔpsi'tə:vi] trastornado; en desorden.

torch [tɔ:tʃ] antorcha *f*; '~**bear·er** portahachón *m*; '~**light** luz *f* de antorcha; ~ **procession** desfile *m* de portahachones; ~ **song** canción *f* de murria; fado *m*.

tore [tɔ:] *pret. of* tear[1].

tor·ment 1. ['tɔ:mənt] tormento *m*; **2.** [tɔ:'ment] atormentar.

torn [tɔ:n] *p.p. of* tear[1].

tor·na·do [tɔ:'neidou], *pl.* **tor·na·does** [~z] huracán *m*, tornado *m*.

tor·pe·do [tɔ:'pi:dou], *pl.* **tor·pe·does** [~z] **1.** *all senses:* torpedo *m*; **2.** torpedear (*a. fig.*); '~ **boat** torpedero *m*; '~ **tube** (tubo *m*) lanzatorpedos *m*.

tor·pid ['tɔ:pid] □ aletargado, inactivo; *fig.* torpe, entorpecido.

torque [tɔ:k] par *m* de torsión.

tor·rent ['tɔrənt] torrente *m* (*a. fig.*); **tor·ren·tial** [tɔ'renʃl] □ torrencial.

tor·rid ['tɔrid] tórrido (*a*); ~ *zone* zona *f* tórrida.

tor·sion ['tɔ:ʃn] torsión *f*.

tor·so ['tɔ:sou] torso *m*.

tort [tɔ:t] agravio *m*.

tor·toise ['tɔ:təs] tortuga *f*; '~·shell carey *m*.

tor·ture ['tɔ:tʃə] **1.** tortura *f*; **2.** torturar; *fig.* torcer, violentar; **'tor·tur·er** verdugo *m*.

toss [tɔs] **1.** meneo *m*, sacudida *f* of head; cogida *f* by bull; echada *f* of coin; *it's a* ~ *up* puede ser lo uno tanto como lo otro; *win the* ~ ganar el sorteo; **2.** *v/t.* echar, tirar; lanzar al aire; agitar, menear; sacudir; *v/i.* agitarse; (~ *and turn*) revolverse *in bed.*

tot [tɔt] nene *a* (*f*) *m*; peque *m/f*.

to·tal ['toutl] **1.** □ total; **2.** total *m*; **3.** *v/t.* sumar; *v/i.* ascender *a*; **to·tal·i·tar·i·an** ['toutæli'tɛəriən] totalitario; **to·tal·i·ty** totalidad *f*; **to·tal·ize** ['~təlaiz] totalizar.

tote [tout] F llevar, acarrear.

tot·ter ['tɔtə] tambalear(se); estar para desplomarse.

touch [tʌtʃ] **1.** *v/t.* tocar; palpar; (*reach*) alcanzar; *food* tomar, probar; *emotions* conmover, enternecer; *sl.* dar un sablazo a (*for para sacar*); ~ *off* hacer estallar (*a. fig.*); ~ *up* retocar (*a. phot.*); *v/i.* estar contiguo; tocarse; pasar rozando; aludir brevemente a; **2.** tacto *m*; toque *m*; contacto *m*; ♪ pulsación *f*; *paint.* pincelada *f*; (*master's*) mano *f*; *be in* ~ *with p.* estar en comunicación con; *keep in* ~ *with p.* mantener relaciones con; *th.* mantenerse al corriente de; '~·and·'go difícil; dudoso; **touched** conmovido; F chiflado; **'touch·ing** □ conmovedor; **'touch·stone** piedra *f* de toque (*a. fig.*); **'touch 'typ·ing** me-

canografía *f* al tacto; **'touch·y** □ quisquilloso, susceptible.

tough [tʌf] **1.** duro; resistente; tenaz; *task* difícil; F *luck* malo; F *p.* duro; malvado; criminal; **2.** F machote *m*; gorila *m*; **'tough·en** endurecer; **'tough·ness** dureza *f*.

tour [tuə] **1.** viaje *m* (*largo*); excursión *f*; vuelta *f*; **2.** *v/t.* viajar por, recorrer; *v/i.* viajar (*de turista*); **'tour·ing 1.** turismo *m*; **2.** turístico; ~ *car* coche *m* de turismo; **'tour·ist** turista *m/f*.

tour·na·ment ['tuənəmənt] torneo *m*; concurso *m*.

tout [taut] **1.** (*agent*) gancho *m*; (*ticket-*) revendedor *m*; *racing:* pronosticador *m*; **2.** solicitar.

tow [tou] **1.** (*on a* remolque *m*; **2.** remolcar, llevar al remolque.

to·ward(s) [tə'wɔ:d(z)] hacia; (*attitude*) para con; (*time*) cerca de.

tow·boat ['toubout] remolcador *m*.

tow·el ['tauəl] **1.** toalla *f*; **2.** secar con toalla; '~ *rack* toallero *m*.

tow·er ['tauə] **1.** torre *f*; (*church-*) campanario *m*; **2.** elevarse, encumbrarse; **'tow·er·ing** □ encumbrado.

town [taun] ciudad *f*; población *f*; pueblo *m*; ~ *hall* ayuntamiento *m*; **'towns·folk**, **'towns·peo·ple** ciudadanos *m/pl.*; **'town·ship** municipio *m*; **towns·man** ['taunzmən] ciudadano *m*, vecino *m*.

tow·rope ['touroup] sirga *f*; cable *m* de remolque.

tox·ic ['tɔksik] □ tóxico; ~ *shock syndrome* síndrome *m* del choque tóxico; **tox·in** ['tɔksin] toxina *f*.

toy [tɔi] **1.** juguete *m*; chuchería *f*; **2.** *attr.* de jugar; **3.**: ~ *with* jugar con; '~ *shop* juguetería *f*.

trace [treis] **1.** huella *f*, rastro *m*; (*small amount*) pizca *f*; **2.** rastrear; (*find*) encontrar; **tra·cer** ['treisə] *phys. etc.* trazador; ~ *bullet* bala *f* trazadora.

track [træk] **1.** huella *f*; pista *f*; (*path*) senda *f*, camino *m*; 🚂 vía *f*; 🏃 *etc.* trayectoria *f*; *keep* ~ *of fig.* estar al tanto de; **2.** (*a.* ~ *down*) rastrear; averiguar el origen de; **'track·er** rastreador *m*; ~ *dog* perro *m* rastrero; **'track·ing** seguimiento *m* of space vehicles; ~ *station* estación *f* de seguimiento; **'track·less** sin caminos; **'track meet** concurso *m* de carreras y saltos.

tract[1] [trækt] región *f*; extensión *f*; *digestive... canal m digestivo*

tract² [~] tratado *m*; folleto *m*.

trac·tion [træk∫n] tracción *f*; **'trac·tor** tractor *m*; **'trac·tor-'trail·er** tractocamión *m*.

trade [treid] **1.** comercio *m*; industria *f*; negocio *m*; (*calling*) oficio *m*; by ~ de oficio; **2.** *v/i.* comerciar (*in* en, *with* con); *v/t.* trocar, cambiar (*for* por); ~ *in* dar como parte del pago; '~ **fair** feria *f* de muestras; '**~-in** en trueque *m*; **~·mark** marca *f* registrada; **~·name** razón *f* social; nombre *m* de fábrica; **~ price** precio *m* al por mayor; '**trad·er** comerciante *m*, traficante *m*; '**trade school** escuela *f* de artes y oficios; '**trades·man** tendero *m*; artesano *m*; **trade 'un·ion** sindicato *m*; gremio *m*; *attr.* sindical, gremial; **trade 'un·ion·ism** sindicalismo *m*; **trade 'un·ion·ist** sindicalista *m/f*.

trade winds ['treid windz] *pl.* vientos *m/pl.* alisios.

tra·di·tion [trə'di∫n] tradición *f*.

traf·fic ['træfik] **1.** tráfico *m*; (*mot. etc.*) circulación *f*; (*trade*) comercio *m*; **2.** traficar (*in* en); *b.s.* tratar (*in* en); '**traf·fick·er** traficante *m*.

trag·e·dy ['trædʒidi] tragedia *f*.

trag·ic ['trædʒik] □ trágico.

trail [treil] **1.** rastro *m*, pista *f*; (*path*) sendero *m*; **2.** *v/t.* rastrear; seguir la pista de; *v/i.* arrastrar(se) (*a.* ♣); (*be last*) rezagarse; '**trail·er** *mot. etc.* remolque *m*.

train [trein] **1.** ☞ tren *m*; (*following*) séquito *m*; recua *f* of mules; **2.** adiestrar(se) (*a.* ✕); preparar; *child etc.* enseñar; *sport:* entrenar(se); **train'ee** *approx.* aprendiz *m*; '**train·er** *sport:* entrenador *m* (*a.* ✇); (*circus*) domador *m*.

train·ing ['treiniŋ] educación *f*; preparación *f*; instrucción *f*; *sport:* entrenamiento *m*; '~ **ship** buque-escuela *m*.

trait [trei(t)] rasgo *m*.

trai·tor ['treitə] traidor *m*; *be a ~ to* traicionar *acc.*

tra·jec·to·ry ['trædʒiktəri] trayectoria *f*.

tram·mel ['træml] **1.** ~*s pl.* fig. trabas *f/pl.*; **2.** poner trabas a.

tramp [træmp] **1.** marcha *f* pesada *of feet*; paseo *m* largo, excursión *f* a pie; (*p.*) vagabundo *m*; **2.** *v/i.* marchar pesadamente; viajar a pie; *v/t.* pisar con fuerza; recorrer a pie; **tram·ple** ['~l] *v/i.* patullar; *v/t.* hollar, pisotear.

trance [trɑːns] éxtasis *m*; estado *m* hipnótico, trance *m*.

tran·quil ['træŋkwil] □ tranquilo; '**tran·quil·ize** tranquilizar; '**tran·quil·iz·er** calmante *m*; **tran'quil·li·ty** tranquilidad *f*.

trans·act [træn'zækt] tramitar; despachar; **trans'ac·tion** negocio *m*, transacción *f*; tramitación *f*.

trans·at·lan·tic ['trænzət'læntik] transatlántico.

tran·scend [træn'send] exceder, superar; **tran'scend·ence**, **tran'scend·en·cy** [~dəns(i)] superioridad *f*; *phls.* tra(n)scendencia *f*.

tran·scribe [træns'kraib] transcribir.

trans·fer 1. [træns'fəː] *v/t.* transferir (*a.* ⚖); trasladar; transbordar; *v/i.* trasladarse; **2.** ['trænsfə] transferencia *f* (*a.* ⚖), traspaso *m* (*a.* ♣, *sport*); transbordo *m*; traslado *m to post*; **trans·fer·ee** [~fə'riː] ⚖ cesionario (*a.* *f*) *m*; **trans'fer·ence** ['~fərəns] transferencia *f*.

trans·fix [træns'fiks] traspasar, espetar; ~*ed* fig. atónito, pasmado.

trans·form [træns'fɔːm] transformar; **trans·form·er** [~'fɔːmə] ⚡ transformador *m*.

trans·fuse [træns'fjuːz] transfundir; *blood* hacer una transfusión de.

trans·gress [træns'gres] *v/t.* violar, traspasar; *v/i.* pecar.

tran·ship [træn'∫ip] transbordar.

tran·sient ['trænziənt] **1.** pasajero, transitorio; **2.** transeúnte *m*.

tran·sis·tor [træn'sistə] ⚡ transistor *m*; **tran'sis·tor·ize** transistorizar.

trans·it ['trænsit] tránsito *m*.

tran·si·tion [træn'siʒn] transición *f*, paso *m*.

tran·si·tive ['trænsitiv] □ transitivo.

trans·late [træns'leit] traducir (*into* a); trasladar *to post*; **trans'la·tion** traducción *f*; **trans'la·tor** traductor (*-a f*) *m*.

trans·lu·cent [træns'luːsnt] □ translúcido.

trans·mi·grate ['trænzmaigreit] transmigrar.

trans·mis·si·ble [trænz'misəbl] transmisible; **trans'mis·sion** transmisión *f*; *microwave* ~ emisión *f* en microonda.

trans·mit [trænz'mit] *all senses:* transmitir; **trans'mit·ter** transmisor *m*; *radio:* emisora *f*.

trans·mu·ta·tion [trænzmjuː'tei∫n] transmutación *f*; *biol.* transformismo

m; **trans·mute** [ʌ'mjuːt] transmutar.

tran·som ['trænsəm] travesaño *m*.

trans·par·en·cy [træns'pɛərənsi] transparencia *f*; **trans·par·ent** □ transparente (*a. fig.*).

tran·spire [træns'paiə] transpirar; *fig.* revelarse, divulgarse.

trans·plant [træns'plɑːnt] 1. trasplantar; 2. trasplante *m*.

trans·port 1. [træns'pɔːt] transportar (*a. fig.*); 2. ['trænspɔːt] *all senses*: transporte *m*; **trans·por·ta·tion** transportación *f*; transporte(s) *m(pl.)*.

trans·pose [træns'pouz] transponer; ♪ transportar.

trans·ship [træns'ʃip] transbordar.

tran·sub·stan·ti·ate [trænsəb'stæn-ʃieit] transubstanciar.

trans·ver·sal [trænz'vɔːsl] □ (Å línea *f*) transversal; **trans·verse** ['ʌvɔːs] □ transversal.

trans·ves·tite [trænz'vestait] transvestido *adj. a. su. m/f*; **trans·ves·tism** transvestismo *m*.

trap [træp] 1. trampa *f*; ⊕ bombillo *m*, sifón *m*; *sl.* boca *f*; 2. entrampar; atrapar; coger (en una trampa); **'trap·door** trampa *f*; *thea.* escotillón *m*.

tra·peze [trə'piːz] trapecio *m*; **trap·e·zoid** ['træpizɔid] trapezoide *m*.

trap·per ['træpə] cazador *m*.

trap·pings ['træpiŋz] *pl.* arreos *m/pl.*; *fig.* adornos *m/pl.*

trash [træʃ] pacotilla *f*, hojarasca *f*, cachivaches *m/pl.*; baladí, despreciable, cursi.

trav·el ['trævl] 1. *v/i.* viajar (*a.* ✦); ir *at a speed*; *v/t.* recorrer; viajar por; 2. viaje(s) *m(pl.)*; el viajar; ⊕ recorrido *m*; **'trav·el·er** viajero (*a f*) *m*; ✦ viajante *m*; **~'s check** cheque *m* de viajeros.

trav·e·log(ue) ['trævəlɔg] película *f* de viajes.

trav·erse ['trævəs] 1. ⊕ travesaño *m*; ✕ través *m*; 2. atravesar, cruzar.

trav·es·ty ['trævisti] 1. parodia *f* (*a. fig.*); 2. parodiar.

trawl [trɔːl] 1. red *f* barredera; 2. rastrear, pescar a la rastra; **'trawl·er** barco *m* rastreador.

tray [trei] bandeja *f*; cubeta *f*.

treach·er·ous ['tretʃərəs] □ traidor, traicionero; *fig.* engañoso, incierto; **'treach·er·y** traición *f*.

tread [tred] 1. [*irr.*] *v/i.* andar;

poner el pie; ~ (*up*)*on* pisar; *v/t.* pisar, pisotear; 2. pisada *f*; paso *m*; huella *f* of stair; **trea·dle** ['ʌl] pedal *m*.

trea·son ['triːzn] traición *f*.

treas·ure ['treʒə] 1. tesoro *m*; ~ *trove* tesoro *m* hallado; 2. atesorar (*a.* ~ *up*); apreciar mucho.

treas·ur·y ['treʒəri] tesoro *m*, tesorería *f*; ♀ *Department* Ministerio *m* de Hacienda.

treat [triːt] 1. *v/t.* tratar; (*invite*) convidar (*to* a); *v/i.*: ~ *of* tratar de 2. placer *m*, alegría *f*; recompensa *f* (especial); **trea·tise** ['ʌiz] tratado *m*; **'trea·ty** tratado *m*.

tree [triː] 1. árbol *m*; 2. ahuyentar por un árbol.

trek [trek] 1. emigrar; viajar; 2. migración *f*; F viaje *m* largo y aburrido.

trem·ble ['trembl] 1. temblar, estremecerse (*at* ante, *with* de); 2. temblor *m*, estremecimiento *m*.

tre·men·dous [tri'mendəs] □ tremendo, formidable, imponente.

trem·or ['tremə] temblor *m*.

trem·u·lous ['tremjuləs] □ trémulo; tímido.

trench [trentʃ] 1. zanja *f*, foso *m*; ✕ trinchera *f*; 2. zanjar; hacer zanjas *etc.* en; **'trench·ant** □ mordaz.

trend [trend] 1. tendencia *f*; dirección *f*; marcha *f*; 2. tender; **trend·y** F de (última) moda.

tres·pass ['trespəs] 1. intrusión *f*, entrada *f* sin derecho; violación *f*; 2. entrar sin derecho (*on* en); *no* ~*ing* prohibida la entrada; **'tres·pass·er** intruso (*a f*) *m*.

tress [tres] trenza *f*.

tres·tle ['tresl] caballete *m*.

tri·al ['traiəl] prueba *f*, ensayo *f*; *fig.* aflicción *f*; ⚖ proceso *m*, juicio *m*; ~*s sport*, ⊕ *etc.*: pruebas *f/pl.*; ~ *run* viaje *m* de ensayo.

tri·an·gle ['traiæŋgl] triángulo *m* (*a.* ♪); **tri·an·gu·late** [ʌleit] triangular.

trib·al ['traibl] □ tribal; **tribe** [traib] tribu *f* (*a. zo.*); *contp.* tropel *m*; ralea *f*.

tri·bu·nal [trai'bjuːnl] tribunal *m* (*a. fig.*); **trib·une** ['tribjuːn] tribuna *f*; (*p.*) tribuno *m*.

trib·ute ['tribjuːt] tributo *m*; *fig.* homenaje *m*; elogio *m*.

trick [trik] 1. engaño *m*; truco *m*; burla *f*; trampa *f*; maña *f*; (*harmless*) travesura *f*; (*illusion*) ilusión *f*; (*conjuring*) juego *m* de manos; 2. engañar,

trampear, burlar; **'trick·er·y** astucia f; fraude m; malas artes f/pl.

trick·le ['trikl] 1. gotear, escurrir; 2. hilo m, chorro m delgado.

trick·ster ['trikstə] estafador m.

trick·y ['triki] □ p. tramposo; astuto; situation etc. delicado, difícil.

tri·cy·cle ['traisikl] triciclo m.

tri·dent ['traidənt] tridente m.

tri·en·ni·al [trai'enjəl] □ trienal.

tri·fle ['traifl] 1. friolera f, bagatela f, fruslería f; fig. pizca f; 2. chancear; jugar (with con); **'tri·fler** persona f frívola.

tri·fling ['traifliŋ] □ insignificante, fútil.

tri·fo·cal [trai'foukl] 1. trifocal; 2. lente f trifocal.

trig·ger ['trigə] 1. gatillo m; ⊕ disparador m; 2. hacer estallar (a. fig.); fig. provocar.

trig·o·no·met·ric [trigənə'metrik] □ trigonométrico; **trig·o·nom·e·try** [~'nomitri] trigonometría f.

tri·lin·gual ['trai'liŋgwəl] □ trilingüe.

trill [tril] 1. trino m (a. ♪), gorjeo m; ♪ quiebro m; vibración f of R; 2. trinar, gorjear; R pronunciar con vibración.

tril·lion ['triljən] trillón m; un millón de billones.

trim [trim] 1. □ elegante; aseado; 2. disposición f; (buena) condición f; recorte m of hair etc.; 3. arreglar; ajustar; componer; (re)cortar; ♪ podar; **'trim·ming** guarnición f, adorno m; orla f; **'trim·ness** buen orden m; elegancia f.

Trin·i·ty ['triniti] Trinidad f.

trin·ket ['triŋkit] dije m; contp. ~s pl. baratijas f/pl., chucherías f/pl.

tri·o ['tri:ou] trío m.

trip [trip] 1. excursión f; viaje m; tropiezo m, zancadilla f with foot; ⊕ trinquete m; 2. v/i. tropezar (on, over en); v/t. (mst ~ up) echar la zancadilla a.

tri·par·tite [trai'pɑːtait] tripartito.

tripe [traip] tripa f (mst ~s pl.); sl. tonterías f/pl.

trip·li·cate 1. ['triplikit] (in por) triplicado; 2. ['~keit] triplicar.

tri·pod ['traipɔd] trípode m.

tris·yl·lab·ic ['traisi'læbik] □ trisílabo; **tri·syl·la·ble** ['~'silabl] trisílabo m.

trite [trait] □ trillado, trivial, vulgar; **'trite·ness** trivialidad f.

tri·umph ['traiəmf] 1. triunfo m; 2.

triunfar (over de); **tri·um·phant** □ triunfante.

triv·i·al ['triviəl] □ trivial; frívolo; **triv·i·al·i·ty** [~'æliti] trivialidad f.

Tro·jan ['troudʒən] troyano adj. a. su. m (a f).

trol·ley ['trɔli] carretilla f; (a. '~-car) tranvía m; ⊕ corredera f elevada; '~-bus trolebús m.

trol·lop ['trɔləp] marrana f, ramera f.

trom·bone [trɔm'boun] trombón m.

troop [tru:p] 1. tropa f; escuadrón m of cavalry; thea. compañía f; ~s pl. tropas f/pl.; 2. reunirse; ~ off marcharse en tropel; **'~-car·ri·er** ⚓ transporte m; ✕ camión m blindado; **'troop·er** soldado m de caballería; policía m de a caballo; **'troop·ship** transporte m.

tro·phy ['troufi] trofeo m.

trop·ic ['trɔpik] trópico m; ~s pl. trópicos m/pl.

trot [trɔt] 1. trote m; school sl. chuleta f; 2. trotar; F ~ out sacar (para mostrar).

trot·ter ['trɔtə] (caballo m) trotón m.

trou·ble ['trʌbl] 1. aflicción f, congoja f; (misfortune) desgracia f, apuro m; dificultad f, disgusto m; (unpleasantness) sinsabor m; (inconvenience) molestia f; be in ~ verse en un apuro; be worth the ~ valer la pena; 2. v/t. turbar; trastornar; afligir; molestar, fastidiar; incomodar; v/i. molestarse; **'trou·bled** p. inquieto; apenado; times turbulento; **trouble·some** ['~səm] □ molesto; dificultoso.

trough [trɔf] (drinking-) abrevadero m; (feeding-) comedero m.

trounce [trauns] zurrar, pegar.

troupe [tru:p] compañía f.

trou·sers [trauzəz] (a pair of un) pantalón m; pantalones m/pl.

trous·seau ['tru:sou] ajuar m.

trout [traut] trucha f.

trow·el ['trauəl] ♪ desplantador m; △ paleta f, llana f.

tru·an·cy ['tru:ənsi] ausencia f de clase sin permiso; **'tru·ant 1.** haragán; 2. novillero m.

truce [tru:s] tregua f.

truck [trʌk] 1. camión m; (hand-) carretilla f; 🚃 vagón m (de mercancías); vagoneta f; 2. transportar en camión.

truck [~] cambio m, trueque m; contp. baratijas f/pl.; have no ~ with no tratar con.

truc·u·lent ['trʌkjulənt] □ áspero, hosco, arisco; agresivo.

trudge [trʌdʒ] caminar trabajosamente.

true [tru:] (adv. *truly*) verdadero; *account* verídico; *p.* leal; *copy* fiel, exacto; genuino; auténtico; *come* ～ realizarse; **'～'blue** sumamente leal; **'～bred** de casta legítima; **'～love** fiel amante *m/f*, novio (a *f*) *m*.

truf·fle ['trʌfl] trufa *f*.

tru·ly ['tru:li] verdaderamente; fielmente; *Yours* ～ su seguro servidor.

trump [trʌmp] **1.** triunfo *m*; **2.** fallar; ～ *up* forjar, falsificar.

trum·pet ['trʌmpit] **1.** trompeta *f*; ～ *blast* trompetazo *m*; **2.** trompetear; (*elephant*) barritar; **'trum·pet·er** trompetero *m*, trompeta *f*.

trun·cate ['trʌŋkeit] truncar.

trun·cheon ['trʌntʃn] (cachi)porra *f*.

trun·dle ['trʌndl] **1.** ruedecilla *f*; **2.** (hacer) rodar (a. ～ *along*).

trunk [trʌŋk] ♘, *anat.* tronco *m*; (*case*) baúl *m*; (*elephant's*) trompa *f*; maleta *f*; **'～ line** 🚃 línea *f* troncal; *teleph.* línea *f* principal; **trunks** pl. taparrabo *m*.

truss [trʌs] **1.** ⚮ haz *m*, lío *m*; ⚕ braguero *m*; △ entramado *m*; **2.** atar, liar.

trust [trʌst] **1.** confianza *f*; crédito *m*; obligación *f*, cargo *m*; ⚖ fideicomiso *m*; ✝ trust *m*; ～ *company* banco *m* fideicomisario; **2.** *v/t.* confiar en, fiarse de; *v/i.* confiar (*in*, *to* en).

trus·tee [trʌs'ti:] síndico *m*; depositario *m*; ⚖ fideicomisario *m*.

trust·ful ['trʌstful] ☐, **'trust·ing** ☐ confiado.

trust·wor·thi·ness ['trʌstwɔ:ðinis] confiabilidad *f*; **'trust·wor·thy** *p.* confiable; *news etc.* fidedigno.

truth [tru:θ, *pl.* ～ðz] verdad *f*.

truth·ful ['tru:θful] ☐ verídico; veraz; **'truth·ful·ness** veracidad *f*.

try [trai] **1.** *v/t.* intentar; (*test*) probar, ensayar (a. ～ *out*); ⚖ *p.* procesar (*for* por); (*sorely*) afligir; ～ *on clothes* probarse; *v/i.* probar; esforzarse; **2.** F tentativa *f*; ensayo *m* (a. *rugby*); prueba *f*; **'try·ing** ☐ molesto; cansado; penoso; **'try'out** experimento *m*; prueba *f* (a. *sport*).

tryst [traist, trist] (lugar *m* de una) cita *f*.

Tsar [zɑ:] zar *m*.

T-square [ti:'skweə] regla *f* T.

tub [tʌb] tina *f*; cubo *m*; cuba *f*; **'tub·by** rechoncho.

tu·ba ['tu:bə] tuba *f*.

tube [tu:b] tubo *m* (a. *television*); *radio:* lámpara *f*; (a. *inner* ～) cámara *f*; **'～less** *mot.* sin cámara; ⚡ sin tubo.

tu·ber ['tu:bə] tubérculo *m*; **tu·ber·cle** ['tu:bə:kl] *all senses:* tubérculo *m*; **tu·ber·cu·lo·sis** [tubə:kju'lousis] tuberculosis *f*.

tub·ing ['tu:biŋ] tubería *f*.

tuck [tʌk] **1.** alforza *f*; pliegue *m*; **2.** alforzar; plegar; ～ *away* encubrir, ocultar.

tuck·er [tʌkə] F agotar, cansar.

Tues·day ['tu:zdi] martes *m*.

tuft [tʌft] copete *m*; penacho *m*; manojo *m* of *grass etc.*

tug [tʌg] **1.** tirón *m*; estirón *m*; ⚓ remolcador *m*; ～ *of war* lucha *f* de la cuerda; **2.** tirar de; arrastrar; **'～boat** remolcador *m*.

tu·i·tion [tu'iʃn] cuota *f* de enseñanza.

tu·lip ['tu:lip] tulipán *m*.

tum·ble ['tʌmbl] **1.** *v/i.* caer; tropezar (*over* en); desplomarse, hundirse; *v/t.* derribar; derrocar; desarreglar; **2.** caída *f*; voltereta *f*; *take a* ～ caerse; **'～down** destartalado, ruinoso; **'tum·bler** (*glass*) vaso *m*; (*p.*) volteador (-a *f*) *m*.

tum·my ['tʌmi] F estómago *m*.

tu·mor ['tu:mə] tumor *m*.

tu·mult ['tu:mʌlt] tumulto *m*.

tu·na ['tu:nə] atún *m*.

tune [tu:n] **1.** aire *m*, tonada *f*; armonía *f*; tono *m*; *in* ～ templado, afinado; *adv.* afinadamente; *fig.* be *in* ～ *with* concordar con; *out of* ～ destemplado, desafinado; **2.** ♪ afinar, acordar, templar (a. ～ *up*); *radio:* ～ (*in*) sintonizar (*to acc.*); *mot.* ～ *up* poner a punto; **'tune·less** ☐ disonante; **'tun·er** afinador *m*; *radio:* sintonizador *m*.

tung·sten ['tʌŋstən] tungsteno *m*.

tu·nic ['tu:nik] túnica *f*.

tun·ing ['tu:niŋ] ♪ afinación *f*; *radio:* sintonización *f*; **'～ coil** bobina *f* sintonizadora; **'～ fork** diapasón *m*.

tun·nel ['tʌnl] **1.** túnel *m*; ⚒ galería *f*; **2.** *v/t.* construir un túnel bajo; *v/i.* construir un túnel.

tur·ban ['tə:bən] turbante *m*.

tur·bid ['tə:bid] turbio.

tur·bine ['tə:bin] turbina *f*.

tur·bo·fan ['tə:boufæn] turboventilador *m*; **tur·bo·jet** turborreactor (a. *su. m*); **tur·bo·prop** turbohélice (a. *su. m*); **tur·bo'ram·jet** turborreactor *m* a postcombustión; **tur·bo'su·per·charg·er** turbosupercargador *m*.

tur·bu·lence ['tə:bjuləns] turbulencia f.

turf [tə:f] césped m; (sod) tepe m; (peat) turba f; sport: turf m.

tur·gid ['tə:dʒid] □ turgente.

Turk [tə:k] turco (a f) m; fig. pícaro m.

tur·key ['tə:ki] pavo (a f) m.

Turk·ish ['tə:kiʃ] turco adj. a. su. m; ~ bath baño m turco.

tur·moil ['tə:mɔil] desorden m; alboroto m, tumulto m; disturbio m.

turn [tə:n] 1. v/t. volver; ⊕ tornear; ankle torcer; corner doblar; handle girar, dar vueltas a; key dar vuelta a; ~ aside desviar; ~ away apartar; despedir; ~ into convertir en, cambiar en; (translate) verter a; ~ off light apagar; tap cerrar; gas cortar; ~ on light encender; radio poner; tap abrir; ~ out light apagar; p. echar, expulsar; 2. v/i. volver(se), girar, dar vueltas; mot., ℛ virar; torcer; (become) hacerse su., ponerse, volverse adj.; (milk) agriarse, cortarse; ~ back volver (atrás), retroceder; ~ from apartarse de; ~ out to be resultar; ~ out well salir bien; ~ over revolver (-se); mot., ℛ capotar; volcar; ~ round volverse; girar; ~ to (for help) recurrir a, acudir a; 3. vuelta f; giro m; revolución f; curva f, recodo m in road etc.; ♣ etc. viraje m; mot. etc. giro m; (change) cambio m; repunte m, cambio m of tide; (spell) turno m; oportunidad f; it is my ~ me toca a mí; take a ~ dar una vuelta; take a ~ at contribuir con su trabajo a; take a ~ at the wheel conducir por su turno; take one's ~ esperar su turno; take ~s turnar, alternar; '~·coat renegado (a f) m; '~·down doblado hacia abajo; negativa f.

turn·ing ['tə:niŋ] vuelta f; ángulo m; the first ~ la primera bocacalle; '~ lathe torno m (de tornero); '~ point fig. punto m decisivo, coyuntura f crítica.

tur·nip ['tə:nip] nabo m.

turn·key ['tə:nki:] llavero m (de cárcel); '**turn·off** salida f, desviación f of road; sl. rechazamiento m; negativa f; '**turn·out** concurrencia f; entrada f; ✝ producción f; F atuendo m; '**turn·o·ver** ✝ (volumen m de) transacciones f/pl.; movimiento m de mercancías or de personal; cooking: pastel m con repulgo; '**turn·pike** barrera f de portazgo; autopista f de peaje; '**turn sig·nal** mot. señal

f de dirección; '**turn·stile** torniquete m; '**turn·ta·ble** ⊛, Gramophone: placa f giratoria; '**turn·up** vuelta f of trousers.

tur·pen·tine ['tə:pəntain] trementina f.

tur·quoise ['tə:kwɔ:z] turquesa f.

tur·ret ['tʌrit] ⚔ torreón m; ✕ torre f; ♣ torreta f (acorazada).

tur·tle ['tə:tl] tortuga f marina.

tusk [tʌsk] colmillo m.

tus·sle ['tʌsl] 1. lucha f; agarrada f, pelea f; 2. luchar; reñir.

tu·te·lage ['tju:tilidʒ] tutela f.

tu·tor ['tju:tə] 1. preceptor m; ayo m; maestro m particular; 2. enseñar, instruir; **tu·to·ri·al** [tju'tɔ:riəl] 1. preceptoral; ǂ† tutelar; 2. univ. clase f particular.

tux·e·do [tʌk'si:dou] smoking m.

twad·dle ['twɔdl] disparates m/pl.

twang [twæŋ] tañido m, punteado m of guitar; (mst nasal ~) gangueo m, timbre m nasal.

tweak [twi:k] pellizcar retorciendo.

tweez·ers ['twi:zəz] pl. (a pair of ~ unas) bruselas f/pl., pinzas f/pl.

twelfth [twelfθ] duodécimo.

twelve [twelv] doce (a. su. m).

twen·ti·eth ['twentiiθ] vigésimo.

twen·ty ['twenti] veinte; '~·fold ['-fould] adv. veinte veces (adj. mayor).

twerp [twə:p] sl. tonto m; papanatas m.

twice [twais] dos veces; ~ the sum el doble; ~ as much dos veces tanto.

twid·dle ['twidl] 1. girar; jugar con, revolver ociosamente; 2. vuelta f (ligera).

twig [twig] ramita f; ~s pl. leña f menuda.

twi·light ['twailait] 1. crepúsculo m (a. fig.); 2. crepuscular.

twill [twil] 1. tela f cruzada; 2. cruzar.

twin [twin] gemelo adj. a. su. m (a f); '~·'en·gined ['-endʒind] bimotor; '~·'jet birreactor adj. a. su. m.

twine [twain] 1. guita f, bramante m; 2. enroscar(se); retorcer(se).

twinge [twindʒ] punzada f.

twin·ing ['twainiŋ] ♀ sarmentoso.

twin·kle ['twiŋkl] 1. centellear, titilar, parpadear; fig. moverse rápidamente; 2. centelleo m, parpadeo m; in a ~ en un instante.

twirl [twə:l] 1. vuelta f (rápida), giro m; 2. girar rápidamente.

twist [twist] 1. torcedura f (a. ℛ);

torsión f; enroscadura f; torzal m; rollo m of tobacco; F baile m de rock-'n'-roll; **2.** torcer(se) (a. fig.); retorcer(se); enroscar(se); **'twist·er** torcedor m; meteor. tromba f; tornado m.

twit [twit] **1.:** ~ a p. with a th. reprender (para divertirse) algo a alguien; **2.** F papanatas m.

twitch [twitʃ] **1.** v/i. crisparse; temblar; v/t. tirar ligeramente de; **2.** sacudida f repentina; ✷ tic m.

twit·ter ['twitə] **1.** (bird) gorjear; fig. agitarse; **2.** gorjeo m; fig. agitación f.

two [tuː] dos (a. su. m); in ~ en dos; **'~·bit** sl. inferior; cursi; **'~·edged** de doble filo (a. fig.); **'~·faced** fig. doble, falso; **'~·fist·ed** fig. fuerte; viril; **'~·fold 1.** adj. doble; **2.** adv. dos veces; **'~·hand·ed** de (or para) dos manos; **'~·phase** ⚡ bifásico; **'~·ply** de dos capas; **'~·seat·er** mot. de dos plazas; **'~·step** paso m doble; **'~·sto·ry** de dos pisos; **'~·stroke** de dos tiempos; **'~·time** sl. engañar en amor; **'~·tone** mot. bicolor; **'~·way 'switch** ⚡ conmutador m de dos direcciones.

ty·coon [taiˈkuːn] F magnate m.

tyke [taik] F chiquillo m.

type [taip] **1.** tipo m; typ. tipo m, carácter m; tipos m/pl.; **2.** escribir a máquina, mecanografiar; **'~·script** (original m) mecanografiado; **'~·set·ter** (p.) cajista m; (machine) máquina f de componer; **'~·write** [irr. (write)] = type 2; **'~·writ·er** máquina f de escribir; **'~·writ·ten** escrito a máquina.

ty·phoid ['taifɔid] fiebre f tifoidea.

ty·phoon [taiˈfuːn] tifón m.

ty·phus ['taifəs] tifus m.

typ·i·cal ['tipikl] □ típico; **typ·i·fy** ['~fai] simbolizar; representar; ser ejemplo de; **typ·ing** ['taipiŋ] mecanografía f, dactilografía f; **typ·ist** ['taipist] mecanógrafo (a f) m, dactilógrafo (a f) m.

ty·pog·ra·phy [taiˈpɔgrəfi] tipografía f.

tyr·an·ni·cide [tiˈrænəsaid] tiranicidio m; **tyr·an·nize** ['tirənaiz] tiranizar (over acc.); **'tyr·an·ny** tiranía f.

ty·rant ['taiərənt] tirano (a f) m.

Tzar [zɑː] zar m.

U

u·biq·ui·tous [juˈbikwitəs] □ ubicuo; **u'biq·ui·ty** ubicuidad f.

ud·der ['ʌdə] ubre f.

UFO ['juːˈefou; 'juːfou] ovni m.

ugh [ʌx, uh, eːh] ¡puf!

ug·li·ness ['ʌglinis] fealdad f.

ug·ly ['ʌgli] □ feo; wound, situation peligroso; vice etc. feo, asqueroso, repugnante; sky etc. amenazador; rumor etc. inquietante; be in an ~ mood (p.) estar de muy mal humor; (mob) amenazar violencia; turn ~ (situation) ponerse peligroso; F (p.) mostrarse violento, ponerse negro.

ul·cer ['ʌlsə] úlcera f; fig. llaga f.

ul·te·ri·or [ʌlˈtiəriə] ulterior; motive oculto.

ul·ti·mate ['ʌltimit] □ último, final; fundamental; sumo; **ul·ti·mate·ly** últimamente; a la larga.

ul·ti·ma·tum [ʌltiˈmeitəm] ultimátum m.

ul·tra ['ʌltrə] ultra...; **'~·high** ⚡ ultraelevado; **~·ma·rine 1.** ultrama-rino; **2.** 🎨, paint. azul m de ultramar; **'~·mod·ern** ultramoderno; **~·vi·o·let** ultravioleta.

um·bil·i·cal [ʌmˈbilikl] umbilical; ~ cord cordón m umbilical.

um·brel·la [ʌmˈbrelə] paraguas m; ✕ cortina f de fuego (antiaéreo).

um·pire ['ʌmpaiə] **1.** árbitro m; **2.** arbitrar.

un... [ʌn...] in...; des...; no; poco.

UN ['juːˈen] ONU f.

un·a·bashed ['ʌnəˈbæʃt] descarado, desvergonzado.

un·a·ble ['ʌnˈeibl] imposibilitado, incapaz (to inf. de inf.); be ~ to inf. no poder inf.

un·a·bridged ['ʌnəˈbridʒd] íntegro.

un·ac·cent·ed ['ʌnækˈsentid] inacentuado, átono.

un·ac·cept·a·ble ['ʌnəkˈseptəbl] inaceptable.

un·ac·count·a·ble ['ʌnəˈkauntəbl] □ inexplicable.

un·ac·cus·tomed ['ʌnəˈkʌstəmd] in-

sólito; no acostumbrado (*to* a).
un·ac·quaint·ed ['ʌnə'kweintid]: *be* ∼ *with* desconocer, ignorar.
un·a·dul·ter·at·ed ['ʌnə'dʌltəreitid] sin mezcla; puro.
un·af·fect·ed ['ʌnə'fektid] ☐ no afectado (*by* por); *fig.* sin afectación, natural.
un·a·fraid ['ʌnə'freid] impertérrito.
un·aid·ed ['ʌn'eidid] sin ayuda.
un·al·ter·a·ble [ʌn'ɔ:ltərəbl] ☐ inalterable.
un·am·big·u·ous ['ʌnæm'bigjuəs] ☐ inequívoco.
un·A·mer·i·can ['ʌnə'merikən] antiamericano.
u·na·nim·i·ty [ju:nə'nimiti] unanimidad *f*; **u·nan·i·mous** [ju:'næniməs] ☐ unánime.
un·an·swer·a·ble ['ʌn'ɑ:nsərəbl] ☐ incontestable; irrebatible.
un·ap·pe·tiz·ing ['ʌn'æpitaiziŋ] poco apetitoso.
un·ap·proach·a·ble ['ʌnə'prout∫əbl] ☐ inaccesible; *p.* intratable.
un·armed ['ʌn'ɑ:md] inerme, desarmado.
un·a·shamed ['ʌnə'∫eimd; *adv.* ∼midli] ☐ desvergonzado; sin remordimiento.
un·as·sum·ing ['ʌnə'sju:miŋ] ☐ modesto, sin pretensions.
un·at·tached ['ʌnə'tæt∫t] suelto; *p.* no prometido; *st* no embargado.
un·at·tain·a·ble ['ʌnə'teinəbl] ☐ inasequible.
un·at·trac·tive ['ʌnə'træktiv] ☐ poco atractivo.
un·au·thor·ized ['ʌn'ɔ:θəraizd] desautorizado.
un·a·void·a·ble ['ʌnə'vɔidəbl] ☐ inevitable, ineludible.
un·a·ware ['ʌnə'wɛə]: *be* ∼ ignorar (*of* acc., *that* que); **un·a·wares** de improviso; inopinadamente; *catch a p.* ∼ coger a una p. desprevenida.
un·bal·ance ['ʌn'bæləns] desequilibrio *m*; **un·bal·anced** desequilibrado.
un·bear·a·ble [ʌn'bɛərəbl] ☐ inaguantable, insufrible.
un·beat·a·ble ['ʌn'bi:təbl] imbatible; *price* inmejorable.
un·beat·en [ʌn'bi:tn] *track* no trillado; *team* imbatido; *price* no mejorado.
un·be·com·ing ['ʌnbi'kʌmiŋ] ☐ indecoroso; impropio (*for, to* de); *dress* que sienta mal.

un·be·known ['ʌnbi'noun]: ∼ *to me* sin saberlo yo.
un·be·lief ['ʌnbi'li:f] descreimiento *m*; **un·be·liev·a·ble** ☐ increíble; **un·be·liev·er** no creyente *m/f*, descreído (*a f*) *m*; **un·be·liev·ing** ☐ incrédulo.
un·bend·ing ['ʌn'bendiŋ] ☐ inflexible (*a. fig.*); *fig.* inconquistable, poco afable.
un·bi·ased ['ʌn'baiəst] imparcial.
un·blem·ished [ʌn'blemi∫t] sin tacha.
un·bos·om [ʌn'buzm] ∼ *o.s.* desahogarse, abrir su pecho (*to* a).
un·bound ['ʌn'baund] *book* sin encuadernar.
un·bound·ed [ʌn'baundid] ilimitado.
un·break·a·ble [ʌn'breikəbl] irrompible.
un·bri·dled [ʌn'braidld] desenfrenado (*a. fig.*).
un·bro·ken [ʌn'broukn] *seal* intacto; *time* no interrumpido; *horse* no domado.
un·busi·ness·like ['ʌn'biznislaik] poco práctico; informal.
un·but·ton ['ʌn'bʌtn] desabotonar.
un·called-for [ʌn'kɔ:ldfɔ:] gratuito, inmerecido; impropio.
un·can·ny [ʌn'kæni] ☐ misterioso; extraordinario.
un·ceas·ing [ʌn'si:siŋ] ☐ incesante.
un·cer·tain [ʌn'sə:tn] ☐ incierto, dudoso; *be* ∼ *of* no estar seguro de; **un·cer·tain·ty** incertidumbre *f*.
un·chain ['ʌn't∫ein] desencadenar.
un·change·a·ble [ʌn't∫eindʒəbl], **un·chang·ing** ☐ incambiable, inalterable.
un·char·i·ta·ble [ʌn't∫æritəbl] ☐ poco caritativo; despiadado.
un·civ·il ['ʌn'sivl] ☐ incivil; **un·civ·i·lized** [∼vilaizd] incivilizado, inculto.
un·claimed ['ʌn'kleimd] sin reclamar.
un·clas·si·fied ['ʌn'klæsifaid] sin clasificar.
un·cle ['ʌŋkl] tío *m*.
un·clean ['ʌn'kli:n] ☐ sucio.
un·clothed ['ʌn'klouðd] desnudo.
un·coil ['ʌn'kɔil] desenrollar(se).
un·com·fort·a·ble [ʌn'kʌmfətəbl] ☐ incómodo.
un·com·mon [ʌn'kɔmən] **1.** ☐ poco común, raro; **2.** *adv.* F extraordinariamente.

un·com·mu·ni·ca·tive [ˈʌnkəˈmjuː-nikətiv] poco comunicativo.

un·com·plain·ing [ˈʌnkəmˈpleiniŋ] ☐ resignado, sumiso.

un·com·pli·men·ta·ry [ˈʌnˈkɔmpli-ˈmentəri] poco lisonjero; ofensivo.

un·com·pro·mis·ing [ˈʌnˈkɔmprə-maiziŋ] ☐ intransigente.

un·con·cern [ˈʌnkənˈsəːn] despreocupación f; indiferencia f; **'un·con-'cerned** [adv. ...idli] ☐ despreocupado; indiferente (about a).

un·con·di·tion·al [ˈʌnkənˈdiʃnl] ☐ incondicional.

un·con·firmed [ˈʌnkənˈfəːmd] no confirmado.

un·con·gen·ial [ˈʌnkənˈdʒiːnjəl] antipático; incompatible.

un·con·nect·ed [ˈʌnkəˈnektid] ☐ inconexo; no relacionado (with con).

un·con·quer·a·ble [ʌnˈkɔŋkərəbl] inconquistable, invencible.

un·con·scion·a·ble [ʌnˈkɔnʃənəbl] ☐ desmedido, desrazonable.

un·con·scious [ʌnˈkɔnʃəs] **1.** ☐ inconsciente (of de); no intencional; ☞ sin sentido, desmayado; **2.** the ~ lo inconsciente; **un'con·scious·ness** inconsciencia f; ☞ insensibilidad f.

un·con·sti·tu·tion·al [ˈʌnkɔnsti-ˈtjuːʃnl] ☐ inconstitucional.

un·con·test·ed [ˈʌnkənˈtestid] incontestado.

un·con·trol·la·ble [ʌnkənˈtroulabl] ☐ ingobernable.

un·con·ven·tion·al [ˈʌnkənˈvenʃnl] ☐ poco formalista, desenfadado, poco convencional; original.

un·con·vinced [ˈʌnkənˈvinst] no convencido; **'un·con'vinc·ing** ☐ poco convincente.

un·cooked [ˈʌnˈkukd] sin cocer.

un·cork [ˈʌnˈkɔːk] descorchar.

un·cou·ple [ˈʌnˈkʌpl] desacoplar.

un·couth [ʌnˈkuːθ] ☐ grosero; rústico; tosco.

un·cov·er [ʌnˈkʌvə] descubrir.

un·crit·i·cal [ˈʌnˈkritikl] ☐ falto de sentido crítico; poco juicioso.

unc·tion [ˈʌŋkʃn] unción f (a. fig.); fig. fervor m afectado; zalamería f; eccl. extreme ~ extramaunción f; **unc·tu·ous** [ˈʌŋktuəs] ☐untuoso (a. fig.); fig. afectadamente fervoroso; zalamero.

un·cul·ti·vat·ed [ˈʌnˈkʌltiveitid] inculto (a. fig.).

un·cut [ˈʌnˈkʌt] sin cortar; diamond en bruto, sin tallar; book intonso.

un·dam·aged [ˈʌnˈdæmidʒd] ileso, indemne.

un·dat·ed [ˈʌnˈdeitid] sin fecha.

un·daunt·ed [ʌnˈdɔːntid] ☐ impávido; intrépido.

un·de·feat·ed [ˈʌndiˈfiːtid] invicto.

un·de·fined [ˈʌndiˈfaind] indefinido.

un·de·ni·a·ble [ˈʌndiˈnaiəbl] ☐innegable.

un·de·pend·a·ble [ˈʌndiˈpendəbl] poco confiable.

un·der [ˈʌndə] **1.** adv. abajo; debajo; **2.** prp. (less precise; a. fig.) bajo; (more precise) debajo de; number inferior a; aged ~ 21 que tiene menos de 21 años; **3.** in compounds: ... inferior; ... insuficiente(mente); (clothes) ... interior; **'~'bid** [irr. (bid)] ofrecer precio más bajo que; **'~'clothes, '~'cloth·ing** ropa f interior; **'~'coat** paint. primera capa f; **'~'cur·rent** corriente f submarina, contracorriente f; fig. nota f callada; **'~'cut** competitor competir con (rebajando los precios); **'~de'vel·oped** desarrollado; **'~'dog** desvalido m; **'~'done** poco hecho; medio asado; **'~·es·ti·mate** subestimar; p. tener en menos de lo que merece; **'~'foot** debajo de los pies; **'~'go** [irr. (go)] sufrir, experimentar; **'~'grad·u·ate** estudiante m/f (no graduado [a]); **'~'ground 1.** adj. subterráneo; fig. clandestino; **2.** adv. bajo tierra; **3.** (= ~ railway) metro m; ⚔ resistencia f; **'~'growth** maleza f; **'~'hand** turbio, poco limpio; clandestino; **'~'lay** [irr. (lay)] reforzar; typ. calzar; **'~'lie** [irr. (lie)] estar debajo de; servir de base a (a. fig.); **'~'line** subrayar (a. fig.).

un·der·mine [ʌndəˈmain] socavar; minar (a. fig.); **'un·der·most** (el) más bajo; **un·der'neath** [ˈniːθ] **1.** pron. debajo de, bajo; **2.** adv. debajo; **3.** su. superficie f inferior; **'un·der-'nour·ished** desnutrido.

un·der...: '~·pants pl. calzoncillos m/pl.; **'~·pass** paso m inferior; **'~·pin·ning** apuntalamiento m; **'~·priv·i·leged** desvalido; **'~·rate** menospreciar; subestimar; **'~·score** subrayar; **'~·sec·re·ta·ry** subsecretario m; **'~·sell** [irr. (sell)] p. vender a menor precio que; th. malvender; **'~·shirt** camiseta f; **'~·side** superficie f inferior; revés m; **'~·signed** infra(e)scrito (a f) m; abajo firmante m/f; **'~·sized** de dimensión insuficiente; p. sietemesino; **'~·skirt** enaguas f/pl.;

~**staffed** sin el debido personal; ~**staff** [*irr.* (stand)] comprender, entender; sobre(e)ntender; *it is understood that* se entiende que; ~**stand·a·ble** □ comprensible; ~**stand·ing** 1. entendimiento *m*; comprensión *f*; interpretación *f*; (*agreement*) acuerdo *m*; *on the* ~ *that* con tal que, bien entendido que; 2. □ inteligente; razonable, compasivo; comprensivo; ~**state·ment** exposición *f* incompleta; subestimación *f*.

un·der...: ~**stud·y** *thea.* 1. suplente *m*/*f*; 2. aprender un papel para poder suplir a; ~**take** [*irr.* (take)] *task etc.* emprender; *duty etc.* encargarse de, (*pledge*) comprometerse; ~**tak·er** director *m* de pompas fúnebres; ~'s funeraria *f*; ~**tak·ing** empresa *f*; (*pledge*) compromiso *m*, garantía *f*; promesa *f*; ~**tone** voz *f* baja; trasfondo *m of criticism etc.*; *in an* ~ en voz baja; ~**tow** resaca *f*; ~**wa·ter** submarino; ~**wa·ter 'fish·ing** pesca *f* submarina; ~**wear** ropa *f* interior; ~**weight** (*adj.* de) peso *m* insuficiente; ~**world** infierno *m*; (*criminal*) hampa *f*; ~**write** [*irr.* (write)] ✝ (re)asegurar.

un·de·sir·a·ble ['ʌndɪ'zaɪərəbl] □ indeseable.

un·de·vel·oped ['ʌndɪ'veləpt] sin desarrollar; *land* sin explotar.

un·dig·ni·fied [ʌn'dɪgnɪfaɪd] indecoroso; poco digno.

un·dis·ci·plined [ʌn'dɪsɪplɪnd] indisciplinado.

un·dis·mayed ['ʌndɪs'meɪd] impávido; sin desanimarse.

un·dis·put·ed ['ʌndɪs'pjuːtɪd] □ incontestable.

un·dis·turbed ['ʌndɪs'tɜːbd] sin tocar; *p.* imperturbado.

un·di·vid·ed ['ʌndɪ'vaɪdɪd] □ indiviso; entero.

un·do ['ʌn'duː] [*irr.* (do)] *work* deshacer; *knot* desatar; *clasp* desabrochar; '**un'do·ing** perdición *f*, ruina *f*; **un·done** ['ʌn'dʌn]: *leave* ~ dejar sin hacer; *come* ~ desatarse.

un·doubt·ed [ʌn'dautɪd] □ indudable.

un·dress ['ʌn'dres] desnudar(se).

un·drink·a·ble [ʌn'drɪŋkəbl] impotable.

un·due ['ʌn'djuː] [*adv. unduly*] indebido; excesivo.

un·du·late ['ʌndjuleɪt] ondular, ondear; '**un·du·lat·ing** ondeante.

un·dy·ing [ʌn'daɪɪŋ] imperecedero, inmarcesible.

un·earned ['ʌn'ɜːnd] no ganado.

un·earth ['ʌn'ɜːθ] desenterrar.

un·eas·i·ness [ʌn'iːzɪnɪs] inquietud *f*, desasosiego *m*; **un'eas·y** □ inquieto (*about por*), desasosegado.

un·ed·u·cat·ed ['ʌn'edjukeɪtɪd] ineducado.

un·e·mo·tion·al ['ʌnɪ'mouʃnl] □ impasible; objetivo.

un·em·ployed ['ʌnɪm'plɔɪd] parado, sin empleo, desocupado; '**un·em·ploy·ment** paro *m* (*forzoso*), desempleo *m*, desocupación *f*.

un·end·ing [ʌn'endɪŋ] □ interminable, inacabable.

un·e·qual [ʌn'iːkwəl] □ desigual; ~ *to* sin fuerzas para; **'un'e·qualed** inigualado.

un·e·quiv·o·cal [ʌnɪ'kwɪvəkl] □ inequívoco.

un·err·ing [ʌn'ɜːrɪŋ] □ infalible.

un·es·sen·tial [ʌnɪ'senʃl] □ no esencial.

un·e·ven [ʌn'iːvn] □ desigual; ~ *number* impar; *road* ondulado.

un·e·vent·ful [ʌnɪ'ventful] □ sin incidentes notables.

un·ex·pect·ed ['ʌnɪks'pektɪd] □ inesperado; inopinado.

un·ex·posed ['ʌnɪks'pouzd] *phot.* inexpuesto.

un·ex·pur·gat·ed ['ʌn'ekspɔːgeɪtɪd] sin expurgar, íntegro.

un·fad·ing [ʌn'feɪdɪŋ] □ *mst fig.* inmarcesible.

un·fail·ing [ʌn'feɪlɪŋ] □ *zeal* infalible; *supply* inagotable.

un·fair ['ʌn'feə] □ *comment* injusto; *practice* sin equidad; *play* sucio.

un·faith·ful ['ʌn'feiθful] □ infiel.

un·fal·ter·ing [ʌn'fɔːltərɪŋ] □ resuelto.

un·fa·mil·iar ['ʌnfə'mɪljə] desconocido (*to a*); *be* ~ *with* desconocer.

un·fash·ion·a·ble ['ʌn'fæʃnəbl] □ fuera de moda.

un·fas·ten ['ʌn'fɑːsn] desatar, soltar.

un·fa·vor·a·ble [ʌn'feivərəbl] □ desfavorable.

un·feel·ing [ʌn'fiːlɪŋ] □ insensible.

un·fin·ished ['ʌn'fɪnɪʃt] inacabado, sin acabar; incompleto.

un·fit ['ʌn'fɪt] 1. incapaz (*for de, to* de); no apto (*for* para); *player* lesionado; 2. [ʌn'fɪt] inhabilitar; **un'fit·ted** incapacitado (*for* para).

un·flag·ging [ʌnˈflægiŋ] ☐ incansable.

un·flat·ter·ing [ˈʌnˈflætəriŋ] ☐ poco lisonjero.

un·flinch·ing [ʌnˈflintʃiŋ] ☐ impávido.

un·fold [ˈʌnˈfould] desplegar(se); desdoblar(se); desarrollar(se) (*a. fig.*); revelar; *idea* exponer.

un·fore·seen [ˈʌnfɔːˈsiːn] imprevisto.

un·for·get·ta·ble [ˈʌnfəˈgetəbl] ☐ inolvidable.

un·for·giv·a·ble [ˈʌnfəˈgivəbl] ☐ imperdonable; **ˈun·forˈgiv·ing** implacable.

un·for·tu·nate [ʌnˈfɔːtʃənit] **1.** ☐ *p.* desgraciado, desafortunado; malogrado; *event* funesto; **2.** desgraciado (a *f*) *m*; **un·ˈfor·tu·nate·ly** por desgracia, desafortunadamente.

un·found·ed [ˈʌnˈfaundid] ☐ infundado.

un·fre·quent·ed [ˈʌnfriˈkwentid] poco frecuentado.

un·ˈfriend·ly [ˈʌnˈfrendli] poco amistoso, hostil.

un·fruit·ful [ˈʌnˈfruːtful] ☐ infructuoso.

un·furl [ˈʌnˈfəːl] desplegar.

un·fur·nished [ˈʌnˈfəːniʃt] desamueblado, sin muebles.

un·gain·ly [ʌnˈgeinli] torpe, desgarbado.

un·gen·tle·man·ly [ʌnˈdʒentlmənli] poco caballeroso.

un·glazed [ˈʌnˈgleizd] no vidriado.

un·god·ly [ʌnˈgɔdli] impío, irreligioso; F atroz.

un·gov·ern·a·ble [ʌnˈgʌvənəbl] ☐ ingobernable.

un·grate·ful [ʌnˈgreitful] ☐ desagradecido, ingrato.

un·grudg·ing [ˈʌnˈgrʌdʒiŋ] ☐ generoso.

un·guard·ed [ˈʌnˈgɑːdid] ☐ ✕ indefenso; *words* imprudente; *moment* de descuido.

un·guent [ˈʌŋgwənt] ungüento *m*.

un·ham·pered [ˈʌnˈhæmpəd] no estorbado; libre, sin estorbos.

un·hand [ʌnˈhænd] soltar.

un·hap·py [ʌnˈhæpi] ☐ *p.* infeliz, desdichado; desgraciado; *event* infausto.

un·harmed [ˈʌnˈhɑːmd] ileso, incólume.

un·health·y [ʌnˈhelθi] ☐ *p.* enfermizo; *place* malsano.

un·heard-of [ʌnˈhəːdɔv] inaudito.

un·heed·ed [ʌnˈhiːdid] desatendido.

un·hes·i·tat·ing [ʌnˈheziteitiŋ] resuelto; pronto, inmediato; **~ly** sin vacilar.

un·ho·ly [ʌnˈhouli] impío; F atroz.

un·hook [ˈʌnˈhuk] desenganchar; descolgar.

un·horse [ˈʌnˈhɔːs] desarzonar.

un·hurt [ˈʌnˈhəːt] ileso, incólume.

un·i·den·ti·fied [ˈʌnaiˈdentifaid] sin identificar.

u·ni·form [ˈjuːnifɔːm] **1.** ☐ uniforme *adj. a. su. m*; **2.** uniformar; **u·niˈform·i·ty** uniformidad *f*.

u·ni·fy [ˈjuːnifai] unificar.

u·ni·lat·er·al [ˈjuːniˈlætərəl] ☐ unilateral.

un·im·ag·i·na·ble [ˈʌniˈmædʒinəbl] ☐ inimaginable; **ˈun·imˈag·i·na·tive** [~nətiv] ☐ poco imaginativo.

un·im·paired [ˈʌnimˈpɛəd] no disminuido, no deteriorado; intacto.

un·im·peach·a·ble [ˈʌnimˈpiːtʃəbl] ☐ irrecusable.

un·im·por·tant [ˈʌnimˈpɔːtənt] ☐ insignificante; sin importancia.

un·in·jured [ˈʌnˈindʒəd] ileso.

un·in·sured [ˈʌninˈʃuəd] no asegurado.

un·in·tel·li·gent [ˈʌninˈtelidʒənt] ☐ ininteligente; **ˈun·inˈtel·li·gi·ble** ininteligible.

un·in·ten·tion·al [ˈʌninˈtenʃnl] ☐ involuntario, no intencional; **~ly** sin querer.

un·in·ter·est·ing [ˈʌnˈintristiŋ] ☐ falto de interés.

un·in·ter·rupt·ed [ˈʌnintəˈrʌptid] ☐ ininterrumpido.

un·in·vit·ed [ˈʌninˈvaitid] *guest* no convidado, (*adv.*) sin ser convidado; *comment* gratuito; **ˈun·inˈvit·ing** ☐ poco atractivo.

un·ion [ˈjuːnjən] unión *f* (*a.* ⊕); (*marriage*) enlace *m*; *pol. etc.* sindicato *m*, gremio *m* (obrero); *attr.* gremial; **~ suit** traje *m* interior de una sola pieza; **ˈun·ion·ize** agremiar(se); **ˈun·ion shop** taller *m* de obreros agremiados.

u·nique [juːˈniːk] ☐ único.

u·ni·son [ˈjuːnizn] ♪ unisonancia *f*; armonía *f* (*a. fig.*); **in** ~ al unísono.

u·nit [ˈjuːnit] unidad *f* (*a.* ✕, Å); ⚡ (*measurement*) unidad *f*; ⊕, ⚡ grupo *m*; **u·nite** [juːˈnait] unir(se), juntar(se); (*marry*) casar, enlazar; **2d Nations** Naciones *f/pl.* Unidas; **u·ni·ty** [ˈ~niti] unidad *f*; unión *f*,

u·ni·ver·sal [juːni'vɘːsl] □ universal; ~ *heir* heredero *m* único; ⊕ ~ *joint* junta *f* cardán, junta *f* universal; ♀ *Postal Union* Unión *f* Postal Universal; ~ *suffrage* sufragio *m* universal; **u·ni·verse** ['‿vɜːs] universo *m*; **u·ni·ver·si·ty** universidad *f*; *attr.* universitario.

un·just ['ʌn'dʒʌst] □ injusto; **un·jus·ti·fi·a·ble** [ʌn'dʒʌstifaiɘbl] □injustificable.

un·kempt ['ʌn'kempt] despeinado; *fig.* desaseado, descuidado.

un·kind [ʌn'kaind] □ poco amable, poco compasivo; cruel, despiadado; *remark etc.* malintencionado.

un·known ['ʌn'noun] **1.** desconocido; incógnito; *adv.* ~ *to me* sin saberlo yo; **2.** desconocido *m*; Ⓐ *a. fig.* (*a.* ~ *quantity*) incógnita *f*; **'~ 'sol·dier** soldado *m* desconocido.

un·law·ful ['ʌn'lɔːful] □ ilegítimo, ilegal.

un·leash ['ʌn'liːʃ] destraillar; *fig.* desencadenar.

un·less [ɘn'les, ʌn'les] a menos que, a no ser que.

un·let·tered ['ʌn'letɘd] indocto.

un·li·censed ['ʌn'laisɘnst] sin permiso, sin licencia.

un·like ['ʌn'laik] **1.** desemejante; diferente (*a p.* de una p.); ⚡ de signo contrario; **2.** *prp.* a diferencia de; **un'like·ly** improbable; inverosímil.

un·lim·it·ed [ʌn'limitid] ilimitado.

un·load ['ʌn'loud] descargar; ✝ deshacerse de.

un·lock ['ʌn'lɔk] abrir (con llave); *fig.* resolver.

un·loose, un·loos·en ['ʌn'luːs(n)] aflojar, desatar, soltar.

un·luck·y [ʌn'lʌki] □ desgraciado; desdichado; (*ill-starred*) nefasto, de mala suerte.

un·man·age·a·ble [ʌn'mænidʒɘbl] □ inmanejable; *esp. p.* incontrolable.

un·man·ly ['ʌn'mænli] cobarde; afeminado.

un·marked ['ʌn'mɑːkt] sin marca(r); intacto; (*unnoticed*) inadvertido; *sport:* desmarcado.

un·mar·ried ['ʌn'mærid] soltero.

un·mask ['ʌn'mɑːsk] desenmascarar.

un·matched ['ʌn'mætʃt] incomparable.

un·mer·ci·ful [ʌn'mɘːsiful] □ despiadado.

un·mind·ful ['ʌn'maindful] □ descuidado; *be* ~ *of* no pensar en.

un·mis·tak·a·ble ['ʌnmis'teikɘbl] □ inconfundible; inequívoco.

un·mit·i·gat·ed [ʌn'mitigeitid] no mitigado; *rogue* redomado.

un·moved ['ʌn'muːvd] *mst fig.* impasible, inmoble.

un·named ['ʌn'neimd] sin nombre.

un·nat·u·ral [ʌn'nætʃrl] □ innatural; desnaturalizado; afectado.

un·nec·es·sar·y [ʌn'nesisɘri] □ innecesario, superfluo.

un·neigh·bor·ly ['ʌn'neibɘli] poco amistoso.

un·nerve ['ʌn'nɘːv] acobardar.

un·no·ticed ['ʌn'noutist] inadvertido.

un·ob·serv·ant ['ʌnɘb'zɜːvɘnt] □inadvertido; distraído; que no se fija; **'un·ob'served** inadvertido.

un·ob·tain·a·ble ['ʌnɘb'teinɘbl] inasequible.

un·ob·tru·sive ['ʌnɘb'truːsiv] □ discreto; modesto.

un·oc·cu·pied ['ʌn'ɔkjupaid] *house* deshabitado; *territory* sin colonizar; *seat* libre; *post* vacante; *p.* desocupado.

un·of·fi·cial ['ʌnɘ'fiʃl] □ extraoficial, no oficial.

un·o·pened ['ʌn'oupɘnd] sin abrir.

un·op·posed ['ʌnɘ'pouzd] sin oposición.

un·or·gan·ized ['ʌn'ɔːgɘnaizd] no organizado.

un·or·tho·dox ['ʌn'ɔːθɘdɔks] poco ortodoxo; *eccl.* heterodoxo.

un·pack ['ʌn'pæk] desembalar, desempaquetar; *case* deshacer.

un·paid ['ʌn'peid] *bill* a pagar, por pagar; *work* no retribuido.

un·pal·at·a·ble [ʌn'pælɘtɘbl] desabrido (*a. fig.*), intragable (*a. fig.*).

un·par·al·leled [ʌn'pærɘleld] incomparable, sin par.

un·par·don·a·ble [ʌn'pɑːdnɘbl] □ imperdonable.

un·pa·tri·ot·ic ['ʌnpætri'ɔtik] □ antipatriótico.

un·paved ['ʌn'peivd] sin pavimentar.

un·pleas·ant [ʌn'pleznt] □ desagradable; *p.* antipático; **un'pleas·ant·ness** lo desagradable; (*quarrel etc.*) desavenencia *f*, disgusto *m*.

un·po·lished ['ʌn'pɔliʃt] sin pulir; *stone* en bruto; *fig.* grosero, tosco.

un·pol·lut·ed ['ʌnpɘ'luːtid] impoluto.

un·pop·u·lar [ˈʌnˈpɔpjulə] impopular; **un·pop·u·lar·i·ty** [ˈˌ∪ˈlæriti] impopularidad *f.*

un·prec·e·dent·ed [ʌnˈpresidəntid] □ inaudito, sin precedente.

un·pre·dict·a·ble [ˈʌnpriˈdiktəbl] □ impredictible, incierto; *p.* de (re)acciones imprevisibles.

un·prej·u·diced [ˈʌnˈpredʒudist] imparcial.

un·pre·med·i·tat·ed [ˈʌnpriˈmediteitid] □ impremeditado.

un·pre·pared [ˈʌnpriˈpɛəd], *adv.* ∼ridli] □ no preparado; *p.* desprevenido.

un·pre·ten·tious [ˈʌnpriˈtenʃəs] □ modesto, sin pretensiones.

un·prin·ci·pled [ˈʌnˈprinsəpld] nada escrupuloso, sin conciencia.

un·print·a·ble [ˈʌnˈprintəbl] intranscribible.

un·pro·duc·tive [ˈʌnprəˈdʌktiv] □ improductivo.

un·pro·fes·sion·al [ˈʌnprəˈfeʃnl] □ *conduct* indigno de su profesión; (*unskilled*) inexperto.

un·prof·it·a·ble [ˈʌnˈprɔfitəbl] □ poco provechoso, nada lucrativo.

un·prom·is·ing [ˈʌnˈprɔmisiŋ] □ poco prometedor.

un·pro·tect·ed [ˈʌnprəˈtektid] indefenso.

un·proved [ˈʌnˈpruːvd] no probado.

un·pro·voked [ˈʌnprəˈvoukt] sin provocación.

un·pub·lished [ˈʌnˈpʌbliʃt] inédito.

un·pun·ished [ˈʌnˈpʌniʃt] impune; *go* ∼ escapar sin castigo.

un·qual·i·fied [ˈʌnˈkwɔlifaid] *p.* incompetente; *teacher* sin título; *success, assertion* incondicional; F *liar* redomado.

un·quench·a·ble [ʌnˈkwentʃəbl] □ inextinguible, insaciable (*a. fig.*).

un·ques·tion·a·ble [ʌnˈkwestʃənəbl] □ incuestionable; **un·ques·tioned** incontestable; **un·ques·tion·ing** incondicional.

un·rav·el [ˈʌnˈrævl] desenmarañar (*a. fig.*).

un·re·al [ˈʌnˈriəl] irreal, ilusorio; **un·re·al·is·tic** [ˈʌnriəˈlistik] □ impracticable; fantástico; *p.* poco realista; **un·re·al·i·ty** [ˈˌˈæliti] irrealidad *f;* **un·re·al·iz·a·ble** [ˌˈlaizəbl] irrealizable.

un·rea·son·a·ble [ʌnˈriːznəbl] □ irrazonable; *demand* excesivo; **un·rea·son·ing** irracional.

un·rec·og·niz·a·ble [ˈʌnˈrekəgnaizəbl] □ irreconocible; **un·rec·og·nized** no reconocido.

un·re·cord·ed [ˈʌnriˈkɔːdid] no registrado.

un·re·deemed [ˈʌnriˈdiːmd] *promise* sin cumplir; *pledge* no desempeñado.

un·reg·is·tered [ˈʌnˈredʒistəd] no registrado; *letter* no certificado.

un·re·lat·ed [ˈʌnriˈleitid] inconexo.

un·re·lent·ing [ˈʌnriˈlentiŋ] □ inexorable, implacable.

un·re·li·a·ble [ˈʌnriˈlaiəbl] *p.* poco confiable; informal; *news* nada fidedigno.

un·re·lieved [ˈʌnriˈliːvd] □ no aliviado.

un·re·peat·a·ble [ˈʌnriˈpiːtəbl] que no puede repetirse.

un·re·pent·ant [ˈʌnriˈpentənt] □ impenitente.

un·re·quit·ed [ˈʌnriˈkwaitid] □ no correspondido.

un·re·spon·sive [ˈʌnrisˈpɔnsiv] insensible.

un·rest [ˈʌnˈrest] malestar *m,* zozobra *f; pol.* desorden *m.*

un·re·strained [ˈʌnrisˈtreind] □ desenfrenado.

un·re·strict·ed [ˈʌnrisˈtriktid] □ sin restricción.

un·re·ward·ed [ˈʌnriˈwɔːdid] sin recompensa; **un·re·ward·ing** sin provecho, infructuoso.

un·right·eous [ʌnˈraitʃəs] □ injusto; malvado.

un·ripe [ˈʌnˈraip] inmaduro, verde.

un·ri·val(l)ed [ʌnˈraivəld] sin rival, incomparable.

un·roll [ˈʌnˈroul] desenrollar.

un·ruf·fled [ˈʌnˈrʌfld] imperturbable.

un·ruled [ˈʌnˈruːld] *paper* sin rayar.

un·rul·y [ʌnˈruːli] revoltoso, ingobernable.

un·safe [ˈʌnˈseif] □ inseguro.

un·said [ˈʌnˈsed] sin decir.

un·sal·a·ble [ˈʌnˈseiləbl] invendible.

un·sat·is·fac·to·ry [ˈʌnsætisˈfæktəri] □ insatisfactorio; **un·sat·is·fied** insatisfecho; **un·sat·is·fy·ing** insuficiente.

un·sa·vor·y [ˈʌnˈseivəri] desabrido; repugnante; *p.* indeseable.

un·scathed [ʌnˈskeiðd] ileso.

un·sci·en·tif·ic [ˈʌnsaiənˈtifik] □ poco científico.

un·screw [ˈʌnˈskruː] destornillar.

un·scru·pu·lous [ʌnˈskruːpjuləs] □ desaprensivo, poco escrupuloso.

un·sea·soned [ʌnˈsiːznd] sin sazonar; sin madurar; *wood* verde.

un·seat [ʌnˈsiːt] *rider* desarzonar; destituir *from post*; *parl.* expulsar.

un·seem·ly [ʌnˈsiːmli] *adj.* indecoroso.

un·seen [ʌnˈsiːn] **1.** invisible; inadvertido; **2.** (*a.* ~ *translation*) traducción *f* hecha a primera vista.

un·self·ish [ʌnˈselfiʃ] □ desinteresado, altruista.

un·serv·ice·a·ble [ʌnˈsəːvisəbl] □ inservible.

un·set·tle [ʌnˈsetl] desarreglar; *p.* inquietar; **un·set·tled** *p.* inquieto; *weather* variable; *question* pendiente; *land* inhabitado, no colonizado; † *market* in(e)stable; † *account* por pagar.

un·shack·le [ʌnˈʃækl] desencadenar.

un·shak·en [ʌnˈʃækən] impertérrito.

un·shav·en [ʌnˈʃeivn] sin afeitar.

un·sight·ly [ʌnˈsaitli] feo.

un·signed [ʌnˈsaind] sin firmar.

un·skil(l)·ful [ʌnˈskilful] □, **un·skilled** inexperto, desmañado; *worker* no cualificado.

un·so·cia·ble [ʌnˈsouʃəbl] □ insociable.

un·sold [ʌnˈsould] sin vender.

un·so·phis·ti·cat·ed [ˈʌnsəˈfistikeitid] sencillo, cándido.

un·sound [ʌnˈsaund] □ defectuoso; *opinion* falso, erróneo; *fruit* podrido; *of* ~ *mind* insano, demente.

un·spar·ing [ʌnˈspɛəriŋ] □ generoso, pródigo; *effort* incansable; (*cruel*) despiadado; *be* ~ *of* no escatimar *acc.*

un·speak·a·ble [ʌnˈspiːkəbl] □ indecible; *P* horrible.

un·spec·i·fied [ʌnˈspesifaid] no especificado.

un·spoiled [ʌnˈspoild] sin menoscabo, intacto.

un·spo·ken [ʌnˈspoukn] tácito.

un·sports·man·like [ʌnˈspɔːtsmənlaik] antideportivo; nada caballeroso.

un·sta·ble [ʌnˈsteibl] inestable.

un·stead·y [ʌnˈstedi] inestable, inseguro; inconstante; *p.* irresoluto.

un·stint·ed [ʌnˈstintid] ilimitado, liberal.

un·stressed [ʌnˈstrest] inacentuado, átono.

un·suc·cess·ful [ˈʌnsəkˈsesful] □ *p.* fracasado; *effort etc.* infructuoso, ineficaz; *be* ~ malograrse; *be* ~ *in ger.* no lograr *inf.*

un·suit·a·ble [ʌnˈsjuːtəbl] □ inconveniente, inadecuado; impropio (*for a p.* de una p.); *p.* incompetente; **un·suit·ed** inapto (*for, to* para); inadecuado.

un·sure [ʌnˈʃuə] poco seguro.

un·sur·passed [ˈʌnsəːˈpɑːsd] insuperado.

un·sus·pect·ed [ˈʌnsəsˈpektid] insospechado; **un·sus·pect·ing** □ confiado, nada suspicaz.

un·swerv·ing [ʌnˈswəːviŋ] □ *resolve* inquebrantable; *course* sin vacilar.

un·sym·pa·thet·ic [ˈʌnsimpəˈθetik] □ incompasivo, indiferente.

un·taint·ed [ʌnˈteintid] □ incorrupto; inmaculado.

un·tamed [ʌnˈteimd] indomado.

un·tan·gle [ʌnˈtæŋgl] desenmarañar.

un·tar·nished [ʌnˈtɑːniʃt] inmaculado.

un·teach·a·ble [ʌnˈtiːtʃəbl] indócil.

un·ten·a·ble [ʌnˈtenəbl] insostenible.

un·think·a·ble [ʌnˈθiŋkəbl] inconcebible; **un·think·ing** □ irreflexivo.

un·ti·dy [ʌnˈtaidi] desaliñado, desaseado; *room* en desorden.

un·tie [ʌnˈtai] desatar; soltar.

un·til [ənˈtil, ʌnˈtil] **1.** *prp.* hasta; **2.** *cj.* hasta que.

un·tilled [ʌnˈtild] inculto.

un·time·ly [ʌnˈtaimli] intempestivo; prematuro.

un·tir·ing [ʌnˈtaiəriŋ] □ incansable.

un·to [ˈʌntu] † = *to a* etc.

un·told [ʌnˈtould] *story* nunca contado; *wealth* incalculable.

un·touch·a·ble [ʌnˈtʌtʃəbl] (*India*) intocable *adj. a. su. m/f*; **un·touched** intacto; incólume; *food* sin probar; *phot.* sin retocar; *fig.* insensible.

un·trained [ʌnˈtreind] no adiestrado, no entrenado.

un·trans·lat·a·ble [ˈʌntrænsˈleitəbl] intraducible.

un·tried [ʌnˈtraid] no probado; ♄♄ *p.* no procesado, *case* no visto.

un·trou·bled [ʌnˈtrʌbld] tranquilo.

un·true [ʌnˈtruː] □ falso; inexacto; *p.* infiel.

un·trust·wor·thy [ʌnˈtrʌstwəːði] □ indigno de confianza.

un·truth [ʌnˈtruːθ] mentira *f*; **un·truth·ful** □ mentiroso.

un·tu·tored [ˈʌnˈtjuːtəd] no instruido, indocto.

un·used [ˈʌnˈjuːzd] inusitado; *stamp etc.* sin usar; no acostumbrado (*to* a).

un·u·su·al [ʌnˈjuːʒʊəl] □ insólito, extraordinario; nada usual, poco común.

un·veil [ˈʌnˈveil] quitar el velo a; *statue etc.* descubrir.

un·versed [ˈʌnˈvɜːst] poco ducho (*in* en).

un·voiced [ˈʌnˈvɔist] *opinion* no expresado; *gr.* sordo.

un·want·ed [ˈʌnˈwɔntid] superfluo; *child* no deseado.

un·war·like [ˈʌnˈwɔːlaik] pacífico.

un·war·rant·ed [ʌnˈwɔrəntəd] injustificado; desautorizado.

un·war·y [ʌnˈwɛəri] □ imprudente, incauto.

un·wa·ver·ing [ʌnˈweivəriŋ] □ inquebrantable, resuelto.

un·wea·ry·ing [ʌnˈwiəriiŋ] □ incansable.

un·wel·come [ʌnˈwelkəm] importuno, molesto.

un·well [ˈʌnˈwel] indispuesto.

un·whole·some [ˈʌnˈhoulsəm] insalubre; *p. etc.* indeseable.

un·wield·y [ʌnˈwiːldi] pesado; abultado.

un·will·ing [ˈʌnˈwiliŋ] □ desinclinado; *be* ∼ estar poco dispuesto a; ∼*ly* de mala gana.

un·wind [ˈʌnˈwaind] [*irr.* (*wind*)] desenvolver.

un·wise [ˈʌnˈwaiz] □ imprudente, malaconsejado.

un·wit·ting [ʌnˈwitiŋ] □ inconsciente; ∼*ly* sin saber.

un·wont·ed [ʌnˈwountid] □ insólito, inusitado.

un·work·a·ble [ˈʌnˈwɔːkəbl] impracticable.

un·world·ly [ˈʌnˈwɔːldli] no mundano, espiritual.

un·wor·thy [ʌnˈwɔːði] □ indigno.

un·wrap [ˈʌnˈræp] desenvolver; *parcel* deshacer.

un·writ·ten [ˈʌnˈritn] no escrito; *law* tradicional, tácito.

un·yield·ing [ʌnˈjiːldiŋ] □ inflexible.

up [ʌp] **1.** *adv.* arriba; hacia arriba; en el aire, en (lo) alto; (*out of bed*) levantado; (*sun*) salido; (*standing*) de pie, en pie; (*time*) expirado; F *hard* ∼ apurado; F ∼ *against it* en apuros; *be* ∼ *against p.* tener que habérselas con; F

what's ∼? ¿qué pasa?; ∼ *to* hasta; *v. date*; *be* ∼ *to* ser capaz de; *it is* ∼ *to me* me toca a mí; *what are you* ∼ *to?* ¿qué haces allí?; **2.** *int.* ¡arriba!; **3.** *prp.* en lo alto de; encima de; ∼ *a tree* en un árbol; ∼ *the street* calle arriba; **4.** *adj.*: ∼ *train* tren *m* ascendente; **5.** *su.*: F *on the* ∼ *and* ∼ cada vez mejor; *the* ∼*s and downs* vicisitudes *f/pl.*, altibajos *m/pl.*; **6.** *vb.*: F *to* ∼ *and inf.* ponerse de repente a *inf.*

up-and-com·ing [ˈʌpənˈkʌmiŋ] F joven y prometedor.

up-and-down [ˈʌpənˈdaun] variable; accidentado.

up-and-up [ˈʌpənˈʌp]: *on the* ∼ F (*without fraud*) abiertamente, sin dolo; F (*improving*) mejorándose.

up·braid [ʌpˈbreid] reprochar, censurar (*a. p. with a th.* algo a alguien).

up·bring·ing [ˈʌpbriŋiŋ] educación *f*, crianza *f*.

up·date [ʌpˈdeit] poner al día.

up·end [ʌpˈend] volver de arriba abajo.

up·grade [ˈʌpgreid] mejorar.

up·heav·al [ʌpˈhiːvl] *geol.* solevantamiento *m*; *fig.* cataclismo *m*, sacudida *f*.

up·hill [ˈʌpˈhil] **1.** *adv.* cuesta arriba; **2.** *adj. task* arduo.

up·hold [ʌpˈhould] [*irr.* (*hold*)] sostener, defender.

up·hol·ster [ʌpˈhoulstə] (en)tapizar; **up·hol·ster·er** tapicero *m*; **up·hol·ster·y** tapicería *f*, tapizado *m*.

up·keep [ˈʌpkiːp] (gastos *m/pl.* de) conservación *f*, entretenimiento *m*.

up·land [ˈʌplənd] **1.** (*mst pl.*) tierras *f/pl.* altas; meseta *f*; **2.** de la meseta.

up·lift 1. [ʌpˈlift] *fig.* inspirar, edificar; **2.** [ˈʌplift] *fig.* inspiración *f*.

up·on [əˈpɔn] = *on* en, sobre *etc.*

up·per [ˈʌpə] **1.** superior; ∼ *berth* litera *f* alta, cama *f* alta; ∼ *case typ.* caja *f* alta; ∼ *class* clase *f* alta; ∼ *deck* (*bus*) piso *m* de arriba; ∼ *hand* ventaja *f*, dominio *m*; *have the* ∼ *hand* tener vara alta; **2.** (*mst pl.*) pala *f*; ∼**-class** de la clase alta; ˈ∼**-cut** *boxing*: golpe *m* de abajo arriba; ˈ∼**-most** (el) más alto; predominante *in mind*.

up·raise [ʌpˈreiz] levantar.

up·right 1. [ˈʌpˈrait] □ vertical; derecho (*a. adv.*); *fig.* honrado, probo; **2.** [ˈʌprait] montante *m*.

up·ris·ing [ʌpˈraiziŋ] alzamiento *m*, sublevación *f*.

up·roar [ˈʌprɔr] *fig.* alboroto *m*, tu-

multo *m*; grita *f*; **up'roar·i·ous** □ tumultuoso; clamoroso.

up·root ['ʌp'ru:t] desarraigar (*a. fig.*), arrancar.

up·set [ʌp'set] **1.** [*irr.* (set)] (*overturn*) volcar, trastornar; (*spill*) derramar; *fig. p. etc.* desconcertar, perturbar, trastornar; *plans* dar al traste con; *stomach* hacer daño a; F ~ *o.s.* congojarse, apurarse; **2.** vuelco *m*; trastorno *m* (*a. ℱ*); ~ contratiempo *m*; **3.** perturbado, preocupado; *ℱ* indispuesto; **up'set·ting** inquietante; desconcertante.

up·shot ['ʌpʃɔt] resultado *m*; *in the* ~ al fin y al cabo.

up·side ['ʌpsaid] ~ *down* al revés; lo de arriba abajo; *fig.* en confusión; *turn* ~ *down* trastornar(se).

up·stage ['ʌp'steidʒ] **1.** *adv.* (*be*) en el fondo de la escena; (*go*) hacia el fondo de la escena; **2.** *adj.* F altanero; **3.** *v/t.* mirar por encima del hombro, desairar.

up·stairs ['ʌp'stɛəz] **1.** *adv.* arriba; **2.** *adj.* de arriba; **3.** piso *m* de arriba.

up·start ['ʌpstɑ:t] arribista *adj. a. su. m*; advenedizo *adj. a. su. m*.

up·stream ['ʌp'stri:m] río arriba.

up·take ['ʌpteik] F *be quick* (*slow*) *on the* ~ ser muy listo (torpe).

up-to-date ['ʌptə'deit] corriente; reciente, moderno; de última hora, de última moda.

up-to-the-min·ute ['ʌptəθə'minit] al día, de actualidad.

up·turn [ʌp'tə:n] volver(se) hacia arriba; volcar.

up·ward ['ʌpwəd] **1.** *adj.* ascendente, ascensional; **2.** *adv.* = **up'wards** ['ʌz] hacia arriba; ~ *of* más de.

u·ra·ni·um [juə'reiniəm] uranio *m*.

ur·ban ['ə:bən] urbano; **ur·bane** [ə:'bein] urbano; **ur·ban·i·ty** [ə:'bæniti] urbanidad *f*.

ur·chin ['ə:tʃin] galopín *m*, golf(ill)o *m*.

urge [ə:dʒ] **1.** impeler, instar (*to a inf.*, *a que subj.*); incitar (*a p. to a th.*, *a th. on a p.* a una p. a algo); ~ *on* animar; **2.** impulso *m*; instinto *m*; **ur·gen·cy** ['ʌnsi] urgencia *f*; **ur·gent** □ urgente.

u·ri·nal ['juərinl] urinario *m*; (*vessel*) orinal *m*; **u·ri·nate** ['ʌneit] orinar; **u·rine** ['ʌrin] orina *f*, orines *m/pl.*

urn [ə:n] urna *f*; (*mst tea*-~) tetera *f*.

us [ʌs, əs] nos; (*after prp.*) nosotros, nosotras.

us·a·ble ['ju:zəbl] utilizable.

us·age ['ju:zidʒ] uso *m*; tratamiento *m*.

use 1. [ju:s] uso *m*; utilidad *f*; manejo *m*, empleo *m*; *in* ~ en uso; *be of* ~ ayudar; *be of no* ~ no servir; *it is* (*of*) *no* ~ *ger.* (*or to inf.*) es inútil *inf.*; *have no* ~ *for* no necesitar; F tener en poco; *make* ~ *of* servirse de; *make good* ~ *of* aprovecharse de; *put to* ~ servirse de, sacar partido de; **2.** [ju:z] usar, emplear, manejar, utilizar; ~ *up* consumir, agotar; ~*d* usado; **used** ['ju:st]: *be* ~ *to* estar acostumbrado a; *get* ~ *to* acostumbrarse a; *I* ~ *to do* solía hacer, hacía; **use·ful** ['ju:sful] □ útil; ⊕ ~ *capacity*, ~ *efficiency* capacidad *f* útil; ~ *load* carga *f* útil; **use·ful·ness** utilidad *f*; **use·less** □ inútil; inservible; *p.* inepto; **'use·less·ness** inutilidad *f*; **us·er** ['ju:zə] usuario (*a f*) *m*.

ush·er ['ʌʃə] **1.** ujier *m*; portero *m*; *thea.* acomodador *m*; **2.** (*mst* ~ *in*) anunciar; introducir; hacer pasar; *thea.* acomodar.

ush·er·ette [ʌʃər'et] acomodadora *f*.

u·su·al ['ju:ʒuəl] □ usual, acostumbrado; corriente; *as* ~ como de costumbre.

u·su·rer ['ju:ʒərə] usurero *m*.

u·surp [ju:'zə:p] usurpar.

u·su·ry ['ju:ʒuri] usura *f*.

u·ten·sil [ju:'tensl] utensilio *m*.

u·ter·us ['ju:tərəs] útero *m*.

u·til·i·tar·i·an [ju:tili'tɛəriən] **1.** utilitarista *m/f*; **2.** utilitario; **u'til·i·ty** utilidad *f*; *public* ~ empresa *f* de servicio público.

u·ti·lize ['ju:tilaiz] utilizar.

ut·most ['ʌtmoust] extremo; último; supremo; *do one's* ~ hacer todo lo posible; *to the* ~ hasta no más poder.

U·to·pi·an [ju:'toupjən] **1.** utópico; **2.** utopista *m/f*.

ut·ter ['ʌtə] **1.** □ completo, absoluto, total; *fool etc.* de remate; **2.** pronunciar, proferir; *cry* dar; *money* poner en circulación; **'ut·ter·ance** declaración *f*; palabras *f/pl.*; *give to* ~ expresar; **'ut·ter·ly** totalmente, del todo; **ut·ter·most** ['ʌmoust] más remoto; *v. utmost*.

u·vu·la ['ju:vjulə] úvula *f*; **u·vu·lar** ['ʌ] uvular.

U
V

vaudeville

V

va·can·cy ['veikənsi] vacuidad *f*; vacío *m*; vaciedad *f of mind*; cuarto *m* vacante *in boarding-house etc.*; *(office)* vacante *f*; *fill a* ~ proveer una vacante; **va·cant** ['_kənt] □ vacante; vacío; *seat* libre; desocupado; *p.* estólido; *look* vago.

va·cate [və'keit, 'veikeit] *house* desocupar; *post* dejar (vacante); **va·ca·tion 1.** vacación *f*, vacaciones *f/pl.*; **2.** tomar vacaciones.

vac·ci·nate ['væksineit] vacunar; **vac·ci·na·tion** vacunación *f*; **vac·cine** ['_si:n] vacuna *f*.

vac·il·late ['væsileit] vacilar.

vac·u·um ['vækjuəm] vacío *m*; ~ *brake* freno *m* de vacío; ~ *cleaner* aspirador *m*; ~ *bottle* termos *m*; ~ *tube* tubo *m* al vacío.

vag·a·bond ['vægəbɔnd] vagabundo *adj. a. su. m* (a *f*).

va·gran·cy ['veigrənsi] vagancia *f*; **'va·grant 1.** vagabundo; vagante; *fig.* errante; **2.** vagabundo (a *f*) *m*.

vague [veig] □ vago; *p.* indeciso, distraído; **'vague·ness** vaguedad *f*.

vain [vein] □ vano; *p.* vanidoso; *in* ~ en vano; ~**'glo·ry** vanagloria *f*.

vale [veil] *poet. or in names*: valle *m*.

val·en·tine ['vælntain] tarjeta *f* del día de San Valentín (*14 febrero*); novio (a *f*) *m* (*escogido en tal día*).

val·et ['vælit] ayuda *m* de cámara.

val·iant ['væljənt] □ *lit.* esforzado, valiente.

val·id ['vælid] □ válido; valedero; ⚖ vigente; *be* ~ valer; **val·i·date** ['_deit] validar; **va·lid·i·ty** [və'liditi] validez *f*; ⚖ vigencia *f*.

val·ley ['væli] valle *m*.

val·or·ous ['vælərəs] □ *lit.* valeroso; **val·or** ['vælə] *lit.* valor *m*.

val·u·a·ble ['væljuəbl] **1.** □ valioso; precioso; estimable; **2.** ~*s pl.* objetos *m/pl.* de valor.

val·u·a·tion [vælju'eiʃn] valuación *f*; tasación *f*.

val·ue ['vælju:] **1.** valor *m*; **2.** valorar, tasar (*at* en); estimar, apreciar; tener en mucho; **'val·ue·less** sin valor; **'val·u·er** tasador *m*.

valve [vælv] *anat.*, ⊕ válvula *f*; ⚕, *zo.* valva *f*; *of a trumpet* llave *f*; ~ *cap* capuchón *m*; ~ *stem* vástago *m* de válvula; '~**-in-'head 'en·gine** motor *m* con válvulas en cabeza.

vam·pire ['væmpaiə] vampiro *m*; *fig.* vampiresa *f*.

van[1] [væn] camioneta *f*; furgoneta *f*; ♠ furgón *m*.

van[2] [_] *X. a. fig.* vanguardia *f*.

van·dal·ism ['vændəlizm] vandalismo *m*.

vane [vein] *(weather)* veleta *f*; paleta *f of propeller*; aspa *f of mill*.

van·guard ['vænga:d] vanguardia *f*.

va·nil·la [və'nilə] vainilla *f*.

van·ish ['væniʃ] desvanecerse, desaparecer.

van·i·ty ['væniti] vanidad *f*; engreimiento *m*; ~ *case* neceser *m* de belleza, polvera *f* (de bolsillo).

van·quish ['væŋkwiʃ] *lit.* vencer.

van·tage ['va:ntidʒ] *tennis*: ventaja *f*; '~ **ground** posición *f* ventajosa; '~ **point** lugar *m* estratégico.

vap·id ['væpid] □ insípido.

va·por ['veipə] **1.** vapor *m*; vaho *m*; exhalación *f*; ~ *trail* ≽ estela *f* de vapor, rastro *m* de condensación; **2.** *fig.* fanfarronear.

va·por·ize ['veipəraiz] vaporizar(se); **'va·por·iz·er** vaporizador *m*.

var·i·a·ble ['vɛəriəbl] □ variable *adj. a. su. f* (⚥); **'var·i·ance** desacuerdo *m*; desavenencia *f*; variación *f*; ⚖ discrepancia *f*; *at* ~ en desacuerdo (*with* con); **'var·i·ant** variante *adj. a. su. f*; **var·i·a·tion** variación *f* (*a.* ♪).

var·i·cose ['værikous] varicoso; ~ *veins* varices *f/pl.*

var·ied ['vɛərid] □ variado.

va·ri·e·ty [və'raiəti] variedad *f* (*a. biol.*); diversidad *f*.

var·i·ous ['vɛəriəs] □ vario, diverso.

var·nish ['va:niʃ] **1.** barniz *m* (*a. fig.*); *fig.* capa *f*, apariencia *f*; *nail* ~ laca *f*, esmalte *m* (para uñas); **2.** barnizar; *nails* laquear, esmaltar; *fig.* paliar, dar apariencia respetable a.

var·si·ty ['va:siti] **1.** *sports* universitario; **2.** *sports* equipo *m* principal de la universidad.

var·y ['vɛəri] variar (*v/i. a. v/t.*); *decision* modificar.

vase [va:z] jarrón *m*; florero *m*.

Va·se·line ['væsəli:n] vaselina *f*.

vas·sal ['væsl] vasallo *m*.

vast [va:st] □ vasto, inmenso; ~*ly* sumamente, en sumo grado.

vat [væt] tina *f*, tinaja *f*.

vau·de·ville ['voudəvil] vaudeville *m*.

vault¹ [vɔːlt] **1.** ⚱ bóveda f; (wine-) bodega f; (tomb) tumba f; **2.** abovedar.

vault² [⹂] **1.** saltar (v/i. a. v/t.); **2.** salto m.

vaunt [vɔːnt] lit. v/i. jactarse; v/t. jactarse de, hacer alarde de; **'vaunted** cacareado, alardeado.

veal [viːl] carne f de ternera.

veer [viə] virar (a. fig., a. ~ round); (wind) cambiar.

veg·e·ta·ble ['vedʒitəbl] **1.** vegetal; **2.** legumbre f, hortaliza f; (in general) vegetal m; ~ garden huerto m de hortalizas, huerto m de verduras; ~ soup menestra f, sopa f de hortalizas; ~s pl. freq. verduras f/pl.; **veg·e·tar·i·an** [⹂'tɛəriən] vegetariano adj. a. su. m (a f); **veg·e·tate** ['⹂teit] vegetar (a. fig.); **veg·e·ta·tion** vegetación f.

ve·he·mence ['viːiməns] vehemencia f; **'ve·he·ment** □ vehemente.

ve·hi·cle ['viːikl] vehículo m.

veil [veil] **1.** velo m (a. fig. a. phot.); **2.** velar (a. fig.).

vein [vein] all senses: vena f; be in the ~ estar en vena (for para).

ve·loc·i·ty [vi'lɔsiti] velocidad f.

vel·vet ['velvit] **1.** terciopelo m; hunt. piel f velluda; sl. ganancia f limpia; **2.** aterciopelado; de terciopelo; **'vel·vet·y** aterciopelado.

ve·nal ['viːnl] sobornable, venal.

vend [vend] mst 🏛 vender; vender como buhonero; **'vend·er**, **'vend·or** vendedor (-a f) m; buhonero m; **'vend·ing ma·chine** distribuidor m automático.

ve·neer [və'niə] **1.** chapa f, enchapado m; fig. apariencia f, barniz m; **2.** (en)chapar; fig. disfrazar.

ven·er·a·ble ['venərəbl] □ venerable; **ven·er·ate** ['⹂reit] venerar.

ve·ne·re·al [vi'niəriəl] ~ disease enfermedad f venérea.

Ve·ne·tian [vi'niːʃn] veneciano adj. a. su. m (a f); ~ blind persiana f.

venge·ance ['vendʒəns] venganza f; F with a ~ con creces, con extremo.

ven·i·son ['venzn] carne f de venado.

ven·om ['venəm] veneno m; fig. virulencia f, malignidad f.

vent [vent] **1.** respiradero m; salida f; ⊕ válvula f de purga, orificio m, lumbrera f; orn. cloaca f; give ~ to desahogar, dar salida a; **2.** ⊕ purgar; fig. desahogar, descargar.

ven·ti·late ['ventileit] ventilar (a. fig.); **ven·ti·la·tion** ventilación f

(a. fig.); **'ven·ti·la·tor** ventilador m.

ven·tril·o·quism [ven'triləkwizm] ventriloquia f; **ven·tril·o·quist** ventrílocuo (a f) m.

ven·ture ['ventʃə] **1.** empresa f (arriesgada); riesgo m; especulación f; **2.** v/t. aventurar; v/i. aventurarse (to a).

ve·ra·cious [və'reiʃəs] □ veraz; **ve·rac·i·ty** [⹂'ræsiti] veracidad f.

ver·an·da [və'rændə] veranda f.

verb [vəːb] verbo m; **'ver·bal** □ verbal; **ver·ba·tim** [⹂'beitim] palabra por palabra; **ver·bose** [⹂'bous] □ verboso.

ver·dict ['vəːdikt] 🏛 veredicto m; fallo m, juicio m; fig. opinión f, juicio m (on sobre); bring in (or return) a ~ dictar un veredicto.

ver·dure ['vəːdʒə] verdura f.

verge¹ [vəːdʒ] vara f of office.

verge² [⹂] **1.** borde m, margen m; fig. on the ~ of of disaster a dos dedos de, en el mismo borde de; madness al borde de; discovery, triumph en la antesala de; fig. be on the ~ of ger. estar a punto de inf.; **2.**: ~ on acercarse a, rayar en.

ver·i·fi·ca·tion [verifi'keiʃn] verificación f; **ver·i·fy** ['⹂fai] verificar; **ver·i·si·mil·i·tude** [⹂si'militjuːd] verosimilitud f; **'ver·i·ta·ble** □ verdadero.

ver·mil·ion [və'miljən] **1.** bermellón m; **2.** de color rojo vivo.

ver·min ['vəːmin] bichos m/pl.; sabandijas f/pl.; parásitos m/pl. (a. fig.); (fox etc.) alimañas f/pl.

ver·m(o)uth ['vəːmuːt] vermut m.

ver·nac·u·lar [və'nækjulə] **1.** vernáculo; **2.** lengua f vernácula; F idioma m corriente.

ver·sa·tile ['vəːsətail] □ versátil, flexible, adaptable, hábil para muchas cosas; **ver·sa·til·i·ty** [⹂'tiliti] versatilidad f, flexibilidad f.

verse [vəːs] (stanza) estrofa f; (poetry) poesías f/pl.; (line, genre) verso m; versículo m of Bible; **versed** versado (in en).

ver·sion ['vəːʃn] versión f.

ver·sus ['vəːsəs] contra.

ver·te·bra ['vəːtibrə], pl. **ver·te·brae** ['⹂briː] vértebra f; **ver·te·brate** ['⹂brit] vertebrado adj. a. su. m.

ver·ti·cal ['vəːtikəl] □ vertical.

verve [vɛəv] energía f, entusiasmo m, brío m.

ver·y ['veri] **1.** adv. muy; (alone, in

reply to question) mucho; ~ *much* mucho, muchísimo; *the* ~ *best* el mejor (de todos); ~ *good mst* muy bueno, *but sometimes translated by absolute superlative of adj., e.g.* buenísimo, bonísimo, *and by prefix* re(quete)..., *e.g.* re(quete)bueno; 2. *adj.* mismo; mismísimo; † verdadero; *it is* ~ *cold* hace mucho frío; *the* ~ *same* el idéntico; *to the* ~ *bone* hasta el mismo hueso; *the* ~ *idea!* ¡ni hablar!

ves·pers ['vespəz] vísperas *f/pl.*

ves·sel ['vesl] vasija *f*, recipiente *m*; *anat.*, ⚓ vaso *m*; ⚓ buque *m*.

vest [vest] 1. camiseta *f*; chaleco *m*; 2. investir (*with* de); conferir (*in* a), conceder (*in* a); ~*ed rights pl.* derechos *m/pl.* inalienables; ~*ed interests pl.* intereses *m/pl.* creados.

ves·ti·bule ['vestibju:l] vestíbulo *m*; zaguán *m*.

ves·tige ['vestidʒ] vestigio *m*.

vest·ment ['vestmənt] vestidura *f*.

vest-pock·et ['vest'pokit] *attr.* en miniatura, de bolsillo; diminuto.

ves·try ['vestri] sacristía *f*; '~**man** miembro *m* de la junta parroquial.

vet [vet] F 1. veterinario *m*; 2. repasar, corregir; examinar, investigar.

vet·er·an ['vetərən] veterano *adj. a. su. m.*

vet·er·i·nar·y ['vetnəri] veterinario *adj. a. su. m* (*mst* ~ *surgeon*).

ve·to ['vi:tou] 1. *pl.* **ve·toes** ['~z] veto *m*; *put a* (*or one's*) ~ *on* = 2. vedar, vetar.

vex [veks] vejar, fastidiar, enojar.

vex·ing ['veksiŋ] ☐ fastidioso, molesto.

vi·a ['vaiə] por (vía de).

vi·a·ble ['vaiəbl] viable.

vi·a·duct ['vaiədʌkt] viaducto *m*.

vi·al ['vaiəl] frasco *m* (pequeño).

vi·ands ['vaiəndz] *pl. lit.* manjares *m/pl.* (exquisitos).

vi·brant ['vaibrənt] vibrante (*with* de).

vi·brate [vai'breit] vibrar; **vi'bra·tion** vibración *f*.

vic·ar ['vikə] vicario *m*; **vi·car·i·ous** [vai'kɛəriəs] vicario.

vice¹ [vais] vicio *m*.

vice² [~] ⊕ torno *m* (*or* tornillo *m*) de banco.

vice³ 1. ['vaisi] *prp.* en lugar de, que sustituye a; 2. [vais] vice...; '~ **'chair·man** vicepresidente *m*; '~ **'con·sul** vicecónsul *m*; '~**'pres·i·**

dent vicepresidente *m*; '~**'roy** ['~rɔi] virrey *m*.

vice ver·sa ['vaisi'vəːsə] viceversa; *a* la inversa.

vi·cin·i·ty [vi'siniti] vecindad *f*; proximidad *f* (*to* a); *in the* ~ cerca.

vi·cious ['viʃəs] ☐ vicioso; *criticism* virulento, rencoroso; *dog* bravo; *phls.* ~ *circle* círculo *m* vicioso.

vi·cis·si·tude [vi'sisitjuːd] *mst* ~*s pl.* vicisitud *f*.

vic·tim ['viktim] víctima *f*; **'vic·tim·ize** hacer víctima; escoger y castigar, tomar represalias contra.

vic·tor ['viktə] vencedor *m*; **Vic·to·ri·an** [vik'tɔːriən] victoriano; **vic·to·ri·ous** ☐ victorioso; **vic·to·ry** ['∼təri] victoria *f*.

vid·e·o ['vidiou] *radio:* ... de vídeo; ~ *signal* señal *f* de vídeo; ~ *tape* cinta *f* grabada de televisión; '~ **tape re·'cord·ing** videograbación *f*.

vie [vai] rivalizar (con), competir (con); ~ *with s.o. for s.t.* disputar algo a alguien, disputarse algo.

view [vjuː] 1. vista *f*; perspectiva *f*; aspecto *m*; *paint., phot.* panorama *m*; paisaje *m*; (*opinion*) opinión *f*, parecer *m*; *in* ~ visible; *in full* ~ totalmente visible; *in* ~ *of* en vista de; *have* (*or keep*) *in* ~ no perder de vista; *be on* ~ estar expuesto; *with a* ~ *to ger.* con miras a *inf.*, con el propósito de *inf.*; 2. mirar; examinar; contemplar; considerar; **'view·er** espectador (-a *f*) *m*; telespectador (-a *f*) *m*; **'view·find·er** *phot.* visor *m*; **'view·point** mirador *m*, punto *m* panorámico; *fig.* punto *m* de vista.

vig·il ['vidʒil] vigilia *f*, vela *f*; **'vig·i·lance** vigilancia *f*; ~ *committee* comité *m* de vigilancia; **'vig·i·lant** ☐ vigilante; **vig·i·lan·te** [∼'lænti] vigilante *m*.

vig·or·ous ['vigərəs] ☐ vigoroso; **'vig·or** vigor *m*.

vile [vail] ☐ vil; (*very bad*) horrible, pésimo, asqueroso.

vil·la ['vilə] villa *f*, quinta *f*.

vil·lage ['vilidʒ] aldea *f*, puebl(ecit)o *m*; lugar *m*; *attr.* aldeano; **'vil·lag·er** aldeano (a *f*) *m*.

vil·lain ['vilən] malvado *m*; *thea. etc.* malo *m*, traidor *m*; *hist.* villano *m*; *co.* tunante *m*; **'vil·lain·ous** ☐ vil, malvado; F pésimo, malísimo.

vim [vim] F fuerza *f*, energía *f*.

vin·di·cate ['vindikeit] vindicar; justificar; ~ *o.s.* justificarse; **vin·di·ca·tion** vindicación *f*

vin·dic·tive [vin'diktiv] ☐ vengativo, vindicativo.

vine [vain] vid f; (climbing) parra f; **vin·e·gar** ['vinigə] 1. vinagre m; 2. avinagrar (a. fig.); **vine·yard** ['vinjəd] viña f, viñedo m.

vin·tage ['vintidʒ] 1. (season) vendimia f; the 1949 ~ la cosecha de 1949; 2.: ~ wine vino m añejo; vino m de marca, vino m de buena cosecha; ~ year año m de buen vino; F car etc. de época, clásico; **vint·ner** ['vintnə] vinatero m.

vi·o·late ['vaiəleit] all senses: violar; **vi·o·la·tion** violación f.

vi·o·lence ['vaiələns] violencia f; do ~ to violentar; **vi·o·lent** ☐ violento.

vi·o·let ['vaiəlit] 1. ♀ violeta f; (color) violado m; 2. violado.

vi·o·lin [vaiə'lin] violín m; **vi·o·lin·ist** violinista m/f.

vi·per ['vaipə] víbora f.

vir·gin ['vəːdʒin] virgen adj. a. su. f; ~ birth parto m virginal de María Santísima; zo. partenogénesis f; **vir·gin·al** ☐ virginal; **vir·gin·i·ty** [vəːˈdʒiniti] virginidad f.

vir·ile ['virail] viril; **vi·ril·i·ty** [viˈriliti] virilidad f.

vir·tual ['vəːtʃuəl] ☐ virtual; **vir·tue** ['~tjuː] virtud f; **vir·tu·os·i·ty** [~tjuˈɔsiti] virtuosismo m; **vir·tu·o·so** [~ˈouzou] esp. ♪ virtuoso m; **vir·tu·ous** ☐ virtuoso.

vi·rus ['vaiərəs] virus m.

vi·sa ['viːzə] 1. visado m; 2. visar.

vis·age ['vizidʒ] lit. semblante m.

vis-à-vis ['viːzəˈviː] respecto de.

vis·cous ['viskəs] viscoso.

vis·i·bil·i·ty [viziˈbiliti] visibilidad f; **vis·i·ble** ['vizibl] ☐ visible.

vi·sion ['viʒn] visión f; **vi·sion·ar·y** visionario adj. a. su. m (a f).

vis·it ['vizit] 1. v/t. visitar; ~ s.t. upon a p. castigar una p. con algo; mandar algo a una p.; v/i. hacer visitas; F visitarse; 2. visita f; pay (return) a ~ hacer (pagar) una visita; **vis·it·ing** ... visitante; ... de visita; ~ card tarjeta f (de visita); ~ hours horas f/pl. de visita; ~ nurse enfermera f ambulante; **vis·i·tor** visitante m/f; visita f to house; turista m/f; forastero (a f) m.

vi·sor ['vaizə] visera f.

vis·ta ['vistə] perspectiva f, vista f.

vis·u·al ['vizjuəl] ☐ visual; **vis·u·al·ize** representarse (en la mente); imaginarse; situation prever.

vi·tal ['vaitl] ☐ vital; esencial; p.

enérgico; ~s pl., ~ parts pl. partes f/pl. vitales; ~ statistics pl. estadística f vital; co. medidas f/pl. vitales; **vi·tal·i·ty** [~ˈtæliti] vitalidad f.

vi·ta·min ['vaitəmin], **vi·ta·mine** ['~miːn] vitamina f; attr. vitamínico.

vi·tu·per·a·tion [vitjuːpəˈreiʃn] vituperio m, injurias f/pl.

vi·va·cious [viˈveiʃəs] ☐ vivaz, animado; alegre; vivaracho.

viv·id ['vivid] ☐ vivo; color, light intenso; description gráfico.

viv·i·fy ['vivifai] vivificar; **viv·i·sec·tion** [~ˈsekʃn] vivisección f.

vo·cab·u·lar·y [vəˈkæbjuləri] vocabulario m.

vo·cal ['voukl] ☐ vocal (a. ♪); gr. vocálico; fig. ruidoso, expresivo; ~ cords pl. cuerdas f/pl. vocales; **vo·cal·ist** cantante m/f; (in cabaret etc.) vocalista m/f; **vo·cal·ize** ♪ vocalizar; gr. vocalizar(se).

vo·ca·tion [vouˈkeiʃn] vocación f; **vo·ca·tion·al** ☐ vocacional; ~ guidance guía f vocacional.

vogue [voug] boga f, moda f; in ~ en boga.

voice [vɔis] 1. voz f (a. gr.); in (good) ~ en voz; with one ~ a una voz, al unísono; give ~ to expresar; have no ~ in a matter no tener voz en capítulo; 2. expresar; hacerse eco de; gr. sonorizar(se); **voiced** gr. sonoro; **voice·less** ☐ gr. sordo.

void [vɔid] 1. vacío; ♂♀ nulo, inválido; ~ of falto de, desprovisto de; 2. vacío m; hueco m; bridge: fallo m; the ~ la nada; 3. evacuar, vaciar.

vol·a·tile ['vɔlətail] volátil (a. fig.).

vol·can·ic [vɔlˈkænik] ☐ volcánico; **vol·ca·no** [~ˈkeinou], pl. **vol·ca·noes** [~z] volcán m.

vo·li·tion [vouˈliʃn] volición f; of one's own ~ por voluntad propia.

vol·ley ['vɔli] 1. ✕ descarga f; lluvia f of stones etc.; salva f of applause; retahíla f of abuse; tennis: voleo m; 2. tennis: volear; ✕ lanzar una descarga; **vol·ley·ball** balón m volea.

volt [voult] voltio m; **volt·age** voltaje m.

vol·u·ble ['vɔljubl] ☐ locuaz.

vol·ume ['vɔljum] volumen m; tomo m of book; fig. masa f; radio: ~ control control m del volumen sonoro; speak ~s for evidenciar de modo inconfundible; **vo·lu·mi·nous** [vəˈljuːminəs] ☐ voluminoso.

vol·un·tar·y ['vɔləntəri] 1. ☐ volun-

tario; ~ *manslaughter* homicidio *m* intencional sin premeditación; 2. solo *m* de órgano; **vol·un·teer** [∼'tiə] 1. voluntario *m*; 2. voluntario, de voluntarios; 3. *v/i.* ofrecerse; ✕ alistarse como voluntario; *v/t.* ofrecer; *remark* permitirse hacer.

vo·lup·tu·ous [və'lʌptjuəs] □ voluptuoso.

vom·it ['vɔmit] 1. vomitar; 2. vómito *m*.

vo·ra·cious [və'reiʃəs] □ voraz.

vor·tex ['vɔːteks], *pl. mst* **vor·ti·ces** ['∼tisiːz] vórtice *m*.

vote [vout] 1. voto *m*; sufragio *m*; (*a. voting*) votación *f*; *cast a ∼* dar un voto; *put to the ∼, take a ∼ on* someter a votación; 2. *v/t.* votar; ∼ *in* elegir; *v/i.* votar (*for* por); F proponer, sugerir (*that* que); ∼ *that* resolver (por voto) que; **vot·er** votante *m*/*f*; **vot·ing** votación *f*; ∼ *machine* máquina *f* registradora de votos.

vouch [vautʃ] atestiguar; garantizar, confirmar; ∼ *for th.* responder de; *p.* responder por; **vouch·er** documento *m* justificativo; ✝ comprobante *m*; vale *m*; **vouch·safe** conceder, otorgar; dignarse hacer.

vow [vau] 1. voto *m*; promesa *f* solemne; 2. hacer voto (*to* de); jurar.

vow·el ['vauəl] vocal *f*.

voy·age ['vɔidʒ] 1. viaje *m* (por mar); travesía *f*; 2. viajar (por mar); navegar; **voy·ag·er** ['vɔidʒə] viajero (a *f*) *m*.

vul·gar ['vʌlgə] 1. □ vulgar; *b.s.* grosero; (*in bad taste, showy*) cursi; *joke etc.* verde, indecente; ∼ *tongue* lengua *f* vulgar; 2.: *the* ∼ el vulgo; **vul·gar·i·ty** [∼'gæriti] vulgaridad *f*; grosería *f*; indecencia *f*.

vul·ner·a·ble ['vʌlnərəbl] □ vulnerable.

vul·ture ['vʌltʃə] buitre *m*.

vy·ing ['vaiiŋ] *ger. of* vie.

W

wack·y ['wæki] *sl.* chiflado.

wad [wɔd] 1. taco *m*, tapón *m*; lío *m* of *papers*; F fajo *m* of *notes*; 2. rellenar; acolchar; tapar; **wad·ding** algodón *m* (en rama); taco *m*.

wad·dle ['wɔdl] anadear.

wade [weid] *v/i.* caminar por el agua *etc.*; ∼ *ashore* llegar a tierra vadeando; ∼ *into* meterse en; *v/t.* vadear; **wad·er** *orn.* ave *f* zancuda; ∼*s pl.* botas *f*/*pl.* altas.

wa·fer ['weifə] galleta *f*; barquillo *m*; oblea *f* for *sealing*.

waft [wɑːft] 1. traer, llevar (por el aire); 2. soplo *m*.

wag¹ [wæg] 1. menear(se); agitar (se); 2. meneo *m*.

wag² [∼] bromista *m*, zumbón *m*.

wage [weidʒ] 1. *war* hacer; proseguir; 2. (*a.* **wag·es** ['∼iz] *pl.*) salario *m*; (*mst day-*) jornal *m*; **wage earn·er** ['∼əːnə] asalariado (a *f*) *m*; **wage in·crease** aumento *m* de sueldo.

wa·ger ['weidʒə] *lit.* 1. apuesta *f*; 2. apostar (*on a, that* a que).

wag·on ['wægən] carro *m*; ⊞ vagón *m*, furgón *m*.

waif [weif] niño (a *f*) *m* abandonado (a).

wail [weil] 1. lamento *m*, gemido *m*; 2. lamentarse, gemir; gimotear.

waist [weist] cintura *f*; talle *m*; ⚓ combés *m*; **'∼·band** pretina *f*; **'∼·coat** chaleco *m*; **'∼·deep** hasta la cintura; **'∼·line** talle *m*.

wait [weit] 1. *v/i.* esperar, aguardar (*for acc.*); (*a.* ∼ *at table*) servir (*on acc.*); *keep s.o.* ∼*ing* hacer que uno espere; ∼ *and see!* espera y verás; *v/t.* esperar; 2. espera *f*; *have a long* ∼ tener que esperar mucho tiempo; *be* (*or lie*) *in* ∼ acechar (*for acc.*); **wait·er** camarero *m*; mozo *m*.

wait·ing ['weitiŋ] espera *f*; servicio *m*; '∼ **list** lista *f* de espera; '∼ **room** sala *f* de espera.

wait·ress ['weitris] camarera *f*.

waive [weiv] *right* renunciar; *claim* desistir de; **'waiv·er** renuncia *f*.

wake¹ [weik] ⚓ estela *f*; *fig. in the* ∼ *of* siguiendo, como consecuencia de.

wake² [∼] 1. [*irr.*] *v/i.* despertar(se) (*a.* ∼ *up*); *v/t.* despertar; *corpse* velar; 2. vela *f over corpse*; **wake·ful** ['∼ful] □ despierto; desvelado; **'wak·en** *v/i.* despertar(se); *v/t.* despertar.

walk [wɔːk] 1. *v/i.* andar; caminar; (*stroll*) pasear(se); (*not ride*) ir a pie; ∼ *about* pasearse; ∼ *away with* llevarse; ∼ *off with* llevarse; robar; ∼ *out* (*strike*) declararse en huelga; *v/t.* *child etc.*

pasear; *horse* llevar al paso; *distance* recorrer (a pie); **2.** (*stroll*) paseo *m*; (*gait*) paso *m*; (*place*) paseo *m*, alameda *f*; **'walk·er·on** F figurante (a *f*) *m*.

walk·ie-talk·ie ['wɔːki'tɔːki] transmisor-receptor *m* portátil.

walk·ing ['wɔːkiŋ] **1.** excursionismo *m* a pie; el pasearse; **2.** ambulante; F ~ *papers* pl. despedida *f*; ~ *race* carrera *f* pedestre; '~**stick** bastón *m*.

walk...: '~**out** huelga *f*; salida *f*; '~**up** house sin ascensor.

wall [wɔːl] **1.** (*mst interior*) pared *f*; muro *m*; (*garden*) tapia *f*; (*city*) muralla *f*; **2.** murar; *city* amurallar; ~ *up* emparedar; cerrar con muro.

wal·let ['wɔlit] cartera *f*.

wall...: '~**eyed** de ojos incoloros; '~**flow·er** alhelí *m*; *fig.* be a ~ comer pavo; '~ **map** mapa *m* mural.

wal·lop ['wɔləp] F **1.** golpear fuertemente; zurrar; **2.** golpazo *m*; zurra *f*; *sl.* fuerza *f* of a drink; **'wal·lop·ing** F grandote.

wall...: '~**pa·per** papel *m* pintado, papel *m* de empapelar; '~ **sock·et** enchufe *m* de pared.

wal·nut ['wɔːlnʌt] nuez *f*; (*tree, wood*) nogal *m*.

wal·rus ['wɔːlrəs] morsa *f*.

waltz [wɔːls] **1.** vals *m*; **2.** valsar.

wan [wɔn] □ pálido, macilento.

wan·der ['wɔndə] errar, vagar; extraviarse; deambular (*a.* ~ *about*); **'wan·der·er** vagabundo (a *f*) *m*; nómada *m/f*; **'wan·der·ing** □ errante; errabundo; *fig.* distraído; **'wan·der·lust** ['.lʌst] ansia *f* de viajar.

wane [wein] **1.** (*moon*) menguar; *fig.* disminuir; **2.** (*a.* **'wan·ing**) menguante; *f* mengua *f*.

wan·ness ['wɔnnis] palidez *f*.

want [wɔnt] **1.** (*lack*) falta *f*, carencia *f*; (*need*) necesidad *f*; (*poverty*) indigencia *f*; for ~ of por falta de; F ~ *ad* anuncio *m* clasificado; **2.** *v/i.* be ~*ing* faltar; be ~*ing* in estar falto de; *v/t.* querer, desear; (*need*) necesitar; (*lack*) carecer de; ~*ed* (*in adverts*) necesítase; (*police*) se busca; **'want·ing** defectuoso; deficiente (*in* en), falto (*in* de).

wan·ton ['wɔntən] **1.** □ (*playful*) juguetón; (*rank*) lozano; caprichoso; *b.s.* lascivo; **2.** libertino (a *f*) *m*; **3.** retozar; **'wan·ton·ness** lascivia *f etc.*

war [wɔː] **1.** guerra *f*; *attr.* ... de

guerra, bélico; *at* ~ en guerra; *cold* ~ guerra *f* fría; *hot* ~ guerra *f* a tiros; ~ *of nerves* guerra *f* de nervios; ~ *criminal* criminal *m* de guerra; ~ *dance* danza *f* guerrera; **2.** *lit.* guerrear.

war·ble ['wɔːbl] **1.** trinar, gorjear; **2.** trino *m*, gorjeo *m*; **'war·bler** mosquitero *m*, curruca *f etc.*

ward [wɔːd] **1.** (*p.*) pupilo (a *f*) *m*; (*wardship*) tutela *f*, custodia *f*; (*hospital*) sala *f*, crujía *f*; distrito *m* (electoral) of *city*; F ~ *heeler* muñidor *m* (electoral); **2.:** ~ *off* desviar, parar; **'ward·en** carcelero *m*; guardián *m*; **'ward·robe** guardarropa *m*; vestidos *m/pl.*; *thea.* vestuario *m*; **'ward·room** ⚓ cuarto *m* de los oficiales.

ware [wɛə] loza *f*; ~s *pl.* mercancías *f/pl.*; small ~s *pl.* mercería *f*.

ware·house 1. ['wɛəhaus] almacén *m*, depósito *m*; **2.** ['.hauz] almacenar; '~·**man** ['.hausmən] almacenista *m*.

war...: '~**fare** guerra *f*; '~**head** punta *f* de combate of *torpedo*; cabeza *f* de guerra of *rocket*.

war·i·ly ['wɛərili] cautelosamente; **war·i·ness** ['.inis] cautela *f*, precaución *f*.

war·like ['wɔːlaik] guerrero, belicoso; castrense.

warm [wɔːm] **1.** □ caliente (*a.* F = *near*); *day, greeting* caluroso; *climate* cálido; *heart* afectuoso; *argument* acalorado; be ~ (*p.*) tener calor; (*weather*) hacer calor; **2.** *v/t.* calentar; *heart* alegrar, regocijar; *v/i.* (*a.* ~ *up*) calentarse; (*argument*) acalorarse; *sport:* hacer ejercicios (para entrar en calor); '~**heart·ed** cariñoso; simpático.

war-mon·ger ['wɔːmʌŋgə] incendiario *m* de la guerra.

warmth [wɔːmθ] calor *m*; *fig.* cordialidad *f*; entusiasmo *m*; ardor *m*.

warn [wɔːn] avisar; advertir (of *acc.*); prevenir (*against* contra); amonestar (*to inf.*); **'warn·ing** aviso *m*; advertencia *f*; *attr.* de aviso; de alarma; admonitorio.

warp [wɔːp] **1.** (*weaving*) urdimbre *f*; alabeo *m* of *wood*; ⚓ espía *f*; *fig.* sesgo *m*; **2.** (*wood*) alabearse, tocerse.

war·plane ['wɔːplein] avión *m* militar.

war·rant ['wɔrənt] **1.** garantía *f*; autorización *f*, justificación *f*; ♰ mandato *m*; *2. esp.* ♰ garantizar; autorizar; justificar; **'war·rant·ed** ♰ garantizado; **'war·rant-of·fi·cer**

wax

♣ contramaestre *m*; ✕ suboficial *m*;
'war·ran·tor [-tɔː] garante *m/f*;
'war·ran·ty ✝ garantía *f*; *v. warrant*.
war·ri·or ['wɔriə] guerrero *m*.

war·ship ['wɔːʃip] buque *m* de
guerra.

wart [wɔːt] verruga *f* (*a.* ♧).

war·y ['wɛəri] □ cauto, cauteloso,
prudente.

was [wɔz, wəz] *pret. of be*.

wash [wɔʃ] **1.** *v/t.* lavar (*a.* ~ *up*, ~ *out*);
dishes a. fregar; bañar; ~ *away* quitar
lavando; *v/i.* lavarse; lavar la ropa;
(*water*) moverse; **2.** lavado *m*; ropa *f*
(para lavar); (*hung to dry*) tendido *m*;
✈ disturbio *m* aerodinámico;
'wash·a·ble lavable; **'wash-and-**
'wear *adj.* de lava y pon; **'wash-**
ba·sin palangana *f*, lavabo *m*.

washed-up ['wɔʃdʌp] *sl.* fracasado.

wash·er ['wɔʃə] ⊕ arandela *f*; (*tap-*)
zapatilla *f*; **'~·wom·an** lavandera *f*.

wash·ing ['wɔʃiŋ] **1.** ropa *f* (para
lavar); lavado *m*; **~** *pl.* lavadura *f*; **2.**
~ *machine* lavadora *f*; **'~·up** fregado
m, lavado *m* (de platos).

wash...: **'~·out** *sl.* fracaso *m*; **'~·rag**
paño *m* de cocina; **'~·stand** lavabo *m*,
lavamanos *m*; **'~·tub** tina *f* (de lavar).

wasp [wɔsp] avispa *f*; **'wasp·ish** □
irascible; punzante.

waste [weist] **1.** (*rejected*) desechado;
(*useless*) inútil; (*left over*) sobrante;
land baldío, yermo; *lay* ~ asolar,
devastar; ~ *paper* papel *m* viejo; **2.**
despilfarro *m*, derroche *m*; pérdida *f*
of time; desgaste *m*; desperdicio(s)
m(pl.); desecho *m*, basura *f*; **3.** *v/t.*
malgastar; desperdiciar; derrochar;
time perder; *v/i.* (des)gastarse; perderse; ~ *away* consumirse, mermar;
'waste·ful ['-ful] □ pródigo, des-
pilfarrado; antieconómico; **'waste-**
ful·ness despilfarro *m etc.*; **'waste-**
pa·per bas·ket cesto *m* (para papeles); **'waste-pipe** tubo *m* de desagüe; **'waste prod·uct** producto *m*
de desecho.

watch [wɔtʃ] **1.** reloj *m*; vigilia *f*;
vigilancia *f*; ✕, ♣ guardia *f*, ♣
vigía(s) *m(pl.)*; *keep* ~ *over p.* velar; *th.*
vigilar por; **2.** *v/i.* velar; *for* esperar;
acechar; ~ *out* tener cuidado (*for*
con); *v/t.* mirar; observar; vigilar;
guardar; **'~·chain** cadena *f* de reloj;
'~·dog perro *m* guardián; **'watch·er**
observador *m*; **watch·ful** ['-ful] □
vigilante; **'watch·ful·ness** vigilancia
f, desvelo *m*;

watch...: **'~·mak·er** relojero *m*;
'~·man guardián *m*; (*night-*) sereno
m; **'~·tow·er** atalaya *f*; **'~·word** ✕
santo *m* y seña.

wa·ter ['wɔːtə] **1.** agua *f*; *high* ~ pleamar *f*; *low* ~ bajamar *f*; *by* ~ por agua;
por mar, F *get into hot* ~ cargársela
(*for*, *over* en el asunto de); *hold* ~
retener el agua; *fig.* ser lógico; **2.**
acuático; de agua, para agua; ~ *supply*
abastecimiento *m* de agua; **3.** *v/t.*
land, *plant* regar; *cattle* abrevar; *wine*
aguar (*a.* ~ *down*); *v/i.* (*mouth*) hacerse agua; (*eyes*) llorar; **'~·borne**
llevado por barco *etc.*; **'~ bot·tle**
cantimplora *f*; **'~·can·non** cañón *m*
de agua; **'~·col·or** acuarela *f*;
'~·cooled refrigerado por agua;
'~·cool·ing refrigeración *f* por agua;
'~·fall cascada *f*, salto *m* de agua;
'~·fowl *pl.* aves *f/pl.* acuáticas;
'~·front terreno *m* ribereño.

wa·ter·ing ['wɔːtəriŋ] riego *m*; **'~·can**
regadera *f*; (*eyes*) *place* (*spa*) balneario
m; ✍ abrevadero *m*.

water...: **'~·jack·et** camisa *f* de agua;
'~·lev·el nivel *m* del agua; ♣ línea *f* de
agua; **'~ lil·y** nenúfar *m*; **'~·logged**
anegado; empapado; **'~ main** cañería *f* maestra; **'~·mark** filigrana *f*;
'~·mel·on sandía *f*; **~ mill** molino *m*
de agua; **'~ pipe** caño *m* de agua; **'~**
po·lo polo *m* acuático; **'~ pow·er**
fuerza *f* hidráulica; **'~·proof 1.** impermeable *adj. a. su. m*; **2.** impermeabilizar; **'~·ski·ing** esquí *m* acuático; **'~·spout** tromba *f* marina; **'~**
tank cisterna *f*; **'~·ta·ble** retallo *m* de
derrame; **'~·tight** estanco, hermé-
tico; *fig.* irrecusable; completamente lógico; ~ *compartment* compartimiento *m* estanco; **'~·way** canal
m, vía *f* fluvial; **~ wings** *pl.* nada-
deras *f/pl.*; **'~·works** *pl.*, *a. sg.* central
f depuradora; **'wa·ter·y** acuoso.

watt [wɔt] vatio *m*.

wave [weiv] **1.** *f.* onda *f*; (*hair*)
ondulación *f*; ademán *m* of *hand*; *cold*
~ ola *f* de frío; **2.** *v/t.* agitar; *weapon*
etc. blandir; *hair* ondular; *v/i.* ondear; agitar el brazo; ~ *to a p.* hacer
señales (con la mano) a una p.;
'~·length longitud *f* de onda.

wa·ver ['weivə] vacilar, titubear.

wave...: **'~·the·o·ry** teoría *f* ondula-
toria; *radio:* trampa *f* de ondas.

wav·y ['weivi] ondulado; ondeado.

wax¹ [wæks] **1.** cera *f*; **2.** encerar.

wax² [~] [*irr.*] (*moon*) crecer.

way [wei] camino *m* (to de); vía *f*; dirección *f*, sentido *m*; distancia *f*, trayecto *m*; viaje *m*; by ~ of por vía de; *fig.* a título de; in a ~ en cierto modo; in no ~ de ningún modo; in a bad ~ en mal estado; F in a big ~ en grande, en gran escala; on the ~ en el camino; on the ~ to camino de; out of the ~ arrinconado, aislado; insólito; under ~ en marcha; go one's own ~ ir a la suya; go out of one's ~ to desviarse del camino; *fig.* darse la molestia (to *inf.* de *inf.*); have a ~ with manejar bien; have a ~ with people tener don de gentes; lead the ~ ir primero; lose one's ~ extraviarse, errar el camino; ~station estación *f* de paso; ~far·er viajero (*a f*) *m*; caminante *m/f*; ~lay [*irr.* (*lay*)] asechar; detener; ~side 1. (by the al) borde *m* del camino; 2. junto al camino.

way·ward ['weiwəd] voluntarioso; caprichoso; '**way·ward·ness** voluntariedad *f*, lo caprichoso.

we [wi, wi] nosotros, nosotras.

weak [wiːk] □ débil; flojo; *sound* tenue; '**weak·en** debilitar(se); atenuar(se); enflaquecer(se); '**weak·ling** canijo *m*; cobarde *m*; '**weak·ly** enclenque, achacoso; '**weak-mind·ed** imbécil; vacilante; '**weak·ness** debilidad *f*.

wealth [welθ] riqueza *f*; caudal *m*; *fig.* abundancia *f*; '**wealth·y** □ rico, acaudalado.

wean [wiːn] destetar; *fig.* ~ from, ~ of apartar gradualmente.

weap·on ['wepən] arma *f*; '**~·less** desarmado; inerme; '**~·ry** armamento *m*.

wear [weə] 1. [*irr.*] *v/t.* llevar; *shoes* calzar; ~ away, ~ down, ~ out (des)gastar; consumir; *patience* cansar; agotar; ~ o.s. out matarse; *v/i.* (*well*) durar; ~ well conservarse bien; ~ away desgastarse; 2. desgaste *m*, deterioro *m*, uso *m*; (*clothes*) ropa *f*; moda *f*.

wea·ri·ness ['wiərinis] cansancio *m*; aburrimiento *m*.

wea·ri·some ['wiərisəm] □ fastidioso; aburrido.

wea·ry ['wiəri] 1. □ (*tired*) cansado (*of* de), fatigado; (*tiring*) fastidioso; 2. *v/t.* cansar; aburrir.

wea·sel ['wiːzl] comadreja *f*.

weath·er ['weðə] 1. tiempo *m*; intemperie *f*; 2. *attr.* ♣ de barlovento; meteorológico; 3. *v/t.* aguan-

tar (*a. fig.*); **~·beat·en** ['~biːtn] curtido por la intemperie; '**~·bu·reau** servicio *m* meteorológico; '**~·chart** mapa *m* meteorológico; '**~·cock** veleta *f*; '**~·fore·cast** parte *m* (*or* boletín *m*) meteorológico; '**~·proof** a prueba de la intemperie; '**~·sta·tion** estación *f* meteorológica; '**~·strip** burlete *m*; '**~·vane** veleta *f*.

weave [wiːv] 1. [*irr.*] tejer; trenzar; *fig.* urdir, tramar; 2. tejido *m*.

web [web] tela *f*; tejido *m*; (*spider's*) telaraña *f*; *orn.* membrana *f*; ⊕ alma *f*; '**web-foot·ed** palmípedo.

wed [wed] *v/t.* casarse con; *fig.* casar; *v/i.* casarse; '**wed·ded** conyugal; *fig.* ~ to aferrado a; '**wed·ding** 1. boda *f*, bodas *f/pl.*; casamiento *m*; 2. *attr.* nupcial; de boda.

wedge [wedʒ] 1. cuña *f*; calce *m*; 2. calzar, acuñar.

wed·lock ['wedlɔk] matrimonio *m*.

Wednes·day ['wenzdi] miércoles *m*.

weed [wiːd] 1. mala hierba *f*; F tabaco *m*; 2. escardar; desherbar; '**~·kill·er** herbicida *m*.

weed·y ['wiːdi] lleno de malas hierbas; F flaco, desmirriado.

week [wiːk] semana *f*; a ~ today de hoy en ocho días; '**~·day** día *m* laborable; '**~·end** fin *m* de semana, weekend *m*; '**week·ly** 1. semanal; 2. semanalmente.

weep [wiːp] (*irr.*) llorar, lamentar; '**weep·ing** lloroso.

weigh [wei] 1. *v/t.* pesar (*a. fig.*, ~ up, words etc.); ~ against considerar en relación con; ~ anchor zarpar; *v/i.* pesar; he ~s 80 kilos pesa 80 kilos; 2.: ♣ under ~ en marcha; '**weigh·ing ma·chine** báscula *f*.

weight [weit] 1. peso *m* (*a. fig.*); pesa *f*; ~s and measures *pl.* pesos *m/pl.* y medidas; carry great ~ influir poderosamente (*with* en); ~ lifting halterofilia *f*; 2. (*sobre*)cargar; sujetar con un peso; ponderar *statistically*; '**weight·i·ness** peso *m*; *fig.* importancia *f*; '**weight·less** ingrávido; '**weight·less·ness** ingravidez *f*; gravedad *f* nula; '**weight·y** □ pesado; *fig.* importante, de peso.

weird [wiəd] □ fantástico, sobrenatural; horripilante; F extraño.

wel·come ['welkəm] 1. □ bienvenido; grato; F you're ~! no hay de qué; *iro.* ¡buen provecho le haga! 2. bienvenida *f* (buena) acogida *f*; 3. acoger; recibir.

weld [weld] **1.** ⊕ soldar; *fig.* unir, unificar (*into* para formar); **2.** soldadura *f*; **'weld·er** soldador *m*; **'weld·ing** ⊕ soldadura *f*; *attr.* ... soldador.

wel·fare ['welfeə] bienestar *m*; prosperidad *f*; asistencia *f* social; ~ state estado *m* benefactor.

well[1] [wel] **1.** pozo *m*; *fig.* fuente *f*, manantial *m*; ⊕ pozo *m* (de petróleo); **2.** brotar, manar.

well[2] [~] **1.** *adv.* bien; ~ done! ¡bien!; ~ and good enhorabuena; **2.** *pred. adj.* bien (de salud); *it is just as* ~ that menos mal que; **3.** *int. etc.* ¡vaya!; bien; pues; ~ then pues bien; **'~-ad'vised** bien aconsejado; **'~-be'haved** bien educado; **'~-be·ing** bienestar *m*; **'~-'bred** bien criado; cortés; **'~-dis'posed** bien dispuesto; benévolo (*to, towards* con); **'~-in'formed** (*in general*) instruido; bien enterado (*about matter* de).

well...: **'~-in'ten·tioned** bienintencionado; **'~-'known** familiar, conocido; **'~-'man·nered** cortés, urbano; **'~-'mean·ing** bienintencionado; **'~-nigh** casi; **'~-'off** F acomodado; **'~-'read** muy leído, **'~-'spoken** bienhablado; **'~-'timed** oportuno, **'~-to-'do** acomodado, pudiente.

Welsh [welʃ] **1.** galés, de Gales; **2.** (*language*) galés *m*; **'~-man** galés *m*.

wel·ter ['weltə] confusión *f*; mar *m* of *blood etc.*; **'~-weight** wélter *m*.

wench [wentʃ] moza *f*, mozuela *f*.

went [went] *pret.* of go 1.

were [wəː, wə] *pret.* of be.

west [west] **1.** oeste *m*, occidente *m*; **2.** *adj.* del oeste, occidental; **3.** *adv.* al oeste, hacia el oeste.

west·er·ly ['westəli] *direction* hacia el oeste; *wind* del oeste.

west·ern ['westən] **1.** occidental; **2.** ♀ película *f* que se desarrolla en el Oeste de EE. UU.; **'west·ern·er** habitante *m/f* del oeste.

west·ward(s) ['westwəd(z)] hacia el oeste.

wet [wet] **1.** mojado; *place* húmedo; *weather* lluvioso; *day* de lluvia; *paint* fresco; ~ paint ¡ojo, se pinta!; **2.** humedad *f*; (*rain*) lluvia *f*; **3.** mojar; ~ one's *whistle* remojar el gaznate.

wet·back ['wetbæk] *sl.* inmigrante *m/f* ilegal (desde Méjico).

'wet cell ['wet'sel] ⚡ pila *f* húmeda.

wet·ness ['wetnis] humedad *f*; (*raininess*) lo lluvioso.

whack [wæk] F **1.** golpear (ruidosamente); pegar; **2.** golpe *m* (ruidoso); *sl.* tentativa *f*; **'whack·ing** F **1.** zurra *f*; **2.** grandote, imponente.

whale [weil] ballena *f*; F *a* ~ *of* ... un enorme ...; F *have a* ~ *of a time* pasarlo en grande; **'~-bone** ballena *f*; **'whal·er** (*p.*) ballenero *m*; (*boat*) ballenera *f*; **'whale oil** aceite *m* de ballena.

whal·ing ['weiliŋ] pesca *f* de ballenas; ~ station estación *f* ballenera.

wharf [wɔːf] muelle *m*.

what [wɔt] **1.** *relative* lo que; *know* ~'s ~ saber cuántas son cinco; ... *and* ~ *not* y qué sé yo qué más; **2.** *interrogative* qué; cuál; ~? (*surprise etc., asking for repetition*) ¿cómo?; ~ *about* ...? ¿qué te parece ...?; ~ *for?* ¿para qué?; ¿por qué?; ~ *of it?, so* ~? y eso ¿qué importa?; ~ *luck!* ¡qué suerte!; ~ *a* ...! ¡qué ...!; **'what(·so)·'ev·er 1.** cual(es)quiera que; todo lo que; **2.:** ~ *he says* diga lo que diga; *nothing* ~ nada en absoluto.

wheat [wiːt] trigo *m*; *attr.* triguero; **'wheat·en** de trigo.

whee·dle ['wiːdl] engatusar (*into* ger. para que *subj.*); sonsacar.

wheel [wiːl] **1.** rueda *f*; (*steering-*) volante *m*; ⚓ timón *m*; ✕ conversión *f*; **2.** *v/t.* hacer girar; hacer rodar; *bicycle* empujar; *child* pasear; *v/i.* girar, rodar; **'~-bar·row** carretilla *f*; **~-base** *mot.* distancia *f* entre ejes; batalla *f*; **'~-'chair** silla *f* de ruedas; **'wheel·er-'deal·er** *contp.* explotador *m* tramoyista; empresario *m* pretendido.

wheeze [wiːz] **1.** resollar (con ruido); **2.** resuello *m* (ruidoso); **'wheez·y** □ que resuella (con ruido).

when [wen] **1.** ¿cuándo?; **2.** cuando.

whence [wens] *lit.* **1.** ¿de dónde?; **2.** por consiguiente.

when(·so)·ev·er [wen(sou)'evə] siempre que, cuandoquiera que.

where [weə] **1.** ¿(a)dónde?; **2.** donde; **~-a·bouts 1.** ['weərə'bauts] *adv.* **2.** ['~] paradero *m*; **'~-as** mientras (que); por cuanto; **'~-at** considerando que; **~-at** con lo cual; **'~-by** por lo cual, por donde; **'~-fore** por qué; por tanto; ~ *in* en que; **~-of** de que; **~-on** en que; **~-up·on** acto seguido, después de lo cual; **where'ev·er 1.** dondequiera que; **2.** F ¿dónde?, **where-with-al** [weə-

wi'ð꜀ːl] F medios *m/pl.*, conquibus *m.*

whet [wet] *tool* afilar, amolar.

wheth·er ['weðə] si; ~ ... *or* sea ... sea; ~ *or no* en todo caso.

whew [hwuː] ¡vaya!

which [witʃ] 1. ¿cuál(es)?; ¿qué?; ~ *book do you want?* ¿cuál de los libros quieres?; 2. que; el (la, los, las) que; el (la) cual, los (las) cuales; lo cual; **~·ev·er** [⁓'evə] *pron.* cualquiera; el (la) que; 3. *adj.* cualquier.

whiff [wif] soplo *m* (fugaz); vaharada *f*; fumada *f of smoke*.

while [wail] 1. rato *m*; *for a* ~ durante un rato; F *worth* ~ que vale la pena; 2.: ~ *away* entretener, pasar; 3. mientras (que).

whim [wim] capricho *m*, antojo *m.*

whim·per ['wimpə] 1. *v/i.* lloriquear, gimotear; 2. gimoteo *m.*

whim·si·cal ['wimzikl] □ caprichoso, fantástico; **whim·si·cal·i·ty** [⁓'kæliti] capricho *m*, fantasía *f.*

whine [wain] 1. *v/i.* gimotear, quejarse; *v/t.* decir gimoteando; 2. gimoteo *m etc.*

whin·ny ['wini] 1. relinchar; 2. relincho *m.*

whip [wip] 1. *v/t.* azotar; fustigar (*a. fig.*); *fig.* F derrotar; *cream* batir; ~ *out* sacar de repente; ~ *up* avivar; *v/i.* agitarse; 2. látigo *m*; azote *m*; *parl.* llamada *f*; (*p.*) oficial *m* disciplinario de partido; **whipped 'cream** crema *f* (*or* nata *f*) batida.

whip·per... ['wipə]: '**~·snap·per** mequetrefe *m*; rapaz *m.*

whip·ping ['wipiŋ] flagelación *f*; vapuleo *m*; '~ **boy** cabeza *f* de turco; '~ **post** poste *m* de flagelación.

whip-saw ['wipsɔː] sierra *f* cabrilla.

whirl [wɜːl] 1. *v/i.* arremolinarse; (*head*) dar vueltas; *v/t.* hacer girar; agitar; 2. giro *m*, vuelta *f*; remolino *m*; serie *f* vertiginosa *of pleasures*; **whirl·i·gig** ['⁓igig] tiovivo *m*; **'whirl·pool, 'whirl·wind** torbellino *m*, remolino *m*; **'whirl·ly·bird** F helicóptero *m.*

whir(r) [wɜː] 1. zumbar, rechinar; 2. zumbido *m*, rechino *m.*

whisk [wisk] 1. (*brush*) escobilla *f*; (*fly*) mosqueador *m*; ~ *dust* quitar; *cooking*: batir; ~ *away* escamotear, arrebatar; **'whisk·er** pelo *m* (de la barba); bigotes *m/pl.* (*a. zo.*).

whis·k(e)y ['wiski] whisky *m.*

whis·per ['wispə] 1. *v/i.* cuchichear;

susurrar (*a. fig.*, *leaves*); *v/t.* decir al oído (*to* a); 2. cuchicheo *m.*

whis·tle ['wisl] 1. silbar (*at acc.*); ~ *up* llamar con un silbido; 2. ♪ silbato *m*, pito *m*; (*sound*) silbido *m*, silbo *m*; ~ *stop* población *f* pequeña.

white [wait] 1. blanco; *face* pálido; ~ *turn* ~ (*p.*) palidecer; ~ *coffee* café *m* con leche; ~ *heat* candencia *f*; ~ (*p.*) blanco *m* (*a. of eye*); clara *f* del huevo; (*p.*) blanco (a *f*) *m*; '~·**col·lar** profesional; de oficina; ~ *crime* crímenes *m* de oficinistas (contra la empresa); '~·'**hot** candente; *fig.* violento, ardiente; '**whit·en** blanquear (*v/i. a. v/t.*); (*p.*) palidecer; '**white·ness** blancura *f.*

white...: '~ **tie** (*attr. de*) traje *m* de etiqueta; '~·**wash** 1. jalbegue *m*; F encubrimiento *m* de faltas; 2. enjalbegar, blanquear.

whit·ish ['waitiʃ] blanquecino.

whit·tle ['witl] *stick* cortar pedazos a; *fig.* ~ *away*, ~ *down* mermar.

whiz [wiz] 1. silbar; (*arrow*) rehilar; 2. silbido *m*, zumbido *m.*

who [huː] 1. que; quien(es); 2. ¿quién(es)?; ~ *goes there?* ¿quién vive?

who·dun·it [huː'dʌnit] *sl.* novela *f* policíaca.

who·ev·er [huː'evə] 1. quienquiera que, cualquiera que; 2. F ¿quién?

whole [houl] 1. □ todo; entero; total; ♣ sano; intacto; *the* ~ *world* el mundo entero; ~ *milk* leche *f* sin desnatar; 2. todo *m*; conjunto *m*; total *m*; totalidad *f*; *on the* ~ en general; '~·'**heart·ed** □ incondicional; cien por cien; '~·**sale** 1. (*a.* ~ *trade*) venta *f* al (por) mayor; 2. al (por) mayor; *fig.* en masa; general; '**whole·sal·er** mayorista *m*; **whole·some** ['⁓səm] □ saludable, sano; apetitoso; '**whole wheat** trigo *m* entero.

whol·ly ['houlli] enteramente.

whom [huːm] *acc. of* who.

whoop [huːp] 1. alarido *m*, grito *m*; 2. gritar (fuertemente); **whoop·ee** ['wuːpiː] F: *make* ~ divertirse una barbaridad; **whoop·ing-cough** ['huːpiŋkɔf] tos *f* ferina.

whop·per ['wɔpə] *sl.* enormidad *f*; (*lie*) mentirón *m*; '**whop·ping** *sl.* enorme, grandísimo.

whore [hɔː] puta *f.*

whorl [wɔːl] ⊕ espiral *f*; *zo.* espira *f.*

whose [huːz] *genitive of* who: 1. cuyo; de quien; 2. ¿de quién?; **who·so-**

winner

ev·er [hu:sou'evə] quien(es)quiera que.

why [wai] **1.** ¿por qué?; ¿para qué?; **2.** vamos; pero; **3.** *su.* porqué *m*.

wick·ed ['wikid] □ malo, malvado; inicuo; *co.* F horroroso; **'wick·ed·ness** maldad *f* etc.

wick·et ['wikit] postigo *m*, portillo *m*.

wide [waid] **1.** □ ancho; extenso; amplio; *difference* considerable; **2.** *adv.* lejos; ~ *open* abierto de par en par; **'~-an·gle** *phot.* de ángulo ancho; **wid·en** ['waidn] ensanchar(se); **'wide·ness** anchura *f*; **'wide·spread** extenso, muy difundido.

wid·ow ['widou] viuda *f*; **'wid·ow·er** viudo *m*; **wid·ow·hood** ['.hud] viudez *f*.

width [widθ] anchura *f*; extensión *f*.

wield [wi:ld] *lit.* manejar, empuñar; *power* ejercer.

wife [waif] (*pl.* wives) mujer *f*, esposa *f*; **'wife·ly** de esposa.

wig [wig] peluca *f*; *big* ~ F pájaro *m* de cuenta.

wig·gle ['wigl] menear(se) rápidamente.

wild [waild] **1.** □ salvaje; ♥ silvestre; feroz; violento; *child etc.* desmandado, desgobernado; (*rash, foolish*) insensato, temerario; ~ *beast* fiera *f*; F *be* ~ *about* andar loco por; **2.** *su. pl. v.* *wilderness*; **'wild·cat 1.** *zo.* gato *m* montés; empresa *f* arriesgada; pozo *m* de petróleo de exploración; **2.** *fig.* quimérico; arriesgado; indisciplinado; ~ *strike* huelga *f* espontánea; **wil·der·ness** ['wildnis] desierto *m*, yermo *m*; **'wild-goose chase** empresa *f* desatinada; **'wild·ness** ferocidad *f*; violencia *f* etc.

wiles [wailz] engaños *m/pl.*, mañas *f/pl.*

wil·ful ['wilful] □ *p.* voluntarioso; *act* premeditado, intencionado.

will [wil] **1.** voluntad *f*; placer *m*; ⚖ testamento *m*; **2.** [*irr.*] *v/aux. que forma el futuro etc.*: he ~ *come* vendrá; *I* ~ *do it* sí que lo haré; **3.** querer; ⚖ legar.

will·ing ['wiliŋ] □ complaciente; gustoso; **'will·ing·ness** buena voluntad *f*.

wil·low ['wilou] sauce *m*; **'wil·low·y** *fig.* esbelto, cimbreño.

will pow·er ['wilpauə] fuerza *f* de voluntad.

wil·ly-nil·ly ['wili'nili] a la fuerza, quiera o no quiera.

wilt [wilt] marchitar(se); *fig.* acobardarse; languidecer.

wil·y ['waili] □ astuto, mañoso.

win [win] **1.** [*irr.*] *v/t.* ganar; lograr; *v/i.* ganar; triunfar; **2.** victoria *f*.

wind¹ [wind, *poet. a.* waind] **1.** viento *m*; *fig.* (*breath*) aliento *m*; ♂ flatulencia *f*; ♪ instrumento *m* de viento; *throw to the* ~*s* desechar; **2.** *hunt.* husmear; ♂ dejar sin aliento.

wind² [waind] [*irr.*] *v/t.* enrollar, envolver (*a.* ~ *up*); *handle* dar vueltas a; *watch* dar cuerda a; ~ *up* concluir; ✝ liquidar; *v/i.* serpentear; dar vueltas.

wind... [wind]: **'~bag** charlatán *m*; **'~ed** sin aliento; **'~fall** fruta *f* caída; *fig.* golpe *m* de suerte inesperado.

wind·ing ['waindiŋ] **1.** (*handle*) vuelta *f*; (*watch*) cuerda *f*; **2.** serpentino; sinuoso; tortuoso; ~ *staircase* escalera *f* de caracol; **'~-up** conclusión *f*; ✝ liquidación *f*.

wind in·stru·ment ['windinstrumənt] instrumento *m* de viento.

wind·lass ['windləs] torno *m*.

wind·mill ['windmil] molino *m* (de viento); (*toy*) molinete *m*.

win·dow ['windou] ventana *f*; (*shop*) escaparate *m*; ventanilla *f* of *vehicle*; **'~-dress·ing** decoración *f* de escaparates; *fig.* camuflaje *m*; **'~ frame** marco *m* (de ventana); **'~-pane** cristal *m*; **'~-shade** visillo *m*, transparente *m*; **'~-shop** curiosear en las tiendas.

wind... [wind]: **'~-pipe** tráquea *f*; **'~-shield** parabrisas *m*; ~ *wiper* limpiaparabrisas *m*; **'~ tun·nel** ⚞ túnel *m* aerodinámico.

wind·y ['windi] □ ventoso; *day* de mucho viento; *place* expuesto al viento; *fig. speech* palabrero.

wine [wain] vino *m*; **'~-cel·lar** bodega *f*; **'~-er·y** lagar *m*; **'~-glass** vaso *m* para vino; **'~-grow·er** viñador *m*.

wing [wiŋ] **1.** ala *f*; F brazo *m*; *sport:* exterior *m*; *thea.* ~*s pl.* bastidores *m/pl.*; *be on the* ~ estar volando; *take* ~ irse volando; **2.** *v/t.* *p.* herir en el brazo; *v/i.* volar; **'~-chair** sillón *m* de orejas; **winged** [~ŋd] alado; **'wing nut** tuerca *f* mariposa.

wink [wiŋk] **1.** guiño *m*; pestañeo *m*; F *have* (*or* take) 40 ~*s* descabezar el sueño; **2.** *v/t.* *eye* guiñar; *v/i.* guiñar el ojo; parpadear.

win·ner ['winə] ganador (-a *f*) *m*, vencedor (-a *f*) *m*.

win·ning ['winiŋ] □ vencedor, victorioso.

win·ter ['wintə] 1. invierno *m*; *attr.* invernal, de invierno; 2. invernar.

win·try ['wintri] invernal; *fig.* frío.

wipe [waip] 1. enjugar; limpiar; ~ *off* quitar frotando; ~ *out* destruir, extirpar; 2. limpión *m*; limpiadura *f*.

wire ['waiə] 1. alambre *m*; F telegrama *m*; 2. *v/t.* *house* instalar el alambrado de; *fence* alambrar; F telegrafiar; *v/i.* F poner un telegrama; **'~ cut·ters** *pl.* cizalla *f*; **'~ gauge** calibre *m* para alambres; **'~-haired** de pelo áspero; **'wire·less** 1. radio *f*, radiorreceptor *m* (*a.* ~ *set*); radiotelegrafía *f*; 2. *attr.* radiofónico; ~ *operator* (radio)telegrafista *m*; **'wire 'net·ting** red *f* de alambre; **'wire ser·vice** servicio *m* telegráfico y telefónico; **'wire-tap·ping** intercepción *f* secreta de comunicaciones telefónicas.

wir·ing ['waiəriŋ] instalación *f* de alambres; alambrado *m*; **'wir·y** □ delgado pero fuerte; nervudo.

wis·dom ['wizdəm] sabiduría *f*; prudencia *f*.

wise [waiz] □ (*learned*) sabio; (*sensible etc.*) prudente; juicioso; acertado; *sl.* ~ *guy* sabelotodo *m*; F *be* ~ *to* conocer el juego de.

wise·a·cre ['waizeikə] sabihondo *m*; **'wise·crack** 1. cuchufleta *f*; 2. cuchufletear.

wish [wiʃ] 1. desear (*for acc.*; *to inf.*); anhelar (*for acc.*; *to inf.*); 2. deseo *m* (*for de*; *to inf.* de *inf.*); anhelo *m*; *best* ~*es* enhorabuena *f*; **wish·ful** ['~ful] □ deseoso (*to inf.* de *inf.*); ~ *thinking* espejismo *m*, ilusionismo *m*.

wish·y-wash·y ['wiʃi:'wɔʃi] F soso, insípido.

wist·ful ['wistful] □ pensativo.

wit [wit] 1. ingenio *m* (*a. p.*); agudeza *f*; sal *f*; (*p.*) chistoso *m*; 2.: *to* ~ *a* saber.

witch [witʃ] bruja *f*, hechicera *f*; ~ *doctor* hechicero *m*; **'~·craft** brujería *f*; **'~ hunt** persecución *f* (política).

with [wið] con; en compañía de; (*towards*) para con; de (*e.g.*, *tremble with fear* temblar de miedo); *covered with* cubierto de.

with·draw [wið'drɔ:] [*irr.* (*draw*)] *v/t.* retirar; sacar; retractar; *v/i.* retirarse (*from* de); recogerse; **with'draw·al** retirada *f*; abandono *m*.

with·er ['wiðə] *v/i.* marchitarse; *v/t.* marchitar; *fig.* aplastar, confundir.

with·hold [wið'hould] [*irr.* (*hold*)] retener; negar (*from* a); *payment* suspender; *~ing tax* descuento *m* anticipado de los impuestos; **with'in** 1. *adv. lit.* dentro; 2. *prp.* dentro de; al alcance de (*a.* ~ *reach of*); **with'out** 1. *adv. lit.* (a)fuera; *from* ~ desde fuera; 2. *prp.* sin; 3. *cj.* sin que; **with'stand** resistir a, aguantar.

wit·less ['witlis] □ tonto, insensato.

wit·ness ['witnis] 1. (*p.*) testigo *m/f*; testimonio *m*; 2. presenciar; atestiguar (*to acc.*); *will etc.* firmar como testigo; **'~ stand** barra *f* (*or* puesto *m*) de los testigos.

wit·ti·cism ['witisizm] agudeza *f*, chiste *m*; **'wit·ti·ness** agudeza *f*, gracia *f*; **'wit·ting·ly** a sabiendas; **'wit·ty** □ ingenioso, chistoso, gracioso.

wives [waivz] *pl. of* **wife**.

wiz·ard ['wizəd] hechicero *m*, brujo *m*; F *as* ~; **'~·ry** magia *f*.

wob·ble ['wɔbl] bambolear, tambalearse; ⊕ oscilar; *fig.* vacilar.

woe [wou] *lit. or co.* aflicción *f*, dolor *m*; ~ *is me!* ¡ay de mí!; **'~·be·gone** abatido, desconsolado; **woe·ful** □ triste, afligido.

woke [wouk] *pret. a. p.p. of* **wake**[2].

wolf [wulf] 1. lobo (*a* f) *m*; *sl.* mujeriego *m*; 2. F zampar, engullir; **'wolf·ish** □ lobuno.

wolves [wulvz] *pl. of* **wolf** 1.

wom·an ['wumən] 1. mujer *f*; F criada *f*; 2. femenino; de mujer; ~ *doctor* médica *f*; **'wom·an-hat·er** misógino *m*; **'wom·an·hood** ['~hud] (*quality*) feminidad *f*; (*age*) edad *f* adulta; **'wom·an·ish** □ afeminado; mujeril; **'wom·an·like** mujeril; **'wom·an·ly** femenino, mujeril.

womb [wu:m] matriz *f*, útero *m*; *fig.* seno *m*.

wom·en ['wimin] *pl. of* **woman**; ~'s *liberation* movimiento *m* feminista; ~'s *rights pl.* derechos *m/pl.* de la mujer; ~'s *team* equipo *m* femenino.

won [wʌn] *pret. a. p.p. of* **win** 1.

won·der ['wʌndə] 1. maravilla *f*, prodigio *m*; (*feeling*) admiración *f*; *work* ~*s* hacer milagros; 2. admirarse, maravillarse (*at* de); preguntarse; **won·der·ful** ['~ful] □ maravilloso; **'won·der·ment** asombro *m*, admiración *f*.

won't [wount] = *will not*.

wont [wount] acostumbrado.

W 7

(*or* efectuó) grandes reformas; **2.** *adj.* ⊕ forjado, labrado; ∼ *iron* hierro *m* forjado (*or* batido).

wrung [rʌŋ] *pret. a. p.p. of* wring.

wry [rai] □ torcido, tuerto; *fig.* pervertido; ∼ *face* mueca *f*.

X

X [eks] A *a. fig.* X.

xer·o·graph·y [ziːˈrɔgræfi] xerografía *f*; proceso *m* de producir fotocopias instantáneas en seco.

X-mas [ˈeksməs, ˈkrisməs] F Navidad *f*.

X-rat·ed [ˈeksˈreitid] F *film* no recomendado; condenado; pornográfico.

X-ray [ˈeksˈrei] **1.** F radiografía *f*; ∼*s pl.* rayos *m/pl.* X; **2.** radiográfico; **3.** radiografiar.

xy·log·ra·pher [zaiˈlɔgrəfə] xilógrafo *m*; **xy·lo·graph·ic, xy·lo·graph·i·cal** [∼ləˈgræfik(l)] xilográfico; **xy·log·ra·phy** [∼ˈlɔgrəfi] xilografía *f*.

xy·lo·phone [ˈzailəfoun] xilófono *m*.

Y

yacht [jɔt] **1.** yate *m*, (*small*) balandro *m*; **2.** pasear en yate; **'yacht club** club *m* náutico; **'yacht·ing** paseo *m* en yate; regatas *f/pl.* de balandros; de balandros; de balandristas; **'yachts·man** deportista *m* náutico; balandrista *m*.

yam [jæm] batata *f*, ñame *m*.

yank [jæŋk] F **1.** *mst* ∼ *out* sacar de un tirón; **2.** tirón *m*.

Yan·kee [ˈjæŋki] F yanqui *adj. a. su. m*.

yap [jæp] **1.** dar ladridos agudos; F charlar neciamente; **2.** ladrido *m* agudo.

yard¹ [jɑːrd] yarda *f* (= 91,44 *cm.*); *approx.* vara *f*; ⚓ verga *f*.

yard² [∼] corral *m*; patio *m*.

yard... [∼] **∼·arm** verga *f*; penol *m*; **'∼·stick** yarda *f*; *fig.* criterio *m*, norma *f*.

yarn [jɑːn] hilo *m*, hilaza *f*; F cuento *m* (inverosímil).

yaw [jɔː] **1.** ⚓ guiñada *f*; ✈ derrape *m*; **2.** ⚓ hacer una guiñada; ✈ derrapar.

yawn [jɔːn] **1.** bostezar; *fig.* ∼*ing* muy abierto; **2.** bostezo *m*.

yea [jei] † sí (*a. su. m*); sin duda.

year [jəː, jiə] año *m*; ∼ *of grace* año *m* de gracia; **'∼·book** anuario *m*; **'year·ling** primal *adj. a. su. m* (-a *f*); **'year·ly** anual(mente *adv.*).

yearn [jəːn] anhelar, añorar, ansiar (*after, for acc.*); suspirar (*for* por); **'yearn·ing** anhelo *m*, añoranza *f*.

yeast [jiːst] levadura *f*; **'yeast·y** □ espumoso; *fig.* frívolo.

yegg [jeg] *sl.* ladrón *m* (de cajas fuertes).

yell [jel] **1.** gritar; chillar; decir a gritos; **2.** grito *m*, alarido *m*.

yel·low [ˈjelou] **1.** amarillo; F (*cowardly*) blanco; ∼ *fever* fiebre *f* amarilla; ∼ *press* periódicos *m/pl.* sensacionales; **2.** amarillo *m*; **3.** *v/i.* amarillecer, amarillear; *v/t.* volver amarillo; **'∼·jack·et** avispa *f*; avispón *m*; **'yel·low·ish** amarillento.

yelp [jelp] **1.** gañido *m*; **2.** gañir.

yen [jen] *sl.* deseo *m* vivo.

yep [jep] F sí.

yes [jes] sí (*a. su. m*); ∼ *man sl.* pelotillero *m*.

yes·ter·day [ˈjestədi] ayer (*a. su. m*); ∼ *afternoon* ayer por la tarde.

yet [jet] **1.** *adv.* todavía, aún; *as* ∼ hasta ahora; *not* ∼ todavía no; **2.** *cj.* sin embargo; con todo.

Yid·dish [ˈjidiʃ] lengua *f* de los judíos askenazis.

yield [jiːld] **1.** *v/t.* producir, dar (de sí); *profit* rendir; (*give up*) entregar; *v/i.* ✝ *etc.* producir, rendir; (*surrender*) rendirse, someterse; ceder; consentir (*to* en); **2.** ✎ cosecha *f*; producción *f*; ✝ rendimiento *m*; **'yield·ing** □ flexible (*a. fig.*); *fig.* complaciente, dócil.

yo·del, yo·dle [ˈjoudl] **1.** canto *m* a la tirolesa; **2.** cantar a la tirolesa.

yo·ga [ˈjougə] yoga *f*; **'yo·gi** yogui *m*.

yo·gurt ['jougət] yogurt *m*.

yoke [jouk] **1.** ✏ yunta *f*; *fig.* yugo *m*; ⊕ horquilla *f*; **2.** ✏ uncir; acoplar; *fig.* unir.

yo·kel ['joukl] F palurdo *m*, patán *m*.

yolk [jouk] yema *f* (de huevo).

you [ju:] **1.** (*nominative*) *sg.* tú, *pl.* vosotros, vosotras; (*acc. dat.*) *sg.* te, *pl.* os; (*after prp.*) *sg.* ti, *pl.* vosotros, vosotras; with ~ (*sg. reflexive*) contigo; **2.** *formal, with third p. verb:* (*nominative*) *sg.* usted, *pl.* ustedes; (*acc. dat.*) *sg.* le, la, *pl.* les; (*after prp.*) *sg.* usted, *pl.* ustedes; with ~ (*sg. a. pl. reflexive*) consigo.

young [jʌŋ] **1.** joven; *brother etc.* menor; ~ man joven *m*; **2.** *zo.* cría *f*, hijuelos *m/pl.*; the ~ *pl.* los jóvenes;

'young·ish bastante joven; **'young-ster** joven *m/f*, jovencito (a *f*) *m*.

your [jɔ:, juə, jə] tu(s); vuestro(s), vuestra(s); su(s); **yours** [jɔːz, juəz] (el) tuyo, (la) tuya *etc.*; (el) vuestro, (la) vuestra *etc.*; (el) suyo, (la) suya *etc.*; **your'self**, *pl.* **your·selves** [~'selvz] (*subject*) tú mismo, vosotros mismos; usted(es) mismo(s); *acc.*, *dat.* te, os, se; (*after prp.*) ti, vosotros, sí (mismo[s]); *f forms have* a(s).

youth [ju:θ] juventud *f*; (*p.*) joven *m*, mozo *m*; **'youth·ful** ['~ful] □ juvenil; joven; **'youth·ful·ness** juventud *f*; vigor *m*, espíritu *m* juvenil.

Yu·go·slav ['ju:gousla:v] yugo(e)slavo *adj. a. su. m* (a *f*).

Yule [ju:l], **Yule·tide** ['ju:ltaid] *lit.* Navidad *f*; ~ log leño *m* de Navidad.

Z

za·ny ['zeini] F tonto; loco.

zeal [zi:l] celo *m*, entusiasmo *m*; **'zeal·ot** ['zelət] fanático *m*; **'zeal-ot·ry** fanatismo *m*; **'zeal·ous** □ entusiasta (*for* de); apasionado (*for* por).

ze·bra ['zi:brə] cebra *f*.

ze·nith ['zeniθ] cenit *m*; *fig.* apogeo *m*.

zeph·yr ['zefə] céfiro *m* (a. ✝ *cloth*).

ze·ro ['ziərou] **1.** cero *m*; **2.** nulo; ~ *growth* adj. sin aumento; estable; ~ *hour* ✕ hora *f* de ataque.

zest [zest] gusto *m*, entusiasmo *m*.

zig·zag ['zigzæg] **1.** zigzag *m*; **2.** (en) zigzag; **3.** zigzaguear, hacer eses.

zinc [ziŋk] **1.** cinc *m*; **2.** cubrir con cinc.

Zi·on·ism ['zaiənizm] sionismo *m*;

'Zi·on·ist sionista *adj. a. su. m*.

zip [zip] **1.** pasar volando; **2.** silbido *m*, zumbido *m*; F energía *f*; **zip code** ✆ número de zona postal; **'zip·per** (cierre *m* de) cremallera *f*, cierre *m* relámpago; **'zip·py** F enérgico; rápido.

zo·di·ac ['zoudiæk] zodíaco *m*; **zo-di·a·cal** [zou'daiəkl] zodiacal.

zone [zoun] zona *f*.

zoo [zu:] F jardín *m* (*or* parque *m*) zoológico; casa *f* de fieras.

zo·o·log·i·cal [zouə'lɔdʒikl] □ zoológico; **zo·ol·o·gist** [zou'ɔlədʒist] zoólogo *m*; **zo'ol·o·gy** zoología *f*.

zoom [zu:m] F **1.** zumbar; ✈ empinarse; **2.** zumbido *m*; ✈ empinadura *f*.

Zu·lu ['zu:lu:] zulú *m*.

Abreviaturas británicas y americanas
British and American Abbreviations

Cada artículo contiene el texto completo de la abreviatura británica y, a ser posible, la abreviatura española con su texto completo entre paréntesis.

AA Automobile Association *equivalente de* Real Automóvil Club *m* de España.

abbr. *abbreviated* abreviado; *abbreviation* abreviatura *f*.

ABC *American Broadcasting Company Compañía americana de radiotelevisión.*

A/C *account* (*current*) c.ta (c.te) (cuenta *f* [corriente]).

AC *alternating current* c.a. (corriente *f* alterna).

acc(t). *account* c.ta, cta (cuenta *f*).

AEC *Atomic Energy Commission* Comisión *f* de la Energía Atómica.

AFL–CIO *American Federation of Labor and Congress of Industrial Organizations Confederación general de los sindicatos de EE.UU.*

AFN *American Forces Network* Red de radiodifusión de las Fuerzas Armadas de EE.UU.

Ala *Alabama Estado de EE.UU.*

Alas *Alaska Estado de EE.UU.*

a.m. *ante meridiem* (*Latin* = *before noon*) de la mañana, antes del mediodía.

AP *Am. Associated Press Agencia de información.*

ARC *American Red Cross* Cruz *f* Roja Americana.

Ariz *Arizona Estado de EE.UU.*

Ark *Arkansas Estado de EE.UU.*

arr. *arrival* Ll. (llegada *f*).

BA 1. *Bachelor of Arts* Lic. en Fil. y Let. (Licenciado [a *f*] *m* en Filosofía y Letras); 2. *British Airways Compañía británica de aviación.*

BBC *British Broadcasting Corporation* BBC *f* (*Radiotelevisión nacional de Gran Bretaña*).

BE *bill of exchange* letra *f* de cambio.

BFN *British Forces Network* Red de radiodifusión de las Fuerzas Armadas de Gran Bretaña.

BL 1. *bill of lading* conocimiento *m*; 2.

Bachelor of Law Licenciado (a *f*) *m* en Derecho.

BM 1. *British Museum* Museo *m* Británico; 2. *Bachelor of Medicine* Licenciado (a *f*) *m* en Medicina.

BOT *Board of Trade* Ministerio *m* de Comercio (*británico*).

BR *British Rail* Ferrocarriles británicos.

Br(it). 1. *Britain* Gran Bretaña *f*; 2. *British* británico.

Bros. *brothers* Hnos. (hermanos *m/pl.*).

BS *British Standard* norma (*industrial*) británica.

BS *Am.*, **B.Sc.** *Bachelor of Science* Licenciado (a *f*) *m* en Ciencias.

Bucks. *Buckinghamshire* Condado inglés.

c. l. *cent(s)* céntimo(s) *m(pl.)* (*moneda americana*); 2. *circa* h. (hacia); aproximadamente; 3. *cubic* cúbico.

C. *Celsius, centigrade* termómetro centígrado.

C/A *current account* c/c (cuenta *f* corriente).

Cal(if) *California Estado de EE.UU.*

Cambs. *Cambridgeshire* Condado inglés.

Can. 1. *Canada* (el) Canadá; 2. *Canadian* canadiense.

CC *continuous current* c.c. (corriente *f* continua).

cf. *confer* comp. (compárese).

Ches. *Cheshire* Condado inglés.

CIA *Central Intelligence Agency* CIA (*Servicio m Secreto de Información de EE.UU.*).

CID *Criminal Investigation Department Departamento de Investigación Criminal* (*británico*), *equivalente de* Brigada *f* Criminal.

c.i.f. *cost, insurance, freight* c.i.f., c.s.f. (costo, seguro, flete).

Co. 1. *Company* C., Cía. (compañía *f*); 2. *county* condado *m* (*en EE.UU. e Irlanda*).

c/o. *care of* c/d (en casa de); a/c (al cuidado de).

COD *cash (Am. collect) on delivery* cóbrese a la entrega, contra re(e)mbolso.

Col *Colorado Estado de EE.UU.*

Conn *Connecticut Estado de EE.UU.*

cp. *compare* comp. (compárese).

c.w.o. *cash with order* pago *m* al contado.

cwt. *hundredweight (= 50,8 kg.) approx.* quintal *m*.

DA 1. *deposit account approx.* cuenta *f* de ahorro; **2.** *Am. District Attorney* fiscal *m* de distrito.

DC 1. *direct current* c.c. (corriente *f* continua); **2.** *District of Columbia Washington, capital de EE.UU., y sus alrededores.*

Del *Delaware Estado de EE.UU.*

dep. *departure* S. (salida *f*).

Dept. *Department* dep. (departamento *m*).

Derby. *Derbyshire Condado inglés.*

disc(t). *discount* d.to (descuento *m*).

doz. *dozen* d.na (docena *f*).

Dur(h). *Durham Condado inglés.*

dz. *dozen* d.na (docena *f*).

E. 1. *east(ern)* E (este [*m*]); **2.** *English* inglés.

EC *East Central Parte este del centro de Londres (distrito postal).*

ECE *Economic Commission for Europe* Comisión *f* Económica para Europa *(de las Naciones Unidas).*

ECOSOC *Economic and Social Council* Consejo *m* Económico y Social *(de las Naciones Unidas).*

Ed., ed. 1. *edition* ed. (edición *f*); **2.** *editor* director *m*, editor *m*, redactor *m*; **3.** *edited* editado.

EEC *European Economic Community* CEE (Comunidad *f* Económica Europea).

e.g. *exempli gratia (Latin = for example)* p.ej. (por ejemplo).

enc(l). *enclosure(s)* adjunto; anexo(s) *m[pl].*

Esq. *Esquire* D. (Don); *(Esq., en el sobre después del apellido).*

f. 1. *fathom (= 1,8288 m.)* braza *f*; **2.** *female, feminine* f. (femenino); **3.** *following* sgte. (siguiente).

F(ahr). *Fahrenheit* termómetro Fahrenheit.

FBI *Federal Bureau of Investigation* Departamento de Investigación Criminal, *equivalente de* Brigada *f* Criminal.

FC *Football Club* CF (Club *m* de Fútbol).

Fla *Florida Estado de EE.UU.*

fo(l). *folio* f.°, fol. (folio *m*).

f.o.b. *free on board* f.a.b. (franco a bordo).

for. *foreign* extranjero.

f.o.r. *free on rail* libre en la estación ferroviaria.

fr. *franc(s)* franco(s) *m(pl.)*.

ft. *foot, pl. feet (= 30,48 cm.)* pie(s) *m(pl.)*.

g. *gram(me[s])* gr(s). (gramo[s] *m[pl.]*).

Ga *Georgia Estado de EE.UU.*

gal. *gallon (= 4,546 litros, Am. 3,785 litros)* galón *m*.

GB *Great Britain* Gran Bretaña *f*.

GI *Am. government issue* propiedad *f* del Estado; *por extensión, el soldado raso americano.*

Glos. *Gloucestershire Condado inglés.*

GMT *Greenwich Mean Time* T.M.G. (Tiempo *m* Medio de Greenwich).

GOP *Am. Grand Old Party* Partido *m* Republicano.

Govt. *Government* gob.no (gobierno *m*).

GPO *General Post Office* Oficina *f* Central de Correos.

gr. *gross* bruto.

h. *hour(s)* hora(s) *f(pl.)*.

Hants. *Hampshire Condado inglés.*

HBM *His (Her) Britannic Majesty* Su Majestad Británica.

HC *House of Commons* Cámara *f* de los Comunes.

Herts. *Hertfordshire Condado inglés.*

hf. *half* medio.

HI *Hawaii(an Islands)* (Islas *f/pl.*) Hawai.

HL *House of Lords* Cámara *f* de los Lores.

HM *His (Her) Majesty* S.M. (Su Majestad).

HMS 1. *His (Her) Majesty's Ship (Steamer)* buque *m* ([buque *m* de] vapor *m*) de Su Majestad; **2.** *His (Her) Majesty's Service* servicio *m* (de Su Majestad); & oficial.

HO *Home Office* Ministerio *m* del Interior *(británico).*

Hon. *Honourable* Título *m* de la nobleza británica.

h.p. *horse-power approx.* c.v. (caballo[s] *m[pl.]* de vapor).

HQ *Headquarters* Cuartel *m* General.
HR *Am. House of Representatives* Cámara *f* de Representantes (= *Diputados*).
HRH *His (Her) Royal Highness* S.A.R. (Su Alteza Real).
hrs. *hours* horas *f/pl.*

Ia *Iowa* Estado de EE.UU.
ID *Intelligence Department* Servicio *m* Secreto.
Id *Idaho* Estado de EE.UU.
i.e. *id est* (*Latin = that is*) es decir.
Ill *Illinois* Estado de EE.UU.
ILO *International Labour Organization* OIT (Organización *f* Internacional del Trabajo).
IMF *International Monetary Fund* FMI (Fondo *m* Monetario Internacional).
in. *inch(es)* (= *2,54 cm.*) pulgada(s) *f(pl.).*
Inc. *Am. Incorporated* S.A. (Sociedad *f* Anónima).
Ind *Indiana* Estado de EE.UU.
inst. *instant* cte (corriente, de los corrientes).
IOC *International Olympic Committee* COI (Comité *m* Olímpico Internacional).
IQ *Intelligence Quotient* cociente *m* intelectual.
Ir. **1.** *Ireland* Irlanda *f*; **2.** *Irish* irlandés.
IRA *Irish Republican Army* Ejército *m* Republicano Irlandés.
IRC *International Red Cross* Cruz *f* Roja Internacional.

JP *Justice of the Peace* juez *m* de paz.
Jr., Jun(r). *junior* hijo.

Kans *Kansas* Estado de EE.UU.
KO **1.** *knock-out* k.o. (fuera *m* de combate); **2.** *knocked out* k.o. (fuera de combate).
Ky *Kentucky* Estado de EE.UU.

l. **1.** *left* izquierdo; a la izquierda; **2.** *liter* l. (litro *m*).
La *Louisiana* Estado de EE.UU.
LA *Los Angeles* Los Ángeles.
Lancs. *Lancashire* Condado inglés.
lb. *pound* (= *453,6 gr.*) libra *f.*
LC *letter of credit* carta *f* de crédito.
Leics. *Leicestershire* Condado inglés.
Lincs. *Lincolnshire* Condado inglés.
LP **1.** *long-playing* (de) larga duración *f*; **2.** *long-playing record* LP, elepé *m* (disco *m* de larga duración).

Ltd. *Limited* S. A. (Sociedad *f* Anónima).

m. **1.** *male, masculine* m. (masculino); **2.** *meter* m. (metro *m*); **3.** *mile* (= *1609,34 m.*) milla *f*; **4.** *minute* m. (minuto *m*).
MA *Master of Arts* Maestro *m* en Artes.
Mass *Massachusetts* Estado de EE.UU.
MD *medicinae doctor* (*Latin* = Doctor of Medicine) Doctor *m* en Medicina.
Md *Maryland* Estado de EE.UU.
Me *Maine* Estado de EE.UU.
mi. *mile* (= *1609,34 m.*) milla *f.*
Mich *Michigan* Estado de EE.UU.
Middx. *Middlesex* Condado inglés.
Minn *Minnesota* Estado de EE.UU.
Miss *Mississippi* Estado de EE.UU.
Mo *Missouri* Estado de EE.UU.
MO *money order* giro *m* postal.
Mont *Montana* Estado de EE.UU.
MP **1.** *Member of Parliament* miembro *m* del Parlamento; **2.** *Military Police* policía *f* militar.
m.p.h. *miles per hour* millas por hora.
Mr *Mister* Sr. (Señor *m*).
Mrs ['misiz] Sra. (Señora *f*).
MS **1.** *manuscript* MS (manuscrito *m*); **2.** *motorship* motonave *f.*
Mt. *Mount* montaña *f*, monte *m.*

n. **1.** *neuter* neutro; **2.** *noun* sustantivo *m*; **3.** *noon* mediodía *m.*
N. *North(ern)* N (norte [*m*]).
NASA *National Aeronautics and Space Administration* NASA (Administración *f* Nacional de Aeronáutica y del Espacio).
NATO *North Atlantic Treaty Organization* OTAN (Organización *f* del Tratado del Atlántico del Norte).
NBC *National Broadcasting Company* Compañía americana de radiotelevisión.
NC *North Carolina* Estado de EE.UU.
ND(ak) *North Dakota* Estado de EE.UU.
NE *northeast(ern)* NE (noreste [*m*]).
Neb(r) *Nebraska* Estado de EE.UU.
Nev *Nevada* Estado de EE.UU.
NF *Newfoundland* Terranova *f.*
NH *New Hampshire* Estado de EE.UU.
NHS *National Health Service* Servicio *m* Nacional de Sanidad.
NJ *New Jersey* Estado de EE.UU.
NMex *New Mexico* Estado de EE.UU.
Norf. *Norfolk* Condado inglés.

Northants. *Northamptonshire Condado inglés.*

Northumb. *Northumberland Condado inglés.*

Notts. *Nottinghamshire Condado inglés.*

nt. net n.º (neto).

NW *northwest(ern)* NO (noroeste [m]).

NY *New York* Estado de EE.UU.

NYC *New York City* Ciudad f de Nueva York.

O *Ohio* Estado de EE.UU.

o/a *on account (of)* a/c. (de) (a cuenta [de]).

OAS *Organization of American States* OEA (Organización f de los Estados Americanos).

OECD *Organization for Economic Cooperation and Development* OCDE (Organización f para la Cooperación y el Desarrollo económico).

OHMS *On His (Her) Majesty's Service* en el servicio de Su Majestad.

Okla *Oklahoma* Estado de EE.UU.

OPEC *Organization of Petroleum Exporting Countries* OPEP (Organización f de los Países Exportadores de Petróleo).

Ore(g) *Oregon* Estado de EE.UU.

Oxon. *Oxfordshire* Condado inglés.

Pa *Pennsylvania* Estado de EE.UU.

p.a. *per annum* (*Latin* = *yearly*) por año.

PanAm *PanAmerican Airways* Compañía (Pan)americana de aviación.

PAU *Panamerican Union* Unión f Panamericana.

PC *police constable* guardia m.

p.c. 1. *per cent* P%, %, p. c. (por cien[to]); 2. *postcard* tarjeta f postal.

pd. *paid* pagado.

PEN Club *Poets, Playwrights, Editors, Essayists and Novelists* PEN (Asociación internacional de escritores etc.).

Penn(a) *Pennsylvania* Estado de EE.UU.

per pro(c). *per procurationem* (*Latin* = *by proxy*) p.o. (por orden), p.p. (por poder).

Ph.D. *philosophiae doctor* (*Latin* = *Doctor of Philosophy*) Doctor m en Filosofía.

PLO *Palestine Liberation Organization* OLP (Organización f para la Liberación de Palestina).

p.m. *post meridiem* (*Latin* = *after noon*) de la tarde.

PO 1. *Post Office* (Oficina f de) Correos m/pl.; 2. *postal order* giro m postal.

POB *Post Office Box* apartado m.

p.o.d. *pay on delivery* (contra) re(e)mbolso.

p.p. 1. *v.* per pro(c); 2. *past participle* participio m de pasado.

PS *postscript* PD (posdata f).

PTO *please turn over* véase al dorso.

quot. *quotation* cotización f.

r. *right* derecho, a la derecha.

RAC *Royal Automobile Club* equivalente de Real Automóvil Club m de España.

RAF *Royal Air Force* Fuerzas f/pl. Aéreas Británicas.

Rd. *road* carretera f; c. (calle f).

ref. (*in*) *reference* (*to*) (con) referencia (a).

regd. *registered* certificado.

reg.tn. *register ton* tonelada f de arqueo.

resp. *respective(ly)* respectivamente.

ret. *retired* retirado.

Rev. *Reverend* R., Rdo (Reverendo).

RI *Rhode Island* Estado de EE.UU.

RN *Royal Navy* Marina f Real.

RP *reply paid* CP (contestación f pagada).

r.p.m. *revolutions per minute* r.p.m. (revoluciones f/pl. por minuto).

RR *Am. railroad* f.c. (ferrocarril m).

Ry. *railway* f.c. (ferrocarril m).

s. 1. *second(s)* segundo(s) m(pl.); 2. *shilling(s)* chelín(es) m(pl.).

S. *south(ern)* S (sur [m]).

SA 1. *South Africa* Africa f del Sur; 2. *South America* América f del Sur; 3. *Salvation Army* Ejército m de Salvación.

SALT *Strategic Arms Limitation Talks* SALT (Conversaciones f/pl. para la limitación de las armas estratégicas).

SC 1. *South Carolina* Estado de EE.UU.; 2. *Security Council* Consejo m de Seguridad (de las Naciones Unidas).

SD(ak) *South Dakota* Estado de EE.UU.

SE 1. *southeast(ern)* SE (sudeste [m]); 2. *Stock Exchange* Bolsa f.

SEATO *South East Asia Treaty Organization* OTASE (Organización f del Tratado de Asia de Sudeste).

SHAPE *Supreme Headquarters Allied Powers Europe* Cuartel *m* General Supremo de los Aliados en Europa.

SJ *Society of Jesus* C. de J. (Compañía *f* de Jesús).

Soc. *Society* sociedad *f*.

Som. *Somerset* Condado inglés.

Sq. *square* plaza *f*.

sq. *square* cuadrado.

Sr. *senior* padre.

SS *steamship* vapor *m*.

St. 1. *Saint* S. (San[ta]); 2. *Street* calle *f*; 3. *station* estación *f*.

Staffs. *Staffordshire* Condado inglés.

St. Ex. *Stock Exchange* Bolsa *f*.

stg. *sterling* moneda *f* esterlina.

Suff. *Suffolk* Condado inglés.

suppl. *supplement* suplemento *m*.

SW *southwest(ern)* SO (suroeste [*m*]).

t. *ton(s)* tonelada(s) *f(pl.)*.

Tenn *Tennessee* Estado de EE.UU.

Tex *Texas* Estado de EE.UU.

TO *Telegraph (Telephone) Office* Oficina *f* de Telégrafos (Teléfonos).

TU *Trade Union* sindicato *m*.

TUC *Trades Union Congress* Confederación *f* de Sindicatos.

TWA *Trans World Airlines* Compañía americana de aviación.

UK *United Kingdom* RU (Reino *m* Unido: Inglaterra, Escocia, Gales e Irlanda del Norte).

UMW *Am. United Mine Workers* Sindicato *m* de Mineros.

UN *United Nations* NU, NN.UU. (Naciones *f/pl.* Unidas).

UNESCO *United Nations Educational, Scientific and Cultural Organization* UNESCO (Organización *f* de las Naciones Unidas para la Educación, la Ciencia y la Cultura).

UNICEF *United Nations (International) Children's (Emergency) Fund* UNICEF (Fondo *m* Internacional de Emergencia de las Naciones Unidas para la Infancia).

UNO *United Nations Organization* ONU (Organización *f* de las Naciones Unidas).

UPI *United Press International* Agencia de información americana.

US(A) *United States (of America)* EE.UU. (Estados *m/pl.* Unidos [de América]).

USAF(E) *United States Air Force (Europe)* Fuerzas *f/pl.* Aéreas de Estados Unidos (en Europa).

USN *United States Navy* Marina *f* Estadounidense.

USSR *Union of Soviet Socialist Republics* URSS (Unión *f* de las Repúblicas Socialistas Soviéticas).

UT *Utah* Estado de EE.UU.

v. 1. *verse* verso *m*; estrofa *f*; (*biblical*) vers.º (versículo *m*); 2. *versus* (*Latin* = *against*) contra; 3. *vide* (*Latin* = *see*) v. (véase), vid. (vide); 4. *volt* v. (voltio *m*).

Va *Virginia* Estado de EE.UU.

VAT *value-added tax* IVA (impuesto *m* sobre el valor añadido).

VHF *very high frequency* MF (modulación *f* de frecuencia).

VIP *very important person* personaje *m* importante.

viz. *videlicet* (*Latin* = *namely*) v.gr. (verbigracia).

Vt *Vermont* Estado de EE.UU.

v.v. *vice versa* (*Latin* = *conversely*) viceversa.

W. *west(ern)* O (oeste [*m*]).

War. *Warwickshire* Condado inglés.

Wash *Washington* Estado de EE.UU.

WC 1. *West Central* Parte oeste del centro de Londres (distrito postal); 2. *water closet* WC (wáter *m*, inodoro *m*).

WHO *World Health Organization* OMS (Organización *f* Mundial de la Salud).

WI *West Indies* Antillas *f/pl.*

Wilts. *Wiltshire* Condado inglés.

Wis *Wisconsin* Estado de EE.UU.

wt. *weight* peso *m*.

WVa *West Virginia* Estado de EE.UU.

Wyo *Wyoming* Estado de EE.UU.

Xmas *Christmas* Navidad *f*.

yd. *yard(s)* (= 91,44 *cm.*) yarda(s) *f(pl.)*.

YMCA *Young Men's Christian Association* Asociación *f* Cristiana para los Jóvenes.

Yorks. *Yorkshire* Condado inglés.

yr(s). *year(s)* año(s) *m(pl.)*.

YWCA *Young Women's Christian Association* Asociación *f* Cristiana para las Jóvenes.

Abreviaturas españolas

Spanish Abbreviations

Cada artículo contiene la forma desarrollada de la abreviatura, y, en cuanto ha sido posible, la abreviatura inglesa correspondiente, desarrollándose también ésta entre paréntesis.

A

a *área.*
A: bomba A *bomba atómica* A-bomb (atomic bomb).
(a) *alias* alias.
ab.¹ *april* Apl. (April).
a.c. *año corriente* current year, present year.
A. (de) C. *año de Cristo* A.D. (Anno Domini).
a/c *al cuidado* c/o (care of).
acr. *acreedor* creditor.
adj. *adjunto* Enc. (enclosure, enclosed).
adm(ón). *administración* admin. (administration).
a/f. *a favor* in favor.
afmo. *afectísimo: suyo* ~ yours truly.
ag. *agosto* Aug. (August).
a. (de) J.C. *antes de Jesucristo* B.C. (before Christ).
AI *Amnistía Internacional* Amnesty International.
Al.º *Alonso personal name.*
amp. *amperios* amp. (ampères).
Ant.º *Antonio personal name.*
ap. *thea. aparte* aside.
apdo. *apartado (de correos)* P.O.B. (Post Office Box).
art., art.º *artículo* art. (article).
arz. *arzobispo* abp. (archbishop).
A.T. *Antiguo Testamento* O.T. (Old Testament).
atmo. *atentísimo: suyo* ~ yours truly.
atta. *atenta.*
atte. *atentamente.*
a/v. *a vista* at sight.
Av., Av.ᵈᵃ *Avenida* Av., Ave. (Avenue).

B

B. *eccl. beato* blessed.
B.A. *Buenos Aires capital of Argentina.*
Bº *banco* bk. (bank).
Bón. *batallón* Battn, Bn. (battalion).

C

c. *capítulo* ch. (chapter).
C. *compañía* Co. (company).
c³ *centímetro cúbico* c.c. (cubic centimeter).
c.ª *compañía* Co. (company).
c.a. *corriente alterna* A.C. (alternating current).
C.A.E. *cóbrese al entregar* C.O.D. (cash on delivery).
cap. *capítulo* ch. (chapter).
Cap.ⁿ *Capitán* Capt. (Captain).
cap.º *capítulo* ch. (chapter).
c.c. *centímetro cúbico* c.c. (cubic centimeter).
c.c. *corriente continua* D.C. (direct current).
c/c *cuenta corriente* C/A (current account).
C.D. *Club Deportivo* S.C. (Sports Club).
c/d *con descuento* with discount.
C. de J. *Compañía de Jesús* S.J. (Society of Jesus).
CECA *Comunidad Europea del Carbón y del Acero* ECSC (European Coal and Steel Community).
CEE *Comunidad Económica Europea* E(E)C (European [Economic] Community).
C.F. *Club de Fútbol* F.C. (Football Club).
cg. *centigramo* centigramme.

Cía *compañía* Co. (company).

c.i.f. *costo, seguro y flete* c.i.f. (cost, insurance, freight).

cl. *centilitro* centiliter.

cm. *centímetro* cm. (centimeter).

cm² *centímetro cuadrado* sq. cm. (square centimeter).

cm³ *centímetro cúbico* c.c. (cubic centimeter).

Cnel *Coronel* Col. (Colonel).

COI *Comité Olímpico Internacional* IOC International Olympic Committee.

col., col.ª *columna* col. (column).

comp. *compárese* cf. (confer).

comp.ª *compañía* Co. (company).

corrte. *corriente, de los corrientes* inst. (instant).

C.P. *contestación pagada* R.P. (reply paid).

cs. *céntimos; centavos* cents.

c.s.f. *costo, seguro, flete* c.i.f. (cost, insurance, freight).

cta, c.ta *cuenta* A/C (account).

cte *corriente, de los corrientes* inst. (instant).

cts. *céntimos; centavos* cents.

c/u *cada uno* ea. (each).

c.v. *caballo(s) de vapor* HP (horsepower).

Ch

ch. *cheque* chq. (cheque).

D

D. *debe* debit side.

D. *Don* Esq. (Esquire) (*Sr D., en el sobre delante del nombre de pila*; Esq., *en el sobre después del apellido*).

Da. *Doña* title of courtesy to ladies: no equivalent.

dcho., dcha. *derecho, derecha* right.

d. (de) J.C. *después de Jesucristo* A.D. (Anno Domini).

D.F. *Méjico: Distrito Federal* Federal District.

dg. *decigramo* decigramme.

Dg. *decagramo* decagramme.

D.G.T. *Dirección General del Turismo* state tourist organization.

dho. *dicho* aforesaid.

dic.e *diciembre* Dec. (December).

dl. *decilitro* deciliter.

Dl. *decalitro* decaliter.

dm. *decímetro* decimeter.

D.n *Don* (v. D.).

d.na *docena* doz. (dozen).

do. *descuento* dis., dist (discount).

doc. *docena* doz. (dozen).

dom.º *domingo* Sun. (Sunday).

d/p. *días plazo* days' time.

Dr. *Doctor* Dr (doctor).

dro., dra. *derecho, derecha* right.

d.to *descuento* dis., dist (discount).

dup.do *duplicado* duplicate.

d/v. *días vista* d.s., d/s. (days after sight).

E

E *este* E. (East[ern]).

ed. *edición* ed. (edition).

EE.UU. *Estados Unidos* U.S., U.S.A. (United States [of America]).

E.M. *Estado Mayor* staff.

Encia. *Eminencia* Eminence.

en.º *enero* Jan. (January).

E.P.D. *en paz descanse* R.I.P. (requiescat in pace).

Es *Ejército de Salvación* S.A. (Salvation Army).

esq. *esquina* corner.

etc. *etcétera* etc. (et caetera, etcetera).

EU *Estados Unidos* US (United States).

Exc. *Excelencia* Excellency.

Exmo. *Excelentísimo courtesy title.*

F

f. *femenino* f., fem. (feminine).

fa *factura* bill, account.

f.a.b. *franco a bordo* f.o.b. (free on board).

f.c. *ferrocarril* Rly. (railway).

feb.º *febrero* Feb. (February).

Fern.do *Fernando personal name.*

fha. *fecha* d. (date).

FMI *Fondo Monetario Internacional* I.M.F. (International Monetary Fund).

f.º, fol. *folio* fo., fol. (folio).

Fr. *Fray* Fr. (Friar).

Fran.co *Francisco personal name.*

G

g. *gramo(s)* gr(s). (gramme[s]).

G *giro* draft, money-order.

gde. *guarde: que Dios guarde* whom God protect.

Genl *General* Gen. (General).
G.º *Gonzalo personal name.*
gob.ⁿᵒ *gobierno* Govt. (Government).
Gral, gral. *General* Gen. (General).
grs. *gramos* grs. (grammes).

H

h. *habitantes* pop. (population).
h. *hacia* c. (circa).
H. *haber* Cr. (credit).
H: bomba H *bomba de hidrógeno* H-bomb (hydrogen bomb).
hect. *hectárea* hectare.
Hg. *hectogramo* hectogramme.
Hl. *hectolitro* hectoliter.
Hnos. *Hermanos* Bros. (Brothers).
H.P. *(inglés = horse-power) caballos, caballaje* H.P. (horse-power).

I

ib., ibid. *ibídem* ibid. (ibidem).
igl.ª *iglesia* church.
Il. *ilustre courtesy title.*
Ilmo. *ilustrísimo courtesy title.*
Imp. *Imprenta* printers, printing works.
I.N.I. *Instituto Nacional de Industria* state industrial council.
IVA *Impuesto sobre el valor agregado (o añadido)* VAT (valued-added tax).
izdo., izda. *izquierdo, izquierda* left.

J

J.C. *Jesucristo* Jesus Christ.
JJ.OO. *Juegos Olímpicos* Olympic Games.
juev. *jueves* Thurs. (Thursday).

K

k/c *kilociclos* k/c. kilocycles.
Kg. *kilogramo* kg. (kilogramme).
Kl. *kilolitro* kiloliter.
Km. *kilómetro* km. (kilometer).
Km./h. *kilómetros por hora* kilometers per hour.
kv. *kilovatio* kw. (kilowatt).

L

l. *ley* law.

l. *libro* bk. (book).
l. *litro* l. (litre).
lbs. *libras* lbs. (pounds).
lib. *libra* lb. (pound).
lib., lib.º *libro* bk. (book).
Lic. en Fil. y Let. *Licenciado en Filosofía y Letras* B.A. (Bachelor of Arts).
lun. *lunes* Mon. (Monday).

M

m. *minuto* m. (minute).
m. *metro* m. (meter).
m. *masculino* m., masc. (masculine).
m. *muerto, murió* d. (died).
m² *metro cuadrado* sq. m. (square meter).
m³ *metro cúbico* cu. m. (cubic meter).
M. *Madrid capital of Spain.*
Ma. *María personal name.*
mart. *martes* Tues. (Tuesday).
M.C. *Mercado Común* C.M. (Common Market).
Md. *Madrid capital of Spain.*
M.F. *modulación de frecuencia* F.M. (frequency modulation).
mg *miligramo* mg. (milligramme).
miérc. *miércoles* Weds. (Wednesday).
mm *milímetro* mm. (millimeter).
Mons. *Monseñor* Mgr. (Monsignor).
MS *manuscrito* MS (manuscript).
MSS *manuscritos* MSS (manuscripts).

N

n. *nacido, nació* b. (born).
N *norte* N. (North[ern]).
nal. *nacional* national.
Na. Sra. *Nuestra Señora* Our Lady, The Virgin.
N.B. *nótese bien* N.B. (nota bene).
NE *noreste* N.E. (North East[ern]).
NNE *nornordeste* NNE (north-north-east).
NNO *nornordoeste* NNW (north-northwest).
NN.UU. *Naciones Unidas* U.N. (United Nations).
n.º *número* No. (number).
NO *noroeste* N.W. (North West [-ern]).
nov.ᵉ *noviembre* Nov. (November).
nro., nra. *nuestro, nuestra* our.
N.S. *Nuestro Señor* Our Lord.
N.T. *Nuevo Testamento* N.T. (New Testament).

ntro., ntra. *nuestro, nuestra* our.
N.U. *Naciones Unidas* U.N. (United Nations).
Núm. *número* No. (number).

O

O *oeste* W. (West[ern]).
O.A.A. *Organización de Agricultura y Alimentación* F.A.O. (Food and Agriculture Organization).
O.A.C.I. *Organización de Aviación Civil Internacional* I.C.A.O. (International Civil Aviation Organization).
ob., obpo. *obispo* Bp. (bishop).
obr. cit. *obra citada* op. cit. (opere citato).
OCDE *Organización de Cooperación y Desarrollo Económico* O.E.C.D. (Organization for Economic Cooperation and Development).
oct.ᵉ *octubre* Oct. (October).
OEA *Organización de los Estados Americanos* O.A.S. (Organization of American States).
OIT *Organización Internacional de Trabajo* ILO (International Labor Organization).
OLP *Organización para la Liberación de Palestina* P.L.O. (Palestine Liberation Organization).
OMS *Organización Mundial de la Salud* W.H.O. (World Health Organization).
ONU *Organización de las Naciones Unidas* UNO (United Nations Organization).
O.P. *Orden de Predicadores* O.S.D. (Order of St. Dominic).
O.P. *Obras Públicas* P.W.D. (Public Works Department).
OPEP *Organización de Países Exportadores de Petróleo* OPEC (Organization of Petroleum-Exporting Countries).
O.S.B. *Orden de San Benito* O.S.B. (Order of St. Benedict).
OTAN *Organización del Tratado del Atlántico del Norte* NATO (North Atlantic Treaty Organization).
OTASE *Organización del Tratado del Sudeste Asiático (or del Asia Sudeste)* SEATO (South East Asia Treaty Organization).
OVNI *u ovni objeto volante (o volador no identificado)* UFO (unidentified flying object).

P

p. *punto, puntada* st. (stitch).
P. *papa* pope.
P. *padre* Fr. (Father).
P% *por cien(to)* %, p. c. (per cent).
pág. *página* p. (page).
págs. *páginas* pp. (pages).
p.c. *por cien(to)* %, p.c. (per cent).
PC *Partido Comunista* C.P. (Communist Party).
P.D. *posdata* P.S. (postscript).
PDC *Partido Demócrata Cristiano* Christian Democratic Union.
pdo. *pasado* ult. (ultimo).
Pe. *Padre* Fr. (Father).
PED *Procesamiento Electrónico de Datos* E.D.P. (electronic data processing).
p. ej. *por ejemplo* e.g. (exempli gratia, for example).
pmo. *próximo* prox. (proximo).
PNB *producto nacional bruto* G.N.P. (gross national product).
P.º *Pedro personal name.*
P.º *Paseo* Avenue.
p.º n.º *peso neto* nt. wt. (net weight).
p.o. *por orden* per pro(c)., p.p. (per procurationem, by proxy).
p.p. *por poder* per pro(c)., p.p. (per procurationem, by proxy).
P.P. *porte pagado* C.P. (carriage paid).
p.pdo. *(el mes) próximo pasado* ult. (ultimo).
pral. *principal* first.
pr. fr. *próximo futuro* prox. (proximo).
Prof. *Profesor* Prof. (Professor).
prov. *provincia* province.
PS *Partido Socialista* Socialist Party.
ps. *pesos* pesos.
P.S. *postscriptum (posdata)* P.S. (postscript).
ptas. *pesetas* pesetas.
P.V.P. *precio de venta al público* retail price.
pzs *piezas* pcs. (pieces).

Q

q.D.g. *que Dios guarde* whom God protect (*used after mention of king*).
q.e.p.d. *que en paz descanse* R.I.P. (requiescat in pace).
q.e.s.m. *que estrecha su mano courtesy formula.*
quil. *quilates* carats.
qts. *quilates* carats.

R

R. *Real* Royal.
R. *Reverendo* Rev. (Reverend).
R.A.C.E. *Real Automóvil Club de España equivalent to British* A.A. *and* R.A.C.
Rdo *Reverendo* Rev. (Reverend).
RENFE *Red Nacional de Ferrocarriles Españoles* Spanish railway company.
RFA *República Federal de Alemania* FRG Federal Republic of Germany.
R.M. *Reverenda Madre* Reverend Mother.
R.O. *real orden* royal decree.
R.P. *Reverendo Padre* Reverend Father.
rúst. *en rústica* paper-backed.

S

s/ *su* yr. (your).
S. *San(to), Santa* St. (Saint).
S *sur* S. (South[ern]).
s.a. *sin año* s.a. (sine anno).
S.A. *Su Alteza* H.H. (His [*or* Her] Highness).
S.A. † *Sociedad Anónima* Ltd. (Limited); Inc. *Am.* (Incorporated).
sáb. *sábado* Sat. (Saturday).
SE *sudeste* S.E. (South East[ern]).
sept.ᵉ *septiembre* Sept. (September).
s.e.u.o. *salvo error u omisión* E. & O.E. (errors and omissions excepted).
s.f. *sin fecha* n.d. (no date).
sgte. *siguiente* f. (following).
sigs. *(y) siguientes* et seq. (et sequentia), ff. (following).
S.I.M. *Servicia de Información Militar* M.I. (Military Intelligence).
s.l. ni f. *sin lugar ni fecha* n.p. or d. (no place or date).
s/n. *sin número* not numbered.
S.M. *Su Majestad* H.M. (His [*or* Her] Majesty).
SO *suroeste* S.W. (South West[ern]).
Sr. *Señor* Mr (Mister).
Sra. *Señora* Mrs (Mistress).
S.R.C. *se ruega contestación* R.S.V.P. (répondez s'il vous plaît).
Sres. *Señores* Messrs (Messieurs).
Srio. *Secretario* Sec. (Secretary).
S.R.M. *Su Real Majestad* H.M. (His [*or* Her] Majesty).
Srta. *Señorita* Miss.
SS *Seguridad Social* Br. N.I. (National Insurance); *Am.* (Social Security).
S.S. *Su Santidad* His Holiness.
SS *Santos* SS (Saints).
SSE *sudsudeste* SSE (south-south-east).
SSO *sudsudoeste* SSW (south-south-west).
s.s.s. *su seguro servidor* yours truly.

T

t. *tomo(s)* vol(s). (volume[s]).
Tel. *teléfono* Tel. (Telephone).
Tente. *Teniente* Lieut. (Lieutenant).
Tlf. *teléfono* Tel. (Telephone).
T.R.B. *toneladas registradas brutas* G.R.T. (gross register tonnage).
Tte *Teniente* Lieut. (Lieutenant).
TV *televisión* T.V. (television).

U

Ud. *Usted* you.
Uds. *ustedes* you.
U.E.P. *Unión Europea de Pagos* E.P.U. (European Payments Union).
U.P.U. *Unión Postal Universal* U.P.U. (Universal Postal Union).
URSS *Unión de las Repúblicas Socialistas Soviéticas* U.S.S.R. (Union of Soviet Socialist Republics).

V

v. *voltio* v. (volt).
v. *véase* see.
V. *Usted* you.
Vd. *Usted* you.
Vda de *viuda de* widow of.
Vds. *Ustedes* you.
verso *versículo* v. (verse).
v.g., v. gr. *verbigracia* viz. (videlicet).
vid. *vide* see.
vier. *viernes* Fri. (Friday).
V.M. *Vuestra Majestad* Your Majesty.
V.º B.º *visto bueno* O.K. (all correct?).
v(t)ro., v(t)ra. *vuestro, vuestra* yr. (your).

W

w. *watio* w. (watt).

X

Xpo. *Cristo* Christ.

Nombres propios ingleses
English Proper Names

Ab·er·deen [æbə'diːn] *Ciudad de Escocia.*

Ad·am ['ædəm] *Adán.*

Ad·e·laide ['ædəleid] **1.** *Ciudad de Australia;* **2.** *Adelaida.*

A·den ['eidn] *Adén.*

Ad·olf ['ædɔlf], **A·dol·phus** [ə'dɔlfəs] *Adolfo.*

Af·ghan·i·stan [æf'gænistæn] *Afganistán m.*

Af·ri·ca ['æfrikə] *Africa f.*

Ag·nes ['ægnis] *Inés.*

Al·a·bam·a [ælə'bɑːmə, *Am.* ælə-'bæmə] *Estado de EE.UU.*

A·las·ka [ə'læskə] *Estado de EE.UU.*

Al·ba·ni·a [æl'beinjə] *Albania f.*

Al·bert ['ælbət] *Alberto.*

Al·ber·ta [æl'bəːtə] *Provincia de Canadá.*

Al·der·ney ['ɔːldəni] *Isla británica de las Islas Normandas.*

Al·ex·an·der [ælig'zɑːndə] *Alejandro.*

Al·fred ['ælfrid] *Alfredo.*

Al·ge·ri·a [æl'dʒiəriə] *Argelia f.*

Al·giers [æl'dʒiəz] *Argel.*

Al·ice ['ælis] *Alicia.*

Alps [ælps] *pl. Alpes m/pl.*

Am·a·zon ['æməzɔn] *Amazonas m.*

A·mer·i·ca [ə'merikə] *América f.*

An·des ['ændiz] *pl. Andes m/pl.*

An·drew ['ændruː] *Andrés.*

Ann(e) [æn] *Ana.*

An·nap·o·lis [ə'næpəlis] *Capital del Estado de Maryland. Sede de la Academia de Marina.*

An·tho·ny ['æntəni] *Antonio.*

An·til·les [æn'tiliːz] *pl. Antillas f/pl.*

Ap·pa·lach·i·ans [æpə'leitʃjənz] *pl. Apalaches m/pl.*

A·ra·bia [ə'reibjə] *Arabia f.*

Ar·gen·ti·na [ɑːdʒən'tiːnə], **the Ar·gen·tine** ['ɑːdʒəntain] *(la) Argentina.*

Ar·i·zo·na [æri'zounə] *Estado de EE.UU.*

Ar·kan·sas ['ɑːkənsɔː] *Estado, y* [ɑː'kænsəs] *Río de EE.UU.*

As·cot ['æskət] *Pueblo de Inglaterra con hipódromo de fama.*

A·sia ['eiʃə] *Asia f;* ~ *Minor Asia f Menor.*

Ath·ens ['æθinz] *Atenas.*

At·lan·tic (O·cean) [ət'læntik ('ouʃn)] *(Océano m) Atlántico m.*

Auck·land ['ɔːklənd] *Puerto de Nueva Zelanda.*

Aus·tra·lia [ɔːs'treiljə] *Australia f.*

Aus·tri·a ['ɔːstriə] *Austria f.*

A·von ['eivən, 'ævən] *Río de Inglaterra.*

A·zores [ə'zɔːz] *pl. Azores f/pl.*

Ba·ha·mas [bə'hɑːməz] *pl. Islas f/pl. Bahama, las Bahamas.*

Ba·le·ar·ic Is·lands [bæli'ærik 'ailəndz] *pl. Islas f/pl. Baleares.*

Bal·kans ['bɔːlkənz] *Balcanes m/pl.*

Bal·ti·more ['bɔːltimɔː] *Puerto en la costa oriental de EE.UU.*

Be·a·trice ['biətris] *Beatriz.*

Bed·ford·shire ['bədfədʃiə] *Condado inglés.*

Bel·fast ['belfɑːst] *Capital de Irlanda del Norte.*

Bel·gium ['beldʒəm] *Bélgica f.*

Bel·grade [bel'greid] *Belgrado.*

Ben·ja·min ['bendʒəmin] *Benjamín.*

Ben Ne·vis [ben'nevis] *Pico más alto de Gran Bretaña (1343 m).*

Berk·shire ['bɑːkʃiə] *Condado inglés.*

Ber·lin [bəː'lin] *Berlín.*

Ber·mu·das [bəː'mjuːdəz] *Islas f/pl. Bermudas.*

Bess(y) ['bes(i)] *Isabelita.*

Beth·le·hem ['beθlihem] *Belén.*

Bet·ty ['beti] *Isabelita.*

Bill, Bil·ly ['bil(i)] *nombre cariñoso de William.*

Bir·ming·ham ['bəːmiŋəm] *Ciudad industrial de Inglaterra; Ciudad de Alabama.*

Bis·cay ['biskei]: *Bay of* ~ *Golfo m de Vizcaya.*

Bob(·by) ['bɔb(i)] *nombre cariñoso de Robert.*

Bo·liv·i·a [bə'livjə] Bolivia f.

Bos·ton ['bɔstən] Ciudad de EE.UU. con la Universidad de Harvard en el barrio de Cambridge.

Bra·zil [brə'zil] (el) Brasil.

Bridg·et ['bridʒit] Brígida.

Brigh·ton ['braitn] Ciudad en el sur de Inglaterra.

Bris·tol ['bristl] Puerto y ciudad industrial en el suroeste de Inglaterra.

Bri·tain ['britən] Gran Bretaña f.

Brook·lyn ['bruklin] Barrio de Nueva York.

Brus·sels ['brʌslz] Bruselas.

Buck·ing·ham(·shire) ['bakiŋəm(-ʃiə)] Condado inglés.

Bul·gar·i·a [bʌl'geəriə] Bulgaria f.

Bur·ma ['bəːmə] Birmania f.

Cal·i·for·nia [kæli'fɔːnjə] California f (Estado de EE.UU.).

Cam·bridge ['keimbridʒ] Ciudad universitaria inglesa; v. Boston; ~ shire [\-ʃiə] Condado inglés.

Can·a·da ['kænədə] (el) Canadá.

Can·ar·y Is·lands [kə'nɛəri 'ailəndz] Islas f/pl. Canarias.

Can·ter·bury ['kæntəbəri] Cantórbery.

Cape Horn [keip'hɔːn] Cabo m de Hornos.

Car·diff ['kɑːdif] Capital de Gales.

Ca·rib·be·an (Sea) [kæri'biːən ('siː)] (Mar m) Caribe m.

Car·o·li·na [kærə'lainə]: North ~ Carolina f del Norte; South ~ Carolina f del Sur (Estados de EE.UU.).

Cath·e·rine, Cath·a·rine ['kæθərin] Catalina.

Cec·i·ly ['sisili] Cecilia.

Cey·lon [si'lɔn] Ceilán m.

Chan·nel Is·lands ['tʃænəl 'ailəndz] pl. Islas f/pl. Normandas.

Charles [tʃɑːlz] Carlos.

Char·lotte ['ʃɑːlət] Carlota.

Chesh·ire ['tʃeʃə] Condado inglés.

Chi·ca·go [ʃi'kɑːgou] Ciudad industrial de EE.UU.

Chil·e, Chil·i ['tʃili] Chile m.

Chi·na ['tʃainə] China f.

Christ [kraist] Cristo.

Chris·to·pher ['kristəfə] Cristóbal.

Cin·cin·na·ti [sinsi'næti] Ciudad de EE.UU.

Cleve·land ['kliːvlənd] Ciudad industrial y de comercio de EE.UU.

Col·or·a·do [kɔlə'rɑːdou] Colorado m

(Nombre de dos ríos y de un Estado de EE.UU.).

Co·lom·bi·a [kə'lʌmbiə] Colombia f.

Co·lum·bi·a [kə'lʌmbiə] Capital del Estado de Carolina del Sur.

Co·lum·bus [kə'lʌmbəs] Colón.

Con·nect·i·cut [kə'netikət] Río y Estado de EE.UU.

Co·pen·ha·gen [koupn'heign] Copenhague.

Cor·do·va ['kɔːdəvə] Córdoba.

Corn·wall ['kɔːnwəl] Cornualles m.

Co·sta Ri·ca ['kɔstə 'riːkə] Costa Rica f.

Cov·en·try ['kɔvəntri] Ciudad industrial de Inglaterra.

Crete ['kriːt] Creta f.

Cu·ba ['kjuːbə] Cuba f.

Cyp·rus ['saiprəs] Chipre f.

Czech·o·slo·va·ki·a ['tʃekouslou'vækiə] Checoslovaquia f.

Da·ko·ta [də'koutə]: North ~ Dakota f del Norte; South ~ Dakota f del Sur (Estados de EE.UU.).

Da·niel ['dænjəl] Daniel.

Da·nube ['dænjuːb] Danubio m.

David ['deivid] David.

Del·a·ware ['deləwɛə] Río y Estado de EE.UU.

Den·mark ['denmɑːk] Dinamarca f.

Der·by(·shire) ['dɑːbi(ʃiə)] Condado inglés.

De·troit [di'trɔit] Ciudad industrial de EE.UU.

Dev·on(·shire) ['devn(ʃiə)] Condado inglés.

Di·a·na [dai'ænə] Diana.

Dick [dik] nombre cariñoso de Richard.

Do·mi·ni·can Re·pub·lic [də'minikən ri'pʌblik] República f Dominicana.

Dor·set(·shire) ['dɔːsit(ʃiə)] Condado inglés.

Do·ver ['douvə] Puerto en el sur de Inglaterra.

Down·ing Street ['dauniŋ 'striːt] Calle de Londres con la sede del Primer Ministro.

Dub·lin ['dʌblin] Dublín (Capital de Irlanda).

Dun·kirk [dʌn'kəːk] Dunquerque.

Dur·ham ['dʌrəm] Condado inglés.

Ed·in·burgh ['edinbərə] Edimburgo (Capital de Escocia).

E·gypt ['iːdʒipt] Egipto m.

Ei·re ['ɛərə] Nombre de Irlanda (desde 1937 hasta 1949).

E·li·za·beth [i'lizəbəθ] Isabel.
El Sal·va·dor [el 'sælvədɔ:] El Salvador.
E·m(m)a·nu·el [i'mænjuəl] Manuel.
Eng·land ['iŋglənd] Inglaterra *f.*
Ep·som ['epsəm] *Pueblo inglés donde se verifican célebres carreras de caballos.*
Es·sex ['esiks] *Condado inglés.*
E·thi·o·pi·a [i:θi'oupiə] Etiopía *f.*
E·ton ['i:tn] *Pueblo inglés con colegio del mismo nombre.*
Eu·gene ['ju:dʒi:n] Eugenio.
Eu·rope ['juərəp] Europa *f.*
Eve [i:v] Eva.

Falk·land Is·lands ['fɔ:klənd 'ailəndz] (Islas *f/pl.*) Malvinas *f/pl.*
Fer·di·nand ['fə:dinənd] Fernando.
Fin·land ['finlənd] Finlandia *f.*
Flor·i·da ['flɔridə] *Península y Estado de EE.UU.*
France [frɑ:ns] Francia *f.*
Fran·ces ['frɑ:nsis] Francisca.
Fran·cis ['frɑ:nsis] Francisco.
Frank [fræŋk] Paco.
Fred·e·rick ['fredrik] Federico.

Ge·ne·va [dʒi'ni:və] Ginebra.
Gen·o·a ['dʒenouə] Génova.
George [dʒɔ:dʒ] Jorge.
Geor·gia ['dʒɔ:dʒiə] *Estado de EE.UU.*
Ger·ma·ny ['dʒə:məni] Alemania *f.*
Get·tys·burg ['getizbə:g] *Pueblo del Estado de Pensilvania (EE.UU.).*
Gib·ral·tar [dʒib'rɔltə] Gibraltar; *Rock of ~* Peñón *m* de Gibraltar; *Straits of ~ pl.* Estrecho *m* de Gibraltar.
Giles [dʒailz] Gil.
Glas·gow ['glɑ:sgou] *Puerto de Escocia.*
Glouces·ter ['glɔstə] *Ciudad de Inglaterra; ~shire* ['~ʃiə] *Condado inglés.*
Grand Can·yon [grænd 'kæniən] Gran Cañón *m del río Colorado (EE.UU.).*
Great Brit·ain ['greit 'britən] Gran Bretaña *f.*
Greece [gri:s] Grecia *f.*
Green·land ['gri:nlənd] Groenlandia *f.*
Green·wich ['grinidʒ] *Barrio de Londres; ~ Village* ['~ 'vilidʒ] *Barrio de los artistas de Nueva York.*
Gua·te·ma·la [gwæti'mɑ:lə] Guatemala *f.*

Guern·sey ['gə:nzi] Guernesey *m.*
Gui·a·na [gi'ɑ:nə] Guayana *f.*
Guin·ea ['gini] Guinea *f.*
Guy [gai] Guido.

Hague [heig]: *The ~* La Haya.
Hai·ti ['heiti] Haití *m.*
Hamp·shire ['hæmpʃiə] *Condado inglés.*
Har·ry ['hæri] Enrique.
Har·vard U·ni·ver·si·ty ['hɑ:vəd ju:ni'və:siti] *Universidad de fama de los EE.UU.*
Has·tings ['heistiŋz] *Ciudad en el sur de Inglaterra.*
Ha·van·a [hə'vænə] La Habana.
Ha·wai·i [hɑ:'waii:] (Islas *f/pl.*) Hawai.
Heb·ri·des ['hebridi:z] *pl.* Hébridas *f/pl.*
Hel·en ['helin] Elena.
Hen·ry ['henri] Enrique.
Her·e·ford(·shire) ['herifəd(ʃiə)] *Condado inglés.*
Hert·ford(·shire) ['hɑ:fəd(ʃiə)] *Condado inglés.*
Hol·ly·wood ['hɔliwud] *Ciudad de California y centro de la industria del cine de EE.UU.*
Hon·du·ras [hɔn'dju(ə)rəs] Honduras *m.*
Hud·son ['hʌdsn] *Río en el este de EE.UU.*
Hugh [hju:] Hugo.
Hun·ga·ry ['hʌŋgəri] Hungría *f.*
Hu·ron ['hjuərən]: *Lake ~* el lago Huron.
Hyde Park ['haid 'pɑ:k] *Parque público de Londres.*

Ice·land ['aislənd] Islandia *f.*
I·da·ho ['aidəhou] *Estado de EE.UU.*
Il·li·nois [ili'nɔi] *Río y Estado de EE.UU.*
In·dia ['indjə] (la) India.
In·di·an·a [indi'ænə] *Estado de EE.UU.*
In·dian O·cean ['indjən 'ouʃn] Océano *m* Indico.
In·dies ['indiz] Indias *f/pl.*
In·do·ne·sia [indou'ni:ziə] Indonesia *f.*
I·o·wa ['aiouə, 'aiəwə] *Estado de EE.UU.*
I·raq, I·raq [i'rɑ:k] (el) Irak.
I·ran [i'rɑ:n] (el) Irán.
Ire·land ['aiələnd] Irlanda *f.*
Is·rael ['izreil] Israel *m.*

It·a·ly ['itəli] Italia f.

I·vo·ry Coast ['aivəri 'koust] Costa f de Marfil.

Jack [dʒæk] Juan(ito).

Ja·mai·ca [dʒə'meikə] Jamaica f.

James [dʒeimz] Diego; Jaime.

Jane [dʒein] Juana.

Ja·pan [dʒə'pæn] (el) Japón.

Jer·e·my ['dʒerəmi] Jeremías.

Jer·ome [dʒə'roum] Jerónimo.

Jer·sey ['dʒəːzi] Isla británica de las Islas Normandas; ~ City Ciudad a orillas del Hudson (EE.UU.).

Je·ru·sa·lem [dʒə'ruːsələm] Jerusalén.

Je·sus ['dʒiːzəs] Jesús; **Je·sus Christ** ['dʒiːzəs 'kraist] Jesucristo.

Jim(·my) ['dʒim(i)] nombre cariñoso de James.

Joan [dʒoun] Juana.

Joe [dʒou] Pepe.

John [dʒɔn] Juan.

Jor·dan ['dʒɔːdn] (river) Jordán m; (country) Jordania f.

Jo·seph ['dʒouzif] José.

Jo·se·phine ['dʒouzifiːn] Josefina.

Ju·go·sla·vi·a [juːgou'slɑːvjə] Jugo(e)slavia f.

Ju·lius ['dʒuːljəs] Julio.

Kan·sas ['kænzəs] Río y Estado de EE.UU.

Kate [keit] nombre cariñoso de Catherine.

Kent [kent] Condado inglés.

Ken·tuck·y [ken'tʌki] Río y Estado de EE.UU.

Kit(·ty) ['kit(i)] nombre cariñoso de Catherine.

Ko·re·a [kə'riə] Corea f.

Lab·ra·dor ['læbrədɔː] Labrador m (Canadá).

Lan·ca·shire ['læŋkəʃiə] Condado inglés.

Lap·land ['læplənd] Laponia f.

Lat·in A·mer·i·ca ['lætin ə'merikə] América f Latina.

Leb·a·non ['lebənən] Líbano m.

Leeds [liːdz] Ciudad industrial de Inglaterra.

Leices·ter ['lestə] Capital de Leicestershire; ~shire ['~ʃiə] Condado inglés.

Lew·is ['luːis] Luis.

Lib·y·a ['libiə] Libia f.

Lin·coln·shire ['liŋkənʃiə] Condado inglés.

Lis·bon ['lizbən] Lisboa.

Liv·er·pool ['livəpuːl] Puerto y ciudad industrial de Inglaterra.

Lon·don ['lʌndən] Londres.

Los An·ge·les [lɔs'ændʒiliːz, Am. 'æŋgilis] Los Ángeles (Ciudad de EE.UU.).

Lou·i·si·an·a [luːisi'ænə] Luisiana f (Estado de EE.UU.).

Luke [luːk] Lucas.

Lux·em·bourg ['lʌksəmbəːg] Luxemburgo m.

Ma·dei·ra [mə'diərə] Madera f.

Mad·i·son ['mædisn] Capital del Estado de Wisconsin (EE.UU.).

Ma·gel·lan [mə'gelən] Magallanes; ~ Straits pl. Estrecho m de Magallanes.

Ma·hom·et [mə'hɔmit] Mahoma (Fundador del Islam).

Maine [mein] Estado de EE.UU.

Ma·jor·ca [mə'dʒɔːkə] Mallorca f.

Man·ches·ter ['mæntʃistə] Ciudad industrial de Inglaterra.

Man·hat·tan [mæn'hætn] Isla y centro de la ciudad de Nueva York.

Man·i·to·ba [mæni'toubə] Provincia de Canadá.

Mar·ga·ret ['mɑːgərit] Margarita.

Mark [mɑːk] Marcos.

Mar·tin·ique [mɑːti'niːk] Martinica f.

Mar·y ['mɛəri] María.

Mar·y·land ['mɛərilænd] Estado de EE.UU.

Mas·sa·chu·setts [mæsə'tʃuːsets] Estado de EE.UU.

Mat·thew ['mæθjuː] Mateo.

Mau·rice ['mɔris] Mauricio.

Mau·ri·tius [mə'riʃəs] Mauricio m (isla).

Med·i·ter·ra·ne·an (Sea) [meditə'reinjən (siː)] (Mar m) Mediterráneo m.

Mel·bourne ['melbən] Melburne (Australia).

Mex·i·co ['meksikou] Méjico m, México m.

Mi·am·i [mai'æmi] Ciudad en el Estado de Florida (EE.UU.).

Mich·ael ['maikl] Miguel.

Mich·i·gan ['miʃigən] Estado de EE.UU.; Lake ~ el lago Michigan (el tercero de los cinco Grandes Lagos de Norteamérica).

Mid·dle·sex ['midlseks] Condado inglés.

Min·ne·ap·o·lis [mini'æpəlis] Ciu-

dad en el Estado de Minnesota (EE.UU.).

Min·ne·so·ta [mini'soutə] Estado de EE.UU.

Mi·nor·ca [mi'nɔːkə] Menorca f.

Mis·sis·sip·pi [misi'sipi] Misisipí m (Estado y río de EE.UU.).

Mis·sou·ri [mi'suəri, Am. mi'zuəri] Misuri m (Río y Estado de EE.UU.).

Mo·ham·med [mou'hæmed] Mahoma.

Mon·tan·a [mɔn'tɑːnə] Estado de EE.UU.

Mont·re·al [mɔntri'ɔːl] Ciudad de Canadá.

Mo·roc·co [mə'rɔkou] Marruecos m.

Mos·cow ['mɔskou] Moscú.

Mo·ses ['mouziz] Moisés.

Ne·bras·ka [ni'bræskə] Estado de EE.UU.

Neth·er·lands ['neðələndz] pl. (los) Países m/pl. Bajos.

Ne·vad·a [ne'vɑːdə] Estado de EE.UU.

New Bruns·wick [nju: 'brʌnzwik] Provincia de Canadá.

New·cas·tle ['nju:kɑːsl] Puerto en Gran Bretaña.

New Eng·land [nju: 'iŋglənd] Nueva Inglaterra f.

New·found·land [nju:'faundlənd, 'nju:fəndlænd] Terranova f.

New Guin·ea [nju: 'gini] Nueva Guinea f.

New Hamp·shire [nju: 'hæmpʃiə] Estado de EE.UU.

New Jer·sey [nju: 'dʒəːzi] Estado de EE.UU.

New Mex·i·co [nju: 'meksikou] Estado de EE.UU.

New Or·le·ans [nju: 'ɔːliənz] Nueva Orleans f.

New South Wales ['nju:'sauθ'weilz] Nueva Gales f del Sur (Australia).

New York ['nju:'jɔːk] Nueva York (Ciudad y Estado de EE.UU.).

New Zea·land [nju:'ziːlənd] Nueva Zelanda f.

Ni·ag·a·ra [nai'ægərə] Niágara m.

Nic·a·ra·gua [nikə'rægwə] Nicaragua f.

Nice [niːs] Niza.

Nich·o·las ['nikələs] Nicolás.

Ni·ge·ri·a [nai'dʒiəriə] Nigeria f.

Nile [nail] Nilo m.

No·ah ['nɔːə] Noé.

Nor·folk ['nɔːfək] 1. Condado inglés;

2. Puerto en Virginia (EE.UU.).

North·amp·ton·shire [nɔː'θæmp-tənʃiə] Condado inglés.

North·ern Ire·land ['nɔːðən'aiə-lənd] Irlanda f del Norte.

North Sea ['nɔː'θ'siː] Mar m del Norte.

North·um·ber·land [nɔː'θʌmbə-lənd] Condado inglés.

Nor·way ['nɔːwei] Noruega f.

Not·ting·ham·shire ['nɔtiŋəmʃiə] Condado inglés.

No·va Sco·tia ['nouvə'skouʃə] Nueva Escocia f (Provincia de Canadá).

O·hi·o [ou'haiou] Ohío m (Río y Estado de EE.UU.).

O·kla·ho·ma [ouklə'houmə] Estado de EE.UU.

On·tar·i·o [ɔn'tɛəriou] Provincia de Canadá; Lake ~ el lago Ontario.

Or·e·gon ['ɔrigən] Estado de EE.UU.

Ork·ney Is·lands ['ɔːkni 'ailəndz] pl. (las) Orcadas f/pl. (Archipiélago situado al norte de Escocia).

Ot·ta·wa ['ɔtəwə] Capital de Canadá.

Ox·ford ['ɔksfəd] Ciudad universitaria inglesa.

Ox·ford·shire ['~ʃiə] Condado inglés.

Pa·cif·ic (O·cean) [pə'sifik ('ouʃn)] (Océano m) Pacífico m.

Pa·ki·stan [pæki'stæn] Pakistán m.

Pal·es·tine ['pælistain] Palestina f.

Pall Mall ['pel'mel] Nombre de una calle de Londres.

Pan·a·ma [pænə'mɑː] Panamá m.

Par·a·guay ['pærəgwai] (el) Paraguay.

Par·is ['pæris] París.

Pat·rick ['pætrik] Patricio.

Paul [pɔːl] Pablo.

Pearl Har·bo(u)r ['pəːl 'hɑːbə] Puerto cerca de Honolulu, Hawai.

Pe·kin(g) [piː'kin, piː'kiŋ] Pekín.

Penn·syl·va·nia [pensil'veinjə] Pensilvania f (Estado de EE.UU.).

Pe·ru [pə'ruː] (el) Perú.

Pe·ter ['piːtə] Pedro.

Phil·a·del·phi·a [filə'delfjə] Filadelfia (Gran ciudad de EE.UU.).

Phil·ip ['filip] Felipe.

Phil·ip·pines ['filipiːnz] pl. Filipinas f/pl.

Phoe·nix ['fiːniks] Capital de Arizona (EE.UU.).

Pic·ca·dil·ly [pikə'dili] Avenida principal en la parte occidental de Londres.

Pitts·burgh ['pitsbə:g] *Ciudad de EE.UU.*

Pi·us ['paiəs] Pío.

Plym·outh ['pliməθ] 1. *Puerto de Inglaterra*; 2. *Ciudad de EE.UU.*

Po·land ['poulənd] Polonia *f.*

Port·o Ric·o ['pɔ:tou'ri:kou] Puerto Rico *m.*

Ports·mouth ['pɔ:tsməθ] *Puerto de Inglaterra.*

Por·tu·gal ['pɔ:tjugəl] Portugal *m.*

Po·to·mac [pə'toumæk] *Río de EE.UU.*

Prague [prɑːg] Praga.

Pyr·e·nees [pirə'ni:z] Pirineos *m/pl.*

Que·bec [kwi'bek] *Provincia y ciudad de Canadá.*

Ra·phael ['ræfail] Rafael.

Rhine [rain] Rin *m.*

Rhode Is·land [roud'ailənd] *Estado de EE.UU.*

Rhone [roun] Ródano *m.*

Rich·ard ['ritʃəd] Ricardo.

Rich·mond ['ritʃmənd] 1. *Capital de Virginia (EE.UU.)*; 2. *Barrio de Nueva York; barrio de Londres.*

Rob·ert ['rɔbət], **Rob·in** ['rɔbin] Roberto.

Rock·y Moun·tains ['rɔki'mauntinz] *pl.* Montañas *f/pl.* Rocosas (*Sierra principal en el oeste de EE.UU.*).

Rome [roum] Roma.

Rose [rouz] Rosa.

Ru·ma·ni·a [ru:'meinjə] Rumania *f.*

Rus·sia ['rʌʃə] Rusia *f.*

Sa·har·a [sə'hɑːrə] Sáhara *m.*

Sam [sæm] *nombre cariñoso de Samuel.*

Sam·u·el ['sæmjuəl] Samuel.

San Fran·cis·co [sænfrən'siskou] San Francisco (*EE.UU.*).

Sa·ra·gos·sa [særə'gɔsə] Zaragoza.

Sar·di·nia [sɑː'dinjə] Cerdeña *f.*

Sas·katch·e·wan [səs'kætʃiwən] *Río y provincia de Canadá.*

Sau·di A·ra·bia ['sɔːdi ə'reibjə] Arabia *f* Saudita.

Scan·di·na·via [skændi'neivjə] Escandinavia *f.*

Scot·land ['skɔtlənd] Escocia *f;* New ~ Yard *Oficina central de la policía de Londres.*

Se·at·tle [si'ætl] *Puerto en el noroeste de EE.UU.*

Seine [sein] Sena *m.*

Se·ville ['səvil] Sevilla.

Shef·field ['ʃefi:ld] *Ciudad industrial de Inglaterra.*

Si·be·ri·a [sai'biəriə] Siberia *f.*

Sic·i·ly ['sisili] Sicilia *f.*

Si·er·ra Le·one [si'erə li'oun] Sierra *f* Leona.

Si·mon ['saimən] Simón.

Sin·ga·pore [singə'pɔː] Singapur.

Snow·don ['snoudn] *Pico en Gales.*

Som·er·set·shire ['sʌməsitʃiə] *Condado inglés.*

Sou·dan [su:'dæn] Sudán *m.*

South Af·ri·ca: Un·ion of ~ ['ju:njən əvsauθ 'æfrikə] Unión *f* Sudafricana.

South A·mer·i·ca ['sauθ ə'merikə] América *f* del Sur.

South·amp·ton [sauθ'æmptən] *Puerto en Inglaterra.*

So·vi·et Un·ion ['souviet 'ju:njən] Unión *f* Soviética.

Spain [spein] España *f.*

Staf·ford·shire ['stæfədʃiə] *Condado inglés.*

Ste·phen ['sti:vn] Esteban.

St. Lou·is [snt'lu:is] *Ciudad industrial de EE.UU.*

Stock·holm ['stɔkhəlm] Estocolmo.

Stras·bourg ['stræzbə:g] Estrasburgo.

Strat·ford ['strætfəd] *Nombre de varias poblaciones de Inglaterra y de EE.UU.;* ~-on-Avon *Lugar de nacimiento de Shakespeare.*

Stu·art ['stjuːət] Estuardo.

Su·dan [su:'dæn] Sudán *m.*

Su·ez Ca·nal ['su:iz kə'næl] Canal *m* de Suez.

Suf·folk ['sʌfək] *Condado inglés.*

Sur·rey ['sʌri] *Condado inglés.*

Su·san ['su:zn] Susana.

Sus·sex ['sʌsiks] *Condado inglés.*

Swe·den ['swi:dn] Suecia *f.*

Swit·zer·land ['switsələnd] Suiza *f.*

Syd·ney ['sidni] *Puerto y ciudad industrial de Australia.*

Sy·ri·a ['siriə] Siria *f.*

Ta·gus ['teigəs] Tajo *m.*

Tan·gier [tæn'dʒiə] Tánger.

Ten·nes·see [tene'si:] *Río y Estado de EE.UU.*

Tex·as ['teksəs] Tejas *m* (*Estado de EE.UU.*).

Thames [temz] Támesis *m.*

Thom·as ['tɔməs] Tomás.

Tokyo ['toukjou] Tokio.

Tom(·my) ['tɔm(i)] *nombre cariñoso de Thomas.*

Ton·y ['touni] *nombre cariñoso de Anthony.*

To·ron·to [tə'rɔntou] *Ciudad de Canadá.*

Tra·fal·gar [trə'fælgə] *Promontorio cerca de Gibraltar.*

Tu·nis ['tjuːnis] Túnez.

Turk·ey ['tɔːki] Turquía *f.*

U·kraine [juː'krein] Ucrania *f.*

Ulster ['ʌlstə] *Provincia de Irlanda.*

U·nit·ed States (of A·mer·i·ca) [juː'naitid 'steits (əvə'merikə)] *pl.* (los) Estados *m/pl.* Unidos (de América).

U·ru·guay ['urugwai] (el) Uruguay.

U·tah ['juːtɑː] *Estado de EE.UU.*

Van·cou·ver [væn'kuːvə] *Isla y ciudad en la costa occidental de Canadá.*

Vat·i·can ['vætikən] Vaticano *m.*

Ven·e·zue·la [vene'zweilə] Venezuela *f.*

Ven·ice ['venis] Venecia.

Ver·mont [vəː'mɔnt] *Estado de EE.UU.*

Ver·sailles [vɛə'sai] Versalles.

Vi·en·na [vi'enə] Viena.

Vietnam ['vjet'næm] Vietnam *m.*

Vir·gin·ia [və'dʒinjə] *Estado de EE.UU.*

Wales [weilz] Gales *f.*

Wall Street ['wɔːlstriːt] *Calle de Nueva York y centro financiero de EE.UU.*

War·saw ['wɔːsɔː] Varsovia.

War·wick(·shire) ['wɔrik(ʃiə)] *Condado inglés.*

Wash·ing·ton ['wɔʃiŋtən] **1.** *Estado de EE.UU.;* **2.** *Capital federal y sede del gobierno de EE.UU.*

Wa·ter·loo [wɔːtə'luː] *Pueblo cerca de Bruselas (Bélgica).*

Wel·ling·ton ['weliŋtən] *Capital y puerto principal de Nueva Zelanda.*

West In·dies ['west 'indiz] *pl.* Antillas *f/pl.*

West·min·ster ['westminstə] *Barrio de Londres.*

West·mor·land ['westmələnd] *Condado inglés.*

White·hall ['wait'hɔːl] *Calle de Londres con edificios del gobierno inglés.*

White House ['wait 'haus]: the ~ la Casa Blanca (*sede oficial y residencia del presidente de EE.UU.*

Wight: Isle of ~ [wait] *Isla en la costa meridional de Inglaterra.*

Will [wil], **Will·iam** ['wiljəm] Guillermo.

Wim·ble·don ['wimbldən] *Barrio de Londres (campeonatos de tenis).*

Wis·con·sin [wis'kɔnsin] *Estado de EE.UU.*

Worces·ter·shire ['wustəʃiə] *Condado inglés.*

Wy·o·ming [wai'oumiŋ] *Estado de EE.UU.*

Yale U·ni·ver·si·ty ['jeil juːni'vəːsiti] Universidad de Yale (*en el Estado norteamericano de Connecticut*).

Yel·low·stone ['jeloustoun] *Río y parque nacional de EE.UU.*

York [jɔːk] *Ciudad y sede arzobispal en Inglaterra.*

York·shire ['jɔːkʃiə] *Condado inglés.*

Yo·sem·i·te [jou'semiti] *Valle y parque nacional de EE.UU.*

Yu·go·sla·vi·a [juːgou'slɑːvjə] Yugo(e)slavia *f.*

Nombres propios españoles
Spanish Proper Names

A

Abisinia f Abyssinia.
Abrahán Abraham.
Adán Adam.
Adén Aden.
Adolfo Adolf, Adolphus.
Adriano Hadrian.
Adriático m Adriatic.
Afganistán m Afghanistan.
Africa f Africa; ~ del Norte North Africa.
Agustín Augustine.
Aladino Aladdin.
Albania f Albania.
Alberto Albert.
Albión f Albion.
Alejandría Alexandria.
Alejandro Alexander; ~ Magno Alexander the Great.
Alemania f Germany.
Alfredo Alfred.
Alicia Alice.
Alpes m/pl. Alps.
Alsacia f Alsace.
Alto Volta m Upper Volta.
Amalia Amelia.
Amazonas m Amazon.
Amberes Antwerp.
América f America; ~ Central Central America; ~ del Norte North America; ~ del Sur South America; ~ Latina Latin America.
Ana Ann(e).
Anacreonte Anacreon.
Andalucía f Andalusia.
Andes m/pl. Andes.
Andrés Andrew.
Angola f Angola.
Aníbal Hannibal.
Antártida f Antarctic.
Antillas f/pl. West Indies, Antilles; Grandes ~ Greater Antilles; Pequeñas ~ Lesser Antilles.
Antioquía Antioch.
Antonio Anthony.

Apeninos m/pl. Apennines.
Aquiles Achilles.
Arabia f Arabia; ~ Saudita o Saudí Saudi Arabia.
Aragón m Aragon.
Arcadia f Arcady.
Ardenas m/pl. Ardennes.
Argel Algiers.
Argelia f Algeria.
Argentina f the Argentine.
Aristófanes Aristophanes.
Aristóteles Aristotle.
Arlequín Harlequin.
Armenia f Armenia.
Arquimedes Archimedes.
Arturo Arthur.
Artús: el Rey ~ King Arthur.
Asia f Asia; ~ Menor Asia Minor.
Asiria f Assyria.
Asunción Capital of Paraguay.
Atenas Athens.
Atila Attila.
Atlántico m Atlantic.
Augusto Augustus.
Australia f Australia.
Austria f Austria.
Auvernia f Auvergne.
Aviñón Avignon.
Azores m/pl. Azores.

B

Babia: estar en ~ go woolgathering, have one's mind somewhere else.
Babilonia f Babylon.
Baco Bacchus.
Bahamas f/pl. Bahamas.
Balcanes m/pl. Balkans.
Baleares f/pl. Balearic Isles.
Báltico m Baltic.
Bangla Desh m Bangladesh.
Barba Azul Bluebeard.
Bartolomé Bartholomew.
Basilea Bâle, Basle.
Baviera f Bavaria.
Beatriz Beatrice.

Belcebú Beelzebub.
Belén Bethlehem; *estar en ~ day-dream*, go woolgathering.
Bélgica *f* Belgium.
Belgrado Belgrade.
Belice *m* Belize.
Benedicto Benedict.
Bengala *f* Bengal.
Benito Benedict.
Benjamín Benjamin.
Berlín Berlin.
Berna Berne.
Bernardo Bernard.
Birmania *f* Burma.
Bizancio Byzantium.
Blancanieves Snow-white.
Bocacio Boccaccio.
Bogotá *Capital of Colombia.*
Bolivia *f* Bolivia.
Borbón Bourbon.
Borgoña *f* Burgundy.
Bósforo *m* Bosphorus.
Brasil *m* Brazil.
Bretaña *f* Brittany.
Brígida Bridget.
Briján: *saber más que ~* be very bright.
Brujas Bruges.
Bruselas Brussels.
Bruto Brutus.
Buda Buddha.
Buenos Aires *Capital of Argentina.*
Bulgaria *f* Bulgaria.
Burdeos Bordeaux.
Burundi *m* Burundi.

C

Cabo *m* **de Buena Esperanza** Cape of Good Hope.
Cabo *m* **de Hornos** Cape Horn.
Cabo *m* **Cañaveral** Cape Canaveral.
Cabo: (Ciudad *f* **de) El ~** Cape Town.
Cachemira *f* Kashmir.
Cádiz Cadiz.
Caín Cain; *F pasar las de ~* have a terrible time.
Cairo: El ~ Cairo.
Camboya *f* Cambodia.
Camerún *m* Cameroons.
Canadá *m* Canada.
Canal *m* **de la Mancha** English Channel.
Canal *m* **de Panamá** Panama Canal.
Canal *m* **de Suez** Suez Canal.
Canarias *f/pl.* Canaries.
Cantórbery Canterbury.
Caperucita Roja Red Riding-Hood.

Caracas *Capital of Venezuela.*
Caribe *m* Caribbean (Sea).
Carlitos Charlie.
Carlomagno Charlemagne.
Carlos Charles.
Carlota Charlotte.
Cárpatos *m/pl.* Carpathians.
Cartago Carthage.
Casa Blanca, la the White House.
Casandra Cassandra.
Castilla *f* Castile.
Catalina Catherine, Catharine; Katherine; Kathleen.
Cataluña *f* Catalonia.
Catón Cato.
Catulo Catullus.
Cáucaso *m* Caucasus.
Cecilia Cecily.
Ceilán *m* Ceylon.
Cenicienta: (La) ~ Cinderella.
Cerdeña *f* Sardinia.
César Caesar.
Cicerón Cicero.
Cíclope *m* Cyclops.
Clemente Clement.
Colombia *f* Colombia.
Colón Columbus.
Colonia Cologne.
Concha, Conchita *pet names for Concepción.*
Congo *m* the Congo.
Constantinopla Constantinople.
Constanza Constance.
Copenhague Copenhagen.
Córcega *f* Corsica.
Córdoba Cordova.
Corea *f* Korea; *~ del Norte* North Korea; *~ del Sur* South Korea.
Corinto Corinth.
Cornualles *m* Cornwall.
Coruña: La ~ Corunna.
Costa *f* **de Marfil** Ivory Coast.
Costa Rica *f* Costa Rica.
Creta *f* Crete.
Creso Croesus.
Cristo Christ.
Cristóbal Christopher.
Cuba *f* Cuba.
Cupido Cupid.

Ch

Chad *m* Chad.
Champaña *f* Champagne.
Checoslovaquia *f* Czechoslovakia.
Chile *m* Chile, Chili.
China *f* China; *~ Nacionalista* Taiwan.
Chipre *f* Cyprus.

D

Dafne Daphne.
Dahomey o **Dahomé** m Dahomey.
Dalmacia f Dalmatia.
Damasco Damascus.
Dámocles Damocles.
Danubio m Danube.
Dardanelos m/pl. Dardanelles.
Darío Darius.
David David.
Delfos Delphi.
Demóstenes Demosthenes.
Diego James.
Dinamarca f Denmark.
Domiciano Domitian.
Don Quijote Don Quixote.
Dorotea Dorothy.
Dublín Dublin.
Dunquerque Dunkirk.
Durero Dürer.
Durmiente: *la* **Bella** ~ Sleeping Beauty.

E

Ecuador m Ecuador.
Edén m Eden.
Edimburgo Edinburgh.
Edipo Oedipus.
Eduardo Edward.
Egeo (Mar) m Aegean Sea.
Egipto m Egypt.
Elena Helen.
Elíseo m Elysium.
Emilia Emily.
Emilio Emil(e).
Eneas Aeneas.
Enrique Henry, Harry.
Erasmo Erasmus.
Ernesto Ernest.
Escandinavia f Scandinavia.
Escipión Scipio.
Escocia f Scotland.
Esmirna Smyrna.
Esopo Aesop.
España f Spain.
Esparta Sparta.
Esquilo Aeschylus.
Estados m/pl. **Unidos (de América)** United States (of America).
Esteban Stephen.
Estocolmo Stockholm.
Estonia f Estonia.
Estrasburgo Strasbourg.
Estuardo Stuart.
Etiopía f Ethiopia.
Euclides Euclid.
Eugenio Eugene.

Eurípedes Euripedes.
Europa f Europe.
Eva Eve.

F

Federico Frederick.
Felipe Philip.
Fernando Ferdinand.
Filadelfia Philadelphia.
Filipinas f/pl. Philippines.
Finlandia f Finland.
Flandes m Flanders.
Florencia Florence.
Francfort-del-Meno Frankfurt on Main.
Francia f France.
Francisca Frances.
Francisco Francis.

G

Gabón m Gaboon.
Galeno Galen.
Gales m Wales.
Galilea f Galilee.
Gante Ghent.
Garona m Garonne.
Gascuña f Gascony.
Génova Genoa.
Geofredo Geoffrey.
Gertrudis Gertrude.
Getsemaní Gethsemane.
Ghana f Ghana.
Gibraltar m Gibraltar; *Estrecho de* ~ Straits of Gibraltar; *Peñón de* ~ Rock of Gibraltar.
Gil Giles.
Ginebra Geneva; (*p.*) Guinevere.
Godofredo Godfrey.
Golfo m **Pérsico** Persian Gulf.
Golfo m **de Vizcaya** Bay of Biscay.
Goliat Goliath.
Gran Bretaña f Great Britain.
Granada Granada; Grenada.
Gran Cañón m Grand Canyon.
Grecia f Greece.
Gregorio Gregory.
Groenlandia f Greenland.
Guadalupe f Guadeloupe.
Gualterio Walter.
Guatemala f Guatemala.
Guayana f **(Francesa)** (French) Guiana.
Guido Guy.
Guillermo William; ~ *el Conquistador* William the Conqueror.
Guinea f Guinea; ~ *Ecuatorial* Equatorial Guinea.
Gustavo Gustave.
Guyana f Guyana.

H

Habana: La ~ Havana.
Habsburgo Hapsburg.
Haití *m* Haiti.
Hamburgo Hamburg.
Hawai *m* Hawaii.
Haya: La ~ The Hague.
Hébridas *f/pl.* Hebrides.
Helena Helen.
Hércules Hercules.
Herodes Herod.
Himalaya *m* the Himalayas.
Hipócrates Hippocrates.
Hispanoamérica *f* Spanish America.
Holanda *f* Holland.
Homero Homer.
Honduras *m* Honduras.
Horacio Horace.
Hugo Hugh, Hugo.
Hungría *f* Hungary.

I

Iberia *f* Iberia.
Ignacio Ignatius.
India: La ~ India.
Indias *f/pl.* Indies; ~ *Occidentales* West Indies.
Indonesia *f* Indonesia.
Indostán *m* Hindustan.
Inés Agnes.
Inglaterra *f* England.
Irak *m* Irak, Iraq.
Irán *m* Iran.
Irlanda *f* Ireland; ~ *del Norte* Northern Ireland.
Isabel Isabel, Elizabeth.
Isabelita Bess(ie), Bessy, Betty.
Iseo Isolde.
Islandia *f* Iceland.
Islas *f/pl.*: ~ *Bahamas* Bahamas; ~ *Baleares* Balearic Islands; ~ *Bermudas* Bermuda; ~ *Británicas* British Isles; ~ *de Cabo Verde* Cape Verde Islands; ~ *Canarias* Canary Islands; ~ *Hawai* Hawaii; ~ *Normandas* Channel Islands; ~ *de Sotavento* Leeward Islands.
Isolda Isolde.
Israel *m* Israel.
Italia *f* Italy.

J

Jacob Jacob.
Jacobo (*reyes de Escocia e Inglaterra*) James.
Jaime James.
Jamaica *f* Jamaica.
Japón *m* Japan.
Jehová Jehovah.
Jenofonte Xenophon.

Jeremías Jeremy.
Jericó Jericho.
Jerónimo Jerome.
Jerusalén Jerusalem.
Jesús Jesus; ¡~! good heavens!; (*estornudo*) bless you!; *en un decir* ~ in a trice; *Jesucristo* Jesus Christ.
Joaquín *m* Joachim.
Job Job.
Jordán *m* Jordan (*river*).
Jordania *f* Jordan (*country*).
Jorge George.
José Joseph.
Josefina Josephine.
Josué Joshua.
Juan John; *un buen* ~, ~ *Lanas* simple soul.
Juana Jane; Joan; ~ *de Arco* Joan of Arc.
Juanito Jack; Johnny.
Judá *f* Judah.
Judas Judas.
Judea *f* Judaea.
Julieta Juliet.
Julio Julius.
Júpiter Jupiter; Jove.

K

Kenia *f* Kenya.
Kuwait *m* Kuwait.

L

Lacio *m* Latium.
Lanzarote Lancelot.
Laos *m* Laos.
La Paz *Capital of Bolivia.*
Laponia *f* Lapland.
Lausana Lausanne.
Lázaro Lazarus.
Leandro Leander.
Leida, Leide(n) Leyden.
Leningrado Leningrad.
Leonor Eleanor.
Lepe: *saber más que* ~ be pretty smart.
Letonia *f* Latvia.
Levante *m* Levant; *South-east part (or coasts) of Spain.*
Líbano *m* Lebanon.
Liberia *f* Liberia.
Libia *f* Libya.
Lieja Liège.
Lima *Capital of Peru.*
Liorna Leghorn.
Lisboa Lisbon.
Lituania *f* Lithuania.
Livio Livy.
Loira *m* Loire.
Lola, Lolita *pet names for Dolores.*
Lombardía *f* Lombardy.

Londres London.
Lorena f Lorraine.
Lorenzo Laurence.
Lovaina Louvain.
Lucano Lucan.
Lucas Luke.
Lucerna Lucerne.
Lucrecia Lucretia.
Lucrecio Lucretius.
Luis Louis.
Lutero Luther.
Luxemburgo m Luxembourg.
Lyón Lyons.

M

Madera f Madeira.
Magallanes m Magellan; *Estrecho de* ~ Magellan Straits.
Magdalena f Magdalen.
Maguncia Mainz.
Mahoma Mahomet.
Málaga Malaga.
Malawi m Malawi.
Malaysia f Malaysia.
Malí m Mali.
Mallorca f Majorca.
Malvinas f/pl. Falkland Isles.
Managua *Capital of Nicaragua.*
Manolo *pet name for Manuel.*
Manuel Emmanuel.
Mar m: ~ *Adriático* Adriatic Sea; ~ *Báltico* Baltic Sea; ~ *Caribe* Caribbean (Sea); ~ *Caspio* Caspian Sea; ~ *de las Indias* Indian Ocean; ~ *Mediterráneo* Mediterranean Sea; ~ *Muerto* Dead Sea; ~ *Negro* Black Sea; ~ *del Norte* North Sea; ~ *Rojo* Red Sea.
Marcial Martial.
Marcos Mark.
Margarita Margaret.
María Mary; ~ *Antonieta* Marie Antoinette.
Maricastaña: *en tiempo de* ~ long ago, in the year dot.
Marruecos m Morocco.
Marsella Marseilles.
Marsellesa f Marseillaise.
Marte Mars.
Martín Martin.
Martinica f Martinique.
Mateo Matthew.
Matilde Mat(h)ilda.
Mauricio Mauritius; (p.) Maurice.
Mauritania f Mauretania.
Meca: La ~ Mecca.
Mediterráneo m Mediterranean.
Méjico m Mexico.
Menorca f Minorca.
Mercurio Mercury.

Mesías Messiah.
México m Am. Mexico.
Midas Midas.
Miguel Michael; ~ *Angel* Michelangelo.
Milán Milan.
Misisipí m Mississippi.
Misuri m Missouri.
Moisés Moses.
Montevideo *Capital of Uruguay.*
Moscú Moscow.
Mosela m Moselle.
Montañas f/pl. **Rocosas** Rocky Mountains.
Montes m/pl. **Apalaches** Appalachian Mountains.
Mozambique f Mozambique.

N

Napoleón Napoleon.
Nápoles Naples.
Narbona Narbonne.
Navarra f Navarre.
Nazaret Nazareth.
Nepal m Nepal.
Neptuno Neptune.
Nerón Nero.
Niágara Niagara.
Nicaragua f Nicaragua.
Nicolás Nicholas.
Níger m Niger.
Nigeria f Nigeria.
Nilo m Nile.
Niza Nice.
Noé Noah.
Normandía f Normandy.
Noruega f Norway.
Nueva Escocia f Nova Scotia.
Nueva Gales f **del Sur** New South Wales.
Nueva Guinea f New Guinea.
Nueva York New York.
Nueva Zelanda f New Zealand.

O

Océano m: ~ *Atlántico* Atlantic Ocean; ~ *glacial Antártico* Southern Ocean; ~ *glacial Artico* Arctic Ocean; ~ *Indico* Indian Ocean; ~ *Pacífico* Pacific Ocean.
Octavio Octavian.
Oliverio Oliver.
Orcadas f/pl. Orkney Islands.
Orfeo Orpheus.
Oriente m East; *Extremo* ~ Far East; ~ *Medio* Middle East; *Próximo* ~ Near East.
Ostende Ostend.
Ovidio Ovid.

P

Pablo Paul.
Pacífico *m* Pacific.
Paca *pet name for Francisca* Frances.
Paco *pet name for Francisco* Frank.
País *m* **Vasco** Basque Country.
Países *m/pl.* **Bajos** Netherlands.
Pakistán *m* Pakistan.
Palestina *f* Palestine.
Panamá *m* Panama.
Paquita *pet name for Francisca* Frances.
Paquito *pet name for Francisco* Frank.
Paraguay *m* Paraguay.
París Paris.
Parnaso Parnassus.
Patillas F *the devil*, Old Nick; *ser un~* be a poor fish, be a nobody.
Patricio Patrick.
Pedro Peter.
Pegaso Pegasus.
Pekín Pekin(g).
Península *f* **Ibérica** Iberian Peninsula.
Pensilvania *f* Pennsylvania.
Pepa *pet name for Josefa.*
Pepe *pet name for José* Joe.
Pepita *pet name for Josefa.*
Perico *pet name for Pedro* Pete; *~ el de los Palotes* somebody, so-and-so, any Tom, Dick and Harry.
Pero Grullo: *frase de ~ = perogrullada.*
Perpiñán Perpignan.
Perú *m* Peru.
Petrarca Petrarch.
Piamonte *m* Piedmont.
Picardía *f* Picardy.
Pilatos Pilate.
Píndaro Pindar.
Pío Pius.
Pirineos *m/pl.* Pyrenees.
Pitágoras Pythagoras.
Platón Plato.
Plinio Pliny.
Plutarco Plutarch.
Plutón Pluto.
Polichinela Punch.
Polinesia *f* Polynesia.
Polonia *f* Poland.
Pompeya Pompeii.
Poncio Pilato(s) Pontius Pilate.
Portugal *m* Portugal.
Praga Prague.
Provenza *f* Provence.
Prusia *f* Prussia.
Psique Psyche.
Puerto Rico *m* Porto Rico.
Pulgarcito Tom Thumb.

Q

Quito *Capital of Ecuador.*

R

Rafael Raphael.
Raimundo, Ramón Raymond.
Raquel Rachel.
Rebeca Rebecca.
Reginaldo, Reinaldos Reginald.
Reino *m* **Unido** United Kingdom.
Renania *f* Rhineland.
República *f* **Centroafricana** Central African Republic.
República *f* **Dominicana** *f* Dominican Republic.
República *f* **Malgache** Republic of Madagascar.
República *f* **Popular de China** People's Republic of China.
Ricardo Richard.
Rin *m* Rhine.
Roberto Robert.
Ródano *m* Rhône.
Rodas *f* Rhodes.
Rodesia *f* Rhodesia.
Rodrigo Roderick.
Roldán, Rolando Roland.
Roma Rome.
Rosa Rose.
Rosellón *m* Roussillon.
Ruán Rouen.
Ruanda *f* Ruanda.
Rumania *f* Rumania.
Rusia *f* Russia.

S

Saboya *f* Savoy.
Sahara *m* Sahara.
Sajonia *f* Saxony.
Salomón Salomon.
Salvador: El ~ El Salvador.
Samuel Samuel.
San José *Capital of Costa Rica.*
San Salvador *Capital of El Salvador.*
Sansón Samson.
Santiago Saint James; *Capital of Chile.*
Santo Domingo *Capital of the Dominican Republic.*
Sarre *m* Saar.
Satanás Satan.
Saturno Saturn.
Saúl Saul.
Sena *m* Seine.
Senegal *m* Senegal.

Servia f Serbia.
Sevilla Seville.
Siberia f Siberia.
Sibila Sibyl.
Sicilia f Sicily.
Sierra Leona f Sierra Leone.
Simbad Sin(d)bad.
Singapur Singapore.
Sión m Zion.
Siracusa Syracuse.
Siria f Syria.
Sócrates Socrates.
Sofía Sofia.
Sófocles Sophocles.
Somalia f Somaliland.
Sri Lanka m Sri Lanka.
Sudán m S(o)udan.
Suecia f Sweden.
Suiza f Switzerland.
Surinam m Surinam.

T

Tácito Tacitus.
Tailandia f Thailand.
Tajo m Tagus.
Támesis m Thames.
Tanganica f Tanganyika.
Tánger Tangier.
Tanzania f Tanzania.
Tegucigalpa *Capital of Honduras.*
Tejas m Texas.
Terencio Terence.
Teresa Theresa.
Terranova f Newfoundland.
Tesalia f Thessaly.
Tíber m Tiber.
Tibet m Tibet.
Ticiano Titian.
Tierra f **Santa** Holy Land.
Timoteo Timothy.
Togo m Togo.
Toledo Toledo.
Tolomeo Ptolemy.
Tolón Toulon.
Tolosa (de Francia) Toulouse.
Tomás Thomas.
Trento Trent.
Trinidad f **y Tobago** m Trinidad and Tobago.
Trípoli Tripoli.
Tristán Tristram.
Troya Troy; ¡arda ∼! press on regardless!; ¡aquí fue ∼! now there's nothing but ruins; that's where the trouble began; that was a battle royal.
Túnez Tunis; Tunisia.
Tunicia f Tunisia.
Turquía f Turkey.

U

Ucrania f Ukraine.
Uganda m Uganda.
Unión f **de Emiratos Arabes** United Arab Emirates.
Unión f **de India** Union of India.
Unión f **de Repúblicas Socialistas Soviéticas (U.R.S.S.)** Union of Soviet Socialist Republics (U.S.S.R.).
Unión f **Soviética** Soviet Union.
Unión f **Sudafricana** Union of South Africa.
Uruguay m Uruguay.
Utopia f Utopia.

V

Varsovia Warsaw.
Vascongadas f/pl. Basque Provinces.
Vaticano m Vatican.
Velázquez Velasquez.
Venecia Venice.
Venezuela f Venezuela.
Venus Venus.
Versalles Versailles.
Vesubio m Vesuvius.
Vicente Vincent.
Viena Vienna.
Vietnam o **Viet Nam** m Viet Nam.
Villadiego: F tomar las de ∼ beat it.
Virgilio Virgil.
Vizcaya f Biscay.
Vosgos m/pl. Vosges.
Vulcano Vulcan.

Y

Yemen m Yemen.
Yugo(e)slavia f Jugoslavia.

Z

Zaire m Zaïre.
Zambia f Zambia.
Zaragoza Saragossa.
Zimbabwe m Zimbabwe.

Numerales — Numerals

Números cardinales — Cardinal Numbers

0 nought *cero*
1 one *uno, una*
2 two *dos*
3 three *tres*
4 four *cuatro*
5 five *cinco*
6 six *seis*
7 seven *siete*
8 eight *ocho*
9 nine *nueve*
10 ten *diez*
11 eleven *once*
12 twelve *doce*
13 thirteen *trece*
14 fourteen *catorce*
15 fifteen *quince*
16 sixteen *dieciséis*
17 seventeen *diecisiete*
18 eighteen *dieciocho*
19 nineteen *diecinueve*
20 twenty *veinte*
21 twenty-one *veintiuno*
22 twenty-two *veintidós*
30 thirty *treinta*
31 thirty-one *treinta y uno*

40 forty *cuarenta*
50 fifty *cincuenta*
60 sixty *sesenta*
70 seventy *setenta*
80 eighty *ochenta*
90 ninety *noventa*
100 a (*o* one) hundred *cien(to)*
101 a hundred and one *ciento uno*
110 a hundred and ten *ciento diez*
200 two hundred *doscientos -as*
300 three hundred *trescientos -as*
400 four hundred *cuatrocientos -as*
500 five hundred *quinientos -as*
600 six hundred *seiscientos -as*
700 seven hundred *setecientos -as*
800 eight hundred *ochocientos -as*
900 nine hundred *novecientos -as*
1000 a thousand *mil*
1959 nineteen hundred and fifty-nine *mil novecientos cincuenta y nueve*
2000 two thousand *dos mil*
1 000 000 a (*o* one) million *un millón (de)*
2 000 000 two million *dos millones (de)*

Números ordinales — Ordinal Numbers

1 first *primero*
2 second *segundo*
3 third *tercero*
4 fourth *cuarto*
5 fifth *quinto*
6 sixth *sexto*
7 seventh *séptimo*
8 eighth *octavo*
9 ninth *noveno, nono*
10 tenth *décimo*
11 eleventh *undécimo*
12 twelfth *duodécimo*

13 thirteenth *decimotercero, decimotercio*
14 fourteenth *decimocuarto*
15 fifteenth *decimoquinto*
16 sixteenth *decimosexto*
17 seventeenth *decimoséptimo*
18 eighteenth *decimoctavo*
19 nineteenth *decimono(ve)no*
20 twentieth *vigésimo*
21 twenty-first *vigésimo prim(er)o*
22 twenty-second *vigésimo segundo*
30 thirtieth *trigésimo*

31	thirty-first *trigésimo prim(er)o*	400	four hundredth *cuadringentésimo*
40	fortieth *cuadragésimo*	500	five hundredth *quingentésimo*
50	fiftieth *quincuagésimo*	600	six hundredth *sexcentésimo*
60	sixtieth *sexagésimo*	700	seven hundredth *septingentésimo*
70	seventieth *septuagésimo*		
80	eightieth *octogésimo*	800	eight hundredth *octingentésimo*
90	ninetieth *nonagésimo*	900	nine hundredth *noningentésimo*
100	hundredth *centésimo*	1000	thousandth *milésimo*
101	hundred and first *centésimo primero*	2000	two thousandth *dos milésimo*
110	hundred and tenth *centésimo décimo*	1 000 000	millionth *millonésimo*
200	two hundredth *ducentésimo*	2 000 000	two millionth *dos millonésimo*
300	three hundredth *trecentésimo*		

En inglés, los números ordinales suelen abreviarse 1st., 2nd., 3rd., 4th., 5th., etc.

Números quebrados y otros
Fractions and other Numerals

$^1/_2$ one (*o* a) half *medio, media*;
$1^1/_2$ one and a half *uno y medio*;
$2^1/_2$ two and a half *dos y medio*;
$^1/_2$ h. half an hour *media hora*;
$1^1/_2$ m. one and a half *miles milla y media*

$^1/_3$ one (*o* a) third *un tercio*; $^2/_3$ two thirds *dos tercios*

$^1/_4$ one (*o* a) quarter *un cuarto*; $^3/_4$ three quarters *tres cuartos*; $^1/_4$ h. (a) quarter of an hour *un cuarto de hora*; $1^1/_4$ h. one and a quarter hours *hora y cuarto*

$^1/_5$ one (*o* a) fifth *un quinto*; $3^4/_5$ three and four fifths *tres y cuatro quintos*

$^1/_{11}$ one (*o* an) eleventh *un onzavo*

$^5/_{12}$ five twelfths *cinco dozavos*

$^{75}/_{100}$ seventy-five hundredths *setenta y cinco centésimos*

$^1/_{1000}$ one (*o* a) thousandth *un milésimo*

single *simple*
double *doble, duplo*
treble, triple, threefold *triple*
fourfold *cuádruplo*
fivefold *quíntuplo* etc.

once *una vez*
twice *dos veces*
three times *tres veces* etc.
seven times as big *siete veces más grande*; twice more *dos veces más*
firstly *en primer lugar*
secondly *en segundo lugar* etc.

$7 + 8 = 15$ seven and eight are fifteen *siete y ocho son quince*

$10 — 3 = 7$ three from ten leaves seven *diez menos tres igual siete, de tres a diez van siete*

$2 \times 3 = 6$ two times three are six *dos por tres son seis*

$20 \div 4 = 5$ twenty divided by four is five *veinte dividido por cuatro es cinco*.

The Conjugation of Spanish Verbs
First Conjugation

[1a] **mandar**
Infinitive: mandar **Gerund:** mandando **Past Participle:** mandado

Indicative

Present	Imperfect	Preterite
mando	mandaba	mandé
mandas	mandabas	mandaste
manda	mandaba	mandó
mandamos	mandábamos	mandamos
mandáis	mandabais	mandasteis
mandan	mandaban	mandaron

Future	Conditional
mandaré	mandaría
mandarás	mandarías
mandará	mandaría
mandaremos	mandaríamos
mandaréis	mandaríais
mandarán	mandarían

Subjunctive

Present	Imperfect I	Imperfect II
mande	mandara	mandase
mandes	mandaras	mandases
mande	mandara	mandase
mandemos	mandáramos	mandásemos
mandéis	mandarais	mandaseis
manden	mandaran	mandasen

Imperative

Affirmative	Negative
manda (tú)	no mandes (tú)
mande Vd.	no mande Vd.
mandad (vosotros)	no mandéis (vosotros)
manden Vds.	no manden Vds.

Infinitive	Present Indicative	Present Subjunctive	Preterite
[1b] **cambiar.** The *i* of the stem is not stressed and the verb is regular	cambio	cambie	cambié
	cambias	cambies	cambiaste
	cambia	cambie	cambió
	cambiamos	cambiemos	cambiamos
	cambiáis	cambiéis	cambiasteis
	cambian	cambien	cambiaron

Infinitive	Present Indicative	Present Subjunctive	Preterite
[1c] variar. In forms stressed on the stem, the *i* is accented	varío varías varía variamos variáis varían	varíe varíes varíe variemos variéis varíen	varié variaste varió variamos variasteis variaron
[1d] evacuar. The *u* of the stem is not stressed and the verb is regular	evacuo evacuas evacua evacuamos evacuáis evacuan	evacue evacues evacue evacuemos evacuéis evacuen	evacué evacuaste evacuó evacuamos evacuasteis evacuaron
[1e] acentuar. In forms stressed on the stem, the *u* is accented	acentúo acentúas acentúa acentuamos acentuáis acentúan	acentúe acentúes acentúe acentuemos acentuéis acentúen	acentué acentuaste acentuó acentuamos acentuasteis acentuaron
[1f] cruzar. The stem consonant *z* is written *c* before *e*	cruzo cruzas cruza cruzamos cruzáis cruzan	cruce cruces cruce crucemos crucéis crucen	crucé cruzaste cruzó cruzamos cruzasteis cruzaron
[1g] tocar. The stem consonant *c* is written *qu* before *e*	toco tocas toca tocamos tocáis tocan	to**qu**e to**qu**es to**qu**e to**qu**emos to**qu**éis to**qu**en	to**qu**é tocaste tocó tocamos tocasteis tocaron
[1h] pagar. The stem consonant *g* is written *gu* (*u* silent) before *e*	pago pagas paga pagamos pagáis pagan	pa**gu**e pa**gu**es pa**gu**e pa**gu**emos pa**gu**éis pa**gu**en	pa**gu**é pagaste pagó pagamos pagasteis pagaron
[1i] fraguar. The *u* of the stem is written *ü* (so that it should be pronounced) before *e*	fraguo fraguas fragua fraguamos fraguáis fraguan	fra**gü**e fra**gü**es fra**gü**e fra**gü**emos fra**gü**éis fra**gü**en	fra**gü**é fraguaste fraguó fraguamos fraguasteis fraguaron
[1k] pensar. The stem vowel *e* becomes *ie* when stressed	**pie**nso **pie**nsas **pie**nsa pensamos pensáis **pie**nsan	**pie**nse **pie**nses **pie**nse pensemos penséis **pie**nsen	pensé pensaste pensó pensamos pensasteis pensaron

Infinitive	Present Indicative	Present Subjunctive	Preterite
[1l] errar. As [1k], but the diphthong is written *ye* at the start of the word	**ye**rro **ye**rras **ye**rra erramos erráis **ye**rran	**ye**rre **ye**rres **ye**rre erremos erréis **ye**rren	erré erraste erró erramos errasteis erraron
[1m] contar. The stem vowel *o* becomes *ue* when stressed	c**ue**nto c**ue**ntas c**ue**nta contamos contáis c**ue**ntan	c**ue**nte c**ue**ntes c**ue**nte contemos contéis c**ue**nten	conté contaste contó contamos contasteis contaron
[1n] agorar. The stem vowel *o* becomes *üe* when stressed	ag**üe**ro ag**üe**ras ag**üe**ra agoramos agoráis ag**üe**ran	ag**üe**re ag**üe**res ag**üe**re agoremos agoréis ag**üe**ren	agoré agoraste agoró agoramos agorasteis agoraron
[1o] jugar. The stem vowel *u* becomes *ue* when stressed; the stem consonant *g* is written *gu* (*u* silent) before *e*; conjugar, enjugar are regular	j**ue**go j**ue**gas j**ue**ga jugamos jugáis j**ue**gan	j**ue**gue j**ue**gues j**ue**gue jug**ue**mos jug**ué**is j**ue**guen	jugué jugaste jugó jugamos jugasteis jugaron
[1p] estar. Irregular. Imperative: *está* (*tú*)	estoy estás está estamos estáis están	esté estés esté estemos estéis estén	estuve estuviste estuvo estuvimos estuvisteis estuvieron
[1q] andar. Irregular.	ando andas anda andamos andáis andan	ande andes ande andemos andéis anden	anduve anduviste anduvo anduvimos anduvisteis anduvieron
[1r] dar. Irregular.	doy das da damos dais dan	dé des dé demos deis den	di diste dio dimos disteis dieron

Second Conjugation

[2a] vender
Infinitive: vender **Gerund:** vendiendo **Past Participle:** vendido

Indicative

Present	Imperfect	Preterite
vendo	vendía	vendí
vendes	vendías	vendiste
vende	vendía	vendió
vendemos	vendíamos	vendimos
vendéis	vendíais	vendisteis
venden	vendían	vendieron

Future	Conditional
venderé	vendería
venderás	venderías
venderá	vendería
venderemos	venderíamos
venderéis	venderíais
venderán	venderían

Subjunctive

Present	Imperfect I	Imperfect II
venda	vendiera	vendiese
vendas	vendieras	vendieses
venda	vendiera	vendiese
vendamos	vendiéramos	vendiésemos
vendáis	vendierais	vendieseis
vendan	vendieran	vendiesen

Imperative

Affirmative	Negative
vende (tú)	no vendas (tú)
venda Vd.	no venda Vd.
vended (vosotros)	no vendáis (vosotros)
vendan Vds.	no vendan Vds.

Infinitive	Present Indicative	Present Subjunctive	Preterite
[2b] vencer. The stem consonant *c* is written *z* before *a* and *o*	venzo vences vence vencemos vencéis vencen	venza venzas venza venzamos venzáis venzan	vencí venciste venció vencimos vencisteis vencieron
[2c] coger. The stem consonant *g* is written *j* before *a* and *o*	cojo coges coge cogemos cogéis cogen	coja cojas coja cojamos cojáis cojan	cogí cogiste cogió cogimos cogisteis cogieron

Infinitive	Present Indicative	Present Subjunctive	Preterite
[2d] merecer. The stem consonant *c* becomes *zc* before *a* and *o*	merezco mereces merece merecemos merecéis merecen	merezca merezcas merezca merezcamos merezcáis merezcan	merecí mereciste mereció merecimos merecisteis merecieron
[2e] creer. Unstressed *i* between vowels is written *y*. Past participle: *creído* Gerund: *creyendo*	creo crees cree creemos creéis creen	crea creas crea creamos creáis crean	creí creíste creyó creímos creísteis creyeron
[2f] tañer. Unstressed *i* after *ñ* and *ll* is omitted. Gerund: *tañendo*	taño tañes tañe tañemos tañéis tañen	taña tañas taña tañamos tañáis tañan	tañí tañiste tañó tañimos tañisteis tañeron
[2g] perder. The stem vowel *e* becomes *ie* when stressed	pierdo pierdes pierde perdemos perdéis pierden	pierda pierdas pierda perdamos perdáis pierdan	perdí perdiste perdió perdimos perdisteis perdieron
[2h] mover. The stem vowel *o* becomes *ue* when stressed. Verbs in *-olver* form their past participle in *-uelto*	muevo mueves mueve movemos movéis mueven	mueva muevas mueva movamos mováis muevan	moví moviste movió movimos movisteis movieron
[2i] oler. As [2h], but the diphthong is written *hue* at the start of the word	huelo hueles huele olemos oléis huelen	huela huelas huela olamos oláis huelan	olí oliste olió olimos olisteis olieron
[2k] haber. Irregular throughout. Future: *habré*	he has ha hemos habéis han	haya hayas haya hayamos hayáis hayan	hube hubiste hubo hubimos hubisteis hubieron
[2l] tener. Irregular throughout. Future: *tendré* Imperative: *ten (tú)*	tengo tienes tiene tenemos tenéis tienen	tenga tengas tenga tengamos tengáis tengan	tuve tuviste tuvo tuvimos tuvisteis tuvieron

Infinitive	Present Indicative	Present Subjunctive	Preterite
[2m] **caber.** Irregular throughout. Future: *cabré*	quepo cabes cabe cabemos cabéis caben	quepa quepas quepa quepamos quepáis quepan	cupe cupiste cupo cupimos cupisteis cupieron
[2n] **saber.** Irregular throughout. Future: *sabré*	sé sabes sabe sabemos sabéis saben	sepa sepas sepa sepamos sepáis sepan	supe supiste supo supimos supisteis supieron
[2o] **caer.** Irregular. Unstressed *i* between vowels is written *y*, as [2e]. Past participle: *caído* Gerund: *cayendo*	caigo caes cae caemos caéis caen	caiga caigas caiga caigamos caigáis caigan	caí caíste cayó caímos caísteis cayeron
[2p] **traer.** Irregular throughout. Past participle: *traído* Gerund: *trayendo*	traigo traes trae traemos traéis traen	traiga traigas traiga traigamos traigáis traigan	traje trajiste trajo trajimos trajisteis trajeron
[2q] **valer.** Irregular. Future: *valdré*	valgo vales vale valemos valéis valen	valga valgas valga valgamos valgáis valgan	valí valiste valió valimos valisteis valieron
[2r] **poner.** Irregular throughout. Future: *pondré* Past participle: *puesto* Imperative: *pon (tú)*	pongo pones pone ponemos ponéis ponen	ponga pongas ponga pongamos pongáis pongan	puse pusiste puso pusimos pusisteis pusieron
[2s] **hacer.** Irregular throughout. Future: *haré* Past participle: *hecho* Imperative: *haz (tú)*	hago haces hace hacemos hacéis hacen	haga hagas haga hagamos hagáis hagan	hice hiciste hizo hicimos hicisteis hicieron
[2t] **poder.** Irregular throughout. In present tenses like [2h]. Future: *podré* Gerund: *pudiendo*	puedo puedes puede podemos podéis pueden	pueda puedas pueda podamos podáis puedan	pude pudiste pudo pudimos pudisteis pudieron

Infinitive	Present Indicative	Present Subjunctive	Preterite
[2u] querer. Irregular. In present tenses like [2g]. Future: *querré*	quiero quieres quiere queremos queréis quieren	quiera quieras quiera queramos queráis quieran	quise quisiste quiso quisimos quisisteis quisieron
[2v] ver. Irregular. Past participle: *visto* Gerund: *viendo* Imperfect: *veía* etc. Imperative: *ve (tú)* *ved (vosotros)*	veo ves ve vemos veis ven	vea veas vea veamos veáis vean	vi viste vio vimos visteis vieron
[2w] ser. Irregular throughout. Past participle: *sido* Gerund: *siendo* Future: *seré* Imperfect: *era, eras* etc. Imperative: *sé (tú)*, *sed (vosotros)*	soy eres es somos sois son	sea seas sea seamos seáis sean	fui fuiste fue fuimos fuisteis fueron

[2x] **placer.** Used only in 3rd person sg. Irregular forms: Present subj. *plega*, *plegue* or *plazca*; Preterite *plugo* or *plació*; Imperfect subj. I *pluguiera* or *placiera*, Imperfect subj. II *pluguiese or placiese*.

[2y] **yacer.** (Mostly †). Irregular forms: Present indic. *yazco, yazgo* or *yago*; Present subj. *yazca, yazga, yaga* etc. Imperative *yace (tú)* or *yaz (tú)*.

[2z] **raer.** Alternative forms in present tenses: Present indic. *raigo* or *rayo* etc.; Present subj. *raiga* or *raya* etc.

[2za] **roer.** Alternative forms in present tenses: Present indic. *roigo* or *royo*; Present subj. *roiga* or *roya*.

Third Conjugation

[3a] recibir
Infinitive: recibir **Gerund:** recibiendo **Past Participle:** recibido

Indicative

Present	Imperfect	Preterite
recibo	recibía	recibí
recibes	recibías	recibiste
recibe	recibía	recibió
recibimos	recibíamos	recibimos
recibís	recibíais	recibisteis
reciben	recibían	recibieron

Future	Conditional
recibiré	recibiría
recibirás	recibirías
recibirá	recibiría
recibiremos	recibiríamos
recibiréis	recibiríais
recibirán	recibirían

Subjunctive

Present	Imperfect I	Imperfect II
reciba	recibiera	recibiese
recibas	recibieras	recibieses
reciba	recibiera	recibiese
recibamos	recibiéramos	recibiésemos
recibáis	recibierais	recibieseis
reciban	recibieran	recibiesen

Imperative

Affirmative	Negative
recibe (tú)	no recibas (tú)
reciba Vd.	no reciba Vd.
recibid (vosotros)	no recibáis (vosotros)
reciban Vds.	no reciban Vds.

Infinitive	Present Indicative	Present Subjunctive	Preterite
[3b] esparcir. The stem consonant *c* is written *z* before *a* and *o*	esparzo	esparza	esparcí
	esparces	esparzas	esparciste
	esparce	esparza	esparció
	esparcimos	esparzamos	esparcimos
	esparcís	esparzáis	esparcisteis
	esparcen	esparzan	esparcieron
[3c] dirigir. The stem consonant *g* is written *j* before *a* and *o*	dirijo	dirija	dirigí
	diriges	dirijas	dirigiste
	dirige	dirija	dirigió
	dirigimos	dirijamos	dirigimos
	dirigís	dirijáis	dirigisteis
	dirigen	dirijan	dirigieron

Infinitive	Present Indicative	Present Subjunctive	Preterite
[3d] distinguir. The *u* after the stem consonant *g* is omitted before *a* and *o*	distingo distingues distingue distinguimos distinguís distinguen	distinga distingas distinga distingamos distingáis distingan	distinguí distinguiste distinguió distinguimos distinguisteis distinguieron
[3e] delinquir. The stem consonant *qu* is written *c* before *a* and *o*	delinco delinques delinque delinquimos delinquís delinquen	delinca delincas delinca delincamos delincáis delincan	delinquí delinquiste delinquió delinquimos delinquisteis delinquieron
[3f] lucir. The stem consonant *c* becomes *zc* before *a* and *o*	luzco luces luce lucimos lucís lucen	luzca luzcas luzca luzcamos luzcáis luzcan	lucí luciste lució lucimos lucisteis lucieron
[3g] concluir. The *i* of *-ió* and *-ie-* changes to *y*; a *y* is inserted before endings not beginning with *i*. Gerund: *concluyendo*	concluyo concluyes concluye concluimos concluís concluyen	concluya concluyas concluya concluyamos concluyáis concluyan	concluí concluiste concluyó concluimos concluisteis concluyeron
[3h] gruñir. Unstressed *i* after *ñ*, *ll* and *ch* is omitted. Gerund: *gruñendo*	gruño gruñes gruñe gruñimos gruñís gruñen	gruña gruñas gruña gruñamos gruñáis gruñan	gruñí gruñiste **gruñó** gruñimos gruñisteis **gruñeron**
[3i] sentir. The stem vowel *e* becomes *ie* when stressed; unstressed *e* becomes *i* in 3rd persons of Preterite, 1st and 2nd persons pl. of Present Subjunctive. In *adquirir* etc. the stem vowel *i* becomes *ie* when stressed. Gerund: *sintiendo*	siento sientes siente sentimos sentís sienten	sienta sientas sienta sintamos sintáis sientan	sentí sentiste sintió sentimos sentisteis sintieron
[3k] dormir. The stem vowel *o* becomes *ue* when stressed; unstressed *o* becomes *u* in 3rd persons of Preterite, 1st and 2nd persons pl. of Present Subjunctive. Gerund: *durmiendo*	duermo duermes duerme dormimos dormís duermen	duerma duermas duerma durmamos durmáis duerman	dormí dormiste durmió dormimos dormisteis durmieron

Infinitive	Present Indicative	Present Subjunctive	Preterite
[3l] medir. The stem vowel *e* becomes *i* when stressed, and also when unstressed in 3rd persons of Preterite, 1st and 2nd persons pl. of Present Subjunctive. Gerund: *midiendo*	mido mides mide medimos medís miden	mida midas mida midamos midáis midan	medí mediste midió medimos medisteis midieron
[3m] reír. Irregular. Past participle: *reído* Gerund: *riendo*	río ríes ríe reímos reís ríen	ría rías ría riamos riáis rían	reí reíste rió reímos reísteis rieron
[3n] erguir. Irregular. Gerund: *irguiendo* Imperative: *irgue (tú)* or *yergue (tú)*	irgo irgues irgue erguimos erguís irguen *or* yergo yergues yergue erguimos erguís yerguen	irga irgas irga irgamos irgáis irgan *or* yerga yergas yerga yergamos yergáis yergan	erguí erguiste irguió erguimos erguisteis irguieron
[3o] conducir. The stem consonant *c* becomes *zc* before *a* and *o*, as [3f]. Irregular preterite in *-uje*	conduzco conduces conduce conducimos conducís conducen	conduzca conduzcas conduzca conduzcamos conduzcáis conduzcan	conduje condujiste condujo condujimos condujisteis condujeron
[3p] decir. Irregular throughout. Future: *diré* Past participle: *dicho* Gerund: *diciendo* Imperative: *di (tú)*	digo dices dice decimos decís dicen	diga digas diga digamos digáis digan	dije dijiste dijo dijimos dijisteis dijeron
[3q] oír. Irregular. Unstressed *i* between vowels becomes *y*. Past participle: *oído* Gerund: *oyendo*	oigo oyes oye oímos oís oyen	oiga oigas oiga oigamos oigáis oigan	oí oíste oyó oímos oísteis oyeron

Infinitive	Present Indicative	Present Subjunctive	Preterite
[3r] salir. Irregular. Future: *saldré* Imperative: *sal (tú)*	salgo sales sale salimos salís salen	salga salgas salga salgamos salgáis salgan	salí saliste salió salimos salisteis salieron
[3s] venir. Irregular throughout. Future: *vendré* Gerund: *viniendo* Imperative: *ven (tú)*	vengo vienes viene venimos venís vienen	venga vengas venga vengamos vengáis vengan	vine viniste vino vinimos vinisteis vinieron
[3t] ir. Irregular throughout. Imperfect: *iba, ibas* etc. Gerund: *yendo* Imperative: *ve (tú)*, *id (vosotros)*	voy vas va vamos vais van	vaya vayas vaya vayamos vayáis vayan	fui fuiste fue fuimos fuisteis fueron

Nota sobre el verbo inglés
a) Conjugación

Modo indicativo.

1. **El tiempo presente** tiene la misma forma que el infinitivo en todas las personas menos la 3ª del singular; en ésta, se añade una -s al infinitivo, p.ej. *he brings*, o se añade -es si el infinitivo termina en sibilante (ch, sh, ss, zz), p.ej. *he passes*. Esta *s* tiene dos pronunciaciones distintas: tras consonante sorda se pronuncia sorda, p.ej. *he paints* [peints]; tras consonante sonora se pronuncia sonora, p.ej. *he sends* [sendz]; -es se pronuncia también sonora, sea la e parte de la desinencia o letra final del infinitivo, p.ej. *he washes* ['wɔʃiz], *he urges* ['ɔːdʒiz]. Los verbos que terminan en -y la cambian en -ies en la tercera persona, p.ej. *he worries, he tries*, pero son regulares los verbos que en el infinitivo tienen una vocal delante de la -y, p.ej. *he plays*. El verbo *be* es irregular en todas las personas: *I am, you are, he is, we are, you are, they are*. Tres verbos más tienen forma especial para la tercera persona del singular: *do–he does, go–he goes, have–he has*.

En los demás tiempos, todas las personas son iguales. **El pretérito** y **el participio de pasado** se forman añadiendo -ed al infinitivo, p.ej. *I passed, passed*, o añadiendo -d a los infinitivos que terminan en -e, p.ej. *I faced, faced*. (Hay muchos verbos irregulares: *v. abajo*). Esta -(e)d se pronuncia generalmente como [t]: *passed* [pɑːst], *faced* [feist]; pero cuando se añade a un infinitivo que termina en consonante sonora o en sonido consonántico sonoro o en *r*, se pronuncia como [d]: *warmed* [wɔːmd], *moved* [muːvd], *feared* [fiad]. Si el infinitivo termina en -d o -t, la desinencia -ed se pronuncia [id]. Si el infinitivo termina en -y, ésta se cambia en -ie antes de añadirse la -d: *try–tried* [traid], *pity–pitied* ['pitid]. **Los tiempos compuestos del pasado** se forman con el verbo auxiliar *have* y el participio de pasado, como en español: **perfecto** *I have faced*, **pluscuamperfecto** *I had faced*. Con el verbo auxiliar *will* (*shall*) y el infinitivo se forma **el futuro**, p.ej. *I shall face*, y con el verbo auxiliar *would* (*should*) y el infinitivo se forma **el condicional**, p.ej. *I should face*.

En cada tiempo existe además una forma continua, que se forma con el verbo *be* (= estar) y el participio de presente (*v. abajo*): *I am going, I was writing, I had been staying, I shall be waiting*, etc.

2. **El subjuntivo** ha dejado casi de existir en inglés, salvo en algún caso especial (*if I were you, so be it, it is proposed that a vote be taken*, etc.). En el presente, tiene en todas las personas la misma forma que el infinitivo, *that I go, that he go*, etc.

3. **El participio de presente** y **el gerundio** tienen la misma forma en inglés, añadiéndose al infinitivo la desinencia -*ing*: *painting, sending*. Pero 1) Los verbos cuyo infinitivo termina en -e la mudan al añadir -*ing*, p.ej. *love–loving, write–writing* (excepciones que conservan la -e: *dye–dyeing, singe–singeing, shoe–shoeing*); 2) El participio de presente de los verbos *die, lie, vie* etc. se escribe *dying, lying, vying* etc.

4. Existe una clase de verbos ligeramente irregulares, que terminan en consonante simple precedida de vocal simple acentuada; en éstos, antes de añadir la desinencia *-ing* o *-ed*, se dobla la consonante:

to lob	lob*bed*	lob*bing*
to wed	wed*ded*	wed*ding*
to beg	beg*ged*	beg*ging*
to step	step*ped*	step*ping*
to quit	quit*ted*	quit*ting*
to compel	compel*led*	compel*ling*
to control	control*led*	control*ling*
to bar	bar*red*	bar*ring*
to stir	stir*red*	stir*ring*

Los verbos que terminan en *-l*, *-p*, aunque precedida de vocal átona, tienen doblada la consonante en los dos participios en el inglés escrito en Gran Bretaña, aunque no en el de Estados Unidos:

to travel	travel*led*	travel*ling*
	Am. traveled	*Am.* traveling
to worship	worship*ped*	worship*ping*
	Am. worshiped	*Am.* worshiping

Los verbos que terminan en *-c* la cambian en *-ck* al añadirse las desinencias *-ed*, *-ing*:

to traffic	traffic*ked*	traffic*king*

5. **La voz pasiva** se forma exactamente como en español, con el verbo *be* y el participio de pasado: *I am obliged*, *he was fined*, *they will be moved*, etc.

6. Cuando se dirige uno directamente a otra(s) persona(s) en inglés se emplea únicamente el pronombre *you*, con las formas correspondientes del verbo (2ª persona del plural). *You* traduce por tanto el *tú*, *vosotros*, *usted* y *ustedes* del español. La segunda persona del singular en inglés (*thou*) no se emplea más que dialectalmente o en el rezo.

b) Los verbos irregulares ingleses

Se citan las tres partes principales de cada verbo: infinitivo, pretérito, participio de pasado.

abide - abode - abode
arise - arose - arisen
awake - awoke - awoke, awaked
be (am, is, are) - was (were) - been
bear - bore - borne (*llevado*), born (*nacido*)
beat - beat - beaten, beat
become - became - become
beget - begot, † begat - begotten
begin - began - begun
belay - belayed, belaid - belayed, belaid
bend - bent - bent
bereave - bereaved, bereft - bereaved, bereft
beseech - besought - besought
bestrew - bestrewed - bestrewed, bestrewn
bestride - bestrode - bestridden
bet - bet, betted - bet, betted
bid - bade, bid - bidden, bid
bind - bound - bound
bite - bit - bitten
bleed - bled - bled
blow - blew - blown
break - broke - broken
breed - bred - bred
bring - brought - brought
build - built - built
burn - burnt, burned - burnt, burned
burst - burst - burst
buy - bought - bought
can - could
cast - cast - cast
catch - caught - caught
chide - chid - chid, chidden
choose - chose - chosen
cleave - clove, cleft - cloven, cleft
cling - clung - clung
clothe - clothed, *lit.* clad - clothed, *lit.* clad
come - came - come
cost - cost - cost
creep - crept - crept
cut - cut - cut
dare - dared, † durst - dared
deal - dealt - dealt
dig - dug - dug
do - did - done
draw - drew - drawn
dream - dreamt, dreamed - dreamt, dreamed

drink - drank - drunk
drive - drove - driven
dwell - dwelt - dwelt
eat - ate - eaten
fall - fell - fallen
feed - fed - fed
feel - felt - felt
fight - fought - fought
find - found - found
flee - fled - fled
fling - flung - flung
fly - flew - flown
forbear - forbore - forborne
forbid - forbad(e) - forbidden
forget - forgot - forgotten
forgive - forgave - forgiven
forsake - forsook - forsaken
freeze - froze - frozen
geld - gelded, gelt - gelded, gelt
get - got - got, *Am.* gotten
gild - gilded, gilt - gilded, gilt
gird - girded, girt - girded, girt
give - gave - given
go - went - gone
grave - graved - graved, graven
grind - ground - ground
grow - grew - grown
hang - hung, ⚓ hanged - hung, ⚓ hanged
have - had - had
hear - heard - heard
heave - heaved, ⚓ hove - heaved, ⚓ hove
hew - hewed - hewed, hewn
hide - hid - hidden, hid
hit - hit - hit
hold - held - held
hurt - hurt - hurt
keep - kept - kept
kneel - knelt, kneeled - knelt, kneeled
knit - knitted, knit - knitted, knit
know - knew - known
lade - laded - laded, laden
lay - laid - laid
lead - led - led
lean - leaned, leant - leaned, leant
leap - leaped, leapt - leaped, leapt
learn - learned, learnt - learned, learnt
leave - left - left
lend - lent - lent
let - let - let
lie - lay - lain

light - lighted, lit - lighted, lit
lose - lost - lost
make - made - made
may - might
mean - meant - meant
meet - met - met
mow - mowed - mowed, mown
must - must
falta el presente - **ought**
pay - paid - paid
pen - penned, pent - penned, pent
put - put - put
read [ri:d] - read [red] - read [red]
rend - rent - rent
rid - rid - rid
ride - rode - ridden
ring - rang - rung
rise - rose - risen
rive - rived - riven
run - ran - run
saw - sawed - sawn, sawed
say - said - said
see - saw - seen
seek - sought - sought
sell - sold - sold
send - sent - sent
set - set - set
sew - sewed - sewed, sewn
shake - shook - shaken
shall - should
shave - shaved - shaved, (*mst adj.*) shaven
shear - sheared - shorn
shed - shed - shed
shine - shone - shone
shoe - shod - shod
shoot - shot - shot
show - showed - shown
shred - shredded - shredded, shred
shrink - shrank - shrunk
shut - shut - shut
sing - sang - sung
sink - sank - sunk
sit - sat - sat
slay - slew - slain
sleep - slept - slept
slide - slid - slid
sling - slung - slung
slink - slunk - slunk
slit - slit - slit
smell - smelt, smelled - smelt, smelled

smite - smote - smitten
sow - sowed - sown, sowed
speak - spoke - spoken
speed - sped, ⊕ speeded - sped, ⊕ speeded
spell - spelt, spelled - spelt, spelled
spend - spent - spent
spill - spilt, spilled - spilt, spilled
spin - spun, span - spun
spit - spat - spat
split - split - split
spoil - spoiled, spoilt - spoiled, spoilt
spread - spread - spread
spring - sprang - sprung
stand - stood - stood
stave - staved, stove - staved, stove
steal - stole - stolen
stick - stuck - stuck
sting - stung - stung
stink - stunk, stank - stunk
strew - strewed - (have) strewed, (be) strewn
stride - strode - stridden
strike - struck - struck
string - strung - strung
strive - strove - striven
swear - swore - sworn
sweep - swept - swept
swell - swelled - swollen
swim - swam - swum
swing - swung - swung
take - took - taken
teach - taught - taught
tear - tore - torn
tell - told - told
think - thought - thought
thrive - throve - thriven
throw - threw - thrown
thrust - thrust - thrust
tread - trod - trodden
wake - woke, waked - waked, woke(n)
wear - wore - worn
weave - wove - woven
weep - wept - wept
wet - wetted, wet - wetted, wet
will - would
win - won - won
wind - wound - wound
work - worked, ⊕ wrought - worked, ⊕ wrought
wring - wrung - wrung
write - wrote - written